LES

FINANCES PONTIFICALES

A L'ÉPOQUE DU GRAND SCHISME D'OCCIDENT

1378-1409

BIBLIOTHÈQUE DES ÉCOLES FRANÇAISES D'ATHÈNES ET DE ROME
FASCICULE DEUX-CENT-ONZIÈME

LES
FINANCES PONTIFICALES

A L'ÉPOQUE
DU GRAND SCHISME D'OCCIDENT
1378-1409

PAR

Jean FAVIER

ARCHIVISTE PALÉOGRAPHE
AGRÉGÉ DE L'UNIVERSITÉ
ANCIEN MEMBRE DE L'ÉCOLE
FRANÇAISE DE ROME

ÉDITIONS E. DE BOCCARD, 1, RUE DE MÉDICIS, PARIS

1966

Delumeau. Mais, sur la période de crise qui précéda les réformes de Martin V, un voile noir demeurait tiré.

La documentation elle-même était, et reste, en grande partie inédite. La période dite « d'Avignon » finit en 1378 ; ainsi en avait décidé le partage international pour la publication des lettres des papes. A la France, les lettres des papes d'Avignon jusqu'à Grégoire XI, à l'Allemagne les lettres de leurs successeurs, mais dans le cadre géographiquement limité du *Repertorium germanicum*. Les publications belges adoptaient à leur tour ce propos national. Les lettres des papes du Grand Schisme, celles qui concernent la France en particulier, étaient donc exclues de toute publication systématique. Les comptes de la Trésorerie de Clément VII et de Benoît XIII sont encore, à ce jour, hors de l'entreprise de la *Görresgesellschaft*. La correspondance administrative des camériers, enfin, quoique utilisée avec bonheur par MM. Samaran, Mollat et Baix, demeurait inédite.

L'histoire politique du Schisme, au contraire, n'est plus à faire. Depuis trois siècles, elle a tenté les juristes gallicans. Les historiens modernes nous ont procuré des études exhaustives sur lesquelles il n'est pas question de revenir. Après Noël Valois, après Mgr. Martin, après MM. Edouard Perroy, Michel de Boüard, Edmond-René Labande, Paul Ourliac, Luis Suarez Fernandez, José Zunzunegui et tant d'autres, il n'y a plus grand chose à ajouter. Certains de ces travaux ont même fait place aux problèmes financiers : Valois, parce qu'il avait vu toute la documentation camérale, M. Perroy, parce que les relations entre Richard II et les papes romains touchent bien souvent aux questions fiscales. Cet aspect de l'histoire du Schisme n'était donc pas inexploré, mais il nous est apparu qu'une étude particulière pouvait encore lui être consacrée.

**

Notre travail a ses limites. Les unes sont notre fait, les autres nous ont été imposées par la documentation.

Embrasser l'histoire des finances pontificales des deux, puis des trois obédiences, pendant tout le Grand Schisme eut été souhaitable. Pourquoi avons-nous adopté le terme de 1409 ? Tout d'abord pour ne pas donner à ce livre une trop grande ampleur. Ensuite parce que les problèmes sont très différents avant et après le concile de Pise. Avant, ce sont deux papautés rivales et égales en force. Après, ce sont trois papautés dont l'une — celle d'Alexandre V et de Jean XXIII — semble l'emporter cependant que Grégoire XII et Benoît XIII voient leur obédience se réduire à Rimini et à Peñiscola. Les bases de la division de la Chrétienté sont différentes ; les problèmes financiers le sont assurément. Ce pourrait être l'objet d'un autre livre, que nous ne désespérons pas d'écrire un jour.

A MA FEMME

INTRODUCTION

Le Grand Schisme d'Occident a divisé la Chréti
1417. Il a divisé les cœurs. Il a aussi divisé les revenu
Or, à la veille de l'élection contestée de 1378, ces rev
à peine. Déjà, les papes d'Avignon devaient faire
des princes et à celui des banques. Qu'allait-il adve
pautés rivales, dont chacune n'héritait qu'une par
pontificales mais dont chacune devait assumer ur
cière que l'on pouvait supposer égale à celle d'l
Grégoire XI ? L'Italie n'était guère pacifiée, les d
ou de l'autre curie équivalaient bien à celles de
unique, le poids financier de la diplomatie n'all
au moment où il fallait convaincre les princes et
lités. L'un des papes avait à garder Rome, l'autr
Au regard de ces charges, la masse des contribua
en deux — plus tard en trois — et d'autant moi
buer que paraissait plus chancelante la position
et de l'autre pape.

Comment, avec des moyens réduits de moitié, l
Schisme ont-ils fait face à des charges accrues ?
tion qui fut le point de départ de ce livre.

Les finances pontificales à l'époque du Gran
dent n'avaient guère, jusqu'ici, excité la curios
Yves Renouard notait avec réalisme, dans son
*relations des papes d'Avignon et des compagni
bancaires de 1316 à 1378*, que la situation financ
bancaires étaient bouleversées par la double é
que, au delà, c'était un autre travail qu'il fal
qu'il ne s'était point proposé de faire. De me
déjà ancien mais toujours utile sur *La fiscalité p
au XIVe siècle*, MM. Samaran et Mollat ne pe
très irrégulièrement leurs investigations apr
extrême de leur entreprise étant la mort de Cl
Leur propos, d'ailleurs, excluait toute référ
romaine et toute étude des problèmes partic
Schisme.

Au delà de 1414, on y voyait à nouveau clai
d'Adolf Gottlob, de Clement Bauer, de Fran

Ce que nous étudions ici, ce sont donc les finances des deux papautés dites de Rome et d'Avignon jusqu'au moment de leur effondrement simultané.

L'objet même de ce livre a été volontairement limité. La question bénéficiale a été laissée de côté, non que nous y vissions un problème fondamentalement étranger à l'histoire des finances, mais parce que nombre d'historiens, des juristes en particulier, en ont traité avec plus de compétence que nous n'aurions su le faire nous-même. Les travaux de Mgr. Mollat, de MM. Jean Gaudemet, Paul Ourliac et Bernard Guillemain ont fait le point sur les collations pontificales, sur les expectatives, sur la régale, sur les solutions adoptées pendant les soustractions d'obédience. Quant à M. Perroy, il a rapporté les incessants marchandages autour du statut des proviseurs. Nous n'y sommes pas revenu.

Nous n'avons pas compris notre travail comme une contribution à l'histoire locale, pas plus celle de l'Italie que celle d'Avignon et du Comtat venaissin. L'administration des territoires pontificaux ne trouve donc aucune place dans ce livre. Les ouvrages de Claude Faure pour le Comtat, de Jean Guiraud et de Peter Partner pour l'Italie pontificale, le travail — en préparation — de Jean Glénisson, voilà qui nous dispensait d'ajouter une ligne inutile à l'étude de l'administration seigneuriale du pape, sans pour autant nous empêcher d'envisager les revenus de ces états et d'en analyser l'emploi.

L'histoire économique du Schisme était-elle à faire ? Aux premiers temps de nos recherches, nous le pensions. Il nous est lentement apparu que la division de la Chrétienté n'avait guère eu de conséquences pour l'économie européenne. En ont souffert ou bénéficié les provinces directement intéressées à la présence du pape : Rome, le Comtat, peut-être la Provence occidentale et le Dauphiné. Les pertinentes remarques de M. Guillemain sur l'influence régionale de la présence pontificale demeurent certainement valables pour le temps du Schisme. Ont aussi été affectées les compagnies commerciales et bancaires en relations avec la papauté. Yves Renouard avait montré l'effet de l'hostilité entre Grégoire XI et Florence ; l'impossibilité de trafiquer à la fois à Rome et à Avignon ne pouvait que perturber les grandes compagnies toscanes et lombardes. Nous avons montré ce que l'on discernait de l'attitude des Medici ; pour les autres, l'absence de documentation laisserait le champ libre à de simples conjectures, auxquelles nous n'avons pas voulu nous hasarder. En définitive, il ne semble pas que l'économie occidentale ait été affectée par le Schisme.

Une dernière limite, très floue celle-là, s'est imposée à nous. Elle touche à la nature des diverses impositions pontificales. Etait-il nécessaire de reprendre, après tant d'autres et en particulier après

Fr. Baix, l'étude des fondements canoniques et de l'origine historique de l'annate ? Nous ne l'avons pas cru. Devions-nous, pour autant, renoncer à étudier l'obligation pour les communs services, fort insuffisamment analysée par Clergeac, ou la jurisprudence en matière de dépouilles, mal étudiée malgré la voie ouverte voici soixante ans par M. Samaran ? Nous avons donc adopté un parti assez souple qui consistait à nous attarder sur les problèmes auxquels nous pouvions apporter une contribution et à passer sur ceux dont nous n'avions rien à dire qui fût vraiment nouveau.

Les limites que nous imposait l'état de la documentation étaient autrement faciles à définir, autrement difficiles à accepter. En bref, nous avions l'essentiel des archives camérales pour l'obédience d'Avignon ; pour celle de Rome nous n'avions presque rien. Nous en ferons un rapide inventaire.

Des archives avignonnaises, nous sont parvenus les comptes de la Trésorerie pour quinze des seize années du pontificat de Clément VII, pour six des quinze années que nous étudions du pontificat de Benoît XIII. Si l'on retranche les cinq années de soustraction d'obédience, il nous reste vingt-et-un comptes pour vingt-six ans. De même disposons-nous de dix-neuf comptes de collecteurs, auxquels il faut joindre diverses quittances qui nous fournissent les chiffres globaux de comptes disparus. Certains des comptes conservés couvrent une période relativement longue : un compte de seize ans pour la collectorie du Puy, un de douze ans pour celle d'Elne, dix-neuf ans en quatre comptes pour celle de Rodez, pour ne citer que les circonscriptions les plus favorisées. Egalement conservés, et en quasi-totalité, sont les comptes rendus annuellement par le trésorier du Comtat venaissin.

Les livres de la Chambre apostolique proprement dite nous sont également parvenus en grand nombre. La série des obligations pour les communs services est presque continue ; de même celle des registres de quittances concernant cette imposition. Malgré quelques lacunes, les registres de la correspondance administrative du camérier sont une source documentaire de premier ordre. Les registres des bulles, enfin, comprennent de nombreux cahiers de lettres expédiées par la Chambre. Ce sont donc plusieurs milliers de lettres émanant du pape, du camérier, des lieutenants du camérier, voire du trésorier, qui nous renseignent sur l'activité des gens de la Chambre, sur leurs exigences et sur leurs difficultés.

Au regard de ces archives avignonnaises, de quoi disposons-nous pour Rome ? Avant tout, d'un enregistrement à peu près continu des bulles envoyées par la Chambre, ce qui ne signifie nullement qu'il soit exhaustif. Ensuite, de registres d'obligations pour les communs services, de deux registres de quittances concernant ces services et d'un registre de lettres du camérier. De deux comptes de collecteurs, enfin : l'un de trente, l'autre de quatre feuillets.

On voit les défauts d'une telle documentation. Pour Avignon, ils touchent aux comptes des collecteurs. Nous n'avons les comptes d'aucune collectorie pour *toute* la période 1378-1409. Nous n'avons les comptes de toutes les collectories pour aucune période, si brève fût-elle. Aussi est-il impossible, sinon par extrapolation et avec tous les risques que cela comporte, de présenter des finances avignonnaises le bilan précis — coupe transversale — et le profil exact d'évolution — coupe longitudinale — que nous aurions tant aimé dresser. Ajoutons que, pour rendre plus difficiles les extrapolations, nous n'avons aucun compte de certaines collectories, et non des moindres : Paris, Tours, Bourges et Lyon.

Pour Rome, c'est un désastre archivistique. Pas de comptes, pas de quittances du trésorier, peu de lettres du camérier. Sur l'activité de la Trésorerie, aucune information. Sur celle de la plupart des collecteurs et des trésoriers provinciaux, aucun chiffre.

Malgré quelques compléments de documentation puisés dans les archives des compagnies bancaires en rapports avec la Chambre apostolique romaine, Medici, Guinigi et Capponi, il nous était impossible de traiter de manière équitable des deux obédiences. De l'une nous savons presque tout, de l'autre presque rien.

Ce déséquilibre n'a pas laissé de nous préoccuper. Longtemps, nous avons hésité sur la définition de notre travail, sur l'objet même de ce livre. Lorsque fut achevé le dépouillement des archives vaticanes, le découragement l'emporta pendant plusieurs années et nous nous acheminâmes vers une étude limitée à la seule papauté d'Avignon. Avec son libéralisme coutumier, notre maître Yves Renouard nous laissa abandonner les papes de Rome, mais nos regrets étaient les siens. Regrets d'avoir amassé, quand même, une documentation non négligeable. Regrets, surtout, de devoir renoncer à la part la plus intéressante de l'étude financière du Schisme.

C'est alors que nous entreprîmes de rédiger ce livre. Dès les premiers chapitres, se présentèrent des problèmes sur lesquels nous savions qu'il existait quelques indices permettant la comparaison entre les deux obédiences. La comparaison, mais non l'équilibre dans notre travail. Nous avons finalement décidé de tenter la comparaison dans le déséquilibre.

Que l'on n'attende donc pas le plan net, le parallélisme qu'eût voulu le sujet, mais qu'interdisaient les sources. La solution que nous avons adoptée tient à nos possibilités, non aux exigences de la raison. Sur chaque point, nous avons mené notre étude en prenant appui sur l'obédience d'Avignon, y joignant les quelques observations que l'on pouvait faire sur celle de Rome. Les comparaisons que nous avons pu tenter sont, le plus souvent, qualitatives. On regrettera que les comparaisons quantitatives soient aussi rares ; nous l'avons regretté avant quiconque, et plus que quiconque. De même avons-nous dû renoncer à traiter de certaines questions — la répartition de la dette, les arrérages fiscaux, par exemple — pour la Chambre romaine. Nul plus que nous ne sait combien ces lacunes nuisent à l'intérêt de notre travail.

Tel qu'il est, celui-ci ne satisfait guère l'esprit. Nous le présentons quand même. Peut-être pensera-t-on, avec la même indulgence que notre premier lecteur, Yves Renouard, que mieux valait une analyse disharmonieuse que l'analyse unilatérale d'une réalité à deux faces.

**

Les deux premières parties de ce livre sont consacrées aux structures et aux moyens. Il importait de montrer tout d'abord quels étaient les moyens administratifs et humains de la politique financière. Cela nous paraissait la base indispensable d'une étude d'histoire financière. A mesure que nous avancions dans nos recherches, il nous est apparu que, dans le cas des papes du Schisme, bien des difficultés et bien des dissemblances reposaient avant tout sur la personnalité et sur l'attitude de quelques hommes, sur l'efficacité de quelques institutions et la fidélité de quelques officiers. Ce n'était plus une base, c'étaient des prémisses.

Nous avons ensuite passé en revue les différents revenus pontificaux, leur usage dans les deux obédiences, leurs limites, leur rapport absolu et relatif. Nous avons montré l'ampleur et les moyens de la résistance à la fiscalité. A l'occasion, nous avons discerné la pression exercée par la Chambre sur les contribuables ou les complaisances manifestées envers certains dont la fidélité pouvait être à l'encan. On l'a dit, l'importance donnée à chaque imposition et à chaque exaction tient essentiellement à ce que nous pouvions apporter, non au revenu net. Le nombre des pages n'est pas proportionnel au nombre de florins.

Le mouvement des fonds nous a longuement retenu. Il fallait en effet établir à quelles fins et par quels procédés était dépensé, assigné ou transféré l'argent des papes. Ce fut l'occasion de voir ce qu'étaient au temps du Schisme les relations des deux Chambres apostoliques et des compagnies commerciales et bancaires. Parce qu'elle touchait à ces relations, parce que, aussi, le transfert des fonds n'était souvent qu'une forme de crédit et le crédit un moyen de transfert, nous y avons adjoint l'étude des emprunts.

Aucun chapitre particulier n'a été consacré aux dépenses ordinaires. Les résultats n'en eussent été que fallacieux. Les chiffres que laissent apparaître les comptes de la Trésorerie sont ceux de la part de ces dépenses qui n'était ni assignée sur des recettes particulières, ni payée à terme aux officiers ayant fait l'avance des fonds nécessaires à leur office. Nous l'avons montré. Cela nous dispensait de citer les chiffres, dénués de signification, des dépenses enregistrées au titre de la Paneterie ou de la Cuisine. Pour les gages des officiers, on se reportera avec profit à ce qu'en a écrit M. Guillemain ; le Schisme n'a, à cet égard, rien changé.

Les dépenses extraordinaires, au contraire, sont toutes différentes. Les problèmes politiques ont en effet, surtout pour le pape d'Avignon, un nouvel aspect. Le lien entre les papes et les princes laïques se trouve considérablement renforcé par l'épreuve du Schisme et la volonté de recourir à la *voie de fait*. Aux paroxysmes de la voie de fait correspondent des crises financières dues à la surcharge des dépenses. Mais c'est en fin de compte l'échec, et voici que l'emportent les partisans de la *voie de cession* qui deviendra, en raison de l'entêtement pontifical, la *voie de soustraction*. A leurs succès correspondent des crises d'un autre type, dues à la diminution des recettes.

Toutes ces crises, parfois patentes, quelque fois latentes et seulement discernables par l'étude des comportements collectifs, ont conduit les papes à l'usage d'expédients plus ou moins ingénieux, fort différents selon les obédiences parce que fondés sur des ressources virtuelles différentes. A ces crises et à ces expédients nous avons consacré la dernière partie de ce livre. Elle constitue l'étude de la conjoncture financière, si l'on peut employer le terme pour un objet aussi limité. Après l'étude transversale des trois premières parties, c'est l'étude longitudinale, le profil historique. Celui-ci ne pouvait venir qu'en dernier car, si le recours aux expédients tient à la nécessité des dépenses, la possibilité de ce recours tient, elle, à la structure politique, institutionnelle et financière de chaque obédience. De cette reprise, sous un aspect évolutif, de problèmes déjà envisagés d'un point de vue structural, résultent un certain nombre de redites que nous n'avons pas cru devoir éviter. Pour un même problème, quel qu'en fût l'environnement, il nous a fallu donner parfois les mêmes exemples. Nous avons pensé que de simples allusions ne satisferaient pas le lecteur de nos derniers chapitres.

C'est à Robert Fawtier que je dois de m'être engagé dans les voies austères de l'histoire financière. Il avait critiqué mes premiers travaux, encouragé mes premières recherches. De sa bienveillance, de son amitié sans vaine complaisance, je savais tout le prix. Puisse ce livre n'en être pas indigne.

Il m'eût été agréable d'exprimer ma reconnaissance à Yves Renouard. C'est un douloureux devoir que de saluer ici sa mémoire. Il n'a jamais été, ni dans le choix du sujet, ni dans l'élaboration de ce travail, le directeur qui impose sa volonté. Il a toujours été le conseiller discret qui encourage et qui suggère. Nul ne dira jamais assez quel respect il portait au travail de ceux qui se confiaient à lui.

Une conversation avec M. Michel Mollat est à l'origine de mes recherches ; depuis, ses conseils ne m'ont pas fait défaut, et je lui en exprime ma vive gratitude, qui vient renforcer un quart de siècle de respectueux attachement.

A ceux qui furent mes maîtres et voulurent bien me faire les plus fructueuses observations, à M. Edouard Perroy, qui m'a parfois amené à modifier des positions, à M. Robert Boutruche, qui m'a permis de soumettre mes premières conclusions à l'épreuve féconde de ses conférences de l'Ecole des Hautes Etudes, je dis aussi ma reconnaissance.

Elle va également vers ceux qui, en me faisant profiter du double avantage d'un séjour à l'Ecole française de Rome et d'un détachement ultérieur au Centre national de la Recherche scientifique, m'ont ménagé les années de sérénité grâce auxquelles ce travail a pu voir le jour en quelque dix ans. C'est dire ce que je dois à mes maîtres de l'Ecole des chartes et de la Sorbonne.

Citer ceux qui ont répondu, avec une complaisance qui m'a souvent confondu, à mes sollicitations est un devoir bien agréable. MM. Federigo Melis et Sergio Camerani furent pour moi des guides précieux. Mes confrères et amis Robert-Henri Bautier, Jean Glénisson, Didier Ozanam et Michel Hayez, mes camarades et collègues Pierre Toubert et Philippe Contamine m'ont, en quelque occasion, rendu un service ou donné un conseil dont je sais tout le prix et dont je les remercie.

Il est, enfin, juste de dire ici ce que je dois à ma famille. A ma mère, qui guida ma curiosité d'enfant sur les voies de l'histoire. A ma femme, compagne de mes études et témoin discret de mes recherches, grâce à qui j'ai trouvé dans la vie familiale, dont elle me laissait les joies en prenant sur elle bien des soucis, le plus puissant et le plus agréable des réconforts.

SOURCES MANUSCRITES

ARCHIVES DU VATICAN

Les séries ayant été constituées au xviiie siècle d'une manière tout à fait arbitraire, il nous a semblé préférable, pour présenter notre source essentielle de documentation, de procéder à un regroupement. Si l'on veut se rendre compte de l'état actuel du fonds caméral, on pourra consulter :

GUIDI (Pietro), *Inventario del fondo camerale*. Ex. dactyl. consultable aux Archives du Vatican.

LOYE (Joseph de), *Les archives de la Chambre apostolique au XIVe siècle*. Paris, 1899. (Bibl. des Ecoles françaises d'Athènes et de Rome, fasc. 80).

GIUSTI (Martino), *I Registri Vaticani e le loro provenienze originarie*, dans les *Miscellanea archivistica Angelo Mercati*, Vatican, 1952 (Studi e testi, vol. 165), p. 383-459.

Signalons en outre que, depuis 1962, l'administration des Archives du Vatican publie une *Bibliografia dell'Archivio Vaticano* (2 vol. parus), où sont recensés les travaux faits à partir de documents conservés dans ce dépôt.

Avant de présenter l'état organique du fonds pour la période qui nous intéresse, nous indiquerons brièvement l'étendue de nos dépouillements.

Ont été utilisés les documents suivants :

Registres d'Avignon : 220 à 337, et le n° 110, qui devrait être le 246.

Registre du Vatican : 291 à 337, et 347.

Registres du Latran : 13, 25, 33, 34, 37, 40, 41, 45, 57, 68, 70, 75, 103 et 115.

Introitus et exitus : 266, 318, 323, 324, 337, 338, 350 à 363, 365 à 376.

Collectorie : 21 à 23, 35 à 37, 39 à 43, 72, 83 à 86, 90, 91, 122, 123, 152, 158 à 160, 189, 191 à 195, 203, 237, 266 à 273, 357 à 362, 364 à 366, 368 à 372, 374, 377, 393 à 395, 435, 439, 454, 486 et 501.

Obligatines et solutiones : 43 à 50, 52, 52 A, 55 et 57.

Obligationes communes : 1.

Diversa cameralia : 1 et 2.

Armaria : XXXI, 34 à 36 ; XXXIII, 12, 18 à 29, 31 et 33 ; XXXV, 15.

Instrumenta miscellanea : tous les documents signalés par l'inventaire chronologique.

I. — ARCHIVES DE L'OBÉDIENCE D'AVIGNON

A. — **Comptes**

Comptes de la Trésorerie

Intr. ex. 318 : 1365.
     323 : 1367.
     343 : 1375.
     350 : oct. 1378 - oct. 1379 (Avignon).
     351 : déc. 1378 - mai 1379 (Italie).
     353 : juil. 1379 - avril 1380, livre du trésorier.
     352 : nov. 1379 - juin 1380, livre du receveur.
     354 : nov. 1380 - nov. 1381.
     355 : nov. 1381 - juin 1382.
     356 : août 1382 - août 1383.
    '337 : nov. 1383 - nov. 1384, livre de Nicolas de Mauregart.
     338 : nov. 1383 - nov. 1384, livre du trésorier.
     359 : nov. 1384 - oct. 1385.
     360 : nov.   1385 - oct.   1386.
     361 :   *id.*
     362 : nov. 1386 - oct. 1387.
     363 :   *id.*
     365 : nov. 1388 - oct. 1389.
     366 : nov. 1389 - oct. 1390.
     367 : nov. 1390 - oct. 1391.
     368 :   *id.*
     369 : nov. 1391 - oct. 1392.
     370 : nov. 1392 - oct. 1393.
     371 : nov. 1393 - oct. 1394 (ordre méthodique, incomplet).
     372 : nov. 1395 - oct. 1396 (*id.*).
     374 : oct. 1396 - sept. 1397.
     375 : oct. 1397 - août 1398 (ordre méthodique).

Instr. misc. 3356 et 5151 : 1398-1400.

Reg. Av. 321, fol. 6-301 : août 1404 - oct. 1405.

Intr. ex. 376 : oct. 1404 - oct. 1405.

Reg. Av. 328, fol. 115-328 : oct. 1406 - oct. 1407.
     331, fol. 206-515 : oct. 1407 - oct. 1408.
     339, fol. 171-409 : oct. 1411 - oct. 1412.

Comptes particuliers

Fragments de comptes de la Trésorerie (rouleaux) : *Coll.* 377 et 435.
                                  Instr. misc. 3337 et 3690.
Claverie de la cour temporelle d'Avignon : *Coll.* 39 (1385-1386).
                                  41 et 42 (1388-1389).
Bouteillerie : *Reg. Av.* 320, fol. 44 (1397).
Dettes envers des marchands avignonnais : *Instr. misc.* 3712.
Compte de Jacques d'Esparron : *Reg. Av.* 325, fol. 445-482 (1405).

Galées armées à Séville (1383-1384) : *Coll.* 122, fol. 166-168.

Paiements aux Angevins : *Reg. Av.* 220, fol. 377.

231, fol. 7-16 (récapitulation de *Intr. ex.* 356).

242, fol. 352-374.

296, fol. 17-24.

321, fol. 488-491.

325, fol. 134-190.

Arm. XXXIII, 27 (revenus de l'Eglise en Provence 1400-1404).

Instr. misc. 3530, 4749 et 5272.

Divers : *Inst. misc.* 3528.

Comptes des Collecteurs

PARIS : assignations d'A. Jausserand dans les bulles des 31 mai 1382 (*Instr. misc.* 3114 ; *Coll.* 359 A, fol. 209 v⁰-211 r⁰) et 10 octobre 1382 (*Coll.* 359 A, fol. 241 v⁰-243 r⁰).

REIMS : assignations de J. Maubert dans la lettre du camerier du 17 décembre 1387 (20 févr. 1383 - 18 nov. 1387) (*Reg. Av.* 275, fol. 5-8).

arrérages vers 1388 : *Coll.* 191.

compte de J. de Champigny (1ᵉʳ août 1388 - 1ᵉʳ août 1390) : *Coll.* 192.

arrérages vers 1390 : *Coll.* 193.

compte de J. de Champigny (1ᵉʳ août 1390 - 1ᵉʳ août 1393) : *Coll.* 194.

arrérages vers 1397 : *Coll.* 189.

compte de J. de Dole (30 août 1403 - 1ᵉʳ mars 1407) : *Coll.* 195.

BOURGES : comptes de sous-collecteurs (1390-1395) : *Coll.* 83. — C'est par erreur que dc Loye (*op. cit.*, p. 130) a signalé, sur la foi de la reliure, un compte du coll. de Bourges sous la cote *Coll.* 91.

LYON : arrérages vers 1390 : *Coll.* 273.

LE PUY : compte de P. de Cros (6 juin 1382 - 1398) : *Coll.* 85.

RODEZ : compte de R. de Senans (10 juil. 1381 - 9 juil. 1386) : *Coll.* 84.

compte de R. de Senans (10 juil. 1386 - 1ᵉʳ janv. 1397) : *Coll.* 86.

compte de R. de Senans (1ᵉʳ janv. - été 1397) : *Coll.* 90.

compte de P. Brengas (13 août 1403 - 5 avril 1407) : *Coll.* 91.

BORDEAUX : compte de P. de Mortiers (25 nov. 1382-1388) : *Coll.* 37.

TOULOUSE : compte d'A. Pellicier (1377-1382, incomplet) : *Coll.* 237.

bilan de P. du Pont dans la lettre du camérier du 20 décembre 1406 (11 juil. 1396 - 12 mai 1406) (*Reg. Av.* 325, fol. 568-570).

AUCH : compte de S. de Bourguerol (19 oct. 1382 - 31 oct. 1385) : *Coll.* 35 et 36.

PROVENCE : compte de J. Joly (sept. 1386-mars 1391) : *Coll.* 21.

compte de S. de Prades (26 août 1402 - 25 déc. 1405) : *Coll.* 22 et 23.

NARBONNE : compte d'A. André (30 nov. 1377 - 24 déc. 1380) : *Coll.* 158.
compte de J. Martin (13 août 1403 - 1er avril 1406) : *Coll.* 159.
compte des vacants de Béziers (23 mai 1403 - 31 déc. 1406) : *Coll.* 72.

ELNE : compte de J. de Rivesaltes (1er déc. 1393 - 1er nov. 1405) : *Coll.* 160.

SARDAIGNE : compte de M. da Rapazzo (3 juil. 1396-1400) : *Coll.* 486, fol. 2-28.

ARAGON : compte de G. Boudreville (12 mars 1387-1392) : *Coll.* 122, fol. 197-229.
comptes de B. Ribalta (25 sept. 1400 - 24 sept. 1402) : *Coll.* 123.

BURGOS : compte de G. Boudreville (25 mars 1384 - 26 févr. 1387 : *Coll.* 122, fol. 1-122.

Comptes du Trésorier du Comtat Venaissin

Comptes ordinaires.

Comptes de B. Vincent : 1380-1382 : *Coll.* 266.
1382-1385 : *Coll.* 267, fol 1-230.
1386-1389 : *Coll.* 268.
1389-1393 : *Coll.* 269.
1393-1396 : *Coll.* 270.
1396-1398 : *Coll.* 271, fol. 1-80.

Comptes de Th. de la Merlie : 1398-1400 : *Coll.* 271, fol. 144-221.
1400-1403 : *Coll.* 272, fol. 1-50.

Comptes de B. Vincent : 1403-1406 : *Coll.* 271, fol. 83-138.

Comptes des tailles.

Tailles de 1380 à 1389 : *Coll.* 267, fol. 232-316.
Taille de 1392   : *Coll.* 269, fol. 276-287.

B. — Obligations pour les communs services

1376-1388 : *Reg. Av.* 279, fol. 13-229.
1378-1398 : *Obl. sol.* 43, fol. 57-177.
1388-1403 : *Obl. sol.* 49, fol. 26-146 et 160.
1403-1404 : *Obl. sol.* 49, fol. 147-153.
1404-1405 : *Obl. sol.* 43, fol. 182-183.

C. — Lettres

Bulles

Littere de curia ou *per Cameram.*

Reg. Av. 220, fol. 7-82   : 1378-1379.
Coll. 359 A, fol. 35-263   : 1380-1382.

Reg. Av. 227, fol. 1-9   : 1380-1381.
       232, fol, 33-37   : **1382-1383.**
       233, fol. 15-131 : 1382-1383.
       237, fol. 380-383 : 1383-1384 (à demi rongé, cf. *Reg. Val.*
                                295, fol. 19-20).
       238, fol. 87-192 : 1383-1384.
       240, fol. 18-21   : 1385.
       242, fol. 1-98   : 1384-1386.
       243, fol. 20   : 1386.
       250, fol. 275-331 : 1386-1387 (ancien vol. n° 258).
       248, fol. 128-137 : 1387.
       257, fol. 1-24   : 1388-1389.
       275, fol. 1-110   : 1388-1389.
       277, fol. 1-285   : 1388-1390 (double du précédent jusqu'au
                                fol. 114 ; aux trois quarts rongé à partir
                                du fol. 265).

Reg. Vat. 301, fol. 1-154   : **1389-1391.**

Reg. Av. 265, fol. 66-70   : 1391.
       270, fol. 1-175   : 1391-1392.
       272, fol. 66-147 : 1393.
       274, fol. 1-44   : 1393-1394.
       279, fol. 230-243 : 1393-1394.
       301, fol. 17-19   : 1396-1397.

Reg. Lat. 57, fol. 110-115 : 1397-1398.

Reg. Av. 304, fol. 650-684 : 1398.

Reg. Lat. 103, fol. 194-203 : 1402.

Reg. Av., **307,** fol. 43-55 : **1403.**
       319, fol. 9-62   : 1403-1405.
       316, fol. 30-34   : 1404.

Reg. Lat. 115, fol. 160-193 : 1404.

Reg. Av. 308, fol. 8-79   : 1404-1406.
       317, fol. 13-64   : 1405.
       325, fol. 3-72   : 1405-1406.
       326, fol. 47-59   : 1406-1407.
       328, fol. 10-81   : 1406-1408.
       331, fol. 84-131 : 1406-1411.
       — fol. 516-528   : 1408.
       332, fol. 42-87   : 1408-1409.
       333, fol. 27-76   : 1408-1409.

Registres de copies.
     Sans intérêt, sauf :
Reg. Vat. 293, fol. 1-3   : 1381.
       295, fol. 19-20   : 1383-1384.
       296, fol. 1-4   : 1385.
       303, fol. 1-6   : 1392

Lettres du Camérier

Registres de Jean de Derleke : *Coll.* 359, fol. 1-134 : 1379-1382.
  Coll. 360 : 1382-1385.
  Coll. 364 : 1386-1389.
  Coll. 365 : 1389-1392.
  Coll. 368 : 1392-1393.
  Coll. 371 : 1393-1394.
Registres de Jean Louis : *Coll.* 369 : 1392-1393.
  Reg. Vat. 308 : 1393-1394.
  Coll. 372 : 1394-1408.
  Reg. Av. 306, fol. 45-90 : 1403.
  Reg. Av. 320, fol. 57-156 : 1403.
  Reg. Av. 325, fol. 494-578 : 1405-1407.
  Reg. Av. 326, fol. 12-46 : 1407.
  Reg. Av. 331, fol. 132-160 : 1404-1409.
  Reg. Av. 332, fol. 17-20 : 1409.
  (pagination continue du *Reg. Av.* 325, fol. 494, aux trois fragments suivants, démembrés d'un registre unique).
Registres de Jean Rousset : *Coll.* 359, fol. 138-246 : 1379-1387.
  Coll. 394, fol. 248-261 : 1388.
Registre de Jean Picard : *Coll.* 374, fol. 1-93 : 1379-1382.
Registre de Jacques Monod : *Coll.* 362 : 1386-1388.
Registres non identifiés : *Reg. Av.* 220, fol. 322-373 : 1373-1381.
  Coll. 358 : 1371-1381.
  Coll. 393 : 1375-1380.
  Coll. 357 : 1368-1383.
  Coll. 501 : 1384.
  Coll. 361, fol. 3-37 : 1385-1386.
  Reg. Av. 270 : 1392 (biens patrimoniaux de Clément VII).
  Coll. 370 : 1393-1394.
  Reg. Av. 305, fol. 436-450 : 1400-1402.

Mandats du camérier au trésorier

Coll. 394, fol. 4-15 et 51-199 : 1384-1388.
Coll. 454, fol. 66-74 : 1387.
Coll. 395, fol. 29-448 : 1389-1392.

Lettres du camérier pour les vivres

Coll. 395, fol. 1-29 : 1389-1390.
Obl. sol. 44, fol. 32-69 : 1390-1394.
Reg. Av. 324, fol. 120-137 : 1399-1407.
Reg. Av. 328, fol 88-90 : 1407-1409.

Quittances du camérier pour les communs services

Obl. sol. 45	: 1381.
Obl. sol. 46	: 1382-1386.
Obl. sol. 45 A	: 1386-1388.
Obl. sol. 47	: 1385-1390.
Obl. sol. 50	: 1389-1391.
Obl. sol. 52 A	: 1390-1392.
Coll. 366	: 1390-1396.
Reg. Av. 308, fol. 80-160	: 1404-1405.
Reg. Av. 319, fol. 66-80	: 1404-1405.
Reg. Av. 324, fol. 174-239	: 1405-1406.
Reg. Av. 327, fol. 41-78	: 1406-1407.
Reg. Av. 331, fol. 5-63	: 1406-1407.

Quittances pour le droit de visite :

Obl. sol. 44, fol. 1-29	: 1390-1397.

et parmi les quittances de communs services.

Lettres et quittances du trésorier

Obl. sol. 42	: 1371-1381.
Coll. 374	: 1378-1383.
Coll. 358, fol. 178	: 1381.
Reg. Av. 327, fol. 65-80	: 1404-1407.
Reg. Av. 320, fol. 14-25	: 1404-1405.
Reg. Av. 331, fol. 5-63	: 1407-1408.

L'original de certaines bulles, lettres et quittances est conservé dans la série *Instrumenta miscellanea* ; il est impossible d'en donner ici un inventaire.

II. — Archives de l'obédience de Rome

Bulles

Littere de curia (cf. M. Giusti, *loc. cit.*).

Reg. Vat. 310	: 1380-1383.
347	: 1384-1388.
311	: 1386-1389.
313	: 1387-1392.
312	: 1389-1391.
Reg. Lat. 13, fol. 265-289	: 1391.
Reg. Vat. 314	: 1391-1393.
Reg. Lat. 34, fol. 97-109	: 1393-1394.
37, fol. 265-276	: 1394-1395.
40, fol. 353-364	: 1395-1396.
Reg. Vat. 315,	: 1396-1398.
316	: 1398-1400.
317	: 1399-1402.
Reg. Vat. 320	: 1402-1404.
319	: 1403-1404.

333	: 1404-1406.
334	: 1404-1406.
335	: 1407.
337	: 1408-1411.

Nominations de collecteurs, impositions et réserves :
     Armarium XXXIII, 12   : 1380-1409.

Bulles et lettres du camérier concernant les chapelains d'honneur :
     Armarium XXXI, 36   : 1380-1404.

Copies tardives : *Armarium* XXXI, 35 :1390-1404.

Obligations pour les communs services

Obl. sol. 48, fol. 140-230	: 1390-1397.
Obl. sol. 52, fol. 21-172	: 1390-1400.
Obl. sol. 57, fol. 45-171	: 1378-1398.
Div. cam. 2, fol. 4 et 6	: 1407-1408.
Obl. comm. 1, fol. 1-64	: 1408-1414.

Quittances pour les communs services

— à la Chambre apostolique : *Obl. sol.* 51   : 1389-1399.
                     Obl. sol. 55   : 1397-1402.
— au Sacré Collège :   *Obl. sol.* 47   : 1385-1390.
                Obl. sol. 59   : 1389-1399.
                Obl. sol. 53   : 1391-1405.

Lettres du camérier

Div. cam. 1   :   1389-1391.

ARCHIVES D'ÉTAT ITALIENNES

BOLOGNE.
     Tesoraria, nᵒ 15 à 38. Comptes du trésorier de Bologne (1379-1409).
FLORENCE.
     Signori, carteggi, filza 6. Lettres.
     Archivio Mediceo avanti il principato.
         Filze LXXXII à LXXXIV, LXXXIX, XCIII, CXXXVII et CXLVI. Lettres et actes divers.
         Filza CLIII, fasc. I. Livre secret de Giovanni di Bicci de' Medici (1397-1420).
     Archivio Capponi, fonds Orsini. Contrats.
LUCQUES.
     Archivio Guinigi : Registres 312 et 313. Inventaire des actes et contrats.
         Parchemins + 5 à + 34. Quittances et bulles.

PRATO.

Archivio Datini.

    4. Livre personnel de Fr. di Marco Datini (1379-1386).

  20. Débits et crédits de Boninsegna di Matteo à Avignon (1398-1399).

 801. Livre de Luca del Sera à Barcelone (1397-1398).

 841. Changes de Barcelone (1399).

ROME.

   Camerale I°, *Collettorie* 1224. Compte de P. Ricci, collecteur de Toscane (1399-1407).

     Collettorie 1229. Compte d'Antonio, év. de Numana, collecteur de la Marche d'Ancôme (1393-1394).

ARCHIVES NATIONALES (PARIS)

J 384. Subsides pour la guerre.

J 495. Royaume d'Adria (1392).

J 515 à 518. Schisme.

K 53 à 56. Cartons des rois. Charles VI.

K K 13 ². Journal du Trésor (1390).

K K 15. Livre du changeur du Trésor (1398-1405).

K K 313 B. Créances du duc d'Orléans (art. conservé à Turin depuis 1951. Microfilm à Paris).

K K 330 A. Exécution testamentaire d'un chanoine de la Sainte-Chapelle (1380).

L 364 à 366. Bulles de Clément VII et Benoît XIII.

L 409. Evêché de Paris, procurations.

LL 13 et 14. Evêché de Paris, comptes du temporel (1364-1409).

LL 108 A à 109 C. Chapitre de Paris, registres de délibérations.

P 1334 ⁴. Maison d'Anjou. Journal de la Chambre des comptes (1397-1424).

P 1334 ¹⁴. Maison d'Anjou. Comptes et inventaires.

P 1334 ¹⁷. Maison d'Anjou. Testaments.

P 1351. Maison d'Anjou. Provence, relations avec R. de Turenne (n° 693 à 699).

R ² *38. Maison de Bouillon. Inventaire des archives de la famille de Beaufort-Turenne.

R ² 40. Maison de Bouillon. Vicomté de Turenne.

X ¹ a 1472. Parlement civil, conseil (1384).

X ¹ a 4787. Parlement civil, matinées (1406).

X ¹ c 58. Parlement civil, accords (1389-1390).

Z ¹ a 2. Cour des aides (affaires concernant la décime).

BIBLIOTHÈQUE NATIONALE DE PARIS

Manuscrits

Latin 1479 à 1481. Soustraction d'obédience (textes divers).

Latin 4991 A. Chronique de l'abbé de Moissac.

Latin 5913 A. Fragments de registres caméraux de Jean de Derleke, et compte des versements faits par le pape aux Angevins.

Latin 9070. Statuts de monnayeurs.

Nouv. acq. latines 1341 à 1352. Registres de Laurent Aicard, notaire à Marseille, et de ses substituts (1378-1407).

Français 5917. Livre d'un changeur.

Français 27 717 (Pièces originales 1233), n° 20. Compte de N. de Mauregart (2 août 1391).

Nouv. acq. françaises 4139. Livre d'un changeur.

Nouv. acq. françaises 20 024. Exécution testamentaire de J. de Champigny, collecteur de Reims (1400).

Doat 8. Actes divers (copies exécutées au Vatican).

Périgord 31, fol. 202-242. Compte de Pierre de Mortiers, collecteur de Bordeaux (1382-1388).

ARCHIVES DÉPARTEMENTALES

Il n'a été procédé qu'à de simples sondages ; ont été utilisés les articles suivants :

BOUCHES-DU-RHONE.

B 1526 et 1527. Comptes du trésorier des comtés de Provence et de Forcalquier (1381-1400).

2 H 2. Abbaye de Montmajour, bulles.

CALVADOS.

H 8044. Abbaye de Troarn, revenu des offices.

H 8259 à 8261. Abbaye de Troarn, acquisitions.

HAUTE-GARONNE.

1 G 352 à 354. Archevêché de Toulouse, évêchés de Rieux et Carcassonne. Assignations et quittances concernant les communs services.

SEINE-MARITIME.

G 10 à 23. Comptes du temporel de l'archevêché de Rouen (1391-1407).

VAUCLUSE.

C 6. Etats du Comtat venaissin, registre de délibérations (1406-1407).

C 132 à 145. Comptes du trésorier du Comtat venaissin et du trésorier des Etats (1390-1408).

C 180. Arrérages dus aux Etats (1382-1392).

H, Cordeliers d'Avignon, 29 et 30. Comptes de dépense (1359-1463).

BIBLIOTHÈQUE SAINTE-GENEVIEVE (PARIS)

Manuscrit 344. Compte de la décime dans la province de Tours (1390-1391).

BIBLIOTHÈQUE DE CARPENTRAS

Manuscrit 795. Etats du Comtat venaissin, registre de délibérations (1404-1405).

BIBLIOTHÈQUE NATIONALE (MADRID)

Manuscrit 13 103. Privilèges royaux, copies d'actes divers.

SOURCES PUBLIÉES

Afin de ne pas alourdir la bibliographie qui suit par de multiples indications aux noms d'auteurs, signalons une fois pour toutes que nous avons utilisé trois grandes collections : celle des lettres des papes d'Avignon de la période antérieure au Grand Schisme, publiées par les soins des membres de l'Ecole française de Rome (dernier état dans B. Guillemain, *La cour pontificale...*, pp. 11-12), celle des *Rationes decimarum Italiae* publiées dans la série *Studi e testi* par les archivistes du Vatican, et celle des *Pouillés* publiés sous les auspices de l'Académie des Inscriptions et Belles-Lettres.

ACTES ET LETTRES

BÅÅTH (L.-M.), *Acta cameralia.* 2 vol., Stockholm, 1936-1942.
— *L'inventaire de la Chambre apostolique de* 1440, dans les *Miscellanea archivistica Angelo Mercati* (*Studi e testi*, vol. 165. Vatican, 1952), p. 135-157.

BARRACLOUGH (Geoffrey), *Un document inédit sur la soustraction d'obédience de* 1398, dans la *Revue d'histoire ecclésiastique*, XXX, 1934, p. 101-115.

BERLIERE (Ursmer), *Inventaire analytique des Diversa cameralia des Archives vaticanes* (1389-1500). Rome, 1906.

BLISS (W.-H.), *Calendar of entries in the papal registers relating to Great Britain and Ireland. Petitions to the Pope. Vol. 1, A.D. 1342-1419.* Londres, 1896.

BLISS (W.-H.), JOHNSON (C.) et TWEMLOW (J.-A.), *Calendar... Papal letters.* Londres, 15 vol. parus depuis 1893.

BOULAY (César-Egasse du), *Historia Universitatis Parisiensis.* 6 vol., Paris, 1665-1673.

BOURGEOIS DU CHASTENET, *Nouvelle histoire du concile de Constance.* Paris, 1718.

CAMERANI MARRI (Giulia), *I documenti commerciali del fondo diplomatico mediceo nell'Archivio di Stato di Firenze* (1230-1492). *Regesti.* Florence, 1951. (Biblioteca dell'Archivio storico italiano. III).

CASTRO (José Ramon), *Diputacion foral de Navarra, Catalogo del Archivo general. Seccion de comptos. Documentos.* Pampelune, 38 vol. parus depuis 1952.

DENIFLE (Henri) et CHATELAIN (Emile), *Chartularium Universitatis Parisiensis.* 4 vol., Paris, 1889-1897.
— *Auctarium chartularii Universitatis Parisiensis.* T. I et II. 2 vol., Paris, 1894-1897.

EHRLE (Franz), *Aus den Akten des Afterconcils von Perpignan, 1408,* dans les *Archiv für Literatur und Kirchengeschichte des Mittelalters,* V, 1889, p. 387-492.
— *Neue Materialen zur Geschichte Peters von Luna (Benedicts XIII),* dans les *Archiv für Literatur und Kirchengeschichte des Mittelalters,* VI, 1892, p. 139-308, et VII, 1900, p. 1-310.

GÖLLER (Emil), *Die neuen Bestände der Camera apostolica im päpstlichen Geheimarchiv,* dans les *Römische Quartalschrift für christliche Altertumskunde und Kirchengeschichte,* XXX, 1916-1922, p. 38-53 et 81.
— *Repertorium germanicum. Verzeichnis der in den Registern und Kameralakten vorkommenden Personen, Kirchen und Orte...* T. I. *Clemens VII von Avignon* (1378-1394). Berlin, 1916.

GUASTI (Cesare), *Ser Lapo Mazzei. Lettere di un notaro a un mercante del secolo XIV.* 2 vol., Florence, 1880.

HANQUET (Karl), *Documents relatifs au Grand Schisme.* T. I. *Suppliques de Clément VII* (1378-1379). Bruxelles-Rome, 1924. (Annalecta vaticano-belgica. VIII).

HANQUET (Karl) et BERLIERE (Ursmer), *Documents relatifs au Grand Schisme.* T. II. *Lettres de Clément VII* (1378-1379). Bruxelles-Rome, 1930. (Annalecta vaticano-belgica. XII).

KROFTA (Camil), *Monumenta vaticana res gestas bohemicas illustrantia.* T. V. *Acta Urbani VI et Bonifatii IX.* 2 vol., Prague, 1903-1905.

MANSI (Gian Domenico), *Sacrorum conciliorum nova et amplissima collectio.* Rééd. augm. par L. Petit et J.-B. Martin. 55 vol., Paris-Leipzig, 1903-1927.

MOLLAT (Guillaume), *Etudes et documents sur l'histoire de Bretagne* (XIIIe-XVIe *siècles*). Paris, 1907.

NELIS (Hubert), *Documents relatifs au Grand Schisme.* T. III. *Suppliques et lettres de Clément VII* (1379-1394). Bruxelles-Rome, 1934. (Annalecta vaticano-belgica. XIII).

SAMARAN (Charles) et VAN MOE (Emile), *Auctarium chartularii Universitatis Parisiensis.* T. III à V. 3 vol., Paris, 1935-1942.

SAUERLAND (Heinrich-Volbert). *Urkunden und Regesten zur Geschichte der Rheinlande aus dem vatikanischen Archiv.* 7 vol., Bonn, 1902-1913.

TELLENBACH (Gerd), *Repertorium germanicum. Verzeichnis der in den Registern und Kameralakten Urbans VI, Bonifaz IX, Innocenz VII und Gregors XII vorkommenden Personen, Kirchen und Orte...* (1378-1415). Berlin, 1933.

THEINER (Augustin), *Codex diplomaticus dominii temporalis Sanctae Sedis.* 2 vol., Rome, 1861-1862.

TITS-DIEUAIDE (Marie-Jeanne), *Documents relatifs au Grand Schisme. Lettres de Benoît XIII.* T. II (1395-1422). Bruxelles-Rome, 1960. (Annalecta vaticano-belgica. XIX).

DOCUMENTS COMPTABLES

ALBE (Edouard), *Les comptes d'un collecteur pontifical dans le diocèse de Cahors et l'exercice du droit de dépouilles* (1404-1405), dans le *Bulletin trimestriel de la Société des études littéraires, scientifiques et artistiques du Lot,* XXXIII, 1908, p. 164-178.

BAIX (François), *La Chambre apostolique et les « Libri annatarum» de Martin V* (1417-1431). Bruxelles-Rome, 1942. (Annalecta vaticano-belgica. XIV). — *Tables* par André UYTTEBROUCK. 2 fasc., 1955 et 1960.

BERLIERE (Ursmer), *Les collectories pontificales dans les anciens diocèses de Cambrai, Thérouanne et Tournai au XIVe siècle.* Bruxelles-Rome, 1929. (Annalecta vaticano-belgica. X).

— *Inventaire analytique des Libri obligationum et solutionum des Archives vaticanes au point de vue des anciens diocèses de Cambrai, Liège, Thérouanne et Tournai.* Rome, 1904.

DROUYN (Léo), *Comptes de l'archevêché de Bordeaux du XIIIe et du XIVe siècle.* 2 vol., Bordeaux, 1881. (Archives historiques du départ. de la Gironde, XXI et XXII).

EHRLE (Franz), *Historia bibliothecae Romanorum Pontificum tum Bonifacianae tum Avenionensis.* Rome, 1890. (Biblioteca della Accademia storico-giuridica. VII).

FABRE (Paul) et DUCHESNE (Louis), *Le Liber censuum de l'Eglise romaine.* 3 vol., Paris, 1889-1952. (Bibl. des Ecoles françaises d'Athènes et de Rome, série in-4º). — Le t. III comprend les index établis par Mgr Guillaume MOLLAT.

FRAIKIN (J.), *Comptes du diocèse de Bordeaux* (1316-1453) *d'après les archives de la Chambre apostolique.* Rome, 1903.

FUMI (Luigi), *Inventario e spolio dei registri della Tesoreria apostolica della Marca.* Fano, 1904.

— *Inventario e spolio dei registri della Tesoreria apostolica di Perugia e Umbria.* Pérouse, 1901.

GOLLER (Emil), *Die Einnahmen der apostolischen Kammer unter Benedickt XII.* Paderborn, 1920. (Vatikanische Quellen... herausgegeben von der Gorresgesellschaft).

HOBERG (Hermann), *Die Einnahmen der apostolischen Kammer unter Innozenz VI. Erster Teil. Die Einnahmen des päpstlichen Thesaurars.* Paderborn, 1955. (Vatik. Quellen... herausgegeben von der Gorresgesellschaft).

— *Die Inventäre des päpstlichen Schatzes in Avignon.* 1314-1376. Vatican, 1944. (Studi e testi. 111).

— *Taxae pro communibus servitiis ex libris obligationum ab anno 1295 usque ad annum 1455 confectis.* Vatican, 1949. (Studi e testi. 144).

KIRSCH (Johann-Peter), *Die Rückkehr der Päpste Urban V und Gregor XI von Avignon nach Rom. Auszüge aus den Kameralregistern des vatikanischen Archivs.* Paderborn, 1898. (Quellen und Forschungen herausgegeben von der Görresgesellschaft. VI).

MENJOT D'ELBENNE (Vicomte), *Etat des sommes dues par le diocèse du Mans à la Chambre apostolique de l'antipape Benoît XIII en 1405*, dans *La province du Maine*, XXII, 1914, p. 119-126, 162-171, 196-202, 221-228 et 256-266.

MOHLER (Ludwig), *Die Einnahmen der apostolischen Kammer unter Klemens VI*. Paderborn, 1923. (Vatik. Quellen... herausgegeben von der Görresgesellschaft).

MOLLAT (Guillaume), *Les comptes de Jean de Rivesaltes, collecteur apostolique dans le diocèse d'Elne* (1393-1405), dans la *Revue d'histoire et d'archéologie du Roussillon*, V, 1904, pp. 296-312 et 373-388, et VI, 1905, p. 22-32 et 59-61.

ORLANDELLI (Gianfranco), *Archivio di Stato di Bologna. Gli uffici economici e finanziari del comune del XII al XV secolo*. — I. *Procuratori del comune, difensori dell'avere, tesoreria e contrallatore di tesoreria. Inventario*. Rome, 1954. (Ministero dell'Interno. Pubblicazioni degli Archivi di Stato. XV).

PANSIER (Paul), *Annales avignonnaises de 1370 à 1392, d'après les livres des mandats de la gabelle*, dans les *Annales d'Avignon et du Comtat venaissin*, III, 1914, p.5-72.

— *Les gabelles d'Avignon de 1310 à 1397, dans les Annales d'Avignon et du Comtat venaissin*, XII, 1926, p. 37-63.

— *Le livre de comptes de la mercerie de Gabriel Gilbert et compagnie, de Carpentras* (1396-1397), dans les *Annales d'Avignon et du Comtat venaissin*, XV, 1929, p. 147-162.

PELZER (Auguste), *Addenda et emendanda ad Francisci Ehrle historiae bibliothecae Romanorum Pontificum*. Vatican, 1947.

RIUS SERRA (José), *Rationes decimarum Hispaniae* (1279-1380). 2 vol., Barcelone, 1946-1947.(Consejo superior de investigaciones cientificas).

SCHAFER (Karl-Heinrich), *Die Ausgaben der apostolischen Kammer unter Johann XXII, nebst den Jahresbilanzen von* 1316-1376. Paderborn, 1911. (Vatikanische Quellen... herausgegeben von der Görresgesellschaft).

— *Die Ausgaben der apostolischen Kammer unter Benedickt XII, Klemenz VI und Innocenz VI*. Paderborn, 1914. (Vatik. Quellen... herausgegeben von der Görresgesellschaft).

— *Die Ausgaben der apostolischen Kammer unter den Päpsten Urban V und Gregor XI*. Paderborn, 1937. (Vatik. Quellen... herausgegeben von der Görresgesellschaft).

SOURCES HISTORIOGRAPHIQUES

ALPARTIL (Martin d'), *Chronica actitatorum temporibus domini Benedicti XIII*, éd. par Franz EHRLE. Paderborn, 1906. (Quellen und Forschungen... herausgegeben von der Görresgesellschaft. XII).

BALUZE (Etienne), *Vitae paparum Avenionensium*, éd. par Guillaume MOLLAT. 4 vol., Paris, 1916-1928.

BRUN (Robert), *Annales avignonnaises de* 1382 *à* 1410, *extraites des archives de Datini*, dans les *Mémoires de l'Institut historique de Provence*, XII, 1935, p. 17-142, XIII, 1936, p. 58-105, XIV, 1937, pp. 5-57, et XV, 1938, p. 21-52 et 154-192.

BRUNI (Leonardo), dit L'ARETIN, *Historiarum Florentinarum libri XII*. Strasbourg, 1610.

Chronicon parvum Avinionense de Schismate et bello (1397-1416), éd. par F.-Ch. CARRERI, dans les *Annales d'Avignon et du Comtat venaissin*, IV, 1916, pp. 161-174.

Chronicon Siculum incerti authoris, éd. par Giuseppe de BLASIIS. Naples, 1887.

CLAMANGES (Nicolas de), *Le traité de la ruine de l'Eglise*. Paris, 1936.

COPPO STEFANI (Marchione di), *Istoria Fiorentina*. Florence, 1783. (Delizie degli eruditi toscani, XVII). Rééd. par Niccolò RODOLICO. città di Castello, 1910-1913 (*Rerum Italicarum Scriptores*, XXX).

DELACHENAL (Roland), *Chronique des règnes de Jean II et de Charles V*. 3 vol., Paris, 1910-1920. (Société de l'Histoire de France).

EHRLE (Franz), *Die Chronik des Garoscus de Ulmoisca Veteri und Bertrand Boysset* (1365-1415), dans les *Archiv für Literatur und Kirchengeschichte des Mittelalters*, VII, 1900, p. 311-420.

JUVÉNAL DES URSINS (Jean), *Chronique*, éd. MICHAUD et POUJOULAT. Paris, 1836.

LE FEVRE (Jean), *Journal*, éd. Henri MORANVILLE. Paris, 1887.

NIEHEM (Dietrich von), *De Scismate libri tres*, éd. Georg ERLER. Leipzig, 1890.

SERCAMBI (Giovanni), *Le croniche di Lucca*, éd. Salvatore BONGI. 3 vol., Rome, 1892.

BIBLIOGRAPHIE

HISTOIRE GÉNÉRALE ET POLITIQUE

BOÜARD (Michel de), *Les origines des guerres d'Italie. La France et l'Italie au temps du Grand Schisme d'Occident*. Paris, 1936. (Bibl. des Ecoles françaises d'Athènes et de Rome, fasc. 139).

COVILLE (Alfred), *Les Cabochiens et l'ordonnance de 1413*. Paris, 1888·

DELACHENAL (Roland), *Histoire de Charles V*. 5 vol., Paris, 1909-1931.

DUPARC (Pierre), *Le comté de Genève. IXe - XVe siècle*. Genève-Paris 1955.

DURRIEU (Paul), *Les Gascons en Italie. Etudes historiques*. Auch, 1885.

— *Le royaume d'Adria. Episode de la politique française en Italie sous le règne de Charles VI. 1393-1394*, dans la *Revue des questions historiques,* XXVIII, 1880, p. 43-78.

JARRY (Eugène), *Les origines de la domination française à Gênes (1392-1402)*. Paris, 1896.

— *La vie politique de Louis de France, duc d'Orléans (1372-1407)*. Paris-Orléans, 1889.

LÉONARD (Emile-G.), *Les Angevins de Naples*. Paris, 1954.

MIROT (Léon), *La politique française en Italie de 1380 à 1422. Les préliminaires de l'alliance florentine*. Paris, 1934.

NORDBERG (Michael), *Les ducs et la royauté. Etudes sur la rivalité des ducs d'Orléans et de Bourgogne. 1392-1407*. Stockholm, 1964. (Studia historica Upsaliensia XII).

SUAREZ-FERNANDEZ (Luis), *Juan I, rey de Castilla (1379-1390)*. Madrid, 1955.

VAUGHAN (R.), *Philip the Bold*. Londres, 1962.

HISTOIRE DE L'ÉGLISE, EN GÉNÉRAL

CHOMEL (Vital), *Droit de patronage et pratique religieuse dans l'archevêché de Narbonne au début du XVe siècle*, dans la *Bibl. de l'Ecole des chartes*, CXV, 1957, p. 58-137.

COULET (Noël), *La désolation des églises de Provence à la fin du Moyen Age*, dans *Provence historique*, XVI, 1956, p. 34-52 et 123-141.

DENIFLE (Henri), *La désolation des églises, monastères et hôpitaux en France*. 2 vol., Paris, 1897-1899.

GAUDEMET (Jean), *La collation par le roi de France des bénéfices vacants en régale, des origines à la fin du XIVe siècle*. Paris, 1935. (Bibl. de l'Ecole pratique des Hautes Etudes, sciences religieuses, vol. 51).

— *Régale*, dans le *Dict. de droit canonique*. VII, col. 493-532.

GLORIEUX (Palémon), *Gerson au chapitre de Notre-Dame de Paris*, dans la *Revue d'Histoire ecclésiastique*, 1961, p. 424-448 et 827-854.

GOTTLOB (Adolf), *Kreuzablass und Almosenablass. Eine Studie über die Fruhzeit des Ablasswesens*. Stuttgart, 1906. (Kirchenrechtliche Abhandlungen. XXX-XXXI).

GUILLEMAIN (Bernard), *La cour pontificale d'Avignon* (1309-1376). *Etude d'une société*. Paris, 1963. (Bibl. des Ecoles françaises d'Athènes et de Rome, fasc. 201).

LASLOWSKI (Ernst), *Beiträge zur Geschichte des spätmittelalterlichen Ablasswesens nach schlesischen Quellen, mit neun urkundlichen Beilagen*. Breslau, 1929. (Breslauer Studien... herausgegeben von Franz-Xavier SEPPELT. XI).

LOT (Ferdinand) et FAWTIER (Robert), *Histoire des institutions françaises au Moyen Age*. T. III. *Institutions ecclésiastiques* par Jean-François LEMARIGNIER, Jean GAUDEMET et Mgr Guillaume MOLLAT. Paris, 1962.

MARTIN (Victor), *Les origines du Gallicanisme*. 2 vol., Paris, 1939.

MOLLAT (Guillaume), *L'application du droit de régale spirituelle en France du XIIe au XIVe siècle*, dans la *Revue d'Histoire ecclésiastique*, XXV, 1929, p. 425-446 et 645-676.

— *La collation des bénéfices ecclésiastiques sous les papes d'Avignon*. 1305-1378. Paris, 1921.

— *Les papes d'Avignon*. 1305-1378. 9e éd., Paris, 1950.

— *Le roi de France et la collation plénière (pleno jure) des bénéfices ecclésiastiques*, dans les *Mémoires présentés à l'Académie des Inscriptions et Belles-Lettres*, XIV, 2e partie, 1951, p. 107-252.

PAULUS (Nikolaus), *Geschichte des Ablasses im Mittelalter*. 3 vol., Paderborn, 1922-1923.

ROCQUAIN (Félix), *La cour de Rome et l'esprit de réforme avant Luther*. 3 vol., Paris, 1893-1897.

VIELLIARD (Jeanne), *Pèlerins d'Espagne à la fin du Moyen Age. Ce que nous apprennent les sauf-conduits délivrés aux pélerins par la chancellerie des rois d'Aragon entre 1379 et 1422*, dans l'*Homenatge Rubio y Lluch*, t. II. Barcelone, 1936.

LE GRAND SCHISME D'OCCIDENT

BOÜARD (Michel de), *Le rôle de Simon du Bosc dans la politique française pendant le Grand Schisme d'Occident*, dans : *Jumièges, congrès... XIIIe centenaire...*, 1954 (Rouen, 1955), p. 85-88.

DELARUELLE (Etienne), LABANDE (Edmond-René) et OURLIAC (Paul), *L'Eglise au temps du Grand Schisme et de la crise conciliaire 1378-1449*. 2 vol., Paris, 1962-1964. (Histoire de l'Eglise 14).

EUBEL (Konrad), *Die avignonesische Obedienz der Mendikanten-Orden, sowie der Orden der Mercedarier und Trinitarier, zur Zeit des grossen Schismas.* Paderborn, 1900. (Quellen und Forschungen herausgegeben von der Görresgesellschaft. I, 2).

GAYET (Louis), *Le Grand Schisme d'Occident. Les origines.* 2 vol., Paris, 1889.

IVARS (Andres), *La « indiferencia » de Pedro IV de Aragon en el Gran Cisma de Occidente* (1378-1382), dans l'*Archivo iberico-americano,* XXIX, 1928, p. 21-97 et 161-186.

JANSEN (Max), *Papst Bonifatius IX* (1389-1404) *und seine Beziehungen zur deutschen Kirche.* Fribourg-en-Br., 1904.

LABANDE (Edmond-René), *Une ambassade de Rinaldo Orsini et Pierre de Craon à Florence, Milan et Avignon,* dans les *Mélanges d'archéologie et d'histoire publiés par l'Ecole française de Rome,* L, 1933, p. 194-220.

— *Le rôle de Rinaldo Orsini dans la lutte entre les papes de Rome et d'Avi gnon* (1378-1390), dans les *Mélanges d'archéologie et d'histoire...,* XLIX 1932, p. 157-180.

MOLLAT (Guillaume), *L'adhésion des chartreux à Clément VII* (1378-1380)› dans la *Revue du Moyen Age latin,* V, 1949, p. 35-42.

— *L'application en France de la soustraction d'obédience à Benoît XIII, jusqu'au concile de Pise,* dans la *Revue du Moyen Age latin,* I, 1945, p. 149-163.

— *Un envoi en France de commissaires pontificaux après la restitution d'obédience à Benoît XIII* (1404-1405), dans les *Annales de Saint-Louis-des-Français,* VI, 1902, p. 445-470.

— *Les origines du gallicanisme parlementaire aux XIVe et XVe siècles,* dans la *Revue d'Histoire ecclésiastique,* XLIII, 1948, p. 90-147.

MUNTZ (Eugène), *L'antipape Clément VII. Essai sur l'histoire des arts à Avignon vers la fin du XIVe siècle,* dans la *Revue archéologique,* XI, 1888, p. 8-18 et 168-183.

NÉLIS (Hubert), *La collation des bénéfices ecclésiastiques en Belgique sous Clément VII* (1378-1394), dans la *Revue d'Histoire ecclésiastique,* XXVIII, 1932, p. 34-39.

PAQUET (Jacques, *Le Schisme d'Occident à Louvain, Bruxelles et Anvers,* dans la *Revue d'Histoire ecclésiastique,* LIX, 1964, p. 401-436.

PAULUS (Nikolaus), *Bonifacius IX und der Ablass von Schuld und Strafe,* dans le *Zeitschrift für katholische Theologie,* XXV, 1901, p. 338-343.

PÉROUSE (Gabriel), *Le cardinal Louis Aleman, président du concile de Bâle, et la fin du Grand Schisme.* Lyon, 1904.

PERROY (Edouard), *L'Angleterre et le Grand Schisme d'Occident. Etude sur la politique religieuse de l'Angleterre sous Richard II* (1378-1399). Paris, 1933.

PIETRESSON DE SAINT-AUBAIN (Pierre), *Documents inédits sur l'installation de Pierre d'Ailly à l'évêché de Cambrai en 1397,* dans la *Bibl. de l'Ecole des chartes,* CXIII, 1955, p. 111-139.

PREROVSKY (Olderico), *L'elezione di Urbano VI e l'insorgere dello Scisma d'Occidente.* Rome, 1960. (Miscellanea della Società romana di storia patria XX).

ROTT (Jean), *Le Grand Schisme d'Occident et le diocèse de Strasbourg* (1378-1415), dans les *Mélanges d'archéologie et d'histoire publiés par l'Ecole française de Rome*, LII, 1935, p. 366-395.

SALEMBIER (Louis), *Pierre d'Ailly à Cambrai* (1397-1412). *Le Schisme dans le diocèse de Cambrai*, dans la *Revue d'histoire de l'Eglise de France*, X, 1924, p. 161-171.

SEIDLMAYER (Michael), *Die Anfänge des grossen abendländischen Schismas. Studien zur Kirchenpolitik, insbesondere der spanischen Staaten, und zu den geistigen Kämpfe der Zeit.* Munster, 1940.

SOUCHON (Martin), *Die Papstwahlen in der Zeit des grossen Schismas. Entwicklung und Verfassungsgeschichte des Kardinalates von 1378-1417* 2 vol., Brunswick, 1898-1899.

SUAREZ-FERNANDEZ (Luis), *Castilla, el Cisma y la crisis conciliar* (1378-1440). Madrid, 1960.

VALOIS (Noel), *L'élection d'Urbain VI et les origines du Grand Schisme d'Occident*, dans la *Revue des questions historiques*, XLVIII, 1890, p. 353-420.

— *La France et le Grand Schisme d'Occident.* 4 vol., Paris, 1896-1901.

— *Le Grand Schisme en Allemagne* (1378-1380), dans le *Römische Quartalschrift...*, VII, 1892, p. 107-164.

— *Raymond Roger, vicomte de Turenne, et les papes d'Avignon* (1386-1408), dans l'*Annuaire-bulletin de la Société de l'Histoire de France*, XXVI, 1889, p. 215-276.

VAN ASSELDONK (G.), *De Nederlanden en het Westers Schisma* (tot 1398). Utrecht-Nimègue, 1955.

VINCKE (Johannes), *Eine königliche Camera apostolica*, dans le *Römische Quartalschrift...*, XLI, 1933, p. 306-310.

ZUNZUNEGUI (José), *El reino de Navarra y su obispado de Pamplona, durante la primera epoca del Cisma de Occidente, pontificado de Clemente VII de Aviñon.* 1378-1394. Saint-Sébastien, 1942.

LES FINANCES PONTIFICALES

BAUER (Clement), *Die Epochen der Papstfinanz*, dans l'*Historische Zeitschrift*, CXXXVIII, 1928, p. 457-503.

— *Studi per la storia delle finanze papali durante il pontificato di Sisto IV*, dans l'*Archivio della reale società romana di storia patria*, L, 1927, p. 319-400.

BAUMGARTEN (Paul-Maria), *Aus Kanzlei und Kammer. Erörterungen zur Kurialen Hof- und Verwaltungsgeschichte im XIII., XIV. und XV. Jahrhundert.* Fribourg-en-Br., 1907.

— *Miscellanea cameralia II. — I. Wahlgeschenke der Päpste an das heilige Kollegium. — II. Exkommunikation von Prälaten im Jahre 1390 wegen Nichtzahlung der Servitien*, dans le *Römische Quartalschrift...*, XXII, 1908, p. 36-55.

— *Untersuchungen und Urkunden über die Camera Collegii cardinalium, fur die Zeit von 1295 bis 1437.* Leipzig, 1898.

BLOCH (Marc) : voir FOUGERES.

BORGHESIO (G), *Un singolare giubileo, 1400*, dans l'*Annuario dell'Italia cattolica*, 1925, p. 233-238.

CLERGEAC (A.), *La curie et les bénéficiers consistoriaux. Etude sur les communs et menus services*. 1300-1600. Paris, 1911.

DELORT (Robert), *Note sur les achats de draps et d'étoffes effectués par la Chambre apostolique des papes d'Avignon* (1316-1417), dans les *Mélanges d'archéologie et d'histoire publiés par l'Ecole française de Rome*, LXXIV, 1962, p. 215-288.

DELUMEAU (Jean), *Vie économique et sociale de Rome dans la seconde moitié du XVIe siècle*, 2 vol., Paris, 1957-1959. (Bibl. des Ecoles françaises d'Athènes et de Rome, fasc. 184).

DESPY (Georges), *Bruges et les collectories pontificales de Scandinavie et de Pologne au XIVe siècle*, dans le *Bulletin de l'Institut historique belge de Rome*, XXVII, 1952, p. 95-109.

D'HAENENS (Albert), *Le paiement du service par l'abbaye Saint-Martin de Tournai au XIVe siècle*, dans le *Bull. de l'Inst. hist. belge de Rome*, XXX, 1957, p. 49-95.

FAVIER (Jean), *Introitus et exitus sous Clément VII et Benoît VIII (Problèmes de diplomatique et d'interprétation)*, dans le *Bulletino dell'Archivio paleografico italiano*, nouv. série, II, 1956-1957, p. 285-294.
— *Le niveau de vie d'un collecteur et d'un sous-collecteur apostoliques à la fin du XIVe siècle*, dans les *Annales du Midi*, LXXV, 1963, p. 31-48.
— *Les voyages de Jacques d'Esparron, commissaire à la levée du subside en Provence* (1405-1406), dans les *Mélanges d'archéologie et d'histoire publiés par l'Ecole française de Rome*, LXX, 1958, p. 407-422.

FELICI (Guglielmo), *La reverenda Camera apostolica. Studio storico-giuridico*. Vatican, 1940.

FONT-REAULX (Jacques de), *La fiscalité pontificale en Berry*, dans les *Mémoires des Antiquaires du Centre*, XLV, 1931-1933, p. 115-143.

FOUGERES (M.) [pseudonyme de Marc Bloch], *Un problème de transferts*, dans les *Mélanges d'histoire sociale*, I, 1942, p. 73-75 (à propos de l'ouvrage de Lunt, *Financial relations...*).

GASNAULT (Pierre), *Notes et documents sur la Chambre apostolique à l'époque d'Urbain V*, dans les *Mélanges d'archéologie et d'histoire publiés par l'Ecole française de Rome*, LXX, 1958, p. 267-394.

GLENISSON (Jean), *Un agent de la Chambre apostolique au XIVe siècle. Les missions de Bertrand du Mazel* (1364-1378), dans les *Mélanges d'archéologie et d'histoire...*, LIX, 1947, p. 89-119.

GÖLLER (Emil), *Der Liber taxarum des päpstlichen Kammer*, dans les *Quellen und Forschungen aus italienischen Archiven und Bibliotheken*, VIII, 1905, p. 113-177 et 305-343.
— *Sur Stellung des päpstlichen Kamerars unter Clemens VII (Gegenpapst)*, dans l'*Archiv für katholisches Kirchenrecht*, 1903, p. 387-397.

GOTTLOB (Adolf), *Aus der Camera apostolica des 15. Jahrhunderts : ein Beitrag zur Geschischte des päpstlichen Finanzwesens und des endenden Mittelalters*. Innsbruck, 1889.
— *Die Servitientaxe im 13. Jahrhundert. Eine Studie zur Geschichte des päpstlichen Gebuhrenwesens*. Stuttgart, 1903. (Kirchenrechtliche Abhandlungen. II).

GREINER (Lily), *Un représentant de la Chambre apostolique de Clément VII en Aragon au début du Grand Schisme* (1378-1380), dans les *Mélanges d'archéologie et d'histoire publiés par l'Ecole française de Rome*, LXV, 1953, p. 197-213.

HALLER (Johann), *Die Verteilung der Servitia minuta und die Obligation der Prälaten im 13. und 14. Jahrhundert*, dans les *Quellen und Forschungen aus italienischen Archiven und Bibliotheken*, I, 1898, p. 281-295.

HENNIG (Ernest), *Die päpstlichen Zehnten aus Deutschland im Zeitalter des Avinionesischen Papsttum und wärend des Grossen-Schismas. Ein Beitrag zur Finanzgeschichte des späteren Mittelalters*. Halle, 1909.

KIRSCH (Johann-Peter), *Die Finanzverwaltung des Kardinakolllegiums im XIII. und XIV. Jahrhundert*. Munster, 1895. (Aloïs KRÖPFLER, Heinrich SCHRÖRS et Max SDRALEK, *Kirchengeschichtliche Studien*, II, 4).

— *Die päpstlichen Annaten in Deutschland wärend des 14. Jahrhunderts, von Johann XXII bis Innocenz VI*. Paderborn, 1903. (Quellen und Forschungen... herausgegeben von der Görresgesellschaft. IX).

— *Die päpstlichen Kollektorien in Deutschland während des XIV. Jahrhunderts*. Paderborn, 1894. (Quellen und Forschungen...herausgegeben von der Görresgesellschaft. III).

LESQUEN (G. de) et MOLLAT (Guillaume), *Mesures fiscales exercées en Bretagne par les papes d'Avignon à l'époque du Grand Schisme d'Occident*. Paris, 1903.

LUNT (William-E.), *Financial relations of the Papacy with England. 1327-1534*. Cambridge (Mass.), 1962. (The medieval Academy of America. Studies in anglo-papal relations during the Middle Ages. II).

— *Papal revenues in the Middle Ages*. 2 vol., New York, 1934. (Records of civilization sources and studies edited under the auspices of the department of history, Columbia University).

MIROT (Léon), *La politique pontificale et le retour du Saint-Siège à Rome en 1376*. Paris, 1899.

— *Les rapports financiers de Grégoire XI et du duc d'Anjou*, dans les *Mélanges d'archéologie et d'histoire publiés par l'Ecole française de Rome*, XVII, 1897, p. 113-144.

MOLLAT (Guillaume), *A propos du droit de dépouille*, dans la *Revue d'Histoire ecclésiastique*, XXIX, 1933, p. 316-343.

— *Contribution à l'histoire de l'administration judiciaire de l'Eglise romaine au XIVe siècle*, dans la *Revue d'Histoire ecclésiastique*, XXXII, 1936, p. 877-928.

— *Contribution à l'histoire de la Chambre apostolique au XIVe siècle*, dans la *Revue d'Histoire ecclésiastique*, XLV, 1950, p. 82-94.

— *Contribution à l'histoire du Sacré Collège de Clément V à Eugène IV*, dans la *Revue d'Histoire ecclésiastique*, XLVI, 1951, p. 22-122 et 566-594.

PARTNER (Peter-D.), *Camera Papae. Problems of papal finance in the later Middle Ages*, dans le *Journal of ecclesiastical history*, IV, 1953, p. 55-68.

SAINT-PALAIS D'AUSSAC (F. de), *Le droit de dépouille*. Paris, 1930.

SAMARAN (Charles), *La jurisprudence pontificale en matière de droit de dépouille (Jus spolii) dans la seconde moitié du XIVe siècle*, dans les *Mélanges d'archéologie et d'histoire publiés par l'Ecole française de Rome*, XXII, 1902, p. 141-156.

SAMARAN (Charles) et MOLLAT (Guillaume), *La fiscalité pontificale en France au XIVe siècle (période d'Avignon et Grand Schisme d'Occident)*. Paris, 1905. (Bibl. des Ecoles françaises d'Athènes et de Rome, fasc. 96).

VINCKE (Johannes), *Der König von Aragon und die Camera apostolica in den Anfängen des Grossen-Schismas*. Munster, 1938. (Spanische Forschungen der Görresgesellschaft).

MONNAIE PONTIFICALE ET NUMISMATIQUE GÉNÉRALE

BLANCHET (Adrien) et DIEUDONNE (Adolphe), *Manuel de numismatique française*. T. IV. *Monnaies féodales françaises* (par Ad. Dieudonné). Paris, 1936.

BRIDREY (Emile), *La théorie de la monnaie au XIVe siècle. Nicole Oresme. Etude d'histoire des doctrines et des faits économiques*. Paris, 1906.

CINAGLI (Angelo), *Le monete de'papi descritte in tavole sinottiche*. Fermo, 1848.

GARAMPI (Giuseppe), *Saggi di osservazioni sul valore delle antiche monete pontificie*. Rome, 1766.

GIRARD (Albert), *Un phénomène économique : la guerre monétaire. XIVe-XVe siècles*, dans les *Annales d'histoire sociale*, II, 1940, p. 207-218.

LAFAURIE (Jean), *Les monnaies des rois de France. I. De Hugues Capet à Louis XII*. Paris, 1951.

LAURENT (Henri), *La loi de Gresham au Moyen Age. Essai sur la circulation monétaire entre la France et le Brabant à la fin du XIVe siècle*. Bruxelles, 1933.

MOLLAT (Guillaume), *Les papes d'Avignon et leur hôtel des monnaies à Sorgues (Comtat venaissin)*, dans la *Revue numismatique*, 1908, p. 252-266.

POEY D'AVANT (Faustin), *Monnaies féodales de France*. 3 vol., Paris, 1858-1862 ; rééd., Graz, 1961.

ROLLAND (Henri), *Monnaies des comtes de Provence (XIIe-XVe siècle). Histoire monétaire, économique et corporative, description raisonnée*. Paris, 1956.

SERAFINI (Camillo), *le monete e le bolle plumbee pontificie del medagliere vaticano*. T. I. *Adeodato (615-618) - Pio V (1566-1572)*. Milan, 1910.

VALLENTIN (Roger), *Les monnaies de Louis Ier d'Anjou frappées à Avignon (1382)*, dans l'*Annuaire de la Société française de numismatique*, 1893, p. 421-445.

— *Le seigneuriage aux ateliers pontificaux de Sorgues, d'Avignon et de Carpentras*, dans la *Revue suisse de numismatique*, 3e année, 1893, p. 182-193.

AVIGNON ET COMTAT VENAISSIN

BAILLY (Robert), *Dictionnaire des communes. Vaucluse.* Avignon, 1961.

BRUN (Robert), *Avignon au temps des papes. Les monuments, les artistes, la société.* Paris, 1928.

DAVID (Marcel), *De l'organisation administrative, financière et judiciaire du Comtat venaissin sous la domination des papes (1229-1791).* Aix, 1912.

FAURE (Claude), *Etude sur l'administration et l'histoire du Comtat venaissin du XIIIe au XVe siècle (1229-1417).* Paris-Avignon, 1909. (Recherches historiques et documents sur Avignon, le Comtat venaissin et la principauté d'Orange. III).

GIRARD (Joseph), *Les Etats du Comtat venaissin depuis leurs origines jusqu'à la fin du XVIe siècle.* Paris, 1908. (Mémoires de l'Académie de Vaucluse).

GIRARD (Joseph) et PANSIER (Paul), *La cour temporelle d'Avignon aux XIVe et XVe siècles. Contribution à l'étude des institutions judiciaires, administratives et économiques de la ville d'Avignon au Moyen Age.* Paris-Avignon, 1909. (Recherches historiques et documents sur Avignon, le Comtat venaissin et la principauté d'Orange. I).

PANSIER (Paul), *Le cimetière et la chapelle de Champfleury*, dans les *Annales d'Avignon et du Comtat venaissin*, XIV, 1928, p. 91-100.

— *La maison du camérier François de Conzié (1411-1431) et la viguerie d'Avignon*, dans les *Annales d'Avignon et du Comtat venaissin*, II, 1913, p. 243-255.

— *Les sièges du palais d'Avignon sous le pontificat de Benoît XIII*, dans les *Annales d'Avignon et du Comtat venaissin*, IX, 1923, p. 5-186.

SCLAFERT (Thérèse), *Les routes du Dauphiné et de la Provence sous l'influence du séjour des papes à Avignon*, dans les *Annales d'histoire économique et sociale*, I, 1929, p. 183-192.

ETAT PONTIFICAL EN ITALIE

GUIRAUD (Jean), *L'Etat pontifical après le Grand Schisme.* Paris, 1896. (Bibl. des Ecoles françaises d'Athènes et de Rome, fasc. 73).

JONES (P.-J.), *The vicariate of the Malatesta of Rimini*, dans l'*English historical review*, LXVII, 1952, p. 321-351.

PARTNER (Peter), *The papal State under Martin V. The administration and government of the temporal power in the early fifteenth century.* Londres, 1958. (British School at Rome).

La revizione del bilancio nel Comune di Bologna dal XII al XV secolo, dans les *Atti e memorie della Deputazione di storia patria per le provincie di Romagna*, nouv. sér., II, 1952, p. 157-218.

PERSONNEL FINANCIER

ALBANES (J.-H.), FILLET (L.) et CHEVALIER (U.), *Gallia christiana novissima*. 7 vol., Valence, 1899-1920.

ALBE (Edouard), *Prélats originaires du Quercy dans l'Italie du XIVe siècle*, dans les *Annales de Saint-Louis-des-Français*, VIII, 1904, p. 137.

BAIX (François), *Notes sur les clercs de la Chambre apostolique (XIIIe-XIVe siècles)*, dans le *Bulletin de l'Institut historique belge de Rome*, XXVII, 1952, p. 17-51.

COVILLE (Alfred), *Raymond Bernard Flamenc, dit « Sac de lois », conseiller des ducs d'Anjou, rois de Sicile, et juge mage de Provence (seconde moitié du XIVe siècle)*, dans la *Bibl. de l'Ecole des chartes*, XCIX, 1938, p. 313-342, et C, 1939, p. 93-111.

Dictionnaire de biographie française publié sous la direction de ROMAN D'AMAT et R. LIMOUZIN-LAMOTHE. Paris, 10 vol. parus depuis 1933 (A à D).

Dictionnaire d'histoire et de géographie ecclésiastique, commencé sous la direction du card. Alfred BAUDRILLART. Paris, 16 vol. parus depuis 1912 (A à E).

DUPONT-FERRIER (Gustave), *Gallia Regia, ou état des officiers royaux des bailliages et des sénéchaussées, de 1328 à 1515*. 6 vol., Paris, 1942-1961.

— *Le personnel de la Cour du Trésor*, dans l'*Annuaire-bulletin de la Société de l'Histoire de France*, 1935-1936.

EUBEL (Konrad), *Hierarchia catholica medii aevi*. T. I. 1198-1431. Munster, 1913 ; rééd. anast., 1960.

FAVIER (Jean), *Rectification à la liste épiscopale de Lodève*, dans le *Bulletin de la Société nationale des Antiquaires de France*, 1963, p. 72-73.

Gallia christiana. 16 vol., Paris, 1716-1865.

GUILLEMAIN (Bernard), *Les chapelains d'honneur des papes d'Avignon*, dans les *Mélanges d'archéologie et d'histoire publiés par l'Ecole française de Rome*, LXIV, 1952, p. 217-238.

— *La carrière des officiers pontificaux au XIVe siècle*, dans *Le Moyen Age*, 1963, p. 565-581.

KIRSCH (Johann-Peter), *Note sur deux fonctionnaires de la Chambre apostolique au XIVe siècle*, dans les *Mélanges Paul Fabre* (Paris, 1902), p. 390-402.

LERCH (Charles-Henri), *Le cardinal Jean de la Grange. Sa vie et son rôle politique jusqu'à la mort de Charles V (1350-1380)*, dans les *Positions des thèses...*, Ecole nationale des chartes, 1955, p. 59-62.

PRINET (Max), *Les armoiries de Pierre de Cros, archevêque de Bourges*, dans les *Mémoires de la Société des Antiquaires du Centre*, XXXVIII, 1917-1918, p. 59-62.

VIDAL (Jean-Marie), *Catalogue épiscopal de Couserans*, dans le *Bulletin historique du diocèse de Pamiers*, V, 1931-1932, p. 121-127.

MARCHANDS ET BANQUIERS

BARATIER (Edouard) et REYNAUD (Félix), *Histoire du commerce de Marseille*. T. II, 1291-1480. Paris, 1951.
— *La lettre de change à Marseille et à Avignon aux XIVe et XVe siècles*, dans le *Recueil de travaux offerts à M. Clovis Brunel* (Paris, 1955), I, p. 82-92.

DE ROOVER (Raymond), *La communauté des marchands lucquois à Bruges de 1377 à 1404*, dans les *Handelingen van het genootschap « Société d'émulation » te Brugge*, LXXXVI, 1949, p. 23-89.
— *Le contrat de change depuis la fin du XIIIe siècle jusqu'au début du XVIIe siècle*, dans la *Revue belge de philologie et d'histoire*, XXV, 1946-1947, p. 111-128.
— *L'évolution de la lettre de change, XIVe-XVIIIe siècles*. Paris, 1953. (Ecole pratique des Hautes Etudes, VIe section, Centre de recherches historiques. Affaires et gens d'affaires. IV).
— *I libri segreti del Banco de' Medici*, dans l'*Archivio storico italiano*, CVII, 1949, p. 236-240.
— *The Medici Bank. Its organisation, managment, operations and decline*. New-York, 1948. (Business history series, Graduate School of business administration, New York University. II).
— *The rise and decline of the Medici Bank*. 1397-1494. Cambridge (Mass.), 1963. (Harvard University).

LABANDE (Edmond-René), *De quelques Italiens établis en Languedoc sous Charles V*, dans les *Mélanges d'histoire du Moyen Age dédiés à la mémoire de Louis Halphen* (Paris, 1951), p. 359-367.

MELIS (Federigo), *Aspetti della vita economica medievale. Studi nell' Archivio Datini di Prato*. Sienne-Florence, 1962.

MIROT (Léon), *Etudes lucquoises. La société des Raponde. Dine Raponde*, dans la *Bibl. de l'Ecole des chartes*, LXXXIX, 1928, pp. 299-389.
— *Etudes lucquoises. L'origine des Spifame : Barthélemi Spifame*, dans la *Bibl. de l'Ecole des chartes*, XCIX, 1938, p. 67-81.
— *Les Lucquois en France au Moyen Age*. Lucques, 1930. (Reale Accademia lucchese di Scienze, Lettere ed Arti).

ORIGO (Iris), *Le marchand de Prato ; Francesco di Marco Datini*. Paris, 1959.

RENOUARD (Yves), *Compagnies mercantiles lucquoises au service des papes d'Avignon*, dans le *Bollettino storico lucchese*, XI, 1939, p. 42-50.
— *Les hommes d'affaires italiens au Moyen Age*. Paris, 1949. (Economie, sociétés, civilisation).
— *Recherches sur les compagnies commerciales et bancaires utilisées par les papes d'Avignon avant le Grand Schisme*. Paris, 1942.
— *Les relations des papes d'Avignon et des compagnies commerciales et bancaires, de 1316 à 1378*. Paris, 1941. (Bibl. des Ecoles françaises d'Athènes et de Rome, fasc. 151).

SAYOUS (André-E.), *Les méthodes commerciales de Barcelone au XIVe siècle, surtout d'après les protocoles inédits de ses archives notariales*, dans les *Estudis universitaris catalans*, XVIII, 1933, p. 209-235.

— *Les méthodes commerciales de Barcelone au* XVe *siècle*, dans la *Revue historique de droit français et étranger*, 1936, p. 254-301.

VAN NIEUWENHUYSEN (A.), *Le transport et le change des espèces dans la Recette générale de toutes les finances de Philippe le Hardi*, dans la *Revue belge de philologie et d'histoire*, XXXV, 1957, p. 55-65.

WOLFF (Philippe), *Commerces et marchands de Toulouse* (*vers* 1350-*vers* 1450). Paris, 1954.

ÉTUDES FINANCIÈRES DIVERSES

BOSSUAT (André), *Les emprunts royaux au début du* XVe *siècle*, dans la *Revue historique de droit français et étranger*, 1950, p. 351-371.

DE ROOVER (Raymond), *Aux origines d'une technique intellectuelle : la formation et l'expansion de la comptabilité à partie double*, dans les *Annales d'histoire économique et sociale*, 1937, p. 171-193 et 270-298.

DUPONT-FERRIER (Gustave), *Etudes sur les institutions financières de la France à la fin du Moyen Age*. 2 vol., Paris, 1930-1932.

DUVERGER (Maurice), *Institutions financières*. Paris, 1956. (Coll. Thémis).

GENESTAL (Robert), *Le rôle des monastères comme établissements de crédit, étudié en Normandie, du* XIe *à la fin du* XIIIe *siècle*. Paris, 1901.

JASSEMIN (Henri), *La Chambre des comptes de Paris au* XVe *siècle*, Paris, 1933.

MOLLAT (Michel), *Recherches sur les finances des Valois de Bourgogne*, dans la *Revue historique*, CCXIX, 1958, p. 285-321.

PERROY (Edouard), *Compte de William Gunthorp, trésorier de Calais*. 1371-1372. Arras, 1959. (Mémoires de la Commission départementale des monuments historiques du Pas de Calais, X 1).

— *L'hôpital de Montbrison aux* XIIIe *et* XIVe *siècles. Essai d'interprétation économique*, dans le *Bulletin de la Diana*, XXVI, 1937-1939, p. 103-137.

— *L'administration de Calais en* 1371-1372, dans la *Revue du Nord*, XXXIII, 1951, p. 218-227.

RAMSAY OF BAMFF (Sir James Henry), *A history of the revenues of the kings of England* (1066-1399). 2 vol., Oxford, 1925.

REY (Maurice), *Le domaine du roi et les finances extraordinaires sous Charles VI. 1388-1413*). Paris, 1965.

— *Les finances royales sous Charles VI. Les causes du déficit. 1388-1413*. Paris, 1965.

VAN WERVEKE (Hans), *Le mort-gage et son rôle économique en Flandre et en Lotharingie*, dans la *Revue belge de philologie et d'histoire*, VIII, 1929, p. 53-91.

VLAEMMINCK (Joseph-H.), *Histoire et doctrines de la comptabilité*. Bruxelles-Paris, 1956. (Université catholique de Louvain. Collection de l'Ecole des sciences économiques. 52).

PRINCIPALES MONNAIES CITÉES

VALEUR DE COMPTE

Florin de la Chambre (généralement appelé « florin », sans autre précision, dans le présent travail) :

Avant le 31 mai 1393 :	28 s.	avignonais	18 s. 8 d.	tournois
Après le 1er juin 1393 :	30 s.	—	20 s.	—

Florin courant et Florin de la reine [1] :	24 s.	—	15 s.	—
Florin de Florence et Florin de Gênes [2] :	30 s.	—	20 s.	—
Florin d'Aragon :	21 s. 6 d.	—	13 s. 6 d. [3]	—
Franc [4] :	30 s.	—	20 s.	—
Gros avignonnais :	2 s.	—	1 s.	parisis
Marabotin :	1 s.	—	6 d.	—
Livre barcelonaise :	40 s.	—	25 s.	—

Florin de la Chambre romaine : 1 florin de Florence.

1. Pour la valeur exacte du florin de la reine — c'est-à-dire de Provence, par allusion à la reine Jeanne d'Anjou — dans les premières années du Schisme, voir ci-dessous.
2. Valeurs en 1404-1405.
3. Valeur approximative.
4. Utilisé couramment comme monnaie de compte au lieu de la livre tournois ; ce fait, caractéristique de la période 1370-1405, est signalé par Ph. WOLFF, *Commerces et marchands de Toulouse*, p. 324, et par M. REY, *Le domaine du roi...*, p. 39. Il est à noter que le franc n'est plus frappé à partir de 1385.

PREMIÈRE PARTIE

LES MOYENS
DE LA
POLITIQUE FINANCIÈRE

On ne fait pas de politique financière sans une administration efficacement structurée, servie par des hommes compétents et dévoués à leur tâche. C'est à ces hommes, à ces moyens administratifs que nous consacrerons les chapitres qui suivent. Le savoir-faire et la fidélité des gens de la Chambre apostolique, du camérier au plus modeste des sous-collecteurs, étaient les conditions indispensables d'une gestion efficace des finances pontificales.

Mais le schisme de 1378 n'eut pas sur le personnel caméral l'effet de division que l'on pourrait supposer. D'abord parce qu'ils étaient pour la plupart Français et suivirent la destinée du parti français, ensuite et surtout parce que le camérier Pierre de Cros jouait un rôle déterminant et que les gens de la Chambre trouvaient naturel de suivre le choix de leur chef incontesté, l'administration financière de Grégoire XI deumeura unie et passa, en quasi-totalité, au service de l'élu de Fondi. Clément VII trouva donc à Avignon les mêmes dévouements et les mêmes compétences qui avaient fait la puissance de la Chambre apostolique de son prédécesseur. Pendant ce temps, le pape de Rome devait improviser. On verra comment Urbain VI et ses successeurs demeurèrent frappés par cette désertion collective du personnel financier, et comment ils ne purent jamais constituer ni une administration centrale homogène, ni un réseau stable d'agents locaux parfaitement soumis.

Il nous faut donc opposer la continuité des moyens administratifs avignonnais à l'improvisation qui se prolongea dans l'administration romaine. C'est à propos du personnel avignonnais, on le comprendra aisément, que nous étudierons pour commencer les hommes, les offices, les conditions et le résultat de leur gestion. On verra d'abord ce qu'était chaque officier et ce qu'il était à la Chambre d'Avignon et à travers l'obédience avignonnaise. L'étude de la Chambre romaine et de ses agents ne viendra qu'au chapitre III et supposera une référence constante à ce qui aura été dit dans les deux premiers chapitres.

CHAPITRE PREMIER

LA CONTINUITÉ AVIGNONNAISE :
LA CHAMBRE APOSTOLIQUE

Organe central de l'administration financière pontificale, la Chambre apostolique comprenait un petit nombre d'hommes aux attributions soit fort extensives, soit fort précises, tenant en leurs mains la gestion des fonds apostoliques et la défense des intérêts financiers du pape et de l'Eglise. S'il y a une politique financière et fiscale de la papauté avignonnaise, c'est aux quelques personnages composant la Chambre qu'elle peut être imputée. Leur chef, le camérier, les dominait de très haut par l'ampleur de ses pouvoirs et de sa compétence. Il était entouré de clercs et de conseillers, aux multiples attributions, souvent indéfinies. Le trésorier, second personnage de la Chambre après le camérier, était très loin de jouer un rôle de semblable importance : chef de la Trésorerie, il n'était en réalité que le gardien responsable des fonds conservés en celle-ci, sans autonomie de gestion, sans pouvoirs d'appréciation, sans autre responsabilité que celle d'un caissier. Quelques officiers de justice, des notaires et des manieurs d'espèces, receveurs et changeurs, complétaient le personnel de la Chambre.

C'est intentionnellement qu'au premier rang des moyens de la politique financière, nous plaçons les hommes. Du choix fait, dans l'été de 1378, par les dignitaires comme par les modestes officiers de la curie romaine, dépendait l'efficacité des institutions que la double élection pontificale allait dédoubler. Le partage des revenus de l'Eglise était inéluctable, et l'accroissement des dépenses diplomatiques et militaires allait en aggraver les effets. Depuis un demi-siècle, la fiscalité pontificale n'avait cessé de s'enfler, de s'appesantir aussi. Les crises ne lui avaient pas été ménagées et la dernière en date, la rupture avec les compagnies florentines en 1376, avait privé la Papauté de ses plus notables soutiens financiers. La crise ouverte en 1378 était d'une tout autre gravité. Les maîtres de l'administration financière étaient-ils préparés à l'affronter ? C'est ce que notre étude voudrait en premier lieu montrer, en dégageant les caractères propres de chaque fonction et les compétences individuelles avec lesquelles sont assumées ces fonctions, compé-

tences qui nous paraissent bien être le premier moyen de la politique
financière.

A. — LE CAMÉRIER

1. *Cros et Conzié.*   Ce qui frappe dès l'abord, en examinant les
individus, c'est de ne point découvrir une figure
qui fût *a priori* celle d'un financier. Tout le premier, le camérier
est un administrateur, un juriste, nullement un financier.

Deux camériers se succédèrent à Avignon pendant le Schisme.
Pierre de Cros, archevêque d'Arles, était en fonctions depuis le
20 juin 1371, date à laquelle son oncle Grégoire XI l'avait choisi
pour succéder à Arnaud Aubert, mort la semaine précédente. Lors
des événements consécutifs à l'élection d'Urbain VI, Pierre de
Cros se plaça en tête du mouvement d'opposition au nouvel élu,
au point de faire figurer sa souscription avec celle des cardinaux au
bas de la déclaration du 2 août qui contestait la validité de
l'élection romaine [1]. Un instant désavoué par son frère, le cardinal
Jean de Cros, dont l'attitude était plus modérée, le camérier usa
de son autorité pour priver Urbain VI des services de la Chambre
apostolique, de sa Trésorerie et même des insignes pontificaux,
tiare comprise, qu'il emporta avec lui lorsqu'il quitta Rome pour
Anagni où allait se consommer la révolte des cardinaux. L'attitude
de Pierre de Cros était celle d'un homme politique, non d'un officier
strictement limité à ses fonctions financières. Que ses visées aient
été plus hautes est infiniment probable. Tout son comportement
traduit le désir de puissance et le besoin d'action. Ambitionnait-il,
pour l'immédiat ou à long terme, la succession de Grégoire XI ?
Il est impossible de le dire. Mais, dans les années qui suivirent l'élection de Clément VII, le camérier nous semble avoir dépassé les
limites, pourtant vastes, des compétences de la Chambre apostolique. N'en retenons pour témoignage que son manque évident
d'intérêt pour les affaires modestes de la Chambre. Il les dirigea de
très haut, dédaignant de s'occuper par lui-même des questions
individuelles et particulières, remises de dettes ou concessions de
délais, par exemple, questions dont la reprise en mains par son
successeur se traduira de façon notable dans les registres de lettres
camérales.

Les dernières années de Pierre de Cros à la Chambre apostolique
sont l'âge d'or des nonces munis de pleins pouvoirs, hauts dignitaires de l'Eglise allant, dans les diverses régions de l'obédience

---

1. Sur le rôle du camérier en 1378, voir le récit donné des événements par Noël VALOIS
(*La France et le Grand-Schisme d'Occident*, t. I) et surtout les additions de H. LECLERCQ
au texte de HEFELE (*Histoire des Conciles*, t. VI). Le *casus* du 2 août a été publié par
R. DELACHENAL, *Chronique des règnes de Jean II et de Charles V*, II, p. 324.

clémentiste, exercer en fait une part des attributions du camérier : Seguin d'Authon[1], patriarche d'Antioche, en Espagne, Pierre Girard, clerc de la Chambre, et Jean de Murol, évêque de Genève et conseiller de la Chambre, dans les pays de Langue d'oil.,

Le 23 décembre 1383, Pierre de Cros était créé cardinal du titre des Saints Nérée et Achillée[2]. Bien qu'elle n'ait jamais été expressément formulée, une règle constamment respectée depuis Clément V interdisait à un cardinal d'exercer l'office de camérier[3]. La raison n'en était pas seulement hiérarchique : toujours évêque et plus souvent archevêque, le camérier était, en droit comme en fait, un très haut personnage. Mais le Sacré Collège disposait de revenus propres — essentiellement les communs services —dont la gestion était totalement autonome, sous la responsabilité d'un cardinal camérier du Sacré Collège. L'on pouvait difficilement appartenir au Sacré Collège et gérer les finances de l'Eglise qui étaient tout spécialement celles du pape. Pierre de Cros fut donc remplacé, le 24 décembre, à la tête de la Chambre[4].

François de Conzié, le nouveau camérier, était une figure bien différente. C'était un juriste éminent, docteur *in utroque* : à la fois civiliste et canoniste, et du plus haut grade. Il était jusque là attaché à la curie comme auditeur des causes du Sacré Palais.

Le nouveau responsable des finances pontificales n'avait donc jamais appartenu à la Chambre apostolique. De délicates missions lui avaient été confiées, comme celles qui, en janvier, mars et septembre 1381, le conduisirent à Nice où il s'efforça — par sa dialectique comme par des subsides puisés dans la Trésorerie pontificale — d'obtenir l'adhésion des cardinaux italiens, Corsini et Brossano, à la cause avignonnaise[5]. L'année suivante, nonce en Languedoc, il se voyait chargé de récupérer ce que pouvaient détenir les collecteurs en or, argent, joyaux, livres, ornements et denrées alimentaires appartenant ou revenant à la Chambre apostolique[6]. Cette mission mise à part, rien ne semblait destiner Conzié à diriger l'administration financière de Clément VII. Un Pierre Girard ou un Jean de Murol eussent pu sembler plus adéquats.

---

1. Noël Valois et Fr. Baix l'ont appelé d'Anthon ou d'Anton, et l'ont fait appartenir à une famille du Dauphiné (Anthon, cant. Meyzieux, Isère). Il était en réalité d'une famille de Saintonge (Authon, cant. Saint-Hilaire-de-Villefranche, Char.-Mar.) où le prénom de Seguin est plusieurs fois attesté ; BEAUCHET-FILLEAU, *Dictionnaire historique et généalogique des familles du Poitou* (Poitiers, 1891-1898, 2 vol. in-8°), p. 186-188. Sur le personnage, voir : Fr. BAIX, *Notes sur les clercs de la Chambre apostolique (XIIIe-XIVe siècles)*, dans le *Bull. de l'Inst. hist. belge de Rome*, XXVII, 1952, p. 17-51 ; article de L. BASCOUL dans le *Dict. d'hist. et de géogr. ecclesiastiques*, V, col. 809.
2. Il cessa dès lors de s'occuper de l'administration financière et mourut en 1388.
3. Nous verrons que cette règle fut violée dans l'obédience romaine.
4. *Reg. Av.* 238, fol. 178 r°.
5. N. VALOIS, *La France et le Grand Schisme*, II, p. 361.
6. Bulle du 9 novembre 1382 ; *Reg. Av.* 233, fol. 16 r° - 17 r°.

Depuis 1380, Conzié était évêque de Grenoble. En 1388, il fut transféré au siège archiépiscopal d'Arles, en 1390 à celui de Toulouse et, en septembre 1391, enfin, au siège primatial de Narbonne qu'il allait conserver jusqu'à sa mort, le 31 décembre 1432. Camérier du pape et de l'Eglise pendant cinquante ans, vicaire général d'Avignon pendant vingt ans, Conzié ne reçut jamais le chapeau cardinalice. Nous ne croyons pas qu'il faille voir là une marque de défaveur de la part des papes — de trois obédiences — que servit Conzié avec un zèle et une compétence dont témoigne son maintien dans ses fonctions, autant que les preuves conservées de son activité. Les missions politiques confiées à Conzié furent rares, mais de haute importance. C'est lui, Valois l'a bien montré, qui fut chargé en mars 1394, d'aller à Paris contrecarrer les menées anti-pontificales de l'Université, et la violence des attaques dont il fut l'objet suffit à prouver l'efficacité de sa mission [1].

Si Conzié ne devint pas cardinal, c'est que cet administrateur était sans ambition politique. Relativement à son rang, son train de vie et sa maison demeurèrent des plus simples [2]. Conzié était un homme de travail. Son office devait le passionner ; nous le voyons, à travers la correspondance administrative, s'occuper des moindres détails de la gestion des fonds apostoliques. En la dépassant, Pierre de Cros avait quelque peu délaissé sa fonction. Conzié la remplit totalement, et s'en contenta. Il s'identifia si bien à elle que, pour parapher les livres de la Trésorerie et pour viser les lettres closes adressées à ses officiers, il n'usa que du seul mot *Camerarius*. Ce grand juriste avait atteint en décembre 1383 le poste où il lui était loisible de donner sa mesure ; il borna là ses ambitions.

2. *L'administrateur.*   Les pouvoirs du camérier [3], définis dans la bulle qui le constituait en son office, procèdent en réalité d'un principe non déclaré parce qu'admis de tous : le camérier exprimait la volonté du pape. Ce privilège, il ne le partageait qu'avec les cardinaux ; mais ceux-ci, membres d'un collège dont nous avons dit qu'il était administrativement et financièrement autonome, et dans les affaires duquel le pape n'avait pas à intervenir, ne pouvaient représenter la volonté du pape qu'en matière politique, donc en l'absence du pape, et notamment lors de légations. Bien plus, la crise de 1378 avait fait pour longtemps du Sacré Collège un pouvoir éventuellement rival du Siège apostolique. A mesure

---

1. N. VALOIS, *op. cit.*, II, p. 425-426.
2. Vicaire général d'Avignon partir de 1412, il aurait pu habiter le palais ou l'une des livrées cardinalices inoccupées ; il se contenta cependant de la modeste maison du maréchal ; P. PANSIER, *La maison du camérier...*, dans les *Annales d'Avignon...*, 1913, p. 243-255.
3. Ils ont été sommairement définis, d'après la bulle du 16 janvier 1393, par Emil GÖLLER, *Zur Stellung des päpstlichen Kamerars unter Clemens VII...*, dans les *Archiv für katholisches Kirchenrecht*, 1903, p. 387-397.

que se prolongeait le Schisme, les négociations avec les cardinaux eurent de plus en plus un caractère anti-papal, et cela même lorsque les cardinaux étaient favorables au pape : le seul fait de se déclarer, en faveur du pape, hostiles à la voie de cession impliquait bien que des cardinaux parlassent en leur nom propre, et nullement au nom du pape. Ce fut l'habileté de Conzié que de faire oublier l'intrusion de son prédécesseur dans la politique consistoriale. Il ne fut que l'administrateur des intérêts du pape : le fait qu'il parlât au nom de ce dernier ne pouvait donc être mis en doute.

Dans la plupart des lettres patentes portant atteinte à ces intérêts — assignations, dons, remises — en tant qu'elle entraînaient une sortie de fonds ou une diminution des rentrées, le camérier se référait explicitement à la volonté du pape, à lui exprimée de vive voix. A prendre ces formules à la lettre, le camérier n'aurait fait qu'exécuter les décisions papales. On ne doit cependant voir là qu'une clause juridique rappelant le principe énoncé plus haut : dans la plupart des cas, l'initiative et la décision sont celles du camérier. Citant lui-même une de ses lettres antérieures, François de Conzié n'écrivait-il pas : *aliarum nostrarum de mandato domini nostri, ut dicitur, confectarum litterarum* ; la référence à la volonté du pape n'était donc qu'une formule usuelle[1]. Cela n'empêchait d'ailleurs nullement le pape de faire connaître au camérier sa propre volonté touchant une affaire à lui soumise, et l'on voit certaines lettres du camérier mentionner, avec la décision du pape, le nom de l'intermédiaire la lui ayant transmise[2].

Chef de la Chambre apostolique, le camérier était évidemment habilité à prendre toutes décisions nécessaires à la bonne marche de cet organisme et à l'activité de ses agents. C'est à lui qu'incombait en particulier le soin de désigner les officiers de la Chambre, de leur donner ordres et instructions et de contrôler l'exécution des ordres et la gestion des intérêts de l'Eglise.

Le personnel de la Chambre, du trésorier au plus modeste notaire, était nommé par le camérier. Si certaines désignations semblent lui avoir échappé, notamment celles des collecteurs, c'est que les pouvoirs de nonces apostoliques conférés aux collecteurs nécessitaient la rédaction d'une bulle. Mais il ne fait aucun doute que ces désignations fussent faites à l'instigation du camérier, seul à même de connaître les hommes. C'est entre ses mains qu'ils prêtaient serment[3]. Maître du temporel de l'Eglise, le camérier était également appelé à nommer des officiers domaniaux[4] et des officiers du Palais pontifical[5]. S'il choisissait ses subordonnés, il désignait aussi ses

1. *Reg. Vat.* 308, fol. 182 v°.
2. *Reg. Av.* 306, fol. 61 v°.
3. *Reg. Vat.* 309, fol. 44 v°, et *Reg. Av.* 306, fol. 56 r°-57 r°.
4. *Reg. Vat.* 308, fol. 91 v°-92 r°.
5. *Reg. Av.* 306, fol. 50 r°.

remplaçants, lieutenants ou vice-gérants de l'office du camérariat, lorsqu'il lui arrivait de s'absenter sur l'ordre ou avec le congé du pape. Sans doute le faisait-il avec l'accord de ce dernier, mais sous sa propre autorité et par lettres scellées de son sceau [1]. Selon les circonstances, c'était au trésorier (Pierre de Vernols, Antoine de Louvier), à un clerc de la Chambre (Bertrand de Gamarenges) ou à un conseiller (Pedro Adimari) qu'était confiée la lieutenance.

Une catégorie d'agents de la Chambre échappait normalement à la désignation du camérier : les sous-collecteurs, nommés par les collecteurs. La cause de cette exception est à la fois juridique et financière. Le collecteur était pécuniairement responsable, sur ses propres deniers, de sa recette et de sa gestion. Il était donc équitable de lui laisser le choix de ses collaborateurs. C'était aussi une précaution élémentaire de la part du camérier qui n'endossait ainsi aucune responsabilité quant à l'activité des collecteurs. Ceux-ci n'avaient aucun moyen de se décharger, à l'égard de la Chambre, d'une partie de leur responsabilité personnelle, ce qu'ils eussent pu faire si des collaborateurs leur avaient été imposés. Le travail de la Chambre se trouvait en outre simplifié par cette hiérarchisation : quelque connaissance que l'on ait eu à Avignon de la personnalité des sous-collecteurs, les gens de la Chambre affectèrent toujours d'ignorer même leur nom ; les lettres adressées au collecteur et à l'un de ses sous-collecteurs, afin de les informer collectivement de certaines décisions comme les réductions de taxe ou les remises de dette, ne portent que le nom de premier destinataire, le second n'étant désigné que par sa fonction. Bien des lettres adressées au seul sous-collecteur ne mentionnent pas son nom, alors que celui-ci était bien connu de la Chambre où le sous-collecteur n'était pas sans venir, sur ordre du collecteur, apporter quelque argent ou chercher des instructions.

C'est au camérier, et à lui seul, dans la mesure où les clercs et conseillers de la Chambre n'avaient à cet égard nulle autorité propre, qu'il appartenait de gérer les revenus de l'Eglise, donc de coordonner l'administration financière, d'inspirer et mettre en œuvre les impositions, de contrôler la perception, d'ordonnancer les assignations et de vérifier la gestion des agents locaux et de la Trésorerie.

Dans la détermination des impositions nécessaires, son rôle est impossible à déceler. On peut cependant admettre que, seul au courant de l'état exact des revenus — cela de l'aveu même du pape, nous le verrons — et des besoins de la politique pontificale, le camérier était, plus que quiconque, capable d'indiquer au pape les moyens de subvenir à cette politique [2].

1. Dans la première moitié du siècle, de telles nominations étaient faites par le pape ; Ch. SAMARAN et G. MOLLAT, *La fiscalité pontificale en France au XIVᵉ siècle*, p. 2-3.
2. On notera que le camérier avait une immense supériorité sur les gens des finances du roi de France : l'ordinaire et l'extraordinaire étant unifiés dans la Chambre apostolique, il contrôlait la totalité des revenus pontificaux.

Dans la perception, il intervenait en deux sens opposés. Par son autorité, il pouvait tout d'abord renforcer les exigences des collecteurs ; en cas de résistance, il agissait pour « aggraver » les sentences portées contre les réfractaires[1]. Il intervenait également, et de manière directe, dans la perception des communs services que les prélats ne pouvaient acquitter qu'à la Trésorerie : le camérier était seul habilité à en donner quittance. Parallèlement, il pouvait user des moyens canoniques de coercition — excommunication, suspense, censure — envers les prélats négligeant d'effectuer leurs visites *ad limina*. A l'opposé, le camérier pouvait alléger le poids de la fiscalité sur les bénéficiers ruinés par la guerre, les épidémies ou les mauvaises récoltes. De ces remises et réductions, on trouvera ces centaines d'exemples dans la correspondance administrative des camériers. Ce ne sont là que des allégements temporaires, généralement octroyés à des clercs ayant hérité de lourdes dettes de leurs prédécesseurs. Définitives sont au contraire les réductions de taxe : elles entraînaient une diminution des décimes et annates dues à l'avenir par le bénéfice. On devine aisément que cette mesure était plus rare que la précédente, car elle affectait les recettes futures et ne tenait pas compte des possibilités de rétablissement ultérieur ou de restauration du bénéfice.

S'il arrivait au pape d'assigner un paiement, un don ou le remboursement d'une dette sur une collectorie, c'est au camérier qu'incombait le soin d'ordonner le paiement au collecteur par une lettre patente d'assignation, remise au bénéficiaire, cependant qu'une lettre close était généralement adressée directement au collecteur. Les agents percepteurs et comptables des deniers de la Chambre, et le trésorier le premier, ne disposaient donc de leur recette que sur le vu de lettres du camérier. Certes, toutes les lettres impliquant une diminution de recettes ou un paiement sont censées émaner de la volonté, oralement exprimée, du pape. Son autorité propre ne permettait guère au camérier que de concéder des délais aux débiteurs de la Chambre : il pouvait assouplir le mode de perception, non diminuer la somme due ou disposer de la recette. Mais, se couvrant de l'autorité apostolique dont il était le porte-parole, c'est bien le camérier qui ordonnançait les assignations. Seul, au courant de l'état des revenus, donc des possibilités de chaque agent de la Chambre, il pouvait le faire à bon escient. Reconnaissant cette compétence, Clément VII, en mars 1382, déclara nulle toute bulle d'assignation, don, rémission ou concession non revêtue du visa autographe du camérier[2]. Se réservant toujours la possibilité de faire instrumenter de telles décisions par sa chancellerie, le pape admettait donc bien qu'il n'avait ni la compétence ni l'information nécessaire pour juger de leur opportunité.

1. Nous reviendrons sur ce point à propos de la juridiction du camérier.
2. *Reg. Av.* 268, fol. 611 v° ; *Reg. Av.* 275, fol. 10 r°-11 r°.

La préoccupation constante des camériers fut d'ailleurs d'être tenus au courant des possibilités des collectories [1]. En fait, nous le verrons, les camériers n'étaient que médiocrement informés de l'état de ces collectories. Ce n'est que lors de l'apurement des comptes, souvent tardif, que la Chambre connaissait véritablement le revenu d'une collectorie et l'usage qui en avait été fait.

Ordonnateur des recettes comme des dépenses, le camérier contrôlait la gestion des agents comptables et en donnait quittance. Examinés sur son ordre, les comptes lui étaient rapportés et la quittance qu'il délivrait indiquait le montant des recettes et des assignations ; les sommes y sont le plus souvent détaillées, les bénéficiaires d'assignations nommés, les dates précisées. Ces quittances étaient la justification des collecteurs. Au temps de Pierre de Cros, le pape délivra de semblables quittances [2]. Mais Conzié, un an après son arrivée à la Chambre, amena le pape à renoncer à une telle pratique : ces quittances étaient trop fréquemment données sans un sérieux examen des livres comptables et des quittances partielles émanant des bénéficiaires d'assignations honorées ou du trésorier pour les versements faits à la curie. Par une bulle du 23 janvier 1385, Clément VII annula donc toute quittance générale ou rémission pouvant être accordée par lui à l'avenir au préjudice de la Chambre [3]. Certes, le pape, dérogeant à cette décision, continua à donner des quittances ; mais elles eurent alors un caractère purement gracieux, ne donnant plus le moindre détail des recettes et dépenses. Ce n'était plus des justifications, mais des absolutions [4]. Au temps de François de Conzié, une quittance générale du pape devint un acte exceptionnel [5] que les circonstances expliquent le plus souvent : ainsi celle que donna Clément VII, le 8 juillet 1393, à l'évêque de Lavaur Guy de la Roche qui, collecteur de Tours de 1365 à 1390, n'avait rendu aucun compte depuis 1372. Il était impossible, en pareil cas, de vérifier toutes les assignations et, surtout, toutes les dépenses. C'est arbitrairement que l'on fixa à 28 900 francs les dépenses de Guy de la Roche pendant ces dix-huit années. La quittance établie par la chancellerie était motivée, mais elle valait une véritable remise gracieuse [6].

1. Voir ci-dessous p. 87-92.
2. Ainsi celle du 1er avril 1381 en faveur d'Arnaud André, collecteur de Narbonne, dans laquelle sont énumérés sept versements faits à la Trésorerie pour un total de 3 555 florins 6 deniers ; *Coll.* 359 A, fol. 65 v°-66 r°.
3. *Reg. Av.* 242, fol. 48 v°-49 r°.
4. Au même Arnaud André, dès le 4 mai 1385, Clément VII donna quittance de son administration et de ses recettes, remettant au collecteur, en récompense de ses services, ce qu'il pouvait encore devoir à la Chambre ; *Reg. Av.* 242, fol. 63 r°-64 r°.
5. Le successeur d'Arnaud André, Sicard de Bourguerol, reçut encore une quittance analogue à celles de son prédécesseur, le 30 juin 1398 (*Reg. Av.* 304, fol. 680 v°-682 v°). Mais lorsque son propre successeur Jean Martin rendit en 1406 les comptes de sa gestion, il reçut, le 17 juillet, une quittance du camérier, portant détail des recettes et dépenses, après rapport d'un conseiller de la Chambre, Bourguerol en l'occurrence (*Reg. Av.* 325, fol. 550 r°- 552 r°).
6. *Reg. Av.* 272, fol. 127 r°-129 r°.

Si le trésorier recevait sa quittance annuelle du pape, les comptes de la Trésorerie étaient rendus au camérier qui chargeait les clercs de la Chambre d'en vérifier l'exactitude et de lui faire un rapport. Ce n'est qu'à la fin de cette procédure qu'une bulle de quittance était délivrée au trésorier[1].

Coordonner l'administration du temporel de l'Eglise n'était pas la moindre tâche du camérier. Il avait, en raison de son office[2], la charge de gouverner les états pontificaux, de régir le palais apostolique et d'exercer la juridiction temporelle en ces lieux. Il désignait tous les officiers seigneuriaux : le trésorier du Comtat venaissin[3] aussi bien que le bayle de la cour de Pont-de-Sorgues[4], le vicaire de la cour temporelle d'Avignon[5] et celui de la ville[6], les juges de la cour d'Avignon[7] et celui de Valréas[8]. Il disposait des fonds réunis par le trésorier du Comtat et par les différents clavaires, sur la recette desquels il assignait les gages des officiers[9]. Responsable de la défense de ces territoires, il nommait le capitaine d'Avignon[10] et le gardien du palais de Villeneuve[11], ordonnait la mise en possession des capitaines et châtelains des places fortes du Comtat[12] et veillait à ce que les troupes fussent entretenues aux frais des habitants[13]. Responsable de l'ordre public, il répondait à la plainte des Avignonnais contre l'emploi de fausses mesures de capacité par certains marchands d'huile et de vin, en désignant un vérificateur chargé de poinçonner les mesures dans toute la ville[14], et il fulminait l'excommunication contre ceux qui s'adonnaient à la course, à la lutte, aux boules, aux dés et « autres jeux malhonnêtes» dans le cimetière de la chapelle Notre-Dame de Champfleury, près des murs d'Avignon[15], contre ceux qui sautaient le mur de ce cimetière et y dérobaient les fruits sans hésiter à casser les branches[16]. C'est encore le camérier qui exerçait les droits de l'Eglise en tant que propriétaire d'immeubles à Avignon[17].

Le camérier représentait l'Eglise vis-à-vis de ses vassaux. Il en rece-

---

1. *Intr. ex.* 366, fol. 220 v⁰- 221 r⁰ ; *Reg. Vat.* 301, fol. 108 v⁰- 109 r⁰.
2. *Reg. Av.* 319, *fol.* 12-13.
3. Ses attributions le plaçaient à double titre sous l'autorité de la **Chambre** apostolique ; *Reg. Av.* 331, fol. 138 v⁰-139 v⁰.
4. *Reg. Av.* 306, fol. 77 v⁰.
5. *Reg, Av.* 308, fol. 91 v⁰-92 r⁰.
6. *Reg. Av.* 305, fol. 447 v⁰.
7. *Reg. Av.* 306, fol. 76, et 320, fol. 127 v⁰-128 r⁰.
8. *Reg. Vat.* 308, fol. 183.
9. *Reg. Av.* 306, fol. 77 v⁰.
10. *Ibid.,* fol. 45 r⁰.
11. *Reg. Vat.* 308, fol. 199 v⁰.
12. Bernardon de Serre à Malaucène, Pierre de Balesson à Oppède ; *Reg. Vat.* 308, fol. 188 v⁰- et 207 r⁰.
13. *Reg. Vat.* 308, fol. 125 v⁰-126 v⁰.
14. *Reg. Av.* 305, fol. 439 r⁰.
15. Voir P. Pansier, *Le cimetière...,* dans les *Annales d'Avignon...,* 1928, p. 91-100.
16. *Reg. Vat.* 308, fol. 129.
17. *Ibid.,* fol. 124 v⁰- 125 r⁰ et 142 v⁰-143 r⁰.

vait l'hommage et le serment de fidélité. Il leur donnait l'investiture par la remise de son anneau [1].

Aux terres de l'Eglise, nous devons rattacher les possessions héréditaires et personnelles du pape ; la gestion financière et, en partie, l'administration en étaient déléguées au camérier. De même l'administration des bénéfices pontificaux réservés au Saint-Siège [2] était-elle soumise au contrôle du camérier, contrôle plus ou moins étroit selon l'éloignement de la curie. Ainsi voit-on Conzié nommer, le 10 avril 1385, trois vicaires généraux au spirituel et au temporel de l'évêché d'Alet, vacant par la mort de l'évêque Arnaud de Villars : c'étaient le sous-collecteur Bernard Terrisse, le sacriste de Carcassonne Aimery Apparat et Jean Maignier, chanoine de Noyon ; en même temps, le camérier nommait Apparat official du diocèse et constituait Maignier receveur général des revenus de la mense épiscopale [3].

Le diocèse d'Avignon doit être considéré à part. La promotion de l'évêque Faidit d'Aigrefeuille au cardinalat, le 23 décembre 1383, ouvrit une vacance du siège qui se prolongea jusqu'à la nomination de Simon de Cramaud, patriarche d'Alexandrie, comme administrateur commendataire en 1391. Pendant cette vacance, c'est au camérier François de Conzié que fut dévolu le vicariat général au spirituel et au temporel. C'est lui qui, pour cet évêché, fit hommage à la reine Marie et à Louis II d'Anjou [4]. Il gouverna la mense épiscopale, il exerça la juridiction [5]. Il fut encore constitué vicaire général le 19 septembre 1391, lorsque fut révoquée la commende de Cramaud, et le demeura jusqu'à la nomination de Gilles Bellemère. A la mort du cardinal Faidit d'Aigrefeuille, Conzié lui succéda comme administrateur de l'abbaye de Montmajour pour le compte de la Chambre apostolique [6].

Parce qu'il exprimait la volonté — réelle ou supposée — du pape,

1. C'est devant Conzié que se présenta, le 13 mai 1384, Antonio de' Gutuari, docteur ès lois, comme procureur de Galeazzo de' Porri, pour recevoir au nom de son mandant l'inféodation de la châtellenie de Venaria (prov. de Turin). Lecture faite de la bulle du 13 avril notifiant l'inféodation, le camérier donna l'investiture en plaçant son anneau épiscopal dans la main droite du procureur ; celui-ci prêta ensuite hommage et fit le serment de fidélité. Aussitôt après, on renouvela la cérémonie pour le comté de Polenzio. Pour chacun de ces fiefs, un acte notarié fut établi, et mention faite du cens d'une obole d'or, payable au collecteur de Milan. Le même jour, Brunotto de' Gutuari, en son nom et au nom de son frère Catalano, se présenta devant Conzié pour recevoir l'investiture de la châtellenie de Mazzero ; le camérier donna commission au collecteur de Milan de recevoir l'hommage et le serment de Catalano. *Coll.* 360, fol. 146-149 et 213 ; *Coll.* 501, fol. 40 v°.

2. Nous entendons par là ceux qui, non pourvus de titulaire, n'étaient pas donnés en commende à un administrateur percevant les revenus à son profit.

3. *Coll.* 360, fol. 234-235 ; peut-être la nomination de l'official n'était-elle qu'une simple confirmation. L'église d'Alet fut donnée en commende au cardinal de Montaigu ; la constitution de Maignier fut cancellée, dans le registre, sur l'ordre du camérier et par son notaire Jean de Derleke.

4. Le 8 juin 1385 ; Jean LE FÈVRE, *Journal*, éd. H. Moranvillé, p. 120.

5. Y compris celle relative aux causes testamentaires touchant les curialistes ; *Reg. Av.* 238, fol. 188 v°-191 v°.

6. *Reg. Av.* 301, fol. 135-137.

le camérier avait le pouvoir d'obliger le Saint-Siège, pouvoir qu'il ne partageait avec personne. Lorsque des nonces furent envoyés avec pour principale mission, la négociation de prêts en faveur de l'Eglise ils reçurent toujours une bulle de créance mentionnant expressément le pouvoir d'obliger la Chambre ; souvent, un maximum était fixé à ces emprunts. C'est au contraire en permanence, et en raison même de son office, que le camérier jouissait d'une telle capacité. Le trésorier, dont on a trop écrit qu'il était l'adjoint du camérier, n'avait aucun pouvoir pour obliger, si peu que ce fût, la Chambre apostolique ; à plus forte raison ne pouvait-il accepter un prêt de quelque importance. On sait que, voulant aider les cardinaux rebelles à Urbain VI, Charles V proposa, dans l'été de 1378, de prêter 20 000 francs au camérier ; le roi fit consigner la somme par le trésorier du Dauphiné entre les mains du cardinal Grimoard. Pierre de Cros était alors en Italie, et les cardinaux d'Avignon proposèrent une quittance provisoire que devait délivrer le trésorier Pierre de Vernols. Le gouvernement royal s'avisa que le trésorier n'avait nullement qualité pour obliger la Chambre, et refusa [1]. Certes, Vernols pouvait donner une quittance, mais celle-ci n'eût fait que constater le versement. Un reçu était insuffisant ; il fallait une reconnaissance de dette que personne, hors le camérier, ne pouvait donner.

La conséquence de ce principe formel, c'est que tout contrat engageant la responsabilité pécuniaire du Saint-Siège, ou comportant la reconnaissance d'une dette ou d'une prestation génératrice de dette, nécessitait l'intervention du camérier ou d'un commissaire nommé par le pape et le camérier. C'est Conzié qui conclut avec des patrons marseillais et catalans les contrats pour les galées de 1384 [2] ; c'est également lui qui reconnaît les dettes pour de simples fournitures, comme celle de 384 florins courants envers le poissonnier Jean Duval [3]. C'est surtout lui qui délivre la plupart des assignations : or celles-ci engagent le Saint-Siège, en tant qu'elles constituent un titre entre les mains du bénéficiaire ; nombre de prêteurs à court terme ne recevaient pas d'autre reconnaissance de dette que la lettre d'assignation en remboursement.

3. *Le juge.*   Administrateur, le camérier était également juge. Sa compétence est très complètement définie par la bulle qui, lors de sa nomination, lui accordait ses pouvoirs judiciaires [4]. Le fondement en est la nécessité de sauvegarder les intérêts de la Chambre apostolique dans les litiges nés à leur sujet, litiges qui,

---

1. N. Valois, *La France et le Grand Schisme*, I, p. 97-98.
2. Bibl. Nat., lat. 5913 A., fol. 46-101.
3. *Instr. misc.* 3224. Duval vendait du poisson d'eau douce.
4. *Reg. Av.* 220, fol. 527-528, et *Reg. Av.* 238, fol. 178 r⁰ ; éditée par Ch. Samaran et G. Mollat, *La fiscalité pontificale*, p. 247-248.

jugés hors de la Chambre, auraient été jugés par des juges mal informés des droits du Saint-Siège. Il s'agissait donc souvent de faire juger les causes par l'une des parties ; l'équité du grand juriste qu'était le camérier devait atténuer ce qu'une telle procédure pouvait avoir d'inquiétant.

Le chef de la Chambre apostolique avait donc tout pouvoir pour évoquer devant lui — ou devant un commissaire député par lui à cette fin — toutes les causes où la Chambre était partie et toutes les affaires touchant directement ou indirectement les droits du Saint-Siège. Il pouvait ainsi connaître de causes spirituelles, ecclésiastiques [1] et temporelles, civiles ou criminelles, qu'il jugeait lui-même devoir évoquer. Rendues par autorité apostolique, ces citations, décisions et sentences atteignaient toute personne physique ou morale, même exempte, même laïque. A son gré et selon la nécessité, les citations étaient faites à la personne citée ou par monition publique. Prises par le camérier ou en son nom, les décisions (citations et sentences) l'étaient aussi bien à la curie que hors de celle-ci. Quant à la faculté d'appréciation du camérier, elle ne connaissait nulle restriction : il pouvait évoquer des causes qui, par leur nature, n'étaient point dévolues au Siège apostolique ni susceptibles d'être portées devant lui en appel. Il pouvait même interrompre une procédure commencée par les juges ordinaires ou extraordinaires, voire par des juges députés par l'autorité apostolique ; à tous, le camérier pouvait interdire de connaître à l'avenir de l'affaire qu'il évoquait [2].

Une compétence aussi extensive entrainait parfois le camérier fort loin de la politique financière. Jugeant au contentieux, au contraire, ce sont les intérêts de la Chambre apostolique que Pierre de Cros ou François de Conzié défendaient directement contre les contribuables, contre les débiteurs du pape ou contre ses propres agents.

Chez ces derniers, nous le verrons, la négligence l'emportait généralement sur la malhonnêteté ; on en connait peu qui aient cherché à s'approprier leur recette ou péché par manque de zèle. Sur ce point, d'ailleurs, une distinction s'impose entre les collecteurs, qui entendaient faire carrière à la Chambre apostolique, et les sous-collecteurs, dont le zèle n'était que médiocrement récompensé. Quoi qu'il en fût, le camérier se voyait parfois obligé de procéder contre un collecteur ou un sous-collecteur pour manque de zèle envers la Chambre, ou pour excès de zèle envers le clergé. Bien des officiers négligeaient de rendre leurs comptes : passé un certain délai de tolérance et après quelques rappels à l'ordre, ils étaient considérés comme justiciables [3].

---

1. Notamment les causes bénéficiales.
2. Voir l'introduction de la *Correspondance administrative des camériers*.
3. Voir les cas d'Arnaud de Peyrat et d'Aimery Pellicier, ci-dessous, p. 130-131.

Nombre d'informations judiciaires ouvertes sur commission du camérier avaient pour objet de s'assurer de la réalité des abus et de la sincérité des plaintes portées contre les agents de la Chambre, plaintes que nous font connaître les suppliques insérées dans certaines lettres patentes. En voici un exemple. Jean de Bussy et Milon de Lyon étaient les maris de deux filles légitimes de Nicolas d'Arcis, nées avant l'accession de leur père à l'épiscopat. Ils s'entendirent un jour réclamer par le camérier Pierre de Cros les 1812 florins dus par leur défunt beau-père pour les communs et menus services de son évêché d'Auxerre ; Ferri Cassinel, successeur médiat de Nicolas d'Arcis, déclarait ne point devoir cette somme puisque son prédécesseur avait laissé des héritiers [1]. Armand Jausserand, collecteur de Paris, fut chargé de récupérer la moitié de cette somme sur Jean de Bussy ; n'obtenant rien, il finit par porter à l'encontre de Bussy une sentence d'excommunication. C'est alors que Bussy en appela au camérier. Le 10 juin 1385, comparaissaient à Avignon son procureur, Jean Pucelle, et le procureur de l'évêque Ferri, Jean Vivien. Pucelle exposa au camérier que Bussy n'avait rien reçu de la succession de son beau-père et ne devait donc rien payer pour lui. Le doute subsistait quant à l'autre gendre de Nicolas, Milon de Lyon ; Conzié ordonna donc à Pierre Girard, évêque de Lodève et conseiller de la Chambre apostolique, d'informer à ce sujet. Pour Armand Jausserand, il reçut du camérier notification de l'absolution de Jean de Bussy [2].

Exemple entre dix, que celui-là, où la bonne foi du collecteur est évidente. C'est d'ailleurs au collecteur que s'en remettait souvent le camérier pour donner ou refuser satisfaction au plaignant. Jean de Champigny, collecteur de Reims, ayant donné quinze jours à l'abbé de Saint-Vaast pour fournir une liste des offices de son monastère avec les noms des titulaires de 1378 à 1392, l'abbé protesta que ces offices n'avaient aucun revenu propre et que les titulaires en étaient révocables à son gré [3]. Il remit donc la liste exigée, mais en appela aussitôt au camérier, dans la crainte que tout cela fût le prélude à une taxation de ces offices pour la décime et à la perception d'annates à leur propos. C'est alors à Jean de Champigny lui-même que Conzié donna ordre, le 1er novembre 1393, de vérifier les allégations de l'abbé et, si elles s'avéraient, de ne point l'inquiéter pour lesdits offices [4].

La bonne foi des agents de la Chambre pouvait être également suspectée. Aussi est-ce à l'official que le camérier commit le soin de juger le différend entre le prieur de Saint-Sébastien et le

---

1. Sur les règles de transmission de telles dettes, voir ci-dessous, p. 346-354.
2. *Coll.* 361, fol. 14 r⁰-15 r⁰.
3. C'étaient les prieurs, sous-prieurs, prévôt, sous-prévôt, receveur, grainetier, rentier, hôtelier, trésorier, sacriste, cellerier, panetier, cuisinier, aumônier et chantre.
4. *Reg. Vat.* 308, fol. 3 r⁰-4 r⁰.

sous-collecteur de Die, Jean de Mont-Saint-Jean, qui exigeait du
prieur le paiement de prétendues dettes envers la Chambre pour le
contraindre au versement d'une pension contestée [1]. Si les excès se
multipliaient le camérier chargeait un nonce de mener une enquête
et se réservait de juger lui-même : c'était l'une des missions de
Sancho Lopez de Vesco que d'informer sur les exactions du sous-
collecteur d'Amiens, Guillaume Fabre, qu'accusait une partie du
clergé [2], et de Jean Lavergne, nonce dans les pays de Langue d'Oc
où la rumeur publique s'en prenait à plusieurs collecteurs et sous-
collecteurs, sinon à tous [3].

Des litiges surgissaient entre les collecteurs et les juridictions
locales, litiges nés de l'exécution par le collecteur des ordres du
camérier ; ce dernier devait donc évoquer ces affaires devant son
propre tribunal, tant pour sauvegarder les intérêts de l'Eglise que
pour assurer l'exemption de juridiction de ses officiers. Le collecteur de Sardaigne, Matteo da Rapazzo, fut un jour prié par l'archevêque de Cagliari et son vicaire général, Andrea Ferrari, de révoquer
la sentence naguère portée dans une affaire bénéficiale par Juan
Lobera, alors juge apostolique et devenu, depuis, clerc de la Chambre.
Après avoir demandé ses instructions à Lobera, Rapazzo refusa.
Au mépris de son exemption, l'archevêque le frappa alors d'excommunication. Le 6 juillet 1404, François de Conzié commit l'évêque
de Suelli, l'archiprêtre de Cagliari et un autre clerc sarde pour
enquêter sur le litige, d'une part, et contraindre, d'autre part,
l'archevêque et son vicaire à respecter les privilèges du collecteur.
En cas d'obstination, les commissaires devaient les citer à Avignon,
devant le camérier, dans les deux mois [4].

C'est plus souvent contre les débiteurs de la Chambre — les
bénéficiers et leurs ayant-droit en premier lieu — que devait
s'exercer la justice contentieuse du camérier. En matière purement
fiscale, nous verrons que les collecteurs en avaient une complète
délégation et que, seuls, venaient à Avignon les appels. Ceux-ci
atteignaient rarement leur but, pour deux raisons. La première
est la rareté de tels appels, car les plaignants qui n'étaient pas
assurés de la valeur de leur cause et de leurs arguments renonçaient
généralement à ce moyen. La seconde est que, les appels permettant
de retarder le moment de s'acquitter envers la Chambre apostolique,
le camérier prit l'habitude de les déclarer vains et non suspensifs :
il était alors inutile d'assumer les frais d'une procédure en curie
s'il fallait préalablement payer. La plupart des bénéficiers qui
s'estimaient indûment imposés préféraient composer avec le collecteur et obtenir de lui des délais dont nous montrerons qu'ils

1. 23 août 1394 ; *Reg. Vat.* 308, fol. 178 v°-179 v°.
2. 14 mai 1406 ; *Reg. Av.* 325, fol. 543 v°-544 r°.
3. 20 janvier 1393 ; *Reg. Av.* 272, fol. 86 v°-87 r°.
4. *Reg. Av.* 320, fol. 122 r°-123 v°.

valaient souvent une remise partielle. Il est cependant à noter que cette attitude du camérier visait les appels de tous ordres[1]. Etaient donc également frappés les appels portés devant le parlement de Paris : la même lettre qui déclare toutes les dettes immédiatement exigibles, nonobstant tout appel, ordonne au collecteur de Bourges, Jean François, de citer les réfractaires devant le camérier ; les appels sont dits « aussi variés que frivoles », ce qui laisse entendre qu'il s'agissait moins pour l'appelant d'obtenir une sentence favorable que de gagner du temps[2].

Lorsque les débiteurs n'étaient pas clercs, le collecteur était plus facilement désarmé. Moins touchés par les peines canoniques — la plupart leur étaient inapplicables — et surtout capables de recours à la justice séculière, les laïcs étaient donc directement cités devant le camérier qui les menaçait de l'excommunication réservée. Qui sont ces laïcs ? En général, des *occupatores* de biens mobiliers revenant à la Chambre apostolique en vertu du droit de dépouilles, parents, serviteurs, dépositaires, procureurs ou débiteurs du défunt. Le rôle du collecteur se limitait alors à la transmission des noms au camérier et de la citation aux coupables[3]. La poursuite était souvent tardive. On en jugera par l'exemple d'une créance de Guillaume de Prohins, ancien clerc de la Chambre, mort évêque de Mirepoix en 1377. Chanoine d'Aix, il avait pour la perception des revenus de sa prébende, un procureur, Raymond de Veto, lequel s'était lui-même substitué, en 1369, un procureur, Jean Pons, bourgeois d'Aix. A la mort de Guillaume de Prohins, la Chambre apostolique fit rechercher ses créances comme faisant partie des dépouilles réservées avant sa mort. Jean Pons n'eut pas le temps de rendre ses comptes — et peut-être guère le désir de le faire — avant de disparaître lui-même. C'est donc en définitive contre ses héritiers que dut procéder le camérier en 1381. Par lettres du 30 mai, il manda à tout le clergé du diocèse de citer devant lui lesdits héritiers, dont la Chambre ignorait les noms[4].

On a vu que la défense des droits du Saint-Siège amenait le camérier à s'immiscer dans l'exécution de nombreux testaments : la présence de clauses pieuses et de legs éventuellement applicables à la Chambre apostolique, la possibilité de revendiquer les successions de clercs en vertu d'une réserve générale ou particulière des dépouilles ou en raison de dettes et d'impositions impayées, tout cela justifiait l'intervention des agents de la Chambre. Bien des

1. C'est ainsi qu'il ordonna à Sicard de Bourguerol, collecteur de Toulouse, le 26 avril 1384, de contraindre par la censure et autres moyens de droit tous les débiteurs de la Chambre à payer leurs redevances nonobstant tout appel, interjeté ou à interjeter ; *Coll.* 360, fol. 98 v°.

2. Lettre du 15 juillet 1384 ; *Coll.* 360, fol. 151.

3. Lettre du 9 janvier 1384 à Raymond de Senans pour les dépouilles de Jean de Save, évêque d'Albi ; *Coll.* 360, fol. 71.

4. *Coll.* 358, fol. 190 v°-191 r°.

clercs ne pouvaient faire de testament qu'avec l'autorisation du pape. Aussi ne doit-on pas s'étonner que les acquéreurs de biens saisis par un collecteur et vendus par lui aux enchères aient souvent demandé à être assurés par la plus haute autorité compétente de la légitimité de leur titre de propriété, éventuellement contestable par les ayants-droit du défunt. Le camérier était donc appelé à confirmer de telles transactions, à la demande des acquéreurs, comme cet achat de l'hôtel de feu Mathieu de Mauriac à Condom, vendu par le collecteur d'Auch, Arnaud de Peyrat, en 1381. Mathieu de Mauriac était mort en laissant certaines dettes envers la Chambre apostolique, pour lesquelles il ordonnait dans son testament que son héritier — le chapitre de Condom — versât 300 florins de France au collecteur. Une fois en possession de l'héritage, le chapitre s'aperçut que la totalité des biens ne valait pas cette somme et céda le tout au collecteur en échange d'une quittance générale. L'acquéreur pouvait donc craindre que sa propriété fût un jour contestée par le chapitre ou que la Chambre ne le considérât comme ayant-droit du défunt et responsable, par conséquent, de ses dettes : on comprend qu'il ait demandé une ratification lui donnant acte de toute la transaction [1]. Désormais, les litiges nés ou à naître de cette opération relevaient directement du tribunal du camérier.

L'exercice de la justice camérale était ordinairement dévolu à l'auditeur de la Chambre apostolique. D'autres personnages y concouraient cependant. Les citations, notamment, étaient bien souvent commises à des membres du clergé diocésain, plus capables de toucher le justiciable que n'importe quel officier de la Chambre. Selon les cas, la commission était donnée à tout le clergé d'un ou de plusieurs diocèses [2], ou à tel bénéficier nommément désigné, parfois chargé d'une information préalable [3], voire à l'official que ses fonctions propres mettaient mieux à même de lancer efficacement une citation contre un laïc [4]. Le plus souvent, c'est aux collecteurs qu'était confié le soin de citer dans le camérier tel ou tel réfractaire ou protestataire [5], qu'était donné ordre de déférer au camérier la connaissance d'une cause [6] ou donné tout pouvoir de citer quiconque devant le chef de la Chambre [7]. Quel qu'en fût le mode de transmission, ces citations comportaient un délai de rigueur, souvent fixé par le collecteur ou le clerc chargé de la publication, délai rarement supérieur à vingt jours. Elles étaient faites sous peine d'excommunication [8].

---

1. Lettre du 20 décembre 1381 ; *Coll.* 359, fol. 100.
2. *Instr. misc.* 3050 ; *Coll.* 358, fol. 190 v°-191 r°, *etc.*
3. *Reg. Av.* 320, fol. 122 r°-123 v°.
4. *Instr. misc.* 3071.
5. *Coll.* 359, fol. 10 v°-11 r°.
6. *Reg. Vat.* 308, fol. 106.
7. *Coll.* 360, fol. 100 r°.
8. *Instr. misc.* 3044.

Qui exerçait la justice ? Exceptionnellement, ce pouvait être un collecteur, pour défendre dans les provinces les prérogatives de la justice camérale contre les revendications des cours épiscopales ou laïques [1]. A l'opposé, le camérier confia parfois à des officiaux diocésains le soin de juger en son nom des justiciables trop nombreux pour que l'on pût les citer tous à Avignon [2] ou d'affaires dont l'intérêt était purement local et dont l'information devait être menée sur place [3]. Mais, en règle générale, c'est à l'auditeur de la Chambre apostolique qu'appartenait la connaissance des causes introduites en vertu des pouvoirs du camérier.

La juridiction de l'auditeur est bien connue. Kirsch et Göller l'ont jadis étudiée [4] et Mgr. Mollat a repris la question à la faveur d'un document du plus haut intérêt, l'enquête faite, vers 1392-1398, sur les excès reprochés à la Cour de l'auditeur [5]. Ce n'est pas ici le lieu de résumer la teneur de leurs articles ; nous ne voulons donc que reprendre sur deux points les travaux de nos prédécesseurs.

Mgr. Mollat, suivant en cela Göller, a cru à une totale délégation des pouvoirs judiciaires du camérier à l'auditeur. Nous ne pouvons accepter cette vue. Il y a deux instances judiciaires à la Chambre apostolique : la cour de l'auditeur et le tribunal du camérier, celui-ci ne jugeant pas seulement en appel de celui-là, mais aussi au premier degré, sur citation directe. Tout plaignant pouvait s'adresser à l'auditeur. Le camérier ne jugeait, outre les appels, que les causes dont il se réservait la connaissance. Il n'y avait donc pas de justice retenue : le tribunal du camérier, ce n'était pas la cour de l'auditeur jugeant en présence du camérier. Nous en avons plusieurs preuves. Les citations faites sur commission du camérier sont généralement très précises : le justiciable doit comparaître *coram nobis*, dit le camérier, en la Chambre de la Trésorerie [6] — alors que la cour de l'auditeur disposait d'un local particulier [7] — et au plus tard le dernier jour du délai concédé ou le premier jour d'audience suivant l'expiration dudit délai [8]. De telles lettres mentionnent toujours la présence du procureur fiscal, puisque c'est à ses réquisitions que la personne citée avait à répondre ; or il s'agit toujours du procureur fiscal du pape et de l'Eglise [9].

---

1. *Instr. misc.* 3372.
2. *Instr. misc.* 5350.
3. *Reg. Vat.* 308, fol. 178 v°-179 v°.
4. Emil GÖLLER, *Der Gerichtshof der päpstlichen Kammer und die Entstehung der Amtes des procurator fiscalis im kirchlichen Prozessverfahren*, dans *Archiv für katholisches Kirchenrechts*, XCIV, 1914, p. 605-619. Johann-Peter KIRSCH, *Note sur deux fonctionnaires de la Chambre apostolique au XIVe siècle*, dans *Mélanges Paul Fabre* (Paris, 1902). p. 390-402.
5. Guillaume MOLLAT, *Contribution à l'histoire de l'administration judiciaire de l'Eglise romaine au XIVe siècle*, dans *Revue d'histoire ecclésiastique*, XXXII, 1936, p. 897-928.
6. *Instr. misc.* 3050 et 3071.
7. *Coll.* 360, fol. 107 v°-108 r°.
8. *Coll.* 358 ; fol. 190 v°-191 r° ; *Coll.* 360, fol. 100 v°-101 r°.
9. *Coll.* 360, fol. 100 r° ; *Coll.* 361, fol. 4 v°-5 r°.

Ecrivant que le « procureur fiscal » jouait un rôle à la cour de l'auditeur mais « n'en faisait pas proprement partie »[1], Mgr. Mollat a maintenu la confusion introduite jadis dans la liste des procureurs fiscaux où entraient indistinctement Aymon Henriet, Jacques Lagier et Antoine Boutaric[2]. Nous pouvons affirmer que ce « procureur fiscal », à demi étranger à la cour de l'auditeur mais y jouant un rôle, n'existe pas. Il y a deux officiers exerçant simultanément deux offices différents. L'un, le « procureur fiscal du pape et de l'Eglise »[3], n'appartient pas à la cour de l'auditeur et n'y intervient jamais. Aux côtés du camérier, il participe à la recherche des droits du Saint-Siège. C'est lui qui requiert contre les détenteurs de dépouilles réservées et contre les débiteurs défaillants. Pour requérir du camérier monitions et sentences, il assiste aux audiences du chef de la Chambre ; il y représente les intérêts de l'Eglise, évitant ainsi au camérier d'être à la fois juge et partie[4]. Cet officier est un juriste : Aymon Henriet, nommé le 10 juin 1379[5], puis Antoine Boutaric, nommé le 1er avril 1392[6], enfin Mathieu de *Boyaco*, entré à la Chambre vers 1385, vice-gérant du procureur fiscal au temps de la soustraction d'obédience[7] et attesté comme procureur fiscal le 5 décembre 1405[8], sont tous trois licenciés ès lois.

Très différent est le « procureur fiscal du camérier et de la cour de l'auditeur de la Chambre apostolique ». C'est un simple praticien frotté de droit, un *peritus* sans grade, Jacques Lagier, nommé le 22 septembre 1378[9] et encore en fonction, avec le même titre, en 1399[10]. Le rôle de cet officier est de représenter le camérier aux audiences de l'auditeur.

Si le procureur fiscal du pape n'appartient nullement à la cour de l'auditeur, celui du camérier en fait intégralement partie. C'est même lui qui en gère les recettes et exécute les assignations faites par le camérier sur la caisse de la cour[11] ; il dispose pour cela des services d'un receveur, chargé du maniement des espèces[12]. Il y a donc

---

1. G. Mollat, *Contribution...*, *loc. cit.*, p. 897.
2. Ch. Samaran et G. Mollat, *La fiscalité pontificale*, p. 173-174. J.-P. Kirsch (*loc. cit.*) a commis la même confusion.
3. Parfois appelé, par erreur, « procureur fiscal du pape et de la Chambre apostolique » ; *Coll.* 372, fol. 46 v°-47 r°
4. *Reg. Vat.* 308, fol. 13 v°-14 v° et 63 v° ; *Coll.* 361, fol. 33 v°.
5. *Reg. Vat.* 309, fol. 39. MM. Samaran et Mollat ont donné la date du 9 juin (*op. cit.*, p. 173) ; voir leur pièce justificative n° XXV, p. 243.
6. *Reg. Av.* 272, fol. 81 ; *Reg. Vat.* 303, fol. 1 r°.
7. *Reg. Av.* 305, fol. 442 ; à la date du 1er janvier 1401, il n'était encore que bachelier ès lois.
8. *Reg. Av.* 325, fol. 517 v°-518 v°.
9. *Reg. Av.* 220, fol. 327 r°-328 r°.
10. *Coll.* 372 fol. 122 r°.
11. *Coll.* 372, fol. 26 r° et 34 v°, par exemple.
12. *Instr. misc.* 5291, fol. 8 r° ; cet officier a été omis par Mgr. Mollat dans la liste qu'il fournit des gens de la cour de l'auditeur : vice-auditeur et procureur fiscal, geolier, notaires et scelleur.

bien deux instances judiciaires : celle du camérier, où est représenté le pape, celle de l'auditeur, où est représenté le camérier.

Sur un second point, nous ne faisons pas nôtres les conclusions de Mgr Mollat. Il ne nous paraît pas que la cour de l'auditeur ait été coupable de tous les abus dont l'ont chargée les plaignants entendus par la commission d'enquête. Celle-ci n'était pas, comme l'a écrit Mgr. Mollat une commission cardinalice. Les termes « *dominos super hoc ad consilium vocatos* » ne sauraient désigner des cardinaux. C'est évidemment du conseil de la Chambre apostolique qu'il est question, conseil dont nous étudierons plus loin la composition. L'enquête était donc purement intérieure ; elle ne présentait pas le caractère de gravité que lui eût conféré la présence de cardinaux. Certes, des officiers ont été accusés ; mais il faut bien reconnaître que, parmi ceux qui nous sont connus, aucun n'a été révoqué à l'époque assignée à juste titre par Mgr Mollat au document : entre 1392 et 1398. Le personnage le plus visé, c'est l'auditeur. Au temps de l'enquête, Clément de Grandmont — auditeur de juin 1382 à sa mort, en mai 1392 — avait déjà été remplacé par Raymond d'Albi ; or nous trouvons encore celui-ci en fonctions au mois de juillet 1403. Que des abus aient été commis, c'est indéniable ; les réponses du conseil, toutes rédigées au conditionnel, et le maintien dans ses fonctions du principal responsable ne permettent pas de penser qu'ils aient dépassé en gravité les abus de toutes les juridictions médiévales

Les attributions personnelles du camérier débordent donc de beaucoup l'administration financière. Au seuil d'une étude de la politique financière des papes, c'est une constatation primordiale. Tout part du camérier, tout aboutit au camérier. « Le camérier gouverne tout », écrivait en 1391 Boninsegna di Matteo, associé de Francesco Datini[1]. Il a, nous allons le voir, des collaborateurs ; il ne partage ni son autorité, ni ses responsabilités, ni son initiative. Ses pouvoirs, considérables et soumis au seul contrôle du pape, il les met au service de la Chambre apostolique. Le camérier n'est pas seulement le chef de cet organe d'administration financière, il en est aussi le premier agent d'efficacité.

B. — LES CLERCS DE LA CHAMBRE

Sous l'appellation collective de « gens de la Chambre apostolique », les contemporains, du pape au plus humble requérant, ont souvent compris l'ensemble du personnel de la Chambre, au sens très large, y incluant aussi bien le trésorier que les collecteurs. Plus précisément, et sous la plume du camérier et des intéressés eux-mêmes, cette expression recouvre le groupe des proches collaborateurs du camérier, à l'exclusion des agents de simple exécution, notaires,

---

1. R. BRUN, *Annales...*, t. XII, p. 127.

receveurs ou courriers. Ce groupe est avant tout formé des clercs de
la Chambre apostolique. Ils se joignent aux conseillers de la Chambre, mais ces derniers ont un statut fort imprécis et ne se définissent
que par référence aux clercs.

1. *Les hommes.*   L'origine des clercs de la Chambre apostolique
a été fort bien étudiée par François Baix [1]. Nous
nous réserverons donc seulement d'établir la liste des hommes qui
ont exercé cet office à l'époque du Grand Schisme et d'analyser leurs
tâches à la lumière des trop rares documents qui en témoignent.

Lors de la double élection de 1378, les quatre clercs de la Chambre
de Grégoire XI abandonnèrent, à la suite du camérier Pierre de Cros,
l'obédience d'Urbain VI pour celle de l'élu du Fondi, Clément VII.
C'étaient Bertrand Raffin, Seguin d'Authon, Pierre Girard et Gasbert de Longanh, tous hommes de grande expérience, rompus à la
pratique des affaires de la Chambre dont ils avaient servi les intérêts en de multiples missions à travers l'Europe avant de participer
à la gestion de ces intérêts au sein de l'administration centrale. Le
1er septembre 1377, leur avait été adjoint Pierre Borrier, ancien
collecteur [2], qui allait demeurer en fonctions à la Chambre apostolique jusqu'en 1401, au moins, soit pendant vingt-quatre ans [3].

A cette exception près, les gens hérités de Grégoire XI quittèrent
rapidement leurs fonctions. Longanh, encore cité dans le compte de
la Trésorerie à la date du 14 mai 1384 [4], mourut avant le 23 février
1385 [5]. En récompense de leur précieuse fidélité, les autres clercs
reçurent des évêchés. Raffin fut nommé évêque de Rodez dès janvier
1379 ; Seguin d'Authon devint archevêque de Tours le 14 janvier
1380 et patriarche d'Antioche le 20 juin de la même année ; Pierre
Girard, enfin, après une longue mission en France, reçut en septembre 1381 l'évêché de Lodève [6]. Girard devait être créé cardinal en
octobre 1390.

De même qu'avant le Schisme, l'élévation à l'épiscopat mit fin
aux fonctions des clercs de la Chambre. Elle ne les empêcha ni de
demeurer à la curie, ni de rendre à la Chambre apostolique de nouveaux services.

Le passage de Raoul d'Ailly, successeur de Seguin d'Authon,

---

1. Fr. BAIX, *Notes sur les clercs de la Chambre apostolique (XIIIe-XIVe siècles)* dans
le *Bulletin de l'Institut historique belge de Rome*, XXVII, 1952, p. 17-51 ; cette étude
s'arrête en fait à 1394.

2. *Lettres secrètes et curiales de Grégoire XI concernant la France*, no 2021 ; L. GREINER,
Un représentant de la Chambre apostolique..., dans les *Mélanges d'archéologie et d'histoire...*
LXV, 1953, p. 197-213.

3. *Reg. Av.* 305, fol. 448 vo ; *Coll.* 372, fol. 115 vo ; Arch. dép. Haute-Garonne, G. 352,
no 25.

4. *Intr. ex.* 338, fol. 37 ro.

5. *Intr. ex.* 359, fol. 23 ro.

6. Selon une lettre du camérier du 22 septembre (*Coll.* 359, fol. 85 vo-86 vo) qui contredit la date du 17 octobre 1382 fournie par Eubel (*Hier. cath.*, I, p. 310).

parmi les clercs de la Chambre fut des plus brefs. Nommé avant 1380, selon Fr. Baix, il est cité pour la dernière fois le 13 juillet 1381 [1] ; il mourut au début de février 1382 et fut enterré le 10 [2]. Guillaume du Lac, collecteur de Lyon, succéda à Raoul d'Ailly le 4 octobre 1382 ; en fait, jusqu'en février 1386, il demeura à Lyon, d'abord de concert avec son successeur Robert Chambrier, puis seul, comme régent de la collectorie [3]. Il s'installa finalement à la curie qu'il ne quitta même pas lors de son accession à l'évêché de Lodève, le 19 août 1392, puisqu'il demeura conseiller de la Chambre [4].

Succédant probablement à Longanh, Antoine de Louvier fut clerc de la Chambre jusqu'à sa promotion à l'épiscopat, en août 1386. Evêque de Rennes, il ne quitta pas la curie ; il devint trésorier et, en octobre 1389, évêque de Maguelonne. Quant à Guillaume de Vermont, successeur de Pierre Girard, il laissa son office deux ans après Louvier, lorsqu'il devint lui-même évêque en 1388.

C'est alors, vers 1390, que l'on peut discerner un changement radical dans l'administration du personnel de la Chambre, changement imputable à François de Conzié qui, quelques années après son arrivée à la Chambre dont il n'avait jamais fait partie auparavant, devait fort bien en voir les faiblesses administratives et vouloir y remédier. En dix ans, en effet, la papauté de Clément VII avait distribué des évêchés à trois des quatre clercs nommés sous Grégoire XI et à deux de leurs successeurs.

Un double changement intervint alors dans la politique du camérier. D'une part, les promotions à l'épiscopat devinrent exceptionnelles, alors qu'elles semblaient de règle. Elles furent surtout réservées aux clercs devenant trésoriers. Ainsi la récompense honorifique ne nuit-elle plus à l'efficacité des fonctions et de l'institution : on peut voir là une application à autrui du principe en vertu duquel François de Conzié semble avoir préféré son office de camérier à l'honneur qu'eût été pour lui la pourpre cardinalice. On voit, d'autre part, s'effacer la notion de postes administratifs, telle que l'a implicitement définie Fr. Baix. Les clercs ne se succèdent plus. Les dates d'entrées en fonctions ne correspondent plus à des dates de fin de fonction. Les clercs sont nommés en considération des besoins et il en est qui, comme Guillaume du Lac et, plus tard, Armand Jausserand, ne résident pas à la curie alors que rien, cependant, ne permet de les considérer comme surnuméraires.

Nommé vers septembre 1386, Guillaume Thonerat était alors un vieil homme, longtemps maître de l'office de la Cire, puis collecteur de Provence. Pour lui, l'office de clerc de la Chambre aposto-

---

1. *Intr. ex.* 354, fol. 42 vᵒ.
2. Jean LE FEVRE, *Journal*, éd. H. Moranvillé, p. 19.
3. Voir ci-dessous, p. 709-710.
4. J. FAVIER, *Rectification à la liste épiscopale de Lodève*, dans le *Bulletin de la Soc. nat. des Antiquaires de France*, 1963, p. 72-73.

lique était une véritable retraite ; pour la Chambre, c'était le moyen d'utiliser encore, et avec décence, les services d'un homme expérimenté mais devenu incapable d'assumer les fatigues de la gestion d'une collectorie. Thonerat demeura en fonctions au moins deux ans[1].

On peut comparer à son cas celui d'Armand Jausserand, nommé clerc de la Chambre le 16 juillet 1388 mais prié de continuer à gérer la collectorie de Paris[2]. Sur sa demande[3] et en raison de son âge et de ses infirmités, il fut relevé de sa gestion le 29 octobre 1390[4]. A partir de cette date, Jausserand était seulement clerc de la Chambre, mais on ne voit pas qu'il en ait réellement exercé les fonctions. Une lettre du 26 février 1392[5] nous prouve incidemment qu'il n'avait pas cessé de résider à Paris, ce que nous confirment, jusqu'en octobre 1394, les procès-verbaux des réunions du chapitre de Paris[6].

Pierre de Jouy fut nommé clerc de la Chambre avant février 1391[7]. Procureur de Clément VII « en tant que personne privée » dans ses biens patrimoniaux[8], il devint, le 1er janvier 1393, chancelier du comté de Genève dont le pape venait d'hériter[9]. A la mort de Clément VII, il reprit son service à la Chambre[10] et le continua jusqu'à sa promotion à l'évêché de Mâcon, le 25 mars 1398 ; encore le trouve-t-on à la Chambre apostolique en novembre 1398[11].

A côté de ces vieillards et de cet absent, la Chambre apostolique bénéficia des services d'hommes qui y firent toute leur carrière. Il faut évidemment nommer en tête Pierre Borrier, qui ne disparut qu'en 1401. Jean Lavergne, ancien collecteur de Lyon, fut nommé clerc en juillet 1390 et demeura en fonctions jusqu'à sa désignation comme trésorier, au début de 1394[12]. Fr. Baix a montré que, vingt ans plus tôt, Lavergne avait été attaché au service du trésorier Pierre de Vernols. Il connaissait donc tous les rouages de l'administration financière, en province comme à la Chambre. Ancien chambellan et trésorier personnel de ClémentVII[13], Jacques Pollier

---

1. Il est encore attesté comme clerc le 15 octobre 1388 ; *Coll.* 394, fol. 181.
2. *Reg. Av.* 275, fol. 36 v°-37 r°.
3. *Intr. ex.* 367, fol. 17 v°.
4. *Reg. Av.* 277, fol. 217 v°-218 v°.
5. *Instr. misc.* 3542.
6. La dernière mention de Jausserand est du 26 octobre 1394 ; Arch. nat. LL 108 A, p. 254. Il y a ensuite une lacune dans les registres capitulaires.
7. *Reg. Vat.* 301, fol. 107 v°-108 r°. — Il était déjà au service du pape en 1380, date à laquelle il fut envoyé en mission en France ; *Intr. ex.* 352, fol. 23 v°.
8. *Reg. Av.* 272, fol. 70.
9. *Reg. Av.* 270, fol. 111 et 119 r°-120 r°.
10. *Coll.* 372, fol. 113 v°-114 r° et 122 v°-123 r° ; *Intr. ex.* 375, fol. 54 r°.
11. *Coll.* 372, fol. 113 v°-114 r°.
12. La date du 1er octobre 1396, indiquée par MM. Samaran et Mollat (*op. cit.* p. 171), ne peut être acceptée. Lavergne, encore clerc de la Chambre, est attesté comme trésorier dès le 18 mai 1394 (*Intr. ex.* 371, *fol.* 9 v°). C'est comme trésorier qu'il rendit les comptes de l'an premier du pontificat de Benoît XIII (*Intr. ex.* 374, fol 18 v°). Dès le 10 mars 1394, Antoine de Louvier était dit « ancien trésorier » (*Reg. Vat.* 308, fol. 94).
13. *Reg. Vat.* 308, fol. 209 v° ; *Intr. ex.* 371, fol. 10 v°. Sur cette fonction de trésorier personnel, voir ci-dessous, p. 85.

était probablement clerc de la Chambre dès avant la soustraction d'obédience de 1398 [1], mais les textes ne le citent qu'à partir du 5 novembre 1404 [2]. Il mourut en fonctions entre le 1er février et le 12 septembre 1405 [3]. Attesté comme clerc de la Chambre après la restitution d'obédience, Nicola Lopez de Roncesvalles examinait déjà des comptes en 1391 et 1396 [4]. Quant au scripteur de la Pénitencerie Bertrand de Gamarenges [5], il fut clavaire de l'officialité d'Avignon [6] et député à la perception des legs pieux dans le Comtat venaissin [7] avant d'être nommé, entre novembre 1392 et le 27 janvier 1393, clerc de la Chambre apostolique [8]. Il fut lieutenant du camérier en 1402 et 1403 [9] et mourut probablement peu après.

Au moment où l'Aragon devenait le principal soutien de Benoît XIII, entrait à la Chambre Frances Climent de Zapera. Comme Pierre de Jouy l'avait été pour Clément VII, Frances Climent était l'homme d'affaires personnel de Pedro de Luna. Camérier, secrétaire et procureur du cardinal de Luna [10], il devint, au lendemain de l'élection de 1394, chambellan du pape et procureur général des bénéfices que celui-ci tenait avant son avènement et dont le revenu fut, jusqu'à nouvel ordre, réservé au Saint-Siège. Peu après cette élection, Climent devenait clerc de la Chambre apostolique [11], cependant que le roi Martin d'Aragon en faisait son conseiller. Il fut successivement évêque de Majorque (1403), de Tortosa (1407) et de Barcelone (1410), archevêque de Saragosse (1415) et patriarche de Jérusalem (1419). Nommé trésorier le 5 août 1404 [12], il exerçait encore cet office, concurremment avec celui de référendaire, lorsque Benoît XIII, à la veille du concile de Pise, le chargea de trouver des fonds en Aragon [13].

Un autre Aragonais, Juan Lobera, succéda à Frances Climent comme clerc de la Chambre en août 1404 [14]. C'était un légiste, un juge. Docteur ès lois, il avait été, selon les termes d'une lettre de Conzié, juge apostolique [15]. Dès 1405, nous le trouvons en Aragon occupé à y chercher de l'argent à tout prix [16]. C'est encore en Aragon

1. La lettre du camérier du 7 juillet 1399 ne lui en donne cependant pas le titre ; *Coll.* 372, fol. 123.
2. *Reg. Av.* 320, fol. 139 r°-140 r°.
3. Peut-être seulement après le 18 août ; *Reg. Av.* 317, fol. 28 r°, et 321, fol. 82 v° et 86 v°.
4. Arch. dép. Vaucluse, C 132 et 134, comptes brefs.
5. Il exerçait déjà cet office en 1382 ; *Intr. ex.* 355, fol. 35 v°.
6. Dès 1386 ; *Intr. ex.* 363, fol. 5 v° ; 364, fol. 50 v°.
7. *Reg. Vat.* 303, fol. 4 r°-6 r°.
8. *Intr. ex.* 370, fol. 3 v° et 14 v°.
9. Voir ci-dessous, p. 651.
10. J. ZUNZUNEGUI, *El reino de Navarra...*, p. 125.
11. *Reg. Av.* 304, fol. 650-651 ; *Intr. ex.* 372, fol. 4 r° ; *Coll.* 372, fol 55 v°-56 r° et 83 v°.
12. *Reg. Av.* 321, fol. 7 r°.
13. *Reg. Av.* 331, fol. 123 r° 125 r°.
14. *Reg. Av.* 319, fol. 41.
15. *Reg. Av.* 320, fol. 122-123.
16. *Reg. Av.* 319, fol. 9.

qu'il se trouvait en 1408, lorsque lui vinrent les infirmités dues à l'âge[1].

Avec Pierre Borrier, Bertrand de Gamarenges et Jacques Pollier, une génération prenait fin. En deux ans, le renouvellement des clercs de la Chambre fut total. La nomination de trois autres espagnols fut une nouvelle preuve de leur prédominance dans l'obédience de Benoît XIII, dans ses ressources comme dans l'administration de ses finances. Nommés entre 1403 et 1405, Nicola Lopez de Roncesvalles[2] et Pedro Ximenez de Pilars[3], ancien trésorier personnel de Pedro de Luna[4] et ancien maître de l'office de la Cire[5], furent rejoints, avant août 1407[6], par un familier de longue date du pape, le sacriste de Barcelone Guilherm Carbonel[7]. La nomination d'un Languedocien, l'ancien collecteur de Toulouse Pierre du Pont, est sans doute contemporaine[8]. Cette année 1407 est d'ailleurs une année d'inflation administrative, puisque l'on voit deux personnages étrangers à la Chambre — au sens strict du terme — remplir diverses fonctions normalement dévolues aux clercs de la Chambre : le collecteur de Provence Simon de Prades[9], un Aragonais, requis en raison de sa proximité, comme l'avait parfois été son prédécesseur Géraud Mercadier[10], et Durand Monnier, ancien clerc des clercs de la Chambre et ancien chapelain de Gasbert de Longanh[11] devenu abréviateur des lettres apostoliques, requis pour sa longue expérience de « vieux serviteur de la Chambre »[12]. La raison de cette inflation tient, nous le verrons, à la division de la Chambre apostolique en deux parties, l'une suivant le pape et l'autre demeurant à Avignon.

De 1378 à 1409, il n'est qu'un nom que l'on retrouve dans tous les registres de la Chambre, c'est celui de Sicard de Bourguerol. Conseiller de la Chambre avant même le retour à Avignon[13], collaborateur du trésorier en 1381[14], puis chargé successivement des collectories de Toulouse et de Narbonne, Bourguerol revint à la Chambre comme

---

1. *Reg. Av.* 331, fol. 107.
2. *Reg. Av.* 325, fol. 21 ; il était probablement frère du trésorier du royaume de Navarre, Garcia Lopez de Roncesvalles (J.-R. CASTRO, *Catalogo de l'Archivo...*, XXVI, *passim*).
3. *Reg. Av.* 325, fol. 510.
4. Dès 1385. — *Arch. Dip. Navarra, Cam. comptos, caj.* 45, n° 22 (5) ; cité par J. ZUNZUNEGUI, *El reino de Navarra*, p. 125, note 47.
5. En fonctions comme tel dès 1395 ; *Reg. Av.* 325, fol. 510.
6. *Reg. Av.* 331, fol. 97 v°-98 v°.
7. *Coll.* 372, fol. 110.
8. En fonctions le 12 octobre 1407 ; *Reg. Av.* 331, fol. 98 v° 100 r°. Il avait été remplacé comme collecteur dès le 4 juillet ; *Reg. Av.* 326, fol. 47.
9. *Reg. Av.* 331, fol. 133 r°-134 r°.
10. *Coll.* 359, fol. 154 v° 156 r°.
11. *Intr. ex.* 338, fol. 37 r°.
12. *Reg. Av.* 326, fol. 40-41 et 45-46 ; *Reg. Av.* 331, fol. 132 r°-134 r°.
13. *Intr. ex.* 350, fol. 7 v°.
14. *Intr. ex.* 354, fol. 14 r° et 17 r°.

clerc au temps de la soustraction d'obédience[1] et y demeura, comme conseiller [2], après son accession à l'épiscopat en novembre 1405.

Vingt-trois hommes ont donc, aux côtés de deux camériers successifs, assuré la continuité du fonctionnement de la Chambre apostolique pendant les trente et un ans qui séparent le conclave de Fondi du concile de Pise. Le nombre de clercs a toujours été voisin de quatre ; un cinquième est parfois dénombré, sans que l'on puisse affirmer qu'il ne remplaçait pas tel ou tel autre, momentanément absent ou relevé de ses fonctions : ainsi Pierre du Pont. Dans chaque « poste », quatre à cinq clercs se sont donc succédé depuis les gens hérités de la curie de Grégoire XI jusqu'à ceux que nous trouvons en place alors que s'ouvre le concile de Pise.

De caractères peuvent être dégagés, qui leur sont communs. Avant tout, ces gens-là étaient des juristes, et en majorité des civilistes. Il suffit de recenser leurs grades universitaires pour être convaincu.

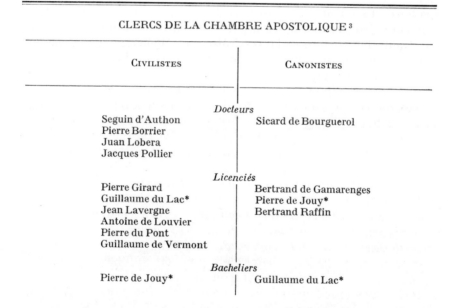

CLERCS DE LA CHAMBRE APOSTOLIQUE [3]

Civilistes	Canonistes
Docteurs	
Seguin d'Authon	Sicard de Bourguerol
Pierre Borrier	
Juan Lobera	
Jacques Pollier	
Licenciés	
Pierre Girard	Bertrand de Gamarenges
Guillaume du Lac*	Pierre de Jouy*
Jean Lavergne	Bertrand Raffin
Antoine de Louvier	
Pierre du Pont	
Guillaume de Vermont	
Bacheliers	
Pierre de Jouy*	Guillaume du Lac*

Deux de ces clercs, Guillaume du Lac et Pierre de Jouy, étaient gradués *in utroque*. Rappelons à ce propos que le camérier François de Conzié avait le grade, fort rare, de docteur *in utroque*.

Des titres nous sont peut-être inconnus, Nous n'en remarquerons pas moins que, parmi les clercs non pourvus de grade universitaire,

1. Il était encore collecteur le 30 juin 1398 (*Reg. Av.* 304, fol. 680 v°) et déjà clerc de la Chambre le 27 août 1403 (*Reg. Av.* 306, fol. 58 v°).
2. *Reg. Av.* 325, fol. 519 v°-523 v°, par exemple.
3. L'astérisque désigne les gradués *in utroque*.

figurent les Espagnols des dernières fournées, Lopez, Pilars et Carbonel, dont le choix résultait de considérations personnelles et d'impérieuses nécessités politiques et financières. Quant à la prédominance des civilistes sur les canonistes, elle s'explique et se justifie : d'une part, les canonistes avaient à la curie d'autres débouchés que les offices de la Chambre apostolique[1] ; d'autre part, il était utile aux gens de la Chambre de pouvoir défendre les droits du Saint-Siège en face du monde laïc et en particulier des justices temporelles pourvues de juges compétents, alors que la revendication des mêmes droits vis-à-vis des clercs mettait les gens de la Chambre en face de bénéficiers dont la grande majorité était sans culture juridique et canonique. Ce qui importait surtout, d'ailleurs, c'était que les gens de la Chambre eussent une certaine finesse intellectuelle et un minimum de capacité juridique : il ne semble pas que les tâches aient été différentes pour les civilistes et pour les canonistes.

Les clercs de la Chambre apostolique étaient des hommes d'expérience. Leurs offices passés, les missions remplies leur avaient fait connaître les multiples aspects de l'administration financière qu'il leur fallait diriger et contrôler sous l'autorité du camérier.

Quelques uns avaient exercé des offices à la curie : maîtres de la Cire, comme Guillaume Thonerat et Pedro Ximenez de Pilars, chambellan et trésorier privé du pape, comme Jacques Pollier. A la génération précédente, Hélie de Vodron avait été auparavant clerc du Sacré Collège. La plupart des clercs avaient déjà reçu et compté des deniers du Saint-Siège. C'est en particulier le cas des anciens collecteurs, Armand Jausserand, Guillaume Thonerat, Guillaume du Lac, Pierre du Pont, Guillaume de Vermont, mais c'est aussi celui de Jacques Pollier, qui gardait la cassette de Clément VII, de Bertrand de Gamarenges, clavaire de l'évêché d'Avignon et receveur de cet évêché pendant sa vacance en même temps que des legs pieux du Comtat, de Jean Lavergne, ancien serviteur du trésorier et ancien collecteur, de Frances Climent, ancien procureur personnel de Pedro de Luna, de Guilherm Carbonel, enfin, chargé de mission en Aragon dès 1398[2].

Pour Jausserand assurément, pour Thonerat peut-être, l'office de clerc de la Chambre était une sinécure, un titre honorifique donné à de vieux serviteurs que l'on ne pouvait promouvoir à l'épiscopat en raison de leurs infirmités et que l'on entendait cependant récompenser. Il est clair que le pape n'attendait plus rien d'Armand Jausserand auquel il accordait, le 29 octobre 1390, une pension viagère de 500 francs sur son ancienne collectorie : l'âge

---

1. Ceci explique que cette disproportion ne se retrouve pas parmi les collecteurs, gens étrangers à la curie, pour la plupart.
2. *Coll.* 372, fol. 110.

et la faiblesse ne permettaient plus à Jausserand d'exercer son office [1]. L'intéressé, on l'a vu, ne quitta même pas Paris.

2. *L'office.*   Pour les autres, leur travail était à Avignon et leurs missions partaient d'Avignon. Placés à l'entière disposition du camérier, les clercs de la Chambre avaient en effet deux types de tâches bien distinctes. Leur fonction ordinaire faisait d'eux, à la curie, les adjoints du camérier [2] ; ils avaient à ce titre des attributions très nettement définies, donc limitées, et très modestes, au regard des pouvoirs vastes et extensifs du camérier. Mais en outre, hors de la curie et comme nonces du Siège apostolique, ils se voyaient attribuer des missions de toute importance, avec des pouvoirs souvent très larges et une compétence étendue à tout le territoire dans lequel ils étaient constitués nonces : plusieurs provinces en général, un royaume souvent.

A la Chambre apostolique, les clercs avaient pour fonction essentielle de préparer le travail du camérier. C'est dire qu'il est normalement impossible de déceler leur intervention dans la plupart des cas. Ils examinaient les requêtes, proposaient les réponses aux questions courantes, rédigeaient ou dictaient les lettres intitulées au nom du camérier. Leur nom était en conséquence porté sur le repli du parchemin des lettres camérales et des quittances de communs services [3] et, parfois, au bas de l'enregistrement, afin d'en attester la conformité, sans doute après collation. Ils endossaient ainsi la responsabilité de la lettre de leur chef envers celui-ci. Seul, le camérier était responsable de ses actes envers le pape et envers les destinataires. Les clercs, lorsqu'ils appréciaient les délais à accorder ou les remises que pouvait consentir la Chambre, agissaient donc sans autorité propre, au nom du camérier et par son autorité.

Leur responsabilité était au contraire totale lorsqu'ils avaient à vérifier et approuver les comptes rendus à la Chambre par les officiers ou les débiteurs, et à faire le compte des dettes pontificales. Le camérier commettait alors nommément un ou plusieurs clercs, et mention était faite de leur intervention dans la lettre ou la bulle ratifiant le compte. Les comptes de collecteurs représentaient la plus grande part des comptes soumis aux clercs de la Chambre. Ainsi Guillaume de Vermont fut-il chargé d'examiner le compte du collecteur de Tolède Foulques Périer [4] et Guillaume du Lac se vit-il confier celui du collecteur de Rodez Raymond de Senans [5].

1. *Reg. Av.* 277, fol. 217 v°-218 v°.
2. Sous Martin V, chaque clerc de la Chambre exerçait son office pendant un mois, par roulement ; Fr. Baix, *Les Libri annatarum...*, I, p. CCCXLIX.
3. Le nom était inscrit à gauche de la double queue chargée du sceau ; Arch. dép. Haute-Garonne, G 352 à 354, par exemple. Pour les quittances, voir : *Reg. Av.* 331, fol. 23 r°.
4. *Coll.* 359, fol. 239 r°-241 r°.
5. *Coll.* 394, fol. 254 r°-257 r°.

Après plusieurs mois de travail, le clerc faisait en conseil son rapport au camérier [1]. C'est sur l'audition de ce rapport qu'était apuré le compte. Il appartenait donc au seul clerc examinateur d'entendre le collecteur et de vérifier à la fois l'authenticité de ses quittances de versements et d'assignations, et l'exactitude de sa comptabilité, toutes opérations auxquelles correspondent les annotations portées par le clerc en marge du compte fourni par le collecteur [2]. Le clerc rédigeait enfin pour l'usage du conseil un « compte bref », c'est-à-dire une balance simplifiée mettant en évidence les différentes catégories de recettes, les restes à lever, les assignations effectuées et le solde débiteur ou créditeur du collecteur [3]. Le rôle du clerc se limitait donc à constater la réalité des recettes et dépenses, ainsi que la justesse des opérations ; c'est au conseil, et en particulier au camérier qu'il revenait d'apprécier le bien fondé des dépenses personnelles et des frais de gestion, d'en accepter l'imputation sur la recette ou de la refuser, et de faire éventuellement remise du solde débiteur.

Les clercs de la Chambre examinaient de même les comptes du trésorier du Comtat [4] et, à l'occasion, les comptes de recettes particulières. En 1383, Pierre Borrier fut chargé de vérifier le compte des 15 000 florins reçus par feu Jean Mercier, doyen de Sains-Germain d'Auxerre, sur les revenus de la Chambre affectés par Urbain V à la réparation du monastère, compte rendu par son neveu et exécuteur testamentaire, Adam Lesage [5]. Les comptes faits avec l'acheteur de la Cuisine, Guillaume Pollier [6], par un poissonnier ayant fourni le palais pontifical furent approuvés par les clercs de la Chambre ; par lettres patentes, le camérier ordonna au trésorier de payer au poissonnier ce qu'on restait lui devoir, soit 384 florins, et Pierre Borrier, sans doute chargé d'apurer le compte et auteur réel de ces lettres, les visa en inscrivant sur le repli du parchemin : *vidit P. Borrerii* [7]. De même en 1406, Nicola Lopez examina le compte d'un fournier avignonnais, Jean de Prévède [8].

1. En décembre 1406, par exemple, Nicola Lopez rapporta à Pedro Adimari, lieutenant du camérier, entouré de Sicard de Bourguerol et Bernard d'Estruch, conseillers de la Chambre, et du receveur Diego Navarrez, le compte présenté en mai ou juin par le collecteur de Toulouse ; *Reg. Av.* 325, fol. 568-570.

2. Sur ce travail, voir : Ch. SAMARAN et G. MOLLAT, *op. cit.*, p. 128 ; U. BERLIÈRE, *Les collectories pontificales...*, introduction.

3. Sur l'attribution du compte bref au clerc de la Chambre — et non au collecteur, comme on l'avait souvent cru — nous suivons l'opinion de P. GASNAULT, *Notes et documents...*, dans les *Mélanges d'archéologie et d'histoire*, 1958, p. 368-370. Cependant, le collecteur rédigeait parfois lui-même son compte bref ; ainsi fit, en 1387, le collecteur de Burgos : « *sequitur breve compotum mei Guillelmi Boudreville, collectoris prenominati, redditum Avignone die et anno in premisso magno compoto contentis* » ; *Coll.* 122, fol. 117.

4. Voir notamment : *Reg. Av.* 325, fol. 572-574, ainsi que les mentions marginales d'approbation des comptes.

5. *Coll.* 360, fol. 54 r°-55 r°.

6. Probablement parent du clerc de la Chambre Jacques Pollier.

7. *Instr. misc.* 3224.

8. *Reg. Av.* 325, fol. 537 v°-538 v°.

Les comptes du garde du sceau de la cour de la Chambre apostolique étaient régulièrement vérifiés par les clercs : en février 1403, c'est Bertrand de Gamarenges qui était chargé de les rapporter[1].

Le compte annuel du trésorier était lui-même soumis aux clercs de la Chambre. En raison de l'importance du document et pour en faire le rapport sans trop tarder, ils opéraient alors collégialement. Les quittances témoignent de cet examen, fait par « le camérier, Pierre Borrier et les autres clercs de la Chambre apostolique »[2], par « le camérier, Pierre Borrier, Guillaume du Lac et les autres clercs de la Chambre »[3], par « le camérier, Pierre Borrier, Jean Lavergne et les autres clercs de la Chambre »[4]. Ceci suffirait à infirmer l'opinion de Fr. Baix, qui affirme, sans preuves, que les comptes du trésorier étaient tenus par les clercs de la Chambre[5]. C'est au notaire de la Trésorerie, au scripteur des comptes, qu'incombait cette tâche, comme le montre l'*incipit* de maint registre de la série des *Introitus et exitus* sur laquelle nous reviendrons.

La responsabilité des clercs de la Chambre était encore engagée lorsque le camérier leur confiait le soin de conclure un accord avec des débiteurs, de réaliser l'une des diverses compositions par lesquelles pouvaient être affectés les intérêts de la Chambre qu'il s'agissait cependant de ménager. Leur mission était alors de trouver un point d'équilibre entre les exigences du Saint-Siège et les capacités de paiement des débiteurs, bref, d'exiger moins pour obtenir plus sûrement quelque chose. Un exemple en est fourni par la succession de Hugues Joffré, chanoine d'Aix. Pour les annates, décimes et procurations de ses différents bénéfices (canonicat avec prébende, deux prieurés et une paroisse), Joffré devait encore 460 florins courants ; il avait, en plusieurs fois, prêté 275 florins à la Chambre. A sa mort, ses exécuteurs testamentaires déclarèrent que les dettes étaient hors de proportion avec les revenus réels des bénéfices, fortement diminués du fait de la guerre, c'est-à-dire des exactions de Raymond de Turenne. Pour négocier avec eux et composer, le camérier commit quatre clercs de la Chambre, Borrier, Jouy, Lavergne et Gamarenges, ainsi que le collecteur de Provence, Pierre Merle. Compensation faite des dettes et des créances, les commissaires admirent l'annulation des dettes subsistant, soit 185 florins, contre paiement d'une somme de 100 florins par les exécuteurs testamentaires, à la première réquisition de la Chambre ou du collecteur : la remise était donc de 45 %. Là encore, le camérier dut sanctionner cet accord par lettres patentes[6]. Les clercs

---

1. *Reg. Av.* 306, fol. 46 v°-47 r°.
2. 12 décembre 1386 ; *Reg. Av.* 242, fol. 97 r°-98 r° ; *Intr. ex.* 361, fol. 162 v°-163 r°.
3. 18 janvier 1391 ; *Reg. Vat.* 301, fol. 108 v°-109 r° ; *Intr. ex.* 366, fol. 220 v°-221 r°.
4. 9 mars 1394 ; *Reg. Av.* 274, fol. 11 v°-12 v° et 42.
5. Fr. Baix, *Notes...*, *loc. cit.*
6. *Reg. Vat.* 308, fol. 199 v°-200 r°.

n'avaient par conséquent, à eux seuls, que des pouvoirs insuffisants pour engager la Chambre. Mais, à l'égard de celle-ci, leur responsabilité était totale, et c'est pourquoi leurs noms furent mentionnés dans les lettres du camérier.

Hors de la Chambre et hors de la curie, les clercs n'avaient pas davantage de pouvoirs propres, mais c'est souvent parmi eux que l'on choisissait les nonces du Siège apostolique envoyés dans les provinces de l'obédience pour y ranimer le zèle des collecteurs et des bénéficiers, voire y contracter des emprunts. Leurs pouvoirs procédaient alors de leur nonciature et étaient délimités par la teneur de leur bulle de constitution.

Un clerc de la Chambre ne pouvait être en même temps collecteur. Cette règle, implicite mais constamment observée à la Chambre avignonnaise [1], reflète une nette différence hiérarchique. Devenir clerc de la Chambre était, pour un collecteur, une promotion. Lorsqu'il était utile de confier à un clerc la gestion de son ancienne collectorie, ainsi qu'il fut fait pour Armand Jausserand et Guillaume du Lac, l'intéréssé gardait son titre et son rang de clerc de la Chambre et recevait la charge de « régir la collectoric », non l'office de collecteur. Une telle distinction se traduit dans la diplomatique camérale par le fait que le camérier pouvait constituer lui-même un tel « régent », au contraire d'un collecteur dont la nomination, on l'a vu, ne pouvait être faite que par le pape [2].

Le petit nombre de clercs de la Chambre explique le caractère général de leurs missions. Envoyés à travers un pays relativement vaste, ils y réprimaient les abus, tranchaient les cas litigieux, contrôlaient l'activité des collecteurs, récupéraient éventuellement les sommes disponibles. En cas de nécessité, ils pouvaient effectuer eux-mêmes une perception ou une saisie particulières, mais ils n'étaient pas envoyés pour cela. Ils n'avaient pas à se substituer aux collecteurs et sous-collecteurs. C'est la raison pour laquelle nous les voyons intervenir dans certaines saisies de dépouilles : nous dirons que ce genre d'opération ne fut que tardivement inclus dans la compétence ordinaire des collecteurs. Parmi les commissaires aux dépouilles, désignés dans chaque cas, à l'origine, nous trouvons des bénéficiers locaux, des sous-collecteurs, des collecteurs et, surtout lorsque le défunt résidait non loin d'Avignon, les clercs de la Chambre : Antoine de Louvier pour les dépouilles de l'archevêque de Tarentaise, Raoul de Chissey, en 1386 [3], Guillaume Thonerat pour celles du collecteur de Narbonne, Arnaud André, mort à Avignon cette même année [4], Nicola Lopez et le collecteur de

---

1. Dans l'obédience romaine, des clercs de la Chambre étaient en même temps collecteurs : Giovanni Manco, Jacopo Dardani, Gilles de Pomponne.
2. *Coll.* 361, fol. 17 vº-18 rº, pour la régence de G. du Lac.
3. *Coll.* 361, fol. 33 vº-34 rº.
4. J. FAVIER, *Le niveau de vie d'un collecteur...*, dans *Annales du Midi*, 1963.

Provence, Simon de Prades, pour celles de Gilles Bellemère, mort évêque d'Avignon en 1407 [1].

La rémunération des clercs de la Chambre doit être envisagée sur deux plans : le salaire de leur office et le revenu de leurs bénéfices. Un salaire fixe leur était en effet attribué : 9 gros tournois par jour [2], généralement payés avec de considérables retards [3]. Il y faut joindre la part leur revenant des menus services payés par les évêques et abbés en raison de leur provision, soit le tiers de l'un des quatre menus services destinés aux familiers et officiers du pape [4]. Chaque menu service était égal à une part cardinalice de communs services, soit au quotient de la moitié des communs services par le nombre de cardinaux présents en consistoire lors de la préconisation du prélat. Le total en était relativement faible, eu égard au nombre de participants : pour le premier semestre de 1406, l'un des plus fructueux, l'ensemble des quatre menus services atteignit 817 florins [5] ; pour le premier semestre de 1408, l'un des pires, il fut de 74 florins [6]. Les clercs avaient à se partager un douzième de ces sommes, ce qui leur laissait à chacun, au mieux, quelque 30 florins par an. Ils se partageaient également un sixième de la *sacra* payée par les évêques lors de leur consécration et les abbés lors de leur bénédiction [7]. Pour recevoir ces sommes et les répartir, ils disposaient d'un clerc, Durand Monnier, bachelier en décrets [8].

Il est impossible de connaître tous les bénéfices tenus par les clercs de la Chambre. Ne figurent dans les actes, en effet, que le bénéfice principal de chacun, souvent un simple canonicat. Mais les contestations soulevées par leur exemption de résidence nous font entrevoir bien des cumuls. En outre, et nous retrouverons le même problème à propos des collecteurs, on ne peut savoir, lorsque Sicard de Bourguerol cesse de se dire chanoine de Montauban pour se dire chanoine de Narbonne, s'il a résigné son canonicat de Montauban ou s'il cesse simplement d'en faire état. Pour donner un exemple certain, indiquons que Jacques Pollier tenait, à sa mort, l'archidiconé de Viviers, la paroisse de Montfort-sur-Risle et des canonicats avec prébende à Genève et à Lausanne [9]. Pour

1. *Reg. Av.* 326, fol. 16 v°-17 r°.
2. B. GUILLEMAIN, *La cour pontificale...*, p. 489.
3. Ainsi à Guillaume du Lac le 6 juillet 1391 (*Instr. misc.* 3526), à Antoine de Louvier le 25 septembre 1386 (*Intr. ex.* 360, fol. 148 v°), à Pierre Borrier le 20 avril 1395 (*Coll.* 372, fol. 26 v°), à Jean Lavergne les 1er octobre et 1er novembre 1396 (*Ibid.*, fol. 66 et 73 r°).
4. L'un des quatre services était attribué à la Chambre apostolique : le camérier en prenait les deux tiers, les clercs de la Chambre l'autre tiers ; A. CLERGEAC, *La curie et les bénéficiers consistoriaux*, p. 160.
5. *Reg. Av.* 324, fol. 217 v°.
6. *Reg. Av.* 331, fol. 76 r°.
7. GUILLEMAIN, *op. cit.*, p. 490.
8. *Reg. Av.* 319, fol. 67-80.
9. *Reg. Av.* 325, fol. 527 r°-528 r°.

leurs bénéfices, les clercs de la Chambre obtenaient le plus souvent du camérier une remise totale d'annate, mais ils n'étaient exempts ni de décimes, ni de procurations, comme le prouve la saisie des biens du même Pollier par les collecteurs de Paris, de Lyon et de Savoie, désireux de s'assurer du paiement des dettes [1]. Tous ces bénéfices étaient exempts des gabelles accordées au roi de France sur le clergé du royaume [2].

C. — LES CONSEILLERS DE LA CHAMBRE

Si l'activité des clercs de la Chambre est bien connue, celle des conseillers l'est moins. Ceux-ci n'ont, en effet, pas d'office, ne sont nommés par aucun acte écrit, ne font jamais état de ce titre et apparaissent donc le plus souvent dans les textes comme ces nombreux prélats qui fréquentaient la curie et y remplissaient des fonctions plus ou moins réelles, absorbantes et honorifiques, les référendaires par exemple.

Leur titre est mentionné dans quelques textes faisant allusion à des décisions collectives du conseil de la Chambre. Sans cela, nous pourrions croire, comme l'ont fait MM. Samaran et Mollat, à l'identité des clercs et des conseillers : les clercs de la Chambre « formaient, avec le camérier et le trésorier, le conseil supérieur de la Chambre. Vers le milieu du xive siècle, ils portaient le titre de conseillers » [3]. Cette identité est possible pour le temps où s'ébauchait la Chambre apostolique, disons avant 1350. Le texte sur lequel se fondent MM. Samaran et Mollat, qui est de 1363, nous semble peu probant. Y sont cités les clercs de la Chambre *et alios consiliares Camere Thesaurarie* [4]. Le seul nom de *Camera Thesaurarie* fait naître des doutes quant à la propriété des termes employés par le scribe. M. Guillemain, qui cite les noms des conseillers en 1367 [5], a bien vu que le conseil n'était pas un organisme clos et privilégié, mais une réunion de travail : il y avait donc au conseil les clercs ou certains d'entre eux et... les autres membres du conseil, c'est-à-dire les conseillers. Le trésorier était fréquemment présent ; les textes ne laissent cependant pas croire qu'il y fût toujours.

Conseiller de la Chambre, ce n'est pas un office, c'est à peine une fonction, c'est une position. Le titre était donné, rarement d'ailleurs, à des gens qui n'étaient pas ou n'étaient plus clercs de la Chambre mais demeuraient dans l'entourage du camérier et se trouvaient à sa disposition. Le plus souvent, ils jouissaient d'un bénéfice pontifical, évêché ou abbaye, qui les plaçait au dessus des clercs de la Chambre.

---

1. Il en allait de même pour les conseillers ; *Reg. Av.* 325, fol. 544.
2. *Reg. Av.* 325, fol. 541-542.
3. Ch. SAMARAN et G. MOLLAT, *La fiscalité pontificale...*, p. 7.
4. *Coll.* 423, fol. 184 vo.
5. *Op. cit.*, p. 287-288.

L'incompatibilité apparaît en effet absolue entre l'office de clerc et une prélature. Ayant fait une composition avec l'archevêque de Tarentaise peu de jours avant d'être lui-même promu évêque, Antoine de Louvier était intitulé, dans les lettres patentes confirmant cette composition, *tunc clericus Camere* [1] ; le seul fait d'être « élu » lui faisait donc perdre son titre de clerc.

C'est donc comme conseillers de la Chambre que nous retrouvons, après leur promotion à l'épiscopat, trois clercs dont le camérier n'acceptait pas de s'aliéner les services : Hélie de Vodron, évêque de Catane [2], Guillaume du Lac, évêque de Lodève [3], et Sicard de Bourguerol, évêque de Couserans [4]. C'est également comme conseiller que participèrent à la gestion des finances pontificales les gens entrés à la Chambre alors qu'ils étaient déjà pourvus d'un évêché ou d'une abbaye : Bernard d'Estruch, abbé de Bañolas, ancien référendaire du pape [5], Pedro Adimari, abbé de la Peña, puis évêque de Lescar et enfin de Maguelonne [6], Pedro Zagarriga, évêque de Lérida [7], tous deux anciens chambellans de Benoît XIII [8].

Faire des conseillers une catégorie de clercs de la Chambre supérieurs, de clercs-prélats, serait cependant inexact. Si les prélats ne pouvaient être ou demeurer clercs, point n'était besoin d'être prélat pour être conseiller. Le propre de la fonction, c'était sa souplesse administrative. Etait conseiller de la Chambre quiconque était retenu de façon ordinaire pour le camérier pour lui prêter aide et conseil.

L'exemple le plus caractéristique est fourni par l'étonnante carrière de Sicard de Bourguerol. Celui-ci, alors chanoine, était déjà conseiller de la Chambre en janvier 1377 [9]. Notons qu'il ne faisait guère usage de ce titre et que nous n'en aurions pas connaissance sans les mentions portées dans les *Introïtus* par le notaire du trésorier,

1. Lettre du camérier du 26 août 1386 ; *Coll.* 364, fol. 30 r°.
2. Encore conseiller le 28 janvier 1382 ; *Coll.* 359, fol. 107-109.
3. Le *Gallia Christiana* (VI, col. 559), repris par Eubel, a identifié Guillaume, évêque de Lodève de 1392 à 1398, avec Guillaume Grimoard, neveu d'Urbain V, ce qui a permis à Fr. BAIX (*Notes...*, *loc. cit.*) d'en faire un clerc de la Chambre sous Clément VII. Or Grimoard ne se rencontre dans aucun texte concernant la Chambre. Bien plus, le bénéfice qui lui est antérieurement attribué appartenait en réalité à Guillaume du Lac : la prévôté de l'église de Genève (*Coll.* 360, fol. 24 v°). Enfin, dans la mention « *Aprobo ego G. L. episcopus Lodovensis, Camere apostolice conciliarius* » (28 mai 1395 ; *Coll.* 194, fol. 326 v°), le seing manuel entourant les initiales G. L. ne signifie pas G. Lodovensis, mais bien G. de Lacu, puisque nous le trouvons, rigoureusement semblable, dès 1390, après la formule « *Ego, Guillermus de Lacu, dicte Camere apostolice clericus... meum manuale hic apposui consuetum* » (*Coll.* 192, fol. 241 v°). Voir : J. Favier, *Rectification...*, *loc. cit.*
4. Attesté comme conseiller du 28 décembre 1405 (*Reg. Av.* 325, fol. 519 v°-523 v°) au 2 mai 1409 (*Reg. Av.* 332, fol. 19).
5. Plusieurs fois attesté en 1406 (*Reg. Av.* 325, fol. 550-570).
6. Souvent attesté à partir du 27 août 1403 (*Reg. Av.* 306, fol. 58 v°).
7. Il est attesté à partir du 20 décembre 1406 (*Reg. Av.* 325, fol. 568-570), mais Jean de Rivesaltes écrit, dès le 23 décembre 1398, qu'il a envoyé un courrier au « procureur » Pedro Zagarriga et aux autres du conseil ; *Coll.* 160, fol. 138 r°.
8. Fr. EHRLE, *Neue Materialen...*, dans les *Archiv...*, VII, p. 27.
9. *Intr. ex.* 347, fol. 57 v°.

de 1377 à 1381 [1], mentions que confirme une lettre du camérier, du 20 avril 1384, enjoignant au chapitre de Saint-Etienne de Montauban de répondre à Bourguerol des revenus de sa prébende pour le temps passé : il a longtemps, écrit Conzié, été conseiller de la Chambre, avant de devenir collecteur [2]. Le 2 septembre 1382, en effet, Bourguerol avait été nommé collecteur de Toulouse. Mais l'élection pour la succession de Robert de Villemur, évêque de Lavaur, faillit mettre un terme prématuré à la carrière du collecteur : Bourguerol obtint cinq voix, le 11 septembre 1383 ; Clément VII nomma par provision Gilles Bellemère, et Bourguerol demeura à Toulouse [3]. Transféré à Narbonne en septembre 1386, il devint clerc de la Chambre entre 1398 et 1403. Puis en 1404, il parcourut le Languedoc comme nonce [4], ainsi qu'il avait déjà fait en 1381 [5]. Outre la riche expérience acquise dans ces diverses fonctions, il avait accru, entre 1384 et 1386, sa compétence juridique : de simple licencié, il était devenu docteur en décrets. Le 20 novembre 1405, l'évêché de Couserans venait récompenser une trentaine d'années de services, cependant que la Chambre gardait Sicard de Bourguerol comme conseiller.

Quelle était donc, avant 1382, la position de Bourguerol ? Sans nul doute celle d'un homme jeune et fort capable, placé à la disposition du camérier et spécialement lié avec le trésorier dont il était dit *socius* [6]. Le nommer clerc de la Chambre était difficile, car il n'avait pas encore la pratique des affaires de la Chambre. Ce ne fut fait qu'après vingt ans de collectorie. Un tel scrupule, nous le savons, n'existait plus sous Benoît XIII pour les Aragonais.

Voilà donc un conseiller dont on ne saurait dire qu'il était un clerc de la Chambre de catégorie supérieure : vrai à partir de 1406, cela ne l'est pas pour les années 1378-1382.

Un conseiller de la Chambre ne ressemble en rien à un officier. Le fait est encore plus sensible lorsqu'il s'agit de Cavallino dei Cavalli, conseiller en 1380 [7], ou d'Aymar d'Aigrefeuille, chevalier, ancien maréchal et capitaine d'Avignon, qu'une bulle de Clément VII constitua, le 8 juillet 1381, familier du Pape et conseiller de la Chambre apostolique [8]. Le caractère officiel de la nomination s'explique par le fait qu'Aigrefeuille était un laïc. Nous devons avouer que l'on ne discerne guère en quoi ce nouveau titre affecta le rôle d'Aymar d'Aigrefeuille.

L'action d'un conseiller, en effet, ne laissait que peu de traces.

---

1. *Intr. ex.* 350, fol. 7 v° ; *Intr. ex.* 354, fol. 50 r°.
2. *Coll.* 360, fol. 91 r°.
3. *Gallia christiana*, XIII, col. 334 et *Instr.*, col. 273-275.
4. *Reg. Av.* 320, fol. 142.
5. *Intr. ex.* 354, fol. 50 r°.
6. *Intr. ex.* 354, fol. 14 r° et 17 r°.
7. *Intr. ex.* 350, fol. 51 v°.
8. *Coll.* 359 A, fol. 99 v°-100 r°.

Bien des gens furent peut-être conseillers sans que les archives de la Chambre nous en aient transmis les preuves. Certains évêques, souvent anciens clercs de la Chambre, qui parcoururent au début du Schisme les provinces de l'obédience pour y inspecter les collecteurs, visiter les évêques et récupérer les fonds apostoliques, ont à coup sûr fait partie du conseil de la Chambre : Bertrand Raffin, Jean de Murol, Pierre Girard, Seguin d'Authon. Connu par des missions analogues remplies après la restitution d'obédience à Benoît XIII, Sancho Lopez de Vesco était certainement, lui aussi, conseiller de la Chambre. Il est enfin un personnage que nous trouvons cité une fois comme conseiller et dont l'action pourrait bien avoir été des plus épisodiques : Géraud du Breuil, évêque de Couserans [1].

Ce qui caractérise les conseillers, c'est donc leur manque de statut administratif, et non les attributions, qui sont en tous points semblables à celles des clercs.

Individuellement, les conseillers avaient à examiner et à rapporter les comptes rendus par des officiers comptables et receveurs : ainsi Hélie de Vodron et Sicard de Bourguerol pour le compte du collecteur Arnaud de Peyrat [2], Pedro Adimari pour celui du collecteur Didier Béchegrain [3], Sicard de Bourguerol pour ceux des collecteurs Jean de Rivesaltes, Jean Martin et Julien de Dole [4]. En mission dans les provinces, les conseillers se distinguent plus des clercs par leur dignité épiscopale que par leurs pouvoirs, qui sont d'égale portée : nonces, ils agissaient par autorité apostolique dans les limites prévues par leur bulle de constitution.

Le conseil de la Chambre se réunissait sous la présidence du camérier ou de son lieutenant [5], ce qui n'exclut pas que les membres en fussent parfois appelés auprès du pape avec le camérier, lorsque devait être prise une décision importante, la concession d'une décime par exemple. Le conseil délibérait sur l'opportunité des mutations et des frappes monétaires [6]. Mais les réunions les mieux connues sont celles où étaient rapportés les comptes : l'avis du conseil était sollicité, non seulement pour les approuver, ce que suggérait en réalité le rapporteur, mais surtout pour accepter les dépenses imputées et remettre éventuellement tout ou partie du solde débi-

1. Cité le 5 novembre 1404 ; *Reg. Av.* 320, fol. 139 rᵒ-140 rᵒ.
2. Quittance du 28 janvier 1382 ; *Coll.* 359, fol. 107-108.
3. Quittance du 27 septembre 1403 ; *Reg. Av.* 306, fol. 69 rᵒ-70 rᵒ.
4. Quittances du 28 décembre 1405 (*Reg. Av.* 325, fol. 519 vᵒ-523 vᵒ), 17 juillet 1406 (*Ibid.*, fol. 550 rᵒ-552 rᵒ) et 7 février 1408 (*Reg. Av.* 331, fol. 146-147).
5. C'est sans doute du conseil de la Chambre qu'il est question dans les *Exitus* à la date du 25 novembre 1407 : « *Eadem die fuerunt soluti magistro Nicolao Balaguerii, notario Thesaurarie domini nostri Pape, ordinato per dominos de consilio secreto ipsius domini nostri ad faciendum scripturas dicti consilii, pro ejus vadiis...*« (*Reg. Av.* 331, fol. 289 vᵒ) ; la même mention se trouve encore le 13 août 1408 : « *... ordinato ad faciendum scripturas consilii secreti domini nostri Pape...* » (*Ibid.*, fol. 482 rᵒ).
6. GARAMPI, *Saggi di osservazioni..., app. di doc.*, p. 65.

teur. L'avis favorable du conseil était en pareil cas mentionné dans la quittance[1]. Il en allait de même lorsque le conseil décidait d'accepter une composition avec un créancier[2]. Des cas délicats étaient soumis au conseil par le camérier, qui suggérait d'ailleurs la décision : ainsi l'annulation de l'obligation pour les services d'un abbé de Bonnecombe qui n'avait perçu aucun revenu de son abbaye[3], ou la renonciation de la Chambre à toute exigence sur les dépouilles d'un abbé de Nieul, après que les conseillers et clercs de la Chambre aient examiné l'inventaire dressé par le collecteur et son sous-collecteur, et entendu le successeur de l'abbé, Hélie de Vodron lui-même[4].

Contrairement aux clercs de la Chambre, pourvus d'un véritable statut, et surtout au camérier et au trésorier qui, bien que prélats, percevaient des gages annuels[5], il semble que les conseillers n'aient joui d'aucune rémunération fixe[6]. Le revenu de leur prélature, évêché ou abbaye, compensait suffisamment leur labeur. Le pape leur accordait d'ailleurs la possibilité de cumuler les bénéfices qu'ils tenaient avant leur élévation à l'épiscopat et conservaient en commende[7]. Envers ses conseillers, d'autre part, la Chambre ne se montrait guère exigeante : témoin cette composition intervenue avec Sicard de Bourguerol pour les vacants de l'église de Couserans levés entre la translation de Géraud du Breuil à Uzès, le 17 septembre 1405, et sa propre provision, le 20 novembre suivant ; ces revenus furent laissés à Bourguerol en compensation d'une somme de 225 florins courants, déduite de ses créances sur la Chambre[8]. Il est probable qu'il gagnait à cet arrangement.

Faute de bénéfices, les conseillers laïcs du début du pontificat de Clément VII percevaient une pension : 400 florins par an assignés sur les revenus du Comtat venaissin à Aymar d'Aigrefeuille[9], 100 florins par mois payés à Cavallino dei Cavalli par la Trésorerie[10].

1. *Reg. Av.* 325, fol. 568-570.
2. Ainsi, pendant la vacance de l'archevêché d'Arles, avec Raymond de Mondragon, ancien vicaire au temporel et capitaine général de l'église d'Arles ; ratification du 5 novembre 1404 ; *Reg. Av.* 320, fol. 139 r°-140 r°.
3. *Reg. Av.* 319, fol. 67 v°-68 r°.
4. *Coll.* 374, fol. 50 v°.
5. Le camérier romain recevait, pour son compte, une provision mensuelle de 150 florins (*Reg. Vat.* 336, fol. 103 v°-104 r°) ; le trésorier avignonais n'avait que 100 florins par an (*Intr. ex.* 375, fol. 63 v° et 78 r°).
6. M. Guillemain parle de « gages spéciaux » pour les conseillers de 1367 ; *op. cit.*, p. 287.
7. On connaît notamment fort bien les bénéfices de Pedro Zagarriga par deux lettres du camérier, en date du 1er février 1404 ; *Reg. Av.* 320, fol. 96 v°-97 r°.
8. 28 juin 1406 ; *Reg. Av.* 326, fol. 42 r°-43 r°.
9. *Coll.* 359 A, fol. 99 v°-100 r°.
10. *Intr. ex.* 350, fol. 51 v° et 65 v°.

D. — LA TRÉSORERIE

Ses fonctions ne faisaient nullement du trésorier l'adjoint du camérier. Son office n'était pas « perpétuel » ; au contraire du camérariat, il cessait à la mort du pape [1]. Son rang épiscopal ne suffisait pas à faire du trésorier le second personnage d'une Chambre apostolique qui comptait maint prélat parmi ses conseillers.

A ne considérer que sa tâche régulière, le trésorier était le chef d'un organisme dépendant de la Chambre, organisme lié à la plupart des activités de la Chambre et, par conséquent, tenu au courant des principales décisions financières. Le trésorier, et c'est là l'essentiel, était tenu à une résidence constante [2] à la curie : s'il avait une situation privilégiée, il la tirait de cette obligation. Chef de la Trésorerie, il n'intervenait que dans une partie des affaires de la Chambre, mais il était le plus constant et le plus proche collaborateur du camérier, et l'un des plus qualifiés. Des conseillers de la Chambre, il était l'un des premiers, souvent le premier. La constitution *In eminenti* d'Eugène IV — notons que ce pape avait été trésorier de Grégoire XII — consacra, le 8 juillet 1444, cet état de fait et reconnut au trésorier le second rang parmi les officiers de la Chambre, immédiatement après le camérier [3]. Dès la fin du XIVe siècle, la désignation du trésorier s'imposait souvent lorsqu'il fallait assurer la direction de la Chambre en l'absence du camérier [4]. La longue lieutenance de Pedro Adimari à Avignon, après la restitution d'obédience, s'explique par le fait que le trésorier devait, comme le camérier, suivre le pape dans ses déplacements et ne pouvait donc exercer la direction de l'administration camérale demeurée à Avignon.

La présence du trésorier au conseil était donc normale. En tant que trésorier, il connaissait les collecteurs, les évêques, les facteurs des compagnies financières, les changeurs ; cela le rendait apte à seconder, mais seulement en fait, le camérier.

Quatre hommes se succédèrent en quarante ans. Nommé le 6 juin 1370, Pierre de Vernols assura à Avignon la continuité de la Chambre apostolique alors que, suivant la curie, puis le Sacré Collège en rébellion, Pierre de Cros allait à Rome, et de Rome à Anagni

---

1. Sur la distinction entre les *officia perpetua* et les *officia quae expirant papa moriente*, voir : B. GUILLEMAIN, *op. cit.*, p. 492.

2. Les dérogations furent rares à Avignon : ainsi les deux brèves missions d'Antoine de Louvier à Paris en 1393 (N. VALOIS, *op. cit.*, II, p. 196) ou les missions de Frances Climent en Espagne à partir de 1405 (ci-dessous, p. 665 et 669). Elles furent plus notables à Rome (ci-dessous, p. 142)

3. A. GOTTLOB, *Aus der Camera apostolica...*, p. 94.

4. Les pouvoirs accordés par Pierre de Cros au trésorier Pierre de Vernols le 1er juillet 1378 s'expliquent par le fait que le camérier était absent d'Avignon où se trouvait une partie de l'administration centrale. Ces pouvoirs fort étendus n'étaient nullement ordinaires : la pratique le montre, aussi bien que le simple fait qu'il fallût les concéder spécialement ; *Coll.* 393, fol. 92 v°-93 r°.

et Fondi. Lorsque le camérier reçut la pourpre, en décembre 1383, Vernols ne fut cependant pas choisi pour le remplacer comme camérier. Le fait n'a rien d'extraordinaire : depuis le début du siècle, deux trésoriers seulement, Gasbert de Laval et Etienne Cambarou, avaient accédé à l'office de camérier. Vernols demeura donc trésorier jusqu'à sa mort, le 3 octobre 1389[1].

Après dix-neuf ans de stabilité, l'office allait changer plusieurs fois de titulaire jusqu'au concile de Pise. Antoine de Louvier, évêque de Rennes et ancien clerc de la Chambre, succéda immédiatement à Vernols dans son office de trésorier comme dans son évêché de Maguelonne[2]. Il fut remplacé, en 1394[3], par l'ancien collecteur de Lyon Jean Lavergne. Frances Climent de Zapera, enfin, l'homme d'affaires privé de Benoît XIII, devint trésorier le 5 août 1404. Tous étaient d'anciens clercs de la Chambre apostolique ; nous ne reviendrons pas sur ces personnages.

Les capacités juridiques du trésorier étaient des plus limitées. Il n'avait nullement qualité pour remplacer automatiquement le camérier. Celui-ci devait, à chacune de ses absences, désigner un lieutenant. S'il arrivait au trésorier d'être chargé de la lieutenance, il se trouvait souvent dans l'obligation de justifier de ses pouvoirs en donnant copie, incluse dans ses propres actes, des lettres patentes du camérier le constituant son lieutenant. Séparé de Pierre de Cros dans l'été 1378, Pierre de Vernols ne put obtenir à lui seul, on l'a vu, le nécessaire prêt du roi de France : il ne pouvait valablement obliger la Chambre apostolique.

La direction de la trésorerie du pape, c'était uniquement la gestion d'une caisse. Seule, sa présence au conseil, donc sa participation à l'élaboration d'une politique financière, donnait au trésorier connaissance de l'état des finances pontificales. L'essentiel du mouvement des fonds, en effet, lui échappait[4].

Deux sortes de versements alimentaient la Trésorerie : les versements directs de contribuables et débiteurs de toute espèce, et les versements des agents percepteurs et comptables, au premier rang desquels les collecteurs et le trésorier du Comtat venaissin. Or une seule catégorie de contribuables payait normalement à la Trésorerie : les prélats, pour leurs communs services. Toutes les autres impositions, décimes, procurations et subsides, les annates, les vacants et les dépouilles étaient perçus par l'intermédiaire des collecteurs : le détail de ces recettes n'était jamais porté à la connaissance du trésorier en tant que chef de la Trésorerie.

---

1. EUBEL, *Hier. cath.*, I, p. 334.
2. *Reg. Av.* 277, fol. 134-135.
3. Avant le 10 mars ; *Reg. Vat.* 308, fol. 94.
4. Nous ne pouvons accepter les conclusions de M. BÅÅTH qui attribue « toute l'autorité fiscale » au trésorier (*L'inventaire de la Chambre apostolique de* 1440, dans les *Miscellanea archivistica Angelo Mercati*, p. 143 et 148). Peut être ces conclusions sont-elles valables pour la période postérieure à la réforme de Martin V.

Rares étaient ceux qui s'acquittaient sans passer par les collecteurs : officiers de la curie pour leurs lointains bénéfices, prélats pour la procuration partagée de 1394, débiteurs en vertu de compositions faites à la Chambre. Ce n'est qu'après le concile de Pise, au temps de l'exil à Peñiscola, que la Chambre apostolique de Benoît XIII vit venir de simples curés du voisinage pour payer à la Trésorerie les quelques sous de leur annate.

Quant aux versements globaux des collecteurs et autres officiers, ils ne représentaient que le transfert à Avignon des sommes excédant le montant des assignations. Fonder sur l'étude de ces versements, telle que la rend possible la série des comptes de la Trésorerie, les *Introitus et exitus*, une comparaison entre le revenu des collectories serait une grave erreur. Les gens de la Trésorerie, qui ne la commettaient certes pas, n'avaient donc du revenu réel des impositions, de l'apport réel de chaque province et du mouvement réel des fonds qu'une connaissance extrêmement insuffisante. La présence du trésorier au conseil palliait-elle cette ignorance ? Nous ne le croyons pas, car il est peu probable que les assignations, souvent d'un faible montant mais dont la répétition affectait notablement les recettes locales, aient été l'objet de délibérations.

Trésorier du pape et de l'Eglise, s'il faut en croire son titre, le plus proche collaborateur du camérier était donc surtout le caissier de la curie. Des sommes relativement importantes étaient cependant sous son contrôle, et il payait une notable part des dépenses domestiques. Mais son rôle n'était, à cet égard, que celui d'un caissier comptable, responsable de l'exécution matérielle d'opérations dont il n'avait ni l'initiative, ni le contrôle total. Ainsi les quittances qu'il délivrait aux collecteurs et autres agents effectuant à la Trésorerie des versements, quittances en forme de lettres patentes scellées du sceau de son office[1], attestaient la réalité du versement et indiquaient donc le détail des espèces remises au receveur de la Chambre, subordonné immédiat du trésorier : 270 florins d'Aragon bon poids, 24 petit poids valant 22 bon poids, et 4 francs valant 5 florins d'Aragon et 15 sous avignonnais, versés le 5 février 1389 par Fernando Alvarez, clerc du collecteur Foulques Périer, pour le compte de celui-ci[2] ; 680 francs en écus, à raison de 8 pour 9 francs, et 12 sous 6 deniers avignonnais, versés le 7 mars 1389 par Lucchino Scarampi et Catalano della Rocca pour le compte et sans doute après un change de Guillaume Bou-

---

1. Un très bel exemplaire de ce sceau est appendu à une lettre du 13 avril 1405 (*Intr. misc.* 3790). En forme de navette, il présente saint Pierre et saint Paul, debouts sous une double arcade gothique que surmonte un baldaquin au sommet duquel apparaît une Vierge à l'enfant, en buste. En bas, autour d'un personnage à genoux, deux écus portent, l'un les clefs en sautoir, l'autre deux chevrons. On lit la fin de la légende : *thesaurarii Pape.* Ce sceau appartenait à Frances Climent de Zapera, alors élu de Majorque.

2. *Instr. misc.* 3377.

dreville, alors collecteur d'Aragon[1]. Le 29 novembre 1390, le trésorier donna quittance à Pierre de Saint-Rembert, collecteur de Tours, d'un versement partiellement anticipé[2] : 1742 florins courants et 16 sous avignonnais, 500 francs et 12 écus[3].

Sauf cas exceptionnels, le trésorier n'indiquait jamais la valeur du versement en florins de la Chambre, ce que faisait toujours le camérier dans les quittances qu'il lui appartenait de délivrer aux prélats pour leurs communs et menus services. Cette différence tient à la nature juridique distincte des deux types de quittances. Celles du camérier affectaient l'obligation qu'elles diminuaient d'autant, qu'elles reportaient par des délais, dont elles atténuaient les effets par l'absolution des sentences encourues pour retard ; d'où la nécessité d'exprimer le versement en florins de la Chambre, monnaie de référence en laquelle étaient libellées les obligations ; les quittances du camérier portent donc deux chiffres, celui du montant des espèces réellement versées et celui de leur équivalence en florins de la Chambre. Le trésorier, au contraire, ne préjugeait nullement des obligations ou des dettes envers la Chambre, dont les paiements étaient une solution souvent partielle, jamais définitive en ce qui concerne les versements des collecteurs. Il constatait donc simplement ces versements, il attestait leur montant. Ce n'était pas à lui que le collecteur devait rendre ses comptes. En rendant, ultérieurement, ses comptes au camérier, le collecteur présentait diverses quittances faisant foi de l'emploi des fonds reçus : quittances du trésorier pour les sommes versées à la Trésorerie, quittances des divers bénéficiaires d'assignations, pour les sommes versées à chacun dans les provinces et même à la curie. Seul le camérier — ou, bien entendu, le pape — pouvait alors donner à l'officier un véritable *quitus* de sa gestion.

Dans un chapitre ultérieur, nous étudierons l'application des recettes aux dépenses de la Chambre. Ce sera le lieu d'envisager selon quelles modalités étaient dépensées les sommes reçues par la Trésorerie. Nous n'en voulons retenir ici que ce qui touche aux compétences du trésorier : il n'avait qualité pour ordonnancer aucune dépense, fût-ce la plus minime. Le pape, par bulle revêtue du visa du camérier, celui-ci, par lettres patentes ou par simple mandement, commandaient tous les paiements. Le trésorier se contentait de les prescrire au receveur de la Chambre et d'en faire porter le montant dans le registre des *Exitus*.

Sa justification, le trésorier la présentait annuellement, comme un simple officier comptable, au camérier qui désignait un clerc pour examiner les comptes et, après avis du rapporteur et du

---

1. *Instr. misc.* 3381.
2. Il faut comprendre que le collecteur versa plus qu'il n'avait d'argent disponible revenant à la Chambre ; voir ci-dessous, p. 539-541.
3. *Instr. misc.* 3465.

conseil, faisait donner quittance par le pape. Deux faits sont cependant à noter, qui distinguent les comptes rendus par le trésorier de ceux que rendaient les collecteurs. Le premier est d'ordre chronologique : théoriquement biennaux ou triennaux, les comptes des collecteurs portent en réalité sur des périodes infiniment variables, et leur examen dura parfois des années ; les *Introitus et exitus* sont au contraire des comptes rigoureusement annuels, par années du pontificat, et la quittance finissant leur apurement était donnée moins de six mois après leur clôture, c'est-à-dire peu de temps après leur remise. La plus tardive est la quittance du 12 mars 1386[1] pour le compte de l'an VII du pontificat, terminé le 31 octobre 1385. A l'opposé, les comptes de l'an XIII étaient apurés dès le 27 novembre 1391[2], soit moins d'un mois après leur clôture.

La seconde différence tient aux moyens de justification. Le collecteur n'avait pas à justifier ses recettes : la Chambre savait ce qu'il devait lever au maximum et, s'il lui était possible de passer en « restes » à lever des sommes déjà levées, il ne pouvait renouveler indéfiniment ce jeu ; le retard avec lequel les comptes étaient rendus ne permettait d'ailleurs qu'un recours limité à ce procédé. Quant à ses paiements, le collecteur en fournissait pour preuves les quittances dont nous venons de parler ; le compte n'était alors que leur récapitulation, suivie de l'énoncé des dépenses personnelles et des frais de gestion dont l'acceptation par la Chambre n'était acquise qu'après négociations et justifications. Le trésorier, au contraire, ne fournissait pour preuve que son compte d'*Introitus et exitus*. Bien plus, celui-ci était une preuve suffisante pour que le clerc examinateur n'ait qu'à constater l'exactitude arithmétique des additions, ce qui explique la promptitude de l'apurement. Cependant, le trésorier devait justifier de ses paiements, comme le collecteur, et, plus que celui-ci, de ses recettes.

Il nous faut donc comprendre ce qu'était un registre d'*Introitus et exitus*[3]. Avant 1378, il y avait à la Trésorerie deux types de registres, dont l'un pouvait être rédigé en plusieurs exemplaires. Prenons en exemple l'année 1343-1344, fort bien représentée dans les archives vaticanes. Un *manuel* a d'abord été rédigé, livre journal dans l'ordre chronologique des recettes et dépenses ; c'est une sorte de brouillard mal écrit et raturé, sans récapitulations, sans totaux, si l'on excepte quelques rares sommes en bas de page. Dans la marge, le scripteur des comptes a indiqué, en face de chaque opération, la catégorie fiscale à laquelle elle se rattachait[4]. Le registre d'*Introitus et exitus* proprement dit a

---

1. *Intr. ex.* 359, fol. 186 v°-187 r°.
2. *Reg. Av.* 270, fol. 18 r°-19 r°.
3. On trouvera une excellente étude de ces registres, pour le XVe siècle, dans : A. GOTTLOB, *Aus der Camera apostolica...*, p. 31-69 et 131. Pour l'obédience romaine pendant le Schisme, voir ci-dessous, p. 521-522.
4. *Intr. ex.* 214.

ensuite été rédigé à partir des notations du manuel. Les recettes et dépenses y sont groupées en chapitres, selon leur nature : collectories, communs services, dépenses de la Cuisine, de la Bouteillerie, de la Pignote, par exemple. Les totaux sont faits par page et en fin de chapitre. Ce registre ayant été corrigé et approuvé par le trésorier[1], une copie définitive en fut exécutée, copie soumise à l'approbation du camérier qui visa chaque page[2]. Une seconde copie, plus soignée et de grand format, fut également faite[3].

Dans la première année du pontificat de Clément VII, la Trésorerie dut se contenter de faire tenir un manuel chronologique dont les rubriques marginales permettaient une récapitulation mensuelle. L'année suivante, on reprit l'habitude de faire exécuter une copie destinée aux archives du trésorier, l'original étant conservé par le camérier[4], mais non celle de rédiger un compte méthodique, dont le principe ne fut repris que quinze ans plus tard et seulement pour une année. Dans l'exemplaire original figurait l'indication marginale des témoins de chaque paiement ou assignation et, à la fin de chaque récapitulation mensuelle ou annuelle, la mention autographe *Approbo, Camerarius*[5].

L'enregistrement des recettes se faisait normalement lors du versement effectué à la Trésorerie par le contribuable, son procureur ou le collecteur. Des irrégularités apparaissent cependant, qui permettent d'analyser la procédure d'enregistrement. Nombre de comptes, au lieu d'être rédigés selon la formule simple (« *Die...,* *fuerunt recepti a ...* »), sont notés suivant la formule suivante : « *Die..., fuerunt scripti in receptis qui fuerunt recepti die ... a ...* » : l'enregistrement pouvait donc être postérieur — et parfois notablement — au paiement. Bien souvent, ces inscriptions tardives sont groupées en fin de mois[6], mais il arrive qu'elles soient placées à n'importe quel quantième, plusieurs mois après la date du paiement[7]. On ne saurait donc admettre que les paiements fussent notés sur des feuilles volantes, recopiées en fin de mois.

---

1. *Intr. ex.* 209.

2. *Intr. ex.* 208 ; on n'y trouve pas un article porté, puis cancellé, dans la première version (*Intr. ex.* 208, fol. 31 rº ; 209, fol. 35 rº).

3. *Intr. ex.* 200.

4. C'est en effet devant lui que pouvaient surgir les contestations, et non devant le trésorier, dépourvu d'initiative et de juridiction.

5. Ces paraphes autographes n'apparaissent qu'avec l'entrée en fonctions de François de Conzié. Sur toute la question des registres de la Trésorerie, voir : J. FAVIER, « *Introitus et exitus* » sous *Clément VII et Benoît XIII* (*Problèmes de diplomatique et d'interprétation*), dans *Bullettino dell'Archivio paleografico italiano*, n.s., II-III, 1956-1957, p. 285-294. Nous ne faisons que résumer ici les arguments et conclusions de cet article.

6. Ainsi, le 31 décembre 1380, sont inscrites des recettes du jour même et des versements effectués entre le 7 et le 30, sans que soit respecté pour ceux-ci l'ordre chronologique ; *Intr. ex.* 354, fol. 10-11.

7. Un versement du 24 décembre 1382 est inscrit le 23 juillet 1383 (*Intr. ex.* 356, fol. 34 vº), un autre du 28 août 1386 l'est le 22 novembre suivant (*Intr. ex.* 363, fol. 5 rº), un autre encore, du 7 mars 1412, l'est seulement le 16 septembre (*Reg. Av.* 339, fol. 248 rº), ces trois exemples étant pris entre plusieurs milliers.

Deux constatations nous amènent à proposer l'hypothèse selon laquelle l'enregistrement aurait été fait à la requête de la partie versante. D'une part, les dépenses sont toujours enregistrées en *Exitus* à la date du paiement ou du jeu d'écritures créditeur : le payeur, en l'occurence un clerc de la Trésorerie, demandait systématiquement l'enregistrement au fur et à mesure de ses paiements, alors que les auteurs des versements faits à la Trésorerie n'adoptaient évidemment pas tous la même attitude. D'autre part, bien des recettes enregistrées en retard le sont à l'occasion et à la date d'un nouveau paiement fait à la Trésorerie par la même personne [1]. Nombre de procureurs en curie avaient ainsi l'habitude de requérir en une seule fois l'enregistrement de plusieurs paiements passés.

Comment expliquer l'accumulation en fin de mois d'inscriptions en retard ? Notons qu'elles sont surtout le fait des procureurs. Or ceux-ci, qui fréquentaient la Trésorerie plusieurs fois par mois, ne trouvaient peut-être pas le temps de faire enregistrer à chaque fois leurs versements. Peu importait, puisqu'ils détenaient pour chacun une quittance du trésorier. En cas de perte de la quittance, cependant, il pouvait être utile de retrouver sans difficulté la trace d'une opération : retarder indéfiniment l'inscription, c'était prendre le risque de ne pouvoir la retrouver rapidement. C'est la raison pour laquelle, pensons-nous, les procureurs ne laissaient guère finir le mois sans faire enregistrer leurs opérations.

Les registres d'*Introitus et exitus* étaient, en effet, essentiellement probatoires. On ne saurait y voir des livres de caisse, car des recettes y étaient portées, qui n'entraient pas dans le Trésor : paiements faits directement par un officier au bénéficiaire d'une assignation résidant à Avignon, emprunts contractés pour couvrir une dépense, étaient portés en recette sous la forme : *scripti in recepta et habiti pro receptis*. Ce ne sont pas davantage des bilans : il était impossible d'y trouver le revenu d'un impôt, d'une collectorie, d'un emprunt général. Telle somme, empruntée puis remboursée sur une recette, est portée deux fois en recettes.

Au contraire, ils étaient parfaitement adaptés à leur fonction probatoire. Le seul enregistrement d'une recette, à la requête de la partie versante, faisait foi ; c'est le seul motif que pouvaient avoir

---

1. Un exemple : Bertrand de Gamarenges, alors clavaire de l'officialité d'Avignon, vint à la Trésorerie, le 25 septembre 1387, pour y verser 267 florins de la Chambre provenant des émoluments de l'officialité, réservés au Saint-Siège ; il fit également enregistrer 267 florins de la Chambre et 20 sous remis ce jour-là en paiement d'une assignation à un pensionné de la Chambre ; il en profita pour faire enregistrer 20 florins de la Chambre et 16 sous versés à la Trésorerie le 15 janvier précédent, soit huit mois auparavant, et un paiement de 257 florins de la Chambre fait, le 27 janvier, au nom du chapitre de Saint-Pierre d'Avignon, dont il était doyen (*Intr. ex.* 363, fol. 45). Des cas semblables sont présentés par les enregistrements de versements faits par les marchands, comme Aguinolfo de' Pazzi, Andrea Rapondi ou Andrea di Tici, et par les procureurs, comme Bertrand Latour, Guillaume Foulques, Jourdain Olivier, Thomas Le Pourri, etc.

les payeurs d'exiger l'inscription. L'enregistrement d'un paiement fait par la Trésorerie n'aurait pas suffi à le prouver, rien n'empêchant le clerc de porter dans son compte une dépense fictive, et les créanciers de la Chambre ne pouvant ajouter foi à une inscription dont l'auteur eût été le principal bénéficiaire ; c'est afin de remédier à cette faiblesse du système qu'étaient indiqués en marge les noms des témoins du paiement. Ceux-ci, en cas de litige, pouvaient affirmer que la somme avait bien été versée. Pour que les inscriptions en *Exitus* aient valeur de quittance envers la Chambre, cette mention des témoins était indispensable.

On comprend alors la principale différence entre les comptes rendus par les collecteurs et ceux du trésorier. Ceux-ci étaient la justification suffisante d'une année de gestion. Ils n'étaient même, et l'historien des finances pontificales ne doit jamais l'oublier, que cela.

Maintes fois, au long de ces registres, se lisent des énumérations d'objets précieux, produit du droit de dépouilles dans la plupart des cas. Doit-on considérer pour autant le trésorier comme le *maître du trésor pontifical*, au sens le plus large du terme ? Rien n'assure que les différents services responsables des meubles précieux du pape aient été placés sous l'autorité du trésorier, ou même dans la dépendance de la Chambre apostolique ; tout au plus est-il possible que celle-ci connût de leur gestion, pour avoir à en examiner les comptes. La vaisselle pontificale était, en particulier, un office distinct, que dirigeait un garde, ou maître, de la vaisselle, Guillaume Girardin, chantre de Metz et écolâtre de Toul[1]. Son office s'étendait non seulement à la vaisselle d'étain et de bois qu'il achetait pour le commun[2], mais aussi aux pièces d'or et d'argenterie : à plusieurs reprises, le camérier lui donna quittance d'objets précieux qu'il avait dû remettre à diverses personnes, sur l'ordre du pape, ou au pape lui-même et aux autres services de la curie[3], voire d'objets perdus lors de déplacements[4]. S'il avait été soumis à l'autorité du trésorier, le garde de la vaisselle se serait contenté pour sa décharge de l'ordre donné par celui-ci de remettre les pièces en question. Or il obtenait de telles quittances directement du camérier : c'est bien la preuve qu'il n'appartenait pas à la Trésorerie. Quant au camérier, on sait que son autorité s'étendait à l'ensemble du palais apostolique, ce qui nous empêche d'affirmer que la Vaisselle dépendait de la Chambre.

Les joyaux, pièces d'orfèvrerie et ornements précieux étaient, confiés à la garde du maître de la chapelle papale. Le 27 août 1388,

---

1. Attesté dans cet office avant le 1er février 1380 (*Coll.* 364, fol. 32 ro-33 ro) et jusqu'en mai 1395 (*Coll.* 372, fol. 28).
2. *Coll.* 364, fol. 32 ro-33 ro.
3. *Reg. Vat.* 308, fol. 128.
4. *Coll.* 359, fol. 246.

c'était Simon Haquet, chanoine de Noyon ; il obtint, ce jour, une quittance du camérier pour les comptes qu'il avait rendus, avec les cédules justifiant sa gestion, et que les gens de la Chambre avaient vérifiés en faisant un inventaire[1]. Contrôle par la Chambre ne signifie pas obligatoirement autorité de celle-ci ; en tous cas, le trésorier n'intervint pas en l'affaire.

Nombre d'objets précieux étaient cependant conservés sous sa responsabilité : les meubles provenant des dépouilles. Nous dirons plus loin que ces pièces n'étaient pas mises, du seul fait de leur application à la Chambre, au service du pape et du palais apostolique.

Pour ses menues dépenses personnelles, pour ses aumônes et aussi pour des affaires qu'il entendait contrôler seul[2], le pape avait une cassette, alimentée par la Trésorerie mais lui échappant totalement dès l'instant que les sommes destinées à l'usage personnel du pape étaient portées en *Exitus*. Aucun compte n'en était rendu à la Chambre apostolique. C'est à l'un des chambellans que cette cassette était confiée, et nous savons que Jacques Pollier en avait eu la responsabilité alors qu'il était chambellan de Clément VII. A la mort de ce pape, il détenait 844 écus, 100 doubles moresques et 1 000 florins d'Aragon, qu'il remit à Jean Lavergne, alors clerc de la Chambre[3]. Ces sommes ne provenaient pas seulement des versements faits au pape par le Trésorier ou, directement, par les collecteurs[4] ; la cassette papale était alimentée par d'autres ressources sans doutes personnelles, et il n'était pas rare qu'elle vînt en aide à la Chambre apostolique : chaque registre d'*Introitus* compte ainsi quelques recettes provenant de l'argent « de la Chambre du pape », ce qui ne signifie nullement la Chambre apostolique[5].

Les trois principaux collaborateurs du trésorier étaient le receveur de la Chambre, parfois appelé receveur général, le notaire de la Trésorerie, rédacteur des quittances[6], et le *scriptor computorum* c'est-à-dire l'auteur des *Introitus et exitus*[7]. Bien que n'étant pas officier du Saint-Siège, le changeur de la Chambre jouissait de

---

1. *Coll.* 394, fol. 257 v°.

2. Du 26 septembre 1381 au 8 janvier 1382, Clément VII se fit remettre environ 5 650 florins, sans doute pour des dépenses consécutives à la reddition de la reine Jeanne ; *Intr. ex.* 354, fol. 50-51 ; 355, fol. 4-12.

3. *Reg. Vat.* 308, fol. 209 v°.

4. Ceux-ci ne manquaient pas d'aviser la Chambre apostolique de tels versements, afin de les voir alloués en leurs comptes. Ainsi, en octobre 1381, Arnaud André et Bertrand Vincent ; *Intr. ex.* 354, fol. 51 r°.

5. Le 24 août 1390, par exemple, le cardinal de Viviers remit à la Trésorerie 3 000 francs de la part du pape ; *Intr. ex.* 366, fol. 44 r°.

6. Comme les notaires de la Chambre apostolique, le notaire de la Trésorerie était notaire apostolique et impérial ; *Intr. ex.* 363, fol. 123 r°.

7. C'était un assez modeste officier : alors que Bernard de Moulins, notaire de la Trésorerie, jouissait de 35 florins de gages semestriels (*Intr. ex.* 365, fol. 43 v°), Jean Joye, *scriptor computorum* de 1387 à 1397, n'en avait que 15 ; *Intr. ex.* 363, fol. 92 r° ; 369, fol. 77 r° ; 375, fol. 49 r°.

prérogatives économiques et même de gages annuels payés par la Trésorerie[1] ; il n'avait ni responsabilité ni autorité[2].

Le receveur de la Chambre était en 1378 un damoiseau, Pierre Gervais, seigneur de Grandmont[3]. Une quittance générale lui fut accordée pour sa gestion le 12 mars 1389[4] ; il était alors devenu trésorier du comté de Savoie[5]. Nommé à une date inconnue, son successeur Francisco de Tovia, archidiacre de Cerdagne, était encore receveur le 22 juillet 1404[6]. Il fut remplacé, avant le 1er août de cette même année, par Bernardo Forti, qui allait suivre le trésorier dans ses déplacements de Provence en Ligurie[7]. Son successeur, Julian de Loba, chanoine de Tarazone, déjà en fonctions le 12 octobre 1407[8], le demeura jusqu'en 1409[9]. Signalons aussi que, pendant la soustraction d'obédience, Pedro Ximenez de Pilars avait exercé les fonctions de receveur général avant d'être promu clerc de la Chambre[10].

Il appartenait au receveur de la Chambre de manier les fonds entrant et sortant ; totalement subordonné au trésorier, il n'avait de responsabilité que devant lui[11].

Il n'en alla pas de même pour Diego Navarrez, chanoine de Ségorbe, « député par le trésorier à Avignon » pendant les déplacements de la curie, à partir de 1404[12]. Cet ancien officier domestique déjà spécialisé dans la gestion financière, puisqu'il était, en mai 1398, régent de l'office d'acheteur des vivres (emptor cibariorum)[13], ne fut pas un véritable lieutenant du trésorier. On sait que les lieutenants du camérier avaient, pour un temps, tous les pouvoirs du camérier absent de la curie. Le trésorier, lui, ne s'absentait guère ; lorsque Frances Climent de Zapera dut, en novembre 1405, quitter Savone, où résidait le pape, et se rendre en Castille pour les affaires de l'Eglise, il désigna un régent de son propre office : Juan Martinez de Murillo, abbé de Montaragon[14]. C'est là un cas exceptionnel.

---

1. 400 florins en 1380 ; *Intr. ex.* 354, fol. 55 v°.
2. Il ne pouvait même pas, comme le changeur du Trésor royal (M. REY, *Le domaine du roi...*, p. 74), émettre des cédules d'assignation ou délivrer lui-même quittance des versements faits à la Trésorerie.
3. *Intr. ex.* 353, fol. 1.
4. *Reg. Av.* 275. fol 79.
5. Attesté comme tel dès mai 1387 ; *Intr. ex.* 363, fol. 30 r°.
6. *Reg. Av.* 320, fol. 118 v° ; *Reg. Av.* 321, fol. 9 v°.
7. *Reg. Av.* 321, fol. 7 v°.
8. *Reg. Av.* 331, fol. 98 v° 100 r°.
9. *Reg. Av.* 331, fol. 123 r° 125 r°.
10. *Coll.* 372, fol. 130 r° et 132 v°.
11. Signalons que divers personnages ont porté, pour un temps, le titre de receveur de la Chambre, lorsqu'ils ont eu à recevoir des fonds pontificaux au nom de celle-ci : ainsi Nicolas de Mauregart, trésorier de Louis d'Anjou (*Intr. ex.* 363, fol. 26 v°, par exemple), ou les changeurs de la Chambre, Antonio dal Ponte, Antonio di Francesco et Catalano della Rocca (*Intr. ex.* 354, *passim*).
12. *Reg. Av.* 321, *passim*.
13. *Intr. ex.* 375, fol. 8 r°.
14. *Reg. Av.* 325, fol. 42 v°-43 r°.

Diego Navarrez, lui, n'eut jamais les pouvoirs du trésorier ; il fut une sorte de receveur de la Chambre autonome, assurant la centralisation des fonds que prélats et collecteurs continuaient à verser la plupart du temps à Avignon, et leur transmission à la Trésorerie itinérante, dans la mesure des besoins. A la mort de Bertrand Vincent, Diego Navarrez devint trésorier du Comtat venaissin[1], mais les sommes qu'il continua de faire parvenir à la Trésorerie itinérante, à Savone et à Porto Venere, dépassent de beaucoup le revenu ordinaire du Comtat[2] ; cela nous laisse penser que Navarrez continua de percevoir les versements faits à Avignon pour le compte de la Trésorerie.

E. — MOYENS DE TRAVAIL

Pour sa documentation, la Chambre apostolique disposait d'archives remarquablement tenues, dont témoigne la richesse du fonds caméral actuellement conservé. Nous ne nous étendrons pas sur ces archives, bien connues depuis les travaux de M. Bååth et de Fr. Baix[3], et dont la composition peut être analysée grâce aux inventaires modernes dressés par J. de Loye et par Mgr Guidi[4]. Nous nous contenterons donc de dégager quelques conclusions.

La Chambre apostolique gardait trace de toutes ses activités et opérations financières et administratives : la correspondance expédiée était préalablement enregistrée, et des tables permettaient de retrouver aisément telle ou telle lettre : tables alphabétiques des évêchés et abbayes, en tête des registres de quittances et délais pour les communs et menus services ; tables générales analytiques dans l'ordre d'enregistrement, pour la correspondance administrative ; tables méthodiques par catégories de lettres, enfin[5]. Tenus par des notaires apostoliques, ces registres avaient une authenticité incontestable. Constamment mis à jour par la correction des lettres dont le camérier imposait la modification, par la cancellation motivée de celles qui n'étaient pas expédiées ou n'avaient pas « leur effet », ces registres étaient le plus sûr instrument de l'administration financière et de la coordination des gestions locales. Les

---

1. Le 22 novembre 1407 ; *Reg. Av.* 331, fol. 138 v°-139 v°.
2. Les sommes transmises en quatre mois atteignent 11 700 florins ; *Reg. Av.* 331, fol. 219 v°-230 r°, 240 r°, etc.
3. L. M. BÅÅTH, *L'inventaire de la Chambre apostolique de 1440*, dans *Miscellanea archivistica Angelo Mercati* (Vatican, 1952. *Studi e testi*, 165), p. 135-157 ; ce travail ne dispense pas de recourir à l'inventaire rédigé sous Urbain V et publié par E. GOLLER dans *Römische Quartalschrift*, XXIII, 1909, p. 65-109. Fr. BAIX, *La Chambre apostolique et les Libri annatarum de Martin V* (Bruxelles-Rome, 1942. *Annalecta Vaticano-Belgica*, XIV), t. I, introduction.
4. J. DE LOYE, *Les archives de la Chambre apostolique au XIVe siècle* (Paris, 1899. *Bibl. des Ecoles fr. d'Athènes et de Rome*, LXXX). L'inventaire de Mgr Guidi est malheureusement demeuré manuscrit.
5. Sur ces tables, voir l'introduction de notre thèse complémentaire.

bulles expédiées *per Camera* étaient également enregistrées dans des cahiers particuliers et sans doute mis par la Chancellerie à la disposition de la Chambre[1]. Quant aux paiements effectués par la Trésorerie ou à celle-ci, trace en était nécessairement gardée dans les registres d'*Introitus et exitus* dont la Chambre conservait au moins un exemplaire.

Les droits du Saint-Siège étaient également enregistrés à la Chambre : listes de bénéfices, les *Libri annatarum*[2] étaient la base même de l'information, non seulement du camérier, mais des collecteurs qui en recevaient copie. Le nombre des attestations de taxe délivrées aux bénéficiers ou à leur demande montre que la documentation de la Chambre pouvait prévaloir sur celle des agents locaux[3], malgré les erreurs que ceux-ci étaient à même d'y trouver, erreurs dont MM. Samaran et Mollat ont fourni d'excellents exemples[4]. Bien plus qu'une série d'inscriptions obligatoires, les *Libri obligationum* étaient des répertoires des dettes épiscopales et abbatiales indiquant le montant des taxes pour les communs services ; ainsi étaient évitées de nouvelles évaluations, et la Chambre ne risquait pas de voir ses droits prescrits en cas de décès d'un débiteur ou de composition avec les ayants-droit[5].

Les agents dans les provinces écrivaient à la Chambre. La plupart des lettres du camérier appelaient une réponse. Quatre jours après sa désignation, le 27 décembre 1383, François de Conzié adressait à chaque collecteur une lettre close lui demandant quel était l'état exact de sa recette et de son encaisse[6]. Toutes les assignations étaient assorties de l'ordre de faire connaître à la Chambre la suite donnée. Le collecteur devait, pour chaque assignation payée, faire établir une quittance en deux exemplaires, dont l'un était à garder pour sa justification ultérieure et l'autre à envoyer à la Chambre sur le champ[7]. Le pape prêchait d'ailleurs d'exemple et notifiait au camérier les assignations qu'il faisait lui-même, à titre exceptionnel, sur les communs services[8]. Les inven-

---

1. M. GIUSTI, *I registri vaticani...*, dans les *Miscellanea archivistica Angelo Mercati*, p. 383-459.

2. Fr. BAIX, *La Chambre apostolique et les Libri annatarum de Martin V.*

3. Le 12 août 1394, le camérier attestait par lettres patentes que les bénéficiers de l'église de Bray au diocèse de Sens, étaient ainsi taxés depuis la réduction de moitié accordée par Urbain V : 10 livres pour chacun des quatorze chanoines, 20 pour le doyen, 30 pour le trésorier, 180 pour l'ensemble en raison des distributions quotidiennes (*Reg. Vat.* 308, fol. 173) ; le 7 avril 1404, il attestait la taxation du prieuré de Chamonix à 241 livres (*Reg. Av.* 320, fol. 110 v°).

4. *La fiscalité pontificale*, p. 88-91.

5. On verra (p. 344) les raisons pour lesquelles ces inscriptions nous paraissent avoir un caractère purement documentaire et ne point constituer un élément essentiel de l'obligation, du moins à l'époque du Schisme.

6. *Coll.* 360, fol. 69 v°.

7. *Coll.* 359, fol. 25 r°, par exemple.

8. Ainsi l'assignation de 900 florins faite à Catalano della Rocca et Giovanni Caransoni sur les services de l'évêque de Poitiers ; *Reg. Av.* 272, fol. 113 v°-114 r°.

taires — inventaires de dépouilles en particulier — devaient être faits en deux exemplaires, l'un pour le camérier, l'autre pour le collecteur ou le commissaire. Donnant à Berenger Ribalta et Guilherm de Fenolhet les pouvoirs d'exiger et recevoir toutes les sommes et tous les objets revenant à la Chambre, Benoît XIII leur enjoignit, le 1er février 1403, d'informer de leurs recettes le vicegérant de l'office du camérier à Avignon, Pedro Adimari, qui en disposerait et leur donnerait ses instructions[1].

Le camérier prescrivait souvent à ses collecteurs d'enquêter sur des cas précis et lui faire tenir leurs conclusions. Ainsi étaient comblées bien des lacunes de la documentation camérale. Après avoir ordonné au collecteur Guillaume du Lac de s'informer de la valeur de l'église de Mâcon et en avoir reçu une réponse jugée incomplète, Conzié enjoignit au collecteur, le 23 janvier 1385, de préciser dans les plus brefs délais le nombre des chanoines, dignités et offices existant dans la cathédrale, celui des monastères, collégiales, prieurés, paroisses, chapellenies, hôtels-Dieu ou léproseries du diocèse, celui des bénéficiers de chacune desdites églises ou institutions ainsi que le nom des patrons y ayant le droit de collation ; le collecteur devait en outre estimer les émoluments de la sacristie de Mâcon, afin que celle-ci pût être taxée pour les procurations[2].

Une chose ne laisse pas d'étonner : de la correspondance reçue à Avignon, presque rien ne subsiste. La présence parmi les *Instrumenta miscellanea* de quelques quittances, délivrées à des collecteurs par les bénéficiaires d'assignations, ne doit pas induire en erreur : ce ne sont pas les exemplaires adressés à la Chambre, mais ceux que conservaient les collecteurs ; normalement présentées à la Chambre avec les comptes, ces quittances étaient probablement rendues au collecteur intéressé, puisque la Chambre en détenait un double, également authentique ; celles qui sont conservées, et qui ne concernent que quelques collecteurs, sont généralement jointes aux lettres patentes d'assignation : on peut donc penser, soit qu'il s'agit de pièces saisies avec les dépouilles de collecteurs, soit qu'il s'agit de pièces justificatives conservées par la Chambre après l'apurement des comptes. Dans un cas comme dans l'autres, ce ne sont pas les quittances adressées à la Chambre au fur et à mesure des paiements.

Il faut donc admettre que nous ne conservons de la correspondance des collecteurs que de rares épaves. Celles-ci nous font cependant découvrir le rôle d'informateurs joué par les agents locaux de la Chambre. Un exemple : adressant à Conzié l'inventaire des dépouilles de l'évêque de Castres, le collecteur Raymond de Senans lui indi-

---

1. *Reg. Av.* 308, fol. 45 v°-46 r°.
2. *Coll.* 360, fol. 206 r°.

quait également le prix des céréales saisies et le montant de la
provision quotidienne qu'il convenait d'accorder au nouvel évêque
pour sa subsistance jusqu'aux récoltes[1].

Cette information camérale n'était pas, cependant, sans de notables défauts. Le camérier pouvait sembler abondamment informé ;
il ne l'était que très incomplètement. Certes, il connaissait les droits
du Saint-Siège et était en mesure de les prouver. Il savait avec
précision ce qu'il avait assigné sur telle ou telle recette locale. Mais
il ne connaissait guère l'état des recettes de chaque collecteur,
et ce n'est qu'à l'apurement des comptes, donc *a posteriori*, qu'il
en savait le volume exact.

Contrôlant fort bien, il dirigeait à l'aveuglette. Les assignations
étaient prescrites aux collecteurs « sur l'argent que vous détenez
ou sur celui que vous recevrez en premier ». Seules, les protestations
d'un collecteur ou d'un débiteur l'informaient de l'incapacité des
recettes à supporter les assignations. Nous en donnerons un seul
exemple : un chanoine de Cambrai, Ayoul de Rapine, ayant prêté
200 francs au cardinal de Malesset, légat en Flandre, Pierre de Cros
lui assigna le remboursement, le 13 janvier 1382, sur la collectorie
de Reims, prescrivant à Jean Maubert de payer lui-même cette
somme ou de la faire payer par le sous-collecteur de Cambrai,
Arnaud Guillaume[2] ; après avoir tergiversé, Jean Maubert répondit
au camérier qu'il n'avait pas de quoi payer 200 francs ; le 25 avril,
Pierre de Cros adressait au sous-collecteur le *vidimus* de la lettre du
13 janvier, et lui ordonnait d'effectuer lui même le paiement[3].
Si la bonne foi de Jean Maubert avait été suspectée[4], c'est à lui
qu'eût été envoyée une lettre itérative. C'est donc en admettant
bien que le collecteur n'avait pas, en janvier, 200 francs, que le
camérier essaya de tirer cette somme, en avril, du sous-collecteur.
On ne saurait aller plus aveuglément.

La Chambre donne d'ailleurs souvent l'impression de croire
l'intimidation capable de procurer des ressources au plus impécunieux des collecteurs. Sans mettre en doute leur honnêteté, le
camérier semblait certain que la menace d'une sentence ou d'une
révocation était propre à exciter leur zèle. Lorsque nous étudierons
les envois de fonds des collectories vers Avignon, nous verrons
avec quelle fréquence les collecteurs étaient priés de remettre à un
envoyé de la Chambre ou d'adresser par tout autre moyen à la
Trésorerie « la totalité de l'argent qu'ils ont ou peuvent avoir ».
L'exigence était parfois tarifiée : les bulles du 28 septembre 1382
prescrivaient à dix collecteurs d'envoyer des sommes allant de 2 000

1. 30 novembre 1389 ; *Instr. misc.* 3417.
2. *Coll.* 359, fol. 101 v° ; *Coll.* 374, fol. 87 r°.
3. *Coll.* 359, fol. 119 r°.
4. Notons cependant que Guillaume du Lac déclarait en 1390 que Maubert avait
laissé à sa mort sa collectorie *in incerto ac turbido statu* ; *Coll.* 192, fol. 241 v°.

francs (Pons de Cros, collecteur du Puy) à 13 500 francs (Guillaume du Lac, collecteur de Lyon), pour un total de 60 000 francs[1]. L'efficacité de telles mesures ne pouvait être que faible. Force était de recourir à la menace. Le 4 janvier 1384, Conzié ordonnait aux collecteurs de France d'envoyer une certaine somme à la Trésorerie avant le 1er mars, sous peine d'excommunication ; ils pouvaient user de la censure, de la saisie et du recours au bras séculier pour extorquer cette somme aux débiteurs de la Chambre dans leur collectorie[2] Le lendemain, le cardinal d'Arles, Pierre de Cros, renforçait la demande de son successeur, craignant que les collecteurs ne profitassent du récent changement de camérier pour se dérober à leur devoir : par lettre close, il enjoignit à chaque collecteur de s'exécuter[3]. C'est le même Pierre de Cros qui, deux ans plus tôt, alors qu'il était camérier, prescrivait aux collecteurs de bien veiller à « ne pas venir devant le pape sans argent »[4]. Maintes fois sous la dictée du camérier, apparaît cette notion qu'il était inutile pour un collecteur de s'excuser sur son manque d'argent.

Envers les bénéficiers, la Chambre en usait de même. Le 23 février 1391, Giovanni Caransoni versa 40 francs à la Trésorerie pour le compte d'Estaud d'Estouteville, abbé de Fécamp, en déduction de ses communs services pour son ancienne abbaye du Bec-Hellouin[5]. C'était en fait un prêt de Caransoni à la Trésorerie, prêt dont le remboursement se trouvait mis à la charge de l'abbé. Celui-ci protesta qu'il ne devait plus rien, et en fournit les preuves. La Chambre dut rendre le versement, c'est-à-dire rembourser elle-même Caransoni, ce qui fut fait le 16 avril[6]. L'assignation avait donc bien été faite inconsidérément.

Peut-on dire, pour autant, que la Chambre apostolique fût mal armée pour diriger l'administration financière ? Nous ne le croyons pas. Les conditions de la perception des revenus rendaient impossible une meilleure connaissance de l'état des recettes. La longueur des absences nécessaires pour se rendre à Avignon et les périls du voyage ne rendaient guère souhaitables de trop fréquentes venues à la curie. Mal informés des sommes effectivement reçues, le camérier et ses collaborateurs l'étaient parfaitement des sommes exigibles. Le reste, pour eux, était l'affaire des collecteurs. Peut-être cette attitude n'est-elle pas seulement dictée par une incapacité,

---

1. *Coll.* 359 A, fol. 243 vo-245 vo.
2. *Coll.* 359, fol. 193 ro-194 ro ; *Instr. misc.* 3166.
3. *Instr. misc.* 3167.
4. *Coll.* 359, fol. 21.
5. *Intr. ex.* 367, fol. 17 vo.
6. La Chambre perdit même au change, car elle rendit les 40 francs en écus, à 8 pour 9 francs, soit 43 florins de la Chambre 4 sous, alors que Caransoni les avait versés en francs, soit une valeur de 42 florins 24 sous ; une telle différence ayant difficilement pu passer inaperçue, il faut sans doute y voir l'intérêt de l'emprunt (4 %); *Intr. ex.* 367, fol. 135 vo.

mais par une profonde expérience : il ne faut pas oublier que le collecteur avait la jouissance des sommes levées, entre le temps de la perception et celui où il en disposait sur ordre de la Chambre ; si le camérier n'avait pas considéré comme disponible toute somme exigible, le collecteur n'aurait-il pas eu intérêt à falsifier la chronologie de ses perceptions ? En excitant son zèle, on assurait également sa probité.

Quant aux dépenses, leur ordonnancement présente la plus forte centralisation qu'il soit possible d'observer au xive siècle. Nul ne versait un sol des revenus pontificaux, si ce n'était par l'ordre du pape ou du camérier. Si la Chambre apostolique n'avait pas une connaissance précise et instantanée de l'ensemble des finances pontificales, elle avait la connaissance détaillée, quoique tardive, des revenus et le contrôle absolu de leur emploi.

CHAPITRE II

LA CONTINUITÉ AVIGNONNAISE : LES AGENTS LOCAUX

A. — LES HOMMES

1. *Les collecteurs.*   Le collecteur[1] était un nonce du Siège apostolique chargé de percevoir les revenus de la Chambre dans un certain nombre de diocèses mentionnés dans la bulle qui le constituait en son office. Le plus souvent, la collectorie était calquée sur l'organisation diocésaine et groupait l'ensemble d'une ou de plusieurs provinces : province de Reims, provinces de Sens et Rouen, provinces d'Arles, Aix et Embrun, provinces de Lyon, Vienne, Besançon et Tarentaise. Des diocèses pouvaient cependant être séparés de leur province, comme celui d'Elne, ou des provinces entièrement démembrées, comme celle de Bourges : la plupart des diocèses de la collectorie de Bourges appartenaient à la province de Bordeaux.

Les circonscriptions financières étaient parvenues, en 1378, à une relative fixité ; les modifications dues à Pierre de Cros sont rares : la fusion des collectories de Toulouse et d'Auch, et celle des collectories de Bourges, de Poitiers et de Saintes, en septembre et octobre 1382, fut le dernier mouvement affectant la carte administrative. Durant tout son camérariat, Conzié n'y toucha pas. Le caractère imprécis des collectories de l'Italie septentrionale tient à des causes purement politiques, non à une instabilité des institutions : il s'agit là de fausses collectories, de collecteurs envoyés en pays incertain et dont les pouvoirs s'étendaient aux régions qu'ils espéraient pouvoir visiter.

L'étude du choix des collecteurs par la Chambre conduit à poser divers problèmes : leur origine, leur passé administratif, leurs compétences, leurs relations familiales... Il n'est pas d'explication générale de ce choix. Dans chaque cas, divers facteurs semblent avoir joué, facteurs qu'il est indispensable d'étudier si l'on veut discerner clairement ce qu'était un collecteur et pourquoi il était collecteur.

---

1. Pour les références non indiquées dans ce chapitre, voir le tableau des collecteurs, p. 705-719.

Les liens familiaux sont la plus rare cause du choix d'un collecteur. Dans quelques familles, certes, existait une tradition de carrière dans les services centraux et locaux de la curie. Mais le népotisme trouvait ailleurs de plus fructueux objets. L'attitude des papes n'est d'ailleurs pas sans avoir varié à cet égard, M. Guillemain l'a fort bien montré pour les prédécesseurs de Clément VII[1].

Celui-ci, fils et frère de comtes de Genève, puis comte lui-même, n'avait pas à chercher dans les offices modérément rémunérateurs de la Chambre apostolique les places que pouvaient convoiter ses neveux ou cousins. Quant à Benoît XIII, c'est à l'épiscopat qu'il éleva son neveu et homonyme Pedro de Luna. Nous ne trouvons, en définitive, qu'un seul parent de pape, Guy de la Roche — sans doute neveu ou cousin d'Hugues de la Roche, beau-frère de Grégoire XI[2] — nommé collecteur le 13 février 1365, alors que son protecteur n'était encore que cardinal[3]. Le camérier Pierre de Cros ne fit entrer dans les carrières de la Chambre apostolique qu'un seul membre de sa famille : Pons de Cros, nommé le 6 juin 1382[4]. Conzié ne se montra pas plus généreux envers sa parenté et n'y choisit qu'un collecteur, Jean de Verbouz[5], qu'il avait précédemment fait nommer chambellan du pape[6].

Les collecteurs ont parfois poussé l'un de leurs proches : si la fonction était indigne d'un membre de la famille pontificale, elle était assez appréciée de ceux qui l'exerçaient pour sembler enviable. Aussi voyons-nous Bernard Carit subrogé à son oncle Bertrand dès le 21 janvier 1352, et lui succéder — à la mort de Bertrand — avant février 1358, aussi bien comme collecteur de Paris que comme archidiacre d'Eu. Quant à Foulques Périer, collecteur de Tolède, il était le neveu d'un collecteur d'Aragon, également nommé Foulques Périer, mort avant le 6 avril 1371[7]. Jean Boudreville, enfin, était le neveu de son prédécesseur à Burgos, Guillaume Boudreville[8].

La théorie voulait, semble-t-il, que les collecteurs fussent pris dans le clergé local. Presque tous, en effet, tenaient au moins un bénéfice situé à l'intérieur de leur collectorie.

En fait, c'est souvent après sa nomination que le collecteur était pourvu d'un bénéfice dans sa collectorie ; on semblait donc respecter une règle de recrutement local, précisément parce qu'elle était à la fois tacite et inobservée. Mais nombreux étaient les collecteurs originaires de leur collectorie. Alain d'Esvigné était

1. *La cour pontificale...*, p. 173-179.
2. *Ibid.*, p. 160, tableau.
3. *Lettres d'Urbain V concernant la France*, n° 1595.
4. *Coll.* 359 A, fol. 262 r° ; *Reg. Av.* 233, fol. 26 v°-27 v°.
5. *Dict. d'hist. et de géogr. eccl.*, XIII, col. 799.
6. *Coll.* 364, fol. 45 r°.
7. *Lettres de Grégoire XI...*, n° 137.
8. *Intr. ex.* 367, fol. 29 v°.

déjà chanoine de Rennes en 1396, et c'est comme membre du clergé local qu'il figurait, cette même année, parmi les exécuteurs du subside imposé en Bretagne[1]. Collecteur du Puy, Guillaume Mayet avait de fortes attaches familiales en Auvergne : ses deux frères, Jean et Géraud Mayet, étaient clercs du diocèse de Clermont[2]. Collecteur de Savoie, Jacques de Monthous porte un nom savoyard, comme Vital de Bosméjo, collecteur du Puy, un nom auvergnat[3]. Armand Jausserand, lui, était originaire du Cambrésis : en 1371, il était dit prêtre du diocèse de Cambrai, chanoine de Cambrai et « serviteur » de l'évêque Pierre André[4]. C'était donc un homme de la France du Nord que le futur collecteur de Paris.

Ces cas ne prouvent cependant pas un recrutement local, non plus que la présence d'un Castillan, comme Pascase Garcias, à Compostelle ou celle d'un Aragonais, comme Ribalta, à Barcelone. Il ne faut pas oublier la difficulté linguistique : le collecteur devait posséder la langue du pays. C'est donc dans les régions excentriques de l'obédience que nous trouvons collecteurs des clercs autochtones : peu d'officiers de la Chambre parlaient allemand, grec ou portugais ; le clergé italien, dans sa majorité, avait adhéré à Urbain VI. Dans les régions de fidélité incertaine, d'obédience chancelante, un clerc du cru avait plus de chances qu'un autre d'être obéi ou, tout simplement, d'échapper à l'arrestation. En Orient, en Portugal, en Allemagne, en Italie, en Ecosse, les collecteurs étaient donc pris dans le clergé local. En France, en Castille et en Aragon, au contraire, c'étaient des envoyés de la Chambre apostolique : envoyés réels, comme Sicard de Bourguerol, Pierre de Saint-Rembert ou Guillaume Thonerat, qui venaient d'Avignon ; envoyés fictifs, comme Armand Jausserand ou Raymond de Senans. Certains étaient complètement étrangers au pays où s'exerçait leur activité. Collecteur en Castille, puis en Aragon, Guillaume Boudreville était parisien [6] comme son neveu et successeur Jean Boudreville. Nommé par Grégoire XI en Angleterre, Arnaud Garnier était un chanoine de Châlons. En Provence, Benoît XIII nomma un Catalan, Simon de Prades, sans doute parent du connétable d'Aragon Jaime de Prades [6]. En Sardaigne et en Corse, c'est un prêtre du diocèse de Saint-Papoul que nous trouvons : Pierre de

---

1. *Reg. Av.* 301, fol. 17 rº ; *Reg. Av.* 304, fol. 666-667.
2. *Reg. Av.* 326, fol. 35-36.
3. Bosméjo, comm. Saint-Paul-des-Landes, cant. Aurillac-Sud, Cantal.
4. *Lettres de Grégoire XI concernant la France*, nº 115.
5. Outre le fait qu'il était chanoine de Paris, notons que son collaborateur le plus proche, le notaire Pierre Vivien, était clerc du diocèse de Paris ; *Instr ; misc.* 3401. Jean Boudreville était également clerc du même diocèse.
6. Sur ce personnage et sur son rôle pendant la soustraction d'obédience, donc à l'époque de la désignation de Simon, voir : Martin d'ALPARTIL, *Chronica actitatorum*, p. 136-137 ; B. BOYSSET, *Chronique* (éd. Fr. Ehrle), p. 362 ; N. VALOIS, *op. cit.*, III, p. 286 et 326.

Masières[1]. Voilà qui montre bien que le collecteur n'avait pas toujours la prétention d'être un clerc de la région ; il était avant tout un envoyé de la curie, ce qu'exprimait son titre principal, celui de nonce.

Les considérations de famille et d'origine comptaient donc peu. L'élément déterminant du choix d'un collecteur était sa valeur personnelle, dont nous pouvons juger selon deux critères : le grade universitaire de chacun, et son passé administratif.

Le tableau qui suit présente les collecteurs avignonnais selon leur grade dans les disciplines juridiques, puisqu'on ne trouve parmi eux — comme parmi les clercs de la Chambre — nul théologien. Plusieurs constatations s'imposent dès l'abord.

Le nombre des civilistes, des légistes, égale celui des canonistes ; les clercs de la Chambre, eux, étaient en majorité des civilistes. L'explication nous paraît être que les collecteurs n'avaient guère besoin de connaissances juridiques très précises dans l'exercice de leur fonction : ce à quoi s'attachait la Chambre en recrutant des juristes, c'était un minimum de formation juridique, formation dont témoignait aussi bien un grade de civiliste qu'un grade de canoniste.

La répartition géographique de ces juristes appelle une autre remarque : la plupart étaient affectés aux pays de droit écrit, collectories espagnoles, collectories de Toulouse, Auch, Narbonne, Lyon, Bourges. On ne compte à Paris, comme à Reims ou à Tours, qu'un seul collecteur juriste en trente ans. Encore faut-il attendre 1403 pour trouver à Reims Julien de Dole. Jausserand, Carit, Breton, Champigny, Maubert, Saint-Rembert, Domaud n'avaient aucun titre.

La compétence juridique sanctionnée par un grade était considérée par les intéressés comme hautement utile. La bibliothèque juridique d'Arnaud André était une bibliothèque de travail, judicieusement constituée[2]. On voit, d'autre part, des collecteurs s'élever d'un grade pendant l'exercice de leur office : ainsi Jean François[3], Bernard de Berne[4] et Sicard de Bourguerol[5]. Ceci doit être rapporté à la notion qu'avaient les collecteurs de leur propre carrière. Pour un grand nombre d'entre eux, en effet, cet office n'est qu'un épisode nécessaire avant l'accession à de plus hautes fonctions à la curie, voire à l'épiscopat. Accroître sa compétence, c'était donc accroître ses chances.

---

1. *Reg. Av.* 275, fol. 34 v°-36 r°. Il était recteur de Buzy, dans le diocèse d'Oloron (cant. Arudy, Basses-Pyrénées) ; *Reg. Vat.* 308, fol. 43 r°.

2. J. Favier, *Le niveau de vie...*, dans les *Annales du Midi*, 1963, p. 40-41.

3. Licencié ès lois en 1381, *in utroque* en 1382.

4. Bachelier en décrets en 1381, licencié en 1386.

5. Licencié en décrets en 1382, docteur avant le 1er octobre 1386 (*Coll.* 364, fol. 40 v°).

COLLECTEURS AVIGNONNAIS [1]

Civilistes	Canonistes
Docteurs	
Guy d'Albi	Guillaume de Barge
Pierre Jovit	Pierre Brengas
	Sicard de Bourguerol
	Julien de Dole
	Vincent Sagarra
Licenciés	
Arnaud André	Bernard de Berne
Jean Boudreville	Vital de Bosméjo
Robert Chambrier*	Guillaume Boudreville*
Jean François*	Robert Chambrier*
Arnaud Garnier	André *Figuli*
Guillaume Imbert	Jean François*
Guillaume du Lac*	Bertrand du Mazel
Jean Lavergne	Pierre Tilhin
Jean Martin	
Foulques Périer	
Arnaud de Peyrat	
Pierre du Pont	
Bacheliers	
Guillaume Boudreville*	Guillaume du Lac*
Géraud Mercadier	Andrea d'Orsano
	Simon de Prades
	Berenger Ribalta

Parmi les gradués, enfin, nous ne retrouvons pas le nom des collecteurs dont on peut penser que la désignation était due à des relations familiales ; on ne les trouve d'ailleurs pas davantage parmi les collecteurs promus au rang de clerc de la Chambre. Il faut sans doute penser que, pour des gens auxquels leur valeur personnelle ne permettait pas de nourrir de hautes ambitions, l'office de collecteur était une appréciable source de profits, mais aussi une fin en soi.

La raison du choix d'un grand nombre de collecteurs doit être cherchée dans les missions passées, gages d'une certaine expérience administrative et financière. Les documents sont malheureusement pauvres en renseignements sur la vie des collecteurs avant leur nomination. Les rares données que nous avons pu recueillir montrent cependant la diversité des tâches qui leur avaient été confiées. Il n'y a pas de carrière type. Les agents de la Chambre, même les plus modestes, étaient assez peu nombreux pour être bien connus du camérier : tout choix était donc un fait individuel.

---

1. L'astérisque désigne les gradués *in utroque*.

Quatre collecteurs, seulement, ont été sous-collecteurs, dont deux pour la collectorie de Reims. Jean Maubert, collecteur de Reims pendant plus de vingt ans, avait été sous-collecteur général de son prédécesseur et, à la mort de celui-ci, régent de la collectorie jusqu'à sa propre nomination[1]. A sa mort, son sous-collecteur général, Jean de Champigny, régit la collectorie pendant plus d'un an avant de lui succéder en titre[2]. André *Figuli* exerça les fonctions de sous-collecteur à Angers et à Nantes[3] avant de devenir collecteur de Tours. Jaime de Rives enfin, avant d'être collecteur d'Aragon, avait été sous-collecteur de Majorque[4].

A l'occasion d'une levée de décime ou de subside, certains avaient eu la possibilité de rendre à la Chambre apostolique des services qui justifièrent certainement leur nomination ultérieure comme collecteurs. Dès 1384-1385, Pierre de Tarascon levait des subsides et procurations dans les provinces de Narbonne, Toulouse et Auch[5]. Alain d'Esvigné leva le subside de 1396 en Bretagne[6]. Quelques mois avant de devenir collecteur de Paris, Guy d'Albi levait un subside dans la province de Lyon[7]. Collecteur de Provence le 25 mai 1404, Simon de Prades paraît déjà au service de la Chambre en 1396, comme nonce et commissaire dans les provinces de Toulouse et Auch[8] ; en novembre 1397, il était chargé d'une mission dans les collectories de Tours et Bourges[9] ; en juin 1398, il était commissaire aux vacants de l'église du Mans[10]. Dix-huit ans avant son arrivée à la tête de la collectorie de Narbonne, Jean Martin administrait l'église, également vacante, de Lodève[11].

Bien des collecteurs avaient déjà appartenu à la Chambre apospolique. C'est ainsi que Jean Lavergne était au service du trésorier dès 1375[12], soit onze ans avant de prendre en mains la collectorie de Lyon d'où il devait revenir, en 1392, comme clerc de la Chambre. Lorsqu'il devint trésorier, en 1396, il connaissait tous les rouages de l'administration camérale. On a déjà cité l'étonnante carrière de Sicard de Bourguerol, conseiller de la Chambre et familier du trésorier avant son départ pour la collectorie de Toulouse.

Guillaume Thonerat, lui, était pourvu d'un office domestique

---

1. *Lettres d'Urbain V concernant la France*, n° 705, 816 et 2623.
2. *Coll.* 192, fol. 1 ; *Reg. Av.* 275, fol. 29 r° et 87 v°-88 r°.
3. *Intr. ex.* 374, fol. 26 v° ; *Reg. Av.* 306, fol. 63-64.
4. *Intr. ex.* 369, fol. 27 v° ; 370, fol. 132 v°.
5. *Intr. ex.* 338, fol. 36 r°, 37 r° et 57 r° ; 359, fol. 25 v°, 31 v° et 53 r°.
6. *Reg. Av.* 304, fol. 666-667.
7. *Intr. ex.* 367, fol. 39 v° ; *Reg. Vat.* 301, fol. 103 r°-104r°. Sa nomination est du 22 septembre 1391(*Reg. Vat.* 301, fol. 139 r°-140 r°), et non du 22 octobre 1390, comme l'ont cru MM. SAMARAN et MOLLAT (*op. cit.*, p. 180).
8. *Coll.* 372, fol. 58 r°.
9. *Ibid.*, fol. 95 v°-96 r°.
10. *Intr. ex.* 375, fol. 16 v°.
11. 19 août 1385 ; *Coll.* 361, fol. 19 v°-20 r°.
12. K. H. SCHÄFER, *Die Ausgaben... unter Urban V und Gregor XI*, p. 453 et 629.

à la curie, celui de maître de la Cire[1]. Mais la Chambre recourait également à ses services en l'envoyant comme nonce dans le comté de Genève[2] avec des pouvoirs très voisins de ceux d'un collecteur. Il était en outre commissaire aux aumônes faites à Saint-Pierre de Montmajour et à la chapelle Sainte-Croix, contiguë au monastère, lors de la fête de la Sainte-Croix et pendant l'octave, aumônes que Clément VII avait réservées, à l'instar de ses prédécesseurs[3]. Thonerat conserva l'office de la Cire au moins jusqu'en avril 1386 et lui affecta une notable part des recettes faites dans sa collectorie de Provence à partir du 4 septembre 1384 : 9 087 florins en tout[4].

Pour les plus anciens agents de la Chambre, enfin, l'office de collecteur venait récompenser de longs services itinérants à travers la Chrétienté, au temps d'Urbain V et de Grégoire XI. On connaît les missions de Bertrand du Mazel en Allemagne, en Espagne et en Sicile[5]. Pendant dix ans, Bernard de Berne avait parcouru l'Allemagne, la Bohême, la Hongrie et la Pologne[6]. Guillaume du Lac avait participé à la levée du subside imposé par Urbain V dans les provinces d'Allemagne et de Bohême[7], puis de la décime dans les mêmes régions[8], avant de visiter, comme nonce, les collectories de Lyon et de Bourges pour y lever un subside[9].

Il est des collecteurs dont certaines fonctions antérieures à leur nomination sont sans rapport avec la Chambre : Armand Jausserand, serviteur de l'évêque de Cambrai[10] ; Pierre de Saint-Rembert, chapelain du pape et scripteur des lettres apostoliques[11] ; Julien de Dole, également scripteur[12] ; Jean de Verbouz, chambellan de Clément VII[13] ; Pierre de Tarascon, camérier du cardinal de Sortenac[14] avant son envoi comme nonce dans les provinces d'Auch, Toulouse et Bordeaux afin d'y contracter au nom de la Chambre tous les emprunts possibles[15].

Les carrières des collecteurs sont donc aussi variées que leurs origines. Outre les inévitables considérations personnelles et familiales, les facteurs déterminants de leur choix nous paraissent être une certaine culture juridique — surtout appréciée pour les collectories méridionales — et l'expérience des affaires fiscales. Ainsi

---

1. *Instr. misc.* 3093.
2. *Intr. ex.* 361, fol. 9 r° et 32 r°.
3. *Coll.* 359 A, fol 67 v°-68 v°.
4. *Intr. ex.* 361, fol. 18 r°.
5. Jean GLÉNISSON, *Un agent...*, dans les *Mélanges...*, 1947, p. 89-119.
6. *Lettres de Grég. XI conc. les pays autres que la France*, n° 122, 643, etc.
7. *Lettres de Grég. XI conc. la France*, n° 122 et 987.
8. *Lettres... autres que la France*, n° 1206.
9. *Ibid.*, n° 1644.
10. *Lettres... France*, n° 115.
11. *Reg. Av.* 277, fol. 202-203.
12. *Intr. ex.* 369, fol. 5 v°.
13. *Coll.* 364, fol. 45 r°.
14. *Obl. sol.* 45, fol. 121 r°.
15. Commission du 17 décembre 1384 ; *Reg. Av.* 242, fol. 31 r°.

se dessine approximativement la figure du collecteur, homme frotté de droit, rompu à la routine du calcul des taxes et aux relations avec les bénéficiers, totalement dévoué à la Chambre apostolique et trouvant en son zèle le plus sûr gage d'avancement.

Nonces du Siège apostolique, les collecteurs ne pouvaient être, comme tels, nommés que par le pape. Notifiée par bulle, leur constitution était ainsi faite « par autorité apostolique », ce qui leur donnait un pouvoir plus respecté que n'eût fait une simple nomination par lettres patentes du camérier. Pour le curé de village, une bulle du pape signifiait quelque chose ; il n'en allait certainement pas de même du sceau de Pierre de Cros ou de François de Conzié, personnages dont le bas clergé ignorait peut-être l'existence et, à coup sûr, les prérogatives[1]. C'est cependant devant le camérier ou, en cas d'impossibilité, devant un commissaire nommé par lui à cet effet[2], que le nouveau collecteur prêtait serment[3].

Si les carrières sont différentes, la place de l'office de collecteur y est assez aisée à définir : il se situait après des missions aux contours assez limités, et avant la fonction de clerc de la Chambre ou l'élévation à l'épiscopat. Clerc de la Chambre, le collecteur perdait immédiatement tout pouvoir dans sa collectorie ; s'il y était maintenu quelque temps, c'est comme régent[4]. La Chambre apostolique de Rome, nous le verrons au prochain chapitre, fut beaucoup moins stricte que celle d'Avignon sur cette incompatibilité due à la hiérarchie.

L'épiscopat, au contraire, ne mettait pas automatiquement fin aux fonctions d'un collecteur : Bernard Carit, Bérenger Ribalta en fournissent l'exemple. Des évêques furent même nommés collecteurs, en Italie, au Portugal, en Ecosse notamment, mais il semble que la Chambre ait quelque peu répugné à ce genre de nomination, dont nous verrons quel usage a fait la Chambre urbaniste, et l'ait réservé aux régions marginales de l'obédience. L'évêque, c'était le collecteur de la dernière chance, désigné lorsque lui seul pouvait s'imposer au clergé indécis.

Du tableau des collecteurs que l'on trouvera à la fin de ce livre, se dégage une impression de stabilité : stabilité en comparaison des collecteurs urbanistes, on le verra ; stabilité aussi, en comparaison de la mobilité de certains envoyés de Grégoire XI,

---

1. Les lettres des 15 février 1379 et 17 septembre 1394 ne font que confirmer Bertrand du Mazel et Pierre de Tarascon dans leur office ; *Coll.* 393, fol. 94 ; *Reg. Vat.* 308, fol. 191 v°-192 r°.

2. Aussitôt pourvu de sa bulle de nomination (1er août 1403 ; *Reg. Av.* 307, fol. 45), le collecteur de Bordeaux avait quitté la curie. Le 26 août, le camérier commit le vicaire général de Sarlat à recevoir le serment que le collecteur avait oublié de prêter ; *Reg. Av.* 306, fol. 56-57.

3. *Reg. Vat.* 309, fol. 44 r°.

4. La nomination d'Armand Jausserand, le 16 juillet 1388, est à cet égard d'une absolue netteté ; *Reg. Av.* 275, fol. 36 v°-37 r°.

tel Guillaume du Lac, déjà cité. Le découpage des collectories est achevé en 1382. La seule innovation consiste dans la création, lors de la restitution d'obédience, d'une quasi-collectorie de Savoie dont le titulaire ne s'affranchit que progressivement de la tutelle du collecteur de Lyon[1].

A l'intérieur de ces collectories, c'est la permanence des hommes qui nous frappe. Le tableau que voici indique, pour chaque circonscription, le nombre de collecteurs s'y étant succédé à l'époque du Grand Schisme et le temps moyen passé par eux dans chaque collectorie[2].

Paris	3 coll.	19 ans	Narbonne	3 coll.	15 ans
Reims	3	18	Provence	5	10
Tours	4	12	Lyon	4	9
Bourges	4	10	Metz	2	16
Le Puy	4	9	Aragon	5	9
Rodez	3	18	Tolède	2	30
Toulouse	5	8	Burgos	3	15

Le nombre moyen de collecteurs, de 1378 à 1409, se situe donc entre 3 et 4 ; la durée moyenne d'exercice dans une même collectorie est de 12 ans. Certaines longévités administratives sont remarquables : Bernard Carit à Paris (28 ans), Guy de la Roche à Tours (25 ans), Jean Maubert à Reims (24 ans), et surtout Foulques Périer à Tolède (30 ans)[3]. Plus d'une dizaine de collecteurs sont morts en fonctions ; ainsi s'explique la brièveté de la carrière de Guillaume Mayet, collecteur du Puy pendant seulement trois ans. Rarement, la brièveté d'un exercice peut être dû à un transfert : Guillaume Boudreville passa de Compostelle en Aragon, Sicard de Bourguerol de Toulouse à Narbonne, Jean Joly de Provence à Lyon[4]. La rareté du phénomène renforce notre sentiment d'une politique consciente de stabilité. Une telle permanence des hommes dans leur fonction ne pouvait en effet que servir les intérêts de la Chambre. Connu dans la région et, qui mieux est, des laïcs, le collecteur n'en avait que plus de crédit. Le connétable Olivier

1. Les sous-collecteurs de Savoie eurent encore à lui rendre des comptes selon la lettre du camérier du 20 novembre 1405 ; *Reg. Av.* 325, fol. 515 v°.

2. Pour ce dernier chiffre, nous tenons compte de la date de nomination du collecteur en place en 1378, et nous excluons les collecteurs nommés après 1403, faute d'avoir pu étudier leur carrière ultérieure. Les collectories en pays urbaniste et les collectories supprimées en 1382 n'ont pas été comptées.

3. On peut mettre en parallèle la longévité du trésorier du Comtat venaissin, Bertrand Vincent : nommé le 16 avril 1379, il demeura en fonctions jusqu'au 27 mars 1406 ; voir Cl. FAURE, *Etude sur l'administration et l'histoire du Comtat venaissin* (Paris-Avignon, 1909), p. 182-183.

4. On pourrait également citer le cas de Pierre Domaud, collecteur de Chypre au temps d'Urbain V (*Lettres d'Urbain V concernant la France*, n° 112), transféré par ce pape à la collectorie de Poitiers où il demeura jusqu'en 1382.

de Clisson, prêtant 7 000 francs pour l'usage de la Chambre apostolique, se contenta de la garantie personnelle du collecteur Guy de la Roche[1], garantie à laquelle Clément VII substitua ultérieurement celle du Saint-Siège pour la sécurité du prêteur et l'exonération du collecteur[2]. L'efficacité de la gestion était en outre heureusement affectée par la longueur du séjour des collecteurs qui connaissaient ainsi le pays, sa langue et ses possibilités économiques.

La fin de vie de bien des collecteurs nous échappe. L'épiscopat récompensait les plus distingués. Les plus utiles devenaient clercs de la Chambre et parfois, plus tard, évêques et conseillers, comme Guillaume du Lac et Sicard de Bourguerol. Il en fut de moins favorisés. Après avoir géré pendant vingt-deux ans la collectorie de Provence, Géraud Mercadier devint scripteur des lettres apostoliques[3]. Quant à Armand Jausserand, clerc de la Chambre en titre, il se retira tout simplement à Paris lorsque vinrent l'âge et la faiblesse ; Clément VII lui accorda, le 29 octobre 1390, une substantielle pension de retraite, 500 francs par an[4].

2. *Les sous-collecteurs.*   Le statut des sous-collecteurs était extrêmement complexe. Officiers locaux, subordonnés du collecteur et normalement nommés par lui, ils participaient cependant, pour l'intérêt du service, à tous les privilèges des officiers du Siège apostolique et avaient la qualité de familiers du pape. Tant que cela lui était utile, la Chambre les ignorait, mais, pour la même raison et dans la même mesure, elle les protégeait.

Leurs compétences étaient fort limitées. On rencontre rarement parmi eux des juristes gradués. Jean Lechat, licencié ès lois, Raymond Manuel, licencié en décrets, et Robert Rose, licencié *in utroque,* sont des exceptions. Avant tout, le sous-collecteur était un homme du cru, un clerc connaissant l'usage et, surtout, le pays. Une notion essentielle est que, pour percevoir les impôts, il fallait connaître la topographie du diocèse. Il était en effet difficile à un envoyé de la Chambre, simplement pourvu d'une liste de bénéfices, de les visiter de manière rationnelle s'il n'était secondé par un sous-collecteur ayant la pratique des lieux et des chemins. Le recrutement des sous-collecteurs était donc purement local, et ce n'est pas la moindre raison pour laquelle la responsabilité en était laissée au collecteur.

La famille du sous-collecteur de Clermont, Guillaume Chambon, fournit un bon exemple de l'implantation régionale d'un sous-collecteur. Son cousin, Pierre, chapelain commensal et référen-

1. 16 juin 1384 ; *Reg. Av.* 238, fol. 148 r°-149 r°.
2. *Ibid.,* fol. 148 r°-155 r°.
3. *Reg. Av.* 275, fol. 100 r°-101 r° ; *Reg. Av.* 277, fol. 104 r°-105 r°.
4. *Reg. Av.* 277, fol. 217 v°-218 v°.

daire du pape, était doyen de Langres ; leurs « neveux et cousins,
Pierre, Jacques et Jean, étaient respectivement chanoines de Langres, Rieux et Clermont. Un autre Guillaume Chambon était chanoine de Clermont, comme le collecteur lui-même[1]. Les héritiers
de ce dernier eurent une créance sur un damoiseau du diocèse
de Clermont, Bertrand de Saint-Nectaire[2].

Le plus souvent, le sous-collecteur était un chanoine ou un
prieur du diocèse, lié à une région qu'il ne cherchait pas à quitter :
on a vu que bien peu d'entre eux devinrent collecteurs et qu'aucun
n'accéda aux offices de la curie.

La transmission de la fonction dans une même famille n'est
pas inconnue. On en trouve un exemple assez héroïque, puisque
Jean Michel, dit Raimbert, n'hésita pas à reprendre, en 1380,
la charge de sous-collecteur de Maurienne, devenue vacante par
l'assassinat de son prédécesseur et parent François Michel, dit
Raimbert[3].

La bulle constituant un collecteur lui conférait tout pouvoir
de nommer et révoquer les sous-collecteurs[4]. La seule limitation
touchait à leur nombre : un par diocèse au maximum et un pour
deux diocèses lorsque ceux-ci étaient de faible étendue territoriale[5], ce qui s'appliquait évidemment à bon nombre de circonscriptions italiennes, mais aussi à certains diocèses du sud de la
France : il n'y avait qu'un sous-collecteur pour Carpentras et
Vaison, un pour Glandève et Senez, un pour Vence et Grasse[6].

L'ignorance de la Chambre quant à l'identité des sous-collecteurs était toute théorique. Les lettres à eux adressées l'étaient ès
qualités, et leurs noms n'y étaient normalement pas cités[7]. Mais les
comptes et la correspondance des collecteurs renseignaient fort
bien le camérier. Les collecteurs étaient d'ailleurs tenus de faire
part à la Chambre des nominations de sous-collecteurs. Notons
enfin que le camérier, en cas de nécessisé, savait indiquer les noms
des sous-collecteurs auxquels il s'adressait sans passer par le
collecteur : ainsi au temps de la soustraction d'obédience et dans
les mois qui suivirent la restitution[8]. On voit donc cette ignorance
de principe intervenir comme une simple restriction à la responsabilité du camérier. C'est cette responsabilité qu'il dégageait
précisément en attestant, le 5 décembre 1393, « pour autant qu'il

1. *Reg. Av.* 238, fol. 96 r⁰-97 r⁰ ; *Coll.* 359, fol. 111 v⁰-112 r⁰.
2. *Coll.* 359 A, fol. 157.
3. *Instr. misc.* 3046.
4. Les nominations de sous-collecteurs comportaient donc généralement la copie
de la bulle de constitution du collecteur ; *Coll.* 277, fol. 1 r⁰-2 r⁰.
5. *Coll.* 359 A, fol. 246-247 ; *Reg. Av.* 272, fol. 80 v⁰-81 r⁰.
6. *Coll.* 23, fol. 255-263.
7. *Coll.* 359, fol. 23 r⁰, par exemple ; voir notre publication de la correspondance des
camériers.
8. Il s'agit alors surtout des sous-collecteurs de Provence (*Coll.* 372, fol. 113 et suivants), mais aussi de Jean Grinde, sous-collecteur de Grenoble (*ibid.*, fol. 111 v⁰).

était informé », que feu Gauthier Anquetil, curé de Millières[1], avait bien été sous-collecteur d'Evreux[2].

Passant outre aux prérogatives concédées aux collecteurs, le pape ou le camérier pouvaient nommer des sous-collecteurs : Bernardo del Campo à Gérone[3], peut-être parce que son prédécesseur était mort sans avoir rendu ses comptes ni assigné la totalité de ses recettes[4] ; Jacques Garrel en Flandre, mais à titre temporaire et uniquement pour les régions urbanistes, donc sans révoquer les sous-collecteurs ordinaires des diocèses, nommés par le collecteur de Reims[5] ; Luca Matgucci da Nocera, nommé « sous-collecteur général et spécial » dans les provinces du Patrimoine de Saint-Pierre, dans le duché de Spolète, la Marche d'Ancône, etc.[6]. Comme l'on pense, cette dernière nomination fut assez illusoire. C'est également par le pape que fut nommé sous-collecteur d'Elne Nicolas Gilles[7], dont la circonscription allait être ultérieurement transformée en collectorie à son profit, ce qui laisse penser qu'il jouissait déjà, comme sous-collecteur, d'une certaine autonomie. Enfin, pour des raisons qui ne nous apparaissent pas, le pape interdisait parfois à un collecteur d'user de son droit de nomination, et se réservait ainsi la désignation de nouveaux sous-collecteurs ; semblable exclusive fut prononcée, le 14 décembre 1392, contre Pierre de Saint-Rembert, collecteur de Tours[8].

Les nominations faites par le pape ou le camérier ont généralement pour effet second de révoquer le sous-collecteur déjà en place. nommé par le collecteur. Hugues Cologner fut ainsi nommé à Genève en remplacement de Henri Pojal[9], que le collecteur dut ensuite, sur ordre du camérier, contraindre à cesser son activité et à transmettre ses archives à Cologner[10]. En remplacement de Pierre de la Route, c'est Henri Guy que le pape nomma à Die[11]. A Alain d'Esvigné, collecteur de Tours, Benoît XIII signifia simultanément la révocation du sous-collecteur d'Angers et la nomination à sa place de Guillaume Preczart, l'interdiction de gêner ledit Preczart et l'ordre de l'installer dans ses fonctions[12]. A Grenoble enfin, à la mort du sous-collecteur Jean Grinde, le collecteur Jean Joly nomma Jean Gilbert, que le camérier révoqua aussitôt pour installer à sa place Pierre Rolland[13].

1. Cant. Lessay, Manche.
2. *Reg. Vat.* 308, fol. 26.
3. 5 janvier 1384 ; *Reg. Av.* 238, fol. 116 v°-118 r°.
4. *Ibid.*, fol. 118 v°-119 r°.
5. 4 avril 1385 ; *Reg. Av.* 240, fol. 18.
6. 18 août 1380 ; *Coll.* 359, fol. 53.
7. 12 septembre 1383 ; *Reg. Av.* 233, fol. 101 v°.
8. *Reg. Av.* 272, fol. 80 v°-81 r°.
9. 24 février 1394 ; *Reg. Av.* 274, fol. 10 v°-11 r°.
10. *Reg. Vat.* 308, fol. 147 v°-148 r°.
11. 2 juin 1403 ; *Reg. Av.* 306, fol. 50 v°.
12. 10 janvier 1404 ; *Reg. Av.* 320, fol. 77.
13. 27 septembre 1406 ; *Reg. Av.* 325, fol. 558 r°-559 r°.

Au contraire, le cas de Jean Lechat ne paraît pas refléter à première vue un désaccord entre la Chambre et le collecteur ou une intrusion de la Chambre dans les affaires du collecteur. C'est en 1385 qu'apparaît pour la première fois Jean Lechat dans les archives camérales. Clerc du diocèse du Mans, il était alors serviteur d'Antoine de Louvier, clerc de la Chambre, pour lors commissaire apostolique dans le duché de Bretagne[1]. Ce n'était donc pas tout à fait un inconnu pour les gens de l'administration centrale. Le 10 février 1404, par son autorité propre, François de Conzié constituait Jean Lechat, licencié ès lois, archidiacre de Sablé et chanoine du Mans, comme sous-collecteur de ce diocèse, ordonnant par les mêmes lettres à Alain d'Esvigné de le recevoir dans cette fonction et de le laisser l'exercer en paix ; or, selon les propres termes du camérier, cette « nomination » était faite en considération de la longue et excellente gestion dudit Jean Lechat comme sous-collecteur du Mans[2]. Nommé — en 1389, au plus tard[3] — par le collecteur, Lechat était donc nommé en 1404 par le camérier. Il ne s'agissait donc pas de substituer à l'homme du collecteur l'homme du camérier, mais bien de récompenser un fidèle serviteur du Saint-Siège en accroissant son autorité, en lui donnant sans doute un supplément de prestige et certainement une assurance contre son supérieur immédiat. Nul ne saurait, en effet, être révoqué par une autorité inférieure à celle qui l'a nommé. Jean Lechat était ainsi garanti par le camérier contre une éventuelle défaveur auprès d'Alain d'Esvigné ou de ses successeurs. Or, en septembre 1405, Benoît XIII révoqua Esvigné et le remplaça par André *Figuli*[4]. Deux mois plus tard, le nouveau collecteur nommait, par lettres patentes, sous-collecteur du Mans... Jean Lechat[5]. Voilà qui nous dévoile un conflit d'autorité probablement plus fréquent dans la réalité que dans les archives de la Chambre apostolique. Trouvant un sous-collecteur nommé par le camérier, le collecteur feignait d'ignorer cette particularité et confirmait Jean Lechat comme s'il n'avait été nommé que par le précédent collecteur[6].

Le conflit n'était pas entre le collecteur et le sous-collecteur ; celui-ci pouvait se trouver fort aise d'avoir été nommé par son chef direct, en cas de révocation de la nomination faite par le camérier Entre le plus puissant et le plus proche, il fallait composer, et Lechat protégé d'Avignon, ne méprisait nullement la bienveillance de son supérieur de Tours. Quant à André *Figuli*, sans mépriser la nomination faite par le camérier, nomination à laquelle il ne pouvait que

1. *Intr. ex.* 359, fol. 38 v°.
2. Reg. Av. 320, fol. 100 v°-101 r° ; *Instr. misc.* 4294, fol. 1.
3. *Intr. ex.* 366, fol. 8 r°.
4. *Intr. ex.* 376, fol. 80 r°.
5. *Instr. misc.* 4294, fol. 1 v°-2 v°.
6. On ne saurait taxer de naïveté le collecteur : deux ans auparavant, il était lui-même nommé sous-collecteur de Nantes par le camérier ; *Reg. Av.* 306, fol. 63-64.

se conformer, il s'arrangeait pour ne pas perdre la face dans sa collectorie. Il n'alla cependant pas jusqu'à mentionner l'intervention antérieure du camérier : c'eût été, de sa part, confirmer une décision supérieure, donc outrepasser ses droits. Par la même manœuvre, il sauvegardait sa propre autorité sur le sous-collecteur : nommé par le collecteur, celui-ci dépendait de lui et lui devait des comptes ; sinon, le sous-collecteur eût été pratiquement autonome.

La nomination par le camérier — ou par le pape — plaçait en effet l'officier sous la dépendance immédiate de celui qui l'avait nommé. La désignation par Benoît XIII de Bernard de Logorsano comme sous-collecteur d'Auch précise à ce sujet deux faits : le sous-collecteur a prêté serment entre les mains d'un légat et s'est engagé à rendre ses comptes au camérier, *citra montes* tous les ans, ou *ultra montes* tous les deux ans [1]. Or en règle générale les sous-collecteurs ne prêtaient serment qu'entre les mains du collecteur, et c'est à lui qu'ils rendaient leurs comptes. La nomination directe allégeait donc la responsabilité du collecteur et restreignait ses prérogatives : il perdait en puissance ce qu'il gagnait en tranquillité.

Pour être normalement nommés par les collecteurs, les sous-collecteurs n'en participaient pas moins aux privilèges des officiers du Siège apostolique [2] que nous définirons plus loin. Cela motiva nombre d'interventions du camérier en faveur de sous-collecteurs et de leurs receveurs, notaires et clercs [3], et la délivrance d'assez fréquentes attestations de services en cours ou passés [4].

Le sous-collecteur général est-il une exception ? Le caractère très particulier de cet office suffit à expliquer la rareté des mentions qu'en font les documents cameraux et le silence qu'observent à son égard les historiens de la fiscalité pontificale. Les sous-collecteurs généraux étaient, en effet, plus ignorés encore de la curie que leurs subordonnés diocésains. Sauf quelques lettres adressées, au temps de la soustraction d'obédience, au sous-collecteur général de Provence, Pierre Suchet [5], la Chambre apostolique n'entretenait avec eux aucune correspondance directe. Ni leur nom ni leur office n'apparaît dans les adresses de lettres, fréquemment adressées, cependant, à un collecteur et à tel ou tel de ses sous-collecteurs, que ce dernier fût nommé ou, plus régulièrement, cité par son office. Les sous-collecteurs généraux n'apparaissent qu'à travers de rares mentions de comptes, lorsqu'il fallait bien les qualifier pour justifier leur activité ou leurs dépenses. Encore le sous-collecteur général de Narbonne, Raymond de Verdun, n'est-il désigné par la

---

1. 10 janvier 1409 ; *Reg. Av.* 332, f. 69 v⁰-70 v⁰.
2. En vertu d'une bulle du 2 janvier 1384 qui ne fit que codifier l'usage ; *Reg. Av.* 320, fol. 116-117.
3. *Reg. Av.* 320, fol. 116.
4. Ainsi, celle délivrée le 27 novembre 1393 pour les services de feu Pierre L'Orfèvre, doyen, chanoine et, de 1378 à 1381, sous-collecteur de Senlis ; *Reg. Vat.* 308, fol. 20 r⁰.
5. *Coll.* 372, fol. 113 r⁰., par exemple.

Trésorerie que comme le « notaire » d'Arnaud André[1] cependant que Jean Cariot n'a droit qu'au titre de « sous-collecteur » de Guillaume Thonerat[2]. Quant à la nomination des sous-collecteurs généraux, le Saint-Siège ne se la réserva jamais.

La liste que nous pouvons dresser est donc bien incomplète. C'est comme envoyés des collecteurs ou comme régents intérimaires de collectories vacantes que certains sous-collecteurs généraux nous sont connus. D'autres figurent, avec ou sans ce titre, dans les comptes de dépenses des collecteurs.

A Paris, Armand Jausserand avait, dès 1382, pour adjoint Jean de la Crolière[3], qui allait régir temporairement la collectorie après la mise à la retraite du collecteur Jausserand[4] ; il mourut dans l'été de 1391, avant l'arrivée du nouveau collecteur[5]. Celui-ci, Guy d'Albi, lui donna pour successeur Vincent Boussard[6], parent du sous-collecteur de Paris Etienne Boussard[7]. Dans la province de Reims, Jean de Champigny était sous-collecteur de Beauvais et sous-collecteur général[8] avant de succéder au collecteur Jean Maubert ; il fut lui-même remplacé comme sous-collecteur général par Jean Blond, qui régit en outre pendant deux ans l'office de sous-collecteur d'Amiens[9]. Un sous-collecteur général est attesté à Lyon au temps de Jean Joly : Etienne Courtet[10]. Si le sous-collecteur général de Provence, Jean Cariot, était en même temps scripteur des lettres apostoliques[11], c'est probablement à l'origine curiale du collecteur Guillaume Thonerat qu'il faut rapporter cette confusion ; sous Jean Joly, un nouveau sous-collecteur général, Pierre Suchet exerça sans le titre les fonctions de sous-collecteur du diocèse d'Avignon[12]. Dans la collectorie de Toulouse et Auch, Antoine Pessine est attesté comme sous-collecteur général à la fin du pontificat de Clément VII[13]. A Narbonne enfin, Arnaud André était secondé par Raymond de Verdun[14].

Toutes les grandes collectories françaises avaient, on le voit, leur sous-collecteur général ; il est peu probable que celle de Tours ait échappé à la règle. A Rodez, au Puy, en Savoie, à Metz, à Bourges, à Poitiers, à Saintes, à Périgueux, au contraire, nulle

---

1. *Intr. ex.* 361, fol. 39 r° et 44 v°.
2. *Intr. ex.* 359, fol. 18 v°, 24 r° et 47 r°.
3. *Instr. misc.* 3121.
4. *Reg. Vat.* 301, fol. 107 r°.
5. *Intr. ex.* 367, fol. 198 v°.
6. *Intr. ex.* 372, fol. 5 r°.
7. *Intr. ex.* 369, fol. 3 r°.
8. *Coll.* 191, fol. 1.
9. *Coll.* 194, fol. 300 v°.
10. *Intr. ex.* 369, fol. 28 r°.
11. *Intr. ex.* 261, fol. 4 v°.
12. *Coll.* 21, fol. 186 v°.
13. *Intr. ex.* 372, fol. 1 v°.
14. *Coll.* 152, fol. 175.

trace de cet office que la faible extension géographique rendait moins nécessaire, sinon inutile et dispendieux.

Il n'est donc pas étonnant que les collectories espagnoles, fort étendues, aient toutes bénéficié des services d'un sous-collecteur général. Dans celle de Tolède, Antonio Garcias régit même un temps la collectorie, à la mort de Foulques Périer[1]. Dans celle de Burgos, c'était, en 1405, Jaime Simon[2]. En Aragon, Guillaume Boudreville avait, à la fin de 1390, deux adjoints : Pierre de Mézières et Géraud Augier[3] ; mais, deux ans plus tard, Augier n'était qualifié que de sous-collecteur de Saragosse[4], alors que Pierre de Mézières était toujours considéré par la Trésorerie comme sous-collecteur général d'Aragon[5]. Au lendemain de la mort de Boudreville, c'est Augier qui fut constitué régent de la collectorie[6] en attendant la nomination de Jaime de Rives, cependant que Mézières, dépité, abandonnait brusquement son office[7]. Le collecteur Bérenger Ribalta eut, ensuite, comme sous-collecteur général Pedro Regacol, qui régit la collectorie entre la mort de Ribalta et l'arrivée de Sagarra[8].

Nous avons donc là une fonction théoriquement inexistante créée et pourvue par les collecteurs qui en éprouvaient le besoin, sans intervention ni garantie de la Chambre apostolique. Quels étaient ces collecteurs ? Les plus intéressés par cette institution semblent ceux qui fréquentaient peu leur collectorie en raison de son ampleur géographique ou de leur résidence. Collecteur de Reims, Jean Maubert habitait Paris[9] ; collecteur de Narbonne, Arnaud André résidait à Avignon[10]. La nécessité de faire contrôler les sous-collecteurs par un agent local s'imposait donc à eux. Résidant à Paris, Armand Jausserand, bien qu'au cœur de sa collectorie, ne pouvait visiter régulièrement des diocèses comme Auxerre et Avranches, pour ne citer que les cas extrêmes ; force lui était de se faire aider. De moins en moins itinérant, le collecteur se déchargeait, croyons-nous, des nécessaires tournées sur le sous-collecteur général. Il en allait de même en Provence : pour visiter régulièrement Embrun et Marseille, Fréjus et Die, le collecteur ne pouvait être seul. Quant à la collectorie de Tolède, elle s'étendait à la moitié du royaume de Castille. On comprend alors l'attitude de la Chambre apostolique : le sous-collecteur général était une sorte de dédoublement du collecteur, seul responsable dans les relations avec la curie.

1. *Reg. Av.* 321, fol. 66 r°.
2. *Reg. Av.* 321, fol. 45 v°.
3. *Intr. ex.* 367, fol. 2 v° et 3 r°.
4. *Intr. ex.* 369, fol. 26 v°.
5. *Intr. ex.* 369, fol. 18 r°, et 370, fol. 22 v°.
6. *Reg. Vat.* 308, fol. 43.
7. *Intr. ex.* 371, fol. 21 r°.
8. *Reg. Av.* 321, fol. 67 r°, et 328, fol. 134 r°.
9. *Instr. misc.* 3121.
10. J. FAVIER, *Le niveau de vie...*, *Annales du Midi*, 1963.

Examinons le premier compte de Jean Joly pour la Provence, rendu en 1391[1]. Il nous fournit de précieux renseignements chiffrés sur l'activité des différents personnages. A l'exception du diocèse d'Avignon, immédiatement placé dans la compétence de Pierre Suchet, le sous-collecteur général a lui-même reçu des bénéficiers 103 florins sur les 19 310 dont il est rendu compte[2], soit 0,5%, moins que le collecteur qui a lui-même levé 635 florins, soit 3%. Tout le reste a été perçu par les sous-collecteurs.

Le rôle du sous-collecteur général n'était donc pas de se substituer à eux, mais bien de seconder le collecteur devant qui il était responsable. C'est cependant le collecteur qui effectuait le gros du travail : des sommes reçues par les sous-collecteurs et non assignées, Jean Joly récupéra quelque 85%, alors que l'activité de Suchet consistait surtout à lever les revenus propre de sa sous-collectorie

PERCEPTION DES REVENUS DANS LA COLLECTORIE DE PROVENCE

DIOCÈSE	PAR LE SOUS-COLLECTEUR	PAR LE SOUS-COLL. GÉNÉRAL	PAR LE COLLECTEUR	TOTAL
Arles	2 390	14	215	2 619
Marseille	2 455	32	3	2 490
Toulon	712			712
Cavaillon	1 978	50	177	2 205
Carpentras	628			628
Orange	700	7	240	947
Embrun	1 912			1 912
Gap et Sisteron	7 797			7 797
	18 572 (96%)	103 (0,5%)	635 (3%)	19 310
Avignon		2 160		2 160
		2 263		21 470

d'Avignon et à récupérer en outre environ 15% des recettes de ses collègues. De tels chiffres n'ont évidemment qu'une valeur indicative. D'autres comptes les contrediraient peut-être, si la plupart de ceux-ci ne masquaient totalement le rôle du sous-collecteur général. D'une collectorie à l'autre, les hommes variaient, et avec eux le mode de répartition du travail.

Il faut enfin songer que les voyages à Avignon absorbaient une notable part du temps des collecteurs les plus empressés à s'y rendre. Le recours à un sous-collecteur général était alors une véritable délégation de pouvoirs du collecteur à l'un de ses collabo-

1. *Coll.* 21.
2. Il en leva 2160 pour Avignon, ce qui porte le total réel à 21 470.

RÉCUPÉRATION DES FONDS PERCUS DANS LA COLLECTORIE
DE PROVENCE PAR LES SOUS-COLLECTEURS

DIOCÈSE	RECETTES DU SOUS-COLLECTEUR	ASSIGNATIONS DU SOUS-COLLECTEUR			DÉPENSES DU SOUS-COLLECTEUR
		au collecteur	au sous-collect. général	à divers	
Arles................	2 390	1 786	311	170	44
Marseille	2 455	852	85	1 415	134
Toulon	712	464	12	180	8
Cavaillon	1 978	1 490	468		31
Carpentras...........	628	394			
Orange...............	700	498	118		25
Embrun	1 912	1 777	270	127	136
Gap et Sisteron[1]........	(7 797)			(313)	(83)
	10 775	7 251	1 264	1 892	778
Rapport : aux recettes totales		67 %	11 %	16 %	6 %
aux sommes récupérées pour le compte de la Chambre apostolique ...		85 %	15 %		

rateurs pour ne pas devoir laisser en ce cas la collectorie vacante.
L'institution semi-clandestine du sous-collecteur général n'est donc
pas la cheville essentielle de la collectorie ; c'est une commodité
conçue par les collecteurs, et dont l'usage était laissé à leur seul
jugement.

3. *Rémunération et train de vie.*   Quelle que fût leur différence
sociale, les collecteurs et les sous-
collecteurs étaient rémunérés de la même manière. Les problèmes
et les solutions sont identiques, les seules nuances étant dans l'éventail de la rénumération, éventail assez ouvert puisqu'il va de
l'évêché d'un Bernard Carit à la condition très modeste d'un
Guillaume Golobert ou d'un Raymond Manuel, sous-collecteurs
sur lesquels nous aurons à revenir.

La rémunération directe était la plus incertaine. Le collecteur
n'avait pas de gages fixes, comme en avaient les clercs de la Chambre
et les officiers domestiques de la curie. Les sous-collecteurs n'étaient

1. Il n'est ici tenu compte, ni de la recette d'Avignon, ni de celle de Gap et
Sisteron dont il est impossible de savoir si elle a été assignée au collecteur ou directement
à la Chambre apostolique. Nous croyons d'autre part devoir indiquer que le total des
sommes assignées et dépensées n'équivaut pas nécessairement à celui des recettes.

salariés ni par la Chambre, ni par le collecteur qui les employait [1]. C'est au moment de la reddition des comptes que le salaire du collecteur était débattu entre lui et les conseillers de la Chambre apostolique. La chose apparaissait normale, puisqu'il avait eu, jusqu'à ce jour, la jouissance des sommes reçues et non assignées ; lors de l'apurement, il s'agissait donc de savoir si la Chambre allait consentir à lui en laisser une part à titre de gages. Au XIVe siècle, c'est généralement un forfait qui lui était attribué : 300 florins de la Chambre à Bertrand Vincent, trésorier du Comtat venaissin, pour douze ans, trois mois et six jours de services [2] ; 125 florins courants à Pierre Suchet, sous-collecteur général de Provence, comme indemnité pour « son labeur et ses peines » [3]. Le plus souvent, c'est une remise du solde débiteur, lorsque sa valeur est modique : le 15 février 1391, Clément VII remit au sous-collecteur de Clermont, Pierre Chancelade, tout ce qu'il pouvait devoir encore à la Chambre, en récompense de ses services [4] ; cette générosité illimitée ne doit pas faire illusion : s'il est impossible d'établir le solde des comptes de Pierre Chancelade, que les clercs de la Chambre eux-mêmes renoncèrent ainsi à calculer [5], il est aisé de voir ce que vaut la remise faite le même jour au sous-collecteur de Saint-Flour en récompense de vingt-huit années de services : 71 francs [6]. Plus substantielle étaient assurément les remises consenties aux collecteurs, mais la remise des sommes dues à la Chambre, « quelle qu'en soit l'importance » [7] indique l'incertitude du conseil plus que sa largesse. A Pierre Brengas, collecteur de Rodez, on remit 927 livres tournois, ce dont il remercia le conseil, non sans assurer qu'il ne rentrait pas ainsi dans ses débours réels, dépassant, à son dire, le total des dépenses qu'on voulait bien lui allouer et de la remise ainsi accordée [8]. Au collecteur de Reims, Jean de Champigny, c'est une remise de quelque importance que l'on accorda : 2 190 francs, après cinq ans de gestion seulement [9] ; sans doute devons-nous y voir une récompense de son zèle à rendre scrupuleusement ses comptes, mais il y a surtout la compensation du refus opposé par la Chambre à prendre en charge le salaire des indispensables serviteurs du collecteur [10], refus qui ne lui laissait en définitive qu'une assez faible bénéfice sur la remise [11].

---

1. *Coll.* 364, fol. 23.
2. Quittance du 6 février 1407 ; *Reg. Av.* 325, fol. 572-574.
3. *Coll.* 23, fol. 279 v°.
4. *Reg. Av.* 265, fol. 67.
5. *Coll.* 85, fol. 440-460.
6. *Coll.* 85, fol. 277 r°.
7. Remises à Arnaud André, le 4 mai 1385 (*Reg. Av.* 242, fol. 63 v°-64 r°) et à Jean Joly, le 21 août 1398 (*Reg. Av.* 274, fol. 39 r°-40 r°).
8. 13 août 1407 ; *Reg. Av.* 326, fol. 36 v°-38 v°, et *Coll.* 91, fol. 453 v°.
9. *Coll.* 194, fol. 326 v°.
10. *Coll.* 194, fol. 325-326.
11. Il est à noter que la remise peut être inversée : bon gré, mal gré, le sous-collecteur de Rodez Bernard Bruguier, rendant compte de sa gestion après sa sortie de charge, dut

Dans les premières années du xve siècle, un important changement affecta ces rétributions : l'introduction d'un calcul proportionnel à l'activité et au temps passé. Du don gracieux on allait vers le salaire fixe. Ce salaire était toujours attribué en fin de gestion, et imputé sur la recette lors d'un compte-rendu, mais un barème était appliqué, qui faisait vraiment du collecteur un officier à gages, comme les clercs ou les notaires de la Chambre.

Pour Beranger Ribalta, collecteur d'Aragon, le tarif est de 3 francs (de 15 sous barcelonais) par jour, soit 823 livres 10 sous par an[1]. Une distinction apparaît dans l'octroi d'une rétribution à Jean de Rivesaltes, collecteur d'Elne : 4 sous barcelonais par jour d'exercice[2] soit 843 livres 4 sous pour douze ans, mais 2 florins par jour pour les cent soixante-quatorze jours passés en voyage[3]. Dans le cas de Simon de Prades, collecteur de Provence, le barème tient compte du travail effectué : 15 gros par jour pendant les six cent douze jours où il a « poursuivi la restitution d'obédience »[4], 20 gros par jour pendant les mille deux cent dix-sept jours écoulés depuis ladite restitution, à partir de laquelle le collecteur a pu reprendre ses tournées ; le conseil de la Chambre a même, dans le calcul, tenu compte de « bissexte» de 1404[5].

De tels salaires, notons-le, sont approximativement égaux à celui que la Chambre apostolique de l'obédience romaine octroya, en 1407, au collecteur de Portugal : 600 florins par an[6]. Mais les collecteurs avignonnais n'étaient payés qu'en fin de compte et ce salaire ne constituait nullement un droit pour eux, alors que le salaire du collecteur romain était garanti à l'avance et assigné sur la recette, donc payé au fur et à mesure de l'exercice.

Cette notion de salaire proportionnel n'est nouvelle qu'appliquée aux collecteurs. Depuis longtemps, les nonces et les commissaires du Saint-Siège en mission recevaient une indemnité quotidienne, assurée par la Chambre et ordinairement payée par les collecteurs[7]. C'était en somme l'équivalent des procurations quotidiennes dues aux légats et aux « visiteurs ordinaires ». A l'occasion de missions débordant leurs attributions normales, la Chambre attribuait parfois à ses agents de semblables indemnités : ayant la qualité de nonces, ils y pouvaient légitiment prétendre. Envoyé pour saisir les dépouil-

---

laisser à la Chambre les 124 livres tournois qui lui restaient dues, ceci en considération des charges supportées par l'Eglise « pour l'Unité » (13 août 1407) ; *Reg. Av.* 326, fol. 38 v°-40 r°.

1. En 1401 et 1402 ; *Coll.* 123, fol. 44 v° et 83 r°.

2. Ce faible chiffre est à mettre en rapport avec le caractère particulier de la collectorie d'Elne, limitée à un seul diocèse.

3. *Coll.* 160, fol. 126 et suivants.

4. Du 22 décembre 1401 au 26 août 1402.

5. *Coll.* 23, fol. 279 v°.

6. *Reg. Vat.* 335, fol. 56.

7. Jean de Murol, évêque de Genève et nonce en France, avait ainsi 8 florins de la Chambre par jour (bulle du 29 octobre 1382) ; *Coll.* 359 A, fol. 261-262.

les de l'évêque de Viviers, Sicard de Bourguerol reçut ainsi 2 florins courants par jour : collecteur de Toulouse lorsque cette indemnité lui fut payée, il était encore conseiller de la Chambre au temps de la saisie des dépouilles[1]. Guillaume de Barge, commissaire apostolique dans la province de Bordeaux, jouissait d'une rémunération plus élevée : 2 francs par jour ; elle était, d'autre part, imputée sur sa propre recette, ce qui lui garantissait un paiement sans retard[2]. Il en allait de même pour les 2 florins courants accordés à Guilherm Carbonel, commissaire en Berry[3]. Quant à Frances Climent, alors clerc de la Chambre, il reçut 4 florins de la Chambre par jour lors d'une mission en Aragon, en 1397[4]. De telles concessions n'étaient d'ailleurs pas le privilège des hautes personnalités : un simple familier, Jacques Verchier, reçut 15 francs pour une mission de quarante jours, et un florin de la Chambre par jour si sa mission dépassait ce temps[5].

Lors de ces missions particulières, il était de règle que tous les frais de l'envoyé fussent à la charge de la Chambre apostolique ; si des fonds étaient collectés, les dépenses étaient imputées dessus lors de la reddition des comptes. L'exemple de Jacques d'Esparron, commissaire de la levée du subside en Provence, en 1405 et 1406, est à cet égard fort net : repas à l'hôtellerie, escorte, fers à cheval sont décomptés de la recette du commissaire[6]. Jacques Verchier ayant perdu un cheval, la chambre lui alloua 20 florins en compensation[7].

Les collecteurs bénéficiaient tout naturellement de la prise en charge par la Chambre des dépenses exceptionnelles dues, comme la perte de ce cheval, à l'exercice de leur office et aux risques inhérents à celui-ci. Tous les frais de gestion de la collectorie étaient donc présentés au conseil pour être acceptés en déduction de la recette. Mais la Chambre acceptait plus facilement les frais exceptionnels que les dépenses quotidiennes du collecteur. Papier, cheval, honoraires de notaire étaient généralement acceptés[8]. Il était plus rare que les frais de voyage le fussent ; on accepta cependant les frais de venue à Avignon du sous-collecteur de Saragosse[9]. Mais ses voyages à Avignon, avec quatre familiers, ne furent pas crédités à Jean de Rivesaltes qui, pour avoir été convoqué à la curie par

---

1. *Coll.* 360, fol. 28 v⁰-29 r⁰.
2. *Coll.* 374, fol. 59 r⁰.
3. *Coll.* 372, fol. 65.
4. *Ibid.*, fol. 83 v⁰.
5. *Coll.* 360, fol. 31 v⁰-32 r⁰.
6. J. FAVIER, *Les voyages de Jacques d'Esparron...*, dans les *Mélanges d'archéologie et d'histoire*, LXX, 1958, p. 407-422.
7. *Coll.* 360, fol. 31 v⁰-32 r⁰.
8. Mais on refusa à Jean de Rivesaltes de lui allouer la rente annuelle qu'il versait, pour leurs services, à un notaire et à un avocat de Perpignan ; *Coll.* 160, fol. 128, 130, 131, etc.
9. *Instr. misc.* 3464 ; le sous-collecteur avait également perdu une mule en route.

lettre close du camérier, se croyait en droit de déduire de sa recette une somme de 3 florins par jour[1]. Il est vrai qu'un forfait de 2 florins par jour de voyage lui fut ultérieurement accordé : c'était une concession non un remboursement.

Le salaire des serviteurs, de même que les dépenses purement domestiques, n'était jamais imputé sur une recette de collecteur ; c'est ce qui fut répondu fort explicitement à Jean de Champigny[2]. Quant à l'entretien du collecteur, il n'était pas à la charge du Saint-Siège. Champigny, qui tentait de se faire rembourser diverses dépenses de vêtement et de sellerie faites par lui-même, son sous-collecteur général, ses deux clercs et ses deux familiers, se vit opposer l'usage constant de la Chambre dans une note signée de Guillaume du Lac[3] ; si le conseil accéda finalement à la demande du collecteur, ce fut pour le récompenser d'avoir remis en ordre la gestion laissée en mauvais état par son prédécesseur, et en considération du fait qu'il n'avait aucun salaire.

Tout était donc, pour le collecteur, affaire de doigté. Même après l'introduction d'une sorte de barême, ses gages ne lui furent toujours que concédés. Rien ne lui était assuré. Ses dépenses étaient acceptées, ou refusées. Et la plus mauvaise méthode était certainement celle de Jean de Rivesaltes, collecteur d'Elne, qui indiquait, parmi les dépenses déduites de sa recette, diverses sommes pour son propre salaire et celui de ses sous-collecteurs, sommes que la Chambre refusa immédiatement[4].

Le refus d'une rémunération fixe était également opposé à toute revendication des sous-collecteurs. Au moment de la reddition des comptes, un salaire leur était parfois attribué : 16 livres parisis au sous-collecteur d'Amiens pour un an, en 1391[5]. Toute tentative pour fixer ce salaire et créer à l'avenir un droit se heurta au refus systématique des gens de la Chambre. En 1405, alors que la notion de rétribution tarifée tendait à s'introduire en faveur des collecteurs, les sous-collecteurs de Provence s'enhardirent jusqu'à proposer le taux de leur rétribution. Pour un an, Bertrand Julien, sous-collecteur d'Arles, demanda 40 florins[6]. D'autres n'hésitèrent pas à demander une véritable participation à leur recette, sous la forme d'une rétribution proportionnelle à celle-ci, fixant eux-mêmes, le taux à 10% : Bertrand *Ruffi*, sous-collecteur de Carpentras et Vaison, demanda 61 florins pour 615 reçus,

---

1. *Coll.* 160, fol. 128 r°.
2. *Coll.* 194, fol. 325-326.
3. *Coll.* 192, fol. 241 v°.
4. Le collecteur s'étant crédité de 80 livres de Barcelone pour son salaire de la première année, Sicard de Bourguerol, qui examinait le compte, cancella l'article et nota : « *Tolle quia non est de more Camere quod dentur certa stipendia collectoribus, sed prout merita et labores exposcunt, taxat dominus Camerarius cum concilio* (sic) *Camere illud quod videtur taxandum. Sicardus* » ; *Coll.* 160, fol. 128 v°.
5. *Coll.* 194, fol. 304 r°.
6. *Coll.* 23, fol. 267 v°.

Castellan Mercier, sous-collecteur d'Orange, 7 florins pour 68 reçus, et Pierre Elziar, sous-collecteur de Digne, 21 florins pour 214 reçus[1]. Ces prétentions, notons-le, n'égalaient pas celle de Bertrand Julien qui eût reçu, en cas d'acceptation de son taux annuel, 133 florins 4 gros pour la même période allant d'août 1402 à Noël 1405. Plus prudent ou sans illusions, Simon du Puy, sous-collecteur d'Aix, s'en remit aux gens de la Chambre. Son collègue d'Apt, Jean de Lespinasse, ne demanda rien[2]. De fait, le conseil leur alloua le remboursement de leurs dépenses, et rien d'autre[3].

Le salaire des sous-collecteurs, comme des collecteurs, c'était le plus souvent la remise d'une partie de leur solde débiteur. En 1393, Nicolas Bernequin, ancien sous-collecteur de Reims, devait encore 152 francs à la Chambre. Cette dette fut ramenée à 60 francs par le camérier « en raison de la peine et du travail » dudit Bernequin[4].

Les fonctions de collecteur et de sous-collecteur n'étaient cependant pas gratuites. Si l'ambition peut expliquer l'accomplissement d'une tâche non rémunérée pendant quelques mois, ce n'est certes pas dans l'espoir incertain d'un évêché ou d'une abbaye qu'un clerc assumait pendant dix ou vingt ans la charge, la responsabilité, les risques même, de la perception des fonds pontificaux. Il y trouvait divers profits.

Plus que sa rémunération directe, ses bénéfices lui apportaient d'appréciables revenus et un certain niveau social. La Chambre apostolique convenait d'ailleurs que ses agents devaient être pourvus de bénéfices. Si le conseil accéda en partie aux demandes de Simon du Puy, sous-collecteur d'Aix, c'est précisément parce qu'il n'avait pas de bénéfice. Rendant compte, en 1405, de sa gestion, Simon du Puy obtint sans mal 70 florins pour ses dépenses *ratione officii* — ce qui était régulier — et biffa de lui-même les 50 florins qu'il demandait comme salaire, s'en remettant, en vain, on l'a vu, à la Chambre. Mais il demanda en outre 150 florins pour sa nourriture et celle de son serviteur, justifiant cette exceptionnelle requête par le fait qu'il n'était pas bénéficier. C'est en considération de cette circonstance que le conseil lui alloua finalement 80 florins pour sa nourriture[5].

Il est difficile d'apprécier exactement le revenu des bénéfices d'un collecteur, dans l'ignorance où nous sommes généralement de leur nombre. De la simple paroisse rurale à l'archidiaconé, tous les types de bénéfices sont représentés dans la liste des collecteurs, et il est rare que l'un d'eux ne soit pas au moins chanoine.

---

1. *Coll.* 23, fol. 268 v° et 271 r°.
2. *Ibid.*, fol. 269 v° et 270 v°.
3. *Ibid.*, fol. 279 r°.
4. *Coll.* 194, fol. 284 r°.
5. *Coll.* 23, fol. 268 v°-269 v°.

Le cumul était normal et la plupart des collecteurs jouissaient de plusieurs canonicats et prébendes, outre un office ou une dignité plus honorifique qui, seul, apparaît dans les actes. Même parmi les sous-collecteurs, les prieurs ne sont pas rares ; pour le plus grand nombre, ils sont chanoines de leur chapitre diocésain.

Comme tous les officiers du Saint-Siège, nous l'avons dit, les collecteurs et sous-collecteurs étaient exempts de résidence et percevaient les « gros fruits » de leurs bénéfices, mais non les distributions quotidiennes. Ces revenus étaient, la plupart du temps, exemptés de l'annate, mais par concession individuelle et sous forme de remise[1]. Il n'y avait ainsi aucun préjudice en faveur d'autres collecteurs ou d'autres bénéfices. Les remises faites à des bénéficiers quelconques nous étant connues par la notification adressée par le camérier au collecteur intéressé, il est compréhensible que celles concernant les bénéfices du collecteur situés dans sa collectorie n'aient pas laissé de traces ; il ne faudrait pas croire, cependant, que tous les officiers de la curie étaient ainsi exemptés de leurs annates. Si le notaire de la Chambre, Jean de Derleke, bénéficia en 1382 d'une remise pour l'annate de son canonicat avec prébende de Tournai[2] et, en 1385, d'une autre pour celle de son vicariat perpétuel d'Istres[3], Diego Navarrez n'eut, droit en 1408, qu'à un sursis pour celles de ses canonicat, prébende et archiprêtré de Ségorbe[4].

L'exemption fiscale était au contraire totale au regard des princes laïcs. Diverses bulles précisèrent que le subside accordé à Charles VI sur le clergé français ne devait pas être levé sur le camérier, le trésorier, les référendaires, les chambellans, les clercs de la Chambre, les secrétaires et scripteurs du pape, les collecteurs et les sous-collecteurs[5]. Le camérier veillait personnellement à l'exécution de ces bulles[6], intervenant même contre les receveurs royaux au profit d'un simple sous-collecteur[7].

Nous touchons là au privilège général des collecteurs et sous-collecteurs qui, à tous points de vue, ne relevaient que du camérier. Etaient même considérés comme officiers du Siège apostolique

---

1. Ainsi les remises accordées à Jean de Champigny pour sa paroisse de Poussey (1er juin 1387 ; *Coll.* 364, fol. 101), à Pierre Merle pour sa paroisse de Farges-lès-Mâcon (12 novembre 1393 ; *Reg. Vat.* 308, fol. 11 r°) et à Julien de Dole pour sa paroisse de Bolleville (13 mars 1408 ; *Reg. Av.* 331, fol. 147 v°-148 r°), remises notifiées parce que Champigny n'était pas encore collecteur et que Farges et Bolleville étaient situées hors de la collectorie de leur titulaire.

2. *Coll.* 359, fol. 186 r° ; *Coll.* 360, fol. 23.

3. *Coll.* 359, fol. 218 r°.

4. *Reg. Av.* 331, fol. 154 r°.

5. Notamment les bulles des 17 avril 1392 et 17 avril 1393 ; *Reg. Av.* 270, fol. 49 v°-50 r°, et *Reg. Av.* 272, fol. 139. — Voir aussi : *Ordonnances...*, VII, p. 247.

6. Lettres des 11 décembre 1393 et 15 avril 1406 ; *Reg. Vat.* 308, fol. 29 v°-30 v°, et *Reg. Av.* 325, fol. 543.

7. Le sous-collecteur de Viviers (3 septembre 1406) ; *Reg. Av.* 325, fol. 557.

les receveurs et vice-gérants des collecteurs[1], autrement dit tout le personnel dont pouvaient s'entourer les agents de la Chambre. Jusqu'en octobre 1387, plusieurs collecteurs étaient également chapelains d'honneur du pape ; à cette date, Clément VII ordonna qu'ils fussent tous nommés, en même temps que collecteurs, chapelains d'honneur et qu'ils en eussent les insignes[2] : c'était une garantie de plus de leur exemption totale de juridiction ordinaire et inquisitoriale. Quant à la justice laïque, à peine avait-elle fait arrêter pour sodomie le sous-collecteur de Meaux, Guillaume Salerne, que le pape chargeait deux évêques de le revendiquer et de le juger par autorité apostolique. Le véritable motif de la revendication n'était pas celé : il ne s'agissait nullement du crime mais des sommes dont le sous-collecteur n'avait pas encore rendu compte à la Chambre ; c'est en effet jusqu'à concurrence de ces sommes que les commissaires devaient confisquer les biens du fautif[3].

Pour peu rémunératrices qu'elles fussent, les dispenses et concessions canoniques n'en contribuaient pas moins au prestige du collecteur. Une semaine après sa nomination à la collectorie de Burgos, Guillaume Boudreville reçut en effet sept bulles[4] lui concédant l'usage de l'autel portatif, la faculté de célébrer la messe avant le jour et en lieu interdit, le choix d'un confesseur avec pouvoirs étendus, la possibilité de faire promouvoir ses familiers aux ordres sacrés, le pouvoir d'accorder trente dispenses de naissance illégitime pour la promotion auxdits ordres, l'indulgence plénière à l'article de la mort, enfin.

A l'instar du camérier et du trésorier qui avaient un sceau de fonction, distinct de leur sceau épiscopal[5], les collecteurs disposaient, pour sceller les actes, lettres et quittances, d'un sceau à la fois personnel et officiel. Parmi les biens d'Arnaud André, collecteur de Narbonne, on trouva un sceau d'argent, rond, à ses armes, et un petit signet[6]. Les empreintes sigillaires de Bernard Carit sont connues et ont été étudiées par Max Prinet[7].

Le collecteur de Paris disposait, tout d'abord d'un petit sceau privé, rond, de 20 millimètres de diamètre. Dans un ovale, un écu au lion rampant, au chef chargé de cinq losanges accolés, est sommé d'un buste de la Vierge à l'enfant. La légende s'ordonne de part et d'autre de l'ovale : S. BERNARDI CARITI[8]. Devenu évêque, Carit usa d'un sceau épiscopal rond, meublé dans la moitié supé-

---

1. *Reg. Av.* 238, fol. 186 r⁰-187 r⁰.
2. Note du camérier, *Coll.* 359 A, fol. 31.
3. Bulle du 29 octobre 1382 ; *Coll.* 359 A, fol. 254.
4. *Reg. Av.* 238, fol. 120.
5. Voir l'introduction de notre thèse complémentaire.
6. *Coll.* 152, fol. 209 r⁰.
7. Max Prinet, *Sceaux de Bernard Carit*, dans *Gazette numismatique*, XIV, p. 319-325.
8. Bibl. nat. Pièces originales 598, dossier 13 982, pièce 2.

rieure d'une salutation angélique et, dans la moitié inférieure, d'un prélat à genoux, le tout entre deux écus au lion sur champ burelé, entouré de la légende : S. BERNARDI DEI GRA EPI EBROI-CESIS.

Pour son office, c'est d'un autre sceau qu'usait Bernard Carit. En forme de navette, il présentait, sous un baldaquin gothique orné d'un ange de chaque côté, une Vierge à l'enfant debout, tenant dans sa main droite un lis, et, au dessous, un prélat agenouillé entre deux écus. La légende était rigoureusement officielle : S. BERNARDI CARITI APOSTOLICE SEDIS IN SENONEN' ET ROTHOMAGEN' NVNCII. Le petit sceau personnel servait de contre-sceau. Ce sceau officiel étant antérieur à l'accession de Carit à l'épiscopat, nous pouvons supposer que la plupart des collecteurs usaient d'un sceau de fonction à peu près analogue. Nous connaissons d'ailleurs celui du successeur de Carit, Armand Jausserand : en forme de navette (45 × 30 mm), il portait une Vierge à l'enfant debout sous un dais et, en dessous, un écu chargé de trois étoiles surmontées en chef d'un griffon issant [1].

Notons, en passant, que les collecteurs méridionaux usaient plus volontiers, pour leurs quittances, de l'acte notarié [2]. Mais ils ne dédaignaient pas de recourir au simple billet scellé : ainsi voit-on le collecteur de Toulouse donner quittance par billet au trésorier de l'église de Toulouse, Pierre Moulin, de 16 livres de petits tournois payées en déduction de son annate. Lorsque Moulin eut encore payé 49 livres, le collecteur fit dresser un acte notarié donnant quittance de 65 livres versées en tout [3].

Le train de vie des collecteurs peut être apprécié grâce aux inventaires après décès qui nous font connaître l'agencement de leur résidence et le détail de leur mobilier, voire de leurs vêtements. Nous nous attacherons à deux cas particulièrement suggestifs.

Arnaud André, collecteur de Narbonne [4], habitait Avignon. Il jouissait en outre de résidences dans son prieuré de Lastours, à Montpellier comme prévôt d'Agde, et à Béziers comme archidiacre de Lunas. Sa maison d'Avignon était un petit hôtel dont le rez-de-chaussée était affecté au service — tinel ou salle commune, cuisine, chambre d'appoint — et l'étage supérieur à la résidence proprement dite, avec un cabinet de travail, une chambre et une chapelle. Dans le jardin se trouvaient le cellier, la remise et le petit logis des chapelains. Des latrines étaient aménagées dans la cour.

---

1. A. COULON, *Inventaire des sceaux de la Bourgogne*, n° 880, p. 147-148.
2. Nombreuses quittances du sous-collecteur de Rodez dans la série des *Instrumenta miscellanea*.
3. Arch. dép. Haute-Garonne, G 352, n° 5.
4. Nous ne faisons que résumer ici les conclusions de notre article sur *Le niveau de vie d'un collecteur...*, dans les *Annales du Midi*, 1963, p. 31-48.

Le mobilier, la literie, le linge reflètent une réelle aisance. La garde-robe d'Arnaud André était assez fournie : huit manteaux, quatorze tuniques, le tout pourvu de chaperons et assorti de nombreuses ceintures. Deux vêtements complets étaient d'écarlat rosat fourré de vair, un autre de rosat fourré de taffetas vert, un autre — pour aller à cheval — de camelot. Raffinement : le matelas sur lequel couchait le malade pendant les grandes chaleurs de l'été avignonnais était bourré de coton, les autres de laine.

Le luxe n'était point absent de cette maison : argenterie de table, croix, reliquaires, anneaux... Pour son travail, outre ses livres de comptes et ses archives (quittances, correspondance), le collecteur avait réuni une importante bibliothèque : soixante-dix-huit volumes. Licencié ès lois, praticien avant tout, voilà Arnaud André, et ses livres répondent à des besoins immédiats plus qu'à des préoccupations spéculatives. Les textes fondamentaux du droit civil et canonique sont complétés par des gloses judicieusement réparties : pour chaque texte (Décret, Décrétales, Sexte, Clémentines, etc.), il possède au moins un commentaire. Une remarque s'impose : civiliste, il possède plus de textes canoniques que de droit civil, sans doute par l'effet de ses préoccupations les plus courantes ; nous avons vu que, chez les collecteurs, ne se retrouvait pas la prédominance des légistes constatée parmi les clercs de la Chambre apostolique. A côté du droit, la théologie, la philosophie, l'écriture sainte, l'histoire sont représentées dans la bibliothèque du collecteur de Narbonne, et témoignent d'une assez large curiosité et d'une certaine qualité intellectuelle.

Les comptes d'exécution testamentaire de Jean de Champigny [1], collecteur de Reims, nous fournissent des indications sur les biens meubles trouvés dans sa résidence principale, à Troyes [2].

L'argent en espèces, 7 800 écus valant 8 507 livres tournois, donne quelque idée des sommes — appartenant sans doute en grande partie à la Chambre apostolique — dont le collecteur avait le maniement et la jouissance momentanée. Leur importance le contraignait même à recourir à des caches dont, par précaution, il l'indiquait l'emplacement dans une cédule elle-même enfermée dans le grand coffre de sa chambre : un creux du mur à côté du vestiaire de la cathédrale de Troyes, un petit coffre à quatre clefs dans la chapelle funéraire de Dreux de la Marche. Il avait également déposé des fonds chez deux chanoines de Troyes, qui figurent parmi ses exécuteurs testamentaires.

Vaisselle d'argent, parfois doré, joyaux, ornements liturgiques sont analogues à ceux d'Arnaud André. Le meilleur vêtement de Jean de Champigny était composé d'une houppelande et d'un

1. Bibl. nat., n. acq. fr. 20 024.
2. Il était originaire de Champigny (cant. Arcis-sur-Aube, Aube), et chanoine de Troyes.

manteau de vermeil fourrés de menu vair. Mais il possédait aussi, au contraire d'Arnaud André, une armure complète (bassinet, cotte, chapeau de fer, gantelets et jambières) et quelques pièces d'or et d'orfroi. Le linge trouvé chez lui est particulièrement important : on ne compte pas moins de trente-cinq paires de draps de lit ; il faut certainement y voir une réserve destinée à couvrir les besoins du palais apostolique d'Avignon, dont nous verrons que le collecteur de Reims était le principal pourvoyeur de toiles [1].

Les provisions, elles, étaient bien pour l'usage du collecteur et de ses gens. Le vin était spécialement abondant. Propriétaire de vignes à Croncels[2], Crésantignes[3] et Saint-Benoît[4], Jean de Champigny ne se contentait pas de boire son vin ; c'était un gastronome qui conservait, au moment de sa mort survenue le 25 février 1400, une queue de Chablis de 1396 et deux queues de vieux Beaune[5].

Pour ses voyages et ceux de ses gens, enfin, le collecteur de Reims disposait d'une écurie : un grand cheval gris, un grand cheval bai (affolé des jambes, précisèrent les exécuteurs testamentaires), deux juments, trois « jumentelles » et quatre poulains, outre une vieille mule boiteuse.

Le rapprochement de ces deux inventaires est précieux. Ni Arnaud André, ni Jean de Champigny ne sont des collecteurs d'une exceptionnelle envergure. Tous deux sont morts sans avoir accédé aux prélatures. Leur niveau de vie n'est certainement pas celui d'un haut personnage comme Sicard de Bourguerol ou Berenger Ribalta, d'un grand seigneur ecclésiastique, comme Seguin d'Authon ou Pierre Girard. Ce sont des collecteurs moyens d'une collectorie d'importance semblable à dix autres : Paris, Toulouse, Tolède... Si leur train de vie n'a rien de princier, il est cependant opulent[6].

La même constatation ne peut être faite à propos des sous-collecteurs. La prisée détaillée des biens de deux sous-collecteurs de Mende, Guillaume Golobert et son successeur, Raymond Manuel, nous montre un niveau social bien inférieur, une totale absence de luxe, un confort très rudimentaire[7]. Certes, la maison de Raymond Manuel est décrite comme un édifice ayant pignon sur rue, avec un étage, réduit à la partie centrale de la construction : au

---

1. Voir : R. DELORT, *Note sur les achats de draps et d'étoffes...* dans *Mélanges d'archéologie et d'histoire*, LXXIV, 1962, p. 215-288.

2. Aujourd'hui faubourg de Troyes.

3. Cant. Bouilly, Aube.

4. Probablement Saint-Benoit-sur-Seine, cant. Troyes, Aube.

5. L'indication du millésime comme élément d'appréciation nous semble prouver que, dès cette époque, le vieillissement du vin pouvait être un facteur de bonification.

6. L'argenterie de table d'Arnaud André était supérieure en nombre et en qualité à celle des grands marchands toulousains cités par Ph. WOLFF, *Commerces et marchands de Toulouse*, p. 601.

7. Voir : J. FAVIER, *Le niveau de vie...*, *loc. cit.*

rez-de-chaussée, le cabinet de travail et la chambre flanquaient une salle que prolongeait la cuisine donnant elle-même sur le jardin ; à l'étage, un corridor abritant les provisions. Cela, c'était l'aspect extérieur, fort honorable, le reflet d'une position sociale non sans importance dans la ville de Mende. Mais les courtines du lit étaient pourries, les couvertures médiocres, le linge rare. L'argenterie de table était inexistante, la vaisselle d'étain peu variée. La garde-robe comprenait en tout un manteau de drap vert et trois houppelandes dont la meilleure, de drap gris, était fourrée de lapin.

L'emploi du temps d'un sous-collecteur était certainement moins chargé que celui de son supérieur immédiat : entre les tournées à travers le diocèse, les heures étaient longues : Golobert s'adonnait alors à la viole et au luth, Manuel à la guitare [1]. Surtout, celui-ci braconnait : épieux pour chasser le sanglier, filets à perdrix, filets à colombes, lacets à lapins donnent quelque idée du passe-temps favori du sous-collecteur de Mende, dont le tableau de chasse doit être représenté par les huit têtes de cerf qui ornaient sa maison.

Juridiquement, le sous-collecteur était officier du pape, au même titre que le collecteur. En fait, il menait une vie plus proche de celle du modeste bénéficier de campagne que de celle du nonce apostolique. Un tel tableau doit cependant être nuancé : du sous-collecteur de Mende à ceux de Barcelone ou de Paris, la distance était grande. Raymond Manuel et Guillaume Golobert doivent probablement se situer au bas de l'échelle sociale. Entre les deux catégories d'agents locaux de la Chambre apostolique, la différence de nature était profonde, mais la différence dans les niveaux de vie n'en donne certainement qu'un reflet partiel.

B. — LA GESTION

1. *La compétence des collecteurs.*   Nous n'entrerons pas ici dans le détail des différentes tâches imposées au collecteur. MM. Saraman et Mollat en ont fait une excellente revue, cependant que l'étude particulière d'une collectorie [2] viendra renouveler s'il en est besoin notre connaissance du travail d'un collecteur. C'est donc uniquement à une étude comparative que nous voudrions consacrer les pages qui suivent, afin de dégager quelques points essentiels à la compréhension de la politique camérale, et de mieux préciser les moyens de cette politique.

Autonomie du collecteur, ou centralisation aux mains des gens

---

1. « *Arpa sive guitera* » ; elle était à demi brisée.
2. Une telle étude a été entreprise pour Tours par Pierre Gasnault.

de la Chambre ? Tel est le principal problème. Le camérier, on l'a vu, dirigeait et contrôlait toute l'activité des agents locaux. Pas un denier n'était dépensé, d'un bout à l'autre de l'obédience avignonnaise, qui ne le fût sur son ordre et dont il ne lui fût rendu compte. Que restait-il d'autonomie aux agents locaux, collecteurs et, dans une moindre mesure, sous-collecteurs ?

Deux moyens d'initiative s'offraient aux collecteurs. Avant la décision du camérier, ils intervenaient souvent comme enquêteurs ou requérants. A ce titre, ils ne se privaient pas de suggérer aux gens de la Chambre la décision qui leur paraissait s'imposer, suggestion fréquemment acceptée comme émanant de la personne la plus compétente parce que la mieux au courant du problème posé. Après la décision[1], les collecteurs étaient chargés de l'exécution.

Là s'ouvrait pour un agent de la Chambre toute la gamme des empressements ou des atermoiements. Il était maître d'user des peines canoniques contre les débiteurs récalcitrants, ou d'y renoncer. Il pouvait accorder à court terme tous les délais qu'il lui plaisait. puisque ce n'était qu'à la reddition des comptes qu'il devait justifier de sa recette. Vis-à-vis des bénéficiaires d'assignations, son bon plaisir était pratiquement sans recours : le camérier n'allait guère au delà de l'indication « payable sur l'argent reçu ou sur les prochaines recettes ». Même la mention « sans délai » se heurtait au bon vouloir du collecteur qui, démuni de numéraire ou prétendant l'être, ne pouvait être contraint à un paiement qu'il disait impossible. Pourvu que ses comptes fussent en règle au temps de leur apurement, le collecteur pouvait, entre deux séjours à la curie, faire à peu près ce qu'il voulait.

Contre de tels abus, la Chambre apostolique n'avait qu'une arme : envoyer sur place des nonces, avec pouvoir d'enquêter, vérifier et au besoin suppléer les collecteurs. Nous aurons l'occasion de revenir sur de telles missions.

A l'endroit des contribuables et débiteurs de tous ordres, le collecteur disposait des moyens de droit. Il pouvait porter des sentences d'excommunication, même contre les laïcs, frapper les clercs de censure et saisir éventuellement leurs bénéfices, ou du moins les revenus de ceux-ci[2]. L'usage de l'interdit, peine affectant la population locale autant que le clerc, était limité aux seuls cas où les autres sentences se révélaient inefficaces : il fallut le refus collectif opposé par l'évêque et le clergé du diocèse de Tarbes à la levée des impositions pontificales, pour décider Sicard de Bourguerol à frapper le diocèse d'interdit[3]; encore en référa-t-il immédiatement à son chef, le camérier, cependant que l'évêque faisait appel de son

---

1. Parfois conditionnelle, le collecteur étant laissé juge de l'opportunité : « *mandamus quatinus, si vobis constiterit...* » ; *Coll.* 372, fol. 55 v°.

2. *Coll.* 359, fol. 193 r°-194 r° ; *Coll.* 360, fol. 98 v°.

3. *Coll.* 360, fol. 33 r°.

côté; doublement saisi de l'affaire. Pierre de Cros enjoignit à Bourguerol d'enquêter sur la solvabilité du clergé de Tarbes et de lever pour six mois les sentences. Certes, le collecteur avait bien le droit d'user de l'interdit, mais la Chambre préférait qu'il s'en abstint; tel est le sens d'une lettre adressée, le 8 janvier 1382, à Vital de Bosméjo pour lui prescrire de lever les interdits indûment portés contre certaines églises et de n'user à l'avenir que de la censure et des autres moyens de droit [1]; que ces interdits fussent indûment portés n'empêche point qu'ils le fussent valablement, puisqu'il fallait les lever.

Destinés à faciliter l'exercice de l'office de collecteur, ces pouvoirs n'en étaient pas moins précieux au collecteur pour se défendre et défendre ses proches collaborateurs. Clément VII accorda, en effet, à Pons de Cros le droit d'user de la censure envers ceux qui feraient injure à lui-même et à sa *familia*[2].

Si le collecteur avait le sentiment que, portées par lui, les peines canoniques étaient insuffisantes — et ce pouvait être le cas lorsque le fautif était évêque et méprisait le caractère apostolique de l'autorité du collecteur — et que l'intérêt de la Chambre l'exigeait, il y avait deux recours : le bras séculier et le camérier. Ce dernier pouvait en effet « agraver » la sentence, c'est-à-dire la porter lui-même : la principale conséquence était qu'une telle sentence ne pouvait désormais être levée que par le camérier ou par le pape. Le collecteur était ainsi déchargé de la responsabilité de sa sentence : d'éventuelles menaces contre la personne des agents locaux perdaient donc toute efficacité[3].

La Chambre reconnaissait au collecteur le droit de recourir au bras séculier; elle lui en faisait parfois un devoir, ainsi lorsqu'il s'agissait de percevoir par tous les moyens les sommes dues au Saint-Siège[4]. Si le recours au bras séculier était exclu des moyens mis à la disposition d'un collecteur, les lettres patentes ou les bulles précisaient cette restriction[5]. Nous ne croyons d'ailleurs pas que cette possibilité de recours ait été longtemps exploitée. Le 3 octobre 1385, en effet, Charles VI rapporta les lettres patentes par lesquelles il avait enjoint à ses sergents de prêter main-forte aux collecteurs lors des saisies. Le bras séculier avait été trop efficace pour être toléré par le clergé français[6]. De même l'attitude des juridictions françaises exclut-elle, à coup sûr, qu'un collecteur ait pu obtenir leur appui dans un litige fiscal. C'est pour un conflit de juridiction et en raison de son archidiaconé de Brie qu'Armand Jausserand

1. *Coll.* 359, fol. 101 r⁰.
2. *Reg. Av.* 233, fol. 41 r⁰.
3. La lettre du 27 juillet 1386 à Raymond Manuel est à cet égard très explicite; *Coll.* 364, fol. 26 v⁰-27 r⁰.
4. *Coll.* 359, fol. 193 r⁰-194 r⁰ ; *Coll.* 360, fol. 166.
5. *Coll.* 360, fol. 151.
6 *Ordonnances...*, VII, p. 131-132.

plaidait en 1390, devant le parlement de Paris contre l'évêque de
Meaux [1]; ce n'était pas en tant que collecteur. C'est contre des
laïcs que Jean Maubert et Jean de Champigny étaient en procès
cette même année [2]; là encore, il ne s'agissait pas d'un recours contre
des bénéficiers. L'attitude du parlement était d'ailleurs propre à
décourager les collecteurs : lorsque Maubert et Jausserand saisirent
les biens de feu Michel de Dainville, chanoine de Noyon, le parlement de Paris, à la requête des exécuteurs testamentaires, leva
le séquestre [3]. Peut-être un dépouillement des archives judiciaires
aragonaises fournirait-il des exemples de recours effectif et efficace
au bras séculier.

L'extension de la fiscalité pontificale au temps du Schisme eut
pour conséquence directe un accroissement considérable des
pouvoirs du collecteur. A partir de 1380-1382, les camériers mirent
en œuvre une politique de concentration des compétences : leur
désir semble avoir été de réunir toutes les perceptions locales
entre les mains de l'homme qui dépendait de la Chambre, au détriment du clergé diocésain — trop facilement indépendant de la
curie — et des commissaires choisis dans ce clergé, dont la Chambre
n'avait aucun gage de fidélité.

La première extension notable des fonctions du collecteur, ce fut
la perception de la décime. On sait que, jusqu'au pontificat de
Grégoire XI, la décime était une imposition accordée par le pape
sur le clergé au bénéfice des princes ; les rois de France, d'Aragon
et de Castille avaient ainsi perçu d'importantes sommes qu'ils ne se
donnaient même plus la peine d'affecter théoriquement à la Croisade.
Clément VII, le premier, se réserva le produit de la décime de
manière régulière, non sans la partager avec les souverains suivant
des modalités que nous étudierons en leur lieu. Il n'était alors plus
question de laisser les clercs en assurer eux-mêmes la perception [4].
Impôt pontifical, la décime fut reçue par les collecteurs. Telle est
l'évolution dénoncée par MM. Samaran et Mollat [5]. Sans la nier,
nous voudrions y apporter quelques nuances.

En nombre de cas, l'imposition d'une décime fut assortie de la
nomination d'un ou plusieurs exécuteurs, normalement choisis hors
de la curie : pour l'Aragon, ce fut l'archevêque de Saragosse au temps
de Clément VII [6], l'évêque de Barcelone après 1405 [7]; pour la Castille, ce furent en 1384 les évêques de Zamora, Cuenca et Osma [8]; pour

1. Arch. nat., X[1] c 58, 19 janvier 1389 (anc. st.).
2. *Ibid.*, 28 avril 1390.
3. Conseil du 23 juillet 1389 ; X[1] a 1472, fol. 180 v°.
4. G. DUPONT-FERRIER, *Etudes sur les institutions financières*, II, p. 167.
5. *La fiscalité pontificale*, p. 85.
6. *Reg. Av.* 250, fol. 306 v°-309 r° ; 272, fol. 24 v°-26 v° ; 279, fol 230-232.
7. *Reg. Av.* 328, fol. 26.
8. *Reg. Av.* 242, fol. 38.

la France, les évêques de Paris, Meaux et Noyon en 1390 [1], ceux de Paris, Noyon et Limoges en 1405 [2], l'évêque de Saint-Flour et Guillaume de Gaudiac, doyen de Saint-Germain l'Auxerrois, en 1408 [3].

Quel était le rôle de ces exécuteurs ? Lorsque la décime était accordée au roi, les collecteurs apostoliques n'entraient pas dans le système de perception [4] ; les exécuteurs supervisaient la perception, directement contrôlée par les *élus-clercs*, « bonnes personnes et suffisants clercs adjoints avec les élus ordonnés sur le fait des aides... pour avancer le paiement d'iceux aides et y contraindre les gens d'église » [5]. La perception était assurée par des receveurs royaux.

Lorsque la décime était au contraire réservée au pape, les collecteurs en assuraient la levée. La décime imposée lors de leur séjour à Paris, au début de 1405, par Pedro de Luna et Pedro Adimari [6] est bien celle dont comptèrent Pierre Brengas, collecteur de Rodez, sous le nom de « décime imposée à Paris en 1405 » [7], et le collecteur de Reims Julien de Dole [8]. Or, le 10 avril 1405, Benoît XIII avait nommé trois exécuteurs : Pierre d'Orgemont, Philippe de Moulins et Hugues de Maignac, évêques de Paris, Noyon et Limoges [9]. Ceux-ci avaient-ils donc pour mission de centraliser les recettes des collecteurs ? Nullement : Brengas assigna directement à la Chambre 98 % de sa recette [10] ; quant à Julien de Dole, il versa 200 francs à l'un des exécuteurs, l'évêque de Noyon [11], soit 2 % de la décime levée [12]. Les exécuteurs n'intervenaient guère davantage dans l'assiette de l'impôt : les décimes se ressemblaient et la taxation appartenait indiscutablement à la Chambre apostolique. Ils ne pouvaient non plus constituer un tribunal d'arbitrage, le camérier étant seul compétent en cas de litige ; aucun document n'atteste d'ailleurs le recours aux exécuteurs, ni la moindre intervention de leur part dans l'activité des collecteurs. La nomination d'exécuteurs était donc une sorte de couverture diplomatique : en faisant théoriquement entrer des évêques dans le système de perception, la Chambre apostolique évitait de rompre avec le principe de la perception par le clergé ; ces évêques, n'ayant aucun intérêt dans la décime réservée et n'ayant cure d'assumer un travail sans profit, se conten-

---

1. *Reg. Av.* 277, fol. 196 v⁰-198 v⁰.
2. *Reg. Av.* 308, fol. 77 v⁰-79 r⁰.
3. *Reg. Av.* 332, fol. 46 r⁰-47 r⁰.
4. Ainsi la demi-décime de 1390 ne laisse-t-elle aucune trace dans les comptes de Jean de Champigny (*Coll.* 192 et 194), ni celle de 1384 dans ceux du collecteur de Castille Guillaume Boudreville (*Coll.* 122).
5. Institués par lettres patentes du 18 août 1383 ; Arch. nat. K 53 A, n⁰ 26 ; voir : A. COVILLE, *Les Cabochiens*, p. 49, et M. REY, *Le domaine du roi...*, p. 344.
6. *Reg. Av.* 308, fol. 77 v⁰-79 r⁰.
7. *Coll.* 91.
8. *Coll.* 195.
9. *Reg. Av.* 308, fol. 77 v⁰-79 r⁰.
10. 9745 livres tournois, sur 9915 ; *Coll.* 91, fol. 451 r⁰.
11. *Coll.* 195, fol. 221.
12. 10 334 francs ; *Coll.* 195, fol. 305 r⁰.

taient d'un vague droit de regard, dont nous ignorons comment il se manifesta, et même s'il s'exerça.

C'est au contraire d'efficacité qu'il s'agissait lorsque le pape désignait pour exécuteurs des nonces du Siège apostolique. Bernard du Faou et Pierre Dorenge, bien que pris dans le clergé breton [1], avaient pour mission réelle de lever la décime imposée en Bretagne en 1390. Le collecteur de Tours ne pouvait, en effet, lever rapidement une imposition dans sa collectorie dont les dimensions l'empêchaient de multiplier les tournées. Force était donc de lui donner des aides, et c'est pour l'ensemble des autres revenus de la Chambre en Bretagne que fut envoyé d'Avignon un receveur, le breton Guillaume de Kaer, auditeur du Sacré Palais [2].

Une décime réservée était souvent dépensée par anticipation grâce à des emprunts dont elle garantissait le remboursement. Les nonces chargés de contracter de tels emprunts recevaient en général la charge d'en assurer le remboursement et donc de diriger la perception et l'assignation de la décime. Ce fut la mission de Bertrand de *Tyherno*, référendaire du pape, et Pierre de Sorges, en France, en janvier 1392 [3] ; ce fut celle de Jean Lavergne, alors clerc de la Chambre, en Languedoc, l'année suivante [4]. Le désir de la Chambre apostolique était d'aller vite et de créer, temporairement, un système autonome de perception.

L'emprise du collecteur sur la levée des décimes était cependant bien établie dès les premières années du camérariat de Conzié. C'est à Guillaume Boudreville qu'il incomba de récupérer en Aragon le tiers réservé au pape des décimes successives dont l'archevêque de Saragosse dirigeait la levée [5]. La même mission fut confiée, en 1405, à Vincente Sagarra, auprès de l'évêque de Barcelone [6].

On note même un glissement de l'exécuteur de décime vers le statut de collecteur. Ce qui échappait au collecteur revenait donc finalement à la fonction. Le 21 mars 1388, Clément VII chargea Jean Lavergne, collecteur de Lyon, de percevoir au profit du Saint-Siège la décime dans le comté de Savoie [7]. Mais la Chambre devait payer au comte les dettes de l'évêque de Sion, et la recette de la décime fut assignée pour ce remboursement. Dès le 2 juin, un receveur était affecté à la levée et à l'assignation de la décime : Etienne Galopin, prévôt de Lausanne [8]. Deux ans plus tard, la dette n'étant pas éteinte, une nouvelle décime fut imposée ; les exécuteurs

---

1. L'un était trésorier de Vannes, l'autre chanoine de Nantes ; *Reg. Vat.* 301, fol. 145 v°-146 v°.
2. Bulle du 16 août 1390 ; *Reg. Av.* 277, fol. 191 r°-192 r°.
3. *Reg. Av.* 270, fol. 32 v°-33 r°.
4. *Reg. Av.* 272, fol. 83 v°-85 r°.
5. *Reg. Av.* 275, fol. 1 v°-3 r°.
6. *Reg. Av.* 328, fol. 26.
7. *Reg. Av.* 275, fol. 23 v°-25 r°.
8. *Reg. Av.* 275, fol. 57-60.

en étaient l'official de Chambéry et Etienne Pellenc [1]. En 1403, c'est un « collecteur général de la décime » que nous trouvons en Savoie : Jean de Verbouz, parent de Conzié et chambellan du pape [2]. Le 28 janvier 1404, il portait encore le titre de « receveur de la décime » et était nettement subordonné au collecteur de Lyon, Jean Joly [3]. Le 28 novembre, la transformation était achevée : il se faisait appeler « collecteur de Savoie » [4]. Le 25 mars 1405, la nomination de son successeur Jacques de Monthous donnait officiellement à celui-ci le titre de collecteur de Savoie et une entière indépendance vis-à-vis de son collègue lyonnais [5].

L'extension de la compétence du collecteur à la saisie des dépouilles était déjà un fait acquis au moment où s'ouvrait le Grand Schisme [6] La mort de bien des prélats donna encore lieu à la rédaction de bulles de réserve, mais c'était afin de lever tout doute sur cette réserve, et l'ordre donné au collecteur de saisir les dépouilles n'en était que la conclusion. Dès son entrée en fonction, cependant, le collecteur recevait les pouvoirs nécessaires [7] et les diverses réserves générales dont nous aurons à reparler lui permettaient souvent d'agir sans avoir reçu la bulle de réserve particulière.

L'inventaire, l'administration, la vente ou la conservation des dépouilles, de même que la gestion des bénéfices vacants et la levée de leurs revenus, qui entraient également dans les récentes conquêtes des collecteurs [8], demandaient un temps dont ceux-ci ne disposaient que rarement. C'est la raison pour laquelle des commissaires furent souvent nommés pour assister et suppléer le collecteur et le sous-collecteur. A la mort de Bertrand Raffin [9], le camérier donna ainsi commission à Raymond de Montjoie, capitaine et maréchal du pape, à Jean de Ségur, docteur ès lois, vicaire de l'évêché de Rodez, au collecteur Raymond de Senans et à ses sous-collecteurs de Rodez et Vabres, de se rendre dans les châteaux et propriétés du défunt pour en saisir les meubles et les revenus [10]. Même au temps de Benoît XIII, il arrivait encore que le collecteur ne figurât pas parmi les commissaires : pour saisir les dépouilles de l'évêque de Fréjus, Louis de Bolhiac, le pape envoya trois de ses familiers, Antoine Vincent, Pedro Conill et François Crani [11]. Si les dépouilles et vacants entrèrent bien dans la compétence des collecteurs, il faut donc préciser qu'ils n'étaient pas seuls à en assurer la levée.

1. *Reg. Av.* 277, fol. 224 v°-230 v°.
2. *Reg Av.* 306, fol. 83 v°-84 r°.
3. *Reg. Av.* 320, fol. 92 v°-93 r°.
4. *Instr. misc.* 3779.
5. *Reg. Av.* 317, fol. 19 r°-20 r°, et 59 v°-60 v°.
6. *Coll.* 359 A, fol. 68 v°-69 v°, 74 v°-75 r°, 90 v°-92 v°, *etc.* ; SAMARAN et MOLLAT, *La fiscalité...*, p. 99.
7. *Reg. Av.* 242, fol 57.
8. *Reg. Av.* 242, fol. 93 v°-94 r°, par exemple.
9. Evêque de Rodez, ancien clerc de la Chambre, il mourut à la curie.
10. 13 mai 1385 ; *Coll.* 361, fol..6 r°-7 r°.
11. 13 avril 1405 ; *Reg. Av.* 319, fol. 61 v°-62 v°.

Les pouvoirs propres du camérier étaient parfois délégués à un collecteur. Simple agent d'exécution, celui-ci ne pouvait lui-même accorder de délai supérieur à deux ans[1], ni, à plus forte raison, concéder de remises ou composer avec les débiteurs de la Chambre[2]. Il lui fallait donc toujours des pouvoirs spéciaux pour diminuer les exigences de la Chambre, pouvoirs qui ne lui étaient concédés que dans la mesure où la décision ne pouvait être prise qu'après enquête sur place[3], et dans les cas d'insolvabilité notoire[4].

De telles compositions étaient le plus souvent ratifiées par le camérier, à la demande des intéressés, le collecteur étant réputé incapable de porter préjudice à la Chambre : ainsi Conzié dut-il approuver la réduction par Pons de Cros des dettes du chapitre du Puy en raison des diverses propriétés unies à la mense capitulaire[5].

2. *Le maniement des fonds.* Ce rôle d'information et d'appréciation ne doit pas faire oublier que le collecteur était avant tout un agent comptable et un receveur. La levée des revenus de la Chambre apostolique était en majeure partie l'œuvre des sous-collecteurs[6] qui transmettaient de temps à autre le montant de leur recette au collecteur, et lui rendaient compte de leur propre gestion. Par nature, les sous-collecteurs étaient donc itinérants. Le collecteur, installé dans sa résidence principale, qu'il ne quittait que pour résoudre les cas délicats et procéder à des inspections, assurait la correspondance avec la Chambre, le paiement des assignations et la garde de la caisse. On a vu l'importance de l'encaisse — numéraire et, probablement, toiles — de Jean de Champigny. Si le collecteur ne voulait pas se tromper, et toute erreur à son détriment risquait de le ruiner, il lui fallait tenir une exacte comptabilité courante.

Car la confusion était totale entre ce qui lui appartenait et ce qui revenait à la Chambre. Jusqu'au jour de l'apurement des

---

1. *Coll.* 359 A, fol. 246 r°-247 v°.

2. Après le compte de dépouilles présenté par Jean de Rivesaltes, le clerc examinateur a noté : « *Attende, quia non docuit de potestate componendi, licet dicat se habuisse* » (*Coll.* 160, fol. 123 v°) ; on trouve dans le même compte ce genre de note : « *Doce de compositione et consensu domini tunc abbatis* » (fol. 123 r°) ; il s'agit de Pedro Adimari, abbé de la Peña avant d'accéder à l'épiscopat.

3. Le 18 janvier 1384, le camérier autorisa Bourguerol à remettre tout ou partie de ses dettes à l'abbé de Saint Pé-de-Génerès (dioc. de Tarbes) après s'être informé du bien-fondé de la supplique adressée à la Chambre ; *Coll.* 360, fol. 72 v°.

4. Le 9 janvier 1390, Clément VII autorise Garnier Guérout, archidiacre de Josas, et Armand Jausserand à composer et remettre les dettes de quelques trois cents prieurés et paroisses qu'ils auront préalablement pourvus d'un prieur ou d'un recteur dont ils manquent depuis dix, vingt ou même trente ans en raison de la ruine des édifices et de l'indigence des revenus de ces bénéfices ; *Reg. Av.* 277, fol. 132 v°-133 v°, et 149 r°-150 v°.

5. Lettre du 19 février 1387 ; *Coll.* 364, fol. 79 r°.

6. Nous avons montré que 96 % des sommes levées dans la collectorie de Provence l'étaient par les sous-collecteurs (ci-dessus, p. 109).

comptes, celle-ci ignorait le montant de la recette effectuée par le collecteur pour le compte du Siège apostolique. Tous les biens du collecteur — et ceci est également vrai du sous-collecteur — étaient donc présumés appartenir à la Chambre. Les notions de caisse « fonctionnelle » et de bourse personnelle n'existaient pas. Toute somme reçue pour la Chambre allait dans la cassette du collecteur, toute assignation était payée sur cette cassette ; seule, la quittance périodique faisait le départ, et l'on comprend ainsi que le solde en pût être créditeur.

A Jean Maubert, Clément VII écrivait, le 28 septembre 1382, que, s'il ne suspendait les paiements d'assignations pour adresser à la Trésorerie la somme attendue de lui, il devrait la payer sur ses propres deniers [1]. Guy de la Roche, collecteur de Tours ayant acheté une maison à Paris, rue des Blancs-Manteaux, le pape lui ordonna de la donner à Jean de Chamberlhac, chambellan du roi, et lui promit de lui faire allouer en ses comptes le prix de la maison et la valeur des réparations qu'il y avait fait faire [2]. Le collecteur n'avait donc de biens propres qu'autant qu'il avait fait la preuve de n'avoir plus aucune dette envers la Chambre. C'est dire qu'il ne pouvait y prétendre qu'en fin d'exercice. Inversement, c'est sur les revenus de la collectorie de Toulouse que fut payé le solde d'un leg fait par Pierre de Tarascon à l'un de ses serviteurs [3].

La saisie des dépouilles des collecteurs et sous-collecteurs trouve là son unique justification. Tout ce qui appartenait au collecteur était censé appartenir à la Chambre ; en conséquence, les dépouilles n'étaient conservées qu'à concurrence des sommes encore dues, selon l'apurement définitif des comptes du défunt [4].

Le compte rendu par le collecteur à la Chambre apostolique était donc le seul moyen qu'avait celle-ci de connaître le volume exact des recettes. Il mettait le collecteur à l'abri des revendications abusives. Mais il était aussi l'aveu des sommes reçues, sommes dont le collecteur conservait la jouissance jusqu'à ce moment. Si la confusion de son argent personnel et de celui du pape était cause de difficultés, surtout posthumes, elle était aussi, en effet, le moyen de disposer temporairement de sommes parfois élevées, sommes dont le collecteur s'entendait à profiter.

Théoriquement, les comptes devaient être rendus périodiquement, en personne et à la curie. Quels que pussent être les inconvénients d'une absence prolongée de leur collectorie [5], les collecteurs ne

---

1. *Coll.* 359 A, fol. 243 vo-245 ro.
2. 26 février 1389 ; *Instr. misc.* 3379.
3. *Coll.* 372, fol. 55.
4. Règle formellement exprimée à propos des dépouilles des sous-collecteurs de Silves (*Coll.* 359, fol. 39 vo), d'Auch (*Coll.* 360, fol. 21 vo-22 ro) et de Clermont (*Reg. Av.* 326, fol. 35-36).
5. En son absence, Foulques Périer dut instituer un régent (*Reg. Av.* 238, fol. 167 vo-168 vo). En 1406, Pierre du Pont demeura sept mois et demi à la curie (*Reg. Av.* 325, fol. 570). Le sous-collecteur de Luçon lui-même dut rester trois mois à Avignon (*Coll.* 372, fol. 67 vo-68 ro).

pouvaient en aucun cas se faire représenter pour l'apurement des comptes. La périodicité leur était indiquée dans leur bulle de nomination : normalement de deux ans [1], elle pouvait être supérieure pour les collectories éloignées, atteignant cinq ans pour le collecteur de Rhodes[2].

Ces délais étaient bien rarement observés. La négligence des sous-collecteurs pour rendre leurs comptes aux collecteurs causait déjà quelques retards. En 1405, Jean Joly alléguait qu'il ne pouvait établir son compte, faute d'avoir reçu ceux de ses sous-collecteurs[3]. Certains se retranchant derrière la récente création de la collectorie de Savoie pour ne pas les rendre au collecteur de Lyon, le camérier dut leur signifier que les comptes des recettes effectuées avant l'indépendance totale du collecteur de Savoie devaient évidemment être rendus au collecteur de Lyon[4].

Il était encore plus difficile d'obtenir le compte d'un sous-collecteur sorti de charge. Contre celui de Sion, il fallut, en février 1396, mobiliser une troupe armée[5]. Quant à celui d'Uzès, il rendit ses comptes mais ne put s'acquitter des sommes dues — et donc reçues par lui pour la Chambre apostolique — qu'en plus de trois ans[6].

La principale cause de retard, c'était surtout le sentiment qu'avaient les collecteurs que le voyage d'Avignon, source de tracas, n'était nullement nécessaire à la bonne administration de leur collectorie. Le cas d'Aimery Pellicier nous en fournit une admirable preuve. Révoqué de sa collectorie de Toulouse le 2 septembre 1382, Pellicier n'avait pas rendu de comptes depuis sa nomination en 1373, soit quatre fois et demie le délai séparant normalement deux comptes-rendus. Le 13 mai 1384, désespérant d'obtenir de l'ancien collecteur une preuve de bonne volonté, François de Conzié fit publier par le clergé toulousain une citation lancée contre ledit Pellicier : il devait comparaître à la Chambre apostolique le 1er juillet 1384 ou le premier jour d'audience suivant cette date, pour y rendre les comptes de sa gestion[7]. On serait tenté de qualifier Pellicier de mauvais serviteur, voire de malhonnête homme. Mais le 19 décembre 1386, il recevait quittance entière de ses recettes et assignations[8] et nous constatons alors que, sur 68 020 florins reçus en neuf ans, il en avait assignés à la Chambre et sur son ordre 66 661 avant sa révocation et versé les 1359 restant depuis cette date. Au total, il ne devait plus rien. Bien plus, ce vieux serviteur

1. Ainsi, par exemple, pour Bourges, Tolède et Cologne.
2. *Reg. Av.* 270, fol. 63 v°-64 r°.
3. Lettre du camérier du 20 novembre 1405 ; *Reg. Av.* 325, fol. 515 v°-516 r°.
4. *Ibidem.*
5. *Coll.* 361, fol. 27 v°-28 r°.
6. Lettre du camérier du 10 mars 1394 ; *Reg. Vat.* 308, fol. 135 r°.
7. *Coll.* 360, fol. 100 v°-101 r°.
8. *Coll.* 364, fol. 56 r°- 58 r°.

n'avait rien reçu, en dix-huit ans passés au service de la Chambre, pour sa rémunération. Même ses dépenses ne lui avaient pas été remboursées. Le camérier, avant même que fût établie la quittance, ordonna au collecteur de Toulouse de payer 1 000 francs à son prédécesseur pour ses gages et dépenses [1]. Pour n'avoir pas rendu ses comptes, Aimery Pellicier pourrait être mis au rang des mauvais serviteurs : ce serait une erreur.

Que faut-il alors penser de tous ceux qui négligèrent de justifier leur activité, de ceux qui moururent sans avoir présenté les comptes de gestion parfois longues ?

La mauvaise volonté peut être évidente. La mauvaise foi l'est moins. Arnaud de Peyrat, collecteur d'Auch, ayant obstinément refusé de rendre ses comptes et de répondre à une citation publiée dès juillet 1380 [2], malgré l'excommunication et la privation de ses bénéfices dont il se voyait menacé, fut révoqué le 12 mai 1381 par Clément VII qui commit à Guillaume de Barge le soin de le suppléer en même temps que d'exiger ses livres et ceux de ses sous-collecteur, et de se faire verser les sommes détenues par eux [3]. Or, avant décembre, Peyrat reprenait ses fonctions [4]. La Chambre apostolique n'avait rien trouvé à lui reprocher et ses comptes, enfin remis, ne faisaient apparaître qu'un solde débiteur de 5 293 florins, soit 23 % des sommes reçues [5].

Le cas de Guy de la Roche est tout aussi significatif. De sa gestion de la collectorie de Tours, il n'avait rendu aucun compte depuis 1372 ; aucune justification n'avait été fournie au sujet du subside levé par lui en 1373 dans la province de Rouen et de la décime levée en Bretagne au temps de Grégoire XI. Le 1er mars 1393, après de nombreuses citations lancées en vain, Clément VII ordonna la saisie des revenus de l'évêché de Lavaur, dont avait été pourvu l'ancien collecteur de Tours, non sans lui laisser une provision annuelle de 1 000 francs [6]. Cette mesure décida enfin Guy de la Roche à rendre ses comptes. La quittance du 8 juillet 1393 constatait que, pour 185 638 livres tournois reçues, l'ancien collecteur avait assigné 173 126 francs, dépensé au service de la Chambre 28 000 francs, et versé lui-même à titre de subsides un total de 6 786 francs : il avait donc versé bien plus qu'il n'avait reçu [7].

On ne saurait, dès lors, taxer de malversation tout collecteur

---

1. Lettre du 21 novembre 1386 ; *Coll.* 364, fol. 58 r°-59 r°. La somme fut cependant portée dans le livre de la Trésorerie à la date du 8 mai 1387 ; *Intr. ex.* 363, fol. 28 r°.
2. *Instr. misc.* 3079 ; *Coll.* 359, fol. 46.
3. *Coll.* 359 A, fol. 71 v°-73 r°.
4. *Coll.* 359, fol. 99.
5. Quittance du 28 janvier 1382 ; *Coll.* 359, fol. 107 r°-109 v°.
6. *Reg. Av.* 272, fol. 102 v°-103 r°.
7. *Reg. Av.* 272, fol. 127 r°-129 r°. Le dernier versement, de 2 000 francs, ne datait cependant que du 25 juin 1393 ; *Intr. ex.* 370, fol. 32 r°.

qui ne rendait pas ses comptes. Nombreux sont ceux qui, de toute
leur administration, n'en ont rendu aucun : les prédécesseurs de
Jean François dans les trois collectories unies en 1382, Bourges,
Poitiers et Saintes, c'est-à-dire Jean Breton, Pierre Domaud et
Arnaud Gavin [1] ; Guillaume Boudreville, pour les six ans où il a
géré la collectorie d'Aragon [2] ; Guillaume *Amarinti* pour sa collectorie de Rodez [3]. En décembre 1405, Conzié dut lancer des citations contre certains collecteurs dont la Chambre n'avait reçu
aucun compte : Guy d'Albi, collecteur de Paris depuis quatorze ans,
Jean Joly, collecteur de Lyon depuis également quatorze ans,
Pierre Jovit, collecteur de Bourges depuis neuf ans, et Julien de
Dole, collecteur de Reims depuis seulement deux ans [4]. Six mois
plus tard, il fallut procéder de même envers Bertrand de *Luserio*,
collecteur de Bordeaux depuis trois ans [5].

On ne s'étonna donc pas que l'étude de la fiscalité pontificale,
tentée dans les prochains chapitres, présente de notables lacunes.
Des collecteurs que nous venons de citer, en effet, un seul obtem-
péra : Julien de Dole, qui rendit ses comptes dans le courant de ...
1407 [6]. En 1393, un compte avait été présenté par les héritiers de
Guillaume Boudreville [7].

Il était donc nécessaire que la Chambre apostolique fît procéder
à des vérifications sur place. Bien des nonces reçurent, entre autres
missions, sinon pour principale mission, celle d'exiger et examiner
les comptes des sous-collecteurs et collecteurs, et de récupérer
les sommes encore détenues par ceux-ci. En lançant les citations
de décembre 1405 contre quatre importants collecteurs français,
Conzié ne se faisait certainement aucune illusion : dès le 13 novembre, les deux nonces Pedro Adimari et Pedro Zagarriga avaient
reçu pouvoir d'exiger les comptes [8]. Le camérier jouait là sa plus
forte carte : l'année précédente, en effet, il avait en vain confié
semblable commission à deux simples commissaires pour les provinces de Reims et de Sens [9]. Quant aux collecteurs des provinces
de Langue d'Oc, ils n'étaient guère plus zélés : en mai 1383, il
fallut envoyer Bertrand Raffin pour se faire présenter leurs comptes
et récupérer leur recette [10] ; après juillet 1404, Sicard de Bourguerol
et Jacques Gilles parcoururent aux mêmes fins les provinces de
Toulouse, Auch et Narbonne, et les diocèses de Rodez, Vabres,

---

1. *Coll.* 359 A,fol. 255 v⁰-256 r⁰.
2. *Reg. Av.* 274, fol. 5 v⁰-6 r⁰ ; il avait rendu ses comptes pour la Castille.
3. *Coll.* 374, fol. 83 v⁰-84 r⁰ : il avait été en fonctions de 1364 à 1381 !
4. *Reg. Av.* 325, fol. 517 v⁰-520 r⁰.
5. *Ibid.*, fol. 547 r⁰-548 r⁰.
6. *Coll.* 195 ; ils vont jusqu'au 1ᵉʳ mars 1407.
7. *Coll.* 122.
8. *Reg. Av.* 325, fol. 63.
9. Bulle du 18 juillet 1404 ; *Reg. Av.* 308, fol. 11 v⁰-12 v⁰.
10. *Reg. Av.* 233, fol. 89 r⁰-90 r⁰, et *Instr. misc.* 3142.

Périgueux, Cahors, Albi, Castres, Sarlat, Agen et Condom [1]. En Castille, Navarre et Portugal, une mission de Guillaume de Vermont ne fut, semble-t-il, couronnée que d'un médiocre succès [2]. Des lointaines collectories, enfin, les comptes ne parvenaient jamais à Avignon, et nous doutons fort de l'efficacité des inspections prescrites par le camérier et confiées à des prélats sans compétence en matière de comptabilité : Aymon Séchal, patriarche de Jérusalem et ancien juge des causes d'appel de la Chambre apostolique, en Orient latin [3], ou Walter Trail, évêque de Saint-Andrews, en Ecosse [4].

Une fois le compte rendu ou examiné sur place, le versement à la Chambre du solde débiteur n'était pas sans poser de nouveaux problèmes. Mainte fois, il fallut recourir à la contrainte pour amener le collecteur ou le sous-collecteur à s'acquitter : les prédécesseurs de Jean François gardaient par devers eux le reste de leur recette [5], et il fallut saisir et vendre au profit de la Chambre la maison, les meubles et les terres de Jean Breton [6] ; l'ancien sous-collecteur de Poitiers conservait également de l'argent appartenant à la Chambre [7]. Pour récupérer l'argent détenu après sa sortie de charge par Guillaume *Amarinti*, au moins 1 000 francs, il fallut envoyer un sergent d'armes [8]. Le sous-collecteur de Thérouanne, Jean Chapeau, dut excommunier son prédécesseur Mathieu de Fontaines qui avait bien composé pour ses dettes mais négligeait d'exécuter les obligations issues de cette composition [9]. Les exemples pourraient ainsi être multipliés : nombreux étaient les officiers qui, en fin d'exercice, notamment, tentaient de conserver une partie de leurs recettes.

Aucun collecteur ne rendit fidèlement les comptes biennaux auxquels il était tenu. Le scrupuleux Jean de Champigny lui-même, tendit à espacer ses comptes rendus : d'abord deux ans [10], puis trois [11]. Raymond de Senans, qui fournit finalement les comptes de la totalité de sa gestion pendant dix-sept ans, ne le fit qu'en trois fois : le premier compte va de son entrée en fonctions le 10 juillet 1381 au 9 juillet 1386, le second du 10 juillet 1386 au 1er janvier 1397, et le troisième de cette date à la soustraction d'obédience [12].

Pouvons nous en tirer l'assurance de son absolue loyauté ?

1. *Reg. Av.* 316, fol. 32 v°-33 r°.
2. Bulle du 2 décembre 1384 ; *Reg. Av.* 242, fol. 14-15.
3. Bulle du 11 juillet 1387 ; *Reg. Av.* 250, fol. 299-300.
4. Bulle du 1er mars 1386 ; *Coll.* 359, fol. 221 r°-222 r°.
5. *Coll.* 359 A, fol. 255 v°-256 r°.
6. *Reg. Av.* 233, fol. 36 r°-37 v°.
7. Bulle du 14 mars 1383 ; *Reg. Av.* 233, fol. 83 v°.
8. Lettre du camérier du 20 décembre 1381 ; *Coll.* 374, fol. 83 v°-84 r°.
9. *Coll.* 364, fol. 24 r°.
10. *Coll.* 192.
11. *Coll.* 194.
12. *Coll.* 84, 86 et 90.

La Chambre apostolique en pouvait-elle être assurée ? Au terme
de ce chapitre où nous avons vu les pouvoirs, sans cesse accrus,
du collecteur étroitement contrôlés par une administration centrale
qui se réservait toutes les initiatives et toute la connaissance des
affaires, il importe de ne pas se laisser abuser par le caractère
formellement rigoureux des comptes et des justifications présentées. Maître de sa politique financière, le camérier devait se résoudre à faire confiance aux agents locaux. Ceux-ci pouvaient le tromper. Ils le trompaient assurément : la gratuité de certaines charges,
celles des sous-collecteurs par exemple, nous assure que ces charges
comportaient des profits clandestins.

De cela, les gens de la Chambre apostolique n'ignoraient rien.
N'avaient-ils pas, pour un grand nombre, exercé l'office de collecteur ? Ordonnant à divers nonces d'enquêter sur la gestion des agents
de la Chambre, une bulle du 18 juillet 1404, rappelait quelques-
unes des fraudes possibles : inscrire parmi les « restes » à lever
des sommes déjà perçues [1], affermer à bas prix les bénéfices vacants
à des complices, accorder de frauduleuses compositions, se faire
payer la concession de délais [2]. C'est là toute la gamme des concus-
sions, que la Chambre ne pouvait démasquer sans de nombreux
sondages et de minutieuses enquêtes menées dans la collectorie
même, et par quelqu'un ayant l'expérience d'une telle gestion et
connaissant le pays.

Il est un dernier point sur lequel les vérifications étaient pratiquement impossibles : la valeur des monnaies et le taux des changes.
Le sous-collecteur de Châlons ayant changé, au début d'octobre
1391, 70 livres de menue monnaie en florins pour les porter au
collecteur, il lui en couta 30 sous tournois [3]. La Chambre ne pouvait, trois ans plus tard, lorsqu'elle examina le compte du collecteur, s'assurer du bien-fondé de cette dépense. Comment prouver
que Pierre de Cayeu, changeur à Amiens, prenait bien, le 25 juin
1392, un denier par écu vendu contre des blancs et deux par
écu vendu contre des espèces d'or étrangères, et que, le 7 décembre,
il prenait encore un denier pour les blancs mais en prenait trois
pour les espèces étrangères [4] ? La ville d'Amiens comptait-elle
des courtiers capables de certifier des cours de monnaies antérieurs
de plusieurs années ? C'est peu probable. Lorsque Pons de Cros
déclara, après 1398, avoir « emprunté » 340 francs à divers marchands du Puy le 20 novembre 1382, payé 5 francs pour faire
verser cette somme à Avignon, et acheté en outre, le même

---

1. Cela laissait au collecteur la disposition de ces sommes jusqu'au jour où il les
portait comme reçues ; il pouvait même les porter en définitive parmi les dettes d'insolvables.
2. *Reg. Av.* 316, fol. 32 v°-33 r° ; *Reg. Av.* 331, fol. 21 r°.
3. *Coll.* 194, fol. 296 v°.
4. *Ibid.*, fol. 302.

jour, 60 francs à 4 deniers d'avantage [1], la Chambre ne pouvait faire la vérification de frais et de cours vieux de seize ans.

On se heurtait enfin à des usages monétaires et comptables, dont le collecteur pouvait aisément se prévaloir pour duper contribuables et clercs de la Chambre. Fort instructive est à cet égard la note mise en tête de son livre par Sicard de Bourguerol et indiquant la valeur de compte des monnaies ayant cours dans la province d'Auch, province où il gérait l'office de collecteur. La valeur d'une même pièce variait selon l'impôt. Ainsi le franc était-il pris pour une livre tournois pour le paiement des annates et une livre et 5 deniers pour celui des décimes, sauf dans le diocèse de Lectoure où il était pris pour 25 sous tournois pour les annates et 27 sous pour les décimes [2]. La vérification des comptes de collecteurs était donc uniquement un contrôle arithmétique doublé d'une inspection des pièces justificatives.

Quelques profits qu'ils tirassent de leur office, les collecteurs ne semblent pas avoir desservi les intérêts de la Chambre apostolique. Leurs liens avec la curie étaient étroits. Ils en venaient ou espéraient y être un jour appelés. Leur compétence et leur efficacité étaient les meilleurs gages de leur promotion sociale. S'il leur arrivait de se montrer négligents pour rendre leurs comptes, ils compensaient cela par leur zèle à lever les impôts et à en assigner le produit. La Chambre était dirigée par des hommes réalistes, et l'on appréciait plus les versements des collecteurs que leurs écritures. Avant tout, c'étaient d'excellents fonctionnaires et, comme tels, ils avaient le goût de la stabilité. N'oublions pas la situation qu'on leur reconnaissait dans une province : respectés parce que craints, détestés peut-être, mais à coup sûr enviés [3]. L'intérêt du Saint-Siège se confondait donc avec le leur. Ils étaient la Chambre apostolique dans leur collectorie. A leur zèle envers la Chambre, se mêlait alors une certaine réticence : ils étaient jaloux de leur autonomie administrative. Se justifier à Avignon devenait leur moindre souci, même s'ils n'y avaient rien à perdre. La Chambre apostolique des papes avignonnais avait donc quelque difficulté à contrôler ses collecteurs, mais elle en était parfaitement servie.

---

1. *Coll.* 85, fol. 468 v° ; il rendit les 340 francs, sur sa recette, en janvier 1383 (fol. 471 r°). — C'est pour éviter de pareilles difficultés que le duc de Bourgogne prescrivit à ses gens des comptes, le 27 avril 1402, de n'allouer aux receveurs que les opérations pour lesquelles seraient indiquées les espéces utilisées et leur cours à la date du paiement ; A. Van Nieuwenhuysen, *Le transport et le change...*, dans la *Rev. belge de phil. et d'hist.*, XXXV, 1957, p. 65.

2. *Coll.* 35, fol. 2 v°-4 r°.

3. Une victime du collecteur Jean Bernier n'osait, vers 1330, protester contre l'injustice qui lui était faite, « *propter potentiam dicti collectoris* » ; Ch. Samaran et G. Mollat, *La fiscalité pontificale...*, p. 79. — Un véritable catalogue des excès de Jean Bernier, collecteur de Lyon, a été établi par MM. Samaran et Mollat (*op. cit.*, p. 117-120), mais il faut regretter sa totale imprécision chronologique : Bernier ne figure même pas dans les listes de collecteurs publiées en appendice par ces auteurs.

CHAPITRE III

LES CONSÉQUENCES DU SCHISME DE 1378 : L'IMPROVISATION ROMAINE

A. — L'ATTITUDE DE PIERRE DE CROS

En choisissant le parti des cardinaux rebelles, Pierre de Cros déterminait les moyens financiers — administratifs et humains — des deux obédiences. Car le problème n'est pas de savoir comment se partagèrent ces moyens. Derrière Pierre de Cros, toute la Chambre apostolique de Grégoire XI passa au service de Clément VII. Tout le problème est de savoir comment Urbain VI put pallier cette défection.

Le trésorier, Pierre de Vernols, était à Avignon. Il y demeura. Les conseillers de la Chambre, comme Jean de Murol ou Hélie de Vodron, suivirent le camérier à Anagni. Les clercs de la Chambre, Raffin, Authon, Girard et Longanh, se rallièrent sans hésiter. Les notaires, les scripteurs firent de même. Seul, Tommaso Visconti da Fisecchio, procureur fiscal de la Chambre [1], passa au service d'Urbain VI qui lui conserva ses fonctions [2] avant de faire de lui, le 10 novembre 1389, le procureur fiscal de l'Eglise [3]; Fisecchio n'était cependant que *peritus in utroque*.

Ces gens-là n'apportaient pas seulement à Clément VII leur compétence. Mis en sûreté au château Saint-Ange pour une part, conservé à Avignon pour une autre, le trésor pontifical fut soustrait à Urbain VI dont on sait qu'il ne put même récupérer les insignes de sa dignité. Voilà pour l'immédiat. Plus importante, déterminante même pour l'avenir de l'administration financière, fut la question des archives. Avec Pierre de Cros, elles demeurèrent à Avignon [4]. L'enregistrement des bulles est continu de Grégoire XI à Clément VII ; celui des lettres du camérier l'est aussi.

1. *Lettres de Grégoire XI concernant la France*, nº 3865 et 3866.
2. *Reg. Vat.* 310, fol. 114.
3. *Reg. Vat.* 347, fol. 60 vº-61 vº ; il fut remplacé, dès le 16 décembre 1394, par Jacopo da Subinago (*Reg. Vat.* 314, fol. 304 rº).
4. Les originaux y avaient été laissés, le camérier ayant fait faire quelques copies pour les emporter à Rome ; L. MIROT, *La politique pontificale...*, p. 126. A Fondi, en décembre 1378, Pierre de Cros déplorait de n'avoir pas ses archives ; *Reg. Av.* 220, fol. 328.

Le même registre contient les obligations pour les communs services, du 1er janvier 1376 au 24 octobre 1388 [1]. L'un des hommes les plus actifs de l'entourage du camérier au temps du séjour à Anagni et Fondi, ce fut le notaire Jean Rousset[2]; il n'est pas interdit de penser qu'il veilla à ce que les gens de la Chambre retrouvent à Avignon leurs indispensables instruments de travail. Dès septembre 1378, la cour de l'auditeur fonctionnait normalement[3].

Une alliance avait été précieuse à Grégoire XI, celle du duc d'Anjou. Les liens familiaux unissant Robert de Genève à la famille royale de France, autant que l'opportunisme diplomatique des gens de la curie avignonnaise, conservèrent à Clément VII l'alliance angevine. Nous dirons plus loin ce qu'elle représenta d'appui et de charges. Héritant le soutien angevin, Clément VII héritait également la dette de Grégoire XI, mais les intérêts du pape et ceux du futur roi de Sicile et de Jérusalem étaient à ce point conjugués que la Papauté d'Avignon trouva son compte à l'alliance. Au moment de son départ pour l'Italie, en effet, Grégoire XI avait perdu le service des grandes compagnies florentines. Depuis 1376, la Chambre apostolique avait dû sans cesse improviser, recourir aux trop faibles compagnies lucquoises, aux Guinigi, à Andrea di Tici enfin, son « principal auxiliaire financier »[4]. Parce qu'il fallait depuis deux ans se passer des Florentins, Pierre de Cros était préparé à se passer des marchands. Leurs sièges de Londres et de Bruges permirent aux Guinigi d'assurer aux papes romains le transfert des fonds collectés en Europe occidentale et septentrionale. C'était suffisant, car la collecte était maigre. A Avignon, la situation était opposée. Les transferts n'étaient assurés que par de petites compagnies, incapables d'opérer à longue distance; mais l'obédience était géographiquement compacte : la France d'abord, les royaumes espagnols ensuite. Pour le transfert des fonds collectés à Paris ou à Reims, c'est aux facteurs d'Andrea di Tici, aux Rapondi et à quelques marchands de moindre envergure que l'on pouvait recourir. Surtout, nous le verrons, Pierre de Cros sut adapter à cette nouvelle situation une politique que permettait la solidité des structures administratives locales : les assignations se multiplièrent et l'argent circula moins.

A Rome comme à Avignon, le transfert des fonds n'était pas un problème résolu; c'était devenu un problème secondaire. Ce qui passait au premier plan, c'était la recherche du crédit. Devant la défection — et probablement l'incertitude politique — du grand commerce, il fallut trouver d'autres créanciers. Pour Rome, ce fut l'aliénation presque permanente des revenus seigneuriaux au

---

1. *Obl. sol.* 43.
2. Voir notamment : *Reg. Av.* 220, fol. 326-327, et *Coll.* 359, fol. 151.
3. *Coll.* 359, fol. 28.
4. Y. RENOUARD, *Les relations...*, p. 285.

profit des podestats, phénomène sur lequel nous reviendrons. Pour Avignon, ce fut l'alliance angevine et la participation — non désintéressée — à l'aventure militaire.

Pierre de Cros regagna donc Avignon au début de 1379 avec ses gens, ses archives et ses appuis financiers et diplomatiques. Dans quel état trouvait-il la gestion locale des fonds apostoliques ? Où en étaient les collecteurs ?

Le partage politique de la Chrétienté laissait à Clément VII des régions où l'organisation fiscale était depuis longtemps fixée : en France, en Espagne, les collecteurs étaient stables, leurs attributions bien définies. Sans aucune exception, ils demeurèrent à leur poste. Bertrand du Mazel, Guillaume du Lac, Guy de la Roche, Bernard Carit, pour n'en citer que quatre, apportèrent à Clément VII le concours d'une expérience déjà longue.

L'obédience urbaniste était moins bien partagée. Géographiquement, elle entourait celle d'Avignon, et ce qui est un avantage stratégique n'en est guère un en matière administrative. Les communications étaient difficiles avec la Guyenne ou l'Angleterre, longues avec la Pologne ou la Suède. Financièrement, ces pays étaient d'inégal intérêt. Nous reviendrons sur le faible rapport des collectories lointaines. On sait que l'appui politique des rois d'Angleterre fut marchandé aux papes romains et que les revenus de la Chambre apostolique franchissaient difficilement la Manche [1]. Administrativement, c'étaient souvent des régions où les collectories étaient encore instables et où Grégoire XI avait dû multiplier les missions extraordinaires. Que l'on songe à celles de Bertrand du Mazel [2] et, surtout, à celles de Bernard de Berne, Hélie de Vodron, Bertrand Raffin et Guillaume du Lac à travers l'Allemagne, la Bohême, la Hongrie, la Pologne, la Suède et le Danemark [3]. Partout, cependant, des collecteurs étaient en place.

Presque tous firent défaut, cependant que les nonces ayant quelque connaissance de ces régions passaient à Avignon. Même sans rejoindre les rangs clémentistes, un Heinrich Rank, collecteur de Brême, un Hélie Polet, collecteur de Guyenne, un Heilmann Rucker, collecteur de Mayence, cessèrent leur service sans même rendre leurs comptes [4]. Le collecteur d'Angleterre Arnaud Garnier était un Français : il préféra cesser son activité, après en avoir fourni les justifications à Avignon [5]. Le vieux collecteur de Cologne Siger von Neuenstein prit d'abord le parti de Clément VII [6] ; en mai 1379, les luttes locales l'amenèrent à se ranger aux côtés des

1. Ed. PERROY, *L'Angleterre et la Grand Schisme d'Occident*, p. 27 et suiv., et *passim*.
2. J. GLÉNISSON, *Un agent...*, dans les *Mélanges...*, LIX, 1947, p. 89-119.
3. *Lettres de Grégoire XI concernant la France*, n° 262, 626, 633, 640, 643, 876, 991, 1157, 1410.
4. *Reg. Vat.* 310, fol. 14 v°-15 v° et 120 ; voir le chapitre précédent.
5. *Coll.* 359, fol. 154 v°-156 r°.
6. H.-V. Sauerland, *Urkunden und Regesten...*, VI, n° 1345.

chanoines contre le doyen clémentiste [1] et, lorsque, le 27 mai 1380, Urbain VI lui adressa ses instructions, Neuenstein les reçut sans protester [2]. Un collecteur en fonctions depuis 1372 [3] passait donc à l'obédience romaine. Il fut le seul. Quant à Bernard de Berne, nonce en Allemagne au temps de Grégoire XI et collecteur itinérant, en particulier dans cette même province de Cologne, il passa au service de Clément VII vers 1386 [4] après avoir consigné chez l'archevêque de Cologne les 6 000 florins reçus pour le compte d'Urbain VI [5].

On voit quel avait été l'effet psychologique du choix fait par Pierre de Cros. Nous avons dit que, les préoccupations politiques aidant, le camérier ne s'était plus exclusivement consacré à la gestion financière et qu'il avait fallu attendre l'arrivée au pouvoir de François de Conzié, en décembre 1383 pour que le chef de la Chambre apostolique fût à nouveau tout à sa fonction. Sous la haute direction de Pierre de Cros, cependant, et sans doute à l'initiative des membres du conseil, la reprise en mains des collectories avignonnaises fut particulièrement ferme.

Le rôle de Pierre de Vernols n'avait pas été négligeable. Le 17 septembre 1378, il avait interdit à Bertrand du Mazel, collecteur d'Aragon, de faire la moindre assignation sur l'ordre de l'archevêque de Bari, *qui se falso gerit pro Papa,* ou de quiconque serait député par lui ; il ordonnait en même temps au collecteur de saisir les revenus des bénéfices vacants auxquels Urbain VI aurait pourvu, et d'attendre que l'Eglise ait un pape pour en disposer [6]. Nous pouvons penser que de semblables lettres furent adressées aux autres collecteurs.

Les mois qui suivirent le retour à Avignon ne furent pas caractérisés par une intense activité administrative. Les soucis politiques absorbaient le pape et le camérier. C'est à partir de décembre 1379 que la reprise en mains de la gestion financière devint particulièrement sensible.

On alla d'abord au plus pressé. Le 26 décembre, Pierre de Cros ordonna aux collecteurs de Toulouse, d'Auch, de Narbonne et de Tours d'envoyer à la Trésorerie tout ce qu'ils détenaient ou pouvaient rapidement collecter [7]. Pour accroître le revenant-bon des collectories, on décida, le 16 janvier 1380, que tous les collecteurs de France suspendraient le paiement des assignations et enverraient

---

1. U. Berlière, *Documents pour servir à l'histoire...,* II, n° 782.
2. Sauerland, *op. cit.,* n° 34.
3. Nommé le 18 février 1372 (*Lettres de Grégoire XI concernant les pays autres que la France,* n° 554), et peut-être dès 1360 (J.-P. KIRSCH, *Die päpstlichen Kollektorien,* p. 333).
4. Clément VII le nomma collecteur de Mayence le 21 août 1386 ; *Reg. Av.* 242, fol. 85 v°-86 r°.
5. Celui-ci tentait encore de les récupérer en 1395 ; *Reg. Vat.* 314, fol. 344 v°-345 r°.
6. *Coll.* 393, fol. 92 r°.
7. *Coll.* 359, fol. 10.

immédiatement toute leur recette à Avignon [1]. Le 2 mars, ce fut la série de lettres déjà citée, où le camérier réitérait son ordre en ajoutant, par lettre close, que chaque collecteur devait bien veiller à ne pas se présenter devant le pape sans argent [2].

Les collecteurs ne supportaient pas seuls les exigences de la Chambre. Tous les délais accordés aux bénéficiers pour le paiement de leurs impositions furent révoqués et les sommes encore dues par eux devinrent exigibles à la Toussaint 1379 [3]. Bien entendu, c'était trop demander, et il fallut composer.

Si les hommes étaient demeurés fidèles, ils n'avaient pas pour autant les moyens de répondre aux sollicitations d'une trésorerie en difficulté. Pierre de Cros et ses conseillers durent trouver autre chose.

Immédiatement, on taxa les sujets du pape. Des tailles furent imposées sur les habitants d'Avignon et du Comtat venaissin [4]. Les curialistes n'y échappèrent pas. Mais les commissaires paroissiaux ne firent preuve d'aucun zèle dans la perception et la transmission de cette taille ; on dut charger un sergent d'armes de les y contraindre [5]. Dans le Comtat, cependant, le trésorier Bertrand Vincent faisait payer, dès le courant de septembre, le subside payable à la Saint-Michel [6].

Le camérier entreprit également de clarifier la situation financière par une remise en ordre des comptes et un examen de l'état des recettes locales. Tous les collecteurs reçurent l'ordre de se faire présenter les comptes de leurs sous-collecteurs, de dresser leurs propres comptes et de les apporter eux-mêmes à Avignon [7]. Nous avons déjà dit le faible succès de cette entreprise. En même temps, le 24 janvier 1380, le vicaire de la ville d'Avignon était chargé de faire dresser un état notarié des tenures emphytéotiques du Comtat, de recenser les canons dus à ce titre, de déceler les transferts de tenures non autorisés et de composer à leur sujet [8]. Il s'agissait, on le voit, de mettre en ordre le domaine de la papauté avignonnaise.

Pour accroître le rendement des impositions ecclésiastiques, la pression exercée d'Avignon ne suffisait pas. Pierre de Cros disposait d'hommes expérimentés : il les envoya à travers les provinces. Jean de Murol et Pierre Girard parcoururent les collectories de Paris, Reims et Tours, percevant même les communs services [9]. Pierre Borrier, demeuré en Aragon malgré sa nomina-

---

1. *Ibid.*, fol. 16.
2. *Ibid.*, fol. 21.
3. *Ibid.*, fol. 43 v⁰-44 r⁰.
4. Voir ci-dessous, p. 173-176.
5. *Coll.* 359, fol. 44.
6. *Ibid.*, fol. 54.
7. *Ibid.*, fol. 16 et 21.
8. *Reg. Av.* 220, fol. 351 v⁰-353 r⁰.
9. *Obl. sol.* 45, fol. 49 v⁰-50 v⁰.

tion à la Chambre apostolique [1], fut chargé de pressurer, dans les royaumes ibériques, aussi bien les collecteurs que les bénéficiers [2]. Gil Sanchez Muños le remplaça dès la fin de 1380 [3], alors que Borrier avait regagné Avignon après bien des vicissitudes en Aragon et un retentissant procès [4]. Bertrand Raffin, lui, reçut en partage le Languedoc [5].

En 1382, la situation était redevenue normale. La Chambre apostolique comptait une nouvelle équipe de clercs, mais c'étaient tous des hommes déjà rompus à la pratique des affaires fiscales : Pierre Borrier, Guillaume du Lac, Antoine de Louvier... Un mouvement affecta le personnel des collectories. Carit et *Amarinti* avaient déjà été remplacés, Breton était mort, Polet avait abandonné son office. Domaud, Gavin, Bosméjo, Pellicier, Peyrat et Mercadier furent révoqués en l'espace de quelques semaines, à l'automne de 1382. C'est alors que furent nommés, après Armand Jausserand, Jean François et Raymond de Senans, Pons de Cros, Pierre de Mortiers, Guillaume Thonerat et Sicard de Bourguerol.

Pierre de Cros pouvait quitter la Chambre apostolique. Il lui avait gardé son unité et lui avait rendu, en deux ans, tous les moyens de son efficacité.

B. — LES FAIBLESSES DE L'ADMINISTRATION ROMAINE

A la fin de 1378, Urbain VI n'avait ni Chambre apostolique, ni personnel susceptible d'en constituer une sans retard et avec efficacité. Ce n'est pas que les juristes manquassent à Rome. Le niveau intellectuel des officiers de la Chambre urbaniste, de 1379 à 1409, fut constamment plus élevé que celui dont nous avons constaté la permanence à Avignon. Ce qui leur manquait, c'était l'expérience administrative et financière.

Si l'on excepte Tommaso Visconti da Fisecchio, officier de rang modeste, les gens de la Chambre recrutés par Urbain VI aux lendemains de la défection du personnel caméral étaient tous des hommes nouveaux. Marino de' Judici, archevêque de Brindisi, fut nommé camérier. Jamais il ne s'était occupé d'affaires financières. Comme trésorier, l'on choisit Lito Alidosi, évêque d'Imola [6], dont l'appartenance à l'une des grandes familles marchandes de Bologne ne fut peut-être pas sans déterminer la désignation. La Chambre fut pourvue de clercs : Jacopo Dardani, aussitôt envoyé

1. L. GREINER, *Un représentant...*, dans les *Mélanges...*, LXV, 1953, p. 202-204.
2. *Coll.* 359, fol. 19 r°.
3. *Coll.* 374, fol. 35 v°-37 v°.
4. GREINER, *op. cit.*, pp. 205-211.
5. *Coll.* 359 A, fol. 57 v°.
6. *Reg. Vat.* 310, fol. 29 r°.

comme collecteur en Flandre [1], Guglielmo della Vigna [2], Giovanni Fernando [3], Giovanni Panaclavo [4] et Paolo di Planta da Giovinazzo [5]. Aucun n'avait jamais exercé le moindre office caméral. Aucun, notamment, n'avait l'expérience des collectories ; on sait que les clercs de la Chambre avignonnaise étaient en partie recrutés en raison de cette expérience. L'évêque de Siponto participait également aux conseils de la Chambre, suppléait le camérier [6] et visait l'enregistrement des lettres [7].

Le temps de l'organisation passé, il était possible que la Chambre romaine devînt aussi efficace que sa rivale d'Avignon. Il n'en fut rien. Pour le montrer, nous devons suivre jusqu'au temps du concile de Pise quelques faiblesses dont elle ne put se défaire et que l'on peut résumer en trois mots : imprécision, instabilité et insuffisance.

1. *Imprécision*.   L'imprécision, nous la trouvons à tous les degrés de la hiérarchie. De 1378 à 1409, il y eut six camériers : trois d'entre eux devinrent cardinaux sans abandonner leur office, malgré la notoire incompatibilité entre la gestion des finances papales et l'appartenance au Sacré Collège [8]. Nous avons dit que le trésorier était tenu à une résidence constante à la curie, puisqu'il était avant tout un caissier et un comptable. Les trésoriers romains, comme de simples conseillers, partirent souvent en mission. Deux fois, Guglielmo della Vigna se rendit en Flandre : en 1387, pour y exiger les comptes des sous-collecteurs institués par Siger von Neuenstein, mort en 1383 [9] ; en 1391-1392, pour être simplement substitué au collecteur de Reims, Liège et Utrecht [10]. On le vit également en Pologne en 1387 [11]. Rien d'étonnant à ce que, dans ces circonstances, le pape ait été obligé de dédoubler la fonction : Guglielmo della Vigna et Agostino, évêque de Penne, puis de Pérouse, exercèrent simultanément l'office de trésorier.

Le statut des clercs de la Chambre apostolique fut sans cesse violé. Nombre d'entre eux cumulèrent cet office avec d'autres

---

1. *Ibid.*, fol. 16 v°-18 r°.
2. *Ibid.*, fol. 114.
3. *Ibid.*, fol. 120 v°.
4. *Ibid.*, fol. 55 et 76 v°.
5. *Ibid.*, fol. 114.
6. *Ibid.*, fol. 120 v°-121 r°.
7. *Ibid.*, fol. 114 v°.
8. Ce furent Marino de' Judici, Marino Bulcano et Antonio Correr. On notera cependant que ce cumul du cardinalat et de l'office du camérier paraîtra tout à fait normal à la fin du xve siècle, comme ce l'était au début du xive. L'incompatibilité dont nous faisons état n'existait, soulignons-le, que dans les conceptions administratives formées à Avignon dans la seconde moitié du xive siècle.
9. H.- V. SAUERLAND, *Urkunden und Regesten...*, VI, n° 68-70.
10. *Reg. Vat.* 313, fol. 178 r° ; *Reg. Lat.* 13, fol. 269.
11. *Arm.* XXXIII, 12, fol. 95 r°-97 r°.

fonctions curiales : Pietro Vanni da Ascoli était à la fois clerc de la Chambre, chapelain domestique — c'est-à-dire officiant effectivement à la chapelle papale — du pape, scripteur et abréviateur des lettres apostoliques[1]. Paolo di Planta da Giovinazzo était, en août 1392, clerc de la Chambre en même temps que chambellan du pape, scripteur des lettres apostoliques, scripteur de la Pénitencerie et abréviateur des lettres apostoliques[2] ; Antonio Panciera da Portogruaro était à la fois clerc de la Chambre, scripteur et abréviateur des lettres apostoliques, et secrétaire de Boniface IX[3]. Le même Portogruaro conserva son rang à la Chambre lorsqu'il reçut l'évêché de Concordia[4].

Des clercs de la Chambre furent en même temps collecteurs, malgré l'incompatibilité hiérarchique que respectait la Chambre avignonnaise en donnant aux clercs de la Chambre maintenus ou envoyés à la tête d'une collectorie le titre de régent. Ainsi voyons-nous Jacopo Dardani collecteur de Flandre puis d'Angleterre sans cesser d'être clerc de la Chambre. Gilles de Pomponne, son successeur à Liège, Giovanni Manco, collecteur de Venise et de Lombardie, et Matteo Lamberti, collecteur de Pologne, cumulaient leur office avec celui de clerc de la Chambre. Aucun de ces clercs n'appartint jamais, semble-t-il, à l'administration centrale.

Bien plus, le futur Innocent VII, Cosimo di Gentile Megliorato, était en même temps collecteur d'Angleterre et, comme clerc de la Chambre apostolique, nonce à Florence[5].

Deux trésoriers de la Marche d'Ancône eurent un statut des plus imprécis : Antonio da Fumone[6] et Pietro Romoli[7]. Romoli cumula même les offices de clerc de la Chambre, de trésorier du pape dans la Marche d'Ancône et de collecteur dans cette province[8]. Quant à Gabriele Condolmario, il conserva son titre de clerc de la Chambre alors qu'il était trésorier[9], sans doute pour compenser le fait qu'il n'était pas évêque[10].

De tels cumuls ne s'expliquent que par la pénurie d'hommes compétents dont souffrait la Chambre romaine. Est-ce à cette pénurie qu'il faut attribuer une mesure qui eût étonné — et réjoui — les collecteurs avignonnais ? Toutes les constitutions de collecteurs

---

1. *Reg. Vat.* 317, fol. 317.
2. *Reg. Vat.* 314, fol. 8 v°-9 r°.
3. *Reg. Lat.* 30, fol. 217 r°.
4. *Obl. sol.* 55, fol. 107 v°.
5. *Reg. Vat.* 310, fol. 268 v°-269 r°.
6. *Reg. Vat.* 314, fol. 173.
7. *Reg. Vat.* 336, fol. 259 v°.
8. *Arm.*XXXIII, 12, fol. 284 r°.
9. *Reg. Vat.* 336, fol. 103 v°, 217 v° etc.
10. Deux lettres de Conzié donnent bien à Jean Lavergne les titres de « clerc de la Chambre apostolique et trésorier général du Pape » ; mais il s'agit alors de payer à Lavergne, récemment nommé trésorier, ses gages arriérés de clerc de la Chambre ; *Coll.* 372, fol. 66 et 73 r°.

émanant des papes romains précisent que l'intéressé jouira des
« gages et émoluments accoutumés ». Le 26 février 1407, une bulle
de Grégoire XII assignait même sur sa propre recette au collecteur de Portugal, nommé quatre jours plus tôt, un « salaire annuel »
de 600 florins, outre un forfait exceptionnel de 100 florins pour
ses frais d'installation [1]. On ne trouvait d'hommes qu'en leur
garantissant un salaire.

La confusion régnait donc aussi dans les collectories. Deux erreurs
étaient dénoncées bien avant 1378, que les gens de la Chambre
romaine s'empressèrent de commettre. La première était de frag-
menter la responsabilité du collecteur en introduisant la collégialité. On a vu que l'institution du sous-collecteur général avait
pour raison d'être la nécessité de décharger le collecteur d'une
partie de son travail sans rien lui enlever de sa responsabilité
envers la Chambre [2]. Or les collectories partagées ne furent pas
rares dans l'obédience romaine. Le 15 juillet 1380, Jacopo Dardani,
collecteur de Flandre, vit étendre ses pouvoirs à la province de
Cologne, où demeurait cependant en fonctions le vieux Siger
von Neuenstein [3] ; le 1er juin 1382, alors que duraient encore les
pouvoirs de Dardani, Jean de *Pavone* fut adjoint à Neuenstein
comme collecteur à responsabilité entière [4]. Les collecteurs collé-
giaux que nous trouvons en Irlande jusqu'en 1382 n'étaient peut-
être que des nonces en mission temporaire [5], mais ce n'est certes
pas le cas des collecteurs nommés en mars 1382, collecteurs réguliers et, du moins le souhaitait-on à Rome, permanents. Deux
collecteurs étaient désignés comme collecteurs de Pologne : le custode de Cracovie Wenceslas Gregori et le camérier de Pécs Peter
Franz [6]. Au Portugal, deux collecteurs étaient également constitués, sans partage de la circonscription : l'archevêque de Braga,
Lourenço Vicente, et un simple clerc, João de Tomar [7]. Peut-être
les gens de la Chambre romaine désignaient-ils deux hommes
pour être assurés d'en avoir un ; le résultat le plus certain était
de décharger à l'avance de tels collecteurs de toute responsabilité.

Il est enfin un cas très net d'exercice collégial de l'office de
collecteur, celui des collecteurs de Venise Giovanni Manco et
Giovanni da Mantova qui, de 1400 à 1404, jouirent dans la même
circonscription d'une totale indépendance mutuelle, dont rend
compte la bulle du 1er septembre 1403 interdisant à Manco d'exi-

1. *Reg. Vat.* 335, fol. 56.
2. Le dernier exemple de collégialité parmi les collecteurs avignonnais est celui de
Lyon, dû à l'insuffisance du nouveau collecteur Robert Chambrier.
3. *Reg. Vat.* 310, fol. 74.
4. *Reg. Vat.* 310, fol. 236 r° ; ce n'est donc pas le 1er juin, comme l'a écrit SAUERLAND,
op. cit., VI, n° 47 et 51.
5. *Reg. Vat.* 310, fol. 16.
6. *Reg. Vat.* 310, fol. 207 v°-208 v°.
7. *Reg. Vat.* 310, fol. 205 r°-206 r°.

ger les comptes de son collègue, celui-ci les ayant rendus à la Chambre apostolique [1].

Plus grave et plus répandue fut la seconde erreur : recourir aux services de l'épiscopat local. Toute la politique de la Chambre avait, jusque là, tendu à éliminer les évêques de la perception des revenus pontificaux. Nous avons dit comment Clément VII finit par leur retirer même la levée des décimes réservées au pape. Au temps de Grégoire XI déjà, l'évêque-collecteur de son diocèse était rare ; la liste des collecteurs au 10 février 1373 n'en fait apparaître que trois, l'archevêque de Cagliari en Sardaigne, l'évêque d'Augsbourg à Mayence, l'évêque de Sleswig en Scandinavie[2]. Bernard Carit, plus tard Berenger Ribalta furent des collecteurs promus évêques, non des collecteurs choisis dans l'épiscopat provincial comme le furent, seuls parmi les collecteurs avignonnais au temps du Schisme, les évêques de Dunkeld et de Silves.

La liste des collecteurs romains présentée à la fin de cet ouvrage montre combien d'entre eux furent pris dans l'épiscopat : huit sur neuf en Scandinavie, quatre sur cinq en Sicile, trois sur quatre en Lombardie, le quatrième ayant été promu patriarche de Grado alors qu'il était collecteur ; sur six collecteurs de Gênes, l'un était archevêque de Gênes, deux abbés de Sestri.

C'est aux évêques que fut confiée la levée de la décime triennale imposée en 1393 dans la collectorie de Venise ; le collecteur Giovanni Manco n'avait qu'à recevoir de chacun des soixante-cinq évêques de sa collectorie le montant des décimes de leurs diocèses[3]. C'était là, certes, un remède à l'extension considérable de la collectorie ; c'était, plus sûrement, faire perdre à la Chambre apostolique le contrôle de la perception de ses revenus. Quant aux difficultés soulevés par la récupération des offrandes faites en Allemagne lors du Jubilé, elles tiennent en grande partie au rôle dévolu aux évêques dans la concession de l'indulgence, la perception des offrandes et leur répartition[4]. Solidaires du clergé local, auquel ils appartenaient le plus souvent, plus que de la Chambre qui les employait occasionnellement ou faisait d'eux pour quelques années ses officiers, les évêques ne pouvaient être les agents dont Rome avait besoin : leurs intérêts étaient ceux des contribuables.

Même lorsqu'ils étaient étrangers à leur collectorie et par conséquent moins suspects de tiédeur, les évêques étaient plus onéreux pour la Chambre apostolique que de simples collecteurs : leur entretien, leurs déplacements, leur domesticité étaient en partie supportés par la recette : ainsi l'évêque de Pouzzole, envoyé comme collecteur au Portugal, eut-il licence de prendre sur sa

---

1. *Reg. Vat.* 320, fol. 140 r°.
2. *Lettres de Grégoire XI concernant les pays autres que la France,* n° 1455.
3. *Arm.* XXXIII, 12, fol. 161 r°.
4. *Reg. Vat.* 314, fol. 127 r°-128 r°.

recette le nécessaire pour la subsistance de ses dix familiers et la sienne propre[1]. Ces dix familiers durent peser lourd sur la collectorie de Portugal.

2. *Instabilité.*   L'instabilité affectait aussi bien les institutions que les hommes. En premier lieu les collectories étaient perturbées dans leur extension géographique. On a vu que, passé le mouvement de simplification de 1382, simple réunion de collectories jugées trop exiguës, les circonscriptions avignonnaises n'avaient plus varié. La Chambre apostolique romaine, au contraire, ne cessa jamais de remanier sa carte administrative. Mais, à l'opposé de celui constaté en 1382 à Avignon, c'est souvent un mouvement de division, de rétrécissement des circonscriptions, sans doute destiné à faciliter la tâche des collecteurs aux prises avec de trop vastes territoires. Ainsi la collectorie de Scandinavie, de longtemps constituée des trois royaumes nordiques, fut-elle fragmentée à l'extrême[2]. Le même dessein présida sans doute à la séparation temporaire de la Corse et de la Sardaigne, et à celle, définitive, du duché de Spolète et de la Toscane. Le plus souvent,

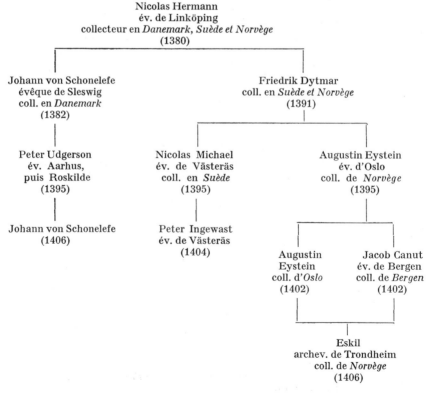

Nicolas Hermann
év. de Linköping
collecteur en *Danemark, Suède et Norvège*
(1380)

Johann von Schonelefe
évêque de Sleswig
coll. en *Danemark*
(1382)

Friedrik Dytmar
coll. en *Suède et Norvège*
(1391)

Peter Udgerson
év. Aarhus,
puis Roskilde
(1395)

Nicolas Michael
év. de Västeräs
coll. en *Suède*
(1395)

Augustin Eystein
év. d'Oslo
coll. de *Norvège*
(1395)

Johann von Schonelefe
(1406)

Peter Ingewast
év. de Västeräs
(1404)

Augustin
Eystein
coll. d'*Oslo*
(1402)

Jacob Canut
év. de Bergen
coll. de *Bergen*
(1402)

Eskil
archev. de Trondheim
coll. de *Norvège*
(1406)

1. *Reg. Vat.* 313, fol. 285 v°-286 r°.
2. Voir le tableau ci-contre.

le mouvement semble désordonné, ne répondant qu'aux nécessités du moment, aux désirs d'un collecteur, voire à la fantaisie des gens de la Chambre. Leur politique est empreinte d'incertitude. Sans toute a-t-on cherché, par tâtonnements, le découpage idéal ; il est à noter que l'on n'y parvint pas. La collectorie de Pérouse, rattachée en 1386 à celle de Spolète, elle-même séparée de la Toscane, redevint indépendante dès 1398. Le diocèse de Todi forma en 1393 une collectorie détachée de celle de Pérouse. Celui de Lucques fut constitué en collectorie en 1408 au bénéfice de son évêque. Quant à l'évêque de Fano, constitué collecteur de son diocèse le 15 mars 1409[1], il reçut le même jour une assignation générale des revenus de la Chambre dans ce diocèse, à son usage, avec quittance générale anticipée de sa recette[2]. De même la constitution d'une éphémère collectorie avec les diocèses de Tarbes et Oloron n'était-elle qu'un moyen d'assigner à l'archevêque d'Auch Pierre d'Anglade, nommé collecteur[3], les revenus de la Chambre dans ces diocèses, en compensation de son temporel, dont le privait le Schisme : sa recette lui était par avance intégralement concédée[4].

Cette collectorie de Guyenne fournit un exemple de division épisodique : pour Pierre d'Anglade on créa en 1397 une collectorie de Tarbes et Oloron ; en 1400, pour Pierre d'Albernet, on rattacha Dax à sa province d'Auch ; en 1407, enfin, l'évêque de Dax Pellerin de Fabo reçut la collectorie de la province d'Auch, à nouveau détachée de la Guyenne. La politique de la Chambre n'était pas aberrante, mais elle était incertaine.

Elle était au contraire rigoureusement aberrante à propos des collectories de l'Italie septentrionale et de Romanie, dont le tableau qui suit indique les avatars. Il y avait en 1378 deux circonscriptions : la province de Gênes d'une part, la collectorie de Venise, unissant la Lombardie à l'Orient latin, de l'autre. Constituer en 1382, une collectorie de Romanie était sage ; séparer en 1389 la Romagne, la Vénétie et l'Illyrie de la Lombardie ne l'était pas moins. On peut alors s'étonner que les gens de la Chambre aient cru bon d'unir, en 1405, ce qui restait de la collectorie de Gênes à celle de Lombardie[5] et, surtout, en 1407, la Romanie à la collectorie de Venise. Quant à l'union finale, en 1409, de toutes ces collectories, après que les seuls diocèses piémontais en eurent été détachés, elle est la négation même d'une politique d'efficacité : Donato Greppa ne pouvait contrôler en même temps la Crète, Raguse, Milan et Vintimille.

1. *Arm.* XXXIII, 12, fol. 287 r⁰ ; il devait des comptes annuels.
2. *Reg. Vat.* 337, fol. 74 v⁰.
3. *Arm.* XXXIII, 12, fol. 194 v⁰.
4. *Reg. Vat.* 315, fol. 187 v⁰.
5. Voir plus loin, p. 723, note 8.

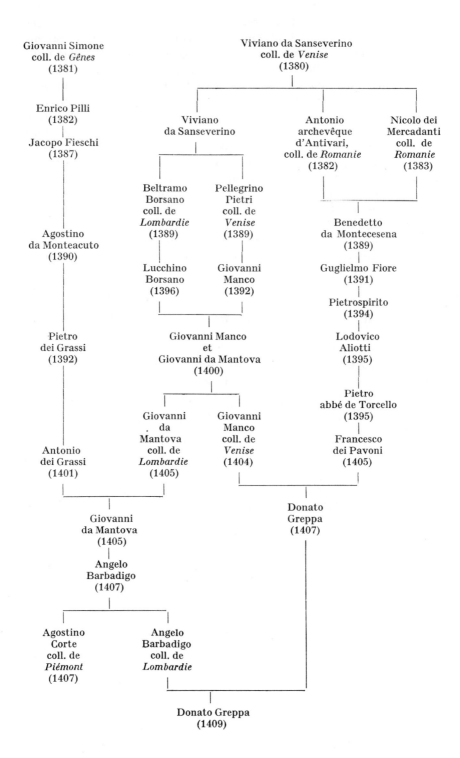

Pour comparer avec l'obédience avignonnaise, nous avons seulement parlé des collecteurs. La comparaison est cependant incomplète. Les revenus seigneuriaux leur échappaient. Les trésoriers du pape dans les provinces du Patrimoine en assuraient la perception et la gestion, et maint podestat s'en faisait assigner le produit en rétribution de services militaires et diplomatiques. Souvent, les recteurs des provinces avaient plein pouvoir pour ordonnancer sur place l'utilisation de ces fonds[1]. La fiscalité ecclésiastique elle-même n'était que partiellement de la compétence des collecteurs. L'évolution analysée pour la fiscalité avignonnaise n'apparaît pas dans l'obédience romaine. Les collecteurs n'y concentraient pas en leurs mains la perception de toutes les impositions et la décime, en particulier, leur échappait le plus fréquemment, la levée en étant confiée à des nonces[2], voire à un ancien collecteur comme Pellegrino Pietri[3]. Les subsides étaient également levés par des receveurs particuliers, désignés lors de l'imposition : en 1407, deux évêques et un auditeur du Sacré Palais se partagèrent la perception d'un subside, l'un en Trinacrie, l'autre en Vénétie et Romanie, le troisième en Toscane, Emilie et Romagne[4].

Les causes de l'instabilité des hommes dans leurs fonctions nous échappent. Pour le début du Schisme, le manque de personnel compétent peut être invoqué. Quinze ans plus tard, les gens de la Chambre apostolique auraient dû posséder cette expérience que les officiers de Benoît XIII n'avaient, pour la plupart, acquise que sous Clément VII. Certes, l'absence d'une équipe compétente à l'origine était susceptible de nuire à la formation des successeurs. Il y avait une solution de continuité dans la transmission d'une routine. La complexité des affaires de la Chambre n'était cependant pas telle que leur pratique ne fût en elle-même formatrice. En 1390, en 1400, la Chambre romaine pouvait trouver des officiers de valeur ; elle en trouva peu, et dut suppléer la qualité par le nombre.

Il manqua tout d'abord un homme qui, comme un François de Conzié ou un Sicard de Bourguerol, acceptât de s'identifier à sa fonction. Les camériers se succédèrent donc, rapidement attirés par de plus hautes ambitions. A l'origine du Schisme, pour remplacer Pierre de Cros, Urbain VI fit choix d'un auditeur du Sacré Palais, Marino de' Judici, archevêque de Brindisi. Créé cardinal de Sainte-Pudentienne en 1383[5], il conserva le camérariat. Mais, dès la fin de 1384, son opposition au pape était devenue irréduc-

---

1. Voir ci-dessous, p. 400 et suivantes.
2. *Arm.* XXXIII, 12, fol. 201 r° ; *Reg. Vat.* 334, fol. 1.
3. *Arm.* XXXIII, 12, fol. 192 r°-193 v°.
4. *Reg. Vat.* 336, fol. 12-21.
5. Il reçut en commende l'église d'Aversa ; *Arm.* XXXIII, 12, fol. 59-64.

tible. Soutenus par Charles de Durazzo, quelques cardinaux projetèrent d'imposer à Urbain VI des curateurs pour incapacité et fixèrent au 13 janvier 1385 la réalisation du coup de force nécessaire. Le 12 janvier, prévenu par le cardinal Orsini, Urbain VI fit arrêter six cardinaux, dont le camérier. Emprisonnés à Nocera, puis à Gênes jusqu'en décembre, ils refusèrent d'avouer [1]. Une intervention de Richard II fit élargir Adam Easton, qui recouvra la liberté à l'avènement de Boniface IX[2]. Pour les autres, on n'en entendit plus jamais parler.

Un nouveau camérier fut désigné : le sous-diacre du pape, Marino Bulcano, créé cardinal-diacre de Sainte-Marie-Nouvelle dès décembre 1384. Familier de Bartolomeo Prignano, ancien prieur séculier de Saint-Nicolas de Bari, il jouissait de l'entière confiance du redoutable pontife, ce qui le rendait apte à l'exercice d'un office dont nous savons qu'il reposait entièrement sur le principe d'une totale créance. Comme trésorier général du pape dans le royaume de Sicile[3], il avait pu se familiariser avec la gestion financière. Il garda ses fonctions jusqu'à sa mort, le 8 août 1394[4]. Avant le 29 août, Corrado Caracciolo était nommé vice-camérier[5]. Seul, un prélat pouvait en effet être camérier ; Caracciolo n'était que prévôt de San Stefano d'Aquilée. Le 29 mars 1395, il fut pourvu de l'évêché de Nicosie et, le lendemain, reçut le titre de camérier[6]. En 1402, il devint évêque de Mileto et, le 12 juin 1405, cardinal de Saint-Chrysogone. Il mourut en février 1411. Entre le 8 mai et le 3 octobre 1405[7], il avait été remplacé comme camérier par Leonardo de' Fisici, évêque d'Ascoli, puis de Fermo. Le 12 juin 1407, celui-ci était révoqué et le trésorier lui succédait : c'était un neveu de Grégoire XII, Antonio Correr, évêque de Bologne et référendaire[8]. Après sa promotion au cardinalat, le 9 mai 1408[9], et même pendant une légation en Allemagne en décembre 1408 [10], Correr demeura camérier. Paolo da Giovinazzo, clerc de la Chambre, le suppléa en fait avec le titre de vice-camérier [11].

A la tête de la Trésorerie se succédèrent : Lito Alidosi, mort en fonctions en 1382 ; Agostino, évêque de Penne, puis de Pérouse,

---

1. N. Valois, op. cit., II, p. 112-118.

2. Ed. Perroy, op. cit., p. 294.

3. Il avait été nommé à cette fonction le 25 juin 1383 ; Arm. XXXIII, 12, fol. 47 v°-48 r°.

4. Eubel, op. cit., I, p. 25.

5. Arm. XXXI, 36, fol. 87 v°.

6. L. Jadin a écrit, par erreur, qu'il avait alors été nommé vice-camérier ; Dict. hist. et géogr. eccl., XI, col. 979.

7. Reg. Vat. 333, fol. 223 r° et 307 r°.

8. Reg. Vat. 336, fol. 37 v°-38 r° et 47 v°-48 r°

9. Eubel, Hier. cath., I, p. 31.

10. Reg. Vat. 337, fol. 28 v° et 38 r°-39 r°.

11. Div. cam. 2, fol. 18 v°.

attesté du 5 juillet 1382[1] au 16 décembre 1398[2] ; Guglielmo della Vigna, évêque d'Ancône, attesté simultanément du 1er juin 1387[3] au 29 mars 1398[4] ; Antonio Correr, sans doute nommé par son oncle vers la fin de mars 1407 lors de sa désignation comme évêque de Bologne[5], et en fonctions jusqu'au 12 juin de la même année ; Gabriele Condolmario, autre neveu de Grégoire XII, clerc de la Chambre en même temps que trésorier à compter de cette date[6] et encore attesté le 10 mai 1408 au moment de son élévation au cardinalat[7] ; Antonio Casini, enfin, ancien clerc de la Chambre, évêque de Pesaro, puis de Sienne, attesté à partir du 11 juillet 1408[8].

Malgré l'insuffisance de notre documentation, nous avons pu dénombrer, en trente ans, trente et un clercs de la Chambre apostolique : huit de plus qu'à la Chambre avignonnaise ; encore faut-il considérer, en comparant ces chiffres, que la principale source de notre connaissance des clercs, la correspondance administrative des camériers, est pratiquement inexistante à Rome : les clercs qui nous ont échappé sont peut-être nombreux, ce qui ne saurait être le cas pour Avignon, où chacun nous est connu par un grand nombre de mentions.

Voici la liste des clercs de la Chambre romaine[9] :

GILFORTE, archidiacre de Palerme, attesté comme ancien clerc le 19 novembre 1389[10].

Salvatore di Achile da AVERSA, attesté le 15 novembre 1385[11].

Gasparro ALESSANDRI, chanoine de Pérouse, collecteur de Pérouse, attesté le 18 novembre 1404[12].

---

1. *Arm.* XXXI. 36, fol. 77 r°.
2. *Obl. sol.* 55, fol. 93 r°.
3. *Arm.* XXXIII, 12, fol. 95 r° 97 r°.
4. *Obl. sol.* 55, fol. 71 r°. — Normand de naissance, Guillaume de la Vigne avait changé son nom après s'être fixé en Italie. Sur ce personnage, voir : M. DE BOÜARD, *Le rôle de Simon du Bosc...*, dans *Jumièges, congrès... XIIIe centenaire* (Rouen, 1955), p. 85-88.
5. EUBEL, *op. cit.*, I, p. 141.
6. *Reg. Vat.* 336, fol. 103 v°-104 r°.
7. EUBEL, *op. cit.*, I, p. 31 ; *Reg. Vat.* 336, fol. 217 v°-218 r°. C'est le futur pape Eugène IV ; en 1407, il avait vingt-quatre ans (DELARUELLE, LABANDE et OURLIAC, *L'Eglise au temps du Grand Schisme*, p. 228-229).
8. *Reg. Vat.* 336, fol. 236 r°. Les documents l'appellent le plus souvent Antonio da Siena.
9. Dans l'ordre alphabétique ; l'ordre d'apparition dans la documentation conservée ne signifierait rien : Francesco da Mercatello, par exemple, n'est cité que le 24 juillet 1391, le jour où il cesse d'être clerc.
10. *Div. cam.* 1, fol. 123 v°-124 r°.
11. *Instr. misc.* 3362, n° 78, fol. 8 v°-10 r°.
12. *Arm.* XXXIII, 12, fol. 238 r°.

Pietro Vanni da ASCOLI, chanoine d'Ascoli Piceno, chapelain domestique du pape, scripteur et abréviateur des lettres apostoliques, attesté comme clerc du 13 novembre 1401 au 24 avril 1402 [1].

Antonio CASINI da SIENA, chanoine de Florence, puis évêque de Pesaro (oct. 1407) et de Sienne (juil. 1409), attesté comme clerc de juillet 1407 [2] à sa nomination comme trésorier, avant le 11 juillet 1408 [3], mais encore considéré comme clerc de la Chambre en même temps que trésorier en 1425 [4].

Gabriele CONDOLMARIO, prieur de Sant'Agostino de Vicenza, attesté le 25 février 1407 [5] ; nommé trésorier le 12 juin 1407, sans laisser son titre de clerc [6] ; cardinal le 9 mai 1408 [7] ; élu pape sous le nom d'Eugène IV le 3 mars 1431.

Jacopo DARDANI, archidiacre de Norfolk (dioc. Nordwich), collecteur de Flandre, puis d'Angleterre, mort avant le 27 janvier 1399 [8].

Giovanni FERNANDO, attesté le 3 juillet 1381 [9].

Antonio da FUMONE, chanoine d'Anagni, trésorier de la Marche d'Ancône attesté du 27 novembre 1393 au 16 mars 1401 [10].

Johann GOTH, maître es arts, doyen de Merseburg, attesté du 23 mars 1407 au 26 août 1414 [11].

Matteo LAMBERTI, de Naples, archidiacre de Breslau, collecteur de Pologne [12].

Giovanni MANCO, chanoine de Naples, archidiacre d'Aquilée, attesté le 15 novembre 1385 [13] au 18 janvier 1405 [14] ; nonce en Hongrie en 1389, en Romagne en 1391, collecteur de Venise de 1392 à 1405, commissaire en Marche d'Ancône le 18 janvier 1405.

Bisancio di Bisancio da MATERA, archiprêtre de Matera (Acerazzo), attesté les 6 février et 20 mai 1382 [15].

Niccolò de' MEDICI da ORVIETO, docteur ès lois, attesté du 4 juillet 1408 à 1418 [16].

Cosimo di Gentile MEGLIORATO, collecteur d'Angleterre, attesté comme clerc le 6 septembre 1382 [17] ; archevêque de Ravenne en 1387, évêque de Bologne en 1389, cardinal le 18 décembre 1389, élu pape sous le nom d'Innocent VII le 17 octobre 1404.

1. *Reg. Vat.* 317, fol. 315-317.
2. *Div. cam.* 2, fol. 3 r°.
3. *Reg. Vat.* 336, fol. 82 v° et 236 r°.
4. P. PARTNER, *The papal State*, p. 217.
5. *Reg. Vat.* 335, fol. 51 r°.
6. *Reg. Vat.* 336, fol. 109.
7. EUBEL, *Hier. cath.*, I, p. 31.
8. *Reg. Vat.* 316, fol. 79.
9. *Reg. Vat.* 310, fol. 120 v°-121 r°.
10. *Reg. Vat.* 314, fol. 173.
11. Fr. BAIX, *Les Libri annatarum de Martin V*, I, p. CCCLXXI.
12. *Arm.* XXXIII, 12, fol. 200 r°.
13. *Instr. misc.* 3362, n° 78, fol. 8 v°-10 r°.
14. *Reg. Vat.* 333, fol. 149.
15. *Reg. Vat.* 310, fol. 114 et 226 r°.
16. *Reg. Vat.* 336, fol. 233 v° ; 337, fol. 81 r° ; BAIX, *op. cit.*, p. CCCLXXII.
17. *Reg. Vat.* 310, fol. 268 v°-269 r°.

Francesco da MERCATELLO, docteur en décrets, chapelain du pape, attesté le 24 juillet 1391 lors de sa nomination comme auditeur de la Chambre apostolique [1].

Donato da NARNI, docteur en décrets, ancien collecteur de Spolète et de Toscane, attesté à partir du 27 février 1405 [2]; conseiller de la Chambre en 1415 [3].

Francesco da PALEARIA, attesté du 23 avril au 24 septembre 1388 [4].

Giovanni PANACLAVO, bibliothécaire de l'église de Bénévent, attesté les 9 juin et 13 juillet 1380 [5].

Antonio PANCIERA da PORTOGRUARO, scripteur et abréviateur des lettres apostoliques, attesté comme clerc le 5 avril 1399 [6]; évêque de Concordia en 1392 et patriarche d'Aquilée en 1402 [7].

Paolo di PLANTA da GIOVINAZZO, chanoine de Patras et de Florence, chambellan du pape, abréviateur des lettres apostoliques, scripteur des lettres apostoliques et de la Pénitencerie, attesté comme clerc du 6 février 1382 [8] à octobre 1428 [9], comme notaire du pape du 22 janvier 1406 [10] au 13 août 1408 [11] et comme vice-camérier à cette dernière date; protonotaire de Martin V, en même temps que clerc de la Chambre [12].

Gilles de POMPONNE, docteur en décrets, chanoine de Bologne, collecteur de Liège et Reims, attesté comme clerc du 10 novembre 1389 au 1er juillet 1392 [13].

Pietro ROMOLI, chanoine du Latran, attesté le 4 juillet 1408 et le 1er octobre suivant, lors de sa nomination comme collecteur de la Marche d'Ancône [14].

Baylardino della SCALA da VERONA, chanoine de Vicenza, attesté du 16 octobre 1391 [15] à 1399 [16].

Tommaso della SPINA, attesté les 13 août 1395 et 13 janvier 1396 [17].

Matteo da (ou della) STRADA, attesté le 11 juillet 1408 [18].

Jacopo *TEXTORIS*, attesté du 22 avril 1379 [19] au 6 février 1382 [20].

1. *Reg. Vat.* 313, fol. 173 v°-174 r°.
2. *Reg. Vat.* 333, fol. 186 ; 335, fol. 42 v°.
3. Baix, *op. cit.*, p. CCCXLII.
4. Baix, *Notes sur les clercs...*, dans *Bull. de l'Inst. hist. belge de Rome*, XXVII, 1952, p. 48.
5. *Arch. Stato* Lucques, *Arch. Guinigi*, perg. + 22 ; *Reg. Vat.* 310, fol. 55 et 76 v°.
6. *Reg. Lat.* 30, fol. 217 r° ; *Obl. sol.* 55, fol. 107 v°.
7. *Dict. d'hist. et de géogr. eccl.*, III, col. 1141.
8. *Reg. Vat.* 310, fol. 114.
9. Baix, *Les libri annatarum...*, I, p. CCCLXIX ; R. de Roover, *The rise and decline...*, p. 204.
10. *Reg. Vat.* 334, fol. 25 r°.
11. *Div. cam.* 2, fol. 18 v°.
12. Partner, *The papal State*, p. 217.
13. *Arm.* XXXIII, 12, fol. 124-125.
14. *Reg. Vat.* 336, fol. 233 v° ; *Arm.* XXXIII, 12, fol. 284 r°.
15. *Reg. Vat.* 313, fol. 185 v°.
16. *Arch. Stato* Rome, *Cam. I°, Coll.* 1224, fol. 34 r° ; *Obl. sol.* 55, fol. 102 v°.
17. *Reg. Vat.* 314, fol. 377 v° ; 315, fol. 22.
18. *Div. cam.* 2, fol. 12 r°.
19. Baix, *Notes...*, loc. cit., p. 47.
20. *Reg. Vat.* 310, fol. 114.

Marciano da TORTONA, ancien notaire de la Chambre (attesté comme tel
le 13 septembre 1407), attestè comme clerc le 28 août 1408 [1].

Guglielmo della VIGNA, attesté du 6 février 1382 [2] à sa nomination comme
trésorier, avant le 1er juin 1387 [3].

Niklaus von WOLAVIA, prévôt de Saint-Gilles de Breslau, nonce en
Hongrie, attesté comme clerc le 21 août 1406 [4] et jusqu'au 14 mars
1418 [5].

Simone de' ZAFFIRI da NOVARA, nommé le 8 février 1400 et encore
attesté en août 1429 [6].

Voilà des carrières qui n'ont rien de comparable avec celles des
clercs avignonnais. Les clercs qui remplissaient effectivement
leurs fonctions à la Chambre romaine — nous excluons donc ici
les clercs-collecteurs — semblent n'avoir conservé leur office
que peu de temps. Mis à part le cas, douteux, de Cosimo Megliorato, aucun des clercs n'avait été préalablement collecteur. Ceux qui
devinrent collecteurs le demeurèrent, au détriment de leurs fonctions à l'administration centrale : Matteo Lamberti, Jacopo Dardani, Gilles de Pomponne, Giovanni Manco, Pietro Romoli. Ayant
quitté sa collectorie de Toscane pour prendre à la Chambre ses
fonctions de clerc, Donato da Narni fut en permanence chargé
de missions dans son ancienne collectorie [7]. Il est donc permis
d'affirmer qu'aucun clerc de la Chambre en exercice normal n'avait
la moindre expérience de la gestion locale des revenus pontificaux.

On doit également noter que les clercs ne semblent pas avoir été
systématiquement choisis parmi les gradués en droit, comme
c'était le cas à Avignon, du moins au temps de Clément VII.
La fonction ne jouissait peut-être pas à Rome de la même considération qu'à Avignon ; l'hostilité notoire d'Urbain VI envers
les gens de la Chambre apostolique [8] pourrait avoir causé une
certaine désaffection. Remarquons cependant que, de ces trente
clercs, deux coiffèrent la tiare.

Nous en venons aux collecteurs. On a vu quelle était l'instabilité
des circonscriptions ; voyons celle des hommes. La durée de chaque
exercice ne saurait être établie avec certitude : faute des lettres
du camérier, faute des comptes, nous ignorons en général si tel
collecteur est demeuré à son poste jusqu'à la nomination de son
successeur. Des périodes de vacance sont souvent probables, elles
sont rarement attestées [9]. La seule donnée que nous puissions com-

1. *Reg. Vat.* 336, fol. 124 v° et 250.
2. *Reg. Vat.* 310, fol. 114.
3. *Arm.* XXXIII, 12, fol. 95 r°.
4. *Reg. Vat.* 334, fol. 170.
5. Baix, *Les Libri annatarum...*, I, p. CCCLXXI.
6. *Ibid.*, p. CCCLXIX.
7. *Reg. Vat.* 333, fol. 186 et 188 ; 335, fol. 42 v°.
8. Voir ci-dessous, p. 600.
9. La bulle du 1er avril 1395 nous apprend, par exemple, qu'il n'y avait plus de
collecteur en Scandinavie en 1394 ; *Reg. Vat.* 314, fol. 391 r°-393 r°.

parer avec son homologue avignonnaise est le nombre de collecteurs nommés dans chaque circonscription :

NOMBRE DE COLLECTEURS

Venise	4	Liège	7
Gênes	9	Cologne	5
Lombardie	8	Mayence	6
Toscane	5	Trêves	1
Pérouse	10	Salzbourg	4
Spolète	9	Magdebourg	4
Marche d'Ancône	13	Brême	7
Calabre	7	Bohême	5
Sicile	5	Hongrie	7
Sardaigne	11	Pologne	6
Angleterre	4	Danemark	4
Irlande	7	Suède	4
Guyenne	11	Norvège	5
Auch	10	Portugal	8
		Romanie	11

Le nombre moyen d'officiers par circonscription est donc, pour trente ans, de sept. La médiane est identique. Pour l'obédience avignonnaise, on ne dénombrait que trois ou quatre collecteurs. Dans les collectories romaines, la longévité administrative est chose exceptionnelle : en face des cas cités au chapitre précédent pour Avignon, nous ne pouvons citer ici qu'un seul nom, celui de Johann Rone, nommé collecteur de Trêves le 1er avril 1383 [1] et encore attesté le 1er septembre 1410 [2].

Les trésoriers dans les provinces de l'état pontifical étaient-ils plus stables ? Il ne semble pas. Dans la Marche d'Ancône, nous trouvons successivement, de 1390 à 1409, Antonio da Pando (1391) [3], Antonio da Fumone (1393) [4], Andrea da Somma (1403) [5], Giovanni di Messer Tommaso (1404) [6], Niccolò Pociarelli, évêque de Segni (1405) [7], Giovanni Firmoni, évêque d'Ascoli (1407) [8], et Pietro Romoli (1408) [9].

3. *Insuffisance.*   Cette instabilité, c'est avant tout à l'insuffisance qualitative du personnel que nous l'attribuons. Le choix des collecteurs était peu éclairé. La Chambre apostolique ne savait d'ailleurs pas toujours qui étaient ses agents.

---

1. *Reg. Vat.* 310, fol. 352 v°.
2. *Reg. Lat.* 133, fol. 175 v°. — Le clerc nommé Johann Rone et pourvu d'un canonicat à Worms vacant par décès le 18 octobre 1393 (*Reg. Lat.* 27, fol. 88 r°) devait être un parent du collecteur.
3. *Reg. Vat.* 313, fol. 65 v°.
4. *Reg. Vat.* 314, fol. 173.
5. *Reg. Vat.* 320, fol. 138 r°.
6. *Reg. Vat.* 333, fol. 102 v°.
7. *Ibid.*, fol. 168 v°.
8. *Reg. Vat.* 335, fol. 30 v°.
9. *Reg. Vat.* 336, fol. 259 v°.

Ainsi, en 1394, on remit à l'évêque de Linköping et au collecteur de Scandinavie le soin de choisir les confesseurs qui concèderaient l'indulgence du Jubilé ; on apprit à Rome, un an plus tard, que la Scandinavie était sans collecteur depuis longtemps [1]. Bien des nominations étaient faites à l'aveuglette : des collecteurs, nommés sans leur accord, refusèrent l'office. Anton von Stuben, nommé collecteur de Salzbourg le 6 août 1392[2], ne prit pas ses fonctions ; à une nouvelle nomination, le 27 juin 1394, il opposa un refus formel et rendit même la bulle[3]. La nomination de Niccolò Berruti, archevêque d'Oristano, comme collecteur de Sardaigne, faite le 15 mai 1405[4], fut annulée le 26 avant même que la bulle fût expédiée[5]. Trois nominations faites le 7 mai 1406, celles de Bassostachio Formice, évêque de Lucera, à Bénévent, d'Onofrio da Sulmona, évêque d'Ugento, à Brindisi, et de Riccardo da Olibano, archevêque d'Acerenza, à Tarente, furent annulées sur le champ[6]. Les bulles furent détruites et l'enregistrement cancellé.

Mieux encore, le 6 août 1392 était constitué collecteur de Bohême l'évêque de Lübeck Johann Kleindienst ; constitution sans effet, précisa une note marginale : « non transivit »[7]. L'évêque était mort depuis cinq ans[8]. On n'en est que plus étonné de voir Boniface IX intimer au défunt, le 16 janvier 1393, l'ordre de remettre à Ubaldino Cambi[9] le produit d'une décime... [10].

Plusieurs collecteurs ne furent nommés que pour leurs ressources personnelles qui permettaient des avances à la Chambre apostolique. Pierre du Bosc, évêque de Dax, nommé collecteur de Guyenne le 1er avril 1398 [11], dut prêter, avant le 1er mai, 1 000 florins à la Trésorerie, à charge pour lui de les récupérer sur sa collectorie [12]. Le 21 juillet 1399, le pape ordonnait à Lucchino Borsano, évêque de Côme et collecteur de Lombardie, de payer une assignation

---

1. *Reg. Vat.* 314, fol. 391 r°-393 r°.
2. *Arm.* XXXIII, 12, fol. 157 v°-158 v°.
3. *Ibid.*, fol. 173 r°.
4. *Ibid.*, fol. 245 v°.
5. *Ibid.*, fol. 246 v°.
6. *Ibid.*, fol. 261-262.
7. *Ibid.*, fol. 159 r°.
8. Le cas est assez obscur, cependant. Eubel (*Hier. cath.*, I, p. 312) indique la date du 3 août 1387 pour la mort de Johann Kleindienst, date que corrobore celle du 10 décembre 1387 pour l'obligation de son successeur Eberhard von Attendorn (H. Hoberg, *Taxae...*, p. 71 ; G. Tellenbach, *Repertorium germanicum*, II, col. 5). Il n'y a plus ensuite d'obligation pour Lübeck avant 1399. Cependant, outre la bulle de 1393 dont nous allons parler, Tellenbach cite (*op. cit.*, col. 685) deux paiements effectués en 1390 pour le compte de Johann Kleindienst ; il peut s'agir de paiements effectués après sa mort par son mandataire, mais nous croyons plutôt à une confusion du scribe avec un paiement de l'évêque de Breslau : le mandataire est un clerc de Breslau et c'est à Breslau qu'il y avait un évêque dont le prédécesseur s'appelait Wenceslas.
9. Collecteur de Bohême depuis le 19 avril 1390 ; *Arm.* XXXIII, 12, fol. 136 v°.
10. *Reg. Vat.* 314, fol. 60 v°-61 r°.
11. *Arm.* XXXIII, 12, fol. 97 v°.
12. *Reg. Vat.* 315, fol. 306 v°-307 r°.

de 318 ducats sur sa recette ou, à défaut, sur son argent [1] personnel. Quant à la désignation de Niccolò di Lazzaro Guinigi, évêque de Lucques, comme collecteur dans son diocèse et celui de Luni, elle est évidemment à mettre en rapport avec le prêt de 1 500 florins fait, deux mois plus tôt, à Grégoire XII par Paolo Guinigi, prêt dont le remboursement était assigné sur les revenus de la « collectorie de Lucques »[2]. La désignation des évêques comme collecteurs correspond certainement, en partie, à un désir de nommer des collecteurs pourvus de revenus personnels.

On notera que le seul fait d'assigner une somme à un collecteur sur sa collectorie suffisait à ruiner le principe de la confusion des biens personnels et des recettes de l'office. Il y avait au moins, dans la cassette de Pierre du Bosc, 1 000 florins sur lesquels les droits de la Chambre étaient nuls. La revendication des dépouilles pouvait, nous le verrons, s'en trouver empêtrée.

La probité des collecteurs romains est fort incertaine. Elle semblait déjà telle aux gens de la Chambre apostolique qui ne ménageaient guère les collecteurs. Peu de clercs de la Chambre, nous l'avons dit, étaient d'anciens collecteurs ; aucun des clercs effectifs ne l'était. On ne trouve donc pas à Rome la solidarité de corps — au bénéfice de la Chambre — que présente souvent l'obédience avignonnaise. Même à l'endroit des trésoriers provinciaux, moins sujets à caution que les collecteurs, le pape ne se départait guère d'une méfiance dont les fondements étaient réels. Ordonnant au trésorier général dans le royaume de Sicile, Lodovico Caracciolo lui-même, le 10 août 1382, d'imposer sur le clergé du royaume un subside d'un tiers des revenus annuels, ce qui était une charge écrasante, Urbain VI lui enjoignait spécialement de ne pas s'épargner : « nous voulons, écrivait-il, que tu paies avec fidélité le tiers de tes propres revenus ecclésiastiques, sinon tu encourrais l'excommunication »[3].

On se méfiait trop des collecteurs pour accepter leur dire quant à d'éventuelles pertes de l'argent collecté ou aux inévitables pertes sur le change. La Chambre avignonnaise supportait normalement celles-ci et accordait pour celles-là des remises gracieuses. La Chambre romaine, nous le verrons, mettait les coûts et dommages au compte du collecteur.

Si les collecteurs avignonnais rendaient fort irrégulièrement leurs comptes, du moins versaient-ils leur recette. De ses collecteurs la Chambre romaine n'obtint le plus généralement ni comptes ni recette. Les termes accordés pour la production des comptes étaient cependant fort rapprochés : les comptes de Viviano da

1. *Reg. Vat.* 316, fol. 245 r°.
2. Bulle du 12 mars 1408 ; *Reg. Vat.* 336, fol. 193 v°-194 r°.
3. *Reg. Vat.* 310, fol. 264.

Sanseverino devaient être annuels [1]. Mais la Chambre était impuissante. Dès 1380, les anciens collecteurs de Brême et d'Irlande refusaient de rendre leurs comptes [2]. Quelques années plus tard, l'ancien collecteur d'Irlande John Karlell refusait ses comptes, arrachait des mains du porteur la citation que lui adressait le camérier Marino Bulcano et la foulait aux pieds [3]. C'étaient là, certes, des gestes de violence isolés. La passivité, elle, était générale. Des nonces parcouraient les provinces d'obédience romaine avec, pour principale ou unique mission, d'obtenir les comptes des collecteurs et de les examiner, et de récupérer leur recette. En Allemagne, dès la fin de 1381, l'évêque de Bergame Branchino Besoccio pourchassait ainsi collecteurs et sous-collecteurs [4]. En 1382, c'était l'évêque de Mylopotamos qui harcelait le collecteur de Crête [5], cependant que le clerc de la Chambre Bisancio da Matera parcourait les terres insulaires et péninsulaires du royaume de Sicile [6]. Plutôt que de rendre leurs comptes, les anciens collecteurs conservaient leurs archives : Ugo von Rapoltzstein, collecteur de Strasbourg, ne pouvait obtenir de son prédécesseur bulles et registres indispensables [7], cependant que les archives d'un collecteur de Sicile étaient jalousement gardées par des Carmes de Palerme, de Marzana et de Trapani [8].

Pour contrôler la gestion des collecteurs, on envoya des nonces, chargés en outre de doubler le collecteur dans la perception des droits et, plus précisément, des arrérages. Dans les provinces lointaines, l'intervention de ces « réviseurs des comptes apostoliques » [9] pouvait se justifier par les difficultés qu'éprouvait le collecteur pour se rendre à Rome. En Scandinavie, par exemple, l'envoi de l'écuyer du pape Lodovico Baglioni ne suffit pas à signifier que les collecteurs nordiques fussent de mauvaise volonté. L'écuyer était d'ailleurs, avant tout, chargé de récupérer la recette [10]. Il en va de même pour la mission du clerc de la Chambre Baylardino della Scala en Pologne et Russie, en 1391 [11], voire pour celles, en Flandre et Rhénanie, de l'auditeur du Sacré Palais Brando da Castiglione [12] et de l'évêque de Siponto, référendaire d'Innocent VII [13].

---

1. *Ibid.*, fol. 78 v°.
2. *Ibid.*, fol. 14 v°-16 v°.
3. *Reg. Vat.* 313, fol. 331 v°-332 v°.
4. *Reg. Vat.* 310, fol. 130 v°-131 v°.
5. *Ibid.*, fol. 271.
6. *Ibid.*, fol. 226 r°-227 r°.
7. *Ibid.*, fol. 301 v°.
8. *Ibid.*, fol. 201.
9. *Arch. Stato* Rome, *Camerale I°, Coll.* 1224, fasc. 2, fol. 34 v°.
10. Bulles des 20 septembre 1402, 5 octobre et 23 décembre 1406 ; *Reg. Vat.* 320, fol. 34 v°-35 v° ; 334, fol. 218 ; 335, fol. 16.
11. *Reg. Vat.* 313, fol. 189 v°-190 v°.
12. *Reg. Vat.* 317, fol. 208 r°-209 r°.
13. *Reg. Vat.* 333, fol. 368 r°-369 r°.

Il fallait à tout prix éviter qu'un collecteur sortant de charge ne s'estimât quitte à trop bon compte. Bien des collecteurs furent donc commis à recevoir, dès l'abord, les comptes et recettes de leurs prédécesseurs : ainsi Francesco Cecchi au Portugal [1], et l'abbé de Torcello en Romanie [2].

Lorsqu'il s'agit de collectories proches, la méfiance est incontestable. C'est afin d'exiger les comptes des collecteurs siciliens que furent envoyés, le 20 mai 1382, Bisancio da Matera [3], et, le 12 juillet 1391, le légiste Niccolò da Sommaripa, familier du pape [4]. C'est à travers les collectories du Nord de l'Italie — Venise, Lombardie, Toscane, etc. — que fut envoyé en 1399 Federigo Granpareto, archiprêtre d'Arezzo [5]. C'est contre les sous-collecteurs de Spolète, Nocera, Gubbio, Todi, Rieti, Teramo, Narni, Civita Castellana, Nepi et Sutri que furent envoyés, le 5 mars 1405, le clerc de la Chambre Donato da Narni [6] et, le 2 mars 1406, le familier Antonio da Gualdo [7].

De telles procédures étaient même adoptées à l'encontre de gens que l'on serait tenté de croire sûrs. Le 29 avril 1400, Giovanni da Mantova était chargé d'examiner les comptes de son collègue Giovanni Manco et de son prédécesseur Lucchino Borsano [8]. Clerc de la Chambre en même temps que co-collecteur, Manco prétendit, trois ans plus tard, examiner à son tour les comptes de Giovanni da Mantova. Par lettres du 1er septembre 1403, le pape le lui interdit : Mantova avait rendu ses comptes à la Chambre même [9]. Enfin un collecteur scrupuleux, pourrait-on croire. Nullement : dès le 1er novembre, le pape enjoignait à Manco de procéder à une enquête et à l'examen détaillé de la gestion de Mantova, le camérier ayant trouvé le compte insuffisamment clair [10]. Mais c'est au même Mantova qu'Innocent VII ordonna, le 9 juin 1405, d'inspecter les comptes de tous les collecteurs et sous-collecteurs de l'Italie centrale et septentrionale [11]. Qui pourrait croire, dans ces conditions, que l'examen des comptes pratiqué sur place par des commissaires représentait un progrès par rapport à la pratique avignonnaise ?

A défaut de comptes, les collecteurs étaient-ils scrupuleux sur le versement de leur recette ? Même pour les moins épisodiques

---

1. *Reg. Vat.* 313, fol. 287 v°.
2. *Arm.* XXXIII, 12, fol. 182 r°-183 r°.
3. *Reg. Vat.* 310, fol. 226 r°-227 r°.
4. *Reg. Vat.* 313, fol 133-134.
5. *Arm.* XXXIII, 12, fol. 201 r° ; *Arch. Stato* Rome, *Cam. I°, Coll.* 1224, fasc. 2, fol. 34 v°.
6. *Reg. Vat.* 333, fol. 188.
7. *Reg. Vat.* 334, fol. 45 v°-46 r°.
8. *Reg. Vat.* 317, fol. 9 v°-10 r°.
9. *Reg. Vat.* 320, fol. 140 r°.
10. *Ibid.*, fol. 178 v°-179 r°.
11. *Reg. Vat.* 333, fol. 269 v°-270 v°.

des officiers caméraux, les versements ne semblent pas avoir
correspondu aux recettes. Certes, nous n'avons pas de comptes
de la Trésorerie romaine ; nous dirons plus loin [1] quels furent les
effets de la pratique des monopoles accordés à des banquiers pour
les transferts. Mais il est d'autres indices que le chiffre des versements, malheureusement inconnu. Mort sans avoir rendu le moindre
compte, le collecteur d'Angleterre Jacopo Dardani laissa chez les
Mannini de Londres 10 000 florins qui appartenaient à la Chambre
et dont le transfert à Rome eût été fort apprécié [2] ; il est vrai que
Dardani se heurtait depuis 1391 à des difficultés légales pour
l'envoi de fonds hors d'Angleterre [3].

Les rappels à l'ordre adressés en 1407 à divers collecteurs nous
font connaître les collectories pour lesquelles aucun compte ou
aucun versement n'avait été fait depuis la dernière nomination [4].
Ce sont les collectories de Lombardie, Venise, Toscane, Spolète,
Marche d'Ancône, Gaëte, Naples, Sardaigne, Portugal, Reims,
Angleterre, Irlande, Mayence, Brême, Danemark, Suède, Norvège et Pologne. Seules semblent avoir été en règle les collecteurs
de Cologne, Salzbourg, Hongrie et Pérouse. Ce n'est pas la mission
très limitée du clerc de la Chambre Antonio Casini da Siena,
envoyé en Toscane pour inspecter les comptes du collecteur et
s'y occuper de bien d'autres affaires, qui pouvait suffire à redres-
ser la situation [5].

Les sommations de 1407 furent un échec. L'un des plus importants collecteurs, Giovanni da Mantova, refusa de comparaître
et fut excommunié [6].

Quant au nonce Niccolò Vannini, évêque d'Assise, chargé le
19 mai 1407 d'imposer un subside dans le royaume de Sicile [7], il
était encore redevable d'importantes sommes lorsque, le 15 juillet 1409, Grégoire XII prononça la saisie de ses revenus. Jean XXIII
devait, en 1410, poursuivre contre lui la procédure [8].

Plutôt qu'à une véritable malhonnêteté collective, nous croyons
qu'il faut conclure, dans la plupart des cas, à une totale incapacité.
Que restait-il, en effet, au collecteur des attributions de son office ?
La perception des annates, la levée des vacants, la saisie des
dépouilles. Ces deux dernières opérations n'étaient concevables
qu'avec l'aide d'un personnel subalterne dont il ne semble pas
qu'on se soit préoccupé à Rome. La fragmentation des collectories,
destinée à permettre au collecteur d'être plus facilement à pied

1. Voir ci-dessous, p. 507 et 521-523.
2. *Reg. Vat.* 316, fol. 110 v° et 309.
3. Ed. PERROY, *L'Angleterre et le Grand Schisme*, p. 319.
4. *Reg. Vat.* 335, fol. 75 v°-77 r°, 81 r° et 88 v° ; 336, fol. 27.
5. Bulle du 7 septembre 1407 ; *Reg. Vat.* 336, fol. 116.
6. 3 août 1408 ; *Div. cam.* 2, fol. 7, 14 v°-15 r° et 17.
7. *Reg. Vat.* 336, fol. 12-14.
8. EUBEL, *Hier. cath.*, I, p. 113, note.

d'œuvre, n'était pas une solution heureuse. L'accord tacite, la soumission du clergé local était d'autre part nécessaire. On sait quelle était la puissance d'un collecteur avignonnais, et combien il se faisait craindre. Le collecteur romain, lui, était sans cesse en butte à des contestations. Un indice révélateur est la fréquence des renouvellements de constitutions de collecteurs. On mettait même en doute, dans les provinces, la qualité des agents de la Chambre. Eberhard von Kirchberg, nommé à Mayence avant juillet 1391[1], dut obtenir de nouvelles bulles de nomination le 23 juillet 1397, le 11 juillet 1404 et le 11 novembre 1404[2]. Matteo Lamberti fut nommé collecteur de Pologne le 23 avril 1399, confirmé le 4 juin 1405, nommé à nouveau le 31 janvier 1406 et encore confirmé le 1er avril 1407[3]. Peter Ingewast, évêque de Västeräs, fut nommé collecteur de Suède le 1er février 1404 et encore le 1er octobre 1406[4]. Au Danemark, Peter Udgerson, évêque de Aarhus, puis de Roskilde, fut nommé collecteur le 26 février 1395 et encore le 1er mars 1399[5]. Ces quatre collecteurs n'ont jamais été suspendus de leurs fonctions, et il ne s'agit nullement de nouveaux exercices.

Lors de son avènement, Benoît XIII se contenta de valider les pouvoirs de tous les collecteurs par une seule bulle, non expédiée. Les papes romains, au contraire, devaient adresser à chaque collecteur une bulle garantissant la validité de ses pouvoirs après le changement de pontife ; d'où les séries de confirmations du 11 novembre 1404[6] et des mois de décembre 1406 à avril 1407[7].

Les recommandations étaient également nécessaires, comme celles qu'Innocent VII adressa en faveur d'Antonio da Carpineto au roi de Portugal et à chaque évêque portugais[8]. Tout patriarche de Grado qu'il fût, Giovanni da Mantova se munit d'un sauf-conduit lorsqu'il regagna, en avril 1406, sa collectorie lombarde[9].

Ce n'étaient pas là d'inutiles précautions ; c'en étaient peut-être de vaines. Le danger couru par les collecteurs était bien réel, et de nature à freiner le zèle de la majorité d'entre eux. A peine arrivé dans sa collectorie de Liège, Gilles de Pomponne fut arrêté par les Clémentistes et emmené en Bourgogne où on le garda prisonnier[10]. Guglielmo Fiore, collecteur de Romanie, avait quitté Corfou le 23 février 1393 pour aller saisir à Patras les dépouilles

1. *Reg. Vat.* 313, fol. 160 v°.
2. *Arm.* XXXIII, 12, fol. 125 v°, 236 r° et 239 v°.
3. *Ibid.*, fol. 200 r°, 247 v°, 252 v° et 267.
4. *Ibid.*, fol. 233 r° et 264 v°.
5. *Ibid.*, fol. 180 v° et 199 r°.
6. *Ibid.*, fol. 239 v°-242.
7. *Ibid.*, fol. 266-274.
8. *Reg. Vat.* 334, fol. 32 r°-33 r°.
9. *Reg. Vat.* 334, fol. 94 r°, pris à tort par Eubel pour une constitution.
10. U. BERLIÈRE, *Inventaire analytique des Diversa Cameralia*, n° 32.

de l'archevêque. Dès son arrivée, les chanoines de Patras le firent jeter en prison. Il y demeura un an, à peine nourri et presque nu. Lorsqu'on le relâcha, le 30 avril 1394, il était devenu muet et fou. Trois mois plus tard, installé chez son oncle à Corfou, et aux mains des médecins, il n'avait pas encore repris conscience [1].

On comprend alors que de telles fonctions aient été peu recherchées. Ecrivant à Boniface IX deux semaines après la mort de l'évêque et collecteur Pierre du Bosc, l'archevêque de Bordeaux lui proposait, le 12 mai 1400, de nommer des sous-collecteurs après avoir révoqué celui qu'avait institué du Bosc, qui ne se préoccupait guère que de ses propres intérêts. Indiquant deux bénéficiers, Pierre Arnaud et Pierre d'Abernet, qui furent nommés collecteurs le 1er septembre [2], l'archevêque précisait qu'ils n'accepteraient certainement pas volontiers mais céderaient sans doute à ses propres prières [3]. Il laisserait également entendre au pape qu'un collecteur mal choisi pouvait faire plus de tort à la Papauté que de bien : si Pierre du Bosc avait vécu plus longtemps, les protestations contre tant de provisions indignes que la rumeur publique attribuait à son influence n'auraient pas manqué de parvenir jusqu'au roi d'Angleterre. C'est à l'action du collecteur, indiquait en terminant l'archevêque de Bordeaux, qu'était dû le retard du retour de la Guyenne à l'obédience romaine.

La dernière solution à ces difficultés, ce pouvait être l'envoi de nonces. La Chambre avignonnaise disposait à cette fin de grands administrateurs, clercs de la Chambre ayant une profonde expérience de la curie comme des provinces. On ne rencontrait pas de tels hommes à la Chambre romaine et, pour leur confier des missions de redressement fiscal, c'est à des prélats choisis sur place que recoururent le plus souvent les camériers : les archevêques de Bordeaux [4], de Cantorbéry et d'York [5], en particulier. L'extension géographique de la compétence des nonces défiait parfois le bon sens : Lodovico Baglioni fut envoyé, le 5 octobre 1406, examiner les comptes et récupérer les recettes des collecteurs en Allemagne, Bohême, Danemark, Suède, Norvège et Pologne [6].

Même avec des nonces en mission exceptionnelle, la Chambre n'était pas à l'abri des déboires. Pour imposer et lever un subside sur le clergé florentin, trois nonces furent désignés : Jacopo Altoviti, évêque de Fiesole, Bernardo, abbé de Vallombrosa, et An-

---

1. *Reg. Vat.* 314, fol. 303 r⁰-305 r⁰. De tels incidents n'étaient d'ailleurs pas propres à l'obédience romaine. Un sous-collecteur avignonnais de la province de Reims, attaqué et grièvement blessé, ne s'en remit jamais, ni physiquement ni moralement; *Coll.* 195, fol. 253 r⁰.
2. *Arm.* XXXIII, 12, fol. 209 r⁰ et 211 r⁰.
3. *Reg. Vat.* 317, fol. 42 v⁰-43 r⁰.
4. *Reg. Vat.* 313, fol. 222 v⁰ et *Reg. Vat.* 314, fol. 246 v⁰.
5. *Reg. Vat.* 314, fol. 277 r⁰ et *Reg. Vat.* 336, fol. 22 v⁰.
6. *Reg. Vat.* 334, fol. 218.

tonio Casini da Siena, clerc de la Chambre[1]. Les bulles relatives
à cette mission sont des 7 et 16 septembre 1407[2]. Le 1er octobre,
les deux premiers nommés avaient déjà donné des preuves suffisantes de leur mauvaise volonté pour que Grégoire XII se vît
dans l'obligation de charger Antonio Casini de leur faire une monition et de les remplacer comme commissaires par les prieurs de
la Commune si, dans les dix jours de la monition, ils n'avaient
pas procédé à l'imposition[3]. Qu'arriva-t-il, nous ne le savons,
mais, le 2 décembre, l'un des commissaires avait disparu de l'affaire,
et c'était le clerc de la Chambre. Les trois nonces étaient alors
Jacopo Altoviti, l'abbé de Vallombrosa et un chanoine de Florence
nommé Benottio di Federigo ; ordre leur fut donné, ce jour-là,
de procéder à l'imposition dans les trente jours, sous peine d'excommunication[4].

Contrairement à ce que suggéreraient des apparences où la
possession — combien difficile — de Rome tient une plus grande
place que les réalités politiques et administratives, la papauté
romaine n'avait pas reçu, du point de vue financier, la meilleure
part de l'héritage de Grégoire XI. Géographiquement étirée,
souffrant donc de communications longues et incertaines, l'obédience romaine manqua en outre des hommes qui eussent pu
recréer les structures administratives rigoureuses dont la nécessité
s'était avérée en cinquante ans de séjour avignonnais.

Ayant perdu la quasi-totalité des terres pontificales, le pape
d'Avignon pouvait tirer plus qu'il n'était raisonnable de la fiscalité ecclésiastique : les réticences, l'hostilité même, du clergé
français ou espagnol n'empêchait pas qu'il fût étroitement encadré
par les gens de la Chambre apostolique.

Le pape de Rome, lui, avait l'essentiel des terres du Saint-Siège,
donc d'importantes ressources domaniales et seigneuriales. Mais
que devint la fiscalité ecclésiastique ? Les communs services,
certes, devaient rentrer, puisqu'ils ne dépendaient d'aucune implantation administrative, étant payables en curie. Dans les provinces
de leur obédience, Urbain VI et ses successeurs eussent pu tirer
des annates autant que les papes d'Avignon ; ils pouvaient réserver
les procurations et imposer à leur profit décimes et subsides.
Mais c'étaient là des ressources virtuelles, car les moyens — humains et institutionnels — d'une politique financière leur manquaient presque totalement.

1. Antonio Casini était chanoine de Florence.
2. *Reg. Vat.* 336, fol. 114 v°-115 v° et 126 v°-127 r°.
3. *Ibid.*, fol. 145 v°-146 r°.
4. *Ibid.*, fol. 163 v°-164 r°.

DEUXIÈME PARTIE

LES REVENUS

CHAPITRE IV

LES REVENUS SEIGNEURIAUX

A. — LE COMTAT VENAISSIN ET AVIGNON

Des possessions de l'Eglise, le pape d'Avignon avait reçu la plus petite part ; c'est sur cette part que, par le hasard de la documentation, nous sommes le mieux renseignés. De 1380 à 1406, la série des comptes rendus à la Chambre apostolique par le trésorier du Comtat venaissin est à peu près complète [1]. Les comptes de la Trésorerie pontificale, insuffisants par eux-mêmes car ils ne nous font connaître que les virements, procurent d'appréciables données complémentaires. Semblable étude est, pour les états du pape romain, rigoureusement impossible : notre information est uniquement qualitative, aucun chiffre ne pouvant être avancé pour comparaison avec l'obédience avignonnaise [2].

Les revenus de Clément VII et de Benoît XIII en tant que princes territoriaux sont de quatre sortes [3] : les revenus ordinaires, le plus souvent qualifiés de « revenus généraux » dans les comptes, et qui sont le produit des redevances domaniales — cens, rentes, péages, etc. [4] — directement perçues ou affermées ; les revenus « extraordinaires », qui sont le produit des droits casuels, profits de justice, droits de chancellerie et droits de mutation ; les « tailles » ou subsides, impositions exceptionnelles auxquelles nous serions tenté de réserver le qualificatif d'extraordinaires par analogie avec le vocabulaire de la cour de France, si l'usage de la curie avignonnaise n'était contraire ; les impôts indirects, enfin, compris sous le nom de « gabelles » et régulièrement affermés.

Les revenus extraordinaires sont relativement les moins importants. Ils passent de 1 250 livres au début du Schisme à quelque 500 livres au temps de Benoît XIII, pour atteindre soudain, en 1405-1406, un niveau légèrement supérieur à celui de 1380. En

---

1. *Coll.* 267 à 272.
2. Pour la période antérieure au Schisme, M. J. Glénisson prépare actuellement une étude à laquelle nous renvoyons d'avance.
3. Voir la liste donnée par Cl. Faure, *Etude sur l'administration et l'histoire du Comtat venaissin*, p. 100-126.
4. Faure, *op. cit.*, p. 104-106.

vingt-cinq ans, la variation n'atteint jamais une grande amplitude ; c'est par une brusque diminution que ces revenus passent, vers 1390-1392, à la moitié de leur montant antérieur. Leur valeur relative n'augmente, dans l'ensemble des recettes du trésorier du Comtat, que par l'effondrement des revenus ordinaires. Les revenus extraordinaires représentent 13 % du total en 1380-1381, 35 % en 1399-1400 ; mais ils ont en réalité diminué, entre ces deux dates, de 57 %.

Les revenus ordinaires ou généraux sont au contraire la masse dont les variations déterminent celles du total. C'est vers 1386-1387, donc à l'époque où Raymond de Turenne entre en campagne contre le pape et contre les Angevins de Provence, que s'amorce nettement leur diminution. Avant 1384, les revenus ordinaires oscillent entre 6 500 et 7 500 livres. De 1384 à 1387, ils sont assignés en totalité aux cardinaux de la Grange et Corsini, à Louis de Montjoie et à Bernardon de la Salle [1]. Lorsque prend fin cette assignation, ils n'atteignent plus 4 500 livres, pour osciller ensuite entre 700 et 1 700 livres. Le rôle des guerres entretenues dans les régions du Bas-Rhône par Raymond de Turenne nous paraît indéniable dans cet effondrement de 80 ou 90 %.

Les arrérages perçus par le trésorier du Comtat, généralement relatifs aux revenus ordinaires, montrent une certaine constance. Ils ne sont jamais, et l'on va voir pourquoi, qu'une faible recette.

Le trésorier du Comtat, Bertrand Vincent, s'efforça vainement de conjurer la diminution des revenus ordinaires [2]. Dès les premières années il fut obligé de procéder à des remises, à des dons, que justifiait la pauvreté des tenanciers et des débiteurs. De 1380 à 1384, ces remises passèrent de 25 % à 32, 30 et 38,5 % de la valeur théorique des revenus à percevoir. Sans illusions, Bertrand Vincent ne porta successivement en « restes » recouvrables que 0, 4, 1 et 0,5 % de cette valeur : la perception des arrérages était onéreuse, et mieux valait ne pas s'encombrer de créances incertaines. Plutôt abandonner, semble avoir pensé Bertrand Vincent, que poursuivre sans espoir. A cette époque, les recettes atteignaient donc en moyenne les deux tiers de la valeur des revenus ordinaires.

Après l'assignation triennale dont il a été parlé, les proportions se renversèrent très vite. En 1392-1393, cas limite, la recette concerna 16 % de la valeur théorique ; les restes recouvrables ne représentaient que 0,2 % et ce sont 83,8 % que Bertrand Vincent remit à des gens ruinés par les guerres et les épidémies. Cependant, la valeur théorique diminuait elle-même de moitié. En 1384, elle était de 10 812 livres ; en 1393, elle n'était plus que de 4 891,

---

1. *Coll.* 267, fol. 150 r° ; 268, fol. 69 v°.
2. Nous ignorons dans quelle mesure les gens de la Chambre apostolique, tout proches dictaient sa conduite à cet officier.

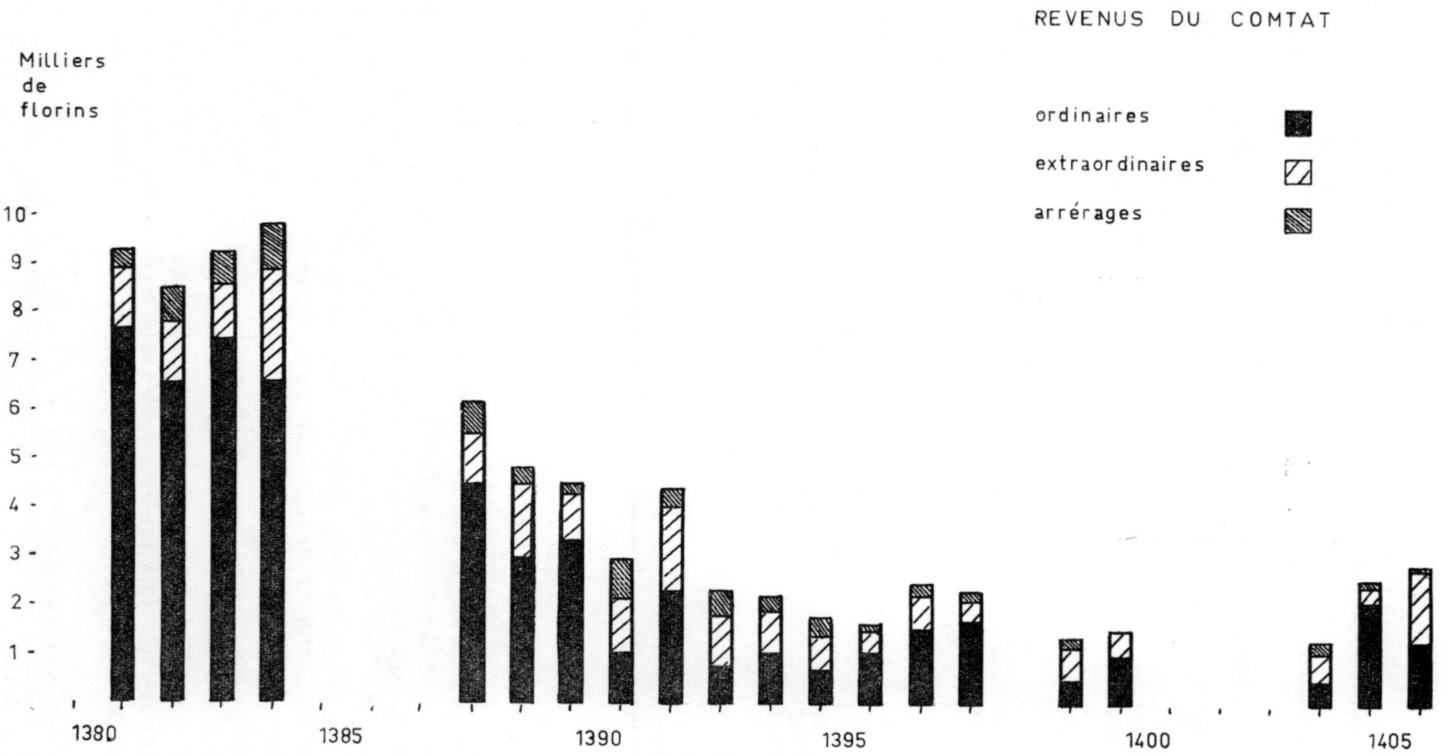

REVENUS DU COMTAT

ordinaires
extraordinaires
arrérages

Graphique **1**

Milliers
de
florins

REVENUS DU COMTAT VENAISSIN (1)

EXERCICE	REVENUS ORDINAIRES	REVENUS EXTRAORDINAIRES	ARRÉRAGES	TOTAL REÇU
1380-1381	7 642	1 250	352	9 244
1381-1382	6 555	1 196	798	8 549
1382-1383	7 473	1 161	573	9 207
1383-1384	6 578	2 274	960	9 812
1384-1385	assignés	1 352	359	1 711
1385-1386	—			
1386-1387	—	1 371	393	1 764
1387-1388	4 487	1 033	679	6 199
1388-1389	2 988	1 500	378	4 866
1389-1390	3 362	930	207	4 499
1390-1391	1 034	1 036	890	2 960
1391-1392	2 296	1 763	348	4 407
1392-1393	783	993	465	2 341
1393-1394	1 085	790	307	2 182
1394-1395	702	686	384	1 772
1395-1396	1 092	441	126	1 659
1396-1397	1 530	629	298	2 457
1397-1398	1 722	465	124	2 311
1398-1399	492	632	261	1 385
1399-1400	1 012	534	0	1 546
1400-1401				
1401-1402	1 046			
1402-1403				
1403-1404	517	570	233	1 320
1404-1405	2 106	356	102	2 564
1405-1406	1 315	1 473	95	2 883

et en 1394 de 2 427 livres. Les terres abandonnées ne pouvaient plus être portées dans la liste des redevances à percevoir, et les enchères ne montaient plus lors du bail à ferme des impositions seigneuriales par le trésorier du Comtat. Malgré cet affaiblissement du revenu théorique, la recette effective n'en représenta, de 1387 à 1395, qu'une part variant entre la moitié et le cinquième, cependant que l'on notait toujours aussi peu de restes recouvrables.

Et voici qu'en 1395, Bertrand Vincent paraît changer sa manière. C'est, en premier lieu, une brusque dévaluation du revenu théorique : de 2 451 livres il tombe à 1 110. En second lieu, les remises cessent. En restes recouvrables, sont portées 17 livres. La recette remonte à 1 092 livres, soit 99 % de la valeur théorique. D'un trait de plume, Vincent a biffé les redevances qu'il devait régulièrement remettre. Il a fait table rase et s'efforce de percevoir dorénavant la totalité d'un revenu dont les éléments contestables ont été

1. - En livres avignonnaises (1 sous av. = 8 d. tournois). Les gabelles et les tailles, comptabilisées à part en raison de leur caractère irrégulier, ne sont point comprises dans ce tableau.

retirés. La manœuvre est claire : faire cesser le marchandage annuel.

Avec la paix relative des années suivantes, la manœuvre parut réussir. La valeur théorique remonta de 1 110 à 1 858, puis 2 037 livres ; la recette de 1 092 à 1 530, puis 1 722 livres, soit 83 et 84 % de la valeur théorique. Le trésorier du Comtat ne consentait que fort peu de remises : 7 et 4 %. Mais, déjà, le résultat était de multiplier les restes auxquels on voulait, maintenant, ne plus renoncer. De 0 et 5 %, ils remontèrent en deux ans à 10 et 12 %.

La soustraction d'obédience et la révolte des cardinaux, que Bertrand Vincent ne suivit pas, provoquèrent un fléchissement passager des recettes. Le nouveau trésorier, Thomas de la Merlie, vit s'effondrer le revenu théorique : 1 032, puis 1 023, enfin 1 046 livres. La première année, en 1398-1399, il n'en leva même que 48 % : 492 livres [1]. Par la suite, il retrouva des taux de perception voisins de la totalité : 99 % en 1399-1400, 97,5 % en 1401-1402.

Le retour de Bertrand Vincent, en 1403, ne ramena pas la régularité. La valeur théorique remonta lentement jusqu'à atteindre 2 380 livres en 1405-1406. Mais les recettes représentaient 39 % en 1403-1404, 94 % en 1404-1405, 55 % en 1405-1406. Les restes passèrent subitement de 3,5 et 4,5 à 30 %, taux jamais atteint en vingt-cinq ans, cependant que reparaissaient les remises : 57,5 % en 1403-1404, 1,5 % l'année suivante, et 15 % en 1405-1406. L'irrégularité caractérise donc bien la période.

Le seul fait constant, jusqu'en 1405 du moins, est la répugnance du trésorier à noter des « restes » théoriquement récupérables. Ceux qui étaient portés dans les comptes étaient ceux dont la perception paraissait assurée. En fait, l'essentiel des restes afférant à chaque exercice était perçu dans les trois années suivantes. Passé ce délai, les restes ne rentraient que fort mal.

Revenus ordinaires et extraordinaires formaient, avec leurs arrérages, la recette du trésorier du Comtat venaissin. Comparer le chiffre de cette recette avec celui des recettes effectuées par les collecteurs serait une erreur. Le collecteur n'avait à supporter, sur sa recette, que ses propres dépenses de gestion et, dans les conditions que l'on a vues, sa propre rémunération et celle de ses gens. La trésorerie du Comtat, elle, devait supporter de nombreuses dépenses, en particulier les gages et les dépenses de gestion de tous les officiers — recteur, clavaires, juges, notaires, trésorier enfin — qui administraient la seigneurie [2]. C'est dire que le revenu net dont pouvait disposer la Chambre apostolique était loin de correspondre à la recette.

Dans les premières années du Schisme, les dépenses avoisinaient

---

1. 196 livres furent portées en restes recouvrables ; les remises atteignirent 344 livres.
2. Sur la nature de ces dépenses, voir Cl. FAURE, *op. cit.*, p. 126-131.

1 750 livres, soit 20% de la recette. En 1392-1394, elles montaient
à 2 000 livres environ, soit 85 à 89% de la recette. Seule, une réduction des gages, à partir de 1394, permit de conserver un revenant-
bon : les dépenses diminuèrent de moitié, ce qui représentait encore
une moyenne de 50% des recettes. En 1403-1404, 711 livres de
dépenses absorbèrent 54% de la recette ; encore les gages du
recteur du Comtat, Antonio de Luna, furent-ils payés par la
Trésorerie pontificale : le trésorier du Comtat ne disposait plus
de 1 200 florins par an pour les payer lui-même [1].

Le revenu net était donc insuffisant pour financer, en cas de
crise, la défense du Comtat. C'est par des tailles spécialement
imposées que la Chambre apostolique put faire supporter par le
Comtat le coût de sa propre sécurité. Nous allons y revenir.

Avant 1384, le revenu net oscillait autour de 7 000 ou 8 000 livres.
Comparé aux diverses collectories, le Comtat se situait donc immédiatement après les plus grandes, celles de Paris, de Reims ou
d'Aragon [2]. Lorsque, à la fin de l'assignation générale de trois ans,
nous pouvons de nouveau estimer le revenu net, il est encore de
4 607 livres, soit le produit d'une collectorie moyenne. Mais la
chute est rapide. A partir de 1392, le Comtat ne fournit plus à
la Chambre apostolique qu'un faible appoint : 144 livres seulement [3]
en 1393-1394 ! Pour la période 1390-1406, la moyenne s'établit
à un peu moins de 1 000 livres par an, alors que la Trésorerie
pontificale supporte la charge — le double — des gages du recteur.

L'usage de l'assignation sur les revenus du Comtat a peu varié.
Ce sont les virements à la Trésorerie pontificale qui, d'abord plus
importants que la masse des assignations, disparurent avec la
diminution des recettes. A partir de 1385, le Comtat servit encore
à éteindre quelques dettes, mais il n'alimenta plus la Chambre
apostolique en argent liquide. A peine peut-on noter trois envois,
en juin et août 1390 et juillet 1391, pour un total de 920 florins
courants (1 104 livres) [4], et l'envoi, en 1404-1405, de 344 livres [5].
Cette disparition des versements du trésorier du Comtat s'explique
aisément : les assignations à payer dépassaient en permanence
les liquidités disponibles à Carpentras. Le jeu de l'assignation
permettait à la Chambre apostolique de disposer, sur la recette
du Comtat, de sommes non encore levées. Il ne laissait jamais de
disponibilités.

Les revenus ordinaires et extraordinaires du Comtat étaient
vraiment devenus une part très secondaire des ressources pontificales. A elle seule, la collectorie du diocèse d'Elne rapportait plus [6].

1. *Coll.* 372, fol. 132 v°.
2. Voir ci-dessous, p. 239 et 474.
3. Outre 50 livres dues à la Chambre par Bertrand Vincent ; *Coll.* 270, fol. 45 v°.
4. *Intr. ex.* 366, fol. 34 v° et 42 v° ; 367, fol. 37 r° ; *Coll.* 269, fol. 57 r° et 135 v°.
5. *Coll.* 272, fol. 125 et 192.
6. Voir ci-dessous, p. 239.

AFFECTATION DES RECETTES DU COMTAT (1)

EXERCICE	RECETTE	VIREMENTS A LA TRÉSORERIE PONTIFICALE		ASSIGNATIONS	
1380-1381 ..	9 244	490	5 %	5 800	63 %
1381-1382 ..	8 549	4 760	56 %	2 220	26 %
1382-1383 ..	9 207	7 280	79 %	320	3,5 %
1383-1384 ..	9 812	7 149	73 %	1 130	12 %
1384-1385 ..	1 711	0		tout	
1385-1386 ..				—	
1386-1387 ..	1 764			—	
1387-1388 ..	6 199	0	0 %	4 607	75 %
1388-1389 ..	4 866	0	0 %	3 301	68 %
1389-1390 ..	4 499	744	16 %	2 221	49 %
1390-1391 ..	2 960	360	12 %	722	24 %
1391-1392 ..	4 407	0	0 %	2 179	50 %
1392-1393 ..	2 341	0	0 %	569	24 %
1393-1394 ..	2 182	0	0 %	144	6,5 %
1394-1395 ..	1 772	0	0 %	495	28 %
1395-1396 ..	1 659	0	0 %	917	55 %
1396-1397 ..	2 457	0	0 %	1 595	65 %
1397-1398 ..	2 311	0	0 %	1 670	72 %
1398-1399 ..	1 385	0	0 %	46 (2)	3 %
1399-1400 ..	1 546	0	0 %	421	27 %
1400-1401 ..					
1401-1402 ..					
1402-1403 ..					
1403-1404 ..	1 320	0	0 %	614	46 %
1404-1405 ..	2 564	200	8 %	1 342	52 %
1405-1406 ..	2 883	144	5 %	1 781	62 %

Les tailles, parfois appelées subsides, furent le plus souvent imposées, sans périodicité aucune, en raison des charges supportées par le pape d'Avignon pour la défense du Comtat.

Ces tailles étaient des impôts de répartition dont le montant était fixé, par la Chambre apostolique ou par le recteur du Comtat [3], en fonction des besoins. Seize tailles nous sont connues ; on a les comptes de perception de six d'entre elles. On trouvera dans le tableau ci-dessous les dates d'imposition et le montant de ces seize tailles.

C'est avec le consentement des Etats—nobles, clercs et habitants du Comtat — réunis à Carpentras par le recteur [4] qu'étaient imposées ces tailles ; il est au moins un cas assuré, où le Conseil des

1. La différence entre la première colonne et le total des deuxième [et troisième colonnes correspond aux dépenses (gages des officiers en particulier) et au débet du trésorier ou à sa créance pour trop versé. Les chiffres sont donnés en livres avignonnaises.
2. Outre les dépenses faites pour le Sacré Collège, alors révolté.
3. *Reg. Av.* 270, fol. 41.
4. Voir J. GIRARD, *Les Etats...*, p. 117-133.

TAILLES IMPOSÉES DANS LE COMTAT

Date d'imposition	Montant	Références
1379, avril.	6 000 fl. cour.	Girard, *Les Etats...*, p. 77.
1380, 7 sept.	6 000 fl. cour. et 2 000 fl. sur les Juifs.	Faure, *Etude...*, p. 139 ; *Coll.* 267, fol. 234-239.
1382, 12 mars.	12 000 fl. cour. (pour Louis d'Anjou).	Valois, *op. cit.*, II, p. 27 ; *Coll.* 267, fol. 296-302.
1383.	6 000 fl. cour.	Faure, *loc. cit.* (indique 5 000 florins) ; *Coll.* 267, fol. 306-316.
1386, 12 juin.	6 000 fl. cour.	*Coll.* 267, fol. 243-273.
1389, 8 déc.	5 000 fl. cour.	*Coll.* 267, fol. 275-291.
1392, 21 févr.	9 000 fl. cour. et 500 fl. sur les Juifs (pour R. de Turenne).	*Coll.* 267, fol. 292-293.
1394, av. le 16 mai	4 000 fl. cour., outre l'entretien de gens d'armes envoyés aux frontières du Comtat.	*Reg. Vat.* 308, fol. 64, 122 vᵒ et 125 vᵒ, 126 rᵒ ; Faure *op. cit.*, p. 141.
1397.	2 500 fl. cour. sur les Juifs.	Faure, *loc. cit.*
1402, janvier.	6 000 fl. cour.	Arch. Vaucluse, C 139, fol. 16.
1402, juin.	6 000 fl. cour.	Arch. Vaucluse, C 139, fol. 1-13.
1403, 19 janv.	6 000 fl. cour.	*Reg. Av.* 306, fol. 47 vᵒ ; Faure, *op. cit.*, p. 141.
1403, 24 mars.	3 000 fl. cour.	*Reg. Av.* 306, fol. 48 vᵒ.
1404.	6 000 fl. cour. et 1 000 sur les Juifs.	Arch. Vaucluse, C 143, fol. 1-7 ; *Reg. Av.* 321, fol. 14 rᵒ.
1405, mai.	1 600 fl. cour. (pour le voyage à Savone).	Arch. Vaucluse, C 2, fol. 52 ; *Intr. ex.* 376, fol. 82 rᵒ.
1406, octobre.	Taille refusée par les Etats.	Arch. Vaucluse, C 6, fol. 15 vᵒ-16 rᵒ.
1407.	5 188 fl. cour.	Arch. Vaucluse, C 145, fol. 1.
1407 ou 1408.	Taille sans doute refusée par les Etats.	Girard, *Les Etats...*, p. 82.

Etats refusa de contribuer [1]. A moins qu'un receveur ne fut « député » pour cela [2], la taille était levée par le trésorier du Comtat ; dans tous les cas, le trésorier centralisait et transmettait la recette. Certains contribuables, d'autre part, s'acquittaient directement à la Trésorerie pontificale d'Avignon ; ainsi faisaient en particulier les barons du Comtat [3].

La taille — et ceci la distingue des revenus domaniaux ordinaires — était pratiquement levée dans sa totalité, sans déchets ou restes, recouvrables ou irrecouvrables. Elle était levée dans un délai relativement bref. Pour les six tailles dont le compte nous est

---

1. En octobre 1407 ; Arch. dép. Vaucluse, C 6, fol. 15 vᵒ-16 rᵒ.
2. Ainsi, pour la taille de 1383, le recteur du Comtat, Henri de Serny, évêque de Maurienne ; *Coll.* 267, fol. 306 rᵒ.
3. *Coll.* 267, fol. 246 rᵒ et 278 rᵒ.

parvenu, la recette atteignit en moyenne 97% de la valeur nominale de l'imposition. Malgré la pression exercée sur les retardataires par le recteur [1], les restes étaient en fait, pour la plupart, irrecouvrables [2]. A cela près, on peut affirmer que la Chambre apostolique, lorsqu'elle imposait une taille de 6 000 florins, pouvait raisonnablement escompter une recette de 6 000 florins. C'est là, pour l'histoire de la fiscalité, une constatation d'importance : les impositions exceptionnelles, « tailles » ou subsides, l'emportaient sur les revenus domaniaux et seigneuriaux autant par la facilité avec laquelle elles étaient levées que par leur montant propre [3]. Dans la même année 1380-1381, les revenus dits ordinaires du Comtat valaient 12 265 livres et la taille imposée 6 000 florins courants, soit seulement 7 200 livres. Mais la recette des revenus ordinaires se monta à 2 623 livres alors que celle de la taille était de 5 795 florins, soit 6 954 livres. On attendait de la taille les trois quarts de la valeur des revenus ordinaires ; elle rendit deux fois et demie cette valeur.

LA LEVÉE DES TAILLES DANS LE COMTAT

L'IMPOSITION		LA RECETTE			L'AFFECTATION		LES ARRÉRAGES
Date	Montant imposé	Recette immédiate	*Recette du trésorier du Comtat	Versements directs à la curie	Versements du trésorier du Comtat		Arrérages levés avant 1392
		Restes	Recette totale			Virements à la trésorerie	Assignations	Levés	Restes en 1392
1380	6 000	143	5 795 (97%)	5 716	79	1 083	4 667	100	43
1382	12 000	122	11 728 (98%)	11 414	314	11 440	0	30	92
1383	6 000	205	5 724 (96%)	5 638	86	2 650	3 022	0	205
1386	6 000	270	5 727 (96%)	5 616	111	2 909	984	6	264
1389	5 000	193	4 849 (97%)	4 815	34	4 050	855	39	146
1392	9 500	217	9 218 (98%)	5 926	3 292	3 469	2 471	0	217

Note. — La différence entre le montant imposé et le total des recettes tient à l'imprécision de 'assiette ; la différence entre le total des virements et des assignations et celui des recettes tient ux dépenses et au solde du compte (débet ou créance).

1. *Reg. Av.* 275, fol. 20 v°-21 r°.
2. Les arrérages levés représentent 17% des restes, et 0,4% des impositions.
3. Il n'en allait pas de même en France, où d'énormes arriérés de taille restaient en souffrance ; M. REY, *Le domaine du roi...*, p. 337.

On pourrait croire que la levée de la taille déterminait les difficultés auxquelles se heurtait la levée des revenus ordinaires. Sauf, peut-être, en 1392-1393, il semble bien qu'il n'en fût rien. Les chiffres de 1380 à 1384 sont, à cet égard, tout à fait significatifs : la levée des revenus ordinaires atteint 75, 64, 69 et 61 % des revenus théoriques, les deux taux les plus élevés (75 et 69 %) correspondant aux années où étaient imposées des tailles.

La taille fut donc, et de plus en plus, le seul moyen de faire contribuer effectivement et rapidement les habitants du Comtat venaissin. L'impôt de répartition l'emportait [1].

Avignon même n'y échappa pas. Avec les marchands établis auprès de la curie, Avignon abritait de plus grosses fortunes mobilières que le Comtat, essentiellement agricole. C'est par la taille, seulement, que l'on pouvait soumettre à la fiscalité ce capital mobilier. Dès 1380, le conseil de la ville se voyait obligé de voter une taille — frappant toute la population, curialistes compris — et de désigner pour l'assiette et la levée sept commissaires pris dans son sein ; ces commissaires étaient déclarés responsables sur leurs propres biens [2]. Les tailles imposées sur les Avignonnais étaient d'un montant élevé, que justifiaient précisément le nombre et la richesse des marchands. Car c'est essentiellement sur eux que pesait la taille [3]. Celle de 1384 était de 5 000 florins courants [4] : la seule ville d'Avignon devait verser presque autant que tout le Comtat.

C'est, d'autre part, sur Avignon que pesait surtout la charge des impositions indirectes, ou gabelles, accordées au pape par le conseil de la ville. Le profit en était parfois partagé, moitié ou trois quarts au pape, moitié ou quart à la ville [5], parfois attribué en totalité à la Chambre apostolique, parfois, enfin, assigné à la ville en remboursement d'un prêt [6] ou, ce qui revenait au même, pour lui permettre de payer un subside [7].

On hésita quant au mode de perception. A plusieurs reprises, on usa de la régie directe. En 1378, Tommaso dal Poggio était « trésorier » de la gabelle du vin et Bernard Girard « trésorier » de la gabelle du sel [8]. En 1389, Giovanni Ratoncini était receveur

---

1. Notons que la papauté était en avance sur la royauté française qui n'adopta la répartition qu'en 1384 en Langue d'Oïl et en 1411 en Languedoc ; Rey, *op. cit.*, p. 335 et 391.
2. *Coll.* 359, fol. 44.
3. R. Brun, *Annales...*, *loc. cit.*, XII, p. 36.
4. *Ibid.*, p. 52 ; Datini fut imposé pour 50 florins, soit 1 %, ce qui nous renseigne sur l'importance relative des affaires du célèbre marchand de Prato.
5. *Ibid.*, p. 52-53 ; *Coll.* 372, fol. 135 ; *Reg. Av.* 242, fol. 49 v°-50 v° ; 270, fol. 60 r°-61 r°.
6. R. Brun, *loc. cit.*, p. 53 et 110-112 ; *Reg. Av.* 275, fol. 69 v°-71 v°.
7. Pansier, *Annales avignonnaises...*, *loc. cit.*, p. 49.
8. *Ibid.*, p. 46.

ou « député à la levée » de la gabelle du vin et du sel [1], mais il jouait également le rôle d'un intermédiaire entre la Chambre apostolique et les marchands qui prêtaient sur cette gabelle. Il recevait les prêts, les transmettait et les remboursait sur sa recette. De même trouvons-nous, en 1405, Enrico di Andrea di Tici, puis Jacques Reboul, comme « gouverneur et receveur de la gabelle »[2].

Mais, le plus souvent, la Chambre recourait au système de la ferme. La gabelle était alors mise aux enchères. La gabelle du vin d'Avignon étant à lever pour un an à compter du 4 août 1380, les enchères furent fixées aux 22, 30, 31 juillet, 2 et 3 août. Huit enchères furent faites, à 20, 24, 26, 27, 28, 29, 30 et 31 000 florins courants. A ce dernier chiffre, Antonio dal Ponte se fit adjuger la gabelle, avant l'extinction de la chandelle, par Gasbert de Longanh et Raoul d'Ailly, clercs de la Chambre apostolique et commissaires à cette fin[3].

Parfois, les éventuels enchérisseurs se faisaient tirer l'oreille. La Chambre ne reculait alors pas devant un véritable chantage : ainsi lorsqu'en 1385 le pape voulut affermer la cinquième année d'une gabelle quinquennale sur le vin dont quatre ans seulement avaient été précédemment vendus. Les fermiers, sans doute à découvert, refusèrent d'acheter cette cinquième année. Le cardinal Brancacci, chargé par le pape de mener l'affaire à bien, menaça alors de vendre cette cinquième année à d'autres personnes, indiquant que celles-ci seraient remboursées par priorité sur le produit de la gabelle pendant un an à compter de la vente ; les droits des premiers acheteurs seraient donc suspendus pendant un an. La menace était grave. Les fermiers comprirent qu'ils risquaient, non seulement de voir retardé d'un an l'amortissement de leur créance, mais surtout de ne pas recouvrer facilement l'exercice de leurs droits à l'expiration de cette année. Ils cédèrent donc et achetèrent la cinquième année[4]. Tout au plus obtinrent-ils un prix inférieur : ils avaient payé 60 000 florins courant les quatre premières, ils payèrent 10 500 la dernière, soit un tiers de moins[5]. Mais la ville — c'est-à-dire en définitive les marchands — avait prêté en 1384 une somme de 7 000 florins courants dont le remboursement était assigné sur la gabelle après les quatre années déjà vendues[6] et, en 1386, au moment où s'ouvrait la cinquième année, les gouverneurs de la gabelle[7] durent prêter 2 000 florins

1. *Intr. ex.* 365, fol. 23 r° ; 366, fol. 44 v°.
2. *Reg. Av.* 319, fol. 54.
3. *Coll.* 359, fol. 49 v°-52 r°.
4. *Reg. Av.* 242, fol. 49 v°-50 v° ; R. Brun, *Annales..*, *loc. cit.*, XII, p. 70.
5. *Intr. ex.* 359, fol. 26 r°, 29 r°, 31 v°, 37 v° et 43 v°.
6. R. Brun, *loc. cit.*, p. 53.
7. Hugues de Sade, Tommaso dal Poggio et Paolo Ricci.

courants [1]. Les gabelles n'étaient donc pas seulement un revenu, elles étaient une inépuisable source de crédit. On voit, d'autre part, que l'existence de « gouverneurs » ne suffit pas pour que l'on puisse conclure à la régie directe : ce pouvaient être les représentants des fermiers.

La gabelle suivante — deux ans à compter du 4 août 1387 — fut vendue pour 34 000 florins courants à huit marchands ; la ville gardait pour son compte un sixième et les marchands n'avaient donc à payer que 28 333 florins courants [2]. Encore fallait-il réunir la somme, que la Chambre apostolique désirait percevoir dans les plus brefs délais : les fermiers durent emprunter sur la gabelle. Deux types de prêt furent proposés aux marchands d'Avignon que l'affaire pouvait tenter : ou bien ils prêteraient avec participation aux profits et aux risques et seraient remboursés par mensualités au prorata du montant de leur prêt et des recettes de la gabelle ; ou bien ils prêteraient sans participation, mais avec une garantie des fermiers pour le remboursement du capital prêté, en huit versements trimestriels. Boninsegna di Matteo, l'associé de Datini, qui nous fait connaître ce marché, préféra la première formule, à laquelle les Avignonais semblent avoir été habitués depuis cinq ans au moins. Il prêta 400 florins courants [3].

Pour se faire avancer tout ou partie du revenu d'une gabelle, le pape pouvait également se tourner vers la ville. Dans la mesure où les négociations n'étaient pas trop ardues — elles faisaient normalement tomber d'un tiers les prétentions camérales [4] — le pape y gagnait de plus fortes anticipations et échappait aux aléas des enchères publiques. En 1382, les gabelles servirent ainsi à gager le prêt, remboursé d'ailleurs sur d'autres revenus, de 3 000 florins de la Chambre consenti par le conseil de la ville [5]. En 1389, celui-ci prêta 20 000 florins courants pour le remboursement desquels le pape imposa et donna à la ville une gabelle pour le temps qui serait nécessaire à ce remboursement [6]. Lorsque, en 1392, Clément VII dut trouver 50 000 francs pour faire face aux obligations nées du traité conclu avec Raymond de Turenne [7], l'évêque de Valence et le comte de Valentinois procurèrent chacun 10 000 francs [8], une taille de 9 500 florins courants fut imposée sur le Comtat venaissin [9] et 18 000 francs furent demandés à la

---

1. *Intr. ex.* 361, fol. 33 r°.
2. *Reg. Av.* 250, fol. 286-287.
3. R. Brun, *loc. cit.*, p. 96-97.
4. *Ibid.*, p. 110.
5. *Coll.* 359 A, fol. 204 r°.
6. *Reg. Av.* 275, fol. 69 v°-71 v°.
7. Voir ci-dessous, p. 636.
8. Leur apport était primitivement fixé à 15 000 francs ; Brun, *loc. cit.*, XII, p. 133.
9. On avait d'abord espéré obtenir 10 à 12 000 francs des Etats ; *Coll.* 267, fol. 293.

ville d'Avignon [1]. Pour payer cette somme, le conseil accorda au pape une gabelle sur le vin et le sel pour deux ans à compter de la fin de la gabelle en cours, c'est-à-dire du 4 août 1394. Sur cette gabelle à venir, le conseil prêta pour commencer 15 000 francs[2]. Pour le pape, la perte était sérieuse — à peu près la moitié de la valeur de deux ans de gabelle — mais l'argent rentrait avec deux ou quatre ans d'avance. Aussi trouva-t-on un détour pour faire supporter aux marchands avignonnais une charge plus lourde qu'ils n'avaient tout d'abord cru. Le capital ne leur fut en effet rendu que sur vingt-quatre mois, ce qui, compte tenu du loyer de l'argent, annulait le bénéfice escompté par les prêteurs. Bien plus, Benoît XIII fit ensuite connaître qu'il garderait pour lui le bénéfice éventuel de la gabelle. Les marchands avaient donc, en réalité, prêté pour quatre ans et sans intérêt ! Ils cédèrent, « par crainte du pire »[3].

Tantôt unies, tantôt séparées, les gabelles du vin et du sel furent presque constamment renouvelées pendant les trente ans que nous étudions. Lorsqu'elles étaient affermées, c'est-à-dire le plus souvent, le bail était ordinairement conclu pour la durée pour laquelle le conseil avait concédé la gabelle : un, deux ou trois ans. Exceptionnellement, pour la gabelle quinquennale déjà citée, il y eut deux baux, de quatre et d'un ans. La gabelle des marchandises et des vivres demeura au contraire occasionnelle. Nous en trouvons une en 1379[4], une autre en 1389-1391 pour financer la lutte contre Turenne[5] ; on a conservé le tarif d'une gabelle imposée sans doute en 1397[6] ; le pape, enfin, eut le profit de la moitié d'une gabelle levée en 1404[7].

Le prix de la ferme des gabelles du vin et du sel varia en fonction de diverses circonstances : le taux de la gabelle, la conjoncture locale et le prix du vin ou du sel au moment du bail, les délais d'amortissement résultant de la vente à terme, le plus ou moins grand besoin d'argent du pape, enfin et surtout le jeu des enchères. On a vu que celles-ci, en 1380, avaient varié de 20 à 31 000 florins courants.

Ce chiffre, non plus que celui de 30 000 florins courants qui avait été celui du précédent bail, ne devait pas se retrouver par la suite. Il s'appliquait à la seule gabelle du vin. A partir de 1382, on vendit conjointement les gabelles du vin et du sel. Or, en 1382,

1. BRUN, *loc. cit.*, XII, p. 134.
2. *Ibidem.*
3. BRUN, *loc. cit.*, XIII, p. 103-104.
4. *Intr. ex.* 353, fol. 5 r°.
5. *Intr. ex.* 365, fol. 20 v° ; 366, fol. 25 v°, 28 r° et 44 v° ; 369, fol. 26 v° ; BRUN, *loc. cit.*, XII, p. 111.
6. Edité par P. PANSIER, *Les gabelles...*, dans les *Ann. d'Av. et du Comtat venaissin*, 1926, p. 37-63.
7. *Coll.* 372, fol. 135.

quatre années de ces gabelles ne furent affermées que pour 60 000 florins, soit 15 000 par an [1]. La cinquième année ne trouva preneur — ce furent les mêmes fermiers — qu'à 10 500 florins [2]. En 1387, deux années furent affermées pour 34 000 florins, dont un sixième était affecté aux réparations des murs et des portes et à des aménagements portuaires à Avignon : la Chambre ne recevait donc que 28 333 florins, soit 14 166 par an [3]. De même une année trouva-t-elle preneur en 1390 pour 14 000 florins [4]. Puis, ce fut la crise économique consécutive aux guerres de Turenne : grains et vin furent rares et chers [5], le taux des gabelles fut abaissé [6]. En 1391, trois années ne furent adjugées que pour 36 000 florins courants, soit 12 000 par an [7]. L'effondrement des enchères fut peut-être la cause de la préférence que les papes commencèrent à marquer pour le système de la régie directe. Mais y eut-il en la matière une politique cohérente ? La Chambre n'a-t-elle pas dû recourir à la régie en l'absence d'enchères ? Pour l'année 1397-1398, en effet, la gabelle du sel fut partiellement vendue — selon un partage dont nous ignorons les modalités — à Giovanni Ratoncini, Paolo Ricci, Giorgio di Tici, Michele da Burgaro, Catalano della Rocca et Jean Tegrini [8], cependant que la gabelle du vin était levée par un receveur, en l'occurrence Tommaso dal Poggio, secondé par le changeur Léonard Volpastre qui versa au fur et à mesure des recettes le produit des gabelles à la Trésorerie pontificale [9]. En 1404, trois gabelles — vin, sel et marchandises — étaient en régie directe [10]. Cela n'empêchait d'ailleurs nullement la Chambre apostolique d'obtenir sur ces gabelles quelques avances de fonds : un véritable compte courant était ouvert à cette époque chez Giovanni Ratoncini à qui les « administrateurs » des gabelles versaient leurs recettes et qui effectuait des paiements pour la Chambre, dont le compte était en permanence à découvert [11]. Une dernière ferme fut péniblement vendue pour cinq ans à compter de la Saint-Jean 1404 : Brémond Brochet emporta l'adjudication à 5 000 florins [12]. Le 26 janvier 1408, enfin, Benoît XIII chargea Pedro Adimari d'affermer pour deux ou trois ans les gabelles d'Avignon [13] ; nous ignorons le succès de cette opération.

---

1. BRUN, *loc. cit.*, XII, p. 53 et 70.
2. *Intr. ex.* 359, fol. 26 r°.
3. *Reg. Av.* 250, fol. 286-287 ; *Intr. ex.* 363, fol. 20-22 ; 365, fol. 13 v° ; BRUN, *loc cit.*, XII, p. 96-97.
4. *Reg. Av.* 277, fol. 179 v°-181 r° ; *Intr. ex.* 366, fol. 5 v° et 20 r°.
5. Brun, *loc. cit.*, XII, p.131.
6. *Ibid.*, p. 112 ; le texte concerne la gabelle des marchandises.
7. *Reg. Vat.* 301, fol. 120 v°-121 r° ; *Intr. ex.* 367, fol. 17 et suivants.
8. Le prix de leur part était de 2 000 florins courants ; *Intr. ex.* 374, fol. 33 v°.
9. *Intr. ex.* 375, fol. 7 v°-8 v°.
10. *Reg. Av.* 319, fol. 39 et 54.
11. *Coll.* 372, fol. 135 ; *Reg. Av.* 319, fol. 39.
12. Arch. dép. Vaucluse, C 140, fol. 2.
13. *Reg. Av.* 331, fol. 106 v°-107 r°.

Quel était le profit des fermiers ? Quel avantage avait la Chambre en renonçant à la ferme ? Malgré le petit nombre d'informations sur ce point, il paraît bien que la Chambre trouvait dans la ferme une sécurité et que les fermiers, en prenant des risques, faisaient un pari qui pouvait être fort rémunérateur.

En choisissant de participer aux profits et aux risques plutôt que d'accepter la garantie des fermiers, Boninsegna di Matteo écrivait, en 1387, à Datini que le capital serait sans doute doublé en deux ans et que, dans le cas le plus défavorable, le gain atteindrait bien 100 florins par an, soit en deux ans 50% du capital engagé [1]. Cinq ans plus tard, appréciant l'opération réalisée par d'autres sur la gabelle de 1391-1394, le même Boninsegna notait que le bénéfice était considérable : les fermiers avaient acheté la gabelle à bas prix en 1391, et la disette avait fait monter les prix à partir de 1392 [2].

Quoi qu'il en fût, le profit de la Chambre apostolique a presque constamment diminué à partir de 1379. De mars 1403 à octobre 1404, toutes les gabelles d'Avignon et du Comtat avaient rapporté 8 896 florins courants [3] ; soit environ 6 000 florins par an. En 1379, la seule gabelle du vin à Avignon en avait rapporté 30 000, ce qui — si l'on reporte les proportions de 1404 entre les diverses gabelles — laisse évaluer à quelque 50 000 florins le produit annuel des gabelles d'Avignon et du Comtat au début du Schisme. La chute serait donc voisine des neuf dixièmes.

B. — L'ÉTAT PONTIFICAL

Tel qu'il apparaît à l'examen rapide d'une carte, pour les premières années du Schisme, l'état pontifical est une illusion. A Clément VII, Avignon et le Comtat venaissin ; à Urbain VI, l'Italie moyenne et la seigneurie des puissants vassaux qu'étaient le roi de Naples et, pour la Sardaigne et la Corse, le roi d'Aragon ; voilà qui laisserait croire que le pape romain avait reçu la meilleure part. Or de sa part Urbain VI avait surtout les charges, et les frais engagés pour défendre ct même récupérer ses états égalèrent bien ceux qu'engageait son adversaire pour y asseoir ou même y consolider son influence.

Nous ne ferons pas ici l'histoire de l'Italie au temps du Grand Schisme [4]. Rappelons cependant quelques traits, qui mettront en

1. BRUN, *loc. cit.*, XII, p. 97.
2. *Ibid.*, p. 133.
3. Gabelle du sel dans le Comtat : 1545 florins ; — du sel à Avignon : 780 florins ; — du vin à Avignon : 5 533 florins ; des marchandises à Avignon : 1037 florins ; *Reg. Av.* 319, fol. 39.
4. Voir les travaux de N. Valois, E. Jarry, M. de Boüard, J. Guiraud et P. Partner (ci-dessus, bibliographie).

évidence ce que purent être les revenus seigneuriaux et domaniaux — si mal connus — d'Urbain VI et de ses successeurs.

Jamais la domination du pape romain ne put s'affermir sur le royaume de Naples. Même Charles de Durazzo, créature d'Urbain VI, ne fut pas le vassal fidèle qu'attendait ce pape, et « l'attachement intéressé » de Ladislas à Boniface IX[1] fut plus l'instrument d'une ambition que l'aide d'un vassal. Dès l'élection d'Innocent VII, Ladislas devint, d'ailleurs, le plus dangereux adversaire du pape romain[2]. Nombreux étaient, d'autre part, les barons du royaume qui refusaient de se rallier à l'assassin de la reine Jeanne et à son fils. Lourde charge pour Avignon, le royaume ne le fut pas moins pour Rome.

Seigneurs de Milan et d'une partie de la Lombardie, les Visconti ne se préoccupèrent jamais que de leur propre intérêt. L'alliance de Jean Galéas avec la France fit de lui, sinon un rebelle à l'autorité spirituelle du pape romain, du moins un ennemi politique. Le retournement consécutif à l'alliance franco-florentine de 1396 le poussa un temps vers Wenceslas, plus que vers Boniface IX. Surtout, les ambitions territoriales du duc de Milan s'opposaient aux droits du pape en Toscane, en Ombrie, voire — après sa victoire sur Robert de Bavière — à Bologne. Que le pape n'en ait guère conçu d'inquiétude[3], c'est possible. Que Jean Galéas ait rempli ses obligations de vicaire apostolique, il serait paradoxal de l'affirmer.

Quant au roi d'Aragon, neutre jusqu'en 1387, partisan convaincu du pape avignonnais après cette date, il ne songeait évidemment pas à exécuter envers le pape romain les clauses financières de son contrat d'inféodation.

Restait l'Italie centrale. Une seule fidélité y apparaît indéfectible, celle des Malatesta, seigneurs de Rimini, Pesaro, Todi, Cesena, Senigallia, Cervia, Fano et, un temps, Ravenne. A Bologne, l'évêque urbaniste Cosimo Megliorato — l'ancien collecteur et le futur Innocent VII — ne pouvait se faire reconnaître dans une ville qui louvoyait sans cesse entre les deux partis, dans l'espoir de garantir son indépendance contre le Visconti. En 1388, Bologne se déclarait ouvertement pour les Français et pour Clément VII. En 1401, elle était au pouvoir de Giovanni di Bentivoglio, en 1402 elle se livrait au Visconti et, l'année suivante, à Boniface IX qui y installa comme légat l'énergique Baldassare Cossa[4].

En Ombrie, en Campagne et Maremme, et dans le Patrimoine en Tuscie, l'opposition au pape romain demeura longtemps opiniâtre. Onorato Caetani et Bernardon de la Salle, puis les Colonna,

---

1. M. DE BOÜARD, *La France et l'Italie...*, p. 355.
2. P. PARTNER, *The papal State...*, p. 16-21.
3. Selon l'opinion de M. DE BOÜARD, *op. cit.*, p. 252.
4. N. VALOIS, *La France et le Grand Schisme...*, II, p. 148 ; M. de BOÜARD, *op. cit.*, p. 286-287 ; J. GUIRAUD, *L'état pontifical...*, p. 23.

Ladislas enfin, battirent en brèche l'autorité pontificale sur la Campagne. Le préfet de Rome Francesco di Vico, puis son fils Giovanni, maintinrent hors de l'emprise d'Urbain VI les villes de Todi, Viterbe, Narni, Civita Vecchia et Amelia, et soutinrent jusqu'en 1386 la résistance de Montefiascone ; Boniface IX n'obtint leur soumission définitive qu'en 1393 [1]. Brouillé avec Urbain VI dès 1380, Rinaldo Orsini tint sous sa coupe Orvieto, puis en 1383 Spolète et en 1386 Corneto ; ces villes et territoires ne furent replacés sous l'autorité pontificale qu'après la mort d'Orsini, sous le pontificat de Boniface IX. Encore faut-il noter, de 1397 à 1403, la révolte de Pérouse [2]. A Camerino, le seigneur était ce Radolfo da Varano qui avait subvenu de ses deniers à l'entreprise angevine [3]. Lors de l'avènement de Boniface IX en 1389, la Toscane, la Romagne, l'Ombrie et le Patrimoine étaient en état de rebellion ouverte ou latente. Naples était gouvernée au nom de Louis II d'Anjou. L'autorité du pape romain se voyait bafouée dans toute la Péninsule [4] ; elle l'était enfin, tout spécialement, à Rome, dont le peuple traitait d'égal à égal avec le pape, d'où Boniface IX et Innocent VII durent à plusieurs reprises s'exiler et où Grégoire XII fut pratiquement empêché de résider [5].

De tout cela, les finances romaines se ressentaient. L'insoumission et les dévastations d'une guerre permanente ne pouvaient que réduire à néant la recette domaniale de bien des trésoriers provinciaux. C'est à partir de 1400, seulement, que la Chambre apostolique put envisager d'assigner quelques paiements sur ces revenus. Les redevances féodales et seigneuriales n'étaient pas moins impayées que les domaniales.

Les redevances féodales, notons-le, étaient normalement d'un faible rapport. Le cens de 8 000 onces d'or — soit 40 000 florins — dû par le roi de Naples était une exception. Pour les fiefs tenus du Saint-Siège, il n'était guère de cens que recognitifs : un cheval [6], un faucon [7], une paire de mules en cuir rouge orfrayé d'une croix d'or [8], une livre de cire (c'était le cens le plus fréquent) [9] ou une petite somme d'argent, de un à dix florins par an [10].

Autrement importants étaient les cens dus par les seigneurs et podestats pour le vicariat apostolique de leurs villes et territoires. Certes les plus modestes ne devaient, comme les vassaux, qu'un

1. VALOIS, op. cit., II, p. 124-127 et 164-166.
2. VALOIS, op. cit., II, p. 127 et 162-163 ; GUIRAUD, op. cit., p. 20 ; Reg. Vat. 333, fol. 173 v°-174 r°.
3. VALOIS, op. cit., II, p. 47.
4. Ibid., p. 147-151.
5. GUIRAUD, op. cit., p. 11-15.
6. Pour le comté de Gonzague ; Reg. Vat. 313, fol. 377 r°.
7. Reg. Vat. 313, fol. 143-144.
8. Reg. Vat. 310, fol. 66-67.
9. Reg. Vat. 310, fol. 108 v°-109 r° ; 313, fol. 86 et 225.
10. Reg. Vat. 313, fol. 91 v°-92 r° ; 317, fol. 12 r°-13 r°.

LES CENS DES VICARIATS APOSTOLIQUES

Villes	Vicaires	Cens	Références
Milan............	Visconti	10 000 florins.	Möhler, *Einnahmen*..., p. 23.
Ferrare...........	Este.	10 000 florins	*Reg. Vat.* 314, 267 r°-274 r°.
Vérone, Vicence et Parme.........	Della Scala.	5 000 florins.	Möhler, *op. cit.*, p. 21.
Rimini, Pesaro, Cesena, Senigallia, Cervia, Fano, etc.	Malatesta.	8 000 florins.	*Reg. Vat.* 317, 171 v°-172 r°
Todi..............	Malatesta.	3 000 florins.	*Reg. Vat.* 313, 385 r°-389 r°
Bologne.	La commune.	5 000 florins.	*Reg. Vat.* 317, 98 v°-99 r°.
Pérouse.	La commune.	3 000 florins.	*Reg. Vat.* 315, 352 v°.
Ascoli Piceno.......	La commune.	3 000 florins.	*Arm.* XXXIII, 12, 51 r°.
Ravenne	Da Polenta (Malatesta de 1383 à 1391).	1 500 florins. Réd. à 1 000 fl. le 18 janvier 1403	*Arm.* XXXIII, 12, 57 v°. *Reg. Vat.* 320, 72 v°-76 r°.
Faenza	Manfredi.	1 500 florins.	*Reg. Vat.* 347, 97 v°-103 v°.
Foligno	Trinci.	1 500 florins. Réd. à 1 000 fl. le 17 août 1392.	*Reg. Vat.* 313, 13 v°-19 r°. *Reg. Vat.* 313, 359 r°-363 r°
Città di Castello ...	La commune.	1 500 florins. Réd. à 1 000 fl. le 12 juin 1404.	*Reg. Vat.* 320, 113 r°-114 r°. *Reg. Vat.* 319, 28 v°-34 r°.
Urbino et Gubbio. ..	Montefeltro.	1 300 florins.	*Reg. Vat.* 319, 15 v°-21 v°.
Forli..............	Ordelaffi.	1 000 florins.	*Reg. Lat.* 103, 198-201.
San Ginesio, Tolentino, Montecchio, Penna San Giovanni, etc.......	Da Varano.	1 000 florins.	*Reg. Vat.* 315, 306 r°.
Imola	Alidosi.	1 000 florins. Réd. à 700 fl. le 17 janvier 1399.	*Reg. Vat.* 314, 78 r°-83 r°. *Reg. Vat.* 316, 102-107.
Cingoli.	Da Cingoli, puis Da Cuni.	900 florins. Réd. à 600 fl. le 20 mars 1395.	*Reg. Vat.* 313, 324-326. *Reg. Vat.* 334, 235 v°-236 r°
Fabriano.	Chiavelli.	450 florins.	*Reg. Vat.* 314, 116-119.
San Severino Marche	Sineducci.	400 florins.	*Reg. Vat.* 334, 191 v°-195 v°.
Serra San Quirico, Esme, etc........	Simonetti.	150 florins	*Reg. Vat.* 320, 250-254.
Sassoferrato.	Hatt.	100 florins.	*Reg. Vat.* 315, 325 v°-329 r°

cens recognitif : un palefroi[1], un chien de chasse[2], un mulet[3], un cerf vivant[4], un couple de faisans[5], deux bœufs[6] et, très fréquemment, un faucon[7]. Mais les cens des vicariats les plus notables,

1. *Reg. Vat.* 336, fol. 58-62.
2. *Reg. Vat.* 313, fol. 363 v°-366 v° ; 315, fol. 273-275 ; 316, fol. 158-159 ; 317, fol. 34 v°-40 v° ; 320, fol. 169-170.
3. *Reg. Vat.* 320, fol. 226 v°-232 v°.
4. *Reg. Vat.* 317, fol. 113-117.
5. *Reg. Vat.* 317, fol. 113-117 ; 320, fol. 226 v°-232 v°.
6. *Reg. Vat.* 314, fol. 138 r°-141 r°.
7. *Reg. Vat.* 313, fol. 363 v°-366 v° ; 316, fol. 38 v°-40 v° et 235 r°-240 r° ; 317, fol. 193 v°-197 v° ; 319, fol. 12 v°-13 v°.

fixés en numéraire, atteignaient d'assez fortes sommes. Les cens
mentionnés dans le tableau que nous présentons représentent
au total 59 300 florins ; en y ajoutant les cens plus faibles [1], nous
arrivons à un total d'environ 60 000 florins par an. Avec les redevances dues pour leurs fiefs par les rois de Naples et d'Aragon,
le pape romain aurait donc dû percevoir 110 000 florins par an.

Il en fut toujours fort loin. Le cens du royaume de Naples, encore
fixé à 8 000 onces d'or en 1381 lors de l'inféodation à Charles de
Durazzo[2], fut réduit à 3 000 onces seulement, soit 15 000 florins,
mais il ne fut pas pour autant payé. En 1391, rien n'avait encore
été versé[3]. Le 23 avril 1403, remise fut faite à Ladislas de tous les
cens passés, jusqu'à celui de la Saint-Pierre 1402[4] ; le 11 novembre
1404, le jour même de son couronnement, Innocent VII devait
étendre par nécessité politique cette remise jusqu'au cens de
1407[5] : Ladislas occupait Rome. Une nouvelle remise, le 13 août
1406, concerna les cens de 1408 à 1413[6]. En trente ans, le pape
n'avait rien touché du cens royal ; des Visconti, des della Scala,
il n'avait pas davantage reçu un florin. A la meilleure période,
c'est-à-dire au temps de Boniface IX, les cens payés pour les vicariats de l'Italie centrale ne représentaient que 45 000 florins au
maximum, au lieu des 110 000 auxquels le pape pouvait prétendre.

Parmi les cens payés, certains le furent très irrégulièrement.
Bologne ne paya rien avant l'avènement de Boniface IX. Pour
Ravenne, Guido da Polenta, tyran débauché mais clémentiste
convaincu, n'avait encore rien payé à Urbain VI lorsque celui-ci
lui substitua Galeotto di Malatesta[7] ; ses fils, qui reprirent le vicariat
en 1391, ne purent payer les dettes de leur père[8] et payèrent leur
propre cens avec bien des difficultés : celui de 1391 n'était pas
acquitté lorsque l'on envoya Giovanni Manco l'exiger, le 3 avril
1392[9] ; une remise de nombreux cens impayés leur fut accordée
le 18 janvier 1403[10], ce qui ne les incita même pas à payer celui
de cette année 1403 : le 1er novembre, il fallut leur dépêcher le
légat Baldassare Cossa [11]. En 1407, ils avaient à nouveau des dettes
envers la Chambre apostolique [12]. Les exemples de telles réticences
pourraient être multipliés.

---

1. 75 fl. pour Montevetuli, 50 pour Matelica, 2 fl. 20 s. pour Tomba, etc. ; *Reg. Vat*
314, fol. 83 v°-87 r° ; 317, fol. 102-104 ; 320, fol. 223 r°.
2. *Reg. Vat.* 310, fol. 168 r°-181 r°.
3. *Reg. Vat.* 313, fol. 139-140.
4. *Reg. Vat.* 320, fol. 114 v°-115 r°.
5. *Reg. Vat.* 333, fol. 70 v°.
6. *Reg. Vat.* 334, fol. 252.
7. Le 10 août 1383 ; *Arm.* XXXIII, 12, fol. 55-57.
8. *Reg. Vat.* 313, fol. 93 r° 98 r°.
9. *Ibid.*, fol. 302 v°.
10. *Reg. Vat.* 320, fol. 76 v°-77 r°.
11. *Ibid.*, fol. 176 v°-177 r°.
12. *Reg. Vat.* 335, fol. 97-98.

L'attitude des Malatesta est toute contraire. Non seulement la Chambre apostolique pouvait compter sur leurs cens, mais elle en obtenait parfois l'avance. En septembre 1392, Malatesta di Pandolfo versa 15 000 florins à valoir sur les prochaines échéances de son cens pour Todi [1]. En mai 1407, il versa 4 800 florins représentant ses quatre prochains cens pour Pesaro [2]. Le seigneur de Foligno, Ugolino de'Trinci, versa de même 4 000 florins entre le 22 mai 1393 et le 2 juin 1394 [3], soit quatre années de cens échus et à échoir. On peut enfin qualifier de réguliers — à partir de l'avènement de Boniface IX — les paiements des Este, du comte de Montefeltro et des communes d'Ascoli Piceno et Città di Castello.

C'est donc d'une quarantaine de milliers de florins que la Chambre apostolique romaine pouvait être assurée, à partir de 1390, grâce aux cens dus par les vicaires apostoliques. Ces cens, nous le verrons, furent presque tous affectés à la défense de l'état pontifical et directement assignés pour la solde des gens d'armes du pape.

Avec les compositions dues pour l'exécution des traités [4], les cens étaient les seuls revenus seigneuriaux payables à la Trésorerie pontificale. Tout le reste était l'objet de l'activité des trésoriers provinciaux, exerçant leur office sous l'autorité des recteurs. Ces derniers étaient en particulier chargés d'affermer l'exploitation du domaine pontifical, des salines par exemple [5]. Le prix des fermes, comme les amendes infligées par les juridictions temporelles [6] ou les cens en nature et en argent dus par les tenanciers, étaient versés aux trésoriers provinciaux. Ces cens des tenanciers et les divers droits domaniaux ne rapportaient au total que de faibles sommes [7]. Dans l'état pontifical, comme ailleurs, la fiscalité ordinaire était insuffisante.

La fiscalité indirecte l'emportait de loin. Et tout d'abord les droits indirects, les gabelles, dont la levée était le plus souvent confiée à des receveurs particuliers [8], lorsque le trésorier provincial ne recourait pas au système de la ferme. Ces receveurs, c'étaient les *gabellarii*, comme celui de Todi [9], les *doganarii*, comme celui de la fort importante *dogana pecudum* — taxe sur la pâture — du Patrimoine en Tuscie [10] ; c'était à Rieti l'*officialis gabellarum* [11],

---

1. *Reg. Vat.* 313, fol. 389 v°.
2. *Reg. Vat.* 336, fol. 8 v°-9 r°.
3. *Reg. Vat.* 313, fol. 101 r°, 136 r° et 263 v°.
4. Avec Pérouse ou avec Florence, par exemple.
5. *Reg. Vat.* 333, fol. 171 ; 336, fol. 144.
6. *Reg. Vat.* 320, fol. 2 v°-3 r°.
7. P. PARTNER, *The papal State...*, p. 104-105. Dans le Patrimoine, ils rapportaient autour de 5 000 florins par an au temps d'Innocent VI ; *Intr. ex.* 266, fol. 327-342.
8. A. GOTTLOB, *Aus der Camera...*, p. 100-103.
9. *Reg. Vat.* 316, fol. 11 v°-12 r°.
10. Partner, *op. cit.*, p. 118-119.
11. *Reg. Vat.* 335, fol. 67 v°-68 r°.

à Narni le « camérier » de la cité[1]. Le trésorier provincial centralisait les recettes et recevait des fermiers le prix des adjudications. Parfois, dans la Marche d'Ancône et dans le Patrimoine en Tuscie, il dirigeait lui-même la levée des gabelles, assurée par ses propres subordonnés[2].

De ces gabelles, affermées ou en régie directe, quel était le rapport ? Plus que jamais, il faut ici distinguer le revenu brut du revenu net. Un exemple, celui de Bologne, est à cet égard révélateur.

A toutes les périodes où Bologne fut sous la domination pontificale, les gabelles de la ville et du comté furent levées ou affermées pour le compte de la Chambre apostolique, représentée sur place par un trésorier ou par un dépositaire général de la Chambre à Bologne. Ce furent, au temps de la légation de Baldassare Cossa, Antonio Arcuti da Isola et Pietro Bardelli da Firenze en 1404, puis, de 1405 à 1409, le changeur Matteo di ser Tommaso de' Magnani[3]. Auparavant, la commune désignait elle-même son dépositaire : fra Simone, prieur de San Gregorio, en 1379, Bocchino di Guido de' Bocchi en 1382, Jacopo di Giovanni de' Garsendini en 1386, Alla di Nanno de' Testi en 1393, Matteo da Canitulo et Cristoforo de' Canonici en 1395, et Romeo de' Foscarari — désigné par Giovanni di Bentivoglio — en 1401[4].

Les revenus encaissés par ce trésorier ou dépositaire sont bien connus, notamment pour la période 1404-1409 où la Chambre apostolique en fut théoriquement bénéficiaire. La comparaison des fermes de 1404 et des revenus effectifs de 1406 laisse apparaître un très net redressement, dû à l'énergique administration du cardinal Cossa. Les gabelles, affermées en 1375 pour un total de 330 250 livres bolognaises[5], ne rapportaient plus, en 1384, que 144 535 livres[6] et, en 1404, ne furent affermées que pour 139 125 livres ; encore doit-on noter que ce dernier chiffre inclut des baux faits pour quatorze mois (gabelles des marchandises et du vin), quinze mois (gabelles des poissons et crustacés, du foin et de la paille, des fruits, des portes de la ville, de la *Stradirola*), seize mois (gabelle des *forixelli*) et même vingt-six mois (gabelles sur les ventes et *dazi*). La péréquation pour douze mois donne un revenu brut total de 115 000 livres seulement. La raison principale de cet effondrement est la disette qui régnait en 1404 : la gabelle du pain ne put être levée, celle des moulins ne procura que 50 livres[7]. Tous ces chiffres

1. *Reg. Vat.* 313, fol. 278 r°.
2. *Reg. Vat.* 333, fol. 261 r°-262 r°.
3. *Arch. Stato*, Bologne, *Tesoraria* 30, 32, 35, et 38.
4. *Arch. Stato*, Bologne, *Tesoraria* 15, 17, 20, 24, 25, et 29.
5. *Reg. Vat.* 333, fol. 99.
6. *Arch. Stato*, Bologne, *Tesoraria* 18.
7. *Reg. Vat.* 333, fol. 100-101.

remontèrent rapidement. Dès 1406, les seules gabelles rapportèrent
265 513 livres [1], soit plus du double du revenu de 1404 ; la gabelle du
vin rapporta 41 631 livres, celle des moulins 75 705 livres. L'ensemble
des revenus de la Chambre apostolique à Bologne passa, de 1404
à 1406, de 149 375 à 308 116 livres, chiffre auquel s'ajoutèrent les
112 851 livres reçues de créanciers enfin solvables : au total, 420 968
livres. Si l'on rapproche ces chiffres des estimations de 1368[2] qui
fixaient à 102 900 livres le revenu espéré les impositions indirectes
en Romagne, Bologne exceptée, c'est à quelque 400 000 livres que
nous pouvons estimer le revenu de la province, non compris les
cens des vicariats et les tailles extraordinaires.

Pas un denier n'en parvint à Rome. Gages et salaires des hommes
d'armes, des capitaines des châteaux et des portes de la ville,
de ceux des châteaux de la commune, des châtelains du comté et
des serviteurs du légat, dépenses domestiques du cardinal Cossa
et frais divers occasionnés par sa mission absorbèrent la quasi-
totalité du revenu brut. Le pape et le camérier n'intervinrent même
pas dans l'ordonnancement, sinon pour faire payer 1 500 florins
au capitaine Bolognino Boccatorta et à ses cinq cents lances[3].
Cossa affecta le revenu disponible — 63 515 livres, soit 15 % du
revenu brut — au remboursement de divers emprunts contractés les
années précédentes, et se remboursa en premier lieu 5 064 livres
qu'il avait lui-même prêtées[4]. Il paya une assignation de 2 000 florins en remboursement au cardinal Angelo Acciaiuoli qui avait
prêté cette somme à Rome[5]. Ces 2 000 florins représentent, avec
les 458 livres du solde débiteur de Matteo de' Magnani, tout le
revenu net de la trésorerie de Bologne.

Bologne avait échappé durant vingt-cinq ans à l'autorité du pape.
La Chambre apostolique n'en avait alors rien tiré. Le retour de la
ville à l'obédience n'était guère plus fructueux sur le plan financier.

Les indications sporadiques contenues dans les registres du
Vatican ne laissent entrevoir que de très rares droits d'un véritable
rapport. Encore doit-on remarquer qu'aucun n'apparaît avant
1392, date à laquelle la reprise en mains des états pontificaux était
chose acquise, et que la plupart de ces indications concernent les
années 1403-1407.

Le monopole du sel paraît avoir été source de notables revenus.
Les salines de la Marche d'Ancône, de Romagne, de la Massa Trabaria, de Corneto[6], appartenaient à la Chambre apostolique qui en
affermait[7] ou en levait le produit, lorsqu'elle n'en faisait pas le

---

1. *Arch. Stato*, Bologne, *Tesoraria* 33.
2. *Coll.* 203, fol. 291.
3. 25 mars 1406 ; *Reg. Vat.* 334, fol. 70 v°.
4. *Arch. Stato*, Bologne, *Tesoraria* 33, fol. 323-326.
5. *Reg. Vat.* 334, fol. 227 r°.
6. *Reg. Vat.* 336, fol. 186 r°.
7. *Reg. Vat.* 333, fol. 171.

moyen d'une rétribution : ainsi la saline de Corneto fut-elle donnée par Innocent VII à son neveu Gentile Megliorato [1]. Il était naturellement interdit d'importer, exporter ou transporter dans les états pontificaux d'autre sel que celui de la Chambre apostolique [2]. En 1406, dans la Marche d'Ancône, les droits s'élevaient à un ducat pour dix salmes de sel (soit environ 0,78 grammes d'or pour un hectolitre de sel) [3]. Beaucoup plus lourde était la gabelle sur le blé : un ducat par salme (7,84 grammes d'or pour un hectolitre). De ces deux gabelles réunies, la Chambre apostolique attendait en 1406 un revenu minimum de 20 000 florins pour la seule Marche d'Ancône [4]. Dans le Patrimoine en Tuscie, la gabelle du sel rapportait au moins 5 000 florins [5]. En Romagne, en 1368, on l'affermait pour 18 000 livres bolognaises par an [6]. Quant à la gabelle du vin, elle rapportait en 1407, pour la seule cité de Viterbe, les 3 100 florins qui furent assignés à Giovanni di Bicci de' Medici [7].

Il était cependant de plus modiques gabelles. Celle du vin à l'embouchure du Tibre (un baril de vin par navire) ne rendait guère que 12 à 14 florins par an [8] ; le pape finit par l'échanger, pour trente ans, contre une créance de 500 florins [9]. Des gabelles romaines de la *Ripa* et de la *Ripetta*, la Chambre apostolique bénéficiait fort peu : en 1399, Boniface IX les abandonnait à la ville pour acheter du blé [10] ; en 1407, Grégoire XII se contentait de percevoir 1 400 florins, laissant aux conservateurs le reste des 5 000 florins de la ferme [11]. Il est hors de doute que, au temps d'Innocent VII comme à l'époque où Boniface IX devait se tenir hors de Rome, les gabelles de la ville ne profitaient pas au Saint-Siège. Autre droit indirect d'une certaine importance, le péage de la Chaine du Pô, dans le district de Ferrare, fut à plusieurs reprises aliéné par le pape en faveur de ses fidèles : Niccolò da Sommaripa, Baldassare Cossa, Gabione di Nanno de' Gozadini, Battista di Ugolino de' Baldovini, Cossa de nouveau, enfin à partir de 1405 [12].

Nous ne pouvons donc, avec une information aussi fragmentaire, estimer que très approximativement le revenu brut des impôts sur le

---

1. 18 avril 1406 ; *Reg. Vat.* 334, fol. 236.
2. *Ibid.*, fol. 44 v°-45 v°.
3. La salme valait environ 45 litres ; le ducat ou florin de la Chambre contenait 3,528 grammes d'or fin. Voir : Garampi, *Saggi...*, p. 25 ; Delumeau, *La vie économique...*, p. 655-656.
4. Limite de l'assignation à Mostarda della Strada (13 janvier 1406) ; *Reg. Vat.* 334, fol. 14 v°-15 v°.
5. *Reg. Vat.* 333, fol. fol. 261 v°-262 r°.
6. *Coll.* 203, fol. 291.
7. *Reg. Vat.* 335, fol. 68 v°-69 r°.
8. *Reg. Vat.* 313, fol. 307 v°-308 r°.
9. *Ibid.*, fol. 333 v°-334 v°.
10. *Reg. Vat.* 316, fol. 208 v°.
11. *Reg. Vat.* 335, fol. 102 v°-103 r° et 114.
12. *Reg. Vat.* 319, fol. 40 v° ; 320, fol. 109 v°-110 r° et 198 v°-199 r° ; 333, fol. 205 v°- 206 r°.

commerce et la consommation dans l'état pontifical : entre 500 000 et 800 000 florins, sans doute. Une fois supportées les charges de la défense locale et de l'administration provinciale, il ne paraît pas qu'il y eût un revenant-bon pour la Trésorerie pontificale. Avant le Schisme, les trésoriers provinciaux n'avaient de revenant-bon à envoyer à Avignon que dans les périodes de paix [1]. De 1378 à 1409, il n'y eut pas de période de paix.

Destiné au paiement des châtelains, voire des recteurs provinciaux, le fouage se révéla vite insuffisant. En Campagne et Maremme, il était, en 1404, d'un *bolognino* par feu, à concurrence d'un total de 2 400 florins par an [2]. Dans le Patrimoine en Tuscie, au temps d'Innocent VI, il rapportait de 600 à 1 000 livres par an [3] ; le rapport n'avait pas dû s'élever depuis. En Romagne, en 1368, on attendait au plus 2 400 livres de la *fumantaria* [4] et c'est pour 50, puis 40 et enfin 44 florins par an que fut affermé, au temps du Schisme, le *dacium fumantarie* [5]. Vieilles taxes héritées par le Saint-Siège de l'administration impériale, ces impositions de quotité, généralement groupées sous le nom de *Regalia sancti Petri* [6], ne présentaient donc pour les papes romains qu'un très mince intérêt.

Face à l'ampleur des besoins, force fut d'approprier les ressources aux charges. On en venait à la fiscalité de répartition, à la taille. De même que pour Avignon et le Comtat venaissin la papauté avignonnaise, la papauté romaine se vit donc contrainte de recourir à l'imposition directe extraordinaire, taille ou subside, que justifiaient largement en droit les nécessités de la défense locale. C'est pour payer les gens d'armes que furent imposées la plupart des tailles, et leur assignation était généralement indiquée dès le temps de l'imposition.

Le consentement des populations — nobles, non-nobles et clercs— était indispensable, et c'est au recteur de la province qu'il appartenait d'assembler le « parlement » des trois états pour en obtenir la concession d'une taille. Ainsi voit-on les recteurs de Romagne, de Massa Trabaria, de la Marche d'Ancône, du Patrimoine en Tuscie et de Campagne et Maremme assembler les représentants de leurs administrés [7]. Parfois, cependant, la curie envoyait un dignitaire pour présider à cette réunion : le camérier Marino de' Judici pour les parlements de Romagne et de la Marche d'Ancône en 1381 [8], le

1. Y. RENOUARD *Les relations...*, p. 24 ; M. J. Glénisson a bien voulu nous confirmer cette observation.
2. *Reg. Vat.* 333, fol. 109 v°-110 v°.
3. *Intr. ex.* 266, fol. 327-342.
4. *Coll.* 203, fol. 291.
5. *Reg. Vat.* 317, fol. 175 ; 336, fol. 48 ; *Reg. Lat.* 115, fol. 184.
6. P. PARTNER, *The papal State...*, p. 117.
7. *Reg. Vat.* 310, fol. 18 ; 317, fol. 173-174 et 294 r°-295 r° ; 333, fol. 109 v°-110 v°.
8. Le camérier devait d'abord s'assurer du consentement du vicaire général, le cardinal Andrea Buontempo (commission du 16 février 1381) ; *Reg. Vat.* 310, fol. 106.

recteur de la Marche d'Ancône, Andrea Tomacelli, pour le parlement des provinces du Patrimoine en Tuscie, du duché de Spolète et de la Sabine réuni à Orte en 1399 [1]. Mais le consentement des populations était parfois supposé, et cela tout particulièrement dans la Marche d'Ancône où le « conseil » du recteur fut souvent considéré comme suffisamment représentatif et, à juste titre, plus docile. C'est au conseil d'Andrea Tomacelli et au trésorier provincial que fut enjoint, le 18 avril 1404, d'imposer une taille en réunissant un parlement général de la province ou par tout autre moyen qu'ils jugeraient bon [2]. C'est au même conseil qu'avait déjà été purement et simplement notifiée par Boniface IX l'imposition de 1401 [3] ; c'est lui seul qui avait décidé de celle de 1403 [4]. Dans le Patrimoine en Tuscie, le duché de Spolète et la terre des Arnouls, on voit de même, en 1406, le trésorier provincial imposer une taille selon les instructions du camérier et sans avoir convoqué le parlement [5].

L'évolution de ces impositions est difficile à discerner. Les tailles paraissent se multiplier au temps de Boniface IX et de ses successeurs. Doit-on lier ce fait à l'augmentation des charges militaires [6], ou à la reprise en mains des états pontificaux ? Sans doute celle-ci permit-elle des impositions sans lesquelles les engagements de gens d'armes eussent été impossibles. Mais quel fut le succès des sollicitations d'Urbain VI ? Nous ignorons ce qu'accordèrent en 1380 la Romagne et la Massa Trabaria, en 1381 la même Romagne et la Marche d'Ancône [7], et encore plus ce qui put être effectivement levé. La Chambre apostolique était à ce point incertaine que, en 1380, Urbain VI n'avait trouvé d'autre interlocuteur que l'abbé de la Madonna in Monte, trésorier pontifical en Romagne, et qu'il fallut s'en remettre au recteur Galeotto Malatesta, seigneur de Rimini, du soin de fixer le montant de la taille à exiger du parlement [8]. Il n'en allait plus de même au temps de Boniface IX : à partir de 1395 dans le Patrimoine en Tuscie et en Ombrie, de 1399 dans la Marche d'Ancône et la Campagne et Maremme, la taille fut imposée à peu près en permanence.

La plus forte contribution était celle de la Marche d'Ancône [9].

1. *Reg. Vat.* 316, fol. 267 v°-268 r°.
2. *Reg. Vat.* 319, fol. 6 v°-7 v°.
3. *Reg. Vat.* 317, fol. 170 v°-171 v°.
4. *Reg. Vat.* 320, fol. 138 r°.
5. *Reg. Vat.* 334, fol. 117 v°-118 v°.
6. Voir ci-dessous, p. 640-643.
7. *Reg. Vat.* 310, fol. 18 et 106.
8. *Reg. Vat.* 310, fol. 18 r°.
9. Le chiffre de 10 000 florins attesté pour une taille de 1399 ne concerne que la taille imposée le 6 avril pour payer l'indemnité due par traité aux capitaines Conte de Carrara et Broglio da Tridino ; *Reg. Vat.* 316, fol. 124 r° et 135 v°-136 v°. Elle s'ajoutait à la taille imposée pour les gages de Mostarda della Strada ; *ibid.*, fol. 125.

Le chiffre de 50 000 florins y est attesté de 1401 à 1406[1] ; il fut réduit en 1407 à 20 000 florins[2]. Le Patrimoine, le duché de Spolète, la terre des Arnouls et la Sabine furent imposés ensemble pour 40 000 florins en 1401[3] et sans doute jusqu'en 1406 ou 1407. La province de Campagne et Maremme était moins riche : on n'en exigea que 7 800 florins en 1402[4] et en 1403[5], et 4 680 florins en 1404[6] ; ces chiffres correspondent aux soldes dues à Bartolomeo da Teramo et ses cinquante lances, puis à Cinco da Paterno et ses trente lances. S'ajouta, en 1404, un fouage de 2 400 florins pour le paiement des gages des châtelains de la province[7] : on atteignait ainsi le chiffre de 7 080 florins, de peu inférieur à celui de 1402. Quant à la Romagne, elle fut, la même année 1404, chargée d'une taille de 8 000 florins[8].

A l'époque où les soldats engagés pour la défense de l'état pontifical étaient le plus nombreux, les tailles exigées des habitants représentaient donc quelque 105 000 florins.

S'ensuit-il que, dans les dix années qui précédèrent le concile de Pise, années où les tailles furent exigées avec le plus de constance, la Chambre apostolique ait disposé, grâce à ces tailles, d'un million de florins ? Notons bien, tout d'abord, que nous parlons de la Chambre, et non du Trésor, auquel rien ne parvenait de ces tailles : toutes furent assignées à Paolo Orsini, Mostarda della Strada, Gentile Megliorato et autres capitaines. Mais, à défaut de revenant-bon, le revenu était-il assuré ?

Relativement rares, les réductions et les exemptions ne pouvaient affecter un impôt de répartition. En Italie comme en France, le fort portait le faible. Le fait que Mostarda della Strada fût lui-même exempt pour sa terre d'Amandola[9] et Ugolino de' Trinci pour l'ensemble de ses biens propres[10], que les habitants — même les Juifs — des districts de Fano, Pesaro, Fossombrone et Modon le fussent également en raison des concessions faites aux vicaires apostoliques, en l'occurrence les Malatesta[11], voilà qui ne pouvait en rien diminuer la taille imposée dans la Marche d'Ancône. Les réductions, au contraire, sont révélatrices de difficultés. C'est en considération de la misère générale que la terre de Rocca Contrada fut taxée, à partir de 1390, pour six cents feux au lieu de mille sept

---

1. *Reg. Vat.* 317, fol. 170 v°-171 v° et 294 r°-295 r° ; 319, fol. 6 v°-7 v° ; 334, fol. 72.
2. *Reg. Vat.* 336, fol. 141 v°-142 r°.
3. *Reg. Vat.* 317, fol. 173-174.
4. *Reg. Vat.* 317, fol. 310 v° et 315.
5. *Reg. Vat.* 320, fol. 80 v°-81 r° et 112 v°.
6. *Reg. Vat.* 319, fol. 41 v°-42 v°.
7. *Reg. Vat.* 333, fol. 109 v°-110 v°.
8. *Reg. Vat.* 319, fol. 26 v°-27 r°.
9. 7 mars 1403 ; *Reg. Vat.* 320, fol. 109.
10. 16 février 1401 ; *Reg. Vat.* 317, fol. 190.
11. 7 août 1402 ; *Reg. Vat.* 320, fol. 17 v°-18 v°.

cents, soit à 500 ducats au lieu de 900 [1], puis, le 13 novembre 1392, exemptée de payer le salaire du châtelain, et enfin le 1er février 1393, totalement exemptée de toute taille pour un an et demi [2]. C'est parce que la contrée était couverte de ruines, ravagée par les pillages et les incendies, que la terre de Cingoli vit, en 1395, sa taxe ramenée de 900 à 600 florins [3]. La guerre et les épidémies furent encore invoquées, ainsi que la protection de Radolfo da Varano, pour la réduction de 900 à 500 florins accordée en 1400 à la terre de Montecchio [4].

Guerres, ruines, pauvreté, ce sont là cas de force majeure. Il faut aussi faire la part de la mauvaise volonté des contribuables. Une taille avait été imposée en mars 1401 dans le Patrimoine en Tuscie et le duché de Spolète en faveur de Mostarda della Strada ; le 21 mai, Boniface IX ordonna à la population d'effectuer dans les dix jours le premier versement, faute de quoi Mostarda aurait le droit de poursuivre chacun, en usant au besoin de la contrainte par corps, pour le paiement de sa part personnelle ; le 7 novembre, il fallut rappeler aux contribuables les termes et la menace [5]. Le 15 mars 1402, Spolète devait toujours les 1 000 florins de sa taille de 1401 [6]. Le 14 mars 1403, Mostarda faisait battre le rappel des sommes à lui dues pour les termes écoulés [7]. Le 12 novembre 1404, le 31 janvier et le 27 février 1405, Innocent VII renouvelait les monitions pontificales et envoyait enfin le clerc de la Chambre Donato da Narni dans le duché de Spolète afin d'y contraindre les gens à s'acquitter envers Mostarda [8]. Le 30 mai 1405, cependant, Mostarda était obligé de se fâcher : ses gages de l'année écoulée n'étaient pas encore soldés ; il obtint diverses assignations complémentaires sur les gabelles de la Marche d'Ancône et le Patrimoine [9]. Quant aux tailles de l'année courante dans le Patrimoine, elles étaient assignées à Paolo Orsini qui, lui aussi, se plaignit que les gens refusaient de le payer ; le 9 septembre Innocent VII dut intervenir [10]. Le 25 janvier 1406, le pape transférait à Lodovico Megliorato les arrérages dus à Mostarda, donc pour l'année 1404-1405 [11] ; le 1er juillet, il imposait une nouvelle taille pour Orsini [12] et, le 22 décembre, l'assignait, avec l'accord d'Orsini, à Megliorato qui, visiblement, n'avait pas plus été payé qu'Orsini [13].

1. On notera l'absence de proportionnalité ; *Reg. Vat.* 347, fol. 87 r°-88 r°.
2. *Reg. Vat.* 314, fol. 67.
3. *Ibid.*, fol. 343 v°-344 r°.
4. *Reg. Vat.* 316, fol. 336.
5. *Reg. Vat.* 317, fol. 173-174, 206 et 269.
6. *Ibid.*, fol. 300 v°.
7. *Reg. Vat.* 320, fol. 108 r°-109 r°.
8. *Reg. Vat.* 333, fol. 66, 136 v°-137 r° et 186.
9. *Ibid.*, fol. 261 r°-262 r°.
10. *Ibid.*, fol. 303 v°-204 v°.
11. *Reg. Vat.* 334, fol. 19 v°-20 r°.
12. *Ibid.*, fol. 117 v°-118 v°.
13. *Reg. Vat.* 335, fol. 5.

C'est dire que le revenu maximum de 105 000 florins est, pour une part, illusoire. Le fait que les hommes d'armes n'aient pas abandonné la cause romaine ne doit pas nous tromper. Ils étaient payés, mais au prix de combien d'assignations et avec quels retards ? Ce n'était en définitive que grâce aux cens des vicariats que pouvaient être complétées les soldes de Mostarda della Strada, de Paolo Orsini, de Lodovico et Gentile Megliorato.

Que rapportaient donc à la Chambre apostolique les tailles imposées dans les états pontificaux ? Compte tenu de la régularité des paiements dans la Marche d'Ancône, nous pouvons supposer à partir de 1401 un revenu réel compris entre 50 000 et 100 000 florins, probablement voisin de 80 000 florins.

Le revenu brut des états pontificaux semble considérable, vers 1405, au regard du revenu domanial des papes avignonnais. Les cens des vicariats rapportaient une quarantaine de milliers de florins, les tailles environ le double : 120 000 florins, environ, étaient donc à la disposition de la Chambre apostolique pour la solde des compagnies engagées au service du pape. Pour assurer le paiement des dépenses locales, le salaire des officiers, les gages des troupes recrutées sur place et en particulier des châtelains et de leurs hommes, pour faire tourner la machine de l'administration provinciale, les trésoriers disposaient des revenus ordinaires — cens, redevances, *regalia sancti Petri* — et surtout de la masse des revenus indirects : plus de 500 000 florins assurément, peut-être 700 ou 800 000.

Si l'on se reporte à l'état de l'Italie moyenne entre 1380 et 1390, on doit bien constater que l'œuvre de Boniface IX fut couronnée de succès. C'est un état relativement fructifère qu'il laissait à sa mort. On sait aussi qu'il laissait cependant le trésor apostolique vide. Le produit financier du redressement temporel avait été englouti dans ce redressement. Du pontificat d'Urbain VI à celui de Grégoire XII, il semble qu'il n'y eût jamais d'autre revenu net que les sommes affectées au paiement des assignations, et d'autre revenant-bon que le montant de très rares assignations en remboursement de prêts consentis à la curie.

Dans le partage de 1378, le pape romain avait reçu la quasi-totalité du temporel pontifical ; cela représentait une charge — et une charge permanente — supérieure au revenu qu'il en pouvait tirer.

C. — LES RECETTES CURIALES

Quelques services de la curie étaient sources de revenus dont une part, une fois assurés le fonctionnement de ces services et la rémunération de leurs officiers, allait grossir les recettes de la Trésorerie. Ce sont la cour de la Chambre apostolique, encore dite cour de l'auditeur, la cour du maréchal, la Pénitencerie et la Chancellerie, auxquelles nous joindrons la cour temporelle d'Avignon en raison de sa liaison directe avec la Trésorerie, qui la distingue des juridictions temporelles du Comtat venaissin, évidemment soumises à l'intermédiaire du trésorier du Comtat. Les revenus de ces services — ceux de la Chancellerie exceptés — ont en commun leur modicité. Ils ont aussi la particularité, fort aisément explicable, d'être bien connus pour la curie avignonnaise et totalement inconnus pour la curie romaine, faute du moindre compte de la Trésorerie. Aussi ne parlerons-nous que d'Avignon, ce qui, vu la faiblesse des chiffres n'aura guère d'incidence sur les comparaisons que l'on pourra faire entre les deux obédiences.

1. *Chancellerie.* La taxe perçue pour la suspension des bulles de plomb au bas des actes pontificaux constitua, jusqu'à la fin du règne de Clément VII, le seul revenu de la Chancellerie, les autres taxes étant perçues au bénéfice du personnel de ce service. Entre 1395 et 1396, une nouvelle source de revenus apparaît dans les livres de la Trésorerie : le droit d'enregistrement des actes, versé parfois avec la recette des bulleurs, parfois séparément.

Le revenant-bon des recettes de la Chancellerie a peu varié du milieu du siècle jusqu'à la veille de la soustraction d'obédience. Après avoir représenté quelque 2 000 florins par an sous le pontificat de Benoît XII[1], il avait atteint sous Clément VI une moyenne annuelle de 8 350 florins, avec un maximum en 1343-1344 : 11 137 florins pour onze mois et dix jours[2]. La crise du Schisme affecta moins ce revenu qu'on eût pu le penser. Dès le printemps de 1379, la moyenne mensuelle de 900 florins était atteinte[3] ; elle descendit brusquement, entre septembre et novembre 1380, pour se stabiliser autour de 400 florins, puis, à partir de 1384, de 500 florins. Le revenu annuel fut donc en moyenne, de 1384 à 1394, de 6 000 florins. En 1393-1394, il fut encore de 5 152 florins.

C'est en 1396 que se situe l'effondrement. La situation politique suffit à l'expliquer : après les premières réunions du clergé français, l'appel aux grâces pontificales se raréfiait. La taxe d'enregistrement permit à la Chancellerie de verser, entre novembre 1396 et octobre 1397, 7 093 florins dont le tiers provenait de l'enregistrement ; mais, l'année suivante, le chiffre tomba à 3 463 florins. En 1404-1405, il n'était plus — bulles et enregistrement — que de 3 100 florins.

La seconde soustraction d'obédience française, qui retirait à Benoît XIII la collation des bénéfices, fut fatale au revenu de la Chancellerie. Le 18 février 1407 étaient publiées les ordonnances

1. Göller, *Einnahmen...*, p. 51-52.
2. Mohler, *Einnahmen...*, p. 45-47.
3. Les chiffres indiqués sans référence ont été obtenus par addition des sommes portées dans la série des *Introitus*.

royales [1]. En mars, le versement des bulleurs fut de 762 florins [2] ;
en avril, ils ne versèrent rien, en mai il remirent 123 florins, en
juillet 80 florins [3], et ce fut la fin. En mai 1408, seulement, ils
purent verser 118 florins [4]. Les dépenses de la Chancellerie absorbaient ce qui subsistait de revenu brut, c'est-à-dire, en fait, les
droits payés par quelques clercs aragonais.

Peut-on, sur le vu de tels chiffres, parler d'un effet financier des
concessions gracieuses ? Que la politique bénéficiale ait eu pour
fin un rendement accru des communs services et des annates, c'est
un autre problème, sur lequel nous reviendrons. Mais les grâces non
bénéficiales ne donnaient lieu à aucune imposition et l'on voit
combien était maigre le produit des taxes de chancellerie. Ceci,
qui doit être valable pour Rome comme pour Avignon, permet-il
de porter au crédit d'une politique financière la décision, prise le
22 décembre 1402 par Boniface IX, d'abolir toutes les grâces
octroyées, quitte à les renouveler dans le délai d'un an ? M. Labande
ne l'affirme qu'avec prudence [5]. S'il en était ainsi, il faudrait admettre que Boniface IX recevait des « pots-de-vin » extra-fiscaux.
Ce pape a donné assez d'exemples de cupidité et d'une incontestable
simonie pour que la chose soit vraisemblable.

2. *Juridictions.*　　　L'évolution qui fut celle des revenus de la
　　　　　　　　　　　　Chancellerie fut encore plus rapide pour ceux
des juridictions. Au temps de Clément VII, la cour de l'auditeur
— amendes et émoluments du sceau réunis — rapportait à la
Trésorerie un revenant-bon moyen de 700 florins par an ; celle du
maréchal et la cour temporelle d'Avignon rapportaient en moyenne
800 florins chacune. Dès les premières années du pontificat de
Benoît XIII, ces deux dernières juridictions ne versaient plus rien,
cependant que les versements de l'auditeur tombaient à 275 florins
de moyenne annuelle pour les années 1396 à 1408, non compris
le temps de la soustraction d'obédience.

La moyenne calculée sur plusieurs années ne doit pas masquer
l'évolution. Outre les gages de ses officiers, la recette de la cour
temporelle d'Avignon [6] supportait en 1380 une assignation de
300 florins courants à la Palefrenerie et en 1381 une assignation
de 250 florins courants à la Cuisine [7]. Dans le même temps, les

---

1. *Ordonnances...*, IX, p. 174-181.
2. Y compris deux assignations (400 et 80 fl.) ; *Reg. Av.* 328, fol. 128 v°.
3. *Ibid.*, fol. 136 r° et 146 r°.
4. *Reg. Av.* 331, fol. 254 r°.
5. Delaruelle, Labande et Ourliac, *L'Eglise au temps du Grand Schisme...*,
p. 114 ; c'est au contraire avec certitude que M. Labande porte le même jugement sur
l'annulation, décidée le 7 octobre 1397, des incorporations de bénéfices : cela donnait
lieu à la perception de l'annate.
6. Sur la compétence de cette cour, voir : J. Girard et P. Pansier, *La cour temporelle d'Avignon.*
7. *Coll.* 374, fol. 30 et 57 r°.

versements à la Trésorerie atteignaient 1896 florins de la Chambre pour les deux exercices 1380-1381 et 1381-1382 : le revenu net annuel avoisinait donc 1 200 florins. En 1385, le clavaire de la cour dépensait 1 610 florins pour le fonctionnement de l'institution et les gages des officiers, en payait 321 sur assignations à diverses personnes et en versait 800 à la Trésorerie. Le revenu net était donc de 1 121 florins courants, soit 960 florins de la Chambre, et le revenant-bon de 800 florins courants, soit 685 florins de la Chambre [1]. L'année suivante, le chiffre des versements s'éleva à 1 056 florins courants, mais ce ne fut que grâce à la diminution des assignations : 26 florins courants seulement ; au total, le revenu net de la cour était tombé à 1 082 florins courants, soit 928 florins de la Chambre [2]. En sept ans, ce revenu net avait diminué d'un quart. Dix ans plus tard, les dépenses absorbaient tout le revenu brut. Le fait est confirmé par un compte qui couvre la période du 15 décembre 1405 au 16 juin 1406. La recette brute atteignit alors 923 florins courants, cependant que les dépenses et gages se montaient à 1 005 florins courants [3]. Les charges avaient beau ne représenter que les deux tiers de celles de 1385, elles ne laissaient aucun revenu net. Le revenu brut était tombé, en vingt ans, de 2 731 à 923 florins courants, soit — compte non tenu de la dévaluation monétaire — une chute des deux tiers.

Nous connaissons, par des quittances, la recette brute du sceau de l'auditeur pour les années 1377 à 1392 et 1399 à 1402. La recette s'éleva sensiblement jusqu'en 1386 ; 1 261 florins pour les deux années 1380-1381 [4], 1596 pour 1382-1383 [5], 1 337 pour la seule année 1385, 1 350 pour 1386. Elle diminua ensuite lentement 1 199 florins en 1387 et en 1388, 1 170 en 1389, 1 308 en 1390, 442 pour quatre mois de 1391 [6]. En quatre ans, de 1399 à 1402, la recette brute ne fut que de 1 448 florins [7], soit 362 florins par an : la soustraction d'obédience affectait les recettes curiales aussi fortement que la recette des collecteurs.

Quant aux recettes de la Pénitencerie, elles n'excédaient normalement pas les charges de ce service. Quatre fois seulement — et en l'espace de douze mois — l'auditeur de la Pénitencerie fit parvenir au trésorier des sommes représentant au total 650 florins. Sans doute y avait-il alors une occasion particulière de recettes [8].

Le revenu net des juridictions curiales et avignonnaises était

---

1. *Coll.* 39, fol. 178-202.
2. *Ibid.*, fol. 401-422.
3. *Reg. Av.* 326, fol. 29 v°-31 r°.
4. *Coll.* 357, fol. 73.
5. *Coll.* 359, fol. 192.
6. *Reg. Vat.* 308, fol. 26 v°-27 v°.
7. *Reg. Av.* 306, fol. 46 v°-47 r°.
8. Du 28 octobre 1385 au 29 octobre 1386 ; *Intr. ex.* 359, fol. 58 r° ; 361, fol. 6 v°, 32 v° et 43 v°.

donc des plus faibles. De 2 500 florins, montant moyen dans les premières années du Schisme, il s'effondra dès la fin du pontificat de Clément VII pour ne plus représenter que 275 florins de moyenne annuelle jusqu'en 1408. Ces chiffres ne souffrent nulle comparaison avec le revenu net de la Chancellerie qui, bon an mal an, équivalait sous Clément VII aux communs services d'une grosse prélature ou aux recettes d'un collecteur de moyenne importance, pour disparaître presque totalement des recettes de la Trésorerie à partir de la seconde soustraction d'obédience, au terme d'un déclin amorcé dès l'avènement de Benoît XIII.

3. *La monnaie pontificale.*   La politique monétaire pouvait être source d'un certain revenu : seigneuriage perçu lors des frappes, d'une part, produit des mutations, d'autre part. Dans la mesure où une documentation bien insuffisante permet de formuler des conclusions, il apparaît que, à la stabilité de la monnaie romaine, s'oppose l'instabilité de la monnaie avignonnaise.

En 1378, trois espèces d'or étaient frappées par les monnayeurs pontificaux. A Rome, c'était le florin de la Chambre, ou ducat papal, créé au XIIIe siècle sur le type du florin de Florence. A Avignon, c'étaient le florin de la Chambre créé en 1322 par Jean XXII et renforcé en 1362 par Urbain V, dont la valeur — 28 sous d'Avignon — dépassait celle du florin de Florence d'environ 1/55e, et le florin courant de 24 sous créé en 1371 par Grégoire XI, florin dont la frappe avait été interrompue par ce même pape en raison des trop nombreuses contrefaçons issues des ateliers seigneuriaux du voisinage, celui de l'archevêque d'Arles en particulier [1].

La papauté romaine s'en tint, jusqu'au début du XVe siècle, au florin de la Chambre aligné sur les espèces florentine et vénitienne : d'or pur (24 carats), il était taillé à 96 pièces à la livre romaine, ce qui donnait des pièces de 3,528 grammes [2]. En monnaie de compte, il valait 48 sous. La pièce affaiblie dite *ducato stretto,* taillée à 100 à la livre, selon l'exemple fourni dès 1399 par Florence, ne paraît pas avoir été frappée avant le concile de Pise ; du moins n'est-elle pas citée dans les documents, qui confondent souvent florin de Florence et florin de la Chambre, sans autre précision. Mais le « petit florin » florentin est utilisé dès 1399 dans les comptes du collecteur de Toscane. De 1399 à 1405, la valeur de 100 florins de la Chambre oscille, dans ce compte, entre 104 et 108 petits florins florentins, selon les changes [3] : c'est donc bien du florin de la Chambre taillé à 96 pièces qu'il s'agit.

1. Y. RENOUARD, *Les relations...,* p. 407 et 446-447 ; R. VALLENTIN, *Le seigneurage aux ateliers pontificaux...,* dans la *Rev. suisse de numismatique,* 1893.
2. GARAMPI, *Saggi...,* p. 7-23 ; DELUMEAU, *La vie économique...,* p. 656.
3. *Arch. Stato,* Rome, *Camerale Iº, Coll.* 1224 ; fol. 33-39.

Quant au revenu des frappes monétaires de l'obédience romaine, il nous est totalement inconnu. La stabilité du florin de la Chambre laisse penser que les frappes étaient peu fréquentes, mais la chose ne saurait être prouvée. Il semble que, liée aux espèces florentine, génoise et vénitienne, la pièce romaine ne pouvait être l'objet d'une politique de mutations indépendante.

L'instabilité monétaire fut au contraire le lot de la papauté d'Avignon [1]. De 1378 à 1382, le florin de la Chambre de 28 sous fut la seule monnaie d'usage courant. La pièce, représentant au droit le pape assis et au revers l'écu aux armes de Genève timbré d'une tiare [2], au titre de 23 7/8 carats, était frappée à 63 au marc [3], soit un poids théorique de 3,53 grammes. Les dernières frappes eurent sans doute lieu en 1382, pour le compte de Louis d'Anjou [4], et en 1384, sans doute aux mêmes fins [5]. Déjà, les dévaluations corrélatives aux autres frappes avaient haussé le cours du florin de la Chambre sur le marché [6] et provoqué sa disparition relative de la circulation.

Dès 1382, en effet, grâce à l'or fourni par Louis d'Anjou [7], on avait repris la frappe des florins courants de 24 sous [8], rendue possible par la hausse du cours des florins de la Reine qui, de 23 sous 6 deniers en 1378, avaient eux-mêmes atteint cette valeur de 24 sous dès 1383 [9]. La confusion ne tarda d'ailleurs pas à s'établir entre les deux espèces, et l'on voit le clerc du camérier Pierre de Cros écrire lui-même, le 29 novembre 1383 : *florenos auri Regine dictos currentes* [10]. Cette fois, les ateliers seigneuriaux de la région ne pouvaient songer à attirer les florins courants.

L'année 1384 fut, du point de vue de l'économie locale, caractérisée par le marasme. L'argent était rare [11], la capacité d'achat des curialistes était entamée par les appels au crédit [12] et par le renforcement de la pression fiscale. Dès les premiers jours de 1385, la Monnaie pontificale émit de nouvelles pièces, notablement améliorées par rapport à l'ancien florin courant. Ces pièces représentaient

---

1. Blanchet et Dieudonné, *Manuel de numismatique…*, IV, p. 155-156 ; J. Favier, *Les monnaies des papes avignonnais…*, dans le *Bull. de la Soc. nat. des Antiquaires de France*, 1962, p. 172-173.
2. F. Poey d'Avant, *Monnaies féodales…*, II, n° 4194, et pl. XCIV, n° 7.
3. Le marc d'Avignon valait 222, 508 grammes ; H. Rolland, *Monnaies des comtes de Provence…*, p. 90.
4. *Coll.* 359, fol. 188 r°-189 r° ; Garampi, *Saggi…*, App. di doc., n° XVI ; Vallentin, *Les monnaies de Louis Ier d'Anjou…*, dans l'*Ann. de la Soc. fr. de numismatique*, 1893, p. 421-445.
5. *Coll.* 360, fol. 73 r°.
6. R. Brun, *Annales…*, loc. cit., XII, p. 49.
7. Bibl. nat., fr. 27 717 (Pièces originales 1233), n° 20.
8. *Coll.* 359, fol. 188 r°-189 r° ; *Intr. ex.* 356, fol. 10 r°.
9. R. Brun, loc. cit., p. 49.
10. *Coll.* 360, fol. 64 v°.
11. R. Brun, loc. cit., p. 36.
12. Voir ci-dessous, p. 565.

au droit saint Clément et au revers la mitre surmontant deux clés
en sautoir ; on les qualifia pour cela de florins « clémentins ». Emis
pour 24 sous, ils avaient une valeur marchande supérieure de 8 deniers au florin de la Reine [1] : l'amélioration était donc de 1/36e.
La pièce de 1382 ayant été frappée à 74 au marc, la frappe de
1385 dut être faite à raison de 72 au marc, ce qui donne un poids
théorique de 3,08 grammes, réserve faite d'une éventuelle modification du titre qui nous serait inconnue.

Dans les premiers jours, on put croire à l'échec. « Il semble à la
plupart, écrivait le 14 février 1385 l'associé de Datini, que la chose
ne pourra pas durer parce que cette monnaie n'est pas établie
raisonnablement, et, de ce fait, on travaille moins que de coutume ».
La Chambre apostolique fit procéder à une criée sur la monnaie,
établissant un cours maximum pour les monnaies voisines, celles
de Provence et d'Orange. Le cours du florin de la Reine était fixé
à 23 sous. A ce prix, personne ne voulut s'en défaire. La nouvelle
monnaie fut rapidement thésaurisée. Chacun prétendit payer ses
achats avec les anciens florins courants — de même valeur mais
moins bons que les clémentins — alors que nul ne voulait de ces
anciens florins : cela ne pouvait qu'aggraver le marasme. Les
florins de la Chambre, dont la frappe était suspendue, avaient eux
aussi perdu dans l'opération : environ 1,3 % de leur valeur en argent.
Nombreux furent les marchands qui firent passer leurs florins
de la Chambre en Italie [2]. Mais une telle crise ne devait pas durer.
Dès le mois suivant, les affaires reprirent : les gens ne pouvaient
différer indéfiniment leurs achats. « Si cette monnaie dure dans ces
conditions, écrivit alors l'associé de Datini, il nous semble qu'il y
aura un bon bénéfice parce qu'elle arrivera à être meilleure que
celle dont on usait auparavant de 2 1/2% environ » [3].

Une nouvelle frappe, l'année suivante, conserva les caractéristiques du florin clémentin, le plus souvent qualifié de courant.
L'or livré au maître de la Monnaie, Raoul Divers, le 9 mai 1386,
permettait la frappe de 4 500 florins courants [4]. Sans doute s'agissait-il de la pièce qui porte au droit une mitre entre deux sautoirs
de clés et au revers les clés, pièce dont l'exemplaire conservé pèse
2,92 grammes [5] ce qui, déduction faite du remède, correspond à
la taille du florin clémentin.

En 1388, la Chambre apostolique tenta une première dévaluation.
Le 18 juin, on apprit à Avignon que le pape allait émettre des
« écus » de 34 sous, d'une valeur relative inférieure de 4% au florin
courant. En quelques jours, le florin de la Chambre, inchangé

1. BLANCHET et DIEUDONNÉ, op. cit., IV, p. 156 ; BRUN, loc. cit., XIII, p. 72.
2. R. BRUN, loc. cit., XIII, p. 73-75.
3. Ibid., p. 78.
4. Intr. ex. 360, fol. 104 r°.
5. POEY D'AVANT, op. cit., II, n° 4206 ; CINAGLI, Le monete de' papi..., p. 36, n° 1.

depuis 1362, fut l'objet d'actives spéculations : de 29 sous il monta
sur le marché à 29 sous 9 deniers. Son nominal étant de 28 sous,
la Chambre apostolique ne pouvait laisser faire ; elle prit les devants
et annonça que la valeur de compte du florin de la Chambre allait
être de 30 sous. Le florin courant devait, dans le même temps,
passer de 24 à 25 sous. C'était dévaluer de 1/15e le vieux florin
de la Chambre et de 1/24e le plus récent florin courant. Ce dernier
étant d'usage plus fréquent, la dévaluation était fort justement
chiffrée par les marchands à 4%. Ils portèrent plainte auprès du
camérier. Celui-ci demeura quelque temps indécis, cependant que
les Avignonnais étaient dans l'inquiétude.

Mais l'affaire n'était pas seulement favorable à la Chambre
apostolique ; elle profitait surtout aux changeurs dont on sait le
rôle actif à la Chambre. C'est eux qui avaient conseillé l'opération.
Leur désir — du moins le pensait-on — était de voir décrier l'ancienne monnaie pour la racheter et la vendre aux monnayeurs.
Les marchands, que la Chambre avait également intérêt à ménager, obtinrent finalement gain de cause. Dans les premiers jours
de juillet, ordre fut donné au maître de la Monnaie de ne pas
frapper les écus et de frapper à la place des florins courants légèrement réévalués : un demi-florin de la Chambre de moins au marc,
soit 0,8% [1]. La crise inflationniste de juin était ainsi jugulée. De
1388 à 1393, ces florins courants furent pratiquement la seule
monnaie en usage à Avignon, en concurrence, évidemment, avec
leur homologue le florin de la Reine. Sans doute est-ce le florin
de 1388 qu'il faut reconnaître dans la pièce frappée au droit de
la tiare et au revers des deux clés [2], type qui annonce immédiatement le florin courant de Benoît XIII.

Le 19 avril 1393, Pierre Borrier, clerc de la Chambre et commissaire du camérier, donnait ordre au maître de la Monnaie Raoul
Divers de frapper des florins de la Chambre d'un nouveau type,
taillés à 62 au marc (soit un poids de 3,588 grammes) d'alliage à
23 3/4 carats, pour une valeur de 30 sous chacun [3]. C'était la valeur
de la livre tournois. A une époque ou le « franc » de compte était
d'usage courant [4], l'opération allait grandement simplifier les
comptabilités.

Le 1er juin, le nouveau florin de la Chambre devenait l'unité de
compte officielle de la Chambre apostolique [5]. La Trésorerie subis-
sait d'ailleurs une perte apparente : il fallut en effet recompter le
numéraire de l'encaisse dont les pièces avaient changé de valeur

1. R. Brun, loc. cit., XIII, p. 108-109.
2. Bibl. nat., Cab. des médailles ; Blanchet et Dieudonné, op. cit., IV, pl. III,
nº 7 ; Serafini, Le monete e le bolle..., I, pl. XIV, nº 20.
3. Garampi, Saggi..., App. di doc., p. 65-68.
4. Ph. Wolff, Commerces et marchands de Toulouse, p. 324. — M. Rey, Le domaine
du roi..., p. 39 et 134.
5. Intr. ex. 370, fol. 28 rº.

Favier.   14

par rapport au florin de la Chambre : de 4 323 florins anciens, l'encaisse tomba à 4 034 florins nouveaux et 4 sous [1]. Simple jeu d'écriture ; en fait, la Chambre ne perdait rien.

Que gagnait-elle ? Tout d'abord, elle s'efforçait de lutter contre la spéculation sur les monnaies anciennes par une réelle dévaluation : 1 % environ, due surtout au haussement du nominal. La valeur « à la fonte » des pièces anciennes et nouvelles était en effet, au dire des marchands [2], sensiblement égale : le poids passait de 3,531 à 3,588 grammes, le titre de 23 7/8 à 23 3/4 carats, ce qui faisait passer le poids d'or fin de chaque pièce de 3,512 à 3,550 grammes. Le renforcement de la valeur intrinsèque était donc de 0,1 % alors que le haussement du nominal atteignait 7,1 %. Par rapport au florin de 1382, la dévaluation était considérable : 7 %. Par rapport aux espèces effectivement en circulation en 1393, c'est-à-dire au florin courant, elle atteignait seulement 1 % [3].

Ce n'est cependant pas du seigneuriage que le pape espérait tirer profit : il se contentait du remède que l'on trouverait à la révision des boites [4]. C'est, beaucoup plus, sur les changes que la Chambre apostolique allait trouver son premier avantage. Le 19 novembre 1393, en effet, Clément VII rendait le nouveau florin de la Chambre obligatoire pour le paiement des changes et, en général, pour tous les paiements effectués par les marchands avignonnais. Ceux-ci ne s'y trompèrent pas : le pape, recevant l'essentiel de ses fonds de clercs et de laïcs non marchands, car les collecteurs eux-mêmes ne recouraient qu'en partie à la voie bancaire [5], allait exiger des écus et des francs d'or, donc gagner sur les changes [6]. Les livres de la Trésorerie nous confirment que cette manœuvre n'était pas une simple vue de l'esprit des marchands : à la suite des versements effectués à la Trésorerie en espèces autres que les florins de la Chambre, on trouve la mention *Item, pro eorum avantagio* ou *Pro avantagio dictorum scutorum*. Plus explicite encore est la mention relative à 40 florins de la Chambre payés en espèces françaises : *Item fuerunt venditi dicti. XL. floreni camerales et fuerunt habiti de eorum avantagio. XXVIII. solidi* [7]. Le gain de la Chambre était de 2,33 %. Dans bien des cas, l'avantage des paiements en monnaies étrangères à la curie atteignait un sou avignonnais par florin de la Chambre, soit 1/30e ou 3,33 %.

Mais l'avantage fiscal était égal au double. C'est lui qui nous paraît la grande raison de la mutation de 1393. Les taxes des communs services étaient en effet stipulées en florins de la Cham-

---

1. *Ibid.*, fol. 133 r⁰ et 162 v⁰.
2. R. BRUN, *loc. cit.*, XIII, p. 81-82.
3. *Ibidem.*
4. GARAMPI, *op. cit.*, p. 66.
5. Voir ci-dessous, p. 455.
6. R. BRUN, *loc. cit.*, p. 81-82.
7. *Reg. Av.* 321, fol. 28 v⁰.

bre [1]. Le haussement de 1393 n'affecta nullement cette taxation. Ainsi, lorsqu'un prélat devait 1 000 florins pour ses services, se libérait-il avant le 1er juin 1393 par un versement égal à 933 livres 7 sous tournois ; après cette date, il dut verser 1 000 livres tournois. Pour chaque créance en raison des services, la Chambre gagnait 2 sous par florin, soit 1/14e ou 7,14% par rapport à la valeur ancienne de la taxe. En moyenne, le gain représentait un millier de florins par an.

Ce résultat atteint, le florin de la Chambre pouvait disparaître. Il demeurait comme unité de taxation et comme monnaie de compte, ce qui était sa principale fonction. En 1393 déjà, l'économe des Cordeliers d'Avignon ne comptait qu'en florins courants de 24 sous ; il ne connut d'autre monnaie de compte jusqu'à la fin du Schisme [2]. L'épicier Gabriel Gilbert, notant à Carpentras, en 1396-1397, les monnaies utilisées, ne connaissait que le gros, le florin de 24 sous et l'écu [3].

Cet écu, frappé en 1395 à l'imitation — quant au type — de l'écu royal [4], pour une valeur de 34 sous, représentait une nouvelle dévaluation des espèces papales. C'était une pièce ornée au droit de l'écu en losange aux armes de Benoît XIII — la lune — et timbré de la tiare, et au revers de deux clés en sautoir [5]. L'exemplaire de la Bibliothèque nationale pèse 3,74 grammes, ce qui, au mieux et si l'on admet que le titre n'avait pas été affaibli, constitue un alourdissement de 4% par rapport au florin de la Chambre (3,588 grammes). Le haussement de la valeur atteignait 13% (de 30 à 34 sous). La dévaluation était donc de 9%.

Il y avait, en 1396, pléthore d'espèces en circulation : l'écu de 34 sous ; le nouveau florin de la Chambre de 30 sous, relativement rare, parfois appelé « franc » en raison de sa valeur égale à celle du franc royal [6] ; le florin courant de 24 sous, dont une nouvelle frappe eut lieu sous Benoît XIII — pièce avec la tiare au droit, les clés surmontées de la lune au revers [7] — non sans un notable affaiblissement matériel puisque le poids de l'exemplaire de la Bibliothèque nationale n'est que de 2,84 grammes (2,90 et 2,92 pour les pièces de Clément VII) ; le florin de la Chambre ancien, enfin, qui courait encore pour 29 sous [8].

L'un des effets des dévaluations de 1395 et 1396 fut de hausser sur le marché le cours des anciennes espèces. En 1407, le florin

1. H. HOBERG, *Taxae pro communibus servitiis*.
2. Arch. dép. Vaucluse, Cordeliers d'Avignon, no 29 et 30.
3. P. PANSIER, *Le livre de comptes…*, p. 162.
4. BLANCHET et DIEUDONNÉ, *op. cit.*, IV, p. 156.
5. POEY D'AVANT, *op. cit.*, II, no 4210, et pl. XCIV, no 11 ; CINAGLI, *op. cit.*, **p. 38,** no 1 ; BLANCHET et DIEUDONNÉ, *op. cit.*, IV, pl. III, no 8.
6. R. BRUN, *loc. cit.*, XIV, p. 13-14.
7. SERAFINI, *op. cit.*, p. 94 et pl. XV, no 1.
8. R. BRUN, *loc. cit.*, p. 32.

de la Chambre — sans doute le nouveau — trouvait preneur jusqu'à 31 sous, valeur que dut admettre le trésorier lui-même [1].

Les profits tirés par Clément VII et Benoît XIII de leur monnayage furent minces. Le seigneuriage était relativement faible : 3 gros par marc pour les florins courants en 1382 [2]. Cette frappe ayant porté sur 79 marcs 3 onces de métal précieux, donc 5 873 florins à la taille de 74 au marc, le pape perçut pour son seigneuriage 19 florins courants 20 sous 3 deniers [3]. Pour les florins de la Chambre, en 1382 comme en 1393, il se contenta du remède [4].

En 1385 [5], la fabrication des florins clémentins rapporta 300 florins courants ; celle des 4 500 florins courants de 1386 en rapporta 200 [6], soit 4,4 %. En 1396, la frappe de nouveaux florins courants rapporta 160 florins de la Chambre [7]. On ne saurait ranger le seigneuriage parmi les revenus appréciables de la Chambre apostolique.

Le seul profit des frappes successives, ce fut le profit immédiat de la dévaluation [8]. Il est évident que l'essentiel du gain de ces opérations allait aux changeurs, intermédiaires obligés de la Chambre et des marchands pour l'achat des anciennes espèces et la mise en circulation des nouvelles. Le rapport de l'or à l'argent, relativement élevé (11,30 pour le florin de la Chambre de 1382, 12,05 pour celui de 1393), n'eût été d'une quelconque efficacité que si les frappes avaient été abondantes. Nous avons vu qu'il n'en était rien. Le florin de la Chambre avait une autre utilité comme support de la monnaie de compte et comme étalon fiscal pour la taxation des prélatures. C'est sur ce terrain, non sur celui de la « guerre monétaire », qu'il faut situer l'opération de 1393. Les autres dévaluations sont à mettre au compte d'une politique de pur empirisme [9], déterminée par la disette de métal précieux dont souffrait en permanence la Trésorerie pontificale.

1. *Reg. Av.* 327, fol. 54 v° et 59.
2. *Coll.* 359, fol. 188 r°-189 r°.
3. *Intr. ex.* 356, fol. 10 r°.
4. GARAMPI, *op. cit., App. di doc.*, p. 66 ; VALLENTIN, *Le seigneuriage...*, *loc. cit.*
5. *Intr. ex.* 359, fol. 44 r°.
6. *Intr. ex.* 361, fol. 22 r° et 24 v°.
7. *Intr. ex.* 374, fol. 9 v°.
8. M. Rey a remarqué qu'un souverain du Moyen Age ne pouvait réaliser de sérieux bénéfices sur le monnayage sans procéder à une dévaluation, à moins d'émettre des quantités considérables de numéraire ; M. REY, *Le domaine du roi...*, p. 132. — Les émissions pontificales étant nécessairement d'un volume réduit, le profit ordinaire ne pouvait être que minime.
9. Notons que la bibliothèque pontificale ne contenait aucun exemplaire du traité *De moneta* de Nicole ORESME ; voir : EHRLE, *Historia bibliothecae...*, et Pelzer, *Addenda et emendanda...* Or Bridrey et Laurent ont montré que Philippe le Hardi, qui possédait pourtant une traduction du traité d'Oresme, n'en avait guère mis en application la doctrine, et que la formulation de la loi dite de Gresham ne résultait, dans l'œuvre d'Oresme, que d'une interpolation ; BRIDREY, *La théorie de la monnaie...*, p. 263-265 ; H. LAURENT, *La loi de Gresham...*, p. 89-90.

CHAPITRE V

LA RECETTE DES COLLECTEURS

A. — LES IMPOSITIONS

La compétence des collecteurs s'étendait, nous l'avons dit, à tous les revenus proprement ecclésiastiques, exception faite des communs services. Annates, cens, procurations, subsides caritatifs, décime même, étaient ordinairement levés par eux. Dépouilles et vacants l'étaient avec beaucoup moins de régularité, nombre de commissaires étant spécialement envoyés pour en décharger les collecteurs.

Il n'est pas dans notre propos d'étudier ici ces diverses impositions que levait le collecteur. D'excellents travaux ont à leur propos fait le point de manière exhaustive. L'annate, en particulier, a fort bien été étudiée par Kirsch, Fr. Baix et Mgr. Mollat[1], cependant que les décimes étaient nécessairement envisagées par tous ceux qui se sont penchés sur les relations entre la papauté et les puissances laïques ; on se reportera aux travaux de N. Valois, E. Hennig et M. Ed. Perroy[2]. Le travail de MM. Samaran et Mollat demeure, enfin, la base indispensable de tout travail d'ensemble.

1. *L'annate.* L'annate est la perception sur le bénéficier nouvellement pourvu d'une part de sa première année de revenus ; le montant de cette part, fixé une fois pour toutes, constitue la taxe. Elle représente le revenant-bon des fruits du bénéfice, après déduction des charges. Le collecteur avait la faculté de choisir, pour l'exiger, soit la taxe, soit la différence entre le revenu brut et la taxe ; il devait choisir ce qui était le plus avantageux pour le pape. En fait, il se contentait le plus souvent

---

1. J.- P. Kirsch, *Die päpstlichen Annaten...* ; Fr. Baix, *La Chambre apostolique et les Libri annatarum...* ; G. Mollat, *Etudes et documents sur l'histoire de Bretagne*, p. 224-239 ; G. de Lesquen et G. Mollat, *Mesures fiscales...*, p. 12-14.
2. N. Valois, *La France et le Grand Schisme* ; E. Hennig, *Die päpstlichen Zehnten...* ; Ed. Perroy, *L'Angleterre et le Grand Schisme d'Occident*. Voir aussi P. Guidi, *Rationes decimarum..., Tuscia*, introduction.

de la taxe. Celle-ci représentait donc plus de la moitié des revenus bruts [1].

Devaient l'annate tous les bénéficiers dont la collation avait été réservée au Saint-Siège ou confirmée par celui-ci. Aux bénéfices vacants en curie par mort ou par renonciation, Jean XXII avait ajouté ceux qui étaient pourvus par grâce expectative, puis ceux qui, pourvus par collation ordinaire ou élection, étaient confirmés par le pape. Urbain V avait considéré comme vacants en curie tous les bénéfices de ses familiers, auxquels Clément VII devait assimiler les familiers des cardinaux. Les bénéfices des collecteurs furent réservés par Urbain V, ceux des clercs de la Chambre, des scripteurs et des serviteurs du palais pontifical par Boniface IX. En 1389, ce dernier pape atteignait à Rome la limite des réserves : tous les bénéfices qui lui conviendraient. Quinze ans plus tard, Benoît XIII introduisait à Avignon semblable extension : était considéré comme réservé tout bénéfice dont le pape faisait la collation ! On peut donc dire que, dès le début du Schisme, la réserve et le droit de confirmation s'unissaient dans les deux obédiences pour soumettre à l'annate la quasi-totalité des bénéfices [2].

Il y avait des exemptions. On en peut citer trois notables. Les prélatures — évêchés et abbayes — étaient soumises au paiement des communs services, qui constituaient leur annate. Mais les abbés séculiers qui existaient dans certaines églises collégiales n'étaient pas débiteurs de communs services ; ils payaient donc l'annate [3]. Dietrich von Niehem affirme que, dans les dernières années du pontificat de Boniface IX, tous les évêques et abbés durent payer l'annate [4] ; cette exaction, qui dura cinq ans [5], doit sans doute être rapprochée des subsides exigés, en sus des communs services, par les papes avignonnais des nouveaux prélats : il s'agit, dans un cas comme dans l'autre, d'un renforcement des services. A l'opposé, n'étaient pas soumis à l'annate les bénéfices dont le revenu brut était inférieur à 24 florins dans l'obédience romaine [6], à 10 livres de petits tournois dans l'obédience avignonnaise [7]. Enfin, certains ordres étaient intégralement exempts : les Chartreux, les Hospitaliers de Saint-Jean-de-Jérusalem, les Teutoniques, les chevaliers de Calatrava ; toutes les bulles de réserve sont sur ce point formelles.

1. J. Favier, *Temporels ecclésiastiques et taxation fiscale...*, dans le *Journal des Savants*, 1964, p. 102-127.
2. Baix, *op. cit.*, I, p. CDXXXVI-CDXXXIX ; Samaran et Mollat, *La fiscalité pontificale*, p. 29-33.
3. Celui de Saint-Felix de Gérone, par exemple ; *Intr. ex.* 359, fol. 26 v°.
4. D. Von Niehem, *De Scismate*, éd. G. Erler, p. 202.
5. Baix, *op. cit.*, I, p. CDXLIV-CDXLV.
6. *Reg. Vat.* 314, fol. 6 v°-7 r° ; voir aussi : M. Jansen, *Papst Bonifatius...*, p. 204-206.
7. Samaran et Mollat, *op. cit.*, p. 31.

Les autres exemptions sont de moindre importance : les bénéfices à collation par patronage laïque non soumis à confirmation, les bénéfices vacants par permutation, les chapellenies, vicariats et autels à service mortuaire ou irrégulier et de revenu inférieur à 20 livres de petits tournois, les fondations anniversaires ou casuelles à jetons de présence, les distributions quotidiennes, etc. Etaient également exempts les offices non dotés de revenus propres, offices révocables en général, comme les fonctions conventuelles des monastères cisterciens : grainetier, cuisinier, économe, etc. [1] Les clercs qui prenaient à ferme les bénéfices des cardinaux ne devaient nulle annate : celle-ci était payée par le seul cardinal [2]. Dernier cas d'exemption : les bénéfices sur lesquels le pape assignait une pension à un cardinal ne devaient aucun droit à la Chambre apostolique pendant la durée de la pension [3].

Il va sans dire que, pour leurs bénéfices mineurs, les cardinaux et évêques devaient l'annate, de même que les abbés pour les bénéfices, et spécialement les prieurés, unis à leur monastère.

Les comptes des collecteurs [4] nous renseignent sur le rapport des annates consécutives aux différents types de collations. Une constatation s'impose dès l'abord : l'extrême différence de ce rapport selon les diocèses. On ne saurait même faire intervenir la politique bénéficiale des souverains : à l'intérieur d'un même royaume, le rapport est différent. Le revenu des annates consécutives à des collations ordinaires confirmées par le Saint Siège l'emporte sur celui des collations apostoliques dans la province de Reims (5 800 francs contre 3 500, soit 62% du total) comme dans les diocèses aragonais de Saragosse (1 091 livres de Jaen contre 912, soit 55%) et d'Urgel (213 livres barcelonaises contre 91, soit 70%), dans le diocèse castillan de Zamora (11 343 marabotins contre 8 060, soit 58%) et dans le diocèse de Lectoure (360 livres tournois contre 34, soit 91%). Mais les collations apostoliques, faites en curie ou hors curie par des légats et nonces, l'emportent en Castille dans le diocèse de Palencia (11 861 marabotins contre 5 169, soit 69%), en Aragon dans ceux de Barcelone (720 livres contre 261, soit 73%) et de Vich (348 livres barcelonaises contre 1), et en Languedoc dans celui de Couserans (168 livres tournois contre 42, soit 80%). Ces chiffres, qui sont contemporains (années antérieures à 1392), ne sauraient s'expliquer par une évolution de la politique bénéficiale. Force est d'admettre que le hasard présidait au rapport des annates pour collation et des annates pour confirmation. Les unes et les autres, au total, semblent avoir été d'un revenu à peu près équivalent.

1. *Ibid.*, p. 29-33 ; Baix, *op. cit.*, I, p. CDXL-CDXLII.
2. *Instr. misc.* 6060.
3. *Instr. misc.* 3154 ; *Coll.* 360, fol. 209 v° ; *Reg. Vat.* 308, fol 12.
4. Nous renvoyons, pour les références de ces comptes, à notre introduction, p. 11-12.

Quant aux grâces expectatives, elles entrent pour moitié dans le revenu des annates par collation apostolique, selon le compte du collecteur d'Auch, le seul qui nous en ait procuré le détail [1].

2. *La décime.*   Les considérations politiques prennent au contraire un relief très accentué dans l'étude de la décime. Imposition sur le clergé primitivement accordée par le pape à un prince pour l'aider à préparer la Croisade, la décime demeurait l'objet des convoitises laïques.

Les exemptions générales d'annate étaient également valables pour la décime. Mais quelques autres s'y joignaient, dues au caractère particulier de l'imposition. Théoriquement destinée aux princes temporels, la décime ne frappait pas les princes de l'Eglise : en étaient exempts tous les bénéfices des cardinaux et de ceux qui servaient des pensions aux cardinaux [2]. Affectée, tout aussi théoriquement, à la Croisade, elle ne pouvait d'autre part frapper ceux dont la vocation était précisément la lutte contre les Infidèles ; en étaient donc exempts les ordres militaires : Hospitaliers, Teutoniques, Calatrava et Montesa [3]. Mais, comme il était évident que le service contre l'Islam n'était de nul intérêt dans la lutte contre le pape romain, on vit Clément VII révoquer, dès le 30 novembre 1388, l'exemption de Calatrava [4], puis imposer, le 1er juin 1393, un subside « modéré » sur les autres ordres militaires d'Aragon, au lieu de la décime dont ils demeuraient exempts [5]. En 1405, les Hospitaliers de France évitèrent la décime en promettant à Benoît XIII une aide militaire qu'ils ne fournirent d'ailleurs, semble-t-il, jamais [6].

Selon les pays, la décime fut imposée avec plus ou moins de régularité. Il était exceptionnel que le pape s'en réservât la totalité ; les appétits des princes et la nécessité dans laquelle il se trouvait de les ménager ne lui laissaient, la plupart du temps, qu'une fraction de la décime.

Dans l'obédience avignonnaise, la décime ne fut guère permanente [7]. En Provence, elle fut reconduite de deux ans en deux ans

---

1. *Coll.* 35, fol. 17 r°.
2. *Reg. Av.* 272, fol. 24 v°-26 v° ; 274, fol. 15 v°-17 v° ; 279, fol 230-232.
3. *Ibidem.*
4. *Reg. Av.* 275, fol. 54-55 ; révocation confirmée le 8 novembre 1389, *Reg. Av.* 277, fol. 116.
5. *Reg. Av.* 279, fol. 235.
6. *Reg. Av.* 319, fol. 11.
7. Précisons un point : une décime biennale ou triennale n'est pas une décime levée en l'espace de deux ou trois ans, c'est une double ou triple décime, levée à raison d'une décime par an mais imposée en une seule fois pour deux ou trois années à venir. Les comptes des collecteurs nous en assurent, de même que la référence à une décime triennale pour établir le montant d'un subside caritatif. Il est évident que, si la décime tiennale était *une* décime sur trois ans, fixer le montant d'un subside à la valeur d'une décime triennale (*Reg. Vat.* 336, fol. 12-14 et 18 r°-19 r°) serait une ineptie. Or il est bien question de la valeur de six termes de décime, donc de trois années, On voit même Urbain VI réduire le montant d'un subside de la valeur d'une décime triennale à celle

depuis octobre 1381 jusqu'en 1399 [1], et imposée à nouveau pour deux
ans le 21 mars 1407 [2]. En Savoie et Piémont, elle fut imposée pour
dix ans en août 1381 [3] et renouvelée pour une nouvelle période de
dix ans en octobre 1390 [4] ; en mars 1405 elle était imposée pour trois
ans et immédiatement prorogée pour deux autres années [5], puis
dès juin 1407, pour cinq années et, en juin 1409, pour cinq ans
encore [6] : lorsque s'ouvrit le concile de Pise, la décime était imposée
en Savoie jusqu'en 1420.

Semblable accélération des impositions se rencontre à propos
de l'Aragon. De l'adhésion aragonaise à Clément VII à la fin du
Schisme, la décime fut levée en permanence ; dès 1405, les impositions se rapprochèrent : pour trois ans en juin 1404, pour les trois
années suivantes le 13 septembre 1405, pour une autre année le
17 septembre, pour deux ans encore le 23, et enfin pour trois ans —
donc jusqu'en 1415 — le 27 septembre 1405 [7].

En Castille, une décime biennale fut imposée le 29 septembre 1381,
soit quatre mois après l'adhésion de Jean Ier. Elle fut renouvelée
pour deux ans le 14 juillet 1383, puis pour trois autres années [8].
Depuis le début elle était concédée en totalité au roi, bénéficiaire,
en outre, pour la lutte contre l'Islam, des deux tiers du tiers des
dîmes du royaume normalement affecté aux fabriques [9]. Une
nouvelle décime, imposée le 24 avril 1396, fut également partagée
entre le pape et le roi, si tant est qu'elle ait pu être levée avant les
événements de 1398 [10].

Dans le royaume de France se succédèrent deux décimes biennales,
de 1382 à 1385, puis — après un répit de deux ans [11] — une décime
biennale imposée le 11 juin 1388 [12]. Le 18 juillet 1390, c'est une
demi-décime qui fut imposée, pour un an [13]. Après six mois sans
décime, il y eut une décime annuelle imposée le 13 janvier 1392 [14]

---

d'une décime annuelle (*Arm.* XXXIII, 12, fol. 89 v°). Les termes indiqués pour les
paiements ne laissent aucun doute. Citons, par exemple, une bulle du 2 mai 1406 :
« *quorumlibet dictorum trium annorum pro media videlicet decime primi anni in beati
Luche evangeliste proximi, et reliqua media partibus in Inventionis sancte Crucis extunc
immediate sequenti festivitatibus, similibus in aliis duobus annis sequentibus observandis
terminis* » ; *Reg. Av.* 325, fol. 30 r°.

  1. *Coll.* 21 et 23.
  2. *Reg. Av.* 331, fol. 84 v°-86 r°.
  3. *Reg. Av.* 277, fol. 221 v°-223 r°.
  4. *Reg. Av.* 277, fol. 224 v°-230 v°.
  5. *Reg. Av.* 317, fol. 24 v°-26 v° et 62 v°-63 r°.
  6. *Reg. Av.* 332, fol. 42-44 et 53-54.
  7. *Reg. Av.* 319, fol. 21-32 ; 328, fol. 26.
  8. *Coll.* 122, *passim* ; *Reg. Av.* 242, fol. 38 ; *Reg. Vat.* 301, fol. 22 v°-23 r° ; SUAREZ-
FERNANDEZ, *Castilla, el Cisma y la crisis...*, p. 179-180.
  9. *Reg. Vat.* 299, fol. 49 ; éd. SUAREZ-FERNANDEZ, *op. cit.*, p. 170-171.
  10. N. VALOIS, *op. cit.*, III, p. 97.
  11. Un an, seulement, dans les provinces de Tours et Bourges où vint s'intercaler une
décime annuelle ; *Reg. Av.* 242, fol. 46 r°-47 r°.
  12. *Coll.* 194, fol. 180 v°-255 r° ; *Reg. Av.* 275, fol. 29 r°.
  13. Bibl. Sainte-Geneviève, manuscrit 344.
  14. *Reg. Av.* 270, fol. 21 v°-23 r° et 33-35.

et renouvelée pour un an dès le 15 mai [1]. Pour se concilier la cour, Benoît XIII en imposa une nouvelle, au profit du roi, le 31 janvier 1397 [2]. Deux décimes furent encore imposées, pour un an et avec un succès très limité, en février 1405 [3] et avril 1408 [4].

Quant à la Bretagne, elle fut frappée par la décime à partir de 1382 [5] ; la dernière fut imposée pour huit ans à compter du 1er avril 1393 [6]. Là encore, nous voyons se précipiter les impositions : le collecteur recevait quatre bulles imposant une décime biennale, à charge pour lui de dater les trois dernières le moment venu !

Malheureusement pour le pape, le produit de toutes ces décimes n'allait pas à la Chambre apostolique dans son intégralité. Tant s'en fallait. Le pape devait partager avec les princes, voire leur concéder la totalité du revenu.

La décime de Bretagne fut ainsi assignée, du moins à partir de 1390, en paiement des 32 000 francs dus à Jean de Malestroit, pour les services de son beau-père en Italie, au temps de Grégoire XI et de Clément VII [7]. Lorsque, en 1407, le clergé breton vota la concession d'une nouvelle décime, ce fut à la seule initiative du duc Jean IV et pour couvrir les frais de l'ambassade dépêchée à Benoît XIII par le duc, à l'instar de Charles VI. Nombre de bénéficiers et même de prélats refusèrent d'ailleurs de payer, arguant que cette décime n'avait pas été imposée par l'autorité pontificale. De toutes façons, le pape n'en devait rien recevoir [8]. La décime de Castille était imposée — mais par la volonté du pape — au bénéfice du roi, pour le paiement des galées armées en 1383 [9]. Celle d'Aragon fut constamment partagée à raison d'un tiers au pape et deux tiers au roi [10] pour aider ce dernier à financer son expédition en Corse et Sardaigne [11]. La décime de Savoie était hypothéquée par l'assignation au comte Amédée VI de 40 000 florins prêtés par lui à son cousin Edouard, évêque de Sion [12] ; l'assignation fut maintenue à Amédée VII, puis à Amédée VIII, et augmentée en 1390 d'un don de 12 000 florins fait par le pape à Amédée VII, sans doute en compensation du fait que dix décimes n'avaient produit que 12 5000 florins : devant l'insuffisance de la décime, Clément VII assignait

1. *Ibid.*, fol. 55 v°-59 v°.
2. N. Valois, *op. cit.*, III, p. 98 ; Delaruelle, Labande et Ourliac, *L'Eglise au temps du Grand Schisme...*, p. 89.
3. *Reg. Av.* 319, fol. 43-45.
4. *Reg. Av.* 332, fol. 44 v°-47 r°.
5. G. De Lesquen et G. Mollat, *Mesures fiscales...*, p. 135 et s.
6. *Reg. Av.* 272, fol. 115 v°-120 v°.
7. *Reg. Av.* 274, fol. 12 v°-13 v° ; 277, fol. 190 r°-191 r° ; *Reg. Vat.* 301, fol. 146 v°-147 v°.
8. G. Mollat, *Etudes et documents...*, p. 177-184.
9. *Coll.* 122, fol. 167-171 ; *Reg. Av.* 242, fol. 38.
10. *Reg. Av.* 250, fol. 306 v°-309 r°.
11. *Reg. Av.* 272, fol. 24 v°-26 v°.
12. Bulle du 19 août 1381 ; *Reg. Av.* 277, fol. 221 v°-224 v°.

au comte tous les revenus de la collectorie [1]. Mais, après 1405, Benoît XIII ne laissa l'assignation porter que sur la moitié du revenu des décimes [2]. En 1409, la dette n'était toujours pas éteinte.

Quant aux décimes de France, il s'en fallait également qu'elles alimentassent la Trésorerie pontificale. Celles de 1382 à 1385 étaient imposées en faveur de Louis d'Anjou [3]. La demi-décime de 1390 était accordée au roi [4]. La décime de 1392 était imposée pour le duc de Bourbon [5], celle de 1397 pour le roi [6].

Que restait-il au pape ? En France, la décime biennale de 1388-1390, la décime annuelle de 1405 et celle — affectée au remboursement de 60 000 francs que Benoît XIII faisait emprunter de tous côtés [7] — de 1408 ; en Aragon, un tiers de la décime levée en permanence ; en terre d'Empire dans la collectorie de Lyon, les décimes levées régulièrement de 1381 à 1395 [8] et de 1406 à 1409 [9] ; les illusoires décimes imposées sur la Ligurie et la Lombardie en 1382 [10] et 1405 [11] ; la moitié des décimes de Savoie à partir de 1405 ; les décimes de Provence, enfin, dans la mesure où elles n'étaient pas, avec tous les revenus de la Chambre dans le comté, assignées aux Angevins [12]. La part du pape avignonnais restait donc bien loin derrière celle des princes laïques.

Dans l'obédience romaine, la situation était fort différente : c'est dans la cadence des impositions qu'apparaissent les difficultés régionales, non dans le partage avec les princes.

L'Italie septentrionale et centrale [13] fut presque constamment soumise aux décimes, régulièrement renouvelées de trois ans en trois ans [14]. Au sud de Rome, au contraire, les décimes étaient relativement rares : en trente ans, dix furent imposées dans le royaume de Naples [15], trois dans la collectorie de Gaëte [16] et trois dans celle de Tarente [17]. En Sardaigne et en Corse, dix-huit décimes furent exigées [18].

1. Bull. du 17 octobre 1390 ; *Reg. Av.* 277, fol. 224 v°-230 v°.
2. *Reg. Av.* 332, fol. 42-44.
3. N. VALOIS, *op. cit.*, I, p. 166, et II, p. 27 ; *Reg. Vat.* 309, fol. 26 v°-28 r°.
4. *Reg. Av.* 277, fol. 196 v°-201 v° ; M. REY, *le domaine du roi...*, p. 341-342.
5. *Reg. Av.* 272, fol. 111 r°-112 r°.
6. N. VALOIS, *op. cit.*, III, p. 98.
7. *Reg. Av.* 332, fol. 46 r°-47 r°.
8. *Reg. Av.* 233, fol. 47 r°-49 r° ; 242, fol. 69 v° ; 275, fol. 22-23 ; *Reg. Vat.* 301, fol. 151 v°-153 r°.
9. *Reg. Av.* 325, fol. 30-31.
10. *Coll.* 359 A, fol. 234 r°-236 r°.
11. *Reg. Av.* 317, fol. 33-34.
12. Voir ci-dessous, p. 630.
13. Collectories de Venise, Lombardie, Piémont, Gênes, Toscane, Spolète, Pérouse et Marche d'Ancône.
14. *Arm.* XXXIII, 12, *passim*.
15. *Arm.* XXXIII, 12, fol. 82 v°-83 r° et 112 v° ; *Reg. Vat.* 316, fol. 87 r°-89 r° ; *Arm.* XXXIII, 12, fol. 241.
16. *Arm.* XXXIII, 12, fol. 265 r°.
17. *Reg. Vat.* 333, fol. 380 r°-382 r°.
18. Si l'on ne tient pas compte de la surimposition dont nous allons parler.

Hors de l'Italie, l'imposition des décimes demeura toujours sporadique. En Orient, les papes renouvelèrent six fois l'imposition d'une décime triennale [1], mais nous verrons que deux de ces impositions témoignent des difficultés rencontrées par la Chambre apostolique romaine. En Portugal et Algarve, une décime biennale fut imposée en 1391 et une triennale en 1406, renouvelée dès 1407 [2] : six décimes au total. En Guyenne, trois décimes triennales furent imposées en 1394, 1398 et 1404 [3].

L'Empire fut relativement épargné. En Allemagne se succédèrent une décime triennale en 1386, une biennale en 1391 — à laquelle vint s'ajouter une décime annuelle, la même année, pour le couronnement de Wenceslas — et deux annuelles en 1403-1405 [4]. Un peu plus imposée, la Hongrie connut quatre décimes triennales, en 1386, 1389, 1403 et 1408 [5] ; la première fut même doublée en 1387 d'une demi-décime annuelle, mais celle-ci paraît bien avoir remplacé la décime triennale que le collecteur ne pouvait lever [6]. Le clergé de Pologne eut pour sa part à payer une décime triennale imposée le 10 février 1386 [7] et réduite à une biennale en raison de l'incapacité, réelle ou prétendue, du clergé à payer trois décimes, ceci le 1er juin 1387, alors que les deux termes de la première année étaient déjà passés [8]. Voilà qui prouve bien que rien n'avait pu être levé. Une seconde triennale, imposée le 29 août 1389, fut transformée à son tour en biennale le 28 novembre 1390, et réimposée, comme biennale le 1er février 1391 [9] : luxe d'imposition qui laisse bien voir la nullité du rendement. La Chambre fit une nouvelle tentative en 1399 pour imposer une décime sur les Polonais pendant trois ans [10], mais, dès janvier 1400, Boniface IX devait concéder à Wenceslas une décime annuelle — immédiatement exigible — pour l'aider à lutter contre les Turcs [11]. C'en était fait de la triennale destinée au pape.

De Bohême, la Chambre apostolique tira moins encore : imposée le 28 novembre 1390, une décime biennale fut remplacée, dès le 23 janvier 1391 par une simple décime annuelle... mais destinée au couronnement de Wenceslas [12]. Le 13 septembre 1400, nouvelle tentative : une décime triennale était imposée à compter de Noël ; la bulle arriva trop tard pour être promulguée avant cette fête :

---

1. *Arm.* XXXIII, 12, fol. 83 v°, 112 r°, 197 r°, 214 r°, 223 et 246 v°-247 r°.
2. *Ibid.*, fol. 146 v°, 253 v° et 272 v°-273 r°.
3. *Ibid.*, fol. 197 v°-198 r° et 235 v° ; *Reg. Vat.* 314, fol. 246 v°-248 v°.
4. *Arm.* XXXIII, 12, fol. 84-85 et 142 v° ; *Reg. Vat.* 320, fol. 183 v° 189 v° ; Hennig *Die päpstlichen Zehnten...*, p. 42-43 et 78-81.
5. *Arm.* XXXIII, 12, fol. 84 r°, 112 v°, 228 et 283 v°.
6. *Ibid.*, fol. 104 r°.
7. *Ibid.*, fol. 80 r°-82 r°.
8. *Ibid.*, fol. 95 r°-97 r°.
9. *Ibid.*, fol. 112 v°, 139-142 et 146 v°.
10. *Ibid.*, fol. 200 v°-201 r°.
11. *Reg. Vat.* 316, fol. 306 r°-308 r°.
12. *Arm.* XXXIII, 12, fol. 139-142 ; *Reg. Vat.* 347, fol. 135-138.

tous les prétextes, on le voit, étaient bons pour le collecteur et ses contribuables. Avisée avec un retard également considérable, la Chambre apostolique remédia à ce contre-temps par une nouvelle imposition, faite le 15 décembre 1401 [1]. On ne parla plus ensuite de lever la décime en Bohême.

Avec la Scandinavie, nous atteignons la limite des possibilités de la Chambre romaine. Une seule fois, le 10 février 1386, fut imposée une décime triennale sur le clergé danois [2]. Aucune tentative n'était faite à l'encontre des Suédois et des Norvégiens.

En Angleterre, nul pape ne se hasarda à réserver à son profit les décimes : c'eût été en vain. Le Saint-Siège ne pouvait que consentir aux impositions royales, et c'est en faveur du comte de Huntingdon, demi-frère de Richard II, que Boniface IX imposa, en 1397, une décime sur le clergé anglais et irlandais [3].

Un point doit être ici précisé, car il éclaire d'un jour nouveau les institutions camérales de l'obédience romaine : la décime est étroitement liée à la personne du collecteur, ou plutôt de son collecteur, car ce peut être un clerc ou un prélat spécialement désigné ; la jonction de la décime aux attributions ordinaires des collecteurs n'est pas réalisée comme elle l'est dans l'obédience avignonnaise et l'on voit le pape de Rome confier la levée de la décime générale de 1387 à tous les évêques et chapitres [4] ; de même pour celle de 1393 sur la Lombardie, la Romagne et l'Emilie [5].

La décime est imposée par une bulle, notifiée au collecteur par une autre. Que le collecteur vienne à cesser son office pendant la durée de la décime, et rien n'est changé dans l'obédience avignonnaise : le nouveau collecteur prend la suite, perçoit les termes restant à venir lors de son arrivée et les arrérages des termes échus au temps de son prédécesseur. Au plus, si les archives du collecteur remplacé ont disparu avec lui, une nouvelle notification est-elle délivrée au collecteur ; mais c'est toujours pour la même décime.

Le changement de collecteur apporte au contraire dans l'obédience romaine un notable bouleversement. Le nouveau collecteur ne perçoit pas la décime alors courante. La Chambre apostolique impose une nouvelle décime, avec des termes parfois différents des précédents. De là le fait que nombre de constitutions de collecteurs sont assorties de la notification d'une imposition nouvelle.

Dans les collectories lombardo-vénitiennes, les décimes triennales s'étaient succédé sans chevauchement jusqu'en 1405. Mais, le 13 juin 1405, les circonscriptions étaient remaniées [6] et Giovanni

---

1. *Arm.* XXXIII, 12, fol. 211 v° et 220 r° ; *Reg. Vat.* 317, fol. 288 r°.
2. *Arm.* XXXIII, 12, fol. 83 v°-84 r°.
3. Ed. PERROY, *op. cit.*, p. 343. Voir aussi ci-dessous, p. 228-229.
4. *Arm.* XXXIII, 12, fol. 101-103.
5. *Ibid.*, fol. 160 v°-161 r°.
6. Voir ci-dessus p. 148 et ci-dessous, p. 721-723.

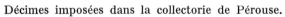

Décimes imposées dans la collectorie de Pérouse.

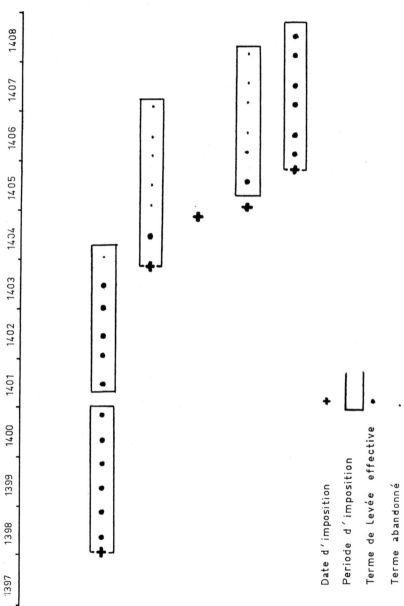

Graphique 2

da Mantova prenait seul la responsabilité de la collectorie de Lombardie. Une décime triennale avait été imposée dans cette collectorie le 14 août 1403 ; elle était payable aux termes de la Saint-Martin d'hiver et de l'Annonciation [1]. Deux termes restaient donc encore à lever : en novembre 1405 et mars 1406. Mais Giovanni da Mantova ne continua pas à lever une décime qui, pourtant, lui avait été notifiée à lui-même alors qu'il gérait la collectorie de concert avec Giovanni Manco. Sa constitution comme unique collecteur est du 13 juin ; le 21, une nouvelle décime triennale était imposée, dont le premier terme fut fixé à l'Assomption [2].

Lorsque l'homme change, le fait est encore plus net. Il restait encore deux termes à écheoir de la décime imposée le 17 février 1403 [3] lorsque Francesco de' Pavoni succéda à Paolo di Giovanni, le 12 mai 1405, comme collecteur de Romanie, c'est-à-dire d'Orient latin. Dès le 23 mai, la Chambre procédait à l'imposition d'une nouvelle décime triennale, à compter de Noël 1405 [4].

Ainsi la documentation camérale laisse-t-elle apparaître d'étonnants chevauchements, dont il ne faudrait pas croire qu'ils correspondent à une superposition d'exigences. Au contraire de ce qui se passe dans l'obédience avignonnaise, la décime notifiée à un collecteur romain est caduque du même fait du départ de ce collecteur. A Pérouse, Michele di Pietro était nommé le 4 février 1398 ; le 5, on imposait une décime triennale [5]. Il la leva, de même que la suivante, imposée le 10 mai 1401 [6]. Son successeur Pietro Damiani fut nommé le 4 novembre 1403 ; le même jour était imposée une décime triennale [7], bien qu'il restât encore un terme — celui de la Purification 1404 — à écheoir de la décime de 1401. La décime de 1403 prenait théoriquement fin à la Purification 1407 ; mais Damiani fut appelé à d'autres fonctions et, le 18 novembre 1404, le clerc de la Chambre Gasparro Alessandri lui succédait. Leva-t-il le terme de la Purification 1405 ? C'est peu probable, car Alessandri ne resta que quelques mois à Pérouse, si même il y vint. Le 24 février 1405, en effet, un nouveau collecteur était désigné : Antonio Porziani. Le 5 mai, Innocent VII imposait une nouvelle décime triennale à compter de l'Assomption [8] ; il n'était donc pas question d'exiger le terme de la Saint-Jean de la décime de 1403. Mais Porziani abandonna à son tour la collectorie, remplacé, le 1er décembre de cette même année 1405, par l'abbé de Marzano : le jour même, une nouvelle décime triennale était imposée à compter de Noël [9].

---

1. *Arm.* XXXIII, 12, fol. 229 r°.
2. *Ibid.*, fol. 248.
3. *Ibid.*, fol. 223.
4. *Ibid.*, fol. 246 v°-247 r°.
5. *Ibid.*, fol. 196 v°.
6. *Ibid.*, fol. 216 v°.
7. *Ibid.*, fol. 231 r°.
8. *Ibid.*, fol. 246 r°.
9. *Ibid.*, fol. 252.

De tels exemples pourraient être multipliés. Les collectories de Spolète, de Corse, de Portugal ont ainsi été frappées d'impositions renouvelées avec les collecteurs. Le nombre de bulles concernant les décimes ne doit pas laisser croire à une charge fiscale renforcée. Il témoigne seulement des difficultés rencontrées par la Chambre apostolique dans le recouvrement des impositions. Chaque décime ne valait et durait que ce que valait et durait son collecteur.

Une chose était pour le pape d'imposer une décime, une autre était de se la réserver. A la fin de 1390, le roi des Romains Wenceslas envoya Nicolas de Prague à Boniface IX pour lui promettre une aide efficace contre les schismatiques italiens, lors de sa « descente » pour le couronnement. Le pape lui concéda donc à cette fin, le 23 janvier 1391, une décime dans les royaumes de Bohême et d'Allemagne — duché de Bavière excepté — et le patriarcat d'Aquilée [1]. Mais il faut bien remarquer que cette décime, effectivement imposée, n'était concédée que sous condition, pour le couronnement : la moitié devait en être remise à Wenceslas par le collecteur de Bohême Ubaldino Cambi lors du départ d'Allemagne, l'autre moitié « à l'entrée en Italie » [2]. On sait que Wenceslas ne fut jamais couronné. On pourrait être tenté de croire que le pape bénéficia, de ce fait, du produit de la décime ; mais il faut faire la part des résistances qui se manifestèrent envers le fils de Charles IV [3] : c'est ainsi qu'un évêque leva pour son seul profit la décime dans son diocèse, et refusa d'en rendre compte [4]. Il est probable que, de la décime du couronnement, ni Wenceslas ni le pape ne tirèrent grande finance.

Deux décimes furent octroyées, sans conditions cette fois, à Robert de Bavière après son élection comme roi des Romains : l'une, le 1er octobre 1403, payable au 25 mars 1404, et l'autre, le 2 octobre 1403, payable au 2 février 1405 [5].

La Croisade avait donné naissance à la décime. En une occasion, elle ne fut pas un simple prétexte : ce fut la décime annuelle concédée le 19 janvier 1400 sur son royaume de Pologne à Ladislas Jagellon pour l'aider à lutter contre les Turcs [6].

Dernier bénéficiaire des décimes imposés par Boniface IX, Ladislas de Durazzo, roi de Naples, s'en fit octroyer deux : une le 1er février 1399 [7] ; l'autre le 23 avril 1403 [8].

Notons enfin quelques assignations faites sur les décimes, mais dans l'intérêt du pape romain. La décime imposée le 13 juin 1393

---

1. Reg. Av. 347, fol. 135 v°-138 v° ; M. JANSEN, op. cit., p. 35 ; E. HENNIG, op. cit., p. 56.
2. Reg. Vat. 314, fol. 59 v°.
3. DELARUELLE, LABANDE et OURLIAC, op. cit., p. 73.
4. Reg. Vat. 314, fol. 59 v°-61 r°.
5. Reg. Vat. 320, fol. 183 v°-189 v°.
6. Reg. Vat. 316, fol. 306-308.
7. Ibid., fol. 87 r°-89 r°.
8. Reg. Vat. 320, fol. 114 r°.

dans la collectorie de Pérouse fut assignée, le 7 septembre, au cardinal Pileo da Prata pour ses dépenses comme légat de Pérouse[1]. Le 6 février 1406, Innocent VII assigna à Raimondo del Balzo Orsini, sur les décimes imposées et à imposer dans le royaume de Naples, le remboursement de 50 000 florins qu'il avait prêtés à la Chambre apostolique[2]. Il ne s'agit pas là de décimes concédées, mais bien d'une avance sur des décimes, assimilable à tous les prêts remboursés, pour des sommes plus modestes, par simple assignation : ainsi les 1 000 florins assignés en remboursement à Niccolò d'Este sur la décime de Romagne le 26 mai 1394[3].

Imposée en faveur de laïcs, mais au bénéfice du pape, telle est bien l'étrange décime triennale que Francesco Uguccione, archevêque de Bordeaux et collecteur de Guyenne, fut chargé le 14 avril 1394, d'imposer en Castille, Léon, Aragon, Navarre, Catalogne et Guyenne. Exception faite de cette dernière province, et seulement pour une partie, c'étaient là des régions d'obédience avignonnaise. Mais l'archevêque devait traiter avec des souverains et princes désirant travailler à la réduction des schismatiques et leur verser « pour leurs dépenses et selon l'opportunité » des sommes à prendre sur la décime[4]. Boniface IX espérait donc acheter l'adhésion des princes espagnols au prix d'une décime !

Pour conclure sur le point de la décime, les deux Chambres apostoliques eurent en commun de ne pouvoir la lever sur toute leur obédience. Les décimes avignonnaises étaient généralement partagées avec les princes, les décimes romaines, rarement partagées, étaient surtout levées entre le Tibre et les Alpes. Ce que nous savons des collecteurs romains ne permet pas de croire que les décimes allemandes, polonaises, portugaises ou orientales aient été d'un grand rapport[5]. Celles des états de l'Eglise ont, au contraire, contribué pour une bonne part à la défense de l'Italie, et celles de l'Italie du Nord ont supporté l'essentiel des assignations dont nous dirons que la Chambre apostolique dirigeait un grand nombre vers les collectories cisalpines.

3. *Les procurations.* — Les procurations furent probablement la plus impopulaire des impositions pontificales. Réserver au pape la somme que pouvait percevoir, à l'occasion des visites faites dans son diocèse, son archidiaconé ou ses prieurés, l'évêque, l'archidiacre ou l'abbé, c'était en effet supprimer

1. *Reg. Vat.* 314, fol. 136 v⁰-137 r⁰.
2. *Reg. Vat.* 334, fol. 228 v⁰22-9 v⁰.
3. *Reg. Vat.* 314, fol. 258 v⁰.
4. *Ibid.*, fol. 246 v⁰-250 r⁰.
5. On connaît avec précision le cas d'un sous-collecteur de Prague qui conserva pour lui sa recette et alla jusqu'à en prêter une partie à l'archevêque, lequel n'eut cure d'en répondre au collecteur ; *Reg. Vat.* 317, fol. 271 r⁰-272 r⁰.

le moyen de ces visites, au plus grand détriment de la vie religieuse et de l'administration ecclésiastique locale. Le fait a été démontré : pas de procurations, pas de visites [1].

Clément VII ne fit, à cet égard, que continuer Grégoire XI. La réserve des demi-procurations dues aux évêques et des procurations entières dues aux abbés, archidiacres et archiprêtres fut, pendant son pontificat, presque permanente en France, en Provence, en Savoie et en Aragon. En Castille, au contraire, elles ne paraissent pas avoir jamais été réservées, et c'est seulement en 1407 que Benoît XIII réserva les procurations en Navarre [2].

Les procurations étaient levées par le collecteur et ses gens. Même lorsqu'un prélat ou un archidiacre était, pour un temps, autorisé par le pape à effectuer ses visites en jouissant de ses procurations, il ne recevait parfois son dû que du collecteur [3]. En d'autres cas il levait lui-même les procurations [4] et, si le pape s'en était réservé une part, versait celle-ci au collecteur ou composait avec lui pour cette part [5].

Outre de telles concessions particulières, Clément VII leva par deux fois la réserve des procurations, en faveur des prélats français. Le 13 février 1384, il autorisa ceux-ci à exercer leur droit de visite et à lever, pendant un an à compter du 1er mai, les procurations entières s'ils visitaient eux-mêmes, la moitié des procurations s'ils faisaient faire les visites par des procureurs [6]. Le nonce Pierre Girard était chargé de composer avec les prélats pour récupérer au profit du Saint-Siège une partie de ces procurations [7]. Pour prix d'une telle concession, Girard exigea, par exemple, de l'évêque de Paris Pierre d'Orgemont la moitié de ce qu'il avait reçu des bénéficiers ; le nonce se fit même avancer 400 francs dès le début d'avrii [8]. Le partage fut le même en 1390 : le 2 novembre 1389, Clément VII ordonnait aux collecteurs de Paris, Tours et Lyon d'exiger des prélats, doyens et archidiacres de leurs collectories la moitié des procurations qu'ils avaient, pour un an, le droit de lever ; les dépenses afférentes aux visites devaient être imputées sur la moitié demeurant aux bénéficiaires de la concession [9].

C'est la procédure que reprit en 1395 Benoît XIII pour répondre aux doléances du clergé français et du pouvoir royal, exprimées

1. Samaran et Mollat, *op. cit.*, p. 43-44.
2. *Reg. Av.* 328, fol. 70 r°.
3. Samaran et Mollat, *op. cit.* p. 44.
4. Concession à Pierre d'Orgemont, évêque de Paris, le 12 novembre 1386 ; *Coll.* 364, fol. 74 v°. Concession à Guy de Roye, archevêque de Reims, le 24 septembre 1392 ; *Reg. Av.* 270, fol. 77 r°-78 r° ; 272, fol. 132.
5. *Reg. Av.* 238, fol. 105 v°-106 v°.
6. *Reg. Av.* 233, fol. 112 ; 238, fol. 102 v°-103 r° et 107 v°-109 r° ; Arch. nat., L. 409, n° 60.
7. *Reg. Av.* 238, fol. 105 v°-106 v°.
8. Arch. nat., L 409, n° 60 et 61.
9. *Reg. Av.* 277, fol. 119-124.

à Avignon par Bernard de la Tour d'Auvergne, évêque de Langres, Hélie de Lestranges, évêque de Saintes, et Jean des Bordes, archidiacre de Paris. Le 2 juin, le pape révoquait pour deux ans la réserve des procurations, autorisait les visites et la perception des procurations et s'en réservait la moitié, sans déduction des dépenses ; les prélats pouvaient se racheter par le paiement d'une composition globale de 60 000 francs [1] ; ils ne se soucièrent pas de le faire. Bien des évêques préférèrent laisser faire le collecteur, et s'abstinrent de visites dont ils eussent retiré un maigre profit. « Ainsi en fut-il surtout, écrivent MM. Samaran et Mollat, dans les régions du Nord et du Midi de la France, plus éprouvées que les autres par la guerre de Cent Ans ». Sur ce point, nous ne pouvons suivre ces auteurs. Ce qui apparaît à l'examen des livres de la Trésorerie, c'est le refus systématique des évêques dans les pays situés entre la Loire et les frontières de l'obédience. Le Midi, dix ans après la révolte des Tuchins et à l'époque précise où l'*Informatio caturcensis* [2] faisait ressortir l'effroyable pauvreté et le dépeuplement des campagnes, alors que des nonces y étaient périodiquement chargés de composer pour les arrérages insolvables, le Midi fournit, avec la Bretagne, l'essentiel des demi-procurations versées par les prélats à la Trésorerie [3]. Le groupement est essentiellement politique, au contraire de celui que nous constaterons pour les cas de temporisation relatifs aux communs services. Ici apparaît le soutien du Midi au pape d'Avignon, sous l'influence de l'Université de Toulouse, et l'hostilité du Nord, sous l'impulsion de celle de Paris, ainsi que l'attitude prudente des Bretons, réservés à l'égard de la politique parisienne. Au moment où tombaient les échéances des procurations, le clergé français s'affrontait au concile de 1396 sur le recours à la soustraction d'obédience ; rien d'étonnant à ce que les antagonismes se soient traduits dans la résistance à la fiscalité.

Au lendemain de la restitution d'obédience, Benoît XIII ne demeura pas sur l'expectative. La réserve des procurations reprit dès 1403 en Savoie [4], puis en Provence [5]. Le 30 juin 1404, la France et le Dauphiné étaient à leur tour atteints [6] ; mais une ordonnance de Charles VI interrompit en 1406 la levée des procurations [7], et il n'en fut plus question en France. La réserve faite en 1403 et 1405 pour la Provence eut un plus réel succès [8]. Quant au revenu

1. Voir l'étude détaillée de ces dispositions dans : Samaran et Mollat, *op. cit.*, p. 45-46.
2. Editée par H. Denifle, *La désolation...*, II, p. 821-842.
3. *Intr. ex.* 372, fol. 13-19 ; 374, fol. 3-38.
4. Le 1er août ; *Reg. Av.* 331, fol. 89-90.
5. Le 1er octobre ; *Reg. Av.* 325, fol. 63 v°-64 v°.
6. *Ibid.*, fol. 71 v°-72 v°.
7. *Preuves des libertez...*, XXII, n° 9.
8. *Reg. Av.* 331, fol. 86 r°-88 r°.

des réserves faites en 1407 pour la Navarre[1] et l'Aragon[2], nous en ignorons tout. Sans doute y eut-il moins de difficultés en Aragon qu'en-deçà des Pyrénées.

On est fort mal informé des procurations levées dans les régions d'obédience romaine. Il ne paraît pas, d'après la documentation d'origine camérale, qu'elles aient jamais été réservées au Saint-Siège autrement qu'au titre des évêchés ou monastères vacants. C'est parce que le cardinal Stefano Palosi, qui l'avait en commende, était mort, que Boniface IX ordonna au collecteur de Portugal de visiter les paroisses de l'archidiaconé de Lisbonne et de lever pour le compte de la Chambre apostolique les procurations dues dans cet archidiaconé[3]. Le fait que l'agent de la Chambre fût chargé d'effectuer les visites prouve bien qu'il n'était nullement question d'une réserve des procurations, mais bien de vacants qui mettaient le pape dans l'obligation de desservir le bénéfice. Lorsque le cardinal Angelo Acciaiuoli obtint, pour son archidiaconé d'Exeter, l'autorisation de faire effectuer pendant six ans ses visites par procureur tout en levant les procurations[4], c'est sur l'emploi de procureurs que porta la concession : nulle mention n'est faite, dans la bulle, d'une dérogation à une quelconque réserve.

L'annate était un droit purement casuel, dont les échéances étaient imprévisibles dans le détail ; le montant des annates était donc variable et indéterminable. La décime et les procurations, au contraire, pouvaient être évaluées. Qu'attendait la Chambre d'une décime, d'une procuration ? Voilà ce que nous aimerions pouvoir établir. L'absence d'une série complète de comptes de collecteurs pour une période quelconque ne nous le permet pas. Nous savons ce que valait tel ou tel droit, pour quelques collectories.

Cela laisse cependant entrevoir le volume relatif de la décime et des procurations. Cette relation a-t-elle quelque chance d'être la même partout ? Nous ne le croyons pas, car la décime est proportionnelle au revenu des bénéfices, alors que les procurations tiennent uniquement au nombre de bénéfices de chaque catégorie. Comparons, à titre d'exemple, deux diocèses relativement pauvres, ceux d'Albi et du Puy. Dans le diocèse d'Albi, la décime valait théoriquement 609 francs, les procurations 2 856 francs[5], soit, comme on ne levait les procurations que par périodes de deux ans, espace normal entre les visites pastorales, 1 428 francs par an : le double de la décime. Dans le diocèse du Puy, la décime valait 436 francs, les procurations 396 francs par an[6] : 90% de la décime.

1. *Reg. Av.* 328, fol. 70 r°.
2. *Reg. Av.* 331, fol. 100 v°-102 r°.
3. Bulle du 19 avril 1398 ; *Reg. Vat.* 315, fol. 304 v°.
4. Bulle du 15 juin 1403 ; *Reg. Vat.* 320, fol. 160 v°-161 r°.
5. *Coll.* 84, fol. 409.
6. *Coll.* 85, fol. 36-106.

Il n'y a là nulle anomalie, car on compte cent vingt-six paroisses dans le diocèse du Puy et trois cent quarante-deux ans dans celui d'Albi où, de ce fait, les procurations ont une valeur relativement élevée.

On ne saurait donc extrapoler les chiffres fournis par les trop rares comptes de collecteurs. Quelques chiffres permettront cependant de fixer les idées. Vers 1378, les procurations de la province de Tours valaient, tous les deux ans, 14 340 francs, celles de Rouen 12 713 francs, celles de Sens 11 214 francs, celles de Lyon 5 475 francs [1]. Celles de la collectorie de Rodez [2] valaient, entre 1381 et 1386, 14 632 francs [3].

Ces chiffres représentent ce que la Chambre apostolique pouvait espérer en deux ans d'une procuration ; nous verrons plus loin ce qu'elle en recevait effectivement. D'ores et déjà, un chiffre peut être conjecturé : d'une procuration, pour les quatre collectories [4] que l'on vient de citer, la Chambre apostolique espérait 58 374 francs. Il ne paraît pas exagéré d'estimer à 100 000 francs environ, soit 50 000 francs par an, le revenu espéré — nous ne parlons pas du revenu réel — d'une procuration en France.

4. *Les subsides caritatifs.*   La notion de subside caritatif est des plus fluides. Ce peut être l'équivalent d'une autre imposition : ainsi le subside *loco decime* ou le subside *loco procurationis* que les collecteurs s'efforçaient d'obtenir des bénéficiers exempts de décime ou de procurations. En d'autres cas, c'est une libéralité forcée qui était exigée des clercs d'une région ou d'un royaume, libéralité dont le montant global était parfois fixé par la Chambre apostolique en fonction de ses besoins, parfois laissé à l'initiative des agents locaux. Subsides, enfin, que ces versements individuels dont nous ferons état à propos des communs services [5], versements qui enflaient parfois dans des proportions considérables la somme exigée d'un prélat nouvellement pourvu ou dont la provision était attendue. Nous ne retiendrons, ici, que les subsides imposés sur des bases territoriales, subsides levés par des nonces qui n'étaient pas toujours les collecteurs.

Pourquoi recourir à cette imposition supplémentaire dont le nom même indiquait qu'elle était sans justification et dont le caractère bénévole, « caritatif », ne faisait aucune illusion ? Tout d'abord pour pallier l'insuffisance de la fiscalité ordinaire, la concession aux princes des décimes, en particulier : les subsides n'étaient souvent qu'une autre décime dont le pape n'avait à

---

1. *Reg. Av.* 220, fol. 371.
2. Diocèses de Rodez, Albi, Castres, Vabres et Cahors.
3. *Coll.* 84, fol. 406-414.
4. Les provinces de Sens et de Rouen ne formaient qu'une collectorie.
5. Voir ci-dessous, p. 368.

partager le produit avec personne. Ensuite pour subvenir à une brusque crue du volume des dépenses : ce sont les périodes de crise qui voyaient l'imposition de tels subsides.

Ainsi Clément VII prévoyait-il, dès 1381, l'imposition de subsides pour financer la lutte contre Urbain VI : le 17 septembre, il faisait engager les négociations avec la *Compagnie du Lion* du comte Eberhard de Wurtemberg, pourvu que le prix du traité n'excédât pas 50 000 florins, somme qui devait être payée sur les subsides à imposer pour cette fin [1].

Les années suivantes, on ne recourut guère au subside caritatif que pour compenser l'inexistence des recettes ordinaires dans les régions d'obédience indécise. Faute de décime et de procurations, un collecteur occasionnel parcourait la contrée en s'efforçant d'obtenir de chacun quelques sous. Le montant n'était alors pas fixé : il appartenait à l'envoyé de la Chambre de négocier avec le clergé, assemblé pour cela. Dans les diocèses piémontais [2], c'est l'abbé de San Solutore Maggiore que Clément VII envoya le 3 novembre 1382 [3] ; dans les diocèses gascons [4], c'est Arnaldo Guilherm *de Fabrica*, chanoine de Jaen, le 31 mars 1384 [5]. Ces tentatives faites pour tirer finance de régions que l'on espérait en partie clémentistes ne furent pas vaines : le 8 avril 1383, soit cinq mois après sa commission, 3 000 florins étaient envoyés par le collecteur de Piémont [6].

Mais voilà qu'en 1384 la situation angevine s'aggrava ; la mort du roi Louis conclut une lourde série de revers. Dès 1383, le duc réclamait « preste finance » à son neveu Charles VI [7]. Le pape était aussi sollicité. Force lui fut de recourir au subside, voire d'emprunter, sur les subsides à venir, l'or qu'il remit aux Angevins et celui qui servit à financer l'envoi de galées [8]. Le 8 mai 1383, Clément VII chargeait Bertrand Raffin d'aller imposer un subside — dont il estimerait le montant selon les possibilités du clergé — dans les provinces de Langue d'Oc [9]. Le 10 avril 1384, il envoyait Antoine de Louvier réunir le clergé des provinces de Bourges, Tours, Lyon, Besançon, Vienne, Bordeaux, Rouen et Sens pour obtenir et, en cas de refus, imposer un subside caritatif [10]. Il mit fin à ces impositions — sans rendre, évidemment, ce qui en avait été reçu — dans les provinces de Sens et Rouen par une bulle du

---

1. *Coll.* 359 A, fol. 129-132.
2. Diocèses de Turin, Ivrea, Alba et Asti.
3. *Coll.* 359 A, fol. 256 v°-257 r°.
4. Diocèses d'Oloron, Tarbes, Aire, Bazas et Dax.
5. *Reg. Av.* 238, fol. 110 v°-111 v°.
6. *Intr. ex.* 356, fol. 23 v°.
7. Jean LE FÈVRE, *Journal*, éd. Moranvillé, p. 48-52.
8. Voir ci-dessous, p. 622-623.
9. *Reg. Av.* 233, fol. 87 r°-88 r°.
10. *Reg. Av.* 238, fol. 127 r°-128 r°.

17 décembre ; mais il chargeait dans le même temps l'abbé de Saint-Nicaise de Reims d'imposer un nouveau subside dans les provinces de Rouen, Sens et Reims [1]. Il n'était plus fait mention, cette fois, de la concession par le clergé. Le même jour, Pierre de Tarascon était envoyé dans les provinces de Toulouse, Auch, Bourges et Bordeaux pour imposer un nouveau subside et, en attendant sa levée, contracter tous les emprunts possibles, en obligeant la future recette du subside pour leur remboursement [2].

Il y eut de telles protestations, émanant en particulier de l'Université de Paris, que Charles VI dut, le 3 octobre 1385, révoquer les lettres patentes par lesquelles il avait accordé aux collecteurs l'appui du bras séculier : ne tenant aucun compte des capacités des églises, les collecteurs faisaient saisir par les sergents royaux et vendre les livres, les calices et mêmes les tuiles des toits ! Le roi risquait d'être atteint par l'impopularité du fisc papal [3].

En Castille, un subside fut imposé dès le 2 décembre 1384. Mais le montant — 19 500 doubles d'or — en était déterminé par la Chambre apostolique, de même que la répartition par diocèses : 2 200 doubles pour Tolède, 1 500 pour Compostelle, 1 200 pour Burgos et Séville, 1 000 pour Palencia, etc. [4]. Ce subside servit à financer, pour un tiers, l'envoi des galées armées pour le pape à Séville sur l'ordre du roi [5].

A partir de 1389, les charges de la papauté avignonnaises allèrent en se multipliant : expédition italienne de Louis II d'Anjou, tentatives d'intervention en Italie du duc de Bourbon et du duc d'Orléans, traités successifs avec Raymond de Turenne [6].

Le 26 avril 1389, Antoine de Louvier et Pierre Borrier allaient lever dans les provinces de Langue d'Oc [7] un subside fixé à 25 000 francs : c'était la part des sommes dues à Turenne afférant à ces contrées. Les deux envoyés devaient remettre leur recette à Jean d'Armagnac, [8] arbitre entre Turenne et le pape, et garant du traité qu'il avait négocié [9]. Cependant, un subside de 12 000 florins d'Aragon était imposé sur le clergé aragonais. Dès 1389, l'abbé de Ripoll fut avisé d'avoir à le lever en janvier 1390 et à en remettre les trois quarts au roi Jean pour l'aider à « défendre les églises et le clergé de son royaume ». Le reste allait au pape [10].

---

1. *Reg. Av.* 242, fol. 26.
2. *Ibid.*, fol. 26 et 31 r°.
3. *Ordonnances..*, VII, p. 131-132 ; F. Rocquain, *La cour de Rome et l'esprit de réforme...* III, p. 27.
4. *Reg. Av.* 242, fol. 33 r°-35 r°.
5. *Coll.* 122, fol. 167-188.
6. Voir ci-dessous, chapitre XIII.
7. Provinces de Bourges, Narbonne, Toulouse et Bordeaux, diocèses d'Auch, Couserans et Viviers.
8. *Reg. Av.* 275, fol. 82 v°-84 v°.
9. N. VALOIS, *op. cit.*, II, p. 342.
10. *Reg. Av.* 275, fol. 19 r°-20 r° et 106 ; 277, fol. 111.

D'autres subsides vinrent frapper le clergé aragonais en 1391 [1]. Ceux qui devaient permettre de solder les galées de Séville se succédaient pendant ce temps en Castille, Léon, Portugal et Navarre [2]. L'un, de 20 000 doubles — peut-être est-ce celui de 1384 ? — avait été imposé avant 1390 [3] ; deux autres, dont le second était également de 20 000 doubles, furent exigés en 1391 et 1392 par Dominique de Florence [4].

Les subsides non taxés se succédèrent en Bretagne, mais il ne faut pas les additionner systématiquement : l'imposition d'un nouveau subside n'est souvent que la relance du précédent. Le 16 août 1390, Clément VII chargeait son auditeur Guillaume de Kaer d'imposer et lever un subside dans le duché [5]. Sans doute cette imposition, qui doublait la décime imposée le même jour [6], n'était-elle pas sans rapport avec la créance de Jean de Malestroit sur la Chambre apostolique : c'est précisément ce 16 août que le pape approuvait le compte de cette créance [7]. Mais, dès le 21, Clément VII donnait à Bernard du Faou et Pierre Dorenge, exécuteurs de la décime, commission d'imposer un subside [8]. Etait-ce un second subside ? Rien ne permet de répondre. Le 21 août, encore, Guillaume de Kaer était chargé de lever, s'il lui semblait bon et selon sa conscience, deux subsides en plus de celui du 16 août [9]. Voilà donc, pour l'été 1390, trois subsides, quatre peut-être. Le 26 juillet 1391, la levée d'un nouveau subside fut confiée aux soins de Bernard du Faou et Pierre Dorenge [10]. Un autre fut encore imposé le 13 janvier 1392 [11]. En dix-huit mois, cela fait cinq ou six subsides, en sus de la décime.

Les listes d'arrérages publiées par G. de Lesquen et Mgr Mollat ne font aucune mention de ces subsides [12]. La chose s'explique : dans la mesure où il n'y avait pas de taxation pour ces subsides, il ne pouvait y avoir d'arrérages. Que pouvaient bien représenter cinq ou six subsides non taxés, sinon un seul et même subside, exigé sans termes et sans valeur fixée, mais dont les receveurs devaient réitérer leurs exigences ? En fait, croyons-nous, les commissaires de la Chambre apostolique étaient chargés de faire quelque peu grossir les versements pour la décime. Le clergé ne

1. *Instr. misc.* 3487 ; *Reg. Vat.* 301, fol. 104 r° et 111 r°-112 r°.
2. Le Portugal et la Navarre étaient en fait, hors de l'obédience.
3. *Reg. Av.* 277, fol. 169-170.
4. *Reg. Av.* 272, fol. 71 v°-72 v° ; *Reg. Vat.* 301, fol. 128-129 ; Suarez-Fernandez, *Castilla, el Cismo y la crisis...*, p. 189-192.
5. *Reg. Av.* 277, fol. 192-193.
6. *Reg. Vat.* 301, fol. 145 v°-146 v°.
7. *Reg. Av.* 277, fol. 190 r°-191 r° ; *Reg. Vat.* 301, fol. 146 v°-147 v°.
8. *Reg. Vat.* 301, fol. 147 v°-148 v°.
9. *Reg. Av.* 277, fol. 193 v°.
10. *Reg. Vat.* 301, fol. 148 v°.
11. *Ibidem.*
12. G. De Lesquen et G. Mollat, *Mesures fiscales...* ; on n'y trouve que la mention de subsides *loco procurationis*.

devait pas une somme déterminée pour le subside, mais il pouvait être contraint à verser plus que le montant des taxes pour la décime. Le fit-il ? Les arrérages subsistant en 1405 remontent bien souvent à la décime de 1382[1], voire aux procurations de 1381[2]. Il est donc impossible de penser que le clergé breton ait payé notablement plus que la décime. S'il l'a fait sur le moment, il s'est rattrapé à la longue en ne soldant pas la décime. Le subside non-fixé en valeur se rapprochait donc plus de la quête que de la perception fiscale.

La France du Midi fut l'objet de sollicitations taxées, donc plus fortes qu'en Bretagne : Guy d'Albi, futur collecteur de Paris, était envoyé pour cela, le 1er janvier 1391, dans la collectorie de Lyon[3], Guy Sauvage et Pierre de Tarascon, le 1er février, dans celles, respectivement, de Narbonne et de Toulouse et Auch[4]. Bien entendu, comme il s'agissait surtout d'acheter le départ de Raymond de Turenne qui menaçait Avignon, on n'oublia pas le clergé du Comtat venaissin, qui fut frappé — comme les nobles et les habitants — d'un subside laissé à l'estimation du recteur Eudes de Villars[5], non plus que celui des diocèses de Valence et Die, que l'on amena à concéder un subside de 2 000 francs[6].

Pourquoi la France du Nord était-elle exempte ? Le clergé français, déjà soumis par le pape à la gabelle royale[7], venait de se voir imposer en outre un subside au bénéfice du trésor royal[8]. La charge fiscale était donc lourde, et il est possible que la Chambre apostolique ait considéré comme vaine l'imposition d'un subside dans ces provinces d'Oïl que nous avons vues particulièrement rétives, quelques années plus tard, envers la réserve des procurations.

On rencontre donc, avant la soustraction d'obédience, deux types de subsides caritatifs imposés sur une base territoriale. Dans les provinces de forte fidélité, c'est une décime supplémentaire, imposée par le pape, taxée par la Chambre et levée dans les meilleurs délais. Ainsi agit-on en pays de Langue d'Oc, en Aragon, en Castille enfin, où la lourde créance du roi sur le pape garantissait ce dernier contre toute résistance concertée. Dans les provinces de fidélité chancelante, au contraire, le pape devait s'en remettre au jugement de ses agents et à la générosité des clercs ! Le subside y

---

1. *Ibid.*, p. 135-143, par exemple.
2. *Ibid.*, p. 144 et s.
3. *Reg. Vat.* 301, fol. 103 r°-104 r° ; acte daté de l'an XII du pontificat mais indiscutablement de l'an XIII car on lit à la suite dans le registre : *ejusdem anni, kal. febr.* et *kal. febr. an XIII.*
4. *Reg. Av.* 272, fol. 69 v°-70 r° ; *Reg. Vat.* 301, fol. 104 r°.
5. Bulle du 21 février 1392 ; *Reg. Av.* 270, fol. 41.
6. *Ibid.*, fol. 51-52.
7. *Reg. Av.* 272, fol. 139 ; 275, fol. 25 v°-26 r° ; 277, fol. 151 v°-154 v° ; *Reg. Vat.* 308, fol. 29 v°-30 v°.
8. *Reg. Av.* 270, fol. 49 v°-50 r°.

était véritablement caritatif, ce qui n'excluait pas la contrainte. Il était aussi de maigre rapport. Dans les quatre provinces de Lyon, Vienne, Besançon et Tarentaise, Guy d'Albi ne reçut que 5 757 florins 3 gros courants avignonnais [1], ce qui représentait 4 605 francs.

Le voyage en Ligurie donna motif à une autre levée de subsides caritatifs. Mais, en 1405, c'en était fini [2] de la fixation de valeur des subsides. Les nonces avaient ordre de faire de leur mieux, d'imposer jusqu'à la somme qui leur semblerait convenable. Le 1er février, Benoît XIII envoyait son neveu Pedro de Luna pour imposer en France une décime ou un subside, ou les deux, et lui confiait le soin de fixer le montant du subside. En Aragon, en Castille, en Savoie furent semblablement imposés des subsides caritatifs [3]. Le succès ne semble pas avoir couronné l'entreprise en Castille. En Aragon, il fut notable : du subside et du produit de divers bénéfices retenus par Benoît XIII, Climent reçut, de 1406 à 1408, 133 108 florins d'Aragon [4].

De telles impositions, qui venaient en sus des taxes ordinaires, suscitaient bien des résistances, et les plus prompts à s'en acquitter n'étaient pas ceux qui, bon gré mal gré, avaient apporté leur consentement. Nous donnerons plus loin un exemple significatif des réticences manifestées par le clergé dans les années qui précédèrent le concile de Pise : celui de l'archevêque d'Arles Artaud de Mélan [5].

La Chambre apostolique s'en prit même aux exempts. Puisqu'ils ne devaient pas la décime en raison de leur service militaire, les chevaliers de l'Hôpital se virent enjoindre, le 18 février 1405, de fournir en manière de subside une aide armée pour l'expédition en Ligurie [6]. A tous ceux qui le désiraient, le pape offrait d'ailleurs la possibilité de remplacer le subside financier par un service en armes. A l'archevêque de Séville, Alfonso de Exea, qui se proposait de venir personnellement à l'aide de Benoît XIII avec ses gens d'armes, le pape accorda, le 13 août 1405, l'autorisation d'affermer, vendre, aliéner ou obliger tout ou partie des revenus de sa mense archiépiscopale pendant les années 1406 et 1407 [7].

Les papes de Rome recoururent aussi au subside caritatif. Ils s'en prirent même aux exempts, aux ordres mendiants par exemple, et convoquèrent par deux fois, à l'instar de Grégoire XI, un cha-

---

1. Quittance du 23 janvier 1394 ; *Reg. Av.* 274, fol. 7-8.
2. Sauf pour le subside imposé en Castille.
3. Sur ces subsides, voir ci-dessous, p. 668-669.
4. Quittance du 8 janvier 1409 ; *Reg. Av.* 331, fol. 123 r°-125 r°.
5. Voir ci-dessous, p. 669-670.
6. *Reg. Av.* 319, fol. 50 v°-51 r° ; c'est à tort, croyons-nous, que Noël VALOIS (*op. cit*, III, p. 410) a vu dans l'exemption de la décime une récompense pour l'envoi de chevaliers : l'ordre avait toujours été exempt de décime, toutes les bulles d'imposition le précisent.
7. *Reg. Av.* 319, fol. 19 v° ; voir ci-dessous, p. 668, note 11.

pitre général des Cisterciens de leur obédience pour en obtenir, en 1383 et en 1390, un subside collectif[1]. Quant à l'ordre de Saint-Antoine, dont Urbain VI alléguait la grande richesse, ses précepteurs furent révoqués le jour même où un subside était imposé sur leurs couvents de Lombardie et Ligurie[2].

L'Italie, déjà chargée de décimes, fut rarement atteinte par les subsides avant 1400. Ailleurs, faute d'un système efficace de perception pour les impositions ordinaires, Urbain VI et ses successeurs profitèrent de quelques envois de nonces pour tenter d'imposer, à travers les régions plus lointaines de leur obédience, des subsides caritatifs.

En 1381, Giovanni di Andriolo Guadagnabene, collecteur de Portugal, fut ainsi chargé d'obtenir un subside du clergé portugais « selon les possibilités de chacun »[3]. En 1382, un subside d'un vingtième était imposé en Pologne, et sa levée confiée aux collecteurs Gregori et Franz[4]. La même année, c'était un douzième[5], puis, en 1383, un quinzième qu'Urbain VI faisait lever dans leurs diocèses par les évêques hongrois[6], puis par ceux de toute l'Allemagne, avec pour collecteur général l'évêque de Bamberg[7]. En 1385, un nouveau subside était imposé en Allemagne, Bohême, Pologne et Hongrie[8]. En 1386, un subside équivalent à une décime triennale était exigé — payable dans les trois mois — dans le diocèse de Liège ; il fut réduit en raison des protestations[9]. Dans le même temps, un subside équivalent à une simple décime annuelle était imposé dans le diocèse de Cologne[10]. En 1389, un subside non taxé l'était dans les provinces de Magdebourg et Brême et dans les diocèses de Kammin, Verden, Halberstadt et Hildesheim[11] ; les évêques étaient chargés d'en assurer la levée. En 1391, l'abbé de Carrara et le clerc de la Chambre Baylardino della Scala allaient obtenir une « subvention » du clergé polonais, lithuanien et russe[12]. Un chapitre général de l'ordre cistercien ayant voté un subside à Boniface IX, celui-ci chargea le visiteur général de l'ordre en Franconie, Souabe, Autriche, Bavière, Bohême, Styrie, Carinthie, Misnie, Moravie et Lusace, l'abbé d'Ebrach, de procéder à l'imposition de ce subside sur les couvents d'hommes et de femmes de

1. *Arm.* XXXIII, 12, fol. 52-53 ; *Reg. Vat.* 313, fol. 75-77.
2. *Reg. Vat.* 310, fol. 110 v°-114 r°, 115 v°-117 v° et 118 v°.
3. *Reg. Vat.* 310, fol. 118.
4. *Ibid.*, fol. 245-246.
5. *Ibid.*, fol. 242 v°-243 r°.
6. *Arm.* XXXIII, 12, fol. 32 v°-34 r° et 45 r°-47 r°.
7. E. HENNIG, *Die päpstlichen Zehnten...*, p. 41-42.
8. *Ibid.*, p. 42.
9. *Arm.* XXXIII, 12 fol. 89 v°-90 v°.
10. *Ibidem*
11. *Ibid.*, fol. 107 r°-108 r°.
12. *Reg. Vat.* 313, fol. 187 et 196.

ces provinces, laissant cependant aux collecteurs pontificaux le soin de le percevoir [1].

Les subsides cessent en terre d'Empire dans le même temps que les décimes. Urbain VI avait cherché en Europe centrale une notable part de ses revenus. L'y avait-il trouvée ? Nous ne pouvons le savoir : imposition et paiement sont choses différentes. En tous cas, Boniface IX, dans sa grande détresse financière, renonça pratiquement à imposer l'Empire, passé le temps de la décime biennale de 1390 [2]. Voilà qui n'induit pas à penser que l'Empire avait beaucoup aidé Urbain VI.

En 1399, Boniface IX força cependant la main d'un prélat et, probablement, celle du clergé : il obtint de Friedrich von Blankenheim, évêque d'Utrecht, un prêt de 12 000 florins dont le remboursement lui fut assigné sur un subside imposable par lui-même dans la province de Cologne [3]. Sans doute l'évêque n'avait-il pu refuser un tel prêt, malgré le risque de prêter à fonds perdus, car il était venu à la curie solliciter son transfert comme coadjuteur de Trèves [4].

Une ultime tentative fut faite par Grégoire XII, en 1407, pour obtenir une contribution du clergé non italien. Le 19 juin, il envoyait un pénitencier de Saint-Pierre, le Prussien Konrad Kruschel, réclamer un subside en Allemagne, Bavière, Brunswick, Brandebourg, Saxe, Misnie, Thuringe, Autriche et Hollande, ainsi qu'en Suède, Danemark et Norvège [5]. C'était, pour un seul homme, un bien grand ressort ! Aussi, dès le 18 octobre, le pape chargea-t-il le collecteur de Hongrie Enrico da Piscina et le scripteur Antonio da Gualdo d'imposer et lever le subside en Hongrie, Bohême, Pologne, Slavonie, Dalmatie, Croatie, Saxe, Brandebourg, Autriche, et Moravie. Aucun taux n'était fixé ; les contribuables pouvaient être exemptés d'une année de décime en échange du subside [6]. Que de tels envoyés aient fait autre chose que glaner sur leur passage de modestes sommes serait bien étonnant.

Au moment où le pape renonçait à imposer les terres d'Empire, il venait de s'en prendre à l'Angleterre. Urbain VI avait été longtemps obligé de la ménager ; la levée de décimes directement imposées par le roi ne laissait d'ailleurs guère de place pour la fiscalité pontificale. Il était également impossible au pape de se réserver la décime et d'imposer un subside. En décembre 1384, Urbain VI avait demandé à Richard II un subside qu'avait aussitôt refusé le Parlement, arguant que toutes les ressources du clergé étaient

---

1. *Reg. Vat.* 312, fol. 291 v° ; C. KROFTA, *Monumenta vaticana res gestas bohemicas illustrantia*, V, n° 415, p. 227-228.
2. HENNIG, *op. cit.*, p. 78-81.
3. *Reg. Vat.* 316, fol. 155.
4. *Ibid.*, fol. 143 ; EUBEL, *Hier. cath.*, I, p. 491.
5. *Reg. Vat.* 336, fol. 21-22.
6. *Ibid.*, fol. 161 v°-162 v°.

nécessaires pour que le roi pût assurer la défense du royaume et de l'Eglise [1]. Imposant, le 10 février 1386, une décime sur le clergé de nombreux pays, le pape avait exclu l'Angleterre ; mais, dès le 24 mars, il exigeait du clergé anglais un vingtième, payable au 15 août [2]. On objecta que le clergé venait précisément de payer une demi-décime au roi, et force fut à la Chambre apostolique de reporter à Noël 1387, puis à la Saint-Jean 1388, le terme de paiement du vingtième. En fin de compte, Urbain VI ne percevait rien [3]. Trouva-t-il dans un mouvement de transfert d'évêques, générateur de communs services, la compensation dont l'accusa le Parlement ? Nous montrerons qu'il n'en est rien [4]. Enfin, lorsque le clergé anglais, cédant aux injonctions du nouveau collecteur Jacopo Dardani, plus énergique et moins diplomate que son prédécesseur Megliorato, allait payer le vingtième, Richard II, le 10 octobre 1389, interdit la poursuite de la levée et fit restituer par le collecteur les sommes déjà recueillies [5].

Boniface IX, à son tour, s'efforça de mettre l'Angleterre à contribution. Le 2 janvier 1390, deux mois après son avènement, il chargeait les archevêques d'York et de Cantorbéry de convoquer leurs suffragants et leur clergé pour obtenir d'eux un subside dont les évêques étaient constitués collecteurs [6]. Pour plus de sûreté, il envoya l'année suivante l'abbé de Nonantola activer l'imposition [7]. Guillaume Courtenay, archevêque de Cantorbéry, venait de se décider : le 21 avril 1391, il réunissait l'assemblée. Le subside fut voté, sous condition de l'accord royal. La concession du clergé était gratuite : comme prévu, Richard II refusa, et ce n'est pas la harangue de l'abbé de Nonantola, prononcée le 24 juin, qui modifia sa détermination [8]. Renouvelée en 1394 lors de la mission de Bartolomeo da Novara, la demande de subside fut tout aussi vaine [9]. L'expédition d'Irlande suffisait à absorber les ressources anglaises, et la négociation tourna court.

En mai 1398, Pierre du Bosc, évêque de Dax et chambellan de Boniface IX, partait à son tour pour l'Angleterre. Il devait, entre autres choses, obtenir ce fameux subside que réclamait en vain la papauté depuis tant d'années [10], mais la négociation du concordat, enfin réalisé, paraît avoir occupé l'essentiel de son activité [11].

---

1. Ed. PERROY, *L'Angleterre et le Grand Schisme...*, p. 305.
2. *Arm.* XXXIII, 12, fol. 85-88.
3. LUNT, *Financial relations...*, II, p. 114-116.
4. Voir ci-dessous, p. 376.
5. PERROY, *op. cit.*, p. 305-308.
6. *Reg. Vat.* 347, fol. 73 ; *Cal. of. papal registers*, IV, p. 274.
7. *Arm.* XXXIII, 12 fol. 147 r°-148 r°.
8. PERROY, *op. cit.*, p. 320-321.
9. *Reg. Vat.* 314, fol. 277 r° ; Perroy, *op. cit.*, p. 337-338.
10. *Reg. Vat.* 315, fol. 307 ; *Cal. pap. reg.*, IV, p. 302.
11. PERROY, *op. cit.*, p. 346-351.

C'est encore aux évêques que Grégoire XII devait confier, le 1er juin 1407, la levée d'un subside sur le clergé anglais [1]. Une fois de plus, ce fut en vain.

Plusieurs constatations s'imposent. Tout d'abord, les subsides demandés à l'Angleterre ne sont normalement pas taxés. La Chambre apostolique plaçait son espoir dans le savoir-faire des nonces et dans l'énergie des collecteurs, mais ne pouvait aller jusqu'à fixer un montant. Ensuite, aucune assignation n'a jamais été faite sur ces subsides : il semble que la Chambre ne se soit guère fait d'illusions quant à leurs chances d'être levés. Enfin, à l'époque où Boniface IX négociait — avec quelle persévérance — l'obtention des subsides anglais, il renonçait à imposer décimes ou subsides sur le clergé allemand, hongrois, tchèque, polonais et scandinave.

Une telle différence de traitement nous paraît indiquer que les impositions faites par Urbain VI avaient été vaines et que l'on avait encore moins confiance dans le continent que dans l'Angleterre. Les partisans d'Avignon n'étaient pas rares dans l'Empire [2], l'hostilité aux impôts pontificaux s'y manifestait parfois avec violence [3] et l'adhésion de Wenceslas était pour le moins incertaine. Il y avait, dans les relations avec l'Empire et la Scandinavie, de grandes précautions à prendre. L'hostilité franco-anglaise dispensait d'en prendre avec l'Angleterre, peu tentée d'adhérer à l'obédience d'Avignon.

Restait l'Italie, ou plutôt les régions italiennes, que l'on peut grouper en trois ensembles : Etats de l'Eglise, Italie du Nord et royaume de Naples.

C'est évidemment pour assurer la mise en défense des états pontificaux que les papes romains y firent lever plusieurs subsides. Pour payer les gages de Mostarda della Strada et de ses hommes, Boniface IX imposa sur le clergé de la Marche d'Ancône un subside de 2 000 ducats le 16 août 1400 [4] et un autre de 1 000 florins le 14 octobre [5]. Malgré les fortes résistances rencontrées chez les clercs de la Marche [6], Boniface IX imposa encore sur le clergé et les laïcs de cette province trois subsides, de 50 000 florins chacun, pour payer les services de Paolo Orsini, le premier en mars 1401 [7], le second vers mars 1402 [8] et le troisième vers mai 1404 [9]. De la proportion établie en 1400 — 2 000 ducats sur le clergé, 5 000 sur les laïcs — on peut conjecturer que le subside levé sur le seul

---

1. *Reg. Vat. 336*, fol. 22 vo-24 vo.
2. Mise au point dans : DELARUELLE, LABANDE et OURLIAC, *op. cit.*, p. 50-52 et 73-74.
3. *Reg. Vat. 312*, fol. 243 vo.
4. *Reg. Vat. 317*, fol. 51 ro-52 ro.
5. *Arm. XXXIII, 12*, fol. 212 ; *Reg. Vat. 317*, fol. 61 ro-62 ro.
6. *Reg. Vat. 317*, fol. 101 vo.
7. *Ibid.*, fol. 170 vo-171 vo.
8. *Ibid.*, fol. 294 ro-295 ro.
9. *Reg. Vat. 319*, fol. 6 vo-7 vo.

clergé atteignait chaque fois environ 15 000 florins. Sans doute y eut-il des mécomptes : le subside imposé en 1407 n'était plus chiffré [1].

Dans le Patrimoine en Tuscie, le duché de Spolète et la Terre des Arnouls, un subside de 40 000 florins de la Chambre fut imposé le 23 mars 1401 sur les clercs et les laïcs, en faveur de Mostarda della Strada [2]. En mai, le pape était déjà obligé de menacer [3], en novembre il autorisait Mostarda à exercer contre les réfractaires toutes contraintes personnelles et réelles [4]. L'échec était patent. La Chambre apostolique laissa ces provinces tranquilles jusqu'en 1407, date d'une nouvelle imposition limitée à 8 000 florins [5].

Le clergé soumis à la seigneurie de Florence fut, pour les mêmes fins, plusieurs fois sollicité. Le 4 novembre 1402, ce fut un subside de 25 000 florins de la Chambre [6], le 11 mars 1403 un autre, de 4 000 florins, destiné au cardinal Cossa [7]. Le 8 août 1407, un subside de 30 000 florins était imposé en faveur de la Commune de Florence ; le tiers, en fait, devait aller à Paolo Orsini. Mais les commissaires n'avaient pas encore commencé leur travail en janvier 1408, malgré la pression qu'exerçait la curie, installée à Sienne [8] ; le 24 juin, puis le 11 octobre, Grégoire XII changea, sans résultat, ses commissaires [9], cependant que, pour inciter le clergé à s'acquitter du subside, il l'exemptait par une bulle du 24 octobre 1408 des deux décimes de 1407 et 1408 [10]. Cela suffirait à prouver que le clergé florentin ne payait ni son subside ni ses décimes.

C'est donc à une double fiscalité qu'était soumis le clergé des états pontificaux et de Toscane. Il contribuait aux impositions générales qui portaient à la fois sur les clercs et sur les laïcs, et aux impositions spécifiques qui le visaient seul. Mais ces deux fiscalités ne se superposaient que dans la théorie. On remarquera, enfin, la chronologie de ces impositions : elles commencent en 1400, c'est-à-dire avec l'accroissement des dépenses militaires [11], mais il est certain que la fidélité des états pontificaux était, jusqu'en 1390, trop faible pour que l'on en pressurât le clergé.

Car, dès 1383, un subside était imposé dans la province de Gênes [12]. En 1394, le collecteur de Lombardie en levait un de 20 000 florins [13].

1. *Reg. Vat.* 335, fol. 130.
2. *Reg. Vat.* 317, fol. 173-174.
3. *Ibid.*, fol. 206.
4. *Ibid.*, fol. 269.
5. *Reg. Vat.* 336, fol. 110 r°-111 r°.
6. *Reg. Lat.* 103, fol. 194.
7. *Reg. Vat.* 320, fol. 88 v°-89 r°.
8. *Reg. Vat.* 336, fol. 82 v°-83 v°, 126 v°-127 r°, 130 r°, 145 v°-146 r°, 151 v°-152 r° et 178 v°-179 r°.
9. *Ibid.*, fol. 232 r° et 261.
10. *Ibid.*, fol. 262 v°-263 r°.
11. Voir ci-dessous, p. 640-644.
12. *Arm.* XXXIII, 12, fol. 44.
13. *Ibid.*, fol. 168 r°-169 r°.

Là encore, cependant, c'est à partir de 1401 que les subsides s'ajoutent à la fiscalité normale frappant le clergé d'Italie septentrionale. Le 20 mai 1401, l'évêque de Montefeltro recevait l'ordre de lever 4 000 florins sur le clergé de Romagne [1]. Le 6 juillet 1404, le clergé et les habitants de Romagne, du patriarcat d'Aquilée, des diocèses de Castello (Venise), Ferrare et Modène étaient imposés pour 8 000 florins en faveur de Paolo Orsini [2]. En avril et mai 1407, la Lombardie, la Vénétie, la Romagne et l'Emilie se voyaient frappées d'un subside égal à une décime triennale, avec exemption d'une année de décime pour les clercs qui contribueraient au subside [3]. Malgré leurs protestations, les ordres mendiants furent tenus au paiement de ce subside [4]. Mais, une fois encore, les prétentions pontificales durent être réduites : on accorda au clergé une « modération », puis on dut, en 1408, entamer des poursuites contre les clercs rétifs [5], voire contre le patriarche d'Aquilée qui gardait pour lui ce qu'il avait levé du subside [6]. Or ce patriarche n'était autre qu'Antonio Panciera da Portogruaro, ancien clerc de la Chambre apostolique.

Dans le royaume de Naples, la politique camérale fut analogue. En 1382, on fit une tentative pour lever un subside égal au tiers des revenus — sans doute faut-il entendre des revenus nets, mais ce n'est pas assuré — de tous les clercs, même exempts de décime [7]. En 1391, un nonce envoyé en Sicile reçut commission d'y recevoir un subside « gracieux », subside dont il est probable qu'il fut modique [8]. Le 13 août 1406, 30 000 ducats étaient exigés du clergé, insulaire et continental, du royaume de Naples [9]. En avril-mai 1407, un subside égal à une décime triennale était exigé en Calabre, en Sicile, dans les diocèses de Gaëte, Sessa, Fondi, Terracine et Aquino, et dans les terres du Mont-Cassin, de même qu'il l'était en Italie du Nord [10]. Les résistances furent les mêmes et, dès septembre, Grégoire XII lançait au clergé sicilien une exhortation dont l'efficacité ne pouvait être grande [11].

---

1. *Reg. Vat.* 317, fol. 199 v°-200 r°.
2. *Reg. Vat.* 319, fol. 26 v°-27 r°. et *Reg. Vat.* 336, fol. 18-21.
3. *Reg. Vat.* 335, fol. 105 v°-112 r°.
4. *Reg. Vat.* 336, fol. 48 v°-49 v°.
5. *Ibid.*, fol. 183 v°-184 v°.
6. *Ibid.*, fol. 191 r°-192 r°.
7. *Reg. Vat.* 310, fol. 263-264.
8. *Reg. Vat.* 313, fol. 135.
9. *Reg. Vat.* 334, fol. 239 v°-240 r°.
10. *Reg. Vat.* 335, fol. 107 v°-108 r° et 110 r° ; 336, fol. 12-14 et 52 r°-53 r°.
11. *Reg. Vat.* 336, fol. 123 v°-124 r°.

B. — LE VOLUME DES RECETTES

1. *Rendement relatif*   De ces diverses impositions, annates, déci-
   des impositions.   mes, procurations, subsides, quelle est la
                              valeur financière ? Pour quelle part chacune
d'elles entre-t-elle dans le revenu des collectories, donc dans celui
des papes ? Quelques comptes sont suffisamment précis pour
qu'une idée en puisse être donnée. Mais il importe de bien remarquer
que la faiblesse de notre documentation nous amène à comparer
des chiffres valables pour des époques différentes. Les décimes,
par exemple, n'étaient pas imposées dans toutes les collectories,
pas plus qu'elles ne l'étaient tous les ans. Il en résulte que certains
déséquilibres, certains renversements de proportions doivent être
sévèrement critiqués. L'absence de décimes et de procurations au
bénéfice du pape dans la collectorie castillane de Burgos entre
1384 et 1387 laisse ainsi apparaître une écrasante supériorité des
annates — 77 % de la recette — qui tient en réalité au fait que
l'annate était alors le seul droit important levé par ce collecteur.
De même l'effondrement du pourcentage des décimes dans la
collectorie de Reims en 1390-1393 par rapport aux comptes de
1388-1390 et de 1403-1407 tient à la concession de décimes au roi
et au duc de Bourbon ; cet effondrement des décimes fait passer
de 22 à 31 % la part des annates dont le chiffre absolu a cependant
diminué, passant de 9 141 livres tournois pour deux ans à 9 299
pour trois ans : le pourcentage augmente de moitié alors que la
recette annuelle diminue d'un tiers.

Cela dit, quelques observations peuvent être faites sur les chiffres
présentés dans les tableaux qui suivent. En premier lieu, on notera
qu'annates, décimes et procurations constituent l'essentiel de la
recette des collecteurs : 86 % en moyenne. Les subsides sont le
plus souvent levés en hâte par des envoyés extraordinaires de la
curie. Des cens, l'obédience avignonnaise n'a reçu en partage que
ceux, très faibles, dus par quelques prélats en reconnaissance de
privilèges liturgiques. Surtout, on remarquera le faible volume
du revenu des dépouilles et vacants, dont les collecteurs sont pourtant les receveurs attitrés. Ils atteignent 23 %, certes, dans la
collectorie de Provence après la restitution d'obédience : c'est
l'époque où les réserves casuelles étaient systématiques[1] et où
l'unique bénéficiaire en était le duc d'Anjou aux gens de qui le
collecteur versait le revenant-bon[2]. Hors ce cas exceptionnel,
dépouilles et vacants ne dépassent pas 8 % de la recette et n'y
entrent en moyenne que pour 4 % ; nombreux sont les collecteurs

1. Voir ci-dessous, p. 313.
2. *Coll.* 23, fol. 273 r⁰- 278 r⁰.

qui n'ont rien reçu à ces titres. Voilà qui annonce ce que nous dirons du maigre rapport des réserves casuelles.

Les annates représentent à peine un quart des recettes [1]. La chute de leur rapport après 1403 est spécialement remarquable dans la collectorie de Reims : 2 662 livres tournois pour trois ans et demi, moins du tiers de leur revenu pour les périodes de deux et trois ans antérieures à la soustraction d'obédience. Il était en effet impossible au collecteur de lever l'annate sur les bénéfices pourvus entre 1398 et 1403 [2] : la part des arrérages — près du tiers dans les précédents comptes — disparaît presque de ce troisième compte qui ne fait état que d'annates versées pour des collations antérieures à 1398 ou postérieures au 30 août 1403 [3]. Le même phénomène n'apparaît pas à Rodez, où le rendement des annates se maintient constamment entre 540 et 710 livres tournois par an ; de plus, les arrérages antérieurs à la soustraction d'obédience entrent encore pour un tiers dans la recette des annates [4]. Une fois de plus, nous trouvons un indice de la manifestation fiscale du désaccord entre le Nord et le Midi, entre Paris et Toulouse. En Provence, enfin, le rapport des annates augmente : 305 livres tournois par an entre 1386 et 1391, 450 livres par an entre 1402 et 1407. Il n'en demeure pas moins que la part des annates dans les recettes du collecteur de Provence est d'une constante faiblesse : 7 puis 10 % ; nous croyons que la cause doit en être trouvée dans les nombreux paiements directement faits à la Trésorerie par des clercs provençaux venus à Avignon ou par des curialistes pourvus de bénéfices provençaux.

La part des décimes est à peu près égale à celle des annates : un quart [5]. Autour de cette valeur, les variations sont considérables : les décimes atteignent 51 % dans le troisième compte de Reims — où elles sont pourtant d'un rendement très sensiblement en baisse — cependant que les comptes d'Elne et de Burgos ne les mentionnent même pas : elles ne sont ni imposées pour le pape ni levées par les collecteurs. C'est pour la même raison que la valeur de la décime paraît aussi faible dans le second compte de Reims (1390-1393) : le chiffre porté dans le compte n'est que celui des arrérages des années 1373-1389 ; le résultat est que les procurations, levées pendant ce temps pour 1369-1389 et pour les années courantes 1390-1392, tiennent une plus grande place dans la recette (29 % au lieu de 20 % précédemment), alors que leur rapport annuel a

1. Valeur moyenne 26 %, médiane 21 % ; la médiane est plus significative car elle élimine l'effet statistique des annates de Burgos dont les 113 277 marabotins, soit 3775 livres tournois, suffisent pour former 77 % de la recette.
2. Voir ci-dessous, p. 622.
3. *Coll.* 195, fol. 6-32.
4. *Coll.* 91, fol. 446 v°-449 v°.
5. Valeur moyenne 27 %, médiane 23 %.

faibli : 2 879 livres tournois au lieu de 4 179. Quant à la Provence, elle ne fournit pratiquement plus de décimes entre 1402 et 1405 : aucune n'est imposée, et les arrérages atteignent seulement 5 % de la recette ; or les décimes représentaient la moitié de la recette entre 1386 et 1391 [1].

La source la plus importante des recettes de collecteurs, c'est la réserve des procurations. Les procurations représentent environ le tiers des recettes [2]. Dans quatre comptes sur quatorze, elles valent à elles seules plus que toutes les autres impositions réunies. Les décimes ne les dépassent en rendement que dans les collectories riches, Reims ou Provence par exemple ; la valeur des procurations, rappelons-le, tient au nombre des bénéfices, celle des décimes à leur richesse, du moins leur richesse selon l'évaluation camérale et au moment de la taxation. Rien d'étonnant, donc, à ce que les procurations l'emportent à Rodez, au Puy ou à Auch. Le cas de l'Aragon doit être disjoint : le collecteur rend compte, pour 1387-1392, du premier terme annuel d'une réserve des demi-procurations portant, comme il est normal, sur deux ans, c'est-à-dire de la moitié du revenu des demi-procurations ; pour le même temps, il rend compte de deux décimes biennales et du premier terme de la première année d'une troisième décime, soit au total quatre décimes et demie [3] ; aussi les décimes constituent-elles 55 % de la recette et les procurations seulement 7 %.

La politique fiscale des papes avignonnais est fort claire. Malgré les protestations du clergé, auxquelles faisait écho l'indignation des fidèles, privés des visites pastorales et des confirmations dont les visites étaient l'occasion, ils ont maintenu de la façon la plus constante la réserve des procurations, parce que c'était là une source essentielle de revenus, la première après les communs services. Pourquoi, alors, les papes ne réservèrent-ils pas les procurations de Castille ? Nous formulerons une hypothèse : la raison de cette anomalie serait la concession au roi des décimes castillanes ; unique bénéficiaire des décimes, le roi n'aurait pu tolérer que pesât sur le clergé une imposition plus lourde, levée au profit du pape, imposition dont le poids aurait ralenti le recouvrement des décimes. Il n'était pas question de réserver les procurations au roi ; elles étaient donc nuisibles. Que les papes aient à ce point

---

1. En 1405, Benoît XIII vendit au clergé provençal une réduction de moitié de sa taxation ; peu soucieux d'imposer dans l'immédiat une décime ainsi réduite, il préféra faire recouvrer par ses envoyés extraordinaires Jacques d'Esparron et Guillaume de Littera le subside qui constituait le prix de la réduction. Ce subside, dont le collecteur ne fait naturellement nulle mention dans son compte, était de 8 000 francs ; 6 332 francs étaient levés en juin 1407, au moment où allait échoir le premier terme de la première décime imposée en Provence depuis la restitution d'obédience. Voir : J. Favier, *Les voyages de Jacques d'Esparron...*, dans les *Mélanges d'Archéologie et d'Histoire...*, LXX, 1958, p. 407-422.
2. Valeur moyenne 34 %, médiane 35 %.
3. *Coll.* 122, fol. 198-229.

COMPOSITION DE LA RECETTE DES COLLECTEURS

COLLECTORIE	TERMES DU COMPTE	ANNATES	DÉCIMES	PROCU-RATIONS	SUBSIDES	CENS	VACANTS	DÉPOUIL-LES	DIVERS	TOTAL	RÉFÉRENCE
Reims......	1.8.1388-1.8.1390	9 141	21 193	8 358		64	210		2 475	41 441 l. tournois	Coll. 192
	1.8.1390-1.8.1393	9 299	5 027	8 638		113	378		6 600	30 062 l. tournois	Coll. 194
	30.8.1403-1.3.1407	2 662	10 334	6 938 (*)		159				20 093 l. tournois	Coll. 195
Rodez......	10.7.1381-9.7.1386	3 565	4 918	9 956	939	26		perte : 320		19 058 l. tournois	Coll. 84
	10.7.1386-1.1.1397	5 675	4 850	17 647	1	1		12	106	28 124 l. tournois	Coll. 86
	13.8.1403-5.4.1407	2 308	2 816	6 641				1 040	306	13 112 l. tournois	Coll. 91
Le Puy	6.6.1382-1398	2 608	6 163	10 509		36	149	775		20 240 l. tournois	Coll. 85
Auch	19.10.1382-31.10.1385	1 598	1 044	2 079	113			205	290	5 331 l. tournois	Coll. 35
Narbonne ...	13.8.1403-1.4.1406	6 997	4 308	4 284	1 102	140				16 831 l. tournois	Coll. 159
Provence....	9.1386-3.1391	1 377	9 737	8 342						19 456 fl. cour.	Coll. 21
	26.8.1402-25.12.1405	1 505	773	5 386			2 097	1 629	4 412	15 802 fl. cour.	Coll. 23
Elne........	1.12.1393-1.11.1405	3 288		3 584	1 526		150	490	1 178	10 217 l. barcel.	Coll. 160
Aragon	12.3.1387-1392	12 871	20 393	2 740		112	811	431		37 368 l. barcel.	Coll. 122
Burgos......	25.3.1384-26.2.1387	113 277				3 608		5 477	24 037	146 402 marabotins	Coll. 122

(*) Le compte étant abîmé, le chiffre des procurations ne peut être que restitué par soustraction, d'après la quittance du 7 février 1408 ; *Reg. Av.* 331, fol. 146-147.

N.B. Les chiffres sont amputés des sous et deniers. Il en résulte parfois une légère différence entre le total des colonnes et le chiffre de la colonne « total » qui tient compte des sous et deniers.

POURCENTAGE DES DIVERS REVENUS
DANS LA RECETTE DES COLLECTEURS

COMPTE.		ANN.	DÉC.	PROC.	SUBS.	CENS	VAC.	DEP.	DIV.
Reims	1388-1390	22	51	20		0,2	0.5		6
	1390-1393	31	17	29		0,4	1		22
	1403-1407	13	51	35		1			
Rodez	1381-1386	19	26	53	5			− 2	
	1386-1397	20	17	63		0,1		0,04	0,4
	1403-1407	18	21	51				8	2
Le Puy	1382-1398	13	30	52		0,2	0,7	4	
Auch	1382-1385	30	20	39	2			4	5
Narbonne	1403-1406	42	25	25	7	0,8			
Provence	1386-1391	7	50	43					
	1402-1405	10	5	34			13	10	28
Elne	1393-1405	32		35	15		1,5	5	11
Aragon	1387-1392	35	55	7		0,3	2	1	
Burgos	1384-1387	77				2		4	16
Rapport moyen		26	26	34	2	0,4	1,3	2,5	
Rapport médian		21	23	35	0	0	0	1	

tenu compte de l'intérêt du roi de Castille, alors qu'ils négligeaient les protestations françaises, ne peut surprendre : ils avaient trop besoin du trésor royal de Castille pour entraver l'amortissement des créances de Jean 1er.

En renonçant à se réserver les procurations, la papauté romaine s'est à coup sûr privée d'importantes ressources. En Italie, les collecteurs levaient les annates, les décimes et quelques vacants et dépouilles. Hors d'Italie, ils n'avaient la plupart du temps à lever que les annates. C'est dire que le collecteur romain devait recevoir en Italie les deux tiers, et hors d'Italie le quart, de ce que recevait, pour une même masse imposable, le collecteur avignonnais.

2. *Rendement relatif des collectories.* Il est bien aléatoire de comparer le revenu des différentes collectories. Le petit nombre de comptes nous prive de renseignements sur quelques unes des plus importantes, comme Paris, Tours ou

Lyon. Le tableau qui suit [1] présente cependant les éléments d'une étude sommaire que complètera, lorsque nous en viendrons au mouvement de la Trésorerie [2], l'analyse de l'apport de chaque collectorie à la Trésorerie, apport qui peut être analysé de façon plus exacte et plus continue mais qui ne rend pas compte du volume des recettes. Il est bien évident que les chiffres que nous donnons ici concernent des périodes différentes, doivent être situés dans des conjonctures politiques différentes et reflètent — nous venons de le voir — des charges fiscales souvent disproportionnées.

Trois grandes collectories apparaissent, sur les neuf dont nous avons pu analyser la comptabilité. Il s'agit de celles de Reims [3], d'Aragon et, dans une moindre mesure, de Narbonne.

Avant la soustraction d'obédience, la recette annuelle [4] de la collectorie de Reims est de 15 059 livres tournois en moyenne [5] lorsque des décimes viennent à échéance, de 10 020 livres lorsque les décimes ne sont pas levées pour le pape (1390-1393) : la riche collectorie de Reims est de celles où la valeur des décimes l'emporte sur celle des procurations, non proportionnelles à l'importance des temporels écclésiastiques. En moyenne, donc, Reims rapporte 12 500 livres tournois au pape. Nous verrons que les versements à la Trésorerie n'atteignent, pas pour la collectorie de Reims, la moitié des versements du collecteur de Paris. Il n'est guère hasardeux d'estimer à 25 000 livres tournois environ la recette annuelle du collecteur de Paris. A cette époque, le revenu annuel de la collectorie d'Aragon se situe entre 9 000 et 10 000 livres et celui de la collectorie de Narbonne autour de 7 000.

---

1. Mêmes références qu'aux tableaux précédents. Le revenu du collecteur de Metz est connu par une lettre du camérier du 27 septembre 1403 (*Reg. Av.* 306, fol. 69 r°-70 r°), celui du collecteur de Toulouse par une lettre du 20 décembre 1406 (*Reg. Av.* 325, fol. 568-570), celui du collecteur de Reims en 1403-1407 — dont le compte (*Coll.* 195) est incomplet — par une lettre du 7 février 1408 (*Reg. Av.* 331, fol. 146-147), celui du collecteur de Lyon par une lettre du 8 août 1406 (*Reg. Av.* 331, fol. 151-152).

2. Voir ci-dessous, p. 471-479.

3. La place de cette collectorie est remarquable. On doit en effet considérer que la province de Reims était divisée par le Schisme et que les provisions faites par le pape d'Avignon à des bénéfices brabançons et flamands demeuraient la plupart du temps vaines ; J. PAQUET, *Le Schisme d'Occident...*, dans la *Rev. d'Hist. eccl.*, LIX, 1964, p. 401-436. Le collecteur Jean de Champigny se plaignait d'ailleurs pas de se plaindre du tort ainsi causé à la Chambre apostolique ; G. VAN ASSELDONK, *De Nederlanden en het Westers Schisma*, p. 99-100 et 120-121.

4. Nous parlons ici de recette brute ; il sera tenu compte plus loin des charges incombant aux collecteurs. Les chiffres ici donnés ne représentent donc pas la somme nette dont disposait la Chambre apostolique.

5. Le chiffre de 41 441 livres tournois pour deux ans, fourni par l'addition des recettes portées en compte, ne peut être retenu ici. Le collecteur Jean de Champigny a en effet porté en dépenses 11 323 livres correspondant à des assignations faites par des sous-collecteurs à son prédécesseur Jean Maubert mais dont les sous-collecteurs n'ont pu rendre compte qu'à Champigny. Il n'y avait aucun inconvénient à faire entrer dans notre analyse de la composition des recettes ces levées antérieures à la mort de Maubert, mais on ne saurait les prendre en considération pour étudier le volume des recettes dans un laps de temps donné ; nous avons donc retenu comme base d'estimation la différence entre les recettes et les assignations faites à Maubert, soit 30 118 livres tournois.

REVENU DES COLLECTORIES (*)

COLLECTORIE	PÉRIODE	TEMPS ÉCOULÉ			RECETTE TOTALE	MOYENNE ANNUELLE
		ans	mois	jours		
Reims........	1.8.1388-1.8.1390	2			30 118	15 059
	1.8.1390-1.8.1393	3			30 062	10 020
	30.8.1403-1.3.1407	3	6		20 093	5 740
Metz	1.10.1397-1.8.1398		10		581	697
Lyon	11.7.1403-24.4.1406	2	9	13	23 599	8 452
Rodez........	10.7.1381-9.7.1386	5			19 058	3 811
	10.7.1386-1.1.1397	10	5	20	28 124	2 678
	13.8.1403-5.4.1407	3	8		13 112	3 544
Le Puy	6.6.1382-1398	16	environ		20 240	1 265 env.
Auch	19.10.1382-31.10.1385	3		13	5 331	1 753
Toulouse	11.7.1396-12.5.1406	5	effectifs		29 053	5 810
Narbonne	30.11.1377-24.12.1380	3		24	21 000 env.	7 000 env.
	13.8.1403-1.4.1406	2	7	17	16 831	6 399
Provence.....	9.1386-3.1391	4	6		15 564	3 458
	26.8.1402-25.12.1405	3	4		12 974	3 931
Elne........	1.12.1393-1.11.1405	11	11		12 771	1 072
Aragon	12.3.1387-1392	5	environ		46 710	9 342
	25.9.1400-24.9.1401	1			15 303	15 303
	25.9.1401-24.9.1402	1			23 933	23 933
Burgos.......	25.3.1384-26.2.1387	3	4		4 880	1 478

(*) Toutes les valeurs sont exprimées après conversion en livres tournois.

La soustraction d'obédience et ses séquelles renverse cette situation. Il faut d'abord noter l'effort exceptionnel fait par le collecteur Jean de Rivesaltes et le clergé du diocèse d'Elne pendant et après la soustraction : la recette annuelle, de 1393 à 1405, dépasse les 1 000 livres tournois. Même pendant la soustraction, Rivesaltes ne cesse de percevoir les droits du pape : ainsi les procurations de 1399-1400 et 1401-1402[1]. Il remet aux envoyés de Benoît XIII de l'argent frais, il finance l'envoi de messagers, d'espions et d'hommes d'armes[2]. Moins étonnant mais plus substantiel est l'effort aragonais. Pendant la soustraction, l'Aragon devient le

---

1. *Coll.* 160, fol. 60-81.
2. G. MOLLAT, *Les comptes de Jean de Rivesaltes...*, dans la *Revue d'Hist. et d'Archéol. du Roussillon*, V, 1904, et VI, 1905.

seul soutien financier de Benoît XIII ; la recette annuelle fait
alors plus que doubler par rapport au niveau de 1392 : elle atteint
quelque 20 000 livres tournois. Après 1403, alors que l'Aragon
demeure, et de loin, la première collectorie pour ses apports à la
Trésorerie [1], la recette du collecteur de Reims s'effondre de près
des deux tiers ; annates, décimes et procurations diminuent, on
l'a vu, dans les mêmes proportions : les impositions sont les mêmes,
mais elles ne rendent plus ce que l'on en attend.

Rien n'est changé, au contraire, par les difficultés politiques
dans les collectories de Langue d'Oc. A Rodez, en 1403-1407,
la recette annuelle retrouve presque son niveau d'avant 1386,
et elle dépasse le niveau de 1386-1397. La recette annuelle du
collecteur de Narbonne entre 1403 et 1406, 6 400 livres tournois
environ, atteint presque le chiffre de 1377-1380, qui était d'environ
7 000 livres [2]. A Toulouse, la recette de 1396 à 1406 se monte à
29 053 livres [3], soit, pour cinq ans seulement de perception effective, 5 800 livres par an : ce chiffre, par comparaison avec les
collectories voisines et de semblable importance, dénote la poursuite d'un effort financier régulier. Même régularité en Provence :
le revenu moyen de la collectorie augmente de 14 % par rapport
aux chiffres du temps de Clément VII. Quant à la collectorie de
Lyon, pour laquelle nous n'avons aucun point de comparaison
antérieur, elle rapporte alors plus que celles de Reims ou de Narbonne.

Concluons à propos de la valeur des collectories. Les plus fructueuses sont celles du Nord de la France, Paris et Reims. Viennent
ensuite l'Aragon et les collectories de Toulouse, Narbonne et
probablement Lyon. La recette du collecteur de Burgos est très
faible, en raison de l'hypothèque royale sur les revenus du pape.
Les collectories de Rodez, de Provence et, surtout, du Puy, sont
de valeur fort modique : la montagne est pauvre. A cet état de
choses, la crise de 1398-1403 apporte un bouleversement qui se
prolonge jusqu'en 1407 : les plus riches collectories, celles du Nord,
voient tomber leur recette, celles du Midi n'évoluent guère, celle
d'Aragon prend la relève au secours du pape aragonais. Lorsque,
le 11 septembre 1406, Charles VI déclare l'église de France « libre
des subventions indûment établies par la curie » [4], l'Aragon demeure
la seule source appréciable des finances avignonnaises [5].

Sur le revenu des collectories urbanistes, deux comptes et quelques quittances nous renseignent, fort incomplètement. Notons

1. Voir ci-dessous, p. 474-475.
2. *Coll.* 158, fol. 254 r°.
3. Une simple quittance (*Reg. Av.* 325, fol. 568-570) ne permet pas de connaître
l'évolution de la recette.
4. C.- E. DU BOULAY, *Hist. Univ. Paris.*, V, p. 127.
5. Voir ci-dessous, p. 475 et 479.

qu'il s'agit de collectories soumises à tout le poids de la fiscalité romaine ; la médiocrité du revenu n'en est que plus remarquable. En un an, d'octobre 1393 à octobre 1394, le collecteur de la Marche d'Ancône a reçu de ses sous-collecteurs, des vicaires capitulaires et des trésoriers épiscopaux, versant au nom du clergé, la somme de 822 ducats, ce qui laissait un revenu net, dépenses déduites, de 669 ducats [1]. En un an et trois mois, d'octobre 1385 à janvier 1387, le collecteur de Toscane a reçu 1 456 florins qui laissaient un revenu net de 1 275 florins : environ 1 000 florins par an [2]. Dans la même collectorie, en six ans et demi, de juillet 1399 à la fin de 1406, le collecteur reçut 8 748 florins [3] : environ 1 350 florins par an, au moment où les exigences fiscales étaient les plus fortes. Quant au collecteur de Romanie, en dix-neuf mois, de décembre 1386 à juillet 1388, il reçut 360 ducats, laissant un revenu net de 240 ducats [4]. Certes, ces collectories rapportaient assurément moins que celles de l'Italie septentrionale, mais probablement beaucoup plus que celles d'Italie méridionale, d'Allemagne ou d'Europe orientale. Rappelons les chiffres publiés pour le pontificat d'Innocent VI par Mgr Hoberg [5], chiffres qui ne concernent que les envois à la Trésorerie mais n'en sont pas moins significatifs : dans les envois des collecteurs, la part des collectories françaises était de 46 %, celle des collectories italiennes de 7 % ; malgré les nonces qui les sillonnaient, nonces dont les services manquèrent à Urbain VI et ses successeurs, l'Europe centrale et orientale et la Scandinavie ne représentaient que 14,5 %.

3. *Les charges et le revenu net.* Dans les revenus que nous venons d'apprécier, tout n'est pas profit. Des frais de gestion, parfois importants sont à la charge de la papauté : salaire — attribué à l'avance, retenu à mesure ou octroyé en fin de compte — des collecteurs et sous-collecteurs, salaire de leur personnel permanent et rétribution de leur personnel d'occasion, dépenses ordinaires de subsistance ou de fonctionnement, dépenses extraordinaires enfin, couvrant parfois des risques, voilà ce que le collecteur retranche ou cherche à retrancher de sa recette avant d'en disposer aux ordres de la Chambre apostolique.

Seules sont normalement mises au compte de la Chambre les dépenses dites extraordinaires, c'est-à-dire celles qui résultent de l'exercice des offices de collecteur ou de sous-collecteur : chevaux, papier, notaire, avocat. Encore ne faut-il pas que ces derniers

1. *Arch. Stato*, Rome, *Camerale I⁰*, *Coll.* 1229, fol. 1-4.
2. *Div. cam.* 1, fol. 35 v⁰-36 v⁰.
3. *Arch. Stato*, Rome, *Camerale I⁰*, *Coll.* 1224, fol. 25 v⁰ et 40 r⁰.
4. *Div. cam.* 1, fol. 33 r⁰-34 r⁰.
5. H. HOBERG, *Die Einnahmen...*, p. 35*-36*.

soient rémunérés d'une pension régulière : de ce mode de rétribution — qui exclut la notion de grâce concédée — les gens de la Chambre ne veulent pas entendre parler [1]. Les serviteurs du collecteur sont à sa charge, non à celle de la Chambre ; mais il y a des dérogations. A Jean de Champigny on alloue, en 1390, 342 francs pour son vêtement et ses chevaux et 250 francs pour le vêtement et le salaire de ses serviteurs ; mais on lui refuse en 1393 les 447 francs qu'il demandait pour son propre vêtement et le salaire de ses serviteurs [2]. Quant aux dépenses ordinaires — lorsque le collecteur ne réussit pas à les faire passer en extraordinaires — elles ne sont pas plus allouées, avant 1400, que n'est attribué un salaire. Après 1400, nous l'avons vu [3], la notion de salaire s'introduit pour les officiers de la Chambre, collecteurs et parfois sous-collecteurs.

Les dépenses de fonctionnement des sous-collecteurs représentent au plus 7 % du chiffre global de la recette : 1 % dans les diocèses de Toulon, Sisteron et Cavaillon, 2 % dans celui d'Arles, 3 % dans celui d'Orange, 4 % dans les collectories de Reims (1388-1390), Narbonne (1403-1406) et Rodez (1386-1397 et 1403-1407), 5 % dans le diocèse de Marseille et la collectorie de Reims (1390-1393 et 1403-1407), 6 % en Aragon (1387-1392) et 7 % dans les diocèses d'Embrun, Comminges et Couserans. Deux cas exceptionnels doivent être signalés. En Aragon, les sous-collecteurs ordinaires — à qui, normalement, n'incombe pas la perception de la décime et sa répartition entre le pape et le roi — perçoivent, pour les fonds qu'ils ont levé sur la décime, un « salaire » fixé à 4 deniers pour livre, soit 1,7 % ; mais ils n'ont aucun remboursement de frais au titre de la décime. Quant aux sous-collecteurs provençaux, nous avons rapporté leur échec en matière de salaire proportionnel [4] ; mais il est significatif que ces mêmes sous-collecteurs de Provence réussissent à se faire allouer, en 1405, pour 1 559 florins courants de dépenses. Sur une recette de 12 452 florins [5], cela fait 12,5 %. Le nombre élevé de diocèses (vingt-deux), et donc de sous-collecteurs, de la collectorie de Provence explique en partie ce taux élevé. Mais la revendication de 1 069 florins à titre de salaire nous conduit à penser que les sous-collecteurs provençaux ont cherché à tirer le plus grand profit possible de leur office.

Dans la plupart des collectories, les dépenses des sous-collecteurs atteignent entre 2 et 6 % de la recette globale. La dépense des collecteurs varie également entre ces pourcentages, mais il

---

1. Refus opposé au collecteur d'Elne ; *Coll.* 160, fol. 128 v⁰.
2. *Coll.* 192, fol. 241 v⁰ ; 194, fol. 325 v⁰-326 r⁰. — La raison en est que Champigny avait trouvé la collectorie en mauvais état : l'allocation de 1390 est une sorte de prime.
3. Voir ci-dessus, p. 112.
4. Voir ci-dessus, p. 114-115.
5. Nous excluons ici les dépouilles, les frais y relatifs étant comptés à part.

s'y joint, sous une forme ou sous une autre, une rémunération des services.

Les dépenses du collecteur représentent à Reims 5% de la recette en 1390 (on a vu que la Chambre s'était montrée là fort généreuse), 1% seulement en 1393 (mais avec une remise pour salaire équivalant à 7%) et enfin 2% en 1407. A Rodez, en 1386, elles montent à 4,5%, outre un salaire de 3,5%, soit au total 8%; en 1407 elles atteignent 8%[1], outre une remise de 7%, soit au total 15%. Au collecteur de Narbonne, la Chambre accorde en 1406 une somme de 500 florins pour ses dépenses : *taxavit sibi concilium* (sic) *hac vice* »[2]; cela fait 3%. Que le collecteur de Provence présente en 1406 une note fort élevée ne nous étonnera pas : ses dépenses atteignent 12% de sa recette, et il se fait allouer un salaire au prorata du temps passé[3], atteignant 24% de la recette. Les plus lourdes charges, cependant, pèsent en 1384-1387 sur la collectorie de Burgos. Ses revenus, nous l'avons dit, sont des plus faibles, limités aux seules annates, pour la plus grande partie des diocèses ; or les charges ne sont pas proportionnelles aux revenus : le collecteur se déplace et écrit presque autant que s'il devait lever décimes, procurations et subsides. Aussi 71% de sa recette passent-ils en dépenses ordinaires — prises à la charge de la Chambre en 1387 comme, un an plus tard mais pour une partie seulement, pour le collecteur de Reims — et extraordinaires, achats de chevaux, rémunération de serviteurs, correspondance, change, etc. 6% de la recette servent à acheminer la correspondance du collecteur, 2% à acheminer celle des sous-collecteurs. Notons, en passant, que cela donne quelque idée des frais supportés, dans l'obédience romaine, pour la correspondance avec les collectories lointaines.

Que reste-t-il en définitive au pape ? Dépenses et rémunérations n'atteignent ces 71% qu'en Castille. En deçà des Pyrénées, le chiffre maximum est atteint après la restitution d'obédience en Provence : 48,5%. Ailleurs, l'ensemble des charges représente de 10 à 15% de la recette.

Par les deux exemples que nous fournit la documentation, nous pouvons supposer que pareil taux se retrouve dans les collectories romaines, du moins dans celles qui fonctionnent normalement et dont le collecteur ne néglige pas de rendre ses comptes. Pour une recette de 822 ducats, le collecteur de la Marche d'Ancône porte en dépenses — pour envoi de courriers, écritures, salaires de ses familiers, etc. — 153 ducats, soit 18%. Aucune rémunération du collecteur ou des sous-collecteurs n'est incluse dans cette somme,

---

1. Le pourcentage sur les recettes ordinaires est de 5% seulement, mais il est de 60% sur les dépenses engagées à propos des dépouilles.
2. *Coll.* 159, fol. 450 r°.
3. Voir ci-dessus, p. 112.

non plus que leurs dépenses ordinaires de subsistance [1]. Il est vrai que le collecteur étant, en ce qui le concerne, pourvu d'un évêché [2], ces dernières dépenses étaient normalement couvertes par les revenus de son temporel épiscopal. Quant au collecteur de Toscane, il compte en 1407 de 8 748 florins dont il se fait allouer 812 — soit 9% — à raison de 125 par an pendant six ans et demi, pour son salaire et ses dépenses [3].

4. *Recettes, restes*   S'imaginer qu'une décime imposée était levée
et arrérages.   dans les délais prévus ou qu'un bénéficier récemment pourvu s'acquittait aussitôt de son annate, voilà qui serait une grave erreur. La cadence des paiements résultait d'un équilibre entre les capacités économiques et la bonne volonté du clergé contribuable, d'une part, et les moyens de pression dont pouvaient effectivement user le collecteur et ses gens, d'autre part.

Examinons, grâce à la conservation de deux comptes consécutifs fort précis, la cadence de levée des décimes dans la collectorie de Reims. En 1388-1390, une décime biennale est imposée ; sa valeur est de 35 000 livres tournois environ [4]. Or, dans les termes de la décime, Jean de Champigny n'en a reçu que 14 527 livres, soit 42% seulement [5]. Dans les trois années suivantes, il lève encore sur cette même décime 3 257 livres représentant 9,6% de la valeur globale [6]. Au total, en cinq ans, la décime biennale n'a rapporté que 51,6% de son montant théorique. En août 1393, Champigny fait une estimation : parmi les « restes » à lever, 10 033 livres, soit seulement 29% de la valeur totale, sont « utiles », autrement dit récupérables. Or Champigny n'a levé entre 1390 et 1393 que 3 257 livres sur les 20 462 livres qu'ils comptait parmi les arrérages « utiles » en 1390. Moins de quatre ans, donc, après le dernier terme de la décime, près de 20% sont jugés insolvables ; il est en outre bien évident que, parmi les 29% d'arrérages utiles, il est une part qui sera peu à peu reconnue insolvable.

Que se passe-t-il, en effet, pour les décimes antérieures au compte de 1388-1390 ? Les sommes levées à leur titre s'amenuisent très vite lorsque l'on avance dans le temps. De la décime de 1385, les levées atteignent en 1388-1390 6,8% de la valeur, en 1390-1393 seulement 1,8%. De celle de 1384, 12,5% sont encore levés en 1388-1390, 3% seulement en 1390-1393. Pour celle de 1383, la recette tombe à 10%, puis 1,8%. Celle de 1382, enfin, ne rend plus que 0,06 et 0,4%.

---

1. *Arch. Stato* Rome, *Camerale I°, Coll.* 1229.
2. Antonio Trassati était évêque d'Umana.
3. *Arch. Stato* Rome, *Camerale I°, Coll.* 1224, fasc. 2, fol. 40 r°.
4. 34 954 exactement, si l'on compte la livre tournois à 48 sous de Flandre.
5. *Coll.* 192, fol. 162 v°-163 r°.
6. *Coll.* 194, fol. 195-255.

On remarquera tout de suite que l'appréciation du caractère
« utile » des restes est essentiellement subjective. C'est au collecteur, et à lui seul, qu'il appartient de considérer comme irrécupérable la créance de la Chambre sur tel bénéficier qui, désormais,
sera laissé en paix, et comme utile celle dont on ne cessera de
poursuivre par tous les moyens le recouvrement. Pour faire apprécier son incapacité, le clerc pauvre doit convaincre le collecteur.
Il n'est pas exclu, nous l'avons dit, qu'il soit parfois moins onéreux
d'acheter la complaisance du collecteur que de payer l'annate. Si
le collecteur se montre intraitable, il n'y a qu'un recours : le camérier. Ainsi voit-on s'adresser à François de Conzié le sacriste de
Cluny auquel un sous-collecteur trop zélé réclamait des annates
vieilles d'un siècle [1]. Un autre sous-collecteur eut passé ces annates
en reste irrécupérables.

Avec les impositions en cours, les collecteurs traînaient donc la
masse des restes dont ils espéraient quelque recette qu'ils pourraient
porter en arrérages dans leurs comptes. Ces arrérages sont parfois
fort lointains. On voit Pierre Brengas, collecteur de Rodez, noter
en 1407 des recettes correspondant à des annates dues pour le
temps de ses prédécesseurs Raymond de Senans et même Guillaume
Amarinti ; or ce dernier a été révoqué, pour raison de santé, en
1381 [2].

Quelle était, dans cette masse de restes à lever, la part des divers
types d'impositions ? Prenons en exemple la collectorie de Narbonne dans les années 1403-1406. En face d'une recette totale de
15 968 livres tournois, le collecteur Jean Martin porte 56 517 livres
de restes [3] : trois fois et demie la recette. Dans le décompte par
diocèses, ce rapport va de une fois et demie (Agde) à six fois et
demie (Uzès) ; une exception : Saint-Pons-de-Thomières, où la
recette excède les restes. En ce qui touche les annates, le rapport
est à peu près égal au rapport global : 3,7 en moyenne, le rapport
médian étant de 3,2. Deux cas extrêmes : à Saint-Pons, la recette
excède les restes de 20% ; à Uzès, les restes valent plus de dix fois
la recette. La décime, elle, est recouvrée dans des conditions très
honorables pour le collecteur : en gros, on peut dire que les restes
équivalent à la recette. Certes, Jean Martin compte d'une recette
de près de trois années ; la décime n'en est pas moins l'impôt qui
rentre le mieux. On ne peut dire la même chose des procurations :
charge fiscale essentielle, avons-nous dit, charge haïe, à coup sûr,
et qui suscite les plus fortes résistances. Le rapport moyen des
restes est de 6,9 fois la recette ; il atteint 22,5 dans le diocèse d'Alet.
Au contraire de ce qui se passe pour la décime, pas une seule fois

---

1. Nous avons publié la supplique : *Temporels ecclésiastiques, loc. cit.*, p. 125-126.
2. *Coll.* 91, fol. 446 v°.
3. *Coll.* 159, fol. 450.

les procurations levées n'atteignent la masse des restes. Dans la moitié des diocèses, les restes valent plus de six fois la recette.

RAPPORT DES RESTES A LA RECETTE (*)
COLLECTORIE DE NARBONNE

Diocèses	Annates	Decimes	Procurations	Rapport sur le total
Narbonne	3,5	1,4	8	3,2
Saint-Pons-de-Tho- mières	0,8	0,5	pas de compte	0,7
Alet	3,8	0,5	22,5	3,3
Carcassonne	3,1	0,8	4	2,7
Béziers	3	1,5	6,8	4,1
Agde...........	1,2	0,5	2,1	1,4
Lodève	1,6	0,6	2,7	1,8
Maguelonne	4,3	1,2	3	2,8
Nîmes...........	6,7	2,1	6,5	5,6
Uzès	10,2	2,9	6,2	6,7
Rapport moyen ...	3,7	1,2	6,9	3,5

(*) Les chiffres figurant dans ce tableau représentent, pour chaque diocèse et chaque type d'imposition, le quotient du volume des restes par le volume des recettes, soit le nombre par lequel il faut multiplier la recette pour obtenir le total des restes.

Les chiffres procurés par le compte de Sicard de Bourguerol, commissaire dans la province d'Auch, ont beau être antérieurs de trente ans à ceux que nous venons de fournir, ils ne les contredisent pas. Les restes globaux valent sept fois et demie la recette[1]. Le rapport est de 6,6 pour les annates, il n'est que de 2,5 pour les décimes, et il atteint 8,6 pour les procurations. Là encore, les décimes sont ce qui rentre le mieux, les procurations le plus mal.

La série des comptes des collecteurs de Rodez[2] permet une analyse plus nuancée, et dont les conclusions portent sur les années 1381-1386, 1386-1396 et 1403-1407. Disons tout de suite que le rapport des restes à la recette doit normalement être plus faible dans le second compte que dans les autres, puisqu'il concerne dix années de recettes ; plus le temps de recette est long, plus il est explicable que celle-ci augmente par rapport aux restes. Or nous constatons que, si le rapport moyen pour la collectorie est en effet plus faible, pour chaque imposition, dans le second compte, les cas d'augmentation constante du rapport sont nombreux : à Castres pour toutes les impositions ; à Vabres pour presque toutes[3] ;

1. 5 331 francs pour 39 524 portés en restes ; *Coll.* 35, fol. 367 r°.
2. *Coll.* 84, 86, 90 et 91.
3. Baisse de 1 à 0,9 pour les annates entre le premier et le second **compte**.

RAPPORT DES RESTES A LA RECETTE
COLLECTORIE DE RODEZ (*)

DIOCÈSES	ANNATES			DÉCIMES			PROCURATIONS			RAPPORT SUR LE TOTAL		
	I	II	III	I	II	III	I	II	III	I	II	III
Rodez	2,3	3,3	3,8	0,9	1,7	1,5	0,8	1,8	2,5	1	1,7	2,6
Albi	4,3	0,9	10	0,9	0,9	2,3	12,6	4	25	4,4	2,5	15
Castres	1,8	2	2,8	0,4	0,5	1,1	1,4	2,9	11,3	1	2,2	6,5
Vabres..........	1	0,9	4,9	0,1	0,6	1,5	0,7	1,7	8,2	1	1,6	10,8
Cahors	9	1	2,6	2,6	0	1,2	7,6	0	14	6,1	0,3	8,1

(*) Les colonnes marquées I correspondent au compte pour 1381-1386.
    —   II   —   1386-1396.
    —   III   —   1403-1407.
Dans ce dernier compte, le chiffre élevé du rapport sur le total pour le diocèse de Vabres tient à la présence des dettes d'un ancien sous-collecteur, dettes dont le collecteur n'a levé que 175 livres tournois et dont 5 887 livres restent dues (*Coll.* 91, fol. 448 v°). Sans compter ces dettes, le rapport est de 6,2 (au lieu de 10,8).

à Rodez pour les annates et les procurations, ainsi que sur le total ; à Albi sur les décimes. De 1381 à 1407, le volume des restes n'a fait qu'empirer proportionnellement aux recettes. En moyenne, les restes valaient en 1386 deux fois les recettes, en 1407 huit fois et demie. En valeur absolue, les restes sont passés de 48 068 livres tournois à 74 435, cependant que la recette tombait de 22 934 à 13 128 livres. Quatre ans après sa nomination, Brengas avait déjà accumulé, en 1407, 14 461 livres de restes, soit 55 % de ce qu'il aurait dû lever [1].

Dans ces restes, la part des procurations est prépondérante. A Albi, en 1407, elle atteint le rapport 25. Dans chaque compte, ce sont les restes de procurations qui l'emportent le plus sur les recettes, et le rapport est à chaque fois supérieur au rapport de l'ensemble des restes à l'ensemble des recettes. La décime est, là encore, ce qui rentre le mieux : le rapport y est constamment le plus faible ; il est plus souvent inférieur à l'unité que supérieur. En gros, la recette des décimes dépasse presque toujours les restes jusqu'en 1396 [2], elle est de peu inférieure aux restes après 1403. Pour les procurations, la recette vaut plus de la moitié des restes dans six comptes diocésains sur dix antérieurs à 1396, et dans aucun des cinq postérieurs à 1403.

Les comptes de Rodez font donc apparaître l'aggravation de la résistance à l'impôt. Ils confirment la hiérarchie des impositions

1. *Coll.* 91, fol. 446-450.
2. Dans huit comptes diocésains sur dix.

dans cette résistance : procurations surtout, annates ensuite, décime dans une bien moindre mesure.

L'augmentation des restes est un fait général. Nous avons déjà parlé des décimes de la province de Reims ; il en va de même pour les annates. En 1390, les restes d'annates sont de 6 019 livres tournois ; en 1393, ils sont de 13 000 livres environ : malgré une recette de 9 299 livres, les restes ont plus que doublé en trois ans [1].

Si les restes augmentent, l'espoir de lever les arrérages diminue avec le temps. En 1386, le sous-collecteur de Cahors a dressé un état des restes et levées d'arrérages pour l'annate [2]. Il y apparaît que, passé dix ans, la récupération des restes couvre à peine les frais ; passé vingt ans, il n'y a plus d'espoir. On a vu que, pour les décimes de Reims, 20% étaient considérés comme insolvables quatre ans après le dernier terme. Dans l'ensemble des recettes de chaque collecteur, quel que soit l'acharnement mis à poursuivre le recouvrement des arrérages, ceux-ci entrent en fin de compte pour peu de choses : 13% en Provence dans le compte de 1391 [3], 9,3% à Rodez dans le compte de 1407 [4].

RESTES ET ARRÉRAGES DE L'ANNATE
DANS LE DIOCÈSE DE CAHORS
(1386)

COLLATIONS FAITES SOUS :	RESTE AVANT LEVÉE	LEVÉE	RAPPORT DE LA RECETTE AUX RESTES
Clément VI (1342-1352)	4 641 l.t.	19 l.t.	0,4 %
Innocent VI (1352-1362)..........	942	6	0,6 %
Urbain V (1362-1370).............	729	27	3,7 %
Grégoire XI (1370-1378).	2 619	198	5,5 %
Clément VII (1378 —).............	2 586	950	36,8 %

Il y a un cas exceptionnel, c'est celui de Pons de Cros. En seize ans, de 1382 à 1398, ce collecteur réussit à lever dans le diocèse du Puy 78% des annates dues pour les collations faites sous Clément VII, 80% des annates dues pour des collations antérieures, 99% des décimes, 99% des procurations [5]. Ce dernier pourcentage est absolument extraordinaire. Bonne volonté des contribuables ? Zèle hors de pair du collecteur ? Nous devons avouer notre impuissance à expliquer cette véritable anomalie qu'était la perception presque intégrale des sommes dues à la Chambre apostolique.

1. *Coll.* 192, fol. 5-40 ; 194, fol. 5-139.
2. *Coll.* 84, fol. 413.
3. *Coll.* 21, fol. 154-203.
4. *Coll.* 91, fol. 446-450.
5. *Coll.* 85, fol. 1-460.

Conclusion.   De cette analyse, que ressort-il ? Tout d'abord que, mis à part les communs services sur le paiement desquels la Chambre avait les moyens d'agir directement et qui, de ce fait, ont été les plus sollicités, donc d'un rendement très variable, les trois principales ressources de la Chambre avignonnaise ont été les procurations, les annates et les décimes. Impôt casuel, les annates ne pouvaient guère être soudainement accrues : le pape ne pouvait créer des vacances pour profiter de ses droits de collation et de confirmation. Souvent partagées, les décimes ne profitaient que partiellement au Saint-Siège. C'est donc sur les procurations que fut porté l'effort : elles furent réservées presque en permanence à partir de Clément VII. C'est là l'originalité la plus grande de la fiscalité avignonnaise, comparée à celle de l'obédience romaine.

La résistance à la fiscalité s'est manifestée de façon constante et en constante aggravation. Faible était la résistance à la décime, sans doute en raison de l'intérêt qu'y portaient les princes laïques. La résistance aux annates était plus forte ; aux procurations, elle était considérable. Il n'est pas impossible que les prélats, privés par la réserve des procurations de leur droit de visite et d'une importante source de revenu, aient encouragé en sous-main cette résistance afin de décourager la papauté.

Il apparaît enfin qu'aucun budget prévisionnel n'était concevable, du moins avec quelque précision. Certes, lorsque la Chambre avait besoin d'argent, elle pouvait imposer un subside équivalent à la somme désirée, ou supérieur avec l'espoir d'une recette équivalente. Mais nul ne pouvait escompter une décime ou une année de procurations. Entre ce qui était dû à la Chambre et ce qui était versé par les collecteurs, il y avait d'une part la différence des frais de gestion, salaires et dépenses, soit 10 à 15%, et d'autre part l'énorme masse des « restes » dont une faible partie pouvait un jour être levée comme arrérages, et dont l'essentiel formait ces « restes inutiles », parfois reconnus comme tels, le plus souvent traînés de compte en compte. Leur volume donne la mesure du travail de comptabilité imposé aux collecteurs, aussi bien que celle des conflits toujours latents entre le clergé et les agents de la Chambre apostolique. Extrapoler de trop rares données serait dangereux. Il ne nous paraît pourtant pas exagéré d'estimer que, des impositions établies par les papes, la part effectivement levée était d'environ un tiers.

CHAPITRE VI

LES RÉSERVES CASUELLES

A. — LES DÉPOUILLES

a) Le droit de dépouilles

1. *Les réserves.* Au moment où commence une seconde période de l'histoire avignonnaise de la papauté, le droit de dépouilles, élaboré par plusieurs générations d'officiers curiaux, ne paraît pas susceptible d'extensions autres que géographiques [1]. À l'ancienne coutume, attestée dès 1262, qui accordait au pape la propriété des biens meubles de tout clerc mort intestat à la curie, Jean XXII avait ajouté dès 1317 les effets de réserves spéciales frappant toutes sortes de clercs, morts en curie ou non, ayant ou non rédigé un testament valable. Ces réserves, prononcées par le pape obligatoirement avant la mort du *de cujus*, furent en fait limitées au Portugal, à la moitié sud de la France et, pour une moindre part, à la Castille et à l'Aragon. Devant les très vives résistances du clergé anglais, le pape n'insista pas, non plus qu'en terre d'Empire.

Nombreuses furent les protestations des bénéficiers qui trouvaient à leur installation des bénéfices vides de tout mobilier et de toute provision alimentaire. Aussi Clément VI restreignit-il, le 16 mai 1345, la portée du droit de dépouilles. La saisie devait dorénavant tenir compte de la « modification » qui laissait au bénéfice la part des meubles du défunt indispensable à la survie, à l'activité et au ministère du successeur [2].

Dans le temps où il s'humanisait, le droit de dépouilles s'étendait. De particulières, les réserves devenaient générales. Définissant la réserve générale des dépouilles au sujet de laquelle s'élevaient, depuis longtemps déjà, les contestations les plus variées, Urbain V affirmait, dans une bulle du 11 décembre 1362, que devaient revenir au Siège apostolique les biens meubles et les

---

1. Sur les origines du droit de dépouilles, voir : F. de Saint-Palais d'Aussac, *Le droit de dépouilles*, et G. Mollat, *A propos du droit de dépouilles...*, dans la *Rev. d'Hist. ecclés.*, XXIX, 1933, p. 316-343.

2. G. Mollat, *loc. cit.*, p. 335-336 ; voir ci-dessous, p. 260.

créances de toutes les personnes ecclésiastiques, séculières et régulières, mortes en cour de Rome ou ailleurs [1]. Le droit de dépouilles s'appliquait donc à tous les clercs, sans la moindre exception. Mais des restrictions géographiques étaient immédiatement apportées, notamment pour soustraire à l'effet de cette réserve le clergé français et anglais.

A l'instar de Grégoire XI, Clément VII promulga, le jour même de son couronnement, le 31 octobre 1378, la même réserve générale. Benoît XIII ne manqua pas d'en faire autant. Les papes romains, de leur côté, reprenaient également la réserve de Grégoire XI. Les notifications adressées par les pontifes de l'une et l'autre obédiences aux agents locaux chargés de la saisie des dépouilles, en tout premier lieu à chaque collecteur lors de sa constitution, nous font connaître l'extension géographique de la réserve. Les limitations ont alors disparu : la Castille, le Portugal, la Flandre, le Piémont, la Ligurie sont aussi bien concernés par les réserves avignonnaises que les pays de Langue d'Oil et de Langue d'Oc, la Provence et la Savoie. Les réserves romaines s'adressent également à toutes les provinces de l'obédience.

A quels bénéficiers s'appliquent ces réserves générales ? Théoriquement, à tous ; le principe en fut maintes fois rappelé. Le 19 janvier 1387, par exemple, Clément VII donnait commission à Pierre de Tarascon, récemment nommé collecteur de Toulouse, de saisir les dépouilles des archevêques, évêques, abbés et bénéficiers ayant des biens et revenus distincts de ceux de leurs bénéfices [2] ; plus précis, le camérier François de Conzié donnait, le 14 octobre 1403, aux nonces en Espagne Pedro Ximenez de Pilars et Francisco de Tovia le pouvoir de réclamer, recevoir et assigner à la Chambre apostolique les biens meubles, dettes et créances des patriarches, archevêques, évêques, abbés, prieurs, doyens, prévôts, recteurs et « personnes » [3]. C'était bien là une réserve étendue à tous les bénéficiers.

La pratique en était fort éloignée. Ne s'occupant que des dépouilles effectivement saisies et recherchées, Conzié autorisait, le 20 septembre 1387, le collecteur Foulques Périer à user de la censure ou à composer pour récupérer les dépouilles des archevêques, évêques, abbés et prieurs conventuels indûment retenues par des doyens, chanoines, moines et autres personnes [4]. Dès cette époque, nul n'avait plus, à la Chambre apostolique, l'illusion que pouvaient être saisies les dépouilles de tous les bénéficiers mineurs.

Le caractère général de la réserve était à ce point insuffisant

1. Ch. SAMARAN, *La jurisprudence pontificale en matière de droit de dépouille...*, dans les *Mélanges d'archéol. et d'hist.*, XXII, 1902, p. 146.
2. *Reg. Av.* 242, fol. 93 v°-94 r°.
3. *Reg. Av.* 306, fol. 88 v°-89 v°.
4. *Coll.* 364, fol. 103 v°-104 v°.

que la Chambre ne cessa de mettre en avant, pour justifier les
saisies, des circonstances ou des conditions dont l'énoncé aurait
dû paraître inutile. Il est fréquent, certes, que des lettres adressées
aux collecteurs en matière de dépouilles fassent référence à la
réserve générale en vertu de laquelle les collecteurs ont agi ou
doivent agir[1]. Mais il est non moins fréquent que des ordres de
saisie soient donnés pour telles ou telles dépouilles, comme si la
réserve générale ne suffisait pas à mouvoir les collecteurs ou à
convaincre les proches et les ayants-droit du défunt ; bien plus,
ces ordres font alors le plus souvent référence à une réserve particulière décidée *ante mortem*. Que cette mesure individuelle fût
imaginaire, les contemporains en étaient sans nul doute persuadés,
comme nous-même. La Chambre n'en continua pas moins à prendre
cette précaution : les dépouilles de Pons, abbé de Saint-Victor de
Marseille[2], de Sicard de Lautrec, évêque de Béziers[3], de Bernard
Carit, évêque d'Evreux[4], de Jean de *Vigenerio*, abbé séculier
de Saint-Genès de Thiers[5], de Guillaume du Lac, évêque de Lodève[6],
furent ainsi réservées *ante mortem*, ou du moins réputées telles.
Aucune de ces réserves particulières, notons-le, ne fut notifiée
avant le décès de l'intéressé. C'est à la nouvelle de la mort que la
Chambre mettait en marche le processus de saisie : le 29 juillet
1385, le pape ordonnait à Armand Jausserand de saisir les dépouilles de l'abbé de Vendôme, réservées avant sa mort[7] ; le camérier précisait, dans une lettre au même collecteur, que l'abbé
venait de mourir[8].

Il arrivait parfois que la réserve particulière fut réellement
antérieure à la mort. Le 13 janvier 1386, Conzié adressait aux sous-
collecteurs de Genève et de Lausanne des lettres patentes leur
ordonnant de saisir les dépouilles de l'évêque de Lausanne, Guy
de Prangins, récemment décédé, dépouilles réservées avant sa
mort à la Chambre apostolique ; la date de ces lettres est incomplète : seule est indiquée l'année, la place du mois et du quantième
étant laissée en blanc[9]. Une lettre close, jointe aux précédentes,
éclaire la situation : l'évêque n'était alors que mourant. Le camérier prescrivait donc aux sous-collecteurs de saisir les dépouilles
dès que le prélat serait mort — *si decesserit* — ou, si par hasard
il se remettait, lorsque viendrait le moment d'exécuter la commission : *et, si forte non migraverit ab hac luce tempore receptionis*

---

1. Ainsi pour les biens de Guy de la Roche, évêque de Lavaur ; *Reg. Vat.* 308, fol. 194
2. Lettre du 28 mars 1383 ; *Coll.* 360, fol. 40 vᵒ-41 rᵒ.
3. Lettre du 2 août 1383 ; *ibid.*, fol. 56.
4. Lettre du 12 janvier 1384 ; *Coll.* 359, fol. 194 vᵒ-195 rᵒ.
5. Bulle du 17 novembre 1393 ; *Reg. Av.* 272, fol. 146.
6. Lettre du 31 janvier 1404 ; *Reg. Av.* 320, fol. 93 vᵒ-94 rᵒ.
7. *Reg. Av.* 242, fol. 71.
8. *Coll.* 361, fol. 16 vᵒ-17 rᵒ.
9. *Ibid.*, fol. 24 rᵒ.

presentis, alio tempore, dum tempus affuerit exequendi commissionem predictam... C'est aux sous-collecteurs qu'incombait donc le soin de compléter, le moment venu, la date des lettres patentes : *dum advenerit tempus executionis dicte commissionis, suppleri faciatis datam diei et mensis predictorum* [1].

La réserve particulière antérieure au décès était cependant, en théorie, inutile : la réserve générale suffisait pour que l'on pût affirmer que les biens d'un prélat avaient été réservés avant sa mort. Dans de telles lettres de commission, destinées à être exhibées, il ne s'agit donc d'autre chose que d'affirmer la réserve générale.

Plus insolite est la distinction faite par les gens de la Chambre entre les prélats morts en cour de Rome et les autres. La mort en curie de l'abbé de Saint-Victor de Marseille [2], de Bertrand Raffin [3] ou de Guillaume du Lac [4] n'ajoute rien aux fondements juridiques de la saisie des dépouilles de l'abbé et des évêques de Rodez et Lodève. Le nombre de commissions concernant les biens de prélats morts *extra Romanam Curiam* suffit à prouver qu'une telle distinction était devenue superflue.

Mais la mort en curie devient une justification très réelle de la saisie lorsqu'il s'agit de clercs non titulaires de prélatures. Pour les simples bénéficiers, en effet, la réserve générale était inopérante. Diverses considérations entraient alors en compte, au premier rang desquelles l'appartenance à la curie et la résidence en cour de Rome — que ce soit à Avignon, à Gênes ou à Nice — au moment du décès. Officiers et familiers du pape étaient les premiers atteints puisque, quel que fût le lieu exact de leur mort, ils appartenaient à la curie. Berenger de *Rieria*, abréviateur des lettres apostoliques, qui trouva la mort en se noyant dans la Durance [5], était réputé mort en cour de Rome. Les biens des collecteurs ou anciens collecteurs morts dans leur province étaient semblablement saisis en vertu de la qualité d'officiers et de familiers du pape attachée aux défunts. C'est pour la même raison que pouvaient être saisies les dépouilles de chapelains d'honneur du pape, même s'ils n'avaient jamais résidé en curie [6]. Naturellement, la Chambre revendiquait les dépouilles de ceux qui mouraient effectivement à la curie : référendaires, clercs de la Chambre, notaires du Siège apostolique, procureurs en curie, registrateurs, scripteurs, chapelains commensaux, etc.

---

1. *Ibid.*, fol. 24 v°.
2. Lettre du 28 mars 1383 ; *Coll.* 360, fol. 40 v°-41 r°.
3. Lettre du 13 mai 1385 ; *Coll.* 361, fol. 6 r°-7 r°.
4. Précisée par le *scriptor computorum*, à la date du 31 janvier 1405 ; *Reg. Av.* 321, fol. 40 r°.
5. Bulle du 20 avril 1403 ; *Reg. Av.* 308, fol. 10 v°.
6. *Ibid.*, fol. 135 r°.

2. *Limites du droit*   Si le cas des prélats et celui des officiers et
de dépouilles.   familiers du pape, tous soumis au droit de
dépouilles, est parfaitement clair, il n'en va
pas de même pour les nombreux bénéficiers mineurs dont nous
voyons saisir les biens [1]. Pourquoi ceux-là, et non les autres ?

La lettre du 20 septembre 1387 déjà citée mentionne, avec les
prélats, les prieurs conventuels [2]. Les dépouilles de plusieurs d'entre
eux ont en effet laissé des traces dans la documentation [3]. Une
trentaine de noms nous est connue : cela ne suffit pas à laisser
croire que la règle ait été ordinairement observée. Les comptes
des collecteurs ne citent guère que des dépouilles de prélats [4] et
de sous-collecteurs ou officiers. Le principal motif de l'abstention
de la Chambre est probablement la faiblesse de l'intérêt économique présenté par les dépouilles de simples recteurs, voire de doyens
ou d'archidiacres. Nous verrons que le passif de hauts prélats n'était
pas négligeable ; on peut songer que celui des plus modestes bénéficiers l'emportait en général sur l'actif. Si la saisie des dépouilles
s'arrêtait en fait à un certain degré de la hiérarchie, c'est que l'intérêt de la Chambre apostolique y trouvait sa limite. Une fois encore
nous trouvons cette donnée constante de la politique financière
pontificale : des règles précises appliquées avec la plus grande
souplesse en fonction de l'unique critère des intérêts de la papauté.

Ainsi, lorsqu'elle en pouvait espérer un avantage, la Chambre
avait-elle la possibilité de faire saisir les dépouilles de bénéficiers
de tous rangs. Qui étaient un Jean Vigier, clerc du diocèse de
Quimper [5], un Bertrand de Champignac, chanoine de Périgueux [6],
un Etienne Audibert, chanoine de Bourges [7], un Géraud de Francheville, chanoine de Metz [8] ? Des gens dont la Chambre avait la
possibilité de faire saisir les dépouilles à la faveur de circonstances
qui nous échappent le plus souvent : pour le dernier nommé, nous
savons qu'il était mort à Avignon, donc en cour de Rome.

---

1. Il est évident que la saisie des successions ab intestat dans le Comtat ne relève
pas de l'étude du droit de dépouilles, dès lors qu'il s'agit de laïques ; le pape exerçait
en ce cas un droit seigneurial. Ainsi, en 1400, pour les biens de Simon Capel, laïc de
Valréas ; *Reg. Av.* 305, fol. 441 v°-442 r°.
2. Rappelons que le prieur conventuel est placé à la tête d'un prieuré, alors que le
prieur claustral seconde l'abbé à l'intérieur du monastère.
3. Entre autres les prieurs de Saint-Paulet (*Coll.* 360, fol. 100 v°), de Saint-Corneille-
de-la-Chapelle (*Reg. Vat.* 308, fol. 173 r°), des Mées (*Reg. Av.* 305, fol 444 v°-445 r°),
de Saint-Etienne-de-Beaune (*Coll.* 359, fol. 84 r° et 90 r°), de la Daurade de Toulouse
(*ibid.*, fol. 148), de Monnais (*Reg. Av.* 233, fol. 20 r°-21 r° ; *Coll.* 359 A, fol. 260 v°).
4. Exception faite des dépouilles d'un recteur mentionnées par le collecteur de
Narbonne Jean Martin ; *Coll.* 159, fol. 448 v°.
5. Bulle du 1er avril 1381 ; *Coll.* 359 A, fol. 68 v°-69 v°.
6. Lettres des 18 décembre 1384, 18 septembre 1386 et 5 octobre 1387 ; *Coll.* 37,
fol. 10 v°-11 r° ; 359, fol. 241 v°-242 r° ; 364, fol. 39 r°.
7. Lettre du 20 mai 1396 ; *Coll.* 372, fol. 50 v°.
8. Lettre du 1er octobre 1407 ; *Reg. Av.* 331, fol. 134 v°-135 r°.

La réserve générale n'était pas une règle, elle était un moyen d'action
à la disposition des gens du pape.

S'il était des exemptions tacites, il y en avait de régulières,
générales ou particulières. Les cardinaux, tout d'abord, étaient
exempts du droit de dépouilles [1]. Ils avaient la faculté de disposer
à leur gré de leurs biens et la Chambre apostolique, qui payait
éventuellement à leurs exécuteurs testamentaires les dettes contractées envers les cardinaux par le pape [2], n'hésitait pas à mettre à
leur service l'autorité apostolique pour les aider à recouvrer les
créances des défunts. Ainsi voyons-nous Conzié faire contraindre
par les collecteurs de Lyon, Tours, Reims et Bourges et leurs sous-
collecteurs, par un auditeur du Sacré Palais [3] et par le chantre
de Tours, ainsi que par tous les officiers ayant juridiction, les
créanciers du cardinal de Chanac à s'acquitter envers le procureur
de ses exécuteurs testamentaires, comme s'il s'agissait de créances
de la Chambre apostolique, recours étant prévu aux mêmes moyens
de droit [4].

La Chambre apostolique paraît désintéressée. Elle ne l'était guère,
ayant tout avantage à ce que les créances du cardinal fussent
payées. Le pape ne pouvait, en effet, laisser inexécutées, faute
de moyens, les dernières volontés de membres du Sacré Collège :
à plusieurs reprises, la Chambre apostolique dut renflouer le compte
d'une exécution testamentaire cardinalice dont l'actif ne suffisait
pas. Nous verrons que les revenus des bénéfices tenus par un cardinal, échus après sa mort, c'est-à-dire ceux qui auraient dû revenir au Saint-Siège en vertu de la réserve des vacants, étaient parfois
concédés aux exécuteurs testamentaires [5]. Mieux valait, du point
de vue de la Chambre, faire rentrer les créances de la succession.

Le pape trouvait également des avantages positifs à ce que ce
genre de succession ne fût pas déficitaire. L'aide apportée aux
exécuteurs testamentaires par la Chambre apostolique n'était
nullement gratuite : aux termes d'un accord intervenu entre les
gens de la Chambre et l'abbé de Saint-Martial de Limoges, héritier
du cardinal de Chanac, l'abbé laissait à la Chambre la moitié des
créances ainsi récupérées [6]. Quant aux sommes rassemblées par
les clercs du Sacré Collège au nom des exécutions testamentaires
de cardinaux défunts, c'est-à-dire les distributions de communs
services leur afférant et échues après leur mort [7], elles constituaient

1. *Coll.* 360, fol. 95-96. — Il ne s'agit ici que de l'obédience d'Avignon.
2. Le trésorier paya, le 21 mai 1389, à Simon Le Jay, exécuteur testamentaire de
Pierre de Cros, 170 florins courants prêtés au pape par ce cardinal ; *Intr. ex.* 365, fol. 147 v°.
3. Amel du Breuil, docteur en décrets.
4. *Coll.* 359, fol. 226 ; 360, fol. 95-96, 115 v°-116 r° et 215 r°-216 r°.
5. Ainsi à ceux de Jean de Cros, le 14 mars 1384 (*Coll.* 360, fol. 79 v°-80 r°), ou de
Pietro Corsini, le 16 mars 1407 (*Reg. Av.* 326, fol. 14 v°-15 r°).
6. Lettre du 2 juillet 1384 ; *Coll.* 360, fol. 139 v°.
7. Mgr. MOLLAT a montré (*A propos du droit de dépouilles...*, *loc. cit.*, p. 316-318)
que ces sommes étaient dévolues au pape dès avant 1322, lorsque les exécuteurs testa-

une masse importante placée à la disposition du cardinal camérier du Sacré Collège qui en disposait dans l'intérêt desdites exécutions. Mais elle était aussi à la disposition de la Chambre apostolique, puisque celle-ci ne se privait pas, en cas de nécessité, d'y puiser par voie d'emprunt, sans autre limitation que le montant des sommes ainsi disponibles : c'était le pape lui-même qui ordonnait au cardinal camérier de prêter à la Chambre [1].

Le pape aidait donc à poursuivre les débiteurs des cardinaux défunts pour n'avoir pas à aider financièrement leur exécution testamentaire et pour ne pas se priver d'une éventuelle source de crédit.

Exempts du droit de dépouilles, les membres du Sacré Collège n'en laissaient pas moins de fortes sommes à la Chambre. Celle-ci ne pouvait figurer qu'en bonne place dans la liste des legs pieux stipulés par les testaments cardinalices. Guillaume Noellet légua ainsi quelques centaines de florins [2]. Pierre Amel institua le pape comme son légataire universel [3].

Surtout, les cardinaux laissaient à leur mort, comme la plupart des prélats, d'importantes dettes envers la Chambre apostolique. Pour leur dignité ils ne devaient pas de communs services, mais ils offraient au pape qui les avait créés deux anneaux précieux. Fernando Calvillo n'avait pas encore offert ces anneaux lorsqu'il mourut, après sept ans de cardinalat : on fit savoir à ses exécuteurs qu'ils devaient, à ce titre, 600 florins d'Aragon à la Chambre apostolique [4]. De même, pour un anneau restant dû par Pietro Corsini, son camérier et son neveu payèrent 400 francs après sa mort [5]. Voilà qui permettait à Pedro Adimari d'assigner 1 200 francs sur les sommes dues, en raison des anneaux, par les exécuteurs testamentaires de Jean de la Grange, Bertrand de Chanac et Guillaume d'Aigrefeuille [6].

Au moins ce genre de dette était-il simple et ne laissait-il pas les gens de la Chambre s'introduire dans l'exécution des testaments cardinalices. Lorsque l'on en vient aux dettes fiscales concernant les bénéfices tenus par les cardinaux, alors apparaît la confusion, favorable à la Chambre apostolique. Pour leurs prieurés, paroisses, prébendes, les cardinaux n'étaient en effet exempts ni d'annate, ni de décime, ni de procurations. Ils devaient les communs services

---

mentaires des cardinaux ne les réclamaient pas, les laissant ainsi ab intestat ou présumées telles. Mais ces revenus posthumes n'étaient nullement touchés par la réserve générale des dépouilles.

1. *Coll.* 360, fol. 203 v°-204 r° ; 364, fol. 42 v°-43 r° ; 372, fol 84 v°-85 r°.

2. *Intr. ex.* 374, fol. 12 v°.

3. La Chambre paya ses dettes, les gages de ses gens et son tombeau ; *Intr. ex.* 366, fol. 62 r° et 67 v° ; 367, fol. 77 r°, 81 v° et 97 r° ; *Instr. misc.* 3421.

4. *Reg. Av.* 331, fol. 40 r°.

5. *Reg. Av.* 321, fol. 83 r°.

6. Lettre du 1er mai 1403 ; *Coll.* 372, fol. 128.

des évêchés dont ils avaient l'administration. La dette laissée par un cardinal pouvait donc être fort lourde[1], d'autant plus que les gens de la Chambre se souciaient peu de le contraindre au paiement de son vivant. Ainsi la succession de Gilles Aiscelin de Montaigu ne suffit-elle pas à régler les dettes envers la Chambre apostolique[2]. C'est dire que, malgré l'exemption du droit de dépouilles, la Chambre reçut tout l'actif de la succession. C'est d'ailleurs dans cette vue que le camérier, dès que mourait un cardinal, décidait parfois de faire placer ses bénéfices et leurs revenus sous séquestre par les collecteurs et sous-collecteurs, quitte à prononcer la mainlevée totale lorsque les exécuteurs testamentaires exhibaient les quittances prouvant que le défunt s'était acquitté en temps utile : ainsi fut fait à la mort de Pierre de Monteruc[3] et à celle de Martin de Zalba[4].

En définitive, dans la mesure où le cardinal ne laissait aucune dette envers la Chambre apostolique, il pouvait être assuré que celle-ci ne recevrait de lui que les sommes qu'il lui plairait de léguer au pape.

Il y avait d'autres exemptions. Parmi les réguliers, le droit de dépouilles ne pouvait évidemment s'exercer qu'à l'encontre de ceux qui possédaient en propre des meubles et des sommes d'argent. Les ordres mendiants et les Cisterciens ne donnaient donc pas prise à la convoitise camérale, principalement dirigée contre les Bénédictins et les Augustins.

La Chambre apostolique respecta cependant la coutume de l'ordre de Saint-Antoine-de-Viennois qui attribuait à l'abbé de ce monastère les dépouilles des précepteurs des diverses maisons soumises à son autorité. Saisies par Sicard de Bourguerol, les dépouilles d'André Peyral, précepteur de Béziers, furent remises sur l'ordre du camérier à l'abbé de Saint-Antoine, déduction faite des dettes éventuelles du précepteur envers la Chambre[5]. Ordonnant semblablement la restitution des dépouilles du précepteur de Grenoble, Conzié précisa que cette coutume concernait tous les précepteurs et religieux de l'ordre, même s'ils étaient chapelains d'honneur du pape[6]. Une telle générosité n'était pas dans les habitudes de la Chambre apostolique. Dès la fin de 1405, nous voyons saisir les dépouilles du sacriste de Saint-Antoine[7] et celles du précepteur de Milan[8]. Quelques jours plus tard, l'abbé compo-

1. Les exécuteurs testamentaires de Pierre de Cros payèrent à ce titre plus de 15 000 florins ; *Intr. ex.* 365, fol. 9 v°-15 v°.
2. *Reg. Av.* 220, fol. 350 r° et 353 ; *Coll.* 360, fol. 41.
3. Lettre du 21 septembre 1385 ; *Coll.* 359, fol. 218 v°.
4. Lettre du 20 janvier 1404 ; *Reg. Av.* 320, fol. 109 v°.
5. Lettre du 11 septembre 1394 ; *Reg. Vat.* 308, fol. 187 v°-188 r°.
6. Lettre du 18 mars 1404 ; *Reg. Av.* 320, fol. 105 v°-106 r°.
7. Lettre du 25 novembre 1405 ; *Reg. Av.* 325, fol. 514 v°-515 r°.
8. Lettre du 6 décembre 1405 ; *ibid.*, fol. 516 v°-517 v°.

sait avec la Chambre au sujet de ces dernières, qui lui furent restituées peu après [1]. De l'abandon pur et simple, on passait à la composition. Au droit de l'abbé succédait la possibilité de rachat. A l'exemption se substituait la règle générale.

Il était enfin des dérogations individuelles : le pape autorisait parfois un prélat ou un officier de la curie à faire un testament. Lui concédait-on ainsi la libre disposition de ses biens ? Les faits ne laissent pas prise à cette interprétation. Le 27 mars 1391, Clément VII accordait à son familier Richard de Bousanville, alors scripteur des lettres apostoliques, le droit de disposer par testament de la totalité de ses biens [2]. Bousanville devint maître de la chapelle du pape, et mourut vers Noël 1404 [3] ; aussitôt, la Chambre apostolique saisit l'argent qu'il avait déposé au couvent de Sainte-Catherine d'Avignon et chez sa nièce : quelque deux mille écus [4]. En fait, l'autorisation de tester n'avait qu'une portée très limitée, permettant seulement de disposer quelques legs pieux, charitables ou familiaux. Encore la Chambre se réservait-elle le droit d'apprécier le bien-fondé de ces legs et d'en assurer le paiement : c'est après la saisie des dépouilles de Baudet Renaudon Duchêne, secrétaire du pape, et sur celles-ci, que furent payées les sommes — 200 et 100 francs — léguées par lui à ses deux sœurs, en raison de leur pauvreté [5] ; la liste des legs portés dans le testament d'Arnaud de Quimbal, évêque de Lombez, fut dressée sur l'ordre du camérier par le collecteur et adressée par celui-ci sous son sceau au gens de la Chambre afin qu'il fût statué à leur sujet [6]. En règle générale, les prélats ne pouvaient faire, avec l'autorisation de tester, que des legs pieux [7]. L'ensemble de ces legs ne devait d'ailleurs pas dépasser une certaine valeur, déterminée par les gens de la Chambre en fonction de la fortune du testateur [8], ce qui n'excluait pas, parfois, une certaine générosité : le maître de Santiago de Spata fut autorisé par Benoît XIII à léguer à son fils légitime jusqu'à 120 000 doubles d'or de Castille [9].

Nous reviendrons plus loin sur la possibilité qu'avaient les collecteurs de léguer leurs biens, sous réserve du paiement à la Chambre des sommes lui restant dues à la fin de leur gestion. Les testaments de collecteurs n'en étaient pas moins examinés

---

1. Lettre du 18 janvier 1406, et acte notarié de comparution, du 23 décembre 1405 ; *Reg. Av.* 325, fol. 524 v°-525 r°.
2. *Instr. misc.* 3489.
3. Il mourut avant le 1er février 1405, en cour de Rome, à Nice (*Reg. Av.* 321, fol. 45 v°) ; or la Chambre apostolique s'installa à Nice le 24 décembre 1404 (*ibid.*, fol. 31 v°).
4. *Reg. Av.* 321, fol. 45 v°.
5. *Instr. misc.* 3145, 3150 et 3151.
6. Lettre du 18 juillet 1382 ; *Coll.* 359, fol. 131 r°.
7. *Coll.* 358, fol. 174 v°-175 r°.
8. *Reg. Av.* 325, fol. 55 r°.
9. Bulle du 13 novembre 1405 ; *ibid.*, fol. 56 v°-57 r°.

avec minutie, les gens de la Chambre allant jusqu'à faire copier le testament de Jean François qui leur était nécessaire [1].

A côté de ces testaments licites, nombreux étaient ceux qui étaient rédigés au mépris de la réserve générale des dépouilles et sans la moindre autorisation. Le camérier agissait alors à sa convenance, se montrant intraitable envers l'héritière d'un modeste curé du Comtat venaissin [2], laissant au contraire exécuter une partie des legs stipulés par Robert de Villemur, évêque de Lavaur [3]. Il est, enfin, possible que la plupart des *occupatores* de biens revenant à la Chambre, parents ou amis de prélats dont les dépouilles étaient réservées, fussent en réalité des légataires illicites qui n'attendaient pas l'arrivée du collecteur pour s'approprier ce qu'ils jugeaient leur être destiné ; nous avons dit combien étaient fréquentes les actions engagées à l'encontre de telles gens par la Chambre apostolique.

En fait, la Chambre était impuissante. Il était déjà difficile de contraindre au paiement de son annate, de ses services ou de sa décime un bénéficier dont, cependant, le bénéfice répondait à la Chambre de ces paiements. Rien ne répondait des dépouilles. Les exécuteurs testamentaires étaient nombreux, les détenteurs des biens du défunt pouvaient sans grand risque négliger de se faire connaître, ses débiteurs échappaient souvent à l'action des moyens canoniques.

Le recours au bras séculier était inutile. Incapable d'épargner aux clercs le paiement des taxes qui garantissait la conservation des bénéfices, le pouvoir laïc pouvait sans difficulté intervenir à propos des dépouilles. Il ne s'en fit pas faute. Dès le 6 octobre 1385, Charles VI ordonna aux baillis et sénéchaux de mettre sous séquestre royal les successions ecclésiastiques et de faire respecter les droits du roi et ceux des héritiers légitimes [4]. C'était dire que les officiers royaux s'opposeraient à la saisie des dépouilles — de même qu'à la levée des vacants — dans les bénéfices atteints par le droit de régale [5]. Le parlement de Paris alla jusqu'à étendre sa compétence à l'estimation du montant des réparations nécessaires aux bénéfices et imputables sur la fortune des bénéficiers défunts. Systématiquement, les collecteurs furent déboutés dans les procès qui les opposèrent aux gens du roi. Même lorsque les droits du pape étaient évidents, la Chambre apostolique éprouvait les plus grandes difficultés de la part des pouvoirs laïques : ainsi lorsqu'il

1. *Intr. ex.* 372, fol. 100 v°.
2. *Coll.* 361, fol. 5 v°-6 r°.
3. *Coll.* 360, fol. 163 r°-164 r°.
4. *Ordonnances...*, VII, p. 133-137.
5. Voir : G. MOLLAT, *Le roi de France et la collation plénière des bénéfices ecclésiastiques ; l'application du droit de régale spirituelle...*, dans la *Rev. d'Hist. ecclés.*, XXV, 1929, p. 425-446 et 645-676 ; J. GAUDEMET, *La collation par le roi de France des bénéfices vacants en régale.*

s'agissait des dépouilles d'un sous-collecteur mort sans avoir rendu ses comptes. Mgr Mollat a rapporté les obstacles rencontrés par Jean de Champigny, chargé d'examiner les comptes du défunt sous-collecteur d'Arras, Jean Bruguet. Le sergent royal s'opposa en effet au collecteur, saisit les pièces comptables concernant la gestion de Bruguet et, refusant d'en laisser prendre copie, les remit à Gilles Bruguet, frère du défunt. Champigny en appela au Parlement, ce qui intimida Bruguet et le fit céder. Quant à la succession de Pierre de Flesselles, sous-collecteur d'Amiens, elle fut placée sous séquestre royal et les officiers royaux nommèrent un curateur. Là encore, Champigny alla devant le Parlement, qui ne lui donna qu'une satisfaction partielle : le curateur versa au collecteur ce que Flesselles devait à la Chambre [1]. En strict droit civil, c'était inévitable. Du droit de dépouilles, il ne fut pas question.

Le roi de France n'était pas seul à s'opposer à la saisie des dépouilles. Des biens de l'évêque de Nice, Jean de Tournefort, le collecteur Simon de Prades ne perçut presque rien : le gouverneur du comte de Savoie était arrivé avant lui et avait saisi l'essentiel de la succession [2].

La mise de l'*empêchement* royal sur tous les revenus de la Chambre, au temps de la soustraction d'obédience, fut autrement grave pour le Saint-Siège. Les collecteurs ne pouvaient plus rien saisir [3]. La Chambre réussit cependant à tirer parti des dépouilles par des assignations dont les bénéficiaires devaient personnellement intervenir à Paris pour obtenir, à concurrence du montant de l'assignation, une mainlevée royale [4].

3. *L'actif successoral*   Dès lors que les dépouilles d'un clerc
   et la « modification ».   étaient réservées à la Chambre apostolique, sa mort entraînait la saisie de tous ses biens meubles, dettes et créances. Etait-ce la curée, le pillage qu'ont à l'envi décrit les contemporains et qu'évoque irrésistiblement le nom même de dépouilles ?

Dans l'immédiat, et à l'initiative du collecteur ou du sous-collecteur, la saisie était totale. On plaçait sous scellés le domicile du *de cujus*, les maisons de ses bénéfices et leurs dépendances, et les revenus étaient perçus au profit de la Chambre. Un inventaire était dressé par les soins d'un notaire ou d'un clerc, qu'assistaient l'officier de la Chambre et divers témoins. C'est alors que devait intervenir le discernement du collecteur ou, à défaut, la protestation des ayants-droit.

---

1. *Coll.* 192, fol. 214-217 ; cf. G. Mollat, *Contribution à l'histoire de la Chambre apostolique...,* dans la *Rev. d'hist. eccl.,* XLV, 1950, p. 84-86.
2. *Coll.* 23, fol. 273 v°.
3. *Coll.* 91, fol. 450 r°.
4. *Coll.* 372, fol. 115, 116 v°, 117 v°, par exemple.

La saisie ne concernait en effet qu'une partie des biens trouvés dans les domicile et résidences. Toutes les commissions délivrées par le pape et les camériers se réfèrent à la « modification accoutumée » selon laquelle devait se faire le départ entre ce qui revenait au Saint-Siège et ce qui allait aux héritiers, aux exécuteurs testamentaires, au successeur ou au bénéfice. Maintes fois le texte de la modification fut adressé à un collecteur ou à un commissaire apostolique [1].

Ce texte, issu des dispositions promulguées le 16 mai 1345 par Clément VI et mis au point sous le pontificat d'Urbain V, énumère les charges dont les agents de la Chambre devaient accepter qu'elles fussent déduites de l'actif des dépouilles, et les meubles qui devaient échapper à la saisie. Dès le temps d'Innocent VI, les ornements et les objets du culte appartenant à l'église du bénéfice avant le temps du bénéficier défunt étaient exclus de la saisie et demeuraient propriété du bénéfice ; il en allait de même des outils agricoles et du bétail de trait. Des legs pieux modérés étaient d'autre part autorisés. Précisées par une bulle du 30 avril 1356, ces atténuations au droit de dépouilles laissaient encore place à trop de contestations. Urbain V en allongea la liste mais, en la précisant, il la limita. Cette liste, fournie par la bulle du 11 décembre 1362, c'est la « modification » à laquelle Clément VII ne devait ajouter que peu de choses [2].

Devaient être payés sur le montant de l'actif successoral les dettes contractées par le défunt pour son usage ou pour celui de son bénéfice, les gages de ses serviteurs et les sommes dues pour la rémunération de services, les dépenses de funérailles [3] décentes, enfin les amendes. A cela s'ajoutaient parfois, par concession particulière, des œuvres pieuses pour le salut de l'âme du défunt [4], messes ou dons selon toute vraisemblance, outre les legs qui pouvaient avoir été spécifiés dans un testament licite. Il fallait une décision du camérier pour que fussent également imputées, par assimilation aux dettes régulièrement contractées et attestées par cédules, les sommes déboursées par autrui pour soigner et entretenir le *de cujus* lors de sa dernière maladie [5].

A l'héritier légitime — s'il en était un, et seulement en ce cas — étaient transmis les livres et objets familiers provenant du patrimoine familial ou acquis par le défunt avec « le fruit de son travail ».

---

1. *Coll.* 359, fol. 64 v°-65 r° et 80 r°-81 r° ; 361, fol. 2 r° ; 374, fol. 73 r°-74 r° ; *Reg. Av.* 306, fol. 63.
2. Sur cet historique de la modification, voir Ch. SAMARAN, *La jurisprudence...*, *loc. cit.*, p. 144-149.
3. L'édification du tombeau n'est pas concernée par la modification.
4. *Coll.* 359, fol. 237 ; 364, fol. 24 v°.
5. *Coll.* 359, fol. 131 r°.

C'était là difficile distinction, et bien des réclamations s'élevèrent pour l'observation de cette clause [1].

Au bénéfice, enfin, étaient laissés le mobilier liturgique — livres, calices, croix, vêtements et ornements — qui s'y trouvaient avant l'arrivée du défunt ou que celui-ci avait acquis pour l'utilité de son bénéfice, les lits, vases à vin, ustensiles ménagers et armes nécessaires à la défense des lieux et des édifices, les bœufs de trait, animaux et choses nécessaires à la culture [2], les outils agricoles en particulier.

Les dernières dispositions étaient les plus difficiles à appliquer car l'usage du matériel, son affectation, voire les conditions de son acquisition ne pouvaient être prouvés. Les vases sacrés, les vases à vin, la vaisselle commune demeuraient au successeur ; il en allait différemment des vases précieux non sacrés, car c'est évidemment aux fûts qu'il faut songer lorsque l'on lit *vasa vinaria* dans le texte de la modification. Que l'abbé de Saint-Bénigne, Alexandre de Montaigu, se saisît dans les maisons de son monastère à Paris, Chalon, Dijon et Beaune, de vases d'argent ainsi que de livres, ornements et sommes en espèces provenant de son prédécesseur Pierre, et il se voyait cité devant le camérier, à moins qu'il ne préférât remettre sur le champ les biens litigieux [3]. Dans les vêtements et ornements liturgiques, il ne fallait pas comprendre les mitres précieuses, encore moins les crosses et les anneaux ; lorsque le nouvel évêque ou abbé en manquait, il jouissait d'une priorité pour recevoir ceux de son prédécesseur mais à la condition de les racheter au prix fixé par la Chambre apostolique [4].

C'est aux dépens des successeurs que la modification fut le plus fréquemment violée par les collecteurs. Les héritiers prenaient ce qui leur revenait — parfois davantage — et négligeaient de répondre à des citations que le collecteur n'osait faire trop pressantes, sachant fort bien qu'il n'obtiendrait aucune restitution. Les monastères, les procureurs des évêques et des abbés ne se laissaient pas enlever des outils ou des meubles dont il était évident que le défunt ne se servait pas personnellement. Tandis que le successeur, arrivant plusieurs mois après le décès, devait souvent réclamer son dû. Bien des lettres du camérier [5] et, notamment,

---

1. Ainsi celle du bachelier Bernard de Montrond pour les livres de son cousin Géraud de Pouzillac, archevêque d'Aix, en 1380 ; *ibid.*, fol. 45 r⁰.

2. Ceci exclut le cheptel de rapport, reproducteurs, bêtes laitières et bêtes à viande. — La mention des lits, des vases à vin et des armes constitue l'apport de Clément VII au texte de la modification ; Ch. SAMARAN, *loc. cit.*, p. 149.

3. Bulle du 10 novembre 1382 ; *Reg. Av.* 233, fol. 18-19.

4. Ce fut accordé à Jean de Murol, promu évêque de Genève, par lettre du camérier du 18 décembre 1378 ; *Reg. Av.* 220, fol. 331 v⁰-332 r⁰. — La mitre précieuse, la crosse et le crismail d'argent de Giovanni di Malabayla, évêque de Maurienne, furent vendus 100 florins courants à son successeur Henri de Serny, le 15 octobre 1381 ; *Intr. ex.* 354, fol. 51 v⁰.

5. *Coll.* 37, fol. 15 v⁰ et 16 v⁰ ; *Instr. misc.* 3110 et 3113, par exemple.

celles qui nous procurent le texte de la modification avaient pour fin de contraindre le collecteur à la restitution de meubles indûment saisis.

Compte tenu de la modification, revenaient à la Chambre apostolique non seulement les sommes en espèces et les meubles, mais aussi les créances, qu'il appartenait alors au collecteur, au sous-collecteur ou au commissaire de rechercher et recouvrer aux frais de la succession, c'est-à-dire en définitive aux frais de la Chambre. Aucune difficulté ne s'élevait à propos de sommes déposées chez des marchands, dont les cédules se trouvaient aisément parmi les archives du défunt. Ainsi le notaire de la Chambre Jean Rousset n'eut, pour se faire délivrer les sommes placées à Chalon par Baudet Renaudon Duchêne, qu'à se présenter chez Pierre Le Baubat et chez Jean Porteret, qui restituèrent chacun 1 000 francs et chez Philibert Candelier, qui restitua 600 francs [1]. Le changeur avignonnais Paolo di Matteo versa sans contester les 400 florins de la Chambre qu'avait déposés chez lui un scripteur de la Pénitencerie [2]. A Perpignan, le changeur Guillaume Fabre restituait un dépôt de l'évêque d'Elne [3]. De même Filippo Astareo et Niccolò Giove délivrèrent-ils à la Trésorerie les 1 080 florins que leur avait confiés l'archevêque de Naples pour un change que la mort du prélat rendait inutile [4].

Les difficultés commençaient avec les débiteurs variés et souvent modestes qui ne se souciaient guère de révéler que le défunt leur avait prêté quelques écus ou qu'ils avaient acheté à crédit des produits de la mense épiscopale. La recherche de leurs noms était déjà une affaire. Obtenir le paiement en était une autre. Le camérier dut charger un archidiacre du diocèse de Comminges d'exiger sur place les créances des derniers évêques de Couserans [5]. Contre un prieur du diocèse de Mende qui devait 60 florins à feu Savary, abbé de Saint-Victor de Marseille, l'excommunication prononcée par le sous-collecteur ne suffit pas et le camérier dut aggraver la sentence, puis faire saisir les revenus du prieuré [6].

Nous avons dit avec quel retard étaient ordinairement perçus les revenus des bénéfices, menses épiscopales ou abbatiales, prieurés et prébendes, paroisses même. A la mort d'un clerc, les revenus à échoir tombaient sous le coup de la réserve des vacants, mais les revenus échus et non perçus constituaient autant de créances saisies en vertu du droit de dépouilles. Le trésorier, le procureur, le prévôt du bénéficier devaient alors verser à la Chambre tout

---

1. Lettre du 16 août 1384 ; *Coll.* 360, fol. 164 r⁰-165 v⁰.
2. 9 février 1380 ; *Intr. ex.* 352, fol. 14 r⁰ ; 353, fol. 69 r⁰.
3. 10 septembre 1408 ; *Reg. Av.* 331, fol. 257 r⁰.
4. 13 août 1379 ; *Intr. ex.* 353, fol. 3 v⁰.
5. Lettre de janvier 1382 ; *Coll.* 359, fol. 104 r⁰.
6. A concurrence de 60 florins dus et de 10 florins pour les frais ; lettre du 27 juillet 1386 ; *Coll.* 364, fol. 26 v⁰-27 r⁰.

ce qui provenait de ces revenus. Certains s'en acquittaient scrupuleusement, comme Arnaud Paladier, trésorier de l'évêque d'Elne précité [1], mais il fallait parfois user de procédure : Guillaume de Prohins, chanoine d'Aix, n'avait pas reçu les comptes de ses bénéfices depuis 1369 lorsqu'il mourut, en 1381, et l'on dut citer devant le camérier les héritiers du procureur que s'était substitué le propre procureur du défunt... [2].

L'affaire pouvait traîner en longueur. Bernard de Sault, évêque de Saintes, mourut en 1381. Parmi ses dépouilles, la Chambre s'était réservé une somme de 18 000 francs que devaient ensemble à l'évêque le roi de France, le maire, les échevins et la ville de La Rochelle, Guillaume L'Archevêque, seigneur de Parthenay, et les habitants de quelques villages saintongeais, à la suite d'un traité de paix conclu entre les habitants et le clergé du diocèse. Le 11 août 1382, Clément VII ordonnait aux commissaires chargés des dépouilles de lever cette somme, annulant par la même occasion et sans justification la créance qu'avaient sur les mêmes habitants le chapitre et le clergé du diocèse [3]. On sacrifiait ainsi les intérêts du clergé diocésain au profit du pape, lequel n'avait pourtant rien à voir dans l'affaire. Mais les habitants ne se montrèrent pas plus pressés de payer et les gens de la Chambre durent négocier une composition [4]. Les résistances persistèrent cependant et Clément VII dut frapper d'interdit les villages débiteurs. Lésé dans ses propres intérêts financiers, car il avait été doyen de Saintes, donc bénéficiaire d'une partie des créances abolies par le pape, le nouvel évêque Hélie de Lestranges ne tint aucun compte de cet interdit ; il fallut, le 11 janvier 1390, lui enjoindre d'en respecter les effets [5]. Un nouveau commissaire fut alors désigné pour tenter de faire payer les villageois [6]. Ceux-ci devaient encore 6 000 francs ; le commissaire envoyé d'Avignon dut composer et réduire la dette à 2 000 francs, dont Clément VII donna enfin quittance le 30 septembre 1391, dix ans après la mort de l'évêque Bernard de Sault [7].

Cette créance était de quelque importance. Eût-elle été plus faible que les frais de recouvrement en eussent peut-être dépassé la valeur. La poursuite des dépouilles était onéreuse pour la Chambre. Elle l'était encore plus lorsque les débiteurs présumés venaient, en fin de compte, exhiber les quittances prouvant qu'ils ne devaient plus rien au défunt, ce que fit le marchand Jean Porteret, de Chalon, pour une somme de 200 francs à lui confiée par Pierre, abbé de Saint-Bénigne de Dijon, somme dont il put prouver —

1. Versements des 1er et 5 octobre 1408 ; *Reg. Av.* 331, fol. 259 r°.
2. Lettre du 30 mai 1381 ; *Coll.* 358, fol. 190 v°-191 r°. — Voir ci-dessus, p. 55.
3. *Coll.* 359 A, fol. 249-251.
4. Bulle du 9 mars 1383 ; *Reg. Av.* 233, fol. 84.
5. *Reg. Av.* 277, fol. 129.
6. *Ibid.*, fol. 128 v°-129 r°.
7. *Reg. Vat.* 301, fol. 137 v°-138 r°.

par témoins et par une quittance partielle — qu'il l'avait rendue
à l'abbé de son vivant : les gens de la Chambre avaient en vain
réclamé pendant cinq ans [1].

De tels délais n'effrayaient pas. Le 5 janvier 1385, Conzié commit
à Sicard de Bourguerol le soin de récupérer diverses créances
d'Arnaud Aubert, archevêque d'Auch et prédécesseur de Pierre
de Cros dans l'office de camérier [2] ; Aubert était mort le 11 juin
1371 [3]. De même voyons-nous le procureur fiscal Antoine Boutaric
obtenir, le 10 février 1394, que soit lancée une monition contre les
détenteurs des biens d'Humbert de Villette, archevêque de Tarentaise, mort en 1379 [4].

Les difficultés pouvaient être plus graves qu'un simple retard,
quelque considérable qu'il fût. Hélie *Ortici*, archidiacre de Périgueux, mourut en 1384 après avoir rédigé sans autorisation un
testament instituant légataire universel son neveu. Conzié enjoignit
au collecteur Pierre de Mortiers de saisir les dépouilles, opération
déjà délicate si le neveu avait habité Périgueux. Il habitait malheureusement Bordeaux, donc en terre anglaise et urbaniste.
Considérant, à juste titre, la succession de l'archidiacre comme
bien de rebelle, le sénéchal français sequestra le tout avant l'arrivée
du collecteur ; puis il rendit compte à Paris. En récompense de
son zèle, le roi lui fit don de l'ensemble des biens saisis. C'est à
ce moment qu'apparut Mortiers, revendiquant la succession en se
fondant sur le caractère illicite du testament. Comme l'on pense
bien, le sénéchal fit la sourde oreille ; le collecteur procéda alors
aux sommations canoniques et s'apprêtait sans doute à excommunier l'officier royal lorsque, voyant lui échapper une succession
dont il était maintenant l'unique bénéficiaire, le sénéchal recourut
aux grands moyens : il avisa le collecteur que, s'il persistait, on
le conduirait à Paris, pieds et mains liés, sur un âne. Malgré l'excellence des rapports entretenus à cette époque par Clément VII
et Charles VI, le collecteur préféra ne pas risquer un voyage aussi
inconfortable et se tint coi [5].

De la simple saisie avec inventaire aux cas plus difficiles que
nous venons d'évoquer, les frais occasionnés à la Chambre étaient
lourds. Messagers, commissaires, notaires étaient souvent envoyés
d'Avignon ; c'était plus sûr que de recourir au clergé local, mais
les dépenses de ces voyages étaient à la charge de la Trésorerie.
Si le revenu des dépouilles était aléatoire, les frais étaient certains :
ils étaient payés d'avance ou dès le retour du commissaire [6], c'est-

1. Lettre du 7 juin 1384 ; *Coll.* 359, fol. 208.
2. *Coll.* 360, fol. 199 v°.
3. *Gallia christiana*, I, col. 996.
4. *Reg. Vat.* 308, fol. 63 v°.
5. *Coll.* 37, fol. 11 v°-12 r°.
6. *Intr. ex.* 360, fol. 149 v° ; 367, fol. 161 v°, 166 r°, 172 r° et 178 r°.

à-dire bien avant que la Chambre perçût le produit des dépouilles.
Même lorsque la saisie était commise au collecteur ou au sous-
collecteur, déjà dans la région, cet officier devait, dès qu'il appre-
nait la maladie ou la mort du prélat, se rendre sur place, louer les
services d'un notaire, loger à l'auberge et, parfois, y attendre
plusieurs jours que survînt la mort [1]. La Chambre y trouvait au
moins l'avantage d'imputer ces dépenses sur les recettes : la Trésorerie n'avait pas à verser d'argent [2]. Mais qu'un procès naquît
à propos de dépouilles et le bénéfice de la saisie était compromis.
Anselme de Chantemerle, évêque de Rennes, avait obtenu du
Parlement un arrêt enjoignant à Antoine de Louvier de faire
exécuter dans les édifices de la mense épiscopale de Rennes les
réparations qu'il avait négligées au temps de son épiscopat [3] ;
il fit donc opposition, devant la même juridiction, à la saisie des
dépouilles de Louvier, mort évêque de Maguelonne en 1405 ; le
lieutenant du camérier, Pedro Adimari, et les collecteurs de Narbonne et de Provence furent cités à comparaître et durent envoyer
un procureur qui leur coûta 31 francs et demi [4]. De telles dépenses
n'étaient pas rares, elles étaient souvent vaines.

L'actif de la succession, déterminé en fonction du catalogue
dressé dans la « modification » était donc déjà grevé du fait même
de la Chambre apostolique. Ce ne sont cependant là que de faibles
sommes, comparées à celles qui pouvaient constituer le passif
successoral.

4. *Le passif.*　En acceptant l'actif dont nous venons d'examiner
la composition, la Chambre apostolique qui saisissait les dépouilles assumait également le passif. Les premiers
termes de la modification en reflètent la part la plus importante.

Les dettes du défunt devaient être éteintes, même celles qui
n'étaient point connues de la Chambre lors de la saisie et venaient
à être révélées par la suite [5]. Ainsi le camérier ordonna-t-il le remboursement de sommes empruntées par Bertrand Raffin, évêque
de Rodez, du bulleur Guillaume Lamy [6] et du changeur Pierre de
Mèjanès [7], par Jean, abbé de Saint-Victor de Marseille, de son cousin
Bertrand de Rochefort [8], par Jean de Save, évêque d'Albi, du
trésorier de l'église d'Agen [9], par le prieur de Saint-Paulet du

---

1. Ce fut le cas de Pierre Brengas à propos de la saisie des dépouilles de François de
Cardaillac, évêque de Cahors ; Ed. ALBE, *Les comptes d'un collecteur...*, dans le *Bull.
de la Soc. des études... du Lot*, XXXIII, 1908, p. 166-167.
2. Voir la lettre du 10 juin 1397 ; *Coll.* 372, fol. 84 r°.
3. Trésorier, Louvier n'eut certainement pas le temps d'aller à Rennes.
4. Lettre du 1er juillet 1407 ; *Reg. Av.* 326, fol. 32 v°-33 r°.
5. *Coll.* 360, fol. 64 r°.
6. *Intr. ex.* 359, fol. 164 r°.
7. *Intr. ex.* 360, fol. 50 v°, 58 v° et 68 v°.
8. *Instr. misc.* 3778.
9. *Coll.* 360, fol. 64 r°.

notaire de la Chambre Jean Rousset[1], par le doyen de Limoges de son frère germain, auditeur du Sacré Palais[2]. Les gens de la Chambre devaient parfois dégager certains meubles de la succession, comme la mitre de l'évêque de Pamiers Raymond Draco, engagée pour 40 francs chez Tegrini[3], ou l'aiguière d'argent d'Arnaud André, engagée chez Maffredo pour le compte d'Andrea Rapondi[4].

Dans ces opérations, la Chambre perdait parfois. Pour un emprunt de 500 francs, Hugues Aubert, évêque d'Albi, avait engagé au cardinal de Monteruc diverses pièces de vaisselle d'argent; récupérée le 7 décembre 1380 contre paiement par la Chambre des 500 francs, soit 535 florins 20 sous, la vaisselle fut vendue dès le 31 décembre à Antonio dal Ponte qui la paya à sa valeur, soit 457 florins 9 sous 7 deniers[5] : le pape avait perdu 15%.

Il s'agissait, dans certains cas, de rembourser des sommes qui n'avaient été que confiées au défunt : argent remis à l'évêque de Périgueux par son prédécesseur pour faire effectuer diverses réparations[6], argent reçu par Hugues Aubert pour le compte de son pupille mineur[7], sommes reçues par l'exécuteur testamentaire du cardinal Talleyrand au nom de l'exécution[8].

Il fallait, enfin, payer les fournitures reçues par le défunt : drap acheté par Raymond Draco chez Jean Tuffet, marchand à Carcassonne[9], ou par Jean de Save chez Nicolas de Najac, drapier toulousain[10], blé et vin livrés à Hélie Servient, évêque de Périgueux, par le chanoine Laurent Picard[11], viande et autres denrées fournies à l'archevêque d'Aix Jean d'Agout par l'apothicaire Raymond Filiol[12]. Sur les dépouilles de Bertrand Raffin on dut payer le loyer de deux maisons qu'il occupait à Avignon[13].

Les gages des serviteurs étaient payés avec de grands retards : de ce fait, leur solution incombait souvent à la Chambre. Un damoiseau rouergat, Galvan de Baverie, avait servi l'évêque de Toulon Jean Etienne pendant onze ans et demi sans jamais recevoir les gages convenus, soit, par an, douze francs et une houppelande valant dix florins. En compensation, l'évêque lui légua 100 francs, une mule, une tasse et une aiguière d'argent doré, et un manteau avec

1. *Ibid.*, fol. 100 v°.
2. *Coll.* 372, fol. 75 v°-76 r°.
3. *Intr. ex.* 350, fol. 64 r°.
4. *Coll.* 152, fol. 232 v°.
5. *Intr. ex.* 354, fol. 11 r°.
6. *Coll.* 37, fol. 17 v°.
7. *Coll.* 359, fol. 167.
8. *Coll.* 360, fol. 94 v°-95 r°.
9. *Coll.* 364, fol. 53 v°-54 r°.
10. *Coll.* 360, fol. 64 r°.
11. *Coll.* 359, fol. 230 v°.
12. *Coll.* 372, fol. 26.
13. *Intr. ex.* 360, fol. 70 v° ; 363, fol. 83 r°.

chaperon fourré de vair, toutes choses que la Chambre apostolique saisit avec les dépouilles de l'évêque ; Galvan reçut néanmoins 100 francs du sous-collecteur de Toulouse [1]. A Fulconet de Sarval, écuyer de l'archevêque de Nicosie [2], à Gilles Forguié, clerc et serviteur du collecteur Jean Maubert [3], au prêtre Guillaume Sèreseraie et au clerc Jean Hardi, familier du collecteur Jean François [4], et à Pierre Le Veyer, son serviteur [5], il fallut payer leurs gages, cependant que la Chambre devait remettre, en récompense de leurs services, 20 francs à Jean François, cousin du collecteur, une houppelande de camelot « tanné » fourrée de menu vair à la femme de ce cousin, et des sommes et vêtements à quatre clercs de la région [6]. Sur les dépouilles de Guillaume Boudreville il fallut prélever 30 florins d'Aragon pour sa servante Isabelle [7] et sur celles du sous-collecteur Guillaume Golobert 2 florins pour une ancienne servante [8]. Les officiers de la mense épiscopale ou abbatiale du défunt étaient également satisfaits de leurs gages : à la mort de Henri de Serny, il fallut payer le juge et le procureur fiscal de l'évêché de Rodez — dont les gages étaient dus depuis trois ans et demi [9] — ainsi qu'un ancien bayle, capitaine d'un château appartenant à l'évêque [10].

Le seul fait que les dépouilles fussent réservées au Siège apostolique rendait celui-ci débiteur des gages arriérés : la Chambre était substituée au défunt, quels que fussent le rapport de valeur entre l'actif et le passif de la succession. Ainsi dut-on faire payer à l'ancien serviteur de la chambre, de la paneterie et de la bouteillerie du collecteur Pierre de Tarascon, autrement dit à son valet, 15 francs à prendre sur les revenus de la collectorie levés par Pierre du Pont, pour compléter les quarante francs qui lui étaient dus par le défunt et dont, sur la succession, il n'avait pu recevoir que 20 francs et un mauvais cheval estimé à 5 francs [11].

Le plus souvent, de telles dettes étaient acquittées par le commissaire chargé de saisir les dépouilles ; les intéressés ne manquaient d'ailleurs pas de l'assaillir dès son arrivée. Venu inventorier les biens du collecteur Arnaud André, le sous-collecteur général de Narbonne Raymond de Verdun dut sur le champ payer des legs ou gages — la pratique du leg pour gages impayés rend la distinction impossible — à un prêtre, serviteur du collecteur, à deux prêtres, anciens serviteurs, à l'écuyer, au chambrier, au confes-

---

1. Lettre du 15 décembre 1396 ; *Coll.* 372, fol. 71 v°-72 v°.
2. Lettre du 12 avril 1380 ; *Coll.* 359, fol. 25.
3. Lettre du 11 octobre 1391 ; *Instr. misc.* 3503.
4. Lettre du 17 mai 1396 ; *Coll.* 372, fol. 50 r°.
5. Lettre du 28 mai 1396 ; *ibid.*, fol. 51.
6. Lettre du 15 juillet 1396 ; *ibid.*, fol 59.
7. Lettre du 1er mai 1395 ; *ibid.*, fol. 26 v°.
8. *Coll.* 85, fol. 324 r°.
9. Lettre du 7 septembre 1396 ; *Coll.* 372, fol. 62 v°.
10. Lettre du 2 octobre 1396 ; *ibid.*, fol. 64 v°.
11. Lettre du 20 juin 1396 ; *Coll.* 372, fol. 55.

seur, à un vieux familier, au cuisinier, au valet, à une femme de ménage et à un homme de peine [1].

Avec les réparations, nous abordons les éléments du passif qui ne sont qu'implicitement désignés dans la modification. Dettes contractées dans l'intérêt de l'abbaye ou de l'évêché, voilà qui recouvre bien le paiement de travaux faits dans les bâtiments de la mense. Lorsqu'on en vient aux travaux qu'il aurait fallu faire, c'est de dettes du défunt envers son bénéfice qu'il s'agit. La jurisprudence constante de la Chambre apostolique admit que les réparations devenues nécessaires pendant la gestion d'un évêque, abbé ou prieur et non effectuées devaient être supportées par sa succession, donc sur les dépouilles réservées au Saint-Siège.

Trois problèmes étaient posés à l'appréciation des gens de la Chambre. Quelles réparations incombaient précisément au défunt ? Quel en serait le coût ? Quelles garanties avait-on que la somme allouée servirait bien aux réparations ?

Le testament du défunt résolvait parfois les deux premières questions : Baudet Renaudon Duchêne, secrétaire du pape, légua 200 francs pour les réparations qu'il aurait dû faire exécuter dans son église paroissiale de Chalon ; le camérier n'eut qu'à donner ordre au collecteur de Lyon de verser cette somme au nouveau recteur, mais il lui recommanda d'exiger de ce clerc une suffisante caution pour l'emploi de cet argent [2].

Une enquête était souvent nécessaire pour déterminer le montant des réparations imputables à la succession. Après la mort de Geoffroi de Coëtmoisan, évêque de Dol, son successeur Guy de Roye protesta que les édifices de la mense épiscopale n'avaient pas été entretenus ; Pierre de Cros enjoignit au collecteur Guy de Roche et à son sous-collecteur de Dol de faire le nécessaire aux dépens des biens du défunt qu'ils avaient saisis [3]. Transféré quelques mois plus tard au siège métropolitain de Tours, Guy de Roye éleva de nouvelles plaintes : son prédécesseur Alleaume Boitel avait négligé l'entretien des châteaux et édifices de son temporel. Cette fois, le camérier se méfia et prescrivit une enquête, confiée à Pierre Girard [4], Guy de la Roche et Armand Jausserand [5]. Mais estimer quelles réparations étaient indispensables et en indiquer le prix, ce n'était guère dans les compétences d'un collecteur. Aussi le camérier ordonnait-il souvent une véritable expertise avec convocation des ayants-droit et de gens de métier, maçons, charpentiers, couvreurs en particulier, afin qu'il fût statué en connaissance de cause par le collecteur [6].

1. *Coll.* 152, fol. 223 r⁰-224 r⁰ ; J. FAVIER, *Le niveau de vie...*, dans les *Annales du Midi*, LXXV, 1963, p. 31-32.
2. Lettres des 6 avril 1386 et 20 août 1387 ; *Coll.* 364, fol. 47 v⁰ et 102 v⁰-103 r⁰.
3. Lettre du 7 mai 1381 ; *Coll.* 359, fol. 65.
4. Ancien clerc de la Chambre, élu de Lodève, Girard était alors nonce en France.
5. Lettre du 22 septembre 1381 ; *Coll.* 359, fol. 85 v⁰-86 v⁰.
6. Lettre du 7 octobre 1384 ; *Coll* 360, fol. 172.

Un prélat prudent prenait ses précautions. Ayant fait réparer plusieurs édifices de son temporel, l'évêque de Rennes Anselme de Chantemerle requit le camérier de faire constater ces travaux, devenus nécessaires par suite de l'incurie des précédents évêques ; Conzié chargea le collecteur de Tours, André *Figuli*, de réunir l'évêque, les procureurs du chapitre et des hommes de métier compétents pour faire droit à cette requête [1]. L'évêque désirait ainsi obtenir une quittance « pour sa sécurité et celle de ses héritiers et successeurs ». En fait, il s'en servit comme d'une arme. Accusant d'incurie son prédécesseur Antoine de Louvier, il requit la Chambre apostolique, qui avait saisi les dépouilles de Louvier, de payer les réparations ; ce fut le procès que nous avons déjà évoqué [2]. Il n'y a pas à s'y tromper, l'évêque Anselme agissait moins pour sa sécurité que pour tourner à son profit une réserve de dépouilles. Il avait succédé à Louvier en 1389 et attendu dix-huit ans pour faire constater les réparations que celui-ci avait négligé de faire ; dix-huit ans, mais seulement quelques mois après la saisie des dépouilles de Louvier, mort évêque de Maguelonne le 23 octobre 1405 [3]. Une telle attente n'était pas sans inconvénients ; l'évêque de Rennes songea que les maîtres d'œuvre seraient morts avant qu'on les fît déposer et que les réparations devenaient de moins en moins visibles : par précaution, il obtint donc que le collecteur vînt entendre les maîtres d'œuvre et inspecter les travaux, sans attendre le résultat du procès [4].

C'est encore vis-à-vis du successeur que la Chambre apostolique se trouvait débitrice du fait de la saisie des dépouilles d'un prélat ou d'un bénéficier, parmi lesquelles toutes les provisions engrangées au temps de la dernière récolte. Survenant en cours d'année, le nouvel évêque, abbé ou simple curé ne pouvait vivre jusqu'à la récolte suivante sans l'aide de la Chambre apostolique [5]. Appartenait sans nul doute aux dépouilles la part de la récolte qui aurait pu être vendue au profit du défunt, non celle qui était nécessaire au bénéficier, quel qu'il fût, pour subsister.

Un prélat pouvait bénéficier du revenu de sa mense à compter de sa provision. Un calcul simple permettait aux gens de la Chambre de déterminer le temps restant à courir jusqu'à la prochaine Saint-Jean, terme théorique de l'année agricole, et de fixer, au prorata des revenus du bénéfice et de ce temps, l'indemnité allouée au nouveau promu [6]. Il est évident que la distinction entre dépouilles et vacants n'existait pas en la matière : si la succession était assurée

---

1. Lettre du 18 juillet 1406 ; *Reg. Av.* 325, fol. 549 v°-550 r°.
2. Voir ci-dessus, p. 266.
3. Eubel, *Hier. cath.*, I, p. 384.
4. Lettre du 5 septembre 1407 ; *Reg. Av.* 326, fol. 43 r°-44 r°.
5. *Coll.* 360, fol. 188 r°.
6. Voir not. *Reg. Vat.* 308, fol. 196, et *Coll.* 359, fol. 229 r°-230 r°.

de façon à peu près continue, la subsistance du successeur était imputée sur les dépouilles du prédécesseur, mort sans avoir utilisé toute la récolte ; s'il y avait une solution de continuité de quelque durée, incluant notamment la période des récoltes, c'est aux dépens de ces récoltes, donc des vacants, qu'était servie l'allocation.

La subsistance du successeur n'était pas seule en cause. A la mort d'Etienne Aubert, abbé de Saint-Victor, Guillaume Thonerat saisit tout le blé, l'avoine, le vin, cinquante porcs et neuf chevaux ; il ne prenait pas garde, ce faisant, que les provisions n'étaient pas affectées au seul abbé mais bien à la totalité du couvent ; moines et familiers, cent vingt personnes eussent été réduites à la plus grave extrémité si la Chambre apostolique ne les avait prises à sa charge [1].

Nous avons déjà dit que les obsèques du défunt étaient à la charge de la Chambre apostolique dès lors que celle-ci se réservait les dépouilles. C'est au sens très large qu'il faut entendre ces obsèques : cela allait des draps noirs et des torches achetées pour celles de Bertrand Raffin [2] aux sonneries de cloches faites pour l'enterrement de Guillaume Boudreville [3]. A la mort d'Arnaud André, les commissaires Raymond de Verdun et Guillaume Thonerat supportèrent, sur les dépouilles, l'achat d'un drap d'or et la broderie des armes d'André sur ce drap, l'achat de drap noir et la façon de vêtements de deuil pour les familiers [4], l'achat de cinq quintaux et cinquante deux livres et demie de cire pour les cérémonies des obsèques et de la neuvaine, les aumônes et les dons aux porteurs de torches le jour des obsèques, le salaire du sonneur de Notre-Dame-des-Doms pendant ces dix jours, le don aux frères mineurs qui fournirent les torches pour la neuvaine et célébrèrent les messes de cette neuvaine, les honoraires d'un prêtre chargé de dire d'autres messes, deux florins aux femmes qui avaient veillé le corps et autant aux deux hommes qui l'avaient paré et mis en bière. Au total, pour les funérailles d'Arnaud André, la Chambre dépensa 215 florins auxquels il faut joindre 16 florins payés pour la messe anniversaire [5] ; dans la mesure où l'on en peut juger, les choses avaient été faites décemment. Soulignons-le encore, l'érection d'un tombeau n'était pas imputable sur ces dépouilles [6].

Ces différents éléments du passif, dans quel ordre étaient-ils acquittés ? Plus que la priorité, c'est la sécurité qui était en cause : si l'actif était insuffisant, que sacrifiait-on du passif ?

1. Lettre du 5 mars 1380 ; *Coll.* 359, fol. 21 v°-22 r°.

2. *Intr. ex.* 360, fol. 81 r° et 106 v°.

3. *Intr. ex.* 371, fol. 53 r°.

4. Ceci n'a rien d'exceptionnel ; Brengas en fit tailler pour les serviteurs de François de Cardaillac ; ALBE, *Les comptes...,* loc. cit., p. 172.

5. *Coll.* 152, fol. 223 v°-225 v°.

6. C'est à juste titre qu'Ed. ALBE (*loc. cit.*) a vu dans le *tumulus* payé par le collecteur un catafalque et non le tombeau ; le prix, 2 livres, serait insuffisant pour un tombeau.

En premier lieu étaient assurées les funérailles. C'était, chronologiquement, la première dépense qui se présentait ; surtout, la papauté ne pouvait refuser à un prélat, à un collecteur, à un clerc, les honneurs d'une cérémonie religieuse sous des prétextes purement matériels. Aussitôt après, venaient les créances fiscales de la Chambre apostolique : communs et menus services en particulier. Les biens patrimoniaux n'étaient remis à l'héritier légitime qu'en troisième lieu. Les gages des serviteurs et des familiers étaient ensuite réglés, les dettes — envers tout autre que le pape — ne venant qu'en dernier lieu [1]. Ce qui restait alors constituait le revenu net des dépouilles, dont disposait le Saint-Siège.

Parmi les créances présentées, il en était que la Chambre apostolique protégeait et qui, de ce fait, étaient assurées d'un paiement rapide : ainsi celles des cardinaux Jean et Pierre de Cros sur leur frère Hugues, abbé de Déols [2]. Quant aux créanciers ordinaires, ils devaient être payés dans l'ordre d'antériorité ; ce fut du moins ce que prescrivit le camérier à propos des dettes d'Hélie Servient, évêque de Périgueux, « afin que la Chambre ne fût pas saisie de plaintes » [3]. On ne saurait dire plus clairement que les créances les plus récentes avaient peu de chances d'être honorées.

La Chambre apostolique assignait le plus souvent possible les créances des clercs défunts en paiement de leurs dettes [4]. Ainsi les créanciers n'avaient-ils aucun motif de protestation contre la Chambre ; en leur transmettant ses droits envers les débiteurs du défunt, celle-ci leur donnait entière satisfaction ; il appartenait ensuite aux créanciers de tirer quelque argent des débiteurs, ce qui n'allait pas toujours sans mal [5].

Quelle que fût l'importance relative de l'actif et du passif, la dette de la Chambre était entière, au regard du droit, envers tous les créanciers du défunt. La succession ne suffisant pas à payer cette somme, les 108 francs 10 gros 10 deniers tournois dus par Sicard de Lautrec, évêque de Béziers, à Hugues, abbé de Saint-Guilhem-du-Désert, furent déduits des sommes dues ou à devoir à la Chambre apostolique par l'abbé [6]. C'était encore un échange de créances, mais l'une des créances appartenait à la Chambre.

---

1. Nous suivons l'exemple fourni par les prescriptions relatives aux dépouilles de Bertrand de la Tour, évêque de Puy, dans deux lettres de Pierre de Cros, des 4 et 12 juin 1382 ; *Coll.* 359, fol. 121 et 123 r°. — Le caractère privilégié des créances de la Chambre fut affirmé le 27 février 1397 à propos des dépouilles d'un auditeur du Sacré Palais ; *Coll.* 372, fol. 75 v°-76 r°.
2. Lettre du 2 avril 1384 ; *Coll.* 360, fol. 82 v°-83 r°.
3. Lettre du 15 mai 1387 ; *Coll.* 37, fol. 14 v°.
4. Lettres des 17 juillet 1398 et 15 décembre 1399 ; *Coll.* 372, fol. 110 v°-111 r° et 125.
5. Lettre du 27 juillet 1386 ; *Coll.* 364, fol. 26 v°-27 r°.
6. Lettre du 17 décembre 1386 ; *ibid.*, fol. 31 v°.

5. *Les dettes envers la Chambre apostolique.*

Si la Chambre ne recevait, en vertu du droit de dépouilles, que les sommes demeurant à l'actif après paiement des dettes, il ne faut pas oublier qu'elle figurait en tête des créanciers, aussi bien par l'ordre de paiement que par l'importance de la dette. Communs services ou annates, décimes, subsides, procurations formaient des « restes » parfois considérables, que la Chambre apostolique entendait recouvrer avant tout.

On peut se demander si la saisie des dépouilles n'avait pas pour principal effet d'assurer ce recouvrement. Certains cas sont, à cet égard, tout à fait significatifs. Le 1er février 1385, Conzié ordonnait à Pierre Girard et Armand Jausserand de saisir les biens de feu Aymar Robert, archevêque de Sens, jusqu'à la valeur des 16 000 florins qu'il devait à divers titres à la Chambre apostolique [1]. De même, le 1er septembre 1381, Foulques Périer avait reçu commission de saisir les revenus d'Aymar de la Roche échus avant sa mort pour son archidiaconé de Tolède, ceci à concurrence de l'annate qu'il devait encore [2]. Saisies pour ses dettes envers la Chambre, les dépouilles de Thibaut de Villette, prieur d'Allevard, furent rendues à ses ayants-droit après que l'un d'eux eût composé pour ces dettes et payé le montant de la composition [3]. Celles d'un simple vicaire perpétuel, Benoît Jeyceline, furent semblablement restituées par le collecteur après déduction des sommes dues à la Chambre [4].

Voilà des dépouilles qui n'ont été saisies que pour le montant des dettes envers la Chambre, donc pour en assurer le paiement. Notons le cas du vicaire, bénéficier mineur, dont les biens n'étaient normalement pas soumis effectivement à la saisie. Les dettes apparaissent bien, dans ces cas, comme la limite du droit de dépouilles tel qu'il était conçu à la Chambre. On ne manquait d'ailleurs pas d'invoquer les dettes pour justifier certaines saisies, comme celle des biens de Géraud de Francheville, qui tombaient cependant sous le coup de la réserve générale [5], voire celle des dépouilles d'Antoine de Louvier, « réservées de son vivant en raison des sommes élevées dues par lui pour le cens de son église de Maguelonne » [6].

Les exemples ne sont pas rares de mainlevées concernant les dépouilles de bénéficiers morts sans laisser de dettes envers la

---

1. *Coll.* 360, fol. 208 ro-209 ro.
2. *Coll.* 374, fol. 78 vo-79 ro. — Dès le 28 novembre 1381, la Chambre fit remise de cette annate au père du défunt, Hugue de la Roche, beau-frère de Grégoire XI et cousin de Pierre de Cros ; *ibid.*, fol. 86 ro.
3. Lettre du 22 août 1384 ; *Coll.* 360, fol. 162 vo-163 ro.
4. Lettre du 22 novembre 1393 ; *Reg. Vat.* 308, fol. 19 vo-20 ro.
5. Lettre du 1er octobre 1407 ; *Reg. Av.* 331, fol. 134 vo-135 ro.
6. Bulle du 28 octobre 1405 ; *Reg. Av.* 325, fol. 21.

Chambre : ce sont Guy de la Roche, évêque de Lavaur [1], ou Jean Mercier, doyen de Saint-Germain d'Auxerre [2], par exemple, dont les exécuteurs testamentaires n'eurent qu'à présenter les quittances. De même, pour éviter le séquestre, des exécuteurs testamentaires avisés s'empressaient de payer les dettes du défunt envers la Chambre apostolique ; Gilles Bellemère et le secrétaire de Benoît XIII, Jean Muret, acquittèrent ainsi les annates dues par feu Gervais Bourgeois, auditeur du Sacré Palais [3], dont les dépouilles ne furent pas saisies.

Peut-on conclure sur ce point ? Nous ne le croyons pas. La notion même de droit de dépouilles était, dans l'esprit des gens de la Chambre, aussi incertaine que la jurisprudence présidant à la saisie des dépouilles des divers bénéficiers et, en particulier, des prélats. La réserve générale, sans cesse affirmée, apparaissait insuffisamment fondée à ceux qui devaient l'appliquer. D'où le recours constant à des conditions secondaires : réserve *ante mortem*, mort en cour de Rome, dettes envers la Chambre. Pour celles-ci, cependant, la préoccupation de la Chambre est aisément perceptible : le droit de dépouilles, dont le revenu net était incertain du fait d'un passif souvent considérable, était au moins le plus sûr moyen d'obtenir, à la mort d'un bénéficier majeur, le paiement immédiat des « restes » d'impositions dont le successeur aurait pu faire traîner la solution pendant des années. Si les restes de communs services, souvent plus importants que les dépouilles, n'en ont pas toujours été éteints, ceux des décimes et des procurations l'étaient généralement par ce moyen. Les annates pouvaient l'être : qu'était l'annate d'une prébende, en comparaison des dépouilles d'un auditeur du Sacré Palais ? Voilà pourquoi l'on ne saisissait que les dépouilles des prélats ou des hauts dignitaires de la curie. Les rares exceptions déjà citées ne nous paraissent pas de nature à infirmer cette explication.

Ensuite, la Chambre apostolique pouvait faire preuve de libéralité en remettant certaines dépouilles, en renonçant donc au revenu net, pourvu que fussent payées les dettes fiscales : l'essentiel était là.

6. *Les dettes de gestion.*   En proportion de la valeur des dépouilles, l'importance des dettes augmente notablement lorsque l'on en vient aux officiers comptables et receveurs morts sans avoir rendu compte à la Chambre apostolique des deniers reçus au nom du Saint-Siège. Et là, selon que nous envi-

---

1. Lettre du 12 septembre 1394 ; *Reg. Vat.* 308, fol. 194 et 211 r°.
2. Lettres du 27 juillet 1383 ; *Coll.* 360, fol. 54 r°-56 r°.
3. 11 avril 1397 ; *Intr. ex.* 374, fol. 22.

sageons le cas des collecteurs ou celui des sous-collecteurs [1], nous
voyons la Chambre adopter deux attitudes différentes, qu'explique
la différence fondamentale des niveaux de vie de ces deux catégories d'officiers.

Les dépouilles des collecteurs étaient saisies dans tous les cas.
Certes, les dettes envers la Chambre, la non-reddition de comptes,
le reliquat réel ou supposé de recettes, furent invoqués pour justifier la saisie des biens de Bertrand du Mazel, collecteur d'Aragon [2],
de Nicolas Gilles, collecteur d'Elne [3], de Raymond Paulmier,
député à la levée d'une décime [4], d'Arnaud de Caraygue, doyen de
Castelnaudary [5], ancien commissaire aux dépouilles de l'évêque
Raymond Draco [6], et de quelques autres. L'héritier de Raymond
de Senans, exhibant un testament, dont nous ignorons s'il était
licite, mais aussi les comptes du collecteur, demanda au camérier
de faire examiner ceux-ci et, s'il n'était point trouvé de dette
envers la Chambre, d'ordonner qu'on le laissât jouir en paix de
son héritage [7]. Nous ignorons le sort réservé à cette requête ; bien
que les comptes fussent soumis à l'examen de Pierre Borrier, il
est probable qu'elle fut rejetée.

L'exemple d'Arnaud André prouve en effet que les dépouilles
d'un collecteur, saisies d'abord pour les dettes qui résultaient
nécessairement de la confusion entre ses deniers personnels et sa
recette, l'étaient également, en l'absence de dettes, pour leur revenu
net. Par bulle du 4 mai 1385, en effet, Arnaud André avait reçu
quittance générale de sa gestion de la collectorie de Narbonne,
avec remise de l'éventuel solde débiteur, en considération de ses
services [8]. Or il mourut dans l'été 1386, après une maladie que l'on
a tout lieu de croire longue [9] ; immédiatement, ses dépouilles
furent séquestrées, inventoriées et vendues au profit du pape.

Pour les sous-collecteurs, c'était bien différent. Seul, le fait
que le défunt n'ait pas rendu compte de sa gestion et versé l'intégralité de sa recette justifiait, pour les gens de la Chambre, une
saisie dont le revenu net ne pouvait être que faible. Pourvu que
les dettes fussent payées, la Chambre acceptait volontiers de ne
pas aller plus loin.

---

1. Il pouvait, cela va sans dire, s'agir de tout officier ayant eu à manier des fonds
appartenant à l'Eglise : recteurs de provinces de l'Etat pontifical et spécialement du
Comtat, commissaires fiscaux, etc. ; G. MOLLAT, *A propos du droit de dépouilles...*,
loc. cit., p. 329-330.
2. Lettre du 22 avril 1384 ; *Coll.* 360, fol. 105 v°-106 r°.
3. Lettre du 12 novembre 1393 ; *Reg. Vat.* 308, fol. 9 r°-10 r°.
4. Lettre du 10 juillet 1381 ; *Coll.* 359, fol. 74.
5. Lettre du 24 juillet 1386 ; *Coll.* 364, fol. 26 r°.
6. *Coll.* 374, fol. 18.
7. *Coll.* 90, fol. 23.
8. *Reg. Av.* 242, fol. 63 v°-64 r°.
9. J. FAVIER, *Le niveau de vie...*, *loc. cit.*, p. 32.

Si leurs héritiers ne se manifestaient guère pour acquitter les dettes de gestion des collecteurs, les héritiers des sous-collecteurs avaient tout intérêt, eux, à rendre des comptes qui leur laissaient en définitive un avantage : le revenu net des dépouilles, dont la Chambre pouvait se désintéresser mais dont le neveu ou le cousin d'un modeste chanoine ne faisait nullement fi. Les neveux de Ponsard de Choys, sous-collecteur de Besançon, rendirent ainsi les comptes de leur oncle, soldèrent la dette de sa gestion et gardèrent l'héritage [1]. Pierre Pignol, marchand de Saint-Affrique, rendit les comptes de son oncle, Pierre Pignol, sous-collecteur de Vabres, et obtint du camérier, trois ans après la mort de son oncle et grâce à l'intervention du collecteur Brengas, une quittance générale [2]. Entre temps, Brengas avait saisi les dépouilles ; il en porta au pape quatre livres [3] que le marchand ne convoitait pas. Celui-ci dut même renoncer à tout droit sur 25 livres tournois que la Chambre fut trouvée lui devoir, à l'apurement du compte, et dont il fit « remise » au pape en raison des charges incombant à l'Eglise... Mais il retrouva l'héritage [4].

La saisie des biens d'un sous-collecteur n'était en effet ordonnée que pour garantir le paiement des dettes de gestion, dont les héritiers étaient de trop incertains débiteurs. Au collecteur de Portugal, Pierre de Cros enjoignait, le 26 mai 1380, de faire examiner par deux arbitres [5] les comptes de Lourenço Rodriguez, sous-collecteur de Silves, et de rendre à ses exécuteurs testamentaires la totalité des dépouilles saisies, s'il n'était trouvé aucune dette envers la Chambre, ou la part excédant la dette, s'il y avait une dette. Ces dépouilles, précisait le camérier, n'étaient touchées par aucune réserve [6]. De même la saisie des dépouilles de Guillaume de Sonnans, sous-collecteur de Besançon, fut-elle ordonnée, le 2 novembre 1382, parce que le défunt n'avait pas rendu ses comptes et en attendant que fût payée, sur ses biens, son éventuelle dette envers la Chambre [7]. Le reste devait alors revenir aux héritiers. Or, en ce cas, il y avait une réserve ; le 17 août précédent, en effet, Clément VII avait spécialement réservé les biens de Guillaume de Sonnans [8]. Qu'en peut-on déduire ? Apprenant, dans l'été, que le sous-collecteur de Besançon se mourait sans avoir rendu ses comptes, les gens de la Chambre obtinrent une mesure particulière de réserve : on touche ici la faiblesse de la réserve générale, qui s'appliquait

---

1. Lettres des 8 juillet et 4 novembre 1398 ; *Coll.* 372, fol. 109 v°-110 r°, et *Instr. misc.* 3715.
2. Il était mort le 21 mars 1404 ; *Reg. Av.* 326, fol. 41.
3. Un missel, une Bible, un Décret et les Décrétales.
4. Lettre du 13 août 1407 ; *Reg. Av.* 326, fol. 40-41.
5. Nommés l'un par le collecteur, l'autre par les exécuteurs testamentaires.
6. *Coll.* 359, fol. 39 v°.
7. *Coll.* 360, fol. 24 v°-25 r°.
8. *Reg. Av.* 233, fol. 50 v°.

théoriquement au plus modeste des bénéficiers. Mais cela n'était qu'un moyen juridique : dans l'esprit des gens de la Chambre, il n'a jamais été question d'une saisie au profit intégral du Saint-Siège. Ce qu'il importait de récupérer, c'était la recette de Guillaume de Sonnans.

En saisissant les dépouilles d'un sous-collecteur et en les vendant, la Chambre apostolique se fût en effet substituée au défunt et eût perdu tout recours pour les créances qu'elle avait sur lui. Or, et c'est là qu'intervient la modicité de l'état des sous-collecteurs, les biens de l'un d'entre eux risquaient de ne pas valoir la somme due à la Chambre. Tout dépendait de l'ancienneté de son dernier versement et de son dernier compte. Ayant fait vendre par les héritiers — c'est là une chose importante — les biens du sous-collecteur d'Auch, Sanche de Beaulieu, la Chambre apostolique n'en tira que 700 florins alors que la dette de gestion du sous-collecteur s'élevait à 1 000 francs. La saisie ne couvrait donc qu'environ 65%. Le reste fut payé par les héritiers à raison de 25 florins par an, à la Toussaint [1]. En renonçant à saisir systématiquement les dépouilles des sous-collecteurs, la Chambre apostolique évitait donc une peine inutile pour un faible avantage et la perte éventuelle d'une partie de ses créances.

Ces créances, elle les poursuivit avec opiniâtreté sur les héritiers de ceux qui avaient manié les fonds apostoliques. Le recouvrement s'annonçait-il difficile, alors la Chambre intervenait avec tout le poids de l'autorité pontificale. Ainsi les biens meubles — et particulièrement les espèces et les objets précieux — de Jean Grinde, sous-collecteur de Grenoble, mort sans avoir rendu ses comptes, ayant été dérobés par ses proches avant l'arrivée du collecteur, Pedro Adimari et Pedro Zagarriga envoyèrent sur place un commissaire, Pedro Conill, pour rechercher, saisir, inventorier et envoyer à Avignon lesdites dépouilles [2]; Conill se heurta sans doute à la résistance locale, et c'est à l'évêque de Grenoble, Aymon de Chissey, qu'Adimari et Zagarriga durent commettre le soin d'informer et de contraindre les détenteurs des dépouilles à les restituer, menaçant l'évêque lui-même d'interdit s'il ne procédait pas à l'exécution dans les douze jours, de suspense après douze autres jours, d'excommunication, enfin, après un troisième délai de douze jours [3].

1. Lettre du 10 octobre 1382 ; *Coll.* 360, fol. 21 v°-22 r°.
2. Lettre du 6 février 1406 ; *Reg. Av.* 325, fol. 525 r°-527 r°.
3. Lettre du 26 juin 1406 ; *ibid.*, fol. 548 r°-549 r°.

b) *Le revenu des dépouilles*

1. *Bilans.*   Faute des comptes détaillés de la totalité des collecteurs, nous ne pouvons établir le rapport annuel du
droit de dépouilles. Les sommes en provenant étaient en effet
mêlées, dans les versements à la Trésorerie, aux décimes, subsides,
procurations et annates. Au contraire, le revenu des dépouilles
de tel ou tel prélat peut être apprécié. La valeur en varie, non
seulement en fonction de l'importance du bénéfice ou de la position
sociale du *de cujus*, mais aussi en conséquence de l'importance
relative du passif. Le collecteur Guillaume Boudreville l'a bien
écrit à propos des dépouilles de l'évêque d'Urgel : une fois payés
les créanciers, rien n'est resté [1]. Le diagramme que nous présentons ici ne prétend qu'à montrer quelques relations entre l'actif
et le revenu net. On voit que formuler une règle générale est rigoureusement impossible. Les frais de saisie, eux-mêmes, ne sont
ni constants ni en rapport avec l'actif. Sur les dépouilles de l'évêque
de Toulon Pierre de Marville, la Chambre apostolique a perdu
132 florins ; elle en a gardé 388 sur celles de Guillaume Golobert,
sous-collecteur de Mende. En valeur relative, le gain pouvait
atteindre les trois quarts. En valeur absolue, les dépouilles d'Arnaud André rapportèrent, net, 1 259 florins courants, pour autant
que le collecteur n'ait pas été débiteur de la Chambre pour sa
gestion.

Pour un même type de prélats, pour une même catégorie d'officiers, il y avait des dépouilles intéressantes à saisir et d'autres
dont la saisie pouvait être dommageable. Les cas présentés à
gauche sur le diagramme montrent bien que la Chambre n'était
pas toujours exactement informée et que l'on saisissait parfois
intempestivement des dépouilles.

Lorsque les gens de la Chambre s'avisaient à temps que le passif
était trop élevé ou l'actif trop difficile à recouvrer, ils préféraient
renoncer à la saisie : ainsi pour les dépouilles de l'abbé de Caunes,
Eybin, dont les dettes risquaient de dépasser l'actif [2], celles de
Pons Cavayrac, chapelain d'honneur du pape, qui ne couvraient
pas le tiers des dettes [3], et bien d'autres. La Chambre ne renonçait
d'ailleurs pas pour autant à ses créances sur le défunt : elle se
tournait contre les héritiers.

L'insolvabilité de certaines successions engageait même le camérier à faire cesser des procédures plus coûteuses que le bénéfice
espéré : cela pouvait, il est vrai, n'affecter qu'une part de l'actif,
comme les 395 francs 23 sous 18 deniers tournois dus au défunt

---

1. *Coll.* 122, fol. 207 v°.
2. Lettre du 16 mai 1380 ; *Reg. Av.* 220, fol. 355 v°-356 r°.
3. Lettre du 31 août 1403 ; *Reg. Av.* 306, fol. 57.

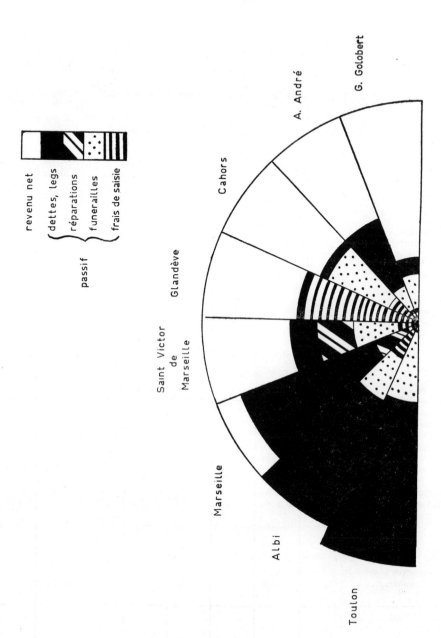

Graphique 3

Dépouilles. Rapport du passif à l'actif.

	Pierre de Marville év. de Toulon[1]	Jean de Save év. d'Albi[2]	Guillaume Le Tort év. de Marseille[3]	Jean év. de Glandève[4]	Jean abbé de Saint-Victor de Marseille[5]	François de Cardaillac év. de Cahors[6]	Arnaud André coll. de Narbonne[7]	Guillaume Golobert sous-coll. de Mende[8]
	fl. cour.	fl. cour.	fl. cour.	fl. cour.	fl. cour.	l. tourn	fl. cour.	fl. cour.
Actif :								
Argent saisi						436		
Meubles vendus[9] .		3 306		1 299		251	2 075	
Meubles envoyés à la Trésorerie				500		100	212	
Total	336	?	1 140	1 799	1 419	787	2 287	511
Dépenses :								
Frais de saisie. . . .	1		7	869	124	102	67	17
Funérailles	96				270	231	231	71
Total	97		7	869	394	333	298	88
Passif :								
Réparations				8	212			
Dettes, legs et gages	371		971	40	180	6	730	35
Total	371		971	48	392	6	730	35
Dépenses et passif Total	468	3 866	978	917	786	339	1 028	123
Revenu net : y compris les **créances** de la Chambre.		# 0	162	882	633	448	1 259	388
Perte	132							

1. *Coll.* 23, fol. 273 v° et 275 v°.
2. *Coll.* 394, fol. 254 r°-257 r°.
3. *Coll.* 23, fol. 274 r° et 276 r°.
4. *Coll.* 23, fol. 273 r° et 275 r°.
5. *Coll.* 23, fol. 274 r° et 276.
6. ALBE, *loc. cit.*, et *Coll.* 91.
7. *Coll.* 152, fol. 173-238.
8. *Coll.* 85, fol. 329-371.
9. Y compris de l'argent saisi.

abbé de Bonneval, Rigaud, par son successeur, l'ancien prieur claustral, le syndic et les moines de l'abbaye, toutes gens qui étaient dans l'incapacité de payer cette somme[1]. Mais de telles renonciations, totales ou partielles, sont rares, comme le sont les remises à des fins pieuses[2], pour permettre des travaux[3] ou par simple libéralité envers la famille[4] ou le successeur du défunt[5].

Hormis cela, toutes les successions visées par la réserve générale et par la pratique de la Chambre — ce qui exclut les bénéficiers mineurs sans relations avec la curie — étaient-elles effectivement appliquées au Saint-Siège ? Des dépouilles échappaient-elles ? La correspondance des camériers nous fait connaître les saisies effectuées par des commissaires sans intervention des collecteurs, cependant que les comptes des collecteurs nous indiquent les saisies effectuées par eux, parfois à leur propre initiative et donc sans intervention du camérier. Le recoupement de ces données permet d'établir qu'aucun prélat n'est mort, avant et après la soustraction d'obédience, sans que les agents de la Chambre apostolique intervinssent. Le principal effet de cette intervention fut, le plus souvent, le paiement des dettes fiscales du défunt. Dans le revenu net des dépouilles citées en exemple par nous, ces dettes entrent pour une part notable. Ainsi les dépouilles de François de Cardaillac laissèrent-elles un revenu net de 448 livres tournois, mais les dettes de l'évêque pour ses communs services, décimes et procurations, soldées sur ce revenu par le collecteur Pierre Brengas, atteignaient 385 livres tournois et 10 sous avignonnais[6].

Au contraire, les dépouilles des bénéficiers inférieurs, officiers de la curie ou familiers du pape, ne semblent avoir été saisies que dans les cas où la Chambre était assurée d'y avoir intérêt.

2. *Envois à la curie.* L'essentiel du produit des saisies était immédiatement vendu, soit aux enchères, soit par composition avec un acquéreur qui pouvait être parent, successeur ou ayant-droit du défunt. Mais certains meubles, de l'argenterie, des joyaux et des livres en particulier, étaient envoyés à la Trésorerie avignonnaise. L'attrait de la Chambre pour l'argenterie est indéniable : faisant remise à l'abbé de Méobecq des dépouilles de son prédécesseur, Pierre de Cros exceptait cinq gobelets, six tasses et six cuillères d'argent et ordonnait qu'on les portât sans tarder à Avignon[7] ; à la mort de l'évêque d'Albi Jean de Save, ses dépouilles

1. Lettre du 22 septembre 1382 ; *Coll.* 359, fol. 185.
2. Lettre du 6 avril 1394 ; *Reg. Vat.* 308, fol. 104 v°.
3. Lettre du 8 novembre 1387 ; *Coll.* 359, fol. 148.
4. Lettre du 24 septembre 1381 ; *ibid.*, fol 90 r°.
5. Lettre du 4 mars 1384 ; *ibid.*, fol. 200 v°-201 r°.
6. *Reg. Av.* 320, fol. 15 ; 321, fol 12 r°.
7. 13 mars 1381 ; *Coll.* 358, fol. 173 v°.

furent saisies par les collecteurs Senans et Bourguerol, mais on leur dépêcha les sergents d'armes Isarn Cauderie et Guinotot Bonafos auxquels les collecteurs devaient remettre sur le champ le produit de la vente ainsi que les joyaux [1] : une semaine plus tard, Cauderie apportait à la Trésorerie les pièces d'argenterie reçues de Senans [2], puis repartait pour Toulouse où Bourguerol lui remit des ornements précieux [3].

La vaisselle proprement dite — bassins, aiguières, gobelets, plats, écuelles, cuillers — n'était considérée que pour son poids de métal précieux : portée en recettes pour la valeur de ce métal, elle était le plus souvent remise au changeur de la Chambre qui la monnayait. Pourquoi, dans ces conditions, transporter cette vaisselle que l'on eût pu vendre avec les autres meubles ? La réponse doit être cherchée dans l'importance du passif successoral, souvent inconnue de la Chambre au temps de la saisie. En soustrayant l'argenterie à la vente publique, on évitait de rendre compte aux créanciers et aux ayants-droit du défunt de la valeur des meubles les plus précieux. Ainsi furent saisies sans le moindre contrôle chez Jacques de Couzan, abbé de Cluny, cent quarante-six pièces d'argent représentant près de 220 marcs de métal [4] : environ cinquante kilogrammes. Un tel poids n'avait d'ai leurs rien d'extraordinaire ; la vaisselle d'argent d'Etienne, abbé de Saint-Victor de Marseille, pesait au total cent onze marcs [5] ; celle de Raoul de Chissey, archevêque de Tarentaise, quatre-vingt-onze marcs [6] ; celle de Raymond Draco, évêque de Pamiers, cent quarante-cinq marcs [7] ; celle de Jean de Save, évêque d'Albi, cent cinquante-deux marcs [8].

L'envoi à Avignon de joyaux liturgiques — anneaux, crosses, croix, mitres précieuses — trouvait sa raison principale dans la présence à la curie d'un important marché. Transportées à Avignon, les pièces précieuses du collecteur Jean François furent vendues au trésorier Jean Lavergne, à son notaire Bernard de Moulins, à Raymond Hugues, pénitencier du pape, à des marchands enfin [9]. Lors de la vente des biens d'Arnaud André, les cardinaux et les gens de leurs livrées figuraient en bonne place parmi les enchérisseurs [10].

Qu'un livre saisi fût expédié à Avignon n'entraînait pas automati-

---

1. Lettre du 2 janvier 1384 ; *Instr. misc.* 3165 ; *Coll.* 360, fol. 70.
2. 10 janvier 1384 ; *Coll.* 359, fol. 198 v°-199 r°.
3. 30 janvier 1384 ; *Instr. misc.* 3152, fol. 1 v°-2 r°.
4. *Coll.* 359, fol. 209 v°-212 r°.
5. *Intr. ex.* 352, fol. 16 r°.
6. *Intr. ex.* 361, fol. 25 r°.
7. *Intr. ex.* 352, fol. 15 v°.
8. *Coll.* 360, fol. 232 v°-234 r°.
9. *Intr. ex.* 374, fol. 20 v°, 28 v° et 37 v° ; 375, fol. 7 v°.
10. *Coll.* 152, fol. 173-238.

quement son affectation à la bibliothèque papale. Si celle-ci trouvait dans les dépouilles l'une des principales sources de son enrichissement [1], bien des livres étaient vendus : ainsi ceux de Raymond Draco qu'achetèrent Bertrand Raffin et Antonio da Sesto [2].

Les objets affectés à l'usage personnel du pape étaient l'exception. De l'évêque de Castres, Dieudonné, Clément VII garda trois anneaux ornés d'un saphir, d'un camée et d'un *frustrum unicornu* [3], cependant que le reste était vendu à Catalano della Rocca. La chapelle du pape s'enrichit de « deux chefs des onze mille Vierges » dans un reliquaire d'argent, provenant des dépouilles de Raoul de Chissey [4]. Parmi les biens de Raymond de Cambavelha, évêque de Lectoure, un familier de Benoît XIII fit choix, pour le service du pape, de quelques livres — les autres furent remis à Juan Lobera — ainsi que des rasoirs, ciseaux, lancettes et leurs étuis [5].

3. *Vente des dépouilles.*   La grande masse des dépouilles ne venait pas à la curie. Sur place, les collecteurs ou commissaires s'efforçaient d'en tirer quelque argent. Les anneaux d'or, les aiguières d'argent et les chasubles d'orfroi adressés à Avignon et vendus par la Chambre apostolique ne doivent pas faire illusion sur la qualité des biens que le collecteur devait monnayer. Vendre à l'encan des bancs boiteux, des chaperons élimés, des ornements dépareillés, telle était leur tâche. Même les immeubles, parfois saisis pour dettes [6], n'étaient pas faciles à liquider. Le 12 octobre 1388, Clément VII donna commission à Guillaume Boudreville de vendre au mieux une maison avec jardin, dîme et cens y attachés, venus en la main de la Chambre apostolique par la mort du collecteur Foulques Périer [7]. Le 18 janvier suivant, le pape en faisait don à Boudreville qui n'avait pu trouver d'acheteur [8]. Quelque zèle qu'y aient apporté le sous-collecteur général Raymond de Verdun et le sous-collecteur de Béziers, Raymond Tessier, il fallut laisser dans le prieuré de Lastours, à la garde du sous-collecteur, les meubles qu'y possédait Arnaud André : vaisselle de bois et d'étain, tables, tréteaux, ustensiles de fer, pressoir à vin, lits et literie ne trouvèrent pas d'amateur, non plus que des pois chiches, des fèves, de la farine, de la viande de porc et un sac de mil ; seules purent être vendues les provisions de céréales [9]. Pour la Chambre apostolique, c'était là des pertes absolues,

---

1. Fr. EHRLE, *Hist. bibl. roman. pont.*, introduction.
2. *Intr. ex.* 352, fol. 14 v°.
3. *Intr. ex.* 365, fol. 10 r°.
4. *Intr. ex.* 361, fol. 25 v°.
5. *Reg. Av.* 327, fol. 79 v°-80 v°.
6. *Coll.* 359, fol. 100.
7. *Reg. Av.* 275, fol. 34.
8. *Ibid.*, fol. 80 r°.
9. *Coll.* 152, fol. 175-178.

car ces meubles invendus ne venaient pas en compensation du passif qu'il fallait éteindre. Lorsque les créances du défunt étaient irrécupérables, on pouvait encore essayer de les céder pour acquitter une dette du pape [1]. Le mobilier invendable n'était même pas propre à ce genre d'opération.

L'intérêt de la Chambre apostolique était donc d'éviter la vente aux enchères qui occasionnait des frais et laissait des invendus. Bien préférable était la vente globale qui assurait un rapport certain et délivrait le plus souvent la Chambre des soucis du passif successoral. Réduire ses prétentions pour assurer son profit, voilà une politique que nous avons déjà discernée. C'est celle des réductions de taxe contre paiement immédiat des communs services ; mais, alors qu'en ce dernier cas la Chambre perdait à longue échéance une part notable de ses revenus, elle n'hypothéquait nullement l'avenir en réduisant quelque peu ses exigences sur telles ou telles dépouilles. A ce procédé, tous trouvaient leur compte : la papauté qui s'épargnait retards et difficultés, l'acquéreur qui espérait garder une marge bénéficiaire.

Déjà favorisés par la modification, les héritiers se trouvèrent souvent sur les rangs pour composer avec les commissaires. Pour 450 florins d'Aragon les héritiers de Raymond Paulmier furent quittes envers la Chambre [2]. Contre paiement de 300 florins, abandon de dix queues de vin déjà reçues par le collecteur et obligation de supporter les charges de l'exécution, le chevalier Hugues de Sainte-Croix conserva les biens de son frère Philippe, l'évêque de Mâcon [3]. Les héritiers d'un chanoine de Clermont, Thomas Guierre, reçurent ses biens moyennant 100 francs [4]. Pour un versement de 1 300 florins courants, Pierre Tolsan, de Sisteron, hérita la fortune mobilière de son frère Jean, prieur des Mées [5]. Jean Mayet, enfin, paya 1 000 florins les dépouilles de son frère, le collecteur Guillaume Mayet [6].

Examinons deux compositions caractéristiques intervenues au sujet des dépouilles d'un évêque et d'un simple recteur paroissial.

Pierre de Chalais, évêque de Montauban, mourut le 22 novembre 1379 [7]. En décembre, un accord était conclu entre le camérier et le neveu de l'évêque, Hélie Jacques, prieur de Longueville-la-Guiffart, qui s'engageait à payer au collecteur de Toulouse, à Toulouse et à ses propres risques et coûts, une somme de 3 000 francs

1. Le 26 juin 1392, Clément VII donna, en déduction de ses gages, à son familier Girardin de Rollecourt une créance de 1400 florins venant des dépouilles d'Etienne Cambarou, mort le 15 mars 1361 ; *Reg. Av.* 270, fol. 78.
2. 10 juillet 1381 ; *Coll.* 359, fol. 74.
3. 12 octobre 1381 ; *ibid.*, fol. 94 v°-95 r°.
4. 9 février 1384 ; *ibid.*, fol. 194 v°-195 r°.
5. 21 février 1401 ; *Reg. Av.* 305, fol. 444 v°-445 r°.
6. 12 août 1407 ; *Reg. Av.* 326, fol. 35-36.
7. Eubel, *Hier. cath.*, I, p. 347.

pour prix des biens meubles inscrits à l'inventaire, soit 1 500 francs
à la Chandeleur 1380 et autant à la Saint-Jean ; il acceptait en
outre les charges de l'exécution, reconnaissait à l'église de Montauban la propriété de la crosse et de la mitre précieuse de son oncle,
laissait tout le mobilier et le matériel trouvés en place par Pierre
de Chalais et s'engageait à pourvoir le nouvel évêque, sur les revenus
de la succession, pour sa subsistance jusqu'à l'été de 1380. Le
23 décembre, Jean de Derleke, notaire de la Chambre, instrumentait
la composition en présence des intéressés et de témoins, le scripteur
des lettres apostoliques Simon Le Jay et les clercs de la Chambre
Pierre Girard et Gasbert de Longanh. Le camérier la notifiait
aussitôt par lettres patentes au collecteur de Toulouse, Aimery
Pellicier [1]. Pour Hélie Jacques, la charge était lourde ; il la partagea
avec les autres exécuteurs testamentaires de son oncle, deux damoi-
seaux, Pierre Jacques et Guillaume du Lac [2]. Ainsi purent-ils
s'acquitter sans trop de retard : le 12 février 1381, leur dernier
versement, 550 francs, parvenait à la Trésorerie [3] ; mais, dès le
17 décembre 1380, Antonio dal Ponte certifiait avoir reçu d'eux
2 270 francs par l'intermédiaire d'Aimery Pellicier et 750 francs
directement par ses facteurs [4].

Guy de Provenchères, prieur de Vendemian, mourut vers novembre 1393. Le 22 novembre, le procureur fiscal du pape, Antoine
Boutaric, faisait ordonner par le camérier des monitions publiques
à l'encontre des détenteurs de ses dépouilles, leur donnant trente
jours pour les restituer à Sicard de Bourguerol [5]. Il semble bien
que la mesure touchât essentiellement le neveu du prieur, Jean
de Provenchères, ou plutôt son tuteur, Aimery Guichard. C'est
en effet celui-ci qui se présenta dans le délai fixé à la Chambre
apostolique : il y composa pour 500 francs, payables par moitiés
au début du carême et au 1er mai 1394. Il obtint, avant même le
paiement de la somme, que les biens déjà saisis par Bourguerol
et par l'évêque de Béziers lui fussent rendus [6].

Le montant de la composition pouvait être notablement plus
élevé que dans les cas que nous venons d'envisager. Des exécuteurs
testamentaires de Simon de Renou, archevêque de Tours, les
nonces Pierre Girard et Jean de Murol obtinrent 7 000 francs [7].

Quel que fût le prix, la composition ne donnait pas aux héritiers
la jouissance intégrale des dépouilles. Ils étaient, d'une part, subs-
titués à la Chambre apostolique pour l'application de la modi-

---

1. *Coll.* 359, fol. 6-7.
2. *Coll.* 374, fol. 20 ro.
3. *Intr. ex.* 354, fol. 17 vo.
4. *Coll.* 358, fol. 173 ro.
5. *Reg. Vat.* 308, fol. 13 vo-14 vo.
6. Lettres des 12 décembre 1393 et 16 janvier 1394 ; *Instr. misc.* 3619, fol. 1 ro-3 ro
et 5.
7. *Coll.* 359, fol. 24 vo-25 ro.

fication et l'acquittement du passif ; il ne semble cependant pas qu'ils fussent tenus à supporter ces charges au delà de la valeur de l'actif diminuée du montant de la composition [1]. Leur droit ne s'étendait, d'autre part, qu'aux meubles inclus dans l'inventaire ; tout ce qui pouvait être ultérieurement trouvé en fait de meubles ou de créances appartenait à la Chambre. Une telle précaution s'explique aisément : le montant de la composition était relatif à la valeur des meubles et créances inventoriés. Mais, sur les biens qui lui revenaient ainsi hors inventaire, la Chambre apostolique appliquait encore la modification [2], assurant en particulier la provision du nouveau bénéficiaire jusqu'à la récolte [3]. Il arrivait enfin que les biens inventoriés fussent insuffisants pour le paiement de la composition et que le camérier laissât l'héritier ou l'acquéreur rechercher et saisir à son profit les biens non inventoriés [4].

Des héritiers institués ou statutaires pouvaient également composer pour les dépouilles d'un bénéficier défunt : l'abbé de la Chaise-Dieu pour celles d'un prieur dépendant de son monastère [5], le chapitre de Castelnaudary pour celles de son doyen Arnaud de Caraygues [6], le chapitre de Grenoble pour celles de son sacriste, le sous-collecteur Jean Grinde ; signalons qu'en ce dernier cas le chapitre s'obligeait, non seulement à payer 100 francs à la Trésorerie, mais également à verser à chacune des deux filles naturelles du sous-collecteur une dot de 25 francs [7].

Le composition avec le successeur du défunt était tout particulièrement avantageuse pour la Chambre apostolique. Le successeur venait en effet parmi les premiers créanciers : meubles laissés au titre de la modification, réparations non exécutées, provisions jusqu'à la récolte suivante, autant de problèmes qui ne pouvaient plus être soulevés dès lors que le successeur achetait l'actif et le passif laissés par son prédécesseur. L'ordre dans lequel étaient satisfaits la Chambre apostolique et le nouvel évêque ou abbé se trouvait inversé. Faute de composition, la Chambre ne percevait réellement, on l'a vu, que le revenu net après déduction des charges et, notamment, après que le successeur ait été satisfait. Elle ne recevait par priorité que son dû : les dettes fiscales du défunt. Ce qu'elle recevait en vertu du droit de dépouilles dépendait,

---

1. « *Iidem executores, nomine executionis dicti quondam magistri Bernardi, eadem die cum apostolica Camera composuerant pro omni jure et actione dicte Camere competentibus in bonis dicti quondam magistri Bernardi et de residuis bonis tenebantur onera executionis ejusdem magistri Bernardi suportare quantum eorumdem bonorum facultas se extenderet et testamentum exequi juxta dicti quondam magistri Bernardi extremam voluntatem* » ; *Intr. ex.* 355, fol. 3 v°.

2. *Coll.* 359, fol. 80 r°-81 r° et 91.

3. *Coll.* 360, fol. 238 v°.

4. *Coll.* 364, fol. 117 r°-118 r°.

5. 18 novembre 1393 ; *Reg. Vat.* 308, fol. 15 v°-16 v°.

6. 24 juillet et 1er octobre 1386 ; *Coll.* 364, fol. 26 r° et 40 v°.

7. 14 juillet 1407 ; *Reg. Av.* 326, fol. 28-29.

au contraire, des créances opposées à la succession. Que le nouveau bénéficier composât, et la Chambre recevait, avant tout et avant tous, le montant forfaitaire de ses créances sur le défunt et du revenu net qu'elle pouvait espérer. Si le passif excédait ensuite la valeur des dépouilles diminuée du montant de la composition, la Chambre n'y perdait rien.

Il apparaît cependant que, si le prix des dépouilles était âprement discuté, le principe de la composition ne donnait lieu à aucune contestation : composait qui le voulait. Nul ne pouvait y être contraint. Il faut donc qu'un évêque ou un abbé nouvellement pourvu ait trouvé quelque avantage à composer pour les dépouilles de son prédécesseur.

C'est probablement dans les délais de règlement de la succession que nous trouvons cet avantage. A son arrivée, l'évêque ou l'abbé trouvait la maison vide et sous scellés, les provisions saisies et bientôt vendues, les ornements et la vaisselle sequestrés. Il lui fallait requérir du collecteur le respect de la modification, prouver l'appartenance ancienne à l'église de certains ustensiles et objets liturgiques, réclamer, enfin, à la Chambre les provisions indispensables pour attendre la récolte. En acceptant ou en proposant une composition, le prélat levait du même coup tous les séquestres et récupérait toutes les provisions encore conservées ou le prix des provisions déjà vendues. Sur l'actif dont il devenait possesseur, il prélevait à sa guise les sommes nécessaires pour les réparations. Au lieu d'attendre qu'on le paie, c'est lui qui pouvait faire attendre et la Chambre, et les autres créanciers du défunt.

Parmi les compositions les plus importantes, il faut citer la vente à Edouard de Savoie, archevêque de Tarentaise, des dépouilles de son prédécesseur Raoul de Chissey pour 4 340 florins courants [1]. Le plus souvent, le prix variait autour de 500 florins : 400 florins courants pour les dépouilles de Pierre Pin, évêque de Périgueux [2] ; 600 florins d'Aragon pour celles d'Aleram, évêque de Léon [3] ; 400 florins de la Chambre pour celles de Pierre, abbé de Psalmodi [4] ; 200 francs et 40 florins de la Chambre pour celles de Pierre, abbé de Saint-Polycarpe de Narbonne [5].

Parfois, l'évêque ou l'abbé récemment promu ne visait qu'à s'assurer la possession d'ornements pontificaux dont il manquait. Il ne s'agit plus d'une véritable composition, mais d'un simple achat à la Chambre apostolique. Le nouveau prélat jouissait cependant d'un droit de préemption, affirmé par le camérier Pierre de Cros en faveur de Jean de Murol [6] et observé semblablement

---

1. 17 décembre 1389 ; *Reg. Av.* 277, fol. 124 v°-126 r°.
2. *Coll.* 37, fol. 9 v°-10 r° ; 359, fol. 216 v°-217 r° ; 360, fol. 238 v° ; *Intr. ex.* 359, fol. 17 r°.
3. *Reg. Av.* 320, fol. 23 r°.
4. *Reg. Av.* 320, fol. 103 v°-104 r° ; 321, fol. 27 v°.
5. *Coll.* 501, fol. 8.
6. *Reg. Av.* 220, fol. 331 v°-332 r°.

pour la vente d'ornements à Henri de Serny[1] et pour celle de pièces d'argenterie et de livres à l'évêque de Castres Jean Engeard[2]. Quant à la crosse de Jean Maurel, évêque de Vaison, elle fut vendue à son successeur Ebles de Miers, récupérée à la mort de celui-ci et revendue par la Chambre, mais cette fois à un changeur[3].

Lorsque le nouveau prélat pensait éprouver quelques difficultés dans la récupération des dépouilles qu'il venait d'acheter par composition, il pouvait, par précaution, ne s'engager que sous condition. Henri, évêque d'Ösel, prisonnier de son chapitre et de ses vassaux, s'était tué lors d'une tentative d'évasion[4] ; son successeur, Jean, composa pour ses dépouilles, promettant de payer 1 500 florins de la Chambre dont la moitié dans les six mois suivant sa prise de possession du siège épiscopal et l'autre moitié dans l'année[5]. Ainsi se défendait-il d'avoir à payer s'il ne pouvait entrer en possession des dépouilles.

Si les ayants-droit n'intervenaient pas, on pouvait encore vendre les dépouilles à un tiers qu'attirait la perspective d'une fructueuse opération. Il est évident que la Chambre apostolique, qui ne pouvait qu'y perdre, recourait à de telles compositions dans les cas où la liquidation directe présentait des difficultés ou risquait d'occasionner de lourdes dépenses. Pour 600 florins courants les dépouilles de Thomas de Nègrepont, archevêque de Thèbes, furent ainsi vendues au maréchal de la cour romaine, Buffilo Brancacci, qui prit sur lui tout le passif[6].

Il y avait au contraire des ventes globales dont les enchères, pour n'être pas publiques, n'en étaient pas moins profitables à la Chambre : ce n'est évidemment pas d'une composition qu'il s'agit lorsque nous voyons vendre à Catalano della Rocca et Giovanni Caransoni les dépouilles de Guillaume de la Voulte, évêque d'Albi[7].

Mais il est des cas où la Chambre apostolique avait intérêt à refuser toute composition : lorsqu'elle était débitrice envers la succession. Composer, c'eût été accepter de rembourser à l'acquéreur — héritier, successeur ou tout autre — les sommes dues au *de cujus* par la Chambre. Mieux valait saisir les dépouilles, ce qui annulait toute créance sur la Chambre : ainsi fit-on à la mort de Bertrand Raffin, qui avait prêté de fortes sommes à la papauté[8].

L'acquéreur de dépouilles achetait en effet tout le droit du défunt sur ses débiteurs. L'action était donc privée, la substitution

---

1. *Intr. ex.* 354, fol. 51 v°.
2. *Instr. misc.* 3367.
3. *Intr. ex.* 352, fol. 24.
4. Il descendit de sa geole à l'aide d'un drap de lit mais tomba « *ad certum locum* ▸ d'où il ne put s'extraire et où il mourut étouffé, sans doute dans une fosse.
5. *Coll.* 501, fol. 11 v°.
6. Lettre du 27 août 1403 ; *Coll.* 306, fol. 58.
7. Selon la lettre du 20 juin 1398 ; *Coll.* 372, fol 111.
8. *Intr. ex.* 359, fol. 39 r°.

du créancier ne changeant rien aux moyens juridiques qu'il avait à sa disposition. L'intervention de la Chambre apostolique dans la transmission de ce droit ne faisait pas d'elle la garante des créances, mais elle pouvait être amenée à renforcer l'action du nouveau créancier : plusieurs fois, nous voyons le camérier apporter à l'acquéreur de dépouilles l'aide des moyens canoniques de pression contre les débiteurs récalcitrants. Ainsi l'évêque de Périgueux Hélie Servient, ne pouvant se faire rendre les comptes des administrateurs du temporel de son prédécesseur Pierre Pin, pour les dépouilles duquel il avait composé, obtint, le 25 août 1385, que le camérier Conzié lui donnât commission d'exiger ces comptes par l'autorité de la Chambre et licence d'user, pour se faire payer, de la censure et du recours — inutilisable en fait — au bras séculier [1]. Le 2 juillet 1386, le collecteur Pierre de Mortiers fut chargé par le camérier de contraindre le chanoine Laurent Picard, l'un des administrateurs en question, à remettre à Hélie Servient les objets, la vaisselle et les joyaux de Pierre Pin qu'il détenait encore ; Mortiers s'acquitta de sa mission, avec succès semble-t-il [2].

Incertitude quant à la valeur totale de ce qui pourra être vendu ou utilisé, incertitude quant au temps nécessaire à la récupération : la composition est, pour l'acquéreur un véritable pari. Pour la Chambre apostolique, elle est une assurance [3]. Nous en donnerons une dernière et bien éloquente preuve, l'abonnement conclu le 6 mars 1394 au sujet des abbés de Sahagun : les moines s'étant plaint — selon le pape — que la saisie des dépouilles ne profitât ni à la Chambre apostolique ni au monastère, il fut établi que le collecteur recevrait au décès de chaque abbé une somme de 200 florins de la Chambre ; le surplus serait partagé entre le nouvel abbé et le couvent : ceux-ci prenaient donc un risque avec l'espoir de profiter seuls des enrichissements à venir. Mais on prévoyait que l'abbé et le couvent verseraient chacun la moitié de la différence si les dépouilles ne valaient pas 200 florins, et chacun 100 florins si elles ne valaient rien ; ainsi la Chambre percevrait-elle ses 200 florins, même si le défunt ne laissait aucun actif [4]. C'était bien là une assurance contre les risques de non-value et contre les possibilités de fraude.

Si tant est qu'on puisse parler de politique, la politique camérale en matière de dépouilles est une politique de gagne-petit : diminuer les risques et les frais, s'assurer un revenu net faible plutôt qu'incertain, renoncer à saisir les biens des bénéficiers mineurs et de

1. *Coll.* 359, fol. 216 v°-217 r°.
2. *Coll.* 37, fol. 12 v°-13 r°.
3. Mgr. MOLLAT, qui passe vite sur ce problème, fait cependant remarquer avec justesse que la Chambre gagnait, en composant, le « titre de créance à toute épreuve » qu'était un acte notarié ; *A propos du droit de dépouilles...*, *loc. cit.*, p. 337.
4. *Reg. Av.* 274, fol. 14 r° ; *Reg. Vat.* 308, fol. 120.

curialistes modestes. Renoncer au droit de dépouilles eût été une erreur : pour peu qu'il rapportât, il n'était pas négligeable. Mais il était impossible d'en tirer un revenu régulier car il était par essence casuel et son occurence ne dépendait pas du pape. Il était impossible d'en jouer comme on pouvait le faire des décimes, des procurations et même — nous le montrons — des communs services, pour procurer à la papauté une brusque rentrée d'argent. Par sa nature, il échappait aux manœuvres des gens de la Chambre.

Pour conclure, il nous faut situer à sa juste place le revenu des dépouilles dans le mouvement des fonds apostoliques. La valeur de chaque saisie, de chaque composition, atteint au plus quelques milliers de florins ; généralement, elle est inférieure à mille florins de revenu net. Pour chaque prélat, les dépouilles rapportent moins que les communs services ; au contraire de celles-ci, elles ne venaient à échéance qu'une fois.

Dans les comptes du collecteur Simon de Prades, les dépouilles entraient pour 4 531 florins, dont il faut retirer 3 200 florins dépensés à leur propos : le revenu net est de 1 331 florins, soit 9,5 % du revenu net total de la collectorie (14 280 florins) [1]. Or, pendant les trois ans et quatre mois dont compte Simon de Prades [2], étaient morts cinq évêques et un abbé ; nombre de comptes portant sur de plus longues périodes n'atteignent pas ce chiffre. De 1382 à 1398, Pons de Cros n'a levé les dépouilles que d'un évêque [3], deux abbés, son prédécesseur Bosméjo et un sous-collecteur. Deux autres évêques sont morts pendant ce temps [4], dont les dépouilles ont donné lieu à composition directe entre la Chambre et les ayants-droit. Dans le compte de Pons de Cros, les dépouilles entrent pour 965 livres, sur un total de 9 909 [5] ; ici encore, le rapport est inférieur à 10 %. Ce sont pourtant là les deux collectories où le rapport est le plus élevé. De 1388 à 1407, Jean de Champigny et Julien de Dole n'ont rien reçu au titre des dépouilles [6]. Sicard de Bourguerol, rendant son compte des années 1382 à 1385, fait état de nombreux « restes » de dépouilles saisies par son prédécesseur mais dont les créances sont pratiquement irrécupérables : de celles de Sans Vaquier, jadis collecteur, il reste encore à recouvrer 3 686 francs [7] et à récupérer divers meubles conservés à Bordeaux, hors d'atteinte du collecteur avignonnais ; Bourguerol n'a rien perçu. Seules dépouilles saisies par lui sans difficulté, celles de l'évêque de Comminges Guillaume d'Espagne ont rapporté

---

1. *Coll* 23.
2. 26 août 1402 — Noël 1405.
3. Bertrand de la Tour, évêque du Puy.
4. Pons de la Garde et Pons de Rochefort, évêques de Mende et Saint-Flour.
5. *Coll.* 85.
6. *Coll.* 192, 194 et 195.
7. *Coll.* 35, fol. 63 v° et 97 r°.

144 francs [1] ; 2 209 francs restent à recouvrer deux ans après la
mort du prélat [2], créances dont la Chambre ne recevra jamais rien.
Sur 5 331 francs de revenu net total, Bourguerol n'a reçu des
dépouilles que ces 144 francs : 2,7%. Un dernier exemple, significatif du faible rapport des dépouilles : ayant saisi, au temps
de la soustraction d'obédience, les biens d'assez modestes bénéficiers de sa collectorie — comme le prévôt majeur de Cuxa [3] —
le collecteur d'E ne Jean de Rivesaltes ne put compter, pour
douze ans, que de 348 livres barcelonaises provenant des dépouilles,
sur un total de 10 217 livres : 3%. C'est le dixième de ce qu'ont
rapporté, dans le même temps, les annates ou les procurations.

Les moines de Sahagun avaient donc bien raison, qui écrivaient
au camérier que le droit de dépouilles n'était profitable ni à la
Chambre apostolique ni à leur monastère. Saisies et compositions
n'entraient pas pour un vingtième dans les revenus de la papauté
avignonnaise.

Pour le clergé comme pour le monde laïc qu'il atteignait à
travers les familles des défunts, le droit de dépouilles était odieux.
Pour la papauté il n'était ni substantiel, ni régulier, ni maniable.
Ce faible intérêt financier aggrave encore l'erreur politique que
fut son maintien.

B. — LES VACANTS

1. *Les principes.*   Avec les vacants, nous abordons le second
                         volet du diptyque. Les dépouilles, c'est ce que
l'on saisit chez le défunt ; les vacants sont ce que l'on perçoit de
ses revenus en attendant la provision de son successeur. Entre
les deux, la différence est faible. Une notion indispensable à qui
veut saisir l'intérêt financier réel des vacants est la totale similitude de nature des vacants et d'une partie des dépouilles. Pour
la majorité des bénéficiers, les revenus ne sont autre chose que la
récolte, directement exploitée, affermée ou traduite en redevances
de toutes sortes. Que le bénéficier meure après la récolte, et celle-
ci — c'est-à-dire les revenus sur lesquels il devait vivre un an —
est saisie dans son grenier ou son cellier en application du droit
de dépouilles. Qu'il disparaisse à la veille de la récolte, et c'est
en tant que revenu d'un bénéfice vacant que les gens de la Chambre apostolique peuvent la revendiquer. Le nom du droit change ;
dans les deux cas sont saisis les revenus du bénéfice jusqu'à la
prochaine récolte.

Nous appelons vacants ce que les contemporains ont eux-mêmes

---

1. Revenu brut : 516 francs ; dépenses : 372 francs.
2. *Coll.* 35, fol. 122-125.
3. *Coll.* 160, fol. 123 r°.

désigné le plus fréquemment par ce terme. La terminologie de la Chambre apostolique était cependant des plus incertaines : la locution *fructus medii temporis* (revenus du temps intermédiaire) était le plus souvent employée par les officiers pontificaux. Notons que, dans le même temps, les scribes de la Trésorerie écrivaient couramment *pro vacantibus* à propos d'annates.

Le droit pour le Saint-Siège de percevoir le revenu des bénéfices vacants est étroitement lié à la réserve de ces bénéfices à la collation apostolique. Appartenait à la Chambre le temporel de tout bénéfice auquel le pape pouvait pourvoir. Ainsi, après le pontificat de Grégoire XI, le droit de percevoir les vacants s'étendait-il à tous les évêchés et monastères masculins ainsi qu'aux bénéfices non électifs qui tombaient sous le coup des constitutions de Clément IV et Jean XXII : bénéfices dont les titulaires étaient morts à la curie ou dans le voisinage, vacants par privation ou renonciation, par transfert de leur titulaire, bénéfices ayant en dernier lieu appartenu à des cardinaux, officiers de la curie ou familiers du pape : donc, par nature et en tous lieux les prélatures non soumises à la régale, et pour des raisons personnelles certains bénéfices mineurs, aussi bien riches archidiaconés que modestes chapellenies.

Les prélatures seront l'objet presque exclusif de notre étude. Non que les bénéfices mineurs fussent sans intérêt financier. Les cumuls des cardinaux, en particulier, étaient assez décriés pour que l'on ne méprisât point le revenu de leurs prébendes et prieurés. Mais, pour la plupart, les bénéfices distribués aux gens de la curie ne quittaient pas leur cercle étroit. Brèves étaient leurs vacances : ils n'étaient résignés que par échange ou ne devenaient vacants à la mort d'un curialiste que pour être aussitôt sollicités et conférés à un autre curialiste. Y avait-il cependant un « temps intermédiaire » que les revenus en étaient souvent laissés au nouveau bénéficier. Un exemple : Bartolomeo Lopez, auditeur du Sacré Palais, était à sa mort archidiacre de Séville, portionnaire et bénéficier dans l'église de Séville et titulaire de divers bénéfices situés dans le même diocèse ; le tout fut aussitôt conféré par promesse verbale à Pedro Alfonso, mais les bulles de provision ne purent lui être adressées que tardivement : les revenus appartenaient donc à la Chambre apostolique pour toute la période comprise entre la mort de Lopez et l'envoi des bulles ; par lettre du 10 septembre 1403, Conzié fit cependant savoir au collecteur de Tolède Foulques Périer et à son sous-collecteur de Séville que ces revenus étaient donnés à Alfonso [1].

Celui-ci était-il curialiste ? Il ne semble pas. Il avait été pourvu, ainsi que Pedro Gonzalez de Metina, par l'archevêque de Séville d'un certain nombre de bénéfices vacants à la mort du cardinal

1. *Reg. Av.* 306, fol. 64 v°-65 r°.

Guillaume d'Aigrefeuille ; cela se passait entre le 13 janvier — date de la mort du cardinal — et le 21 avril 1401 — date de celle de l'archevêque — c'est-à-dire au temps où la rebellion des cardinaux réduisait Benoît XIII à l'impuissance. En 1403, alors que ni Alfonso ni Gonzalez n'étaient spécialement chers au pape, celui-ci leur fit don des revenus indûment perçus et leur conféra les mêmes bénéfices, régularisant ainsi la situation par une bulle qui porte la même date du 10 septembre [1].

Fruits indûment perçus, vacants, voilà deux choses bien semblables. Ce que l'on appelle *fructus medii temporis* tant que nul n'y a mis la main devient *fructus male percepti* s'il faut les récupérer sur un bénéficier pourvu par un collateur ordinaire au mépris d'une réserve apostolique. Souvent, l'on compose. Parfois on vient de le voir, il est plus raisonnable de ne rien espérer et d'accorder une remise.

Car, en définitive, les bénéfices mineurs vacants échappent trop facilement à l'action des collecteurs. Vérifier les comptes d'exploitation d'un prieuré, le solde d'une ferme ou l'état des versements d'une prébende suffirait à immobiliser de longs jours un personnel mieux employé à récupérer annates ou décimes. Saisir des dépouilles comporte une opération matérielle relativement rapide. Lever des vacants exige une présence continue et une connaissance détaillée des affaires du bénéfice. La Chambre apostolique ne lève donc que les vacants de bénéfices réservés à cette fin, renonçant tacitement aux autres.

Lorsqu'il a lieu de s'exercer, le droit de régale [2] contrarie la réserve au Saint-Siège des revenus vacants. Collation et jouissance du temporel échappent également au pape. La régale spirituelle, certes, n'atteint que les bénéfices mineurs, dont on vient de voir qu'ils présentaient un médiocre intérêt. La régale temporelle, au contraire, met hors d'atteinte de la Chambre apostolique les revenus d'une trentaine d'évêchés français. Dans une note déjà citée, Conzié écrivait en 1385 : « Que la Chambre fasse lever les vacants de toutes les prélatures jusqu'à la reddition des bulles à celui qui est promu ; il n'y a cependant pas lieu de les lever en France là où existe le droit de régale » [3].

Il apparaît d'ores et déjà que les relations entre les princes et la papauté furent la première condition de la perception des vacants. A cet égard, Clément VII et Benoît XIII se trouvaient mieux partagés que les papes romains. En France, la régale temporelle n'affectait que les évêchés du Nord du domaine royal ; la Langue d'Oc lui échappait presque complètement [4]. La réserve des collations épis-

---

1. *Ibid.*, fol. 66.
2. Sur le droit de régale, dont il n'est pas dans notre propos de traiter ici, voir, outre les travaux déjà cités de J. Gaudemet et de G. Mollat : PHILIPPS, *Das Regalienrecht...*, et l'art. *Régale* de J. GAUDEMET, dans le *Dict. de droit canonique*, VII, col. 514.
3. *Instr. misc.* 3194, fol. 4 v°.
4. Seuls y étaient soumis les évêchés de Saint-Flour et du Puy.

copales et abbatiales était acceptée, moyennant un accord tacite aux termes duquel les candidats du roi recevaient sans difficulté l'investiture pontificale. Dans les royaumes espagnols, les collations pontificales n'étaient plus guère discutées. Le pape romain au contraire, ne pouvait compter sur les vacants. Content de percevoir les communs services des prélatures anglaises, il ne pouvait risquer de voir appliquer les statuts anti-pontificaux comme ceux de 1351 et 1353, dont le premier effet eût été de renforcer la régale [1], et renonçait absolument à faire lever les revenus de bénéfices sur lesquels son droit de collation était constamment remis en cause. En Allemagne, en Pologne, en Hongrie, les provisions apostoliques demeuraient lettres mortes ; si les prélats acceptaient de s'obliger pour leurs communs services, il ne pouvait être question de lever au profit de la Chambre les revenus de leurs bénéfices échus entre la vacance et l'élection. Seule demeurait l'Italie, avec ses évêchés et monastères nombreux mais souvent pauvres, et où l'anarchie politique n'était guère favorable à l'intrusion des agents caméraux dans la gestion des temporels épiscopaux et abbatiaux. Au regard de cette situation, on voit combien favorable était celle de la papauté avignonnaise.

Comme les dépouilles, enfin, les vacants ne pouvaient être de quelque profit sans la vigilance, la perspicacité et la compétence des collecteurs. Trois vertus que nous connaissons aux agents locaux de la Chambre avignonnaise, mais dont ceux de la Chambre romaine paraissent avoir été singulièrement dépourvus, à quelques exceptions près. Nous avons dit combien négligeaient leur recette ou leurs versements ; les vacants auraient dû faire partie de cette recette et de ces versements.

La réserve des vacants était générale. Clément VII, le 6 octobre 1384, compléta les définitions de Grégoire XI : appartenaient au Saint-Siège les revenus intermédiaires de tous les bénéfices vacants en curie — ou réputés tels — ou par transfert, par mort d'un cardinal, d'un chapelain [2] ou d'un officier, ceux des bénéfices réservés par lettres apostoliques, et, généralement, ceux de tous les bénéfices dont la collation revenait au Saint-Siège par quelque moyen que ce fût [3]. C'est en vertu de cette réserve générale qui leur était notifiée dès leur entrée en fonctions [4], en même temps que celle des annates, procurations et dépouilles, et uniquement en vertu de cette réserve générale, que les collecteurs étaient fondés à saisir les revenus de tout bénéfice qui venait à vaquer et

---

1. Ann DEELY, *Papal provision...* ; voir aussi, Ed. PERROY, *L'Angleterre et le Grand Schisme, passim* et en particulier p. 19-21 et 313-325.
2. Cela visait les chapelains d'honneur, non résidents en curie.
3. *Instr. misc.* 3157.
4. *Coll.* 359 A, fol. 41 rº ; *Reg. Av.* 233, fol. 51 ; 242, fol. 8 vº ; 250, fol. 321 vº ; 275, fol. 72 et 80 vº ; 277, fol. 184 vº ; 308, fol. 19 vº ; 317, fol. 13 vº, 21, 36 et 41 ; 319, fol. 57 vº ; 326, fol. 48 et 54 vº ; 332, fol. 73 vº.

entrait dans les catégories ci-dessus définies. Au contraire de ce que nous avons vu à propos des dépouilles, nulle réserve particulière n'était nécessaire.

Le premier objet de la réserve, Conzié l'exposa, dès le 10 septembre 1384, dans une lettre aux collecteurs : contrarier la manœuvre des prélats qui différaient leur voyage ou l'envoi d'un procureur pour recevoir leur bulle de provision, sachant que celle-ci ne leur serait délivrée que moyennant paiement de l'intégralité des communs services [1]. De tels retards allaient donc être tournés au profit de la Chambre apostolique à laquelle ils devaient, dans l'esprit des prélats, porter préjudice.

Lorsque le Saint-Siège laissait délibérément un bénéfice vacant pour en percevoir les revenus, des mesures particulières devenaient indispensables. De haut en bas de la hiérarchie bénéficiale, se posait le double problème de la *cura animarum* et de la gestion du temporel. C'est, en effet, avec le nouveau bénéficier, avec ses gens ou ceux de son prédécesseur, que l'on pouvait s'accorder en cas de brève vacance. On ne pouvait attendre la provision du nouvel évêque ou abbé lorsque, au contraire, on retardait précisément celle-ci pour percevoir les vacants. La gestion du temporel était alors donnée en commission, soit au collecteur, soit à un vicaire au temporel ; l'un comme l'autre avaient généralement avantage à bailler à ferme le bénéfice vacant, ce qui les assurait d'un revenu et les déchargeait de tout souci. Les petits bénéfices dont le Saint-Siège se réservait la jouissance étaient directement gérés par le sous-collecteur ou le collecteur.

Le spirituel n'était pas oublié. Pour les rares bénéfices mineurs réservés, la Chambre laissait toute latitude au collecteur de les faire desservir par des clercs de son choix ; en cas de besoin, un pouvoir lui était adressé, afin de régulariser ses désignations [2]. Quant aux prélatures vacantes, le pape les pourvoyait d'un vicaire au spirituel ayant capacité canonique et liturgique : évêque ou abbé, selon le bénéfice, exceptionnellement un abbé consacré pour un évêché [3]. Le plus souvent, un « vicaire général du Saint-Siège au spirituel et au temporel » réunissait en sa personne les deux commissions.

Disons tout de suite que la terminologie, ici encore imprécise, laisse place à bien des incertitudes quant à certaines vacances. Le « vicaire général au spirituel et au temporel » administrait le bénéfice pour le compte de la Chambre ; il était rémunéré par celle-ci, parfois sur les revenus vacants, mais ne participait jamais

---

1. *Coll.* 361, fol. 1 ; éd. par A. Clergeac, *La curie...*, p. 251-253.
2. *Reg. Av.* 307, fol. 44.
3. Bernard d'Estruch, abbé de Bañolas, à Avignon en 1407 ; *Reg. Av.* 328, fol. 60 r°-61 r°. Il y eut cependant quelques exceptions : Pedro de Luna, consacré évêque après sa promotion à l'archevêché de Tolède (30 juillet 1403), était administrateur de l'évêché de Tortosa depuis le 28 novembre 1397 ; *Reg. Vat.* 326, fol. 319.

au revenant-bon de la gestion. Il ne jouissait pas du bénéfice. Celui qui avait « l'administration du bénéfice en commende », au contraire, avait sur le temporel les mêmes droits personnels qu'un évêque ou abbé titulaire. Cet « administrateur » était un véritable évêque ou abbé qui pour une raison canonique, n'était pas pourvu du bénéfice : ce pouvait être un cardinal, un patriarche ou l'évêque d'un diocèse étranger à l'obédience, tous prélats dont les revenus propres étaient nuls du fait de la rupture avec Rome, de la fin de l'Orient latin, voire de la guerre. Nommé patriarche d'Alexandrie le 17 mars 1391, Simon de Cramaud tira l'essentiel de ses revenus de l'évêché d'Avignon, dont il eut la commende pendant six mois, puis de celui de Carcassonne, qu'il garda dix-huit ans[1]. Il ne pouvait être à la fois patriarche d'Alexandrie et évêque de Carcassonne. Mais, à l'égard du diocèse de Carcassonne, il se comportait comme s'il en avait été l'évêque. Certes, il n'y résida point et ne s'en occupa guère personnellement, mais il ne s'occupait pas davantage, avant sa promotion au patriarcat, de son évêché de Poitiers. Evêque en titre ou administrateur d'un évêché en commende, c'était en tous cas, du point de vue financier, la même chose. Le siège était vacant, non le temporel. Or, et c'est là que naît la difficulté, le même nom d'administrateur servait le plus souvent à désigner dans les textes le commendataire et le vicaire général du pape. Il est parfois délicat de discerner, à propos de l'évêché d'Avignon notamment, si tel administrateur est désigné pour le compte de la Chambre apostolique ou pour le sien propre. Seules, des mentions de compte ou des lettres du camérier nous tirent d'embarras lorsqu'elles rendent évident l'avantage tiré par le Saint-Siège de la vacance.

Jouissant de tous les revenus d'un bénéfice laissé vacant, la Chambre apostolique devait en supporter les charges, même extraordinaires[2]. Nous avons déjà évoqué cet aspect des réserves fiscales à propos des dépouilles. Tirons maintenant d'un compte de gestion[3] les éléments d'un bilan. Rien n'assure, certes, qu'il soit représentatif, mais ce n'est pas là une raison suffisante pour négliger ses enseignements ; leur valeur tient beaucoup, en effet, à la durée exceptionnelle de la vacance.

Laissé vacant par la mort de Barthélemy de Montcalve, le 22 juin 1402[4], le siège épiscopal de Béziers ne fut pourvu que le

---

1. Sauf indication contraire, nous renvoyons, pour toutes les dates de provision ou de mort, à EUBEL, *Hier. cath.*, I.
2. Le roi de Castille étant mort alors que l'église de Séville était vacante, le doyen et le chapitre envoyèrent un chanoine auprès du nouveau roi pour en obtenir le renouvellement des privilèges de leur église. Les frais de mission, relativement élevés, furent payés moitié par les chanoines et moitié par le temporel de l'archevêché, les chanoines ayant à cette fin requis le collecteur Foulques Périer ; *Instr. misc.* 3524.
3. *Coll.* 72, fol. 276-278.
4. EUBEL (*op. cit.*, I, p. 141) indique la date du 22 juillet, le compte celle du 22 juin.

10 mars 1408. A partir de la restitution d'obédience, soit du 23 mai 1403, les revenus en furent levés pour la Chambre apostolique. Le compte qui nous en est parvenu concerne la période antérieure au 31 décembre 1406 et a été approuvé en 1407 par Sicard de Bourguerol.

Plusieurs remarques peuvent être faites. La recette réelle est constamment inférieure, de peu, à la moitié de la recette théorique ; la moitié restant à lever constitue en fait une créance irrécupérable dont le montant n'est jamais porté au compte des années suivantes. Il est cependant possible qu'un tel déchet fût normal dans les revenus de l'évêché de Béziers, et que la vacance du siège n'y fût pour rien.

Les dépouilles de Barthélemy de Montcalve sont d'un rapport extrêmement faible, en considération du montant des vacants : quelques 7% de la recette annuelle réelle, 3% du revenu théorique de l'évêché. La principale raison doit en être cherchée, selon nous, dans la date de la mort du prélat, qui se situe avant les moissons, l'engrangement, les vendanges et les termes de paiement des rentes liées à la récolte. Les dépouilles ont été saisies en pleine période de « soudure », alors que greniers et coffres étaient en étiage. Le produit de la vente de vêtements et d'objets mobiliers a donc dû supporter seul le passif successoral.

Les dépenses de gestion du temporel de Béziers valent de 35 à 55% des recettes réelles. Au total, la Chambre apostolique ne reçut que 10 913 livres : à peine plus de la moitié de la recette effective, moins du tiers du revenu théorique.

La même proportion se retrouve ailleurs, par exemple dans les dépenses supportées par le collecteur de Provence pour garder les terres et les forteresses des évêchés vacants, faire tailler la vigne, moissonner, vendanger, etc. A Glandève, sur 1 410 florins qu'il avait reçus, il en dépensa 535, soit 38%. A Fréjus, où il fallait en outre rémunérer le vicaire au spirituel, les dépenses atteignirent 831 florins sur une recette de 1366, soit 61% [1].

Encore doit-on remarquer que la rémunération du collecteur n'était point portée au passif de la gestion, comme l'eût été à coup sûr celle d'un commissaire spécialement député à cette gestion, ou le bénéfice légitime d'un traitant. Malgré le choix de la moins onéreuse des méthodes d'administration d'un temporel, la charge était donc fort lourde. Or il ne pouvait être question de faire ainsi gérer directement par les gens de la Chambre un grand nombre de bénéfices. Mieux valait donc réserver au Saint-Siège un bénéfice rémunérateur que plusieurs bénéfices dont la valeur totale eût été équivalente.

---

1. *Coll.* 23, fol. 274 v°-277 r°.

2. *Les vacances simples.*   La distinction entre vacances simples et vacances intentionnellement prolongées à des fins financières peut se fonder sur deux critères. D'une part, nous appelons vacances simples celles qui ne donnent lieu à la désignation d'aucun vicaire général ou administrateur. D'autre part, les trois quarts des vacances durant moins de trois mois, il semble que l'on puisse considérer comme délibérément prolongées les vacances supérieures à six mois. Pour ces dernières, et pour elles seules, étaient prises des mesures particulières d'administration ou d'assignation.

DURÉE DES VACANCES DES ÉVÊCHÉS

	OBÉDIENCE AVIGNONNAISE	OBÉDIENCE ROMAINE
Répartition simple :		
De 0 à 2 jours	45 %	24 %
De 2 jours à 1 mois..........	16 %	15 %
De 1 à 3 mois	16 %	30 %
De 3 à 6 mois	5 %	20 %
De 6 mois à 1 an.	6 %	4 %
Plus de 1 an	12 %	7 %
Répartition cumulative :		
Moins de 2 jours.	45 %	24 %
Moins de 1 mois.............	61 %	39 %
Moins de 3 mois.............	77 %	69 %
Moins de 6 mois.............	82 %	89 %
Plus de 6 mois	18 %	11 %
Plus de 1 an	12 %	7 %

En dehors des cas où le droit de régale privait la Chambre du revenu des vacants, il est des concessions faites globalement par le pape sur les vacants de telle ou telle région. On ne saurait dire que ces revenus échapassent à la Chambre : il en allait d'eux comme s'ils avaient été levés par les gens du pape, assignés par eux à la Trésorerie et versés par celle-ci au bénéficiaire. La plus notable de ces concessions est celle faite à Louis II d'Anjou [1]; encore efficace à la veille du concile de Pise, elle rendait inéluctable la prolongation de mainte vacance mais n'en affecta pas moins les bénéfices ayant été vacants pendant un temps relativement court.

De ceux que ne distrayait ni régale ni concession ou assignation globale, que percevait la Chambre apostolique ? Les comptes des collecteurs nous fournissent une indication décisive : beaucoup ne font entrer aucun vacant dans leurs colonnes. En quatre ans et

---

1. *Gallia christiana novissima*, Arles, col. 748, n° 1734 ; voir ci-dessous, p. 312-313.

demi, Jean Joly et ses sous-collecteurs n'ont rien levé en Provence [1].
En cinq ans, Raymond de Senans ne compte d'aucun vacant alors
qu'il a saisi des dépouilles épiscopales à Rodez, Albi, Castres et
Vabres [2]. Son compte suivant, pour dix ans et demi [3], ne porte
que 12 livres tournois perçues des dépouilles et vacants de l'évêché
de Vabres : 12 livres, sur une recette totale de 28 124 [4]. En quatre
ans, Pierre Brengas ne lève dans la même collectorie nul vacant,
malgré la saisie de dépouilles [5]. En Castille, Guillaume Boudreville
ne rend compte d'aucun vacant pour les quinze diocèses de la
collectorie de Burgos pendant trente-cinq mois [6]. En seize ans,
enfin, le collecteur du Puy Pons de Cros n'a pas levé de vacants [7].
Lorsque des vacances simples ont donné lieu à une levée, celle-ci
apparaît modeste. Un mois de vacance du siège archiépiscopal
de Reims [8] rapporte 169 francs 9 sous 6 deniers parisis [9]. De la
vacance suivante, le collecteur Jean de Champigny indique qu'elle
fut « modique » [10] : mort le 26 mai 1390 à Nîmes [11], Cassinel avait
été remplacé comme archevêque de Reims par Guy de Roye,
transféré de Sens dès le 27 mai. A Noyon comme à Châlons, un
mois de vacance n'apporte aux caisses du collecteur que les émoluments de la cour épiscopale : respectivement 15 et 9 francs [12].

Sauf dans les évêchés voisins d'Avignon, dont les clavaires rendaient directement leurs comptes à la Chambre, l'envoi d'un
commissaire était le seul moyen d'augmenter le rendement des
vacants. Du transfert à Beauvais de Pierre de Savoisy, le 16 janvier
1398, à la provision d'Adam Chastelain, le 17 juin, le siège du
Mans demeura vacant cinq mois ; envoyé comme commissaire
aux vacants, le futur collecteur de Provence Simon de Prades
put faire parvenir à la Trésorerie, dès le 28 juin, 340 florins [13].
Notons cependant que la nomination d'un commissaire ne suffit
pas à prouver que les vacants fussent levés au bénéfice du Saint-
Siège : vacant depuis le transfert au Puy de Pierre Girard, le 17 juillet 1385, l'évêché de Lodève fut doté, le 19 août, d'un commissaire
en la personne de Jean Martin, futur collecteur de Narbonne ;
mais, la veille, l'auditeur de la Chambre Clément de Grandmont

---

1. De septembre 1386 à mars 1391 ; *Coll.* 21. — Nous ne faisons pas état du compte
de Simon de Prades (*Coll.* 23), contemporain de l'assignation à Louis II d'Anjou.
2. 10 juillet 1381 — 9 juillet 1386 ; *Coll.* 84.
3. 10 juillet 1386 — 1er janvier 1397 ; *Coll.* 86.
4. *Ibid.*, fol. 355 v° et 396 v°.
5. 13 août 1403 — 5 avril 1407 ; *Coll.* 91.
6. 25 mars 1384 — 26 février 1387 ; *Coll.* 122.
7. 6 juin 1382 — 1398 ; *Coll.* 85.
8. De la mort de Richard Pique, le 6 décembre 1389, à la provision de Ferri Cassinel,
le 9 janvier 1390 ; Eubel, *op. cit.*, p. 440.
9. *Coll.* 92, fol. 105 r°.
10. *Ibid.*, fol. 218 v°.
11. *Gallia christ.*, IX, col. 131-132.
12. *Coll.* 192, fol. 219 r°.
13. *Intr. ex.* 375, fol. 16 v°.

avait été pourvu de l'évêché, et ordre était donné à Jean Martin de répondre au nouvel évêque des revenus qu'il lèverait [1]. De même les vacants de Déols furent-ils levés en 1384 par le collecteur au profit du futur abbé Hugues de Cros [2].

Le faible rendement des vacants perçus à l'occasion d'une vacance non prolongée tient essentiellement à la confusion, déjà exposée, entre vacants et dépouilles. Dans la mesure où la récolte ne survenait pas pendant la vacance, les revenus de l'année tombaient sous le coup de la réserve des dépouilles. L'existence même des vacants — mis à part les revenus casuels comme ceux des justices ecclésiastiques — était liée au rapport chronologique de la vacance du siège et de la récolte. Après deux mois de vacance du siège d'Albi [3], le sous-collecteur Pierre du Port ne put remettre à Sicard de Bourguerol que 40 francs au titre des vacants [4] ; comparé au revenu théorique de l'évêché tel que le laisse entrevoir la taxe pour les communs services, ce chiffre est dérisoire : taxé à 2 000 florins, le temporel d'Albi était donc réputé en valoir 6 000 et n'en valait certainement pas moins de 3 000 : on s'attendrait à ce que le revenu brut de deux mois fût de 500 à 1 000 florins et que le revenu net atteignît au moins quelques centaines de florins. Que l'on considère la date de la vacance, et tout s'éclaire. L'évêque est mort en mars, son successeur pourvu à la veille des premières récoltes. Les revenus échéant vers avril sont presque inexistants. C'est donc dans les greniers et dans les coffres qu'ont été saisis les revenus destinés à couvrir ces deux mois. De fait, les dépouilles de Hugues Aubert, vendues par le sous-collecteur, rapportèrent 576 francs [5], soit quatorze fois le montant des deux mois de vacance.

Grains et barriques saisis étaient cependant nécessaires à la subsistance du nouveau titulaire ; à moins de ne pourvoir au siège vacant qu'au moment de la récolte suivante, la Chambre devait donc assurer au nouvel évêque ou abbé ses provisions de bouche jusqu'à la Saint-Jean, date officielle de la récolte. Le calcul était strictement fait au prorata du temps : le siège abbatial ayant été vacant deux mois, le collecteur de Provence, qui avait levé au moment de la récolte la totalité des revenus de Saint-Victor de Marseille, fut invité, le 2 août 1405, à n'en garder que deux douzième et à livrer le reste au nouvel abbé Pierre Flament [6]. Parfois était attribuée une somme forfaitaire : 1 000 francs pour un an à l'évêque de Lavaur Guy de la Roche [7], 12 francs par jour à Conzié lors

1. *Coll.* 361, fol. 19 v°-20 v°.
2. *Coll.* 360, fol. 82 v°-83 r°.
3. De la mort de Hugues Aubert, le 11 mars 1379 (*Gallia christ.*, I, col. 28) à la provision de Dominique de Florence, le 18 mai suivant.
4. *Intr. ex.* 350, fol. 27 v°.
5. *Ibid.*, fol. 27 r°.
6. *Reg. Av.* 331, fol. 40 r°.
7. *Reg. Av.* 272, fol. 102 v°-103 v°.

de son transfert à Toulouse en 1390 [1] et 15 florins de la Chambre par jour au même, promu archevêque de Narbonne un an plus tard [2].

Cette nécessité d'assurer au nouveau prélat une subsistance décente pouvait faire perdre à la Chambre apostolique la totalité de son profit. Ainsi, ayant saisi les vacants de l'évêché de Viviers depuis la mort de Bernard d'Aigrefeuille, le sous-collecteur dut-il délivrer à l'évêque Jean de Brogny, en 1382, tout le blé, le foin et l'argent reçus du temporel de l'évêché [3].

En définitive et sauf si la vacance survenait à la veille de la récolte, que les vacants fussent levés ou non, les revenus de l'année étaient saisis et la provision du successeur devait être assurée sur ces revenus, dont il fallait en outre déduire les frais de gestion [4]. Pour que cette gestion fût efficace, un officier de la Chambre apostolique devait tout apprendre des affaires du temporel vacant, tout surveiller, tout poursuivre lui-même. En quelques semaines de vacance, le revenu était trop incertain pour que l'on appliquât à la lettre la réserve générale. Les vacances ne pouvaient être toutes prolongées, sous peine d'accroître le mouvement d'opinion hostile à la fiscalité pontificale. On renonça donc à exploiter les vacants simples.

Près de la moitié des évêchés était pourvue dans les deux jours de la vacance, les trois quarts l'étaient avant trois mois [5] : ceci, compte tenu des délais de communication et d'information, montre bien la volonté de la curie de ne point laisser les sièges vacants. On notera que, dans l'obédience romaine, la proportion était à peu près égale : 69 % dans les trois mois ; seule, la part des évêchés immédiatement pourvus est plus faible qu'à Avignon, conséquence évidente de la disposition géographique de l'obédience, d'une part, de l'incapacité du pape romain à imposer les provisions apostoliques, d'autre part.

Car c'est bien du droit de collation qu'il est question. Si le pape avignonnais procède à d'aussi rapides désignations, c'est pour ne laisser aucune place à l'élection canonique [6]. L'intérêt financier passe, ici, après l'intérêt politique.

Certains évêchés ne furent pratiquement jamais vacants. En 1382, en 1385, en 1390, en 1392, en 1395 et en 1396, le siège du

1. *Reg. Vat.* 301, fol. 110 r°.
2. *Reg. Av.* 270, fol. 31 r°.
3. *Coll.* 360, fol. 18.
4. Il est équitable de dire que la Chambre pouvait profiter quelque temps des sommes dues au nouvel évêque, car les « provisions » ne lui étaient parfois délivrées que fort tard. Pourvu le 29 octobre 1382 de l'évêché de Calahorra, Juan de Villacrescencia ne reçut qu'en 1385 les 8 000 marabotins que lui avait alloués le pape pour subsister jusqu'à la Saint-Jean 1383 ; *Coll.* 122, fol. 120 v°.
5. Voir ci-dessus, le tableau p. 298.
6. G. MOLLAT, *Les papes d'Avignon*, 9e éd., p. 535-536.

Puy fut pourvu dans la journée de sa vacance. De véritables « mouvements de fonctionnaires » affectaient l'épiscopat avignonnais, comme, d'ailleurs, l'épiscopat romain. Les mêmes causes ont eu les mêmes effets dans les deux obédiences.

Le 20 août 1381, en remplacement de Domingo de Arroyuelo [1], Juan Garcias Manrique était transféré à Burgos, Juan Rodriguez remplaçait Manrique à Siguenza, Nicola Viezma retrouvait son ancien évêché de Jaen en remplacement de son propre successeur Rodriguez, et Alvaro Martinez était promu évêque de Cuenca à la place de Viezma. Le 11 août 1382, l'évêque d'Auxerre Guillaume d'Estouteville était transféré à Lisieux en remplacement de Nicole Oresme, mort le 11 juillet ; le 17 octobre, Pierre Girard devenait évêque de Lodève à la place de Ferri Cassinel qui allait succéder à Auxerre à Guillaume d'Estouteville. L'élévation de Jean Flandrin au cardinalat, à la mi-octobre 1390, donna lieu à semblable jeu de transferts : le 17 octobre, Jean d'Armagnac allait à Auch remplacer le cardinal, Robert du Bosc remplaçait Armagnac à Mende et Géraud du Breuil, évêque d'Apt, allait à Couserans, cependant que l'archiprêtre de Roanne, Jean Fillet, était promu évêque d'Apt. Le 19 septembre 1391, Jean Roger, mort quelques jours auparavant, était remplacé à Narbonne par l'archevêque de Toulouse François de Conzié, auquel succédait à Toulouse Pierre de Saint-Martial, dont l'évêché de Carcassonne était donné en commende à Simon de Cramaud. Deux jours après la mort de Juan Armengol, l'évêché de Barcelone était donné, le 19 décembre 1408, à Francesc Blanes, évêque de Gérone ; le même jour, l'évêque d'Elne Ramon de Castella devenait évêque de Gérone, et Elne était donné en commende au patriarche de Jérusalem Francisco Ximenez [2].

La rapidité de mouvement n'est donc pas uniquement consécutive aux transferts. La mort de Jean Roger ou celle de Juan Armengol n'ouvraient qu'une vacance de quelques jours ; celle de Ferri Cassinel, le 26 mai 1390, ne laissa le siège de Reims vacant que vingt-quatre heures : le temps que, de Nîmes [3], la nouvelle de la mort parvînt au pape et que fût instrumentée la provision de Guy de Royc.

Naturellement, les permutations ne laissaient aucun des sièges vacants. Le même jour, 12 juillet 1385, Jean de Murol et Aymar de la Roche échangèrent leurs évêchés de Genève et Saint-Paul-Trois-Châteaux. De semblables permutations avaient lieu dans l'obédience romaine : le 26 janvier 1394, le collecteur de Pologne Dobrogost Nowodworsky et l'évêque Jean Kropidlo échangèrent

1. Mort vers 1380-1381 ; *Dict. d'hist. et de géogr. eccl.*, IV, col. 736-739.
2. Tous ces mouvements d'après Eubel, *Hier. cath.*, I.
3. *Gallia christiana*, IX, col. 131-132.

leurs sièges de Poznan et de Gniezno ; le 16 novembre 1401, Jacopo Palladini et Alemanno Adimari en firent autant de l'évêché de Florence et de l'archevêché de Tarente.

Les contemporains ont parfois eu le sentiment que les mouvements affectant le haut clergé n'avaient d'autre raison d'être que financière. Le correspondant avignonnais de Datini, écrivant le 7 décembre 1383, laissait entendre qu'une promotion cardinalice était imminente. Le pape nomme des cardinaux, écrivait-il, « afin que les évêchés demeurent vacants et que les revenus reviennent à la Chambre, et cela pour avoir de l'argent » [1]. Or cette promotion cardinalice du 23 décembre 1383 nous est bien connue [2]. Sur les dix cardinaux créés à cette date, deux n'étaient point évêques : Menthonay était chambellan du pape, Fétigny était conseiller de Charles VI [3]. On sut trop tard à Avignon que l'évêque de Lisbonne, créé cardinal, venait de mourir : il est difficile de penser que Clément VII espérait appliquer à la Chambre les revenus d'un évêché portugais ; en fait, c'est Urbain VI qui pourvut à la vacance. Trois des nouveaux cardinaux reçurent immédiatement leur ancien évêché en commende : Saluces, Wardlaw et le camérier « sortant » lui-même, Pierre de Cros. Maignac et Neufchâtel furent remplacés, à Paris et Toul, dès le 19 janvier, par Pierre d'Orgemont et Sabino Fiorano. L'évêché de Laon, laissé libre par la promotion de Montaigu, demeura vacant quatorze mois ; mais il était soumis à la régale du roi de France. Restait donc le seul évêché d'Avignon, théoriquement réservé à la Chambre apostolique à partir de la promotion de Faidit d'Aigrefeuille [4]. On ne saurait dire que la promotion cardinalice avait pour objet essentiel la mainmise pontificale sur les temporels épiscopaux.

Quelques années plus tard, le camérier François de Conzié pouvait bien recommander de retarder le plus possible, « en deçà du scandale », chaque provision épiscopale ou abbatiale afin de multiplier les occasions de percevoir les vacants [5], le pape ne suivit pas ce conseil. Pour être efficace, une réserve devait être prolongée, et prolonger systématiquement toutes les vacances présentait de trop graves inconvénients.

A Rome comme à Avignon — et comme à Paris, pourrions-nous dire en songeant aux minces profits de la régale [6] — la perception des vacants simples était un leurre. Incapables d'en retirer un appréciable profit, les curies y renoncèrent le plus souvent, trou-

1. R. BRUN, *Annales avignonnaises...*, loc. cit., XII, p. 48.
2. EUBEL, *op. cit.*, I, p. 27-28.
3. N. VALOIS, *La France et le Grand Schisme*, II, p. 15.
4. Voir ci-dessous, p. 310.
5. « *Quod provisio differatur, si et quando citra scandalum differi poterit, et interim fructus per collectores recipiantur* » ; *Instr. misc.* 3194, fol. 4 r°.
6. M. REY, *Les finances royales...*, p. 301.

vant d'ailleurs un très réel avantage à l'abrègement de vacances toujours susceptibles de donner à l'esprit électif une occasion de se manifester.

3. *Les vacances prolongées.* Mieux valait choisir quelques évêchés et abbayes où l'on ne courait nul risque politique ou canonique et les laisser vacants au delà de ce que justifiait la recherche d'un titulaire. La vacance était alors officialisée, une bulle de réserve parfois rédigée et des mesures édictées pour la gestion, la conservation et l'affectation du temporel.

Les administrations en commende sont à considérer à part, nous l'avons dit. Bien que la Chambre apostolique n'intervînt pas à leur propos et qu'il n'y eût pas de vacance financière, les commendes entraient dans les moyens de la politique financière. Elles étaient, d'abord, un mode de compensation pour les prélats privés de leurs revenus normaux. Les mieux pourvus étaient les cardinaux et les patriarches. Parfois, ils gardaient en commende l'évêché dont ils étaient précédemment titulaires : créé cardinal le 24 janvier 1394, l'évêque d'Osma Pedro Fernandez de Frias garda jusqu'en 1404 l'administration de l'évêché d'Osma ; Louis de Bar reçut aussitôt après son élévation à la pourpre (21 déc. 1397) la commende de l'évêché de Langres [1] dont il avait été pourvu en avril 1395. Souvent, le commendataire n'avait aucun rapport avec le diocèse : passé à l'obédience avignonnaise en octobre 1404, le cardinal Lodovico Fièschi reçut en commende, le 31 octobre, l'évêché de Carpentras [2]. Certains bénéfices se transmirent même de cardinal en cardinal : l'évêché d'Osma passa de Pedro Fernandez de Frias à Alfonso de Carillo [3], le monastère de San Lorenzo d'Aversa passa de Niccolò Brancacci à Pietro Corsini [4].

Des bénéfices mineurs étaient également concédés en commende. Le cardinal Jean de Cros tenait simultanément [5] les archidiaconés d'Agde et de Daros [6], les prieurés de Salerm, Gignac, Grézan, Galargues, Saint-Geniès et Saint-Pourçain, la prévôté de Saint-Junien et la paroisse d'Arzens. De même Miguel de Zalba garda-t-il ses anciens bénéfices en commende, alors qu'il recevait l'administration de son évêché de Pampelune [7] ; un prieuré lui fut même donné après qu'il eût reçu la pourpre [8].

Des prélats dépossédés par le Schisme reçurent également des commendes : ainsi, faute de pouvoir occuper son siège archiépis-

---

1. *Reg. Av.* 304, fol. 661 v°-663 r°.
2. *Reg. Av.* 328, fol. 63 r°-64 r° ; 331, fol. 107 v°-108 r°.
3. *Reg. Av.* 333, fol. 37 v°-38 v°.
4. *Reg. Av.* 250, fol. 312-314.
5. Selon la lettre du 23 mars 1379 ; *Coll.* 359, fol. 152-153.
6. Diocèse de Saragosse.
7. *Reg. Av.* 328, fol. 56.
8. *Reg. Av.* 331, fol. 38 v°.

copal de Toulouse, dans lequel se maintenait l'élu du chapitre, Vital de Castelmoron, Pierre Ravat reçut-il l'administration de Saint-Pons-de-Thomières [1], puis, en 1407, celle d'Avignon [2].

Le pape trouvait d'autre part dans les commendes le moyen de rémunérer services et fidélités. Pedro Zagarriga, chambellan de Benoît XIII, pourvu en 1404 de l'évêché de Lérida, conserva en commende ses prébendes et bénéfices mineurs [3]. Ce n'était pas là une légitime compensation, c'était une faveur. On voit même le notaire du pape, Lancelot de Navarre [4], déjà pourvu d'une pension de 1 500 florins d'Aragon sur le temporel de Pampelune [5], recevoir le 5 septembre 1408, le vicariat spirituel et temporel de cet évêché [6]. Avec les évêchés provençaux, dont les vacants étaient réservés à Louis II d'Anjou, on rémunéra les services des fidèles de la dynastie angevine. Lorsque l'archevêché d'Arles devint vacant à la mort de Jean de Rochechouart [7], Benoît XIII nomma administrateur le propre chancelier de la reine Marie, l'évêque d'Angers Hardouin de Bueil [8], remplacé deux ans plus tard par le notaire de la reine, l'évêque de Marseille Guillaume Le Tort [9]. Le même Hardouin de Bueil avait d'ailleurs, vingt ans auparavant [10], alors qu'il était président de la Chambre des comptes de Louis Ier d'Anjou, tenu en commende Saint-Lucien de Beauvais [11]. Accorder de telles commendes, c'était bien affecter à la rémunération de services le temporel d'un évêché ou d'une abbaye. Que l'on considérât le siège comme vacant, ou non, la commende était un moyen direct de la politique financière.

Les évêchés et monastères réservés — à proprement parler — au Saint-Siège sont ceux dont la vacance, prolongée au delà de six mois ou même d'un an, donnait lieu à la nomination de commissaires gestionnaires, généralement appelés vicaires généraux au spirituel et au temporel. Nous l'avons montré, leur nombre est faible ; il alla croissant, cependant, à mesure que se détériorait la situation politique et financière du pape avignonnais.

Dès l'abord, les monastères et prieurés apparaissent comme des exceptions parmi ces bénéfices réservés. On pouvait, en effet, donner

1. *Reg. Av.* 328, fol. 33 v⁰-34 r⁰.
2. *Ibid.*, fol. 77 v⁰-78 r⁰.
3. *Reg. Av.* 320, fol. 96 v⁰-97 r⁰.
4. Fils naturel du roi Charles III ; Eubel, *op. cit.*, I, p. 82.
5. Depuis le 16 juin 1404 ; *Reg. Av.* 308, fol. 69.
6. *Reg. Av.* 330, fol. 676.
7. 13 décembre 1398 ; *Gallia christ. noviss.*, Arles, col. 747, n⁰ 1732.
8. Novembre-décembre 1399 ; *ibid.*, col. 748, n⁰ 1736. — Sur ce personnage, voir *Dict. d'hist. et de géogr. eccl.*, X, col. 1054-1055.
9. *Gallia christ. noviss.*, Marseille, col. 381, n⁰ 626-628.
10. Il régna soixante-quatre ans sur l'évêché d'Angers, de 1374 à 1439.
11. L'abbaye était vacante par la promotion de l'abbé Foulques de Chanac à l'évêché d'Orléans (13 mars 1383 ; Eubel, *op. cit.*, I, p. 120). Hardouin de Bueil fut nommé administrateur peu après, et révoqué le 18 juillet 1384 (*Reg. Av.* 238, fol. 93 v⁰-94 r⁰), lors de l'élection de l'abbé Raoul de Roye (*ibid.*, fol. 172).

une abbaye en commende : San Lorenzo d'Aversa aux cardinaux Brancacci, puis Corsini [1], Montserrat à l'abbé de Ripoll [2], Montmajour à Faidit d'Aigrefeuille [3], puis à François de Conzié [4]. Il était plus rare que l'on prit le risque de laisser vacants de tels bénéfices : ce fut cependant le cas de l'abbaye d'Arles-sur-Tech [5] et de trois commanderies aragonaises [6]. Encore les vacants d'Arles-sur-Tech, d'abord perçus pour un an par composition avec un moine, étaient-ils à peine affermés pour la seconde année que survint la provision du nouvel abbé ; les fermiers ne payèrent que le premier des trois termes prévus [7].

Il nous faut donc, si l'on veut analyser la politique camérale, nous tourner vers les seuls évêchés, vers ceux, tout au moins, dont une vacance s'est prolongée au delà de six mois. Leur répartition selon la géographie politique permet d'expliquer la brusque augmentation du nombre des vacants dans les années qui suivirent la restitution d'obédience, cependant que les considérations politiques et canoniques expliquent l'irrégularité de cette répartition [8].

Ce qui frappe tout d'abord, c'est la régularité chronologique des réserves d'évêchés espagnols. Alternativement, de gros bénéfices ont été laissés vacants : Saragosse est taxé à 5 000 florins pour les communs services, Lérida et Siguenza, vacants ensemble, respectivement à 1 500 et 2 600, Séville à 2 600, Valencia à 5 000, Tolède à 8 000, Pampelune à 3 500 [9]. Les vacants espagnols n'étaient pas des ressources de crise, c'étaient des revenus considérés comme ordinaires, dont la répartition ménageait les trois royaumes.

L'Aragon fut frappé le premier, avec la réserve du siège de Saragosse, de la promotion de Lope Fernandez de Luna au patriarcat de Jérusalem, en 1380, jusqu'à la désignation de Garcia Fernandez de Heredia, le 7 octobre 1383 [10]. Trois ans plus tard, c'était le tour de l'évêché de Lérida, qui demeura vacant du 30 mars 1386 au 8 février 1387 [11]. Ce fut alors à la Castille, déjà atteinte par la courte vacance de Jaen [12], de payer son écot : du 21 juin 1386 au 15 juillet 1388 [13], Siguenza resta sans évêque ; laissé vacant à la mort de Pedro Gomez, le 1er juillet 1390, l'archevêché de Séville

1. *Reg. Av.* 250, fol. 312-314.
2. *Reg. Av.* 304, fol. 670.
3. *Gallia christ. noviss.*, Avignon, col. 451-452, n° 1569.
4. *Reg. Vat.* 301, fol. 136 v°-137 v°.
5. A la mort de Pons de Villeneuve, le 4 juin 1403.
6. En 1404 ; *Reg. Av.* 308, fol. 11 v°.
7. *Coll.* 160, fol. 123 v°-124 r°.
8. Voir le graphique n° 4.
9. H. HOBERG, *Taxae pro communibus serviitiis.*
10. Nous doutons, en raison de l'indifférence aragonaise, que la Chambre apostolique en ait tiré grand profit.
11. Du transfert à Barcelone de Ramon Cescales à la provision de Géraud Requesens.
12. De la mort de Nicola Viezma, le 7 mars 1383, à la provision de Rodrigo Fernandez le 4 novembre.
13. De la mort de Lope Rodriguez de Villalobos à la provision de l'évêque Guilherm.

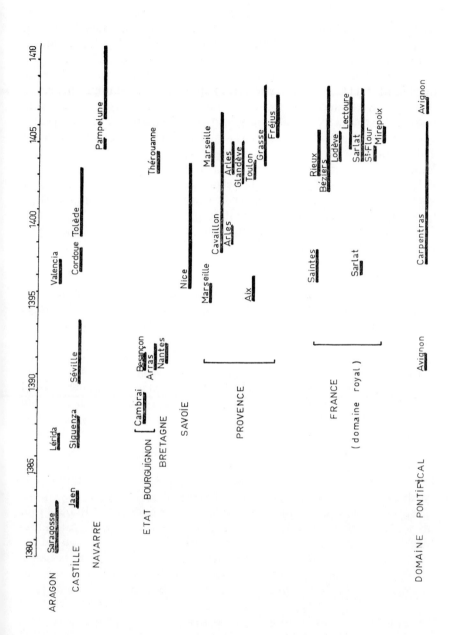

Graphique 4

Vacances prolongées dans l'obédience avignonnaise.

le demeura jusqu'à la promotion de Gonzalo de Mena y Roelas Vargas, le 28 janvier 1394. Puis c'est un évêché aragonais, Valencia, de 1396 au 28 novembre 1397 [1], en même temps que le siège andalou de Cordoue, vacant d'avril 1397 au 20 septembre 1398 [2].

Le 12 décembre 1399, le roi de Castille se retirait de l'obédience de Benoît XIII. Ce serait une erreur que de porter au compte de la politique financière les vacances constatées entre cette date et la restitution du 29 avril 1403. Séville et Plasencia, pourvus le 30 juillet 1403, avaient ainsi été deux ans sans titulaire [3]. Quant au siège de Tolède pourvu le même jour de la personne de Pedro de Luna, il était déjà vacant depuis plus de six mois lors de la soustraction [4] ; si Benoît XIII ne porte pas la responsabilité de quatre années de vacance, la volonté de réserver le temporel de Tolède au Siège apostolique est néanmoins évidente.

Délibérément réservés ou vacants par force, ces évêchés n'en furent pas moins l'objet d'une compétition financière. Les sous-collecteurs levèrent une partie des revenus, la plus faible. Celui de Séville, Fernando Garcias, fit parvenir à la Trésorerie pontificale la somme de 800 doubles d'or [5] provenant des vacants de l'archevêché pour les années 1402 et 1403 [6]. Pour l'essentiel, les revenus de ce temps de soustraction allèrent au roi. Après la restitution d'obédience, il fallut cinq ans pour régler le litige concernant les vacants, ceux de Tolède et de Séville en particulier, indûment perçus par les officiers royaux et dont l'état des finances castillanes ne permettait pas la restitution au pape. Au vrai, la reine-régente Catherine n'était nullement convaincue des droits pontificaux. Aussi transigea-t-on finalement : la reine-mère s'engagea à verser, de ses propres, 25 000 florins d'Aragon à la Chambre apostolique, et le roi à les rembourser plus tard à sa mère. Conclu en mai 1408 [7], cet accord ne put être exécuté avant l'ouverture du concile de Pise. Il a cependant l'avantage, pour nous, de faire connaître la valeur minima des vacants levés en trois ans dans le royaume de Castille.

Après l'Aragon, la Castille semble alors quitte. De 1403 à 1409, un seul évêché espagnol se trouve, par deux fois, réservé au Saint-Siège : le siège navarrais de Pampelune. A la mort de son administrateur, le cardinal Martin de Zalba, en octobre 1403, il demeura vacant ; donné en commende le 24 mai 1404 à Miguel de Zalba qui venait de recevoir la pourpre, il redevint vacant le 24 août 1406

---

1. De la mort de Jaime d'Aragon à la provision de Ugo de Lupia y Bagès ; un chanoine, Miguel de San Juan, licencié *in utroque*, fut constitué vicaire général au spirituel et au temporel ; *Reg. Av.* 301, fol. 18 v°.
2. De la mort de Juan Fernandez Pantoja à la provision de Fernando Gonzalez Deza.
3. Nous avons volontairement omis ces vacances dans notre graphique.
4. Pedro Tenorio était mort le 28 mai 1399.
5. Soit 928 florins de la Chambre 16 sous.
6. *Rev. Av.* 321, fol. 66 r°.
7. *Reg. Av.* 328, fol. 27.

quand mourut Miguel ; c'est alors un familier du pape qui fut chargé d'en lever les revenus [1] en attendant que, le 5 septembre 1408, Lancelot de Navarre en fût nommé vicaire général [2].

Est-ce une politique concertée que nous venons de discerner à travers les royaumes ibériques ? L'affirmer serait présomptueux. Ce qui est probable, c'est que l'on a cherché à ménager les rois espagnols, fournisseurs d'hommes et de galées, dont l'adhésion avait été difficile et dont l'appui était décisif. On a visiblement senti que les vacances prolongées, seul moyen de tirer profit de la réserve des vacants, étaient aussi le plus sûr chemin vers l'impopularité générale, celle qui pouvait dresser contre le pape, non seulement les clercs déjà atteints par la fiscalité, mais aussi le peuple, ulcéré parce que privé d'évêque, et les souverains, protecteurs prétendus des églises, des fidèles et de la foi. La politique camérale en matière de vacants semble avant tout inspirée par la prudence la plus grande et la plus justifiée. Celle-ci n'exclut cependant pas l'habileté : le choix fort judicieux de réserves du meilleur rapport en témoigne.

Jusqu'à la soustraction d'obédience, la France fut relativement épargnée. Sous le pontificat de Clément VII, aucune réserve n'affecta les évêchés du domaine royal ; aucune provision ne se fit attendre plus de six mois. Lorsque, en 1391, le projet d'intervention armée en Italie rendit nécessaire un renforcement de la fiscalité, la Chambre apostolique ne chercha à tirer parti que d'évêchés des domaines bourguignon — au sens large — et breton. Déjà, le siège de Cambrai avait été laissé vacant du 12 janvier 1388 au 22 décembre 1389 [3] ; mais il s'agissait alors de régler les difficiles problèmes de cette église divisée par le Schisme [4], et Clément de Grandmont, envoyé pour négocier un compromis [5], n'avait aucune mission financière ; tout au plus se vit-il attribuer, sur le temporel de l'évêché, une procuration quotidienne de 10 florins de la Chambre, payable par le chapitre [6]. Lorsqu'il avait prétendu récupérer les émoluments de la cour épiscopale, le collecteur s'était heurté au refus formel du même chapitre [7]. C'est au contraire dans un dessein fiscal que demeurèrent vacants les sièges d'Arras entre le 16 mars 1391 et le 6 septembre 1392 [8], de Besançon entre le 17 avril et le 4 décembre 1391 [9], et de Nantes entre le 13 septembre 1391 et le 19 août 1392 [10].

---

1. 1er juin 1407 ; *ibid.*, fol. 67 ro-69 ro.
2. *Reg. Av.* 330, fol. 676.
3. De la mort de Jean T'Serclaes à la provision d'André de Luxembourg.
4. J. PAQUET, *Le Schisme d'Occident à Louvain...*, dans la *Rev. d'Hist. ecclés.*, LIX, 1964, p. 401-436.
5. *Reg. Av.* 275, fol. 105 ; 277, fol. 109 vo-110 ro.
6. *Reg. Av.* 275, fol 93.
7. *Coll.* 192, fol. 219 ro.
8. De la mort de Pierre Masoyer à la provision de Jean Canard.
9. De l'élévation de Guillaume de Vergy au cardinalat à la provision de Géraud d'Athies.
10. De la mort de Jean de Monstrelet à la provision de Bonabès de Rochefort.

Au moins dans le cas d'Arras, la levée des revenus par le collecteur est attestée : Champigny perçut les émoluments de la cour épiscopale, 355 francs, dont la fabrique de la cathédrale obtint que la moitié lui fût laissée [1].

Les premières années du pontificat de Benoît XIII virent s'allonger quelques vacances de sièges du domaine royal français. Certes, la vacance de l'évêché de Saintes, du 15 novembre 1396 au 19 juin 1398 [2] eut des effets — et peut-être des causes — d'ordre financier : la Chambre apostolique perçut 905 florins, que lui transmit le collecteur Pierre Jovit [3]. Mais il est peu probable que la situation marginale du diocèse de Sarlat dans l'obédience avignonnaise ait permis à la Chambre de recevoir quelque chose lorsque fut vacant le siège épiscopal, du 21 février au 1er octobre 1397 [4].

Mais la France était nettement épargnée. A aucun moment la proportion des évêchés pourvus en moins de trois mois ne fut inférieure aux trois quart des cas de provision pontificale. En face de la réserve constante d'un ou deux riches évêchés espagnols, la vacance des évêchés français apparaît, jusqu'à la soustraction d'obédience, comme le simple délai nécessaire à certaines provisions. Les gens de la Chambre pouvaient en tirer plus largement profit, ils le savaient ils y songeaient même, ainsi que le prouve la recommandation de Conzié déjà citée. La curie n'osa pas.

Le cas d'Avignon est particulier. De la promotion de Faidit d'Aigrefeuille au cardinalat, le 23 décembre 1383, à la provision de Gilles Bellemère comme évêque d'Avignon, le 19 août 1392, le diocèse fut ballotté au gré de la curie. Certes, la présence du pape et de maint évêque suffisait à assurer la vie religieuse, l'administration des sacrements et le ministère doctrinal ; quant aux administrateurs ou vicaires, ils n'éprouvaient aucune difficulté pour résider à la fois dans leur diocèse et à la curie.

Dès le 24 décembre 1383, Faidit d'Aigrefeuille recevait l'administration de son ancien diocèse, cependant que le nouveau camérier François de Conzié était désigné comme vicaire général au spirituel et au temporel [5]. Qui avait les profits ? L'Eglise ou le cardinal administrateur ? Il apparaît que la Chambre apostolique recourait déjà au temporel de l'église d'Avignon alors que Faidit d'Aigrefeuille en était encore évêque : le 30 mai 1383, Clément VII, assignant à Jean de la Grange le remboursement de divers prêts, lui faisait remise du montant de la ferme, prise [6] par ledit cardinal en 1381, des revenus de localités du Comtat venaissin appartenant à

1. *Coll.* 194, fol. 283 r°.
2. Du transfert d'Helie de Lestranges au Puy à la provision de Bernard Chevenon.
3. *Intr. ex.* 375, fol. 13 v°.
4. De la mort de Gaillard de Palayrac à la provision de Raymond de Bretenoux.
5. *Reg. Av.* 238, fol. 188 v°-189 v° ; *Gallia christ. noviss.*, Avignon, col. 453-457, et not. n° 1578 et 1591.
6. Pour 16 902 florins de la Chambre 16 sous.

l'Eglise ou à l'évêché d'Avignon [1]. Cependant, les revenus du temporel allaient bien, en théorie, au seul administrateur ; les sommes distraites étaient portées à son crédit par la Chambre. C'est ainsi que Simon de Cramaud, ayant honoré l'assignation faite par la Chambre au cardinal Jean de Murol sur les revenus de la claverie de Saint-Remy, qui appartenait à l'évêché d'Avignon, en fut indemnisé par l'assignation des mêmes revenus après la révocation de sa commende [2]. De même Gilles Bellemère reçut-il une pension sur la Trésorerie en compensation des revenus de la châtellenie de Noves appartenant à son église d'Avignon, revenus qui, au temps de la vacance, avaient été assignés au cardinal de Pietramala ; or cette assignation avait elle-même été faite en compensation de l'engagement par la Chambre apostolique à Raymond de Turenne du château de Pertuis, lequel appartenait à l'abbaye de Montmajour dont le cardinal avait la commende [3]. On le voit, la commende d'un bénéfice ne privait pas la Chambre apostolique d'en utiliser éventuellement les ressources ; mais la Chambre devenait alors débitrice du commendataire.

Simon de Cramaud, transféré de l'évêché de Poitiers au patriarcat peu rénumérateur d'Alexandrie, avait nommé administrateur d'Avignon le 17 mars 1391 [4]. Le 19 septembre suivant, sa révocation et la nomination d'un vicaire général — encore une fois Conzié — clarifièrent la situation [5]. Il semble donc bien que le vicariat de Conzié ait cessé au temps de l'administration de Cramaud, sinon antérieurement. La juridiction du camérier sur la curie et le domaine temporel du Saint-Siège lui permettait d'assumer en fait l'administration du diocèse d'Avignon, mais les revenus allaient à l'administrateur commendataire. Ce n'est qu'à partir du 19 septembre 1391 qu'ils furent réservés au Saint-Siège.

Le 19 août 1392, Avignon recevait enfin un évêque : Gilles Bellemère, précédemment auditeur du Sacré Palais [6]. Il allait occuper le siège jusqu'à sa mort, en mars 1407, date à laquelle tous ses bénéfices furent réservés au Siège apostolique [7]. De nouveau, l'évêché d'Avignon, vacant, fut pourvu d'un vicaire général au spirituel et au temporel, Bernard d'Estruch, abbé de Bañolas et conseiller de la Chambre apostolique [8] ; le collecteur de Provence fut chargé de percevoir les revenus [9]. Les revenus de l'évêché n'alimentèrent cependant la Trésorerie que fort peu de temps :

1. *Reg. Av.* 233, fol. 96 r° 98 r° et 130 v°-131 r°.
2. Par bulle du 28 octobre 1391 ; *Reg. Vat.* 301, fol. 144 r°-145 r°.
3. *Reg. Av.* 274, fol. 14 v°-15 v° et 42 v°-43 v°.
4. *Gallia christ. noviss.*, Avignon, col. 459-460, n° 1600.
5. *Reg. Vat.* 301, fol. 135-136.
6. *Gallia christ. noviss.*, Avignon, col. 465-467, n° 1612.
7. *Reg. Av.* 328, fol. 57 et 59 v°-60 r°.
8. 30 mars 1407 ; *ibid.*, fol. 60 r°-61 r°.
9. *Ibid.*, fol. 57.

dès le 1er octobre 1407, Pierre Ravat recevait la commende d'Avignon[1] en compensation de l'archevêché de Toulouse dont il était évincé par le clergé et les officiers royaux[2].

De l'ouverture du Schisme à la provision de Pierre de Thury, le 16 septembre 1409, le diocèse d'Avignon avait été pendant onze ans *pastore carens* : onze ans pendant lesquels des administrateurs — Aigrefeuille, Cramaud, Ravat — n'avaient fait qu'en percevoir les revenus. Seule, la présence constante du camérier ou de son lieutenant avait assuré une gestion normale des affaires diocésaines[3].

On peut donc affirmer, que sous le pontificat de Clément VII, les réserves prolongées ont été exceptionnelles : quelques évêchés — un à la fois le plus souvent — en Espagne, quelques sièges français extérieurs au domaine royal, Avignon enfin. La papauté n'ignorait aucun des risques que lui eût fait courir une politique systématique d'exploitation des vacants. Il était impossible d'utiliser efficacement les vacances simples, impossible de recourir sur une large échelle à la prolongation des vacances.

En assignant, à la fin de son pontificat, les revenus des vacants provençaux au roi Louis II, Clément VII donna l'impulsion à une nouvelle politique, surtout développée au lendemain de la restitution d'obédience de 1402. Pour accélérer les paiements à l'Angevin, les sièges provençaux furent délibérément laissés vacants. Dès octobre 1395 et pour un an, ce furent Aix[4] et Marseille[5]. A la mort de Jean de Rochechouart, le 13 décembre 1398, ce fut Arles, qui demeura réservé au Saint-Siège jusqu'à la commende donnée à Hardouin de Bueil, et le fut à nouveau en 1403-1404 sous les vicariats de l'abbé d'Aniane et de l'évêque de Bolsino[6], jusqu'à la provision de l'archevêque Artaud de Mélan, le 17 décembre 1404.

L'évêché d'Avignon étant pourvu, c'est celui de Carpentras que le pape se réserva en transférant Pierre Laplotte à Saint-Pons-de-Thomières le 5 novembre 1397. Jusqu'à la commende concédée le 31 octobre 1406 au cardinal Fieschi, l'évêché fut vacant et les revenus levés pour le compte de la Chambre par des vicaires généraux[7].

---

1. *Ibid.*, fol. 77 v°-78 r°.
2. Ravat ne put jamais prendre possession de son archevêché. Il fut créé cardinal par Benoit XIII le 20 septembre 1408. Elu avec l'approbation royale, Castelmoron fut en définitive confirmé par Alexandre V.
3. Voir ci-dessus, chapitre 1er.
4. Jean d'Agout mourut sans doute le 6 octobre 1395 (*Gallia christ. noviss.*, Aix, col. 94, note 5) et non en 1394 comme l'indique le *Gallia christiana* (I, col. 325). Thomas de Puppio fut pourvu de l'archevêché d'Aix le 22 décembre 1396. En novembre 1396 le trésorier du Comtat versa à la Trésorerie pontificale 640 florins qu'il avait reçus des vacants et que la Chambre dépensa pour le compte du roi Louis II ; *Intr. ex.* 374, fol. 7 v°-8 r°.
5. Aymar de la Voulte mourut en octobre 1395 (*Gallia christ. noviss.*, Marseille, col. 379), et non en 1396 (EUBEL, *op. cit.*, I, p. 345). Guillaume Le Tort fut pourvu le 25 octobre 1396 (*Gallia christ. noviss.*, col. 381-382).
6. *Gallia christ. noviss.*, Arles, col. 751-753 ; sur le transfert du siège de Muro à Bolsino, voir la note de EUBEL, *op. cit.*, p. 352.
7. Leur valeur atteignait environ 500 florins par an ; *Reg. Av.* 321, fol. 26 v°, 76 v° et 90 v°.

Dans le domaine du comte de Savoie, l'évêché de Nice était en fait vacant depuis que, le 17 septembre 1396, Benoît XIII en avait constitué Jacques Isnard vicaire général au spirituel pour remplacer l'évêque Jean de Tournefort, écarté de son siège [1]. Le temporel fut géré par le collecteur de Provence et son sous-collecteur, mais seulement à compter de la mort de Tournefort, survenue vers 1403 [2].

Aussitôt après les restitutions d'obédience, les vacances se multiplièrent en Provence au bénéfice du roi Louis II : Cavaillon, déjà vacant en 1398 [3], fut réservé jusqu'au 26 juillet 1409 [4], Glandève le fut du 9 mars 1402 [5] au 17 décembre 1404 [6], Toulon du 4 septembre 1402 au 2 avril 1403 [7], Grasse de mai 1403 [8] au 22 juin 1408 [9], Marseille de nouveau du 15 novembre 1403 [10] au 17 décembre 1404 [11], Fréjus, enfin, du 13 avril 1405 à la fin de 1407 et au début de 1408 [12]. De telles réserves étaient fructueuses : à Glandève 875 florins, à Grasse 480 florins, à Fréjus 535 florins demeurèrent, une fois supportés les frais d'administration, dans la caisse du collecteur [13], qui les assigna aux gens de Louis II. Ceux-ci avaient probablement levé de leur côté certains revenus, de même qu'ils percevaient directement les revenus de Toulon.

De ces vacants, en effet, rien n'alimentait la Trésorerie pontificale [14]. Or celle-ci était en difficulté. Le 30 décembre 1403, Benoît XIII avait assigné au duc d'Orléans, à concurrence de 50 000 francs, la moitié de toutes les recettes fiscales provenant des arrérages antérieurs à l'an X du pontificat [15], c'est-à-dire à l'année fiscale en cours. La Chambre apostolique était privée de la moitié de ses recettes jusqu'en novembre 1404 et, compte tenu du retard constant avec lequel étaient perçus les impôts, il fallait attendre plusieurs années avant que fût comblé ce trou budgétaire.

1. *Reg. Av.* 300, fol. 202.
2. Ordre fut donné à Simon de Prades, le 10 octobre 1403, de saisir ses dépouilles et de lever les vacants ; *Reg. Av.* 307, fol. 53 r°-54 r°.
3. Mort de l'évêque de Nicosie, administrateur de Cavaillon ; *Gallia christ.*, I, col. 951.
4. Provision du dominicain Guillaume.
5. La vacance ayant duré deux ans neuf mois et huit jours (*Coll.* 23, fol. 273 r°), la mort de Jean Vaquier peut être datée du 9 mars 1402.
6. EUBEL, *op. cit.*, I, p. 274.
7. De la mort de Pierre de Marville à la provision de Jean de Gimbrois (*Gallia christ. noviss.*, Toulon, col. 270, n° 535).
8. Le compte de mai 1406 fait état d'une vacance déjà ancienne de trois ans (*Coll.* 23, fol. 274 v°), ce qui place la mort de Pierre Bonnet vers mai 1403.
9. Provision de Bernard de Paule ; EUBEL, *op. cit.*, I, p. 278.
10. Mort de Guillaume Le Tort (*Gallia christ. noviss.*, Marseille, col. 395) ; Eubel indique la date du 5 novembre 1404 (*op. cit.*, I, p. 345).
11. Provision de Paul de Sade.
12. De la mort de Louis de Bolhiac à la provision de Gilles Lejeune.
13. *Coll.* 23, fol. 274-277.
14. Seuls les clavaires des temporels de Marseille et d'Arles firent de minimes versements (240 et 210 florins) à la Trésorerie ou pour le compte de la Chambre apostolique ; *Reg. Av.* 321, fol. 12 v°, 14 v°, 26 v° et 43 v°.
15. *Reg. Av.* 308, fol. 75.

Réserver au Saint-Siège un certain nombre d'évêchés était le dernier recours. On en savait les dangers, dès lors que le pouvoir laïc n'était pas intéressé — ainsi que le roi Louis II dans son comté de Provence — aux profits des réserves. Mais la Chambre n'avait plus le choix des moyens.

Il est à noter que l'Aragon, toujours fidèle à Benoît XIII fut épargné ; de même les évêchés du Nord de la France, où la régale eût détourné vers les coffres royaux le produit des temporels vacants [1]. Depuis le 15 février 1403 [2], l'évêché « bourguignon» de Thérouanne était réservé ; ses revenus furent levés jusqu'à la provision de Mathieu de Bapaume, le 19 juillet 1404, par le collecteur Julien de Dole qui transmit à la Chambre apostolique, à la fin de 1404, une somme de 600 écus [3]. Mais c'est surtout dans les pays de Langue d'Oc que furent laissés vacants des sièges épiscopaux : Béziers du 22 juin 1402 [4] au 10 mars 1408 [5], Rieux jusqu'au 18 septembre 1405 [6], Lodève à partir de janvier 1404 au plus tard [7] et jusqu'au 20 novembre 1405 [8], Sarlat du 24 janvier 1404 au 27 février 1408 [9], Saint-Flour du 16 janvier au 17 décembre 1404 [10], Lectoure de 1404 [11] au 28 novembre 1407 [12], Mirepoix du 9 février au 18 septembre 1405 [13], Condom enfin, du 11 octobre 1405 au 10 mars 1408 [14].

Les vacants furent directement gérés par les collecteurs. Le collecteur de Bordeaux dut verser au cellerier de l'église de Sarlat la provision de vin qui lui devait l'évêque : la récolte de la mense épiscopale avait été intégralement saisie par le collecteur [15]. Les

---

1. Il y a un cas douteux, celui du Puy. Pour les vacants de cet évêché, en effet, le collecteur Guillaume Mayet versa 500 écus le 6 novembre 1404 (*Reg. Av.* 321, fol. 25 r°). Or le dernier changement ayant affecté le siège du Puy remontait au 15 novembre 1396, date du transfert à Cambrai de Pierre d'Ailly et de son remplacement par Hélie de Lestranges : il n'y avait pas eu vacance. D'autre part, l'évêché du Puy semble bien avoir été soumis à la régale temporelle. Rendant compte de sa gestion jusqu'en 1398, le prédécesseur de Mayet, Pons de Cros, ne faisait état d'aucun vacant, mais seulement des dépouilles de l'évêque Bertrand de la Tour d'Auvergne (*Coll.* 85, fol. 109 v°). Il faut probablement penser que ces vacants étaient ceux, non de l'évêché, mais d'une abbaye ou de bénéfices non pontificaux.
2. Mort de Jean Tabari ; *Gallia christ.*, X, col. 1563.
3. *Instr. misc.* 3813.
4. Mort de Barthélemy de Montcalve (*Coll.* 72, fol. 276, et *Dict. d'hist. et de géogr. ecclés.*, VIII, col. 1356) ; Eubel indique la date du 22 juillet). Les vacants ne furent levés qu'à compter du 23 mai 1403, en raison de la soustraction d'obédience.
5. Provision de Bertrand de Maumont.
6. Provision de Pierre de Lévis ; la date de la mort de l'évêque Thomas est incertaine.
7. *Reg. Av.* 320, fol. 93 v°-94 r°.
8. Provision de Guillaume du Lac ; voir ci-dessus, p. 73, note 3,
9. Du transfert de Raymond de Bretenoux à Périgueux à la provision de Jean Lamy.
10. Du transfert de Hugues de Maignac à Limoges à la provision de Géraud du Puy.
11. Gams indique que Raymond de Cambavelha était mort avant le 9 octobre 1405, mais il est assuré que l'évêché était déjà vacant en 1404 ; *Reg. Av.* 325, fol. 568-570.
12. Provision d'Arnaud de Peyrat.
13. Du transfert de Bertrand de Maumont à Lavaur à la provision de Guillaume du Puy.
14. De la mort de Hugues Raimbaud à la provision d'Aimery Noël.
15. Lettre du 11 avril 1408 ; *Reg. Av.* 331, fol. 154 v°-155 r°.

revenus de Béziers furent perçus par le collecteur Jean Martin, contrôlant la gestion du trésorier de l'église de Béziers, Jean Langlois [1] ; c'est Martin qui rendait compte à la Chambre [2] et en recevait quittance [3].

Pour obéré qu'il fût par les dépenses d'administration, le revenu des évêchés n'était pas négligeable dans la mesure où les vacances étaient prolongées : en cinq ans, le revenant-bon du temporel de Béziers atteignit presque 11 000 livres tournois ; plus modestes, celui de Lectoure rapporta 1 861 livres en deux ans et celui de Condom 591 livres en deux ans et demi [4].

La réserve des temporels avait aussi un autre effet, plus immédiatement fructueux que la levée des revenus vacants : procurer à la papauté avignonnaise les gages immobiliers nécessaires à son crédit, gages que la papauté romaine trouvait plus facilement dans les états pontificaux. A Marco et Luca di Grimaldi, pour un prêt de 1 000 florins courant, Clément VII engagea, le 9 novembre 1391, le château d'Antibes, appartenant alors au Saint-Siège par la vacance de l'évêché de Grasse [5] ; l'avantage était considérable pour la Chambre apostolique, car les revenus du gage constituaient les intérêts du prêt. Le 9 mai suivant, le pape engageait aux mêmes condition une partie des temporels de l'évêché d'Avignon et de l'abbaye de Montmajour à Raymond de Turenne pour 20 000 francs restant à lui payer sur les 50 000 stipulés par le traité de paix [6]. Au vrai, la Chambre s'embarrassait assez peu de savoir si le temporel était encore vacant pour longtemps : l'essentiel était qu'elle pût en disposer sur le champ. La provision d'un évêque ou abbé ne révoquait pas le gage, elle donnait simplement lieu à compensation, à composition, voire à une renonciation tacite du nouveau promu sur les biens engagés. De ces compensations, un bon exemple est fourni par l'engagement à Turenne des biens immobiliers appartenant à la mense abbatiale de Montmajour. Au cardinal de Pietramala, qui avait alors l'abbaye en commende, on assigna en compensation les revenus de la châtellenie de Noves, qui était du temporel d'Avignon. Le transfert de Gilles Bellemère à l'évêché d'Avignon conduisit la Chambre à lui assigner, en échange et pour le temps de l'assignation de Noves au cardinal, une rente annuelle de 200 florins courant sur la Trésorerie [7]. De même l'obligation au maréchal Boucicaut, le 3 février 1408, de notables parties du temporel

1. *Instr. misc.* 3758.
2. *Coll.* 73, fol. 276-278.
3. 10 juin 1407 ; *Reg. Av.* 326, fol. 23 v°-25 v°.
4. *Reg. Av.* 325, fol. 568-570.
5. *Reg. Av.* 270, fol. 15-16.
6. *Ibid.*, fol. 53 r°-54 r°, voir ci-dessous, p. 636.
7. 1er mars 1394 ; *Reg. Av.* 274, fol. 14 v°-15 v° et 42 v°-43 v°.

d'Avignon [1] donna sans doute droit à des compensations à Pierre Ravat qui en avait la commende depuis le 1er octobre 1407.

La réserve générale des vacants n'atteignait donc, en définitive, qu'une faible part des prélatures, toutes visées cependant par les bulles du 30 octobre 1384 [2]. Il avait fallu la crise financière de 1404 pour que l'on s'en prît à des évêchés français. Or, le 6 du même mois d'octobre 1384, une série de bulles avait réservé deux bénéfices non pontificaux de chaque diocèse, que devait choisir le camérier parmi les bénéfices à la collation du Saint-Siège [3]. Toutes les provinces de l'obédience avignonnaise étaient visées, même celles du domaine royal français, même celle de Trèves... C'est aux collecteurs, chargés d'ailleurs de la gestion de ces vacants, qu'il appartenait de les désigner au camérier [4].

Comment ces dispositions furent-elles appliquées ? La volonté de réserver des bénéfices mineurs est attestée. La note déjà citée précise : « Que le pape se réserve un bénéfice dans chaque diocèse » [5]. Diminution des prétentions, ou note antérieure au 6 octobre 1384 ? Nous ne pouvons le dire. En réalité, la réserve des bénéfices mineurs demeura inopérante. Aucun collecteur [6] n'en rend raison dans ses comptes. Aucun différend, aucune assignation ne témoignent d'un début d'exécution. Si quelques bénéfices devenus vacants à partir de 1398 demeurèrent vacants jusqu'en 1403 ou 1404 et furent gérés pour le compte du pape, c'est que la captivité réduisait Benoît XIII à l'impuissance, cependant que la fidélité aragonaise ne se démentait pas à son endroit : Jean de Rivesaltes, collecteur d'Elne, perçut les revenus des bénéfices dont la collation revenait au Saint-Siège : l'hebdomaderie d'un chapelain d'honneur du pape, qui rapporta 43 florins, et la chapellenie d'un autre, qui en rapporta 108 [7].

Les seuls bénéfices mineurs laissés délibérément vacants furent ceux que tenait Pedro de Luna avant de recevoir la tiare. Il les conserva, confiant leur gestion à son ancien « chambellan et procureur général », promu clerc de la Chambre, Frances Climent de Zapera [8], puis au marchand barcelonais Guilherm de Fenolhet, procureur spécial du pape [9], chargé de superviser l'action et de centraliser les recettes des divers procureurs, Pierre Comoll, chanoine de Valence et familier du pape [10], Diego Ramirez de Guzman,

1. *Reg. Av.* 328, fol. 75-76.
2. *Reg. Av.* 242, fol. 8 v°-9 r°.
3. *Instr. misc.* 3157 et 3158 ; *Reg. Av.* 242, fol. 5.
4. *Instr. misc.* 3780.
5. *Instr. misc.* 3194, fol. 4 v°.
6. Sauf dans le diocèse de Séville, où furent levés à ce titre 58 florins ; *Reg. Av.* 321, fol. 66 r°.
7. *Coll.* 160, fol. 122 v°-123 r°.
8. *Reg. Av.* 304, fol. 650-651.
9. *Reg. Av.* 308, fol. 17 v°-19 r° ; 331, fol. 121 r°-122 r°.
10. *Reg. Av.* 307, fol. 54 v°-55 r°.

archidiacre de Tolède et chambellan du pape [1], et quelques autres. Sur ces bénéfices furent gagés divers emprunts que Francesc Blanes, Juan Lobera, Domingo Rami et Guilherm Carbonel allèrent contracter en Aragon [2].

Un sort particulier doit être fait aux bénéfices tenus en commende par les cardinaux et laissés vacants après leur mort afin que les revenus en fussent appliqués à l'exécution testamentaire desdits cardinaux. Il n'y avait là, théoriquement, nul profit pour la Chambre apostolique : c'est à Pierre de Cros que furent versés les revenus des canonicats et prébendes de son frère Jean, réservés pendant un an à compter de la mort de celui-ci [3] ; c'est aux exécuteurs testamentaires du cardinal Corsini que fut versé le revenu d'un prieuré tenu par ce cardinal et réservé pendant un an, lui aussi [4]. Mais la Chambre s'inscrivait souvent parmi les premiers créanciers d'un prélat et nous avons vu qu'elle pouvait en outre se voir amenée à secourir l'exécution testamentaire d'un cardinal. Il était donc de son intérêt que fût facilitée cette exécution, nous l'avons déjà dit. Bien plus, la perspective d'une telle ressource posthume était de nature à permettre à un cardinal de s'endetter ; il arrivait qu'il le fît dans l'intérêt politique ou financier de la papauté. Ainsi Jean de la Grange, gros créancier de la Chambre apostolique et non moins gros débiteur des marchands avignonnais [5], reçut-il de son vivant l'assurance que les revenus de ses bénéfices seraient affectés durant un an après sa mort à l'extinction de ses propres dettes [6]. La Chambre apostolique mettait donc son créancier à l'aise ; il est même permis de penser que la bulle lui accordant cette faveur posthume était de nature à consolider le crédit du cardinal auprès des banquiers. En définitive, la Chambre était gagnante. D'ailleurs, lorsque le cardinal mourait en laissant au contraire des dettes fiscales envers la Chambre, c'est en faveur de celle-ci qu'était faite la réserve des bénéfices : ainsi furent réservées pour trois ans à compter de sa mort les pensions que Faidit d'Aigrefeuille percevait sur ses anciens bénéfices tourangeaux [7].

Il n'y avait donc, en règle générale, de vacants qu'épiscopaux. Or la prolongation des vacances épiscopales était préjudiciable à la vie religieuse, et les protestations parvenaient jusqu'à la curie. Aussi, au moment où s'amplifiait la politique de réserves, fit-on l'essai d'un nouveau système qui sauvegardait les intérêts spirituels du diocèse sans priver, comme le faisait la commende, la Chambre apostolique de la totalité des revenus. Dans quatre des diocèses

1. *Reg. Av.* 308, fol. 68.
2. Voir ci-dessous, p. 544-545, 586 et 665.
3. *Coll.* 360, fol. 79 v°-80 r°.
4. *Reg. Av.* 326, fol. 14 v°-15 r°.
5. Voir ci-dessous, p. 564-565.
6. Bulle du 23 août 1383 ; *Reg. Av.* 233, fol. 105.
7. *Reg. Vat.* 301, fol. 149 v°-150 v°.

le plus longtemps réservés, furent envoyés en 1404 trois évêques
que nous serions tenté d'appeler *in partibus*. A Arles, ce fut Antonio,
évêque de Bolsino [1], dont le diocèse n'existait que dans l'imagination de Clément VII et de son successeur [2] ; à Carpentras [3] puis à
Fréjus [4], ce fut Tommaso, évêque de Minori ; à Béziers, ce fut Guglielmo Simonelli, évêque de Vieste [5]. L'administration du diocèse
leur était confiée au spirituel : ils allaient « y exercer les fonctions
épiscopales » et juger les appels de l'official comme en leur diocèse
propre. Mais c'est à la Chambre apostolique que revenaient les
profits de la réserve, cependant que le vicaire ou administrateur
au spirituel ne percevait que des « provisions » : le nécessaire en
vivres pour lui et deux serviteurs, et 100 florins courants par an [6].
L'avantage, pour la Chambre, est évident : elle payait, pour remplacer l'évêque et faire cesser le mécontentement, un salarié à
bas salaire. C'étaient en effet de pauvres gens que ces évêques
sans évêché, sans qualification politique ou administrative, qui
traînaient à la curie le désœuvrement forcé auquel les contraignait
une prise de position anti-urbaniste. De plus habiles trouvaient
rapidement dans l'obédience d'Avignon un emploi, un évêché
et des revenus. L'évêque de Minori, lui, n'avait pas même un
pontifical et dut solliciter de la Chambre apostolique une « subvention » de 10 florins pour l'achat de ce livre sans lequel il ne pouvait
exercer les fonctions liturgiques à Carpentras [7].

Les gens de la Chambre avaient-ils réussi l'opération financière ?
Il n'y paraît pas. Le système des administrateurs au spirituel fut
rapidement abandonné. Il laissait en effet à la Chambre l'incertitude des revenus, le soin de la gestion, la charge de l'entretien
des hommes et des lieux. Pour concilier les intérêts des âmes et
de la Trésorerie pontificale, on avait trouvé autre chose : attribuer
le revenu fixe à la Chambre et l'incertain au desservant.

La Chambre pouvait en effet se réserver une part du temporel
d'évêchés ou de monastères qui n'étaient point vacants. On a vu
que la provision du siège d'Avignon n'empêchait pas d'engager
au bénéfice du pape telle ou telle partie du temporel de cet évêché.

---

1. 2 juillet 1403 ; *Gallia christ. noviss.*, Arles, col. 752-753, n° 1754-1756.
2. Le siège de Muro, dans la province de Conza, avait été tranféré par Clément VII
à Bolsino, mais l'évêque urbaniste, qui occupait le diocèse, continuait de résider à Muro ;
Eubel, *op. cit.*, p. 369.
3. 19 mars 1404 ; *Coll.* 372, fol. 134 v°-135 r°.
4. Le collecteur Simon de Prades versa en effet, à Fréjus, 114 florins à l'évêque de
Minori *ibidem desservienti* ; *Coll*, 23, fol. 277 r°.
5. 18 et 20 juin 1404 ; *Coll.* 372, fol. 134 v°-135 r°.
6. La première lettre — cancellée le surlendemain — accordait à Simonelli six saumées
de froment à la mesure d'Avignon, quatre vase de Saint-Gilles pleins de vin, et 100
florins (*Coll.* 372, fol. 134 v°-135 r°). La seconde lettre, du 20 juin, laissa les « provisions »
dans l'imprécision (*ibid.*, fol. 135 r°), de même que l'assignation à l'évêque de Bolsino
(*ibid.*, fol, 132).
7. *Coll.* 372, fol. 134 v°.

Plus directe encore fut la réserve au Saint-Siège d'une part des revenus d'une église. Dès le 19 août 1396, la commende de Montserrat à l'abbé de Ripoll était assortie d'une clause contraignant l'abbé à verser à la Trésorerie une rente annuelle de 2 000 florins d'Aragon [1]. C'était là, si l'on veut, un partage des vacants entre la Chambre apostolique et un commendataire. Le procédé avait le grand avantage de faire bénéficier le pape d'un revenu assuré, l'administrateur ayant les charges et un hypothétique solde créditeur. Mais l'administration spirituelle était mal garantie. Le partage des vacants fut donc écarté, sauf lorsqu'intervenait un accord entre deux curialistes déjà bien pourvus [2].

En frappant une église pourvue d'un titulaire, le pape pouvait en effet, ne faire qu'un seul mécontent. Ainsi lorsque, le 17 décembre 1404, Arles reçut enfin un archevêque en la personne d'Artaud de Mélan, une rente annuelle était-elle réservée au pape sur le temporel archiépiscopal : 400 florins courants ; pour plus de sécurité, elle fut assignée sur le péage terrestre et fluvial d'Arles et le château de la *Redorca*, à Beaucaire. Le collecteur Simon de Prades et le clerc de la Chambre Jacques Pollier furent chargés de percevoir cette rente [3]. Peu après, le 16 mars 1405, une rente perpétuelle de 1 000 florins courants fut réservée sur la mense abbatiale de l'abbaye de Montmajour, récemment pourvue d'un abbé, et la rente due à Montmajour par l'abbé de Saint-Antoine-de-Viennois fut spécialement obligée pour le paiement de la rente réservée au pape [4]. Mais il est à noter que les gens de la Chambre étaient frappés les premiers, à titre personnel : dès le 21 novembre 1403, une rente de 1 000 francs avait été réservée sur le temporel de Lescar lors de la provision de Pedro Adimari [5] ; elle fut, par la suite, assignée à Pierre, fils du comte Archambaud de Foix [6], lequel Pierre, pour Franciscain qu'il fût, avait besoin de « soutenir son état » [7].

Conclusion. L'évolution était achevée. Dans son effort pour tirer parti des églises et bénéfices vacants, la Chambre apostolique avait essayé, avec un inégal succès, toutes les combinaisons. Le droit forgé par trois générations de papes avignonnais donnait au Saint-Siège les revenus des bénéfices vacants, mais cela ne supposait pas que l'on dût laisser vacants des bénéfices

1. *Reg. Av.* 304, fol. 670.
2. Ainsi le cardinal Miguel de Zalba et le notaire du pape Lancelot de Navarre, déjà archidiacre de Calahorra et sacriste de Vich : le 16 juin 1404, une rente de 1500 florins d'Aragon était assignée au protonotaire sur le temporel de l'évêché de Pampelune dont le cardinal venait de recevoir la commende ; *Reg. Av.* 308, fol. 69 v°-70 v°.
3. 1er février 1404 ; *Reg. Av.* 317, fol. 28 r° et 62 r°.
4. *Reg. Av.* 328, fol. 46.
5. *Ibid.*, fol. 44 v°.
6. *Ibid.*, fol. 18 r°-19 r°.
7. *Reg. Av.* 319, fol. 34.

à cette seule fin. Pourtant, dès les premières tentatives de Conzié pour faire effectivement rentrer le revenu des vacants, s'imposa cette évidence que seuls étaient rémunérateurs les bénéfices dont la vacance était intentionnellement prolongée. En renonçant dans la pratique à percevoir ce que nous avons appelé les vacants simples, on avérait l'inanité du droit. Comme à propos des communs services, on tombait de la fiscalité juridique dans la pratique abusive, non réglementée, illimitée, source de profits à court terme et de haines tenaces.

Il fallait au moins limiter les risques politiques. A toutes les étapes de cette politique d'exploitation de quelques vacances prolongées, nous avons trouvé la conjonction de deux critères : choix des bénéfices les plus rémunérateurs, prudence devant le monde laïc.

Le souci de ménager les intérêts spirituels apparut en dernier. La désignation de vicaires spirituels fut, dans l'ordre financier, un échec. On se tourna alors vers la solution la plus éloignée du droit, le plus net aveu de l'inutilité de ce droit : le partage des revenus avec les titulaires d'églises régulièrement pourvues. On en arrivait à un accroissement de la charge fiscale. De la réserve, on était tombé dans l'imposition.

Ce qui eût été tolérable, si la Chambre apostolique avait appliqué le droit qu'elle définissait, était intolérable lorsque s'additionnaient des charges qui devaient s'exclure. La fiscalité s'apparentait alors au pillage. Nous en donnerons, pour terminer, un exemple : l'évêché de Lescar était taxé à 300 florins pour ses communs services, donc à 150 florins au profit de la Chambre apostolique ; le revenu brut annuel ne saurait donc avoir dépassé le millier de florins ; or, non seulement Pedro Adimari et son successeur Jean d'Alzen durent en moins de six semaines acquitter chacun la totalité de leurs communs services [1], ce qui représentait le revenant-bon d'environ deux années, mais leur temporel était chargé d'une rente annuelle et perpétuelle équivalente au revenu brut maximum, charges non déduites ! Il est aisé de comprendre qu'Adimari ait profité de sa situation de lieutenant du camérier pour changer d'évêché, et que la Chambre ait dû procéder contre Alzen — probablement en vain — pour l'obliger à payer cette rente [2].

Ne considérant que ses besoins, la Chambre apostolique fit porter sur les réserves fiscales les efforts occasionnels que nécessitaient les entreprises politiques de la papauté avignonnaise. Devenues permanentes, les impositions fiscales n'étaient plus susceptibles de répondre à un brusque accroissement des dépenses. C'est donc sur

---

1. Adimari paya le 5 décembre 1405, après son tranfert à Maguelonne, et Jean Jean d'Alzen le 15 janvier 1406 ; *Reg. Av.* 324, fol. 180 et 190 r°.
2. Bulle du 4 mai 1407 ; *Reg. Av.* 328, fol. 18 r°-19 r°.

la fiscalité casuelle, et en particulier sur les réserves, que porta l'effort d'imagination des gens de la Chambre. Mais, en ne cherchant qu'à adapter les recettes au niveau des dépenses, ils méconnurent constamment les possibilités de la masse imposable et contribuable.

Porter un jugement sur un homme dont le visage n'apparaît jamais derrière le masque de sa fonction, juger François de Conzié est impossible. Nous croyons cependant pouvoir estimer que son total dévouement à l'administration qu'il dirigeait, l'identification absolue de sa personne et de son office, furent paradoxalement l'une des causes d'échec de la politique camérale en même temps que l'un des moyens les plus efficaces de ses succès. Moins administrateur et plus politique, plus proche, par conséquent, de son prédécesseur Pierre de Cros, Conzié eût peut-être réussi à faire adapter la politique de Benoît XIII à ses revenus. En cherchant à adapter les revenus à la politique, il épuisa les ressources du clergé et le crédit de la papauté.

C. — L'OBÉDIENCE ROMAINE ET LES RÉSERVES CASUELLES

1. *Limitations.* Le fondement de la réserve des dépouilles et des vacants était le droit de collation. L'échec du pape à faire reconnaître son droit entraînait pour la Chambre apostolique l'impossibilité de percevoir les vacants et rendait bien difficile la saisie des dépouilles. Or le pape romain ne put jamais, on le sait [1], imposer sa prérogative hors de l'Italie et de l'Orient latin. En Angleterre, les efforts des collecteurs furent vains. Francesco di Capponago, envoyé en Irlande, fut contraint à prêter à l'archevêque d'York, chancelier de Richard II, le serment de ne lever aucune annate, de ne point saisir les dépouilles et de ne publier nulle bulle qu'il n'ait préalablement soumise au roi et à son conseil ; l'interdiction de faire sortir du royaume des métaux précieux était renouvelée [2] ; de la réserve des vacants, il n'était même pas question, tant leur levée était réputée impossible. Lors de toute constitution de collecteur, une bulle venait réitérer la réserve et la notifier au nouveau collecteur : mesure toute théorique, qui ne tenait nul compte des possibilités locales. Les réserves touchant l'Angleterre [3], l'Irlande [4] et la Guyenne [5] demeurèrent parfaitement vaines.

Il en allait de même en Allemagne. Les tentatives de la Chambre apostolique romaine y furent plus acharnées qu'en Angleterre, mais le seul résultat fut d'entraîner les collecteurs dans d'inter-

---

1. G. MOLLAT, *Les papes d'Avignon*, 9e éd., p. 526-536.
2. *Reg. Vat.* 314, fol. 294.
3. *Arm.* XXXIII, 12, fol. 273 v°.
4. *Ibid.*, fol. 137 r°.
5. *Ibid.*, fol, 197 v°, 211, 228 v°, 254 v°, 276 r°, 279 v° et 280 r°.

minables affaires, sans profit pour la Trésorerie. Les rares réserves
promulguées ne suffisaient pas à permettre la saisie effective des
dépouilles. A Olmütz, les familiers de l'évêque Peter Gelyt emportèrent à sa mort pour plus de 5 000 florins d'objets mobiliers [1]
que le collecteur de Bohême Ubaldino Cambi dut s'efforcer —
sans succès, semble-t-il — de récupérer.

La liberté des élections épiscopales et abbatiales contrariait la
réserve des vacants autant que la régale française ou anglaise.
Il était impossible au Siège apostolique de prolonger à son gré
une vacance rémunératrice, ce que la papauté avignonnaise ne se
privait pas de faire en refusant la *licencia eligendi*. Tout au plus
pouvait-on espérer, à Rome, tirer parti de vacances qui se prolon-
geaient pour des raisons de politique locale. Le cas de Salzbourg
donne la mesure des tentatives camérales. L'archevêque Georg
Schenk était mort le 10 mai 1403. Dès le 25, Eberhard von Neuhaus,
prévôt de l'église, était élu au siège archiépiscopal. Rome affecta
d'ignorer cette élection et, le 6 février 1404, l'évêque de Freising,
Berthold von Wachingen, était transféré par provision au siège
prétendu vacant. Le chapitre soutint son élu et c'est finalement
la curie qui céda : en janvier 1406, Wachingen retournait à Freising [2]. Pour la Chambre apostolique, le siège avait été vacant
de 1403 à 1406 [3]. Dès le 7 juin 1403, Boniface IX ordonnait au
camérier Corrado Caracciolo d'assigner sur les vacants de Salzbourg le remboursement d'un emprunt de 7 000 florins [4]. Il est
évident que les revenus du temporel n'étaient nullement sans
maître et que Neuhaus les perçut dès le mois de mai 1403. Une
Chambre apostolique puissante eût qualifié ces revenus de *male
ablati* et eût contraint l'archevêque à composer à leur sujet. La
Chambre romaine n'était pas en mesure d'exercer une telle contrainte. C'est la raison pour laquelle elle ne perçut rien des vacances
prolongées de sièges allemands, Halberstadt de 1399 à 1401 et
Magdebourg de novembre 1382 à novembre 1383, par exemple.
Au mieux, elle chercha à composer, sans jamais pouvoir imposer
ses compositions.

On pouvait espérer quelque rapport des dépouilles en faisant
pression sur le successeur du défunt, auquel la bulle d'investiture
n'était remise qu'après composition : au nouvel évêque de Paderborn, Simon von Sternberg, Urbain VI commit le soin de saisir
par autorité apostolique les dépouilles de son prédécesseur Heinrich Spiegel ; dans le même temps, il chargeait l'archevêque de
Cologne et le collecteur Siger von Neuenstein de s'enquérir de

---

1. *Reg. Vat.* 314, fol. 60.
2. EUBEL, *op. cit.*, I, p. 455.
3. Mais la Chambre s'en était fait avancer les communs services ! Voir ci-dessous,
p. 442
4. *Reg. Vat.* 320, fol. 122-123.

la valeur de ces dépouilles et de faire s'obliger ledit Simon pour le paiement d'une somme à fixer par composition [1]. De même, Zawis, élu de Cracovie, se vit-il confier le soin de récupérer les dépouilles de son prédécesseur Florian Mokrski [2]. Mais cela, c'était une des illusions des premières années du pontificat d'Urbain VI, de l'époque où ce pape réservait d'une seule bulle les dépouilles et vacants du royaume de Hongrie [3]. Il fallut vite s'avouer qu'un tel procédé était inopérant ; la Chambre apostolique cessa d'y recourir.

En Pologne, les gens de la Chambre essuyaient de semblables échecs. L'archevêque de Messine, Maffiolo Lampugnani, envoyé comme nonce pour renforcer l'action du collecteur Dobrogost Nowodworsky, tenta en 1387 d'exiger les dépouilles de l'évêque de Breslau, Preczlaw, ainsi que les revenus échus entre sa mort et la provision de Wenceslas de Silésie. Ce fut en vain : on lui objecta les frais engagés pour la défense des droits de l'église de Breslau, Wenceslas de Silésie fit appel à Urbain VI et obtint la remise du tout [4]. En 1399, nouvel essai de la Chambre apostolique, pour saisir, cette fois, les revenus de l'évêché de Wloclawek échus pendant les quatre mois de la vacance ouverte par la mort de Heinrich von Liegnitz [5]. Mais on recourut alors à un procédé juridique que nous rencontrons également à propos des communs services. On assigna sur les vaccants le remboursement du prêt de 4 100 florins consenti à la Trésorerie pontificale par Benedetto de' Bardi : dans le texte, et donc en droit, le banquier florentin avait versé cette somme à la Chambre pour le compte du nouvel évêque, Niklaus Kurowski, et de son procureur, l'écolâtre de Cracovie [6]. La prétention fiscale se muait en dette de droit commun de l'évêque envers un marchand. Deux ans plus tard, cependant, Kurowski n'avait encore rien payé [7] et les plaintes des Bardi demeuraient sans écho. Nous ignorons ce qu'il advint finalement de leur créance. Pour la Chambre, c'était une défaite,

Restait l'Italie [8]. La papauté y disposait, du moins en principe, des sièges épiscopaux et abbatiaux par son droit de confirmation ou de provision. Encore eût-il fallu, pour percevoir les vacants et saisir les dépouilles, disposer d'un puissant appareil administratif analogue à celui qui servait la cause avignonnaise : gérer ou affermer les revenus de bénéfices vacants, revendiquer, rechercher,

---

1. Bulle du 27 mai 1380 ; *Reg. Vat.* 310, fol. 37 v°-38 r°.
2. Bulle du 23 mai 1380 ; *Ibid.*, fol. 27 v°.
3. *Ibid.*, fol. 257 r°.
4. *Arm.* XXXIII, 12, fol. 95 r°-97 r°.
5. Celui-ci mourut le 11 décembre 1398. Kurowski s'obligea pour ses communs services le 26 avril 1399 ; Eubel, *op. cit.*, I, p. 534.
6. Bulle du 30 avril 1399 ; *Reg. Vat.* 316, fol. 111.
7. Bulle du 30 avril 1401 ; *Reg. Vat.* 317, fol. 112 r°-113 r°.
8. Le fait que la saisie des dépouilles de Raphaël, évêque de Famagouste, fût confiée au collecteur de Gênes nous incite à penser que l'évêque était mort en Ligurie ; bulle du 1er juillet 1395 ; *Reg. Vat.* 315, fol. 369 v°.

saisir, sequestrer et vendre les dépouilles, c'était là tâche de collecteur, d'officier stable, connaissant la région mais étranger aux intérêts locaux, efficacement secondé par une équipe de sous-collecteurs, de receveurs et de clercs. Un tel corps d'officier, nous savons que la Chambre romaine ne put jamais le constituer. Les ressorts mouvants et souvent trop vastes des collecteurs italiens ne permettaient pas la surveillance constante des bénéficiers malades sans laquelle la saisie des dépouilles était illusoire parce que trop tardive. Même les biens meubles de l'abbé de San Saba de Rome échappaient à la Chambre, voisine mais impuissante [1].

Nous connaissons quelques dizaines de saisies réellement effectuées. Les dépouilles sont celles de prélats modestes : un archevêque de Capoue [2], des évêques de Cortona [3], de Sora [4], d'Ischia [5] ou de Mileto [6], des abbés de Bominaco [7] ou de San Giovanni in Venere [8], pour ne prendre que quelques exemples. Les grands seigneurs ecclésiastiques de l'Italie échappaient visiblement au droit de dépouilles. Le plus grand nombre de successions réservées n'était d'ailleurs l'objet d'aucune saisie effective. Le pape en faisait don à quelque ayants-droit, comme le frère de l'abbé de San Clemente in Piscaria [9] ou le successeur d'un évêque de Cervia [10]. Plus souvent, c'est à un familier, parent ou créancier du pape que les dépouilles étaient données : à Roberto Tomacelli celles d'Antonio, évêque de Lacedonia [11], à Marino Tomacelli celles du second successeur d'Antonio, Giovanni di Nerone [12], à Annibaldo de' Guidalotti celles d'un abbé de San Pietro de Pérouse [13], à Berardo di Radolfo di Gentile da Varano celles d'un évêque de Camerino [14], à Pierbonifazio, fils du duc d'Adria et administrateur de San Miliano de *Conventulis*, celles du dernier abbé de ce monastère, Cristoforo Petrucci [15].

Ce sont là des dons. Même concédées à un membre de la famille da Varano, envers qui la Chambre était constamment débitrice [16], les dépouilles n'était ni évaluées, ni portées au crédit du donataire. Sûre de sa recette, la Chambre avignonnaise assignait des sommes

1. *Reg. Vat.* 317, fol. 22 (d'après une bulle du 1er juin 1400).
2. *Reg. Vat.* 310, fol. 56-57.
3. *Arm.* XXXIII, 12, fol. 26.
4. *Reg. Vat.* 310, fol. 215 vo-216 vo.
5. *Div. cam.* 1, fol. 26 ro.
6. *Reg. Vat.* 320, fol. 34.
7. *Reg. Vat.* 314, fol. 382 vo-383 vo.
8. *Reg. Vat.* 315, fol. 321 ro.
9. *Reg. Vat.* 320, fol. 174 vo-175 ro.
10. *Ibid.*, fol. 16 vo-17 ro.
11. *Reg. Vat.* 313, fol. 247 vo-248 ro.
12. *Reg. Vat.* 316, fol. 47.
13. *Reg. Vat.* 317, fol. 88.
14. *Reg. Vat.* 316, fol. 325 vo-326 ro.
15. *Reg. Vat.* 317, fol 188 vo..
16. Voir ci-dessous, p. 433 et 643.

déterminées sur les dépouilles dont elle était assurée ; la Chambre romaine n'assignait jamais sur des dépouilles [1], car elle savait le caractère incertain de leur rapport : si le bénéficiaire en tirait quelque chose, c'était tant mieux pour lui. Les assignation avignonaises laissaient au collecteur ou au commissaire pontifical tout le soin de la saisie ; les dons romains le laissaient au donataire.

Nombre de saisies ordonnées par Avignon avaient pour fin principale le recouvrement des créances de la Chambre apostolique. A Rome, on ne pouvait espérer percevoir de cette manière des arriérés de décime ou de communs services. Les rares tentatives faites en ce sens ne semblent pas avoir été couronnées de succés : ainsi la procédure engagée, à la requête de l'évêque de Liège, Thierry de la Marche, contre les exécuteurs testamentaires de son prédécesseur Arnoul de Hornes, qui avait laissé une dette de communs services de 5 850 florins — 80% de sa taxe — envers la Chambre et le Sacré Collège [2]. Du moins devait-on tenter de saisir, avec leurs biens ou en leurs biens l'argent reçu pour la papauté par les collecteurs ; nous avons dit combien étaient rares les collecteurs ayant rendu les comptes de leur gestion. Là encore, cependant, les gens de la Chambre romaine se heurtèrent à des difficultés.

Le plus souvent, ils ignoraient tout de l'état financier de la collectorie au moment de la mort de l'officier ou de la cessation de son office. Le plus simple eût été de saisir tout les biens : c'était chose hors de portée de la Chambre romaine. Même en Sardaigne, on ne saisissait pas les dépouilles de Jacopo, archevêque d'Oristano et ancien collecteur de Sardaigne et Corse ; comme l'archevêque était mort cinq ans après avoir cessé son office et sans avoir rendu ses comptes, le procureur fiscal Tommaso da Fisecchio requit le camérier de prescrire une enquête ; le 15 novembre 1389, deux ans après la mort de l'archevêque [3], le camérier Marino Bulcano enjoignit à Giovanni, évêque de Santa Giusta et actuel collecteur, de s'informer si l'archevêque devait de l'argent à la Chambre et, si c'était le cas, d'exiger le paiement de cette dette en s'adressant à ceux qui avaient reçu les biens du défunt [4]. Du droit de dépouilles, il n'était pas fait mention. D'ailleurs, même après que les comptes eussent été rendus par les héritiers d'un collecteur et malgré la connaissance précise de la créance de la Chambre apostolique, 600 florins en l'occurence, la totalité des dépouilles de Jacopo Tolomei, évêque de Grosseto et ancien collecteur en Toscane, fut donnée par Boniface IX à son proche parent Giovanello Filimarini [5].

---

1. L'assignation de 1 000 florins faite à Carlo Brancacci l'était sur les dépouilles de l'archevêque Antonio da Saluzzo, mais aussi et surtout sur les vacants de l'archevêché ; *Reg. Vat.* 317, fol. 274.
2. *Div. cam.* 1, fol. 95.
3. Son successeur s'était obligé le 22 octobre 1387 ; *Obl. sol.* 48, fol. 93 v°.
4. *Div. cam.* 1, fol. 123.
5. 31 octobre 1394 ; *Reg. Vat.* 314, fol. 306.

De même, trois ans après sa mort, les biens de l'évêque de Sion Guillaume Le Bon, collecteur en Tarentaise, furent-ils données à un familier du pape [1]. Ainsi, lorsqu'il avait licence de s'exercer, le droit du pape était en fait aliéné.

La saisie des dépouilles du collecteur d'Angleterre Jacopo Dardani fut commise le 27 janvier 1399 à Pierre du Bosc, évêque de Dax, alors nonce en Angleterre et, depuis peu, collecteur de Guyenne [2] ; le 1er mai, le notaire de la Chambre Niccolò da Imola, partait à son tour pour récupérer les sommes déposées par Dardani chez des banquiers florentins de Londres [3] ; le 26 novembre, Antonio de' Mannini versait à la Trésorerie les 10 000 florins déposés chez lui par le défunt collecteur [4]. Mais, ce dépôt mis à part, les dépouilles ne furent pas saisies. Quant à Pierre du Bosc, il regagna le continent dès mars 1399 [5], sans avoir eu, par conséquent, le temps de s'occuper des biens de Dardani. Lui-même mourut d'ailleurs vers le 1er mai 1400 [6] et, le 21 octobre, la saisie de ses propres dépouilles était ordonnée : l'archevêque de Bordeaux Francesco Uguccione s'en voyait chargé [7]. Ugucione ne peut être soupçonné de tiédeur envers Boniface IX ; il ne parvint cependant pas à s'acquitter de sa tâche et, le 15 juillet 1404, le pape devait adresser au collecteur Bertrand de Castro une nouvelle commission, que justifiait l'importance des sommes reçues — ou présumées reçues — par Pierre du Bosc, tant dans sa collectorie de Guyenne que des collecteurs visités en Angleterre. Que l'on n'aille pas croire que la Chambre poursuivait là l'impossible dessein de saisir tous les biens meubles de l'évêque Pierre du Bosc. La commission de 1404 le précise bien, le collecteur devait saisir et sequestrer tous les biens de son prédécesseur, faire le compte de ce qui restait dû à la Chambre apostolique et rendre le solde aux héritiers [8]. Force fut cependant à Innocent VII de réitéitérer, le 1er mai 1405, l'ordre de Boniface IX, enjoignant au collecteur de transmettre sa recette à l'archevêque Uguccione, lui même chargé de la faire parvenir à Rome [9]. Deux ans plus tard, Grégoire XII chargeait Garcie, évêque de Dax et collecteur de Guyenne de saisir les dépouilles de son lointain prédécesseur Pierre du Bosc [10]. L'existence d'une créance de la Chambre, même la plus

1. 26 février 1405 ; *Reg. Vat.* 333, fol. 190.
2. *Reg. Vat.* 316, fol. 79. — Sur sa mission de 1398-1399, voir Ed. PERROY, *L'Angleterre et le Grand Schisme*, p. 346-351.
3. *Reg. Vat.* 316, fol. 110 v°.
4. *Ibid.*, fol. 309.
5. Ed. PERROY, *op. cit.* p. 351.
6. D'après une lettre de l'archevêque de Bordeaux, du 12 mai 1400 ; *Reg. Vat.* 317, fol. 42 v°-43 r°.
7. *Arm.* XXXIII, 12, fol. 213 v°-214 r° ; *Reg. Vat.* 317, fol. 76 v°-77 r°.
8. *Arm.* XXXIII, 12, fol. 234 v°-235 r°.
9. *Ibid.*, fol. 244 r°-245 r° ; *Reg. Vat.* 333, fol. 256 v°-257 r°.
10. 25 mai 1407 ; *Reg. Vat.* 336, fol. 4 r°-5 r°.

incontestable, comme l'argent reçu par le défunt pour le compte du pape, voilà qui ne permettait même pas la saisie effective des dépouilles. On pense bien ce qu'il advenait des dépouilles lorsque la Chambre mettait à leur poursuite un moindre acharnement.

La brièveté d'une vacance épiscopale ou abbatiale rendait inutile, on l'a vu à propos des prélatures d'obédience avignonnaise, la saisie des revenus dont l'essentiel était absorbé par les charges, les provisions nécessaires au nouveau titulaire et les frais de gestion. Or il arriva que la Chambre romaine prît des mesures de gestion pour de fort brèves vacances. Faut-il croire que les bénéfices visés par ces dispositions, assez rares au demeurant, étaient capables d'un réel rapport ? Ne faut-il pas plutôt penser que les gens de Rome ne s'avisèrent pas de l'inutilité de telles tentatives ? Ainsi, à la mort de l'archevêque Stefano *de Sanitate*, le temporel de Capoue fut-il pourvu, le 26 juillet 1380, d'un « vicaire général au spirituel et temporel et collecteur pour la Chambre apostolique » en la personne d'un Franciscain, le provincial d'Arezzo [1], dont les fonctions à Capoue expirèrent dès le 22 décembre, à la provision de l'archevêque Lodovico della Rata [2]. De même fut commise au collecteur de Pérouse le 17 août 1381, la saisie des vacants de l'évêché de Comacchio [3] qui allait être pourvu avant la fin de cette même année [4]. A peine plus longue fut la vacance de l'archevêché de Milan entre la mort d'Antonio da Saluzzo, dans le courant de 1401, et la provision de Pietro da Candia — le futur Alexandre V — le 17 mai 1402 [5] ; les vacants n'en furent pas moins levés par le collecteur de Lombardie et le sous-collecteur de Milan [6], et récupérés en définitive par Niccolò da Imola [7]. De même, pour une vacance de quelques mois, les revenus de l'évêché de Mileto furent-ils saisis en 1402 sur commission du pape par l'évêque de Soana [8].

Le plus souvent, les évêchés non pourvus étaient donnés en commende. Il arrivait même qu'une saisie ordonnée pour le compte de la Chambre équivalût à une commende lorsque le commissaire chargé de lever ou faire lever les vacants s'en voyait attribuer le bénéfice : ce fut le cas du cardinal Bartolomeo Oleari, chargé le 22 juin 1395 de lever les revenus de l'évêché de Gaëte [9] — vacant depuis le 23 mars [10] — et auquel, dès le 7 juillet, ces revenus furent concédés par Boni-

1. *Reg. Vat.* 310, fol. 59 v°-60 r°.
2. Eubel, *op. cit.*, I, p. 171.
3. *Reg. Vat.* 310, fol. 124 r°-125 r°.
4. Eubel, *op. cit.*, I, p. 206.
5. *Ibid.*, p. 348.
6. Bulle du 25 novembre 1401 ; *Reg. Vat.* 317, fol. 274.
7. Bulle du 18 avril 1402 ; *ibid.*, fol. 311 r°.
8. *Reg. Vat.* 320, fol. 34.
9. *Reg. Vat.* 314, fol. 367 v°.
10. Eubel, *op. cit.*, I, p. 269.

face IX [1]; il est vrai qu'un évêque fut nommé le 12 novembre [2].
Quant aux prélatures véritablement données en commende, nous
ne les citerons pas : nous avons dit, à propos de l'obédience avignonnaise, qu'il n'y avait pas de différence pour la Chambre
apostolique entre un évêque ou abbé titulaire et un commendataire :
tous deux percevaient les revenus, tous deux payaient les communs
services. Retenons cependant que la papauté trouvait dans les
commendes un précieux moyen de rémunération des services et
des fidélités.

Les cas de vacances prolongées, surtout au delà d'un an, sont
extrêmement rares dans l'obédience romaine [3] et ne témoignent
d'aucune politique. Par deux fois le monastère de San Pietro de
Pérouse fut laissé sans abbé. En 1380, le collecteur Ottone da
Perugia fut successivement chargé d'en lever les revenus [4], puis
de désigner l'un des moines comme vicaire au spirituel en conservant
pour lui-même l'administration du temporel [5]. En 1400, une plus
brève vacance donna cependant lieu à la perception des revenus
échus entre la mort de l'abbé Francesco, le 17 juin, et la provision
de son successeur Ottone, le 5 août ; la totalité en fut donnée
à Annibaldo de' Guidalotti [6]. Le transfert à Santa Maria de Pulsano
de l'abbé Antonio ayant laissé vacant le monastère de Cava dei
Tirreni, Urbain VI le pourvut d'un administrateur au spirituel et
au temporel, l'abbé de San Sebastiano de Naples, auquel il enjoignit
de lever les revenus, d'acquitter les charges et d'envoyer le revenant-bon à la Chambre apostolique avec un compte exact [7]. On ne
saurait tirer d'une telle mesure la certitude d'une vacance réellement
prolongée du monastère [8] : semblablement pourvu d'un vicaire au
spirituel et au temporel, le clerc de la Chambre Donato da Narni,
l'évêché de Fermo [9] ne fut cependant vacant que six mois, de la
mort d'Antonio Vecchi, le 21 juillet 1405, à la provision de Leonardo
de' Fisici, le 22 janvier 1406 [10]. Plus effective fut la vacance du siège
archiépiscopal de Candie entre la mort de Francesco de' Pavoni,
survenue vers 1406-1407, et la provision de Marco Marino, sans
doute notablement postérieure à mai 1408 : une bulle de réserve
fut rédigée le 17 octobre 1407 [11] et un vicaire général — l'évêque de
Mylopotamos — désigné le 15 mai 1408 [12].

1. *Reg. Vat.* 314, fol. 367 r° ; c'est à Gaëte que mourut le cardinal, le 16 avril suivant
(Eubel, *op. cit.*, I, p. 24).
2. EUBEL, *op. cit.*, I, p. 269.
3. Voir ci-dessus, p. 321-322.
4. 16 juin 1380 ; *Reg. Vat.* 310, fol. 67v°-68 r°.
5. 29 juillet 1380 ; *Reg. Vat.* 310, fol. 61.
6. 1er novembre 1400 ; *Reg. Vat.* 317, fol. 88.
7. 6 août 1383 ; *Arm.* XXXIII, 12, fol. 61 r°-62 r°.
8. Mgr Hoberg ne cite aucune obligation pour cette époque ; *Taxae...*, p. 145.
9. 30 juillet 1405 ; *Reg. Vat.* 333, fol. 297 r°-298 r°.
10. EUBEL, *op. cit.*, I, p. 259-260.
11. *Reg. Vat.* 336, fol. 159 v°-160 r°.
12. *Ibid.*, fol. 218.

Non seulement il n'y a pas, à l'égard des sièges épiscopaux et abbatiaux, de politique des vacants, mais on ne saurait même dire que le droit de réserve et les réserves générales maintes fois renouvelées et notifiées fussent vraiment exploités. Les gens de la Chambre apostolique romaine n'y renoncèrent jamais ; s'ils n'en tirèrent qu'un profit assurément modeste, c'est qu'ils n'étaient pas même en mesure de les mettre en œuvre dans les régions dont l'obédience était sans faille. Les réserves casuelles reflètent assez exactement la situation du pontife romain, reconnu par plus de la moitié de la Chrétienté, mais incapable d'imposer son autorité et d'exiger une aide.

2. *Le Schisme, générateur de vacances.* Le Schisme allait lui-même fournir à la Chambre romaine les occasions de laisser réellement vacant, à son seul profit, un certain nombre de bénéfices pour la provision desquels nul ne pouvait, du fait même de la division de la Chrétienté, s'opposer au pape de Rome.

Ce furent en premier lieu les maisons — prieurés ou préceptories — des ordres hospitaliers dont la tête se trouvait en obédience d'Avignon. L'Hôpital de Saint-Jean-de-Jérusalem fut cependant épargné. Le maître de l'ordre. Juan Fernandez de Heredia, comptait nombre d'amis à la Cour de Grégoire XI dont il avait servi la politique de retour en Italie ; revenant lui-même en Occident après quelques mois de captivité chez les Turcs, il se décida naturellement en faveur du parti d'Avignon où il retrouvait les cardinaux de Grégoire XI. Urbain VI ne pouvait espérer mettre, à la faveur de cette décision, la main sur les bien de l'ordre : les maisons d'Orient et d'Occident, d'Angleterre en particulier, fussent probablement entrées en rébellion. Le pape préféra faire de l'Hôpital un instrument de sa politique et en tirer, si possible, un appui militaire aussi efficace que gratuit : il fit élire un nouveau maître, l'un de ses familiers, Riccardo Caracciolo. Celui-ci mourut en 1396, peu avant la mort de son rival Heredia. Boniface IX eût-il plus de scrupule que n'en avait montré Urbain VI ? Il ne chercha pas à donner au nouveau maître avignonnais, Philibert de Naillac, courageusement engagé dans la défense de l'Orient chrétien, un véritable homologue romain. Il nomma ou fit désigner un lieutenant du magistère, le Napolitain Bartolomeo Caraffa. Celui-ci mort, Innocent VII designa lui-même le nouveau lieutenant du magistère : Niccolò Orsini, jusque-là prieur de Venise [1]. Une fraction de l'ordre de l'Hôpital était à la dévotion du pape romain ; ses biens n'étaient pas à la disposition de la Chambre apostolique.

Il en allait différemment d'établissements plus modestes et dont

1. *Reg. Vat.* 334, fol. 128 r°-129 r° ; 335, fol. 28.

l'appui politique ou militaire était sans valeur. Vacant par la mort de son précepteur, l'hôpital du Santo Spirito in Sassia, à Rome, fut réservé et administré par le frère Pietro da Corte au nom de la Chambre apostolique [1]. Séparées de leur tête par le Schisme, les maisons de l'Hôpital Sainte-Marie de Roncevaux [2] furent rapidement objet de convoitises pour la Chambre romaine. Ses biens situés en Hongrie, Italie et « dans les îles voisines » furent réservés et pourvus d'un administrateur [3] ; ce dernier ne gardait pour lui que les revenus d'un hôpital, celui de Santa Maria della Mascarella de Bologne, contre versement de 100 florins par an à la Trésorerie ; une fois déduite les charges, les revenus des autres maisons étaient intégralement affectés à la Chambre apostolique. L'éloignement des divers établissements nécessita, plus tard, la division de cette administration : deux frères de l'Hôpital de Roncevaux gérèrent pour le compte du pape, l'un les maisons d'Italie et Hongrie, l'autre celles du royaume de Naples et de Sicile [4]. Dans les mêmes conditions, et bien que cet établissement ne fût nullement divisé par le Schisme, Boniface IX mit la main sur l'Hôpital de Montjoux, dans le diocèse de Sion, et en nomma administrateur au spirituel et au temporel, le 8 juin 1391, Giovanni Manco [5]. Devenu collecteur de Venise le 6 février 1392, Manco garda l'administration de Montjoie jusque sous le pontificat d'Innocent VII, qui la lui confirma le 22 janvier 1405 [6]. Mais c'était, en fait, une véritable commende, car les revenus étaient laissés, pour prix de ses services [7], à Manco qui les affermait et ne se préoccupait guère de l'administration spirituelle [8].

C'étaient là des broutilles. La grande affaire, ce fut la réserve des préceptories de Saint-Antoine-de-Viennois, dont la tête était le monastère rhodanien de ce nom et dont les établissements italiens étaient spécialement bien dotés. Cette richesse est expressément indiquée dans la bulle qui, le 25 mai 1381, enjoignait à Viviano da Sanseverino, collecteur de Venise, d'imposer à l'ordre de Saint-Antoine un subside caritatif [9]. Mais déjà le pape entreprenait de déposséder l'ordre : le même jour, il ordonnait à Sanseverino et au collecteur de Gênes, Giovanni Simone, de citer et révoquer l'abbé de Saint-Antoine — qui n'eut évidemment cure de se hasarder en terre urbaniste — ainsi que les prieurs et pré-

---

1. *Reg. Vat.* 310, fol. 261 v°-262 r°.
2. Couvent d'Augustins situé dans le diocèse de Pampelune. Sur le rôle du prieur de Roncevaux dans l'adhésion de la Navarre à Clément VII, voir : J. ZUNZUNEGUI, *El reino de Navarra...*, p. 118 et 125-128.
3. 1er janvier 1393 ; *Reg. Vat.* 314, fol. 48 r°-49 r° ; 315, fol. 257 r°-258 r°.
4. *Reg. Vat.* 316, fol. 79 v°-81 r° ; 335, fol. 91 v°-92 r°.
5. *Reg. Vat.* 313, fol. 128.
6. *Reg. Vat.* 333, fol. 170 v°-171 r° et 175 v°-176 v°.
7. *Reg. Vat.* 313, fol. 127 v°-128 r°.
8. Il afferma les revenus de deux ans au prieur de San Bernardo de Verceil pour 250 florins par an (confirmation papale, du 15 mars 1402) ; *Reg. Vat.* 317, fol. 302 v°-303 v°.
9. *Reg. Vat.* 310, fol. 110 v°-112 r°.

cepteurs de l'ordre, et de désigner, pour gérer les bénéfices ainsi devenus vacants, des administrateurs qui rendraient leurs comptes aux collecteurs [1]. Tout spécialement visée était la préceptorie piémontaise de Reverso, dont les revenus avaient été réservés au Saint-Siège dès le 26 septembre 1380 [2].

En 1380 on avait réservé un bénéfice, sans doute vacant par décès. En 1381, on rendait vacants tous les bénéfices de l'ordre, en réplique à l'adhésion de son chef, l'abbé de Saint-Antoine, à la cause avignonnaise. Les précepteurs n'étaient cependant pas tous clémentistes. Il y en eut pour se tirer de ce mauvais pas, tels Jacopo Marini, encore à la tête de la préceptorie de Toscane en 1382 [3], ou Giovanni « Francia » Clerici da Lucardo, un Toscan, qui mourut en 1390 précepteur de Tolentino [4]. En fait, on attendit le plus souvent que les préceptories devinssent vacantes, l'une après l'autre, par la mort de leur titulaire ; certains s'accrochèrent à leur bénéfice de même qu'à la vie, d'autres, sans doute mieux en cour, obtinrent même du pape l'une des préceptories vacantes : ainsi Urbain VI conféra-t-il la préceptorie de Reverso à Niccolò da *Montanea* [5] ; en 1408, il y avait encore un précepteur à Fabriano, Ottaviano degli Ordinati [6].

L'action de la Chambre porta essentiellement sur deux sources de revenu : la part revenant à l'abbé schismatique sur les offrandes faites aux diverses maisons de l'ordre, et les biens de la plus riche des préceptories italiennes, celle de Toscane.

La part abbatiale des offrandes faites aux préceptories allemandes fut — du moins en théorie, car nous savons quelles difficultés rencontrait la Chambre romaine en Allemagne — levée par les collecteurs et sous-collecteurs qui devaient en adresser le montant à la Trésorerie, puis, à partir du 30 juillet 1398, en répondre au cardinal Francesco Carbone, auquel Boniface IX la concédait [7]. En Italie, cependant, les « quêtes » de Saint-Antoine-de-Viennois étaient affermées, dès le pontificat d'Urbain VI, à Nicolotto di fu Francesco Cambi et Simone di Ser Tommaso degli Altoviti [8] ; quant aux biens de l'abbé, confiés par Boniface IX à l'administration de Matteo di Cola, chanoine de Rieti, ils étaient disséminés à travers les provinces du Patrimoine, de la Marche d'Ancône, du duché de Spolète, de Campagne et Maremme, dans le district de Rome et dans les diocèses de Sabine, Rieti, Sienne, Pise, Lucques,

---

1. *Reg. Vat.* 310, fol. 112-118.
2. *Ibid.*, fol. 75 v°-76 r°.
3. *Ibid.*, fol. 235 v°.
4. *Reg. Vat.* 347, fol. 128 v°-129 r°.
5. *Div. cam.* 1, fol. 90 v°.
6. *Reg. Vat.* 336, fol. 252 r°-253 r°.
7. *Reg. Vat.* 316, fol. 18 v°-19 v°.
8. *Div. cam.* 1, fol. 37 et 143 v°-144 r° ; le prix de la ferme était supérieur à 2 000 florins par an.

Pistoia, Pérouse et Orvieto [1]. En confiscant la mense abbatiale, le pape faisait donc une excellente opération.

Non moins fructueuse était la réserve de la préceptorie de Saint-Antoine de Florence, généralement dite de Toscane. Donnée en commende, à la mort du précepteur Jacopo Marini, au cardinal Philippe d'Alençon [2], elle fut ensuite réservée à la Chambre apostolique [3] qui allait l'exploiter tantôt en l'affermant, tantôt en la soumettant à une régie directe. Elle fut d'abord affermée à Nicolotto di fu Francesco Cambi et Simone di Ser Tommaso degli Altoviti jusqu'en 1391, puis, à compter du 1er juin de cette année, au même Simone et à Giovanni di fu Matteo Ser Giovanni ; le montant de la ferme était relativement élevé : 5 300 florins par an [4]. Le 9 novembre 1397, la préceptorie fut pourvue d'un administrateur et receveur en la personne de l'un de ses chanoines réguliers, Paolo Panello di Ranuccio da Montesanto [5]. Quelques semaines plus tard, apparaissait Matteo di Cola, chanoine de Rieti, constitué le 9 janvier 1398 collecteur des revenus de Saint-Antoine de Toscane pour le compte de la Chambre apostolique [6]. Pendant trois ans, les administrateurs se succédèrent : Matteo di Cola, Fabriccio di Panello da Montesanto, Ottaviano di Saluccio da Civitella, citoyen de Fermo, en dernier lieu [7]. Dans le même temps, des assignations étaient faites sur le revenu de la préceptorie, assignations souvent partielles, comme celle accordée à Antonio da Lucardo, chanoine régulier florentin [8], parfois générales, comme celle — héréditaire, perpétuelle et totale, mais aussitôt révoquée — dont bénéficia Paolo di Raimondo da Montesanto, laïc du diocèse de Spolète et soi-disant chanoine de Saint-Antoine [9].

Le 29 septembre 1401, Boniface IX commettait au camérier le soin d'affermer la préceptorie [10]. Le temps de la régie directe était fini. Certes, deux administrateurs étaient désignés, un clerc du diocèse de Spolète nommé Benedetto di Domenico da Camero et Matteo di Cola lui-même [11]. Mais les revenus étaient vendus au capitaine Berardo di Radolfo da Varano pour trois années courant à partir de mai 1401 ; le prix de la ferme nous est inconnu, mais nous savons que Berardo s'en acquitta pour 1 000 florins qu'il avait prêtés à la Chambre dès février 1401 [12] et dont l'assignation

---

1. *Reg. Vat.* 316, fol. 219-220.
2. *Ibid.*, fol. 114.
3. *Reg. Vat.* 315, fol. 304 r⁰ ; 316, fol. 114.
4. 21 200 florins pour quatre ans ; *Div. cam.* 1, fol. 67 v⁰-73 v⁰.
5. *Reg. Vat.* 315, fol. 258-261.
6. *Ibid.*, fol. 270.
7. *Reg. Vat.* 317, fol. 255 v⁰-257 v⁰.
8. *Reg. Vat.* 316, fol. 220 v⁰.
9. *Ibid.*, fol. 191 v⁰-192 r⁰.
10. *Reg. Vat.* 317, fol. 262 r⁰.
11. *Ibid.*, fol. 257 v⁰-259 v⁰.
12. Il avait prêté 3 000 florins, mais 2 000 furent remboursés par assignation sur le cens de Pérouse ; *ibid.*, fol. 140 v⁰-141 r⁰.

en remboursement sur la collectorie de Venise fut annulée le 10 mai
1405 en compensation de la ferme de Saint-Antoine de Toscane
dont le temps était déjà passé mais dont, visiblement, le prix
n'était pas encore acquitté [1]. C'était donc, pour la Chambre apostolique, une assez mauvaise opération si on la compare à celle
de 1391. C'est aux administrateurs qu'il appartenait de lever les
revenus, voire de poursuivre leur prédécesseur Ottaviano di Saluccio
et son parent Nervio, qui avaient conservé, du moins en partie,
leur recette [2]. Mais ils rendaient dorénavant leurs comptes au
fermier, et non plus à la Chambre. Dans la gestion de la préceptorie,
Berardo da Varano n'intervint évidemment pas ; son rôle consista
seulement à avancer à la Chambre, sous la forme d'un prêt, trois
années de recettes de la préceptorie.

Lors du renouvellement du bail, en 1404, Matteo di Cola se fit
adjuger à lui-même — ou s'adjugea — la ferme, s'associant pour
cela avec un banquier, Pietro di Angelo Moriconi [3]. La Chambre
y gagna. Sur le montant de la ferme, Innocent VII put assigner,
le 13 mars 1406, une somme de 4 580 florins [4], et nous voyons
Matteo di Cola verser à la Trésorerie, par l'intermédiaire du marchand Pietro Bardelli, 2 000 florins pour trois termes de la seconde
année de son bail [5]. On peut donc évaluer celui-ci à 6 000 florins
au moins — nous ignorons combien de termes annuels étaient prévus
— pour trois ans : six fois ce qu'avait payé le précédent fermier.

La gestion de Saint-Antoine de Toscane reflète assez bien l'incertitude des méthodes de la Chambre romaine. Après avoir affermé
les revenus à l'administrateur, on revint à la régie directe : Matteo
di Cola, flanqué d'Ottaviano degli Ordinati, précepteur de Fabriano [6],
redevint comptable envers la Chambre apostolique, probablement
en 1407, à l'expiration d'un bail triennal [7]. Mais, le 16 août 1408,
Grégoire XII chargeait le camérier de « louer ou vendre » les revenus,
autrement dit de procéder à une nouvelle adjudication [8].

Plus modeste, la préceptorie de Pistoia fut semblablement réservée dès le 9 novembre 1397 [9], mais la Chambre apostolique percevait ou affermait, depuis 1383 au moins, les offrandes et legs faits
à cet établissement [10].

D'autres bénéfices étaient vacants du fait du Schisme : les diocèses
suburbicaires et les titres cardinalices non attribués. Le petit

1. *Ibid.*, fol. 140.
2. *Ibid.*, fol. 260 r⁰-261 r⁰.
3. Selon la bulle du 13 mars 1406 ; *Reg. Vat.* 334, fol. 65 r⁰-66 r⁰.
4. *Ibidem.*
5. *Reg. Vat.* 335, fol. 90.
6. *Reg. Vat.* 336, fol. 252 r⁰-253 r⁰.
7. Attesté par la bulle du 10 juillet 1408 ; *Reg. Vat.* 336, fol. 234.
8. *Ibid.*, fol. 251 v⁰.
9. *Reg. Vat.* 315, fol. 261 r⁰-262 r⁰.
10. Urbain VI chargea l'évêque de Pistoia, le 22 avril 1383, de lui en faire connaître la
valeur annuelle ; *Arm.* XXXIII, 12, fol. 26 v⁰.

nombre des diocèses suburbicaires et la faculté d'option des cardinaux-prêtres pour les évêchés limitèrent les vacances de ceux-ci. Entre deux cardinaux, la Chambre apostolique percevait cependant des revenus : le diocèse de Frascati, pendant la « fugue » avignonnaise de Pileo da Prata, et celui de Velletri, entre le début du Schisme et le transfert de Philippe d'Alençon, furent administrés pour le compte de la Chambre [1]. De même, le 18 mai 1397, alors que Philippe d'Alençon était déjà fort malade, Boniface IX réserva son évêché d'Ostie [2] ; le 18 août, deux jours après la mort du cardinal, le camérier Corrado Caracciolo recevait commission de constituer un vicaire au temporel pour lever, pendant dix ans, les revenus de l'évêché d'Ostie au profit de la Chambre apostolique [3]. Il est probable que le transfert à Ostie, dès le mois de septembre, d'Angelo Acciaiuoli, mit prématurément fin à la réserve. Surtout, il y avait de plus longues vacances, plus profitables à la papauté. De 1394 à 1405, il n'y eut pas [4] de cardinal de Palestrina. Il est vrai qu'au vicaire général au spirituel et au temporel désigné le 26 février 1395, Angelo degli Affliti, évêque de Polignano, Boniface IX concéda l'usage de tous les revenus [5] : c'était une véritable commende. Seule, l'église de Sabine, vacante par deux fois, de 1389 à 1392 et de 1405 à 1409, pouvait être la source de réels profits pour la Chambre apostolique. Son administration fut partagée entre les évêques de Potenza, de Monteverde et de Telese, qui reçurent respectivement le soin des églises situées en deçà du fleuve de Farfa, au delà du même, et en deçà du fleuve Corresis [6]. Quant aux revenus, ils étaient affermés par la Chambre à un citoyen de Rome, Antonio di Giovanni Buonanni, pour 150 florins par an. On le voit, ce n'était qu'une ressource assez faible. La Chambre romaine n'a pas négligé la possibilité offerte par les vacants des évêchés suburbicaire, mais cette possibilité ne menait pas loin.

D'une autre ampleur fut la réserve des titres vacants, autrement dit des principales églises romaines. Quarante-cinq églises jouissaient alors du privilège de pouvoir être attribuées à un cardinal : vingt-huit titres presbytéraux et dix-sept diaconies. Sans se soucier des attributions « honoraires » faites à Avignon par Clément VII et Benoît XIII, sans même tenir compte des titres attribués par Grégoire XI à des cardinaux passés à Avignon, Urbain VI et ses successeurs disposèrent des églises romaines en faveur de leurs propres « créatures ».

---

1. Marino Bulcano nomma un nouvel administrateur le 10 février 1389 ; *Div. cam.* 1, fol. 41 vᵒ-42 vᵒ. — Mgr MOLLAT a retardé jusqu'en 1389 le transfert du cardinal d'Alençon à Ostie et Velletri (*Dict. d'hist. et de géogr. ecclés.*, II, col. 97), placé en 1388 par EUBEL, *op. cit.*, I, p. 23 et 36.
2. *Reg. Lat.* 57, fol. 114.
3. *Reg. Vat.* 315, fol. 254 vᵒ-255 vᵒ.
4. A Rome, car Guy de Malesset portait ce titre à Avignon.
5. *Reg. Vat.* 314, fol. 338 vᵒ-339 rᵒ ; *Reg. Lat.* 100, fol. 74.
6. *Reg. Vat.* 312, fol. 45 ; 347, fol. 32-33 et 53.

Peu d'églises furent constamment attribuées : en trente ans, la plupart furent sans titulaire pendant au moins dix ans. Le titre de Sainte-Anastasie, vacant jusqu'en 1385, le fut de nouveau à partir du transfert d'Enrico de' Minutuli à Frascati en 1405. Saint-Clément demeura vacant de la mort de Poncello Orsini, le 2 février 1395, à la création du trésorier Gabriele Condolmario, en mai 1408, soit plus de treize ans. Sainte-Balbine le fut de septembre 1394 à septembre 1408 : quatorze ans. Sainte-Marie au Trastevere fut laissée vacante lors du transfert à l'évêché de Sabine du cardinal d'Alençon, en 1384, et ne reçut un autre titulaire que, le 19 septembre 1408, en la personne de Lodovico Bonito, soit après vingt-quatre ans de vacance. Quant à la basilique des Douze-Apôtres, ancien titre de Robert de Genève, conférée par Urbain VI à l'archevêque de Prague dès le 28 septembre 1378, elle demeura vacante de la mort de celui-ci, en mars 1380, jusqu'à la création par Innocent VII de l'archevêque de Milan Pietro da Candia, le futur Alexandre V : au total, vingt-cinq ans.

Quatre titres ne furent jamais conférés par les papes romains : Saint-Eusèbe [1], Saint-Laurent *in Lucina* [2], Saint-Vital et les Saints-Jean-et-Paul. Six diaconies sont dans le même cas : Sainte-Marie *in Aquiro*, Sainte-Marie *in Porticu* [3], Sainte-Marie *in via lata*, les Saints-Serge-et-Bacchus, Sainte-Lucie *in Ortea* et Saint-Théodore. Les trois derniers cités ne furent d'ailleurs plus attribués jusqu'à leur radiation par Sixte-Quint de la liste des diaconies [4].

De ces églises romaines vacantes, que faisait le pape ? Quelques unes servirent à indemniser des prélats que le Schisme privait de leur temporel : Paolo di Francesco, archevêque de Monreale, reçut pour un temps les revenus de Sainte-Marie-Nouvelle [5], cependant que Jacques, archevêque d'Aix indésirable en Provence, avait ceux de Sainte-Praxède [6]. Un familier de Grégoire XII, Paolo di Pietro Francini, chanoine de Saint-Pierre au Vatican, reçut les revenus de Sainte-Suzanne [7]. Mais le plus grand nombre des titres et diaconies vacants fut réservé à la Chambre apostolique. Là encore on usa alternativement de la ferme et de la régie directe. Le 29 avril 1389, le camérier Marino Bulcano afferma, pour un prix que nous ignorons malheureusement, à deux clercs et un laïc romain, Andrea di Tucio da Siena, Cristoforo di Galixio et

---

1. Guglielmo da Sanseverino, qui en fut pourvu le 28 septembre 1378, mourut le mois suivant.
2. Il fut attribué à Luca Manzoli le 19 septembre 1408.
3. Notons que le cardinal de Saint-Martial, à Avignon, garda cette diaconie de 1361 à 1403 ; il n'en avait évidemment aucun revenu.
4. Ce qui précède, d'après EUBEL, *op. cit.*, I, pp. 39-52.
5. 27 décembre 1404 et 18 janvier 1407 ; *Reg. Vat.* 333, fol. 118 r⁰ ; 335, fol. 47 v⁰.
6. 31 décembre 1404 ; *Reg. Vat.* 333, fol. 144 v⁰-145 r⁰. — Sur cet archevêque, voir *Gallia christ. noviss.*, Aix, col. 96.
7. 6 août 1407 ; *Reg. Vat.* 336, fol. 98 r⁰.

Heriguccio Carbone, les revenus de vingt-deux églises cardinalices [1]. Quatre ans plus tard, à l'expiration du bail, Boniface IX constitua son chambellan, Giovanni Panella, évêque de Ferentino, comme gouverneur des titres non attribués, révoquant expressément toutes les commendes ou concessions accordées à des non-cardinaux ou à des cardinaux hors de leur propre titre ; commission lui était donnée de convoquer les gouverneurs, vicaires ou procureurs des différentes églises, de se faire rendre à l'avenir tous les comptes et de récupérer les recettes au profit de la Chambre apostolique [2]. Un familier d'Innocent VII, Piergianno di Nardo da Viterbo, succéda en 1405 à Giovanni Panella [3] ; il fut lui-même remplacé, après quelques mois, par un autre familier, Jacopo Tedaglini [4], auquel succéda, deux ans plus tard, le chambellan Vittorio, archidiacre de Castello [5].

Le passage des cardinaux dans l'obédience avignonnaise ne libérait pas seulement les revenus d'un évêché suburbicaire, d'un titre ou d'une diaconie. En 1381, le collecteur d'Angleterre Cosimo di Gentile Megliorato [6] s'efforçait de se faire verser par le chapitre d'York les revenus du décanat et de divers bénéfices capitulaires dont avaient été pourvus des cardinaux de Grégoire XI et qui étaient confisqués du fait de leur « rébellion » [7]. Il est certain que de tels vacants furent nombreux en Angleterre où les cumuls cardinalices donnaient lieu à mainte protestation, tant ils avaient pris d'extension ; il est non moins certain que le collecteur avait peu de chances de rien obtenir. La défection de neuf cardinaux lors du consistoire de Lucques, en mai 1408, fournit à Grégoire XII l'occasion de saisir à son tour les revenus de rebelles, revenus proprement cardinalices — titres et part des communs services — et revenus des bénéfices tenus en commende [8].

Comme à Avignon Benoît XIII, Innocent VII et Grégoire XII réservèrent à leur usage les bénéfices qu'ils tenaient lors de leur élection. Mais Pedro de Luna, simple cardinal-diacre, n'avait en commende que des bénéfices mineurs. Innocent VII put réserver le monastère de Brescello [9], et Grégoire XII, outre son patriarcat

---

1. Quatorze titres : Saints-Quatre Couronnés, Saint-Balbine, Saints-Nérée et-Achilée, Sainte-Praxède, Saint-Pierre-aux-liens, Sainte-Pudentienne, Saint-Vital, Douze-Apôtres, Saint-Marc, Sainte-Cécile, Saint-Chrisogone, Saint-Apollinaire, Saints-Jean-et-Paul et Sainte-Prisque ; huit diaconies : Saints-Côme-et-Damien, Saint-Théodore, Saints-Serge-et-Bacchus, Sainte-Lucie *in Ortea*, Sainte-Agathe, Sainte-Marie *in via lata*, Sainte-Marie *in Aquiro* et Saint-Ange *in Foro piscium* (lettre du camérier à tous les prêtres et chapelains curés, du 30 avril 1389) ; *Div. cam.* 1, fol. 83 v°-84 r°.
2. 29 avril 1393 ; *Reg. Vat.* 314, fol. 84 r°-85 r°.
3. 2 avril 1405 ; *Reg. Vat.* 333, fol. 215 v°.
4. 1er décembre 1405 ; *ibid.*, fol. 343 v°.
5. 1er avril 1407 ; *Reg. Vat.* 335, fol. 112 v°-113 r°.
6. Le futur Innocent VII.
7. 14 mars 1381 ; *Reg. Vat.* 310, fol. 119 r°.
8. Bulles des 4 et 11 juillet 1408 ; *Reg. Vat.* 336, fol. 233 v° et 236 r° ; 337, fol. 115.
9. *Reg. Vat.* 333, fol. 226.

de Constantinople qui, pour être *in partibus*, n'en était pas moins pourvu de revenus, l'archevêché de Candie, l'évêché de Coron et le prieuré de Polverara, qu'il avait eu en commende [1] et auxquels il joignit l'évêché de Mothoni [2], à la mort de l'évêque Nicolas, jusque-là vicaire général au spirituel des églises vacantes précitées [3] ; il faut ajouter à cette liste les bénéfices mineurs tenus par l'ancien patriarche. Mais s'ils étaient réservés au pape, ces vacants ne l'étaient pas pour autant à la Chambre apostolique : Grégoire XII en laissa les revenus à son frère, Filippo Correr [4].

Les communs services dus aux cardinaux étaient distribués, nous le verrons, en fonction de la composition du consistoire lors de la provision de chaque prélat. Bien après son élection, le pape percevait donc la part des communs services acquittés lui revenant en raison de son ancien chapeau. Les sommes ainsi versées au pape échappaient à la Trésorerie avignonnaise et étaient assurément remises au clerc chargé de la cassette personnelle. Boniface IX, au contraire, assigna sur ce revenu le remboursement d'un prêt de 300 florins consenti à la Chambre apostolique par le cardinal Enrico de' Minutuli [5].

3. *La curie romaine et les dépouilles.* Battus en brèche à travers tous les pays de l'obédience romaine lorsqu'ils prétendaient exercer les droits issus de la réserve des dépouilles et vacants, les gens de la Chambre apostolique eurent l'audace de se tourner vers leurs proches, vers ceux qui, fréquentant la curie ou lui appartenant, pouvaient difficilement se dérober et cacher quelque chose. Déjà, en frappant les titres cardinalices et les diaconies, les papes romains compensaient leur incapacité à exercer efficacement la saisie des vacants. La résistance des provinces trouvait sa contre-partie financière dans les revenus que laissaient à Rome les chefs de cette résistance, les cardinaux rebelles par exemple.

Comme on percevait leurs revenus, on saisissait leurs biens, de même que ceux de leurs fidèles [6]. C'était là simple extension d'une pratique courante dès le temps d'Urbain VI : la saisie des dépouilles des curialistes. Faute d'avoir les comptes rendus par les commissaires, nous ne connaissons guère les cas de saisie. Nous relevons seulement, à travers les registres caméraux, les exemptions qui permettent de déceler les prétentions normales de la Chambre apostolique. Que sont, en effet, les exceptions, sinon le contour de l'usage ordinaire ?

1. *Reg. Vat.* 336, fol. 102 v°-103 r°, 128 r°, 167 v°-168 v° et 171 r°-172 r°.
2. *Reg. Vat.* 336, fol. 216.
3. Le 9 novembre 1407 ; *ibid.*, fol. 167 v°-168 v°.
4. *Reg. Vat.* 336, fol. 102 v°-103 r° ; 337 fol. 78.
5. 3 juillet 1394 ; *Reg. Vat.* 314, fol. 266 v°-267 r°.
6. Voir ci-dessous, p. 600-602.

La jurisprudence accordait la possibilité de saisir les dépouilles des curialistes. On fit preuve de rigueur envers eux. Familiers et officiers du pape durent, pour y échapper, se faire concéder le droit de tester ou faire confirmer leur testament ; mais rares furent ceux qui obtinrent cette faveur : des clercs de la Chambre comme Paolo di Planta da Giovinazzo [1] ou Pietro Vanni da Ascoli [2], le protonotaire Bartolomeo di Francesco [3]. Au contraire, à côté des dépouilles d'un scripteur et abréviateur, Benvenuto de' Fontanelli [4], ou d'un simple prêtre d'Orvieto, Francesco Jannuti [5], il est certain que furent saisies bien des successions d'officiers et familiers sans qu'aucune trace en fût conservée. L'appartenance à la curie ne permettait pas, comme à Avignon, d'échapper au droit de dépouilles, elle renforçait les chances d'y être soumis [6]. C'était la règle, durement appliquée, certes, mais juridiquement fondée.

Mais lorsqu'elle touchait aux biens des cardinaux, la Chambre apostolique romaine s'écartait de la jurisprudence héritée de Grégoire XI et de la pratique observée à Avignon. Dès le pontificat d'Urbain VI, nous voyons qu'un cardinal pouvait être contraint de présenter au pape son testament. Le 19 avril 1380, le pape ordonnait au collecteur de Bohême d'inventorier à Prague les biens de l'ancien archevêque Jean Ocko de Wlasim, mort en mars après dix-huit mois de cardinalat ; le pape exigeait en outre que lui fût adressé le testament ou sa copie notariée, à moins que le cardinal fût mort intestat, la règle étant que les testaments des cardinaux fussent présentés au pape [7]. Jusque-là, les cardinaux avaient donc toute licence de tester, la présentation du testament ne pouvant entraîner de revendication papale qu'en ce qui touchait aux legs, aux éventuelles créances de la Chambre, aux modalités d'exécution, bref, au fond et à la forme mais non au principe du testament. Puisqu'ils devaient présenter leur testament, c'est qu'ils avaient le droit d'en rédiger un, donc la libre disposition de leurs biens.

Or, le 13 novembre 1405, Innocent VII autorisait son neveu, le cardinal Giovanni Megliorato à disposer de ses biens par testament après avoir pourvu aux réparations nécessaires dans ses bénéfices [8]. Du droit l'on était passé à la concession. Ce qui était de règle était donc devenu extraordinaire, ce qui ne signifie d'ailleurs pas obligatoirement que cet extraordinaire fût rare. Que s'était-il passé ? Qu'arrivait-il à la mort des cardinaux n'ayant pas reçu semblable dispense ?

1. 21 août 1392 ; *Reg. Vat.* 314, fol. 8 v°-9 r°.
2. 26 février 1402 ; *Reg. Vat.* 317, fol. 317.
3. 7 janvier 1406 ; *Reg. Vat.* 334, fol. 1 v°-2 v°.
4. 1er mars 1405 ; *Reg. Vat.* 334, fol. 24 r°-25 r°.
5. 27 octobre 1399 ; *Reg. Vat.* 316, fol. 267 r°.
6. *Reg. Vat.* 334, fol. 25 r°.
7. « *Attendentes quod de more est ut testamenta quorumcumque S.R.E. cardinalium romano pontifici debeant presentari* » ; *Reg. Vat.* 310, fol. 4 v°.
8. *Reg. Vat.* 333, fol. 333 r°.

Dès 1391, nous voyons l'évêque de Fermo chargé de faire publier et afficher dans toutes les églises de la Marche d'Ancône une monition contre les détenteurs des biens meubles et immeubles du cardinal légat Andrea Buontempo, biens indûment pris ou conservés par diverses personnes à la mort du légat, au détriment de la Chambre apostolique [1]. On pourrait encore croire que le tort causé à la Chambre tient à des dettes fiscales, que la distraction d'une partie de la succession aurait empêché d'éteindre. Une telle explication n'est plus possible à propos des dépouilles du cardinal Francesco da Alifia, que Boniface IX déclarait expressément réservées et appliquées au Saint-Siège, ce pour quoi il faisait poursuivre un créancier du défunt [2]. De même, lorsqu'un commissaire apostolique récupérait les arrérages dus à Poncello Orsini et remboursait sur sa recette les sommes dépensées par les neveux du cardinal pour ses obsèques, c'est bien que la succession appartenait globalement à la Chambre et que les héritiers n'en recevaient rien, sinon le remboursement des charges supportées par eux [3]. C'est, enfin, sans ménagement que Grégoire XII, au moment où chancelait son obédience et où le Sacré Collège l'abandonnait, prescrivit que fussent saisies les dépouilles d'Angelo Acciaiuoli [4].

Nous sommes donc assurés de la réserve des dépouilles cardinalices. Rares furent les remises gracieuses à des héritiers naturels. Lorsque, le 14 août 1394, Boniface IX remit aux héritiers les dépouilles de son camérier Marino Bulcano, mort le 8 août, il leur faisait surtout la faveur d'une quittance générale de toutes obligations que pouvait avoir le cardinal envers la Chambre, tant pour ses bénéfices que pour son office [5]. Quant au don fait par Innocent VII de quelques arrérages du cardinal Cristoforo de' Maroni aux frères du défunt, ce n'est que la rétribution de services rendus par eux à leur frère [6], rétribution que la jurisprudence de la Chambre et la « modification » en usage à Rome [7] comme à Avignon mettaient, jusqu'à concurrence de l'actif successoral, à la charge de la Chambre apostolique. Autant celle-ci était incapable de faire valoir ses droits loin de la curie, autant elle se montrait donc rigoureuse envers ses proches. Au mépris de leur exemption coutumière, les cardinaux eux-mêmes en étaient victimes.

Boniface IX alla même plus loin. Il s'en prit à son prédécesseur. Le 13 août 1399, près de dix ans après son élection, il enjoignit à son référendaire et vicaire général au spirituel de Rome, l'évêque

1. Bulle du 8 mars 1391 ; *Reg. Vat*, 313, fol. 66 v°-67 v°.
2. Bulle du 22 octobre 1393 ; *Reg. Vat.* 314, fol. 162 r°.
3. Bulle du 15 février 1395 ; *ibid.*, fol. 337 v°.
4. Bulle du 11 juin 1408, rédigée à Lucques (*Reg. Vat.* 336, fol. 229 v°-230 r°) ; la date du 12 juin 1409, indiquée par Eubel pour la mort du cardinal, est donc fausse.
5. *Reg. Vat.* 314, fol. 291 r° et 295.
6. 13 décembre 1404 ; *Reg. Vat.* 333, fol. 199 v°-200 r°.
7. *Div. cam.* 1, fol. 26 r°.

de Nola, Francesco Scaczano, de rechercher et saisir pour le compte de la Chambre apostolique les biens meubles et immeubles d'Urbain VI [1].

Ce qui domine la politique camérale romaine en matière de saisies casuelles, c'est la faiblesse des moyens. La multiplication des bulles de réserve [2] ne doit pas faire illusion : le seul résultat en fut quelques saisies à caractère mesquin, qui devaient irriter la curie plus que renflouer la Trésorerie. L'impopularité de la Chambre apostolique parmi les milieux curiaux eux-mêmes, voilà peut-être la raison de cette étonnante disette d'hommes que nous avons constatée [3]. Les docteurs et les licenciés, nombreux dans les listes de collecteurs, évitaient l'office de clerc de la Chambre ; les camériers se succédaient ; les mêmes clercs devaient cumuler des offices aussi différents que ceux de la Chancellerie et ceux de la Chambre apostolique. N'est-ce pas que les clercs de la curie se souciaient peu de prendre part aux responsabilités d'une politique honnie même dans l'entourage du pape romain. A Avignon, la Chambre était peut-être jalousée, voire crainte, mais elle était respectée. A Rome, il serait étonnant qu'elle n'ait pas été haïe.

Si l'on cherche à dresser un bilan, bien peu de mesures apparaissent efficaces. La réserve des titres cardinalices, celle de la préceptorie de Saint-Antoine de Toscane, sont probablement les seules. Le népotisme exorbitant de Boniface IX et de Grégoire XII a anéanti le bénéfice de la plupart des réserves qui avaient quelque ampleur : trop souvent, le revenu des vacants est allé enrichir les Tomacelli et les Correr en rémunération de services, parfois illusoires, parfois réels mais que d'autres eussent rendus à moindres gages. La réserve des titres cardinalices et la rigoureuse saisie des dépouilles parmi les membres les plus influents de la curie ont été, en outre, une erreur politique qui devait lourdement payer Grégoire XII.

1. *Reg. Vat.* 316, fol. 228.
2. *Arm.* XXXIII, 12, *passim.*
3. Ci-dessus, chapitre III.

CHAPITRE VII

LES COMMUNS SERVICES

A. — L'IMPOSITION

1. *La taxe.*   Tout clerc pourvu d'un bénéfice pontifical, évêché ou abbaye, devait acquitter un droit relativement complexe qui tenait lieu d'annate, les communs et menus services. La terminologie en la matière varie peu ; tout au plus rencontre-t-on rarement les mots « vacants » ou « fruits vacants » pour désigner les communs services [1], mais il désignent le plus souvent l'annate des bénéfices mineurs, jusqu'aux prieurés et archidiaconés. Il est exceptionnel de rencontrer le terme d'annate pour les communs services, et le cas de l'abbé d'Edimbourg n'a à cet égard que la valeur d'une anomalie, tant par l'appellation que par les modalités de paiement [2].

Comme les bénéfices mineurs l'étaient pour l'annate, les évêchés et monastères étaient taxés pour les communs services [3]. Mais, alors que la taxe pour l'annate représente le reste des revenus annuels après déduction des charges, la taxe pour les communs services était uniformément fixée au tiers des revenus bruts annuels de la mense [4]. On ne révisait cette taxe que fort rarement [5]. Sans doute valait-il mieux arguer de difficultés financières pour ne pas payer ou payer lentement qu'en tirer argument pour faire réviser un chiffre dont la valeur eût été, alors, immédiatement exigible. Notons qu'il existait cependant des bénéfices non taxés : de temps à autre, une enquête était ordonnée pour déterminer la valeur des revenus d'un bénéfice et des communs services proportionnels [6].

---

1. Les dettes de l'abbé de Molosmes sont ainsi qualifiées : *pro vacante et minutis servitiis* ; *Reg. Vat.* 308, fol. 39.
2. Cette « annate » était payable au collecteur en quatre ans (lettre du camérier, du 31 juillet 1379) ; *Reg. Av.* 220, fol. 340 v°.
3. Sur les origines de la taxe, on verra : A. Gottlob, *Die Servitientaxe im 13. Jahrhundert.* Pour le montant des différentes taxes, nous renvoyons une fois pour toutes à l'excellente publication de Mgr H. Hoberg, *Taxae pro communibus serviis.*
4. A. Clergeac, *La curie et les bénéficiers consistoriaux*, p. 84.
5. Nous avons exposé les différents problèmes posés par la taxation dans notre article *Temporels ecclésiastiques et taxation fiscale*, dans le *Journal des savants*, 1964, p. 102-127.
6. Nous avons cité quelques unes de ces enquêtes, *ibid.*, p. 106-107.

Les communs services étaient également partagés entre la Chambre apostolique — c'est-à-dire le pape — et la chambre du Sacré Collège. La Trésorerie ne recevait donc que la moitié du montant de la taxe [1]. L'autre moitié était distribuée entre les cardinaux ayant pris part au consistoire au cours duquel avait été préconisé l'évêque ou l'abbé. Cette dernière disposition, qui rendait inégales les parts des cardinaux, avait le double avantage de favoriser les plus anciens membres du Sacré Collège et de constituer une masse commune avec les sommes revenant aux cardinaux décédés. La distribution était en effet faite à titre posthume à ces derniers, et les sommes affectées à l'exécution de leur testament ; dans la pratique, c'était là un trésor de secours, dans lequel le pape s'arrogeait le droit de puiser en cas de besoin, par voie d'emprunt. Nous reviendrons ultérieurement sur cet usage de l'argent « revenant aux chapeaux des cardinaux défunts » [2].

La Chambre apostolique et les cardinaux se partageant les communs services, leurs familiers se partageaient — avec ceux du pape — les menus services. Chaque menu service équivalait à une part cardinalice de communs services. C'est dire que le montant en changeait, pour une même prélature, à chaque provision : un menu service était égal au quotient de la part du pape par le nombre de cardinaux présents lors du consistoire.

L'un des menus services était attribué aux familiers et officiers desdits cardinaux. Les quatre autres allaient à ceux du pape, notamment au camérier et aux clercs de la Chambre apostolique [3]. Un tel système de répartition excluait évidemment qu'une partie de ces services fût payée par priorité : les prélats devaient faire de leurs versements deux parts égales pour le pape et le Sacré Collège, et payer en même temps les menus services au prorata du versement principal. Certes, les proportions n'étaient pas toujours respectées, mais on voit que Jean Le Fèvre, évêque de Chartres, bien qu'il dût encore la quasi-totalité des 2 000 florins pour lesquels il était obligé depuis vingt mois, ne négligeait pas de verser, le 22 décembre 1381, outre 52 florins 10 deniers et une obole pour ses communs services à la Chambre apostolique, 9 florins 6 sous 5 deniers pour les quatre menus services des familiers du pape [4]. Les registres de quittances du camérier contiennent des milliers d'exemples semblables.

Cette règle souffrait bien des exceptions, et le camérier devait

---

1. Mgr Hoberg indique la taxe totale ; nous mentionnerons normalement la taxe pour le pape, c'est-à-dire la moitié de la taxe totale, afin de permettre les relations avec le chiffre des paiements.

2. Ci-dessus, p. 255. Sur les finances du Sacré Collège, voir : P.-M. BAUMGARTEN, *Untersuchungen und Urkunden über die Camera Collegii cardinalium.*

3. J. HALLER, *Die Verteilung der Servitia minuta...*, dans les *Quellen und Forschungen..* I, 1898, p. 281-295.

4. *Obl. sol.* 45, fol. 120 v°.

fermer les yeux sur des manquements qui favorisaient la Chambre apostolique. On voit, en effet, nombre de prélats s'acquitter par priorité de leurs communs services [1] et traîner parfois fort longtemps une dette de menus services ; nous n'en donnerons que deux exemples, fort nets. Le 16 septembre 1390, Jean de Poitiers, versait l'intégralité de ses communs services — 2 250 florins — assortis d'un subside de 1 942 florins [2] ; or il payait encore ses quatre menus services à la fin de 1405 [3]. Pourvu du monastère de Montolieu en octobre 1361, l'abbé Saxo mourut en 1384 sans avoir fini de payer ses services ; son successeur Bertrand composa avec la Chambre apostolique le 12 décembre 1384 [4] et paya en moins de cinq mois le montant de la composition [5], mais il n'avait pas fini de payer les quatre menus services quelque vingt-deux ans plus tard [6].

2. *L'obligation.* L'évêque ou l'abbé devait s'obliger envers la Chambre et le Sacré Collège lors de sa collation. Lorsque, pour motif grave, il était exempté de venir lui-même à la curie, un collecteur pouvait se voir confier la mission de le faire s'obliger ; la bulle de provision était adressée, en ce cas, non à l'élu, mais au collecteur : celui-ci ne la remettait à son destinataire qu'après l'obligation [7].

Ces obligations étaient consignées en des registres particuliers, dont l'ensemble constitue une importante partie de la série *Obligationes et solutiones* [8]. Chaque prélat y fait l'objet d'une inscription mentionnant la taxe et les délais concédés. Ces délais prévoient généralement deux termes, l'un dans les six à dix mois de l'obligation, l'autre un an après le premier, le tout étant donc payable en moins de deux ans [9]. Benoît XIII rapprocha ces termes : le premier six mois après l'obligation, le second six mois après le premier [10]. Pour les prélats résidant loin de la curie et modestement

---

1. C'est en particulier le cas des paiements intégraux de communs services, que n'accompagne jamais le paiement intégral des menus services. La quittance donnée le 15 mai 1406 à l'abbé du Canigou, qui avait payé l'intégralité de ses communs services à la Chambre, le jour même de son obligation, précisa qu'il demeurait débiteur de ses menus services, ainsi que des communs et menus services de ses prédécesseurs ; *Reg. Av.* 324, fol. 207 v°.

2. *Intr. ex.* 366, fol. 47 r°. Jean de Poitiers était évêque de Valence.

3. *Reg. Av.* 324, fol. 181 r°.

4. *Intr. ex.* 359, fol. 19 r°.

5. *Intr. ex.* 359, fol. 19 r°, 25 r° et 34 v°.

6. *Reg. Av.* 324, fol. 197 v°.

7. *Obl. sol.* 45, fol. 111 v°-113 r°.

8. Listes utiles dans : J. DE LOYE, *Les archives de la Chambre apostolique au XIVe siècle*, p. 181-195, et H. HOBERG, *Taxae...*, p. XV-XVI.

9. L'évêque de Valence et Die, Guillaume de la Voulte, s'obligea par exemple le 11 juillet 1379 à payer 4 500 florins pour ses communs services, et en outre ses cinq menus services, par moitié à Noël 1379 et Noël 1380. Guillaume de Crèvecœur, évêque de Coutances, s'obligea semblablement le 19 septembre 1387 à payer 2 500 florins et ses menus services par moitié à l'Assomption 1388 et à l'Assomption 1389. *Obl. sol.* 43, fol. 61 v° et 115 v°.

10. BAUMGARTEM, *Untersuchungen und Urkunden..*, p. 80, n° 125.

taxés, on prévoyait parfois un terme unique : ainsi l'archevêque d'Athènes s'obligea-t-il, le 12 juin 1388 à payer les 70 florins de sa taxe le jour de Pâques 1389 au plus tard [1].

Ces délais n'étaient, nous le verrons, que rarement respectés. Mais, s'ils étaient souvent dépassés, à grand renfort de délais supplémentaires et malgré les foudres de l'excommunication, il n'était pas rare que les paiements fussent effectués par anticipation. Guillaume de Crèvecœur disposait de vingt-trois mois pour s'acquitter en deux fois des services de son évêché de Coutances ; il paya la totalité de sa dette envers la Chambre apostolique vingt jours seulement après s'être obligé [2].

Au temps de Grégoire XI déjà, la Chambre n'était plus maîtresse des délais réels de paiement. Les obligations étaient cependant enregistrées avec un soin extrême. Faut-il croire que les gens du pape conservaient des illusions quant au respect de ces délais théoriques ? Certainement pas. S'agissait-il au moins de lier le débiteur par une inscription quant à la somme due ? C'est certainement là un des effets de l'obligation [3] ; à l'époque du Schisme, ce n'est qu'un effet secondaire de l'enregistrement.

Le registre d'obligations n'est pas, en effet, un registre d'instruments mais un répertoire documentaire. Un formulaire hérité de l'époque précédente [4] a pu faire croire que son objet principal était d'enregistrer les obligations des prélats ; il s'agissait en réalité de noter la valeur de la taxe dont le *Liber taxarum* témoignait avec trop d'imprécision [5]. Ce que nous avançons ici est prouvé de façon décisive par l'enregistrement de dizaines d'obligations postérieures au paiement de l'intégralité des services. L'abbé de Bourgueil paya le 7 avril 1384 [6] et s'obligea le 19 ; l'abbé de Saint-Aubin d'Angers paya le 13 août 1385 [7] et s'obligea le 16 ; l'abbé de San Cugat del Valles paya le 16 avril 1394 [8] et s'obligea le 16 mai ; Raoul de Roye, abbé de Saint-Lucien de Beauvais, paya le 30 juin 1384 [9] et ne s'obligea que le 13 septembre. Pendant le seul pontificat de Clément VII, soixante-six évêques et abbés s'obligèrent ainsi après le paiement de l'intégralité de leurs communs services, la plupart

---

1. *Obl. sol.* 43, fol. 120 r°.
2. Le 9 octobre 1387 ; *Intr. ex.* 363, fol. 48 r°.
3. Sinon, les monitions lancées contre Jean de Lantier, évêque de Rieux, qui avait quitté la curie après avoir réussi à se procurer sa bulle mais sans s'être obligé eussent été sans objet réel ; *Coll.* 361, fol. 28 v°-32 r°.
4. Sur l'origine et l'histoire des registres d'obligations, voir : Emil GÖLLER, *Der Liber taxarum der päpstlichen Kammer*, dans les *Quellen und Forschungen...*, VIII, 1905.
5. A. CLERGEAC a bien montré (*La curie et les bénéficiers consistoriaux*, p. 85-87) les insuffisances du *Liber taxarum* qui indiquait les chiffres, mais non leur justification ; voir aussi GÖLLER, *Der Liber taxarum...* p. 14.
6. *Intr. ex.* 338, fol. 28 r°.
7. *Intr. ex.* 359, fol. 48 r°.
8. *Intr. ex.* 371, fol. 5 r°.
9. *Intr. ex.* 338, fol. 59 v° ; ce paiement n'a été enregistré que le 30 septembre (sur ces enregistrements tardifs, voir ci-dessus, p. 82-84).

dans le mois qui suivit, huit après plus de deux mois, un après quatre mois.

Il ne s'agit évidemment pas là d'obligations au sens strict du terme. Ce que l'on enregistrait, c'était la taxe, pour faire foi lors de contestations éventuelles avec les succcesseurs du nouveau prélat. Plus qu'une obligation, c'était une reconnaissance de taxe constituant un titre pour le Saint-Siège. Ainsi, lorsqu'une diminution de taxe était accordée pour une fois, on n'en tenait nul compte dans l'enregistrement de l'obligation, afin de ne causer aucun préjudice à la Chambre apostolique. Mais de telles pratiques n'étaient pas exclusivement dirigées dans le sens des intérêts pontificaux, car les prélats savaient très bien quel parti ils pouvaient tirer des obligations enregistrées [1].

Au lieu de l'obligation, ce pouvait être la *liberatio propter paupertatem*, remise intégrale qui libérait le prélat de toute dette envers la Chambre ; elle n'était consentie qu'au moment de la collation : par la suite, elle était impossible. Le débiteur pouvait faire traîner les paiements en longueur, jamais il n'arrivait à se faire totalement exonérer s'il ne l'avait pu lors de sa collation. Les seuls cas connus d'exonération tardive correspondent en réalité à la rémunération de services rendus à la Papauté et ne sont que des assignations à un débiteur sur sa propre dette.

A défaut de l'exonération totale, le nouveau prélat pouvait enfin espérer une réduction de taxe, souvent marquée par le souci de la Chambre de ne pas porter préjudice aux intérêts ultérieurs du pape : on réduisait la taxe immédiatement exigible, mais on enregistrait en bien des cas la taxe ancienne, non réduite ; seul le chiffre du paiement, assorti de la mention *pro totali communi servitio,* ou le total des paiements effectués jusqu'au solde nous renseignent sur de telles réductions.

Lorsque le monastère ou l'église changeait de titulaire deux fois en un an, les communs services n'étaient dus qu'une seule fois, normalement par le premier des deux prélats successifs. Notons bien qu'il n'y avait là aucune faveur, du moins en théorie : le second titulaire risquait fort de trouver sa mense épuisée par le paiement, qui était dû par celle-ci plus que par les titulaires. En un an, quel que fût le nombre d'évêques, les terres d'une mense épiscopale ne portaient qu'une récolte [2]. C'était néanmoins une excellente affaire que d'obtenir un évêché ou une abbaye dont le précédent titulaire était en place depuis moins de un an et disposait d'une

---

1. J. Favier, *Temporels ecclésiastiques et taxation fiscale...*, p. 212-213.
2. Accordant à Marin Gouge, évêque de Chartres, que les 516 florins payés le 8 février 1408 pour son église de Luçon fussent déduits de son obligation pour Chartres, la Chambre apostolique précisait qu'il avait été transféré de Luçon à Chartres après trois mois seulement, sans avoir eu le temps de percevoir le moindre revenu à Luçon ; sinon, c'est le successeur de Martin Gouge qui eût été exonéré ; *Reg. Av.*, 331, fol. 238 r°.

fortune personnelle suffisante pour payer la totalité de ses communs services sans attendre les revenus de la mense. Nous ne saurions préciser dans quelles conditions les prélats pouvaient obtenir un bénéfice dans cette circonstance, et dans quelle mesure le hasard présidait à cette faveur. Que certains en aient systématiquement profité n'est cependant pas douteux. L'exemple de Guy de Roye est, de ce point de vue, le plus remarquable. Transféré à Sens en août 1385, Guy de Roye succédait à Gontier de Bagnaux qui n'était là que depuis février et avait payé avant mai l'intégralité de ses communs services [1]. Guy de Roye n'eut donc rien à payer, bien que la date de son transfert le rendît bénéficiaire de l'essentiel des récoltes de l'année. Cinq ans plus tard, en août 1390, Clément VII le transféra à Reims, où il succédait à Ferri Cassinel, lui-même installé en février et dont les communs services avaient été payés ce même mois [2]. Là encore, Guy de Roye s'obligea, mais ne paya rien [3].

Un tel principe, ordinairement respecté et souvent formulé par le camérier, souffrait cependant des exceptions qu'il nous est impossible d'expliquer, faute de connaître les circonstances. Dans le même siège de Sens se succédèrent en 1390 deux archevêques qui s'obligèrent, l'un le 20 juillet et l'autre le 31 octobre ; or, bien que son prédécesseur ait payé ses communs services à l'époque de son obligation Guillaume de Dormans paya les siens dans la première quinzaine de novembre [4]. Faut-il, comme à propos des délais de paiement que nous étudierons plus loin, faire intervenir la position politique de Guillaume de Dormans et son peu d'enthousiasme pour la cause clémentiste. Il semble pourtant difficile à admettre que la Chambre ait pu pénaliser un prélat au mépris d'une règle formelle.

3. *Transmission de l'obligation.*   Les délais réels de paiement différaient notablement, nous le verrons, des délais imposés par la Chambre apostolique lors de l'obligation. Nombre de prélats quittaient leur bénéfice — par mort ou par transfert — avant d'avoir acquitté le montant de leur taxe. C'est le problème des « restes », qui obérait les trésoreries et préoccupait la Chambre. Il se présente différemment selon que les restes procèdent d'une mort ou d'un tranfert.

A la mort d'un évêque ou d'un abbé, son successeur était tenu de s'obliger pour les restes de son prédécesseur, voire de ses prédécesseurs. Il devait les payer comme ses propres services. Généralement, il préférait s'occuper d'abord de sa dette personnelle et, en bien des cas, tout était rapidement réglé. Succédant à Jean Dehors, qui n'avait jamais payé que de faibles annuités, Geoffroi Harenc, abbé

---

1. Les 1er mars et 8 mai 1385 ; *Intr. ex.* 359, fol. 25 r° et 34 r°.
2. *Intr. ex.* 366, fol. 17 v°.
3. On voit combien cette obligation obligeait peu.
4. *Intr. ex.* 366, fol. 38 v° et 39 v° ; *Intr. ex.* 367, fol. 2 v° et 3 r°.

de Jumièges, paya le même jour, deux mois après sa collation, la totalité de ses services et des restes de tous ses prédécesseurs [1]. De même l'abbé de Bonneval, Déodat, paya la dette héritée de son prédécesseur Raymond douze jours après la sienne propre [2].

D'autres s'acquittaient de façon plus progressive, voire en temporisant. Jean, abbé de Sainte-Colombe de Sens, ne versa en douze ans que la moitié de sa taxe : 249 florins 9 sous 8 deniers, sur 500 florins [3] ; après cela, il paya 101 florins 20 sous pour ses prédécesseurs Thomas, Pierre et Guillaume [4] ; il reprit alors le paiement de ses propres services, dont il ne vint jamais à bout. Pierre, abbé de Turpenay, mourut après onze ans d'abbatiat sans avoir payé plus de 36 florins, sur les 50 qu'il devait ; son successeur Guillaume versa sur le champ le montant de sa taxe et, moins de deux ans après, les 14 florins encore dus pour Pierre [5]. Pierre, abbé de Saint-Vincent-au-Bois, obligé en novembre 1381 pour 30 florins, en paya 15 en août 1385 et, payant les 15 autres en octobre 1392, il y joignit 25 florins dus pour son prédécesseur Guillaume [6]. Elu au début de 1387, l'abbé de Saint-Paul de Besançon s'acquitta de ses communs services dès décembre 1388 [7], mais se contenta ensuite d'obtenir, d'année en année, des délais pour la dette de son prédécesseur ; à la fin de 1405, il n'en avait pas encore payé un denier [8].

Le cas le plus net de temporisation est celui d'Alexandre de Montaigu, abbé de Saint-Bénigne de Dijon. Ayant mis huit ans à payer ses communs services, il entreprit ensuite d'acquitter les restes de ses trois prédécesseurs pour lesquels il poursuivit ses versements pendant dix-sept ans.

Les dettes étaient souvent confondues et simplement additionnées. Ainsi l'abbé de Saint-Martin de Tournai, Pierre, paya-t-il diverses sommes en déduction de ses communs services et de ceux de ses prédécesseurs [9].

A ces restes de communs services, s'ajoutent d'ailleurs les restes de décimes, de procurations ou de subsides. Lorsque le montant était trop élevé, ou le successeur assez habile, une composition pouvait intervenir avec la Chambre apostolique. C'est ainsi que Bertrand, abbé de Montolieu, composa, le 12 décembre 1384,

---

1. *Intr. ex.* 365, fol. 37 v°.
2. *Intr. ex.* 363. fol. 33 v° et 35 r°.
3. *Intr. ex.* 350, fol. 31 r° ; 354, fol. 11 r° ; 355, fol. 7 r° ; 369, fol. 22 r°.
4. *Intr. ex.* 369, fol. 25 r°.
5. *Intr. ex.* 367, fol. 20 r° ; 370, fol. 9 r°.
6. *Intr. ex.* 359, fol. 47 v° ; 369, fol. 41 v°.
7. *Intr. ex.* 365, fol. 6 r°.
8. *Reg. Av.* 324, fol. 178 v°.
9. *Obl. sol.* 45 A, fol. 163 v° ; *Intr. ex.* 365, fol. 26 v°. Sur le cas particulier de Saint-Martin de Tournai, voir A. D'HAENENS, *L'abbaye Saint-Martin de Tournai*, et *Le paiement du service par l'abbaye Saint-Martin de Tournai*, dans le *Bull. de l'Inst. hist. belge de Rome*, XXX, 1957, p. 49-95.

VERSEMENTS DE L'ABBÉ ALEXANDRE DE MONTAIGU

1379, 15 juillet	Obligation pour 1 000 florins et les restes de ses prédécesseurs
1380, 20 mars	49, 3 pour lui-même
31 octobre	49, 4
1381, 10 avril	49, 2, 8
31 octobre	49, 2, 8
1382, 5 avril	49, 2, 8
13 juin	321, 12
29 octobre	49, 2, 8
23 décembre	34
1383, 23 juin	30
1384, 22 juin	49, 3
30 octobre	27, 14
1385, 1er février	45, 2, 6
6 avril	41, 14
31 octobre	51, 12
1386, 28 avril	52
7 novembre	32
1387, 8 novembre	21, 11, 10
28 novembre	62, 16, 2 pour ses prédécesseurs
1388, 17 novembre	37, 12, 10
1389, 22 novembre	100
1390, 23 novembre	100
1391, 22 novembre	100
1392, 22 novembre	50
1396, 14 décembre	100
1397, 24 décembre	100
1404, 22 novembre	100
1405, 26 novembre	quittance générale

pour les dépouilles et restes de toutes sortes de son prédécesseur Saxo : il devait payer 533 francs 10 sous pour l'ensemble [1].

Ces divers exemples montrent bien que l'usage de la Chambre apostolique fut constamment d'exiger des successeurs les dettes des prélats défunts. Il ne s'ensuit pas qu'il fussent les véritables débiteurs.

La Chambre s'adressait parfois aux héritiers et exécuteurs testamentaires du prélat mort sans avoir fini de payer ses services. A la mort du cardinal Gilles Aiscelin de Montaigu, ses exécuteurs testamentaires acquittèrent, après composition, ses communs services de Thérouanne [2] dont l'obligation remontait à vingt-trois ans ! Le complément des menus services de Géraud de Dainville, évêque de Cambrai, fut semblablement versé après sa mort par son

1. Cette somme fut payée en trois fois, de janvier à mai 1385 ; *Intr. ex.* 359, fol. 19 r°, 25 r° et 34 r°.
2. *Intr. ex.* 350, fol. 19 v°.

frère Michel [1]. Nicolas Braque paya les dettes de son fils Jean, mort évêque de Troyes [2]. Aymar Robert celles de son oncle et homonyme, l'archevêque de Sens [3].

Ce ne sont pas là le résultat d'accords entre successeurs et héritiers. C'est bien des héritiers que la Chambre apostolique exigeait ces paiements. Ainsi, à la mort de Jean T'Serclaes, évêque de Cambrai, le pape commit-il Clément de Grandmont pour se faire payer par les exécuteurs testamentaires ou les héritiers du défunt les 6 714 florins 8 sous encore dus à la Chambre et au Sacré Collège pour les communs et cinq menus services [4]. On en usait de même pour les autres dettes de prélats défunts, et le collecteur Armand Jausserand se voyait confier la mission de récupérer des exécuteurs testamentaires ou héritiers de Guillaume de Lestranges les 6 000 livres de petits tournois représentant six procurations biennales impayées par l'archevêque de Rouen [5].

Dans tous les cas, cependant, le successeur était obligé. Inscrivant le versement de Nicolas Braque, le notaire de la Trésorerie précisa que le nouvel évêque de Troyes, Pierre de Villiers, était obligé pour ce reste [6]. En fait, le successeur était toujours obligé envers la Chambre pour ses prédécesseurs mais, dans la mesure où le défunt avait pu faire un testament et transmettre un héritage, c'est-à-dire pour les seuls séculiers et sauf lorsqu'étaient saisies les dépouilles, les véritables débiteurs étaient les héritiers. Il restait à l'évêque, responsable du paiement envers la Chambre, à s'indemniser sur les meubles de son prédécesseur ou se faire indemniser par les héritiers. En cas de difficulté, il avait encore la ressource de solliciter l'aide canonique du camérier. Pierre de Savoisy, évêque de Beauvais en 1398, s'obligea pour ses prédécesseurs Louis d'Orléans [7], Guillaume de Vienne [8], Milon de Dormans [9] et Jean d'Augerant [10]. L'un de ceux-ci était encore en vie : Guillaume de Vienne, archevêque de Rouen jusqu'en 1407. Il avait d'ailleurs fait quelques paiements pour ses anciens évêchés, Beauvais et Autun [11]. L'exécuteur testamentaire de Milon de Dormans avait, de son côté, payé 100 florins six mois après le décès de l'évêque. Cela n'empêchait nullement Pierre de Savoisy d'être obligé envers la Chambre pour tous

1. Quittance du 9 mai 1381 ; *Obl. sol.* 45, fol. 65 v°-66 v°.
2. 234 florins 11 sous 8 deniers le 23 juin 1381, et 466 florins 12 sous pour les communs et 73 florins 27 sous 7 deniers pour les quatre menus services, le 23 juin 1383 ; *Intr. ex.* 354, fol. 35 v°, et 356, fol. 32 v° ; *Instr. misc.* 5327, fol. 4 v°-5 r°.
3. *Intr. ex.* 359, fol. 41 r°.
4. Bulle du 2 juillet 1389 ; *Reg. Av.* 275, fol. 99, et 277, fol. 103.
5. Bulle du 16 mars 1389 ; *Reg. Av.* 275, fol. 82 r°.
6. *Intr. ex.* 354, fol. 35 v°.
7. Pourvu en 1395, il devait encore 2 208 florins.
8. Pourvu en 1387, il devait encore 900 florins.
9. Pourvu en 1375, il devait encore 357 florins.
10. Pourvu en 1368, il devait encore 1 740 florins 18 sous.
11. *Intr. ex* 365, fol. 28 r° ; *Intr. ex.* 374, fol. 12 r° et 29 r° ; *Reg. Av.* 321, fol. 39 r°.

ces restes [1]. Ne pouvant se faire dédommager des sommes payées, par lui pour ses prédécesseurs, et décharger de ce qui restait à payer, il s'adressa au camérier. Le 14 octobre 1405, Pedro Adimari, lieutenant du camérier, enjoignit aux officiaux et au clergé des diocèses de Sens, Rouen, Reims, Paris et Beauvais de faire notifier, par citation à leur domicile et promulgation aux messes solennelles, à Guillaume de Vienne, archevêque de Rouen, et aux exécuteurs testamentaires de Louis d'Orléans. Milon de Dormans et Jean d'Augerant, l'ordre de décharger l'église et l'évêque de Beauvais de ces dettes, de rembourser dans les trente jours à Pierre de Savoisy les sommes payées par lui à ce titre, et de payer le reste à la Chambre apostolique, le tout sous peine d'excommunication [2]. Guillaume de Vienne s'exécuta et versa 60 florins à Antoine de Villeneuve, sur assignation de la Chambre, avant le 19 janvier 1406 [3]. Mais Pierre de Savoisy ne fut pas dédommagé de 2000 florins courants (1 600 florins de la Chambre) versés le 19 septembre précédent à Andrea Rapondi en paiement d'une assignation; aussi obtint-il qu'une seconde monition fût lancée le 9 mars 1406 [4].

En quelques semaines, la Chambre affirma plusieurs fois que les véritables débiteurs étaient les héritiers. Le 1er février 1406, c'est aux anciens évêques d'Orense et à leurs héritiers que les camériers du pape et du Sacré Collège, François de Conzié et Amédée de Saluces, faisaient faire une monition de décharger l'évêque d'Orense des dettes de ses quatre prédécesseurs [5]. Le 13 du même mois, semblable procédure était utilisée contre les prédécesseurs de l'évêque de Poitiers et leurs héritiers [6].

A son départ comme à sa mort, la dette suivait donc la personne du prélat qui s'était obligé pour lui-même. Mais à sa mort, la dette passait à ceux qui recevaient ses biens, cependant que la Chambre ne voulait connaître que le successeur qui, lui, détenait le bénéfice. Débiteur envers la Chambre, il n'en avait pas moins tous les recours contre les héritiers à qui incombait indirectement et en définitive la charge du paiement [7]. Naturellement, le prélat transféré à un autre siège était dans une situation différente. La Chambre apostolique pouvait s'adresser directement à lui, ce qu'elle ne pouvait faire pour des héritiers laïcs et mal connus d'elle. Le successeur était alors tenu à l'écart du recouvrement des restes de ses pré-

1. *Reg. Av.* 324, fol. 176 r⁰-177 r⁰.
2. *Ibidem.*
3. *Ibid.*, fol. 191 v⁰.
4. *Ibid.*, fol. 200 v⁰-202 r⁰.
5. *Ibid.*, fol. 196 r⁰-197 r⁰.
6. *Ibid.*, fol. 198 r⁰-199 r⁰.
7. L'instruction de 1404 pour les nonces en France précise bien que l'usage constant était d'exiger les arrérages du nouveau bénéficier, bien qu'ils ne fussent pas dus par lui, et que la Chambre lui accordait toutes facilités et toutes lettres utiles pour user de son recours contre le prédécesseur ou ses héritiers ; *Reg. Av.* 331, fol. 20 r⁰.

décesseurs. Les prélats transférés continuaient à payer, qui pour
son ancien évêché, qui pour son ancienne abbaye. Laurent de la
Faye, devenu évêque d'Avranches, poursuivit le paiement de ses
communs services pour l'église de Saint-Brieuc où il n'était demeuré
que quatre ans. Afin de bien montrer qu'il n'entendait pas se dérober à cette obligation, il n'attendit pas d'avoir payé la totalité
des services d'Avranches — il est vrai qu'il n'y mit guère de zèle
— pour acquitter ceux de Saint-Brieuc, effectuant parfois en même
temps un versement en déduction de chacune de ses obligations :
à la Saint-Jean 1383, 80 florins de communs services et 20 de menus
services pour Avranches, 40 et 10 pour Saint-Brieuc [1]. Il avait
ainsi fini de payer pour Saint-Brieuc le 26 octobre 1384 [2], alors
qu'il ne vit le terme de ses paiements pour Avranches qu'à Noël
1387 [3]. De même, Aymar Robert, devenu archevêque de Sens en
1376, et Pierre d'Orgemont, devenu évêque de Paris en 1383,
continuèrent-ils de payer leurs communs services pour l'église
de Thérouanne dans laquelle ils s'étaient auparavant succédé [4].

La charge pouvait devenir fort lourde pour l'évêque transféré.
Aussi n'était-il point exceptionnel de voir la Chambre apostolique
composer et accepter une réduction des dettes. Guillaume d'Estouteville, successivement évêque d'Evreux, d'Auxerre et de Lisieux,
devait encore 4 786 florins pour l'ensemble des restes de ses trois
obligations lorsque, le 10 février 1384, son procureur à la curie,
Raoul Boutin, obtint une composition : il payait 1 000 florins le
jour même et 2 500 francs [5] le 7 mai de la même année [6]. De telles
compositions semblaient *a priori* normales : le 18 septembre 1382,
Jean de Monstrelet, évêque de Vannes, constituait ses procureurs
pour composer avec la Chambre apostolique au sujet des communs
services... s'il lui arrivait d'être transféré à un autre siège, et notamment à celui de Nantes, ce qui arriva un mois plus tard [7].

Les dettes suivaient l'individu. A cette règle, que nous venons
de mettre en évidence, la Chambre ne trouvait pas toujours son
compte. Examinons l'état de la dette d'un prélat ayant occupé
plusieurs sièges importants : Aymar Robert, évêque de Lisieux,
puis d'Arras, ensuite de Thérouanne, enfin archevêque de Sens.
Cet état fut dressé par les gens de la Chambre à la mort de Robert,
en 1385, sans doute devant l'incapacité totale de ses successeurs
et héritiers à débrouiller un tel écheveau [8] :

1. 20 juin 1383 ; *Instr. misc.* 5327, fol. 1 v°.
2. *Intr. ex.* 338, fol. 65 r°.
3. *Obl. sol.* 45 A, fol. 155 r°.
4. *Obl. sol.* 45, fol. 48 r° ; *Intr. ex.* 338, fol. 31 r°, et 359, fol. 12 r° et 51 v°.
5. En fait 2 641 florins 12 sous 4 deniers.
6. *Coll.* 501, fol. 12 r°-13 v° ; *Intr. ex.* 338, fol. 13 v° et 35 v°.
7. *Instr. misc.* 3118.
8. Bulle du 6 février 1385 ; *Reg. Av.* 242, fol. 45.

DETTES D'AYMAR ROBERT A SA MORT
EN RAISON DE SES COMMUNS SERVICES :

OBLIGATION			PAYÉ		RESTE		PAYÉ PAR LES HÉRITIERS
Diocèse	Date	Valeur	(1)	(2)			
Lisieux	1361	2 000	93 %	24	129, 16, 8	7 %	
Arras.	1368	2 000	47 %	16	1061, 26, 8	53 %	
Thérouanne	1371	2 500	37 %	13 1/2	1064, 6, 7	63 %	128, 22, 4
Sens.	1376	3 000	35 %	8 1/2	1940, 7, 11	65 %	1768, 5, 6

Ceci ne représente d'ailleurs qu'une faible part des restes d'Aymar Robert : outre les menus services et, bien entendu, les services dus au Sacré Collège, dont le montant devait approcher celui des services dus au pape, l'archevêque devait 13 690 florins sur les procurations biennales qu'il n'avait pas payées — sauf 1 550 florins — depuis le 13 septembre 1331 ! Au total, sans compter sa dette envers les cardinaux, le défunt devait à la Chambre apostolique 19 323 florins 6 sous 3 deniers.

Il était difficile d'obtenir d'un prélat qu'il s'oblige soudain pour son troisième ou quatrième prédécesseur, sous prétexte que celui-ci venait de mourir après avoir lui-même changé plusieurs fois de siège. Il était encore plus difficile d'obtenir un paiement dans de telles circonstances. C'est pour cette raison que les services d'un prélat transféré et peu diligent à s'acquitter étaient immédiatement réclamés à son successeur [3]. L'intérêt de la Chambre primait la règle. Du titulaire transféré ou du nouveau titulaire, la Chambre choisissait le meilleur contribuable.

L'exemple de l'abbé de Tournus est l'un des plus caractéristiques. Le 11 décembre 1382, Amédée de Courgenon faisait le cinquième et dernier versement de ses propres communs services [4]. Le même jour, il entreprenait de payer le reste de son second prédécesseur, Bernard de la Tour d'Auvergne, devenu évêque de Langres [5]. Désespérant de jamais voir soldés les services de ce dernier, les gens de la Chambre s'étaient donc tournés vers Amédée. En dix-huit mois, ce dernier paya 214 florins, soit 43 % de la taxe de

---

1. Pourcentage de la taxe payé à la mort d'Aymar Robert.
2. Temps écoulé depuis le début du paiement, en années.
3. A. Clergeac a discerné (*La curie et les bénéficiers consistoriaux*, p. 100-103) le caractère personnel de l'obligation, caractère qui, selon lui, n'apparut qu'à la fin du XIVe siècle. Mais nous ne suivons pas Clergeac et Baumgarten (*Untersuchungen...*, p. 111) dans leur distinction des obligations réelles et personnelles. C'est le mode de recouvrement qui évolue, non l'obligation.
4. *Intr. ex.* 356, fol. 10 v°.
5. Voir ci-dessous, p. 380-381.

Bernard [1]. Il n'était cependant pas quitte : de juin 1385 à juin 1386, il dut encore payer 58 florins pour son prédécesseur immédiat, Bertrand Robert [2], lequel était cependant bien en vie et, pour l'heure évêque de Montauban. Or les paiements de Bertrand Robert pour Montauban s'échelonnaient depuis 1380 à la même cadence que ceux de Bernard de la Tour d'Auvergne pour Langres : bon an, mal an, quelque 5% de la taxe [3]. Sans négliger tout-à-fait sa dette pour Tournus, il ne marquait nullement l'intention de l'acquitter dans les délais raisonnables : en dix ans, il fit trois versements pour un total de 55 florins [4]. En sept mois, Amédée en versa pour lui 58.

On ne peut cependant dire que le successeur payât les services de son prédécesseur. Là encore, ce n'était qu'une affaire de commodité pour la Chambre. Elle récupérait sa créance sur celui qu'elle jugeait le plus apte à payer. Mais celui-ci avait tout recours contre le véritable débiteur et contre ses biens. La Chambre l'aidait parfois à rentrer dans ses fonds. Souvent, le prédécesseur avait laissé des biens ou gardé des créances dans son ancien siège ; le successeur pouvait se rembourser à leurs dépens. Sinon, ayant une quittance qui faisait foi de paiements effectués pour le compte d'autrui, il pouvait user des voies judiciaires.

En un cas au moins, le pape précisa même que de tels paiements n'étaient pas exigés des revenus propres du successeur. Le 4 juillet 1382, le camérier avait ordonné au collecteur de Poitiers, Pierre Domaud, et à son sous-collecteur de Maillezais, de saisir les biens de l'ancien évêque de Maillezais, Jean Roussel, demeurés dans le diocèse, jusqu'à la valeur de ses dettes envers la Chambre apostolique et le Sacré Collège, ceci à la demande du nouvel évêque, Pierre de Thury, qui était obligé pour ces dettes. Le collecteur devait remettre le produit de la saisie à Pierre de Thury afin que celui-ci s'acquitte [5]. Il est donc évident que les paiements faits avec cet argent devaient être considérés comme venant de Thury, non de Roussel ; la véritable provenance des fonds n'était pas à prendre en considération, et c'était à Pierre de Thury de payer. Mais, le 11 novembre, Clément VII ordonnait au collecteur de Bourges, Jean François, de qui dépendait alors le diocèse de Maillezais après la suppression de la collectorie de Poitiers, d'exiger de Pierre de Thury le paiement de toutes les dettes de son prédécesseur ; les sommes, créances et biens de ce dernier actuellement en possession de Thury étaient affectés à ce paiement [6].

---

1. *Intr. ex.* 356, fol. 10 v° et 30 v° ; *Intr. ex.* 338, fol. 5 v et 43 v°.
2. *Intr. ex.* 359, fol. 41 v° ; *Intr. ex.* 361, fol. 9 v°.
3. A l'exception de 576 florins assignés par le camérier à Aymar d'Aigrefeuille, le 19 juin 1381 ; *Coll.* 358, fol. 158 v° ; 374, fol. 63 r°.
4. *Intr. ex.* 352, fol. 17 v°, et 359, fol. 21 r° et 28 v°.
5. *Coll.* 359, fol. 128 v°-129 v°.
6. *Coll.* 359 A, fol. 257 v° ; la dette ne fut éteinte qu'en 1389...

Pour comprendre le procédé, il faut se souvenir que les revenus étaient généralement perçus avec un notable retard, et qu'un bénéficier avait droit aux revenus échus pour le temps où il tenait le bénéfice, quelle que fût la date du paiement réel. Ainsi, la Chambre se faisait bien payer par le successeur, mais, selon la règle, aux dépens immédiats ou différés du prédécesseur. Tant qu'un évêque ou un abbé était vivant, il demeurait l'unique débiteur de ses communs services.

4. *Réductions.*   L'obligation, nous l'avons déjà dit, ne s'éteignait que par le paiement intégral de la taxe. Passé le moment de l'obligation, la remise totale était chose fort rare[1], et motivée par la politique plus que par la pauvreté du bénéficier. C'est en récompense de ses services que Martin, évêque de Pampelune, se vit remettre ses communs services le 7 février 1381[2]. Nous avons là, en réalité, une assignation sur sa propre dette. Lorsque, le 13 mai 1404, nous voyons Benoît XIII remettre à l'évêque de Saint-Pons-de-Thomières ses communs services de Mâcon et de Saint-Pons[3], nous ne devons guère tenir compte de la raison avancée dans le texte de la bulle : l'évêque a dépensé plus de 1 500 francs pour réparer l'une des maisons de sa mense[4]. Cet évêque, c'est Pierre Ravat, l'avocat acharné de Benoît XIII au concile français de 1398. La remise n'était qu'une rémunération.

Tout aussi intéressée apparaît la remise consentie, dès le 12 mars 1380, à l'archevêque de Mayence Adolphe de Nassau pour la somme fort élevée qu'il devait à la Chambre et au Sacré Collège tant en raison de ses communs services que pour le compte de ses prédécesseurs : 17 587 florins[5]. Là encore, un motif est donné : les dépenses occasionnées au prélat par les guerres, les épidémies et le Schisme. Mais la véritable raison, c'était le désir du pape de retenir dans son obédience une province où une importante partie du clergé avait déjà pris le parti d'Urbain VI[6] ; l'archevêque avait d'ailleurs fait valoir que son adhésion à Clément VII était source de frais considérables. On ne saurait mieux marchander sa fidélité ! Il est fort remarquable que, deux mois plus tard, l'archevêque de Cologne Friedrich von Saarwerden ait obtenu d'Urbain VI une remise semblable : 120 000 florins dus pour diverses raisons et 11 000 pour ses communs services à la Chambre et ses quatre services.

---

1. G. Mollat, *Un envoi en France de commissaires pontificaux...* dans les *Annales de Saint-Louis-des-Français*, VI, 1901, p. 453 ; A. Clergeac, *op. cit.*, p. 22.
2. *Obl. sol.* 45, fol. 43 r°.
3. Il avait déjà payé 100 florins, sur une taxe de 400, pour Mâcon, le 27 septembre 1397 ; *Intr. ex.* 374, fol. 37 v°.
4. *Reg. Av.* 308, fol. 62 v°-64-r°.
5. *Reg. Av.* 221, fol. 20.
6. Une bulle du même jour permit à l'archevêque de pourvoir aux bénéfices vacants par privation des titulaires urbanistes ; *ibid.*, fol. 19 v°-20 r°.

Une telle faveur était motivée par les charges pesant sur l'église de Cologne et le zèle de l'archevêque envers le pape romain [1].

Les services rendus pouvaient d'ailleurs justifier effectivement une telle remise. Pedro Zagarriga, chambellan du pape et conseiller de la Chambre apostolique, ne pouvait payer les 3 200 florins dus à la Chambre et au Sacré Collège en raison de ses sièges de Lérida et Tarragone ; il mit en avant les réparations nécessaires dans les immeubles de ses menses, mais aussi le fait que le service du pape l'empêchait pratiquement de jouir de ses évêchés et, sans doute, d'en percevoir tous les revenus. Remise lui fut donc accordée de cette somme, le 2 novembre 1407 [2].

Sinon annulées à proprement parler, bien des obligations étaient sensiblement réduites. Pierre d'Orgemont obtint ainsi une réduction de 100 florins sur ce qu'il devait pour son ancien évêché de Thérouanne [3]. Des délais étaient accordés, qui permettaient un paiement échelonné, non plus en temporisant, mais selon les termes d'un accord intervenu entre le débiteur et la Chambre, voire le Sacré Collège, si les services dus aux cardinaux étaient également affectés. C'est en consistoire que le pape et les cardinaux accordèrent à l'abbé de Sablonceaux, en 1381, de payer 50 florins par an — 25 au pape, 25 au Sacré Collège — à la Pentecôte, de 1382 à 1385, et 100 florins tous les ans à la Pentecôte, ensuite, jusqu'à complet paiement de la taxe et des restes de ses prédécesseurs [4]. De semblables délais furent accordés, le 23 juillet 1382, à l'abbé de Saint-Crépin-le-Grand de Soissons : les paiements annuels devaient être de 53 florins 16 sous à Noël et autant à Pâques [5]. Les débiteurs ne respectèrent pas toujours les termes de l'accord : tenu par une composition de 1369 à payer tous les ans 150 florins à la Saint-Jean [6], l'abbé de Saint-Martin de Tournai, Jean Gallet, n'en payait plus qu'une quarantaine à la Noël lorsqu'il mourut en 1387 [7].

Après la restitution d'obédience à Benoît XIII, nombreux furent les bénéficiers qui ne purent s'acquitter de leurs dettes et mirent en avant leur pauvreté, généralement réelle, pour obtenir une réduction. Ce furent alors des compositions en grandes séries, parmi lesquelles les délais se combinaient aux réductions [8]. Il fallait que les dettes, moins lourdes, fussent acquittées. La Chambre aimait mieux percevoir moins que ne rien percevoir.

Mais de telles concessions étaient fragiles : en cas de besoin,

1. *Reg. Vat.* 310, fol. 51 v°-52 r°.
2. *Reg. Av.* 328, fol. 72 v°-73 v°.
3. *Intr. ex.* 359, fol. 12 r°.
4. *Obl. sol.* 45, fol. 83 r°.
5. Dès 1389, l'abbé ne payait plus qu'un terme sur deux.
6. A. D'HAENENS, *Le paiement du service...*, dans le *Bull. de l'Inst. hist. belge de Rome*, XXX, 1957, p. 62.
7. *Intr. ex.* 356, fol. 12 v° ; 338, fol. 9 v° ; 359, fol. 17 v° ; 361, fol. 9 r° ; 363, fol. 13 v°.
8. G. MOLLAT, *Un envoi...*, *loc. cit.*, p. 453 et s.

le pape révoquait les délais. Déjà, lors du séjour à Fondi, Clément VII avait révoqué, le 23 mars 1379, tous les délais dont jouissaient les débiteurs de la Chambre apostolique [1]. Le 4 septembre 1382, il chargea Pierre Girard et les collecteurs de contraindre les prélats français à payer leurs communs services nonobstant tous les délais accordés, ceux-ci était abrogés [2].

Bien des obligations ne furent jamais acquittées. La Chambre dut-elle renoncer à d'importantes sommes ? Son acharnement à exiger le paiement de créances vieilles de trente ou quarante ans nous laisse peu de doutes : de toutes façons, elle devait être satisfaite. C'est ici qu'il y a lieu de faire intervenir le droit de dépouilles : lorsque le Saint-Siège saisissait les biens meubles, les créances et le numéraire d'un prélat récemment décédé, il ne pouvait en plus exiger du successeur le paiement des dettes laissées par ledit prélat ; toutes les dettes, envers qui que ce fût, passaient à la charge de la Chambre apostolique. Les dettes envers la Chambre se trouvaient annulées. On comprend donc que le paiement des communs services d'un prédécesseur devînt chose de plus en plus rare à mesure que se généralisait la réserve des dépouilles.

5. *Paiements hors de la curie.* Une règle aussi souvent formulée que violée excluait des communs services toute somme d'argent versée à des nonces ou à des collecteurs. Les services étaient payables à la Trésorerie, et quittance ne pouvait en être donnée que par le camérier. « Il n'est pas d'usage, écrivait François de Conzié, le 24 mars 1385, que l'argent versé *in partibus* soit déduit des sommes dues pour les communs services ». Ignorant cette règle, l'abbé de Saint-Thierry avait inconsidérément prêté 100 francs à Guillaume de Vermont, alors nonce en France, avec l'assurance que cette somme lui serait allouée en déduction de ses communs services. Le camérier refusa, mais ordonna à Jean Maubert de la déduire des sommes dues ou à devoir par l'abbé pour des procurations ou des décimes [3].

Aucun texte ne nous fait connaître les fondements d'une telle règle. Clergeac a invoqué [4] principalement l'incompétence des collecteurs qu'il eût fallu tenir au courant des provisions, des dettes de prédécesseurs et de la taxe ; le collecteur fût ainsi devenu « l'arbitre de la taxation ». Comme si le collecteur n'était pas au courant des affaires de même nature concernant les bénéfices

1. *Instr. misc.* 3006.
2. *Coll.* 359 A, fol. 215 v°-217 v°.
3. *Coll.* 260, fol. 227 r° ; l'abbé jouait de malchance, car Maubert mourut avant la présentation des lettres du camérier et Conzié dut certifier le paiement des 100 francs au nouveau collecteur, Champigny, et à ses sous-collecteurs de Reims, Cambrai Laon et Noyon (*Instr. misc.* 3213). Ce fut en vain et la somme dut finalement être admise, à titre exceptionnel, en déduction des services, le 12 août 1389 ; Intr. *ex*, 365, fol. 42 v°.
4. *Op. cit.*, p. 113.

mineurs soumis à l'annate ! Comme s'il n'était pas en fait l'arbitre
des taxations nouvelles ! Il n'y a qu'une seule raison possible à
cette exception dans le système de recouvrement fiscal : l'impossibilité où se trouvait le Sacré Collège de percevoir sa part des
communs services ailleurs qu'à la curie.

Il était néanmoins plus facile à un nonce, sur place, qu'aux
gens de la Chambre apostolique de persuader un prélat qu'il avait
les moyens de payer ses communs services. Bien des nonces reçurent
donc le pouvoir de récupérer les services, parfois assorti du pouvoir
de composer dont nous avons déjà parlé. Le pape lui accorda parfois, en outre, celui de saisir les revenus des bénéfices, y compris
ceux des prélatures, pour assurer le paiement des dettes envers
la Chambre [1]. Les principales missions de ce genre furent confiées
à de hauts dignitaires de la curie : Jean de Murol, évêque de Genève,
et Pierre Girard, clerc de la Chambre, en France, en 1380 et 1382 [2] ;
Seguin d'Authon, patriarche d'Antioche, en Espagne, en 1381 [3] ;
Bertrand Raffin, évêque de Rodez, en Languedoc, en 1383 [4] ;
les collecteurs de Mayence et Cologne, dans leurs collectories, en
1384 [5] ; Walter Trail, évêque de Saint-Andrews, en Ecosse, en
1383 [6] ; Guillaume de Poitiers, abbé de Saint-Nicaise de Reims,
dans les provinces de Reims, Rouen et Sens, en 1388-1389 [7] ;
Guilherm Garcias Manrique, évêque d'Oviedo, en Castille, Léon,
Portugal et Navarre, en 1390 [8] ; Frances Climent de Zapera, clerc
de la Chambre, et le marchand barcelonais Guilherm de Fenolhet,
en Aragon, en 1398-1404 [9] ; Pierre Ravat, évêque de Saint-Pons-de-
Thomières, en France, en 1403 [10] ; Sancho Lopez de Vesco, familier
du Pape, en France, en 1404 [11] ; Guy Flandrin, auditeur du Sacré
Palais, en Flandre, en 1407 [12]. On peut d'autre part dire que, pendant tout le Schisme, les paiements faits par les prélats espagnols
au titre de leurs communs services l'ont généralement été en
Espagne et à des nonces ou au représentant du roi ; c'est la raison
pour laquelle, faute de disposer de la série complète des comptes
de ces nonces, nous connaissons fort mal le détail des paiements
espagnols.

1. Ainsi à Walter Trail ; *Coll.* 359, fol. 221 r°-222 r°.
2. *Obl. sol.* 45, fol. 45 v°-50 r° ; *Obl. sol.* 46, fol. 85 ; *Intr. ex* 354, fol. 11 v° et 18 r° ;
Intr. ex. 355, fol. 79 r° ; parmi les prélats ayant dû payer à ces nonces, on relève le nom
de l'abbé de Saint-Thierry, qui était donc fondé à ignorer la règle énoncée à son encontre
cinq ans plus tard (*Obl. sol.* 45, fol. 46 r°).
3. *Coll.* 359 A, fol. 124 v°-125 r°.
4. *Reg. Av.* 233, fol. 88 v°.
5. *Reg. Av.* 238, fol. 93 v° et 145 v°-146 r°.
6. *Coll.* 359, fol. 221 r°-222 r°.
7. *Reg. Av.* 325, fol. 538 v°-539 r°.
8. *Reg. Av.* 277, fol. 170 v°-171 v°.
9. *Reg. Av.* 308, fol. 17 v°-19 r° ; *Reg. Av.* 319, fol. 41.
10. *Reg. Av.* 306, fol. 59.
11. *Reg. Av.* 308, fol. 75 v°-76 r° ; *Instr. misc.* 3763.
12. *Reg. Av.* 331, fol. 118 v°-119 r°.

Etaient également faits *in partibus* les paiements d'assignations sur les communs services. La Chambre apostolique ne s'est pas fait faute de recourir à ce procédé pour se débarrasser immédiatement de dettes, sans considération du temps nécessaire au créancier pour obtenir satisfaction. Car le prélat ainsi visé ne payait pas plus vite au bénéficiaire d'une assignation qu'à la Trésorerie. On ne le lui demandait d'ailleurs pas. Ordonnant à l'archevêque de Rouen, Guillaume de Lestranges, et à l'évêque de Montauban, Bertrand Robert, de payer chacun à Aymar d'Aigrefeuille, capitaine d'Avignon, la moitié des 1 153 florins 2 sous 3 deniers qui lui étaient dus pour ses gages, le camérier Pierre de Cros écrivait : *solvatis et plene satisfaciatis de eisdem, terminis quibus dicte Camere eratis astrictus ad solvendum* [1]. Certains bénéficiaires furent rapidement payés : Guillaume de Lestranges obéit dès le 8 septembre à la lettre du 20 juin 1381 [2] et Pierre de Saint-Martial, archevêque de Toulouse, exécuta avant le 22 septembre une assignation faite le 22 juin 1392 [3]. Mais Pierre Vital, abbé de Saint-Sernin de Toulouse, ne paya que le 6 avril 1391 les 500 francs assignés sur ses communs services à Douce d'Aigrefeuille le 25 janvier 1388 [4]. Sur les restes de communs services d'Evrard de Trémagon, évêque de Dol, le camérier assigna, le 22 mars 1387, 379 florins à un mercenaire breton, Philippot Morhot, en déduction de ses gages [5] ; cette somme était payable par le successeur d'Evrard, Guillaume de Bris, à raison de 200 florins à la Saint-Jean et 179 florins à la Toussaint 1387 ; rien n'était cependant encore payé en juin 1390 [6]. Quant aux 900 florins assignés à Geoffroi de Boulogne le 17 octobre 1392 sur les services de Bernard de la Tour d'Auvergne, évêque de Langres [7], il semble qu'ils ne furent jamais payés : l'évêque avait d'ailleurs mis huit ans à s'acquitter de semblable somme envers la Trésorerie.

Une assignation doit être considérée à part : celle de tous les revenus de la Chambre apostolique en Castille et Léon, y compris les communs services, ainsi que des communs services dus au Sacré Collège et des cinq menus services, faite le 6 mars 1383 au roi Jean en exécution d'un traité conclu entre lui et Seguin d'Authon, patriarche d'Antioche, pour la fourniture par le roi de six galées armées destinées au service du pape. Pour les six premiers mois de service, le roi paya 43 000 francs, qui lui furent remboursés par Pedro Tenorio, archevêque de Tolède, à qui les collecteurs remirent toute leur recette, et à qui les prélats payèrent leurs ser-

1. *Coll.* 358, fol. 158 r°, et *Coll.* 374, fol. 62 v°-63 r°.
2. *Intr. ex*, 354, fol. 49 r°.
3. Arch. dép. Haute-Garonne, G. 353 et 354.
4. *Instr. misc.* 3492 ; Douce était la veuve de Béraud de Faudoas.
5. *Coll.* 364, fol. 96.
6. *Instr. misc.* 3439.
7. *Reg. Av.* 270, fol. 76 v°.

vices [1]. Un te manquement collectif à la règle nécessita force notifications au clergé [2], aux prélats [3] et aux collecteurs [4]. Bien plus, cherchant à justifier la mesure qui frappait les cinq menus services, le pape indiqua aux collecteurs qu'il était plus aisé de les percevoir *in partibus* ! [5] Mais, pour ce qui était des communs services, l'archevêque de Tolède était seul habilité à les recevoir et à en donner quittance ; même en cette occasion exceptionnelle, on ne dérogeait pas à la règle excluant la levée des communs services des pouvoirs conférés aux collecteurs lors de leur constitution [6].

L'argent des communs services pouvait cependant passer entre les mains de collecteurs. Ce fut le cas, en 1406, du collecteur de Provence, Simon de Prades. La Chambre devait encore à Antoine de Villeneuve 2 450 florins de la Chambre, reste de 4 000 florins dus pour ses gages à la conclusion de son compte. Les 22 et 25 septembre 1405, Pedro Adimari, lieutenant du camérier alors en Italie, lui assigna cette somme sur des communs services et ordonna aux prélats concernés d'effectuer les paiements au collecteur de Provence ou au sous-collecteur d'Avignon qui transmettraient l'argent à Antoine de Villeneuve [7]. Ces prélats étaient :

Guillaume de Poitiers, évêque de Viviers,	pour 500 florins
Jean de Gimbrois, évêque de Toulon,	200
Jean, abbé de Montmajour (Arles),	750
Isnard, abbé de Cruis (Sisteron),	100
Raymond de Bar, évêque de Montauban,	500

Trois des intéressés protestèrent aussitôt : l'évêque de Viviers et l'abbé de Montmajour qu'ils ne devaient plus rien, l'abbé de Cruis qu'il était trop pauvre pour payer. Autant de mensonges, d'ailleurs, le relevé des quittances nous en a donné l'absolue certitude [8]. Mais la Chambre n'avait alors pas le temps de faire le compte de

---

1. *Instr. misc.* 3135 ; *Reg. Av.* 233, fol. 62 r⁰-64 r⁰.
2. *Reg. Av.* 233, fol. 61.
3. *Reg. Av.* 279, fol. 44-45 ; *Reg. Av.* 233, fol. 60 r⁰-61 r⁰.
4. *Reg. Av.* 233, fol. 59.
5. *Ibid.*, fol. 57 v⁰-58 r⁰.
6. Le 17 mai 1406, Pierre du Pont, collecteur de Toulouse, reçut l'ordre de saisir les revenus de l'église de Toulouse et de les envoyer à la Chambre apostolique. Pierre Ravat, nommé archevêque par le Pape, le 18 septembre 1405, n'avait pu prendre possession de son siège et ne jouissait pas de ses revenus ; il ne pouvait donc payer ses services, et c'est en raison du dommage causé à la Chambre qu'étaient saisis les revenus. Mais dans la pratique il s'agissait d'une opération analogue à la levée de vacants, non d'une perception de communs services. Le collecteur était donc bien compétent (*Reg. Av.* 325, fol. 32 v⁰-33 v⁰). Sur la compétition entre les deux archevêques de Toulouse, voir : *Gallia Christiana*, XIII, col. 47.
7. *Reg. Av.* 319, fol. 80 ; *Reg. Av.* 324, fol. 174.
8. Le 8 avril 1406, Pedro Zagarriga donna commission à Jean Joly, collecteur de Lyon, de contraindre l'évêque de Viviers à payer ses dettes envers la Chambre, parmi lesquelles figurent ses communs services (*Reg. Av.* 325, fol. 538 v⁰-539 r⁰). Quant à l'abbé de Montmajour, il paya pour ses communs services, les 3 décembre 1406, 17 novembre 1407 et 5 juillet 1408, 586 florins... à Antoine de Villeneuve (*Reg. Av.* 237, fol. 42 v⁰-43 r⁰, et 61 r⁰ ; *Reg. Av.* 331, fol. 78).

chaque prélat. Adimari alla au plus pressé et, dès le 19 janvier, fit
de nouvelles assignations, payables dans les trente jours [1] :

> Dominique de Florence, évêque d'Albi, qui devait 208 florins
> Henri de la Tour, évêque de Clermont,   400
> Pierre, abbé de Bonnecombe (Rodez),   600

Sur ces dettes, ils devaient verser jusqu'à 710 florins à Antoine de
Villeneuve, et le reste au collecteur de Provence qui transmettrait à
la Trésorerie. Comme on voit mal que les évêques d'Albi et de
Clermont aient pu se concerter sur les sommes à verser à Antoine,
il faut bien admettre que, en ce cas encore, c'est au collecteur que
tout devait être versé, à charge pour lui d'assigner les 710 florins.
En attendant, Antoine de Villeneuve reçut de la Trésorerie 60 florins versés par l'archevêque de Rouen, 50 par l'abbé de Bonnecombe lui-même et 36 par l'abbé d'Ardorel (Castres) ; on lui promit
54 florins [2] sur les prochaines rentrées d'argent des communs
services. Une dernière assignation fut enfin faite : 440 florins dus
avant la Saint-Jean par Pierre, abbé de Saint-Victor de Marseille,
qui pouvait les verser soit au bénéficiaire ou à son procureur, soit
au collecteur ou son sous-collecteur.

Le collecteur de Provence a-t-il donc levé des communs services ?
Assurément pas. Notons un fait essentiel : plusieurs prélats assignés
avaient leur siège hors de la collectorie de Provence. A Albi, à
Clermont, à Montauban, Simon de Prades n'était que nonce du
pape ; il n'était pas collecteur. Ce n'est donc pas en tant que collecteur qu'il recevait ces sommes. Il n'en était chargé qu'au bénéfice
d'Antoine de Villeneuve qui résidait, lui, en Provence. Nous avons
là une procédure de commodité, qui ne faisait nulle entorse à un
principe fondamental. Simon de Prades transmettait, il ne levait
pas.

On peut dire la même chose des très rares cas où des collecteurs
apportèrent à Avignon l'argent d'un versement de communs
services : Pierre du Pont, collecteur de Toulouse, pour l'évêque
de Tarbes ; Pierre de Saint-Rembert, collecteur de Tours, pour
l'abbé de Sainte-Melaine de Rennes ; André *Figuli*, collecteur de
Tours, pour l'archevêque Amel du Breuil [3]. Ces collecteurs ne
jouaient alors que le rôle d'un procureur, souvent rempli en semblable occasion par des officiers de la curie, scripteurs ou notaires
par exemple. Ils apportaient l'argent d'un prélat, ils ne levaient
pas de communs services. Le versement était d'ailleurs ·enre-
gistré comme fait par l'évêque, « par la main du collecteur... »,
comme il l'eût été « par la main » de n'importe quel autre procureur

---

1. *Reg. Av.* 324, fol. 193 v°-196 r°.
2. Le texte indique 50 mais doit être corrigé en fonction du total ; *Reg. Av.* 324,
fol. 194.
3. *Reg. Av.* 324, fol. 202 v° et 208 r° ; *Intr. ex.* 367, fol. 43 r°.

ou messager. Jamais il n'était noté comme fait par le collecteur l'ayant reçu de l'évêque. Quittance était donnée par le camérier à l'évêque, non par le collecteur à l'évêque et par le trésorier au collecteur. Celui-ci n'était donc qu'un agent de transmission.

Une seule fois, les collecteurs se virent confier le soin de contraindre au paiement des prélats récalcitrants. Par des lettres adressées, le 10 mars 1382, aux douze collecteurs en France, Pierre de Cros leur donnait à cette fin le pouvoir d'user contre ces prélats de la censure et de tous autres moyens de droit [1]. Nous devons considérer les circonstances : on était alors à la veille de l'expédition angevine en Italie, et la Chambre battait, par tous les moyens, le rappel de toutes ses créances. A cette violation de la règle, il y avait de graves inconvénients [2] ; l'entrée en action du puissant appareil de perception qu'étaient les agents locaux de la Chambre devait cependant être susceptible d'accroître rapidement le volume des paiements. Le compte rendu par Guillaume du Lac de son activité nous fait connaître le résultat de cette procédure dans la collectorie de Lyon : de mai à septembre 1382, 643 florins de la Chambre furent obtenus des abbés de Maizières, Saint-Maurice d'Agaune, Mazan, Saint-Paul de Besançon et Saint-Etienne de Dijon [3].

Comme tant d'autres, la règle qui excluait les communs services de la compétence des collecteurs fut amplement violée par la Chambre apostolique romaine. Dès 1382, Urbain VI chargeait les collecteurs d'Irlande d'exiger les services dus à la Chambre, et même ceux dus au Sacré Collège ; l'éloignement était invoqué à l'appui de cette dérogation [4]. En 1392, Jacopo Dardani recevait pour leurs services diverses sommes des évêques de Llandaff et d'Ely et de l'archevêque d'York [5], cependant que Giovanni Manco se voyait chargé d'exiger les services du patriarche d'Aquilée [6]. L'année suivante, Manco contraignit l'évêque de Bologne à payer ses services [7]. En 1396, Dardani s'en prenait aux évêques de Salisbury,

---

1. *Coll.* 359. fol. 115 r°-116 r° ; aux douze collecteurs il faut joindre des nonces, comme Seguin d'Authon, qui donna quittance de 140 francs à l'évêque de Cordoue le 13 avril 1382 (*Obl. sol.* 46, fol. 78 v°-79 r°). Les archives ne conservent pas trace de lettres du même type adressées aux collecteurs espagnols.

2. Les collecteurs reçurent, avec la lettre, une liste des prélats débiteurs et des sommes dues. La moindre erreur, aisément rectifiable à Avignon par l'examen des registres devenait alors source de protestations invérifiables. De même, si les prélats protestaient à tort, aucune preuve ne pouvait leur être opposée. Il fallut mettre un terme à l'ardeur d'Arnaud de Peyrat, pourtant bien négligent dans ses devoirs envers la Chambre : il malmenait l'évêque de Tarbes pour obtenir le paiement de 150 florins mentionnés dans le document émané de la Chambre, dette dont le camérier reconnut ensuite l'inexistence, l'évêque ayant protesté, exhibé à Avignon ses quittances et obtenu que l'on fît des recherches dans les registres ; *Coll.* 360, fol. 18 v°.

3. *Intr. ex.* 356, fol. 7.

4. *Arm.* XXXIII, 12, fol. 38 v°-39 r°.

5. W. LUNT, *Financial relations...*, II, p. 191.

6. *Reg. Vat.* 314, fol. 29.

7. *Reg. Vat.* 314, fol. 99 v°.

Exeter et Chichester [1]. Devant le refus de Robert Waldby, évêque de Chichester, la Chambre se fit avancer le montant des communs services par l'évêque de Dax Pierre du Bosc, qui partait en mission pour l'Angleterre [2].

Car les assignations n'étaient pas rares. Ne citons que celle de 2 000 florins délivrée en 1388 à Dino Guinigi sur les services de Thomas Arundel, archevêque d'York [3], ou les obligations forcées contractées pour des prélats par des marchands suivant la curie romaine [4].

B. — LES PAIEMENTS ET L'ATTITUDE DU HAUT CLERGÉ

Pour apprécier l'attitude du haut clergé à travers les versements fiscaux, les paiements au titre des communs services sont le meilleur moyen d'approche. Cela tient, d'une part à la spécificité de ce type d'imposition, auquel ne participent que les prélats, et d'autre part à l'importance des documents concernant ces paiements. Au contraire des décimes, des procurations et des subsides, que le peu de zèle des collecteurs à rendre leurs comptes nous empêche de connaître dans leur ensemble, les communs services, presque toujours payés à la Trésorerie, étaient enregistrés parmi les *Introitus* dont la série est relativement continue. Plusieurs lacunes en peuvent d'ailleurs être comblées grâce à l'enregistrement des quittances délivrées par le camérier. Ces quittances, qui précisent le délai accordé et l'obligation concernée par chaque versement, complètent également les indications sommaires des *Introitus*.

Le montant de l'obligation était fixe. Trois critères doivent donc être adoptés et conjugués dans notre étude : le rapport des versements à l'obligation, la cadence de paiement et le temps écoulé entre l'obligation et le versement final. Il est en effet évident qu'un versement intégral n'a pas la même signification, effectué dans le mois qui suit l'obligation, ou dix ans après celle-ci.

Une première attitude possible est celle qui respectait les termes de l'obligation courante, soit deux paiements annuels, de la moitié chacun. En deçà et au delà, nous devrons examiner les attitudes opposées qui vont du paiement intégral lors de la collation et parfois avant l'obligation, à l'extrême temporisation dont nous avons déjà donné maint exemple.

---

1. *Reg. Vat.* 315, fol. 40 v°.
2. W. Lunt, *op. cit.*, II, p. 189.
3. *Ibid.*, p. 188.
4. J. Favier, *Temporels ecclésiastiques...*, *loc. cit.*, p. 123 et 126-127.

Carte 1

Communs services payés en un seul versement au temps de Clément VII.

Carte 2

Communs services payés en un seul versement au temps de Benoît XIII.

1. *Paiements immédiats.* Quelle est la signification des paiements immédiats ? La répartition géographique des sièges épiscopaux et abbatiaux pour lesquels des communs services furent payés en une seule fois et avant les termes de l'obligation ordinaire, ne donne prise à aucune interprétation. Toutes les régions de l'obédience avignonnaise présentent de semblables cas, comme le montrent les cartes précédentes. Les conditions économiques régionales étaient donc sans effet sur les paiements immédiats de communs services. Les fidélités nationales ou régionales n'interviennent pas davantage : la comparaison entre les cartes dressées pour le pontificat de Clément VII et celui de Benoît XIII ne fait apparaître aucune évolution des paiements aragonais en faveur de ce dernier pape ; le nombre des cas diminue de l'un à l'autre des pontificats, mais leur répartition demeure identique.

La dotation du monastère ou de l'évêché n'était pas sans influer sur le délai moyen d'extinction de la dette. Plus la taxe était élevée, constate-t-on [1], plus rapide était le paiement. Le pourcentage des prélats ayant achevé leurs versements — en une ou plusieurs fois — en moins d'un an augmente corrélativement à la valeur de la mense pour les bénéfices taxés à moins de 1 000 florins pour la Chambre. Au delà de cette valeur, la richesse du bénéfice semble sans influence sur le temps nécessaire au paiement intégral. Les prélats modestes étaient donc les plus lents à s'acquitter. Sans doute les bénéfices de médiocre valeur étaient-ils plus exposés aux effets de la guerre et des perturbations climatiques que ceux dont les biens immobiliers étaient plus largement répartis à travers une région et plus diversement constitués. Surtout, il faut faire la part des antécédents des prélats ; ce n'est pas avec les revenus de leur nouveau bénéfice qu'ils pouvaient s'acquitter sur le champ de la totalité des communs services. Parfois, ce bénéfice était même passablement ruiné, hors d'état de fournir le montant de la taxe.

Nous prendrons deux exemples, qui se recoupent. L'abbaye du Bec-Hellouin avait été très éprouvée du fait de la guerre, les destructions ne faisant que s'ajouter à la privation des revenus des biens situés en Angleterre. En 1351 déjà, l'abbé ne pouvait payer ses communs services [2]. S'étant obligé le 18 janvier 1362 pour 1 500 florins, Guillaume de Beuzeville mourut vingt-quatre ans plus tard sans avoir achevé le paiement de cette somme [3]. Son

---

1. Le tableau qui suit est établi sur 433 évêques ou abbés ayant fini de payer leurs communs services avant 1398 ; nous ne pouvons retenir, pour une comparaison, les paiements achevés après la restitution d'obédience, l'interruption ayant eu des causes essentiellement politiques, ce qui change la signification des délais observés.

2. *Obl. sol.* 27, fol. 54 v°.

3. Son dernier versement, fait le 30 juin 1385, n'est pas *pro complemento* (*Intr. ex.* 359, fol. 43 r°). — Guillaume de Beuzeville mourut le 2 mai 1388 (*Dict. d'Hist. et de Géogr. eccl.*, VII, col. 333).

RAPPORT DES DÉLAIS DE PAIEMENT
AU MONTANT DE L'OBLIGATION

MONTANT DE LA TAXE — PAIEMENTS ACHEVÉS	av. 1 mois	de 1 à 6 mois	de 6 mois à 1 an	av. 1 an	de 1 à 2 ans	de 2 à 5 ans	de 5 à 10 ans	apr. 10 ans	TOTAL par taxe
Plus de 4 000 florins	3						1	1	5
De 3 750 à 3 999 —									
3 500 à 3 749 —									
3 250 à 3 499 —				78 %					
3 000 à 3 249 —	4	2	1						7
2 750 à 2 999 —									
2 500 à 2 749 —	4		1				1		6
2 250 à 2 499 —	2	1							3
2 000 à 2 249 —	11	2	1		1	2	2	1	20
1 750 à 1 999 —	3			75 %			1		4
1 500 à 1 749 —	10	1		79 %		1	1	1	14
1 250 à 1 499 —	16	3		79 %		1	2	2	24
1 000 à 1 249 —	13	3	2	62 %	2	3	6		29
750 à 999 —	8	1	11	83 %		2	2		24
500 à 749 —	26	7	2	78 %	2	4	2	2	45
250 à 499 —	38	8	3	75 %	6	5	4	1	65
100 à 249 —	52	7	4	64 %	9	16	6	4	98
Moins de 100 —	29	9	8	52 %	17	19	5	2	89
Total par délai réel ...	219	44	33	68 %	37	53	33	14	433

procureur Thomas Le Pourri avait habilement servi les intérêts d'un client déshérité. Or, en 1388, le nouvel abbé Estaud d'Estouteville payait sur le champ la totalité de ses services [1], imité en 1391 par son successeur Geoffroi Harenc [2], cependant que le même Estaud, devenu abbé de Fécamp, s'acquittait, là encore, de son obligation en un seul versement [3]. A Jumièges, dont le temporel avait autant souffert de la mutinerie armée d'un ancien cellerier que de l'occupation anglaise de 1358 [4], l'abbé Jean Dehors mourut en 1389 après dix ans d'abbatiat sans avoir payé plus de 55 % de ses services ; deux mois après son obligation, son successeur Geoffroi Harenc payait la totalité des siens propres et le solde de ceux de Jean Dehors, soit près d'une fois et demie la taxe [5]. Deux ans plus tard, Simon du Bosc payait également sur le champ le montant de ses services [6]. De ces changements d'attitude pour les mêmes

1. Obligé le 3 juin, il s'acquitta le 4 ; *Obl. sol.* 45 A, fol. 182 rº.
2. Il paya le 5 février et s'obligea le 9 ; *Intr. ex.* 367, fol. 15 vº.
3. *Intr. ex.* 367, fol. 15 vº.
4. H. DENIFLE, *La désolation...*, II, p. 763.
5. *Intr. ex.* 365, fol. 37 vº.
6. *Intr. ex.* 367, fol. 18 rº.

monastères, deux explications peuvent être proposées, et nous pensons qu'elles doivent être conjuguées. D'une part, ni Estaud d'Estouteville ni Geoffroi Harenc ni Simon du Bosc ne pouvaient tirer immédiatement plus d'un millier de florins de leur mense abbatiale ; si le double paiement de Harenc pour Jumièges un 23 juin a peut-être bénéficié de la nouvelle récolte, on ne saurait croire que Simon du Bosc ait eu la faculté de réunir 1 150 florins entre un 9 et un 28 février. La fortune personnelle du nouveau prélat permettait donc, seule, le paiement immédiat de certains services : fortune familiale et fruit des précédents bénéfices. Or les évêchés misérables et les monastères ruinés étaient donnés à des clercs modestes, sans fortune antérieure. Les riches bénéfices étaient plutôt attribués à des gens influents, parfois transférés d'une autre prélature, et donc plus capables de paiement immédiat. Si les bénéfices à forte taxe payaient plus promptement, c'est que les bénéficiers en étaient plus riches. La conclusion n'a rien de surprenant ; il n'en avait cependant pas toujours été ainsi.

Il est d'autre part possible que la Chambre ait renoncé à vérifier année par année le délabrement financier des trop nombreux bénéfices ruinés. Son bien-fondé n'étant pas remis en cause, la temporisation serait devenue habituelle aux yeux des gens de la Chambre, du moins jusqu'à une nouvelle provision et une nouvelle obligation. Si les monastères avaient été aussi « désolés » que le rapportent les suppliques, on voit mal l'intérêt qu'eussent trouvé des clercs à les postuler.

L'examen des cas individuels conduit à diverses remarques, apparemment contradictoires. La première est qu'il y avait, dans certains bénéfices une sorte de tradition du paiement immédiat. C'est dans les abbayes que l'on trouve le plus souvent deux ou trois titulaires successifs ayant payé la totalité de leurs communs services en un seul versement, les traditions étant plus facilement transmises dans une abbaye que d'un évêque à l'autre. A Fécamp, Pierre Servoise paya 4 000 florins le 12 octobre 1381 [1], dix jours après son obligation, et Estaud d'Estouteville en fit autant le 5 février 1391 [2], trois jours avant la sienne. A Saint-Vincent du Mans, les abbés Astorge, Jean et Gervais s'acquittèrent chacun en une seule fois [3].

L'habitude est plus souvent personnelle. Ainsi suivons-nous dans ses sièges successifs les paiements immédiats de maint prélat : Geoffroi Harenc pour le Bec-Hellouin et Jumièges, Robert du Bosc pour Déols, Alet et Mende, Nicolas de Toulon pour Coutances et Autun. S'agissait-il de fidélité, d'une volonté systématique de

---

1. *Intr. ex.* 354, fol. 51 v°.
2. *Intr. ex.* 367, fol. 15 v°.
3. *Intr. ex.* 338, fol. 57 r° ; *Intr. ex.* 366, fol. 38 v° et 42 r°.

contribuer au soutien de la cause avignonnaise ? Dans certains cas, c'est probable. Parmi les prélats s'acquittant sur le champ de la totalité de leurs communs services, nous trouvons en effet nombre de gens appartenant ou ayant appartenu à la Chambre apostolique : François de Conzié pour Grenoble [1], Arles et Toulouse, Pierre Girard pour le Puy, Aymon Séchal pour Saint-Pons de Thomières, Guy de la Roche pour Lavaur, Clément de Grandmont pour Lodève, Seguin d'Authon pour Tours, Antoine de Louvier pour Rennes et Maguelonne, Henri Bayler pour Valence, et l'on pourrait aussi citer des officiers comme Henri de Serny, recteur du Comtat venaissin, pour ses évêchés de Rodez et de Maurienne. Pour certains d'entre ces évêques, c'étaient là des preuves de fidélité. Nous n'osons affirmer que la plupart ne se trouvaient pas, du fait de leurs liens avec la Chambre, dans la simple impossibilité de refuser.

Le paiement immédiat était en effet pratiqué par des gens que l'on ne saurait suspecter de complaisance envers le pape d'Avignon. Il faut citer en tout premier lieu l'implacable adversaire de Benoît XIII lors des conciles parisiens de 1396 et 1398, Simon de Cramaud. Patriarche d'Alexandrie en 1391, il avait auparavant été évêque d'Agen, de Béziers et de Poitiers ; pour ces trois sièges, ses paiements furent immédiats. Certes, dix ans séparent le dernier de ces paiements des grandes manifestations de l'hostilité du patriarche. Mais on ne saurait faire intervenir le même décalage à propos de Pierre d'Orgemont : pour son évêché de Thérouanne, il ne finit de s'acquitter qu'au bout de neuf ans, après son transfert ; mais c'est deux jours après son obligation, le 10 février 1384, qu'il versa la totalité de ses communs services pour Paris [2], ce qui ne l'empêcha nullement de verser, en 1390 et 1391, des subsides caritatifs à la Chambre apostolique. L'évêque d'Arras Jean Canard paya 80% du montant de son obligation quatre mois après celle-ci, le 20 janvier 1393 [3]. Pierre Le Roy, abbé du Mont-Saint-Michel, Simon du Bosc, abbé de Jumièges, Guillaume Auger, évêque de Saint-Brieuc, Guillaume de Vienne, archevêque de Rouen, furent parmi les ennemis les plus acharnés de Benoît XIII ; tous payèrent intégralement leurs services au moment de leur collation.

Voilà qui semble bien indiquer qu'un tel mode de paiement n'était nullement facultatif. D'ailleurs, nous le verrons, la réciproque est vraie : adhésion sincère au parti avignonnais ne signifie pas empressément à payer les communs services. Les clercs de la Chambre apostolique ou les collecteurs qui recevaient un évêché comme récompense devaient en payer le prix, c'est-à-dire les communs services. D'aucuns s'estimaient alors quittes avec le pape ; ils n'hési-

---

1. Il n'appartenait pas encore à la Chambre lors de son élévation à l'épiscopat, pour laquelle il paya 150 florins, soit toute la taxe, dès le 27 mai 1380 ; *Intr. ex.* 352, fol. 22 r°.
2. *Intr. ex.* 338, fol. 31 r°.
3. *Intr. ex.* 370, fol. 14 r°.

tèrent pas à se ranger contre lui lors du vote de 1398 : ainsi Guy de la Roche. Quant aux prélats dont le pape avait besoin, ils bénéficiaient de délais, voire de remises [1].

Les autres, au contraire, se trouvaient souvent forcés de payer sur le champ. Nombre de paiements intégraux sont antérieurs à l'obligation ; or la bulle d'investiture canonique n'était remise qu'après l'obligation, ainsi qu'en témoigne l'envoi de semblables bulles à des collecteurs chargés de les remettre aux élus après avoir fait s'obliger ceux-ci : la procédure était utilisée en particulier pour les bénéfices non taxés. C'était donc une pratique courante que de faire payer l'intégralité des communs services avant de remettre la bulle d'investiture [2]. Dans une formule de lettre destinée aux collecteurs, le camérier François de Conzié en fit d'ailleurs l'aveu : le pape a décidé en consistoire plénier, écrivait-il, que les nouveaux prélats « seraient tenus de payer leurs communs services et en exonérer intégralement leurs églises et monastères avant que leurs bulles de provision ne leur soient remises » [3]. C'était ériger la pratique en principe. L'examen des paiements montre que ce principe fut d'une efficacité fort irrégulière et que la Chambre ne put l'imposer contre tous les prélats. Beaucoup, cependant, durent en passer par les exigences pontificales.

Bien plus, il fallut souvent verser, outre la totalité des communs services, un appréciable subside caritatif personnel. Guillaume Lévêque, abbé de Saint-Germain-des-Prés, s'obligea le 6 novembre 1387 pour 2 000 florins qu'il avait payés le 12 septembre ; il y avait joint trois subsides, de 109 francs (le 12 sept.), 500 florins courants (le 18 oct.) et encore 500 florins courants (le 25 oct.) [4]. Lorsqu'on remit la bulle à son procureur, Guillaume de Corbigny, il avait déjà payé la valeur de 2 974 florins de la Chambre, soit près de 150% de la taxe. L'abbé de San Cugat del Valles versa, le 16 avril 1394, en sus des 200 florins de sa taxe, un subside de 400 florins [5]. Le rapport pouvait être encore plus élevé : outre les 150 florins de ses communs services, Gilles Cornet, abbé des Châtelliers, versa le 16 février 1390 un subside de 1 129 florins [6] ; le 14 juillet suivant, Louis de Prades, évêque de Majorque, versa 8 000 francs pour ses communs services et un subside : il devait 600 florins et avait donc ajouté, en subside, 7 951 florins, soit treize fois plus [7].

Fidélité ? Volonté d'aider le pontife d'Avignon ? Admettre cela serait pure naïveté. Ces clercs achetaient bel et bien leur évêché

---

1. Voir ci-dessus, p. 354-355.
2. *Preuves des libertez de l'Eglise gallicane*, II, p. 820 ; N. Valois, *op. cit.*, II, p. 386.
3. *Coll.* 361, fol. 1 r⁰.
4. *Intr. ex.* 363, fol. 44 v⁰, 49 r⁰ et 49 v⁰.
5. *Intr. ex.* 371, fol. 5 r⁰.
6. *Intr. ex.* 366, fol. 17 r⁰.
7. *Intr. ex.* 366, fol. 38 r⁰.

ou leur abbaye. Pour recevoir leur investiture, ils étaient contraints à des paiements sans rapport avec le revenu du temporel qui allait leur échoir. Même si sa taxation n'était pas abusive, si elle correspondait effectivement au tiers des revenus bruts, Gilles Cornet versait au pape dix-huit mois des revenus de son monastère ! Certes, on n'en demandait pas tant à chacun, mais, dans un aide-mémoire sans doute destiné à une séance du conseil, Conzié écrivait en 1385 que la Chambre devait recevoir, outre les communs services, un tiers ou la moitié des revenus des bénéfices pourvus [1]. Nous pourrions citer une centaine de prélats qui furent frappés par cette exigence.

Il n'y a plus, dès lors, de contradiction entre ces paiements empressés et l'hostilité des mêmes prélats ou de certains d'entre eux lors des conciles de 1396 et 1398. Pour recevoir leur bénéfice, ils en étaient passés par les exigences de la Chambre apostolique. Le pape avait trouvé des ressources, mais aussi suscité ou renforcé bien des haines. Ayant contribué aux dépenses engagées par le Saint-Siège pour réaliser l'unité de l'Eglise, de nombreux prélats furent, quelques années plus tard, partisans convaincus de la voie de cession.

L'analyse chronologique des exigences de la Chambre permet de définir une politique, ou plutôt l'évolution d'un usage, et d'en apprécier les conséquences pour l'ensemble des finances avignonnaises. Avant 1378, le paiement intégral n'était pas inconnu, mais il n'était alors qu'une commodité permettant aux prélats de diminuer leurs frais de quittance [2], de voyage ou d'envoi de procureur. Ce qui était rare, c'était le paiement immédiat. Déjà en 1334 nous voyons huit prélats s'acquitter en un seul versement ; mais deux seulement le font avant trois mois, quatre dans l'année, un dans le courant de la seconde année après son obligation [3]. La cadence des paiements était d'ailleurs à cette époque inverse de celle que nous constatons au temps du Schisme : le délai réel médian était d'un an pour les taxes inférieures à 100 florins, de quinze mois pour celles comprises entre 100 et 500 florins, de dix-sept mois pour celles comprises entre 500 et 1 000 florins, de trente-quatre mois pour celles supérieures à 1 000 florins. C'est certainement à la conjoncture, à l'influence de la peste et de la guerre, qu'il faut attribuer ce renversement des cadences et l'allongement des délais pour les petits bénéfices, plus affectés que les autres.

Avec le Schisme, d'autre part, le paiement intégral devint un paiement immédiat. Les paiements intégraux étaient faits pour

1. *Instr. misc.* 3194, fol. 4.
2. La taxe pour les quittances n'était pas, en effet, rigoureusement proportionnelle au montant du versement : ainsi payait-on 1 florin 2 gros pour un versement de 100 florins et seulement 3 florins 3 gros pour tout versement compris entre 101 et 999 florins ; *Obl. sol.* 47, fol. 29.
3. E. GÖLLER, *Die Einnahmen der apostolischen Kammer unter Benedikt XII* p. 597-599.

NOMBRE DES PAIEMENTS
IMMEDIATS ET TOTAUX

Graphique 5

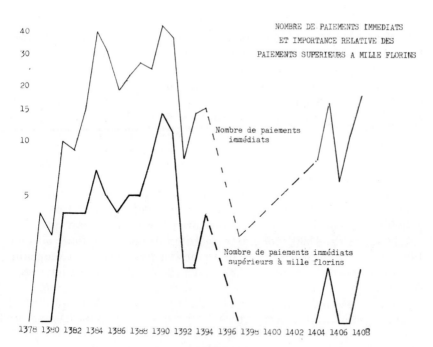

NOMBRE DE PAIEMENTS IMMEDIATS
ET IMPORTANCE RELATIVE DES
PAIEMENTS SUPERIEURS A MILLE FLORINS

Nombre de paiements
immédiats

Nombre de paiements immédiats
supérieurs à mille florins

Graphique 6

23 % avant l'obligation, pour 52 % dans le mois suivant l'obligation pour 6 % dans le courant du second mois ; au total, 81 % étaient faits avant deux mois. Les paiements intégraux faits après plus d'un an ne représentent que 6 % de l'ensemble. Quant à la valeur médiane, qui était de 50 florins en 1334, elle était de 250 florins au temps de Clément VII. Là encore, nous constatons que les petits bénéfices souffraient plus que les grands de la situation économique.

Du début du Schisme à l'accession de Pierre de Cros au cardinalat, les paiements immédiats et intégraux furent relativement peu nombreux, mais leur accroissement fut continu [1]. Ces paiements se répartissaient également du haut en bas de la gamme des taxes. Avec l'arrivée au camérariat de François de Conzié (décembre 1383), ce fut la multiplication immédiate de ce type de paiement ; mais cette multiplication était beaucoup moins liée à la personne du nouveau camérier qu'aux énormes besoins d'argent de la Papauté, alors en pleins préparatifs militaires et navals. C'est sans doute au début de 1384 que se tint le consistoire auquel faisait allusion Conzié dans la formule de lettre citée plus haut et datée de septembre 1384. Les premiers atteints par cette nouvelle politique furent les bénéfices modestes. Pour payer quelques dizaines ou centaines de florins, on persuadait aisément les prélats de l'avantage qu'ils trouvaient à ne pas multiplier les versements, avantage réel car les quittances et les lettres de délai [2] donnaient lieu à la perception de droits de chancellerie. Le résu tat escompté, l'accroissement des recettes, fut de courte durée : ayant payé en une fois ce qu'ils eussent payé en plusieurs années, les prélats ne versaient plus rien les années suivantes. A partir de 1385, les recettes de la Trésorerie furent donc amputées des versements qu'eussent normalement faits les élus de 1384 [3]. Le seul remède était de multiplier encore les paiements immédiats : le nombre de nouveaux prélats obligés de s'acquitter sur le champ augmenta, cependant qu'apparaissait le principe du subside pour l'investiture [4]. Le mouvement se poursuivit jusqu'en 1390, touchant maintenant les bénéfices à forte taxe autant que les autres. On en arriva aux recettes exceptionnelles des premiers mois de 1391 : 12 193 florins en février, 8 815 en avril [5].

L'effondrement suivit de peu : la Chambre apostolique avait dilapidé son capital, les intérêts ne tombaient plus. Après un

1. Graphique n° 5.
2. La taxe pour les délais sans paiement était de 1 florin 1 gros ; *Obl. sol.* 47, fol. 29.
3. Graphique n° 7. — Nous avons figuré une moyenne mobile sur trois mois plutôt que la valeur réelle des recettes mensuelles afin de réduire les variations dues à de simples retards d'enregistrement ou à la mobilité de certains termes liés à la date de Pâques.
4. Cette qualification n'apparaît évidemment pas dans les documents.
5. *Intr. ex.* 367, fol. 15 r°-28 r°.

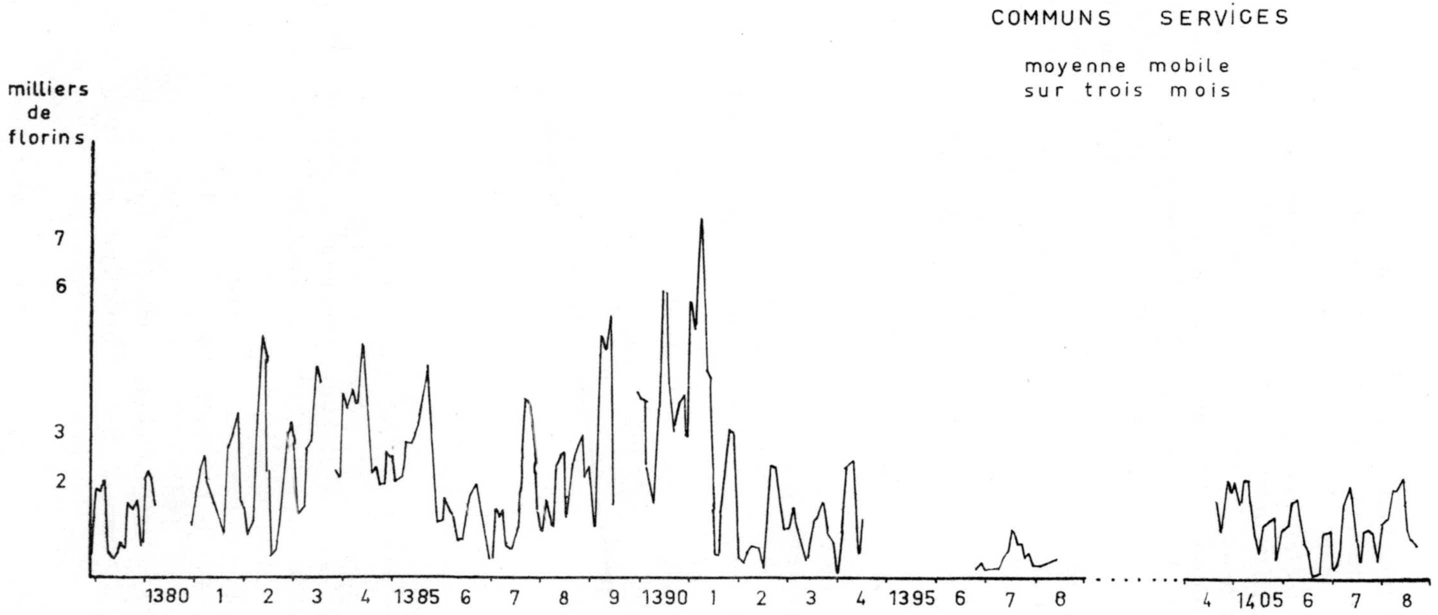

COMMUNS SERVICES

moyenne mobile
sur trois mois

milliers
de
florins

Graphique 7

regain en novembre 1391, la moyenne mensuelle des paiements s'établit au dessous de 1 000 florins, puis aux alentours de ce chiffre jusqu'au concile de Pise. Obtenir des paiements immédiats et intégraux n'était alors plus un moyen d'accroître les revenus de la Chambre, mais bien un moyen de remédier à leur diminution, elle-même née de ce procédé. Or les prélats étaient de plus en plus rétifs à l'approche des grandes assemblées françaises. Au lendemain de la restitution d'obédience, la prudence s'imposait à eux et la temporisation était générale. Certes, Benoît XIII obtint du conseil royal que fût rapportée l'ordonnance du 29 décembre 1403 qui exemptait du paiement les prélats pourvus durant la soustraction [1] : c'était multiplier les créances de la Chambre, non ses recettes. Les prélats les plus richement dotés furent, en France, les plus réticents et l'on en revint à une nette prédominance des petites taxes, c'est-à-dire des paiements intégraux auxquels les contribuables eux-mêmes pouvaient trouver intérêt.

Contre une réduction de leur taxe, au contraire, ou après composition pour un bénéfice non taxé, bien des prélats s'acquittèrent sur le champ de la totalité de leurs services ; cette pratique connut son apogée vers avril 1405 [2]. Un préjudice durable résultait donc, pour la Chambre, de cette pratique. On ne se contentait plus de percevoir en une fois des revenus venant normalement à échéance sur deux ans, on ne se contentait plus d'anticiper sur les revenus, on dépensait le capital. Pour une recette immédiate, le pape amputait ses recettes futures.

Dans la mesure où les gens de la Chambre pouvaient agir sur la promptitude des paiements, on voit donc que leur principale préoccupation était celle de la recette du jour même. Toujours préjudiciable, soit à court soit à long terme, aux intérêts du Saint-Siège, leur politique n'était fondée que sur la nécessité de supporter les charges du moment. L'empirisme dominait.

2. *Stabilité de l'épiscopat.*　　Puisque l'investiture d'un prélat était souvent source d'un revenu immédiat, multiplier les transferts d'évêques pouvait être un moyen efficace d'accroître le rapport des communs services, en donnant lieu à de nouvelles obligations. L'exemple de certains prélats donnerait à penser que les papes ont ainsi bouleversé l'épiscopat dans une vue lucrative ou, à tout le moins, avec un effet lucratif. Comme évêques du Puy se succédèrent Bertrand de Chanac (1382-1385), Pierre Girard (1385-1390), Gilles Bellemère (1390-1392), Itier de Martreuil (1392-1395), Pierre d'Ailly (1395-1397) et enfin Hélie de Lestranges qui demeura au Puy jusqu'en 1418. Si l'on suit une carrière, c'est

1. A. Clergeac, *La curie et les bénéficiers consistoriaux*, p. 21.
2. J. Favier, *Temporels ecclésiastiques…*, loc. cit., p. 114-115.

à Verdun (1378-1381), Dol (1381-1382), Tours (1382-1383), Castres (1383-1385), Sens (1385-1390) et Reims (1390-1409) que l'on rencontre par exemple Guy de Roye.

Un examen de l'épiscopat urbaniste nous montre d'ailleurs que de telles successions n'y sont pas rares. A Brescia, par exemple, nous trouvons Niccolò Zanasio (1378-1383), Andrea Serazoni (1383-1388), Tommaso Visconti (1388-1390), Francesco Lante (1390), encore Tommaso Visconti (1390-1397), Tommaso da Pusterla (1397-1399) et enfin Guglielmo da Pusterla (1399-1416) [1].

La vacance de certains sièges, qui eût été facilement résolue par une provision, donna lieu à des mouvements de transferts affectant trois ou quatre sièges [2]. Cela multipliait évidemment les obligations. Avons-nous affaire à une politique concertée ? Que tel ait été le vœu du camérier avignonnais, c'est certain. Dans une note de 1384-1385, Conzié recommandait en effet de multiplier les transferts « aussi fréquemment que le permet la décence » [3]. Le conseil fut sans doute entendu et certains transferts multiples sont de pures manœuvres fiscales.

Il ne faudrait cependant pas se laisser abuser par quelques cas. Dans sa grande masse, l'épiscopat de l'une et de l'autre obédiences était parfaitement stable. Calculée sur une centaine de diocèses, la moyenne de durée d'un épiscopat au temps du Schisme est de onze ans et trois mois chez les Clémentistes, de onze ans et quatre mois chez les Urbanistes. Pour les sièges fortement taxés, dont le changement de titulaire était le plus rémunérateur pour la Chambre apostolique, la moyenne est rigoureusement identique. A Rouen, dont la taxe était de 12 000 florins, Guillaume de Lestranges demeura treize ans (1376-1389) et Guillaume de Vienne dix-huit ans (1389-1407). A Auch, dont la taxe était de 10 000 florins, Jean Flandrin demeura onze ans (1379-1390) et Jean d'Armagnac dix-huit ans (1390-1408). Chez les Urbanistes, même stabilité : au patriarche Jean Sobieslav, assassiné le 12 octobre 1394, succéda à Aquilée Antonio Caetani, qui ne laissa son patriarcat que pour recevoir le chapeau cardinalice en 1402 ; son successeur Antonio Panciera ne fut révoqué, en 1408, qu'en conséquence de son mépris pour les citations en cour de Rome [4]. Nombreux sont les évêchés — de l'une et de l'autre obédiences — qui ne changèrent pas de titulaire pendant toute la période que nous étudions, et cela même parmi les plus fortement taxés, comme Winchester (12 000 florins) que William Long tint de 1367 à 1404, Nordwich (5 000 florins) où Henry Despenser

---

1. Pour toute cette étude, voir les listes épiscopales procurées par Eubel, *Hier, cath.*, I, et les divers articles du *Dict. d'Hist. et de Géogr. ecclésiastique.*

2. Nous en avons donné des exemples en traitant des vacants ; voir p. 302.

3. « *Quod, quando continget ecclesiam aliquam vacare, quod translationes fiant, quot honesto modo fieri poterunt* » ; *Instr. misc.* 3194, fol. 4 r°.

4. *Dict. d'Hist. et de Géogr. eccl.*, III, col. 1134.

demeura de 1370 à sa mort en 1406, Clermont (4 550 florins) que Henri de la Tour d'Auvergne occupa de 1376 à 1415, Bayeux (4 400 florins) ou Nicolas du Bosc demeura de 1375 à 1408, Angers enfin (1 700 florins), où Hardouin de Bueil eut, de 1374 à 1439, un pontificat de soixante-quatre ans !

La cadence des mouvements épiscopaux — nominations et transferts — ne reflète d'ailleurs aucune évolution qui permettrait de déceler une politique concertée. Annuellement, quinze à vingt collations étaient faites à Avignon, le double à Rome, où l'on devait pourvoir aux innombrables évêchés italiens. Cette régularité ne fut perturbée que par les soustractions d'obédience.

Désespérant d'obtenir de l'Angleterre le vingtième qu'il sollicitait en vain depuis deux mois, Urbain VI aurait multiplié en 1387 les transferts d'évêques anglais, afin de retirer de l'opération un profit égal au vingtième. Le parlement de février 1388 éleva contre une telle politique une violente protestation [1]. Dans quelle mesure cette protestation était-elle fondée ? Nous n'avons pas trouvé trace d'un seul transfert effectué en Angleterre pendant l'année 1387. Deux mutations récentes étaient celles de Thomas Rushooke transféré en novembre 1385 de Llandaff à Chichester, et de Walter Skirlaw, transféré en août 1386 de Coventry à Bath. Pour la Chambre apostolique, le gain était limité aux services dus pour Llandaff et Coventry, car les sièges de Chichester et de Bath devaient de toutes façons être pourvus. Le gain était donc de 700 à 3 500 florins. Peut-on, pour ces sommes, parler d'abus, ou même de pratique fiscale ? Les transferts furent un peu plus nombreux dans les mois qui suivirent : les sièges de Bath, Ely et Salisbury furent ainsi rendus vacants en juillet 1388. Le profit était plus sensible : 4 300, 7 500 et 4 500 florins. En 1389, ce furent Hereford, Llandaff et Chichester que des transferts rendirent vacants : 1 800, 700 et 1 333 florins [2]. Politique concertée peut-être, politique de grande ampleur, certes pas.

Pour qu'une telle politique fût fructueuse, il eût fallu que les communs services fussent acquittés dans les délais de l'obligation, c'est-à-dire en général deux ans. Or ce n'était pas le cas le plus fréquent. Pour s'acquitter de sa taxe relative à l'archevêché de Rouen, Guillaume de Lestranges mit douze ans. Milon de Dormans, évêque de Beauvais, mourut après douze années de pontificat, laissant une dette de 5 % ; deux ans plus tôt, il n'avait encore payé que 31 % de ses services. Dans ces conditions, la Chambre n'eût rien gagné à faire s'obliger de tels contribuables pour de nouveaux paiements. C'est à leurs successeurs et à leurs

---

1. W. Lunt, *Financial relations...*, II, p. 115-116 ; sur les transferts de 1385 et 1386, voir Ed. Perroy, *L'Angleterre et le Grand Schisme*, p. 299-300.
2. Les taxes indiquées ici sont les taxes globales pour le pape et le Sacré Collège (H. Hoberg, *Taxae..., passim*). La Chambre n'en percevait donc que la moitié.

héritiers qu'ils laissaient le soin d'honorer l'obligation ; accélérer le mouvement n'eût fait que prolonger les paiements, cela n'en eût guère accru le volume. Pour s'en convaincre, il n'est que d'examiner le cas des prélats les plus mobiles. Francisco Riquer y Bastero, Géraud du Puy, Gilles Bellemère, Guilherm Garcias Manrique ne payèrent pas une seule fois leurs communs services d'un unique versement. Bien plus, ils firent tous durer leurs paiements au delà des termes fixés lors de l'obligation.

La mobilité de la plupart de ces prélats s'explique donc mieux par leur intérêt propre que par celui de la Chambre, et nous ne nous étonnons pas de voir les hommes liés à la curie gravir rapidement les échelons menant à un riche évêché, voire au cardinalat. Il s'agissait moins de leur extorquer de l'argent par le moyen des communs services que de rétribuer leurs services et leur talent par l'octroi de bénéfices de plus en plus rémunérateurs. Tel fut tout particulièrement le cas de François de Conzié ; en prenant la taxe comme terme de comparaison [1], nous voyons que la valeur de ses évêchés alla sans cesse en croissant : Grenoble en 1380 (300 florins), Arles en 1388 (2 000 florins), Toulouse en 1390 (10 000 florins, mais les revenus subissaient le contre-coup des incursions anglaises), Narbonne enfin (9 000 florins, mais moins exposé aux effets de la guerre franco-anglaise). Ses hautes fonctions de nonce en France, puis de chef de l'administration financière créaient à Conzié une obligation morale : pour ses trois premiers sièges, il paya sur le champ la totalité de ses communs services. Antoine de Louvier pour ses évêchés de Rennes et Maguelonne, Henri de Serny pour ceux de Rodez et Maurienne, et bien d'autres prélats liés à la Chambre apostolique, nous l'avons dit, firent de même.

Il est possible que certains prélats, en s'acquittant de leur dette, aient montré un zèle intéressé. Trois fois de suite, pour l'abbaye de Déols en 1384, pour l'évêché d'Alet en 1386 et pour celui de Mende en 1390, Robert du Bosc paya immédiatement ses communs services. Philippe de Moulins en fit autant pour ses évêchés d'Evreux et de Noyon en 1383 et 1388, Jean de Rochechouart pour les archevêchés de Bourges et d'Arles en 1382 et 1390. Leur hâte à payer ne put nuire à leur promotion ; rien ne prouve qu'elle en fût la condition.

La politique bénéficiale des papes du Grand Schisme, romains comme avignonnais, n'a donc pas tendu à augmenter le rapport des communs services. Certes, tout fut fait pour améliorer ce rapport. La régularité des paiements fut sans doute prise en considération lors du choix de tel ou tel prélat. Mais il est certain que les mouve-

---

1. La taxe ne saurait être considérée comme un élément d'appréciation suffisant pour ce qui est de la valeur absolue d'un temporel épiscopal ou abbatial. Lorsqu'il s'agit de comparaison, au contraire, on peut tenir la taxe pour un moyen très satisfaisant d'appréciation de la valeur relative.

ments épiscopaux n'ont eu ni pour objet ni pour conséquence une aggravation de la fiscalité.

3. *Temporisations.*   L'empressement à payer n'est pas, on vient de le voir, un signe de fidélité. Le retard, lui, peut être l'indice d'une résistance. Trois phénomènes apparaissent en effet à l'examen des cas les plus nets de temporisation : tolérance de la Chambre en rétribution de services, échelonnement des paiements alliant le minimum de versement au maximum de sécurité juridique, groupement géographique, enfin, des mauvaises volontés les plus évidentes ou des incapacités les plus notables. Nous avons déjà noté l'allègement de la pression fiscale en rémunération de services rendus ou espérés ; nous nous pencherons donc maintenant sur les deux autres phénomènes.

Les délais fixés lors de l'obligation n'avaient plus la valeur impérative que nous leur trouvons dans la première moitié du siècle. Ils demeuraient les délais réglementaires que d'aucuns s'efforçaient de respecter mais dont la grande masse des prélats ne tenait guère compte. Ce qui importait, c'était d'effectuer dans le délai fixé un paiement faisant preuve d'une bonne volonté pondérée par la capacité ou l'incapacité notoires. Faute d'un paiement dans ce délai et à moins que celui-ci ne fut gratuitement reconduit par le camérier c'était l'excommunication. Le plus minime versement permettait d'éviter cette sentence ou, en cas de retard, d'en être absous et d'obtenir un nouveau délai, et l'on voit ainsi certains prélats verser, d'année en année, des sommes infimes dont le total n'eût pas acquitté le montant de la taxe en une vie humaine, mais qui assuraient une relative tranquilité juridique.

Quelques procureurs en cours de Rome, hommes rompus à la pratique de la Chambre apostolique [1], allaient même jusqu'à verser pour chacun de leurs clients — exception faite de ceux qui désiraient s'acquitter, une somme à peu près fixe chaque année, voire chaque semestre. Lorsque la Chambre, en une composition officielle, accordait un tel mode de paiement, elle s'assurait que les sommes à verser pouvaient un jour arriver au montant de la taxe. A l'archevêque de Narbonne, Jean Roger, elle permettait ainsi de payer 500 florins par an, moitié à la Saint-Jean, moitié à la Toussaint ; les 4 500 florins de la taxe devaient donc être payés en neuf ans [2]. Au contraire, lorsque l'initiative émanait d'un procureur et de ses clients, l'unique souci était de verser le minimum nécessaire pour ne pas encourir les foudres canoniques. Les gens de la Chambre

---

1. Ils y étaient établis à demeure. Simon de Bourich avait une maison à Avignon ; *Coll.* 372, fol. 117 r°. Voir B. Guillemain, *La cour pontificale...*, p. 567-572.
2. *Intr. ex.* 350, fol. 12 v°, et 354, fol. 3 v° et 37 r° — Payant 2 000 florins en une seule fois, le 28 mai 1382, il obtint dans sa quittance une clause de non-préjudice ; *Obl. sol.* 46, fol. 61.

apostolique tentaient de limiter les effets de cette pratique en n'accordant à de tels contribuables que de très courts délais. A l'abbé de Troarn ils fixèrent successivement des termes de paiement à la Saint-Jean et à Noël 1381, à la Saint-Jean et à la Saint-Michel 1382, à Pâques, à la Saint-Jean et à Noël 1383, à la Saint-Jean et à Noël 1384, etc. L'abbé totalisa, en onze ans, vingt-trois paiements pour n'arriver à s'acquitter que de 74% de sa taxe.

Afin de rendre évidente l'action de tels procureurs, nous indiquons dans le tableau qui suit les paiements effectués par l'un d'entre eux, le plus porté à user de ce procédé : Thomas Le Pourri [1], procureur en curie de l'université de Paris [2].

Des onze principaux clients de Thomas Le Pourri, trois seulement vinrent à bout de leur dette : l'abbé de Châteaudun, dont la taxe pour la Chambre n'atteignait que 100 florins, l'abbé de Saint-Pierre-sur-Dives et Nicolas du Bosc, qui joignait aux revenus de son évêché de Bayeux la confortable pension et les dons en espèces et en nature que lui valait son titre de conseiller du roi [3]. Or, aucun des autres n'a quitté son évêché ou son monastère avant un temps assez long, de six ans pour l'abbé de Lagny à vingt ans pour celui de Saint-Loup-de Troyes. Huit sur onze ont donc laissé des dettes, comme l'avaient fait leur prédécesseurs.

Le procédé est évident : payer peu pour obtenir un délai. Le mobile l'est moins : hostilité ou incapacité ? L'incapacité nous paraît avoir été déterminante. Les prélats normands, qui constituent l'essentiel de la clientèle de Thomas Le Pourri, ont, tous, subi dans leurs revenus les conséquences de la guerre franco-anglaise. Saint-Etienne de Caen avait en Angleterre d'immenses domaines dont la guerre et le Schisme faisaient perdre à l'abbaye le revenu : environ 3 000 livres tournois [4]. Le monastère de Saint-Pierre-sur-Dives avait été pillé en 1362 par les Anglais de Pierre Hoppequin [5]. Occupée par les Anglais en 1358, ruinée par la rebellion d'un cellerier révoqué, mal administrée par Jean de Saint-Denis [6], l'abbaye de Jumièges n'était pas encore rétablie au temps de Jean Dehors. A Cerisy, d'énormes dépenses étaient faites pour fortifier le monastère [7]. Quant à Nicolas du Bosc, il avait trouvé, en 1375, sa mense épiscopale ravagée par la guerre et dilapidée par ses prédécesseurs [8].

1. Les paiements effectués par Simon de Bourich et Nicolas Hardi sont également marqués par ce souci de temporiser ; ces procureurs avaient d'ailleurs des intérêts communs.
2. H. DENIFLE et E. CHATELAIN, *Chartularium Univ. Par.*, t. III, p. 344.
3. Journal du Trésor, Arch. nat., KK 13 2, fol. 6 v°, 7 r°, 10 r°, 42 r° etc.
4. H. DENIFLE, *La désolation...*, t. II, p. 754, note 5.
5. *Ibid.*, p. 453.
6. *Ibid.*, p. 763.
7. *Ibid.*, p. 756.
8. *Ibid.*, p. 756, note 4.

PAIEMENTS FAITS PAR THOMAS LE POURRI

1. — Obligations antérieures au Schisme

	JEAN abbé de St-Germer-de-Fly	BERNARD DE LA TOUR D'AUVERGNE évêque de Langres	NICOLAS DU BOSC évêque de Bayeux	JEAN abbé de St-Loup de Troyes	ROBERT abbé de St-Etienne de Caen
Obligations.					
1372, 6 févr.	500				
1374, 21 juill.		4 500			
1375, 2 mars			2 200		
14 avril				300	
1377, 23 févr.					500
Paiements.					
1379, Purif.			81, 22, 11	4, 27, 8	
Pâques			81, 25		
Ass.				3, 17, 8	42, 16, 8
St-Jean			87, 13, 4		
Touss.		91, 0, 4	42, 16, 11		
Noël					25
1380, Purif.			25, 14	6, 10, 6	
Pâques	95	42, 16, 11			
Asc.			35, 18, 6	5	
Touss.				4, 5	
Noël	46				7, 2, 2
1381, Pâques		89, 3, 8	44, 16, 2	5	8, 25, 7
St-Jean	37, 22, 9				
Ass.				5	22, 23, 2
Touss.			62		
Noël				4, 4, 2	15, 5, 10
1382, Purif.	46, 2, 6	85, 24, 6			
Pâques			43, 0, 20		
St-Jean		89, 3, 7	90, 8, 2	4	16
St-Mich.			24, 16, 4	6, 10, 6	13, 17, 8
Touss.		285, 20			
St-Mart.		212, 27			
Noël	27, 8, 3		20	6, 10, 6	11, 18, 3
1383, St-Jean	23, 14		40	4, 4, 2	16
Noël		87, 14	83, 12, 7	4, 8, 4	12, 12, 6
1384, Purif.	23, 14, 6				
St-Jean	37	100		6, 2	15, 2
Ass.			90		
Noël	23, 11, 4	91, 17, 2		10	12

	JEAN	BERNARD	NICOLAS	JEAN	ROBERT
Paiements					
1385, Pâques	25			6	12
Ass.	20		41, 14		
S. Mich.		90			8, 14
Noël	22		41, 14		
1386, Asc.		37		7	8
St-Jean	14, 14		41		
Ass.		79, 24			
Touss.				5	7
Noël	10	81	42		
1387, Purif.				5	7
Asc.			31, 16, 8		
St-Mich.	7			6	7
Touss.		90			
1388, Pâques	15			7	9
Ass.		90			
St-Mich.	10			6	10
1389, Purif.	15			8	8
St-Jean	10	60		6	10
St-Mich.	10			6	
Touss.		50			
Noël	10			6	
1390, Pâques		50			
St-Jean	10			6	
Touss.		50			
Noël	10			6	
1391, Pâques		40			
St-Jean				6	
St-Mich.		50		6	
1392, Pâques		72, 23			
1393, St-Mich.				6	
1394, Pâques				8	

Notes. — Seule l'obligation de Nicolas du Bosc est éteinte. Le successeur de l'abbé de Lagny paya jusqu'en 1405 les communs services de l'abbé Pierre. Le reste des dettes de Bernard de la Tour d'Auvergne et de l'abbé de Saint-Etienne de Caen fut assigné par la Chambre.

On notera que le système du paiement par fractions infimes se perfectionne à partir de 1387, tant par la régularité que par la modicité des versements.

2. — OBLIGATIONS CONTEMPORAINES DU SCHISME

	JEAN abbé de Jumièges	GUILLAUME abbé de Troarn	SIMON abbé de St-Pierre-sur-Dives	ESTAUD abbé de Cerisy	PIERRE abbé de Lagny	JEAN abbé de Châteaudun
Obligations						
1379, 2 août	1 150					
1380, 29 janv.		600				
7 mai			400			
1381, 8 nov.				750		
1382, av. juin					650	
7 juin						100
Paiements						
1380, Pâques	50					
1381, St-Jean	11, 14, 6	90	80, 27, 11			
Noël	8, 6, 7					
1382, Purif.		40, 14, 11	47, 5, 7			
St-Jean	21, 22, 4	40			19, 17, 4	
St-Mich.	13, 9, 4	17, 1, 9				
Noël	20, 23				15	
1383, Purif.			45			
Pâques		19, 9, 10				
St-Jean	21	16		24		16, 16, 8
Noël	15, 12, 6	20, 17, 3		20	14, 26, 6	21, 5, 10
1384, Pâques			83, 9			
St-Jean	15, 2	20, 22				15, 2
St-Mich.			16, 17			
Noël	14	16	35	10		18, 7
1385, Pâques	17	12	12	10	28	12
Ass.		9		7		
St-Mich.					26	
Touss.						16, 24
Noël	22, 12			10		
1386, Pâques		20				
Asc.					12	
St-Jean	14			14		
St-Mich.		8	16, 14			
Noël	12, 14		14	7	9	
1387, Pâques		8				
St-Mich.	17, 2		7	7	10	
Touss.		12				
1388, Pâques	20	20	15	7	10	
St-Mich.	10	17	50			

	JEAN,	GUILLAUME	SIMON	ESTAUD	PIERRE	JEAN
Paiements						
1389, Purif.		10				
Pâques			20			
St-Jean		6				
St-Mich.		10				
Touss.			15			
Noël		10				
1390, Purif.				286, 21, 7		
St-Jean		10				
Noël		10				

Temporisation, donc, mais qui n'exclut pas la manifestation d'une certaine bonne volonté, qui n'est pas preuve d'hostilité. Les clients de Thomas Le Pourri étaient servis par un homme d'affaires efficace, sachant tenir compte de leur situation financière. Abusaient-ils du prétexte que leur fournissait celle-ci ? La chose est assez probable.

Examinons maintenant la répartition géographique des prélats n'ayant pas achevé le paiement de leurs communs services dans les dix ans suivant leur provision. Nous y avons joint les prélats morts ou transférés avant ces dix ans et qui, dans les cinq ans, n'avaient pas versé la moitié du montant de la taxe [1]. Trois groupes apparaissent : le premier réunit des abbayes et évêchés de Normandie et des pays situés au Nord-Est de la Seine et de l'Yonne, le second correspond au Languedoc, le troisième, où la densité des cas relevés est moindre, va de l'Anjou à l'Auvergne et à la Saintonge.

On ne peut faire intervenir pour une période de quinze ans une explication purement naturelle, climatique et économique, également valable pour la Picardie, la Champagne, le Toulousain et le Comminge, mais non pour la vallée du Rhône. Cette carte ne correspond pas à celle des circonscriptions administratives ; l'influence des collecteurs, d'ailleurs, peut être présumée nulle en matière de communs services. Le rôle des deux grandes universités, Paris et Toulouse, ne saurait davantage être invoqué : il serait surprenant que leur influence se fût exercée dans le même sens, alors que s'affrontaient leurs thèses à propos des « voies » susceptibles de mettre fin à la crise de l'Eglise.

1. Il est impossible de prolonger cette analyse au delà de 1394 pour deux raisons la documentation n'est plus continue, tant pour les obligations dont les registres sont perdus à partir de 1405, que pour les paiements, inconnus de nous pour les années 1394-1396 ; la soustraction d'obédience a apporté aux délais de paiement un facteur de prolongation extérieur aux comportements individuels.

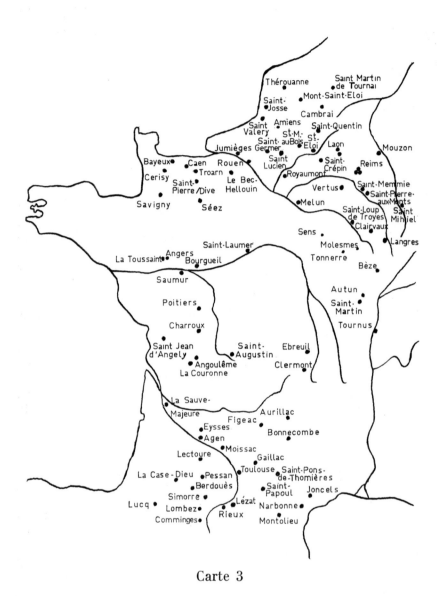

Carte 3

TEMPORISATION FISCALE. Les communs services de l'obédience avignonnaise. *Délais réels supérieurs à dix ans (ou cinq ans pour la moitié de la taxe).*

Indéniable nous paraît au contraire l'influence de la guerre, des ravages exercés par les compagnies et des troubles sociaux[1]. On vient de voir que les abbayes normandes, le Bec-Hellouin et Saint-Etienne de Caen en particulier, ressentaient la perte de leurs revenus anglais. Les expéditions anglaises avaient été dévastatrices, et tous les bénéfices se trouvaient en pénible situation. Certes, dès l'évacuation de la ville par les Anglais, l'abbé de Notre-Dame-du-Vœu de Cherbourg s'acquitta de la totalité des communs services pour lesquels il s'était obligé six ans plus tôt[2], et ceci malgré la perte de presque tout le mobilier de son monastère ; mais, le même jour, Clément VII confirmait l'union au monastère de diverses églises paroissiales[3] ; l'abbé n'avait fait qu'acheter un moyen de renflouer ses finances.

A partir de Thérouanne, point de passage initial de nombreuses invasions, on rencontre d'abord les bénéfices victimes de l'expédition de Robert Knolles en 1370 : Saint-Quentin et Saint-Eloi de Noyon. Par trois fois le monastère de Mont-Saint-Eloi fut ravagé : par Knolles en 1370, par les troupes du duc de Lancastre en 1373 et par celles de Thomas de Buckingham en 1380[4]. Cambrai subit aussi le passage de Buckingham. Incendiés en 1358, de nombreux faubourgs d'Amiens n'étaient pas encore reconstruits soixante ans plus tard[5]. En 1375, l'abbaye de Saint-Pierre-aux-Monts était complètement ruinée[6]. Deux fois incendiée avant 1385, celle de Saint-Nicolas-aux-Bois, dans le diocèse de Laon, ne fut soumise qu'en 1403 au paiement des communs services ; dès 1385, la taxation pour la décime était réduite de 200 à 40 florins[7].

La Champagne ne fut pas épargnée par les compagnies. Les abbayes de Saint-Thierry et de Saint-Basle de Reims, continuellement pillées, étaient hors d'état de payer[8] ; un abbé de Saint-Basle ne versa jamais rien, l'autre ne paya que 48 florins en trois ans, le troisième n'alla pas au delà de 15 florins[9]. Quant à l'abbé de

---

1. MM. PERROY, pour le Forez (*L'Hôpital de Montbrison...*, dans le *Bull. de la Diana*, XXVI, 1937) et Coulet, pour la Provence (*La désolation des églises de Provence...*, dans *Provence historique*, XVI, 1956), ont formellement mis en doute le rôle de la guerre dans les dévastations constatées au XIVe siècle et ont invoqué de simples phénomènes économiques. M. R. BOUTROUCHE, étudiant le Bordelais (*Seigneurs et paysans...*, p. 165-177), a cependant concédé à la guerre et à ses séquelles la première place parmi les facteurs de ruine. Nous ne prétendons nullement faire de la guerre la cause primodiale de la crise ; nous voulons montrer que les cas de temporisation fiscale sont imputables à la guerre et à la pauvreté, non à la conjoncture générale ; celle-ci frapperait aussi bien les autres contribuables, et les mauvais payeurs seraient alors, tous, à ranger parmi les temporisateurs volontaires, donc les opposants politiques.
2. Il paya le 7 avril 1394 ; *Intr. ex.* 371, fol. 4 v°.
3. H. DENIFLE, *La désolation...*, II, p. 754.
4. *Ibid.*, p. 562, 573, 588 et 711.
5. *Ibid.*, p. 223 et 713.
6. *Ibid.*, p. 707.
7. *Ibid.*, p. 706.
8. *Ibid.*, p. 702-703.
9. Non indiqués sur la carte car ils moururent avant les cinq ans d'abbatiat.

Notre-Dame de Vertus, dont le monastèr aveait été incendié en 1359, pillé par les Anglais en 1373 et derechef en 1380, il n'avait pas fini en 1383 [1] de payer les 150 florins pour lesquels il était obligé depuis vingt-deux ans.

Le groupe languedocien procède à la fois de la guerre et des exactions des Tuchins. Il s'agit d'un ensemble de bénéfices souvent dévastés, dans un pays où régnait la misère. Les vignes de l'archevêque de Narbonne étaient en partie détruites ou en friches : dès 1362, la récolte n'atteignait que le quart des récoltes d'autrefois. Aussi l'archevêque Jean Roger obtint-il de ne payer ses services que par annuités restreintes : pourvu en 1375, il n'acheva ses versements qu'en 1386 [2]. Son successeur Conzié ne put, lui-même, payer sa taxe sans difficulté. Malgré son attachement à la Chambre apostolique, Bertrand Raffin, devenu évêque de Rodez, ne put s'acquitter de ses communs services qu'en trois ans et quatre mois [3] ; c'est bien à la modicité de ses revenus épiscopaux, dont il se plaignait amèrement [4], qu'il faut attribuer un tel délai, et non à la tolérance de la Chambre envers l'un des siens. Quant à l'archevêque de Toulouse Pierre de Saint-Martial, dont la provision remontait au 19 septembre 1391, il n'avait pas fini de payer ses services à la Chambre en 1398, ses services au Sacré Collège en 1401 et, cette même année, ses menus services [5].

En bandes régulières ou irrégulières, les Anglo-gascons étaient responsables de bien des incendies, de bien des ruines. A Bonnecombe, ravagé avant 1370, ils avaient tué trois cents personnes [6]. En 1383 ils pillèrent et rançonnèrent Moissac ; l'abbé Aimery de Peyrac, pourvu en 1375, n'avait pas fini de payer ses services en 1404 [7] : il prétendait verser 2 000 florins par fractions de 4 florins ! Les bandes gasconnes n'étaient pas moins responsables de l'incapacité de certains prélats à payer leurs services : Bernardon de la Salle pilla Figeac en 1371 [8] ; l'abbé Astorge, pourvu en 1387, n'avait payé dix ans plus tard que 40 florins sur les 1 000 pour lesquels il était obligé : il versait 4 florins par an, à Noël. A ce rythme, l'abbé de Figeac se fût acquitté en deux siècles et demi, celui de Moissac en cinq siècles ! En fait, ils ne s'acquittèrent point.

Sans cesse occupée par les compagnies, parfois pendant trois mois de suite, privée de revenus, et aussi de moines, car ceux-ci s'étaient enfuis et avaient repris l'état laïc, l'abbaye de Montolieu était des plus misérables [9]. L'abbé Saxo, obligé le 9 octobre 1361

1. *Intr. ex.* 356, fol. 33 rº.
2. DENIFLE, *op. cit.*, p. 615 ; *Intr. ex.* 361, fol. 33 rº.
3. *Intr. ex.* 356, fol. 13 vº.
4. BION DE MARLAVAGNE, *Hist. de la cathédrale de Rodez* (Rodez, 1875), p. 24.
5. Arch. dép. Haute-Garonne, G 352.
6. DENIFLE, *op. cit.*, p. 623-624.
7. *Reg. Av.* 321, fol. 19 rº.
8. DENIFLE, *op. cit.*, p. 628.
9. *Ibid.*, p. 615-616.

pour 500 florins, n'avait pas encore fini de payer cette somme lorsqu'il mourut en 1384. Son successeur, Bertrand, composa et s'acquitta en cinq mois, mais il n'alla pas jusqu'à payer ses propres communs services [1]. Quant aux menus services de Saxo, ils étaient encore dus en partie en 1406 [2]. A Joncels, l'abbé déclarait vers 1380 n'avoir pas « de quoi vivre » [3] ; nous ne nous étonnons donc pas qu'il n'ait jamais payé que 30 florins sur les 250 qu'il devait. A Lombez, ruiné par les exactions des bandes du comte de Foix, l'évêque n'avait pas de quoi nourrir ses serviteurs [4] ; mort après dix ans de pontificat, Pierre Vilain laissa une dette de 1 085 florins, sur une taxe de 1 250. A Berdouès enfin, les ravages exercés en 1366 par des bandes de nobles gascons empêchèrent l'abbé Bernard de s'acquitter en vingt ans [5].

Le groupe central comprend, de même, des bénéfices ayant en commun un sinistre, une visite des routiers ou le passage des Anglais. Le diocèse d'Angoulême était presque désert, l'abbaye de la Couronne ruinée. Les moines de Charroux devaient quêter ailleurs leur pain, ceux de Saint-Jean-d'Angély, dont le monastère avait été détruit en 1346 par le comte de Derby, durent se réfugier à l'abbaye de Bassac [6]. Plus à l'Est, Autun était visité par les compagnies [7], Molesmes avait servi de quartier général à des bandes, pour le plus grand dommage des bâtiments et des récoltes : l'abbé déclarait, en 1383, qu'il ne percevait pas le dixième de ses revenus normaux [8]. L'abbé de Cluny, cependant, très affecté par la diminution des revenus de ses prieurés et par la séparation de ses monastères et prieurés anglais, payait ses services avec parcimonie : Jacques de Couzan mit près de six ans à s'acquitter, Jean de Damas-Couzan semble s'être contenté de payer la moitié de la taxe, Raymond de Cadoène effectua de petits versements réguliers.

Peut-on conclure ? La carte que nous avons dressée ne laisse pas de surprendre. Tous les cas notés s'expliquent fort bien par la désolation des églises et des monastères. Ce sont assurément parmi les plus pauvres. Mais d'autres régions, tout aussi dévastées, ne se signalent par aucune temporisation : la vallée du Rhône, la Provence, le Dauphiné, le comté de Bourgogne, la Beauce, le Maine.

Dans certains cas, l'explication tient à nos moyens d'analyse.

---

1. *Intr. ex.* 359, fol. 19 r° ; il est possible que les services de l'abbé Bertrand aient été payés à un nonce.
2. *Reg. Av.* 324, fol. 197 v°.
3. *Coll.* 158, fol. 142 v°.
4. DENIFLE, *op. cit.*, p. 637-638.
5. *Ibid.*, p. 638-639.
6. *Ibid.*, p. 650-651.
7. *Ibid.*, p. 693.
8. *Ibid.*, p. 694-695. — Cela ne signifie pas qu'une telle appréciation fût financièrement exacte : il s'agit de la déclaration d'un contribuable !

Si l'abbé d'Aiguebelle n'est pas signalé, ce n'est pas qu'il payât rapidement, c'est qu'il ne payait rien et n'apparaît donc pas dans la documentation. Lors de la provision de Pons de Saint-Bonnet en 1380 et de Raymond Astier en 1399 [1], nulle obligation ne fut enregistrée ; c'était une *liberatio propter paupertatem* assortie d'une véritable mesure de non-préjudice pour la Chambre : on ne faisait pas remise des services, on les oubliait. Notre analyse peut également avoir été victime des dates choisies. La Provence, par exemple, fut ravagée par Raymond de Turenne à partir de 1386 [2]. Or nous avons pris comme indice de temporisation le non-paiement en dix ans : nous n'aurions donc pu appréhender les effets fiscaux — si effets il y a — des dévastations provoquées par Turenne [3] qu'à partir de 1396, ce que la documentation camérale conservée et la soustraction d'obédience ne nous permettaient pas de faire. Il est cependant des cas qui empêchent réellement de faire coïncider dévastation et temporisation. Bien que l'abbaye de Lonlay eût été ruinée lors du passage de Robert Knolles en 1370 [4], l'abbé Jean s'acquitta de ses communs services en deux ans et deux mois [5].

Les prélats pourvus de bénéfices appauvris ne pouvaient souvent payer que grâce à leurs ressources antérieures : c'est l'abbé de Bonneval, par exemple, qui paya la totalité de sa taxe la veille de son obligation, le 12 août 1394 [6], alors que le monastère — dont il n'avait encore pu recevoir le moindre revenu — avait été plusieurs fois mis à mal par les Anglais et, en dernier lieu, par Thomas de Buckingham en 1380 [7] ; c'est aussi Henri de Serny, recteur du Comtat et ancien évêque de Maurienne, qui paya en quatre mois les services de son évêché de Rodez pour lequel Raffin — qui n'était point auparavant aussi confortablement doté que Serny — avait eu tant de mal à s'acquitter.

Chaque cas de temporisation s'explique donc. Les cas sporadiques de non-temporisation alors que serait justifiée la temporisation, ces cas peuvent également trouver leur explication. Ce qui ne s'explique pas, c'est le groupement des cas de non-temporisation. Est-il alors interdit de songer à cette « route méridienne », la « grande voie Provence-Lorraine de l'immigration » si nettement analysée [8] par M. Bernard Guillemain ? Les régions que la politique de temporisation a moins touchées, ce sont celles dont les relations avec la cour d'Avignon étaient matériellement les plus faciles,

1. La Chambre aurait normalement dû le faire s'obliger en 1404.
2. N. VALOIS, *Raymond Roger...*, dans l'*Ann.-bull. de la Soc. de l'Hist. de France*, XXVI, 1889, p. 6.
3. N. COULET, *La désolation des églises de Provence...*, *loc. cit.*, p. 44-47.
4. DENIFLE, *op. cit.*, p. 742.
5. Obligé le 24 octobre 1380, il finit de payer le 24 décembre 1382 ; *Intr. ex.* 356, fol. 20 r⁰.
6. *Intr. ex.* 371, fol. 6 r⁰.
7. DENIFLE, *op. cit.*, p. 736.
8. B. GUILLEMAIN, *La cour pontificale...*, p. 683-685 et cartes hors-texte n⁰ˢ 9, 10 et 11.

dont les liens humains avec la curie étaient les plus étroits, dont les intérêts économiques tenaient au maintien de la Papauté rhodanienne. Que l'on compare la carte que nous venons d'étudier avec celle qu'a dressée M. Guillemain de l'origine des courtisans en 1378 [1].

Ainsi donc, fruit immédiat de la misère et de la guerre, la temporisation des prélats serait aussi, secondairement, celui de la mauvaise volonté. Les exactions de gens d'armes prédisposaient évêques et abbés à s'acquitter de leurs communs services le plus lentement possible. Selon les liens qui les unissaient à Avignon, ils ont plus ou moins suivi cette prédisposition. La cause n'était souvent que justification.

De tels délais de paiement n'apparaissent qu'en France. Du fait de l'assignation générale, la Castille ne peut être considérée à ce propos, mais l'Aragon, soumis aux règles communes, ne présente aucun cas de temporisation excessive : la plupart des paiements furent achevés en moins de deux ou trois ans.

De même que l'intervention des nonces, la multiplication des assignations réduisit, après 1403, les délais réels. Les bénéficiaires d'assignations, comme Andrea Rapondi [2], Louis d'Anjou ou Antoine de Villeneuve, n'avaient pour leur paiement que les termes fixés par la Chambre lors de l'obligation des prélats, mais ils étaient souvent plus aptes qu'elle à exiger le respect de ces termes [3] et moins patients qu'elle envers les temporisateurs [4]. La contrainte de la Chambre se faisait en outre plus fortement sentir qu'au temps de Clément VII ; dans le besoin, on préférait composer ou réduire les obligations, mais on exigeait le paiement. Le phénomène invoqué plus haut à propos des paiements intégraux et immédiats ne se limitait pas à ceux-ci. La Chambre perdait sur la taxe ce qu'elle gagnait sur les délais. Ainsi parvint-elle, de 1405 à 1408, à établir le revenu des communs services à un niveau voisin de celui des toutes premières années du Schisme, c'est-à-dire nettement supérieur à celui de 1397 et 1398 [5].

4. *L'obédience romaine.* Face au clergé de l'obédience avignonnaise, comment de trop rares documents permettent-ils de définir l'attitude du clergé de l'obédience romaine? Etudier l'évolution éventuelle de cette attitude est chose impos-

---

1. *Ibid.*, carte n° 11.
2. Il reçut 2 000 florins courants de l'évêque de Bayeux en 1405 ; *Reg. Av.* 324, fol. 184.
3. Villeneuve dut cependant consentir à un délai qu'accorda le camérier à l'évêque de Montauban, le 25 octobre 1406 ; *ibid.*, fol. 231 v°-232 r°.
4. La patience de la Chambre n'était que relative. Nous ne pouvons suivre l'opinion de Clergeac (*La curie et les bénéficiers consistoriaux*, p. 18, note 1) qui voyait dans les délais et prolongations de termes des preuves de « longanimité et patience ».
5. Graphique n° 7.

sible. Quelques remarques sont possibles, touchant la résistance fiscale et la politique camérale.

Le 24 décembre 1390, Boniface IX excommuniait en bloc le patriarche d'Aquilée, vingt-neuf évêques et soixante-quatre abbés qui n'avaient pas payé leurs services dans les délais imposés [1]. La plupart, cependant, étaient nommés depuis peu de temps [2] ; seuls, les évêques d'Agen et de Trévise, nommés en 1383 et 1385, peuvent vraiment être considérés comme ayant opposé une résistance. La mesure nous paraît beaucoup plus refléter l'impatience de Boniface IX, réaction contre la carence de son prédécesseur et conséquence du vide de la Trésorerie, que la temporisation concertée de quatre-vingt-quatorze prélats. Quoi qu'il en fût des délais imposés, un fait est évident, la grande majorité de ces contribuables sans zèle est formée d'Italiens : quatre-vingt-quatre Italiens, quatre Allemands, deux Anglais, deux Aquitains, un Irlandais et un Liégeois. Le groupement géographique des Allemands dans la seule Allemagne du Sud n'est pas moins remarquable : ce sont les abbés de Kempten, Kaisersheim, Ebrach et Saint-Emmeran de Ratisbonne. Pour autant que cette excommunication collective eût un sens, elle concernait surtout des prélats établis dans les régions les plus voisines de Rome. Mais il n'y a là aucun fait nouveau. Les prélats italiens se distinguaient depuis longtemps par leur résistance à la fiscalité. Les quatre-vingt-seize prélats excommuniés en 1365 par Urbain V pour le non-paiement de leurs services étaient italiens, de même que la majorité des prélats excommuniés en 1367 [3].

Boniface IX eut l'ambition de faire cesser cette temporisation. Le 24 mai 1397, il décidait que, dorénavant, les prélats nouvellement pourvus devraient payer la totalité de leurs communs services avant de recevoir leur bulle de provision, et qu'ils perdraient tout droit et tout titre si la bulle, déposée à la Trésorerie, s'y trouvait encore au bout d'un an ; l'évêché ou le monastère serait alors considéré comme vacant depuis un an. C'était, en fait, exiger le paiement intégral dans un délai d'un an, donc plus court d'un tiers que le délai moyen antérieur (dix-huit mois). Cette pratique, qui parut scandaleuse aux contemporains, paraît peu de choses au regard des méthodes avignonnaises. Elle fut d'ailleurs abrogée dès l'avènement d'Innocent VII [4].

1. *Div. cam.* 1, fol. 245 v° ; éd. BAUMGARTEN, dans *Römische Quartalschrift*, XXII, 1908, p. 47-55.

2. On trouve même dans la liste l'évêque de Termoli, Costantino, dont l'obligation ne remontait qu'au 5 mars de la même année ; EUBEL, *Hier. cath.*, I, p. 484 ; HOBERG, *Taxae...*, p. 118.

3. Clement BAUER, *Die Epochen der Papstfinanz*, dans l'*Historische Zeitschrift*, CXXXVIII, 1928, p. 470.

4. Dietrich VON NIEHEM, *De Scismate*, éd. G. Erler, p. 138-139 ; voir A. GOTTLOB, *Aus der Camera...*, p. 95.

Ce que nous ignorons, c'est combien de prélats furent ainsi dégradés. De même sommes-nous condamnés à ignorer le nombre de clercs qui eussent reçu du pape d'Avignon un évêché ou une abbaye s'ils avaient pu s'acquitter sur le champ du montant de la taxe. Mais nous avons précisément, pour les années d'application de la mesure prise en 1390, des quittances de communs services émanant de la Chambre apostolique romaine [1]. Or leur examen ne permet pas d'affirmer que Boniface IX vendît des investitures. Il y eut sans doute une appréciable marge entre la volonté du pape et l'effet de sa décision, marge probablement moins sensible dans les pays où le pape disposait à son gré des prélatures, en Italie notamment, que dans les terres d'Empire et en Angleterre.

Le paiement intégral et immédiat, certes, n'était pas rare. Dans les années 1397-1402, il affectait des taxes de toute valeur : l'évêque de Caffa (30 florins) [2] et l'évêque de Frigento (25 florins) [3] aussi bien que l'évêque de Lincoln (2 500 florins) [4] et les archevêques d'York [5] et de Cantorbéry (5 000 florins chacun) [6]. Mais il était fort rare qu'un prélat payât avant de s'obliger : les évêques de Bangor (dix-huit jours avant) et de Kammin (plus de deux mois avant), les abbés de Malonne, de Montearmato et de Guamo (le jour de l'obligation) sont des exceptions [7]. Le retard du voyage à Rome d'un nouveau prélat explique souvent le fait que la totalité de ses communs services fût payée le jour de l'obligation. Albrecht von Wertheim, évêque de Bamberg, s'obligea le 14 mars 1399 pour 1 500 florins qu'il paya le jour même [8] ; or il était pourvu de son évêché depuis le 28 novembre précédent. C'est avec un important retard qu'étaient faits bien des paiements intégraux : ainsi les 50 florins versés le 11 avril 1399 par Ernst von Hohnstein, évêque de Halberstadt [9], qui s'était obligé le 10 mars 1391.

La carte que nous présentons [10] montre la répartition géographique des prélats les plus zélés (ceux qui avaient achevé leurs paiements en moins d'un an) et des plus rétifs (ceux dont l'obligation n'était pas éteinte au bout de dix ans). L'absence de bons payeurs dans les régions proches de la curie est évidente. Les abbés de Guamo et de Montearmato payaient 30 florins, celui de Santa Maria in Organo 20 florins, celui de San Saba 150 florins, celui de Nonantola 200 florins, l'évêque de Patti 100 florins. Les prélats

---

1. *Obl. sol*, 51 et 55.
2. *Obl. sol.* 55, fol. 66 r°.
3. *Ibid.*, fol. 110 r°.
4. *Ibid.*, fol. 77 r°.
5. *Ibid.*, fol. 74 r°.
6. *Ibid.*, fol. 51 r°.
7. *Ibid.*, fol. 79 v°, 87 v°, 103 r° et 108 r°.
8. *Ibid.*, fol. 102 v°.
9. *Ibid.*, fol. 108.
10. Carte n° 4.

OBEDIENCE   ROMAINE

+ Services payés en moins d'un an.
•   -   -   - plus de dix ans.

Carte 4

zélés, c'étaient quelques Allemands et des Liégeois. La promptitude des prélats anglais pourrait faire quelque illusion sur leur zèle. En fait, ils étaient l'objet de mesures particulières destinées à leur ôter tout prétexte de temporisation : le collecteur avait la charge permanente d'exiger le paiement des services ; à partir de 1396, le paiement *in partibus* devint la règle pour l'Angleterre. Les services de Thomas Arundel, archevêque d'York, avaient été assignés en 1388 à Dino Guinigi ; ceux de Richard Medford, évêque de Salisbury, le furent en 1396 au banquier lucquois Giovanni Cristofori, et Pierre du Bosc dut avancer, avant de partir pour sa mission en Angleterre, le montant des services de l'évêque de Chichester [1]. Moins facilement contraints, les Irlandais temporisaient. Mais la plus mauvaise volonté émanait des prélats de l'Italie et du sud de l'Empire.

Dans l'ensemble, les paiements de communs services étaient à Rome d'un type plus traditionnel que ceux faits à Avignon. Faute de moyens politiques, Urbain VI et ses successeurs ne pouvaient jouer de la fiscalité pesant sur le haut clergé avec l'aisance d'un François de Conzié. Peut-être moins inquiets quant au sort définitif du pape qu'ils suivaient, les prélats de l'obédience romaine ne cherchaient pas à gagner du temps dans la même mesure que les prélats français. La plupart s'acquittaient en deux ou trois ans. Nous ne connaissons pas de paiements annuels successifs inférieurs au quart de l'obligation, alors que la Chambre avignonnaise devait souvent se contenter annuellement du dixième de celle-ci.

En ce qui concerne les communs services, donc, ni les prélats ni la Chambre apostolique romaine ne recouraient aux pratiques abusives que connaissait l'obédience avignonnaise. Cette dissemblance doit être rapportée, plus qu'à l'importance relative très différente de la fiscalité ecclésiastique dans les revenus des deux Chambres, aux moyens très inégaux de leur politique financière.

5. *La charge fiscale.*   La charge pesant sur les prélats, et tout particulièrement sur les Clémentistes, était-elle aussi lourde que l'ont dit les adversaires du pouvoir pontifical ?

S'adressant au Parlement de Paris, en juin 1406, Jean Petit saisissait l'occasion de faire le procès de la fiscalité pontificale. Dans le même temps, d'autres mémoires affluaient contre elle. Les communs services étaient visés en premier [2]. La charge, disait-on, écrasait les prélats nouvellement pourvus, et Jean Petit de donner un exemple : les revenus de la première année allaient au pape, ceux de la seconde aux héritiers du défunt, ceux de la troisième à l'église desservie par lui, et le successeur ne percevait

---

1. Autres exemples dans : W. Lunt, *Financial relations...*, II, p. 188-191.
2. Voir J. Favier, *Temporels ecclésiastiques..., loc. cit.*

enfin ses revenus qu'après quatre ou cinq ans. D'apparence rigoureuse, cette argumentation était des plus fallacieuses. Aucun droit, aucune règle n'avait jamais imposé à un évêque d'abandonner un an de revenus à sa propre église ou aux héritiers de son prédécesseur. Les dettes de celui-ci étaient normalement imputées sur ses dépouilles, c'est-à-dire éteintes aux dépens de la Chambre apostolique. Le successeur n'était tenu à endosser qu'une seule sorte de dettes, précisément celles pour les communs services, et l'on a vu qu'il avait, à ce titre, un recours contre ces mêmes héritiers envers qui Jean Petit le déclarait débiteur.

Les revenus de la première année allaient au pape ? Autre exagération, au regard de la théorie comme des faits. La taxe, c'était le tiers du revenu brut, mais du revenu estimé un demi-siècle auparavant. C'est sa fixité qui rendait souvent très injuste cette taxe. Prenons en exemple l'archevêque de Rouen : taxé à 12 000 florins, il ne jouissait, dans la dernière décennie du siècle, que d'un revenu annuel brut oscillant entre 11 et 13 000 livres tournois, soit autant de florins [1]. La taxe équivalait au revenu brut. Mais la charge était-elle pour autant insupportable ? Les uns, comme l'archevêque Guillaume de Lestranges [2], négligeaient les délais de leur obligation. C'eût été lourd s'ils avaient payé dans les délais, mais il ne s'agissait en fait que d'une année de revenus répartie sur douze ans. Les autres, comme Guillaume de Vienne, payaient — plus ou moins contraints — la totalité de leurs services lors de l'obligation ; cet argent provenait souvent de leur fortune personnelle, et les revenus du temporel n'en étaient pas affectés [3]. Parfois, l'argent était emprunté, et cet endettement pouvait être cause de graves difficultés financières pour le nouveau prélat.

C'est à cette nécessité de se procurer une forte somme avant de jouir du bénéfice que faisait allusion Jean Petit citant un abbé de Saint-Germain-des-Prés qui avait dû, de ce fait, céder le principal « héritage » de l'abbaye. Traduisons que cet abbé avait dû recourir aux usuriers et leur engager des objets précieux ; nous verrons que le pape n'agissait pas autrement lorsqu'il devait répondre à un pressant besoin d'argent. Cet exemple donné par Jean Petit corrobore notre opinion : c'est le renforcement de la fiscalité, ce sont les modalités de paiement qui rendirent intolérable au haut clergé la charge des communs services. L'abbé de Saint-Germain-des-Prés cité en 1406 ne saurait être en effet que Guillaume Lévêque, abbé de 1387 à 1418, dont nous avons dit qu'il avait dû payer 150 % de sa taxe avant même l'obligation [4]. Quant à l'abbé de Clairvaux,

1. Arch. dép. Seine-Maritime, G 10 à 16.
2. Il mit douze ans, de 1376 à 1388, pour s'acquitter de ses services.
3. Nous savons que Martin Gouge, transféré de Luçon à Chartres, avait payé la totalité de ses communs services et n'avait rien perçu de ses revenus ; *Reg. Av.* 331, fol. 238 r⁰.
4. *Intr. ex.* 363, fol. 44 v⁰, 49 r⁰ et 49 v⁰.

il aurait été amené, selon Jean Petit, à « vendre » la châsse de saint Bernard, autrement dit à l'engager sans grand espoir à la récupérer. Il est probable que cet exemple a été choisi pour son caractère symbolique et scandaleux.

La temporisation n'était pas, elle-même, sans danger. Bien des prélats laissaient passer les termes fixés, assurés qu'ils étaient de la reconduction des délais, assortie de l'absolution des sentences encourues pour n'avoir pas respecté l'obligation. Ainsi fit Bernard, abbé d'Escaldieu ; devant payer à la Chandeleur 1406, il obtint un nouveau délai et son absolution par lettre du... 20 février [1]. On lui fixait alors un nouveau terme, le 1er août 1406. A cette date, point de paiement. C'est seulement vers mars 1407 que l'abbé envoya un procureur solliciter un nouveau délai et son absolution Le 15 mars, le camérier accédait à cette demande. Mais lorsque le messager regagna Escaldieu, il trouva l'abbé mort et enterré hors du cimetière, comme il convenait à un excommunié. Il fallut que Pedro Adimari relève le défunt, le 2 avril 1408, de la sentence sous le coup de laquelle il se trouvait au moment de sa mort et donne commisssion au prieur du monastère de faire exhumer le corps pour lui donner une sépulture chrétienne [2].

Encore l'abbé d'Escaldieu méritait-il, au regard des règles canoniques, son sort posthume. Mais les sentences de la Chambre apostolique étaient parfois injustifiées. Le 19 janvier 1407, Pedro Adimari donnait commission à Jean, abbé de Vierzon, de faire exhumer le corps de son prédécesseur François, mort en état d'excommunication et enterré en terre profane pour n'avoir pas payé ses communs services ; le lieutenant du camérier exposait qu'il concédait au défunt une sépulture chrétienne en raison de son extrême pauvreté et du repentir manifesté à l'article de la mort [3]. Ce sont là, on peut l'affirmer, les euphémismes de la requête présentée par le successeur. Ce que Pedro Adimari n'indiquait pas, c'est que, jusque sur son lit de mort l'abbé François avait dû protester qu'il ne devait rien à la Chambre. Nous trouvons en effet, à la date du 7 septembre 1390, l'indication de son versement portée parmi les *Introitus*. Bien plus, François avait payé la totalité de ses communs services le jour même de son obligation [4]. Modeste clerc, qui n'était sans doute jamais allé à la curie [5], il ignorait certainement que les archives de la Chambre lui fournissaient les moyens de se justifier, même s'il avait perdu sa quittance [6]. Nous touchons là une des causes de l'hostilité

1. *Reg. Av.* 324, fol. 199.
2. *Reg. Av.* 331, fol. 69 v°-70 r°.
3. *Reg. Av.* 324, fol. 339.
4. *Intr. ex.* 366, fol. 46 v°.
5. Même lors de sa collation et de son obligation, il n'était pas à la curie, et c'est un damoiseau lyonnais qui se présenta pour payer à sa place.
6. Le camérier affirmait lui-même que les registres de quittances étaient utiles aux prélats qui perdaient leurs lettres ; *Reg. Av.* 331, fol. 23 r°.

du clergé : le sentiment que tout effort était vain contre le puissant organisme qu'était la Chambre apostolique. A côté de quelques habiles manœuvriers, il y avait beaucoup de clercs résignés dans l'amertume.

Enfin, comme chacune des impositions et taxes mises par la Chambre apostolique sur le clergé, les communs services eussent semblé moins lourds s'ils avaient été seuls. Par souci de précision et d'efficacité, la polémique s'en prit à chaque impôt. Mais c'est l'ensemble de la charge fiscale qui était insupportable. La généralisation des dépouilles était autrement vexatoire, la décime autrement abusive, la réserve des procurations autrement préjudiciable au bien des églises. Mais le droit de dépouilles affectait surtout les héritiers. Attaquer la décime, c'était atteindre les princes qui en avaient tant profité et y avaient encore souvent part. La réserve des procurations mettait en danger le bien des âmes : par là, elle donnait prise à toutes les critiques, même au plus intéressées. Sur le plan purement temporel, les communs services restaient seuls en butte à la critique. Il était donc habile de se servir des abus auxquels ils donnaient lieu pour en attaquer le principe.

TROISIÈME PARTIE

LE MOUVEMENT DES FONDS

CHAPITRE VIII

ASSIGNATION OU TRANSFERT ?

1. *Centralisation de l'ordonnancement et assignations générales.* L'ordonnancement des fonds apostoliques, qui apparte-nait au pape, pouvait évi-demment être délégué par lui. Il l'était en permanence et sans inconvénients au camérier, qui avait la connaissance de l'état des revenus et des besoins financiers. Il pouvait l'être à des officiers locaux, mieux à même de connaître cet état et ces besoins. Sur ce point essentiel, la pratique des deux obédiences diffère totalement.

A Avignon, en effet, l'efficacité de la machine administrative assurait au camérier l'exacte connaissance des possibilités finan-cières de la papauté, cependant que le caractère non-territorial de celle-ci permettait la centralisation de toutes les dépenses qui n'étaient pas de simples frais de gestion. A l'exception de la défense du Comtat venaissin, toutes les charges de la papauté avignonnaise étaient supportées par la Chambre apostolique établie dans le palais d'Avignon. La guerre, la diplomatie et le fonctionnement de la curie étaient financées par Avignon, à l'initiative du pape et du camérier. Le centre nerveux de l'ordonnancement était unique parce que tous les besoins procédaient de décisions du pape ou du camérier, et que ceux-ci disposaient de tous les revenus. Possibilité et nécessité étaient les deux conditions de cette centralisation.

Le pape romain disposait des états de l'Eglise. Il devait, à ce titre, supporter des charges purement locales. Aucun homme d'armes, aucun patron de galée au service d'Avignon qui ne fût engagé par la curie, donc payé par elle. Dans la Marche d'Ancône, en Tuscie, en Calabre, des hommes étaient engagés qui n'avaient jamais vu Rome et dont la curie romaine ignorait même l'existence et la « conduite ». Il était logique que leur engagement et leur paiement fussent à la discrétion de ceux qui en éprouvaient la nécessité : recteurs, capitaines, vicaires au temporel. Les initiatives étaient locales, l'ordonnancement devait également l'être.

Dès les débuts du Schisme, les gens de la curie romaine s'en remettaient à autrui du soin d'engager des dépenses : le 27 mai 1380, Urbain VI chargeait le Napolitain Cincono di Bartolomeo d'engager la Brigade de Saint Georges au service de l'Eglise, pour le temps et aux conditions qu'il jugerait bon [1]. Le 9 décembre 1381, il ordonnait au collecteur de Sicile de remettre toute sa recette au trésorier général dans le royaume, Lodovico Brancacci [2]. Mais de telles délégations n'étaient pas illimitées. Boniface IX allait pousser plus loin cette pratique, s'en remettant totalement du soin d'assurer la défense des états pontificaux aux recteurs, le plus souvent choisis parmi ses proches. Dès 1391, il ordonnait au trésorier général de la Marche d'Ancône, Antonio da Pando, de disposer de toutes ses recettes selon les instructions du recteur de la Marche, le propre frère du pape, Andrea Tomacelli. Ce faisant, le pape privait la Chambre apostolique d'une notable part de sa compétence, puisque les trésoriers provinciaux étaient théoriquement indépendants des recteurs et ne devaient recevoir d'ordres que de l'administration centrale [3]. Tout au plus la Chambre conservait-elle la connaissance ultérieure de telles assignations : le trésorier de la Marche était tenu, à cette fin, de les enregistrer [4]. Le compte rédigé à Ancône le 4 novembre 1394 pour les douze mois précédents nous assure de la parfaite exécution de ces dispositions : le trésorier avait versé en deux fois 490 ducats à Tomacelli et remis en outre 20 ducats à un *orator* du pape qui s'était trouvé, à Ancône, sans argent pour regagner Rome. A part ces sommes, le trésorier avait bien dépensé 153 ducats dans l'exercice de son office, mais il n'avait rien envoyé à la Chambre. Tout ce qui avait été assigné l'avait été au recteur de la province [5].

Le contrôle de la Chambre ne tarda point à disparaître. C'est sur les revenus ecclésiastiques que s'étendit en 1393 l'autorité d'Andrea Tomacelli ; mais, alors que le trésorier devait effectuer lui-même les paiements, sur l'ordre du recteur, le collecteur Antonio Trassati reçut l'ordre de remettre désormais toutes ses recettes, en nature et en espèces, à Tomacelli qui déciderait de leur affectation [6]. La Chambre apostolique était dessaisie de l'initiative comme du contrôle des dépenses. Le mouvement des fonds lui échappait.

Il ne lui restait qu'à assurer les recettes en appropriant les impositions aux besoins locaux et en désignant les hommes. Encore cette dernière prérogative lui échappa-t-elle rapidement dans la pratique, voire dans le droit : Andrea Tomacelli ne reçut-il pas [7] le pouvoir de constituer lui-même un collecteur dans les provinces du Patrimoine en Tuscie et du duché de Spolète, dont il était capitaine et recteur ? Nommés par le pape mais certainement avec l'accord

---

1. *Reg. Vat.* 310, fol. 28 v° et 33.
2. *Ibid.*, fol. 150 r°.
3. P. PARTNER, *The papal state...*, p. 102.
4. Bulle du 8 mars 1391 ; *Reg. Vat.* 313, fol. 65 v°-66 r°.
5. *Arch. St.* Rome, *Camerale I°, Collettorie* 1229.
6. Bulle du 23 juillet 1393 ; *Reg. Vat.* 314, fol. 126 v°.
7. Vers la fin de 1395 ou le début de 1396 ; *Reg. Vat.* 314, fol. 400 v°.

de son frère, le collecteur Donato da Narni et le trésorier Francesco Bellanti, évêque de Narni, se virent tous deux enjoindre de remettre à Andrea Tomacelli l'intégralité de leur recette [1]. L'ordre fut renouvelé lorsque Giovanni Tomacelli eût succédé à son frère Andrea [2], cependant que le nouveau recteur recevait également — à concurrence de 11 666 florins et deux tiers — les sommes dues au pape par la commune de Pérouse et déposées par celle-ci chez le changeur Paolo di Ser Amati ; le pape alla jusqu'à annuler toutes les assignations qu'il aurait pu faire sur ces sommes [3].

Il ne faudrait pas conclure que l'incontestable népotisme de Boniface IX fit passer dans l'escarcelle des Tomacelli l'argent de la Chambre apostolique. Les recteurs des provinces supportaient de lourdes charges pour la mise en défense des villes, l'entretien des gens d'armes et le fonctionnement de leur administration. Il n'en reste pas moins que la Chambre apostolique n'avait plus le moindre droit de contrôle sur leur gestion financière.

Les Tomacelli ne furent d'ailleurs pas les seuls à qui le pape romain délégua sans limites son pouvoir d'ordonnancement. Légat de Pérouse, le cardinal Pileo da Prata recevait du trésorier Stefano Bordono [4] et du collecteur, l'abbé de Sant'Antimo [5], leurs recettes intégrales, y compris le produit de la décime, le cens des vicariats et les revenus de justice. Angelo degli Alaleoni, gérant l'office de recteur général de Campagne et Maremme, avait la disposition des recettes de l'évêque d'Anagni, trésorier de la province [6]. Même sous le pontificat d'Innocent VII, qui fut celui de l'intégrité absolue, l'ordonnancement local n'en continua pas moins à réduire les prérogatives de la Chambre apostolique, donc l'efficacité de la direction financière. Angelo Correr, patriarche de Constantinople et recteur de la Marche d'Ancône, disposait de la recette du trésorier [7]. Devenu pape, il accorda les mêmes pouvoirs à son successeur, le cardinal Angelo Malpighi, envoyé pour gouverner la Marche avec le titre de légat [8].

Encore l'ordonnancement local était-il, dans ces cas-là, dissocié de la perception et du maniement des espèces. On a vu qu'il n'en était pas de même au temps de Boniface IX et que les frères de ce pape bénéficiaient, au détriment certain de la Chambre apostolique, de la confusion entre ordonnancement et paiement. L'abdication de la papauté était totale, enfin, lorsque l'on assignait à un collecteur

---

1. Bulle du 13 janvier 1396 ; *Reg. Vat.* 315, fol. 18.
2. Bulle du 11 mars 1404 ; *Reg. Vat.* 320, fol. 233.
3. Bulle du 4 décembre 1398 ; *Reg. Vat.* 316, fol. 54 v°-55 r°.
4. Bulle du 13 février 1392 ; *Reg. Vat.* 313, fol. 267 v°.
5. Bulle du 7 septembre 1393 ; *Reg. Vat.* 314, fol. 136 v°-137 r°.
6. Bulle du 11 juillet 1403 ; *Reg. Vat.* 320, fol. 137 v°.
7. Bulle du 13 avril 1495 ; *Reg. Vat.* 333, fol. 243 v°-246 v°. — Le trésorier ne conservait que les sommes nécessaires au paiement de la provision annuelle du recteur et au paiement de ses gardes du corps.
8. Bulle du 8 mai 1409 ; *Reg. Vat.* 337, fol. 114 v°.

le produit de sa propre recette : la constitution du collecteur n'était
alors qu'un moyen de permettre à l'assignataire de lever lui-même
par autorité apostolique les revenus pontificaux qui lui étaient
assignés. Ce fut le cas, on l'a vu, pour l'évêque de Fano, Antonio
da Venezia, ainsi gratifié des revenus de la Chambre dans son
propre diocèse le 15 mars 1409 [1]. Grégoire XII était à ce moment là
au bord de la faillite, et cette mesure pourrait être jugée comme
l'abdication d'une administration désesépérée. Il n'en est rien. Dès
1397, Boniface IX n'hésitait pas à concéder à l'archevêque d'Auch
Pierre d'Anglade, constitué ce jour collecteur dans les diocèses de
Tarbes et Oloron spécialement distraits de la collectorie de Guyenne,
toute sa recette à venir, en compensation des revenus du temporel
d'Auch occupé par les partisans de Benoît XIII [2]. Il est enfin un
cas où le même personnage fut institué négociateur, ordonnateur,
collecteur et payeur : le 24 avril 1394, l'archevêque de Bordeaux
Francesco Uguccione reçut commission de traiter « avec les rois,
reines, ducs, princes et autres personnes désirant travailler à la
réduction des schismatiques » et de leur assigner, pour leurs dépenses
et selon l'opportunité, des sommes à prendre sur la décime triennale
dont il était collecteur [3]. Mission de confiance, certes, que d'acheter
des ralliements et des fidélités : l'archevêque avait pour celle-là
carte blanche.

Si la Chambre apostolique de Rome se trouvait contrainte d'abandonner l'ordonnancement des revenus pontificaux dans les états du
pape, c'est que la charge militaire de ces états dépassait largement
les revenus locaux, ecclésiastiques ou seigneuriaux. De toutes
façons, le problème ne se posait pas de choisir entre le transfert des
fonds à Rome ou leur assignation sur place. Le seul problème était
de payer à Rome, avec l'argent des collectories extérieures aux états
du pape, les services rendus dans ces états et non rémunérés sur
place. Hors des états pontificaux, donc, il n'y avait normalement
ni assignations générales, ni délégation de l'ordonnancement ; la
Chambre romaine pouvait s'en tenir aux saines pratiques que
connaissait la Chambre avignonnaise.

A Avignon, en effet, la centralisation était extrêmement poussée.
Deux ordonnateurs se partagèrent jusqu'en 1383 l'initiative des
paiements : le pape et le camérier. Etablir la démarcation entre
l'action de l'un et celle de l'autre est chose impossible ; tout au plus
remarque-t-on une prépondérance des bulles papales parmi les assignations de solde à des hommes d'armes, et des lettres du camérier
parmi les assignations en remboursement à des créanciers curialistes
clercs ou marchands. Peut-être en doit-on conclure que les curialistes, ayant davantage confiance dans l'administration camérale,

1. *Arm.* XXXIII, 12, fol. 287 r⁰ ; *Reg. Vat.* 337, fol. 74 v⁰.
2. *Reg. Vat.* 315, fol. 187 v⁰.
3. *Reg. Vat.* 314, fol. 248 v⁰-250 r⁰.

se contentaient d'une lettre, alors que les gens d'armes, plus méfiants exigeaient une bulle. Une autre remarque va dans le même sens : les gages de serviteurs, de messagers par exemple, étaient généralement assignés par de simples lettres closes signées du camérier et authentifiées par son seul cachet.

A partir de l'accession de François de Conzié au camérariat, le 23 décembre 1383, nous assistons à une mainmise progressive du camérier sur l'ordonnancement, aux dépens du pape. Ce n'est sans doute là qu'un phénomène apparent : les bulles d'assignation étaient certainement commandées à la Chancellerie par le camérier. Conzié ne fit que s'attribuer progressivement les signes extérieurs d'une prérogative exclusive. L'élection de Benoît XIII lui permit de l'emporter définitivement. Le nouveau pape ne se mêla plus de l'ordonnancement. Ni la Trésorerie, ni les collecteurs ne dépensèrent désormais un florin qui ne le fût sur l'ordre du camérier ou de son lieutenant.

L'assignation générale est-elle donc inconnue à Avignon ? Certes, non. Les revenus de la Chambre apostolique dans telle région pouvaient être assignées en totalité à un créancier ; mais ils ne l'étaient jamais sans limitation. Le cas des décimes partagées avec les princes est évidemment d'une autre nature : il ne s'agit plus d'un revenu pontifical assigné, mais d'une imposition partiellement destinée à un prince temporel.

C'est au contraire d'une assignation générale qu'il s'agit dans le traité conclu par Seguin d'Authon avec le roi de Castille. Aux termes de ce traité, le roi Jean s'engageait à fournir au pape six galées armées pour un service de six mois, montées chacune de dix matelots et trente-cinq arbalétriers (quarante sur celle du capitaine). A 1 200 francs par galée et par mois, le coût total dépassait 43 000 francs. Or c'est à concurrence de cette somme, et non au delà qu'étaient assignés au roi les revenus du pape en Castille et Léon, y compris les communs services dus au pape et ceux dus aux cardinaux, et même les cinq menus services. Collecteurs et prélats devaient remettre leur recette et effectuer leurs paiements entre les mains de l'archevêque de Tolède, Pedro Tenorio, chargé par le roi de la centralisation des fonds [1]. Assignation totale, donc, mais non illimitée. Quant aux assignations faites d'Avignon sur le revenu des collectories castillanes, elles furent simplement reportées après le paiement au roi des 43 000 francs [2].

Nombreuses furent les assignations générales en faveur des Angevins. Dès 1379, le revenu des collectories de Narbonne, Toulouse, Auch et Tours était assigné à Louis Ier d'Anjou en rembour-

---

1. Bulles du 6 mars 1383 ; *Instr. misc.* 3135 ; *Reg. Av.* 233, fol. 57 v°-61 v° ; *Reg. Av.* 279, fol. 44 v°-45 r°.
2. *Reg. Av.* 242, fol. 2 v° ; *Coll.* 360, fol. 175 r°.

sement des sommes prêtées par lui à Grégoire XI [1]. En 1382 furent assignées au duc tous les revenus de la Chambre apostolique pendant trois ans à compter du 31 mars ; ordre était donné au camérier, au trésorier et aux collecteurs d'en effectuer le versement au secrétaire et au trésorier de Louis, Jean de Sains et Nicolas de Mauregart [2]. En fait, avec le consentement des gens du duc [3], la Chambre apostolique continua d'effectuer ses propres paiements, mais il est à noter que, mises à part les dépenses domestiques et la rémunération des officiers, l'essentiel de ces paiements afférait aux entreprises angevines : hommes d'armes, galées, missions diplomatiques. Nombre de ces paiements n'étaient même que des assignations faites par le duc d'Anjou sur la créance qu'il avait sur le Saint-Siège. C'est ainsi que le pape ordonna aux collecteurs de Toulouse, Narbonne et Rodez de verser chacun 800 francs à Béraud de Faudoas en déduction des 2 400 que lui devait encore Louis d'Anjou pour les frais d'une mission en Espagne [4] ; dans le même temps, le collecteur de Lyon recevait l'ordre de verser 2 000 francs au frère du pape, Pierre, comte de Genève, en déduction des 15 000 francs dus au comte, tant pour son service, avec ses gens d'armes, dans l'armée angevine en Italie, que pour le remboursement d'un prêt consenti au duc [5].

De toutes façons, cette assignation générale des revenus de la papauté avait une limite. Une fois supportées les dépenses ordinaires de la cour pontificale, trois ans de revenus ne semblaient pas au camérier susceptibles de dépasser la somme que le pape voulait bien consacrer à l'entreprise angevine. Que la somme prêtée par Louis d'Anjou à Grégoire XI et Clément VII ait été largement remboursée ne change rien à l'affaire : la Chambre apostolique d'Avignon n'avait rien abdiqué entre les mains des gens du duc Louis. Le fait que, de 1403 à 1407, les commissaires pontificaux et les commissaires angevins aient pu s'affronter chiffres en mains prouve bien que les finances pontificales de l'obédience avignonnaise n'avaient jamais échappé au contrôle de la Chambre apostolique.

Pour vaste que fût l'assignation, le pape en avait connu avec précision l'étendue. Les sommes dépensées pour soutenir la politique angevine venaient théoriquement en déduction de la créance de Louis Ier. La Chambre n'avait rien abandonné, ni abdiqué en rien.

---

1. Cette assignation fut levée en décembre ; *Coll.* 359, fol. 10. — Sur la créance angevine, voir-ci-dessous, p. 611 et suivantes.

2. *Reg. Vat.* 309, 26 v°-28 r°.

3. Ainsi la quittance donnée par Clément VII, le 18 juillet 1382, aux nonces Jean de Murol et Pierre Girard pour le paiement, fait sur leur recette, de 4 000 francs à Enguerran de Coucy précise-t-elle que ce paiement a été sur fait ordre du pape et avec le consentement de Louis, duc de Calabre et d'Anjou ; *Coll.* 359 A. fol. 209 r°.

4. Bulle du 19 mars 1383 ; *Reg. Av.* 233, fol. 107 v°-108 v°.

5. Bulle du 21 mars 1383 ; *Ibid.*, fol. 64 v°-66 r°.

2. *Assignations particulières.*　　Des sommes considérables levées
dans les provinces de leur obédience
et dont ils n'avaient point aliéné la disposition, les papes pouvaient
user de deux manières : en les faisant transférer à la Trésorerie
apostolique, ou en les faisant dépenser sur place par le jeu des
assignations particulières. A Avignon, il s'agissait de la quasi-
totalité des revenus pontificaux ; il ne s'agissait à Rome que d'une
part de ces revenus : la recette des collectories extérieures aux états
de l'Eglise.

Pour le créancier de la Chambre, l'avantage d'une assignation
était mince. Il apparaissait certes intéressant à un damoiseau
de Terracine d'être payé de ses services par le collecteur de Naples [1],
à Jean de Malestroit de l'être par le collecteur de Tours sur le revenu
des diocèses bretons [2], à un capitaine de Valencia de l'être par le
collecteur d'Aragon [3]. Ainsi étaient épargnés les soucis et les frais
d'un voyage à la curie, et les aléas de l'envoi d'un procureur.
Peut-être était-il aussi plus facile de faire rendre gorge à un collecteur qu'à la Trésorerie pontificale : désespérant de se faire payer
ce qu'on lui devait pour ses services en Italie, un damoiseau du
diocèse de Saint-Malo, Jean de la Houssaye, se saisit de la personne
du sous-collecteur de Rennes, Pierre de Vignout, et ne lui accorda
sa liberté que contre le paiement de 200 francs — à déduire de sa
créance — dont il donna d'ailleurs très régulièrement quittance au
sous-collecteur par acte notarié [4].

Mais obtenir une assignation ne devait guère être plus facile
qu'obtenir des deniers, et il est probable que l'avantage le plus
net pour le bénéficiaire était de n'avoir point à faire transférer
ou à transporter le montant du paiement. Pour la Chambre apostolique comme pour le créancier remboursé dans sa province,
l'assignation supprimait le risque des transferts. Elle ne simplifiait
vraiment les démarches qu'aux bénéficiaires de pensions qui, tels
Guy de la Tremoille [5], Oudard de Chaseron [6], Marie de Boulogne,
vicomtesse de Turenne [7], ou Humbert de Villars [8], étaient ainsi
dispensés de se rendre à la curie ou d'y envoyer chercher les termes
de leur pension.

Ce n'est donc pas la commodité des créanciers que recherchaient
les gens de la Chambre. Notons un premier fait : bien des paiements
étaient divisés en plusieurs assignations. A Jean de la Grange un
prêt de 300 florins courants fut remboursé en 1381 par le collecteur

1. *Coll.* 359 A, fol. 180 v⁰-181 r⁰.
2. *Reg. Av.* 274, fol. 12 v⁰-13 v⁰.
3. *Coll.* 372, fol. 74 v⁰-75 r⁰.
4. Lettre du camérier du 22 avril 1381 ; *Coll.* 359, fol. 62.
5. *Instr. misc.* 3107, 3215, 3225, 3505 et 3611.
6. *Instr. misc.* 3644 et 3645 ; *Coll.* 372, fol. 39 v⁰-40 r⁰.
7. *Instr. misc.* 3389.
8. *Instr. misc.* 3616.

de Lyon[1] et un àutre de 7 500 florins de la Chambre en 1382 par les collecteurs de Paris (4 500 fl.) et de Reims (3 000 fl.), tous deux effectuant d'ailleurs leurs paiements à Paris[2]. Un prêt de 20 000 francs consenti par le duc Philippe de Bourgogne fut assigné en remboursement, le 12 juin 1383, sur la recette des quatre collecteurs capables de payer à Paris : 6 200 francs sur la collectorie de Paris, 6 100 sur celle de Tours, 4 500 sur celle de Bourges, 3 200 enfin sur celle de Reims[3]. Ce dont on tenait avant tout compte, c'était la capacité financière des collecteurs ou des débiteurs de la Chambre.

Pour celle-ci, l'avantage était double. Le soin du recouvrement incombait à l'assignataire, cependant que les gens de la Chambre étaient immédiatement déchargés du souci de la dette. Sauf dans les cas, relativement rares, où il fallait réitérer l'assignation, le camérier n'en entendait plus parler. En second lieu, une importante partie des recettes locales était ainsi utilisée sans les risques et sans les frais inhérents à tout transfert de fonds. Cet aspect de la procédure d'assignation est sensible lorsque le bénéficiaire était un curialiste que l'on eût certainement contenté avec l'argent provenant des mêmes recettes, une fois versé à la Trésorerie.

A plusieurs reprises, par exemple, fut assigné à Bertrand Raffin, clerc, puis conseiller de la Chambre apostolique, le remboursement de prêts faits à la Trésorerie, donc à Avignon où Raffin résidait. Or c'est par le collecteur de Rodez que, dès le 27 décembre 1378, on lui fit payer le prix de chevaux donnés par lui à des gens d'armes au service du pape en Italie[4]. Devenu évêque de Rodez, c'est évidemment du même collecteur qu'il reçut le montant des sommes prêtées à Avignon : 500 francs en 1380[5], 2 820 francs entre 1381 et 1383[6]. Raffin, qui ne laissait pas de demeurer à Avignon, devait se faire adresser, à ses coûts et risques, l'argent par son procureur, en même temps que les revenus de son évêché. Quant à Jean de Bar, sous-diacre de Clément VII, qui avait prêté 500 francs en juillet 1381, il reçut le 12 décembre une assignation de 515 francs — dédommagement du retard — sur la même collectorie de Rodez[7], assignation que l'on crut devoir réitérer le 27 janvier 1382[8] ; entre temps, le collecteur s'était décidé à payer : le 8 janvier, il versa les 515 francs au marchand Guillaume Carlat[9], celui-là même qui

---

1. *Coll.* 374, fol. 70 v⁰.
2. *Coll.* 359 A, fol. 186 v⁰-188 r⁰.
3. *Instr. misc.* 3183.
4. *Reg. Av.* 220, fol. 338 v⁰-339 r⁰.
5. Quittance du pape au collecteur, 23 décembre 1380 ; *Coll.* 359 A, fol. 57 v⁰-58 r⁰.
6. *Coll.* 84, fol. 380-382 ; *Coll.* 359, fol. 128 v⁰ ; *Çoll.* 359 A, fol. 164 et 179 ; *Instr. misc.* 3115 et 3116.
7. *Coll.* 374, fol. 81.
8. *Intr. ex.* 354, fol. 42 r⁰.
9. *Instr. misc.* 3097.

allait assurer pendant cinq ans une partie des transferts de Rodez vers la Trésorerie. L'argent était donc transmis à Avignon comme il l'eût été par le collecteur à la Chambre. Mais les risques, faibles avec le recours au change, et les dépenses, très réelles, étaient à la charge de Jean de Bar.

L'assignation présentait aussi l'avantage de permettre certaines anticipations : n'en donnons ici pour exemple que l'ordre, adressé le 9 décembre 1381 au maître de la Cire, Guillaume Thonerat, de payer à un capitaine 200 florins à valoir sur le subside que devait verser ledit Guillaume pour ses bénéfices [1]. Mais, lorsqu'il s'agissait avant tout d'anticiper sur une recette, et non d'éviter un transfert, c'est aux banquiers que s'adressait la Chambre apostolique. L'assignation devenait à la fois moyen de transfert et instrument de crédit : la recette du collecteur était bien versée à Avignon, mais elle l'était avant le change.

Quel usage faisait-on, à Avignon, de l'assignation des recettes locales ? Qui, au contraire, payait-on directement à la Trésorerie ?

Les dépenses ordinaires constituent une part non négligeable des dépenses de la Trésorerie, mais une part au moins égale était à la charge des collecteurs. Prenons le cas de la cuisine, de la paneterie et de la bouteillerie. En 1381, leurs dépenses assumées par la Trésorerie étaient les suivantes [2] :

1381	CUISINE	PANETERIE	BOUTEILLERIE
Janvier	935 flor.	10 flor.	
Février	359		
Mars	435		
Avril....................	952	17	337 flor.
Mai	335		
Juin.....................	695	10	321
Juillet	391	17	1 256
Août	619	40	
Septembre	570	25	428
Octobre.................	498	487	6
Novembre...............	655	8	85
Décembre	728	34	42
	7 172	648	2 475

Le chiffre élevé des paiements faits pour l'office de la cuisine correspond à l'essentiel des dépenses de celui-ci (viandes et épices

1. *Coll.* 374, fol. 81 r°. — L'ordre fut rapporté, le paiement ayant finalement été fait par la Trésorerie ; *Intr. ex.* 355, fol. 55 v°.
2. *Intr. ex.* 354 et 355 ; chiffres amputés des sous et deniers.

en particulier) ; seul, le poisson était apporté à Avignon pour le compte de la Chambre et payé par les collecteurs. La paneterie, au contraire, ne faisait payer à Avignon que la fabrication du pain [1], cependant que le blé acheté en Languedoc ou en Bourgogne par les pourvoyeurs était payé par les collecteurs. De même doit-on confronter les dépenses, relativement limitées, faites à la Trésorerie pour la bouteillerie avec les achats de vin de Bourgogne — Beaune, en particulier — que payait le collecteur de Lyon ou le pourvoyeur avec l'argent remis par le collecteur. Celui-ci apparaît comme le principal fournisseur de la curie quant au vivre et à la boisson. Cette même année 1381, le collecteur de Lyon versa 1 672 francs 27 sous pour des poissons et pour quatre-vingt-une queues et demie de vin [2], 200 francs pour des poissons d'eau douce de Bourgogne [3] et — par son sous-collecteur de Genève — 144 florins courants 6 gros pour trois saumées d'huile de noix et quarante-cinq tranches [4]. L'année suivante, pour du vin de Beaune et des poissons de la Saône, le collecteur versa au pourvoyeur 2 771 francs, cependant que le sous-collecteur de Genève envoyait à Avignon dix quintaux de fromage vacherin, quatre quintaux de fromage « sérat », un quintal de beurre et quatre saumées d'huile de noix, ayant dépensé, tant pour l'achat des denrées que pour quatorze caisses, le transport et les péages, la somme de 121 florins courants 12 sous [5].

De telles fournitures doublent donc, on le voit, les chiffres fournis par le compte de la Trésorerie. Que dire, alors, des dépenses de la Pignote ? Du 9 septembre 1379 au 1er mars 1381, le maître de cette institution charitable dépensa 625 florins courants 9 sous 5 deniers [6] ; du 1er mars 1381 au 13 décembre 1382, 556 florins 6 sous 11 deniers [7]. De ces 1 181 florins, pas un n'a été versé par la Trésorerie [8]. Là encore, c'est le collecteur de Lyon qui paie, avec un notable retard, les sommes dont l'officier comptable a fait l'avance. Car la règle est bien que le gestionnaire d'un office supporte les charges de celui-ci jusqu'à son remboursement. Ainsi voit-on le pourvoyeur Etienne Buchoud, dit Châtelain, sergent d'armes du pape, dépenser en 1388 quelque 450 francs dont le remboursement ne lui fut assigné sur la collectorie de Lyon que le 19 août 1395 [9].

---

1. Ainsi 300 florins versés au fournier du pape à la fin de 1378 ; *Reg. Av.* 220, fol. 332 v°.
2. *Coll.* 358, fol. 181.
3. *Reg. Av.* 220, fol. 357 r°.
4. Ces tranches sont qualifiées, dans le texte, de « poisson salé du lac Léman » ; *Coll.* 358, fol. 174 r°.
5. *Coll.* 359, fol. 189 v°.
6. *Ibid.*, fol. 60 v°-61 r°.
7. *Reg. Av.* 233, fol. 33 v°-34 r°.
8. *Intr. ex.* 350 à 356. — Il arriva cependant que les dépenses de la Pignote fussent supportées par la Trésorerie : 478 florins furent versés à ce titre au maître en septembre 1397 ; *Intr. ex.* 374, fol. 121-126.
9. *Coll.* 372, fol. 34 r°.

Faits par le collecteur lui-même ou avec l'argent provenant de sa recette, les envois en nature viennent donc en sus des assignations payées dans les collectories et des versements faits par le collecteur à la curie. De tels envois émanent essentiellement de quatre collecteurs.

Celui de Lyon, nous l'avons dit, assuma jusqu'à la soustraction d'obédience le remboursement aux pourvoyeurs — Jean Rousset, Jean de Chivres, Etienne Buchoud [1] — des sommes dépensées par eux pour l'achat et l'envoi de blé, d'avoine, de légumes, de vin, de poisson, d'huile, de paille et de foin [2], voire, en un cas, de toiles [3]. A partir de 1405, ces dépenses furent payées par la Trésorerie, le caractère itinérant de la curie ne permettant plus que d'acheter au jour le jour les provisions nécessaires en s'adressant à des fournisseurs locaux, à Marseille comme à Nice, à Gênes comme à Savone, cependant que la partie des services curiaux demeurée à Avignon devait vivre chichement. On comparera avec profit les chiffres du tableau précédent avec leurs homologues de l'an XI du pontificat de Benoît XIII [4] :

	CUISINE	PANETERIE	BOUTEILLERIE
Octobre 1404	717 flor.	16 flor.	315 flor.
Novembre 1404.	952	242	179
Décembre 1404	933	272	612
Janvier 1405.	629	189	258
Février 1405.	1 196	231	611
Mars 1405	1 038	264	630
Avril 1405.	1 080	240	202
Mai 1405	720	80	767
Juin 1405	732	24	101
Juillet 1405.	1 270	364	373
Août 1405.	497	500	208
Septembre 1405	789	39	147
	10 553	2 461	4 403

Le rapport de ces chiffres est à considérer. Les dépenses de la Trésorerie pour la cuisine sont pratiquement inchangées. Mais les dépenses pour la paneterie, qui atteignaient 9 % des premières en 1381, en atteignent maintenant 23 %. Quant aux dépenses pour la bouteillerie, elles sont passées, par rapport aux dépenses pour

1. R. DELORT, *Note sur les achats* ..., dans *Mélanges...*, LXXIV, 1962, p. 215-288.
2. *Instr. misc.* 3230.
3. *Coll.* 359, fol. 184 v°.
4. *Reg. Av.* 321 et *Intr. ex.* 376.

la cuisine, de 34 à 42%. De l'extrême variabilité de 1381 elles atteignent une relative constance.

Deux autres collecteurs jouèrent, avant 1398, le rôle de fournisseurs de vivres. Le collecteur du Puy faisait tous les ans, vers novembre ou décembre, un envoi de fromages de Craponne : vingt-six douzaines en 1383, trente-deux douzaines à partir de 1384, trente-quatre douzaines en 1392, trente-cinq douzaines en 1393, quarante-deux douzaines en 1394, trente douzaines en 1395, quarante douzaines en 1396 et 1397 [1]. Il était aussi à l'occasion chargé d'approvisionner la cour pontificale en vin de Saint-Pourçain ou de Ris [2], voire, comme au printemps de 1397, en saumons [3].

C'est également du vin qu'adressait régulièrement à la curie le collecteur d'Elne Jean de Rivesaltes, fournisseur naturel de muscat de Claira : douze saumées reçues le 16 janvier 1394, six le 22 décembre 1394, six le 25 mars 1396, six le 26 janvier 1397, huit le 26 décembre 1398 et cinq saumées six cartons le 2 décembre 1400 [4]. Même le siège du palais n'empêchait pas, on le voit, le muscat d'arriver à bon port. Les frais qui s'ajoutaient au prix d'achat du vin doublaient en moyenne la dépense : achat des fûts, vin et miel pour « aviner » ces fûts, transport jusqu'à la mer, puis en barque de Collioure ou de Canet jusqu'à Avignon, droits à payer à Perpignan, à Aigues-Mortes, à l'entrée du Rhône, à la Motte, à Saint-Géli, à Beaucaire et à Tarascon, transport du Rhône au palais, gages et débours du convoyeur enfin.

Occasionnellement, tel ou tel collecteur pouvait prendre sur sa recette pour contribuer au ravitaillement de la cour avignonnaise [5]. Ainsi vit-on Sicard de Bourguerol envoyer de Toulouse, en 1383, soixante-douze douzaines de poules, dix douzaines d'oies et vingt-deux balles de merlusses [6], et Guilherm de Fenolhet envoyer en 1407 de Barcelone — à Savone ou à Avignon, nous ne savons — cinq botes de vin gris, deux cents fromages de Majorque et huit pots de confiture de *damasco* [7].

Aucun poste des comptes de la Trésorerie ne correspond aux achats de textiles. La rubrique « ornements » ne concerne que les vêtements liturgiques et couvre essentiellement des dépenses de broderie et de joaillerie. C'est que la totalité des achats de draps et de toiles était assignée sur la collectorie de Reims et, exceptionnellement, sur celle de Paris [8]. Le collecteur de Reims

1. *Coll.* 85, fol. 474-531, et *Reg. Vat.* 308, fol. 114 r⁰.
2. *Coll.* 85, fol. 478 r⁰ et 484 v⁰.
3. *Coll.* 85, fol. 529 v⁰-530 r⁰ ; *Coll.* 372, fol. 78 r⁰-79 r⁰.
4. *Coll.* 160, fol. 126-149.
5. Il ne paraît pas que le collecteur de Tours ait continué à fournir, ainsi qu'il le faisait au temps de Grégoire XI, du poisson salé acheté dans les ports de l'Atlantique et de la Manche ; cf. G. MOLLAT, *Etudes et documents sur l'histoire de Bretagne*, p. 168-171.
6. *Coll.* 374, fol. 138 v⁰-139 r⁰ et 163.
7. *Reg. Av.* 331, fol. 43 r⁰.
8. Ainsi les seize douzaines d'hermines achetées et envoyées par Armand Jausserand en 1385 ; *Reg. Av.* 242, fol. 65 v⁰.

jouait le rôle d'un véritable fournisseur de la curie, ayant même des réserves de toiles afin de répondre sans délai à la demande [1]. A l'époque du Schisme, il ne se contentait plus de munir d'argent les pourvoyeurs venus d'Avignon, comme au milieu du siècle [2] ; il faisait lui-même les achats à Paris, Arras, Reims ou Troyes, et procédait aux expéditions vers Avignon. De 1382 à 1393, Maubert et son successeur Champigny dépensèrent à ce titre près de 4 000 francs [3]. Du 30 août 1403 au 1er mars 1407, Julien de Dole fit parvenir à la curie, cependant itinérante, pour 1 275 francs de draps et toiles [4]. Notons, pour terminer, que les collecteurs languedociens, celui de Toulouse [5] comme celui de Narbonne, ne semblent pas avoir été mis à contribution pour l'approvisionnement en tissus du palais apostolique.

L'entretien de la cour pontificale et plus particulièrement de l'hôtel papal n'était donc que pour une faible part à la charge de la Trésorerie. Que représentent alors les dépenses inscrites en *Exitus* ? Le principal poste, la rubrique la plus fréquemment inscrite dans les marges des livres journaux, c'est *Extraordinaria et cera*. Avec quelques versements au maître de la Cire — plus régulièrement payé par assignation sur le trésorier du Comtat [6] ou le collecteur de Provence — ce poste comprenait surtout les dépenses diplomatiques non assignées, des dons et pensions domestiques, des frais de mission et de courrier, enfin la grande masse des menus remboursements consécutifs à des prêts au jour le jour, rendus nécessaires par les difficultés de la Trésorerie. Après celui-là, les postes les plus onéreux sont constamment celui des gages ordinaires et celui de la guerre ; ce dernier comprend surtout les gages de sergents d'armes et d'écuyers, des gardiens du pont de Sorgues, de quelques huissiers enfin.

La Trésorerie entretenait aussi la Chancellerie, la Maréchallerie et les divers services matériels du palais, et pourvoyait aux principaux besoins de la cuisine et de la chapelle.

Mais les chefs de ces services demeuraient souvent créanciers du pape jusqu'à l'établissement de leur compte. De temps à autre, sans que l'on puisse noter aucune périodicité, leur crédit était arrêté et soldé par un paiement ou, plus fréquemment, par une assignation. Ainsi le maître de la Cire Pedro Ximenez reçut-il, le 12 octobre 1394, une assignation de 4 143 florins courants sur

---

1. Bibl. nat., n. acq. fr. 20 024.
2. R. DELORT, *loc. cit.*
3. *Instr. misc.* 3235 et 3298 ; *Reg. Av.* 275, fol. 7 r° ; *Coll.* 192, fol. 222-223 ; 194, fol. 289-290 ; 195, fol. 221 r° ; 359, fol. 202 v°.
4. *Coll.* 195, fol. 221 v°-222 r°.
5. Sauf un envoi de plumes, toiles et coutres fait en 1383 par Sicard de Bourguerol ; *Coll.* 374, fol. 136 v°-137 r°.
6. Procédé courant au temps où Guillaume Thonerat dirigeait l'office de la Cire ; *Coll.* 374. fol. 136 v°-137 r°.

les recettes du collecteur de Provence [1] ; cette somme représente les dépenses de plusieurs années, dépenses qui n'ont naturellement pas été inscrites en *Exitus*.

Malgré l'existence dans ces comptes d'une rubrique *extraordinaria*, c'est par assignation qu'était effectuée la majeure partie des dépenses extraordinaires, diplomatiques et militaires. Dès 1378, il fallut payer la solde des hommes d'armes servant en Italie : ils risquaient de se tourner contre la papauté en cas de non-paiement de leurs gages. C'est par le collecteur de Tours que furent payés les Bretons : La Houssaye [2], Lagrée [3], Le Dinhasquet [4]. Bégot d'Alban le fut par celui de Rodez [5], Bernin de Badefol par le commissaire dans la collectorie d'Auch [6]. C'étaient là de petites gens et de petites créances. Antoine Bâtard de Tarrida, avec ses quarante-quatre lances, était plus difficile à satisfaire. Le 21 août 1378, le camérier reconnaissait lui devoir encore 4 524 florins [7]. A Archambaud de Mons, capitaine de cent quarante-neuf lances, 6 454 florins étaient dus, outre 2 739 à son lieutenant Julien Guespin [8]. A Bernardon de la Salle, enfin, et à ses deux cent soixante lances, la Chambre devait en avril 1382 la somme de 9 452 florins 28 sous du reste de leur solde du 1er décembre 1375 au 10 décembre 1377 [9], et 75 260 florins pour leur solde jusqu'au 1er mars 1382 [10]. On ne put lui assigner que 2 000 florins, le 7 juin, en faveur de son lieutenant Guillonet de Sault, sur la collectorie d'Auch [11]. Le 18 mai 1385, Clément VII en était à contester le montant de la créance de Bernardon : 248 443 florins [12]. Il s'en fallait, on le voit, de beaucoup que les dépenses militaires fussent toutes incluses dans le compte de la Trésorerie.

Une autre charge était en partie reportée sur les collectories : les galées que les différentes tentatives angevines conduisirent à noliser. Aux Marseillais Etienne de Brandis et Jacques Stornel on assigna tous les revenus des diocèses d'Aix, Marseille, Fréjus et Toulon pendant un an à compter du 25 avril 1379 [13], puis, dès le 14 juin 1380, ce fut la première d'une longue série d'assignations particulières, celle des dettes fiscales de deux bénéficiers du diocèse d'Aix [14]. Les patrons aragonais furent également payés par assi-

1. *Coll.* 372, fol. 73.
2. *Coll.* 359, fol. 62.
3. *Coll.* 372, fol. 16 r°.
4. *Coll.* 372, fol. 29 r°.
5. *Instr. misc.* 3012.
6. *Coll.* 359 A, fol. 81.
7. *Instr. misc.* 3029.
8. *Reg. Av.* 220, fol. 330 v°-331 v°.
9. *Coll.* 359 A, fol. 138.
10. *Ibid.*, fol. 171.
11. *Coll.* 359, fol. 191 v°-192 r°.
12. *Reg. Av.* 242, fol. 64 v°-65 v°.
13. *Coll.* 359, fol. 154 r°.
14. *Ibid.*, fol. 43 v°.

gnation : ainsi furent versés 770 florins courants à Guilherm Camarasa [1], 1 000 florins d'Aragon pendant cinq ans à Géraud Desgranaleix [2], 2 000 florins de la Chambre à Arnaldo Adimari [3], par exemple.

Plus tard, après la restitution d'obédience, c'est encore par des assignations, aussi bien sur les collectories que sur les communs services [4], que la Chambre apostolique s'efforça de s'acquitter envers Antoine de Villeneuve.

Nombre d'assignations avaient pour objet de rembourser un prêteur : Louis d'Anjou, Philippe de Bourgogne, Jean de la Grange, Dino Rapondi, Antonio dal Ponte furent les bénéficiaires d'importantes assignations ; certaines ne sont d'ailleurs qu'un moyen de transfert avec avance de fonds. Mais de plus modestes prêts furent également remboursés loin de la curie où ils avaient été consentis.

Pour peu que le prêteur fût clerc, la Chambre apostolique recourait volontiers à la compensation. Rares étaient en effet les bénéficiers qui ne devaient pas quelque annate ou quelque arriéré de décime [5]. Leur emprunter le montant de cette dette et leur assigner sur celle-ci leur propre remboursement présentait pour la Chambre le double avantage de hâter la perception et d'éviter tout transfert de fonds, d'une part, de compenser une dette certaine par une recette incertaine, d'autre part. Les 15 francs prêtés à la Trésorerie par le maître de la Cire Pedro Ximenez furent déduits, le 1er octobre 1395, de l'annate qu'il devait pour ses canonicat et prébende de Lérida [6]. Les 10 francs prêtés en mars 1392 par un chanoine de Langres lui furent remboursés par compensation avec toute somme qu'il pourrait devoir en raison de sa paroisse de Valence-sur-Baïse [7]. La Chambre apostolique faisait parfois preuve d'une notable parcimonie dans la pratique des compensations : le doyen et le chapitre d'Autun ayant prêté 80 francs, ils sollicitèrent la déduction de cette somme de leurs dettes fiscales ; le 6 février 1394, Conzié leur accorda la compensation pour 40 francs seulement, excluant de l'opération les sommes dues pour la décime concédée à Louis d'Anjou [8].

Totales ou partielles, de telles compensations étaient fréquentes et les gens de la curie se voyaient souvent contraints à payer ainsi

1. *Coll.* 374, fol. 79 v°-80 r° ; 360, fol. 36 v°-37 r°.
2. *Coll.* 372, fol. 16 v°-18 r°.
3. *Instr. misc.* 3440.
4. Voir ci-dessus, p. 359-360.
5. J. FAVIER, *Temporels ecclésiastiques...*, dans le *Journal des Savants*, 1964, p. 102-127.
6. Le camérier dut, dix ans plus tard, ordonner au collecteur d'Aragon d'en tenir compte (lettre du 15 oct. 1405) ; *Reg. Av.* 325, fol. 510.
7. Gers. — Le prêt avait été fait à Jean Lavergne en mars 1392, alors qu'il traitait de la paix avec Raymond de Turenne ; *Coll.* 372, fol. 38 v°.
8. *Reg. Vat.* 308, fol. 62 v°-63 r°.

leurs annates plus rapidement qu'ils ne l'eussent fait spontanément : un curialiste haut placé pouvait en imposer au collecteur
chargé de lever l'annate, il n'en imposait pas au camérier qui
sollicitait les emprunts. C'est ainsi que Pons Béraud, correcteur
des lettres apostoliques, eut en remboursement de 200 florins une
assignation sur les annates de son archidiaconé de Vaux, de ses
canonicat et prébende de Cahors et de son prieuré de Saint-Martin-
d'Espiémont[1]. De même Thomas Lacaille se fit-il assigner —
bon gré, mal gré, nous ne savons — sur l'annate de sa trésorerie
de Châlons les 24 florins qu'il avait dû prêter à la Chambre apostolique en septembre 1381[2].

Si les curialistes étaient ainsi remboursés de certains prêts,
comment n'eût-on pas songé à rembourser ainsi à des officiers les
sommes dépensées pour leur office, ou à leur assigner de la sorte
leurs arriérés de gages ? C'est en récompense de ses services que,
le 27 juin 1382, Henri Bayler, chambellan du pape, se vit « remettre »
les annates de son archidiaconé et de son canonicat de Cambrai[3].
En déduction de 100 florins qu'elle lui devait en raison de ses
dépenses pour l'office de la Cire, la Chambre remit à Guillaume
Thonerat, le 8 juin 1381, 34 florins dus par les annates de ses canonicat et prébende de Rouen[4]. C'est pour ses gages que Conzié
assigna au bouteiller Laurent Ropong les 15 livres tournois qu'il
devait pour sa prébende de Béziers[5].

On n'hésitait pas, enfin, à payer de la sorte un achat : la Chambre
ayant acquis les livres de médecine d'un médecin de Carpentras
mort peu de temps auparavant, ordre fut donné le 1er juillet 1395
au collecteur Pierre Merle de déduire 128 francs, pour prix de ces
livres, des sommes dues par un chanoine de Carpentras, fils du
médecin[6].

On alla même plus loin, jusqu'à la compensation familiale qui
laissait le créancier de la Chambre aux prises avec un parent,
substitué d'autorité à la Chambre comme débiteur. Le 19 février
1382, Pierre de Cros assigna au référendaire Pierre Chambon,
en déduction de ses gages, les 52 florins 12 sous 4 deniers que devait
à sa mort son cousin Guillaume Chambon pour le reste du trentième
et des procurations qu'il avait levés en tant que collecteur ; le
référendaire n'avait plus qu'à se faire payer par Guillaume Chambon,
héritier et homonyme du collecteur[7]. La seule précaution que

1. Tarn-et-Garonne, comm. et cant. Caylus. — Lettre du 12 octobre 1379 ; *Coll.* 374,
fol. 11 v°.
2. *Ibid.*, fol. 72 v°-73 r°.
3. *Coll.* 359, fol. 128 r°.
4. *Coll.* 358, fol. 153 v°-154 v°.
5. Lettre du 15 septembre 1395 ; *Coll.* 372, fol. 34 v°-35 r°.
6. *Coll.* 372, fol. 30 r°.
7. *Coll.* 359, fol. 111 v°-112 r°.

prît le camérier en faveur de Pierre fut d'enjoindre au nouveau collecteur de ne point inquiéter l'héritier de son prédécesseur en raison de cette somme [1]. On en usa de même envers des laïcs : à Raymond de Mondragon et à ses compagnons on assigna, pour solder leur service armé devant Châteauneuf-de-Mazenc, l'annate de Hugues de Mondragon pour son prieuré de Vaugines [2].

Les libéralités du pape elles-mêmes n'étaient parfois honorées que par des compensations. On sait que Clément VII et Benoît XIII firent don, lors de leur avènement, d'une somme de 4 000 florins à chacun des cardinaux ayant participé à l'élection. Quelques cardinaux réussirent à se faire payer par la Trésorerie ou par un collecteur. La plupart durent se contenter d'une assignation sur eux-mêmes, assignation qui les soulageait peut-être d'une dette dont ils n'étaient pas pressés d'acquitter le montant, mais qui ne leur apportait guère d'argent frais « pour soutenir leur état », ce qui était l'objet avoué de la donation. Le 12 février 1394, en la seizième année du pontificat du Clément VII, le cardinal Corsini n'avait point encore perçu ces 4 000 florins ; c'est alors que l'on procéda à la compensation des créances réciproques. Corsini avait payé 1073 florins 16 sous 6 deniers pour les galées castillanes et dépensé 2 500 florins lors de sa mission à Nice, avec Borsano et Noellet [3] ; on lui devait en outre les 4 000 florins en don de joyeux avènement : au total, 7 573 florins 16 sous 6 deniers. Pour les communs services de ses commendes (Rieux et la Badia de Florence) et les annates de divers bénéfices, il restait devoir 4 669 florins 2 sous 7 deniers. Chaque partie fit remise à l'autre de sa dette et l'on échangea les quittances [4]. Corsini perdait dans l'opération 2 904 florins 13 sous 11 deniers, soit les trois quarts du don à lui fait seize ans plus tôt. Benoît XIII ne tint pas mieux ses promesses : les 4 000 florins «donnés et assignés sur le Trésor » à Jean de Brogny en 1394 furent assignés le 1er mars 1405 sur les annates dues par le cardinal [5].

Nombreux étaient donc les moyens auxquels recourait la Chambre apostolique pour éviter les transferts de fonds et, surtout, pour limiter les paiements que la Trésorerie devait effectuer sur les fonds transférés, fonds dont la masse était toujours insuffisante. Le désir contradictoire des gens de la Chambre était d'assigner le plus possible aux dépens des recettes locales et de recevoir à Avignon le plus possible de revenants-bons. On ne s'étonnera donc pas de l'alternance continuelle entre les révocations générales de toutes assignations — destinées à permettre l'envoi immédiat à la

---

1. Lettre close du 23 février ; *ibid.*, fol. 112.
2. Lettre du 20 octobre 1395 ; *Coll.* 372, fol. 36 v°.
3. C'est-à-dire en 1380 ; cf. N. VALOIS, *op. cit.*, I, p. 322-323, et II, p. 361.
4. *Reg. Vat.* 308, fol. 68 v°-71 r°.
5. *Reg. Av.* 319, fol. 55 v°-56 r°.

Trésorerie de tout l'argent disponible [1] — et la délivrance d'assignations portant dérogation à toutes révocations générales [2].

On peut, dans ces conditions, se demander comment étaient honorées les assignations. Les révocations générales dues à de pressants besoins d'argent liquide à la curie [3] n'étaient d'ailleurs pas seules à contrarier les paiements : la Chambre apostolique intervenait parfois pour assurer le paiement de telle ou telle assignation par priorité, Pour peu qu'il s'agît d'une forte somme, cette priorité équivalait à retarder le paiement de toutes les autres assignations : ainsi les assignations faites sur la collectorie de Tours, y compris celle en faveur d'Enguerran de Coucy, furent-elles suspendues, le 16 juin 1384, jusqu'au paiement des 7 000 francs assignés à Olivier de Clisson en remboursement d'un prêt [4] ; de même furent prorogées les assignations faites sur la collectorie de Burgos jusqu'à extinction de la dette du pape envers le roi de Castille [5]. Parfois, c'est contre le bénéficiaire d'une assignation qu'était spécialement dirigée la mesure qui le lésait : le 14 juin 1403, Benoît XIII fit suspendre le paiement d'une pension de 700 florins d'Aragon assignée au cardinal de Brogny sur le revenu des bénéfices retenus par le pape en Aragon ; l'attitude du cardinal, très hostile à Benoît XIII, était explicitement donnée comme motif de la décision [6].

En bien des cas, la Chambre apostolique laissait voir une certaine gêne. Annuler à l'avance tout don, tout assignation ou toute remise qui pourrait être faite sur des biens du Saint-Siège à Avignon et dans le Comtat, voilà qui n'était pas d'une parfaite loyauté : on envisageait bien de délivrer des lettres d'assignation que l'on saurait nulles ! Aussi Clément VII se couvrait-il en l'occurence d'une intention pieuse : ces biens étaient destinés à doter des chapellenies qu'il se proposait de fonder — il n'allait pas jusqu'à les fonder sur le champ — à Avignon même [7]. Mieux, lorsqu'il suspendit pour un an toutes les assignations, il précisa que les pensions étaient suspendues pour que le montant en fût converti en aumônes à la Pignote, les dépenses occasionnées par le Schisme ayant amené le

1. *Coll.* 359 A, fol. 243 v°-245 v°, par exemple.
2. Dans une lettre d'assignation datée du 10 novembre 1380 et adressée au collecteur de Bourges, Pierre de Cros alla jusqu'à vidimer la bulle du 6 septembre interdisant au même collecteur de payer toute assignation sous peine de révocation et d'excommunication ; *Coll.* 374, fol. 38 r°-39 r°.
3. Le 20 décembre 1391, Clément VII suspendait à cette fin pour un an le paiement de toutes les assignations ; *Reg. Av.* 270, fol. 19 v°-20 r°. Le 1er janvier 1394, il affecta exclusivement les revenus de la Chambre en Aragon et Navarre, dans les collectories de Lyon, de Narbonne, de Toulouse, du Puy et de Rodez, ainsi que les émoluments des bulles et les profits de justice à l'usage de la Pignote et des dépenses quotidiennes du palais ; *Reg. Av.* 272, fol. 142 v°-143 r°.
4. *Reg. Av.* 238, fol. 150 v°-151 v° ; faute des comptes du collecteur, nous ignorons si la somme fut versée avant la Chandeleur 1385, ainsi qu'il était ordonné.
5. Bulle du 12 novembre 1384 ; *Reg. Av.* 242, fol. 2 v°.
6. *Reg. Av.* 307, fol. 54 v°-55 v°.
7. Bulle du 15 mai 1384 ; *Reg. Av.* 275, fol. 11.

pape à cesser lesdites aumônes [1]. Il est bien évident que la Pignote ne distribuait pas d'aumônes pour une somme égale à toutes les pensions assignées, et que c'étaient précisément les charges nées du Schisme qu'il s'agissait de couvrir : en fait, la soumission de la Provence à la reine Marie et l'expédition du duc de Bourbon.

Les difficulté survenaient parfois du fait des collecteurs ou de l'état de leur recette. Mauvaise volonté ou incapacité réelle, il est impossible d'être assuré des causes, encore que la seconde explication ait de fortes chances d'être valable dans la plupart des cas litigieux. La Chambre apostolique venait alors au secours de son créancier.

Le plus souvent, elle se contentait de réitérer l'assignation. Le 17 novembre 1380, Clément VII avait accordé au cardinal Guillaume d'Aigrefeuille — de même qu'à Jean de Malesset — une « provision » de 5 000 florins pendant sa légation en France, provision payable par le collecteur de Paris [2]. Le 30 janvier 1381, devant les difficultés suscitées par cette assignation, le pape dut la réitérer [3]. Le 25 mai, il fallut préciser au collecteur que l'assignation n'était nullement touchée par la révocation générale, et lui enjoindre de verser la provision en quatre termes annuels [4]. Le 11 avril 1382, la Chambre apostolique prenait acte de l'impossibilité où se trouvait le collecteur de Paris et partageait la charge entre lui et son collègue de Reims : 2 500 florins par an, chacun [5]. Le 28 septembre, toutes les assignations faites sur les collectories étaient suspendues : le pape voulait que les collecteurs envoyassent sur le champ à la Trésorerie des sommes relativement considérables [6]. Un mois plus tard, il fallut ordonner aux collecteurs de Paris et Reims de payer, nonobstant cette interdiction, 1 000 francs chacun au cardinal d'Aigrefeuille [7]. Craignant que la bulle rédigée à cette fin ne fût insuffisamment explicite, Pierre de Cros écrivit lui-même le 9 novembre pour renouveler l'ordre [8]. Deux ans après l'assignation, le cardinal aurait dû avoir perçu 10 000 florins, dont plus de la moitié sur la collectorie de Paris ; en fait, Armand Jausserand lui avait versé, avant mai 1382, 647 francs et demi [9].

Devant les protestations du bénéficiaire, les gens de la Chambre furent parfois obligés de transférer sur une caisse mieux approvisionnée une assignation non honorée. Les arriérés de gages du capitaine d'Avignon Mondon de Montjoie, soit 250 florins, étaient assignés

1. Bulle du 20 décembre 1391 ; *Reg. Av.* 270, fol. 20 v°-21 r°.
2. *Reg. Av.* 227, fol. 1 et 8-9.
3. *Reg. Av.* 227, fol. 3.
4. *Coll.* 359 A, fol. 73 v°-74 r° ; éd. P.-M. BAUMGARTEN, *Untersuchungen und Urkunden.* n° 10, p. 6.
5. *Coll.* 359 A, fol. 159 r°-160 r°.
6. *Ibid.*, fol. 243 v°-245 r°.
7. Bulles du 28 octobre 1382 ; *ibid.*, fol. 253.
8. *Coll.* 360, fol. 28.
9. *Instr. misc.* 3114 ; *Coll.* 359 A, fol. 209 v°-211 r°.

sur une dette de Guillaume Bailly, de Mornas, dont Montjoie ne put tirer le moindre sou. Il se plaignit à la Chambre et obtint que la moitié de l'assignation, soit 125 florins, fût transférée sur la recette du trésorier du Comtat [1]. De semblables transferts pouvaient être faits, nous en avons donné un exemple [2], aux dépens d'assignations sur des communs services.

La Chambre apostolique contrôlait cependant de façon fort stricte le paiement des assignations, mais ce contrôle était postérieur. Chaque versement fait par le collecteur donnait lieu à une quittance notariée, rédigée en deux exemplaires ; l'un était conservé par le collecteur pour sa justification, comme pièce probatoire lors de la reddition des comptes, et l'autre était immédiatement adressé au camérier. Aucune assignation n'échappait à cette règle : ordonnant au sous-collecteur de Saint-Paul-Trois-Châteaux de remettre tout le blé des dépouilles de l'évêque au changeur de la Chambre apostolique, Antonio dal Ponte, Pierre de Cros exigeait que cette livraison lui fût certifiée par instrument public [3]. Antonio dal Ponte était pourtant un homme de confiance !

Dans quelle mesure étaient respectés les termes parfois imposés pour le paiement des assignations ? Quels délais étaient nécessaires ? Autant de questions auxquelles une réponse générale serait illusoire. Entraient en effet en ligne de compte la personnalité du bénéficiaire, l'importance de la somme et le rapport de celle-ci aux autres exigences de la Chambre apostolique. Les 300 florins assignés, le 12 juillet 1394, sur la collectorie de Reims à Guy de la Trémoille pour les arrérages de sa pension étaient payés le 24 août [4], mais 50 francs assignés pour sa pension, sur la même collectorie, à la vicomtesse de Turenne, Marie de Boulogne, le 5 décembre 1388 ne furent payés que le 25 avril 1389 [5] : pour des sommes également faibles, six semaines dans un cas, quatre mois et demi dans un autre. Des 787 florins assignés sur la collectorie de Toulouse à Béraud de Faudoas le 29 janvier 1382, le premier versement — 350 francs, soit moins de la moitié — n'intervint que le 18 septembre 1383 [6]. On peut cependant noter que, du même collecteur au même bénéficiaire, les délais varient peu : pour exemple, prenons les paiements faits par le collecteur de Rodez à Bertrand Raffin ou à son procureur.

---

1. Bulle du 20 juin 1381 ; *Instr. misc.* 3075.
2. Voir ci-dessus, p. 359-360.
3. Lettre du 8 mars 1380 ; *Coll.* 359, fol. 23 r°.
4. Bibl. nat., fr. 20 244, pièces n° 119 et 120.
5. *Instr. misc.* 3389.
6. *Reg. Av.* 233, fol. 34 r°-35 r° ; *Instr. misc.* 3152, fol. 1 r°.

Somme	Assignation	Paiement	Références
215 fl. Ch.	27 déc. 1378	12 févr. 1379	*Reg, Av.* 220, fol. 338 v°.
500 fr.	vers oct. 1380	23 déc. 1380	*Coll.* 359 A, fol. 57 v°-58 r°.
195 fr.	12 mai 1382	23 juin 1382	*Instr. misc.* 3115 ; *Coll.* 359 A, fol. 164.
400 fr.	bulle du 13 juin 1382, envoyée le 30	14 août 1382	*Coll.* 359 A, fol. 179 ; *Coll.* 359, fol. 128 v° ; *Instr. misc.* 3116.

Les sommes non assignées, déduction faite des dépenses du collecteur, étaient envoyées à la Chambre apostolique. Ce sont ces sommes, et elles seules, qui constituent le poste « collectories » des registres d'*Introitus* de la Trésorerie. C'est dire l'extrême importance de la détermination du rapport entre les assignations et les recettes de chaque collecteur. Quelle part de ces recettes représentent les chiffres des *Introitus* ? La centralisation de l'ordonnancement par la Chambre avignonnaise est indiscutable. Peut-on parler d'une centralisation des fonds ?

Force est malheureusement de procéder par sondages. Nous ne possédons même pas tous les comptes rendus à Avignon par les collecteurs. A plus forte raison doit-on se passer de ceux qui ne furent jamais rendus. Pour certaines collectories, Lyon ou Tours en particulier, nous n'avons aucun compte de l'époque du Schisme. Fonder sur les registres de la correspondance administrative — bulles et lettres du camérier — une étude statistique des assignations serait postuler que toutes les assignations ont été enregistrées, ce qui n'est point assuré, et que tous les registres sont conservés, ce qui serait faux. Même si l'on possédait toutes les assignations, rien ne nous renseigne sur le paiement de celles effectuées sur une collectorie dont nous n'avons pas les comptes ou les quittances[1]. On ne saurait postuler que toutes les assignations ont bien été payées : l'exemple de la provision assignée au cardinal d'Aigrefeuille suffit à le montrer.

1. Les quittances délivrées par les bénéficiaires d'assignations et envoyées à la Chambre ont en effet disparu ; seules subsistent dans la série *Instrumenta miscellanea* les exemplaires conservés par les collecteurs en vue de la reddition de leur compte ; voir ci-dessus, p. 89.

Nombre de pensions étaient viagères, et l'on ignore souvent la date de la mort des bénéficiaires. Les provisions assignées à des nonces ou à des légats étaient proportionnelles au temps de leur mission : encore une notion qui nous échappe souvent.

Les quittances partielles elles-mêmes, et les inscriptions en *Introitus*, sont fortement sujettes à caution. Pour des raisons qui nous échappent dans la plupart des cas, les sommes payées en province sont parfois réputées versées à la Trésorerie. Déceler une telle fiction n'est pas toujours possible ; seule le permet la discordance entre deux textes — voire deux parties du même texte— concernant la même opération. Nous en prendrons deux exemples, un dans chaque obédience.

Le 10 avril 1407, Grégoire XII donnait quittance au marchand florentin Pietro Bardelli de 2 000 florins reçus par lui du fermier de Saint-Antoine de Toscane, Matteo di Cola, pour les trois premiers termes de la seconde année de sa ferme. La bulle précise que Bardelli a versé cette somme au camérier Leonardo de' Fisici qui en a donné quittance le 15 février 1406 à Viterbe : *confessus fuit se presentialiter et manualiter habuisse et recepisse per manus tuas.* On ne saurait être plus net. Or, en fait, et c'est la bulle de Grégoire XII elle-même qui nous en assure, Bardelli n'a rien versé au camérier et n'a versé au pape que 795 florins et 5 sous. Les 620 florins remis à Leonardo de Fisici l'ont été pour ses dépenses privées, non en tant que camérier [1]. 400 florins ont été dépensés par Bardelli pour le rachat de la terre de Montefiascone. Il a enfin gardé 184 florins et 45 sous pour le solde du blé acheté par lui et envoyé de Tagliacozzo à Rome [2].

L'autre exemple est encore plus net, en ce qu'il fait entrer un change, donc une tierce personne, dans la fiction. Le 28 août 1378, Pierre de Vernols donnait deux quittances au collecteur d'Aragon Bertrand du Mazel pour 2 000 et 1 660 florins d'Aragon versés à la Trésorerie par l'intermédiaire d'Andrea di Tici : *nobis, nomine dicte Camere, recipientibus, die date presentium, per manus Andree Ticii de Pistorio, campsoris Avinionensis, tradi et assignari fecit.* La teneur de la quittance, qui ne paraît laisser place à aucun doute, est cependant démentie par l'annotation, rigoureusement contemporaine, portée sous l'enregistrement : *Pecunie contente in precedenti littera quittancie non fuerunt, prout in ea continetur, Camere assignate ; licet fuerunt per dictum collectorem de mandato dominorum camerarii et thesaurarii certis personis tradite in partibus Aragonie ; sed, pro cautela collectoris et de mandato domini camerarii et ex certis causis, fuit dicta littera sic concessa preter stilum consuetum* [3]. On admet

---

1. La quittance de Grégoire XII réserve les droits de la Chambre apostolique envers Leonardo de' Fisici pour ces 620 florins.
2. *Reg. Vat.* 335, fol. 90.
3. *Coll.* 274, fol. 1.

fort bien qu'une quittance ait été délivrée pour la sûreté du collecteur, moins bien que l'on ait usé du formulaire accoutumé (*stilum
consuetum*) comme s'il n'y avait pas un formulaire également
habituel pour les quittances de sommes assignées dans les collectories.
Quant à justifier l'introduction d'Andrea di Tici, nous n'en voyons
pas le moyen.

Ces indices sont graves. Ils compromettent la confiance que l'on
peut accorder à tous les documents caméraux. Nous pensons que
ce ne sont là que des exceptions, mais nous ne pouvions passer sous
silence cette grave cause de suspicion pesant sur nos conclusions.

Toute statistique générale serait donc fausse, et nous ignorerions
dans quelle mesure. Aussi présenterons-nous le résultat de quelques
sondages, suffisamment précis et significatifs ; si une moyenne s'en
dégage, elle aura de grandes chances d'être valable, sinon dans tel
autre cas, du moins pour l'ensemble des collectories. La connaissance
que nous avons des assignations enregistrées peut permettre, le
cas échéant, de pondérer cette extrapolation.

Le collecteur de Paris a disposé, de février 1381 à octobre 1382,
de 33 714 francs, soit une moyenne annuelle d'environ 20 000
francs [1].

MOUVEMENT DES FONDS DE LA COLLECTORIE DE PARIS
Février 1381-Octobre 1382

Versements à la Trésorerie :			
Versements du collecteur (transport ou change) :		5 000 fr.	
Versements des nonces Murol et Girard, sur l'argent remis par le collecteur :		7 000	
		12 000	36 %
Remboursement de prêts :			
à des banquiers : Tici : 1 900 ⎰ = Rapondi : 2 100 ⎱	4 000		
à G. de Lestranges, archev. de Rouen :	2 000		
à A. de Maignac, év. de Paris :	1 000		
à divers :	4 120		
	11 120	11 120	33 %
Recettes effectives de la Trésorerie :		23 120	69 %
Versements aux légats G. d'Aigrefeuille :	747 1/2		
J. de Malesset :	1 832 1/2		
aux nonces Murol, Girard et Marle [2] :	6 570		
	9 150	9 150	27 %
Assignations diverses, not. pensions :		1 134	4 %
Envois en nature (hermine) :		300	
Sommes dépensées hors de la curie :		10 584	31 %

1. *Instr. misc.* 3114 ; *Coll.* 359 A, fol. 209 v°-211 r°.
2. Outre les 7 000 francs envoyés par eux à Avignon et déjà comptés.

Au versements effectués à la Trésorerie par le collecteur ou pour son compte, il convient d'ajouter les assignations faites en remboursement de prêts consentis à la curie. Il n'y a guère de différence, en effet, pour le mouvement des fonds, entre le change fait à Paris le 10 janvier 1382 par Murol, Girard et Marle chez Dino Rapondi dont les facteurs avignonnais payèrent la somme — 1 000 francs — au début de mars, et le paiement par Marle au même Dino Rapondi de 800 francs déjà versés par Rapondi à la Trésorerie. Notons cependant que la Trésorerie distinguait, dans son compte, ces deux sortes de recettes : les versements étaient portés en « collectories », les prêts en « divers ». A l'analyse, les deux peuvent être considérés comme provenant des recettes du collecteur de Paris. C'est donc au total 69% des fonds dont a disposé le collecteur, qui entrèrent en espèces dans les coffres de la Trésorerie avignonnaise. Sur les 31% assignés sur place, il faut remarquer le caractère exceptionnel de 27% correspondant à des dépenses ou à des paiements faits par les légats et nonces.

Passons à la collectorie de Reims, l'une des mieux connues grâce aux comptes rendus par Jean Maubert et Jean de Champigny, comptes qui justifient l'emploi de 40 147 francs entre le 20 février 1383 et le 18 novembre 1387 [1], de 20 164 francs entre le 1er août 1388 et le 1er août 1390 [2], de 24 156 francs entre le 1er août 1390 et le 1er août 1393 [3], soit une moyenne annuelle d'environ 8 600 francs [4], et de 15 664 francs entre le 30 août 1403 et le 1er mars 1407 [5], soit une moyenne annuelle de 4 500 francs seulement. Les recettes de la Trésorerie avignonnaise en provenance de la collectorie de Reims atteignent successivement 73%, 85%, 65% et, après la restitution d'obédience, 89% des sommes dont a disposé le collecteur. Même la part des remboursements de prêts faits à la curie est relativement faible : à Paris elle est de 33% ,à Reims elle oscille entre 20, 1, 11 et 0%. Les assignations exclusives de toutes rentrée d'argent dans la caisse avignonnaise ne représentent que 27, 15, 35 et 11%. Sans faire intervenir les chiffres extrêmes des années 1403-1407 pendant lesquelles nul n'acceptait volontiers d'assignation, les paiements en espèces étant seuls pris en considération par les créanciers d'une papauté privée de leur confiance, on peut tirer des chiffres connus pour la période 1383-1393 un rapport général plus accentué encore que celui de la collectorie parisienne : 22 301 francs dépensés sur place sans rentrée d'argent correspondante à la Trésorerie, soit seulement 26% des sommes (84 470 francs) dont a disposé le collecteur. Que ce fût à l'initiative de la Chambre

1. Quittance du 17 décembre 1387 ; *Reg. Av.* 275, fol. 5 v°-8 r°.
2. *Coll.* 192.
3. *Coll.* 194.
4. 84 467 francs en cent dix-huit mois.
5. *Coll.* 195.

MOUVEMENT DES FONDS DE LA COLLECTORIE DE REIMS

	1383-1387	1388-1390	1390-1393	1403-1407
Versements à la Trésorerie :				
Versements du collecteur.........	15 539 fr.	16 911 fr.	13 173 fr.	2 725 fr.
Versements des nonces :				
Murol et Girard	5 853			
Adimari et Lopez.				11 131
	21 392	16 911	13 173	13 856
	53 %	84 %	54 %	89 %
Remboursement des prêts :				
à des banquiers :				
Rapondi................	2 200	193	1 300	
Ricci-Solario			400	
Tegrini			700	
au duc de Bourgogne.	3 200			
à J. de Murol	600			
à M. de Dormans, év. de Beauvais :	2 100			
	8 100	193	2 400	0
	20 %	1 %	11 %	
Recettes effectives de la Trésorerie ..	29 492	17 104	15 573	13 856
	73 %	85 %	65 %	89 %
Versements aux nonces (1)	1 260		1 875	
Assignations :				
Pensions : La Trémoille.........	2 000		2 600	
Marie de Boulogne. ...		600	300	
Oudard de Chaseron ..	500		1 000	
Diverses : E. de Coucy	1 863	750	167	
P. de Genève	900			
etc.	3 229	967	1 480	533
	9 752	2 317	7 422	533
Envois en nature (draps et toiles) ...	903	745	1 162	1 275
Sommes dépensées hors de la curie ..	10 655	3 062	8 584	1 808
	27 %	15 %	35 %	11 %

— prêts assignés en remboursement — ou à la sienne propre, que ce fût en se déplaçant, en envoyant un clerc ou en s'adressant aux banquiers, le collecteur de Reims adressait à la Trésorerie, avant la soustraction d'obédience, les trois quarts de ses liquidités, et celui de Paris plus des deux tiers des siennes.

1. Outre les sommes envoyées par eux à Avignon et déjà comptées.

Cela confirme l'impression fournie par l'examen comparé des versements à la Trésorerie et des assignations connues. De même apparaît clairement dans le compte du collecteur Julien de Dole pour les années 1403-1407 l'absence d'assignation, qu'il serait donc inexact d'imputer à la disparition possible d'un registre de lettres camérales. De 1403 à 1409 la Chambre apostolique ne fit pas dix assignations sur les collectories françaises [1] : 2 510 florins d'Aragon au comte Archambaud de Foix en 1402 sur le collecteur de Toulouse [2] 40 f orins courants à Guillaume d'Orange en 1403 sur le sous-collecteur de Valence [3], 1 200 francs en 1404 au sous-collecteur d'Angers sur ses collègues de Quimper et Saint-Brieuc et sur sa propre recette [4], 50 francs en 1406 à Durand Monnier sur la collectorie de Rodez [5], voilà l'essentiel des assignations postérieures à la soustraction d'obédience.

Les collecteurs de Tours, Bourges et Poitiers semblent avoir envoyé à la Trésorerie une part de leurs recettes au moins égale à celle que nous venons d'établir pour Reims et Paris. A Lyon, au contraire, la part dépensée ou assignée sur place apparaît plus élevée, tant en raison des sommes fournies aux pourvoyeurs de l'hôtel papal qu'à cause d'un grand nombre d'assignations, de faible montant en général, faites en paiement de gages et de prestations en nature ou en services, en don, en remboursement de menus frais, etc. Prenons en exemple deux années qui n'ont rien d'exceptionnel : 1382 et 1395 [6]. Les assignations atteignent presque le double des versements effectués à la Trésorerie. En 1382, les assignations se montent à 4 091 francs et 785 florins courants, soit 5 056 florins de la Chambre ; or, cette même année, le collecteur a versé 3 081 florins de la Chambre et 6 sous à la Trésorerie [7]. Pourvoyeur direct ou indirect de la curie, le collecteur de Lyon est une exception : il dépense sur place plus qu'il n'envoie à la Trésorerie. Les assignations à des gens du comté de Genève et des régions voisines, fidèles de Clément VII, ne font que renforcer cette tendance.

Tel n'est point le cas du collecteur de Rodez Raymond de Senans, dont le zèle modéré pour la reddition de ses comptes nous favorise particulièrement puisque deux comptes seulement nous font connaître ses recettes, dépenses et assignations du 10 juillet 1381 au 1er janvier 1397 [8]. En quinze ans et demi, le collecteur de Rodez a disposé de 50 058 francs. Il en a porté ou envoyé 23 119, soit 44%, à la Trésorerie et remis 22 130 à des nonces et des sergents

---

1. Nous reviendrons plus loin sur le cas, particulier, de Narbonne.
2. *Instr. misc.* 3749.
3. *Instr. misc.* 3745.
4. *Coll.* 372, fol. 133 r⁰-134 r⁰.
5. *Reg. Av.* 325, fol. 536 v⁰-537 r⁰.
6. Les dates sont celles des assignations, non celles des paiements, que nous ignorons.
7. *Intr. ex.* 355, fol. 12 r⁰ et 18 v⁰ ; *Coll.* 374, fol. 112 r⁰ ; *Intr. ex.* 356, fol. 7 r⁰.
8. *Coll.* 84 et 86.

ASSIGNATIONS SUR LA COLLECTORIE DE LYON

1382			*Coll.* 359,
16 janvier	Pension à un chanoine d'Utrecht	50 fr.	103 v°-104 r°
25 janvier	Don à Amédée de Saluces, neveu du pape, pour ses études.	470 fr.	106 r°
21 mai	Remboursement à Jean Clairval, de Seyssel.	800 fr.	217 v°-218 r°
26 mai	Achat de poisson de la Saône.	510 fr.	168
13 juin	Remboursement à Guillaume de Luller, damoiseau du dioc. de Genève.	100 fl. cour.	233 v°-234 r°
1er juillet	Achat de vin.	411 fr.	169
20 juillet	Remboursement à Fr. de Conzié.	685 fl. cour.	206 v°-207 r°
3 septembre	Achat de vin, blé, avoine, légumes et toiles	1 850 fr.	184 v° et 186 v°-187 v°
14 novembre	Frais de mission de S. de Bourguerol.	110 fl. cour.	*Coll.* 360, 28 v° - 29 r°
13 décembre	Dépenses de la Pignote.	556 fl. cour.	*Reg. Av.* 233, 33 v°-34 r°
1395			*Coll.* 372,
20 janvier	Remboursement à Antoine de Louvier.	30 fr.	22 v°-23 r°
—	Remboursement à Pierre Pagès, chanoine du Puy.	70 écus	22 v°-23 r°
7 février	Don à Louis de Janville, du dioc. de Genève.	100 fr.	23 r°
9 février	Don à Pierre d'Annecy.	25 fl. cour.	23 v°
24 mars	Gages de Guillaume de Roussillon, du dioc. de Belley.	1 000 fl. cour.	25 r°
27 juillet	Gages de Guillaume Fleury, du dioc. de Chartres,	50 fl. cour.	31
19 août	Achats faits par Buchoud en 1388.	450 fr.	34 r°
28 août	Gages de François de Menthon.	100 fl. cour.	33 v°-34 r°
29 août	Achats à faire par Buchoud.	l'argent nécessaire	33 r°
5 octobre	Achats de poisson à faire par Buchoud.	—	35 v°
—	Gages de Guillaume Fleury.	60 fl. cour.	35 v°-36 r°
26 octobre	Gages de Jean de Menthon.	1 000 fl. cour.	36 v°-37 r°
6 novembre	Indemnité à un courrier qui a été dévalisé en route.	24 écus	38 r°

d'armes qui ont presque intégralement envoyé ces fonds à Avignon, portant ainsi la part versée à 90% ; 10% seulement de la recette étaient dépensés ou assignés sur place. Du 1er janvier 1397 à juillet 1398, le même collecteur a versé au Trésorier 2 325 francs et assigné sur place 21 florins, soit 16 francs et 16 sous tournois [1]. On peut alors parler de disparition des assignations. Enfin, du 13 août 1403 au 5 avril 1407, le nouveau collecteur, Pierre Brengas, a versé 9 745 francs et n'en a assigné que 170 dans sa collectorie [2]. Le collecteur du Puy est bien connu grâce au compte que Pons

1. *Coll.* 90, fol. 20-21.
2. *Coll.* 91, fol. 451-452.

de Cros rendit en 1398 pour les seize années de son exercice [1]. Lui aussi, les assignations l'ont épargné. Au trésorier ou à des marchands — mais en remboursement de sommes déjà versées à la Trésorerie — le collecteur du Puy a versé en seize ans 23 241 florins de la Chambre, cependant qu'il a assigné à diverses personnes 6 492 florins, soit seulement 22% des sommes disponibles. Comme à Rodez, les assignations disparaissent après 1398.

Si l'analyse est impossible pour la collectorie de Toulouse, la quittance donnée pour les années 1396-1406 ne faisant pas le départ entre les assignations et les dépenses du collecteur, la proportion connue pour Rodez et le Puy semble cependant s'y vérifier : sur 28 222 francs, Pierre du Pont en a versés ou envoyés 22 609 à la Trésorerie ; le reste a été en partie assigné, en partie dépensé par le collecteur et ses gens [2]. Les assignations ne sont probablement pas supérieures à 15%.

Au contraire de ce que nous avons vu jusqu'ici, les assignations se maintiennent dans la collectorie de Narbonne après la restitution d'obédience. Le compte de Jean Martin pour la période allant du 13 août 1403 au 1er avril 1406 [3] laisse apparaître, certes, une incontestable supériorité des versements à la curie : 9 510 francs. Les 1 830 francs remis par le collecteur au receveur royal de la décime n'entrent évidemment pas en ligne de compte. Mais les assignations atteignent 2 110 francs, soit 17% des sommes revenant au pape, et ceci à l'époque où l'on a cessé d'assigner ou de pouvoir assigner sur les autres collectories. L'explication tient à la personne des assignataires : Sicard de Bourguerol et Jacques Gilles, alors nonces en Languedoc, pour leurs frais de mission, reçoivent du collecteur 980 francs, un neveu du cardinal Fieschi 881 francs, et quelques modestes créanciers de la Chambre et quelques courriers se partagent le reste. En fait, sur la collectorie de Narbonne comme sur les autres, on n'assigne plus aucun remboursement des dettes de la papauté.

Désir de laisser parvenir à Avignon la plus grande part des recettes, ou refus des créanciers d'accepter les assignations ? Nous inclinons vers la seconde explication. Dans le système de l'assignation, tous les avantages étaient, on l'a vu, pour le pape. Obligé de payer ses gens d'armes et ses serviteurs, d'acquitter le noli de ses galées, de rembourser ses dettes, pourquoi aurait-il pris à sa charge les frais et les risques du transfert de fonds qu'il devait, de toutes façons, dépenser ? Encore fallait-il que les créanciers acceptassent. Il est significatif que les assignations faites en 1405 et 1406 à Antoine de Villeneuve l'aient été sur des communs ser-

---

1. *Coll.* 85.
2. *Reg. Av.* 325, fol. 568-570.
3. *Coll.* 159, fol. 446-450.

vices [1]. On ne prisait plus guère les assignations avignonnaises mais, tant qu'à les accepter, on avait plus grande confiance dans un évêque ou un abbé que dans les gens du pape qu'étaient les collecteurs. L'élimination progressive des assignations, qui se manifeste à Rodez dès 1397, n'est pas le fruit d'une attitude administrative ou d'une politique concertée, mais bien d'une défiance généralisée envers les destinées d'une papauté déjà ébranlée. On accepte encore son or, on ne croit plus en ses lettres.

Tout différent est le cas des collectories ibériques, chargées d'assignations générales ou de lourds paiements pour les galées, tantôt sous la forme d'assignations directes aux patrons et aux commanditaires, tantôt par assignations aux souverains, au roi de Castille — qui a financé l'armement de galées — en particulier. Sur 60 182 marabotins [2] dont il compte pour la période allant du 25 mars 1384 au 26 février 1387 [3], Guillaume Boudreville, alors collecteur de Burgos, en a versés 31 000 à l'archevêque Pedro Tenorio, commissaire du roi Jean Ier. 12 300 marabotins ont été envoyés à la Trésorerie par le canal de Guillaume de Vermont, et les 1 240 marabotins prêtés à la curie par un prêtre de Troyes, André Jean, ont été remboursés. Le collecteur a versé 5 880 marabotins au cardinal de Saluces, 6 200 à l'écuyer Jacques Caudre, 3 562 pour diverses assignations : au total 15 642 marabotins, soit quelque 505 francs, ont été assignés en sus de la somme remise à Tenorio. Les envois à la Trésorerie [4] n'atteignent — y compris le remboursement à André Jean — que 13 540 marabotins, soit 436 francs : 22% des fonds utilisés, 46% des fonds disponibles après paiement de la lourde assignation au roi.

L'Aragon est également affecté par les entreprises maritîmes. Le collecteur Bérenger Ribalta [5] a dû, avant mars 1397, payer 13 000 florins d'Aragon pour deux galées et verser 2 688 florins à trois créanciers barcelonais, commanditaires probables ; au regard de ces sommes, il n'a versé que 2 290 florins à la Trésorerie, soit 15% de son revenu net : nous sommes proches des 22% castillans. Passé le temps des entreprises maritîmes, l'usage des fonds aragonais tend à ressembler à celui que nous avons discerné pour les collectories françaises. Les assignations disparaissent pratiquement dès la soustraction d'obédience [6] et les versements à la Tré-

---

1. Voir ci-dessus, p. 359-360.
2. Déduction faite des dépenses du collecteur, de celles du collecteur de Portugal et de 8 000 marabotins remis au nouvel évêque de Calahorra pour sa provision jusqu'à la récolte. 31 marabotins valaient une livre tournois.
3. *Coll.* 122.
4. Guillaume de Vermont versa 6 993 florins à Avignon, entre février et avril 1386 ; les sommes remises par le collecteur de Burgos en font partie ; *Intr. ex.* 361, fol. 12 rᵒ, 15 rᵒ et 17 rᵒ.
5. Quittance du 22 mars 1397 ; *Reg. Av.* 301, fol. 17 vᵒ-18 vᵒ.
6. *Coll.* 123.

sorerie atteignent une importance jamais connue. L'Aragon se
place alors en tête des soutiens financiers de Benoît XIII : de
l'été 1404 à l'été 1408, 73 660 florins parviennent d'Aragon à la
curie. La seule contribution aragonaise représente alors un quart
des rentrées d'argent de la Trésorerie.

3. *Les paiements par la Trésorerie.*

C'est donc à Avignon — et,
à partir de 1403, à la curie itiné-
rante [1] — que s'effectue la grande majorité des paiements. Viennent
en second lieu dans le mouvement général des fonds les assignations
faites à des princes — Charles VI, Jean de Castille, Louis d'Anjou —
en remboursement de dettes considérables : ce sont le plus souvent
des assignations générales ou, du moins, proportionnelles aux
recettes. En troisième lieu, seulement, viennent les paiements
assignés par la Chambre apostolique sur la recette des collecteurs
auxquels on doit assimiler, de ce point de vue, le trésorier du Comtat venaissin.

La provenance des fonds de la Trésorerie est aisée à établir [2].
En quatorze années dont les comptes ont été conservés pour la
période précédant la soustraction d'obédience, la Trésorerie a
reçu des collecteurs environ 850 000 florins ; il faut y joindre
environ 100 000 florins reçus des divers nonces commis à la récupération des fonds collectés. La collectorie de Paris vient en tête
des fournisseurs de liquidités, avec plus de 150 000 florins. Celle
de Toulouse et Auch et celle de Narbonne tiennent le second rang,
avec 100 000 florins chacune. C'est ensuite la collectorie de Tours
qui envoie 90 000 florins, celle de Bourges et Poitiers qui en envoie
75 000 [3], et celle de Reims qui, avec les transferts effectués par
les nonces, envoie quelque 70 000 florins. Les collectories d'Aragon,
de Lyon et de Provence procurent chacune près de 60 000 florins.
Viennent enfin les petites collectories : Rodez avec 35 000 florins,
Le Puy avec 22 000, Elne avec 4 000 et Metz avec 566 florins,
et les collectories frappées de lourdes assignations : Tolède avec
moins de 20 000 florins, Burgos avec 10 000. Après 1403, les rôles
sont complètement renversés : la seule collectorie véritablement
fructueuse est alors celle d'Aragon [4].

Sur ces fonds, dont il faut rappeler qu'ils étaient joints à la
masse également considérable des versements effectués par les
prélats ou leurs procureurs, à la curie même, pour leurs communs

---

1. Voir ci-dessous, p. 671-674.
2. Nous ne pouvons donner ici que des chiffres globaux ; ils résultent de l'addition des
versements enregistrés en *Introitus* ; fournir les références nécessiterait plusieurs milliers
de notes. Les chiffres ont été arrondis par tranches de 5 000 florins, en tenant compte de
l'action des nonces.
3. Compte tenu des versements faits, avant l'union des collectories en 1382, par les
collecteurs de Poitiers (12 064 fl.) et Saintes (10 489 fl.).
4. Voir ci-dessous, p. 474.

services, comment étaient faits les paiements ? Quel était le mécanisme des assignations sur la Trésorerie ?

On ne voit presque jamais intervenir le pape. Les bulles d'assignation sont avant tout des obligations envers les créanciers ; l'ordre donné, à la fin, à tel ou tel officier — qu'il s'agisse du camérier et du trésorier ou d'un collecteur nommément désigné — de payer la somme due n'était nullement exécutoire. La bulle du 4 mars 1382 déjà citée annulait toute assignation non revêtue du visa autographe du camérier [1]. Le plus souvent, la bulle d'assignation était doublée par une lettre close du camérier ordonnant l'exécution de la bulle.

Le 3 février 1393, Clément VII ordonnait à Guy d'Albi, collecteur de Paris, de payer à Guy de la Trémouille, seigneur de Sully, 1 000 francs à la Saint-Jean en déduction de sa pension de l'année courante [2] ; le 7 février, sans doute lors de l'envoi de la bulle, le camérier y joignait la lettre close suivante :

Venerabilis socie, salute premissa,

Discretioni vestre tenore presentium precipimus et mandamus quatinus domino Guidoni de Tremolla, militi, domino de Suilliaco, mille francorum auri summam quam dominus noster per suas apostolicas litteras datas Avinione tertio nonarum februarii, pontificatus sui anno quinto decimo, ex causis in eisdem contentis vobis mandat eidem militi assignari, juxta ipsarum litterarum tenorem et in termino in eis contento tradere et absque difficultate quacunque realiter assignare curetis.

Valete in Christo feliciter et diu. Scriptum Avinione, die VII. februarii.

Et Conzié d'ajouter de sa propre main la phrase suivante : *Venerabilis socie, faciatis ut supra vobis scribitur. Propria. Camerarius* [3].

Il en usait de même envers le trésorier. La plupart du temps, la référence à la volonté du pape est absente des mandats très simples adressés par le camérier au responsable de la Trésorerie. Le 25 mars 1388, par exemple, Conzié ordonnait le paiement de 200 florins au clerc de l'acheteur de la cuisine papale : *Domino thesaurario, tradatis Guineto, clerico compratoris, pro expensis coquine ducentos florenos. Camerarius* [4]. Il se préoccupait même d'imputer la dépense, et ajoutait : *Recipiantur de cambio apportato per collectorem Ruthunensem* [sic]. *Camerarius.* La forme diplomatique et matérielle est, certes, négligée ; la teneur ne l'est pas, et l'on voit le camérier justifier ses mandats. Le 24 décembre 1387, il se contentait d'une allusion aux dettes de la Chambre envers les Rapondi : *Tradatis*

---

1. *Reg. Av.* 275, fol. 10 r°-11 r°.
2. *Instr. misc.* 3586 ; *Reg. Av.* 272, fol. 88 r°.
3. *Instr. misc.* 5282, pièce n° 11.
4. *Coll.* 394, fol. 152 r°.

Philippo Rappondy in deductionem eorum que sibi debentur per Cameram .VII^cLI. florenos .XVII. solidos et .VIII. denarios. Camerarius [1]. Mais, le 13 novembre 1388, il précisait le montant d'une dette et se référait aux lettres patentes d'obligation : *Item [tradatis] Philippo Rappondy, mercatori de Luca, in deductionem. VI^c. et .XXII. francorum cum dimidio Dyno Rappondi, fratri suo, debitorum, prout apparet per litteras super hoc confectas, quas reddit, .IIII^c. et .XXIX. francos. Camerarius* [2]. Il arriva même que le mandat fût tout à fait circonstancié ; ainsi celui du 18 mars 1388 en faveur de Giovanni Caransoni :

Domino thesaurario,

Tradatis Johannis [sic] *Garanchonis de Luca, mercatori Avinionensi, pro Nycoloto Michaelis, mercatore de Venetiis, in deductionem. M. et .V^c. florenorum Camere per dictum Nicolotum mutuatorum domino comiti Gebennensi qum* [sic] *reveniebat de Appulia de servitio regis Ludovici, et quos dominus noster vult solvi eidem Nicoloto, quingentos francos. Camerarius* [3].

Le processus du paiement à la Trésorerie est aisé à reconstituer. Le créancier adresse au camérier une supplique, soit orale, et en ce cas le camérier fait rédiger et signe un mandat, soit écrite, et c'est souvent sur la supplique elle-même que le camérier indique sa décision. Ce peut être l'acceptation pure et simple, comme dans le cas des gages réclamés par les maîtres huissiers. Ces derniers écrivent, vers novembre 1387 : *Dignetur vestra reverendissima Paternitas vestris humilibus et devotis magistris hostiariis domini nostri pape, qui sunt in numero .XX^{ti}., in diminutionem stupendiorum* [sic] *suorum facere deliberare .VI^{xx}. florenos auri et de Camera* [4], *videlicet de mense julii, augusti, septembris et octobris.* Conzié se contente alors d'indiquer de sa main, sous le texte de la supplique : *Solvatis dictam pagam. Camerarius.* En titre de la feuille, il porte d'autre part l'adresse : *Domino thesaurario* [5].

La supplique laisse parfois au camérier le soin de fixer la somme à verser. Un ancien palefrenier d'Innocent VI, « goutteux et podagre », demande-t-il un secours ? Conzié vise la supplique : *Datur supplicanti tres florenos. Camerarius.* Puis, il l'adresse au trésorier qui, lui-même, la transmet au receveur en y ajoutant la date, omise par le suppliant : *Tradatis predicto Stephano predictos .III. florenos., .IIII. januarii, anno .VIII., P. Thesaurarius* [6]. Il arrive, enfin, que le camérier oppose un refus, total ou partiel.

1. *Ibid.*, fol. 123.
2. *Coll.* 394, fol. 184.
3. *Ibid.*, fol. 147 r°.
4. Texte corrigé par nous ; on lit : *et .II. Camere.*
5. *Coll.* 394, fol. 112.
6. *Coll.* 394, fol. 53 r°.

Ainsi à la note présentée par Raymond de Montjoie pour quatre barques qu'il veut louer pour un voyage sur le Rhône et en raison desquelles il demande 224 florins. *Domino thesaurario*, écrit Conzié au bas de la note, *tradatis pro duabus barchis et hominibus pro etc., centum et .XII. florenos* [1].

On conserve cependant certains mandats signés du seul trésorier, comme celui-ci, pour 300 florins courants qu'il va falloir verser à un marchand de bois : *Domino G., priori de Sancto Jorio, tradatis Helioto Reperti, mercatori lignorum, pro lignis per ipsum tradendis pro usu palatii apostolici Avinionensis, de quibus computabit, .IIIᶜ. florenos currentes. XX. septembris, anno .VIIº.* [2] Sans doute la formule *de quibus computabit* dégage-t-elle la responsabilité du trésorier en obligeant le marchand à justifier devant le camérier l'emploi des 300 florins. Le p us souvent, lorsque le trésorier juge une dépense indispensable et n'hésite pas à la prescrire lui-même, ou lorsqu'un ordre donné effectivement par le pape dégage entièrement la responsabilité du trésorier, celui-ci fait cependant viser son mandat par le camérier. Celui-ci le montre bien ; rédigé par le trésorier comme un ordre à son subordonné le prieur de Saint-Juéry [3] il est écrit de la main du même clerc qui a écrit le mandat précédemment cité, où n'intervient pas le camérier : *Domino G., priori de Sancto Jorio, tradatis Rolando Nadelec, domicello Corisopitensis diocesis, quos dominus noster papa certis ex causis sibi dari mandavit, .L. franchos. XXII. septembris, anno .VIIº. P. Thesaurarius.* Montré au camérier, le mandat est alors revêtu d'une adresse qui, sans la similitude d'écriture avec le mandat précédent, laisserait croire qu'il émane du camérier : *Domino thesaurario.* Cette adresse se superpose à la première. Le visa est enfin apposé après celui du trésorier : *Camerarius* [4].

L'ordonnancement des fonds de la Trésorerie est donc bien la prérogative du camérier. Ce n'est que pour de petites sommes, d'usage purement domestique et d'utilité incontestable, ou sous couvert du camérier auquel il sera rendu compte, que le trésorier peut ordonner un paiement. En tout état de cause, les comptes que rend annuellement le trésorier sont examinés par les clercs de la Chambre apostolique sur commission du camérier, et c'est ce dernier qui les approuve et les vise avant d'en laisser donner quittance par le pape.

Le trésorier se heurte souvent aux possibilités limitées de sa caisse. Il n'est que le gardien responsable d'une caisse ; encore doit-il tenir compte de cette caisse. Aussi voyons-nous l'exécution

---

1. *Ibid.*, fol. 90 ; Montjoie perçut ces 112 florins le 17 novembre 1386 (*Intr. ex.* 362, fol. 55 rº).
2. *Coll.* 394, fol. 4 rº.
3. Prieuré dépendant de Saint-Victor de Marseille ; Lozère, cant. Fournels.
4. *Coll.* 394, fol. 5 rº.

des mandats sur la Trésorerie soumise aux mêmes aléas que celle des assignations sur les collectories. Le 19 août 1387, Conzié ordonnait au trésorier de payer 50 florins à l'huissier Robert Trombert en déduction de ses gages, et le trésorier ordonnait sur la même feuille le paiement immédiat de la somme mandatée par le camérier. Or — le clerc de la Trésorerie, Bernard de Moulins, l'indiqua au dos — 25 florins seulement purent être payés ce 19 août ; le reste ne le fut que le 24 décembre [1].

Le camérier disposait de la Trésorerie comme de la recette des collecteurs ; comme les collecteurs, le trésorier et ses gens étaient finalement maîtres des atermoiements et des délais. Il est cependant peu probable que la marge d'autonomie du trésorier fût égale à celle du plus modeste des collecteurs : il était plus aisé d'obtenir du camérier, dans les rues d'Avignon ou les salles du palais pontifical, un simple visa sur un papier sans forme que de faire rédiger une assignation par lettres patentes ; il était plus aisé d'en référer au camérier en cas de refus du trésorier que de se plaindre à Avignon d'un refus opposé par un collecteur. Dans leur grande majorité, les mandats étaient immédiatement exécutés par la Trésorerie pour la double raison que le camérier en connaissait constamment les ressources et que le trésorier n'avait qu'un très mince pouvoir d'appréciation sur le bien-fondé du paiement.

4. La Chambre romaine et la pratique des assignations.

Transfert ou assignation ? La question pouvait se poser à propos de l'obédience avignonnaise. Peut-on la formuler à nouveau en considérant l'obédience romaine ? L'une des conditions du mouvement des fonds se présente dès l'abord de manière radicalement différente : la charge militaire et diplomatique, autrement dit l'entretien des gens d'armes et des fidélités, est répartie sur une assez large base géographique, sur les états de l'Eglise et le royaume de Naples. Faute d'étendue territoriale directement soumise au pape, la Chambre clémentiste devait obligatoirement assumer à Avignon l'essentiel des dépenses de cette nature. Le Comtat ne pouvait supporter la charge de la défense du pape, la collectorie de Provence ne pouvait à elle seule financer les expéditions angevines. La papauté romaine, au contraire, disposait d'importants revenus domaniaux et ecclésiastiques — perçus par les trésoriers provinciaux et par les collecteurs — dans les contrées mêmes qu'elle avait à défendre : d'où une appréciable possibilité de recourir au financement local des charges militaires, possibilité dont nous avons montré qu'elle menait malheureusement à l'ordonnancement local et au dessaisissement de la Chambre apostolique. La papauté romaine

---

1. *Coll.* 394, fol. 99 rº.

disposait en second lieu de notables créances sur quelques uns de ceux dont elle désirait entretenir la fidélité ou rémunérer les services. Souverain temporel, le pape romain percevait des cens de ceux-là même envers qui la Chambre était souvent débitrice : d'où la possibilité, plus limitée certes que la précédente mais non moins appréciable, d'assigner aux créanciers de la Chambre leur propre dette envers celle-ci. Cela ne pouvait se faire à Avignon que pour de très rares prélats débiteurs de communs services.

Ce ne sont pas des services purement militaires que rémunerait de la sorte la Chambre romaine. Plutôt qu'aux Malatesta, Ordelaffi, Este ou autres seigneurs, débiteurs d'un cens comme vicaires au temporel, c'est aux compagnies que s'en remettaient Urbain VI et ses successeurs du soin de les défendre et de maintenir l'ordre dans les états pontificaux. Le seul cas du genre que nous connaissions est une assignation familiale : celle faite, les 29 mai et 1er octobre 1407, à Berardo da Varano, capitaine de deux cent vingt lances, de 1 000 florins sur le cens dû par son père Radolfo di Gentile da Varano pour le vicariat apostolique au temporel de Camerino, Tolentino, San Ginesio, Belforte del Chienti et autres places [1].

Il s'agit parfois de services politiques, d'assignations diplomatiques sous la forme de remises des cens impayés ou des cens futurs. Le 4 mai 1391, les cinq fils de Guido da Polenta étaient constitués vicaires au temporel de Ravenne pour dix ans ; le 12, Boniface IX leur remettait tous les cens dus par leur père, longtemps clémentiste [2]. Douze ans plus tard, le même pape ramenait de 1 500 à 1 000 florins le cens de Ravenne et faisait remise à Opizzo et Pietro di Guido da Polenta des sommes impayées [3], sommes dont nous ignorons quelle part — faible sans doute [4] — elles représentaient des 18 000 florins dus pour cette période. Plus modique, le cens de 100 florins dû par les frères Hatt pour leur vicariat de Sassoferrato était impayé depuis sept ans, c'est-à-dire depuis qu'ils avaient été constitués vicaires, lorsque remise leur en fut faite, le 30 avril 1398, « en raison de la guerre et des difficultés qu'ils rencontraient » [5].

Mais l'objet de la plus notable — et la plus constante — des remises qualifiables de diplomatiques, c'est évidemment le cens de 3 000 onces d'or, soit 15 000 florins, dû au Saint-Siège par le royaume de Naples. Ni Charles de Durazzo ni son fils Ladislas ne se soucièrent de payer annuellement pareille somme. Tout au plus Ladis as fit-il remettre à la Trésorerie, en 1408, 20 000 ducats par l'intermédiaire de Paolo Correr [6] : tardivement, Ladislas contri-

1. *Reg. Vat.* 336, fol. 5 vo-7 ro et 148.
2. *Reg. Vat.* 313, fol. 93 ro-97 vo.
3. Bulle du 18 janvier 1403 ; *Reg. Vat.* 320, fol. 76 vo-77 ro.
4. Voir ci-dessous, p. 436, les assignations faites sur ce cens.
5. *Reg. Vat.* 315, fol. 324 vo-325 ro.
6. *Reg. Vat.* 337, fol. 98 vo.

buait au financement de la résistance à laquelle il encourageait Grégoire XII. Jusque là, les papes romains avaient périodiquement récompensé ou, selon les moments, acheté la fidélité des Durazzo par des remises portant à la fois sur l'arriéré et sur l'avenir : cens passés jusqu'en 1402 le 23 avril 1403 [1], cens de 1403 à 1407 le 11 novembre 1404 [2], cens de 1408 à 1413 le 13 août 1406 [3]. Les 20 000 ducats versés en 1408 n'étaient dus qu'en vertu d'un accord et ne représentaient pas les cens spécifiés lors de l'inféodation [4].

Plus proches de l'assignation classique sont celles que fit la Chambre apostolique en remboursement de prêts consentis à la Trésorerie par les seigneurs débiteurs d'un cens de vicariat ; 2 000 florins par Radolfo de Varano, soit une avance de cens de deux ans [5] ; 15 000 florins par Malatesta di Pandolfo di Malatesta, soit une avance de cinq ans de son cens pour le vicariat de Todi [6] ; les sommes prêtées par Guido da Polenta, vicaire de Cesena, avant le Schisme au légat Robert de Genève [7] ou, plus modeste créance, les 200 florins prêtés par Sinibaldo degli Ordelaffi à Tucillo Caracciolo et assignés en remboursement sur le cens dû par Ordelaffi pour Forli [8].

Le cas des Durazzo mis à part, l'assignation à des vicaires au temporel sur leur propre cens et la remise de tels cens en récompense de services effectifs n'intéressent qu'une faible part de ce genre de revenus. Il y avait là une intéressante possibilité ; la Chambre apostolique ne pouvait y recourir qu'occasionnellement. Pour le plus grand nombre, ce ne sont pas des assignations mais bien de véritables renonciations en échange de services réels, supposés ou espérés. Entre ces services et le détriment de la Chambre apostolique, aucune mesure n'existait.

De même en allait-il lorsque le pape assignait à un collecteur le revenu de sa collectorie pour compenser la privation de son temporel épiscopal, et c'est la concession à Pierre d'Anglade, archevêque d'Auch [9], ou pour des raisons inexprimées, et c'est le cas de l'évêque de Fano Antonio da Venezia [10], déjà cités. L'abdication de la Chambre était au contraire limitée dans le cas de l'assignation de 1 000 francs faite à Pierre du Bosc sur sa collectorie de Guyenne, puisqu'il s'agissait seulement de rembourser au collecteur une avance

1. *Reg. Vat.* 320, fol. 114 v°-115 r°.
2. *Reg. Vat.* 333, fol. 70 v°.
3. *Reg. Vat.* 334, fol. 252.
4. *Reg. Vat.* 310, fol. 174.
5. 1er mars 1400 ; *Reg. Vat.* 316, fol. 335 r°.
6. 9 septembre 1392 ; *Reg. Vat.* 313, fol. 389 v°. Les assignations ultérieures, portant notamment sur le cens de 1393 (*Reg. Vat.* 314, fol. 181 r°, en particulier), laissent des doutes quant à l'exécution de ce prêt.
7. *Reg. Vat.* 310, fol. 157 v°.
8. *Reg. Vat.* 310, fol. 224 r°.
9. *Reg. Vat.* 315, fol. 187 v°.
10. *Reg. Vat.* 337, fol. 74 v°.

effectivement consentie par lui à la Trésorerie [1]. Le pape ne perdait en ce cas que les droits issus du principe de la confusion des recettes du collecteur et de ses biens mobiliers propres [2].

Ainsi, malgré le jeu possible des créances réciproques, le plus grand nombre d'assignations était fait, dans l'obédience romaine comme à Avignon, au profit de tiers. Dans quelle proportion étaient dépensés sur place les revenus romains, dans quelle proportion étaient-ils transférés à la Trésorerie, c'est ce qu'il nous faut maintenant établir pour chaque catégorie de revenus.

Parmi les cens, il en est qui ne furent que rarement assignés. Sur celui que devait, pour le vicariat de Radicofani, Cecco di Ciono di Sandro di Salimbene, soit 100 livres de Cortone [3], aucune assignation ne fut faite pendant dix ans ; au bout de ce temps-là, nous trouvons une assignation de 60 florins [4]. Rares furent les paiements imputés sur le cens de 1 500 florins dû par Astorge de' Manfredi, vicaire de Faenza : une part (un tiers environ) des 3 000 florins nécessaires pour la récupération de Castrocaro en 1391 [5], trois pensions annuelles de 100 florins assignées le 4 janvier 1393 aux Bolognais Carlo Zambecari et Giovanni Orretti [6] et, le 20 février 1399, au juriste bolognais Ugolino de' Presbiteri [7], enfin un modique versement de 60 florins à l'archevêque de Tarente, ordonné le 16 mai 1402 [8]. Sur le cens dû par la commune d'Ascoli, nous ne trouvons qu'une seule assignation, faite le 1er août 1380 : 3 000 florins, soit une année de cens ; encore l'assignation fut-elle cancellée et transférée sur le cens de Pérouse [9].

Rares furent aussi les paiements faits sur place par les vicaires au temporel de Fermo (3 000 florins en trente ans) [10], d'Imola (2 100 florins en trois fois, de 1399 à 1408 [11], et des pensions annuelles de 400, 300 et trois fois 100 florins assignés de 1392 à 1395 sans que l'on puisse savoir pendant combien de temps elles furent payées) [12] et de Todi (1 000 florins au total, et qui ne furent payés que par force) [13].

Les cens de Pérouse, de Ferrare, de Bologne furent l'objet d'assignation plus fréquentes ; mais on ne saurait parler d'une exploi-

---

1. 1er mai 1398 ; *Reg. Vat.* 315, fol. 306 v°-307 r°.
2. On a vu que les dépouilles de Pierre du Bosc n'en avaient pas été moins revendiquée (ci-dessus, p. 326.)
3. Bulle de constitution du 29 mai 1398 ; *Reg. Vat.* 315, fol. 316-318.
4. 26 mars 1408 *Reg. Vat.* 336, fol. 198 r°-199 r°.
5. *Reg. Vat.* 313, fol. 156 v°-157 r°.
6. *Reg. Vat.* 314, fol. 50 r°.
7. *Reg. Vat.* 316, fol. 122 v°-123 r°.
8. *Reg. Vat.* 320, fol. 4 v°-5 r°.
9. *Reg. Vat.* 310, fol. 60 v°.
10. *Reg. Vat.* 310, fol. 83 v° ; *Reg. Vat.* 347, fol. 91.
11. *Reg. Vat.* 316, fol. 278 r° ; *Reg. Vat.* 319, fol. 7 v°-8 v° ; *Reg. Vat.* 336, fol. 198 r° 199 r°.
12. *Reg. Vat.* 313, fol. 250 r° ; *Reg. Vat.* 314, fol. 49 v°-50 r° et 342 r° ;
13. *Reg. Vat.* 314, fol. 95 r° et 181 r°.

tation systématique du procédé. Moins de 20 000 florins furent versés en trente ans par la commune de Pérouse, débitrice d'un cens annuel de 3 000 florins et d'une indemnité unique de 6 000 florins, fixée par traité [1]. Les marquis Alberto puis Niccolò d'Este, vicaires de Ferrare, devaient un cens considérable : 10 000 florins et cent cavaliers pendant trois mois par an ; les assignations faites sur ce cens n'atteignirent en trente ans que 12 763 florins et une pension de 500 florins [2]. Sur Bologne, enfin, quelque 30 000 florins furent assignés : près de quatre années de cens.

Pour d'autres cens, au contraire, on peut bien parler, dès le pontificat de Boniface IX, d'assignations systématiques. A partir de 1392, le cens dû pour Ravenne par les frères da Polenta (1 500 florins, ramené à 1 000 en 1403) fut presque totalement exploité par l'assignation de trois pensions : 100 florins à Francesco Manco, familier du pape et parent du collecteur de Venise, 100 florins à Matteo Forte, autre familier du pape [3] et 1 140 florins à Antonio Tomacelli [4]. Le paiement de ces pensions ayant pris fin, deux autres furent assignées à la fin du pontificat : 100 florins à une victime de Jean Galéas Visconti [5] et 500 en récompense des services d'un chevalier bolognais [6]. Rien n'assure, il est vrai, que ces assignations fussent honorées.

Surtout, c'est en 1399 que commence la série des assignations faites à Paolo Orsini en paiement des services rendus avec ses gens d'armes. Après quelques tâtonnements [7], la Chambre apostolique prit en 1401 le parti d'assigner régulièrement et en totalité à Orsini les cens d'un certain nombre de vicaires : cens dus par les Malatesta pour Rimini, Pesaro, Cesena, Senigallia, Cervia et Fano, par Antonio, comte de Montefeltro, pour Urbino, Gubbio et Cagli, par Chiavello di Guido de' Chiavelli et Tommaso di Nolfo de' Chiavelli pour Fabriano, par Onofrio di Cola Sineducci pour San Severino, par les frères di Canto pour Montecchio, par Benutino da Cuni pour Cingoli, par Ugolino de' Trinci pour Foligno et Montefalco, par les frères Hatt pour Sassoferrato, par Radolfo da Varano pour San Ginesio et Tolentino, par la commune de Città di Castello enfin [8].

---

1. *Reg. Vat.* 310, fol. 38 et 61 v°-63 r°.
2. Dont 10 000 à Paolo Orsini le 20 avril 1404 ; *Reg. Vat.* 319, fol. 7 v°-8 v°. — L'assignation de 30 000 florins faite le 9 mai 1394 à Azo da Castello fut aussitôt révoquée ; *Reg. Vat.* 314, fol. 244 r°.
3. 21 novembre 1392 ; *Reg. Vat.* 314, fol. 42.
4. 15 juin 1393 ; *Reg. Vat.* 314, fol. 106 r°.
5. 21 décembre 1403 ; *Reg. Vat.* 320, fol. 235.
6. 1er février 1404 ; *Reg. Vat.* 320, fol. 213 v°-214 r°.
7. En 1399 furent assignés à Orsini 2 600 florins sur le cens de Pérouse, 1 000 sur celui de Foligno et 6 000 sur celui de Rimini ; *Reg. Vat.* 316, fol. 215 v°-217 r° et 254 v°-255 r°.
8. *Reg. Vat.* 317, fol. 171 v°-173 r° et 298 v°-300 r° ; *Reg. Vat.* 320, fol. 3 v°-4 r° et 113 r°-114 r° ; *Reg. Vat.* 319, fol. 7 v°-8 r° ; *Reg. Vat.* 333, fol. 204 r°-205 r° ; *Reg. Vat.* 334, fol. 84-85. — Les cens de Benutino da Cuni, d'Onofrio di Cola Sineducci, de Radolfo da Varano, des frères Hatt et de Città di Castello ne furent assignés à Orsini qu'à partir de 1403.

Même dans le cas de ces assignations totales et régulières, chaque somme était énoncée, chaque vicaire nommé. Il fallait un cas de grande urgence pour que l'on voie la Chambre apostolique assigner globalement tous les cens d'une province sans les spécifier : on en usa ainsi en 1394 pour payer la rançon du marquis d'Ancône Andrea Tomacelli, frère de Boniface IX ; Giovanni Tomacelli, recteur du duché de Spolète, reçut commission de lever tous les cens pour libérer au plus vite son frère [1]. Comme cela ne suffisait pas, on emprunta en assignant les remboursements indistinctement sur tous les cens ; le trésorier était chargé d'assurer la répartition [2]. L'intervention de Giovanni Tomacelli et celle du trésorier rétablissait le mécanisme normal de l'assignation : c'est sur leur recette, plus que directement sur les cens, que furent payée la rançon et remboursés les prêts.

Gages des compagnies, pensions, amortissement de la dette pontificale, tels furent les objets d'assignation sur les cens des vicaires au temporel. Nous les retrouverons, dans le même ordre d'importance, en étudiant les paiements effectués sur assignation par les trésoriers provinciaux établis dans l'état pontifical. Sur place, ils versaient évidemment aux officiers de l'administration provinciale leurs gages et provisions. De tels paiements ne donnaient normalement lieu à aucune assignation : ils entraient dans la routine du trésorier provincial. Il fallut le cas un peu particulier du patriarche Angelo Correr, nommé recteur de la Marche d'Ancône avec tous pouvoirs d'ordonnancement, pour que le trésorier de la Marche, l'évêque de Segni, reçût l'ordre de lui servir la provision habituelle des recteurs [3] : légats, les cardinaux ne la percevaient pas, et le cas du patriarche de Constantinople était doûteux.

Bien des assignations touchaient les revenus à la source, et cela dispensait les trésoriers d'intervenir. La commune de Viterbe payait tous les mois, sur les revenus de la gabelle de la ville, 20 florins pour la provision du châtelain Cicco Bauffo, 28 florins pour les gages de ses huit arbalétriers et 21 pour ceux de ses sept lanciers [4]. De même les habitants de Frosinone versaient-ils au châtelain leur part de la taille imposée en Campagne et Maremme, soit 17 florins, ainsi que 23 florins pris sur les amendes perçues dans la terre de Frosinone [5].

C'est pour la défense et l'ordre public qu'était employée la plus grande part des recettes seigneuriales et domaniales dont étaient comptables les trésoriers. Les assignations n'apparaissent que tardivement : effet de la documentation ou d'une politique ? La

---

1. 27 février 1394 ; *Reg. Vat.* 314, fol. 207.
2. 24 avril 1394 ; *ibid.*, fol. 232.
3. 13 avril 1405 ; *Reg. Vat.* 333, fol. 244 v°-246 v°.
4. *Reg. Vat.* 316, fol. 66.
5. *Reg. Vat.* 317, fol. 218 r° ; *Reg. Vat.* 320, fol. 2 r°-3 r°.

concommittence avec le renforcement, à partir de 1401, des assignations sur les cens nous fait incliner vers la seconde explication.
Dès le 23 mars 1400, en effet, une taille était imposée dans la
Marche d'Ancône pour les gages de Mostarda della Strada [1]. Le
16 août, un subside y était levé au bénéfice du même capitaine [2] :
2 000 francs sur le clergé (porté à 3 000 le 14 oct. [3]) et 5 000 sur les
laïcs. De 1403 à 1407, une taille annuelle de 50 000 florins fut imposée
en faveur de Paolo Orsini [4], également bénéficiaire, lorsqu'il alla
s'établir à Bologne en 1404, d'une assignation de 30 000 florins sur
les recettes du trésorier pontifical dans cette ville [5]. Les habitants
— clergé compris — du duché de Spolète furent imposés de 1401 à
1405 pour le paiement des gages de Mostarda della Strada [6] ; en
1405, la taille fut aussi levée sur le Patrimoine en Tuscie, Fermo et
Recanati [7]. A la mort de Mostarda, les assignations furent main-
tenues à son successeur à la tête de la compagnie, Gentile Megliorato,
le propre neveu d'Innocent VII [8]. En 1406 et 1407, les tailles
imposées dans le Patrimoine en Tuscie, le duché de Spolète et la
Sabine le furent en faveur de Paolo Orsini [9], de même que dans la
Marche d'Ancône, où une partie (20 000 florins) fut cependant dé-
tournée au profit d'autres hommes d'armes [10].

Avec une souplesse souvent génératrice de confusion, les recettes
des trésoriers provinciaux étaient donc assignées dans leur quasi-
totalité, à partir de 1401, aux capitaines des compagnies engagées
par le pape. Nous n'avons cité que les plus connus, mais il est d'autres créances qui ne sont pas minces : le 20 novembre 1404, la Chambre apostolique devait encore 24 000 florins à Conte da Carrara
pour son service jusqu'au 12 octobre précédent ; ou lui assigna
en déduction 13 000 florins sur les cens passés et impayés de Città
di Castello [11], 3 000 sur les recettes du trésorier de la Marche d'Ancône
et 500 sur le cens de Radolfo da Varano [12].

Le compte du « trésorier général de la Chambre de Bologne pour
l'Eglise », Matteo di Tommaso de' Magnani, pour l'année 1406
nous fournit un ordre de rapport quant à l'affectation des recettes
seigneuriales aux charges de la défense. Sur 419 108 livres dépensées [13]

---

1. *Reg. Vat.* 316, fol. 125.
2. *Reg. Vat.* 317, fol. 51 r⁰-52 r⁰.
3. *Reg. Vat.* 317, fol. 61 r⁰-62 r⁰.
4. *Reg. Vat.* 319, fol. 6 v⁰-7 r⁰ ; *Reg. Vat.* 320, fol. 128 r⁰ ; *Reg. Vat.* 333, fol. 232 v⁰-234 r⁰ ; *Reg. Vat.* 334, fol. 72.
5. *Reg. Vat.* 319, fol. 9 v⁰-10 r⁰.
6. *Reg. Vat.* 317, fol. 206 et 269 ; *Reg. Vat.* 320, fol. 108 r⁰-109 r⁰. *Reg. Vat.* 333, fol. 66, 136 v⁰-137 r⁰ et 186.
7. *Reg. Vat.* 333, fol. 253-254 et 261 r⁰-262 r⁰.
8. 29 octobre 1405 ; *Reg. Vat.* 333, fol. 314 ; *Reg. Vat.* 334, fol. 225 v⁰.
9. *Reg. Vat.* 335, fol. 5 ; *Reg. Vat.* 336, fol. 2 v⁰-3 r⁰.
10. *Reg. Vat.* 336, fol. 141 v⁰-142 r⁰.
11. Les cens dus à partir de la Saint-Pierre 1403 étaient assignés à Paolo Orsini.
12. *Reg. Vat.* 333, fol. 102 r⁰-103 r⁰.
13. La recette était de 420 968 livres.

le trésorier en a assigné 63 060 en remboursement d'emprunts. Le reste, soit 85 %, a servi au paiement des cavaliers, hommes à pied, capitaines du château et des portes de Bologne, des châteaux de la commune et de ceux du *contado*, « salariés », hommes du cardinal légat, etc. [1]. Des revenus perçus par le trésorier de Bologne, il n'y avait donc pratiquement aucun revenant-bon qui pût être envoyé à la Chambre apostolique.

On peut donc conclure que, dans une très large mesure, les revenus seigneuriaux de l'état pontifical, cens, tailles sur les habitants, les clercs et les juifs, gabelles et banalités diverses étaient assignés en paiement des charges administratives et militaires du même état pontifical. Dans quelle proportion exacte, les comptes nous manquent pour l'établir. Notons, toutefois, qu'une assignation n'exclut pas un tranfert et que Paolo Orsini n'envoyait peut-être pas son procureur auprès de la dizaine de personnes qui avaient à lui verser une part de sa solde. Pour le trésorier provincial comme pour le vicaire apostolique au temporel, il y avait sans doute lieu à l'envoi d'espèces ou à un change. On peut cependant conjecturer que le meilleur moyen de voir honorer de telles assignations était d'en poursuivre soi-même le recouvrement et que les gens des bénéficiaires ne manquaient pas de talonner les débiteurs, que ceux-ci fussent seigneurs ou simples officiers du pape.

L'usage des revenus proprement ecclésiastiques [2] était bien différent. Leur assiette géographique débordait largement les provinces dont Rome assurait l'administration et la défense. Elle était à ce point étendue — du Portugal à la Norvège — qu'il n'était point question d'assigner sur de tels revenus la pension d'un curialiste, les gages d'un officier ou la solde de gens d'armes italiens. Dans une obédience aussi étirée, les problèmes de recouvrement n'étaient souvent solubles que par les compagnies bancaires disposant de filiales ou, à tout le mois de correspondants.

L'emploi de l'assignation directe sur les débiteurs, analogue à celle qui touchait les cens, était limité par l'éloignement des sources de revenu ou par les moyens de récupération des créanciers. On pouvait bien, le 1er décembre 1405, assigner à Andrea Tomacelli les revenus du prieuré de Barletta en remboursement d'un prêt de 5 000 florins gagé par les cités de Civita Castellana et Teramo [3], de telles mesures n'étaient pas à généraliser : les créanciers de la Chambre n'en eussent pas voulu. Benedetto de' Bardi lui-même n'avait pu, en deux ans, se faire payer sur les vacants de l'évêché de Wloclawek les 4 100 florins qu'il avait versés à la Chambre pour ces mêmes vacants, « à la requête » de l'évêque Niklaus Kurowski [4].

---

1. *Arch. Stato* Bologne, *Tesoraria*, n° 33.
2. Nous ne comptons pas parmi ceux-ci les tailles et subsides imposés sur le clergé des états pontificaux en même temps que sur les laïcs.
3. *Reg. Vat.* 333, fol. 378.
4. Bulles des 30 avril 1399 et 30 avril 1401 ; *Reg. Vat.* 316, fol. 111 ; *Reg. Vat.* 317, fol. 112 r°-113 r°.

Les communs services se prêtaient mieux à l'assignation directe. Dans les années précédant le concile de Pise, la Chambre avignonnaise y recourait. A Rome, on n'attendit pas tant, et l'on en usa plus largement. Dès le 8 mars 1382, la Chambre assignait à l'un de ses créanciers, le Pisan Enrico di Bartolomeo Leoni, 500 florins sur les services de l'archevêque de Pise [1]. Le 2 septembre 1391, le médecin du pape Giovanni da Siena reçut une assignation de 1 200 florins sur les communs services de l'abbé de Fossombrone [2]. Le 28 juin 1394, une provision annuelle de 24 onces de carlins était assignée à Tommaso Filimarini, cousin de Boniface IX, sur les communs services et autres dettes des abbés de San Lorenzo d'Aversa et de Montevergine [3]. Les 1 000 florins prêtés à la Trésorerie par un familier du pape, Jean Wiit de Delft, chanoine d'Utrecht, furent assignés en remboursement, le 12 mai 1393, sur les services de l'évêque de Liège [4]. A l'un des portier du palais pontifical, le Limousin Pierre Joucelin, Boniface IX fit don, le 24 janvier 1401, des sommes dues par les abbés de Bourg-sur-Gironde et de l'Isle-de-Médoc, en récompense de ses services pendant vingt-sept ans [5]. Mais, lorsqu'il s'agit de monastères ou d'évêchés lointains, les assignataires sont plus souvent des marchands ; sans doute Pierre Joucelin reganait-il sa contrée natale, parvenu à la fin de sa carrière.

L'assignation comme instrument de crédit, voilà l'innovation de la Chambre romaine. Avignon ne la connaissait qu'envers les collecteurs, Rome en généralisa l'usage. A ses banquiers Dino et Michele Guinigi, Urbain VI avait donné pouvoir de récupérer en Angleterre les 6 000 florins dus pour leurs communs services par Thomas Arundel, transféré du siège d'Ely à celui d'York, et par Walter Skirlaw, transféré de Bath à Durham [6]. Le 5 août 1398, il assignait aux mêmes Guinigi sur ces sommes le remboursement de ce qu'ils pourraient débourser au nom du pape pour la garantie donnée par leur facteur à Sienne, Francesco di Ser Guini, à des muletiers chargés de transporter du blé pour le compte de la curie. En fait, les Guinigi payaient le transport, assumaient la garantie des risques et se faisaient rembourser par les deux prélats anglais [7]. Trois ans plus tard, Lando Moriconi ayant prêté 2 000 florins à Boniface IX, celui-ci les lui remboursa, le 14 octobre 1391, par une assignation sur les 5 600 florins que devait l'évêque de Lucques pour ses communs services et ceux de ses prédécesseurs. En cas de

1. *Reg. Vat.* 310, fol. 201 v⁰.
2. *Reg. Vat.* 313, fol. 178 v⁰-179 r⁰.
3. *Reg. Vat.* 314, fol. 265.
4. *Ibid.*, fol. 98 r⁰.
5. *Reg. Vat.* 317, fol. 147.
6. Sur ces mouvements épiscopaux, voir Ed. PERROY, *L'Angleterre et le Grand Schisme...*, p. 303-304
7. *Arch. Stato* Lucques, *Archivio Guinigi, pergameni,* + 34.

refus, l'évêque encourait l'excommunication [1]. Il ne refusa pas, il négocia, il excipa de son incapacité : bref, dès le 29 décembre, l'assignation était révoquée [2]. Les gens de la Chambre ne se découragèrent pas : le 16 juillet 1392, ils assignaient 1 700 florins à Antonio Omodeo, banquier génois, sur les communs services de l'évêque de Famagouste [3]. A Nerocio degli Alberti, le 13 septembre 1395, un prêt de 1 000 florins était remboursé par assignation sur les communs services de l'évêque d'Exeter, payable à ses associés de Londres Pietro di Marco, Jacopo di Francesco et Domenico di Matteo Cattivi [4].

Insensiblement, on en venait au procureur forcé, à l'obligation forcée. Le 1er mai 1396, ordre était donné à l'évêque de Salisbury de verser 1 400 florins à Angelo Cristofori, marchand lucquois à Londres, pour le compte de son frère Giovanni qui avait payé cette somme à la Trésorerie et au Sacré Collège en solution des communs services de l'évêque. Dans les mêmes conditions, l'évêque de Chichester devait payer 732 florins et un tiers au collecteur de Guyenne Pierre du Bosc. Le collecteur et le banquier doivent-ils être considérés comme les procureurs des deux évêques ? Certes pas. Lorsqu'un prélat empruntait l'argent de ses services, la Chambre apostolique n'intervenait en aucune manière dans le recouvrement de la créance. Or, non seulement des bulles d'assignation étaient délivrées à Pierre du Bosc et à Giovanni Cristofori, mais d'autres bulles commettaient à l'archevêque de Cantorbéry et aux évêques de Londres et de Coventry le soin de contraindre leurs collègues de Chichester et de Salisbury au paiement de leur dette [5]. L'opération était doublement avantageuse pour la Chambre apostolique : les services de l'évêque étaient payés avec une rapidité inespérée et la Trésorerie bénéficiait d'un véritable emprunt sans que la papauté fût un seul moment débitrice. Le pape empruntait, l'évêque était débiteur.

L'évêque ne reconnaissait pas toujours sa dette avec la soumission qu'eût souhaitée la Chambre. Force était alors de menacer : le 8 avril 1400, ordre était donné à l'évêque de Nagyvarad de contraindre Niklaus, élu d'Erdely, en usant au besoin des peines canoniques, afin qu'il fît payer au marchand florentin Luca di Giovanni la somme versée par celui-ci à la Trésorerie, « à la requête » du procureur de l'élu et pour les communs services de ce dernier [6]. Nous avons montré que les nouveaux prélats se trouvaient parfois obligés

---

1. *Reg. Vat.* 313, fol. 183 v°.
2. *Ibid.*, fol. 245 r°.
3. *Ibid.*, fol. 339 v° ; une autre assignation, de 700 florins. était faite sur la collectorie de Sardaigne (fol. 339 v°-340 r°).
4. *Reg. Vat.* 314, fol. 386.
5. *Reg. Vat.* 315, fol. 96 v°-97 v°.
6. *Reg. Vat.* 316, fol. 347 v°-348 r°.

de recourir au crédit des banquiers [1]. Parfois, ils n'en avaient même plus l'initiative.

Mais la résistance des prélats n'était pas toujours entamée par la menace. Berthold von Wachingen, évêque de Freising, ayant été transféré au siège de Salzbourg, ses procureurs durent faire payer à la Trésorerie les communs services de cet archevêché, soit 5 000 florins, par Ilario de' Bardi, associé de Giovanni de' Medici. Le 21 février 1404, Boniface IX en donnait quittance aux banquiers et ordonnait à l'archevêque de les leur rembourser [2]. Deux ans passèrent. En raison de l'hostilité du chapitre, Wachingen fut transféré à son ancien siège de Freising, gardant sur le temporel de Salzbourg des droits à une pension annuelle de 2 000 florins pendant cinq ans. Medici n'était toujours pas payé des communs services. Le 31 janvier 1406, Innocent VII dut intervenir : il assigna en remboursement aux banquiers la pension due par l'archevêque Eberhard von Neuhaus à son prédécesseur pendant deux ans et demi [3].

Encore l'intervention du procureur de l'élu, pour contrainte qu'elle fût, était-elle effective. A partir de 1406, on ne se soucia même plus d'un semblant de consentement. La Chambre apostolique devant 600 florins au chevalier napolitain Pietro da Somma, dit l'Italiano, on fit savoir à divers évêques que l'Italiano avait payé une part de leurs communs services : 154 florins pour l'évêque de Sessa Aurunca, 217 pour celui de Chieti, 29 pour celui d'Acerra, 50 pour celui de Civita Castellana, 100 pour celui de Teano, 50 pour celui d'Anglona. Tous ces évêques résistèrent et Innocent VII dut charger un commissaire de veiller aux paiements [4]. De la même manière, en février 1408, le cardinal Antonio Caetani avança 200 florins pour l'évêque de Gaëte, 200 pour l'archevêque de Capoue, 91 pour l'abbé de San Stefano de Bologne et 308 pour l'abbé de Rosazzo [5].

L'usage multiplié d'un tel procédé engendra d'extraordinaires résistances. Antonio Panciera da Portogruaro, ancien clerc de la Chambre apostolique devenu patriarche d'Aquilée, devait payer à Paolo Orsini 4 000 florins prétendûment versés par celui-ci pour les communs services du patriarche. On se doute bien qu'Orsini, toujours créancier de la Chambre, n'avait en réalité rien versé et qu'il ne s'agissait que de lui payer une part de sa solde. Surtout, pour les gens de la Chambre, c'était le moyen de faire donner contre Portogruaro la force de Paolo Orsini. On se procurait ainsi 4 000

1. J. FAVIER, *Temporels ecclésiastiques...*, dans le *Journal des Savants*, 1964, p. 122-123 et 126-127.

2. *Reg. Vat.* 320, fol. 223 v⁰-224 r⁰.

3. *Reg. Vat.* 334, fol. 28 r⁰-29 v⁰.

4. 23 août 1406 ; *Reg. Vat.* 334, fol. 177.

5. *Reg. Vat.* 336, fol. 187 v⁰-188 v⁰.

florins que le collecteur Donato Greppa avait été impuissant à faire payer, et l'on mettait fin à une temporisation qui durait, de délais en délais constamment négligés, depuis 1402 [1]. Le patriarche paya-t-il les 4 000 florins ? C'est peu probable : le 21 février 1408, sept mois après l'assignation, Donato Greppa recevait l'ordre de séquestrer le temporel patriarcal et de saisir le produit des créances du patri-arche — en particulier sur le doge de Venise — pour le paiement des communs services et des décimes et la récupération des sommes levées par lui sur son clergé au titre du subside caritatif de 1407 [2]. Le 13 juin, Grégoire XII mettait à exécution la plus terrible de ses menaces : Antonio da Portogruaro était déposé [3].

Malgré quelques abus de ce genre, la Chambre apostolique romaine profitait en définitive fort peu de l'assignation directe sur le clergé. Au contraire des cens, en grande partie assignés, du moins à partir de 1401, les communs services demeuraient payables à la Trésorerie et les autres revenus étaient levés par l'intermédiaire des collecteurs.

Comment ceux-ci disposaient-ils de leur recette ? Là encore, nous retrouvons l'alternative : transfert ou assignation. Disons tout de suite qu'il ne sera point fait état ici des décimes assignées aux princes : décime en Sicile à Ladislas [4] et, en 1407, à Raimondo del Balzo Orsini [5], décime en Allemagne, Brabant et Flandre au roi des Romains Robert de Bavière [6], décime en Pologne à Ladislas [7]. Il ne s'agit plus là de finances pontificales, de revenus du pape assignés à des tiers, mais bien d'impositions sur le clergé en faveur du pouvoir laïque.

La solution de l'alternative était liée à la possibilité qu'avaient d'éventuels assignataires d'aller se faire payer par le collecteur ou d'envoyer près de lui un procureur. Les distances jouèrent à cet égard dans l'obédience romaine un rôle qu'elles ne pouvaient jouer dans l'avignonnaise.

Le plus grand nombre d'assignations visa donc les collectories lombardo-vénitiennes, c'est-à-dire l'ensemble de diocèses répartis, selon les époques, entre les collecteurs de Venise, Lombardie, Gênes et Piémont. On assigna ainsi quelques gages — aux châtelains de Bertinoro [8] et de Castrocaro [9], à des sergents d'armes du pape [10]

---

1. 21 juillet 1407 ; *Reg. Vat.* 336, fol. 69 v°-70 r°. — Voir le *Dict. d'Hist. et de Géogr. eccl.*, t. III, col. 1134.
2. *Reg. Vat.* 336, fol. 191 r°-192 r°.
3. *Reg. Vat.* 336, fol. 227 r°-228 r°.
4. *Reg. Vat.* 316, fol. 89 r° ; *Reg. Vat.* 320, fol. 114 r°.
5. En remboursement d'un prêt de 50 000 florins ; bulle du 6 février 1406 ; *Reg. Vat.* 334, fol. 229.
6. *Reg. Vat.* 320, fol. 183 v°-186 v°.
7. *Reg. Vat.* 316, fol. 308.
8. *Reg. Vat.* 314, fol. 115 v°.
9. *Ibid.*, fol. 110 r°.
10. *Ibid.*, fol. 11 r° et 330.

ou au maréchal Damiano Cattaneo [1] — et la solde de capitaines comme Broglio da Tridino [2], ainsi que des pensions en faveur de membres de la famille pontificale : Carlo Brancacci [3], Giovanella Filimarini [4], Catarina Tomacelli [5], Marcolino Tomacelli [6], notamment. De même fut assigné le remboursement de nombreux prêts consentis à la papauté : par la république de Venise — à qui fut assigné le produit de deux décimes à concurrence, chaque fois, de 6 000 florins [7] — comme par Francesco Cornaro [8], Paolo Savelli [9] ou le marchand romain Lello di Maddalena [10]. Les autres collectories italiennes ne furent au contraire l'objet que de rares assignations : dettes envers des marchands sur la Toscane, envers des gens d'armes sur la Trinacrie et la Marche d'Ancône, envers Antonio Omodeo sur la Sardaigne [11] ; sur les collectories de Spolète, de Pérouse, de Naples, les assignations étaient des plus rares [12].

Nous avons, pour une période de huit ans, les comptes du collecteur de Toscane, Pietro Ricci, de la famille des banquiers [13]. Sur près de 9 300 florins dont il a disposé — compte tenu de ses diverses dépenses — pendant ces huit années, il en a envoyé à la Trésorerie 2 516, soit seulement 27 %. Les assignations faites à des clercs, envoyés de la Chambre apostolique comme Niccolò da Imola et Paolo da Giovinazzo, ainsi qu'au légat Baldassare Cossa atteignent 3 362 florins, soit 36 %. Aussi forte est la proportion des versements faits à des marchands, Moriconi et surtout Ricci : ils ont reçu 3 054 florins en paiement d'assignations et 355 florins pour des fournitures d'étoffes destinées au pape, soit au total 37 %. Paiements *in partibus* de frais de mission d'une part, remboursement de prêts consentis à Rome par des banquiers toscans d'autre part, voilà l'essentiel des versements effectués sur place par le collecteur. Ni rentes, ni gages, ni récompenses, ni charges militaires. En définitive, 5 570 florins — 62 % — vont à la Trésorerie ou, dans le cas de remboursements à des banquiers, lui ont déjà été versés. 3 044 florins — 33 % — sont remis, en Toscane certes, mais à des gens de la curie et pour le fonctionnement de l'administration pontificale ; rien n'exclut qu'une part de ces sommes ait été reversée à la Tré-

1. *Div. cam.* 1, fol. 90 r°.
2. *Reg. Vat.* 315, fol. 49 v°.
3. *Reg. Vat.* 317, fol. 313 v°-314 r° ; *Reg. Vat.* 320, fol. 57 v°.
4. *Reg. Vat.* 315, fol. 276 v° ; *Reg. Vat.* 316, fol. 117 v°-118 r° ; *Reg. Vat.* 317, fol. 31 v°-32 r° ; *Reg. Vat.* 320, fol. 57 v°.
5. *Reg. Vat.* 314, fol. 324 v°.
6. *Reg. Vat.* 316, fol. 344 r°.
7. 17 juin 1405 ; *Reg. Vat.* 333, fol. 266-267. — 28 juillet 1407 ; *Reg. Vat.* 336, fol. 99.
8. *Reg. Vat.* 316, fol. 339 v°-340 r° et 345 r° ; *Reg. Vat.* 337, fol. 77 v°.
9. *Reg. Vat.* 317, fol. 218 v°-220 r°.
10. *Reg. Vat.* 310, fol. 108.
11. *Reg. Vat.* 313, fol. 339 v°-340 r°.
12. *Div. cam.* 1, fol. 115 r°, 124 r°, 126 v° et 128 v°, notamment.
13. 9 juillet 1399-avril 1407 ; *Arch. Stato* Rome, *Camerale* I°, *Collettorie* 1224, fasc. 2.

sorerie par les envoyés, une fois ceux-ci rentrés à Rome. Au contraire de la collectorie lombardo-vénitienne de Venise, celle de Toscane alimente directement la Trésorerie.

Différent est le cas des collectories de l'état pontifical, dont nous avons dit qu'elles étaient souvent visées par des assignations générales et illimitées en faveur des légats et recteurs. Leur recette servait à financer l'administration locale et, surtout, la défense du territoire. En fait, leur revenu n'était plus à la disposition de la Chambre apostolique. Très significatif est à cet égard le compte du collecteur de la Marche d'Ancône pour 1394 : tout ce qu'il n'a pas dépensé pour sa gestion, il l'a versé à Andrea Tomacelli [1].

Une seule collectorie était à la fois assez proche de Rome pour que les assignations fussent acceptées, et assez libre de nécessités politiques et militaires pour qu'elles fussent honorées : c'est celle de Venise.

Après elle, la plus souvent et la plus fortement visée par des assignations était la collectorie de Portugal. La moins rarement et la moins faiblement, pourrions-nous dire avec plus de justesse : trois pensions annuelles (500 florins à deux familiers du pape, Juan de Transtamare et Clement de Facio [2], 250 florins au Génois Giovanni Sauli [3], une somme de 300 florins au Napolitain Bernabò Minutuli [4], 280 florins pour la rançon d'Antonio della Vigna, assignation faite le 1er novembre 1397 et transférée — donc impayée — sur la collectorie d'Angleterre le 5 décembre 1404 [5], voilà ce que l'on avait assigné sur les recettes du collecteur de Portugal avant le 26 mars 1408, date à laquelle Grégoire XII lui ordonna de verser 6 000 florins au trésorier Gabriele Condolmario pour des dépenses faites par lui hors de son office [6], c'est-à-dire lors des négociations avec les Avignonnais.

Les collectories allemandes apparaissent presque exemptes d'assignations. Faites en 1388, celles de 2 300 florins payables à Johann Griff von Griffenberg et Adalbert von Tannham par le collecteur de Cologne et de 1 000 florins payables aux mêmes par le collecteur de Salzbourg, réitérées trois fois en quatre ans, ne semblent pas avoir été finalement honorées [7]. Sur la collectorie de Bohême, on assigna, de novembre 1400 à novembre 1401, un total de 1 683 florins [8] ; sur celle de Pologne, de 1398 à 1407, outre la

---

1. *Arch. Stato* Rome, *Camerale* I°, *Collettorie*, 1229.
2. *Reg. Vat.* 313, fol. 100 v° et 311 v°.
3. *Reg. Vat.* 314, fol. 180 r°.
4. *Ibid.*, fol. 266 v° et 400 r°.
5. *Ibid.*, fol. 275 v°-276 r°.
6. *Reg. Vat.* 336, fol. 217 v°-218 r°.
7. *Reg. Vat.* 313, fol. 337 r°-338 r°.
8. 600 à Marino Buongiovanni, 500 à Giovanni Cristofori et 583 au clerc de la Chambre Pietro da Ascoli ; *Reg. Vat.* 317, fol. 87 v°, 316 v° et 318 v°. On peut également citer une assignation de 150 florins en 1389 ; *Div. cam.* 1, fol. 132 r°.

décime au roi, 2 400 florins [1] ; sur celle de Hongrie, le 1er décembre 1399, 733 florins à Giovanni de' Medici [2] ; sur celle de Brême, le 29 août 1398, 600 florins à un « caporal » de gens d'armes [3]. L'assignation faite le 23 mai 1398 à Francesco da Sanseverino de 1 302 florins que lui devait la Chambre, assignation faite sur la collectorie de Flandre, dut être réitérée deux ans plus tard [4]. Sur les collectories scandinaves, on ne tenta pas la moindre assignation. Nul n'en eût voulu.

Nul, sinon les compagnies bancaires. Elles seules acceptèrent quelques assignations sur la collectorie d'Angleterre [5] : Spinello di Francesco, de Florence, pour 1 515 florins [6], Marcone di Niccolò, d'Ancône, pour 1 000 florins [7], Niccolò Ricci, enfin, pour les 4 000 florins représentant le solde créditeur de son compte de dépositaire [8]. Les compagnies, seules, pouvaient satisfaire à la législation de Richard II imposant une équivalence des achats en Angleterre et des envois de fonds à l'étranger [9]. Elles seules étaient à même de récupérer l'argent des collecteurs lointains : ce n'est plus là un problème d'assignation, c'est un problème de transfert. Les assignations en remboursement à des banquiers ne sont, nous l'avons dit à propos de l'obédience avignonnaise, que des transferts versés par anticipation à la Trésorerie ou dépensés par anticipation pour le compte du pape.

Malgré la faiblesse de la documentation romaine, nous croyons pouvoir dégager une conclusion. Les revenus seigneuriaux du pape, cens et recettes des trésoriers provinciaux, ont avant tout servi à subvenir aux charges de l'état pontifical, aux charges locales comme à la défense de l'ensemble. Avec constance, et surtout à partir de 1400, des cens de vicaires au temporel ont été assignés en paiement de gens d'armes. Les trésoriers ont assumé une autre part de ces paiements, dans la mesure de leurs disponibilités financières, une fois supportées les charges locales. Les collecteurs ont, au contraire, reçu fort peu d'assignations. Ceux de Lombardie et de Vénétie sont, de ce point de vue, une exception.

Le cens était le revenu assignable par excellence : revenu stable, à terme fixe [10]. Le revenu d'une collectorie, à l'opposé, ne pouvait

---

1. *Reg. Vat.* 317, fol. 92 ; *Reg. Vat.* 320, fol. 9 v° ; *Reg. Vat.* 336, fol. 104.

2. *Reg. Vat.* 317, fol. 80 r°.

3. *Reg. Vat.* 315, fol. 313 r°.

4. *Reg. Vat.* 316, fol. 182 v° ; *Reg. Vat.* 317, fol. 46 v°-47 r°.

5. Si l'on excepte l'assignation de 1 000 florins faite le 20 février 1381 à un boucher de Rome pour la fourniture de viande (*Reg. Vat.* 310, fol. 101 v°-102 r°) ou le remboursement de 100 florins prêtés à la Trésorerie, à Pérouse, en 1389, par un prêtre anglais (*Div. cam.* 1, fol. 80 v°).

6. 15 juin 1391 ; *Reg. Vat.* 313, fol. 126 v°.

7. 1er avril 1401 ; *Reg. Vat.* 317, fol. 312 v°-313 r°.

8. 27 février 1407 ; *Reg. Vat.* 335, fol. 59.

9. Ed. PERROY, *op. cit.*, p. 319.

10. Les gens de la Chambre s'efforçaient de contrôler les versements faits dans les provinces ; ainsi lorsque Boniface IX prescrivait à Antonio, comte de Montefeltro, le 2 mai

être assigné que par une administration centrale parfaitement au courant de l'état des recettes et en mesure de contrôler efficacement leur usage. Tel n'était point le cas, nous l'avons montré, de la Chambre romaine. La seule assignation possible était donc l'assignation en blanc : elle ne risquait pas d'excéder les disponibilités du collecteur, mais elle laissait à celui-ci toute latitude dans l'emploi de ses fonds. Nous reviendrons sur ces assignations en blanc que sont les monopoles de transfert.

Par le fait de l'insuffisance du contrôle caméral autant que de la disette financière, les assignations normales furent bien souvent abusives. Même le cens étaient matière à exaction. Le 15 juin 1393, une pension annuelle de 1 140 florins était accordée à Antonio Tomacelli sur le cens des frères da Polenta, vicaires de Ravenne. Or le cens de la Saint-Pierre 1393 était déjà versé lorsque parvint l'assignation. Boniface IX et ses gens ne s'embarassèrent pas pour si peu ; le 1er juillet, ils donnèrent ordre aux vicaires de Ravenne de payer la pension, en avance d'un an sur le cens de 1394, dès cette année [1]. Comme il y avait en tout 1 340 florins de pensions assignés sur un cens de 1 500, il y avait peu de chances pour que cette avance fût rattrappée avant longtemps. Un tel cas n'est pas unique. Le cens de Forli, chargé dès 1398 d'une pension de 300 florins [2], l'était d'une autre pension équivalente le 16 avril 1399 [3] : de 1 000 florins, il n'en restait donc que 400 disponibles. Or, le 23 mars 1399, une assignation de 1 515 florins — près de quatre ans du revenu disponible — était délivrée à Mostarda della Strada [4] et, le 16 février 1400, 264 florins et demi étaient encore assignés sur le même cens [5]. A Città di Castello, la situation était pire : en trois ans et demi, 11 000 florins furent assignés sur un cens annuel de 1 000 [6]. L'indignation des assignés ne devait avoir d'égale que celle des assignataires : les uns et les autres y perdaient à coup sûr.

L'incompatibilité était parfois flagrante. Bien que, depuis 1400, le cens de 450 florins dû par Chiavello de' Chiavelli pour le vicariat de Fabriano eût été assigné tous les ans à Paolo Orsini, un familier du pape en mission reçut, le 6 avril 1407, une assignation de 1 000 florins sur le cens dû à la Saint-Pierre 1407 [7]. C'était là plus de deux annuités. Chiavello semble n'avoir versé que les 450 auxquels

1398, de verser 1 300 florins en déduction de son cens d'Urbino à Giovanello Tomacelli et ordonnait en même temps à ce dernier d'informer aussitôt la Chambre de ce qu'il recevrait ; *Reg. Vat.* 315, fol. 285 v°.

1. *Reg. Vat.* 314, fol. 106 r° et 108 v°.
2. *Reg. Vat.* 315, fol. 319.
3. *Reg. Vat.* 316, fol. 152 v°-153 r°.
4. *Ibid.*, fol. 122 r°.
5. *Ibid.*, fol. 317 v°.
6. *Reg. Vat.* 334, fol. 226 ; *Reg. Vat.* 335, fol. 87 v° et 97-98 ; *Reg. Vat.* 336, fol. 198 r°-199 r° ; *Reg. Vat.* 337, fol. 100 r°.
7. *Reg. Vat.* 335, fol. 87.

il était tenu. Le chiffre exact d'une redevance échappait parfois aux gens de la Chambre romaine : par deux fois, en 1405 et en 1408, ils assignèrent 450 florins sur le cens du vicaire de San Severino [1], cens qui était incontestablement de 400 florins [2] et que l'on assignait ordinairement pour cette somme.

L'état des dettes en matière de communs services ne paraît même pas avoir été connu avec précision des responsables des assignations : l'abbé de Fossombrone était requis, le 2 septembre 1391, de verser au médecin du pape Giovanni da Siena les sommes dues pour ses communs services et ceux de ses prédécesseurs, à concurrence des 1 200 florins dus au médecin par la Chambre et... seulement dans la mesure où il devrait une telle somme [3]. Le débiteur était laissé juge de sa dette !

Quant au collecteur, il s'improvisait juge de l'opportunité du paiement. Nous avons déjà cité quelques exemples d'assignations impayées. N'ajoutons ici que celui d'un collecteur qui motiva son refus : averti d'avoir à servir une pension annuelle de 100 florins à un sergent d'armes du pape, le collecteur Giovanni Manco attendit plus d'un an sans rien verser, puis fit savoir à la Chambre qu'il avait de plus urgentes assignations à exécuter ; les gens de Rome obtempérèrent et transférèrent la pension et ses arrérages sur le cens dû par la commune de Bologne [4].

La mobilité des collecteurs, le caractère éphémère d'un grand nombre, tout cela paralysait bien des assignations. Un collecteur refusait d'exécuter un ordre adressé à la personne de son prédécesseur. L'envoi des bulles d'assignation à « N., collecteur de..., et ses successeurs » n'était que relativement efficace : elles parvenaient rarement aux successeurs. Le plus sûr, c'était de faire réitérer l'assignation ; procédure longue, surtout lorsque le bénéficiaire était lointain. Adressé le 25 mai 1391 [5] au collecteur de Portugal Joâo Homem, l'ordre de servir une pension de 500 florins à Juan de Transtamare dut être renouvelé au collecteur Francesco Cecchi le 20 avril 1392 [6]. L'assignation adressée à Cecchi le 3 juillet 1394 [7] en faveur de Bernabò Minutuli n'avait pas encore reçu d'effet lorsque Cecchi mourut ; on dut la renouveler, le 19 novembre 1395, à son successeur Tommaso Morganti [8].

Quant aux retards et difficultés nés de la collégialité des collecteurs lombardo-vénitiens, ils n'épargnaient même pas les parents du pape. Il fallut réitérer trois fois l'ordre de verser la pension de

1. *Reg. Vat.* 333, fol. 204 r°-205 r° ; *Reg. Vat.* 336, fol. 198 r°-199 r°.
2. *Reg. Vat.* 334, fol. 191 v°-195 v°.
3. *Reg. Vat.* 313, fol. 178 v°-179 r°.
4. Bulles des 10 juillet 1393 et 1er février 1395 ; *Reg. Vat.* 314, fol. 111 r° et 330.
5. *Reg. Vat.* 313, fol. 100 v°.
6. *Reg. Vat.* 313, fol. 311 v°.
7. *Reg. Vat.* 314, fol. 266 v°.
8. *Ibid.*, fol 400 r°.

Giovanello Filimarini : d'abord, par deux fois, à Manco, puis à Mantova, enfin à Manco [1]. Adressée à tous les collecteurs de Lombardie, l'assignation d'une pension à Carlo Brancacci fut d'abord renouvelée [2] ; comme chaque collecteur renvoyait Brancacci à son collègue, elle fut en définitive révoquée et adressée au seul Giovanni da Mantova [3].

De même qu'à Avignon, le désir de décharger la Trésorerie venait à l'encontre du besoin qu'avait celle-ci de numéraire. Le dilemme était dû à l'excès des charges aussi bien qu'à l'insuffisance de revenus. De même qu'à Avignon, on tenta de le résoudre en révoquant à plusieurs reprises les assignations, afin d'accroître les éventuels envois d'or. Le 17 décembre 1393, toutes les assignations faites sur les cens de Romagne étaient rapportées [4] au profit de la Trésorerie. Le 16 juin 1395 étaient annulées toutes les assignations faites sur les cens et sur la recette des collecteurs ; seules étaient exceptées deux pensions en faveur d'un juriste bolognais et d'un médecin du pape [5]. Plus limitée, et n'ayant pour objet que d'assurer l'efficacité d'une assignation privilégiée, fut la révocation, le 20 avril 1404, de toutes les assignations antérieurement portées sur les cens assignés à Paolo Orsini [6].

De même qu'à Avignon, de telles révocations étaient sans effet à long terme pour la Trésorerie. Celle-ci devait payer les sommes précédemment assignées. Très rapidement, on rédigeait d'autres assignations « nonobstant toutes révocations ». Le seul effet, très immédiat, était donc de différer le paiement de sommes que s'apprêtaient à verser les officiers ou débiteurs assignés et de permettre l'arrivée à la curie de quelques liquidités ou, comme dans le dernier cas cité, la satisfaction rapide d'un dangereux créancier.

Ces hésitations, ces incertitudes, ces maladresses nuisaient aux assignations que pouvait faire le pape sur ses revenus plus ou moins lointains. Elles étaient le résultat de l'inorganisation de la Chambre romaine. C'est cependant ailleurs qu'il faut chercher la raison principale de la parcimonie avec laquelle on fit supporter directement par les collecteurs les charges de la papauté romaine. Sauf sur les collectories de Venise, de Lombardie et de Portugal, les principaux assignataires étaient par la force des choses, nous l'avons vu, les compagnies bancaires.

Or, le plus souvent, la Chambre apostolique accordait à ces banquiers de véritables monopoles dont nous montrerons qu'ils sont

---

1. *Reg. Vat.* 315, fol. 276 v° ; *Reg. Vat.* 316, fol. 117 v°-118 r° ; *Reg. Vat.* 317, fol. 31 v°-32 r° ; *Reg. Vat.* 320, fol. 57 v°.
2. *Reg. Vat.* 317, fol. 313 v°-314 r°.
3. *Reg. Vat.* 320, fol. 40 r°.
4. *Reg. Vat.* 314, fol. 171 r°.
5. *Reg. Vat.* 314, fol. 368 v°.
6. *Reg. Vat.* 319, fol. 7 v°-8 v°.

tout simplement la contre-partie d'un compte-courant ouvert au pape et généralement à découvert. Assigner à d'autres le revenu des collectories, c'était, dans ces conditions, retirer aux banquiers les sommes qui leur étaient dues. La papauté n'était donc pas libre : les collectories cautionnaient le crédit bancaire de la Chambre apostolique romaine.

CHAPITRE IX

CHANGE OU TRANSPORT ?

1. *L'alternative.*   Les sommes transférées ne sont, à Rome comme
à Avignon, que la part des revenus pontificaux
non touchée par les assignations. Le montant de ces sommes dépend
donc à la fois du volume des recettes locales et de la politique
menée par la Chambre apostolique en matière d'assignations.
Fonder sur les seuls chiffres fournis par les registres d'*Introitus*
une estimation des revenus pontificaux serait donc, il faut le répéter,
une grossière erreur [1]. Telle collectorie, qui envoie peu d'argent,
est peut-être relativement fructueuse : c'est sans doute le cas de
la Lombardie après 1403. Toute comparaison entre les collectories
doit tenir compte des deux modes d'utilisation des fonds : seul
le chiffre des recettes du collecteur peut être pris en considération.
C'est dire que certaines collectories — comme celle de Lyon —
pour lesquelles nous n'avons d'autre donnée que les versements
faits à la Trésorerie et l'enregistrement incomplètement conservé
des assignations ordonnées, ne sauraient se voir attribuer leur
juste place.

La majeure partie des revenus collectés était, on l'a cependant vu,
adressée à Avignon par les collecteurs avignonnais ; la quasi-totalité
de la recette des collectories non italiennes d'obédience romaine
n'était pas assignée et devait donc être adressée à Rome. Deux
modes de transfert s'offraient alors à l'initiative des gens des
Chambres apostoliques : l'envoi de numéraire et la voie bancaire,
le transport et le change.

La Chambre romaine a peu usé du transport, et cela pour deux
raisons. La première est d'ordre pratique : les revenus disponibles
étaient ceux des collectories lointaines, ceux que l'on ne pouvait
assigner. Or le convoi vers Rome de sacs d'or en provenance
d'Angleterre, de Scandinavie ou de Pologne offrait des risques
certains. La seconde est d'ordre financier : la recette des collectories servait, on l'a dit, de caution au crédit bancaire du pape

---

1. Bien qu'il utilisât la locution ambiguë « comptes de la Chambre », Y. Renouard
avait très nettement marqué la distinction : « ce ne sont, écrivait-il que les comptes du
trésor, et non pas les comptes de la papauté » ; *Les relations des papes d'Avignon...*, p. 33.

romain. Les compagnies marchandes avaient tout intérêt à offrir leurs services, voire à les imposer, pour saisir à la source des sommes sur lesquelles elles avaient une hypothèque ou qui leur appartenaient en fait.

Les collecteurs romains n'ont donc guère eu à se préoccuper d'envoyer leur recette. En 1381, Pavone Griffi envoya de Bohême son chapelain porteur de 1 000 florins [1]. C'est là un cas presque isolé. La plupart du temps, les collecteurs n'avaient qu'à remettre leur argent au facteur, dûment mandaté, de la compagnie ayant traité à cette fin avec la Chambre apostolique. Les nonces chargés de collecter les recettes, en même temps que d'examiner les comptes, devaient récupérer les sommes que les collecteurs négligeaient de remettre aux banquiers ; ils n'avaient nullement pour office de faciliter ou d'effectuer les transferts. Il est d'ailleurs souvent entendu que l'argent était remis aux banquiers par les nonces comme il eût dû l'être par les collecteurs. Pour l'obédience romaine, donc, les transports de numéraire étaient l'exception, et l'initiative des collecteurs demeurait nulle.

Pour Avignon, la situation est bien différente. Le moyen de transfert des fonds est à l'entière discrétion des collecteurs, seules faisant exception les assignations à des marchands en remboursement de prêts consentis à la Trésorerie. Hors ces cas, le collecteur fait de son mieux. La Chambre avignonnaise honore évidemment ses agents locaux d'une confiance que la Chambre romaine ne peut manifester envers les siens. L'initiative du collecteur avignonnais apparaît bien lorsque le mode de transfert change brutalement en même temps que la personne du collecteur. Le recours aux marchands cesse à Tours dès l'arrivée, en 1390, de Pierre de Saint-Rembert. La nomination de Sicard de Bourguerol à Toulouse, en 1382, met fin aux pratiques de son prédécesseur Pellicier — transport par des officiers en mission — et inaugure, après trois changes confiés à des marchands de Montpellier [2], une longue série de transport de numéraire dont le collecteur, qui garde un étroit contact avec la curie, se charge personnellement. Bourguerol transféré à Narbonne, les envois de numéraire se poursuivent, mais son successeur Pierre de Tarascon prise moins les voyages vers Avignon : il en charge son clerc : celui-ci n'effectue pas moins de trente-deux versements à la Trésorerie entre 1387 et 1396, cependant que le collecteur lui-même n'en fait que sept.

Il est des procédés caractéristiques d'un collecteur. Jean François, collecteur de Bourges, qui recourt volontiers aux services des banquiers Ricci et Solario, ne les laisse pas faire seuls les versements à la Trésorerie. Il envoie le plus souvent à Avignon

---

1. *Reg. Vat.* 310, fol. 147 r°.
2. *Intr. ex.* 356, fol. 7 v°, 22 v° et 26 v°.

un clerc, sans doute porteur d'une lettre de change sur Ricci et Solario : le paiement est noté à la Trésorerie comme fait par le marchand et le clerc du collecteur [1]. De cette pratique, caractéristique de Jean François, n'usent ni son successeur à Bourges ni les autres collecteurs qui recourent dans le même temps que lui aux services des mêmes marchands.

Si l'initiative du collecteur avignonnais est libre, son choix est motivé. La distance est l'un des principaux motifs du choix de la voie bancaire. Le collecteur de Provence, par exemple, verse personnellement à la Trésorerie 95 % des sommes dont il dispose, une fois payées les assignations. Celui de Narbonne en porte ou fait porter 94 %, celui de Lyon 92 %, celui du Puy 90 %. La facilité de communications entre ces collectories et le siège de la curie est évidemment la cause déterminante du refus de la voie bancaire : les frais de change apparaissent supérieurs aux risques inhérents au transport de numéraire.

Pour les collectories plus lointaines, la proximité d'une place bancaire importante est la seconde condition du choix [2]. Les deux collecteurs les plus enclins à user du change sont ceux de Paris et de Reims, ce dernier résidant souvent, on l'a vu, à Paris [3]. Les sommes transférées par voie bancaire représentent 68 % des transferts, pour Paris, et 85 % pour Reims ; ces pourcentages doivent être majorés si l'on considère que, dans les premières années du Schisme, une notable part des versements a été faite aux nonces Girard et Murol, lesquels ont à leur tour usé de la voie bancaire [4]. Pour la période où les collecteurs n'ont pas été sollicités sur place par les gens de la Chambre, les changes représentent 83 % des transferts parisiens et 87 % des rémois.

La situation est moins nette pour les deux autres collectories dont les changes sont faits à Paris mais par des collecteurs qui doivent, à cette fin, effectuer le voyage de Paris. Pour Bourges-Poitiers-Saintes, les changes n'atteignent que 37 % des transferts ; pour Tours, 26 % seulement. Significative est en outre l'évolution de ces deux collectories : le transport de numéraire gagne régulièrement du terrain, au détriment de la voie bancaire. Les dix premières années du Schisme voient transporter à Avignon du numéraire représentant respectivement 55 et 43 % des sommes destinées

1. *Intr. ex.* 356, fol. 32 r⁰ ; 358, fol. 22 v⁰ ; 359, fol. 48 r⁰ ; 361, fol. 30 r⁰ ; 363, fol. 11 v⁰ et 32 r⁰ ; 365, fol. 26 r⁰ ; 366, fol. 17 r⁰ ; 367, fol. 13 r⁰, etc.

2. On notera que, à l'intérieur de l'état bourguignon, les receveurs ducaux préféraient le transport matériel à la lettre de change. Les seuls transferts régulièrement assurés par change étaient ceux de Flandre, en raison de la présence d'une grande place bancaire, Bruges. Là encore, nous trouvons donc les deux mêmes critères : distance et place bancaire. Voir : A. Van Nieuwenhuysen, *Le transport et le change...*, dans la *Revue belge de Philol. et d'Hist.*, XXXV, 1957, p. 55-65.

3. Voir ci-dessus, p. 108.

4. Les Rapondi ont versé pour ces nonces 4 600 francs à la Trésorerie entre octobre 1381 et mai 1382 ; *Intr. ex.* 354, fol. 51 v⁰, et *Intr. ex.* 355, fol. 15 r⁰ et 32 v⁰.

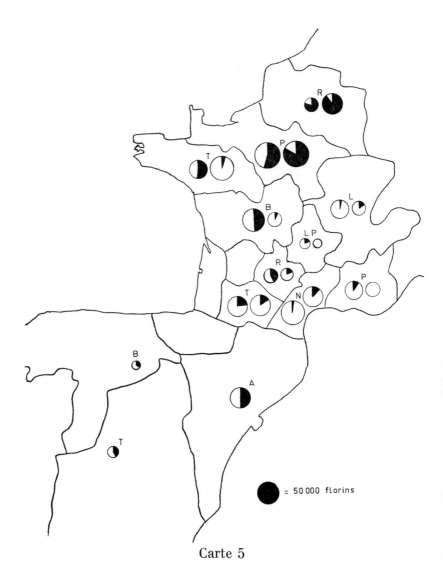

Carte 5

MODE D'ENVOI A LA TRÉSORERIE
DES FONDS RECUEILLIS PAR LES COLLECTEURS

noir : par marchands ;   blanc : transport de numéraire.

Cercle de gauche : 1378-1387
—   droite : 1388-1398

LES TRANSFERTS DES COLLECTORIES A LA TRÉSORERIE (1378-1398)
LA PART DES CHANGES

	1378-1388			1388-1398			1378-1398		
	Tr.	Ch.	%	Tr.	Ch.	%	Tr.	Ch.	%
Paris............	72 839	38 806	53	74 482	61 623	83	147 321	100 429	68
Reims...........	18 908	14 988	79	46 488	40 323	87	65 396	55 311	85
Tours	37 116	21 089	57	55 599	2 871	5	92 715	23 960	26
Bourges..........	52 963	23 519	45	20 326	3 910	17	73 289	27 429	37
Rodez...........	20 321	8 121	40	15 373	2 585	17	35 694	10 706	29
Le Puy	12 949	2 241	17	9 482	0	0	22 431	2 241	10
Lyon	32 692	1 071	3	19 897	3 276	16	52 589	4 347	8
Toulouse.........	42 971	9 061	21	39 847	6 525	16	82 468	15 586	19
Narbonne	58 745	2 035	3	39 146	4 251	11	97 891	6 286	6
Provence.........	33 140	2 728	8	24 032	0	0	57 172	2 728	5
Metz				566	0	0	566	0	0
Bordeaux	200	0	0				200	0	0
Aragon	2 701	0	0	50 865	27 382	54	53 566	27 382	51
Tolède..........	3 226	0	0	14 329	7 014	49	17 555	7 014	40
Burgos..........	2 500	0	0	8 050	3 004	37	10 550	3 004	29
Portugal	600	500	83				600	500	83
Piémont	3 000	0	0	100	100	100	3 100	100	3

N. B. — Les totaux sont donnés en florins de la Chambre. Le pourcentage est celui du volume des fonds transférés par voie de change au volume général des fonds transférés des collectories à Avignon.

à la Trésorerie ; ces chiffres passent, dans les dix années suivantes, à 83 et 95 %. Tant qu'à transporter de l'or, on le porte directement à Avignon plutôt qu'à Paris.

Le même phénomène se constate en Espagne. De Barcelone comme de Séville, les collecteurs d'Avignon et de Tolède peuvent changer sans difficulté sur Avignon ; la moitié de leurs envois passe par la voie bancaire. Le collecteur de Burgos, au contraire, ne dispose d'aucune grande place financière ; les changes ne représentent qu'un tiers environ de ses transferts. De toutes façons, un clerc ou un sous-collecteur prend la route ; c'est parfois celle de Barcelone, où il va chez le banquier, mais c'est plus souvent celle d'Avignon où il porte lui-même les florins de la recette.

2. *Le transport de numéraire.*   Au collecteur qui préférait envoyer de l'or, ou qui ne pouvait éviter un tel envoi, divers problèmes se posaient. Fort délicat était, en tout premier lieu, le choix du convoyeur. Le personnel du collecteur était relativement peu nombreux : rares étaient ceux qui, outre le personnel purement domestique, ne se contentaient pas d'un notaire ou d'un clerc. Se priver des services de ce familier

pendant plusieurs semaines, et cela plusieurs fois par an, était évidemment ennuyeux. Or le collecteur ne pouvait songer à confier des sommes parfois élevées à un simple domestique.

Certains collecteurs apportaient donc eux-mêmes l'argent; il s'agit des plus proches voisins de la curie. Le collecteur de Provence portait presque tous ses versements, et cela jusqu'à huit ou dix fois par an [1]; son mérite était mince. Celui de Narbonne n'avait pas moins de facilité; en 1385, Arnaud André, qui résidait à Avignon, effectua lui-même dix-sept versements sur les dix-neuf faits pour sa collectorie [2]. Son successeur Jean Martin, bien que résidant en Languedoc, apportait lui-même 96% de ses versements [3]. A Toulouse, nous l'avons dit, Sicard de Bourguerol effectua personnellement une série de versements qui représentent, de 1384 à 1387, 80% des envois en numéraire, mais son successeur ne porta lui-même à Avignon, en sept fois, que 16% de ses versements. Quant à Pons de Cros, collecteur du Puy, il a porté, de 1382 à 1398, 84% de ses envois de fonds : 18 276 florins sur 21 669 [4].

Le collecteur de Lyon, au contraire, ne porta lui-même son or que de façon très épisodique. De même celui de Rodez : de 1381 à 1397, Raymond de Senans n'apporta que 8 535 livres sur 35 330 versées à la Trésorerie, soit 24% [5]. Les collecteurs lointains, enfin, venaient fort rarement. En trente ans, on a vu quatre fois un collecteur de Paris porter à Avignon son revenant-bon [6], et une fois celui de Reims, à l'occasion d'une reddition de comptes [7]. Sur ce qui était matériellement transporté en numéraire de la collectorie d'Aragon, le tiers environ était convoyé par le collecteur en personne; mais ses collègues de Tolède et de Burgos laissaient à autrui le soin d'apporter à la Trésorerie l'or castillan.

Le plus souvent, c'est à leur clerc, leur notaire ou leur familier que les collecteurs faisaient confiance. Certains de ces serviteurs étaient bien connus à la curie, tels le damoiseau Guinotot Bonafos, familier de Raymond de Senans, ou le prêtre Hugues Costin, fidèle convoyeur des versements de Pierre de Tarascon, collecteur de Toulouse. Il n'était pas rare non plus qu'un sous-collecteur fût chargé d'une telle mission. Ainsi les sous-collecteurs de Vienne, de Valence et de Viviers vinrent-ils fréquemment à la Trésorerie entre 1381 et 1385 [8]. Ceux de la collectorie de Tours se relayèrent :

---

1. Treize fois en 1389 ; *Intr. ex.* 365 et 366.
2. *Intr. ex.* 359 et 361.
3. *Coll.* 159, fol. 446-450.
4. *Coll.* 85, fol. 468-533.
5. *Coll.* 84 et 86.
6. Le seul versement important est celui de 9 107 florins fait par Jausserand le 30 avril 1386 ; *Intr. ex.* 361, fol. 20 r°.
7. 700 francs le 20 mai 1391 et 300 francs lors de l'apurement du compte, le 6 juillet ; *Intr. ex.* 367, fol. 30 v° et 36 v°.
8. *Coll.* 374, fol. 112 r° ; *Intr. ex.* 338, fol. 22 v°-23 r° et 36 r° ; 355, fol. 3 v° ; 356, fol. 25 v° ; 359, fol. 44 v°-45 r°.

celui du Mans d'abord, en 1389 et 1390 [1], puis ceux de Rennes [2] et, ensuite, de Vannes [3], celui de Nantes en 1392 [4], celui d'Angers enfin, en 1393 et 1397 [5]. Dans la collectorie de Bourges, les sous-collecteurs de Bourges et de Luçon vinrent à Avignon par alternance de 1393 à 1396 [6].

C'est surtout Raymond de Senans qui a usé de son personnel pour le convoi du numéraire. De 1386 à 1397, il a envoyé 14 940 livres à la curie [7]. Lui-même en a porté 3 768. A divers clercs de sa collectorie il a confié 337 livres. Mais ses clercs et serviteurs en ont convoyé 6 400, le sous-collecteur de Vabres 267, celui de Castres 1231 et enfin celui de Rodez, Bernard Bruguier, 2 937.

La plus grande diversité régnait donc : le collecteur était vraiment maître de ses moyens. La seule intervention de la Chambre apostolique consistait en l'envoi de gens chargés de racler le fond des coffres et de récupérer au jour le jour la recette des collecteurs. Pour les nonces envoyés à travers les provinces de l'obédience, comme Girard, Murol et Marle, afin de ranimer les fidélités, la récupération des fonds collectés était en premier lieu un moyen de financer leur mission [8] ; ils adressaient à la Trésorerie ce qu'ils n'utilisaient pas. Pour de simples sergents d'armes, ce pouvait être au contraire l'essentiel de leur mission. C'est dans la collectorie de Rodez que de tels envoyés furent le plus souvent dépêchés, et auprès des sous-collecteurs — probablement assez indépendants — autant que du collecteur lui-même. Ainsi, de décembre 1381 à février 1382, Raymond Rouge réunit-il 1 488 florins [9] ; en 1389, Bertrand Aloys rapporta 1 699 florins [10] ; en 1393 et 1394, François de Nurcie reçut 925 florins du seul collecteur [11].

Les pourvoyeurs et sergents envoyés pour acheter des denrées à l'usage du palais pontifical recevaient des collecteurs, on l'a vu, l'argent nécessaire à l'accomplissement de leur mission, mais ils ne rapportaient jamais de numéraire.

Le transport n'allait pas sans quelques inconvénients. Le pire, c'était l'embuscade, le vol dans une auberge, voire l'assassinat du transporteur. Pons de Cros avoue, dans son compte, avoir acheté une lettre de change car il y avait trop de danger à faire

1. *Intr. ex.* 366, fol. 8 r°, 34 v° et 42 r°.
2. *Ibid.*, fol. 39 v°.
3. *Ibid.*, fol. 51 v°.
4. *Intr. ex.* 369, fol. 34 r°.
5. *Intr. ex.* 370, fol. 22 r° ; *Intr. ex.* 374, fol. 26 v°.
6. *Intr. ex.* 370, fol. 30 v° ; *Intr. ex.* 372, fol. 8 v°-9 v°.
7. Ceci ne tient pas compte des 8 407 livres récupérées par des nonces et sergents d'armes, ni des 1 900 livres envoyées par change sur Jean de Prades ; *Coll.* 86.
8. *Coll.* 359 A, fol. 208 r°, par exemple.
9. *Coll.* 374, fol. 83 r°-84 r° ; *Intr. ex.* 355, fol. 7 r° et 15 v°.
10. *Intr. ex.* 365, fol. 39 r°.
11. *Intr. ex.* 370, fol. 41 v° ; 371, fol. 16 r°.

le voyage d'Avignon avec de l'or [1]. Le sous-collecteur de Mende, sollicité d'envoyer sa recette, répondit qu'il avait 250 francs, partie en or, partie en monnaie, mais que pour rien au monde il ne les porterait lui-même au collecteur à cause du danger de la route ; force fut au collecteur de conclure pour ce transfert un contrat avec des marchands du Puy [2]. De même changeait-on, en 1379, de Montpellier sur Avignon, en raison des compagnies qui infestaient la région [3].

La charge financière, elle, était constante. On peut même parler de charge double, puisque s'ajoutait aux frais du voyage le coût du nécessaire change manuel.

Les frais de voyage étaient peu importants. Notaire ou clerc du collecteur, l'envoyé était rémunéré globalement, à l'année, par son employeur. Sa fonction faisant de lui un perpétuel itinérant, peu lui importait de parcourir la collectorie ou d'aller à Avignon. Sous-collecteur, il était rémunéré par un bénéfice et, dans les dernières années du Schisme, certains percevaient un salaire annuel. Tout au plus pouvait-il alors prétendre au remboursement d'un cheval mort pendant le voyage. Seul le collecteur, et seulement lorsque, accompagné de ses gens, il venait rendre ses comptes, avait droit à une indemnité proportionnelle au temps passé en route et à la curie : pour une reddition de comptes, ce temps pouvait être fort long [4].

Les risques et le coût du voyage étaient donc réels pour les collectories avignonnaises, mais il est évident que ces mêmes risques et coût rendaient impossible le convoi vers Rome des versements du collecteur de Danemark ou de celui de Portugal. Le collecteur avignonnais n'avait ni à passer la mer ni à traverser de territoire ennemi.

Le coût du change manuel était notable. Dans la grande majorité des cas, le collecteur percevait de la menue monnaie. Annates, décimes, dépouilles se traduisaient dans son coffre par une masse de monnaie blanche qu'il fallait convertir en or, plus aisément transportable. Or la Chambre avignonnaise supportait les frais de ce change, au contraire de la Chambre romaine qui, toujours méfiante — et à bon droit — envers ses agents, laissait à leur charge les périls et les débours.

Certains collecteurs ont porté dans leur compte la mention très précise de ces changes manuels. Ceux de Pons de Cros, collecteur du Puy, particulièrement enclin au transport de numéraire, sont significatifs [5]. De 1382 à 1390, le taux de change oscille entre 3 et 6 deniers tournois par franc ou florin acheté : de 1,25 à 3,4%.

1. *Coll.* 85, fol. 487 r⁰.
2. *Ibid.*, fol. 496 r⁰.
3. *Intr. ex.* 360, fol. 26 v⁰.
4. Pierre du Pont, collecteur de Toulouse, passa ainsi sept mois et treize jours, avec trois familiers ; il reçut pour ce temps-là 831 livres tournois ; *Reg. Av.* 325, fol. 568-570.
5. *Coll.* 85, fol. 468-506.

LES CHANGES MANUELS DU COLLECTEUR DU PUY

Date	Monnaie	Or acheté	Taux	Coût	Taux
1382, 12 novembre.......	120 l. t.	120 fr.	4 d./fr.	2 l.	1,7 %
20 novembre.......	60 —	60 —	4 d./fr.	1 l.	1,7 %
1383, 9 mars	500 —	500 —	4 d./fr.	8 l. 6 s. 8 d.	1,7 %
1384, 2 mars	400 —	400 —	3 d./fr.	5 l.	1,25 %
décembre	600 —	600 —	5 d./fr.	12 l. 10 s.	2,1 %
1385, mars	516 —	516 —	1 ob. roy /fr.	10 l. 5 s.	2 %
1386, 12 mars.	400 —	400 —	2 %	8 l.	2 %
1387, janvier	225 —	225 —	6 d./fr.	5 l. 12 s. 6 d.	2,5 %
1388, juin.............	150 —	150 —	2 %	3 l.	2 %
vers novembre	200 —	écus, francs et florins	5 d./fr.	4 l. 3 s. 4 d.	2,1 %
1389, juin.............	100 —	100 fr.	4 d./fr.	1 l. 13 s. 4 d.	1,7 %
novembre	400 —	fr. et écus	6 d./fr.	10 l.	2,5 %
1390, mai	200 —	444 écus	8 d./écu	6 l. 13 s. 4 d.	3,4 %

En 1391 et 1392, le sous-collecteur de Reims paya 28 sous parisis pour acheter 172 francs, celui de Châlons 30 sous tournois pour changer 70 livres de monnaie en florins, celui de Noyon 16 sous pour l'achat de 100 florins. Le cours de l'or était relativement bas, dans la province de Reims : deux deniers le franc, environ, à Noyon, un denier l'écu à Amiens [1]. Là encore, le collecteur profitait de la proximité d'une place commerciale et financière : l'or y était abondant, donc peu cher.

L'afflux d'or mettait évidemment les cours de l'or assez bas à Avignon. Le 14 mai 1383, le changeur Maffredo Frami prenait deux deniers par florin [2], soit près de la moitié du cours appliqué au Puy. On doit noter que la charge pesant sur une collectorie comme celle du Puy, située à l'écart des grands mouvements d'argent, était relativement lourde.

Certains agents de la Chambre étaient, quant au coût des changes manuels, particulièrement précautionneux. Il fallait éviter que l'on pût ensuite contester les cours et objecter qu'il était possible de se procurer de l'or à meilleur compte. Or, si la Chambre apostolique supportait les frais du change, elle ne le faisait pas les

1. *Coll.* 194, fol. 295-314.
2. *Intr. ex.* 356, fol. 91 v°.

yeux fermés. Il était aisé, nous l'avons montré, pour les collecteurs de tromper la Chambre sur les changes ; il est également possible qu'ils aient craint de n'être pas crus — même en étant de bonne foi — lors de l'examen de leur gestion [1]. Combien de collecteurs et de sous-collecteurs qui n'ont rendu qu'une seule fois leurs comptes et n'étaient donc pas informés, comme nous le sommes, des tolérances et des exigences de la Chambre apostolique...

Le 10 mars 1394, à Séville, chez le Génois Lodovico Cattaneo, le sous-collecteur Miguel Rodriguez procédait à une véritable enquête en présence d'un notaire. Séparément, il interrogea Cattaneo et ses voisins, les changeurs Juan Sanchez et Pedro Martinez ; ayant à acheter des doubles morisques et des florins d'Aragon pour effectuer divers paiements, pour envoyer au collecteur et pour remettre au nonce Dominique de Florence, évêque d'Albi, le sous-collecteur se fit certifier la valeur des espèces d'or : 40 marabotins le double, et 23 marabotins 2 deniers le florin ; ce cours était alors établi depuis plusieurs jours. Pour sa sécurité, le collecteur alla jusqu'à faire dresser un constat notarié, qu'il joignit à ses comptes à l'intention des gens de la Chambre apostolique ; ceux-ci lui en surent gré [2].

Grâce à ces quelques données — que l'imprécision des termes « monnaie » et « monnaie blanche » ne permet malheureusement pas de comparer — nous pouvons affirmer que le transport de numéraire vers Avignon ne supprimait pas le recours aux marchands. Trop simple est l'image du collecteur acheminant les pièces versées par les bénéficiers de sa province. On connaît le cas, rapporté avec quelle véhémence par Jean Petit [3], de ce collecteur qui refusait les florins de la Chambre dont prétendait se servir pour son paiement un clerc français : « les officiers du pape lui dirent que lesdiz florins ne panroient pas en paiement, pour ce que c'estoit monnoie qui n'estoit pas en usage en ce royaume, mais seroient advaluez afin qu'ils eussent le gaing de l'advaluation » [4]. Cas limite, sans doute, de la mauvaise volonté d'un collecteur. Les exemples connus nous montrent plutôt les collecteurs obligés de changer, aux frais de la Chambre, les espèces intransportables reçues du clergé local. Quant à la monnaie d'argent du pape acceptée par Pons de Cros, il dut la changer, en janvier 1387 et en mai 1390, à un cours relativement élevé : 6 deniers le franc et 8 deniers l'écu [5].

---

1. Le même problème se posait aux receveurs bourguignons : on voit les gens des comptes de Dijon se faire certifier par leurs collègues de Lille le cours des espèces flamandes à une époque déterminée ; A. Van Nieuwenhuysen, *loc. cit.*, p. 64.
2. *Instr. misc.* 3625.
3. J. Favier, *Temporels ecclésiastiques, loc. cit.*, p. 121-122.
4. Arch. nat. X[1] a 4787, fol. 363 r°.
5. *Coll.* 85, fol. 491 v° et 506 r°.

Lourde charge, donc, que le change manuel, mais qui n'était pas propre à favoriser la voie bancaire. Car, de toutes façons, le collecteur se présentait porteur de « blancs » et le cambiste qui acceptait cette monnaie ne la prenait pas sans droit de change. Même les espèces d'or, dont on pouvait craindre qu'elles ne fussent sous-évaluées à Avignon, devaient être changées sur place. En janvier 1392, le sous-collecteur d'Arras changeait, avec l'accord du clerc du collecteur, les espèces de sa recette : nobles de Bourgogne, oboles d'or de Hainaut, écus de Flandre, deux florins de 26 sous 6 deniers, et un ange de Bourgogne à 22 sous[1]. Le change tiré sur Avignon, contrat ou lettre de change, ne venait qu'ensuite.

Il n'est d'ailleurs pas assuré que Rapondi, Ricci, drapiers lombards ou marchands toscans acceptassent la monnaie en telle quantité. Dans le courant de 1392, le sous-collecteur d'Amiens changea pour plus de 1 200 écus les « blancs » de sa recette : il lui fallut s'adresser aux changeurs, non aux grandes compagnies, qui n'avaient pas l'usage d'une telle masse de métal blanc ou noir[2]. Lorsque le même marchand assurait les deux opérations, il ne négligeait pas de prélever un double droit. Avant de payer 5 francs pour une lettre de change de 340 francs sur Avignon, Pons de Cros paya, le 20 novembre 1382, un franc pour le change manuel de 60 livres de monnaie incluses dans les 340 francs. Que le reste de la somme fût en or ne doit pas tromper sur le métal ordinairement reçu par le collecteur : ces 340 francs avaient été empruntés par lui à d'autres marchands du Puy[3]. De même, le 12 mars 1386, pour envoyer 400 francs à la Trésorerie, paya-t-il 5 francs pour le change tiré et 8 francs pour le change manuel de 400 livres tournois de monnaie en ces 400 francs[4] : toute la recette était bien en monnaie.

Quel que fût le mode de transfert adopté, la Chambre apostolique devait donc supporter le coût de changes manuels. Le transport de numéraire ne présentait, dans ces conditions, aucun intérêt. Il occupait du personnel, il faisait perdre du temps, il présentait des risques, peut-être plus redoutés que véritablement éprouvés. On n'y recourait donc que dans deux cas : lorsqu'un envoyé du collecteur — ou le collecteur lui-même — devait de toutes façons gagner la curie, et lorsque l'éloignement d'une place financière rendait secondaire et difficile le recours à la voie bancaire.

3. *Le change.*   Chaque fois qu'il le pouvait, le collecteur avignonnais évitait le transport. C'est aux agents les plus voisins d'Avignon, et à eux seulement, que le camérier écri-

1. *Coll.* 194, fol. 310 v°.
2. *Coll.* 194, fol. 302.
3. *Coll.* 85, fol. 468 v°.
4. *Ibid.*, fol. 487 v°.

vait : « Apportez sur le champ l'argent reçu, ou faites-le porter »[1]. Souvent, le collecteur était laissé juge d'un *modus securus*[2]. La préférence du camérier allait cependant à la voie bancaire, à la lettre de change.

S'il prenait des précautions, c'était moins contre la perte — elle eût été sans gravité, la lettre ne pouvant être payée à un autre qu'au bénéficiaire — que contre le retard qui en serait la conséquence. A plusieurs reprises, enjoignant à un collecteur d'envoyer sur le champ sa recette, Pierre de Cros et François de Conzié précisèrent que l'envoi devait être fait *per litteras cambii vel citius tute fieri poterit*, par lettre de change ou par le moyen le plus sûr, et ordonnèrent en outre : *De hiis autem que vos assignare continget per cambia supradicta, duo consimilia instrumenta confici faciatis publica, quorum uno penes vos retento reliquum dicte Camere mittere non tardetis*[3]. Deux instruments publics, l'un pour le collecteur, l'autre pour la Chambre ! Si jamais la lettre de change n'a été que l'ordre d'exécuter un contrat de change, c'est bien — semble-t-il au premier abord — pour le compte de la précautionneuse et traditionnaliste Chambre apostolique.

L'existence de tels contrats de change est attestée. Le 5 juin 1393, le sous-collecteur de Séville Miguel Rodriguez se présentait au domicile de Francesco di Gentile, marchand génois établi à Séville, et lui achetait une lettre de change de 400 doubles morisques payable à Avignon par Federigo Imperiale dans les quinze jours de sa présentation. C'est là que le problème devient complexe : le sous-collecteur ne disposait pas d'un courrier pour porter la lettre de change et, s'il la confiait au marchand, il n'avait plus rien pour sa décharge. Aussi convoqua-t-il un notaire qui dressa une quittance du marchand au sous-collecteur pour la somme de 400 doubles[4]. Le sous-collecteur garda la quittance, qui lui tint lieu de décharge jusqu'à l'apurement de ses comptes. Le 16 juillet, Imperiale versait à la Trésorerie 480 florins de la Chambre en 600 florins courants[5].

L'acte notarié n'était pas, dans ce cas, un contrat de change à proprement parler. C'était une quittance. Le marchand qui achetait une lettre de change opérait pour son compte et recevait la lettre qu'il envoyait par ses propres moyens. Le collecteur devait des comptes ; il n'avait pas toujours les moyens d'assurer l'envoi de la lettre[6]. Une quittance était donc nécessaire pour sa sécurité.

---

1. Lettre au trésorier du Comtat ; *Instr. misc.* 5282, pièce n° 6.
2. *Instr. misc.* 3148.
3. Lettre close du 21 octobre 1381 ; *Coll.* 359, fol. 93 r°.
4. *Instr. misc.* 3593.
5. *Intr. ex.* 370, fol. 34 v°.
6. On sait que les compagnies bancaires assuraient l'acheminement de la correspondance pontificale ; Y. RENOUARD, *Comment les papes d'Avignon expédiaient leur courrier*, dans la *Revue historique*, CLXXX, 1937, p. 1-29.

D'ailleurs, certains collecteurs n'avaient aucune confiance dans les banquiers. Ils n'usaient de la lettre de change que pour éviter les risques de perte du numéraire, et ils faisaient porter cette lettre, à leurs coûts et désagréments, par leurs propres familiers. Jean François, collecteur de Bourges, était coutumier du fait : ses versements furent, le plus souvent et jusqu'à l'abandon de la voie bancaire en 1391, effectués à la fois par un marchand d'Avignon, Solario ou Ricci, comme correspondant du marchand parisien Simone Damiani, tireur du change, et par un envoyé du collecteur, le chanoine de Bourges Simon Le Jay [1]. On peut conjecturer que le chanoine apportait les lettres de change et les présentait aux tirés.

Deux mentions fort nettes, portées en *Introitus* les 31 décembre 1388 et 24 mai 1389, concernent des changes de Barcelone. Guillaume Boudreville, collecteur d'Aragon, et son neveu Jean Boudreville, collecteur de Burgos, avaient acheté à Barcelone de l'Astesan Francesco Scarampi des lettres de change payables à Avignon à Pierre Vivien et Jaime Simon, notaires des collecteurs ; Vivien et Simon présentèrent les lettres à Catalano della Rocca, associé de Scarampi ; avec lui, ils vinrent à la Trésorerie, où Catalano paya les changes [2].

Certains collecteurs préféraient ne point s'encombrer d'or en venant eux-mêmes à Avignon. Ainsi voyons-nous Pons de Cros dépenser 5 francs le 2 mars 1384 pour faire payer à Avignon 500 francs que des marchands lui avancent avec un intérêt de 8 livres 6 sous 8 deniers. La lettre de change sert donc ici d'instrument de crédit au preneur, non au tireur. Cros change également 400 livres de monnaie en 400 francs d'or au taux assez bas de trois deniers, qu'explique le fait que le changeur gagnait par ailleurs sur le change tiré [3]. Et c'est bien le collecteur qui verse lui-même à Avignon, les 12 et 17 mars, 1 174 francs, soit le montant de sa lettre de change et de l'or acheté, ajouté à l'or qu'il détenait auparavant [4].

---

1. *Intr. ex.* 338, fol. 22 v° ; 356, fol. 32 r° ; 359, fol. 48 r°, par exemple.
2. *Die eadem* (31 déc. 1388), *cum venerabilis vir dominus Guillelmus de Bodravilla, canonicus Parisiensis, in Terraconensi et Cesaraugustanensi provinciis ac regno Majoricarum apostolice Sedis nuntius et collector, de pecuniis per ipsum in sua collectoria receptis ad Cameram apostolicam pertinentibus, de quibus computare tenetur, nuper fecerit cambium in civitate Barchinonensi cum Francisco Scarampi, mercatore Astense ibidem commorante, de mille florenis auri de Aragone, qui valebant, quolibet pro .XI. s. et quolibet francho pro .XVI. s. et .II. denariis monete Barchinonensis computato, .VI*c*. LXXX. franchos auri .XII. s. .VI. d. monete Avinionensis, quos dictus Franciscus debebat hic Avinione facere solvi et assignari Camere supradicte, hinc est quod ista die Cathalanus de Rocha, campsor Avinionensis, socius et nomine dicti Francisci, et magister Petrus Viviani, notarius dicti collectoris, in solutione et satisfactione dicte summe solverunt et assignarunt Camere supradicte, in scutis auri novis de Francia, octo scutis pro novem franchis computatis, .VI*c*.LXXX franchos auri .XII. s. .VI. d., valentes : .VII*c*. XXIX. florenos Camere .VI. denarios.* — Même texte le 24 mai 1389. *Intr. ex.* 365, fol. 10 v° et 33 r°.
3. *Coll.* 85, fol. 477 r°.
4. *Intr. ex.* 338, fol. 21 r°.

Il paraît donc bien que les collecteurs, pour autant qu'ils ont pu en user, apprécièrent la lettre de change. Mais, faute de courriers, ils furent souvent contraints de faire confiance aux banquiers pour l'acheminement de lettres tirées précisément sur eux, ce à quoi certains collecteurs répugnaient visiblement ; sinon, ils devaient quand même envoyer un porteur à la curie. Dans ces conditions, le collecteur du Puy pouvait apporter à Avignon une lettre achetée au Puy, mais le collecteur de Bourges devait finalement renoncer à envoyer d'abord son messager, porteur d'or, à Paris, pour l'envoyer ensuite à Avignon muni de la lettre de change.

Que coûtait la lettre de change ? On sait que, pour satisfaire aux exigences de la législation ecclésiastique, le profit du cambiste ne pouvait provenir que de la différence de cours entre les deux places [1]. Nous ne saurions donc établir un taux de change général qui rendrait compte du coût de la voie bancaire. Sur de longues distances, les différences de cours peuvent être assez fortes. Ainsi le double morisque est-il compté en 1393 à Avignon pour 18 gros lorsque le florin de la Chambre en vaut 14, cependant qu'à Medina del Campo, où le double vaut 40 marabotins, le florin de la Chambre est compté pour 28 [2]. Une lettre de 40 florins se paie donc 28 doubles à Medina, alors que le cambiste avignonnais peut avec 40 florins se procurer 31 doubles et 2 gros. Le cambiste gagne donc 11 %. Les collecteurs, certes, s'abstiennent de changer à Medina del Campo. Mais le collecteur de Tolède change à Séville. Dans le cas, déjà cité, des 400 doubles envoyés par Miguel Rodriguez, la Chambre reçoit 480 florins, selon le taux d'Avignon, alors que le taux de Séville donnait à ces 400 doubles une valeur de 533 florins. Le gain du changeur est bien de 11 %.

Mais c'est là un cas exceptionnel. De Barcelone, en effet, le change sur Avignon est beaucoup moins onéreux. Les 1 000 florins d'Aragon versés par Calvi le 8 juin 1398 sont comptés pour 21 sous 4 deniers l'un, alors qu'ils valent à Barcelone 21 sous 6 deniers avignonnais. Les marchands gagnent donc 7 florins 16 sous par mille, soit 0,76 %, et versent 711 florins de la Chambre 3 sous 3 deniers au lieu de 716 florins 19 sous 8 deniers [3]. La monnaie de compte avignonnaise est constamment sous-évaluée à Barcelone : compté pour 21 sous 6 deniers à Avignon dans la plupart des cas, le florin d'Aragon est évalué à Barcelone pour 22 sous d'Avignon [4]. La différence des cours entre Avignon et Barcelone est plus sensible lorsque le bénéficiaire d'une assignation est un marchand : changes pré-assignés à la Trésorerie que ces opérations, nous l'avons montré. Corrado dal Ponte, ayant eu une assignation

1. Sur cette question, voir : R. DE ROOVER, *L'évolution de la lettre de change*.
2. *Instr. misc.* 3656 ; ces chiffres sont antérieurs à la mutation du 1er juin 1393.
3. *Intr. ex.* 375, fol. 15 v°.
4. Le 31 août 1389 ; *Instr. misc.* 3401.

de 1 000 florins courants sur la collectorie d'Aragon, en a été payé à Barcelone et au cours pratiqué dans cette ville c'est-à-dire 12 sous barcelonais le florin courant. Pour que la somme vaille à Avignon les 1 000 florins, la Trésorerie doit verser à Corrado dal Ponte la différence, 39 florins 21 sous, soit 3,8 % [1].

De Gênes à Avignon, en 1383, le taux est moindre : 100 florins sont versés à Giovanni Caransoni pour le change de 5 000 florins [2] : la différence atteint seulement 2 %. D'Avignon à Gênes, en 1405, même taux : on paie 20 écus pour le change de 1 046 écus sur les Bardi [3], soit 1,91 %, et Andrea de' Bardi verse 888 écus 29 sous 9 deniers pour 906 écus 11 gros 1 sou reçus à Avignon par Dinolzo, ayant « retenu pour le change » deux écus pour cent [4]. De Barcelone sur Gênes, enfin, nous trouvons un taux déclaré de 1 % [5].

De semblables différences se rencontrent dans les changes faits par des marchands de places plus modestes. Raymond de Senans et Bernard Bruguier, sous-collecteur de Rodez, paient chacun 15 francs pour deux lettres de 500 francs tirées à Rodez par Guillaume Carlat sur Jean de Prades à Avignon [6]. La dépense atteint 3 %. Pons de Cros paie même, à Mende ou au Puy, des droits de transfert voisins de 1 % : 5 francs pour 500, 5 pour 400, 4 pour 300, 2 pour 200 [7].

On notera que, dans les derniers cas cités, il ne s'agit plus de différence sur les cours. Le coût du change est fixé à l'avance, et payé de même. Le marchand élimine ainsi tous les risques et, si la différence entre les cours lui est défavorable, il peut, comme Corrado dal Ponte, se retourner contre la Chambre. En fait, ce que l'on paie, c'est son service [8]. La lettre de change n'est pas un instrument de crédit : c'est le couple tireur-tiré qui gagne et, lorsqu'il y a prêt, c'est le tiré qui fait l'avance, non le preneur. La formule *pro cambio* couvre un salaire, non un intérêt ; on rencontre même *pro corratagio unius cambii* [9]. Pour la Chambre apostolique, la lettre de change ne peut être qu'un instrument de transfert. L'instrument de crédit, c'est l'assignation.

Du moins à Avignon. Car Rome connaît une autre source de crédit, autrement importante et autrement grave dans ses conséquences : le monopole des transferts, accordé contre cautionnement. Il ne s'agit alors plus de lettres de change achetées par un collec-

1. *Intr. ex.* 369, fol. 81 r°.
2. *Intr. ex.* 356, fol. 99 r°.
3. *Instr. misc.* 3809.
4. *Instr. misc.* 3815 ; *Reg. Av.* 327, fol. 65 r°.
5. *Reg. Av.* 331, fol. 250 v°.
6. Quittances du trésorier, des 12 mars et 18 juillet 1384 ; *Instr. misc.* 3172 et 3187.
7. *Coll.* 85, fol. 477 r°, 487 et 491 r°.
8. Y. Renouard a étudié en détail cette rémunération sur une plus vaste période ; les taux constatés par lui vont de 1 à 5 % ; *Les relations des papes...*, p. 512-519.
9. *Intr. ex.* 355, fol. 70 v°.

teur et adressées à la Chambre. Le change et les virements ne concernent que les filiales de la compagnie bénéficiaire du monopole. Par la créance qu'elle a sur la Chambre, cette compagnie s'entremet entre le collecteur et la Trésorerie. Le collecteur n'a qu'à remettre l'argent dont il dispose au marchand choisi par la Chambre. Son initiative est nulle.

La conclusion à laquelle nous parvenons est donc paradoxale. Parce que sûre de ses agents, la Chambre apostolique d'Avignon leur laisse une entière liberté quant aux moyens de transfert [1]. La plus centralisée des administrations de l'époque est aussi, à cet égard, la plus libérale : tout part d'elle, tout revient à elle ; peu lui importe par quelle voie. Pas un denier n'est dépensé dans les provinces ou à la curie, si ce n'est à l'initiative et sous le contrôle de la Chambre. Mais, s'il n'est pas de petites sommes, il est de petites choses, et la Chambre ne s'occupe pas des petites choses. Le mode de transfert en est visiblement devenu une.

Est-ce parce que, privée des services des grandes compagnies florentines, la papauté avignonnaise n'avait pas les moyens de mener une grande politique de relations avec des banquiers ? Nous ne le croyons pas. Les Rapondi, les Solario, les Bardi eussent pu fournir un intermédiaire capable de traiter et d'assurer un monopole, du moins limité à telle ou telle contrée de l'obédience. On verra plus loin qu'ils ont tenté d'établir de tels monopoles ; mais c'est dans les provinces, et auprès des collecteurs, qu'ils l'ont tenté.

La véritable raison, selon nous, c'est que la papauté avignonnaise n'a pas voulu se lier et qu'elle a pu ne pas s'y laisser contraindre. Disposant d'un appareil administratif puissant, elle a pu transcrire ses besoins d'argent dans une immédiate pression fiscale. Le pape empruntait, mais toujours à court terme, et jamais pour de très fortes sommes. Face à la nécessité, c'est vers le contribuable que se tournait le pape d'Avignon.

Cela, le pape romain ne le pouvait pas. Sa masse contribuable était hétérogène, son administration lente à mouvoir, ses agents locaux d'une fidélité incertaine. Il lui fallait sans cesse anticiper sur ses revenus. Dans le besoin, il n'avait qu'un recours : le banquier.

Le pape d'Avignon utilisait les services de banquiers, mais il ne dépendait pas d'eux. Les transferts par voie bancaire étaient donc chose secondaire. S'ils étaient utiles, on en usait ; s'ils étaient difficiles, on s'en passait. C'était au collecteur qu'il appartenait d'apprécier et d'agir *tutius quam poterit*, le plus sûrement possible.

Le pape romain, au contraire, vivait dans une perpétuelle disette financière, dont il ne pouvait sortir sans l'aide des banquiers. On

---

1. Au temps où des contrats étaient conclus à Avignon, la Chambre, faute d'être exactement et immédiatement informée, laissait souvent aux collecteurs le soin de fixer le taux de change ; Y. Renouard, *op. cit.*, p. 519-520.

connaît la dernière phrase de Boniface IX agonisant, à qui l'on demandait comment il se sentait : « Si j'avais de l'argent, je me sentirais bien ». Dans ces conditions, les recettes devaient être draînées le plus rapidement possible, voire anticipées. Il n'était pas question de faire confiance aux agents locaux. Ne pouvant être les maîtres efficaces de leur administration financière, le pape et ses camériers s'en remirent aux marchands du soin de récupérer les recettes. La perfection du réseau bancaire rendait inutile en Italie le transport de numéraire : même de Toscane à Rome, le numéraire ne circulait que lorsque des gens de la curie profitaient d'un voyage pour en rapporter [1]. Hors d'Italie, les distances rendaient un tel transport impossible. Tout devait donc passer par les marchands et, comme le pape était aux mains des marchands, ceux-ci étaient en mesure de lui dicter leurs conditions. Dans la moins centralisée des deux Chambres apostoliques, l'initiative venait du centre. Cela ne signifie pas que l'initiative du pape romain fût libre.

Si l'initiative des collecteurs avignonnais était presque libre quant au mode d'envoi des fonds, l'était-elle autant quant à la cadence de ces envois ? Que le désir de l'administration camérale fût de régulariser les transferts n'est pas doûteux. Le 21 mars 1381, Clément VII écrivait à divers agents locaux pour leur prescrire des versements trimestriels : 1 000 florins pour les collecteurs de Provence, de Narbonne et de Toulouse, 1 500 pour celui de Lyon et le trésorier du Comtat [2]. Mesure assez utopique que celle-là ; le volume des assignations ne permit guère de l'observer longtemps. Il y eut cependant un effort certain : dans le courant de 1381, le collecteur de Provence versa 6 082 florins en huit fois et celui de Narbonne 7 436 florins en treize fois, ce qui dépassait largement les 4 000 florins exigés. Mais le collecteur de Lyon ne versa que 485 florins au lieu de 6 000, et celui de Toulouse 1 713 au lieu de 4 000 [3]. L'année suivante, le collecteur de Lyon s'astreignit à des versements trimestriels : 4 janvier, 10 mars, 17 septembre et 7 novembre 1382, mais pour un total de 3 080 florins seulement. Celui de Toulouse en fit autant : 8 janvier, 7 mai, 8 juillet et 29 octobre, pour un total de 3 641 florins [4].

Prescrire ainsi des versements fixes, c'était supposer connu l'état des collectories et régulier leur approvisionnement en argent. La Chambre, certes, contrôlait étroitement l'usage des fonds, mais elle n'était pas en mesure de connaître, au fur et à mesure, les possibilités des collecteurs. L'exigence de 1381 était abusive.

---

1. En dix ans, un clerc de la Chambre et un scripteur ont rapporté 593 florins, cependant que les marchands, Ricci en tout premier lieu, drainaient 4 977 florins ; *Arch. Stato* Rome, *Camerale* I°, *Collettorie* 1224, fasc. 2, fol. 33-39.
2. *Coll.* 374, fol. 54.
3. *Intr. ex.* 354 et 355, *passim*.
4. *Intr. ex.* 355, passim ; *Coll.* 374, fol. 109-115.

On usa alors d'une méthode plus réaliste. Ce furent les innombrables ordres donnés aux collecteurs de remettre à des nonces, commissaires ou simples sergents l'intégralité des sommes disponibles sur le moment. Le collecteur était censé envoyer à la Trésorerie ses recettes à mesure qu'il les percevait ; on assurait sa diligence en dépêchant des gens de la curie. Ce procédé avait l'inconvénient d'être fort onéreux ; les frais de voyage venaient en déduction des sommes ainsi récupérées. Mais le zèle des nonces permit à la Chambre de disposer rapidement de fortes sommes [1]. Malgré son coût, le procédé était bénéfique.

On ne négligeait pas pour autant de faire appel à la bonne volonté des collecteurs. Nombreux furent les appels angoissés du pape ou du camérier exposant aux agents locaux que les coffres étaient vides et que, pour sauver l'Eglise, un envoi de fonds était de toute urgence nécessaire [2]. On indiquait souvent une date limite, avant laquelle devait parvenir à Avignon soit une somme fixée, soit tout l'argent que le collecteur pourrait réunir. L'insistance était telle que, parfois, une bulle, une lettre patente du camérier et une lettre close du même étaient expédiées pour le même objet. Trois, voire quatre courriers parvenaient au collecteur.

Le 16 avril 1383, Clément VII écrivit à neuf de ses collecteurs pour leur demander de verser avant le 8 mai — on notera la brièveté du délai — des sommes relativement élevées : 4 000 francs pour Paris et Bourges, 3 000 francs pour Narbonne et le Piémont, 2 000 florins courants pour Tours, Reims, la Provence et Le Puy, 1 000 francs pour Lyon. Les délais d'acheminement des lettres et des fonds laissant à peine une semaine à certains pour réunir la somme, le pape ne manquait pas de préciser que, si le collecteur ne disposait pas de cette somme, il devait la compléter en empruntant et en obligeant sa recette pour le remboursement des emprunts [3]. Onze jours plus tard, donc avant d'avoir pu recevoir la moindre réponse, le 27 avril, Clément VII écrivit à nouveau aux mêmes collecteurs ainsi qu'à ceux de Toulouse et Rodez [4]. Il pensait que ses agents pourraient négliger d'obéir ou prétendre que la chose était impossible. Il menaçait donc d'excommunication ceux qui n'enverraient pas leur dû à la Trésorerie avant le 8 mai [5]. Cependant, entre le 16 et le 27 avril, le camérier avait écrit de son côté aux collecteurs pour leur enjoindre d'exécuter l'ordre pontifical. Le 1er mai, il adressa à chacun cette lettre close, dont la minute nous est parvenue [6] :

---

1. Voir les chiffres au tableau p. 474.
2. Les receveurs de Bourgogne étaient l'objet du même harcèlement de la part du duc ; A. VAN NIEUWENHUYSEN, *loc. cit.*,
3. *Reg. Av.* 233, fol. 67 v°-69 r°.
4. Sans doute destinataires de lettres non enregistrées le 16 avril.
5. *Reg. Av.* 233, fol. 70 v°.
6. Réutilisée pour une lettre du 5 janvier 1384 ; *Instr. misc.* 3167.

Venerabilis amice carissime,

Scitis qualiter dominus noster papa scripsit vobis super pecunie summa mittenda huc infra certum prefixum vobis terminum, pro necessitatibus urgentibus et incumbentibus sibi et Ecclesie. Et nos tunc etiam vobis scripsimus de ipsius mandato cum penis et sentenciis descriptis et latis in eisdem. Nunc autem dominus noster de novo per suas litteras vobis scribit super materia presenti. Quare de ipsius expresso mandato facto nobis oraculo vive vocis, vobis precipimus et mandamus et ex parte nostra rogamus ne in premissis interveniat defectus, quatinus omnia contenta in litteris dicti domini nostri, etiam rasura in prefixione termini de assignatione pecunie facienda et omnibus aliis dubiis que vertere possetis in eisdem non obstantibus, sub penis et sententiis in eisdem litteris dicti domini nostri et nostris contentis, quas si defeceritis vos noveritis incurrisse, adimplere efficaciter studeatis, taliter quod dictus dominus noster de vobis merito remaneat contentus in hac necessitate.

In Domino bene valete. Scriptum Avinione, die prima mensis maii.

Quel fut le sort de cet appel ? Disons tout de suite qu'aucun des onze collecteurs sollicités n'adressa la somme requise dans le délai voulu. Cinq envoyèrent une somme égale ou supérieure, mais avec plusieurs semaines de retard. Le collecteur de Lyon fit verser 1 059 florins — soit presque les 1 000 francs exigés — le 13 mai ; celui de Paris envoya les 4 000 francs par le canal des Rapondi qui versèrent l'argent à la Trésorerie le 20 mai ; celui de Toulouse changea 1 000 francs chez Carlat, pour lequel Dube s'acquitta à Avignon le 22 mai. C'est seulement à la fin de juin qu'arrivèrent les envois des collecteurs de Tours et de Reims, envois supérieurs aux exigences, sans doute pour compenser le retard : 3 000 francs de Tours le 22 juin, 2 700 de Reims le 30 [1]. On notera que le collecteur de Tours avait l'excuse d'avoir adressé à la Trésorerie 7 500 florins de la Chambre quelques jours avant l'appel du pape, le 1er avril [2].

Deux envois seulement parvinrent avant le terme fixé : 988 florins de la Chambre du collecteur du Puy (au lieu de 2 000 florins courants) [3] et 916 florins du collecteur de Narbonne (au lieu de 3 000 francs) [4].

On dut attendre le 1er juillet pour recevoir du collecteur de Bourges 2 500 francs au lieu des 4 000 attendus [5]. Quant au collecteur de Rodez, il fit le 28 mai un envoi de 400 francs, suivi en juin et juillet de trois envois de 100 francs chacun, un autre de

1. *Intr. ex.* 356, fol. 25 v°-31 r°.
2. *Ibid.*, fol. 22 r°.
3. En deux fois, les 18 avril et 4 mai ; *Intr. ex.* 356, fol. 24 r° et 25 r°.
4. Le 27 avril ; *Ibid.*, fol. 24 v°.
5. *Ibid.*, fol. 32 r°.

600 et un de 400[1] : au total, 1 700 francs. En Provence, enfin, Thonerat, qui avait apporté à la Trésorerie 2 000 francs dans les jours précédant l'appel du pape[2], attendit le 23 mai pour verser 500 francs[3] au lieu des 2 000 florins courants demandés ; il se tint quitte ensuite pendant huit mois envers la Trésorerie[4].

L'échec de la démarche pontificale est évident. La Chambre n'a guère obtenu plus que ce que lui eût apporté le rythme normal des versements. Les collecteurs n'ont pas cherché à compléter leurs disponibilités, ou n'ont pu trouver les sommes nécessaires. Tiédeur ou crédit insuffisant ? Peut-être les deux. La preuve était faite, en tous cas, que la Chambre apostolique ne pouvait obtenir de ses agents locaux des sommes déterminées à terme fixé. Quant aux sentences, on se garda bien d'y recourir : elles eussent privé le pape d'agents dont l'efficacité lui était bien connue. On eut à la curie, la chose est sensible, l'impression que l'on avait trop demandé.

Tel fut le sort de toutes les demandes de fonds. Dès le 16 janvier 1380, Pierre de Cros demandait aux onze collecteurs d'envoyer — par porteur ou par change — ou d'apporter eux-mêmes tout ce dont ils disposaient[5] ; certains envoyèrent leur recette au bout de plusieurs mois, d'autres n'envoyèrent rien. Douze ans plus tard, Conzié avait encore quelques illusions : le Trésor étant vide au point qu'on ne pût donner au porteur d'une lettre la moindre rémunération[6], le camérier écrivit à Guy d'Albi pour lui demander d'envoyer rapidement la somme dont il avait été convenu lors du récent séjour du collecteur parisien à Avignon. S'il ne disposait pas de la somme en question, Guy d'Albi était prié de l'emprunter du protonotaire Nicolas Le Diseur, de l'ancien collecteur Armand Jausserand, des sous-collecteurs et des « amis et serviteurs du pape ». Cette fois, le ton n'était pas menaçant, mais persuasif : le défaut d'argent, précisait le camérier, pouvait être lourd de conséquences pour l'expédition du duc de Bourbon, donc pour le pape[7]. Quel fut le résultat ? Guy d'Albi adressa 2 000 francs qui parvinrent à Avignon un mois après l'appel[8]. Ses versements suivirent ensuite leur cadence habituelle.

Conzié renonça alors à agir sur les envois des collecteurs. Tout au plus, au temps de la soustraction d'obédience, le « camérier de l'Eglise » ordonna-t-il à deux reprises au sous-collecteur de Valence de lui faire tenir sa recette[9] et, pendant le voyage à Savone, de-

---

1. *Ibid.*, fol. 27 r⁰-34 r⁰.
2. Les 4 et 8 avril ; *Intr. ex.* 356, fol. 22 r⁰ et 23 r⁰.
3. *Ibid.*, fol. 26 v⁰.
4. Il versa 270 florins de la Chambre le 19 janvier 1384 ; *Intr. ex.* 338, fol. 10 r⁰.
5. *Coll.* 359, fol. 16 r⁰-17 r⁰.
6. Le collecteur fut prié de lui donner 15 écus.
7. Lettre close du 26 février 1392 ; *Instr. misc.* 3542.
8. Le 1ᵉʳ avril ; *Intr. ex.* 369, fol. 20 r⁰.
9. Lettre close du 2 octobre 1400 ; Josserand Silvion versa 120 florins courants le 17 octobre ; *Instr. misc.* 3723.

manda-t-il à son lieutenant Pedro Adimari de lancer un appel à tous les collecteurs [1], appel auquel le collecteur d'Aragon fut seul à répondre [2]. Pour obtenir quelque argent du collecteur de Lyon, il fallut envoyer un clerc qui réussit tout juste à extorquer 500 francs au sous-collecteur, loua une barque pour les rapporter, chavira près de Bourg-Saint-Andéol en raison d'une crue et de la bise, et dut poursuivre sa route à pied [3]. Les appels du camérier ne suffisaient pas, on le voit, à susciter la diligence des agents de la Chambre apostolique.

En définitive, les collecteurs étaient maîtres de leurs versements et, s'ils ne pouvaient lever ou dépenser un sou sans l'aveu de la Chambre et sans être tenus d'en rendre compte, il leur était loisible de conserver par devers eux quelque somme que ce fût. Ils faisaient parvenir à la Trésorerie ce qu'ils voulaient bien, quand ils le voulaient et comme ils le voulaient.

Maintes fois promis à l'excommunication, les collecteurs ne furent que très rarement inquiétés. Aucun ne le fut jamais pour défaut de versement. Implicitement, les gens de la Chambre admettaient que chaque collecteur faisait ce qu'il pouvait. Jusqu'en 1398 et de 1403 à 1405, les collecteurs semblent bien avoir été des agents efficaces et loyaux. Le Chambre trouvait donc, en leur laissant initiative et responsabilité, un avantage supérieur à celui qu'eussent procuré des tracasseries. On relançait parfois les collecteurs, on les tenait au courant d'une situation financière dont, ignorant les charges supportées à Avignon par la Trésorerie, ils pouvaient méconnaître la gravité. Mais on leur faisait confiance.

4. *Le volume des envois à la Trésorerie.* Malgré les réserves qui s'imposent quant à sa signification, le volume des fonds envoyés à la Trésorerie ne manque pas d'intérêt : il représente l'argent liquide dont a pu disposer la curie.

Nous serons malheureusement bref en ce qui concerne l'obédience romaine. Les rares quittances conservées nous permettent cependant de connaître les envois de quelques collecteurs pour l'année 1389. S'agit-il de tous les collecteurs ayant effectué un versement en cette année-là. C'est ce que nous sommes condamnés à ignorer. Notons cependant les chiffres : 200 florins du collecteur de la Marche d'Ancône [4], 500 de celui de Toscane [5], 1 000 de celui d'Angleterre [6], 1 300 de celui de Portugal [7] et, l'emportant de loin sur tous les

---

1. Ordre d'Adimari, du 15 avril 1406 ; *Reg. Av.* 325, fol. 542 v°-543 r°.
2. Il versa 15 000 florins de la Chambre dans le premier semestre 1406 ; *Reg. Av.* 327, fol. 70-72.
3. *Coll.* 372, fol. 139.
4. *Div. cam.* 1, fol. 116 r°.
5. *Ibid.*, fol. 54 r°.
6. *Ibid.*, fol. 111.
7. *Ibid.*, fol. 61 r° et 108 r°.

autres, 2 700 florins du collecteur de Lombardie Beltramo Borsano [1].

S'il fallait considérer ces données comme exhaustives, la Trésorerie aurait reçu des collecteurs, en un an, 5 200 florins. Pour extraordinairement faible que paraisse le chiffre, il ne nous semble pas invraisemblable. Quoi qu'il en fût, et même s'il fallait doubler ce chiffre, les envois des collecteurs n'ont pu représenter qu'une source très secondaire d'alimentation pour la Trésorerie, qui devait donc essentiellement compter sur les communs services pour disposer d'argent libre de toute hypothèque bancaire. L'essentiel de la recette des collecteurs, nous le verrons, était en effet assigné aux banquiers de la Chambre apostolique en remboursement de leurs constantes avances.

Nous connaissons mieux les entrées de la Trésorerie avignonnaise. Trois sources l'alimentaient, qu'il importe de distinguer, car la Chambre avait sur elles des moyens d'action très différents et très différemment efficaces. D'une part, ce sont les profits purement seigneuriaux, ceux de l'administration et de la justice, auxquels il faut joindre les dons et legs d'Avignon et du Comtat. Au sujet de tous ces revenus, aucun problème de transfert ne se pose.

En second lieu ce sont les communs services versés à la Trésorerie par les prélats et leurs procureurs, sommes auxquelles on peut joindre les divers subsides accordés individuellement ainsi que les procurations partagées et reversées. Le problème du transfert est ici résolu par chaque contribuable. Le transport de numéraire l'emporte, et de loin, sur la voie bancaire : les prélats nouvellement promus ont à faire à la curie, et les autres, qui cherchent à gagner du temps, doivent solliciter des délais et pour cela venir en personne ou envoyer un procureur. S'ils recourent à la lettre de change, ils se chargent eux-mêmes de l'apporter et le change ne laisse guère de trace [2].

La troisième source, c'est le revenant-bon des collectories. Le transfert est alors à la charge de la Chambre apostolique, et laissé à l'initiative des collecteurs. Il faut y joindre le revenant-bon, relativement faible et bientôt inexistant, du trésorier du Comtat venaissin.

L'importance relative des trois sources évolue considérablement. On a vu que, pour les communs services et les subsides qui leur sont liés, la pression de la Chambre a pour conséquence de fortes variations d'amplitude, la multiplication des paiements immédiats

---

1. *Ibid.*, fol. 80 r°.

2. On connaît quelques versements de communs services faits par l'intermédiaire des marchands. Mais, lorsqu'Andrea Rapondi verse ainsi diverses sommes, le 9 septembre 1385, pour les évêques de Rodez, de Maurienne, de Saint-Brieuc, de Famagouste et du Puy (*Intr. ex.* 359, fol. 52 r°), il est évident qu'une telle concomitance n'est pas l'effet du hasard et que nous avons là une avance par Rapondi de fonds qu'il récupérera sur les évêques.

éteignant prématurément les obligations. En dépit de l'insistance des appels de la Trésorerie, les collecteurs ne peuvent doubler, d'une année à l'autre, le volume de leurs envois.

Quelques chiffres illustreront cette stabilité de l'apport des collecteurs en comparaison de la masse des communs services. En 1391, année de forte pression fiscale, alors que le paiement immédiat et total est de règle, les services atteignent 38 554 florins, soit 19,3 % des recettes « saines » de la Trésorerie [1]. L'année suivante, on subit le contre-coup de l'exigence précédente, et les services ne comptent plus que pour 10 880 florins, soit 9 % des recettes saines [2]. Après la restitution d'obédience, dans le courant de l'an XI de Benoît XIII (oct. 1404 - sept. 1405), ils atteignent 16 691 florins, représentant 13,1 % des recettes saines [3]. Dans ces mêmes années, la contribution des collectories varie très différemment : 52 838 florins en 1391, 44 789 en 1392 et 58 133 en l'an XI de Benoît XIII ; cela fait respectivement 26,4 % en 1391, 37 % en 1392 et 45,7 % en l'an XI. L'effondrement des communs services après 1391 laisse aux versements des collecteurs une part dominante et sans cesse croissante dans l'alimentation de la Trésorerie.

En valeur absolue, il faut faire entrer en ligne de compte les sommes recueillies dans les collectories — souvent reçues des collecteurs et des sous-collecteurs — par les nonces et adressées par eux à la Trésorerie. Nonces et collecteurs ont envoyé, le tableau qui suit le montre, 922 039 florins pendant les deux cent dix mois pour lesquels, entre 1378 et 1398, nous avons les comptes complets ; soit une moyenne mensuelle de 4 390 florins. Pendant cinquante mois allant d'août 1404 à octobre 1408, ils ont envoyé 180 601 florins, soit 3 612 florins par mois. La baisse est de 17 %.

Mais la contribution des différentes collectories n'est pas égale. Si leur apport global est relativement stable, c'est là le résultat d'une profonde mutation et d'une remarquable compensation.

Avant la soustraction d'obédience, en effet, les collectories espagnoles, tardivement fructueuses en raison de l'indifférence des rois de Castille et d'Aragon, sont en outre obérées par le paiement des galées, le remboursement au roi de Castille et le partage des décimes [4]. C'est donc sur les collectories de France que pèse, pour l'essentiel, la charge d'alimenter la Trésorerie. La collectorie

1. Celles-ci, après déduction des emprunts, atteignent 199 652 florins ; *Intr. ex.* 366 et 367.

2. Elles sont de peu supérieures à 120 500 florins ; les comptes d'octobre 1392 sont incomplets ; *Intr. ex.* 367 et 369.

3. Elles atteignent 127 550 florins, les avances faites sur les collectories n'étant pas comptées par nous comme emprunts puisqu'elles ne sont que des transferts payés par anticipation ; *Reg. Av.* 321, fol. 18-92.

4. La part de l'Aragon dans l'ensemble des envois des collecteurs, qui est de 7 % sur deux cent dix mois, s'établit à 12,5 % après pondération, compte tenu du temps écoulé depuis l'adhésion à Clément VII : cent dix-huit mois.

ENVOIS DES COLLECTEURS

1378-1398 (deux cent dix mois)				1404-1408 (cinquante mois)		
Envois	Moyenne mensuelle	% du total des coll.	Collectorie	Envois	Moyenne mensuelle	% du total des coll.
147 321 fl.	700 fl.	18	Paris	5 095 fl.	102 fl.	4,5
65 396	310	8	Reims	1 225	25	1
92 715	441	11	Tours	3 372	68	3
73 289	350	9	Bourges	1 017	20	1
35 694	170	4,5	Rodez	5 118	103	4,5
22 431	110	3	Le Puy	3 213	64	3
52 589	250	6,5	Lyon	3 876	78	3,5
82 468	390	10	Toulouse	4 420	89	4
97 891	460	12	Narbonne	7 683	154	6,5
3 701	20	0,5	Elne	250	5	0,2
57 172	270	7	Provence	1 860	37	1,5
566	2	0,1	Metz	590	12	0,5
200	1	0	Bordeaux	172	3	0,1
88 761			Nonces en France			
820 194 fl.		89*	*France*	37 891		21*
53 266	451	7	Aragon	73 660	1 470	63
17 555	80	2	Tolède	1 821	36	1,5
10 550	50	1,5	Burgos	3 269	65	3
600	2	0,1	Portugal			
15 764			Nonces en Aragon	63 360		
97 735		11*	*Espagne*	142 110		79*
1 000	5	0,1	Ecosse			
3 100	15	0,4	Piémont	300	6	0,3
817 514			Collecteurs	117 241		
104 525			Nonces	63 360		
922 039				180 601		

* Compte tenu des envois des nonces.

de Paris, à elle seule, fournit 18% des envois des collecteurs. L'ensemble des collectories françaises représente 89%.

Après 1403, au contraire, la part de la France décline très vite. Insignifiants en 1404 et 1405, les versements des collecteurs de Paris, Reims et Tours cessent ensuite. Un gros effort est fait, cette même année 1405, par les collecteurs de Lyon, de Toulouse et du Puy. En un an, le collecteur de Lyon verse 3 800 florins, celui de Toulouse 4 300, soit l'équivalent des versements effectués par eux avant la soustraction; le collecteur du Puy dépasse même les chiffres antérieurs et envoie 3 100 florins en neuf mois [1]. Mais cet effort ne se continue pas au delà de l'automne 1405. Quant aux collecteurs castillans, ils s'apprêtent à faire défaut : en 1405, 700 florins viennent de Tolède, 3 200 de Burgos ; ensuite, c'est fini. En 1406 et 1407, arrivent encore de maigres versements de Provence (160 florins), de Bourges (1 017 florins), de Rodez (2 666 florins) et de Narbonne (près de 2 000 florins).

L'Aragon prend alors la relève. De 451 florins, la moyenne mensuelle des versements du collecteur d'Aragon passe, après 1403, à 1 470 florins : trois fois plus. La baisse de l'apport français rend encore plus sensible l'augmentation de l'aragonais : de 12,5% du total [2], il passe à 63%, non compris dans le calcul du pourcentage les versements des nonces. En valeur relative, l'Aragon a plus que quintuplé son importance financière [3]. En 1408, il ne reste plus que cette seule collectorie pour apporter des liquidités à la Trésorerie de Benoît XIII : c'est un total de 12 575 florins qu'envoie, pour cette seule année 1408, le collecteur Vincente Sagarra.

La masse des fonds récupérés par des nonces ne contredit nullement l'enseignement de ces chiffres. Avant 1398, c'est surtout de France que parviennent de tels envois, pris sur ce que les collecteurs auraient pu transmettre. Des provinces de Langue d'Oïl, Jean de Murol et Pierre Girard envoient 26 358 florins dans les premières années du Schisme, et Antoine de Louvier, qui leur succède en 1384, en envoie 11 494 de 1384 à 1386. Dans le même temps, Guillaume de Vermont adresse ou verse à la Trésorerie 13 877 florins. En 1386, Thonerat lève 1 026 florins dans la région de Genève [4] ; en 1391, Arnoul Lacaille verse 2 625 florins reçus dans la province de Tours [5] et Pierre de Jouy, nonce en « France », envoie et verse 3 225 florins [6].

---

1. Novembre 1404-juillet 1405.
2. Pourcentage corrigé (voir ci-dessus p. 473, note 4).
3. Voir les cartes qui suivent. La surface des cercles noirs est proportionnelle aux moyennes mensuelles, seuls chiffres permettant une comparaison entre deux périodes inégales. Les envois des nonces n'ont pas été pris en considération car il est impossible de discerner l'origine exacte des fonds recueillis par les nonces « en France ».
4. *Intr. ex.* 361, fol. 9 r°, 32 r° et 42 r°.
5. *Intr. ex.* 367, fol. 29 r°.
6. *Ibid.*, fol. 26 v°, 32 r° et 37 r°.

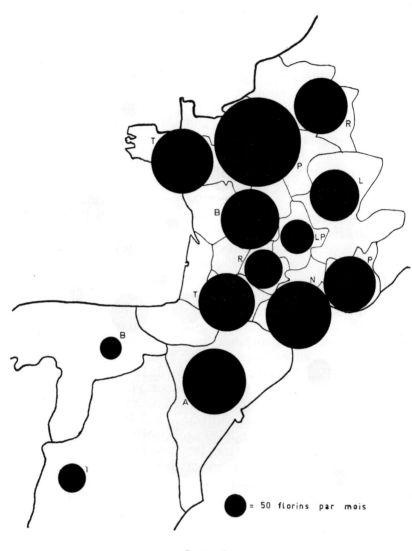

= 50 florins par mois

Carte 6

Envois des collecteurs à la Trésorerie.
(1378-1398)

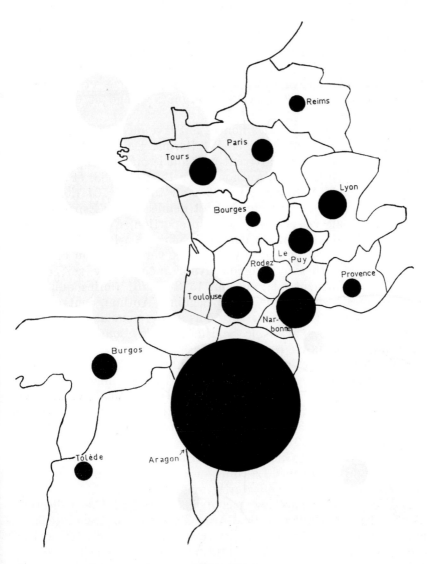

Carte 7

Envois des collecteurs à la Trésorerie.
(1403-1408)

En Languedoc, de 1379 à 1381, Sicard de Bourguerol récupère 6 202 florins ; Pierre de Tarascon, qui lui succède de 1381 à 1386, en envoie 7 528. En 1383, le futur camérier Conzié parcourt à son tour le Languedoc et envoie 3 967 florins à la Trésorerie. Plus tard, en 1391, Guy Sauvage, prieur de Saint-Georges de Grenoble, est envoyé dans les mêmes provinces et y récupère 6 559 florins [1]. En 1393, Jean Lavergne s'y rend et en rapporte 5 900 florins [2].

Au total, avant 1398, les nonces ont levé ou recueilli en France et transmis à la Trésorerie 88 761 florins. De Castille peut-être, d'Aragon certainement, arrivent pendant le même temps 8 770 florins, recette de Seguin d'Authon entre 1382 et 1383, et 6 994 florins, recette de Vermont en 1386 : au total 15 764 florins. Les envois de France valent cinq fois et demie ceux d'Espagne.

La principale raison de cette disproportion, c'est l'indifférence de Pierre IV d'Aragon. Du début du Schisme à la mort du roi, le 5 janvier 1387, on note seulement deux versements du collecteur d'Aragon, effectués à Avignon avant même qu'y soit connue l'élection de Clément VII, en août 1378 : 2 701 florins qui, joints aux sommes levées par le nonce Seguin d'Authon, font un total de 18 465 florins ; cela représente sans doute, pour une bonne part, les sommes levées avant le Schisme par les sous-collecteurs et extorquées à ceux-ci par le nonce [3].

Mais, dès 1387, les agents de la Chambre apostolique se mettent en campagne. Le 31 décembre 1388, arrive le premier versement : 729 florins. Quatre autres versements suivent dans le premier trimestre de 1389. En quatre mois, la Chambre reçoit d'Aragon 4 742 florins [4]. En 1390, ce sont 10 275 florins [5] ; en 1391, 6 964 florins [6]. De 1389 à 1391, 22 881 florins parviennent à la Trésorerie, soit une moyenne mensuelle de 635 florins ; sur onze ans, la moyenne est encore de 451 florins. La collectorie d'Aragon se place d'emblée au troisième rang des collectories avignonnaises.

La France n'en surclasse pas moins l'Aragon. Une collectorie n'en vaut pas une autre ; celle d'Aragon est, par son étendue comme par sa richesse, nettement supérieure aux collectories françaises. Pas plus qu'on ne saurait comparer le royaume d'Aragon au royaume de France, on ne peut comparer la collectorie d'Aragon à celle de Rodez. Les 451 florins mensuels du collecteur d'Aragon représentent-ils un apport égal à celui du collecteur de Reims versant

---

1. *Intr. ex.* 367, *passim*, et 370, fol. 4 v°.
2. *Intr. ex.* 370, *passim*.
3. *Coll.* 374, fol. 1 ; voir : J. VINCKE, *Der König von Aragon und die Camera apostolica...* (Munster, 1938).
4. *Intr. ex.* 365
5. *Intr. ex.* 366.
6. *Intr. ex.* 367.

en moyenne ses 310 florins ? Certainement pas. La collectorie aragonaise, ne l'oublions pas, est chargée de lourdes assignations ; de toutes les collectories, elle est probablement l'une des plus chargées.

La situation change radicalement après 1403. Non seulement le collecteur d'Aragon verse quinze fois plus que celui de Paris, mais les envois des nonces accroissent cette prédominance : deux nonces, Francesc Blanes et Sancho Lopez de Vesco, envoient respectivement, de 1404 à 1408, 49 485 et 13 875 florins, portant ainsi à 137 020 florins l'apport de l'Aragon à la Trésorerie.

Résumons-nous. De 1378 à 1398, les envois d'argent faits à la Trésorerie par les agents locaux de la Chambre apostolique, agents permanents ou itinérants, présentent un caractère de relative régularité. Malgré les efforts de Seguin d'Authon, l'Aragon ne vient que tardivement contribuer au financement de la papauté avignonnaise. En 1387, il prend enfin sa place. Jusqu'à la soustraction d'obédience, l'apport des diverses collectories est sensiblement proportionnel à l'étendue et à l'importance économique de chacune. La France du Nord et l'Aragon viennent évidemment en tête.

A partir de 1398, c'est la France qui manifeste, sinon son indifférence, car elle n'hésite nullement entre les deux papes, du moins son hostilité à Benoît XIII et aux gens de l'administration camérale. La régularité est alors rompue. La restitution d'obédience s'accompagne d'une grande réserve, dont témoigne l'effondrement de l'apport français. C'est alors que l'Aragon accroît considérablement ses envois, à la faveur d'un allègement des assignations et d'une intensification de l'effort fiscal. Sur les 180 601 florins parvenus à la Trésorerie en cinquante mois par le canal de l'appareil administratif de la Chambre apostolique, 137 020 — plus des trois quarts — viennent d'Aragon.

CHAPITRE X

LE RECOURS AUX MARCHANDS

1. *Les marchands et la curie d'Avignon.* Lorsqu'il regagna Avignon en juin 1379, le camérier Pierre de Cros trouva une place singulièrement dégarnie de ses banquiers. La guerre des Huit-Saints avait, dès 1376, privé le pape de ses plus efficaces auxiliaires financiers, les compagnies florentines, parmi lesquelles les Alberti Antichi avaient joué un rôle prépondérant au temps de Grégoire XI. Après une courte période de tâtonnements, au cours de laquelle Andrea di Tici da Pistoia avait rendu quelques services, malheureusement limités par « l'insuffisance de son rayon d'affaires international »[1], on avait finalement recouru aux compagnies lucquoises : d'abord les Interminelli que cautionnaient Dino Rapondi, Forteguerra Forteguerra et Betto Schiatta, c'est-à-dire les puissances financières lucquoises de la place de Bruges[2], puis les Guinigi qui réussirent, lors de l'escale de Grégoire XI à Livourne en novembre 1376, à obtenir un contrat leur assurant le monopole des transferts. Or les Guinigi, qui désiraient jouer à Lucques un rôle politique, restaient attachés à la cause urbaniste. Force était donc à Pierre de Cros de trouver au plus tôt un palliatif à la disparition des Florentins et à celle de la grande compagnie lucquoise.

Il n'était pas question de trouver une compagnie susceptible de remplacer avantageusement les Alberti Antichi ou même les Guinigi. La place d'Avignon n'en comptait plus. Au vrai, ce n'était nullement nécessaire, car les besoins de la Chambre apostolique de 1379 étaient notablement plus réduits que ceux de la même Chambre[3] au temps où l'on devait acheminer des revenus de Scandinavie, d'Angleterre, de Portugal ou de Hongrie. Bruges et Londres étant urbanistes, Clément VII n'avait plus dans son obédience qu'une place importante du point de vue bancaire, Paris ; ajoutons Séville et Barcelone, ultérieurement ralliées au pape avignonnais. Le problème immédiat était donc double :

---

1. Y. Renouard, *Les relations...*, p. 362.
2. *Ibid.*, p. 285.
3. On sait que Clément VII hérita la totalité du personnel caméral de Grégoire XI.

trouver des marchands capables à la fois d'acheminer les fonds réunis à Paris et d'avancer à la Trésorerie tout ou partie de l'argent nécessaire au jour le jour.

Le nom d'Andrea di Tici s'imposait en ce cas d'urgence. Dès le 5 novembre 1378, il versait à la Trésorerie d'Avignon 1 500 florins reçus à Paris par son associé Gherardo Burlamacchi du collecteur de Paris Bernard Carit, et 2 000 francs reçus par le même du collecteur de Tours Guy de la Roche [1]. En 1379, il avançait les 10 000 florins d'un change envoyé à Naples [2] et versait 500 florins reçus — nous ne savons où ni par qui — du collecteur de Portugal [3]. En 1380, il prêtait 10 000 florins contre une assignation payable à Paris, à Burlamacchi, par les nonces Murol et Girard [4]. La même année, il versait 6 000 francs reçus par le même Burlamacchi du collecteur Bernard Carit [5]. Le 24 juillet 1381, Burlamacchi se faisait payer par le nouveau collecteur de Paris, Armand Jausserand, 1 900 francs en complément des 12 000 avancés par Tici en une lettre de change sur Naples [6]. Ce change, destinée à Georges de Marle, ne fut pas exécuté et Tici restitua l'argent au Trésorier, à la fin de 1381 [7].

C'était la fin des opérations à grand rayon. Le 24 décembre 1380, Tici avait versé 400 francs pour le collecteur de Provence [8] ; en 1381, il avança 1 900 florins contre trois assignations sur la collectorie de Provence, sur celle de Narbonne et sur la recette de Seguin d'Authon [9]. Il versait pour la dernière fois en février 1381 le montant d'un change de Paris : 1 351 florins 12 sous [10]. Son dernier transfert, le 23 décembre 1381, est celui de 2 000 florins provenant de la collectorie de Provence [11]. Déjà, Tici se consacrait surtout à des opérations purement locales, comme la ferme des gabelles d'Avignon et du Comtat qui fit de lui l'un des gros créanciers de la Papauté. Dès 1379 [12], il participait au bail de la gabelle du sel d'Avignon [13] ; il obtint en 1382, en remboursement d'un prêt, la reconduction du bail à son seul nom [14].

Sans doute présumait-il alors de ses forces. Il comptait, cette même année, sur le versement de 10 000 francs que devaient lui

1. *Intr. ex.* 350, fol. 4 v°.
2. *Intr. ex.* 353, fol. 14 r°.
3. *Intr. ex.* 352, fol. 3 v°-4 r°.
4. *Coll.* 374, fol. 25.
5. *Coll.* 359 A, fol. 43 r°-44 r°.
6. *Instr. misc.* 3114 ; *Coll.* 359 A, fol. 209 v°-211 r°.
7. *Intr. ex.* 355, fol. 11 r°.
8. *Intr. ex.* 354, fol. 11 v°.
9. 6 mai 1381 ; *Intr. ex.* 354, fol. 30 r° ; *Coll.* 359 A, fol. 140.
10. *Intr. ex.* 354, fol. 18 r°.
11. *Intr. ex.* 355, fol. 8 r°.
12. Peut-être dès 1374, car il était déjà fermier d'une gabelle indéterminée ; Y. RENOUARD, *Les relations...*, p. 406.
13. *Intr. ex.* 353, fol. 13 v°.
14. *Coll.* 374, fol. 91 r°.

faire les nonces Murol et Girard sur le subside de France, en exécution d'une transaction faite à Naples [1] : Andrea di Tici jonglait avec les créances.

Dans le courant de 1383, il se trouva acculé à la faillite. Il avait des dettes envers les autres marchands, comme Datini ; il en avait envers la Chambre apostolique qui le fit emprisonner durant deux semaines [2]. L'année suivante, il fut à nouveau incarcéré, pendant six semaines au moins, dans la prison de l'auditeur, en raison de son incapacité à verser à Raymond de Turenne les sommes assignées par la Chambre en déduction de ses créances sur Tici [3]. Le banquier était devenu débiteur, un débiteur permanent et insolvable. C'est en avance sur la reddition de ses comptes qu'il versa, en 1386, 1 100 florins à la Trésorerie [4] ; il est vrai qu'il était d'autre part créancier de la même Chambre apostolique pour de l'argent lui revenant des gabelles d'Avignon, argent que — peut-être sans l'accord de Tici — Sade, Ricci, dal Poggio et Ratoncini avaient prêté au pape et que la Trésorerie ne remboursa qu'en 1387 [5].

C'est cette année-là qu'Andrea di Tici disparaît des adjudications comme il avait disparu du transfert des fonds. Vingt ans plus tard, son fils Enrico di Andrea di Tici sera, quelque temps, gouverneur et receveur de la gabelle du sel [6].

Comme Andrea di Tici manquait de moyens pour assurer le transfert des fonds, les gens de la Chambre apostolique se tournèrent vers les Lucquois. Mis à part les urbanistes Guinigi et Interminelli, trois banquiers lucquois avaient participé aux transferts à l'époque de Grégoire XI. Ce sont les Spifame, Astareo et Caransoni.

Giovanni Spifame, frère du chef de la famille, Bartolomeo [7], dirigeait à Avignon une filiale qui avait assuré à plusieurs reprises l'acheminement des fonds collectés à Paris [8], voire en Aragon [9], et envoyé, dès 1363, 1 000 florins d'Avignon à Florence pour le compte d'Urbain V [10]. En 1378, Bartolomeo Spifame reçut du collecteur de Paris 600 francs que Giovanni versa à la Trésorerie le 5 novembre [11]. Mais en 1379 Bartolomeo ne récupéra plus à

---

1. D'après les archives de Pierre Girard ; N. VALOIS, *La France et le Grand Schisme*, II, p. 446.
2. R. BRUN, *Annales avignonnaises...*, XII, p. 42.
3. *Ibid.*, p. 61.
4. *Intr. ex.* 361, fol. 34 r°.
5. *Intr. ex.* 363, fol. 92 v°.
6. Il fut révoqué le 18 février 1405 ; *Reg. Av.* 319, fol. 54 r°.
7. Sur ce personnage, voir : L. MIROT, *L'origine des Spifame, Barthélemi Spifame*, dans la *Bibl. de l'Ecole des chartes*, XCIX, 1938, p. 67-81.
8. Y. RENOUARD, *Les relations...*, p. 289-295.
9. En 1376 ; *ibid.*, p. 325.
10. *Ibid.*, p. 336.
11. *Intr. ex.* 350, fol. 4 v°.

Paris que 257 florins 4 sous du collecteur de Saintes [1], auxquels il joignit les versements d'un certain nombre de prélats pour leurs communs services [2]. Déjà, c'était la fin. La mort ou le départ de Giovanni Spifame coïncide avec l'éclipse de la société. Simone Spifame versa, en 1381, les services de l'archevêque de Reims et de l'abbé de Montiérender [3]. C'est ensuite l'effacement complet jusqu'en 1397, date à laquelle nous voyons Jacopo Rongui, facteur des Rapondi, verser 77 écus pour le compte de Carlo Spifame [4]. Le rapprochement des deux noms, Spifame et Rapondi, ainsi que l'évolution de leurs relations avec la Chambre, ne peut que confirmer l'hypothèse de Léon Mirot [5], si judicieusement étayée par Raymond de Roover [6], selon laquelle les compagnies lucquoises formaient une vaste association d'intérêts. Les Spifame se sont-ils volontairement effacés ? Nous y reviendrons.

Non moins actif avait été, au temps d'Urbain V et de Grégoire XI, Filippo Astareo. Sans pouvoir rivaliser avec les Alberti Antichi, ce Lucquois avait assuré quelques transferts : d'Aragon en 1368, de Portugal en 1370, de Toscane en 1376 [7]. Pas plus que les Spifame il ne profita cependant de la nouvelle situation. Le 4 mars 1379, il versa 803 florins 16 sous reçus à Paris du collecteur de Saintes par le Lucquois Jacopo Panici [8], et, le 31 mars, avec son compatriote Niccolò Giove, les 2 000 francs reçus du collecteur de Paris par Dino Rapondi [9]. Là encore, la conjonction de Dino Rapondi et de Lucquois qui disparaissent ensuite du mouvement des fonds est troublante. Car c'en est alors fini d'Astareo. Tout au plus le voit-on, les 16 décembre 1379 et 10 mars 1380, remettre à la Trésorerie 78 florins qu'il avait en dépôt d'un facteur des Alberti Antichi [10], et prêter, le 6 juin 1380, 500 florins conjointement avec Niccolò Giove [11].

Ce dernier apparaît encore une fois dans les livres de la Trésorerie : le 28 mai 1384, il versa en effet 500 francs reçus du collecteur de Paris par le marchand parisien Nicolas Maulan. Or, pour ce versement, Giove ne vint pas seul à la Trésorerie. Giovanni Caransoni l'accompagnait [12].

---

1. Versés à la Trésorerie le 4 mars 1379 ; *Intr. ex.* 350, fol. 16 r°.
2. *Ibid.*, fol. 11 et suivants.
3. *Intr. ex.* 354, fol. 26 r° et 32 r°.
4. *Intr. ex.* 374, fol. 18 v°.
5. L. MIROT, *Les Lucquois en France au Moyen-Age*, dans les comptes rendus de la *R. Accademia luchese* (Lucques, 1930. 15 pages).
6. R. DE ROOVER, *La communauté des marchands lucquois à Bruges de 1377 à 1404*, dans les *Handelingen van... « Société d'émulation » te Brugge*, LXXXVI, 1949, p. 23-89.
7. Y. RENOUARD, *op. cit.*, p. 320, 324 et 326.
8. *Intr. ex.* 350, fol. 16 r°.
9. *Ibid.*, fol. 17 v°.
10. *Intr. ex.* 352, fol. 6 v° et 17 r°.
11. *Ibid.*, fol. 24 v°.
12. *Intr. ex.* 338, fol. 59 v°.

Or Giovanni Caransoni semble bien avoir été, jusqu'à sa mort en 1397 [1], l'un des correspondants permanents de Dino Rapondi à Avignon. C'est lui qui, en 1393, transmit, pour une part en son nom, pour une part au nom des Rapondi, un prêt de 4 556 florins [2].

Caransoni n'était pas un inconnu à Avignon : dès 1372, il versait des fonds collectés à Cologne [3]. Mais c'est à partir de 1383 que son rôle devint capital dans le mouvement des fonds pontificaux. Le 14 mai, il se chargea de faire verser à Pise 4 000 ducats [4] ; le 9 juin, il versait à la Trésorerie 5 000 florins reçus par change de Gênes où cette somme avait été envoyée et n'avait pu être employée [5]. Entre 1384 et 1394, pour le compte des collecteurs de Paris, Tours, Reims et, secondairement, Toulouse et Narbonne, Caransoni versa au total 21 554 florins, changés pour une grande part à Paris chez Dino Rapondi.

S'il était son correspondant, Caransoni n'était cependant pas l'employé de Rapondi, lequel entretenait d'ailleurs une filiale propre à Avignon. Notons, au surplus, que Giovanni Caransoni était un personnage d'importance, gendre de Niccolò di Grimaldi [6], et qu'il jouissait d'une forte position à Avignon. C'est en son nom personnel qu'il bénéficia, le 13 décembre 1391, de l'une des très rares désignations de marchands faites à Avignon même : Conzié écrivit en effet ce jour-là au collecteur Guy d'Albi d'envoyer ses fonds, s'il n'avait pas encore pris de dispositions à ce sujet, par le canal des « associés parisiens de Giovanni Carensoni » [7]. Il n'était pas dit « par Dino Rapondi », bien qu'il s'agît de lui.

C'est également pour son propre compte que Caransoni s'inscrivit, de 1384 à 1398, donc même après l'effacement des Rapondi, parmi les principaux prêteurs de la Trésorerie et les fermiers des gabelles avignonnaises. Fournisseur régulier de la curie, nous le voyons procurer au pape de l'orfroi de Damas [8], des draps de soie, du taffetas, du velours ; ces dernières pièces furent payées, par compensation, par Filippo Rapondi lui-même [9]. Alors que les Rapondi s'étaient séparés de Benoît XIII, Caransoni reçut, le 18 mars 1397, 2 000 écus à transmettre au comte de Valentinois pour le rachat du château de Montélimar [10].

De même que — nous le verrons plus loin — les Rapondi pour Louis d'Anjou, Caransoni remplit en 1392 et 1393 de véritables

1. Entre le 18 mai et le 30 août ; *Intr. ex.* 374, fol. 35 r°.
2. *Intr. ex.* 370, fol. 17.
3. Y. RENOUARD, *op. cit.*, p. 307.
4. Il reçut 3 846 francs à Avignon ; *Intr. ex.* 356, fol. 91 v°.
5. *Ibid.*, fol. 99 r°.
6. R. BRUN, *Annales...*, XII, p. 72.
7. *Instr. misc.* 3475.
8. 26 août 1383 ; *Intr. ex.* 356, fol. 121 r°.
9. 18 mars 1387 ; *Intr. ex.* 363, fol. 98 v°.
10. *Intr. ex.* 374, fol. 100 v°.

fonctions à la curie. Il fut receveur des sommes dues en 1392 à Raymond de Turenne sur la taille du Comtat [1]. Clément VII ayant, pour l'expédition projetée en Italie, octroyé une décime au duc de Bourbon [2], c'est à Caransoni, promu « receveur de la décime », que fut confié le soin de réunir les recettes, ce qu'il fit sans quitter Avignon, se faisant verser l'argent transmis par les voies ordinaires, parfois même par le canal des sociétés rivales : ainsi 2 000 francs que Guy d'Albi lui adressa par un change sur Solario [3].

Giovanni Caransoni n'était pas le facteur des Rapondi. En étroite communauté d'intérêts avec eux, il ne leur était sans doute pas juridiquement associé. Il était d'autre part assez avisé pour traiter lui-même les affaires purement locales ou simplement commerciales dont se souciaient médiocrement les Rapondi. Il sut enfin profiter de leur effacement pour mener à bien en son nom propre des affaires financières d'une réelle envergure.

Maffredo Frami, dont l'activité tient entre les années 1383 et 1390, est un autre Lucquois en étroites relations avec les Rapondi. Sur les 8 067 florins qu'il versa à la Trésorerie pour des collecteurs, 6 750 avaient été reçus à Paris par Dino Rapondi [4]. C'est même de concert avec Giovanni Rapondi, le neveu de Dino, que Frami effectua, le 16 septembre 1390, un versement de 2 250 florins [5].

Un seul Lucquois semble avoir échappé à l'influence des Rapondi : Tommaso dal Poggio, simple changeur installé depuis fort longtemps à Avignon [6] et dont les affaires se situaient sur un plan très local. Nous le voyons récupérer les créances d'un évêque condamné à Avignon [7] ou verser à un créancier de la Chambre de l'argent provenant d'un débiteur du pape [8]. Tommaso dal Poggio était avant tout un changeur : il servait d'intermédiaire à la Chambre apostolique pour des prêts sur gages [9] et participait avec régularité, depuis 1383, à la ferme des gabelles d'Avignon et du Comtat venaissin, ferme dont il fut trésorier et receveur de 1396 à 1398 [10].

Les Rapondi, eux, étaient des hommes nouveaux. En 1376, ils n'avaient à Avignon ni filiale ni facteur. Dans la vaste association d'intérêts lucquois mise en évidence — pour Bruges — par Léon

---

1. *Coll.* 269, fol. 285 r°.
2. N. VALOIS, *op. cit.*, II, p. 384 ; voir ci-dessous, p. 627-628.
3. Caransoni en donna une quittance signée le 10 juin 1393 ; *Instr. misc.* 3601.
4. Voir notamment *Intr. ex.* 365, fol. 18 v°-19 r°.
5. *Intr. ex.* 366, fol. 47 r°.
6. Cionello dal Poggio était, au temps de Jean XXII, maître des monnaies (Y. RENOUARD, *op. cit.*, p. 368, note) et effectua des changes en 1357 vers Florence (*ibid.*, p. 264-266). Dès 1360, nous voyons Tommaso dal Poggio payer à Avignon un change fait à Naples (*ibid.*, p. 225).
7. *Intr. ex.* 356, fol. 37.
8. *Intr. ex.* 338, fol. 66 r°.
9. *Intr. ex.* 355, fol. 45 v°-46 r°.
10. *Intr. ex.* 374 et 375, *passim*.

Mirot et Raymond de Roover[1] et à laquelle tout nous porte à croire pour Avignon, Dino Rapondi et ses frères tenaient leur rôle : il était à Bruges et Paris[2]. Guinigi et Interminelli occupaient la place d'Avignon. Leur adhésion à la cause urbaniste laissait donc, en 1378, la place libre. Dino Rapondi ne se pressa pas, ne désirant sans doute pas donner inconsidérément des gages d'attachement à une papauté encore mal assurée. En 1379 et 1380, nous venons de le voir, ce furent d'autres Lucquois qui versèrent à Avignon les sommes que Dino Rapondi recueillait à Paris.

Le danger était cependant réel de laisser une autre compagnie faire sur place le siège de la Chambre apostolique. A peine Clément VII était-il assuré que nous voyons Rapondi se préoccuper d'imposer ses services. En 1381, pour la première fois, un Rapondi paraissait à la Trésorerie : Dino lui-même, probablement venu pour étudier les possibilités d'installation ; il versa 600 francs changés à Paris par des nonces chez son frère Jacopo[3].

Quelques mois plus tard, Andrea Rapondi s'installait à demeure dans la cité des papes[4]. Jusqu'à son remplacement à la fin de 1385[5] par Filippo Rapondi, Andrea versa le montant de vingt-sept changes faits à Paris par des collecteurs ou des nonces avec Dino ou, exceptionnellement, leur frère Pietro[6]. Filippo Rapondi dirigea la filiale avignonnaise de janvier 1386 au début de 1389, date approximative de son départ pour Bruges[7]. Il fut alors remplacé à Avignon par son neveu Giovanni[8], qui céda lui-même la place, vers octobre 1390, à Jacopo Rongui.

Les Rapondi étaient fortement installés à Avignon. Clément VII avait même gratifié Andrea d'une pension annuelle de 400 francs,

---

1. Voir les références ci-dessus, p. 483, notes 5 et 6.
2. Dino Rapondi quitta Bruges dès la mort de son frère aîné Guglielmo, en 1370, et vint s'installer à Paris, laissant ses frères en Flandre ; L. MIROT, *La société des Raponde, Dine Raponde*, dans la *Bibl. de l'Ecole des chartes*, LXXXIX, 1928, p. 299-389.
3. 19 octobre 1381 ; *Intr. ex.* 354, fol. 51 v°.
4. Et non en 1384 comme l'a écrit Léon MIROT (*loc. cit.*, p. 311). Mais c'est bien en novembre 1384 que Rapondi acheta du pape une maison à Avignon (R. BRUN, *Annales...*, XII, p. 67). Nous pensons qu'Andrea Rapondi, après trois ans d'une installation provisoire, s'est procuré en 1384 une demeure plus confortable parce que son établissement à Avignon semblait promis à une activité plus longue et plus importante qu'il n'avait d'abord pensé.
5. C'est-à-dire peu de temps après avoir contracté, en août 1385, un mariage fort avantageux qui lui procura sur le champ 3 000 florins de la Chambre, montant de la dot de sa femme, « sans compter ce qu'il peut attendre de la mère » (correspondance Datini, dans R. BRUN, *Annales...*, XII, p. 84). Andrea Rapondi ne demeura pas inactif, car, le 22 octobre 1391, Clément VII lui donna 216 florins courants en récompense de ses services ; *Intr. ex.* 367, fol. 210 r°. En 1393 et encore en 1396, il prêta diverses sommes à la Chambre apostolique ; *Intr. ex.* 371, fol. 57-60 et 62 v°, et 372, fol. 74 v°.
6. Le 12 avril 1384 (*Intr. ex.* 338, fol. 30 v°) ; Pietro regagna l'Italie et devint, en 1391, gonfalonier de justice de Lucques ; il fut exilé à Pise en 1393, à la suite d'une insurrection (L. MIROT, *La société des Raponde...*, *loc. cit.*, p. 315).
7. Filippo Rapondi était à Bruges, en 1416, le correspondant de la Banque des Medici ; R. DE ROOVER, *The rise and decline...*, p. 318.
8. Boninsegna di Matteo signalait, le 23 mai 1390, l'activité débordante de Giovanni Rapondi ; R. BRUN, *Annales...*, XII, p. 123.

sorte de consécration officielle des services rendus [1]. Mais le centre de leur activité demeurait Paris. Faute de contrat à longue durée, chaque change était une affaire à enlever : ne l'oublions pas, l'initiative des collecteurs était rigoureusement libre. C'est donc à Paris, où venaient avec leur recette les collecteurs de Paris, Reims, Tours et Bourges, qu'il fallait s'imposer. Nous ne nous étonnons donc pas que Dino ait été rarement présent à Avignon. Un voyage nous est connu, en avril 1389 [2]. Mais à Paris, c'est lui que, constamment, mentionnent les comptes comme ayant reçu l'argent des collecteurs.

De 1381 à 1395, outre les communs services versés pour le compte de prélats français, les Rapondi ont acheminé vers la Trésorerie 109 428 florins reçus des collecteurs [3]. Il faut ajouter à cette somme le montant des assignations payées à Dino par les mêmes collecteurs pour des prêts faits à la Trésorerie. Il faut aussi y joindre une part indéterminée des versements assurés par les autres Lucquois, et en particulier par Giovanni Caransoni : ces versements correspondent pour la majeure part à un trafic étroitement contrôlé par les Rapondi.

De 1382 à 1384, d'autre part, toutes les recettes de la Trésorerie étaient assignées à Louis d'Anjou et devaient être versées à son trésorier Nicolas de Mauregart [4]. Or c'est Andrea Rapondi que Mauregart constitua son « procureur » pour recevoir ces sommes [5]. Dans les comptes de la Trésorerie, chaque article de recette est donc paraphé : « *Recepi. A. Repondi* ». Mais Rapondi ne se chargeait pas des transferts d'Avignon à Naples ; Nicolas de Mauregart recourait alors à d'autres marchands, comme ce Giovanni Chiari, un Florentin, auquel il confia 23 600 florins le 17 juillet 1383 [6]. Le rôle propre de Rapondi était de rassembler des fonds, de contrôler la Trésorerie et de lui donner décharge, de recevoir enfin des prêts, comme celui de 7 500 florins consenti, en juin 1384, par Olivier de Clisson [7].

Lorsqu'il s'agit, en 1385, de faire parvenir à Venise les sommes nécessaires à la mission de Pierre de Murles et de Cavallino de' Cavalli, c'est à Rapondi que l'on s'adressa [8]. De même, en 1395,

---

1. Le 5 mai 1384 ; *Instr. misc.* 3169 ; *Reg. Av.* 238, fol. 138 r⁰-139 r⁰.
2. *Intr. ex.* 365, fol. 29 r⁰. Dino Rapondi faisait partie de la suite de Charles VI ; L. MIROT, *loc. cit.*, p. 324-325.
3. Nous ne pouvons souscrire au jugement de L. Mirot qui, citant la fourniture au pape d'un fermail, de draps et d'une tapisserie, concluait : « ce sont là les seules traces que l'on ait des rapports de Raponde avec les papes d'Avignon » (*loc. cit.*, p. 325).
4. Jean LE FÈVRE, *Journal*, éd. H. Moranvillé, p. 24.
5. *Intr. ex.* 356 (not. fol. 38 r⁰) et 337, *passim*.
6. *Intr. ex.* 356, fol. 125 v⁰.
7. *Intr. ex.* 337, fol. 20 r⁰.
8. Il y eut finalement contre-ordre et Rapondi rendit l'argent ; *Intr. ex.* 361, fol. 5 r⁰ et 56 r⁰.

les 4 000 florins que la Chambre adressa à Pise pour payer Bernardon de Serres furent-ils confiés à Andrea Rapondi et Jacopo Rongui [1].

De tels mouvements de fonds n'étaient pas sans grand intérêt pour les Rapondi. La confiance des Angevins leur valut de manier, en trois ans, plusieurs centaines de milliers de florins. Pendant combien de temps et dans quelle mesure ces sommes facilitaient-elles leurs propres affaires, c'est ce que nous ne pouvons discerner. Mais il est évident que, jusqu'à la fin de l'aventure angevine, les Rapondi tirèrent de leur position à la curie un appréciable bénéfice.

Pour être moins nombreux à Avignon, les gens d'Asti ne renonçaient pas à concurrencer les Lucquois. Trois groupes d'Astésans peuvent être distingués, dont la solidarité est peut-être analogue à celle des familles lucquoises : les changeurs, les Scarampi, les Solario-Ricci.

C'est parmi les Astésans que la Chambre apostolique recruta ses plus fidèles changeurs. Antonio dal Ponte, attesté dès juillet 1379 comme changeur de la Chambre [2], remplit même au nom du trésorier, en 1380 et 1381, de véritables fonctions de receveur de la Chambre [3]. Catalano della Rocca, déjà changeur de la Chambre en 1384 [4], était associé à Francesco Scarampi qui, de 1388 à 1390, lui adressa de Barcelone plusieurs lettres de change en faveur de la Trésorerie [5]. Débordant les limites de son office de changeur de la Chambre apostolique, Catalano della Rocca assura donc, avec Scarampi, les services d'un véritable marchand cambiste : de 1388 à 1394, Catalano versa 24 340 florins, reçus pour la plus grande part à Barcelone, mais aussi à Toulouse et même à Lyon. Il ne dédaignait d'ailleurs pas pour autant le change manuel et l'achat de métal précieux : de 1384 à 1393, il apparaît, avec son associé Antonio di Francesco [6], comme l'acquéreur régulier des pièces d'orfèvrerie ou des joyaux vendus par le pape, pris dans le trésor ou provenant des dépouilles [7]. C'est également Catalano qui achetait pour le compte du pape ; ainsi l'aiguière d'or que Clément VII l'envoya chercher à Marseille pour être offerte au duc de Bourgogne [8].

En 1398, alors que Benoît XIII était aux abois, c'est encore à Catalano della Rocca que l'on s'adressa pour monnayer l'une des plus belles pièces du trésor. Il gagna Paris, emportant un anneau orné d'un rubis dont Pedro Adimari, lieutenant du camérier, lui avait fixé le prix de vente minimum : 4 000 francs. La différence,

---

1. *Intr. ex.* 372, fol. 91 r°.
2. *Intr. ex.* 350, fol. 28 r°.
3. *Intr. ex.* 354 ,*passim.*
4. *Intr. ex.* 338, fol. 47 r°.
5. *Intr. ex.* 365 (not. fol. 10 v°) et 366, *passim.*
6. Attesté comme tel le 23 mars 1387 ; *Intr. ex.* 363, fol. 22 v°.
7. *Intr. ex.* 361, fol. 24-25 ; 364, fol. 4 r°, 19 v° et 21 r° ; 366, fol. 5 r°.
8. 22 mai 1391 ; *Intr. ex.* 367, fol. 30 v°.

si le rubis était vendu plus cher, devait être partagée entre la Chambre et Catalano. A Paris, le duc de Berry acheta le joyau pour 4 500 écus, soit 5 100 francs. Lors de la reddition des comptes, le 2 novembre 1400, Catalano fit supporter par la Chambre les frais du voyage : le rubis rapporta donc 4 200 francs à la Chambre et 900 au changeur, dont la mission se révélait ainsi particulièrement fructueuse [1].

Le service du pape n'absorbait pas toute l'activité de Catalano della Rocca. Le 3 mai 1385, la reine Marie l'avait constitué son trésorier des guerres, avec 1 000 francs de gages annuels [2].

Le rayon d'affaires de Catalano della Rocca dépassa donc largement ce qu'avait été celui d'Antonio dal Ponte, changeur confiné dans ses relations avec la Trésorerie. Mais lorsqu'en 1391 apparaît dans les livres le nom de Corrado dal Ponte, peut-être fils d'Antonio, c'est parce qu'il verse la recette du collecteur d'Aragon : 6 164 florins en moins de deux ans [3]. Le groupe des changeurs astésans s'introduisait donc bien dans le trafic des fonds apostoliques. Quel était à Barcelone le correspondant de Corrado dal Ponte ? Le même Francesco Scarampi, déjà associé de Catalano della Rocca. C'est en particulier à Scarampi qu'était payable, à Barcelone, l'assignation de 992 florins courants 3 sous 10 deniers donnée à Corrado en 1391 en remboursement d'un prêt [4].

On peut même déceler une évolution. En 1388, donc peu après la reprise des relations financières avec l'Aragon, Francesco Scarampi s'efforça de mettre la main sur le trafic. Il vendit des lettres de change, payables à Avignon par son associé Catalano della Rocca. Mais — les fonctions de changeur de la Chambre apostolique accaparaient-elles ce dernier ? — il lui fallut vite trouver un autre correspondant. En mars 1389, Lucchino Scarampi était à Avignon : le 7, de concert avec Catalano, il paya une lettre de 729 florins 6 sous [5] ; le 30, de concert, cette fois, avec Corrado dal Ponte, il acheta de la Chambre apostolique une maison située rue de la Draperie [6]. C'est sans doute là que Corrado établit le siège d'une agence sur laquelle furent tirés les changes de 1391 à 1393, cependant que Catalano, désormais étranger aux affaires de Scarampi, se tournait vers d'autres directions et, nous ne savons pour quel correspondant, payait des changes effectués à Toulouse et à Lyon.

---

1. *Instr. misc.* 5356, fol. 30.
2. Jean Le Fèvre, *op. cit.*, p. 105 et 107 ; R. Brun, *Annales...*, XII, p. 67 ; N. Valois, *op. cit.*, II, p. 123.
3. Du 16 septembre 1391 au 4 juin 1393 ; *Intr. ex.* 367, fol. 43 r° ; 369, fol. 10 r°, 18 r° et 23 r° ; 370, fol. 30 r°.
4. *Instr. misc.* 3501 et 3522.
5. *Intr. ex.* 365, fol. 23 v°.
6. La maison était venue en possession de la Chambre par la mort du juriste Ferrier Pérussole ; *Intr. ex.* 365, fol. 25 r°.

La société formée par les deux Astésans Jacopo da Solario et Paolo Ricci était-elle absolument indépendante du réseau constitué par Francesco Scarampi ? Nous ne le croyons pas. On note en effet que Catalano della Rocca avait un associé nommé Antonio Damiani [1] cependant que l'associé parisien des Solario-Ricci était l'Astésan Simone Damiani [2]. Là encore, à défaut de certitude quant à une association juridique, il y a de fortes présomptions pour une entente à caractère national : mêmes hommes, même intérêt, sans doute, à se partager les affaires.

L'association Solario-Ricci est attestée dans les textes [3]. Elle est encore plus perceptible dans les faits. De 1382 à 1384, c'est Solario qui paya les lettres de Simone Damiani. De 1385 à 1389, Paolo Ricci et lui alternèrent [4]. En 1390, Solario était seul pour payer. De 1391 à 1398, Ricci paya tout [5]. Après la restitution d'obédience, Solario fut de nouveau là, en 1404 et 1405, puis s'effaça au profit de Giorgio Ricci, cependant que leur associé de Nice, Bartolomeo da Solario, prêtait 1 000 florins courants au trésorier lors du séjour à Nice de la curie [6].

Le bilan des Solario-Ricci est moins élevé que celui des Rapondi : 83 125 florins, pour une période d'activité beaucoup plus longue, puisque les Rapondi cessèrent de transférer les fonds pontificaux en 1395. On doit cependant prendre garde à ce que le rapport n'est pas constant. Le volume des changes confiés aux Rapondi décroît brusquement en 1391. Désaffection de la Chambre et des collecteurs envers les Lucquois ? Désaffection du puissant conseiller du duc de Bourgogne qu'était Dino Rapondi, envers Clément VII ? Les deux, probablement. On disait, à Avignon, les Rapondi fort engagés avec le duc et de nombreux seigneurs français [7]. Le rôle de Dino Rapondi à la cour de Bourgogne était donc perceptible à travers l'activité de son neveu Giovanni. L'option politique de Philippe de Bourgogne en ce qui touchait au Schisme n'était sans doute pas sans influencer le choix des collecteurs, cependant que le transfert de fonds vers Avignon ne présentait peut-être pas l'intérêt qu'avait espéré y trouver Dino Rapondi.

Il est, à tous égards, significatif que les relations entre la papauté et les Rapondi prennent fin l'année où, précisément, se sont heurtés Benoît XIII et Philippe de Bourgogne, venu à Avignon tenter une ultime négociation [8]. Trois ans plus tard, Andrea Rapondi faisait

---

1. *Intr. ex.* 370, fol. 4 r°.
2. Son origine est attestée : *Instr. misc.* 3216, et *Intr. ex.* 359, fol. 31 r°.
3. *Coll.* 123, fol. 83 r° ; *Intr. ex.* 359, fol. 31 r°.
4. Mais toujours au nom de leur société. Ainsi, le 22 avril 1385, le clerc de la Trésorerie écrit-il : *Jacobus de Solario, nomine dicti Symonis, solvi et assignari fecit Camere supradicte per manus Pauli Richii, socii sui...* (*Intr. ex.* 359, fol. 31 r°).
5. Sauf deux changes en 1393 ; *Instr. misc.* 3601, et *Intr. ex.* 370, fol. 31 r°.
6. 4 février 1405 ; *Reg. Av.* 321, fol. 42 r°.
7. R. BRUN, *Annales...*, XII, p. 123.
8. DELARUELLE, LABANDE et OURLIAC, *op. cit.*, p. 84-86.

partie de la délégation des Avignonnais envoyée auprès de Charles VI pour demander la déchéance du pape [1].

Lucquois et Astésans étaient donc seuls en concurrence pour le change de Paris sur Avignon, qui représentait l'essentiel du mouvement des fonds dans les dix premières années du Schisme. L'adhésion de la Castille, puis celle de l'Aragon, en rendant nécessaires d'autres services bancaires, permirent à d'autres marchands de participer au trafic.

Les Génois Imperiale et Calvi furent les premiers à en profiter. Dès 1377, Pellegrino Imperiale versait la recette d'un collecteur de Castille [2]. En 1388, c'est Federigo Imperiale qui entreprit de monopoliser les transferts du collecteur de Tolède. A Séville, le collecteur changeait chez l'un des Génois correspondants d'Imperiale : Lodovico Cattaneo [3], Paolo Lercaro [4], Cipriano Paussano [5], Ottobone Scoti [6] ou Samuele di Gentile [7]. Federigo Imperiale poursuivit ses services jusqu'en 1397.

Matteo Calvi fit, en 1392, une tentative unique pour contrarier le trafic de son compatriote Imperiale sur les changes de Séville [8]. Reprises par Guiranno Calvi, ses affaires furent dirigées vers l'Aragon : de 1394 à 1398, Calvi assura le transfert de 5 100 florins changés à Barcelone par le collecteur d'Aragon. Ce fut tout. L'envergure des Génois d'Avignon demeurait, on le voit, très limitée.

Le 8 novembre 1381, Clément VII avait autorisé, pour cinq ans, les Florentins à séjourner dans les terres du Saint-Siège, nonobstant les condamnations portées par Grégoire XI [9]. Due à l'intervention du cardinal de Florence, Pietro Corsini, cette tolérance n'eut guère d'effet sur les grandes compagnies, liées à la papauté romaine par les nécessités politiques, et qui ne pouvaient retrouver Outre-Monts leur activité ancienne tant que Charles VI maintenait ses propres interdits [10]. Mais elle permit la présence à Avignon de bien des Florentins, facteurs des compagnies toscanes : on voit bien, à l'expiration du délai de cinq ans, les gens de Francesco Datini, Florentins en général, se faire quelque souci en attendant la prorogation des bulles [11].

Le retour de quelques marchands florentins ne perturba pas le monde des affaires avec la Chambre apostolique. Ni Giovanni di

1. L. Mirot, *La société des Raponde*, loc. cit., p. 312.
2. Y. Renouard, *op. cit.*, p. 326.
3. Versement du 12 décembre 1388 ; *Intr. ex.* 365, fol. 7 r°.
4. Versement du 8 novembre 1389 ; *Intr. ex.* 366, fol. 4 r°.
5. Versements de 1391 ; *Intr. ex.* 367, fol. 25 r°, 26 v° et 33 v° ; 369, fol. 6 v°.
6. Versement du 20 août 1392 ; *Intr. ex.* 369, fol. 33 v°.
7. Versement du 22 octobre 1392 ; *Intr. ex.* 369, fol. 42.
8. *Intr. ex.* 369, fol. 33 v°.
9. *Reg. Vat.* 293, fol. 158.
10. N. Valois, *op. cit.*, II, p. 30.
11. R. Brun, *Annales...*, XII, p. 88-89.

Pietro [1], ni Bernardo di Cino [2], ni Giorgio Capponi [3] ne firent autre chose que prêter quelques sommes à la Trésorerie. Aguinolfo de' Pazzi, qui n'avait jamais quitté Avignon, joua un rôle considérable comme changeur, comme intermédiaire de prêteurs sur gages [4], comme prêteur lui-même, et souvent pour de très modiques sommes, destinées à faciliter au jour le jour les paiements de la Trésorerie [5]. Faute d'un réseau de correspondants, il s'occupa peu des transferts : il paya une fois 1 500 francs pour une lettre tirée à Poitiers par Pietro dell'Arca [6], une autre fois 800 francs pour une lettre des Toulousains Jean et Barthélemy Bel [7]. Mais il faut signaler que c'est par l'intermédiaire d'Aguinolfo de' Pazzi que le duc d'Anjou versa, en 1380, 9 000 florins qu'il prêtait au pape [8], et que, pour la même raison, Antoine Scatisse, de Nîmes, en versa 1 000 en 1382 [9].

Encore plus épisodique fut le rôle de Niccolò Buonaccorsi, qui paya, le 26 janvier 1390, 739 florins pour un change fait — nous ne savons où — par le collecteur de Burgos [10].

Francesco di Marco Datini da Prato ne fut pas, malgré l'ampleur de son réseau commercial [11], un auxiliaire régulier de la Chambre apostolique. Outre quelques versements de communs services [12], deux transferts seulement furent assurés par ses soins : 996 francs versés à Avignon le 15 décembre 1397 [13] et 714 francs versés le 26 juin 1398 [14] pour le compte du collecteur d'Aragon. Quant aux prêts consentis par Datini à la Trésorerie, ils étaient généralement d'un faible montant et remboursés à Avignon même : ainsi 196 florins de la reine prêtés le 16 juin 1382 et remboursés le 26 août par Andrea Rapondi au nom de la Chambre apostolique [15], 1 000 florins de la reine prêtés le 5 mai 1382 et dont le remboursement fut effectué en partie par la Trésorerie et en partie par une assignation sur la gabelle du vin [16], 200 francs, enfin, prêtés en 1393 et remboursables par la Trésorerie [17].

---

1. *Intr. ex.* 361, fol. 30 r°.
2. *Intr. ex.* 361, fol. 26 v°.
3. *Coll.* 359 A, fol. 177 v° et 232 v°-233 r° ; *Instr. misc.* 3502.
4. Dès les 30 octobre et 31 décembre 1379 ; *Intr. ex.* 352, fol. 9 v° ; 353, fol. 14 v°.
5. Ainsi le voit-on prêter 51 florins courants le 21 janvier 1387 (*Intr. ex.* 363, fol. 17 v°) et prêter, le 28 mai 1389, les 50 florins courants que le pape devait à un soldat (*Intr. ex.* 365, fol. 34 r°).
6. Le 11 mai 1382 ; *Intr. ex.* 355, fol. 31 v°.
7. Le 23 novembre 1386 ; *Intr. ex.* 363, fol. 5 r°.
8. *Intr. ex.* 352, fol, 11 v°, 16 r° et 22 r°.
9. *Intr. ex.* 355, fol. 31 v°.
10. *Intr. ex.* 366, fol. 14 v°.
11. Voir F. Melis, *Aspetti della vita economica medievale.*
12. Notamment ceux de l'évêque de Siguenza en 1390 ; *Intr. ex.* 366, fol. 33 v°.
13. *Intr. ex.* 375, fol. 13 r°.
14. *Ibid.*, fol. 16 r°. Ils avaient été reçus à Barcelone le 22 mai ; Prato, *Arch. Datini,* 20, fol. 126 v°, et 801, fol. 158 v°.
15. Prato, *Arch. Datini,* 4, fol. 72 v°.
16. *Ibid.*, fol. 69 r°.
17. R. Brun, *Annales...*, XIII, p. 86.

La modicité des relations bancaires avec la Chambre ne doit pas faire oublier la masse des emprunts faits par les officiers de la curie et des opérations réalisées pour leur compte. Bien des marchands participaient à ces affaires qui, quoique indirectement, ne laissaient pas de concerner la papauté. Il n'était guère de curialiste qui ne fût, peu ou prou, créancier de la Chambre : fournitures à crédit, gages impayés, frais de mission non remboursés gonflaient la dette du pape envers ses gens bien au delà de la somme des emprunts. Le crédit consenti à ces gens par les marchands apportait donc une aide, appréciable par son volume total, à la papauté [1]. En un seul mois, Datini prêtait 88 florins de la reine au maître d'hôtel du pape, Georges de Marle [2], 14 florins de la reine au cardinal Brancacci [3] et 37 florins de la reine à Guillaume de Vermont [4].

De tous ces « Lombards » que nous venons de citer, ne subsistaient plus au service du pape, au lendemain de la restitution d'obédience, que les Solario-Ricci. Ceux-ci suffisaient à transférer les fonds réunis à Paris, fonds dont nous avons dit combien le montant s'affaiblissait alors. Ils n'étaient pas à même d'assurer le change des sommes considérables envoyées d'Aragon. Avec le renversement de la structure financière de l'obédience, de nouvelles voies bancaires devenaient nécessaires.

C'est alors que se manifesta à Avignon le Florentin Lorenzo di Dinolzo. C'est lui qui, de 1404 à 1407, assura le paiement ou avança le montant de bien des sommes versées ou à verser chez Andrea de' Pazzi à Barcelone. C'est lui qui se chargea de réexpédier d'Avignon sur Gênes et Savone, où les Bardi les payaient, les sommes dont avait besoin Benoît XIII. C'est son fils, Jacopo di Lorenzo, qui paya, à Marseille, un versement de l'archevêque de Séville [5]. C'est Lorenzo di Dinolzo, enfin, qui avança, le 21 septembre 1404, les 1 000 florins de la lettre de change que la Chambre envoyait à Florence pour financer la résistance du châtelain de Soriano [6].

Nous en venons au « voyage » de Benoît XIII. A Gênes et à Savone comme à Marseille, la Chambre apostolique dépendait en effet de nouveaux banquiers pour le paiement de ses changes en provenance d'Aragon. Cette fois, il n'était pas question de choix. Payaient les lettres ceux à qui elles étaient adressées par les marchands établis à Barcelone. C'est ainsi que nous voyons défiler à la Trésorerie des Génois comme Antonio et Benedetto Nigrono [7],

---

1. De même participaient-ils aux tailles imposées sur la population d'Avignon ; voir ci-dessus, p. 176.
2. Prêtés le 12 juin 1382, remboursés le 26 août ; *Arch. Datini*, 4, fol. 72 r⁰.
3. Prêtés le 21 juin 1382, remboursés le 16 août ; *ibid.*, fol. 73 r⁰.
4. Prêtés le 1er juillet 1382, remboursés le 26 août ; *ibid.*, fol. 74 v⁰.
5. Le 2 décembre 1404 ; *Reg. Av.* 321, fol. 31 v⁰.
6. *Ibid.*, fol. 13 r⁰.
7. Le 22 août 1405 ; *ibid.*, fol. 80 r⁰.

ou comme Antonio Bordino [1]. Tommaso Dorlando paya, le 28 avril 1405, un change de 3 000 francs fait à Avignon par Dinolzo et payable pour son compte à Andrea de' Pazzi, à Barcelone : un double change, donc, et une opération de crédit plus que de transfert [2]. Parsivallo de' Vivaldi, en 1405, paya 7 500 florins à lui seul [3]. En 1406, Matteo *de Favara* et le Majorquin Frances Lorent [4] effectuèrent de très modestes paiements. A Savone, enfin, Bartolomeo Ferrari paya 4 000 francs pour un change reçu à Barcelone par Raffaele Ferrari [5]. Tous n'étaient que des auxiliaires occasionnels de la Chambre, appelés à payer une lettre de change mais incapable de fournir ce que le pape attendait de ses banquiers : une voie de transfert régulière et un crédit proportionnel à la recette des agents locaux.

Une seule société allait fournir avec régularité cette collaboration financière pendant toute l'expédition : celle de Francesco de' Bardi et Averardo di Francesco de' Medici, dont l'associé barcelonais, Andrea de' Pazzi [6], paraît avoir joui de la confiance des gens de la Chambre en Aragon.

Francesco de' Bardi avait un correspondant à Avignon : c'était précisément Lorenzo di Dinolzo. Passant par Avignon ou venant directement de Barcelone, les lettres de Pazzi étaient donc finalement payées par Bardi. De 1405 à 1408, Francesco de' Bardi lui-même et son associé de Gênes, Andrea de' Bardi, leur facteur Gentile di Baldassare, leur associé de Savone, le Florentin Jacopo Covoni, et même — en un cas [7] — Averardo de' Medici versèrent au trésor pontifical 86 494 florins, en paiement de vingt-six changes faits à Barcelone ou en avance et contre assignation sur la recette des gens de la Chambre en Aragon [8] : cela représente 59 % des fonds envoyés d'Aragon.

A la même époque, la société de Benedetto de' Bardi et Giovanni di Bicci de' Medici figurait parmi les principales compagnies en relations avec la papauté romaine. Bardi et Medici jouaient-ils donc sur les deux tableaux ? C'est, nous le verrons, fort probable [9]. Les uns et les autres, en tous cas, évitaient de s'engager dans une politique de crédit qui, à la disparition de l'un ou de l'autre pape, leur eût causé le dommage déjà éprouvé un demi-siècle plus tôt avec les créances sur Edouard III : à Rome, pas de monopole

---

1. Le 6 février 1408 ; *Reg. Av.* 331, fol. 228 r°.
2. *Reg. Av.* 321, fol. 56 v°.
3. *Reg. Av.* 321, fol. 67 r°, et 327, fol. 65.
4. *Reg. Av.* 327, fol. 72, et 328, fol. 119 v°.
5. Le 31 octobre 1407 ; *Reg. Av.* 331, fol. 43 r° et 208 v°.
6. Andrea de' Pazzi devint, vers 1422, l'un des chefs de la branche romaine des Medici ; R. DE ROOVER, *The rise and decline...*, p. 38.
7. Le 31 mai 1408 ; *Reg. Av.* 331, fol. 248 v°.
8. Les avances comptent pour 15 000 florins dans le total énoncé ci-dessus.
9. Voir ci-dessous, p. 517.

générateur d'un crédit permanent ; à Gênes, pas de prêts mais seulement des changes anticipés, donc remboursables à brève échéance. On notera d'ailleurs une précaution d'ordre politique : les hommes qui traitent avec Rome ne sont pas ceux que l'on rencontre à Gênes au service de Benoît XIII. La société qui opère à Gênes ne comprend aucun des deux chefs, le fondateur Giovanni de' Medici et son directeur général Benedetto de' Bardi [1]. Nous dirons plus loin les raisons qui nous poussent à croire, malgré l'opinion de M. de Roover, que les deux sociétés n'étaient pas indépendantes.

Ainsi, à défaut des Florentins exilés en 1376, la Chambre avignonnaise dut recourir, dès les débuts du Schisme, aux Lucquois que dominait Dino Rapondi et aux Astésans qui se montrèrent plus constamment fidèles que le trop politique Rapondi. Elle recourut, ensuite et par nécessité, aux Génois, et enfin aux Florentins dont le rôle fut capital au temps du voyage au delà des Alpes. Le Schisme a donc amené un bouleversement de la société marchande installée à Avignon, mais non la remise en question de la prédominance italienne. Un temps écartés, les Florentins trouvèrent dans le séjour de Benoît XIII en Ligurie une occasion de sortir d'une situation préjudiciable.

Les Français, les Languedociens en particulier, ne manquèrent pas de chercher à profiter des nouvelles conditions créées par la rupture de 1378. Nombreux sont ceux dont nous rencontrons les noms dans les livres de la Trésorerie et les registres caméraux : ce sont de modestes changeurs ou marchands établis à Avignon, à qui un correspondant bien placé dans l'une des collectories permit de jouer un rôle dans le mouvement des fonds pontificaux.

Le seul qui ait réussi à mettre sur pied un petit monopole de fait est Jean de Prades, associé ou correspondant des frères Jacques et Guilherm Carcassonne, de Montpellier, eux-mêmes correspondants de Guillaume et Bérenger Carlat, marchands à Rodez. C'est par ce canal qu'est passé, de 1382 à 1393, l'essentiel des transferts bancaires des collectories de Rodez et de Toulouse. En onze ans [2], 7 062 florins ont été versés par la voie Carlat-Carcassonne-Prades. A Montpellier, le collecteur d'Aragon Guillaume Boudreville avait également de l'argent en dépôt chez les Carcassonne [3].

Le concurrent direct de Prades était Philippot Dube dit de Campana. Lui aussi recevait l'argent versé chez Carlat, mais par l'intermédiaire d'un autre marchand de Montpellier, Jean Maffré [4]. De 1383 à 1387, il versa 3 750 florins à la Trésorerie. Une seule fois,

---

1. Voir les généalogies des familles dans : R. DE ROOVER, *op. cit.*, p. 385-386.
2. Du 25 novembre 1382 au 15 février 1393 ; *Intr. ex.* 356, fol. 7 v°-8 r°, 22 v°, 28 et 33 v° ; 338, fol. 19 et 46 v°, par exemple.
3. *Intr. ex.* 371, fol. 7 v° et 8 r°.
4. *Intr. ex.* 356, fol. 26 v°-27 r°, par exemple.

enfin, Guillaume Carlat se chargea d'envoyer directement la lettre de change achetée par le collecteur de Rodez [1] : c'est son familier Guillaume Lacroix qui la porta et la paya à Avignon le 22 janvier 1387 [2].

Mais le collecteur de Rodez recourut aussi à d'autres moyens. Le 17 juin 1381, il fit verser 1 200 francs par Barthélemy Mercier, de Rodez [3] ; celui-ci était-il un Rouergat d'Avignon ou un Rouergat en voyage, nous ne le savons. Le 4 janvier 1386, on voit un Auvergnat de Clermont, Jean Chambon, payer 1 050 florins pour le collecteur de Rodez, qui avait sans doute profité d'une occasion [4]. Le 18 décembre 1393, c'est un Avignonnais, Pierre de Méjanès, qui versait 80 francs pour le sous-collecteur de Rodez [5].

Le changeur Pierre Talhacuer vint également, une fois, à la Trésorerie : ce fut le 7 mai 1382, pour verser les 750 florins reçus à Toulouse du collecteur Pellicier par le changeur Azémar Blanc, associé de Talhacuer [6].

Avant que le collecteur du Puy ne renonçât à l'usage de la voie bancaire, c'est évidemment par des marchands français qu'il devait passer pour changer sur Avignon : Jean de Fraissinet [7] et Jacques de Ponniac [8] payèrent quatre changes de Jean de Montpeyros, marchand du Puy.

Un seul Aragonais se distingue dans le monde des marchands avignonnais en relation avec la Chambre apostolique : Pedro Maries [9], qui intervint dans les affaires camérales bien avant l'élection de Benoît XIII. Car l'arrivée massive des Aragonais à la curie après 1394 n'a pas d'équivalent parmi les marchands. En relations dès 1389 avec Guillermo Colombo [10], en 1401 avec Jaime Biure [11], puis en 1404 avec Juan Cessavasses et Pedro Serra [12], Maries versa en quinze ans 7 829 florins changés à Barcelone par les collecteurs de Tolède, de Burgos et d'Aragon, ainsi que par Guilherm de Fenolhet, l'homme d'affaires de Benoît XIII en Aragon. Maries assura en outre la réexpédition au trésorier, alors qu'il était en Ligurie,

1. On comprend, dans un tel cas, la nécessité pour le collecteur de faire rédiger une quittance notariée.
2. *Intr. ex.* 363, fol. 14 v°.
3. *Intr. ex.* 354, fol. 33 v°.
4. *Intr. ex.* 361, fol. 8 r°.
5. *Intr. ex.* 371, fol. 16 r°.
6. *Intr. ex.* 355, fol. 30 v° ; Azémar Blanc comptait parmi les grosses fortunes de Toulouse (Ph. Wolff, *Commerces et marchands de Toulouse*, p. 400).
7. 8 mars 1382 ; *Intr. ex.* 355, fol. 18 r°.
8. 1er décembre 1381, 25 novembre 1382 et 17 juin 1383 ; *Intr. ex.* 355, fol. 6 r° ; 356, fol. 8 r° et 29 r°.
9. Son parent Juan Maries était chapelain de Massetano, dans le diocèse de Gérone (*Intr. ex.* 375, fol. 14 r°). Un Pedro Maries, citoyen et marchand de Barcelone, est cité dans un contrat de 1428 publié par A. Sayous, *Les méthodes commerciales de Barcelone au XVe siècle*, dans la *Rev. hist. de droit fr. et étr.*, 1936, p. 264.
10. *Intr. ex.* 365, fol. 31 v°.
11. *Coll.* 123, fol. 43 v°.
12. *Reg. Av.* 321, fol. 10 v°, 21 r° et 23 r°.

de lettres de change parvenues à tort à Avignon, faisant même aux courriers l'avance de l'argent nécessaire à leur déplacement [1].

Les non-Italiens ne s'inscrivent donc dans le mouvement des fonds que pour une part relativement faible. La raison tient-elle à l'inexistence de réseaux commerciaux suffisamment vastes, en dehors des réseaux italiens ? Assurément pas. Les trafics que nous venons d'examiner et dont les Toscans et Lombards d'Avignon étaient la tête, ces réseaux étaient tous linéaires. On ne saurait les comparer aux réseaux dont disposaient, au temps de Grégoire XI, les Alberti Antichi ou même les Guinigi. Les Rapondi n'ont payé que des changes faits à Paris. A une exception près [2], il en va de même de Jacopo da Solario et de Paolo Ricci. Impériale n'a payé que les changes de Séville. Les Bardi et Medici eux-mêmes, mais cette fois par la force des choses, n'eurent à acheminer que des fonds aragonais.

Les seules raisons du quasi-monopole italien sont d'ordre matériel. Elles tiennent aux capitaux et à l'efficacité. Dino Rapondi n'était pas le seul, sur la place de Paris, à disposer d'un correspondant à Avignon ; peut-être était-il le seul à être assuré que son correspondant disposait des sommes nécessaires aux paiements. Les gens de la Chambre ne souhaitaient pas que les lettres de change destinées à la Trésorerie fussent protestées. Or, dans la même journée du 19 mai 1385, Andrea Rapondi dut verser le montant de trois changes faits à Paris par les collecteurs de Paris, Reims et Tours : 2 000, 3 000 et 3 000 florins. Quel marchand français pouvait, en recevant 8 000 florins à Paris, espérer que son associé ou son facteur d'Avignon aurait une telle somme ? En recourant aux Italiens, on avait la certitude du paiement, et d'un paiement rapide.

2. *Les collecteurs avignonnais et les marchands* — Quittons le point de vue d'Avignon pour adopter celui des places où les collecteurs venaient acheter des lettres de change. Sauf en de très rares cas — nous avons cité l'obligation faite à Guy d'Albi de confier sa recette à Caransoni, mais il était bien dit que cette obligation ne valait qu'en l'absence de dispositions contraires antérieurement prises par le collecteur — et sauf pour les changes payés à la Trésorerie par anticipation, qui étaient de véritables assignations, le collecteur avait le choix de son marchand.

A Paris, quatre collecteurs venaient changer : ceux de Reims, de Tours, de Bourges et, bien entendu, de Paris. Après quelques transferts confiés aux Spifame et à Burlamacchi, associé d'Andrea di

---

1. *Intr. ex.* 376, fol. 81 rº.
2. 400 francs changés à Toulouse chez les facteurs de Raymond de Gaillac. marchand de Montpellier, et versés à la Trésorerie par Solario le 29 octobre 1382 ; *Coll.* 374, fol. 114 vº-115 rº.

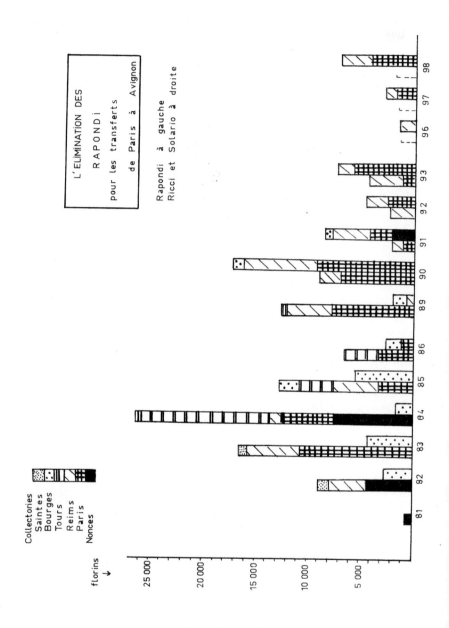

Graphique 8

L'élimination des Rapondi

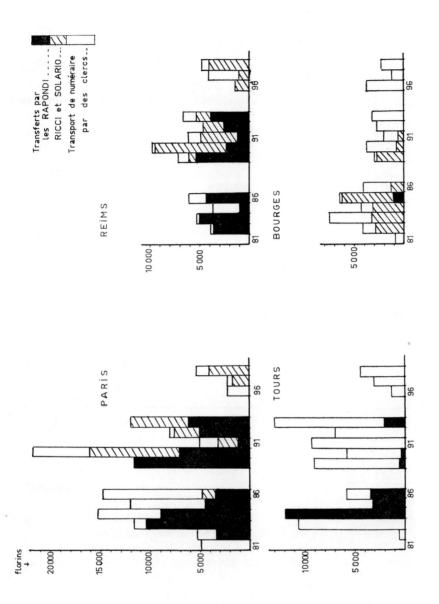

Graphique 9

Transferts de Paris à Avignon

Tici, deux sociétés seulement restèrent en présence : les Rapondi, de Lucques, et les Solario-Ricci, d'Asti. Jusqu'en 1389, les Rapondi emportèrent l'essentiel du marché : le volume de leurs changes sur Avignon égale sept fois celui des Astésans. En 1390, la situation se renversa brusquement : les Astésans transférèrent 17 214 florins, les Rapondi seulement 9 080. Dans les années suivantes, le volume global des changes diminua considérablement, mais les Rapondi subirent une baisse plus importante encore, cependant que la part des changes confiée aux Solario-Ricci augmentait par rapport à la période précédente. Au temps de Benoît XIII, nous l'avons dit, les Rapondi cessèrent, sans doute pour des raisons politiques, de transférer l'argent du pape. En 1396-1398, les Astésans étaient seuls. Il en fut de même en 1404 et 1405 [1].

Si l'option politique prise par Dino et Andrea Rapondi était responsable de l'affaissement de 1389, qui coïncide exactement avec le voyage à Avignon de Dino Rapondi aux côtés du roi, et de la disparition de 1395, qui coïncide avec la venue en curie du duc de Bourgogne, son maître, il n'en est pas moins vrai que les Astésans livraient sur le marché parisien une sorte de guerre financière à leurs rivaux lucquois [2].

Au début du Schisme, en effet, la position des Rapondi paraissait solide. En 1382, ils avaient la clientèle exclusive de deux des quatre collecteurs fréquentant Paris : Armand Jausserand (Paris) et Jean Maubert (Reims), c'est-à-dire ceux dont les versements étaient les plus considérables. Après quelques transports de numéraire, Guy de la Roche, collecteur de Tours, joignait en 1384 sa clientèle à celle de ses deux collègues. En face de cela, les Astésans n'avaient à changer que les fonds réunis par Jean François dans sa collectorie de Bourges, la moins fructueuse des quatre.

Jusqu'en 1389, ce rapport entre les clientèles n'évolua pas. Le seul changement provint d'un usage accru des transports de numéraire, phénomène commun aux quatre collectories. De 1389 à 1393, ce fut le complet renversement des positions acquises. Pierre de Saint-Rembert, le nouveau collecteur de Tours, renonça presque totalement à la voie bancaire. Jean de Champigny, nouveau collecteur de Reims, de même que Jausserand et son successeur à Paris, Guy d'Albi, partagèrent à peu près également leurs changes entre les deux sociétés rivales. Rapondi perdait donc sur tous les tableaux, alors que les Astésans compensaient, avec les collecteurs de Paris et Reims, la perte que leur faisait subir l'attitude de Jean François

---

1. Voir le graphique n° 8. Nous ne pouvons fournir tous les chiffres de détail justifiant les calculs qui suivent ; ils figurent tout au long des registres d'*Introitus* cités en tête de ce volume.

2. Voir le graphique n° 9 ; il est fait état ici du volume global des envois à Avignon, les transports de numéraire étant compris ; les années non indiquées sont celles pour lesquelles nous ne sommes pas assuré d'avoir toutes les données.

qui, de Bourges, renonçait progressivement à venir changer son argent à Paris. La rupture de 1395 entre les Rapondi et Benoît XIII laissa Solario et Ricci, ou plutôt leur associé parisien Simone Damiani, seuls agent des changes pour les deux collectories septentrionales.

L'attitude parallèle des collecteurs de Paris et de Reims peut laisser croire à une politique concertée. Que les deux hommes, qui résidaient tous deux à Paris, se soient mis d'accord, voilà qui n'est pas improbable. Mais le rapprochement avec l'attitude des deux autres collecteurs ne permet pas de songer à une intervention de la Chambre apostolique, intervention dont il faut souligner que la correspondance camérale ne conserve nulle trace.

Les autres collecteurs français, ceux de Langue d'Oc en particulier, usaient évidemment des services qui s'offraient. Jean de Montpeyros au Puy, Guillaume Carlat à Rodez furent choisis en raisons de considérations locales qui nous échappent : ils disposaient d'un correspondant à Avignon, voilà sans doute ce qui fut le principal argument en faveur de gens dont nous ignorons presque tout.

A Barcelone, au contraire, le choix était large. Trois collecteurs y changeaient : celui d'Aragon en tout premier lieu, celui de Burgos et parfois, celui de Tolède, probablement lorsque ses tournées à travers une collectorie fort étendue l'amenaient plus près de Barcelone que de Séville. Avant 1398, la diversité régnait dans les choix. Guillaume Boudreville changeait chez les Astésans — Scarampi en particulier — correspondants à Barcelone des changeurs Catalano della Rocca et Corrado dal Ponte. Foulques Périer, collecteur de Tolède, allait de préférence chez Guillermo Colombo, qui tirait sur Maries. Berenger Ribalta, qui envoya très régulièrement, pendant la soustraction d'obédience, sa recette au vice-gérant du camérier, Pedro Adimari, recourut simultanément à plusieurs marchands barcelonais : à Nerio di Niccolò et Andrea de' Pazzi, dont les associés étaient à Avignon Domenico de' Pazzi et l'apothicaire André Thierry, à Pietro di Buonahora, qui tirait sur André de Besinench, à Filippo *de Lorino* et Frances Manuel, associés d'Antonio et Urbano Alamani et de Michele di Simone, à Filippo Soldani, associé de *Fabrinus Tholosani* et de Philippe Malagonelle, à Jaime Biure, associé de Pedro Maries, à Francesco da Prato et Simone di Andrea, agents de Francesco di Marco Datini, enfin [1].

C'est alors qu'intervint Guilherm de Fenolhet. Ce citoyen de Barcelone, marchand connu [2] et sans doute ami personnel de Pedro de Luna, allait occuper à partir de 1398 une place très originale dans l'administration camérale. Sans titre officiel, sinon

---

1. *Coll.* 123, fol. 41 v°-44 v°.
2. Sayous a publié (*Les méthodes commerciales de Barcelone au XVe siècle, loc. cit.*, p. 277-278) une lettre de change tirée de Venise le 11 décembre 1399 et dont « Gilem de Fonolet » était le bénéficiaire.

parfois celui de « procureur du pape », Fenolhet joua le rôle d'un véritable receveur de la Chambre en Espagne, centralisant la recette des nonces et des collecteurs, organisant les transferts, cautionnant même les emprunts faits par la Trésorerie.

La quittance générale que lui donna Benoît XIII, le 1er août 1404, pour son activité passée [1] ne permet malheureusement pas de connaître le volume total des fonds qui lui sont passés par les mains et dont il a envoyé une partie à Avignon en soixante-quatorze lettres de change [2], utilisant l'autre partie pour financer des ambassades, affréter des galées et solder les hommes d'armes de l'expédition de secours envoyée en janvier 1399 pour tenter de débloquer le palais d'Avignon [3]. L'origine de ces fonds est, sans précisions chiffrées, indiquée dans la quittance : revenus des bénéfices mineurs conservés par Benoît XIII après son élection, subsides, annates, communs services, dépouilles, vacants et autres droits de la Chambre apostolique. Pendant six ans, collecteurs, sous-collecteurs et procureurs du pape dans ses bénéfices ont remis à Fenolhet leur recette ; ils la lui ont parfois adressée par lettre de change. Alfonso d'Exea, évêque d'Avila puis archevêque de Séville, lui a versé la part revenant au pape de la décime castillane. Quant au procureur général du pape en Espagne, Frances Climent, il a donné à Fenolhet une procuration permanente pour recevoir argent, joyaux ou objets quelconques pour le compte de la Chambre et en donner quittance. Devenu trésorier et venant en mission en Castille, c'est à Fenolhet que Frances Climent remit, en 1408, les 5 166 florins de sa recette [4] et qu'il paya les communs services de son évêché de Tortosa [5].

La quittance générale du 20 décembre 1408, qui couvre toutes les opérations accomplies depuis celle de 1404, est plus explicite [6]. En quatre ans et quatre mois, Fenolhet a reçu 129 155 florins d'Aragon et 15 sous barcelonais ; il en a envoyé ou assigné 126 224 florins 2 sous 5 deniers et reste donc débiteur envers le pape pour 2 930 florins 9 sous 10 deniers.

La position de Fenolhet était absolument indépendante des collecteurs : une bulle du 1er février 1403 lui donnait, à égalité avec le collecteur Bérenger Ribalta, pouvoir d'exiger et de recevoir toutes sommes et tous objets dus à la Chambre. Fenolhet ne devait de comptes qu'à Pedro Adimari, vice-gérant du camérier, seul habilité à lui donner des ordres [7].

---

1. *Reg. Av.* 308, fol. 17 v°-19 r°.
2. Nous n'avons pas les comptes de la Trésorerie pour cette période.
3. On sait que cette expédition ne dépassa pas Tarascon ; N. Valois, *op. cit.* III, p. 212-214 ; voir ci-dessous, p. 659.
4. *Reg. Av.* 331, fol. 250 v°.
5. *Ibid.*, fol. 254 v°.
6. *Reg. Av.* 331, fol. 121 r°-122 r°.
7. *Reg. Av.* 308, fol. 45 v°-46 r°.

Cette époque, où l'Aragon devenait le principal, puis le seul appui financier de Benoît XIII, vit une multiplication des missions à caractère politique et fiscal. Les nonces se succédaient et se croisaient, chargés de lever les impôts, de vendre des droits, de trouver du crédit et de contracter des emprunts. Chacun faisait de son mieux pour adresser sa recette à Avignon, à Marseille, à Nice, à Savone ou à Gênes. Le problème du transfert était compliqué par l'itinérance de la curie et la division de la Chambre apostolique entre Avignon et la suite du pape. L'argent passa donc de main en main. Pedro Regacol, sous-collecteur général d'Aragon, acheta, le 9 juin 1405, chez Niccolò de' Franchi une lettre de change de 3 360 florins que payèrent, le 22 août, les Génois Antonio et Benedetto Nigrono [1]. En 1408, le même Regacol remit au Génois Enrico Squarzafico 7 427 florins qu'il tenait lui-même du nonce Francesc Blanes [2]. Le collecteur Ribalta, de son côté, versa par deux fois, en 1404, sa recette à Juan Cessavasses et Pedro Serra qui tirèrent des changes sur Pedro Maries à Avignon [3].

Nonces et collecteurs s'adressèrent surtout au Florentin Andrea de' Pazzi, l'associé des Bardi et Medici, ou du moins d'Averardo de' Medici et de Francesco de' Bardi. C'est de concert avec Nerio di Niccolò qu'il changeait en 1401 pour le compte de Bérenger Ribalta, mais Nerio disparut du trafic dès 1401. Pazzi prit alors, seul, en mains le transfert des fonds pontificaux, cependant que se manifestait à Avignon Lorenzo di Dinolzo. Regacol, Lobera, Blanes, Sagarra enfin, portèrent chez Pazzi une grande part de leurs recettes [4]. Avec son triple jeu de correspondants, Dinolzo à Avignon, Bardi et Medici à Gênes, Covoni à Savone, Andrea de' Pazzi était évidemment l'homme de la situation. La papauté du xive siècle avait besoin des grandes sociétés bancaires car ses revenus étaient dispersés. Celle de Benoît XIII en avait maintenant besoin car ses lieux de dépense l'étaient.

Le rôle de Fenolhet fut précisément de veiller au transfert par les marchands des sommes réunies par lui-même, d'accélérer l'envoi à la curie de la recette des nonces et collecteurs. Dès 1398, il récupérait la recette de Jaime de Rives, collecteur d'Aragon, et en faisait l'objet d'un change chez Luca del Sera, associé barcelonais de Datini [5], avec qui il était déjà en relations d'affaires et qui avait déjà tiré sur Avignon diverses lettres au bénéfice des correspondants de Fenolhet, Juan Sanchez ou Guilherm Carbonel, par exemple [6]. En 1404, il fit une tentative de change par le canal

---

1. *Reg. Av.* 321, fol. 80 rº.
2. *Reg. Av.* 331, fol. 223 vº.
3. *Reg. Av.* 321, fol. 10 vº et 21 rº.
4. *Reg. Av.* 321, fol. 14 rº, 56 vº, 73 rº, 74 vº et 87 rº ; 331 ,fol. 212 rº et 250 vº.
5. Change tiré le 22 mai, payé le 26 juin 1398 ; *Intr. ex.* 375, fol. 16 rº ; Prato, *Arch. Datini*, 20, fol. 125 vº-126 rº, et 801, fol. 158 vº-159 rº.
6. Prato, *Arch. Datini*, 801, fol. 76 vº, 77 rº, 80 vº, 81 rº.

de Cessavasses et Serra, tiré sur Maries [1]. Berenger Ribalta usait à cette époque de la même voie. En fait, tous les moyens étaient alors bon à Fenolhet qui avait, entre temps changé 400 florins chez Nerio di Niccolò, pour lequel André Thierry payait à Avignon [2].

C'est le caractère itinérant de la curie qui amena Fenolhet, comme les autres, à donner une exclusivité de fait à Pazzi. Le premier change fait par Fenolhet chez le Florentin est d'août 1404 [3]. A partir de ce moment, la quasi-totalité de ses transferts fut confiée à la société Pazzi-Dinolzo-Bardi.

Mais Fenolhet ne négligeait pas pour autant les autres moyens, lorsqu'il les jugeait sans risque et moins onéreux. En 1407, il affrétait trois galées [4] pour les envoyer à Savone où se trouvait la curie. Deux d'entre elles apportèrent du numéraire à la Trésorerie : patron de la Santa-Maria-de-Montserat, Nicola Madrench versa, le 4 mars, 996 florins que lui avait remis Fenolhet et 487 florins qu'il tenait de Sagarra [5] ; « régent » de la Saints-Jean-et-Catherine, Anton Saladit versa, le 10 avril, 1293 florins que Fenolhet avait « changés » à Barcelone avec le propriétaire de la galée, Gerardo de Doni [6]. Ce même jour, Nicola Madrench avança 586 florins à la Trésorerie contre une lettre de change payable par Blanes à Pietro Ferrari, à Barcelone [7]. Il n'y a donc pas lieu de s'étonner que ce soit chez Ferrari que Blanes ait changé, en octobre 1407, près de 4 000 florins, versés à Savone, le 31 octobre, par Bartolomeo Ferrari [8].

C'est en 1408 que, pour la première fois [9], Fenolhet recourut au transport terrestre. 5 575 florins reçus par lui de Castille furent confiés, en deux sacs de grosse toile, à un chanoine de Valencia qui les porta à la curie... c'est-à-dire à Collioure [10]. De Barcelone à Collioure, la lettre de change était inutile.

L'impression qui se dégage du mouvement des fonds entre Barcelone et la curie, surtout à partir de 1398, est celle d'un empirisme général. Plusieurs agents de la Chambre en Espagne — ce peut être un évêque, ce peut être aussi un marchand aux ordres du pape comme Fenolhet — s'efforçaient simultanément, et sans autre coordination que celle, très lâche, que Frances Climent était censé assurer, de réunir le plus possible d'argent, de quelque provenance

---

1. *Reg. Av.* 321, fol. 23 rº.
2. Paiement du 24 mars 1404 ; *Reg. Av.* 321, fol. 21 vº.
3. Payé le 6 septembre ; *Reg. Av.* 321, fol. 14 rº.
4. L'une d'elles, appartenant à Ramon de Plano, fut ultérieurement retenue au service permanent du pape et payée par la Trésorerie. Voir la lettre du 24 novembre 1407 ; *Reg. Av.* 331, fol. 289 rº.
5. *Reg. Av.* 328, fol. 124 rº.
6. *Ibid.*, fol. 129 rº.
7. *Ibid.*, fol. 129 vº.
8. *Reg. Av.* 331, fol. 208 vº.
9. Nous excluons de très faibles versements faits au hasard des voyages de clercs aragonais.
10. *Reg. Av.* 331, fol. 253 vº.

que ce fût, et de l'adresser à la curie ou à Avignon par le moyen qui s'offrait.

Une grande figure se détache, celle de Guilherm de Fenolhet. Homme d'affaires personnel de Benoît XIII et homme de confiance de la Chambre apostolique, où les Aragonais prenaient de plus en plus d'influence, Fenolhet était aussi sûr que pouvait l'être un Climent ou un Lobera. Mais il jouissait en outre d'un avantage : marchand, il savait négocier les nolis, il connaissait les voies bancaires appropriées, il connaissait aussi le taux des changes.

Nul doute qu'aux yeux de la société marchande de Barcelone, Fenolhet ne soit devenu « l'homme du pape ». On remarquera qu'il ne tira jamais lui-même de lettre de change. Il en achetait chez autrui, et en particulier chez l'associé d'Averardo de' Medici. S'il s'est toujours tenu à un rôle d'intermédiaire, c'est probablement parce que Fenolhet n'avait pas de correspondants et ne se souciait pas d'en avoir. Selon le lieu où il lui fallait adresser sa recette, il usait de l'un ou de l'autre des banquiers barcelonais. Capable de changer vers toutes les places où se trouva la curie itinérante., Andrea de' Pazzi l'emporta : il ne s'agit pas là d'un choix politique, mais d'un choix pratique. Le rôle de Fenolhet nous paraît donc assez semblable à celui d'un courtier. Déchargé pour lui-même de tout souci quant à l'acheminement des fonds, il devint rapidement une sorte de collecteur général d'Espagne.

3. *La curie romaine et les monopoles des marchands.* Le 10 novembre 1376, Grégoire XI accordait à Francesco Guinigi un contrat lui assurant le monopole du transfert vers la curie des fonds collectés en Lombardie, en Hongrie, en Flandre, en Rhénanie et en Angleterre [1]. Dans le vaste mouvement de défections de l'été 1378, alors que les gens de la Chambre se rangeaient tous aux côtés du camérier rebelle, la société des Guinigi eut la sagesse de ne pas abandonner la cause d'Urbain VI. Soutenir une révolte essentiellement française contre le pape italien, ruiner par conséquent un demi-siècle d'efforts pour rendre à l'Italie le siège de saint Pierre, c'eût été une erreur pour « la plus puissante, parmi les compagnies lucquoises, de celles qui avaient à Lucques même, et non pas en France ou en Flandre, le centre de leurs affaires » (Y. Renouard). Guinigi était le contraire de « Dine Raponde ». Il était normal qu'il s'attachât à la papauté romaine comme Rapondi s'attachait à la cause avignonnaise.

Mais il ne s'agissait pas ici d'un simple trafic linéaire analogue à celui que, de Paris à Avignon, prétendait assurer Rapondi. Les Guinigi entendaient bien user de leur filiales, essentiellement celles

---

1. Y. RENOUARD, *Les relations...*, p. 286.

de Londres et de Bruges, pour drainer vers Rome l'or des collectories, donc pour s'assurer sur les places étrangères d'importantes quantités de numéraire favorables aux opérations purement commerciales.

L'aire géographique délimitée en 1376 fut étendue à la quasi-totalité de l'obédience urbaniste, et aux nonces extraordinaires comme aux collecteurs. Le 12 mai 1380, ordre était donné au collecteur Jacopo Dardani de contraindre les prédicateurs envoyés en Flandre à remettre toute leur recette aux Guinigi de Bruges [1]. Le 15 mai, les Guinigi étaient assurés de l'exclusivité des transferts des collectories d'Angleterre, de Flandre, de Scandinavie, de Bretagne et de Guyenne [2], auxquelles s'ajouta, le 5 juin, celle de Toscane [3]. C'est à leur filiale de Londres que les nonces en Angleterre, Ecosse et Irlande devaient verser leur recette [4]. C'est à leurs filiales de Londres ou de Bruges que les prédicateurs envoyés en Guyenne devaient faire parvenir la leur [5].

Pendant dix ans au moins, les Guinigi furent, sans le titre, les banquiers exclusifs du pape romain. Dès 1379, leurs facteurs londoniens avaient reçu le titre de familiers du pape [6]. Lors du jubilé de 1390, c'est Michele Guinigi et ses associés qui furent institués receveurs des offrandes déposées par les pélerins dans les quatre basiliques majeures [7]. Le chef de la filiale de Rome, Lazzaro di Francesco Guinigi, jouit jusqu'à la fin de son exercice, en 1392, de la qualification de changeur de la Chambre apostolique [8]. On voit ce qui peut différencier le changeur de la Chambre avignonnaise et son homologue romain : l'un est un modeste manieur d'argent, un employé de la curie avignonnaise ; l'autre, puissant banquier et bailleur de fonds régulier, est en mesure de faire du pape romain son obligé.

Car ne nous y trompons pas, dès lors qu'il y a monopole, il ne s'agit plus de simples transferts. Si la Chambre aliène sa liberté de choisir en chaque occasion la voie de transfert la plus favorable, elle gagne l'ouverture d'un véritable compte courant à découvert L'examen des comptes rendus par les Guinigi et de leurs quittances suffit à nous en convaincre.

La Chambre apostolique assigne, certes, aux Guinigi, sur l'argent que leur versent les collecteurs, les sommes prêtées à la Trésorerie ou celles qui ont été payées à autrui pour le compte du pape [9].

1. *Reg. Vat.* 310, fol. 36 v°.
2. *Ibid.*, fol. 21, 29 r°, 42 v°-43 v° et 79-80.
3. *Ibid.*, fol. 51.
4. *Ibid.*, fol. 30-32.
5. *Ibid.*, fol. 35.
6. *Arch. Stato*, Lucques, *Arch. Guinigi*, perg. + 16 et + 19.
7. Bulle du 18 novembre 1389 ; *Reg. Vat.* 347, fol. 66.
8. *Reg. Vat.* 313, fol. 308 r°-309 r° ; 314, fol. 88 v°.
9. Ainsi les 4 000 florins versés par Dino di Michele Guinigi au Romain Lello di Maddalena et dont Grégoire XI promit le remboursement aux Guinigi par bulle du 16 février 1377 ; *Arch. Stato*, Lucques, *Arch. Guinigi perg.* + 8.

La Chambre se fait donc avancer l'argent des recettes locales : c'est un transfert versé par anticipation, comme nous en voyons tant dans l'obédience avignonnaise. Mais il arrive que le crédit l'emporte sur le transfert : ainsi les 5 000 florins prêtés par Michele Guinigi et Alberto Ugolinelli sont-ils assignés en remboursement sur le cens dû à la Saint-Pierre 1378 par la reine Jeanne [1], puis, la reine de Naples n'ayant cure de payer, sur l'indemnité due au pape par Florence en vertu du traité de paix [2]. Ce sont là des prêts négociés, enregistrés et objets de quittance et d'assignation.

Les charges courantes supportées par les banquiers du pape ne sont connues que par des comptes apurés à intervalles irréguliers. Le premier concerne neuf mois et dix jours de 1377 [3]. On y trouve quelques dépenses notables : 20 000 florins remis à l'abbé de Saint-Antoine-de-Viennois pour être portés à Robert de Genève et servir au paiement de gens d'armes, 6 000 florins à Raymond de Turenne, 4 000 — déjà cités — à Lello dit Maddalena pour le paiement des gens d'armes de Todi. D'autres sont moins lourdes, mais significatives du rôle joué par le banquier : 300 florins au maître de la Pignote, 205 florins courants pour la confection de quarante et une vestes pour les sergents d'armes, 67 florins courants 27 sous pour l'achat de drap noir, etc. Au total, Francesco et Dino Guinigi ont dépensé pour le pape 32 894 florins 16 deniers. Ils ont en contrepartie reçu 6 000 florins changés à Venise par le collecteur de Hongrie Peter Stephan chez Paolo Majani da Lucca, 490 florins changés chez le même Majani par le collecteur de Pologne Niklaus Stroberg, et 20 000 florins changés à Londres par le collecteur d'Angleterre Arnaud Garnier. Déduction faite de ces 26 490 florins, la Chambre demeure donc débitrice envers les Guinigi pour 6 404 florins 16 deniers.

Pas un sou n'a été matériellement versé à la Trésorerie. Celle-ci se trouve par conséquent, dès 1377, dépossédée du mouvement réel des fonds. Le pape y trouve un avantage incontestable : son découvert atteint 24 % des recettes. Le banquier assume les dépenses et récupère les recettes collectées. Voilà une forme de gestion qu'Urbain VI, soudainement privé de tous ses officiers financiers, ne peut qu'apprécier.

Le compte apuré le 3 janvier 1381 [4] est le plus précieux document que nous ayons sur les difficiles débuts de la Chambre urbaniste. Cette Chambre est alors organisée : nous la voyons intervenir pour recevoir du numéraire en prêt et pour effectuer divers versements à l'associé romain de Michele Guinigi, Matteo Nucini. Mais on décèle dans cette organisation la confusion déjà dénoncée :

1. 15 juin 1378 ; *Arch. Stato*, Lucques, *Arch. Guinigi, perg.* + 9 et + 11.
2. 2 octobre 1378 ; *ibid.*, + 13.
3. 7 février — 17 novembre 1377 ; *ibid.*, + 5.
4. *Ibid.*, + 22.

c'est le trésorier qui approuve le compte, et non, comme l'aurait voulu la règle, le camérier [1].

Du 17 novembre 1377 au 31 décembre 1380, Michele Guinigi et ses associés ont « prêté » à la Chambre apostolique 16 203 florins, auxquels il faut joindre les 5 421 restant dus pour le solde du compte précédent, après un versement effectué par la Trésorerie en déduction de ce solde. La masse de ces « prêts » atteint donc 21 835 florins.

Le terme de « prêt » rend très justement compte du crédit permanent ouvert au pape. Malgré les rentrées d'argent, toutes les dépenses sont faites en avance sur les rentrées à venir : le pape est perpétuellement à découvert. De fait, les recettes n'atteignent en trois ans que 15 301 florins, dont 1 960 viennent du collecteur de Toscane, 10 461 du collecteur d'Angleterre, 244 du sous-collecteur de Lucques et 682 de l'évêque de Lucques pour le subside caritatif de son clergé, cependant que 3 914 florins ont été reçus par Matteo Nucini de la Trésorerie : sans doute est-ce là le revenu des états pontificaux et de communs services payés en curie. Au terme de ce compte, les Guinigi ont encore une créance de 6 533 florins.

Du 1er janvier 1381 au 26 avril 1386, la Chambre apostolique liquide progressivement sa dette. Pour 110 662 florins dépensés au nom du pape, Michele Guinigi a reçu 110 743 florins. C'est lui, cette fois, qui doit 81 florins [2]. Dans le courant de 1387, le volume du dépôt que lui laisse la Chambre s'accroît : avant le 1er octobre, il dépense 75 512 florins et en reçoit 77 026 ; le solde de 1 514 florins est en faveur du pape [3]. Mais, du 1er octobre au 23 novembre, le bilan se renverse : les recettes atteignent seulement 18 358 florins [4] pour une masse de dépenses de 21 743 : c'est, cette fois-ci, le pape qui doit 3 385 florins aux Guinigi [5].

De 1388 à 1392, ces derniers demeurent constamment créanciers du pape. Au 19 mars 1392, lorsqu'est clos le dernier compte de Lazzaro di Francesco Guinigi, la Chambre apostolique lui doit 7 734 florins [6]. Un an plus tard, on lui doit encore 3 150 florins dont il est satisfait par trois assignations : 500 florins sur la collectorie de Toscane, 500 sur celle d'Angleterre et 2 150 sur celle de Lombardie [7].

C'est alors que les Guinigi passent la main. Pendant quinze ans, ils ont porté financièrement la charge de la papauté romaine.

---

1. Dans la conclusion des comptes suivants interviendront à la fois le camérier et le trésorier.
2. *Arch. Stato*, Lucques, *Arch. Guinigi, perg.* + 30.
3. *Ibid.*, + 32.
4. Inclus le solde de 1514 florins du compte précédent.
5. *Arch. Guinigi, perg.* + 33.
6. *Reg. Vat.* 313, fol. 308 ro-309 ro.
7. *Reg. Vat.* 314, fol. 88 vo.

Ils n'opèreront plus, désormais, pour le compte de la Chambre apostolique que dans le cadre étroit du diocèse de Lucques. C'est sur la collectorie de Lucques qu'est assigné, le 12 mars 1408, le remboursement de 1 500 florins prêtés à Grégoire XII par Paolo Guinigi [1]. Deux mois plus tard, Niccolò di Lazzaro Guinigi était désigné comme collecteur dans les diocèses de Lucques et Luni [2].

Le temps des Lucquois n'était cependant pas terminé. Aux Guinigi succédèrent à la curie d'autres Lucquois : Lando di Dino Moriconi, son fils Bartolomeo di Lando [3] et leur associé Bartolomeo Pucinelle Turchi. Est-ce leur moindre envergure commerciale qui les rendait plus libres de se consacrer aux seules affaires du pape ? Nous ne savons, mais c'est avec les Moriconi que commence la mainmise des marchands sur l'appareil administratif de la Trésorerie. Les Guinigi avaient été les banquiers du pape sans le titre. Moriconi et Turchi collectionnèrent les titres et les fonctions officielles en même temps que le monopole des transferts.

Les titres ne doivent d'ailleurs pas, dans leur diversité, nous abuser. On usait à la Chambre apostolique d'appellations variables pour qualifier une fonction imprécise. Celle-ci évolua sans doute fort peu ; les variations de la titulature ne sont que les tâtonnements d'un formulaire qui cherchait à s'approprier à la réalité.

Bartolomeo Turchi, déjà familier du pape en 1390 [4], était qualifié, le 14 janvier 1391, de receveur général de la Chambre apostolique [5]. En 1394 nous le trouvons changeur et familier du pape [6], puis changeur de la Chambre apostolique [7]. C'est seulement après sa mort qu'il est désigné, le 21 décembre 1396, comme le « dépositaire » de la Chambre [8]. Dès 1393, Lando Moriconi était changeur du pape [9] ; il l'était encore en 1396 [10]. Mais, le 27 avril 1395, apparaît pour lui le titre de dépositaire de la Chambre [11], encore attesté l'année suivante [12]. Le 3 août 1398, on usait pour désigner Moriconi d'un terme plus vague mais qui rendait parfaitement compte de la réalité : banquier du pape [13]. A cette fonction, que l'on peut qualifier de centrale, il en joignait de purement locales : depuis 1392 il était trésorier du pape dans la cité de Pérouse, en 1393 l'un des « receveurs des revenus de l'Eglise » dans le comté de Pérouse [14] ;

1. *Reg. Vat.* 336, fol. 193 v°-194 r°.
2. *Arm.* XXXIII, 12, fol. 281 v°-282 r°.
3. Il était familier et écuyer d'honneur du pape ; *Reg. Vat.* 314, fol. 331 v°.
4. *Reg. Vat.* 347, fol. 122 v°-123 r°.
5. *Ibid.*, fol. 134 v°.
6. *Reg. Vat.* 314, fol. 226.
7. *Ibid.*, fol. 315 v°.
8. *Reg. Vat.* 315, fol. 164 r°-167 r°.
9. *Reg. Vat.* 314, fol. 137 v°.
10. *Reg. Vat.* 315, fol. 29.
11. *Arm.* XXXIII, 12, fol. 182 r°-183 r°.
12. *Reg. Vat.* 315, fol. 101-102.
13. *Reg. Vat.* 316, fol. 5 v°.
14. Avec Niccolò Baglioni et Bartolomeo Ceccarelli, puis avec Jacopo Conti et Giovanni Tolomei ; *Reg. Vat.* 314, fol. 4, 92 v° et 102 v°-103 r°.

en 1400, Boniface IX le nomma trésorier général de la ville et des comté, territoire et district de Rome [1].

Comme les Guinigi, Moriconi et Turchi obtinrent le monopole des transferts et consentirent en échange l'ouverture d'un compte courant à découvert. Cette fois, d'ailleurs, les textes font implicitement mention de ce dernier trait : plusieurs bulles accordant l'exclusivité des transferts d'une collectorie à Rome précisent que Moriconi et Turchi ont « composé avec la Chambre et donné une suffisante caution ». Est-ce à dire qu'ils avaient versé à l'avance une somme correspondant à ce que l'on attendait de la collectorie ? Certainement pas : on aurait en ce cas une assignation en remboursement pour un montant déterminé. La caution, c'est l'ouverture au pape d'un crédit permanent. Dès le début, d'ailleurs, le compte du pape fut à découvert : six mois avant les premiers contrats, Lando Moriconi avait prêté 6 000 florins à Boniface IX, le remboursement devant être effectué par Bartolomeo Turchi à raison d'un huitième de tout ce qu'il recevrait pour la Chambre apostolique [2].

Le 1er juillet 1391, Moriconi et Turchi recevaient le monopole des transferts de Flandre et d'Angleterre [3]. Sans doute leurs organisation n'était-elle pas encore suffisante et Moriconi fut-il obligé d'aller lui-même à Londres pour mettre sur pied une agence et prendre les mesures rendues nécessaires par l'ordonnance royale du 9 avril 1391 instituant un cautionnement et une contre-partie pour les envois de lettres de change [4] : Boniface IX lui accorda, le même 1er juillet, un sauf-conduit pour se rendre « en certaines régions » et y vaquer aux affaires de l'Eglise [5]. Deux mois plus tard, le monopole de Lando Moriconi était étendu aux collectories de Reims, Cologne, Toscane et Romagne ; il était précisé que le collecteur de Romagne devait verser sa recette à Venturino Lupori, marchand lucquois établi à Bologne et associé de Moriconi [6]. Le 5 décembre 1392, c'est au collecteur de Gênes que fut donné l'ordre de verser ses fonds à Enrico Tonso, marchand génois, pour le compte de Moriconi [7]. Le 8, le monopole était encore étendu : les collectories de Lombardie, de Toscane, de Romagne, de Portugal, de Pologne, de Cologne et d'Angleterre y étaient alors soumises [8]. Même la recette des nonces devait leur être transmise : celle de l'abbé de Carrara et de Baylardino della Scala par Giovanni di Ser Gherardo, marchand lucquois associé de Moriconi [9], celle de Giovanni Manco par Giovanni Franchi, Lucquois établi à Venise [10].

1. *Reg. Vat.* 317, fol. 79.
2. *Reg. Vat.* 347, fol. 134 r°-135 r°.
3. *Reg. Vat.* 313, fol. 124 v°-125 r°.
4. Ed. Perroy, *L'Angleterre et le Grand Schisme...*, p. 319.
5. *Reg. Vat.* 313, fol. 125 v°.
6. 1er septembre 1391 ; *Reg. Vat.* 313, fol. 178.
7. *Reg. Vat.* 314, fol. 43 v°.
8. *Ibid.*, fol. 42 v°-43 v°.
9. Bulle du 14 novembre 1391 ; *Reg. Vat.* 313, fol. 201 v° et 279 r°.
10. Bulle du 8 décembre 1392 ; *Reg. Vat.* 314, fol. 50.

Moriconi élargit encore son aire d'action. En 1395, il mit la main sur les transferts de Bohême [1] et sur le produit du jubilé concédé à la Scandinavie, qu'alla chercher Giovanni di Ser Gherardo [2]. En Orient latin, les recettes devaient être versées à un Lucquois de Venise, Antonio dal Poggio, associé de Moriconi [3]. L'année 1396 vit renouveler le monopole pour Reims et la Flandre : c'est Damino Pagani, Lucquois sans doute établi à Bruges, qui y recevait pour Moriconi [4]. Les 25 et 27 octobre 1396, Moriconi, Baglioni et Pagani reçurent le monopole des transferts de tous collecteurs et receveurs en Allemagne, tant pour les revenus de la fiscalité pontificale normale que pour les revenus afférant aux basiliques majeures en raison du jubilé concédé à l'Allemagne ; le Lucquois Michele Pagani et le Pérugin Lodovico Baglioni [5] étaient à cette fin envoyés en Allemagne, cependant que Moriconi, dépositaire de la Chambre, demeurait à Rome [6].

Les sommes ainsi récupérées à travers l'obédience romaine ne suffisaient pas à couvrir les dépenses que Moriconi supportait pour le pape. Nommé trésorier de Pérouse, puis de Rome, il perçut en fait les revenus seigneuriaux du pape dans ces comtés pour compenser le passif de la Chambre. Des assignations précises lui furent d'ailleurs délivrées en déduction de sa créance sur le pape : ainsi, le 30 août 1393, celle des arrérages du *machinatus* de Pérouse et du solde de la ferme des gabelles des contrats dans cette ville [7] ; de même, le 17 avril 1397, celle de 215 florins sur le cens dû par les Ordelaffi pour leur vicariat de Forli, payables à Venturino Lupori [8], et celle de 11 666 florins sur le cens dû par la commune de Pérouse [9]. Moriconi bénéficia même d'assignations sur les communs services, assignations intempestives d'ailleurs, car les prélats visés avaient déjà payé : il fallut les révoquer [10].

Officier de la Chambre apostolique en tant que dépositaire, Lando Moriconi fut également chargé de missions de confiance. C'est à son associé vénitien Antonio dal Poggio que fut commis en 1394 le soin de récupérer les espèces, la vaisselle précieuse et les

---

1. *Ibid.*, fol. 331 v°.
2. *Ibid.*, fol. 393 r°-395 r°.
3. *Arm.* XXXIII, 12, fol. 182 r°-183 r°.
4. *Reg. Latr.* 40, fol. 362 v°-363 r° ; *Reg. Vat.* 315, fol. 101 v°-102 r°.
5. Quinze ans plus tard. Baglioni fonda une banque à Lubeck ; Ph. Dollinger, *La Hanse*, p. 253.
6. *Reg. Vat.* 315, fol. 149 r°-151 r°.
7. *Reg. Vat.* 314, fol. 137 v°.
8. *Reg. Vat.* 315, fol. 253.
9. Moriconi en avait reçu 5 400 florins avant le 3 août 1398, date à laquelle le reste de l'assignation fut annulé ; le 28 juin 1399, une assignation de 3 000 florins fut délivrée ; elle fut annulée le 30 juillet ; *Reg. Vat.* 316, fol. 5 v°, 7 r°, 186 r° et 215 v°-216 r° ; *Reg. Latr.* 57, fol. 112.
10. Notons les assignations sur les services de l'évêque de Lucques, faite le 14 octobre 1391 et révoquée le 29 décembre (*Reg. Vat.* 313, fol. 183 v° et 245 r°), et sur ceux de l'évêque de Liège, faite le 31 octobre 1392 et révoquée le 24 novembre 1396 (*Reg. Vat.* 315, fol. 167).

joyaux déposés par le malheureux collecteur de Romanie Guglielmo Fiore chez son oncle à Corfou ; Antonio dal Poggio devait en disposer selon les instructions de Moriconi [1]. On voit même, le 29 janvier 1396, Boniface IX charger son « changeur » de conclure avec des capitaines un traité de conduite au service de l'Eglise [2].

L'association de Moriconi et de Bartolomeo Pucinelle Turchi fut rompue, semble-t-il, dans le courant de 1392. Un procès opposait alors, à Lucques, Lando Moriconi et les héritiers de Marco Turchi, Jacopo, Guido et Filippo [3]. Bartolomeo, qui n'avait point part au procès, n'en rompit pas moins avec Lando Moriconi et travailla désormais pour son propre compte. Comme il n'avait pas le réseau de correspondants nécessaire à un vaste trafic, il se spécialisa dans les transferts d'Allemagne à Rome, n'hésitant pas à se rendre lui-même au-delà des Alpes pour récupérer l'argent. Le 14 janvier 1393, il obtint d'assurer le transfert des recettes du jubilé concédé à la Bavière [4]. En 1394, il fut désigné comme nonce — bien que laïc — en Allemagne, avec l'abbé de Precipiano, pour récupérer tous les revenus du jubilé [5], ainsi que les sommes déposées chez diverses personnes par l'ancien collecteur de Magdebourg, Niklaus Ziegenbock, évêque de Meissen [6].

Un temps, Moriconi se ressaisit. Associé avec Baglioni et Pagani, il se fit octroyer en 1395 et 1396 le monopole de tous les transferts d'Allemagne [7]. Mais, peu après, il regagnait sa ville d'origine. Lorsque le collecteur de Toscane Pietro Ricci lui remit en 1398 diverses sommes qu'il fallait transférer à Rome, Lando Moriconi se contenta de tirer un change sur le Florentin Matteo di Gucciozo Ricci [8]. Il était toujours en Toscane lorsque, en exécution d'une lettre du camérier datée du 12 février 1400, Pietro Ricci lui versa 500 florins de la Chambre valant 530 petits florins de Florence. Revenu à la curie, Moriconi fut nommé, le 28 octobre 1400, trésorier de Rome. De cette fonction, aux horizons limités, il lui fallut dorénavant se contenter.

C'était la fin des Lucquois. Giovanni Cristofori avança en 1396 à la Chambre les communs services de l'évêque de Salisbury [9] et prêta, en 1400, 500 florins contre une assignation sur la collectorie

---

1. *Reg. Vat.* 314, fol. 305 r⁰.
2. Il pouvait choisir Broglio da Tridino et Brandolino da Bagnacavallo ou Filippo da Pisa et Lodovico da Cancelmo (*Reg. Vat.* 315, fol 29) ; les négociations échouèrent et furent reprises après le 28 mars par Niccolò da Imola, notaire de la Chambre, avec Broglio et Brandolino (*ibid.*, fol. 44 v⁰-45 r⁰).
3. *Reg. Vat.* 314, fol. 132.
4. *Ibid.*, fol. 57.
5. *Ibid.*, fol. 128 et 225-231.
6. Bulle du 3 décembre 1394 ; *ibid.*, fol. 315 v⁰.
7. *Reg. Vat.* 315, fol. 19 v⁰-20 v⁰, 149 r⁰-151 r⁰ et 187 r⁰.
8. *Arch. Stato*, Rome, *Camerale* I⁰, *Collettorie*, 1224, fasc. 2, fol. 33 r⁰.
9. Ils étaient payables par l'évêque à Angelo Cristofori, frère de Giovanni, à Londres ; *Reg. Vat.* 315, fol. 97 ; W. LUNT, *Financial relations...*, II, p. 189.

de Bohême[1] ; il mourut l'année suivante. Un Giovanni Rapondi, familier de Boniface IX, se vit charger, le 6 février 1400, d'une mission dont nous ignorons tout[2] ; on ne trouve pas d'autre trace de son activité.

C'est probablement dans l'histoire politique de Lucques qu'il faut chercher les raisons de cette éclipse des Lucquois. Ceux de France et d'Avignon, Rapondi tout le premier, avaient perdu toute attache avec leur patrie. Ceux de Rome, Guinigi, Moriconi, Turchi, étaient étroitement liés à leur cité, centre de leurs activités commerciales et de leurs intrigues politiques. Or, le 14 octobre 1400, Paolo Guinigi devenait capitaine de Lucques, grâce à l'appui de Jean Galéas Visconti[3]. Lucques basculait dans le camp milanais, toujours prêt à seconder les entreprises françaises et avignonnaises. Force était donc à Boniface IX et à ses gens de chercher ailleurs l'indispensable appui des sociétés bancaires. L'incertitude qui marqua, pendant les années suivantes, l'attitude de Paolo Guinigi n'était pas faite pour améliorer les relations entre la Chambre apostolique et les Lucquois[4]. D'autres étaient d'ailleurs prêts à occuper la position abandonnée.

Les Bolognais furent les premiers. Le 23 décembre 1395, déjà, Filippo Guidotti prêtait 4 000 florins dont le remboursement lui était assigné par moitié sur le cens dû par Bologne et sur la recette du collecteur de Pologne — le propre fils du marchand — Jacopo di Filippo Guidotti[5]. Mais le Bolognais ne s'était pas déplacé et avait chargé Benedetto de' Bardi et Giovanni de' Medici de transmettre son prêt, à moins que la Chambre n'ait compté comme prêt un paiement fait par Guidotti aux Bardi-Medici pour le compte du pape.

Gabione Gozadini, lui, était à Rome. En 1401, il participait à la dernière opération financière des Lucquois en versant, de concert avec le Lucquois Jacopo Fatinelli, 2 000 florins que devait encore à la Chambre, au moment de sa mort, Giovanni Cristofori[6]. En 1402, Gozadini était dépositaire de la Chambre. Avait-il pris le relai des Guinigi et de Moriconi ? Nous ne le croyons pas. C'est pour un prêt de 2 000 florins, dont le remboursement était assigné sur les recettes de Giovanni Manco, que Gozadini apparaît dans la documentation camérale[7]. Il ne semble donc pas qu'il ait exercé un quelconque monopole des transferts qui eût rendu inutile une telle assignation.

---

1. 13 novembre 1400 ; *Reg. Vat.* 317, fol. 87 v°.
2. *Reg. Vat.* 316, fol. 313 v°.
3. M. de Boüard, *La France et l'Italie...*, p. 251.
4. *Ibid.*, p. 313-314.
5. *Reg. Vat.* 315, fol. 12 r°-13 r°.
6. *Reg. Vat.* 317, fol. 234 v°-235 v°.
7. 29 novembre 1402 ; *Reg. Vat.* 320, fol. 48 v°.

A vrai dire, le temps n'était plus aux monopoles. Des collectories, nous l'avons dit, l'argent cessait d'arriver. Ce dont avait besoin le pape, c'était, comme à Avignon, d'un banquier, d'un changeur qui exécutât les paiements avec l'argent de la Trésorerie, qui fît les avances nécessaires ; il n'avait plus besoin d'un vaste réseau bancaire capable de draîner les fonds collectés dans toutes les contrées de l'obédience romaine. Ce rôle était désormais dévolu à des nonces extraordinaires qui sillonnaient l'Europe ; parmi ces nonces, il n'était pas rare de compter des marchands : ainsi Giovanni di Galvano, un autre Bolognais, envoyé comme commissaire apostolique dans les provinces de Cologne, Mayence, Trêves, Magdebourg et Brême et dans le diocèse d'Utrecht pour y récupérer la recette des collecteurs négligents [1].

L'effacement des Lucquois profita surtout aux Florentins. Dès 1391, nous les voyons apparaître dans le mouvement des fonds entre l'Angleterre et Rome, certainement plus modeste qu'à l'époque pour laquelle les comptes des Guinigi nous révélaient son importance primordiale. C'est la société de Francesco di Giovanni et Jaqueto di Dino qui fit verser à la Trésorerie par son associé romain Spinello di Francesco les 1 515 florins et 30 bolognais correspondant à 240 livres sterling que devait payer à leur facteur de Londres le collecteur d'Angleterre [2]. L'année suivante, le même Spinello di Francesco versa 1 000 florins contre une assignation sur le même collecteur en faveur des associés londoniens d'Alamano et Antonio Mannini [3]. Chez les mêmes Mannini, le collecteur d'Angleterre Jacopo Dardani laissa, à sa mort, un important dépôt en espèces et en objets précieux [4].

A partir de 1393, le Florentin Doffo di Nepo Spina paraît avoir eu part au maniement des fonds pontificaux. Lorsque, le 27 août 1393, il prêta au pape 2 000 florins, on lui en assigna en effet le remboursement sur les sommes qui devaient lui parvenir pour le compte de la Chambre apostolique [5]. Il en alla de même, le 23 avril 1394, pour 1 000 florins [6]. Les années suivantes, il fut mêlé à des opérations menées par les Bardi et Medici [7] dont il était, à Gaëte, le correspondant [8].

Mais, le 9 février 1400, c'est chez Doffo Spina que le pape ordonna

1. Bulle du 9 décembre 1402 ; *ibid.*, fol. 59 r⁰.
2. Assignation du 23 mai 1391, réitérée le 1ᵉʳ juillet ; *Reg. Latr.* 13, fol. 284 v⁰ ; *Reg. Vat.* 313, fol. 100 r⁰, 127 r⁰ et 130 v⁰.
3. Bulle du 1ᵉʳ février 1392 ; *Reg. Vat.* 313, fol. 256.
4. Au nom de ses frères Alamano, Lodovico et Silvestro, Antonio Mannini versa 10 000 florins à la Chambre, vers novembre 1399, en déduction de ce dépôt (quittance du camérier du 26 nov., vidimée par Boniface IX le 6 janv. 1400) ; *Reg. Vat.* 316, fol. 110 v⁰ et 309.
5. *Reg. Vat.* 314, fol. 137.
6. *Ibid.*, fol. 224 v⁰.
7. *Reg. Vat.* 315, fol. 12 r⁰-13 r⁰, 56 v⁰ et 83 v⁰-84 r⁰.
8. R. DE ROOVER, *The rise and decline...*, p. 40.

de transférer l'argent des aumônes recueillies en Lombardie et en Ligurie pour le rachat des Chrétiens prisonniers des Barbaresques, et c'est à lui qu'il confia le soin d'employer ces sommes pour le rachat des captifs [1]. En 1406, Spina avançait des fonds aux envoyés bolognais et effectuait diverses dépenses sur l'ordre du cardinal Cossa, le remboursement lui en étant fait à Bologne par le trésorier local, Matteo di Tommaso de' Magnani [2]. En 1407, le même Spina versait pour le compte du pape 1 000 florins à Paolo Orsini [3].

Occasionnellement, d'autres Florentins intervinrent dans le mouvement des fonds. Luca di Giovanni, le 26 novembre 1399, avança 500 florins sur le cens du comte de Montefeltro [4] et, le 8 avril 1400, le montant des communs services de l'évêque d'Erdely, en Hongrie [5]. Pietro di Francesco Alterotti prêta, le 1er décembre 1400, 700 florins contre une assignation sur la collectorie de Pologne [6]. C'étaient là pour le pape des recours sans lendemain, véritables expédients bancaires d'une Chambre apostolique qui avait perdu ses appuis lucquois et n'avait pas trouvé la puissance financière capable de les remplacer.

Cet appui, cette puissance, ç'aurait pu être la société de Giovanni de' Medici et Benedetto de' Bardi. Celle-ci était en effet en relations, depuis le début du Schisme, avec la curie romaine. Le 15 octobre 1380, Lello di Maddalena et Francesco di Bicci de' Medici versaient à Rome 19 200 florins dus pour ses cens par la commune de Bologne [7]. Le 10 novembre 1380 et le 12 mars 1382, Francesco di Bicci paya deux lettres de change tirées pour le collecteur de Bohême et pour un nonce : l'une, de 6 000 florins, par Johann et Konrad von Chuma, de Nuremberg [8] ; l'autre, de 2 000 florins de Bohême, par Paul Stangil et Konrad Schultz, de Breslau [9]. Dans le même temps, Lello di Maddalena prêtait diverses sommes contre des assignations : 2 466 florins 2/3 le 24 novembre 1380 sur le cens de Fermo [10], et 466 florins 2/3 le 1er avril 1381 sur la collectorie de Lombardie [11].

Peu après, la filiale romaine fut renforcée. Giovanni di Bicci, chef de la société, s'installa à Rome vers 1393-1395. C'est alors qu'il s'adjoignit celui qui devait être plus tard son directeur général, Benedetto di Lippaccio de' Bardi [12]. Ils conservèrent la direction

1. *Reg. Vat.* 316, fol. 322.
2. *Arch. Stato*, Bologne, *Tesoraria* 33, fol. 330 r°.
3. *Div. cam.* 2, fol. 3 r°.
4. *Reg. Vat.* 316, fol. 277 v°-278 r°.
5. *Ibid.*, fol. 347 v°-348 r°.
6. *Reg. Vat.* 320, fol. 9 v°.
7. *Reg. Vat.* 310, fol. 68.
8. *Ibid.*, fol. 81 v°-82 r°.
9. *Ibid.*, fol. 202 r°.
10. *Ibid.*, fol. 83 v°.
11. *Ibid.*, fol. 108-109.
12. R. DE ROOVER, *op. cit.*, p. 39-40.

de cette branche romaine jusqu'en 1401, date à laquelle ils la confièrent au jeune frère de Benedetto, Ilario di Lippaccio [1].

Si les opérations qu'effectua la société Medici avec la curie sont nombreuses, elles ne dépassent jamais le niveau de relations commerciales. Jamais les Medici et Bardi n'apparaissent comme des auxiliaires de la Chambre apostolique. Ils se contentèrent de payer des lettres de change comme celle de 300 florins tirée à Barcelone pour le collecteur de Guyenne Francesco Uguccione [2] ou celle de 500 florins tirée, sans doute à Venise, pour le sous-collecteur d'Aquilée [3]. Si les Medici et Bardi ne furent jamais véritablement chargés des transferts, c'est parce que l'époque où ils arrivèrent à s'imposer n'était pas propice : les collecteurs n'envoyaient plus guère d'argent, la Chambre devait envoyer chercher les recettes. Ce que nous trouvons, à partir de 1396, c'est donc une série de prêts immédiatement assignés, voire d'avances sur des communs services, faites à la requête des procureurs, des prélats débiteurs mais évidemment sous la contrainte de la curie.

Benedetto de' Bardi avança de la sorte, le 17 décembre 1396, 1 000 florins sur le cens de Bologne [4] et, en avril 1399, 4 100 florins sur les vacants de l'église de Wloclawek, remboursables par le nouvel évêque [5] ; Giovanni de' Medici, le 1er décembre, avança 733 florins sur la collectorie de Hongrie [6]. Le 13 janvier 1400, Benedetto de'Bardi prêta 600 florins sur celle de Toscane [7]. En février 1404, Ilarione di Lippaccio avança les communs services de l'archevêque de Salzbourg, soit 5 000 florins [8].

De telles opérations n'étaient pas fructueuses : les Florentins s'en aperçurent vite. Au bout de deux ans, l'évêque de Wloclawek n'avait toujours rien versé pour ses vacants [9] ; après un temps égal, l'archevêque de Salzbourg n'avait pas encore payé un sou de ses communs services [10]. C'est donc sur la gabelle du vin de Viterbe que Bardi et Medici se firent de préférence assigner, le 3 octobre 1405, le remboursement de 3 100 florins qui leur restaient dus, à la conclusion des comptes, pour divers prêts, pour le dégagement de la mitre précieuse du pape et de la citadelle de Civita Castellana ; mais leur confiance était limitée : ils gardaient en

---

1. Les livres de la société le qualifient ordinairement de « nostro giovane a Roma » ; *Arch. Stato*, Florence, *Arch. Med. av. Princ.*, filza CLIII, fol. 17 v°-18 r°. Giovanni di Bicci était revenu à Florence dès 1397.
2. Payé le 28 octobre 1393 ; *Reg. Vat.* 314, fol. 170 v°.
3. Payé le 1er mai 1394 ; *Reg. Vat.* 314, fol. 276 r°.
4. *Reg. Vat.* 315, fol. 114 r° et 119.
5. *Reg. Vat.* 316, fol. 111.
6. *Reg. Vat.* 317, fol. 80 r°.
7. *Ibid.*, fol. 80 ; *Arch. Stato*, Rome, *Camerale I°*, *Collettorie* 1224, fasc. 2, fol. 35 r°.
8. *Reg. Vat.* 320, fol. 223 v°-224 r°.
9. Le 30 avril 1401, Boniface IX chargea trois clercs du diocèse de contraindre l'évêque au remboursement des 4 100 florins payés par Bardi ; *Reg. Vat.* 317, fol. 112 r°-113 r°.
10. *Reg. Vat.* 334, fol. 28-29 ; Voir ci-dessus, p. 323.

gage la mitre [1]. Méfiance justifiée, d'ailleurs : le 18 février 1407, ils n'étaient encore remboursés que de 1 000 florins pour lesquels la commune de Viterbe leur cherchait en outre querelle [2].

On comprend, dans ces conditions, que sur 10 000 florins empruntés par le pape pour payer les gages de Paolo Orsini en 1407, Medici et Bardi ne se soient inscrits que pour la somme, incroyablement faible, de 500 florins [3].

Les affaires de la Chambre ne pouvaient présenter pour les Bardi et Medici qu'un très faible intérêt. On peut cependant se demander pourquoi la grande compagnie florentine n'a pas cherché à assumer un rôle auquel d'autres trouvaient profit, celui de dépositaire de la Chambre apostolique, dans lequel Gabione Gozadini ne paraît pas s'être maintenu longtemps après 1403.

La raison de cette abstention est probablement très grave. Elle tient à l'attitude prise par les chefs de la société à l'égard des deux papes. Ce n'est pas un hasard si, dans le temps ou Medici et Bardi ne jouaient à Rome que le rôle de banquiers entre autres banquiers, il y avait à Gênes des Medici et Bardi pour jouer un rôle prédominant dans le financement de l'entreprise de Benoît XIII en assurant la majorité des transferts d'Aragon en Ligurie. Avec Boniface IX et ses successeurs, la société florentine se gardait bien de rompre ; elle était même bien en cour [4] et le crédit qu'elle ouvrait occasionnellement à la Chambre cautionnait sa faveur. Mais elle ne s'engageait pas à fond du côté de Rome.

La société de Giovanni di Bicci de' Medici et de Benedetto de' Bardi, que nous trouvons en relations avec les papes romains, et celle d'Averardo di Francesco de' Medici et de Francesco et Andrea de' Bardi, que nous trouvons au service de Benoît XIII, étaient, si l'on en croit Raymond de Roover, totalement indépendantes, du moins après 1397, lorsque Giovanni di Bicci eût transféré sa propre résidence de Rome à Florence [5]. Est-il alors possible de parler d'une duplicité des Medici-Bardi ? Nous le croyons. C'est, notons-le, dans les archives des Medici de Florence que l'on retrouve la correspondance échangée entre Francesco et Andrea de' Bardi [6]. C'est dans les mêmes archives que l'on retrouve des lettres reçues par Averardo de' Medici [7]. C'est l'associé barcelonais d'Averardo, Andrea de' Pazzi, qui prend vers 1422 la tête de la filiale romaine de la société de Giovanni [8]. A l'époque du concile de Constance, nous l'avons dit,

---

1. *Reg. Vat.* 333, fol. 307 r°.
2. *Reg. Vat.* 335, fol. 68 v°-69 r°.
3. *Div. cam.* 2, fol. 3 r°.
4. Boniface IX nomma Jacoba de' Medici abbesse coadjutrice — avec droit de succession — de San Boldrone de Florence (3 juil. 1399) ; *Reg. Vat.* 316, fol. 210.
5. R. DE ROOVER, *The rise and decline...*, p. 37-38.
6. Notamment des lettres de 1404 ; *Arch. Stato*, Florence, *Arch. Med. av. Princ., filza* LXXXIV, n° 106, fol. 198, et *filza* LXXXIX, n° 259.
7. *Ibid., filza* XCIII, n° 10.
8. R. DE ROOVER, *op. cit.*, p. 38.

les deux sociétés opéraient en étroite liaison, Giovanni de' Medici payant pour le compte d'Andrea de' Bardi [1].

A notre avis, c'est à une division des tâches, plus qu'à une séparation, que procédèrent vers 1397 les membres des familles Medici et Bardi. Francesco et Averardo gardèrent, avec leurs établissements génois et pisan, le trafic avec l'Orient et la pratique de l'assurance maritime, déjà attestés parmi leurs affaires en 1392 [2] et encore pratiqués en 1404. Nous ne suivons pas R. de Roover lorsqu'il pense que la firme d'Averardo se développa au-delà des Alpes « au contraire de la banque de Giovanni di Bicci » [3] ; n'est-ce pas plutôt par l'effet d'une entente, parce que la banque florentine et romaine ne pouvait commodément commercer avec les pays de l'obédience avignonnaise ?

La séparation apparente entre Giovanni et Averardo suit de trop près le rapprochement franco-florentin et le passage de Gênes dans le camp français et avignonnais pour que l'on ne soit pas tenté de songer à une manœuvre. Gênes, Avignon, Barcelone, Valencia sont les principaux comptoirs d'Averardo. Tous sont en terre fermement avignonnaise. Dans la mesure où il est reconnu par la Ligurie, Benoît XIII est précieux aux marchands. Seul il peut concéder aux Génois la licence de commercer avec Alexandrie [4]. A l'égard du pape d'Avignon lui-même, la politique d'Averardo est claire : il cherche à rattraper le temps perdu. Il s'engage à fond, ce que Giovanni, très réservé à l'endroit du pape romain, ne peut faire sans risque au bénéfice de Benoît XIII.

Qu'Averardo ait finalement, vers 1410-1411, concurrencé son oncle Giovanni di Bicci à Rome même et que les deux firmes aient coexisté pendant quelques décennies, passé le Schisme qui leur avait donné motif à séparation, voila qui ne change rien à l'affaire : les Bardi et les Médici ont joué, croyons-nous, sur les deux tableaux et c'est pour pouvoir pénétrer dans l'obédience d'Avignon qu'ils procédèrent à la scission de 1397. Deux firmes, certes, à direction et à capital distincts ; mais, avant la concile de Pise du moins, un seul intérêt et une seule politique. Celle-ci consistait évidemment, dans la gigantesque partie à l'issue incertaine qu'était le Schisme, à miser sur les deux papes. L'unité rétablie, nous trouvons à Constance trace de deux sociétés qui subsistent mais qui ont cessé de s'ignorer.

Elles avaient ainsi joué sur les deux tableaux. Sur les trois, dirait-on plus exactement. Car Medici et Bardi ont aussi ménagé

---

1. *Arch. Med. av. Princ.*, *filza* CXXXVII, n° 989.
2. *Ibid.*, *filza* LXXXIII, n° 2.
3. *Op. cit.*, p. 38.
4. Nous avons retrouvé une lettre non-équivoque où Francesco de' Bardi gourmande violemment Andrea pour une sottise commise en affaires et précise bien l'objet du trafic : « potrei fare qui con Alexandria » menace Francesco ; *Arch. Med. av. Princ.*, *filza* LXXXIV, n° 106, fol. 198.

l'avenir dont le Sacré Collège romain pouvait être l'instrument. Les relations de la société florentine avec le cardinal Baldassare Cossa, le futur Jean XXIII, sont à cet égard tout à fait révélatrices.

Dès 1402, c'est comme de simples fournisseurs qu'ils lui procurent une coupe d'orfèvrerie [1]; mais, à partir de 1403, ils deviennent de véritables dépositaires occultes du légat de Bologne qui accumule chez eux des placements sur lesquels nous aurons à revenir [2]. En même temps qu'ils ménagent les deux papes, les Medici et les Bardi savent gagner la confiance de celui qui prendra, en 1408, avec l'aide de la république florentine, la tête de la dissidence [3].

A défaut des Medici et Bardi, d'autres Florentins se succédèrent au service de la Chambre apostolique. C'est Matteo di Gucciozo Ricci qui, de 1398 à 1406, assura l'essentiel des transferts de la collectorie de Toscane. Le collecteur, rappelons-le, s'appelait Pietro Ricci. En Toscane même, les fonds réunis par les sous-collecteurs étaient parfois transmis au collecteur par l'intermédiaire de Gucciozo Ricci et de ses facteurs [4]. Et c'est pour le compte de Gucciozo que Matteo et parfois Cristoforo Ricci versaient à Rome la recette de Pietro [5]. Sans doute Matteo dut-il avancer plus que ne recevaient ses correspondants car il se fit attribuer, le 5 avril 1407, les arrérages de la taille imposée sur la commune de Recanati pour le paiement des gens d'armes [6]; les sommes nécessaires à ce paiement avaient certainement été avancées au pape par Matteo Ricci.

Dans le même temps, Niccolò Ricci se mettait au service de la Chambre apostolique. Le 22 avril 1406, après avoir conclu avec le camérier les accords nécessaires, Niccolò Ricci était nommé dépositaire de la Chambre [7]. Déjà créancier du pape en 1400 [8], il continua ses avances de fonds. Mais il n'attendit pas un an pour mettre un terme à l'expérience : le découvert de la Chambre apostolique atteignait 10 400 florins. Le camérier en fit payer 3 000, le 8 février 1407, au procureur de Ricci, Pigello Portinari [9], par Alderigo di Francesco, facteur de Lorenzo degli Alberti qui prêtait lui-même la somme contre remise de gages [10]. Le 17 février, Ricci reçut une assignation de 1 400 florins sur Matteo di Bartolomeo Tenaglia qui,

1. *Arch. Stato*, Florence, *Arch. Med. av. Princ., filza* CLIII, fasc. I, fol. 18-19.
2. Voir ci-dessous, p. 680-682.
3. G. ERLER, *Florenz, Neapel und das päpstliche Schisma*, p. 203.
4. *Arch. Stato*, Rome, *Camerale I°, Collettorie* 1224, fasc. 2, fol. 1.
5. *Ibid.*, fol. 33-39.
6. *Reg. Vat.* 335, fol. 85 v°-86 r°.
7. *Reg. Vat.* 334, fol. 92.
8. Il prêta 2 000 florins le 18 juin 1400 ; *Reg. Vat.* 317, fol. 30
9. Celui-ci continua à opérer pour son propre compte, versant ainsi 2 500 florins à Paolo Orsini au nom de la Chambre en juillet 1407 ; *Div. cam.* 2, fol. 3 r°. Il ne paraît pas que ce Pigello soit le futur chef de la filiale milanaise des Medici, né en 1421 selon R. DE ROOVER, *op. cit.*, p. 387.
10. Ces gages furent restitués en mars ; *Reg. Vat.* 335, fol. 81 v°-82 r°.

lui aussi, prêtait la somme au pape [1]. Le 27, enfin, deux assignations — de 2 000 florins sur la collectorie de Toscane et de 4 000 sur celle d'Angleterre — mettaient fin, sinon à la créance de Ricci, du moins à ses relations avec une Chambre apostolique trop aux abois pour constituer un client intéressant.

C'est alors que les Alberti tentèrent de jouer à nouveau le rôle qui avait été le leur trente ans plus tôt. En février 1407, on vient de le voir, ils avaient ouvert un crédit pour payer le retrait de Niccolò Ricci. Le 1er juin, ils obtinrent la charge de transférer à Rome le produit du subside que les archevêques de Cantorbéry et d'York devaient lever en concédant aux Anglais une indulgence analogue à celle des pèlerins de Terre Sainte [2]. En juillet ils payaient 2 000 florins pour les gages de Paolo Orsini [3] ; en septembre, ils avançaient les 5 000 florins du cens de Bologne [4].

Giuliano di Giovanni occupait alors l'office de dépositaire. Ce Florentin, d'envergure beaucoup plus modeste que ses prédécesseurs, n'avait guère eu jusque là de rapports avec la Chambre apostolique. En 1403, c'est à lui et à Pigello Portinari que Niccolò da Imola avait confié le soin de récupérer en Toscane le montant d'une assignation de 100 florins sur la recette du collecteur Pietro Ricci [5] ; mais il ne s'agissait là que d'une affaire purement privée. Devenu dépositaire de la Chambre, Giuliano di Giovanni n'est cité dans les archives camérales que pour avoir été chargé, le 19 mai 1407, de transférer à Rome le produit de subside que Niccolò Vannini, évêque d'Assise, allait imposer en Sicile [6]. Il n'était pas question pour ce dépositaire d'assumer le monopole de plus vastes transferts. A la même époque, c'est un autre Florentin, Bernardo Mariani, qui accompagnait au Portugal le nouveau collecteur Jacques Warne et « s'obligeait » envers la Chambre à verser à Rome les sommes qu'il récupérerait sur le précédent collecteur, Antonio da Carpineto, ainsi que la recette de Warne [7].

Le rôle des marchands florentins apparaît alors comme terminé. A Pérouse, à Sienne, Grégoire XII ne trouva plus de crédit. Les banquiers, cependant, ne laissaient pas de suivre la curie, et l'on voit Niccolò Ricci s'obliger pour les services de l'abbé de la Badia [8]

---

1. Ainsi que 6 000 florins destinés à payer Paolo Orsini. La mitre précieuse du pape, jadis engagée aux Medici, fut à cette occasion engagée à Tenaglia ; *Reg. Vat.* 335, fol. 43 v°-44 r°.

2. *Reg. Vat.* 336, fol. 22 v°-23 v°.

3. *Div. cam.* 2, fol. 3 r°.

4. Ils furent assignés, le 13 septembre 1407, à leur associé de Bologne, Riccardo degli Alberti ; *Reg. Vat.* 336, fol. 124.

5. *Arch. Stato*, Rome, *Camerale I°*, *Collettorie* 1224, fasc. 2, fol. 37 r°.

6. *Reg. Vat.* 336, fol 12-14.

7. Bulles des 22 et 27 février et 1er mars 1407 ; *Reg. Vat.* 335, fol. 50 v°-52 r°.

8. Le 13 août 1408 ; *Div. cam.* 2, fol. 18 v° ; nous avons publié l'acte à la fin de notre article : *Temporels ecclésiastiques et taxation fiscale* dans le *Journal des Savants*, 1964 p. 126-127.

et Pigello Portinari s'obliger, au nom de la société des Ricci, pour ceux de l'évêque de Fiesole [1]. Le débiteur, c'était le prélat : les banquiers avaient encore confiance dans le clergé, non dans la papauté.

L'apparition du dépositaire de la Chambre apostolique est un fait capital dans l'histoire des finances pontificales [2]. Elle dénote l'étendue du crédit dont jouit le pape. Elle conduit à une mainmise des marchands sur les revenus pontificaux. Elle témoigne de l'incapacité de la Chambre apostolique, de la Trésorerie en particulier, à gérer le mouvement de ses fonds et à faire face aux échéances courantes. Yves Renouard a parfaitement montré que senblable expérience avait été faite au temps d'Urbain V, et pour des motifs analogues. Le voyage à Rome scindait la Chambre apostolique : le camérier et deux clercs suivaient le pape, le trésorier et trois clercs demeuraient à Avignon. Ce n'est pas avec deux clercs, dont l'un prenait le titre de vice-trésorier, que le camérier pouvait suffire à gérer le budget du voyage et à diriger, dans des conditions inconfortables, l'administration camérale. On fit alors appel aux Alberti Antichi pour « jouer le rôle de caissier » [3].

Entre le rôle joué par les Alberti en 1367-1368 et celui joué après 1377 par les Guinigi et Moriconi, la comparaison doit cependant être nuancée. C'est le vice-trésorier qui remettait aux Alberti les sommes à lui versées par les prélats et les collecteurs. Tel n'est pas le cas après 1377. Les collecteurs, du moins ceux qui peuvent commodément venir à Rome, versent leur recette — dans leur collectorie ou dans une place bancaire commode, sinon toujours voisine [4] — au correspondant du dépositaire. Celui-ci porte, en contre partie, la somme au crédit de la Chambre apostolique et paie sur sa propre caisse les dépenses engagées par le pape et le camérier. Le trésorier ne voit donc rien passer de ce trafic. Le mouvement de la Trésorerie est amputé des versements de la grande majorité des collecteurs.

Que reste-t-il donc pour alimenter la Trésorerie ? Fort peu de revenus des états pontificaux : on a vu qu'ils suffisaient à peine à supporter les charges, et en particulier la défense. Les recettes casuelles de la curie — chancellerie, pénitencerie, etc. — ne pouvaient représenter qu'un faible apport. Les communs services constituaient certainement l'essentiel des versements à la Trésorerie : dans la mesure où ils n'usaient pas de la voie bancaire, les prélats payaient leurs services en espèces, au trésorier.

Nous voudrions avancer ici une hypothèse que rien, malheureu-

---

1. Le 25 août 1408 ; *Div. cam.* 2, fol. 22 v⁰.
2. Sur la fonction du dépositaire au xvᵉ siècle, voir : A. GOTTLOB, *Aus der Camera apostolica...*, p. 109-111.
3. Y. RENOUARD, *Les relations...*, p. 416-417.
4. Les collecteurs de Bretagne et de Guyenne devaient changer à Bruges.

sement, ne permet d'étayer. Des livres de comptes de la Trésorerie romaine, aucun ne subsiste. La série des *Introitus et exitus* est, pour l'époque du Schisme, uniquement avignonnaise. Or ces livres, nous l'avons montré ailleurs [1], ont avant tout une valeur probatoire. Ils ne sont que secondairement des livres comptables. Dès lors que les quittances délivrées pour la quasi-totalité des versements effectués à la Trésorerie, ceux des prélats, étaient donnés par le camérier et dûment enregistrées [2], l'utilité des comptes de la Trésorerie pouvait apparaître doûteuse. Les livres inexistants dans les archives pontificales ont-ils seulement été tenus avec régularité ? Ont-ils été transcrits au propre ? Ont-ils même été tenus ? Qu'il ait existé des comptes de la Trésorerie est indéniable. Qu'ils aient été, comme à Avignon, mis en forme, fût-ce comme de simples livres journaux, voilà qui n'est pas sûr. La lacune présumée dans les archives camérales de l'obédience romaine n'est peut-être pas le résultat de pertes. Elle est, croyons-nous, un témoignage de l'inorganisation de la Chambre romaine [3].

L'existence et le nom du dépositaire sont également signe du crédit de la papauté. Au temps des Lucquois, les collecteurs sont solvables et le dépositaire ne risque rien à consentir au pape les avances souhaitées. Au temps des Florentins, ce n'est plus le cas. On voit alors le dépositaire se cantonner dans des opérations plus étroites, remplir l'office d'un simple receveur de la Chambre en même temps que d'un changeur de la Chambre. Quoi d'étonnant, alors, à ce que les plus grandes compagnies florentines se tiennent à l'écart ? Il faudra attendre le consolidation du pouvoir pontifical sous Martin V pour voir, en 1421, le directeur de la branche romaine de la banque Medici, Bartolomeo de' Bardi, assumer la fonction [4]. Ce sera, enfin, le tour des Medici.

Crédit et aisance sont deux choses. L'introduction d'un marchand dans les cadres administratifs de la Chambre apostolique témoigne des difficultés du pape romain. Au jour le jour, celui-ci dépend entièrement de ses banquiers. En gage de sa dette, il leur confie ses finances, mais ces finances n'existent qu'autant qu'il y a des banquiers assez puissants pour les gérer. Y. Renouard l'a nettement montré pour l'innovation administrative de 1367 et sa reprise de 1376 : lorsque les banques deviennent « des sortes de fonctionnaires pontificaux », la raison « doit en être cherchée dans le seul fait que la détresse financière de la Chambre apostolique et le renouveau

---

1. J. FAVIER, *Introitus et exitus...*, *loc. cit.*, p. 288-290.
2. *Obl. et sol.* 48, 52 et 57 ; H. HOBERG, *Taxae...*, p. XVI.
3. On comprend alors que le trésorier ait pu, contrairement à la règle, s'absenter de la curie pour des missions parfois fort longues à l'étranger. Le trésorier Guglielmo della Vigna fut même, un temps, substitué au collecteur de Reims, Liège et Utrecht ; voir ci-dessus, p. 142.
4. *Intr. ex.* 379 ; R. DE ROOVER, *The rise and decline...*, p. 198 ; A. GOTTLOB, *Aus der Camera apostolica...*, p. 111.

de la puissance des compagnies toscanes sont simultanées et complémentaires »[1].

La mainmise des milieux d'affaires sur les finances pontificales s'étend même aux rouages extérieurs de l'administration. On voit un Guidotti collecteur de Pologne, un Castiglione collecteur de Hongrie, un Ricci collecteur de Toscane, un Guinigi collecteur — en même temps qu'évêque — de Lucques. Fils et frères de marchands que ces clercs, certes, mais ce sont bien des marchands que nous trouvons comme nonces du Siège apostolique : un Lando Moriconi en Flandre et en Angleterre[2], un Michele de' Pagani[3] puis un Giovanni di Galvano et un Lodovico Baglioni en Allemagne[4], un Bernardo Mariani au Portugal[5].

A manier les fonds pontificaux, les marchands trouvent, nous l'avons dit pour les avignonnais, un appréciable intérêt. Certes, il y a les bénéfices bancaires directs. Mais il y a aussi les profits que peuvent tirer les sociétés en relations avec la Chambre de leur position privilégiée auprès des gens de la curie. Ainsi trouve-t-on dans les livres des Medici les dépôts effectués par les curialistes[6]. De même l'entourage du pape comprenait-il d'excellents clients pour ces marchands qu'étaient encore les banquiers : c'est chez Ilario di Lippaccio de' Bardi que le cardinal Cossa achète en 1402 une coupe d'orfèvrerie[7] ; il y avait pourtant à Rome des orfèvres... Ne négligeons pas, non plus, les pots-de-vin distribués par la Chambre apostolique, tout au moins dans les périodes de difficulté financière[8] En définitive, l'importance du trafic privé compense largement le caractère parfois gratuit des services rendus au pape. Parmi les profits réalisés de 1397 à 1420 par les Medici, la branche romaine ou suivant la curie s'inscrit pour 53 % ; celle de Florence pour 17 % seulement[9].

Il est enfin un avantage que ne peuvent négliger les grandes compagnies italiennes : c'est au pape seul qu'il appartient d'autoriser le commerce avec l'Orient musulman. Les créanciers du pape obtiennent certainement à bon compte les concessions nécessaires. Parmi les bénéficiaires de telles faveurs, rencontrer les Medici et Bardi ne nous étonne pas[10].

1. Y. Renouard, op. cit., p. 286-287.
2. Reg. Vat. 313, fol. 125 v°.
3. Reg. Vat. 315, fol. 20 et 151 r°.
4. Reg. Vat. 320, fol. 59 r°.
5. Reg. Vat. 335, fol. 51 v°-52 r°.
6. Ainsi par Arnaud de Dinslaken, notaire de la Chambre ; Arch. Stato, Florence, Arch. Med. av. Princ., filza CLIII, I, n° 1.
7. Ibid., fol. 18-19.
8. « Si quelque chose vous plait pour votre honneur et les services que vous nous rendez, faites-le moi savoir confidentiellement » écrit en 1409 le receveur de la Chambre avignonnaise à Averardo de' Medici (ibid., filza XCIII, n° 10). Il devait en aller de même dans l'obédience romaine !
9. R. de Roover, The rise and decline..., p. 47 et 199.
10. Citons notamment l'accord du 12 août 1393 concernant l'assurance d'une cargaison naufragée en provenance d'Alexandrie ; Arch. Med. av. Princ., filza LXXXIII, n° 2.

Conclusion. Pour le pape de Rome et pour le pape d'Avignon, le problème du recours aux marchands se pose différemment. L'organisation camérale avignonnaise permet d'éviter l'abdication totale entre les mains des banquiers, à laquelle est acculée la Chambre romaine. Les possibilité de pression fiscale sont plus grandes à Avignon qu'à Rome ; le crédit ouvert par les puissances séculières, le roi d'Aragon, celui de Castille, ou le duc d'Anjou, permet de compenser la perte des grandes compagnies toscanes. Le pape avignonnais a moins besoin des banquiers. Il laisse ses agents locaux, en lesquels il peut avoir une entière confiance, décider des voies de transfert : ce n'est là qu'une décision d'opportunité, un simple choix technique. Le pape romain, au contraire, dépend entièrement de ses banquiers. Parce que son choix n'est pas libre, le pape romain impose ce choix à ses agents. La moins efficace des deux administrations que nous étudions est aussi, sur ce seul point, la plus centralisée : l'initiative vient de Rome.

CHAPITRE XI

LES EMPRUNTS

Définir la dette publique dans une société médiévale est une chose bien difficile. Faut-il distinguer l'anticipation de recettes attendues, qui grève parfois la Trésorerie d'un intérêt, de l'emprunt qui crée automatiquement une charge financière nouvelle ? Tout emprunt, parce qu'il suppose un remboursement, est une anticipation. Il nous faut cependant excepter les anticipations consenties à la Trésorerie par les banquiers chargés du transfert des fonds collectés dans les provinces : dans la mesure où de telles anticipations demeuraient égales ou inférieures au revenu escompté et où elles n'entraînaient pas le versement d'un intérêt, on ne saurait les considérer comme des emprunts ; le faire obligerait à considérer les transferts non anticipés comme des créances de la Chambre apostolique, ce qui serait juridiquement exact mais constituerait une erreur du point de vue financier.

Etudier — et chiffrer — l'évolution de la dette pontificale serait du plus haut intérêt. C'est malheureusement impossible. Même pour l'obédience avignonnaise, nous ne connaissons la date de remboursement que d'une faible partie des créances sur la Chambre. Pour toutes les assignations faites en remboursement de prêts sur des collectories dont les comptes n'ont pas été conservés, nous ne connaissons que la date d'assignation. Dans cette évolution de la dette pontificale, les dettes nées de prestations de services ou de fournitures devraient être prises en considération à l'égal des dettes nées d'un prêt. Quelle différence entre des draps que l'on achète et que l'on paie à terme, et de l'argent que l'on reçoit et que l'on rend également à terme ? Or le paiement à terme, le crédit, est profondément ancré dans les mœurs de l'époque. Gages d'hommes d'armes ou de serviteurs, prix de draps, de toiles, de blé, de vin ou de poisson, innombrables sont les assignations qui viennent éteindre tardivement une dette de la sorte.

On ne peut, pour une part considérable de la dette pontificale parler d'expédient. Certes, l'expédient par excellence, c'est l'emprunt. De la simple opération de caisse à la créance à long terme, il permet de faire face à certaines difficultés. Mais il ne résout pour autant aucun des problèmes posés par l'accroissement des charges ou la diminution des recettes. On emprunte ou on n'emprunte pas, mais il faut de toutes façons trouver de nouvelles ressources. L'emprunt, dans le monde moderne, peut être un moyen de solution, dans la mesure où il permet des investissements générateurs d'expansion. Une puissance publique du Moyen Age n'est pas une société de l'âge industriel. L'emprunt ne crée pas de ressources, il n'est pas un expédient financier, il n'est qu'un expédient de trésorerie. On emprunte dix florins pour trois jours parce qu'il n'y a plus dix florins en caisse. Essentiellement différent est le fait de payer avec un an de retard les cent florins que l'on doit pour des réparations faites dans un palais ou les mille que l'on doit pour les gages d'une compagnie. Une telle dette n'est un expédient que dans la mesure où l'on diffère abusivement son amortissement.

Mais les dettes de prestations, de fournitures et d'emprunts sont étroitement imbriquées. Ce sont les mêmes hommes qui fournissent et qui prêtent. Prêteurs, que les clercs à qui l'on doit leurs gages. Prêteurs, que les cardinaux à qui l'on doit le remboursement de leurs frais de missions. Prêteurs, parfois, que les nobles au service de l'Eglise dans les guerres italiennes. Prêteurs, toujours, que les marchands fournisseurs de la curie. Nous avons pour nous en convaincre, deux comptes de marchands avignonnais, Paolo Ricci et Giovanni Caransoni, comptes significatifs du retard moyen avec lequel étaient payées les denrées achetées par la Chambre apostolique.

COMPTE DE PAOLO RICCI[1]

	Avoir	Solde créditeur	Doit
Draps (31 juillet-septembre 1389)	314.20	314.20	
Avantage de 1 600 francs, à son profit		292.14.8	22.5.4
Draps (octobre-novembre 1389)	799.18	1 092. 8.8	
Payé par la Trésorerie (21 décembre 1389)		879. 8.8	213
Idem (18 février 1390)		249. 3.8	630.5
Payé à Solario pour la Chambre.	5	254. 3 8	
Payé à divers pour la Chambre	57.22	312. 1.8	
Reste dû par la Chambre		312. 1.8	

Le compte de Giovanni Caransoni indique encore mieux la confusion totale entre les fournitures et les prêts d'argent. Il concerne la période du 19 septembre 1387 au 27 mars 1389. Le

---

1. *Instr. misc.* 5272, pièce 41. Le document n'indique pas le solde créditeur. Nous avons réduit les données en florins courants, sous et deniers.

compte antérieur, que nous n'avons pas retrouvé, ne fut soldé que le 24 décembre 1388 [1].

COMPTE DE GIOVANNI CARANSONI [2]

	AVOIR	SOLDE CRÉDITEUR	DOIT
Draps (19 sept. 1387-31 janv. 1388)	957.20.6	957.20.6	
Au général des Augustins (9 août 1387)	240. 9	1 198. 5.6	
Au camérier (24 oct. 1387)	1 000.	2 198. 5.6	
A l'ancien viguier d'Avignon (24 oct. 1387)	600.	2 798. 5.6	
De l'évêque de Saint-Andrews (28 nov. 1387)		1 596.20.2	1 201. 9.4
Du trésorier (20 déc. 1387)		1 588. 2.2	8.18
De l'abbesse de Fontevrault (11 févr. 1388)		963. 2.2	625.
Draps et divers (janv. 1388-9 mars 1389)	2 294.12	3 257.14.2	
Du trésorier (1388)		3 217. 3.2	40.11
Du trésorier (1388)		3 137.12.2	79.15
A Antoine Scatisse, changeur (mars 1389) [3]	1 250	4 387.12.2	
Lettre de change en faveur de la Chambre pour un légat en Italie (1389, av. le 27 mars)	4 833. 8	9 220.20.2	
Du camérier : assignation sur la gabelle des marchandises d'Avignon (27 mars 1389).		0.	9 220.20.2

Solde néant [4].

Mais les marchands n'étaient pas les seuls créanciers de la Chambre pour les fournitures. Les officiers domestiques de la curie étaient généralement obligés d'avancer de leurs deniers l'argent nécessaire au fonctionnement de leur office. Du 1er mars 1381 au 1er décembre 1382, le maître de la Pignote a dépensé 556 florins courants 3 gros 11 deniers pour les provisions nécessaires à son établissement charitable. Cette somme lui fut assignée, sur la recette du sous-collecteur de Genève, le 13 décembre 1382 [5]. Le paiement eut donc lieu, au plus tôt, vingt-deux mois après l'ouverture du crédit par l'officier comptable [6]. Seuls, les officiers dépourvus de bénéfice, donc pauvres, pouvaient prétendre au paiement immédiat de leurs débours : c'était le cas des courriers, des valets, de certains sergents d'armes, tous laïcs et donc inaptes à recevoir des prébendes.

1. *Intr. ex.* 365, fol. 62 v°.
2. *Instr. misc.* 5272, pièce 37.
3. Paiement d'une somme que le Nîmois Scatisse avait prêtée à la Chambre le 11 mai 1382 ; *Instr. misc.* 5272, pièce 37 ; *Intr. ex.* 355, fol. 31 v° ; *Intr. ex.* 365, fol. 24 v°.
4. Il est à noter que Caransoni n'était pas pour autant rentré dans ses fonds : il lui fallait attendre le revenu de la gabelle.
5. *Reg. Av.* 233, fol. 33 v°-34 r°.
6. Un tel paiement *a posteriori* est absolument normal dans le cas de la Pignote : pour les 258 florins dépensés du 1er décembre 1382 au 30 juin 1383, l'assignation fut faite le 26 juillet 1383 ; *Reg. Av.* 238, fol. 164 v°-165 r°.

Aux dettes occasionnées par des prestations en nature ou en services, nous pourrions rattacher les paiements effectués en solution de semblables prestations par des intermédiaires auxquels la Chambre remboursait ultérieurement les sommes ainsi versées.

C'étaient en premier lieu des marchands. Ils avaient généralement l'habileté de faire enregistrer les sommes ainsi versées dans les livres de la Trésorerie, tant en recettes (prêts) qu'en dépenses. Le crédit résultant de la fourniture était alors considéré comme un véritable prêt. Un exemple : le 2 décembre 1386, Jacques Lenoir, épicier à Avignon, faisait livrer au palais pontifical divers produits de son négoce pour une valeur de 1 000 florins courants ; son intermédiaire, Antonio di Francesco, le propre changeur de la Chambre apostolique, fit inscrire à son nom un prêt de 1 000 florins dans le registre de la Trésorerie [1]. Sur ce, Antonio di Francesco mourut ; son associé Catalano della Rocca paya à Jacques Lenoir les denrées fournies à la curie. Le 3 décembre 1388, enfin, la Trésorerie remboursa les 1 000 florins à Catalano [2]. Le changeur s'était substitué à la Chambre pour le paiement, et au fournisseur dans sa créance sur la Chambre ; dans la mesure où celle-ci n'était pas tenue à payer dans un certain délai, Catalano della Rocca était devenu créancier, non de la Chambre, mais de Jacques Lenoir.

Mais c'est principalement envers ses hommes de confiance que le pape d'Avignon était débiteur. Georges de Marle, en particulier, dut souvent compléter de ses deniers les sommes dont il disposait lors de ses missions en Italie. Ainsi, pour les galées armées en Italie en 1383, dépensa-t-il 3 769 florins en sus des 48 400 qu'il avait reçus du trésorier, des marchands et de débiteurs du pape [3]. De même le trésorier de Louis d'Anjou, Nicolas de Mauregart, qui avait reçu, entre le 1er août 1382 et le 7 mai 1385, une somme totale de 249 074 florins 13 sous 10 deniers, paya dans le même temps pour le compte du roi Louis et du pape 251 095 florins 21 sous 10 deniers, soit un supplément de 2 021 florins 8 sous [4].

A la Chambre apostolique romaine, de semblables intermédiaires assuraient temporairement la charge de dépenses exceptionnelles — d'ordre militaire, le plus souvent — dont ils étaient ultérieurement remboursés par la Trésorerie. Il semble cependant, et la chose n'est pas pour nous étonner, que les comptes aient été moins strictement apurés qu'à Avignon. On voit par exemple Boniface IX donner, le 22 septembre 1393, à son frère Giovanni Tomacelli les revenus échus de l'église de Teano, alors vacante, en compensation d'une partie des frais engagés par lui pour les affaires de

---

1. *Intr. ex.* 363, fol. 7 r°.
2. *Intr. ex.* 365, fol. 51 r°.
3. *Reg. Av.* 238, fol. 146 v°-147 v°.
4. *Reg. Av.* 242, fol. 62 r°-63 r°.

Naples[1] ; les revenus que lui avait par ailleurs assurés le pape le lui permettant, Tomacelli avait pris sur lui de payer le solde de compagnies ou de garnisons et était ainsi devenu lui-même créancier de la Chambre. Les vacants de Teano n'étaient pas considérés comme un remboursement au prorata de la somme déboursée, mais comme un don en compensation partielle de celle-ci : Tomacelli restait créancier de la papauté.

Surtout, et nous l'avons déjà montré, la Chambre romaine était étroitement tributaire du crédit que lui ouvraient en permanence certains banquiers. On ne saurait, à leur sujet, parler d'emprunts : c'est un découvert. Les banquiers effectuaient les paiements dus par la Chambre apostolique sans considérer le volume des recettes. Dans leurs comptes, le débit et le crédit du pape ne s'équilibraient qu'à l'apurement.

Suivre l'évolution de la dette pontificale est donc impossible, tant en raison de ses caractères qu'en raison de la documentation conservée. L'objet des pages qui suivent est d'analyser les modalités des emprunts et de leur amortissement. Il est évident que la papauté romaine, parce qu'elle jouissait d'un crédit permanent gagé sur les recettes, recourait moins que l'avignonnaise à l'emprunt proprement dit. Nous avons vu que, politiquement, ce n'était pas un avantage. La papauté avignonnaise, elle, faisait de l'emprunt un usage quotidien : c'est donc à elle que s'attachera presque exclusivement notre étude.

A. — LA FORMATION DE LA DETTE

1. *Emprunts manuels.*   L'emprunt manuel est la forme la plus simple d'acte générateur d'une créance. Un marchand, un prélat, un laïc quelconque remet une somme au trésorier ou effectue à la curie — souvent en présence d'un officier de la Chambre apostolique — un paiement que la Trésorerie est pour l'instant incapable de faire[2]. Le payeur, ou son procureur, requiert du clerc de la Trésorerie qu'il porte la mention dudit versement *pro mutuo, pro vero mutuo, ob ratione veri ac puri mutui* ou sous toute autre formule semblable, dans le registre d'*Introitus* ; parfois, il obtient une bulle par laquelle le pape reconnaît sa dette, oblige les revenus de la Chambre pour son remboursement et assigne celui-ci sur un revenu déterminé, à moins qu'il ne donne simplement ordre au camérier et au trésorier de faire

---

1. *Reg. Vat.* 314, fol. 145 r⁰.
2. C'est ainsi que les 500 florins prêtés le 30 août 1392 par Jean de la Grange furent en réalité versés de la part du cardinal à Paolo Ricci qui réunissait les fonds pour satisfaire au traité conclu avec Raymond de Turenne ; Jean de la Grange fut remboursé par le trésorier le 30 décembre. *Intr. ex.* 369, fol. 34 v⁰ ; 370, fol. 66 r⁰.

toutes assignations nécessaires ou de rendre au plus tôt la somme prêtée [1].

La Chambre se satisfaisait parfois d'une promesse de prêt, souvent accompagnée d'un versement initial. Sans disposer immédiatement de la somme, le camérier pouvait, du moins, en tenir compte dans ses prévisions. Nous voyons de telles promesses émaner de souverains, de prélats, de modestes officiers. Le 5 novembre 1378, le roi de France Charles V faisait verser 7 500 francs en déduction de 20 000, complétés le 28 février 1379 [2]. Le 9 avril 1382, l'évêque d'Orange prêtait 200 florins en déduction de 500, complétés le 21 du même mois [3]. Un prêt de 500 florins courants consenti par l'évêque de Nîmes fut versé à raison de 60 florins le 22 février 1384 et 440 le 2 avril suivant [4] ; c'est également en deux versements que le scripteur Etienne Folcraud fit un modeste prêt de 50 florins, en mars et en mai 1382 [5].

Ces prêteurs pouvaient n'être mus que par le désir d'aider, dans les limites de leurs possibilités, le pape à supporter ses charges. Mais, si l'on excepte le prêt du roi de France, dont l'importance suffit à expliquer qu'il fût versé en plusieurs fois, il semble que les prêteurs, et particulièrement les prélats et les officiers pontificaux, aient parfois été obligés de verser des sommes ou, s'il n'en disposaient pas immédiatement, de s'engager à les trouver et à les prêter. De ces prêts obtenus par la contrainte morale [6] où, du moins, par la persuasion, nous avons deux indices. Le premier est la prolifération, à certaines époques (par exemple en mars-mai 1382), de prêts faits « en déduction de la somme que N. doit prêter » et, à d'autres époques, de prêts formant complément d'un versement fiscal, de communs services en particulier. Or de tels prêts viennent de ceux qui ne pouvaient opposer un refus aux sollicitations de la Chambre : évêques issus de la Chambre apostolique ou liés à elle par des fonctions et, surtout, officiers de la curie. Nous avons d'autre part, retrouvé une note rédigée à la Chambre pour recenser les personnes « qui n'ont rien prêté mais peuvent prêter » : sept évêques, trois abbés, quatre clercs de la curie [7].

1. Le 12 juillet 1381, le scripteur Jean Rousset prêtait à la Trésorerie 100 francs sous la forme de 127 florins de la Reine, 15 sous et 6 deniers, ce qui valait 107 florins de la Chambre et 4 sous ; le même jour, Clément VII ordonna à Guillaume du Lac et à son sous-collecteur d'Autun de payer ladite somme à Rousset avant la Toussaint ; *Intr. ex.* 354, fol. 41 r⁰ ; *Coll.* 359 A, fol 115.

2. *Intr. ex.* 350, fol. 4 r⁰ et 14 r⁰.

3. *Intr. ex.* 355, fol. 23 v⁰ et 25 v⁰.

4. *Intr. ex.* 338, fol. 15 v⁰ et 27 v⁰.

5. *Intr. ex.* 355, fol. 21 r⁰ et 28 r⁰.

6. Voire physique : le scripteur Guillaume Borrier était dans la prison de l'auditeur lorsqu'il prêta 100 francs par l'intermédiaire de son frère Pierre ; *Intr. ex.* 369, fol. 15 v⁰ et 17 v⁰.

7. Les évêques d'Albi, Nîmes, Lombez, Saint-Papoul, Castres, Vabres et Rodez, les abbés de Psalmodi, La Grasse et Montolieu, le doyen de Saint-Pierre d'Avignon (Ber-

Les cardinaux et de hauts prélats, qui avaient le plus de facilité pour thésauriser, prêtèrent souvent, au début du Schisme, des masses d'argent non monnayé : pendant le seul mois de mai 1382, l'argent en barres prêté par Jean de la Grange, Hugues de Saint-Martial, Jean de Cros, Anglic Grimoard, Bertrand de Chanac et Pierre de Vergne représenta une masse de 420 kg. d'argent fin, valant approximativement 9 600 florins [1]. Des objets de valeur étaient également apportés en prêt à la Trésorerie : pièces d'orfèvrerie, livres, joyaux ; la vaisselle n'étant estimée que pour son poids de métal, la restitution était souvent faite en équivalent monétaire ; la valeur de l'ouvrage était alors perdue pour le créancier.

On vit même, en juillet 1381, l'évêque de Lisbonne prêter un anneau pontifical orné de deux saphirs, deux balais, une émeraude et quatre perles, anneau que le changeur Antonio dal Ponte garda pour lui-même, en donnant 60 florins à la Chambre [2] : il est évident que l'on n'envisageait pas de rendre l'objet au prêteur, mais seulement sa contre-valeur en numéraire. Sans exagérer l'importance d'un anneau [3], on peut penser que l'aliénation par la Chambre apostolique d'objets semblablement prêtés mit les prélats en défiance : les prêts en nature cessèrent pour plus de vingt ans, à l'exception des prêts de denrées de consommation, qui ne sont que des ventes [4]. On ne trouve, au temps de Benoît XIII, qu'un seul cas de prêt en nature : les 200 marcs d'argent de la vaisselle prêtée par l'évêque de Valencia à Guilherm de Fenolhet dans les premiers mois de 1404 et ultérieurement vendue par Fenolhet pour le compte de la Chambre [5].

Le mode de remboursement — paiement par la Trésorerie ou assignation sur une recette locale — caractérise-t-il des types d'emprunt ? L'examen des délais de remboursement par la Trésorerie nous l'indique clairement : 31% des créances remboursées par elle le sont dans le mois de l'emprunt, 58% le sont avant trois mois, cependant que 10% seulement ne sont pas remboursées en un an. Ces créances sont d'importance très réduite : la valeur moyenne en est de 460 florins. Inférieure est la valeur moyenne des créances remboursées avant six mois : 380 florins pour les remboursements dans le mois, 300 florins pour les remboursements

---

trand de Gamarenges, sans doute), Pierre Nourrissier, Bindo, acolyte du pape, et Gaillard de *Nova Ecclesia* ; *Reg. Av.* 346, fol. 242 v°.

1. *Intr. ex.* 355, fol. 36, 39-40 et 46 v°.
2. *Intr. ex.* 354, fol. 44 v°.
3. Les inventaires après décès de clercs non-évêques montrent bien que les anneaux étaient un objet de thésaurisation ; voir J. FAVIER, *Le niveau de vie d'un collectionneur...*, dans les *Annales du Midi*, 1963, p. 34 et 39.
4. Les prêts en blé sont spécialement fréquents dans les deux obédiences ; leur remboursement étant fait en numéraire, il n'y a que fourniture avec clause de paiement à terme.
5. *Reg. Av.* 308, fol. 17 v°-19 r° ; 331, fol. 121 r°-122 r°.

entre trois et six mois. Seules, les créances à remboursement relativement lent atteignent en moyenne les 1 000 florins. Or il n'est guère d'assignation, même immédiatement exécutable, qui ne dépasse les 500 florins ; la plupart sont faites pour des créances allant de 1 000 à 3 000 florins.

Les emprunts contractés pour des raisons de commodité, soit qu'il fallût effectuer un paiement en l'absence du trésorier ou du receveur, soit que l'encaisse fût, ce jour-là, insuffisante, étaient donc généralement remboursés par la Trésorerie ; aucune indication préalable n'était donnée quant au délai, mais celui-ci était toujours relativement bref. La médiocrité quasi-perpétuelle de l'encaisse explique la fréquence de ces petits emprunts — de 300 à 500 florins — restitués dès la première rentrée d'argent. On en jugera par ces chiffres : lors de l'apurement annuel des comptes, au 31 octobre, la Trésorerie de Clément VII était riche, au plus, de quelques centaines de florins [1], 564 florins en 1384, 737 en 1386, 15 en 1387, 18 en 1388, 291 en 1389, 72 en 1390, 231 en 1391, 22 en 1392 [2]. Ecrivant à Guy d'Albi, collecteur de Paris, le 26 février 1392, le camérier ajoutait en *post-scriptum* qu'il n'avait pu payer intégralement le courrier, faute d'argent ; il ordonnait donc au collecteur de compter quinze écus audit courrier pour ses frais de voyage [3]. Dans ces conditions, nul ne peut s'étonner que la Trésorerie ait souvent dû solliciter des prêts, le plus fréquemment modestes, de toutes les personnes se trouvant ou passant à proximité de la Chambre apostolique. Les variations de ces emprunts rendent compte de l'état de la Trésorerie, non de celui des finances pontificales.

Les emprunts plus importants, remboursés par assignation sur des recettes particulières, correspondent au contraire à des crises financières. Pour connaître exactement des crises — sur lesquelles nous reviendrons — il faut y joindre les rares emprunts remboursés à long terme par la Trésorerie. Ces emprunts ne correspondent pas à une difficulté d'un jour mais à un déficit temporaire, comblé grâce à une avance sur de futures recettes ; ils sont, en fait,

---

1. L'apurement se traduit par la différence entre les recettes et les dépenses de l'année ; si le montant est positif, il est versé par le trésorier au crédit de la Chambre pour l'année suivante ; s'il est négatif, le trésorier en est remboursé par le receveur. Il va sans dire que ce chiffre n'est en aucun cas une indication de revenant-bon ou de déficit, puisque les emprunts entrent en ligne de compte : l'encaisse peut procéder d'emprunts et, de toutes façons, elle reste inférieure aux créances sur la Chambre. Elle n'est donc que « *pro plus receptis quam expensis* ». Le contraire se rencontre parfois, en 1385 par exemple. Cette année-là, la Chambre dut 3236 florins au trésorier, auquel ils furent comptés le 28 février 1386 ; *Intr. ex.* 360, fol. 81 v°.

2. *Intr. ex.* 359, fol. 8 v° ; 363, fol. 4 r° ; 365, fol. 4 r° ; 366, fol. 5 r° ; 367, fol. 3 v° ; 369, fol. 3 v° ; 370, fol. 3 r°.

3. « *Propter defectum pecunie non potui Hugueto Salomonis, latori presentium, integre satisfacere* » ; lettre close originale, *Instr. misc.* 3542. — Etienne Boussard, sous-collecteur de Paris, paya les 15 écus le 13 mars ; quittance, *Instr. misc.* 3544.

remboursés sur les mêmes recettes que les assignations, mais après le transfert — par les soins de la Chambre — de la somme à Avignon.

Envisageons tout d'abord les assignations à long terme ou sans terme. Un collecteur ou un receveur devait payer, sur ses prochaines rentrées d'argent, dès qu'il en aurait la possibilité, ou à un terme éloigné de plusieurs mois, voire en plusieurs termes liés à la recette d'une imposition précise, objet de l'assignation. Ainsi le collecteur de Provence devait-il payer sur la recette des demi-procurations les 400 florins dus par la Chambre à Pons, abbé de Montmajour, pour un emprunt contracté le 5 octobre 1379 ; 200 florins devaient être versés à l'abbé dans les huit jours suivant le premier terme de paiement desdites procurations, et 200 dans les huit jours suivant le second terme ; il était précisé que la moitié de chaque versement serait prise sur le revenu de la province d'Arles, l'autre sur celui de la province d'Aix ; les demi-procurations dues par l'abbé seraient préalablement déduites [1]. C'est sans indication de terme que Clément VII fit délivrer, le 6 mai 1384, une reconnaissance de dette portant obligation de la Chambre envers l'évêque de Beauvais, Milon de Dormans, pour les 8 000 francs qu'il avait prêtés en avril à Pierre Girard et Georges de Marle pour faciliter le recrutement de troupes destinées à l'expédition angevine [2]. Aussi n'y a-t-il rien d'étonnant à ce que, treize mois plus tard, la créance de l'évêque fût encore de 2 696 francs 24 sous 8 deniers avignonnais ; mais alors, dans l'assignation qu'il délivra pour 696 francs 24 sous 8 deniers sur la collectorie de Bourges, le camérier précisa, le 24 juin 1385, que la moitié de la somme devait être payée à la Saint-André (30 nov. 1385) et l'autre à l'Annonciation (25 mars 1386) [3]. Sans indication de délai demeura au contraire l'assignation faite sur la collectorie d'Aragon, le 2 mars 1390, des 4 500 florins d'Aragon prêtés au pape par deux marchands, Bérenger de Cortilhos, de Saragosse, et Arnaldo Dalos, de Barcelone [4]. Mais, envers tel ou tel créancier particulièrement important, il arrivait que le délai de remboursement fût inclus dans l'obligation même : le maréchal Boucicaut ayant prêté 40 000 francs à la Chambre, le pape s'obligea, le 3 février 1408, à les lui faire rendre dans les deux ans à Paris, Avignon, Gênes ou Perpignan [5].

Il y avait des créanciers assez favorisés pour obtenir une clause qui les dispensait du souci de constituer un procureur et de récupérer dans une lointaine collectorie la somme qu'ils avaient prêtée à la curie : Jean de Bar, sous-diacre du pape, se fit par deux fois

1. *Coll.* 374, fol. 9.
2. *Reg. Av.* 238, fol. 136.
3. *Instr. misc.* 3227.
4. *Instr. misc.* 3431.
5. *Reg. Av.* 328, fol. 75-76.

concéder que le remboursement de ses prêts fût effectué à Avignon, les frais et risques du transfert étant à la charge du collecteur de Rodez [1].

Nous ne nous étendrons pas sur les modalités de l'emprunt à la Chambre romaine : elles diffèrent peu de celles que nous venons d'étudier pour Avignon. Faute de comptes, le prêt manuel de faible valeur et remboursable par la Trésorerie à court terme nous est inconnu. Mais nous connaissons un exemple de prêt remboursable à long terme par cette même Trésorerie : Lando Moriconi ayant prêté 6 000 florins en janvier 1391, Boniface IX donna ordre au receveur de la Chambre Bartolomeo Pucinelle Turchi de verser audit Lando le huitième de toutes ses recettes jusqu'à solution des 6 000 florins ; le remboursement devait obligatoirement être achevé dans les deux ans [2].

Comme à Avignon, des assignations sans terme étaient faites sur la recette des collecteurs ; nous en avons déjà traité [3]. Mais la papauté romaine disposait de revenus que n'avait pas l'avignonnaise. Les cens des vicariats, surtout les cens à échoir, furent objets d'assignations à long terme : les Gozadini virent leur créance de 1 130 florins assignée, le 11 octobre 1397, sur les cens dus par leur ville d'origine, Bologne [4]. Le 1er février 1400, ils recevaient une autre assignation, pour 2 000 ducats, sur le même cens [5] ; mais la Chambre n'hésitait pas à assigner, le 12 mars suivant, le même cens ou ses échéances futures en remboursement de 700 ducats au secrétaire du pape, le Bolognais Giovanni *de Fuschis* [6]. Rappelons enfin que la Chambre romaine disposait de revenus proprement seigneuriaux fort importants, dont elle pouvait anticiper le rapport en assignant dessus le remboursement d'emprunts : gabelles de Pérouse assignées à Lando Moriconi ou revenus du district de Bologne assignés en 1405 au cardinal Cossa pour rembourser les emprunts contractés par lui pendant sa légation, par exemple.

2. *Transferts de créances sur la Chambre.* — Le mouvement des créances sur la Chambre apostolique pouvait être provoqué par celle-ci ou par les créanciers. Ces derniers y trouvaient l'avantage de recouvrer des créances

---

1. Le remboursement de 1 000 florins prêtés le 8 janvier 1380 (*Intr. ex.* 352, fol. 12 v°) fut assigné le 9 janvier avec fixation d'un terme au 15 avril (*Instr. misc.* 3033) ; celui de 500 florins prêtés le 15 juillet 1381 (*Intr. ex.* 354, fol. 42 r°) le fut le 12 décembre, sans délai mais avec indication du marchand chargé du transfert, Guillaume Carlat (*Instr. misc.* 3097).
2. *Reg. Vat.* 347, fol. 134 r°-135 r°.
3. Voir ci-dessus, p. 506 et suivantes.
4. *Reg. Vat.* 315, fol. 265 r°.
5. *Reg. Vat.* 317, fol. 11.
6. *Reg. Vat.* 316, fol. 341.

que l'état des finances pontificales ne semblait pas capable de laisser honorer ; la Chambre, elle, pouvait avoir intérêt à changer de créancier, ne fût-ce que pour éloigner le terme du remboursement, à moins qu'il ne fût possible de transférer la créance sur un débiteur de la Chambre. Il arrivait aussi que la Chambre transférât sa dette à un créancier qui n'exigeait pas les mêmes gages que le précédent : ces gages devenaient alors disponibles.

Les gages jouent un rôle fort important, en effet, dans de tels mouvements de créances. S'il n'y avait pas de gages, la Chambre pouvait se contenter d'emprunter de l'un ce qu'elle devait à l'autre. Il n'est pas rare que la Trésorerie ait remboursé et emprunté le même jour : au regard de la Chambre, il y avait bien transfert de créances ; non au regard des créanciers.

L'opération pouvait s'accompagner de la récupération du gage et de son réengagement auprès du second prêteur [1]. Plus fréquemment, il était transmis d'un créancier à l'autre sans intervention matérielle de la Chambre [2]. En un cas comme dans l'autre, la dette de la Chambre n'était nullement affectée.

Les officiers pontificaux furent souvent amenés à rembourser ainsi les dettes du pape : nous voyons François de Conzié, évêque de Grenoble et futur camérier, rembourser à Jean de Bar 300 florins que lui devait la Chambre apostolique et dont le remboursement définitif fut donc assigné, le 8 novembre 1388, à l'évêque de Grenoble [3]. Dans les cas délicats, le nouveau prêteur pouvait accepter certaines conditions qu'eût refusées le premier créancier ; le transfert était alors favorable à celui-ci, qui recouvrait sa créance plus tôt que s'il avait attendu un simple remboursement, et à celle-là, qui gagnait du temps. Nous donnerons un exemple particulièrement significatif de cette pratique. Le 18 mai 1385, la Chambre apostolique apurait les comptes du capitaine gascon Bernardon de la Salle ; la dette se montait à 248 443 florins 5 sous 10 deniers bolognais. Sur sa demande — lisons : avec son accord — Bernardon reçut deux lettres de reconnaissance, l'une de 208 443

---

1. Une navette d'argent et un tabernacle d'argent doré avaient été engagés en décembre 1379 à Aguinolfo de' Pazzi pour un prêt de 1 000 florins (*Intr. ex.* 352, fol. 9 v°). Le 1er mai 1380, Aguinolfo rendit ces pièces ; la navette fut remise au pape, mais le tabernacle fut engagé sur le champ à Filippo Astareo qui, le 6 juin, prêta 500 florins (*ibid.*, fol. 24 v°) pour compenser le trou créé dans la Trésorerie par le remboursement à Aguinolfo effectué le 31 mai (*ibid.*, fol. 68 r°).

2. Roger de Beaufort, frère de Grégoire XI, avait prêté 13 500 francs à la Chambre apostolique sur le gage d'une riche croix d'orfrèvrerie et de quatorze croix d'argent, gage en dépôt chez un cardinal. Roger ayant besoin de récupérer cette somme pour sa rançon, son fils, Raymond, vicomte de Turenne, la lui remboursa en échange de ses droits sur les gages, toujours conservés par le cardinal : rien n'était changé à la dette de la Chambre, et aucun des créanciers n'avait vu les gages (*Coll.* 359 A, fol. 55 v° 57 v°).

3. *Reg. Av.* 238, fol. 93 r° ; ce prêt par Conzié ne fut pas plus enregistré en *Introitus* que ne l'était en *Exitus* le remboursement à Jean de Bar, mais d'autres transferts de ce genre ont été enregistrés.

florins 5 sous 10 deniers [1], l'autre de 40 000 florins [2]. Cette seconde bulle fut remise au cardinal de Saint-Martial qui en donna quittance « verbale », devant notaire et témoins, et promit de ne pas la « restituer à la partie sans l'autorisation des gens de la Chambre » [3]. Que signifiait cette « remise » de la lettre ? Une temporisation ne peut être envisagée : Bernardon de la Salle ne se serait pas contenté d'une reconnaissance partielle de sa créance, le reste étant disjoint sans raison apparente. Il nous paraît assuré que les 40 000 florins, objets de la seconde lettre, ont été prêtés à Bernardon par le cardinal, que le véritable assignataire de la reconnaissance est donc le cardinal et que, si la bulle était remise sur le champ à Bernardon, la Chambre serait exposée à devoir rembourser les 40 000 florins, que Bernardon reverserait aussitôt à son créancier Hugues de Saint-Martial. Deux engagements ont donc été pris : l'un, par Bernardon, de se contenter du prêt du cardinal pour 40 000 florins de la somme à lui due, jusqu'à ce que le cardinal lui remette la bulle ; l'autre, par Hugues de Saint-Martial, de ne pas remettre la bulle à Bernardon sans l'assentiment de la Chambre et, par conséquent, de ne pas exiger de Bernardon un remboursement qui incomberait en réalité à la Trésorerie pontificale.

L'obédience romaine ne nous présente pas de transferts caractérisés de créances sur la Chambre. Il faut sans doute incriminer le manque de documentation, mais il nous paraît que le caractère permanent du crédit, la faculté d'assigner immédiatement des ressources domaniales importantes et le petit nombre de créances — en général élevées, mais non de nature à nuire à la situation financière du prêteur — ont pu dispenser le pape romain de recourir à ce qui, dans l'usage de l'expédient qu'est l'emprunt, n'est qu'un expédient de plus.

3. *L'escompte des créances de la Chambre apostolique.* Innombrables sont les créances de la Chambre, dans l'une et l'autre obédiences. Quelques prêts consentis à des chevaliers ou à de hauts prélats [4], voire à un marchand avignonnais [5], n'en sont que la forme exceptionnelle. La créance pontificale est surtout fiscale : paiements en retard, paiements à venir mais certains, dépouilles, etc. Nous avons rappelé, à propos

---

1. *Instr. misc.* 3219 ; *Reg. Av.* 242, fol. 64 v°-65 r°.
2. *Reg. Av.* 242, fol. 65 v°.
3. « *Promisit eam non restituere parti sine licentia dominorum de Camera* » ; *ibid.*, fol. 65 v°, note marginale.
4. 5 000 florins courants à Georges de Marle en janvier-février 1389 (*Intr. ex.* 365, fol. 79 r°, 89 r° et 103 r°) ; 240 francs à Jean de Chamberlhac, le 15 septembre 1388 (*Coll.* 501, fol. 45 r°) ; 3 000 florins à Guy de Roye, le 20 août 1385 (*ibid.*, fol. 17 r°-18 r°) ; 500 francs à Hugues de Saluces, le 18 mars 1392 (*Intr. ex.* 369, fol. 82 r°) ; 3 000 marabotins à l'archevêque de Séville Gonzalo de Mena y Roelas Vargas, avant 1390 (*Instr. misc.* 3538).
5. 1 250 florins courants à Pierre de Méjanès, le 9 mai 1391 (*Intr. ex.* 367, fol. 146 v°) ; il est à noter que ce marchand était parent du clerc du Sacré Collège Jean de Méjanès.

des fournitures et des prestations faites au pape, que le paiement à terme et fractionné est de règle ; il l'est tout autant lorsqu'il s'agit des communs services ou des annates.

Voilà des créances que la Chambre ne peut recouvrer ni rapidement ni facilement, mais qu'elle peut chercher à escompter. Des dettes de la Chambre — emprunts ou simples paiements — sont donc éteintes par assignation sur ces créances fiscales, le pape transférant à son créancier l'action qu'il a contre son débiteur. On notera que l'assignation pure et simple sur une collectorie a un caractère très voisin du point de vue du mouvement de la Trésorerie, mais qu'il n'y a point, en ce cas, transfert de créance : l'argent collecté appartient à la Chambre et le paiement est toujours assigné sur des fonds apostoliques.

Le créancier du pape qui reçoit une assignation sur une créance pontificale doit assumer les inconvénients attachés à cette créance. C'est lui qui doit éventuellement faire prendre les mesures de contrainte nécessaires. C'est lui qui, souvent, attend son paiement pendant des années. Parfois, un créancier influent obtient qu'une clause de temps soit insérée dans l'assignation : ainsi celle qui fut faite à Aymar d'Aigrefeuille, capitaine de la ville d'Avignon, sur les communs services de l'archevêque de Rouen, est-elle payable aux termes auxquels l'évêque est tenu de payer à la Trésorerie [1]. Mais on sait quel cas les prélats faisaient d'une telle obligation et combien peu se croyaient effectivement tenus au respect de ces termes.

Si les papes romains recoururent moins que ceux d'Avignon [2] à l'escompte de leurs créances, c'est parce qu'elles étaient indirectement escomptées avec les recettes futures des collectories lors de la concession « gagée » de monopoles de transferts. Mais, à côté de quelques assignations sur des communs services, la Chambre romaine n'hésita pas à faire des assignations sur la part de communs services dus au Sacré Collège et afférant à des cardinaux privés de leur dignité — en ce cas, il était normal que les revenus allassent au pape — et à des cardinaux défunts [3]. En ce dernier cas, les héritiers étaient indubitablement frustrés ; le pape d'Avignon, qui ne se faisait pas faute d'utiliser de tels revenus, se contentait de les emprunter [4].

Sur un point, les deux papautés se retrouvaient : l'emprunt avec assignation du remboursement pouvait être un excellent moyen d'escompter une créance difficile à recouvrer. Les difficultés

---

1. *Coll.* 358, fol. 107 v°-108 v°.
2. Pour les assignations faites sur les services, voir ci-dessus, p. 358-360.
3. *Reg. Vat.* 314, fol. 266 v°-267 r° ; 336, fol. 236 r°.
4. Dans la seule année 1385, Jean de Méjanès prêta à Clément VII 2 800 florins sur les « revenus des chapeaux des cardinaux défunts » ; *Intr. ex.* 359, fol. 18 v°, 31 r°, 42 r° et 43 v°.

devenaient alors le lot du prêteur. Certes, le pape lui concédait tous les moyens canoniques pour surmonter ces difficultés et pour faire cesser les résistances ; nous savons que la Chambre apostolique n'était point assurée du succès de tels moyens. Nombre d'évêque, dans les deux obédiences, apprirent un jour par une bulle que les communs services qu'ils n'étaient guère zélés à payer avaient été payés en leur nom à la Trésorerie par un banquier envers qui ils étaient dorénavant débiteurs. Leur intérêt était jusque-là de faire traîner les paiements à la Trésorerie, dans l'espoir de laisser la dette à leur successeur ; il était maintenant de payer le plus rapidement possible, afin d'éviter que le nouveau créancier n'exigeât des intérêts, sous forme de « frais de récupération ».

Citons un cas particulièrement net de prélat semblablement contraint. Le 21 février 1404, la société des Bardi et Medici payait au trésorier romain les 5 000 florins de la Chambre dus par Berthold von Wachingen, ancien évêque — et à ce jour administrateur — de Freising, archevêque élu de Salzbourg [1] ; cette somme représentait la totalité des communs services dus au pape et à la Chambre pour le siège de Salzbourg [2]. Bien que ce paiement fût fait, prétendûment, à la requête des procureurs de l'archevêque, le pape ordonna à ce dernier de rembourser la somme à la société des Bardi et Medici. Le pape déclarait même obligés à cette fin les revenus du temporel de Salzbourg et de celui de Freising, quoique les services eussent été acquittés pour celui-ci [3]. Le pape avait donc reçu 5 000 florins en prêt et les Medici n'avaient plus qu'à en obtenir de l'évêque le remboursement. Mais, lorsqu'il redevint, en 1406, évêque de Freising, Berthold von Wachingen n'avait encore rien payé. Son successeur à Salzbourg, Eberhard von Neuhaus, était obligé envers lui pour une somme de 10 000 florins — payable par annuités de 2 000 — représentant la compensation matérielle du transfert de l'archevêque évincé à son ancien évêché. Giovanni de' Medici obtint alors d'Innocent VII, le 31 janvier 1406, une véritable saisie sur la créance de Berthold : deux annuités et demie étaient payables par Eberhard aux Medici, et non à Berthold [4]. On voit que la créance de la Chambre apostolique sur l'archevêque de Salzbourg en raison de ses communs services avait été escomptée par les Bardi et Medici pendant quatre ans et demi.

Clément VII ne se gênait pas davantage pour assigner en paiement des créances difficiles : ainsi donna-t-il, le 26 juin 1392, à

---

1. *Reg. Vat.* 320, fol. 223 v°-224 r°.
2. HOBERG, *Taxae pro communibus serviis...*, p. 105. — La taxe totale est de 10 000 florins.
3. M. JANSEN, *Papst Bonifatius IX*, p. 116-117. Mgr Hoberg ne cite pas l'obligation (20 sept. 1381) de Berthold von Wachingen pour Freising.
4. *Reg. Vat.* 334, fol. 28-29. — Nous avons déjà cité cette affaire ci-dessus, p. 442.

son familier Girardin de Rollecourt, en déduction de ses gages, une créance de 1 400 florins courants sur un certain Guillaume Legros, damoiseau gascon[1] ; or Legros avait emprunté cette somme du camérier Etienne Cambarou, c'est-à-dire quelque trente ans plus tôt. Il est probable que cette créance, venue à la Chambre en vertu du droit de dépouilles, était en fait irrécupérable : Legros était peut-être mort et, dans le cas contraire, il n'était certainement pas prêt à payer facilement 1 400 florins qu'il devait considérer depuis longtemps comme acquis. Le pape se débarrassait donc à bon compte d'une dette de services et escomptait dans les meilleures conditions les 1 400 florins prêtés jadis, à titre personnel, par le camérier d'Innocent VI[2].

4. *Versements anticipés.* Des avances étaient parfois consenties par les officiers ou les marchands ayant le maniement des fonds pontificaux. Il est généralement impossible de discerner, lorsqu'un collecteur fait une avance à la Trésorerie, si cette avance est faite sur la recette qu'il détient *in partibus* ou sur sa recette à venir. Tout porte à croire, cependant, qu'il s'agit d'une avance sur la recette à venir. Le collecteur, en effet, n'a pas de caisse particulière pour l'argent qu'il reçoit au nom du pape[3] ; jusqu'à l'apurement de ses comptes, il n'indique jamais le montant exact de sa recette et tous ses versements sont en réalité des avances sur l'argent qu'il a reçu. Le numéraire qu'il porte avec lui est donc à la Chambre autant qu'à lui-même. Si tel versement est enregistré comme « prêt à récupérer », c'est bien sur la recette future. Le collecteur sait et dit qu'il n'a pas reçu de somme équivalente pour le compte du pape et fait l'avance sur des deniers dont il a la certitude qu'ils lui appartiennent.

C'est surtout dans les premières années du pontificat de Clément VII que des avances furent consenties par les collecteurs avignonnais. Aubry Raoul, ancien collecteur de Lyon, versa, en juillet 1379, 500 francs à déduire d'arrérages encore à lever[4] ; le collecteur de Provence Géraud Mercadier avança 1 000 florins le 8 septembre et 2 000 florins courants en novembre 1379[5] ; en 1381, il promit de prêter 2 000 florins dont il versa 700 le 5 février et 996 florins 17 sous 6 deniers le 14 mars[6]. Armand Jausserand, collecteur de

1. Il était originaire de Cassaigne (Gers, cant. Condom) ; *Reg. Av.* 270, fol. 78.
2. La Chambre s'est parfois vue contrainte d'accepter en paiement une créance. Ainsi, pour payer une part du prix de la gabelle à lui affermée, Tommaso dal Poggio remit-il à la Chambre une créance qu'avait, sur le pape, le drapier André de *Crota* ; c'était le plus sûr moyen pour les marchands, associés pour l'opération, de recouvrer cette créance de l'un d'eux. *Intr. ex.* 359, fol. 31 v°.
3. Voir ci-dessus, p. 128-129.
4. *Intr. ex.* 353, fol. 1 v°.
5. *Intr. ex.* 352, fol. 3 v°-4 r° ; 353, fol. 8 r°.
6. *Intr. ex.* 354, fol. 17 r° et 21 v°.

Paris, avança 2 500 francs le 30 janvier 1381 [1]. Le 9 avril 1382, le collecteur de Tours Guy de la Roche avança 400 francs [2]. Le 20 octobre 1384, Foulques Périer, collecteur de Tolède, prêta 400 francs sur sa future recette [3] et, le 6 novembre, le collecteur de Toulouse Aimery Pellicier prêta de même 100 francs [4]. Naturellement, nulle trace de ces avances dans les comptes des collecteurs : ce sont des « assignations au trésorier » dont rien ne laisse penser qu'elles ont précédé la recette équivalente [5].

Le trésorier du Comtat venaissin n'était pas moins obligé de consentir des avances sur sa recette : 300 florins le 21 avril et 2 000 le 20 mai 1382, sur les revenus du Comtat échéant à la Saint-Jean suivante, par exemple [6]. Sur les échéances de la Saint-Michel 1382 et de la Saint-Jean 1383, il avança 3 006 florins et 12 gros [7]. Il est probable qu'il n'attendait pas les termes d'échéance pour se faire rembourser par les contribuables. Notons enfin que le bulleur, Guillaume Lamy, était lui-même amené à prêter, à cette époque, entre 100 et 300 florins par an ; ces sommes lui étaient allouées en remboursement au fur et à mesure de ses recettes [8].

A partir de 1384, de telles avances cessèrent. Deux explications s'offrent, entre lesquelles nous ne pouvons choisir : ou bien les collecteurs ont pris l'habitude de ne venir à la Chambre qu'avec la somme — due au pape — qu'ils étaient décidés à verser, et les avances sur les collectories ont été désormais supportées par les marchands sous la forme de prêts avec assignation à long terme ; ou bien les clercs de la Chambre et les collecteurs n'ont plus tenu compte du caractère débiteur de tels versements, considérés seulement comme des versements de la recette auxquels ils ressemblaient en tous points, sauf en ce qui concernait la bourse du collecteur.

Le procédé que nous venons d'analyser fut également utilisé à la Chambre romaine. Nous en connaissons trois exemples, à peu près contemporains les uns des autres. Pierre du Bosc, évêque de Dax et collecteur, prêta 1 000 florins sur sa recette à venir ; Boniface IX lui en fit l'assignation le 1er mai 1398 [9]. L'évêque d'Utrecht Friedrich von Blankenheim ayant prêté 12 000 florins

1. *Ibid.*, fol. 15 r°.
2. *Intr. ex.* 355, fol. 23 v°.
3. *Intr. ex.* 338, fol. 63 r°.
4. *Intr. ex.* 359, fol. 5 v°.
5. On voit que l'usage caméral était beaucoup plus souple que celui de l'administration française des aides, dont les receveurs recevaient, en échange de leurs avances, de véritables assignations avec échéances fixées. Le collecteur, lui, se remboursait à son gré, donc par priorité. Quant aux gens de la Chambre, ils n'avaient à se préoccuper de rien. Sur les avances des officiers royaux français, voir M. REY, *Le domaine du roi...*, p. 276.
6. *Intr. ex.* 355, fol. 25 v°.
7. *Coll.* 359 A, fol. 173 r°.
8. *Intr. ex.* 354, fol 39 r° ; 355, fol. 20 r° ; 361, fol. 11 v° et 41 r° ; 363, fol. 44 v°, etc.
9. *Reg. Vat.* 315, fol. 306 v°-307 r°.

à la Chambre apostolique, il fut autorisé, le 13 mars 1399, à imposer et lever sur le clergé de la province de Cologne un subside égal
à cette somme, et à se rembourser sur sa recette [1]. Mais encore
plus significative est la bulle du 21 juillet 1399 par laquelle Lucchino
Borsano, évêque de Côme et collecteur de Lombardie, recevait
l'ordre de rembourser au prévôt de Saint-Ambroise de Milan les
318 ducats prêtés par lui à la Chambre ; l'ordre, précisait le pape,
était valable même si le collecteur ne disposait à ce moment-là
d'aucune somme appartenant à la papauté [2].

Un tel système présentait de grands avantages pour le pape, à qui
il procurait les sommes désirées en laissant au prélat ou au collecteur le soin de se payer. Aucune difficulté d'assignation : l'assignataire et l'assigné étaient confondus. Mais, alors que les prélats
devaient, de plus en plus souvent, accepter d'avancer leurs versements de communs services, condition nécessaire — surtout
dans l'obédience d'Avignon — de leur faveur et de leurs promotions actuelles et futures, les collecteurs purent, croyons-nous,
éviter plus facilement cet inconvénient. La Chambre, dans l'une
et l'autre obédiences, avait assez besoin de leur compétence pour
qu'ils n'eussent rien à craindre. Ils trouvèrent sans doute le moyen
d'échapper à ces emprunts, du moins jusqu'à leur promotion à
l'épiscopat... Il est cependant possible, nous venons de le dire,
que certaines avances aient encore été consenties, considérées
par la Chambre comme de simples versements.

Mais c'est surtout aux marchands que s'adressaient les deux
Chambres apostoliques pour se faire escompter le revenu d'une
imposition ou d'une collectorie. On a vu que la pratique était
généralisée, à Rome, par le recours à des contrats de monopole
sur les transferts. Dans une moindre mesure, les marchands avignonnais avançaient souvent des sommes contre une assignation
que le collecteur ne pouvait honorer qu'à terme. Le bail à ferme
des impositions seigneuriales, des gabelles en particulier, permettait
également d'escompter des recettes ; nous avons montré que le
prix de la ferme était normalement acquitté bien avant la fin de
la période concernée par le bail [3].

5. *Emprunts contractés*   Que les possibilités de crédit fussent
   sur commission.   insuffisantes dans le milieu curial, et l'on
                              envoyait à travers les provinces des
nonces chargés de contracter tous les emprunts nécessaires à la
réunion d'une somme donnée, voire tous les emprunts possibles,
en obligeant les biens et revenus de la papauté pour leur rembour-

1. *Reg. Vat.* 316, fol. 155 ; sur le rôle de cet évêque, voir ci-dessus, p. 228.
2. *Reg. Vat.* 316, fol. 245 r°.
3. Voir ci-dessus, p. 177-178.

sement. Ainsi le camérier et le trésorier de Boniface IX furent-ils chargés, le 14 décembre 1389, d'emprunter de n'importe qui une somme totale de 20 000 florins [1]. De même, le 27 mai 1408, Grégoire XII donna-t-il commission à son notaire d'emprunter de la commune de Sienne 3 000 florins pour lesquels il pouvait hypothéquer les revenus de la Chambre [2].

Mais il était plus fréquent, et quasi normal à la Chambre avignonnaise, de lancer de tels emprunts en même temps qu'une imposition, dont il s'agissait alors d'escompter le revenu. L'usage régulier que la Chambre d'Avignon a fait de ce procédé répond à une plus grande facilité d'établir une imposition en cas de nécessité. Le nonce — collecteur ou clerc de la Chambre — avait donc le pouvoir d'engager les recettes de sa propre collectorie ou de collectories déterminées et, dans le cas d'un impôt spécialement ordonné, d'en obliger le revenu. Il remboursait lui-même les prêteurs, aux termes et conditions convenus entre eux et lui, sans intervention de la Chambre apostolique [3]. De tels emprunts nous sont malheureusement mal connus : ce que nous connaissons, ce sont les versements faits à la Trésorerie ; rien, dans les comptes du trésorier, ne distingue l'argent reçu de la décime de l'argent reçu d'un prêteur à rembourser sur la décime. Quant aux comptes des collecteurs, ils étaient destinés à la justification de l'agent envers la Chambre. Peu importait que les assignations aient précédé les recettes. Seul comptait le total.

Il faut d'autre part être fort circonspect en ce qui touche à la répétition de certaines commissions, dont il ne faudrait pas additionner les chiffres. On peut dire à leur sujet ce que nous avons dit des impositions de subsides. Lorsqu'un emprunt ne réussissait pas, le pape adressait d'autres bulles, semblables à la première, soit au même nonce, soit à d'autres. Ainsi l'ordre, donné le 13 janvier 1406 à Francesc Blanes et Juan Lobera, d'emprunter 200 000 florins d'Aragon se réfère-t-il à semblable commission faite le 1er décembre 1404, soit plus d'un an auparavant, à Berenger Ribalta — décédé depuis — et Juan Lobera [4] ; ordre était donc donné, en 1406, d'emprunter jusqu'à concurrence de ladite somme, pour la part qui n'avait pas été trouvée par les commissaires désignés en 1404. De l'existence de ces deux bulles, il ne faudrait pas conclure

---

1. *Reg. Vat.* 347, fol. 67 r⁰-68 r⁰.

2. *Reg. Vat.* 336, fol. 222 v⁰-223 r⁰.

3. Lorsque la monarchie française, sous le gouvernement de Bernard d'Armagnac, dut recourir au même système, elle dissocia l'emprunt de l'impôt dont il était l'avance. Il s'ensuit que les deux sont mieux connus. L'avantage de la méthode avignonnaise était de toucher les éventuels créanciers de toute l'obédience, alors que l'emprunt direct — à Paris comme à Avignon — ne touchait que les marchands de Paris ou les prélats et marchands habitant et passant à Avignon ; voir A. Bossuat, *Les emprunts royaux au début du XVe siècle*, dans la *Rev. hist. de droit français et étranger*, 1950, p. 352 et 356.

4. *Reg. Av.* 308, fol. 73 r⁰-74 r⁰ ; 331, fol. 92-93. — Ribalta était mort avant le 18 mars 1405 ; Eubel, *Hier. cath.*, I, p. 486.

que des emprunts furent reçus en Aragon pour un total de 400 000 florins, mais bien que les 200 000 sollicités en décembre 1404 n'étaient point réunis un an plus tard.

Malgré cela, les commissions d'emprunter à travers la Chrétienté sont significatives par leur fréquence, par leur ampleur, par le gouffre financier qu'elles laissent entrevoir comme par la confiance en la fiscalité qu'elles supposent, chez les prêteurs dans la mesure où l'on en trouvait, et assurément chez les gens de la Chambre. On comparera utilement les chiffres du tableau que voici avec ceux des emprunts faits par la Trésorerie : il est aisé de voir avec quelles précautions doivent être utilisés les chiffres de la Trésorerie et quelle est, dans l'ensemble des finances pontificales, leur juste place. Mais on notera que, si les emprunts contractés sur commission dans les provinces l'emportent de beaucoup sur les emprunts contractés à la Trésorerie, les uns et les autres aboutissent à des rentrées d'argent dans cette même Trésorerie.

Le caractère d'avance sur les recettes des collecteurs est assez bien mis en évidence par les bulles qui, comme celles du 16 avril 1383, enjoignent à un collecteur de verser une somme donnée à la Chambre et, s'il ne l'a pas, d'en emprunter tout ou partie [1]. Le collecteur se trouvait parfois placé devant le fait accompli : Bertrand Raffin alla en Languedoc pour récupérer les sommes détenues par les collecteurs et sous-collecteurs, emprunter le complément des 50 000 francs qu'il devait réunir et assigner les remboursements sur la future recette desdits collecteurs [2].

La contrainte apparaît ici nettement. Le nonce sollicitait des prêts des laïcs comme des clercs, mais il avait le pouvoir de contraindre les clercs qui ne voudraient pas prêter en les frappant de censure et, éventuellement, en confisquant leurs biens [3]. Plus étonnant encore est le texte de la commission donnée, le 18 mars 1393, à Jean Lavergne, chargé d'emprunter des sous-collecteurs de Languedoc les sommes qu'il lui semblerait convenable d'exiger, c'est-à-dire d'obtenir d'eux le versement anticipé d'une part de leurs futures recettes. Lavergne devait exiger ces sommes même si les sous-collecteurs n'y consentaient pas spontanément, et les contraindre, si la chose était nécessaire, par les moyens canoniques et le recours au bras séculier [4].

1. *Reg. Av.* 233, fol. 67 vᵒ-69 rᵒ.
2. Bulle du 4 mai 1383 ; *ibid.*, fol. 76 rᵒ-78 rᵒ.
3. *Ibidem*.
4. *Reg. Av.* 272, fol. 103 vᵒ-104 rᵒ.

COMMISSIONS D'EMPRUNTER [1]
OBÉDIENCE AVIGNONNAISE

DATE DE LA COMMISSION	ASSIETTE GÉOGRAPHIQUE	ASSIETTE FINANCIÈRE	SOMME DEMANDÉE	RÉFÉRENCES	
av. avril 1382	Tours			*Coll.* 359 A, 211.	
7 nov. 1382	Tours	Collectorie		—	258.
—	Bourges	—		—	—
7 janv. 1383	Paris	—	selon avis du collecteur	*Reg. Av.* 233,	39 v⁰
16 avril 1383	Paris	—	pour compléter 4 000 fr.	—	67 v⁰
—	Narbonne	—	p. c. 3 000 fr.	—	68 r⁰
—	Tours	—	— 2 000 fr.	—	—
—	Reims	—	— 2 000 fr.	—	—
—	Provence	—	— 2 000 fr.	—	—
—	Le Puy	—	— 2 000 fr.	—	68 v⁰
—	Lyon	—	— 1 000 fr.	—	69 r⁰
—	Bourges	—	— 4 000 fr.	—	—
—	Piémont	—	— 3 000 fr.	—	—
4 mai 1383	Languedoc	—	— 50 000 fr.	—	76 r⁰
12 juin 1383	Langue d'Oil	—	env. 30 000 fr. [2]	*Instr. misc.* 3183	
4 févr. 1384	Castille et Léon	—	100 000 fl.	*Reg. Av.* 238,	99 v⁰
8 févr. 1384	France	—	20 000 fr.	—	97 r⁰
13 févr. 1384	France	—	30 000 fr.	—	104 v⁰
—	Paris, Reims et Lyon	—	30 000 fr.	—	109 r⁰
—	Lyon, Tours et Bordeaux	—	30 000 fr.	—	—
—	Languedoc	—	30 000 fr.	—	109 v⁰
5 déc. 1384	Castille, Portugal et Navarre	Legs pieux ou incertains	non précisé	*Reg. Av.* 242,	29 r⁰
—	Lyon, Tours et Bordeaux	—	30 000 fr.	—	30 r⁰
17 déc. 1384	Languedoc	non précisé	non précisé	—	31 r⁰

Lacune   imputable   à   la   documentation

DATE DE LA COMMISSION	ASSIETTE GÉOGRAPHIQUE	ASSIETTE FINANCIÈRE	SOMME DEMANDÉE	RÉFÉRENCES	
10 déc. 1389	Comté de Foix	non précisé	10 000 flor. [3]	*Reg. Av.* 277, 123 v⁰	
1ᵉʳ févr. 1391	France	Collectorie	non précisé	*Reg. Vat.* 301, 107 v⁰	
—	Provence	—	—	—	108 r⁰
—	Aragon	—	—	—	—
1ᵉʳ déc. 1391	Toulouse	—	10 000 flor. [3]	*Reg. Av.* 270,	17 r⁰
—	France	non précisé	non précisé	—	16 v⁰
13 janv. 1392	France	Décime	non précisé	—	32 v⁰
20 janv. 1393	Languedoc	—	non précisé	*Reg. Av.* 272,	86
18 mars 1393	Languedoc	Procurations	non précisé	—	103 v⁰

1. Paris, Bourges, Tours, etc., correspondent aux collectories dont le revenu est assigné en remboursement. La mention « collectorie » dans la troisième colonne signifie que tous les revenus de la Chambre dans la ou les collectories sont assignés.
2. La commission visait spécialement le duc de Bourgogne ; il prêta 20 000 francs.
3. Emprunts demandés au comte de Foix.

Date de la commission	Assiette géographique	Assiette financière	Somme demandée	Références
		Lacune imputable à la documentation		
12 juin 1404	Toute l'obédience	Tous les revenus de la papauté	20 000 flor.	*Reg. Av.* 308, 68 v°
1er août 1404	Aragon	Censuels	200 000 fl. Ar.	*Reg. Av.* 319, 41 r°
11 sept. 1404	—	—	100 000 fl. Ar.	*Reg. Av.* 308, 74 r°
1er déc. 1404	—	—	200 000 fl. Ar.	— 73 r°
15 janv. 1405	Languedoc	Collectorie	le plus possible	*Reg. Av.* 319, 34 v°
1er févr. 1405	France	Décime et subside, ou vacants	non précisé	— 46
7 juil. 1405	Aragon	Censuels et vacants	le plus possible	— 9
1er sept. 1405	Aragon et Castille	non précisé	non précisé	— 19 r°
13 nov. 1405	Toute l'obédience	Tous les revenus de la papauté	200 000 flor.	*Reg. Av.* 325, 54
13 janv. 1406	Aragon	Censuels et vacants	200 000 fl. Ar.	*Reg. Av.* 331, 92 r°
1er juil. 1407	Aragon	Collectorie et vacants	50 000 fl. Ar.	*Reg. Av.* 328, 24 r°
—	—	Vacants de Catane	30 000 fl. Ar.	— 71 v°
2 août 1407	Aragon	Censuels	250 000 fl. Ar.	*Reg. Av.* 331, 97 v°
av. avril 1408	France	Décime	60 000 fr.[1]	*Reg. Av.* 332, 46 r°
10 avril 1408	France	Décime	80 000 fr.[2]	— 47
7 oct. 1409	Aragon	Censuels	15 000 fl. Ar.	*Reg. Av.* 331, 125 v°

Le pape de Rome ne manqua pas de charger, de même, collecteurs et nonces de contracter des emprunts. Mais les sommes qu'il réclama de la sorte sont relativement moindres que celles exigées ou sollicitées par le pape d'Avignon. La Chambre romaine n'avait pas d'impositions exceptionnelles à obliger pour des dizaines de milliers de florins. Quant à l'assiette géographique des recettes ainsi escomptés, elle est singulièrement réduite. Notons cependant que le tableau suivant a été établi à l'aide d'une documentation incomplètement conservée, et qu'il ne saurait donc être considéré comme exhaustif.

1. Montant de l'emprunt effectivement contracté.
2. Emprunt demandé au gouvernement de Charles VI.

COMMISSIONS D'EMPRUNTER
OBÉDIENCE ROMAINE

DATE DE LA COMMISSION	ASSIETTE GÉOGRAPHIQUE	ASSIETTE FINANCIÈRE	SOMME DEMANDÉE	RÉFÉRENCES
16 févr. 1381	Italie	Collectories	50 000 flor.	*Reg. Vat.* 310, 107
28 juil. 1391	Romagne [1]	Cens des vicaires apost.	pour compléter 3 000 flor.	*Reg. Vat.* 313, 156 r°
6 juil. 1393	Romagne	Collectorie	8 000 flor.	*Reg. Vat.* 314, 107 v°
26 mai 1394	Romagne [2]	Décime	1 000 flor.	— 258 v°
16 févr. 1395	Bologne	Cens de Bologne	15 000 flor. [3]	— 333 r°
9 juin 1405	Lombardie, Ligurie et Vénétie	Collectories	6 000 flor. [4]	*Reg. Vat.* 333, 267
17 juin 1405	— [5]	—	6 000 flor.	— 266.
23 août 1406	— [6]	—	non précisé	*Reg. Vat.* 334, 171 r°

Pour avoir peut-être lancé moins de nonces que son adversaire aux fins de contracter des emprunts à travers l'obédience, le pape romain était-il plus à l'aise ? Certes pas. La pratique des comptes courants que sont les monopoles de transfert « gagés » ouvrait à la Chambre romaine un crédit théoriquement illimité, limité en fait aux ressources des collectories. Or c'est bien sur ces ressources que la Chambre avignonnaise garantissait le remboursement du plus grand nombre des emprunts contractés dans les provinces. Les moyens mis en œuvre par les deux Chambres apostoliques étaient différents, mais ils avaient le même effet : escompter les revenus pontificaux.

B. — COÛT DE L'EMPRUNT

a) *Les sûretés du créancier*

1. *Gages mobiliers.* Les objets précieux tirés du Trésor pontifical étaient la plus appréciée des garanties pour le remboursement d'un prêt. C'est pour cela, plus que pour quelques aliénations définitives, que le Trésor joue un rôle dans

1. Emprunt demandé aux Ordelaffi, Alidosi et da Polenta.
2. Emprunt demandé à Niccolò, marquis d'Este.
3. Ordre était donné le même jour à la Commune de Bologne de payer 20 000 florins en avance sur les termes prévus, tous délais étant révoqués (*ibid.*, fol. 333).
4. Commission annulée à la suite du succès de celle du 17 juin.
5. Emprunt demandé au doge et au conseil de Venise.
6. Emprunt demandé à Francesco de Gonzague. Un accord était déjà intervenu sur le montant du prêt.

le mouvement des fonds. La composition de ce Trésor est bien connue depuis que Mgr Hoberg en a publié les inventaires antérieurs au Schisme [1]. Nous ne voulons que dire ici comment il se renouvelait.

Car il ne faudrait pas croire à une permanence du Trésor pontifical. Lorsque, dans l'été de 1391, Clément VII reçut à Avignon le roi d'Arménie, le garde de la vaisselle dut louer à des marchands de la vaisselle d'étain [2].

Il y a, certes, un certain nombre de pièces que le pape tenait de son prédécesseur. A chaque élection pontificale, d'autre part, le Trésor s'enrichissait des meubles que possédait l'élu, à l'exception de ceux dont il avait disposé par testament [3]. De même la Chambre apostolique avait-elle l'usage des meubles que le pape pouvait hériter pendant son pontificat [4]. Quelques joyaux parvenaient enfin au Trésor lorsque des prélats impécunieux n'avaient pas d'autres moyens d'acquitter services ou subsides.

Mais le plus constant des moyens d'approvisionnement du Trésor, c'était la saisie, et la Chambre ne se faisait pas faute de choisir, en pareil cas, les meubles les plus précieux et les plus facilement négociables. Les confiscations judiciaires étaient, de ce point de vue, d'un excellent rapport. Certaines frappèrent des clercs, comme l'évêque de Giovinazzo, qui se vit confisquer — en sus d'une amende de 300 florins — un plat à barbe, toute son argenterie de table, une navette d'argent doré, un beau *Décret* et une Bible à quatre fermaux d'argent [5]. Le plus grand nombre touchèrent des marchands, en particulier des Florentins, comme Giusto Fiorentini degli Alberti Antichi [6] ou Cristoforo Geri, dont la veuve, Lisa, composa avec la Chambre pour faire ramener la saisie au cinquième de la succession, ce pour quoi les gens de la Chambre prirent d'abord un monumental pied de reliquaire en forme d'ailes d'argent, d'une valeur de 900 florins [7].

Ces confiscations représentent cependant peu de choses auprès du produit du droit de dépouilles. Lorsque la Chambre saisissait une part des meubles, c'est en effet l'orfèvrerie et les livres précieux qu'elle prenait, de préférence au mobilier meublant, aux chevaux ou aux provisions de pois chiches. Croix, reliquaires, calices, mitres, anneaux entraient ainsi dans le Trésor. Ces pièces n'étant ni destinées ni nécessaires au service de la cour pontificale, la Chambre apostolique en disposait fort librement. Perdant tout caractère

1. H. Hoberg, *Die Inventäre des päpstlichen Schatzes in Avignon* (1314-1376).
2. *Intr. ex.* 367, fol. 195 r°.
3. Martin d'Alpartil, *Chronica actitatorum...*, éd. Ehrle, p. 290 ; *Reg. Av.* 304, fol. 651 ; *Coll.* 372, fol. 136 ; *Instr. misc.* 3840.
4. Voir ci-dessous, p. 584-585.
5. *Intr. ex.* 356, fol. 37 r°.
6. *Intr. ex.* 352, fol. 6 v°.
7. *Intr. ex.* 354, fol. 21 r°.

sacré, les objets et les vêtements liturgiques, les anneaux ornés de pierres précieuses et les manuscrits enluminés étaient, selon les besoins de la Chambre, vendus, fondus ou engagés.

Maniables, facilement conservables par les créanciers et incontestablement identifiables lors de leur restitution, les objets précieux constituaient dont les meilleurs gages. Cela n'empêchait pas les gens de la Chambre de recourir parfois à d'autres gages : en 1384, un prêt consenti par des marchands pisans fut gagé sur du biscuit [1].

Ces gages n'étaient pas remis à n'importe quel prêteur. Les officiers pontificaux n'en recevaient jamais. On en remettait parfois à des prélats : simples cas d'exception, semble-t-il, tant est grande la disparité entre les personnes (le cardinal Tommaso degli Ammanati [2], les évêques de Léon [3] et d'Ostuni [4]) et les sommes gagées (respectivement 600, 1 000 et 100 florins). En cela, le pape semble avoir été plus favorisé que les princes temporels, qui ne pouvaient emprunter que sur gages [5].

Les marchands, au contraire, ne prêtaient guère sans gages. Même à Andrea di Tici, à Catalano della Rocca, aux RaponDi, la Chambre était obligée de remettre des joyaux en échange des sommes qu'ils prêtaient. Il fallut tenir un inventaire de ces gages, inventaire dont l'existence est assurée par une mention de comptes [6], cependant qu'était tenu à jour un état des créances gagées [7].

Le camérier devait remettre des gages même pour un prêt à court terme. Ainsi voit-on Conzié, au début de décembre 1384, engager de l'orfèvrerie aux quatre marchands [8] qu'il charge de faire payer 2 000 francs à Barcelone le 15 janvier ; bien plus, il les autorise à « user » du gage — autrement dit à le vendre — à cette date, s'ils n'ont pas été payés par la Trésorerie, à Avignon, avant la fin de décembre. Les marchands ne faisaient donc que l'avance d'une lettre de change et devaient recevoir le numéraire avant que leurs correspondants n'aient effectué le paiement ; même en ce cas, ils obtenaient des gages [9]. Leur prudence nous apparaît d'ailleurs justifiée : le prêt ne fut totalement remboursé que le 24 avril 1385 [10].

Il n'était que les marchands en compte avec la Chambre pour

1. *Intr. ex.* 338, fol. 51 v° ; l'emprunt avait été contracté à Pise.
2. *Intr. ex.* 361, fol. 41 v°.
3. *Intr. ex.* 355, fol. 46 v°.
4. *Intr. ex.* 351, fol. 7 r°.
5. A. Bossuat, *Les emprunts royaux...*, *loc. cit.* ; M. Mollat, *Recherches sur les finances des ducs Valois de Bourgogne*, dans la *Rev. hist.*, 1958, p. 320-321.
6. *Pro tribus copiis inventarii jocalium domini nostri pape penes certos mercatores Avinionenses in pignore existentium...* ; *Intr. ex.* 372, fol. 99 v°.
7. *Reg. Av.* 303, fol. 107-109.
8. Guiranno Calvi, Tommaso Borsanino, Pietro Borsaio et le facteur de Datini, Boninsegna di Matteo.
9. R. Brun, *Annales avignonnaises...*, *loc. cit.*, XII, p. 68-69.
10. *Intr. ex.* 359, fol. 116 v°.

prêter sans gage : sur 23 000 florins prêtés — à notre connaissance — par Aguinolfo de' Pazzi entre 1379 et 1387, la moitié ne fut pas gagée ; sur 6 100 florins prêtés par Paolo Ricci en deux ans (1385-1387), 400 florins courants seulement furent gagés par une mitre du pape [1].

C'est dans les périodes où ils avaient des craintes pour la permanence de la papauté avignonnaise, essentiellement en 1378-1384 et en 1396-1405, que les marchands mirent la constitution d'un gage comme condition à leurs prêts. Entre ces deux périodes, une obligation de la Chambre apostolique semble avoir eu, pour un grand nombre d'entre eux, autant de valeur qu'un gage. Il n'en allait pas de même pour les usuriers anonymes qui prêtaient par l'intermédiaire de changeurs complices et discrets : de telles créances, tout à fait illicites en droit canonique, pouvaient être contestées ; lorsqu'un changeur déclarait ne pouvoir trouver d'argent que *sub usura*, force était donc à la Chambre de fournir les gages relativement importants exigés par les usuriers ou leurs intermédiaires.

Nulle différence ne semble avoir été faite entre les créanciers, en ce qui concerne la nature du gage. Mitres précieuses, vases sacrés ou vaisselle étaient indifféremment remis à quiconque, mais les gages encombrants allaient plutôt aux marchands ayant boutique et coffres (ainsi la vaisselle d'argent), alors que les prélats recevaient de préférence croix pectorales, anneaux, mitres ou livres.

L'emploi du gage était donc lié, pour la Chambre apostolique d'Avignon, aux conditions — époque et personnes — d'un crédit difficile. Le sommet de la politique d'engagement du Trésor fut atteint après la restitution d'obédience. Le 12 juin 1404, à Saint-Victor de Marseille, Benoît XIII ordonnait en effet à Conzié, Climent et Adimari de prendre dans le palais d'Avignon tous les objets précieux, sacrés ou non, et les meubles de prix, et de les engager ou vendre pour permettre de supporter les charges de la papauté. La limite de l'emprunt était fixée à 20 000 florins [2]. Le 13 novembre 1405, à Savone, Climent se voyait ordonner la même opération [3]. L'engagement n'était plus alors, qu'une forme provisoire de l'aliénation du Trésor et du temporel de l'Eglise.

Le rapport entre la valeur du gage et la somme gagée nous est parfois connu, soit qu'il s'agît de métal précieux dont le poids est indiqué, soit que le gage ait été ultérieurement vendu. Ce rapport est normalement l'unité, avec des différences — parfois en plus,

1. *Intr. ex.* 361, fol. 9 v°.
2. *Reg. Av.* 308, fol. 68 v°-69 v°.
3. *Reg. Av.* 325, fol. 51 v°-52 v°, 54 et 60.

le plus souvent en moins — dues à la difficulté de faire l'appoint en objets précieux [1].

Le gage n'est, selon la règle, que détenu par le créancier ; celui-ci n'a sur lui aucun droit de propriété, à moins que l'expiration du délai de remboursement ou l'aveu d'insolvabilité du débiteur ne lui donnent une action réelle. Mais, lorsque la papauté se trouvait obligée de ménager quelque important créancier, l'autorisation de vendre les gages pouvait être donnée dès la formation de la créance ; la vente n'était cependant licite que sous condition de non-remboursement. Ainsi Jean de la Grange fut-il autorisé, le 21 mai 1382, à vendre les gages d'un prêt de 7 500 florins, si le remboursement — assigné sur les collectories de Paris et Reims — n'était pas achevé à la Saint-Jean 1383 [2].

A quelques exceptions près, cependant, le gage restait propriété du pape. Aussi n'était-il pas toujours remis au créancier : on le déposait alors chez un tiers qui s'en portait garant envers les deux parties. La croix précieuse d'or et de pierreries [3] engagée par Grégoire XI à son frère Roger de Beaufort était confiée au cardinal Raymond de Canillac ; à la mort du cardinal, c'est Pons de la Garde, prieur de Saint-Firmin de Montpellier [4], qui la reçut ; elle passa ensuite entre les mains du cardinal Guillaume de Chanac ; c'est alors que Jean de Cros reçut mission de la réengager auprès d'un nouveau créancier [5]. Roger de Beaufort n'avait sans doute jamais vu cette importante pièce d'orfèvrerie [6].

Même lorsque l'on remettait le gage au créancier, ce dernier ne pouvait l'utiliser librement. Le 25 juin 1382, le trésorier du pape remettait au trésorier des guerres de Louis d'Anjou diverses pierres précieuses en gage d'un paiement ; les joyaux furent publiquement enfermés dans une cassette de bois, sur laquelle le trésorier du pape apposa son cachet. Un an plus tard, le 5 juin 1383, Clément VII brisa le cachet après l'avoir vérifié : on venait de lui rendre les joyaux que le créancier avait gardés un an sans jamais les voir [7].

Le pape de Rome était moins fréquemment amené à gager ses emprunts. L'histoire de sa mitre précieuse n'en est pas moins intéressante. On notera qu'elle date d'une période de difficultés,

1. Les gages reçus en décembre 1384 par Boninsegna di Matteo pour 500 francs étaient estimés par Boninsegna lui-même à 600 francs au moins ; R. Brun, *Annales...*, XII, p. 68-69. A défaut d'estimation, les documents nous donnent souvent une description très précise des gages : ornementation d'un vase, poids d'une statue, doublure d'une mitre, etc.
2. *Coll.* 359 A, fol. 188 v°-189 r°.
3. Voir ci-dessus, p. 535, note 2.
4. Notaire apostolique ; il devint évêque de Mende.
5. *Coll.* 359 A, fol. 55 v°-57 v°.
6. Elle était en or massif et ornée de trente-neuf saphirs, quarante-six balais, huit rubis, trente-six émeraudes, vingt-quatre grosses perles et d'innombrables petites.
7. *Reg. Vat.* 309, fol. 24 v°.

analogue à ces périodes pendant lesquelles, à Avignon, apparaissent les constitutions de gages mobiliers. Pour une dette de 3 100 florins, le camérier d'Innocent VII avait assigné à Giovanni di Bicci de' Medici le revenu de la gabelle du vin de Viterbe ; il ne s'agissait pas seulement de prêts manuels consentis à la Trésorerie, mais aussi de paiements créditeurs effectués par les Bardi et Medici pour dégager et récupérer la mitre précieuse du pape et le château de Civita Castellana ainsi que son district. Le 3 octobre 1405, Innocent VII confirma cette assignation et l'engagement de la mitre à Giovanni di Bicci ; celui-ci avait donc remboursé une dette du pape et gardé le gage mobilier, cependant qu'une assignation était substituée au gage immobilier qu'avait eu en outre le premier créancier. Un an plus tard, Giovanni di Bicci était toujours en difficulté avec la commune de Viterbe qui contestait chaque terme de sa dette ; partiellement remboursé, il rendit la mitre qui, dès le 17 février 1407, fut engagée chez le Florentin Matteo di Bartolomeo Tenaglia, lequel s'engageait à verser 6 000 florins à Paolo Orsini, pour ses gages, et 1 400 florins à Niccolò Ricci en déduction d'une dette de la Chambre apostolique. L'année suivante, la mitre précieuse passait en d'autres mains : le 16 avril 1408, à Lucques, le camérier Antonio Correr passait un contrat avec le Florentin Antonio di Giovanni Roberti, représenté par Pietro Bardelli. Le marchand s'engageait à verser 5 500 florins à Tenaglia ; il avançait en outre 1 000 florins du versement de 2 000 que faisait à la Chambre, par son intermédiaire, le fermier de la préceptorie de Saint-Antoine de Toscane, qui n'avait pu trouver que 1 000 florins pour son échéance. Le camérier s'engageait à verser, avant le 27 avril, 2 500 florins à Tenaglia, auquel Roberti devait payer, avant la fin du même mois, les 5 500 florins convenus. La créance de Tenaglia, soit 8 000 florins, étant ainsi couverte, il remit la mitre précieuse à Roberti, qui la conserva comme gage de sa propre créance, soit 6 500 florins.

Roberti avait le droit, pour satisfaire aux exigences du contrat, de se procurer lui-même 5 500 florins en empruntant à un intérêt maximum de 10% dont les frais incomberaient en définitive à la Chambre. La mitre devait être conservée à Florence. Roberti la rendrait dès qu'il aurait reçu la somme de 6 500 florins augmentée des frais de change et d'intérêt. Si, au 1er mai 1409, le camérier n'avait pas « racheté » ladite mitre, le marchand pouvait la réengager, voire la vendre au meilleur prix : le montant du prix lui resterait donc acquis, même s'il était supérieur à la créance.

Ce n'est qu'un an plus tard, douze jours avant le terme auquel Roberti avait le droit de vendre la mitre, que le pape se préoccupa de lui envoyer, de Rimini où il était réfugié, le notaire de la Chambre Niccolò da Orvieto, chargé de rembourser la créance de Roberti et de récupérer ainsi la mitre précieuse, après avoir, pour cela, emprunté de n'importe qui la somme de 12 000 florins [1].

Ce genre de gage avait, nous le voyons bien dans cet exemple, un notable avantage pour les créanciers : par leur caractère religieux et symbolique, les objets que la papauté ne pouvait ou ne voulait aliéner constituaient une garantie, non seulement du remboursement, mais du respect des délais convenus pour celui-ci. Grégoire XII consentait, de même que ses prédécesseurs, à engager sa mitre précieuse ; notons qu'il ne s'agit pas d'une quelconque mitre précieuse [2], et que le terme désigne peut-être bien la tiare. Mais, au terme du délai, on ne laissait pas le créancier se payer sur le gage : pour éviter la vente de la mitre, le pape préférait emprunter d'autre part.

A Rome comme à Avignon, sans qu'aucune règle absolument générale puisse être énoncée, les gages mobiliers tirés du Trésor constituaient l'instrument de la mobilité des créances sur la Chambre. Une créance gagée était le plus souvent honorée dans les délais convenus ; elle était donc, en presque tous les cas, transférée, alors qu'une créance simplement assignée devait attendre que les revenus hypothéqués fussent suffisants. Il arrivait cependant que l'un ou l'autre des papes ne pût amortir l'une de ses dettes gagées et que le créancier fût alors autorisé à vendre les gages.

Dans la mesure où le Trésor ne manquait pas d'objets à engager, le gage a considérablement facilité le recours à l'emprunt. Dans les périodes où la confiance manquait, il procurait au créancier la certitude de son remboursement. Transférable, aliénable, représentatif, le gage offrait une sûreté au créancier, une facilité à l'emprunteur.

2. *Gages immobiliers et morts-gages.* Le pape de Rome disposait d'importants biens immobiliers qu'il pouvait engager à ses créanciers. Son adversaire, pour se procurer les immeubles que réclamaient en gage certains créanciers, devait recourir aux menses épiscopales et abbatiales vacantes. Dans l'une comme dans l'autre des obédiences, de tels gages ne concernent que des créanciers d'un type particulier — capitaines, podestats, seigneurs — et des créances relativement élevées.

« Vif-gage qui s'acquitte de sa dette » dit l'adage juridique. Le pape avignonnais disposait de revenus immobiliers insignifiants et de revenus fiscaux considérables : ceux-ci étaient donc plus

---

1. *Reg. Vat.* 333, fol. 307 r⁰ ; 335, fol. 43 v⁰-44 r⁰, 68 v⁰-69 r⁰ et 163 r⁰-165 r⁰ ; 336, fol. 201 v⁰ ; 337, fol. 81.

2. On trouve ne jamais à son propos la formule *quamdam mitram*, mais toujours *mitram preciosam domini nostri.* Fait significatif, elle n'est jamais décrite. Notons que Charles VI devait, à la même époque, engager sa couronne ; M. Rey, *Le domaine du roi...*, p. 252, et A. Coville, *Les Cabochiens...*, p. 47-48.

volontiers assignés en remboursement, cependant que l'on réservait les biens immobiliers aux bénéficiaires de « morts-gages », opération qui évitait à la Chambre de servir des intérêts. Mais la papauté romaine remettait-elle à ses créanciers des terres ou des châtellenies sur les revenus desquelles pouvait être remboursée toute dette ? Rien ne permet de l'affirmer, la plupart des bulles en la matière demeurant muettes sur le chapitre des revenus. Il semble que, les gages étant choisis parmi les terres qui devaient être tenues contre l'ennemi, les revenus en fussent généralement compensés par les frais de défense et d'entretien. Le créancier avait donc un gage de son remboursement, mais la papauté y gagnait un châtelain non appointé. Ainsi en allait-il du château de Castrocaro, engagé en 1394 à la commune de Florence pour 18 000 florins[1], et de la terre de Terracine, engagée en 1403 à Giovanello Tomacelli, chancelier du royaume de Naples, pour un prêt de 12 000 florins[2]. Lorsque l'on engagea, en 1406, le château d'Apiro à Onofrio di Cola Sineducci et son fils Antonio pour 5 000 florins, on spécifia que, les dépenses afférant à la garde de ce château excédant ordinairement les revenus d'environ 125 florins, cette somme serait remboursée aux créanciers[3] : c'était bien dire que le revenu était affecté aux charges locales et que toute pensée de rétribution ou d'intérêt était exclue. Le gage ne s'acquittait de rien.

De même, le pape d'Avignon pouvait accorder un gage immobilier comme simple garantie de remboursement. Le 3 février 1408, Benoît XIII engageait diverses terres du temporel épiscopal d'Avignon pour un prêt de 40 000 francs accordé par le maréchal Boucicaut. Le créancier recevait la possession réelle des terres et châteaux ; il pouvait les vendre s'il n'était remboursé dans les deux ans. Si la valeur excédait alors la somme prêtée, augmentée des frais d'entretien, il devait verser la différence à la Chambre apostolique. De rémunération du prêt, il n'était pas dit un mot[4].

Il arrivait souvent que l'excédent des revenus sur les frais de défense et d'entretien fût laissé au créancier. C'est ainsi qu'Andrea Tomacelli reçut en gage, en 1399, la châtellenie de Civita Castellana avec cette clause que les revenus lui seraient acquis et les dépenses relatives à la garde intégralement remboursées par la Chambre[5].

---

1. *Reg. Vat.* 314, fol. 288-289 et 314 v°-315 r°.
2. *Reg. Vat.* 320, fol. 123 v°-124 r°.
3. *Reg. Vat.* 334, fol. 253 r°-254 r° ; il s'agit d'Apiro, dans le diocèse de Camerino (Marches) et non dans celui de Fermo, indiqué par le registre.
4. *Reg. Av.* 328, fol. 75-76.
5. Gage d'un prêt de 2000 florins consenti le 9 janvier 1399 et porté à 4 000 dès le 23 avril ; *Reg. Vat.* 316, fol. 76 et 148 r°-150 r°. — Bien que le second acte ne fasse nulle mention de la créance précédente, nous ne croyons pas qu'il y ait lieu d'additionner les deux chiffres ; c'est précisément s'il y avait deux créances que, le gage étant identique, la première serait rappelée dans la seconde bulle.

Moins favorisé, Ceccolino de' Michelotti ne se vit attribuer, en 1405, que l'excédent des recettes sur les dépenses de la terre de Cannara, en Ombrie, à lui concédée comme gage des 9 000 florins qui lui étaient dus pour sa solde pendant un an [1]. Mais il ne s'agit là que de revenus éventuels, hypothétiques. Or des revenus bien réels, et connus de la papauté, étaient parfois attribués à des créanciers sans être déductibles de la dette. Ainsi Carlo di Malatesta, recevant, le 28 juin 1394, la ville et le district de Bertinoro pour 22 000 florins [2], Raimondo del Balzo Orsini, recevant, le 6 février 1406, Brindisi et la terre de Baroli pour 50 000 florins dont le remboursement lui était assigné sur des décimes [3], se virent tous deux accorder l'autorisation de lever pour eux-mêmes les revenus de leurs gages.

La même catégorie de créanciers trouvait à Avignon le même avantage [4]. A Louis de Trians, Clément VII engageait pour le paiement de sa solde, le 5 décembre 1383, la châtellenie de Moustiers-Sainte-Marie, appartenant à la reine Jeanne ; le paiement était assigné sur la collectorie de Provence et les revenus du gage étaient affectés aux dépenses incombant au créancier du fait de la possession dudit gage et, en second lieu, à ses propres usages [5]. Eudes de Villars reçut, le 1er mai 1386, en gage de 3 000 florins qu'il avait prêtés à la Chambre, la seigneurie de Serres ; il n'était tenu de la restituer qu'après remboursement intégral et sans que fussent comptés dans l'amortissement de ce prêt les revenus de ladite seigneurie [6]. Les deux engagements du château d'Antibes [7] à Marco et Luca di Grimaldi, pour 2 000 florins génois le 23 mai 1390 et pour 1 000 florins d'Avignon le 9 novembre 1391, stipulaient que les Grimaldi prendraient réellement possession du château et en percevraient à leur seul profit les revenus ; l'acte de 1391 obligeait même la Chambre apostolique envers eux pour les sommes qui pourraient être dépensées en réparations [8]. Il semble bien, enfin, que les revenus de la châtellenie de Mornas aient été acquis à Pierre, comte de Genève, à qui Clément VII avait engagé cette châtellenie, le 27 octobre 1388, pour un emprunt de 10 000 florins ; les frais relatifs à la défense de Mornas étaient en tous cas mis à la charge de la Chambre apostolique [9].

Le mort-gage « qui de rien ne s'aquitte » était donc en usage à

---

1. *Reg. Vat.* 334, fol. 224 v°-225 v°.
2. *Reg. Vat.* 314, fol. 283.
3. *Reg. Vat.* 334, fol. 228 v°- 229 r°.
4. Du moins au temps de Clément VII ; nous n'avons pas trouvé de mention explicite de mort-gage sous le pontificat de Benoît XIII.
5. *Reg. Av.* 233, fol. 114 ; 238, fol. 95 r°-96 r°.
6. *Reg. Av.* 242, fol. 83 v°.
7. Il appartenait au temporel de l'évêché de Grasse, alors vacant.
8. *Reg. Av.* 270, fol. 15-16 ; 277, fol. 175 v°.
9. *Reg. Av.* 275, fol. 92.

la Chambre d'Avignon comme à celle de Rome. Il impliquait, cependant, un intérêt de l'argent prêté ; pour cette raison, il tombait sous le soup de la jurisprudence canonique et de la condamnation portée par Alexandre III [1]. Surtout, le mort-gage était tombé en désuétude depuis le début du xive siècle, et cela pour des raisons purement techniques : d'autres formes de crédit, plus simples, s'étaient développées en Italie et en Flandre [2].

Et pourtant, romain ou avignonnais, le pape du Grand Schisme se voyait amené à pratiquer le mort-gage pour garantir et rémunérer des emprunts qu'il était trop heureux de pouvoir contracter. Doit-on considérer que la garde et la défense du gage constituaient un service — les frais supportés à leur propos étant à part — justifiant une rémunération ? Cela est vrai dans certains cas. Mais, la plupart du temps, le service rendu par le créancier était nul, et le châtelain mis en place par le pape restait même en fonctions. Le créancier se substituait au pape et à la Chambre comme possesseur, non au châtelain comme défenseur. Le cas de Raimondo del Balzo Orsini est encore plus net : il recevait en gage la ville de Brindisi, dont il était déjà gouverneur, et aucun accroissement de ses charges ne venait justifier une rémunération nouvelle. Le gage remis par la papauté comportait donc bien un loyer de l'argent ; le paiement par la Chambre d'un intérêt en espèces à d'autres catégories de créanciers confirme d'ailleurs cette opinion [3].

Dans la mesure de son indépendance envers la Chambre, le créancier avait donc la possibilité de faire assurer sa créance. Au contraire de ce qui se produisait en matière fiscale, et surtout dans l'obédience avignonnaise, les moins favorisés étaient ceux dont le sort était lié à celui de pouvoir pontifical. Les gens auxquels le pape accordait le plus facilement une remise, un délai, voire une pension, lorsque les finances étaient aisées, ceux-là étaient les premiers touchés par les appels au subside ou à l'emprunt et c'est envers eux que les gens de la Chambre se gênaient le moins pour ne pas

---

1. *Décrétales*, V, 19, c. 1 et 2.
2. Sur la disparition du mort-gage, voir R. GÉNESTAL, *Le rôle des monastères comme établissements de crédit*, et E. ALIX et R. GÉNESTAL, *Les opérations financières de l'abbaye de Troarn* ; Le dernier cas de mort-gage signalé en Flandre — où le procédé se maintint plus longtemps que dans les établissements normands étudiés par Génestal — est de 131 ; H. VAN WERVEKE, *Le mort-gage et son rôle économique en Flandre et Lotharingie*, dans la *Rev. belge de phil. et d'hist.*, VIII, 1929, p. 53-91.
3. Nous connaissons un cas de vente à *remere*, mais il concerne des meubles non fructifères par nature. Il s'agit de la vente, faite par le camérier romain le 20 février 1408, au cardinal Antonio Caetani de trente-trois livres de la bibliothèque pontificale, sous condition que l'acquéreur n'en revende aucun avant six mois, délai pendant lequel le pape pouvait les racheter au même prix, soit 562 florins. Niccolò da Orvieto fut effectivement chargé, en août, de racheter les livres : Caetani n'avait tiré aucun profit de l'opération ; *Div. cam.* 2, fol. 15 v°-17 v°. — La correspondance Datini d'Avignon rapporte un cas analogue, mais qui ne met pas en cause la Chambre apostolique : c'est la vente de livres faite, avec clause de rachat, par l'évêque de Mâcon Jean de Boissy, en 1383 ; R. BRUN, *Annales...*, *loc. cit.*, XII, p. 45.

cautionner les emprunts. Marchands et riches laïcs se voyaient au contraire donner des sûretés dont la qualité se rapportait beaucoup plus à la personne des prêteurs qu'à la somme due.

b) Les profits du créancier

1. *Formes de l'usure.* Jusqu'au temps du Grand Schisme, la papauté avait su s'abstenir de recourir à l'usure pour se procurer des fonds, ou, tout au moins, respecter les formes de l'emprunt licite et déguiser la rémunération de l'argent. Jamais, selon Y. Renouard, cette rémunération n'apparaît dans les textes antérieurs à 1378 [1]. Après cette date, le mot et la chose deviennent courants.

La Chambre apostolique ne se privait cependant pas de tirer profit de l'interdit canonique [2]. Les restitutions faites par les usuriers qui désiraient mettre leur conscience en paix, les restitutions testamentaires en particulier, étaient assimilées aux legs pieux indéterminés et appliquées à ce titre à la Chambre apostolique. Sans avantage direct, le pape intervenait de même contre les usuriers lorsqu'un débiteur aux abois venait demander que sa dette fût tenue pour il icite et révoquée [3]. C'est même au camérier qu'il appartenait de se prononcer en de telles affaires, en raison de sa juridiction sur Avignon et le Comtat.

Cette attitude, dont le pape ne pouvait officiellement se départir, explique que l'intérêt de l'argent emprunté par la Chambre ait été le plus souvent déguisé sous sa forme la plus élémentaire et la plus licite, celle d'un don. Il est impossible d'évaluer la part d'intérêt qui entre dans les cadeaux, en espèces ou en nature, faits par le pape à ses créanciers, notamment à des marchands ayant rendu d'autres services ainsi rémunérés. Lorsque Clément VII ordonne au collecteur de Paris de payer 1 600 francs à Dino Rapondi, c'est pour lui rembourser quelques prêts, lui payer des draps de soie fournis à Avignon et le défrayer de dommages éprouvés par lui en raison de ces prêts et fournitures [4] ; il est possible

---

1. Y. Renouard, *Les relations...*, p. 486 ; l'auteur cite cependant un cas concernant Antonio dal Ponte (p. 356).

2. Sur cet interdit, voir l'article d'A. Dumas, *Intérêt et usure*, dans le *Dict. de droit canonique*, fasc. XXX, 1953, col. 1481-1486.

3. Un habitant du Comtat, Baudouin Malachart, ayant emprunté d'un Juif 4 florins, s'était obligé à en payer 6 dans les six mois, soit un intérêt annuel de 100 %. Il rendit successivement 1, puis 4 florins. Ne pouvant éteindre sa dette, il dut alors s'obliger pour 7 florins, ce qui portait la dette totale à 13 ; quelques mois plus tard, il ne devait plus que 36 sous. Estimant qu'il avait servi assez d'intérêts en payant 11 florins et demi pour un prêt de 4. Malachart demanda au Juif de lui rendre les deux actes d'obligation. Il essuya un refus et alla se plaindre au camérier. Il exposa qu'il risquait de dépenser tout son avoir sans pouvoir « sortir des mains de ce Juif », *a manibus dicti Judei evadere* ; il ne demandait rien moins qu'être déclaré quitte des 4 florins empruntés et remboursé de l'usure déjà payée, soit 7 florins et demi. Le camérier lui donna gain de cause ; *Instr. misc.* 5282, n° 4.

4. Bulle du 4 mai 1389 ; *Reg. Av.* 275, fol. 87 r°.

qu'un intérêt soit compris dans ces dommages, rien ne permet
de l'affirmer.

Le simple cadeau n'est guère plus significatif. La mention *quod
dominus noster sibi dari voluit* peut recouvrir bien des choses. Le
don de 50 francs fait le 31 janvier 1390 à Giovanni et Andrea
Rapondi pour qu'ils s'achètent deux pièces de camelot et s'en
fassent des vestes [1] ressemble à tant de dons semblablement faits
à des serviteurs et des officiers. Dans certains cas, cependant, le
loyer de l'argent se laisse déceler : Dino Rapondi ayant prêté
1 000 francs le 2 décembre et 100 francs le 6 décembre 1381 [2],
il fut remboursé, le 20 août 1382, par le collecteur de Paris à raison
de 1 000 francs pour la dette et 300 francs « en don spécial » [3] ;
sans doute le prêt était-il de 1 000 francs, assorti d'une inscription
débitrice de 100 francs à titre d'intérêt garanti, inscription remplacée, en fonction du temps écoulé, par un don de 300 francs.
Ce don cache donc, à notre avis, un intérêt de 42,5 % ; le taux
est relativement élevé, mais divers frais sont peut-être à déduire.

Il est donc impossible de tirer en la matière la moindre conclusion générale. Les multiples dons *ex certis causis* sont, en bien des
cas, de véritables intérêts. Seuls, ceux qui sont liés au remboursement d'un emprunt peuvent assurément être considérés comme
tels. Ainsi en va-t-il pour les 15 florins assignés en don, le 12 décembre 1381 au sous-diacre du pape Jean de Bar, en sus de 500 florins
prêtés par lui à la Chambre le 15 juillet précédent [4] ; la personne
du prêteur explique la modicité du taux : 7,4 %. Les gros créanciers
laïcs ne refusaient pas non plus le don en manière d'intérêt : Enguerran de Coucy ayant prêté 20 000 francs à la Chambre apostolique le 17 juin 1384, Clément VII ui en assigna, le même jour,
le remboursement sur les collectories françaises ; les paiements
devaient être achevés avant la Saint-Remi 1385, ce qui laissait
un délai d'amortissement de quinze mois et demi ; mais, le 26 juin,
le pape ordonnait au trésorier de verser immédiatement au sire
de Coucy une somme de 6 000 francs à lui due « en raison des
20 000 francs que la Chambre lui devait » [5]. En supposant que
les délais fixés aient été respectés, l'intérêt était, au minimum,
de 23 %.

Les conversions monétaires cachaient parfois un intérêt. Il ne
pouvait être que modique. Un exemple : le prêt de 1 000 florins
de la Chambre consenti le 14 mars 1381 par Foulgues d'Agout,
sénéchal de Provence. Ces 1 000 florins furent versés à la Trésorerie
en 400 florins de la Chambre et 704 florins de la reine 21 sous

1. *Intr. ex.* 366, fol. 87 r⁰.
2. *Intr. ex.* 355, fol. 6.
3. *Coll.* 359 A, fol. 241 v⁰-243 r⁰.
4. *Instr. misc.* 3097 ; *Intr. ex.* 354, fol. 42 r⁰.
5. *Reg. Av.* 238, fol. 155 v⁰-158 v⁰.

4 deniers qui valaient 591 florins de la Chambre 17 sous 4 deniers :
la valeur totale était donc de 991 florins de la Chambre 17 sous
4 deniers. Une note marginale du clerc de la Trésorerie indique
cependant que Foulques d'Agout ne devait plus rien verser[1] ;
quant à la quittance, elle porte le chiffre de 1 000 florins de la
Chambre[2]. Sans appeler intérêt un avantage immédiat de 0,84%,
le gain du prêteur n'en est pas moins certain.

La forme la plus sensible de l'emprunt à intérêt, l'usure, est
celle qui tombait le plus directement sous le coup des interdictions
canoniques. Aussi n'est-ce pas sans stupeur que l'on lit, dans les
bulles ou les comptes de la Trésorerie, des formules qui l'attestent
sans le moindre déguisement. Les termes qui désignent l'intérêt
sont peu nombreux, mais d'un emploi relativement fréquent :
pro lucro et interesse, pro interesse, pro dampno et interesse, cette
dernière formule tentant une justification de l'intérêt par l'idée
de dommage occasionné et de service rendu, conformément à
l'interprétation des décrétalistes. Mais l'opération elle-même est
parfois désignée de la manière la plus claire : *mutuum cum usuris,
sub usura.*

Les usuriers sont rarement des marchands connus de la Chambre.
Ce sont parfois d'obscurs changeurs, le plus souvent établis en
Piémont, qui passent par l'intermédiaire d'un changeur de la
Chambre, garant vis-à-vis de l'emprunteur comme de l'usurier.
Il n'est pas rare que l'usurier garde l'anonymat ; nous ne croyons
pas impossible que certains marchands avignonnais se soient
présentés comme intermédiaires d'usuriers anonymes imaginaires
afin d'accroître leurs exigences et d'assurer leur impunité.

2. *Taux de l'intérêt.*   Même lorsqu'il était versé au moment
du prêt — où l'on aurait pu le déduire de la
somme effectivement versée par le prêteur — ou au moment du
remboursement, l'intérêt semble avoir toujours été servi à part.
Prêtant, le 22 septembre 1391, 5 000 florins d'Aragon, Corrado
dal Ponte se vit assigner son remboursement sur le subside imposé
en Catalogne ; mais c'est sur le champ qu'il perçut 162 florins courants 11 deniers pour son intérêt et ses frais[3]. A un autre marchand,
le lendemain, fut versé un intérêt immédiat de 22 florins 2 sous
6 deniers pour un prêt de 600 florins courants[4]. Il était cependant
plus fréquent que l'intérêt fût versé lors du remboursement et
compte tenu de la durée de la dette. Les 800 florins courants prêtés
le 22 janvier 1391 par Georges Tegrini lui furent remboursés par
moitiés les 7 et 21 juin ; à cette dernière date, 65 florins lui furent

1. *Intr. ex.* 354, fol. 21 r°.
2. *Coll.* 374, fol. 51 r°.
3. *Intr. ex.* 367, fol. 43 r° et 200 r°.
4. *Ibid.,* fol. 201 r°.

comptés pour les intérêts de la somme[1]. Si le prêteur était en compte permanent avec la Chambre — chose rare à Avignon — et maniait les fonds apostoliques, l'intérêt n'était normalement payé qu'après l'apurement des comptes : Giovanni Ratoncini ayant reçu et assigné diverses sommes dans les années 1403 et 1404, s'était trouvé créancier de la Chambre apostolique pendant deux mois et demi pour 2 500 florins versés par lui à la Trésorerie à un moment où il avait déjà assigné l'intégralité de sa recette ; lors de l'apurement du compte, approuvé le 24 octobre 1404 par Benoît XIII, on alloua 220 florins à Ratoncini pour ses intérêts[2].

Exceptionnellement, l'intérêt pouvait être servi au cours de la prolongation de la créance. 1 000 florins prêtés le 2 octobre 1392 par Antonio Pilli lui furent remboursés par moitiés les 12 février et 14 mai 1393. A la première de ces dates, Pilli perçut l'intérêt des 500 florins qu'on lui rendait — donc pour trois mois et demi — et, pour les 500 autres, l'intérêt jusqu'à la fin de février, soit pour quatre mois : au total, 110 florins courants représentant un intérêt de 35%. Comme il avait déjà reçu 14 francs par anticipation le 14 janvier, la Trésorerie n'eut plus à lui verser, le 14 mai, que 37 florins courants 12 sous. L'intérêt total avait donc été de 165 florins courants, soit 132 florins de la Chambre pour une créance de 1 000 pendant trois mois et demi et 500 pendant quatre mois : le taux atteignait donc, pour l'ensemble, 29%[3].

Voilà quelques taux d'usure ; on voit à quel point ils pouvaient différer, sans doute selon les exigences du prêteur. Lorsque, aux abois, la Chambre s'adressait aux usuriers, elle ne pouvait que faire siennes leurs conditions.

On rencontre quelques taux relativement faibles. Le plus faible fut demandé par un Siennois d'Avignon, Andrea di Barto : 25 florins pour une dette de 500 vieille de dix-neuf mois, soit 3%[4]. L'intérêt servi à Tegrini pour la créance citée plus haut atteignit 19%. Le 11 décembre 1388, un Marseillais reçut 70 florins courants pour l'intérêt de 1 249 florins 16 sous prêtés le 30 septembre : cela fait 24%[5]. Le même taux apparaît pour l'intérêt des 500 florins courants prêtés le 10 novembre 1391 par André Barthélemy et remboursés le 8 avril 1392 avec 59 florins 8 sous d'intérêt[6].

Plus couramment, le taux était compris entre 28 et 36%. On voit la Chambre payer 75 florins pour 254 florins 4 sous (200 francs) prêtés pendant un an par des usuriers[7], 15 florins pour 150 pendant

---

1. *Intr. ex.* 367, fol. 12 v°, 158 v° et 164 r°.
2. *Reg. Av.* 319, fol. 39 v°.
3. *Intr. ex.* 370, fol. 73 v°, 79 v° et 109 r° ; peut-être Pilli n'était-il qu'un intermédiaire.
4. *Instr. ex.* 370, fol. 118 v°-119 r°.
5. *Intr. ex.* 365, fol. 53 v°.
6. *Intr. ex.* 369, fol. 90 r°.
7. *Intr. ex.* 365, fol. 94 r°.

quatre mois par d'autres usuriers [1], 95 florins 24 sous pour 1 300 florins pendant trois mois par Antonio Pilli, agissant comme intermédiaire d'usuriers anonymes [2] : tout cela représente un intérêt moyen de 30%. Nous avons vu un taux de 29% pour l'autre prêt consenti par Pilli. Le taux de 36%, enfin, se rencontre par exemple dans l'intérêt servi, au début du Schisme, à des usuriers piémontais : le taux était de 3% par mois. Si l'on admettait que les intérêts fussent composés — ce que nous ne croyons pas — cela ferait un taux de 42%. Notons d'ailleurs que cet intérêt ne fut pas scrupuleusement payé : certains créanciers durent composer avec Antonio dal Ponte, changeur de la Chambre, qui leur avait servi d'intermédiaire. Pour 5 500 florins que la Chambre leur devait en définitive, les Piémontais reçurent un intérêt de 2 500 florins, soit seulement 28,7% ; sur l'intérêt dont ils étaient convenus, ils perdaient 800 florins [3].

Aucune évolution chronologique n'apparaît en matière de taux d'intérêt, la personne du prêteur primant toute autre considération. On doit cependant noter que le plus fort taux se rencontre après la restitution d'obédience à Benoît XIII : l'intérêt servi à Giovanni Ratoncini en 1404 atteint 220 florins pour une créance de 2 500 pendant dix semaines, soit un taux annuel de 42,5% [4].

Bien modeste nous apparaît, en comparaison de ces taux, le revenu du seul mort-gage dont l'intérêt est appréciable puisqu'il était garanti. Il s'agit de la cession du château d'Entraigues au comte de Valentinois en gage de 20 000 francs que lui devait la Chambre : le comte en gardait les revenus — sans les déduire de sa créance — et la Chambre veillait à compléter chaque année la somme de 1 000 florins courants, si les revenus du gage n'atteignaient pas cette somme [5]. L'intérêt était de 4%.

Il ne semble pas que l'usure ait été pratiquée à Rome comme elle l'était à Avignon. Le crédit bancaire des papes romains les dispensait probablement d'en passer par les mains des usuriers. Un cas douteux est présenté par une assignation sur la collectorie d'Angleterre faite en remboursement de 1 515 florins et 30 *bolognini* prêtés à Boniface IX par Spinello di Francesco. Le 23 mai 1391, ordre était donné au collecteur Jacopo Dardani de payer aux associés de Spinello, Francesco di Giovanni et Jaqueto di Dino, une somme de 240 livres sterlings [6]. Le paiement ayant tardé, une bulle itérative du 5 juin porta cette assignation à 252 livres 12 sous 6 deniers sterlings [7]. Les marchands étaient même autorisés

1. *Intr. ex.* 370, fol. 107 r°.
2. *Intr. ex.* 371, fol. 54 v°.
3. *Intr. ex.* 353, fol. 8, et 354, fol. 130 r°.
4. *Reg. Av.* 319, fol. 39 v°.
5. *Reg. Av.* 270, fol. 51 r°.
6. *Reg. Vat.* 313, fol. 100 r°.
7. *Reg. Lat.* 13, fol. 284 r°.

à donner quittance de 260 livres [1]. Peut-être était-ce là un intérêt. La modification pouvait cependant n'être liée qu'à la dévaluation du sterling par rapport au florin : nous voyons en effet que, dans une assignation semblable du 1er février 1392, le taux de change est de 176 livres pour 1 000 florins [2]. La créance de Spinello aurait alors valu 267 livres, sans la moindre considération d'intérêt.

Autre cas douteux, l'autorisation donnée au camérier Marino Bulcano d'engager à d'éventuels prêteurs, pour 1 000 ducats, le lac du comté de Pérouse, autrement dit le Trasimène, prévoyait que le lac fût aussi obligé pour les frais de change [3]. S'agissait-il des intérêts ? Nul ne pourrait l'affirmer.

Il n'y a qu'un seul cas véritablement net ; encore ne concerne-t-il qu'indirectement la Chambre apostolique. Grégoire XII, alors que sa situation financière était désespérée, accepta qu'un créancier empruntât lui-même à usure pour prêter à la Chambre. Antonio di Giovanni Roberti, qui dégagea la mitre engagée chez Tenaglia, fut en effet habilité par le contrat du 16 avril 1408 à recevoir les 5 500 florins nécessaires « en change ou en dépôt, selon l'usage des marchands florentins », pour un an à compter du 1er mai 1408, en payant pour cela jusqu'à 10 % par an [4].

Plus qu'au respect des canons, c'est aux structures financières de l'obédience romaine que nous attribuons ce moindre recours à l'emprunt et, peut-être, l'absence de recours à l'usure. Le rôle joué dans le mouvement des fonds par les grandes compagnies toscanes plaçait la papauté romaine dans les mêmes conditions que la papauté avignonnaise d'avant le Schisme : on a vu que l'usure en était pratiquement inconnue. Les banquiers des papes romains ont maintes fois avancé la recette des collecteurs, mais ils trouvaient dans le service de la papauté, sans avoir à réclamer un intérêt, des avantages matériels mis en évidence par Y. Renouard pour le xive siècle, et par A. Gottlob pour le xve [5].

C. — L'AMORTISSEMENT DES CRÉANCES

Les délais fixés pour le remboursement étaient ordinairement brefs. Si l'on excepte les très grosses créances comme celle de Louis d'Anjou, les délais ne dépassent guère deux ans, aussi bien pour les remboursements faits par la Trésorerie que pour le paiement des assignations. Encore ces deux ans ne sont-ils atteints

---

1. *Reg. Vat.* 313, fol. 126 vo. — *Vidimus* du 1er juillet, fol. 127 ro.
2. *Ibid.*, fol. 256.
3. « *pro mille ducatis auri et tanto etiam plus quanto pro cambio dictorum mille florenorum exponere te continget* » ; *Reg. Vat.* 314, fol. 11 vo.
4. *Reg. Vat.* 335, fol. 163 vo ; voir ci-dessus, p. 551.
5. Y. Renouard, *Les relations*..., p. 536-547 ; A. Gottlob, *Aus der Camera*..., p. 109-111.

que par d'assez fortes créances comme celle du maréchal Boucicaut[1]. La plupart étaient amortissables entre deux et six mois.

Les assignations faites sur des revenus étaient généralement à
plus long terme que les assignations sur des recettes. Les prélats
dont les communs services étaient assignés ne pouvaient que
difficilement être contraints à des paiements accélérés : l'amortissement de la dette se faisait donc aux termes auxquels le prélat
eût payé à la Trésorerie[2]. A moins qu'il ne s'agît d'une faible
somme valant moins qu'un seul paiement dudit prélat, l'amortissement ainsi assigné pouvait durer plusieurs années : on s'explique
alors que ces assignations aient été réservées aux anciens soldats
pour leurs gages en retard et aux serviteurs pour leurs gages ou
le remboursement de frais engagés, plutôt qu'aux prêteurs que
la Chambre apostolique désirait ménager.

Entre le délai imposé par la Chambre à son débiteur — prélat,
collecteur ou autre — et le délai réel d'amortissement, il y a généralement une différence. Celle-ci ne tient ni à la somme ni à la
personne du bénéficiaire mais, comme pour toutes les assignations,
aux habitudes du payeur. Le collecteur de Paris payait en moyenne
huit mois après l'assignation, même lorsque celle-ci — comme dans
le cas des Rapondi ou de Pierre d'Ogier[3] — était assortie d'un
délai de deux mois. Le collecteur d'Aragon était fort lent, mais
cela tenait pour une part à de très réelles difficultés : délais pro-
longés et paiements partiels étaient prévus par les bulles d'assignation et les lettres du camérier[4]. Le collecteur de Rodez, au
contraire, s'acquittait ponctuellement des paiements assignés
sur sa recette. La moyenne des délais réels était ici de deux mois,
ce qui semble un minimum, compte tenu de la nécessité, pour le
bénéficiaire, de constituer un procureur et de faire présenter les
lettres d'assignation au collecteur[5].

---

1.   40 000 francs prêtés en février 1408 ; *Reg. Av.* 328, fol. 75-76.

2.   « *Terminis quibus dicte Camere eratis astrictus ad solvendum* » ; *Coll.* 358, fol. 158 r°.

3.   1 300 francs assignés aux Rapondi le 2 décembre 1381, payables à l'Epiphanie 1382
et payés le 20 août 1382 (*Intr. ex.* 355, fol. 6 r° ; *Coll.* 359 A, fol. 241 v°-243 v°). — 6 200
francs assignés au duc de Bourgogne le 12 juin 1383, payables au 1er décembre et payés
le 6 février 1384 (*Instr. misc.* 3183). — 100 francs assignés à Pierre d'Ogier le 19 décembre 1391, payables à la Purification 1392 et payés le 15 juin 1392 (*Instr. misc.* 3555).
— 3000 florins et 200 francs assignés aux Rapondi le 7 février 1393 et payés, après un
nouvel ordre du 5 août, le 7 octobre 1393 (*Instr. misc.* 3587, 3607 et 3612).

4.   Assignation de 4 500 florins d'Aragon à Berenger de Cortilhos et Arnaldo Dalos,
faite le 18 octobre 1389 et payable par tiers en janvier, avril et juin 1390, renouvelée
le 2 mars 1390 sans indication de termes, et dont 1 000 florins furent payés le 19 avril 1390
(*Reg. Av.* 275, fol. 106 ; *Instr. misc.* 3431 et 3437). — Assignation de 1 500 florins d'Aragon à Arnaldo Dalos, faite le 18 octobre 1389, payable au 1er novembre et payée seulement le 14 avril 1390 (*Reg. Av.* 275, fol. 106 v°-107 r° ; 277, fol. 111 v° ; *Instr. misc.* 3436).
— Assignation de 4 960 florins de Florence à Antonio Zaragoza, marchand de Barcelone,
faite le 13 avril 1390, payable par moitié à Noël 1390 et à la Saint-Jean 1391, et payée à
raison de 1 000 florins le 17 janvier 1391, 1 000 le 1er avril, 500 le 1er juin, 1 000 le
13 septembre, 800 le 16 novembre et 660 le 2 janvier 1392 (*Reg. Av.* 277, fol. 154 v°-
155 r° ; *Instr. misc.* 3435).

5.   Assignation de 215 florins faite à Bertrand Raffin le 27 décembre 1378 à Fondi
et payée à Rodez le 12 février 1379 (*Instr. misc.* 3009). — Assignation de 515 florins

Les difficultés inhérentes au remboursement par la Trésorerie ne nous sont pas connues : les démarches que les créanciers durent, peut-être, multiplier n'ont point laissé de traces. Il n'en va pas de même pour les remboursements assignés, pour lesquels des difficultés pouvaient surgir, dont les responsables étaient aussi bien les gens de la Chambre que les collecteurs. D'une part, en effet, la Chambre assignait parfois des sommes supérieures aux possibilités des collecteurs [1]. S'agissant de paiements déterminés en valeur et uniques, le collecteur ne pouvait toutefois invoquer une impossibilité absolue ; pour la même raison, le bénéficiaire ne pouvait réclamer une meilleure assignation. Les collecteurs, d'autre part, usaient envers les bénéficiaires d'assignations de nombreux procédés de temporisation : contestation des pouvoirs des procureurs, refus d'exécuter un ordre pour vice de forme dans l'énoncé de la somme ou l'indication des termes, versements fractionnés et moyens dilatoires de toutes sortes.

Il reste que certains créanciers privilégiés avaient une action réelle sur les gages qu'ils détenaient. Ce droit était exceptionnel à l'égard de gages immobiliers [2]. Pour les gages mobiliers, l'action était courante. Dans l'état des gages et créances de certains marchands avignonnais vers 1397 [3], le clerc de la Chambre avait retiré du montant des créances la valeur des gages vendus par les créanciers. Bien plus, les gages encore en possession des créanciers étaient considérés comme partie du remboursement. Considérons la dette de 1 000 francs envers Giovanni Ratoncini, dette gagée par des joyaux qui valaient, à l'estimation du clerc de la Chambre, 1 303 francs 20 sous 8 deniers. Ratoncini en avait déjà vendu pour 461 francs 26 sous 7 deniers ; il venait de restituer une coupe et une aiguière d'or valant 693 francs 20 sous 6 deniers. Il aurait donc eu, « si toutes les autres choses lui restent », des gages pour 610 francs 2 deniers. La conclusion du clerc de la Chambre était, dans ces conditions, qu'il ne restait à payer à Ratoncini que 389 francs 29 sous 10 deniers [4].

A la lumière de cet incomparable document, il paraît bien que la Chambre tenait compte de la valeur d'estimation du gage, s'il était vendu moins que cette valeur, et de son prix de vente, s'il

faite à Jean de Bar le 12 décembre 1381 et payée le 8 janvier 1382 (*Instr. misc.* 3097). — Assignation de 400 francs faite au même le 8 juin 1382 et payée le 14 août (*Intr. ex.* 355, fol. 38 v° ; *Instr. misc.* 3116).

1. Voir ci-dessus, p. 90 et 417.

2. Le maréchal Boucicaut reçut, par la bulle du 3 février 1408, l'autorisation de vendre Pernes, Châteauneuf, Bédarrides et Bollène — lieux appartenant aux évêchés vacants d'Avignon et Saint-Paul-Trois-Châteaux — s'il n'était remboursé dans les deux ans des 40 000 francs prêtés à Benoît XIII, mais il ne devait garder du prix de vente que les 40 000 francs augmentés du montant des frais d'entretien desdits lieux ; *Reg. Av.* 328, fol. 75-76.

3. *Reg. Av.* 303, fol. 107-109.

4. *Ibid.*, fol. 107 r°.

dépassait l'estimation. On devine quelles contestations devaient surgir à ce propos.

Les papes, ceux d'Avignon et probablement ceux de Rome, ont payé leurs dettes. Si considérable que fût la somme ou si modeste que fût le prêteur, toute créance a été honorée. Il convient de réduire la portée de cette observation, qui est à l'honneur de la papauté, en observant que, lorsque la Chambre apostolique n'avait point l'intention de rembourser une prestation en espèces, elle avait la ressource de la baptiser subside. A côté des subsides caritatifs imposés par bulles sur le clergé d'une province ou d'un royaume, il était des centaines de subsides individuels, de « purs et vrais dons » qui ne différaient du prêt que par l'absence totale et avouée de remboursement. Mais ces contribuables n'étaient que les prélats et les clercs de la curie. Nobles, bourgeois, marchands d'Avignon ou d'ailleurs, les autres créanciers de la Chambre n'ont jamais fait en vain confiance au pape. Ils en ont souvent — non sans quelque difficulté et sans quelque lenteur — tiré intérêt ou profit.

D. — RÉPARTITION DE LA DETTE

1. *Les prélats.* Leur sort étant lié à celui du pape, nombre de prélats, cardinaux, évêques ou abbés, étaient directement intéressés à la solidité de la position politique du Saint-Siège. Leur contribution était donc, à la fois, proportionnelle à leur fortune, c'est-à-dire à leur rang, et proportionnelle à leur intérêt. Presque exclusive au début du Schisme, la part des prélats dans les prêts consentis à la Chambre alla ensuite diminuant.

Dans les années 1379-1382, Clément VII ne trouvait à emprunter ni des laïcs — à l'exception du duc d'Anjou dont les ambitions étaient solidaires des siennes — car ils doutaient de la solvabilité d'un pape contesté, ni du bas clergé qui attendait l'évolution de la crise, ni des marchands, si l'on met à part les trois dont nous reparlerons. A cette époque, c'est donc des prélats que pouvaient venir les prêts, et surtout des prélats qui avaient soutenu Robert de Genève. Au premier rang, Jean de la Grange, dont l'apport, pour les quatre premières années du Schisme, atteint presque 7 000 florins [1]. Notables furent aussi les prêts de l'évêque de Toul Jean de Neufchâtel [2], de l'évêque de Riez Jean de Maillac [3], et de l'évêque de Maurienne Henri de Serny [4]. Ce sont là des personnages de la curie. Dans ces mêmes années, l'évêque d'Avignon Faydit d'Aigrefeuille prêta plus de 2 000 florins [5]. Le camérier

1. *Intr. ex.* 354, fol. 39 r° ; 355, fol. 36 v° ; *Coll.* 374, fol. 33 v°.
2. 670 florins dans le courant de mars 1379 ; *Intr. ex.* 351, fol. 10.
3. 1 000 florins en quatre ans ; *Intr. ex.* 353, fol. 11 r° ; 354, fol. 42 r° ; 355, fol. 21 r°, 30 v°, 34 r° et 44 r°.
4. 600 florins en trois semaines ; *Intr. ex.* 355, fol. 23 v° et 28 v°.
5. *Intr. ex.* 350, fol. 33 v° ; 354, fol. 41 v° ; 355, fol. 20 r° et 36 r°.

ne pouvait faire moins : Pierre de Cros prêta au total 2 500 florins [1], cependant que son futur successeur, François de Conzié, évêque de Grenoble et auditeur du Sacré Palais, prêtait, avant décembre 1383, près de 3 000 florins [2]. Quant à Guy de Roye, alors évêque de Verdun, il inaugure dès mai 1379 [3] une créance qu'il entretiendra encore lorsqu'il sera archevêque de Sens ou de Reims.

Mais les cardinaux durent eux-mêmes, pour satisfaire aux besoins de la Chambre apostolique, trouver du crédit auprès des marchands. La correspondance Datini fournit les noms des cardinaux dont Boninsegna di Matteo et ses facteurs s'efforçaient d'obtenir un remboursement. Pour Jean de la Grange, il n'y avait rien à faire : son camérier objectait, en juillet 1383, que le cardinal avait un bénéfice inutile dans le diocèse de Côme et une créance — dont il espérait le paiement — de 150 florins [4] ; l'homme qui avait prêté 7 000 florins au pape en attendait 150 pour rembourser ses dettes ! A l'automne de 1383, Jean de la Grange était à peine guéri d'une grave maladie, que le facteur de Datini exprimait par écrit d'amers regrets : si le cardinal d'Amiens était mort, ses débiteurs eussent été payés en exécution de son testament [5]. L'année suivante, le même marchand ne mâchait pas ses mots : « Je ne crois pas que nous vous obtenions quelque chose, écrivait-il le 21 juillet 1384 ; je crains que ses dispositions n'aient empiré, car c'est un suppôt de l'enfer. Quant à lui réclamer de l'argent, ce serait en vain. Il ne paie personne. Bien au contraire, il emprunte ce qu'il peut, et à qui il peut, et il fait cela afin d'avoir de l'argent pour faire la guerre » [6]. Les autres cardinaux n'étaient pas beaucoup moins endettés. Niccolò Brancacci ne pouvait rembourser une dette de 110 florins [7] et l'arrivée de Guillaume d'Aigrefeuille ne réjouissait même pas le banquier : on n'aura rien de lui, « je crois qu'il rentrera pauvre » [8]. Fait général : « ils sont pauvres, et ont assez de souci avec les mauvaises nouvelles qu'ils reçoivent chaque jour » [9].

Les ressources des hauts prélats étaient donc fort limitées. Dès 1382, la charge de la guerre contraignit la papauté avignonnaise à élargir le cercle de ses prêteurs : princes et nobles acceptaient désormais de prêter, cependant que le clergé se voyait imposer un certain nombre de prêts par des commissaires apostoliques. Les cardinaux n'en demeurèrent pas moins, quelque temps encore,

1. *Intr. ex.* 350, fol. 32 v° ; 354, fol. 40 r° ; 355, fol. 20 r°.
2. *Intr. ex.* 353; fol. 4 v° ; 354, fol. 17 v° ; 355, fol. 19 r° ; 356, fol. 27 r°.
3. Avec deux prêts de 421 et 200 florins ; *Instr. ex.* 355, fol. 16 r°.
4. R. BRUN, *Annales…, loc. cit.*, XII, p. 41-42.
5. *Ibid.*, p. 45.
6. *Ibid.*, p. 60.
7. *Ibid.*, p. 45.
8. *Ibid.*, p. 61.
9. *Ibid.*, p. 46-47.

parmi les principaux créanciers de Clément VII. Collectivement et sur les revenus des défunts, le Sacré Collège prêta 4 300 florins entre 1384 et 1386 [1]. En 1391, il prêta 4 500 florins en une seule fois [2] et, en 1397, 2 000 écus [3]. Toujours en tête des créances particulières, nous trouvons celle de Jean de la Grange — 22 000 florins au total [4], pendant le pontificat de Clément VII — et celles de Tommaso degli Ammanati, de Jean de Brogny, de Pierre Girard. Les prêts de ce dernier, ancien clerc de la Chambre devenu évêque et promu au cardinalat en 1390, n'étaient jamais très élevés, le maximum étant de 500 florins [5], mais la régularité de son apport rend compte de l'obligeance de ce prélat avisé.

Parmi les moins élevés en dignité, signalons quelques prélats qui ne sont pas, comme maint évêque obligé de prêter pour s'être fourvoyé à Avignon, des prêteurs purement occasionnels. Seguin d'Authon, Guy de Roye, Jean de Boissy, Pierre Aymon, Pierre Laplotte, Bernard Alaman figurent parmi les soutiens efficaces de la papauté. Il ne faut pas s'étonner de trouver, là aussi, des évêques issus du personnel caméral, un Bertrand Raffin — qui prêta 1 800 florins entre 1381 et sa mort en 1386 — et un Clément de Grandmont, par exemple.

Mais il faut surtout nommer le camérier François de Conzié. Ses créances sont inscrites dans chaque cahier des livres de la Trésorerie. De 1384 à la soustraction d'obédience, nous n'avons pas trouvé moins de cinquante-sept prêts consentis par lui à la Trésorerie, prêts de faible importance le plus souvent, la moyenne étant de 300 florins ; le camérier cherchait surtout à renflouer momentanément la Trésorerie défaillante pour un paiement, faute de pouvoir consentir des prêts importants à long terme dont il n'aurait pu soutenir longtemps la charge. Naturellement, le trésorier agissait de même : Pierre de Vernols, Jean Lavergne et Antoine de Louvier furent parmi les plus fidèles, sinon les plus considérables, prêteurs de la papauté avignonnaise ; là encore, il s'agissait d'avancer de petites sommes — 200 florins en moyenne — remboursées à brève échéance.

L'avènement de Benoît XIII en 1394 changea tout. Peut-être conscients de l'immense déception de l'opinion, assurément surpris par l'attitude de leur élu, les cardinaux et le haut personnel curial devinrent méfiants. Le haut clergé, qui devait payer des droits obligatoires, sans espoir de récupération, cessa de contribuer en prêts. Les prélats payaient encore plus qu'au temps de

---

1. *Intr. ex.* 338, fol. 67 rº ; 359, fol. 18 vº, 31 rº, 42 rº et 43 vº ; 361, fol. 34 vº.
2. *Intr. ex.* 367, fol. 46 rº.
3. *Intr. ex.* 374, fol. 35 rº.
4. 17 543 florins prêtés pour l'entreprise angevine avant le 30 mai 1383 ; *Reg. Av.* 233, fol. 96 rº-98 rº et 130 vº-131 rº. — Le reste entre 1384 et 1394 ; *Intr. ex.* 355, 363, 369, 370 et 371, *passim.*
5. Le 26 novembre 1391 ; *Intr. ex.* 369, fol. 6 rº.

Clément VII, mais le temps était révolu où cet argent leur était ultérieurement rendu. Les sommes dont ils étaient censés disposer, ils les remettaient désormais *pro subsidio*, et non plus *pro mutuo*. Seul, le bas clergé demeura frappé par les emprunts forcés qui n'étaient que des avances de décimes, de subsides ou de procurations. Il ne subsista plus, à la Trésorerie, que des prêts à très court terme, remboursables à la Trésorerie même, prêts consentis par le camérier, le trésorier ou des clercs de la Chambre comme Pierre Borrier ou Pierre de Jouy, pour faciliter ou permettre un paiement.

Après la restitution d'obédience, on ne voit plus aucun prélat payer à la Chambre, si ce n'est, une fois, le 5 septembre 1405, un prêt de 1 000 florins consenti par Pedro Adimari [1]. Soit épuisement économique, soit prudence, les prélats avaient cessé d'être les créanciers du pape ; il nous paraît que l'aggravation de leurs charges fiscales n'était pas étrangère à cette évolution.

2. *Les officiers*   Prépondérante était donc la part des cardinaux
   de la curie   et des prélats de la curie dans la dette pontificale.
Mais, à côté de ces hauts dignitaires, nombre d'officiers plus modestes se trouvaient appelés à prêter des sommes qui variaient selon leur richesse et leur fonction. C'étaient surtout, avec quelques personnes attachées au service domestique du pape, des officiers de la Chancellerie et de la Chambre apostolique. Pour les uns et les autres, on ne décèle guère d'évolution chronologique : quoi qu'il en fût de la situation politique, les gens de la curie pouvaient difficilement refuser de subvenir à la papauté. Aussi bien l'état de leur fortune était-il connu de la Chambre apostolique.

Gros prêteur fut le sous-diacre du pape, Jean de Bar. Il percevait une part des droits versés lors des sacres épiscopaux, ce qui faisait de lui un homme relativement riche. Entre 1380 et 1382, il prêta 3 000 florins ; on le voit ensuite s'inscrire, pour des sommes plus modiques, jusqu'en 1392. Les écuyers Mérinet Rengui et Jacques Brunier, le sergent d'armes Jean de Feuillet, l'écuyer d'honneur Gilet Surbois prêtèrent chacun quelques centaines de florins ; le chambellan Jacques Pollier, le brodeur Bernin de Frésenches ne prêtèrent que des sommes infimes, de l'ordre de 50 florins.

Le personnel de la Chancellerie était fréquemment sollicité. La répartition des droits de chancellerie en faisait de riches officiers. Nous les trouvons donc inscrits pour des créances de plusieurs centaines de florins : ainsi les secrétaires Jean de Saint-Martin, Gilbert de Tatinghem, Jean de Naples, Gilles Lejeune et Baudet

---

1. *Reg. Av.* 321, fol. 90 r°.

Duchêne [1], les registrateurs Jean de Pesteil et Jean *de Verbo*, et, pour de moindres sommes, les notaires Amaury de Craon et Astorge de Gaillac. Parmi les créanciers les plus réguliers sont le correcteur Pons Béraud et les nombreux scripteurs des lettres apostoliques et de la Pénitencerie. Si les trois prêts de Pons Béraud sont de 200 florins chacun [2], les scripteurs, tous sollicités en 1382 alors que la Chambre s'adressait à tous les créanciers possibles, ne versèrent que quelques dizaines de florins par tête [3]. A la fin du pontificat de Clément VII, cependant, les scripteurs Pierre Rembert, Adam Barate et Guillaume Borrier consentirent des prêts de plus grande importance : Pierre Rembert prêta, en avril et mai 1389, 1 714 florins [4] ; en novembre et décembre 1391, Barate prêta 770 florins [5], et, en mars 1392, Borrier prêta 100 francs [6]. La plus grande régularité, nous l'avons dit [7], est celle du bulleur Guillaume Lamy, parfois associé à son collègue Pierre Tardini : entre 100 et 300 florins chaque année.

Les officiers de la Chambre apostolique étaient évidemment les plus facilement atteints par les appels au crédit. On a vu quel exemple donnaient à cet égard le camérier et le trésorier. Cet exemple était suivi par les auditeurs et les clercs de la Chambre, dans la mesure de leurs possibilités propres. Mais la plupart n'étaient que des prêteurs occasionnels. La constance du crédit d'un Pierre Borrier et d'un Pierre de Jouy les distingue ; or chacun d'eux ne prêta que six fois pour un total de moins de 1 000 florins [8]. Quant aux clercs du Sacré Collège, souvent amenés à prêter sur leur trésorerie, ils ne le firent sur leurs propres deniers que pendant la crise de 1382 : Jean de Méjanès prêta alors 300 florins et Etienne *de Maloduno* 100 florins courants [9].

Les prêts des collecteurs, enfin, sont peu nombreux et disparaissent presque totalement pendant la période de crédit facile, de 1384 à 1394. Le plus touché était le collecteur de Provence, Géraud Mercadier, que sa proximité rendait vulnérable : de novembre 1379 à mars 1381, il prêta 2 700 florins [10]. Nous avons dit ailleurs que les collecteurs n'étaient pas pour autant exempts de toute tracasserie et que maint versement de leur recette avait pour leur bourse le caractère d'un prêt.

1. Il faut mettre à part le prêt de 2 500 florins fait sur son exécution testamentaire, qui est une véritable saisie ; *Intr. ex.* 356, fol. 34 r°.
2. *Intr. ex.* 353, fol. 11 r° ; 354, fol. 39 v° ; 356, fol. 27.
3. *Intr. ex.* 355, fol. 20 v°-38 r°.
4. *Intr. ex.* 365, fol. 30 v°-32 v°.
5. *Intr. ex.* 369, fol. 5 r° et 9 r°.
6. *Ibid.*, fol. 17 v°.
7. Ci-dessus, p. 540.
8. *Intr. ex.* 367, fol. 47 v° ; 369, fol. 37 r° ; 370, fol. 18 r° et 39 v° ; 371, fol. 9 v° et 10 v° ; 374, fol. 26 r° ; 375, fol. 7 r°.
9. *Intr. ex.* 355, fol. 21 r°, 30 r° et 31 v°.
10. *Intr. ex.* 352, fol. 3 v° et 4 r° ; 354, fol. 21 v°.

3. *Les nobles.* Le premier créancier de la papauté avignonnaise, dans le temps comme par l'importance de la créance, c'est Louis d'Anjou. On ne saurait sous-estimer le poids que la créance angevine a fait peser sur la politique de Clément VII. Aux 100 000 francs prêtés à Grégoire XI, le duc en avait ajouté 35 000. Nous montrerons plus loin que le remboursement de ces 135 000 francs fut l'une des grandes affaires de la Chambre apostolique avignonnaise et l'occasion d'aliénations — parfois totales, souvent très étendues — des revenus pontificaux au profit des entreprises angevines.

Pour sa part, Charles V avait contribué, dès les premiers mois du Schisme, à soutenir Clément VII en lui prêtant 20 000 francs [1]. Charles VI ne renouvela pas le geste. La commission, donnée par Benoît XIII le 10 avril 1408, d'emprunter 80 000 francs du roi ou de toute autre personne [2] ne trouva aucun écho à la cour de France.

Pendant les trois premières années du Schisme, les autres laïcs firent totalement défaut à la papauté d'Avignon. Marchands et nobles attendaient que cessât l'incertitude. Les cardinaux soutenaient — de leur argent, s'il le fallait — le pape qu'ils avaient fait et dont la chute pouvait leur être fatale ; les hauts prélats pensaient, et à juste titre [3] que d'éventuels chapeaux cardinalices viendraient récompenser leur crédit. Les princes et les banquiers n'avaient point ces raisons pour sortir de l'expectative.

C'est vers 1383 que les puissances laïques commencèrent à miser sur la papauté avignonnaise. Les prêts vinrent illustrer cette adhésion. Le roi de Castille finança à titre de prêt l'armement de galées [4]. Le duc de Bourgogne prêta 30 000 francs en juin 1383 [5] et le duc de Berry 4 000 francs vers le même temps [6]. Bernabò Visconti aida indirectement Clément VII en prêtant 90 000 ducats aux émissaires angevins Rinaldo Orsini et Pierre de Craon [7].

En juin 1384, le connétable Olivier de Clisson prêta 7 000 francs [8] — sur les 20 000 que le pape sollicitait de lui — et Guy de la Trémoille 4 000 francs [9]. Puis, plusieurs années durant, les frères Marco et Luca di Grimaldi assurèrent leur crédit à la papauté : leurs prêts atteignent presque 8 000 florins [10]. Non moins négligeables furent les prêts de Juan Fernandez de Heredia, maître de l'ordre

1. *Intr. ex.* 350, fol. 4 r⁰ et 14 r⁰.
2. *Reg. Av.* 332, fol. 47.
3. Jean de Neufchâtel et Faidit d'Aigrefeuille en sont des exemples.
4. Voir ci-dessous, p. 617-619.
5. *Instr. misc.* 3183.
6. *Reg. Av.* 238, fol. 109 v⁰-110 r⁰.
7. E.- R. LABANDE, *Une ambassade...*, dans les *Mélanges...*, L, 1933, p. 194-220.
8. *Intr. ex.* 338, fol. 45 r⁰ ; *Reg. Av.* 238, fol. 148 r⁰-155 r⁰.
9. *Instr. misc.* 3184.
10. *Intr. ex.* 363, fol. 10 r⁰ ; 366, fol. 30 r⁰ ; 369, fol. 6 r⁰.

de l'Hôpital, pour un total de quelque 12 500 florins auquel s'ajoutèrent plusieurs dons [1]. Quant au prêt de 10 000 francs demandé par Clément VII au comte de Foix, Mathieu, en 1391, nous ne pouvons affirmer qu'il fût effectivement consenti [2].

De même qu'il perdait l'appui des créanciers mitrés de Clément VII, Benoît XIII perdit vite celui des laïcs nobles. Lassitude, inquiétude, voire hostilité sont les causes de cet abandon. Seules, les nécessités de l'action militaire et administrative amenèrent le damoiseau Antoine de Villeneuve à avancer 4 000 francs, en 1405, à la Chambre et, en réalité, à Louis d'Anjou, et le maréchal Boucicaut, gouverneur de Gênes, à en prêter 40 000 en février 1408, l'essentiel de ce prêt étant d'ailleurs destiné à fournir la solde des hommes de Boucicaut [3]. Il est à noter que ces derniers prêts portent la marque de la défiance : indication des lieux et délais de remboursement, et constitution d'un gage immobilier avec clause d'exécution à terme [4].

4. *Les marchands.* Nous ne ferons que rappeler ici les marchands avignonnais qui prenaient à ferme les gabelles du Comtat venaissin et d'Avignon. Par l'intermédiaire de leurs syndics, les Avignonnais consentirent aussi de purs et simples prêts : 5 000 florins courants en mars 1379 [5], environ 3 500 en 1382 [6], 7 000 en mars 1384 [7], 1 000 en janvier 1392 [8] et 1 000 florins de la Chambre en mars 1407 [9]. Ces prêts étaient remboursés par assignation sur les gabelles ; c'est dire le lien très étroit existant entre les fermiers de celles-ci et le conseil de la ville.

Dans les premières années du Schisme, il n'y eut que trois marchands pour accepter de prêter à Clément VII : Andrea di Tici, Antonio dal Ponte et Aguinolfo de' Pazzi.

Andrea di Tici, demeuré à Avignon lors du départ de Grégoire XI, retrouvait en Clément VII un éventuel client qu'il s'empressa d'obliger. Dès octobre 1379, il prêta plus de 4 000 florins ; mais, la créance n'étant pas sûre, il exigea des gages : une mitre et de la vaisselle d'argent [10]. En mai 1381, il prêta encore 600 florins [11].

Antonio dal Ponte, dont la position commerciale était bien assise à Avignon, avait également tout à gagner au retour du pape en deçà des monts, C'est lui qui, de septembre 1379 à juin 1380, procura à la Chambre des prêts usuraires considérables — 12 600 florins au

1. *Intr. ex.* 361, fol. 24 v° ; 365, fol. 26 r° ; 369, fol. 6 v° et 38 r°.
2. *Reg. Av.* 270, fol. 17 v°-18 r°.
3. *Intr. ex.* 376, fol. 162 v° ; *Reg. Av.* 328, fol. 75-76 ; 331, fol. 218 v°-231 v°.
4. Voir ci-dessus, p. 553.
5. *Intr. ex.* 355, fol. 41 v°.
6. *Ibid.*, fol. 41 et 46 v°.
7. R. BRUN, *Annales...*, *loc. cit.*, XII, p. 53.
8. *Intr. ex.* 369, fol. 12 v°.
9. *Reg. Av.* 328, fol. 125 r°.
10. *Intr. ex.* 353, fol. 13 v°-14 r°.
11. *Intr. ex.* 354, fol. 30 r°.

total — pour lesquels il reçut l'orfévrerie donnée en gage par le Trésor. De toute l'époque du Schisme, Antonio dal Ponte ne prêta véritablement qu'une seule somme ; encore s'agit-il de 12 000 francs versés, en 1388, au duc d'Anjou pour le compte du pape [1]. Mais, changeur de la Chambre apostolique, il dut fréquemment faire l'avance des fonds qu'il maniait. Intermédiaire dans un grand nombre d'opérations financières, il payait les créanciers sur des fonds qui provenaient indifféremment de son banc de changeur ou des revenus pontificaux. Cette créance, flottante et impossible à évaluer, ne doit pas être négligée.

Le troisième créancier des années difficiles 1379-1382 est le Florentin Aguinolfo de' Pazzi. En octobre 1379, profitant de l'isolement de Clément VII, alors privé de l'appui des banquiers florentins et lucquois, Aguinolfo prit le risque de prêter une somme considérable, environ 13 000 florins, gagée par la vaisselle d'argent [2]. A ce prix, il devint l'un des principaux banquiers de la papauté avignonnaise, tant par la régularité de son crédit que par l'importance des sommes prêtées : de 1379 à 1393, Aguinolfo de' Pazzi prêta, en dix-huit versements, 25 000 florins. Créancier du pape, il l'était aussi des Angevins ; lorsqu'il mourut, le 2 août 1398, la reine Marie lui devait, disait-on, plus de 15 000 florins [3].

C'est à cette époque, où trois banquiers ne suffisaient pas à combler le déficit pontifical, qu'il fallut recourir aux usuriers. Ces prêteurs, piémontais le plus souvent, étaient connus d'Antonio dal Ponte, de Bartolomeo Cambi, d'Intolino Manfredi, de Tommaso dal Poggio, de Jacopo da Solario, de Bernard Girard et d'Antonio di Francesco, si tant est que les usuriers anonymes ne fussent pas les associés de ces changeurs.

Lors de la crise de 1382, d'autres marchands se joignirent à ceux-là et aux prélats, désormais touchés par les appels au crédit. Citons le Nîmois Antoine Scatisse qui prêta 1 000 francs, dont il ne fut remboursé que sept ans plus tard [4]. De ce même temps est le prêt de 2 000 florins courants consenti par Datini [5], avec la caution de Poggio et Solario.

Mais l'événement véritablement important, ce sont les premières relations de crédit entre la papauté avignonnaise et la société des Rapondi. De décembre 1381 à mai 1394, les Rapondi furent les principaux banquiers de Clément VII. Certes, le total de leurs créances — 17 200 florins — ne suffit pas à rendre compte de leur rôle [6], mais il indique bien la part prise par Dino Rapondi et ses

---

1. *Reg. Av.* 275, fol. 14 v°.
2. *Intr. ex.* 353, fol. 14 v°.
3. R. BRUN, *Annales...*, *loc. cit.*, XIV, p. 42.
4. *Intr. ex.* 355, fol. 31 v° ; 365, fol. 24 v°.
5. *Intr. ex.* 355, fol. 46 r°.
6. Voir ci-dessus, p. 487.

frères au soutien de la papauté d'Avignon. Pour une période sensiblement égale, cette créance place les Rapondi immédiatement après Aguinolfo de' Pazzi ; mais celui-ci ne pouvait remplir, entre Paris et Avignon, la fonction bancaire dévolue aux Rapondi et aux Ricci et Solario.

C'est vers 1383 que s'ouvrirent également les créances des fermiers des gabelles, particulièrement exposés aux sollicitations des gens de la Chambre apostolique. En avril 1383, nous apprend la correspondance Datini, Clément VII exigea un prêt de 10 000 florins de ceux qui payaient « les deniers de la gabelle du vin » ; après tractations, la somme fut réduite à 5 000 florins, remboursables par mensualités en un an [1]. A partir de ce moment, Catalano della Rocca, Tommaso dal Poggio, Giovanni Caransoni et Paolo Ricci figurent en bonne place parmi les créanciers permanents des papes avignonnais. A leurs noms, il faut joindre ceux de Philippe Dube et de Giovanni Ratoncini, créanciers épisodiques mais non pour autant négligeables.

Catalano della Rocca prêta au total plus que les Rapondi et Aguinolfo de' Pazzi. En dix ans, il fournit aux papes d'Avignon près de 34 000 florins, généralement en payant de ses deniers les dettes de la Chambre. Dans le même temps, Caransoni prêta 32 500 florins. On voit que ces changeurs apparemment sans envergure se placent en tête des créanciers du pape. Quant à Paolo Ricci, dont le premier prêt date de l'avant-veille de Noël 1385 [2], il prêta en douze ans 15 500 florins tout en assurant, en concurrence avec les Rapondi, l'essentiel des transferts de fonds de Paris à Avignon.

Mais voici que, dans les dernières années du pontificat de Clément VII, disparaît la contribution laïque à la dette pontificale. A partir de 1390, la Chambre dut faire appel à de nouveaux prêteurs professionnels. Le plus important de ces tard-venus est Corrado dal Ponte. Avant la mort de Clément VII, il prêta 6 000 florins à la Trésorerie Les Aragonais Berenger de Cortilhos et Arnaldo Dalos fournirent pour leur part 7 250 florins d'Aragon, cependant que leur compatriote Antonio Zaragoza en fournit 5 000. Le Lucquois Antonio Pilli [3], Georges Tegrini, Nicolino di Lippo, Pierre de Valence, Michele da Burgaro, Boninsegna di Matteo enfin (l'associé de Datini) apportèrent à la Chambre une aide efficace. Quelques marchands se signalèrent par un unique prêt de quelque importance ainsi le Tourangeau Guillaume Soyer, qui prêta 2 000 francs en juillet 1390 [4] et l'Auvergnat d'Avignon qu'était Jean Rebours, prêteur de 1800 florins courants en septembre 1391 [5].

---

1. R. Brun, Annales..., loc. cit., XII, p. 36-37.
2. Intr. ex. 361, fol. 6 r°.
3. Il prêta 3000 florins courants le 19 juillet 1393 ; Intr. ex. 370, fol. 35 v°.
4. Intr. ex. 366, fol. 36 v°.
5. Intr. ex. 367, fol. 44 r°.

Les plus modestes versements, enfin, n'étaient pas inutiles, puisque la Chambre les sollicitait. Ils émanèrent de Galeas da Amia, Giovanni Mariani, Andrea di Barto da Siena, Enrico Ricci, Etienne Duc, Antonio Alamani, Gaillard Chapus, Michele di Simone, Francesco Benigni et quelques autres marchands tout aussi obscurs. Prêts obligatoires que tous ceux-là : « Les 200 florins d'or que nous avions prêtés au pape, écrivait le 25 mars 1394 le correspondant avignonnais de Datini, ne sont pas encore rendus, et comme nous sommes, nous, sont tous les autres qui ont été imposés avec nous » [1]. Prêtés..., imposés..., aucun doute n'est possible.

L'avènement de Benoît XIII fit disparaître ces prêteurs. Seuls demeurèrent pour trois ou quatre ans encore, Catalano della Rocca et Giovanni Caransoni [2], ainsi que Paolo Ricci, cependant que les Rapondi abandonnaient même le transfert des fonds pontificaux. Une fois, Tommaso dal Poggio prêta encore 400 écus, mais il s'agissait d'une avance sur la gabelle du vin [3]. Quelques mois avant la soustraction d'obédience, se manifesta l'Aragonais Pedro Maries : le 4 novembre 1397, il prêtait 300 florins courants [4]. C'était, pour lui, le début de fructueuses affaires [5].

Au lendemain de la restitution d'obédience, le crédit du pape avignonnais était singulièrement diminué. Lorenzo di Dinolzo avança par trois fois le revenu des collectories espagnoles que devait recevoir à court terme son associé de Barcelone, Andrea de' Pazzi : 1 000 florins le 21 septembre 1404, 500 le 1er octobre 1404 et 3 000 le 28 avril 1405 [6]. Giovanni Ratoncini et Jean de Sade avancèrent de même 3 000 florins, le 24 avril 1405, sur le revenu des provinces françaises [7] ; en mai, ils avancèrent 1 600 florins sur les gabelles d'Avignon [8] ; en septembre, ils prêtaient 3 000 florins pour lesquels la créance leur paraissant peu sûre, ils obtinrent en gage quelques pièces d'orfèvrerie [9].

En Italie, cependant, Benoît XIII trouvait du crédit, mais à très court terme. Parsivallo di Vivaldi avançait près de 6 500 florins sur les collectories espagnoles [10]. Gasparro de' Marini prêtait 2 000 francs [11] et la société d'Andrea de' Bardi et Averardo de' Medici plus de 6 000 florins [12].

1. R. BRUN, *Annales...*, *loc. cit.*, XIII, p. 86.
2. Giovanni mourut en 1396 et son frère Niccolò (*Intr. ex.* 374, fol. 35 r°) ne prêta rien à la Chambre.
3. *Intr. ex.* 374, fol. 4 r°.
4. *Intr. ex.* 375, fol. 7 v°.
5. Voir ci-dessus, p. 496.
6. *Reg. Av.* 321, fol. 13 r°, 21 r° et 56 v°.
7. *Ibid.*, fol. 55 v°.
8. *Ibid.*, fol. 62 r°.
9. *Ibid.*, fol. 90 r°.
10. *Ibid.*, fol. 74 v° et 86 v° ; *Reg. Av.* 327, fol. 66 r°.
11. *Intr. ex.* 376, fol. 186 r° et 207 r°.
12. *Ibid.*, fol. 260 v°.

L'échec politique de l'expédition en Ligurie porta un coup fatal au prestige et au crédit de Benoît XIII. De même qu'au début du Schisme, lorsque l'avenir était incertain, de même que dans les premières années du pontificat de Benoît XIII, lorsqu'il était obscur, de même à l'approche du concile de Pise, lorsqu'il apparut que la cause était perdue, les puissances d'argent, professionnels du prêt et autres bailleurs de fonds, abandonnaient le pape d'Avignon.

QUATRIÈME PARTIE

LES CRISES

ET

LES EXPÉDIENTS

CHAPITRE XII

LE PARTAGE DE LA CHRÉTIENTÉ
ET LES EXPÉDIENTS POSSIBLES

Dire que la première crise éprouvée par les papes du Grand Schisme ce fut le Schisme lui-même, c'est énoncer une évidence. Le partage de la Chrétienté en deux obédiences rivales mérite cependant une analyse. Division de la Chrétienté, le Schisme est aussi un partage des contribuables, une division de la matière imposable. Comment deux papes ont-ils réussi à subsister en se partageant des revenus qui suffisaient à peine au seul Grégoire XI ? Pour répondre à cette question, que nous posions au début de ce livre, il nous faut examiner les bases politiques et financières du partage.

1. *Le partage.* Dès 1378, deux groupes s'affrontent [1]. Aux côtés de Charles V, le roi d'Ecosse, les ducs de Savoie, de Lorraine et de Luxembourg constituent le noyau de l'obédience clémentiste. La reine Jeanne, premier soutien des cardinaux dissidents, se déclare pour Clément VII avant d'être entraînée, par l'émeute napolitaine de 1379, à se tourner vers Urbain VI. De même, mainte cité italienne résiste-t-elle aux sollicitations urbanistes, tandis que les bandes bretonnes et gasconnes amenées par Grégoire XI sillonnent les états pontificaux pour le compte de Clément VII. Adhésions fragiles que ces dernières : la plupart des villes adhèrent en définitive à l'obédience romaine. Seuls, les Visconti mènent une politique indépendante qui sauvegarde à la fois leur alliance française — que couronne en 1387 le mariage de Valentine avec Louis d'Orléans — et leurs relations avec le pape romain. Les résistances de Guido da Polenta et du comte de Tagliacozzo font long feu. Les derniers nids d'opposition sont réduits sous le pontificat de Boniface IX. A l'exception des domaines piémontais du duc de Savoie, l'Italie de 1400 est d'obédience romaine. Il ne reste au pape d'Avignon, de ses premiers adhérents, que la France et quelques principautés limitrophes.

---

1. Bibliographie dans Delaruelle, Labande et Ourliac, *L'Eglise au temps du Grand Schisme et de la crise conciliaire.*

Combien plus vaste apparaît l'obédience urbaniste. A peine la crise est-elle ouverte que se regroupent en faveur du pape romain l'empereur Charles IV [1], puis son fils Wenceslas, le comte de Flandre Louis de Male et le roi d'Angleterre Richard II, auxquels se joignent la Hongrie, la Pologne et les royaumes scandinaves. L'Italie, on l'a vu est elle-même fort divisée, mais les cités les plus rétives, Florence et Bologne par exemple, ne vont pas jusqu'à reconnaître expressément le pape d'Avignon ; la plupart finissent par se ranger dans l'obédience urbaniste.

Celle-ci enserre de tous côtés les états clémentistes. A en juger par la superficie, Urbain VI a donc la meilleure part, Clément VII la plus petite. Il demeure cependant un grand ensemble « indifférent » ce sont les royaumes ibériques.

Légats et nonces des deux partis y trouvent le terrain d'une intense activité. Pour Clément, c'est en premier lieu Pedro de Luna, diplomate avisé, prudent et efficace, que secondent le prédicateur Vincent Ferrier et, pour les questions financières en particulier, le clerc de la Chambre Pierre Borrier [2] et le patriarche Seguin d'Authon. Pour Urbain, ce sont Francesco Uguccione, Pierre d'Anglade et Perfetto Malatesta. De cette lutte pour l'adhésion des royaumes ibériques, le pape d'Avignon sort finalement gagnant. En 1381, le Portugal, d'abord clémentiste, apporte à Urbain VI une reconnaissance qui ne paraît ni générale ni définitive ; maint évêque, maint chapitre demeure clémentiste ; quant à l'attitude du roi Ferdinand Ier, elle est rien moins qu'assurée et il faut, en 1385, la guerre d'indépendance contre la Castille pour jeter le Portugal dans l'alliance anglaise et, par voie de conséquence, dans une ferme adhésion au pape de Rome. Celui d'Avignon, au contraire, trouve dès 1381 dans la reconnaissance de Jean Ier, nouveau roi de Castille, un appui des plus solides, que cimente l'alliance franco-castillane de Bicêtre [3].

Dès lors, Clément VII consolide et accroît son obédience plus que ne le fait son rival. En 1386, Albert d'Autriche, fervent urbaniste, met la main sur le gouvernement des états laissés par son frère Léopold. Mais, l'année suivante, c'est l'Aragon qui, sous l'impulsion de Jean Ier et de Yolande de Bar, parente de Clément VII, se décide enfin en faveur d'Avignon. La Navarre, où l'évêque de Pampelune Martin de Zalba, s'est fait le propagandiste de Clément VII, passe définitivement à l'obédience avignonnaise en 1390, au cours d'une cérémonie solennelle que préside Pedro de Luna [4].

A cette date, la supériorité territoriale de l'obédience romaine est moins évidente qu'en 1379. Une chose frappe surtout à l'examen de la carte : les pays de l'obédience romaine s'étendent du cercle

1. Mort le 29 novembre 1378.
2. L. GREINER, Un représentant..., dans les Mélanges..., LXV, 1953, pp. 197-213.
3. SUAREZ-FERNANDEZ, Castilla, el Cisma y la crisis conciliar, p. 9-11.
4. J. ZUNZUNEGUI, El reino de Navarra..., p. 139-142.

polaire à l'Algarve et de l'Irlande à la Lithuanie ; le caractère
excentrique de Rome aggrave encore la dispersion territoriale. Les
pays d'obédience avignonnaise sont au contraire, si l'on excepte
l'Ecosse, rigoureusement contigus, formant un bloc homogène de
l'Artois à Séville. Avignon, au carrefour des routes de Provence,
du Sillon rhodanien, de Languedoc et de Catalogne, est une capitale
commodément reliée à tous les points de l'obédience. Plus petite
que sa rivale, l'obédience de Clément VII a la supériorité d'être plus
facilement gouvernable et, financièrement, exploitable. Le fait,
déjà souligné, que les administrateurs de valeur fassent cruellement
défaut à Rome doit être rapproché de cette inégalité géographique.
Pour remédier à celle-ci, le pape romain devrait disposer de nonces
qualifiés, fidèles et bons connaisseurs des diverses contrées de la
Chrétienté. Nous savons que de tels agents se rencontrent peu
à la curie romaine.

Autre est le problème de la valeur financière des deux obédiences.
Plus que la superficie, c'est le revenu de chaque pays qui importe.
Dans le partage de 1378, dans les adhésions ultérieures, dans l'Europe divisée de 1390 et de 1400, enfin, quelle est la part de matière
imposable dévolue à chaque pape ?

Notons dès l'abord que Clément VII a pour lui le pays où l'organisation administrative de la fiscalité pontificale a atteint, depuis
trente ans au moins, une quasi-perfection, celui, aussi, où la fiscalité est la plus complète et la plus lourde : la France. Tant que
le clergé français ne se rebelle pas — il le fera en 1398 — et paie,
Clément VII jouit du meilleur contribuable. Urbain VI, au contraire,
a les plus mauvais : le clergé italien dont les résistances sont bien
connues [1], et le clergé anglais qui, fort du « statut des proviseurs »
et soutenu par le Parlement, lutte contre toutes les exactions pontificales : collations, cumuls, non-résidence, fiscalité. Fidèle au pape
de Rome par hostilité au pape des Français, le clergé anglais
entend bien profiter de la faiblesse de son pape. Quand au roi, il
y a peu de subsides à espérer de lui. Il est vrai que Richard II
n'attend rien de son pape, alors que Clément VII apparaît à Louis
d'Anjou, et plus tard à Louis d'Orléans, comme un agent providen-
tiel — mais non bénévole — de leurs ambitions italiennes.

Deux moyens, au moins, s'offrent à qui veut chiffrer l'aspect
financier du partage de 1390 malgré l'absence des comptes de la
Trésorerie romaine et des registres d'assignations de la Chambre
apostolique de Rome. L'un est de comparer les revenus géographiquement définis, à une époque antérieure. L'autre est de comparer, pour une imposition déterminée et suffisamment significative, le total des taxes. Ces deux moyens d'analyse sont, nous en
sommes parfaitement conscient, d'une valeur très relative. S'ils

---

1. Voir ci-dessus, p. 390-391.

menaient à des conclusions opposées, nous devrions les récuser. Comme ils concordent, nous croyons ne pas faire fausse route en les conjugant.

Nous prendrons tout d'abord pour époque de référence le pontificat d'Innocent VI (1353-1362) : neuf années pour lesquelles toutes les rentrées de la Trésorerie sont connues, ce qui ne se reproduit malheureusement pas pour les pontificats, plus récents, d'Urbain V et de Grégoire XI. Les versements effectués par les collecteurs [1], qui représentent près du tiers des recettes saines de la Trésorerie, se répartissent ainsi, selon la division des obédiences en 1390 :

ORIGINE DES FONDS COLLECTÉS (1353-1362)	OBÉDIENCE ROMAINE	OBÉDIENCE AVIGNONNAISE
Scandinavie	1,5 %	
Europe centrale (Allemagne, Bohême, Pologne, Hongrie) :	13 %	
Angleterre	6,5 %	
Ecosse		0,5 %
France (sauf coll. de Bordeaux), Provence et coll. de Trêves		44 %
Coll. de Bordeaux	2 %	
Aragon		15 %
Castille		2 %
Portugal	6 %	
Italie	7 %	
Orient latin	2,5 %	
	38,5 %	61,5 %

On notera que l'essentiel des revenus dévolus en 1378 à Avignon provenait, quinze ans plus tôt, de la France, c'est-à-dire d'un pays où les gens de la Chambre ne relâchèrent pas un jour leur pression. L'adhésion tardive, en 1387, de l'Aragon fournit un appréciable complément. L'apport des collectories qui allaient être celles de Rome était, au contraire, dominé par les apports de l'Allemagne, où nous savons qu'il fut presque impossible à la Chambre romaine de désigner des collecteurs efficaces, du Portugal, où l'unanimité fut longue à se faire, et, seulement pour un tiers du total (13,5 % sur 38,5 %), d'Italie et d'Angleterre. Encore avons-nous compté pour l'Italie les envois du collecteur de Sardaigne, alors que cette île aragonaise fut, pendant le Schisme, parcourue par les agents des deux obédiences et pour un fort mince résultat.

1. H. HOBERG, *Einnahmen... Innozenz VI...*, p. 35*-36*.

En ce qui concerne les collectories, donc, l'obédience d'Avignon semble avoir emporté dès l'abord 61,5% des recettes virtuelles. Le partage des recettes curiales — chancellerie et justice — ne peut être chiffré ; il ne concerne d'ailleurs que 1,5% des recettes de la Trésorerie d'Innocent VI [1]. Quant aux cens, qui représentent 7% du total, ils venaient tous de la future obédience romaine : Naples, Aragon pour la Sardaigne et la Corse, Bologne, Ferrare, Rimini, Cantorbéry, etc. Mais nous avons vu que le plus gros cens, celui de Naples (51 467 florins pendant les neuf années du pontificat d'Innocent VI) ne fut jamais payé à Urbain VI et ses successeurs ; quant aux autres, nous savons à quel point ils furent payés irrégulièrement [2].

La comparaison entre les chiffres de 1353-1362 et les obédiences en 1390 laisse donc supposer une forte supériorité avignonnaise, dans le rapport de deux à un. Voilà pour les collectories, tout au moins.

Qu'en est-il à l'examen des taxes pour les communs services ? Nous avons additionné le chiffre des taxes de tous les archevêques et évêques [3] dans les deux obédiences. Les sièges pour lesquels ont été contractées en nombre égal des obligations envers les deux Chambres apostoliques, c'est-à-dire quelques sièges flamands, suisses, portugais et italiens, n'ont pas été comptés. Les taxes réduites pendant le Schisme ont été prises à leur taux de 1390. On arrive ainsi à un total de 382 000 florins pour l'obédience d'Avignon et 357 000 pour celle de Rome. Là encore, Avignon a la meilleure part, mais n'emporte cependant que 52% de la masse imposable.

Plusieurs causes peuvent être invoquées pour expliquer la différence de rapport entre les deux analyses, dont il faut cependant souligner qu'elles démontrent toutes deux la supériorité financière de l'obédience avignonnaise. Il faut d'abord remarquer que la première analyse est fondée sur les chiffres des recettes, la seconde sur des taxes dont rien n'assure qu'elles furent payées dans la même proportion à Rome et à Avignon. Les communs services d'autre part, sont liés à la collation par le pape des évêchés, même pourvus par élection. Tout évêque était tenu d'obtenir une bulle d'investiture, donc de s'obliger pour le paiement des services. Nul besoin, en cela, d'appareil administratif. Cet appareil était au contraire indispensable pour assurer la perception de l'annate, principal revenu des collectories sous Innocent VI, et des décimes, procurations et subsides ultérieurement confiés aux collecteurs. Or cet appareil est, dans les pays de la future obédience avignon-

1. HOBERG, *Einnahmen...*, *loc. cit.*
2. Voir ci-dessus, p. 185.
3. HOBERG, *Taxae...*, *passim.*

naise, mieux établi et plus régulièrement desservi que dans les futurs pays urbanistes. Qu'il y ait une quasi-impossibilité à exiger l'annate des prêtres danois ou irlandais, c'est l'évidence même. Dans ces conditions, le pape romain ne pouvait espérer les mêmes recettes que le pape avignonnais. La valeur intrinsèque des temporels placés dans son obédience, les taxes pour les communs services le laissent entrevoir, approchait celle des temporels de l'obédience avignonnaise. Il en allait différemment des recettes.

Dans le partage commencé en 1378 et achevé vers 1390, le pape d'Avignon avait donc des revenus virtuels supérieurs à ceux de son adversaire. N'eût été la nécessité d'y maintenir l'ordre, de l'administrer à grands frais et de le défendre, l'état pontifical eût rétabli la balance. Mais le revenant-bon des trésoriers provinciaux était des plus faibles et les cens faisaient l'objet d'assignations d'intérêt ordinairement local.

La seule force virtuelle de la Chambre romaine, le seul point sur lequel elle était la mieux partagée, c'étaient les recours bancaires. Avec Florence, Pise, Milan, l'Allemagne moyenne, Bruges et Londres, Urbain VI avait dans son obédience la quasi-totalité des grandes compagnies financières. Mais, s'il savait à qui recourir, il manquait de crédit. L'état pontifical et la recette des collectories furent, pour une grande part, hypothéqués. Pour disposer de ressources bancaires, le pape de Rome se retrouva, dès le début du Schisme et pour longtemps, pratiquement dépossédé du maniement de ses propres fonds.

En définitive, le partage de 1378 a laissé au pape romain l'essentiel d'un état qui coûte autant — sinon plus — qu'il ne rapporte, et une vaste obédience, trop étirée dans l'espace, mal assurée politiquement, où la fiscalité n'est que d'un médiocre rapport. Au pape avignonnais, piètrement pourvu avec le Comtat et Avignon, vont les ressources fiscales d'une obédience bien groupée, bien administrée et faite depuis longtemps à la mise en coupe des temporels ecclésiastiques par les agents de la Chambre apostolique.

Les expédients avignonnais ne peuvent donc être que purement fiscaux. Pour Pierre de Cros, François de Conzié et leurs conseillers, il s'agit d'exploiter au mieux les possibilités offertes par les impôts existants. C'est, à Avignon, le règne de la pression fiscale. On invente peu, on cherche à faire rendre le maximum. Les impositions les plus diverses se multiplient et deviennent simultanées. Décimes et procurations tendent vers la permanence. L'annate est générale. On accélère les cadences d'imposition et de perception : les services sont immédiatement exigibles, et des subsides s'y ajoutent. Cette fiscalité cautionne le crédit pontifical : les banquiers ne font, la plupart du temps, qu'avancer à court terme le revenu d'un impôt ou d'une collectorie.

2. *Les expédients avignonnais.*   Les expédients extra-fiscaux n'en
furent pas moins à l'honneur dans
les périodes de crise. La comparaison de ces expédients avec ceux
qui étaient usités à la Chambre romaine n'est pas sans intérêt
pour la connaissance des moyens et des limites de la politique
financière des deux papautés.

Parce que la plus grande partie du trésor de Grégoire XI était
restée à Avignon, Clément VII put, dans les premières années
du Schisme, tirer quelque argent de la vente de mobilier précieux.
Que l'on n'imagine cependant pas le pape d'Avignon vendant sa
propre vaisselle ! Ce sont, la plupart du temps, des pièces d'orfèvrerie provenant de dépouilles ou de successions revenues à la Chambre
apostolique que fit vendre Antonio dal Ponte dans les années
1379 et 1380. En septembre 1379, ce furent deux bassins, un gobelet et une tasse d'or ayant appartenu à Philippe d'Alençon [1] et
diverses pièces d'argenterie confisquées dans les livrées de Philippe
d'Alençon et de Pileo da Prata [2]. En octobre, c'était un pied de
croix en or [3] et de la vaisselle d'argent provenant pour une part
du cardinal de Chanac [4]. En juin 1380, une crosse d'argent fut
vendue, au poids, pour 72 florins 25 sous 1 denier ; elle avait été
saisie parmi les dépouilles d'Ebles de Miers, évêque de Vaison,
mais elle avait jadis été vendue au même Ebles par la Chambre
apostolique qui l'avait sans doute trouvée dans les dépouilles
d'un autre prélat [5]. On exploitait donc à fond les possibilités offertes
par les droits fiscaux, on puisait donc dans le trésor pontifical,
mais il ne saurait être ici question d'expédient. L'or thésaurisé
était, comme cela était naturel en cas de difficulté, livré à la fonte.

C'est en 1381 que commencèrent véritablement les abus. Le
10 juillet, Jean de Rochechouart, évêque de Saint-Pons-de-Thomières, prêta de la vaisselle d'argent et deux candélabres de sa
chapelle [6]. Le 16, le cardinal Anglic Grimoard prêta deux grands
pots d'argent [7], et l'évêque de Lisbonne, Martin, de l'argenterie [8]
et un anneau [9]. Avant la fin du mois, toute l'argenterie avait été
vendue par la Chambre apostolique à Antonio di Francesco,
comme au plus offrant, pour 1 176 florins 12 sous 8 deniers, et
l'anneau à Antonio dal Ponte pour 60 florins [10].

---

1. 21 marcs 5 onces 3 deniers d'or à 62 florins le marc, soit avec une perte de 3 onces
7 deniers, 1 158 florins 27 sous 2 deniers ; *Intr. ex.* 353, fol. 8 v°. — Rappelons que le
marc valait à la curie 222,508 grammes.

2. 610 marcs à 6 florins, soit 3 660 florins ; *ibidem.*

3. 42 marcs 5 onces 6 deniers, soit 2 163 florins 9 sous 7 deniers ; *ibidem*, fol. 13 r°.

4. 636 marcs 4 onces 21 deniers, soit 3 499 florins 26 sous 8 deniers ; *ibidem.*

5. *Intr. ex.* 352, fol. 24.

6. Plats, écuelles et tasses pesaient 91 marcs, les candélabres six marcs.

7. Ils pesaient 50 marcs 4 onces.

8. Quatre pots, trois aiguières, quatre bassins et un couvercle doré pesant 59 marcs
5 onces.

9. Voir ci-dessus, p. 531.

10. *Intr. ex.* 354, fol. 44 v°-45 r°.

Avec l'aventure angevine, commencèrent les aliénations du mobilier pontifical. En mars 1382, Guillaume Girardin, maître de la vaisselle, livra à la fonte quatre-vingt-seize écuelles et douze plats qui rapportèrent au pape 1 234 florins 13 sous 10 deniers [1]. En mai, l'archevêque clémentiste de Naples, Tommaso degli Ammanati, était chargé de vendre à Naples un retable d'argent représentant la Vierge et pesant plus de 105 marcs d'argent; il en tira 600 florins [2]. En juin, nombre de prélats séjournant à la curie furent mis à contribution pour fournir du métal précieux. Guillaume d'Aigrefeuille en offrit trente marcs, Pierre de Vergne trente-trois, Hugues de Saint-Martial soixante-quinze, Faidit d'Aigrefeuille cent, Jean de Rochechouart cent, Jean de Cros cent et Jean de la Grange mille; Guillaume de Vermont obtint du tout 7 458 florins [3]. Dans le même temps, Vermont récupérait divers gages remis par la Chambre à Aguinolfo de' Pazzi et les vendait pour 2 916 florins : il y avait vingt-deux statuettes d'argent, doré ou non, une grande croix émaillée, une grande coupe avec pied ouvragé et... deux chefs des onze mille vierges [4].

Passé ce temps de crise, les ventes d'objets précieux appartinrent à la routine de la Chambre apostolique. En 1384, l'orfèvrerie des dépouilles d'un scripteur des lettres apostoliques fut vendue pour 65 florins [5], un plateau des dépouilles de Hélie de Donzenac, évêque de Castres, et un retable et un gobelet de celles de Jean de Save, évêque d'Albi, pour 93 florins [6]. De l'argent en lingots trouvé dans les dépouilles de Raoul de Chissey, archevêque de Tarentaise, rapporta quelque 400 florins en 1386 [7]. L'argenterie de Dieudonné, évêque de Castres, rapporta 297 florins en 1389 [8].

L'envoi d'une galée à Naples, en septembre 1387, provoqua une crise à peine perceptible. Néanmoins, le 11 septembre, Catalano della Rocca fut chargé de vendre les joyaux provenant des dépouilles d'un simple curé languedocien, dont il tira 48 florins, et Jean de la Grange, le 12, prêta de sa propre vaisselle d'argent, dont Antonio di Francesco obtint 1 692 florins [9].

Le trésor pontifical était pratiquement épuisé. Lors de la venue du roi d'Arménie à Avignon, en 1391, il fallut louer de la vaisselle d'étain [10].

De l'héritage de son père Amédée III de Genève, Clément VII

1. *Intr. ex.* 355, fol. 20 v°.
2. *Ibid.*, fol. 33 r°.
3. *Ibid.*, fol. 36 et 40 v°.
4. *Ibid.*, fol. 40 v°.
5. *Intr. ex.* 338, fol. 11.
6. *Ibid.*, fol. 30 v°-31 r°.
7. *Intr. ex.* 361, fol. 25.
8. *Intr. ex.* 365, fol. 19 v°.
9. *Intr. ex.* 363, fol. 44 r°.
10. *Intr. ex.* 367, fol. 195 r°.

n'avait reçu que deux châteaux [1]. Mais la mort du comte Pierre, son frère, vint à point [2] faire de Clément VII un comte de Genève et procurer à la Chambre apostolique des ressources inespérées. On dépêcha pour commencer Pierre de Jouy à Annecy, où il fit main-basse, dans le château comtal, sur le numéraire de la Trésorerie : 2 099 écus et 3 401 florins furent ainsi saisis en juin 1392. En juillet, Jouy se fit verser la recette d'un subside imposé par le défunt comte : 816 florins [3]. Le pape se fit également remettre l'orfèvrerie de son frère : au total, près de quarante marcs d'or et sept cent trente marcs d'argent, soit une valeur de 7 500 florins environ [4].

Rien ne fut laissé à Blanche, sœur du comte Pierre et du pape. A la mort de Clément VII, elle revendiqua sa part de l'héritage, mais ce n'est qu'en 1407 qu'elle obtint une compensation, toute théorique d'ailleurs. Benoît XIII lui assigna en effet, à concurrence de 4 000 francs, le tiers des recettes du collecteur de Reims dans les régions de Flandre et de Brabant [5]. Nous doutons que la comtesse Blanche ait effectivement perçu quelque chose.

La Chambre apostolique tira-t-elle profit des revenus immobiliers appartenant à l'héritage du comte de Genève ? Certes, l'administration du comté [6] fut contrôlée sur place par Pierre de Jouy, clerc de la Chambre et procureur de Clément VII. Certes, les actes de « Clément, évêque, serviteur des serviteurs de Dieu, comte de Genève par droit héréditaire » furent expédiés par la Chambre apostolique et non par la chancellerie comtale [7]. Mais, une fois payés les gages des officiers domaniaux et des juges, les revenus du comté ne permirent même pas de compléter le douaire que Clément VII assignait à Marguerite de Joinville, veuve du comte Pierre : outre les trois châtellenies que lui remit Pierre de Jouy [8], le pape assigna à sa belle-sœur une somme de 1 000 florins courants sur la collectorie de Metz [9]. Sans nul doute, les revenus de la Chambre apostolique et ceux du comté de Genève, de la baronnie de Berre et des autres

---

1. Beauregard et Gaillard ; par échange, le pape substitua Cruseilles à Gaillard ; P. Duparc, *Le comté de Genève...*, p. 329.
2. Le 24 mars 1392 ; R. Brun, *Annales...*, *loc. cit.*, XII, p. 135.
3. P. Duparc, *op. cit.*, p. 330.
4. Quatre coupes d'or, dont l'une était ornée d'émaux, l'autre décorée, en ciselure, d'un cerf et des mois de l'année, avec un couvercle garni de saphirs, balais et perles, quatre gobelets d'or ornés de saphirs et de perles, deux aiguières d'or et cent trois pièces d'argenterie, souvent dorée. La valeur d'estimation ne tient compte que du métal précieux, car nous ignorons la qualité et donc le prix des pierres. Quittance donnée le 28 septembre 1393 au receveur général du comté et au chambellan du comte Pierre ; *Reg. Av.* 270, fol. 144 v°-145 v°.
5. 29 mai 1407 ; *Reg. Av.* 331, fol. 88.
6. La comtesse Mahaut de Boulogne, mère du comte Pierre et du pape, était chargée des fonctions de gouverneur et recteur (8 juillet 1392) ; *Reg. Av.* 270, fol. 95. — Nicolas de Hauteville fut nommé bailli général (20 juillet 1392) ; *ibid.*, fol. 95 v°-96 r°.
7. *Reg. Av.* 270, *passim.*
8. *Ibid.*, fol. 105 v°-106 r°.
9. 18 novembre 1392 ; *Reg. Av.* 272, fol. 70.

seigneuries du patrimoine papal furent confondus ; mais l'apport financier ne paraît pas avoir été considérable pour la papauté. Tout au plus Clément VII put-il éviter de rembourser les 10 000 florins que son frère lui avait prêtés en 1388 et pour lesquels le comte Pierre avait reçu en gage le château et la ville de Mornas, ainsi qu'un péage [1].

Les aliénations du temporel immobilier du Saint-Siège et les aliénations de droits fiscaux furent extrêmement rares jusqu'à la soustraction d'obédience de 1398. C'est un cas isolé que la vente par le collecteur d'Aragon Guillaume Boudreville, en 1388, du censuel de Rucaffa [2]. A partir de 1404, au contraire, les ventes sont innombrables.

C'est d'abord de ce qui restait du trésor pontifical que Benoît XIII tira quelque argent. Le 12 juin 1404, il ordonna à Conzié, Climent et Adimari de prendre toutes les pièces précieuses se trouvant dans le palais d'Avignon pour les vendre ou les engager [3]. Le 13 novembre 1405, il chargea Climent, Zagarriga et Adimari d'aliéner tout ce qu'ils pourraient pour se procurer 200 000 florins de Florence [4]. On ne négligea pas les mesures plus modestes : la curie n'étant plus à Avignon, les provisions de l'écurie étaient inutiles ; en octobre 1404, le châtelain du palais pontifical vendit, pour 97 florins, une partie de l'orge et de l'avoine qu'il détenait [5]. On emprunta enfin des objets précieux destinés à gager les emprunts [6].

La vente de pensions censuelles ou *censulia mortua* fut sans doute l'expédient le plus productif de cette période. Il s'agissait de véritables rentes perpétuelles constituées sur les bénéfices ecclésiastiques mineurs retenus par la papauté en Aragon. Le taux, indiqué par quatre exemples précis, était du denier quatorze, soit 7,14 % du capital reçu par la Chambre apostolique [7]. Sur les quatre acquéreurs connus, il y avait trois clercs et un marchand. Malheureusement, si nous connaissons bien les exigences de la Chambre apostolique par les commissions données à ses envoyés en Aragon [8], nous pouvons plus difficilement estimer le rapport de telles pratiques. Il paraît, cependant, relativement élevé. En 1403, l'évêque et le chapitre de Barcelone avaient vendu des pensions censuelles sur les revenus de leurs menses épiscopale et capitulaire, et reçu

---

1. Ces 10 000 fl. provenaient de la rançon d'un schismatique capturé par Pierre de Genève (bulle du 27 octobre 1388) ; *Reg. Av.* 275, fol. 92.
2. *Ibid.*, fol. 34.
3. *Reg. Av.* 308, fol. 68 v°-69 v°.
4. *Reg. Av.* 325, fol. 51 v°-52 v° et 60.
5. *Reg. Av.* 321, fol. 22 r°.
6. *Reg. Av.* 308, fol. 19 v°-20 r°.
7. Deux censuels de 30 livres barcelonaises vendus 420 livres, un de 21 livres vendu 294, et un de 55 livres vendu 770 livres ; *Reg. Av.* 328, fol. 58 v°-59 v°. — Sur le caractère de ces rentes, voir : *ibid.*, fol. 41 v°-44 v°.
8. Voir ci-dessus, p. 545.

à ce titre 10 036 florins d'Aragon destinés à la Chambre apostolique qui cautionnait les pensions[1]. En mai 1405, Berenger Ribalta et Juan Lobera vendirent pour 2 000 sous barcelonais de « censuels morts » au prix de 32 000 sous[2] : le taux n'était alors que du denier seize, soit 6,25 %. Le produit, pour la Chambre, atteignait 1 600 livres barcelonaises. Un dernier chiffre concerne les ventes de censuels morts effectuées par Frances Climent avant 1409 : il en avait reçu 44 907 florins d'Aragon ; quant aux ventes faites par Juan Lobera, elles entraient sans doute pour un chiffre à peu près égal dans le total de 133 108 florins reçu par lui du subside imposé en Aragon et des ventes de censuels[3]. Il ne semble donc pas exagéré d'estimer à une centaine de milliers de florins, au moins, le produit de la vente de censuels morts en Aragon, de 1403 à 1408. C'est le chiffre que souhaitait Benoît XIII en septembre 1404[4] ; on est évidemment fort loin des 200 000 florins qu'il indiquait en décembre 1404[5], en mars 1405[6] et en janvier 1406[7], et des 250 000 florins qu'il souhaitait en août 1407[8].

Les censuels ainsi vendus étaient, notons-le bien, perpétuels. C'est dire que le Saint-Siège imposait une charge perpétuelle à des bénéfices dont la réserve ne pouvait être que temporaire. De même Benoît XIII n'hésitait-il pas à charger perpétuellement la mense abbatiale de Montmajour et la mense épiscopale de Lescar de pensions annuelles de 1 000 florins chaque, au bénéfice de la Chambre apostolique[9]. Le pape abusait des temporels eccléciastiques.

Les revenus futurs du pape — et non plus seulement ceux des bénéficiers — étaient atteints à leur tour lorsque, pour un versement immédiat, les bénéficiers pouvaient acheter une réduction de leur taxe. Afin d'obtenir des prélats le versement immédiat de leurs communs services, la Chambre apostolique accorda des réductions *ad medietatem* ; le plus grand nombre de ces réductions est d'avril 1405[10]. A la même époque, la taxe de tous les bénéfices provençaux pour la décime fut réduite de moitié contre un subside de 8 000 francs dont les trois quarts furent levés en deux ans[11].

1. *Reg. Av.* 307, fol. 47 r°-53 r°.
2. *Reg. Av.* 328, fol. 41 v°-44 v°.
3. Quittance du 8 janvier 1409 ; *Reg. Av.* 331, fol. 123 r°-125 r°.
4. Bulle du 11 septembre 1404 ; *Reg. Av.* 308, fol. 74 r°. — Le pape avait d'abord demandé 200 000 florins, le 1er août, puis avait réduit ses prétentions à 50 000 le 5 septembre ; *Reg. Av.* 308, fol. 71 v°-72 v° ; 319, fol. 41.
5. *Reg. Av.* 308, fol. 73 r°-74 r°.
6. *Reg. Av.* 319, fol. 54 v°-55 v°.
7. *Reg. Av.* 331, fol. 92-93.
8. *Reg. Av.* 331, fol. 97 v°-98 v° et 102 r°-106 v°.
9. Réserve faite le 21 novembre 1403 pour Lescar et le 16 mars 1405 pour Montmajour ; *Reg. Av.* 328, fol. 44 v°-45 r° et 46.
10. Quelques chiffres cités dans notre article *Temporels ecclésiastiques et taxation fiscale...*, loc. cit., p. 114-115.
11. J. FAVIER, *Les voyages de Jacques d'Esparron...*, loc. cit., p. 407-408 et 416.

Nous dirons quel usage la Chambre apostolique de Rome fit des expédients spirituels. Celle d'Avignon n'y recourut guère. Certes, c'est l'indulgence de la Croisade que Clément VII accorda, le 17 mars 1382, à ceux qui allaient s'engager sous la bannière angevine [1]. C'est l'indulgence plénière à l'article de la mort qu'il chargeait, le 5 décembre 1384, ses nonces [2] de concéder à tous ceux qui verseraient la solde d'un homme d'armes pendant un mois, soit 20 florins [3]. Simples tentatives destinées à faciliter le recrutement de l'armée angevine, si l'on compare ces concessions à la politique systématique de vente d'indulgences pratiquée par Urbain VI et Boniface IX. Pour les papes romains, nous l'allons voir, l'indulgence était un moyen de financement; pour Clément VII, elle n'était qu'un argument de recrutement.

Les legs pieux réservés à la Chambre apostolique, les restitutions testamentaires d'usuriers dont les victimes étaient inconnues, tout cela ne compte dans les recettes de la Trésorerie que pour une part infime. Hors du Comtat et d'Avignon [4], l'action de la Chambre apostolique était, en la matière, vouée à l'échec. En 1405, Benoît XIII tenta de faire rechercher les legs applicables au Saint-Siège dans les protocoles des notaires de Piémont [5] et de Castille [6]. Ce fut en vain. Les recettes effectuées à ce titre ne sont, en définitive, que des cas particuliers : Clément VII réserva — à l'instar d'Innocent VI — à la Chambre apostolique les aumônes faites à Montmajour pendant la fête et l'octave de l'Exaltation de la Sainte-Croix [7], confisqua à Avignon une maison dont les légataires avaient oublié de fonder les chapellenies voulues par le testateur [8]. La Chambre apostolique était d'ailleurs, parfois, dessaisie du bénéfice de la réserve au profit d'un établissement pieux : ainsi remit-on à un prieuré avignonnais les biens d'un laïc qui y avait fixé sa sépulture et désirait lui léguer sa fortune, cela bien qu'il fût mort intestat, ce qui livrait la succession au pape [9].

Nous connaissons, par la quittance donnée à Bertrand de Gamarenges, député à la perception des legs pieux applicables à la Chambre dans le Comtat et à Avignon, la recette de tels legs pendant vingt-six mois et demi : 4 761 florins et des provisions en blé, vin et foin [10].

Si les confiscations prononcées contre les Florentins d'Avignon

1. Bibl. nat., Doat 8, fol. 371-376.
2. Guillaume de Vermont en Castille et Navarre, Antoine de Louvier en France.
3. *Reg. Av.* 242, fol. 28.
4. Voir ci-dessus, p. 556.
5. *Reg. Av.* 317, fol. 15.
6. *Reg. Av.* 325, fol. 45 v°-46 v°.
7. 28 avril 1381 ; *Coll.* 359 A, fol. 67 v°-68 v°.
8. 10 juin 1385 ; *Reg. Av.* 242, fol. 60 r°-61 r°.
9. 7 mai 1389 ; *Reg. Av.* 275, fol. 85.
10. Pour la période du 1er janvier 1389 au 20 mars 1391 (bulle du 29 juin 1392); *Reg. Vat.* 303, fol. 4 r°-6 r°.

furent de faible intérêt, ceux qui demeuraient ayant précisément donné des preuves de fidélité ou négocié la tolérance pontificale, les curialistes passés à l'obédience d'Urbain VI furent, dans les premières années du Schisme, des proies de choix. Malgré une tentative faite en 1381 pour confisquer les biens des schismatiques dans tout le royaume de France [1], c'est uniquement à Avignon que de telles confiscations purent être efficaces. La maison d'Anselmo da Milano, docteur *in utroque* [2], celles du procureur Cristoforo da Piacenza [3], celle du procureur Bertolino da Piacenza [4], celle du marchand florentin Antonio Abbate degli Albizzi [5], celle de Giovanetta da Pistoia [6] furent saisies, pour crime de schisme et d'hérésie, entre décembre 1380 et mai 1381. Mais, plutôt que de les vendre au profit de la Trésorerie, Clément VII les donna à ses fidèles : son chapelain Jacques de Menthonay, son procureur fiscal Aymon Henriet, son médecin Jean Tournemire, le clerc de la Chambre Raoul d'Ailly. Les confiscations se raréfièrent ensuite. Le 1er août 1383, Pierre Borrier fut commis à saisir les biens du marchand Buonaccorso Vanni da Prato ; on s'en servit pour payer diverses fournitures à l'apothicaire du pape, Agapito Megliorini [7], et l'on donna, deux ans plus tard, à un écuyer d'honneur une maison, une vigne et une terre provenant de cette confiscation [8]. La même année 1383, furent saisis la maison et les biens du légiste Jacopo da Siena [9].

Peut-on vraiment parler d'expédients ? Ne doit-on pas considérer ces pratiques comme de simple routine ? Les expédients avignonnais étaient limités par l'étroitesse du domaine seigneurial, par le petit nombre de sujets, par la nécessité, aussi, dans laquelle se trouvait le pape de sauvegarder ce qui compensait la perte de Rome : l'attachement de son entourage. C'est donc sur les clercs de son obédience, par le moyen d'une fiscalité renforcée, que le pape d'Avignon pouvait faire porter ses exigences fiscales. Les expédients avignonnais, ce sont avant tout les renforcements de la pression fiscale.

---

1. Commission à Pierre Girard, du 6 juin 1381 ; *Coll.* 359 A, fol. 96 v°-97 v°.
2. Rue de la Bouquerie (par. Saint-Pierre) ; *ibid.*, fol. 47 v°-49 v° ; voir B. GUILLEMAIN, *La cour pontificale...*, p. 505.
3. Rue Saint-Christophe et rue Paul-Sicard (par. Saint-Geniès) ; *ibid.*, fol. 45-46 et 110 r°-111 r°.
4. Rue aux Trois-Piliers (par. Saint-Symphorien) ; *ibid.*, fol. 53 v°-55 r°.
5. Dans la paroisse Saint-Agricol ; *ibid.*, fol. 119-120.
6. Rue Fourneterre (par. Saint-Pierre) ; *ibid.*, fol. 85 v°-87 r°.
7. *Instr. misc.* 3147.
8. La maison était située rue de la Barrière, la vigne au lieu-dit Saint-Aman et la terre au lieu-dit Aufraisse, près de la bastide Barral ; 2 septembre 1385 ; *Reg. Av.* 242, fol. 92 v°-93 r°.
9. La maison était située rue des Trois-Fours (par. Saint-Symphorien) ; 30 avril 1383 ; *Reg. Av.* 233, fol. 78 v°-79 v°.

3. *Les expédients romains.*   Les expédients dont pouvait user la Chambre apostolique romaine sortaient forcément des voies de la fiscalité normale. Mesures occasionnelles et sans avenir, simples bouche-trous ou tentatives plus réfléchies, ils dénotent moins un immense besoin d'argent — ce serait le cas pour Avignon — qu'un total dénuement. Avignon a de gros besoins d'or, mais l'or circule à la Trésorerie. A Rome, l'or manque. Urbain VI l'écrit à ses nonces [1]. Boniface IX se plaint d'avoir, à son avènement, trouvé la caisse « intégralement vide » [2] et l'on connaît la réponse qu'il fit, dit-on, quinze ans plus tard, sur son lit d'agonie, à qui lui demandait comment il se sentait : « Si j'avais de l'argent, j'irais bien » [3].

Le pape romain ne renonça certes pas à renforcer les mesures fiscales. Il étendit l'annate à tous les bénéfices encore exempts, exigea des Cisterciens anglais et allemands un subside caritatif, poursuivit avec énergie les prélats négligents en matière de communs services [4]. Des subsides caritatifs furent de plus en plus souvent demandés, mais la Chambre apostolique n'avait même pas le moyen de les exiger. Ainsi vit-on Grégoire XII charger un pénitencier de Saint-Pierre de Rome, le Dominicain Konrad Kruschel, d'obtenir un subside du clergé en Allemagne, Danemark, Suède, Norvège, Bavière, Autriche, Brunswick, Gueldre, Hollande, Brandebourg, Saxe, Misnie, Thuringe et autres contrées... [5]. Tout au plus peut-on penser que cet envoyé pontifical réussit, grâce à de telles lettres, à subvenir aux frais de sa propre mission itinérante.

Il y a eu des tentatives sans lendemain. Urbain VI voulut, dès 1382, faire lever un vingtième en Pologne ; l'année suivante, il en étendit l'exigence à l'Angleterre, à l'Allemagne, à la Bohème et aux royaumes scandinaves [6]. L'expérience fut renouvelée, encore en vain, en 1386 pour la seule Angleterre [7]. Puis on ne parla plus de vingtième : pour l'Allemagne, on en vint à la décime, elle-même rapidement abandonnée [8] ; pour l'Angleterre et les pays scandinaves, on renonça à toute imposition de quotité. Non moins limité dans son revenu était le denier de Saint-Pierre levé en Poméranie et dans le diocèse de Chelmno ; lorsque l'évêque de Chelmno, collecteur, versa en 1393 toute sa recette, il remit 400 florins à la Chambre apostolique [9].

1. 13 et 23 juillet 1380 ; *Reg. Vat.* 310, fol. 53 vo et 57 vo-58 ro.
2. *Reg. Vat.* 313, fol. 247 ; A. THEINER, *Codex...*, III, no 9.
3. DELARUELLE, LABANDE et OURLIAC, *op. cit.*, p. 68, note 5.
4. *Ibid.*, p. 67-68.
5. 19 juin 1407 ; *Reg. Vat.* 336, fol. 21-22.
6. *Reg. Vat.* 310, fol. 245-246 et 329 ro ; *Arm.* XXXIII, 12, fol. 64 ro-65 ro.
7. *Arm.* XXXIII, 12, fol. 85 ro-88 ro et 93 ; W. LUNT, *Financial relations...*, II, p. 114-116.
8. Voir ci-dessus, p. 212.
9. *Reg. Vat.* 314, fol. 127 ro ; *Arm.* XXXIII, 12, fol. 186 vo-187 vo.

Rome ne pouvait donc attendre un redressement financier des moyens ordinaires de la fiscalité telle que Grégoire XI l'avait transmise à ses deux successeurs. Mais le pape romain disposait d'un moyen extraordinaire qui pouvait à la fois contribuer à son prestige et approvisionner son trésor. Ce moyen, grâce auquel la fiscalité pontificale allait atteindre les laïcs eux-mêmes, c'était Rome

Dans le désordre de la division de l'Eglise, le prestige de la tombe des Apôtres était intact. Même pour les fidèles de Clément VII, Rome demeurait la Ville éternelle et il était facile d'utiliser cette dévotion à des fins intéressées. Avançant de dix ans le Jubilé que l'on attendait pour 1400, Urbain VI le fixa à 1390 : il arguait, pour rapprocher ainsi les années saintes, de la brièveté de la vie humaine [1]. C'est à Boniface IX qu'allait revenir le rôle déterminant dans la transformation du Jubilé en opération financière. A peine élu et avant d'ouvrir, le jour de Noël 1389, l'année jubilaire, ce pape prenait en effet des mesures non équivoques. Le 18 novembre, il constituait les Guinigi receveurs des offrandes que les pélerins allaient déposer dans les quatre basiliques majeures, ordre étant donné aux altaristes de ces basiliques de remettre l'intégralité de leur recette [2]. Pour plus de sûreté, d'ailleurs, le pape désignait lui-même l'un de ces altaristes [3], sans doute en remplacement d'un clerc jugé insuffisamment souple [4].

Le Jubilé connut un grand succès. Il vint des fidèles de toutes les contrées de la Chrétienté, même de Pologne, de Silésie et de Prusse [5]. L'offrande étant, avec le pèlerinage lui-même, une condition nécessaire pour gagner l'indulgence jubilaire, on peut être assuré que l'opération financière fut des plus fructueuses.

Le pape songea alors à la prolonger. Dès le début de 1391, il concédait l'indulgence du Jubilé aux fidèles de Flandre : ils pouvaient la gagner sans quitter leur pays, à des conditions qu'un nonce était chargé d'aller fixer sur place ; ce nonce, c'était le trésorier, Guglielmo della Vigna, dont le choix pour cette mission nous paraît particulièrement significatif [6]. Peu après, semblable concession était faite au sujets du roi de Castille empêchés de venir à Rome en 1390 [7] ; cette fois, Boniface IX visait explicitement l'obédience d'Avignon. La manœuvre fut encore plus nette lorsque, le 25 octobre 1391, il autorisa les nonces Francesco Uguccione et Juan Gutierez à concéder l'indulgence jubilaire à tout fidèle des royaumes de Cas-

1. N. PAULUS, Geschichte der Ablasse..., III, p. 181.
2. Reg. Vat. 347, fol. 66.
3. Celui de Sainte-Marie-Majeure ; ibid., fol. 78 v°-79 v°.
4. Nous ne pouvons accepter l'opinion de DELARUELLE, LABANDE et OURLIAC (op. cit. p. 1149) selon laquelle l'essentiel du profit aurait échappé au pape.
5. Reg. Vat. 313, fol. 264 v° ; E. LASLOWSKI, Beiträge..., passim ; I. Origo, Le marchand de Prato, p. 179.
6. Reg. Lat. 13, fol. 269.
7. Reg. Vat. 313, fol. 51 v°-52 v°.

tille, Léon, Aragon et Navarre et de Gascogne qui se convertirait à l'obédience romaine, ceci pendant un an à compter de sa *reductio* [1]. Cependant, les extensions du Jubilé se multipliaient : le 4 avril aux sujets de Galeazzo Visconti [2], le 5 août aux Siciliens [3], le 16 octobre aux Polonais [4]. La Bavière eut son jubilé, de même que la Scandinavie, la Poméranie, la Misnie et les provinces de Cologne et Magdebourg [5].

De telles concessions, on s'en doute, n'étaient pas gratuites. Les fidèles pouvaient gagner l'indulgence pendant un an à compter de la concession [6] en effectuant telles visites et œuvres pieuses [7] que prescrivaient les nonces ou les prêtres commis à cette fin [8], et en faisant une offrande équivalant à la somme qu'ils auraient dépensée s'ils avaient fait le pélerinage de Rome. L'indulgence jubilaire était donc monnayée à haut prix. Les nonces chargés de l'accorder aux Polonais avaient en outre mission d'exiger du clergé un subside [9].

On mit même sur pied des systèmes propres de perception et de transmission. Escomptant le revenu du jubilé concédé aux Gascons, la Chambre fit cautionner par Pierre du Bosc les sommes que Francesco Uguccione allait recevoir en échange de l'indulgence et qu'il devait remettre à Raoul Favier et Pierre de *Ramasforti*, procureurs de Pierre du Bosc, chargé de la transmission à la Trésorerie romaine [10]. En Allemagne, on adopta la solution la plus simple en envoyant comme « nonce » le changeur de la Chambre Bartolomeo Turchi [11] Cependant que Giovanni di Ser Gherardo était envoyé en Scandinavie [12].

En certains cas, la Chambre accepta de partager la recette. En Bavière, par exemple, la moitié des offrandes fut affectée à la réparation de diverses églises, l'autre moitié étant destinée aux fabriques des basiliques romaines, donc, en fait, au pape [13]. Les receveurs pris dans le clergé local en profitèrent pour tout garder,

1. *Ibid.*, fol. 229 v°-231 r°.
2. *Reg. Lat.* 13, fol. 281 r°-282 r°.
3. *Reg. Vat.* 313, fol. 161 r°-162 r°.
4. *Ibid.*, fol. 185 v°-186 r°.
5. *Reg. Vat.* 314, fol. 128, 225, 227 r°, 236 v°-239 r°, 393 r°-395 r° ; M. JANSEN, *Papst Bonifatius IX*, p. 145-162.
6. Le délai n'était que d'un mois, à compter de la Trinité 1392, pour la Scandinavie, mais il fut impossible d'organiser le Jubilé en si peu de temps et l'on dut prendre sur place l'initiative de le proroger, ce que le pape approuva ; *Reg. Vat.* 314, fol. 391 r°-393 r°.
7. Pour Magdebourg, les visites étaient précisées par le pape : la cathédrale et trois églises de la ville, qui devaient être visitées quotidiennement pendant sept jours par les gens de la province, et quinze par les habitants de Magdebourg. Des œuvres pieuses pouvaient remplacer les visites en cas d'empêchement majeur.
8. Les nonces en Pologne devaient choisir quarante prêtres pour cela.
9. *Reg. Vat.* 313, fol. 187 et 196.
10. 6 septembre 1391 ; *Reg. Vat.* 313, fol. 179 v°-180 r°.
11. *Reg. Vat.* 314, fol. 225 et 385 v°.
12. *Ibid.*, fol. 393 r°-395 r°.
13. 14-15 janvier 1393 ; *ibid.*, fol. 55 v°-57 v° et 65 v°-66 r°.

et il fallut tout exiger pour tenter de récupérer la part du pape.
Soutenus par les évêques de Freising et d'Augsbourg, les receveurs refusèrent d'obtempérer et Boniface IX dut accepter de
composer [1]. Nous ignorons ce que la Trésorerie gagna dans cette
opération. Le produit du Jubilé étendu hors de Rome ne fut certainement pas égal à celui des pèlerinages de 1390. Il apparaît
cependant que le mouvement d'argent né de l'indulgence ne fut pas
négligeable. Pour la seule ville de Milan, dont nombre d'habitants
avaient dû gagner à Rome l'indulgence de 1390 et n'étaient donc
pas soucieux de renouveler la dépense, le collecteur reçut en 1391
2 000 florins [2]. Dans le diocèse de Trente, la recette atteignit au
moins 444 florins [3].

A mesure que l'on s'éloignait de l'Année sainte, l'intérêt financier
du Jubilé diminuait. Le 4 août 1395, Boniface IX concéda encore
l'indulgence, pour trois mois, au diocèse de Constance ; il était
bien précisé que devaient être envoyées à Rome, non seulement la
moitié des offrandes équivalentes aux frais de voyage et des offrandes destinées aux basiliques romaines [4], mais aussi celles que les
fidèles déposeraient sur les autels des églises effectivement visitées [5].
Une telle concession était évidemment d'un intérêt limité pour la
Chambre apostolique. Puis on essaya de colmater quelques brèches
dans le système de perception. En 1398, le pape éleva des revendications sur les offrandes que les fidèles de la province de Magdebourg
avaient faites en dehors de l'année jubilaire concédée (1er sept. 1390-
31 août 1391) et dans des églises autres que celles indiquées : le
clergé s'en était approprié la moitié, comme il était autorisé à le
faire pour les offrandes effectuées aux dates et lieux voulus [6]. La
mauvaise foi du clergé local n'avait d'égale que celle de la Chambre
apostolique. On s'en prit ensuite au vicaire de l'évêque de Kammin
et au prévôt de Stettin, présumés coupables de détournement [7]. Le
Jubilé avait cessé d'être rémunérateur, et l'on devait se contenter
de glanes.

C'est alors qu'un réflexe populaire vint au secours de la Chambre
apostolique. Voyant approcher l'année séculaire 1400, les gens ne
pouvaient imaginer qu'elle ne fût pas, comme 1300 et 1350, une
Année sainte. Nombreux furent ceux qui, surtout parmi les fidèles
de l'obédience avignonnaise dont la grande masse n'avait pas
bénéficié du Jubilé anticipé de 1390 [8], se mirent en marche vers

1. 17-19 juillet 1393 ; *ibid.*, fol. 127 ro-129 ro.
2. *Reg. Vat.* 313, fol. 241 ro.
3. *Ibid.*, fol. 371 vo.
4. L'autre moitié était affectée à la reconstruction d'un monastère détruit.
5. *Reg. Vat.* 314, fol. 374-375.
6. *Reg. Vat.* 315, fol. 347 vo-349 vo.
7. *Ibid.*, fol. 336 vo-340 vo.
8. Dietrich von Niehem attribue aux Français l'initiative du mouvement ; *De
Scismate...*, éd. Erler, p. 170.

Rome pour y gagner une indulgence qui leur paraissait due. En Aragon, on vit les moines de Poblet demander au roi l'autorisation de se rendre à Rome [1]. Les Français vinrent d'autant plus volontiers que l'on était alors en pleine soustraction d'obédience. L'ampleur de la réaction de Charles VI suffit à prouver celle du mouvement : le prévôt de Paris, les baillis et les sénéchaux furent chargés de contraindre les pèlerins à rebrousser chemin et à rentrer chez eux, en jetant au besoin en prison les récalcitrants, et de saisir le temporel des clercs qui prendraient la route de Rome [2]. Ce fut en vain : l'attrait de la tombe des Apôtres était le plus fort [3].

Boniface IX n'osa pas proclamer un nouveau jubilé dix ans après celui de 1390 ; il accepta celui que s'était fixé la piété populaire. Surtout, il s'employa à en tirer profit. Dès le 15 mars 1400, il réservait à la Chambre apostolique la moitié des offrandes que feraient les pèlerins dans les basiliques Saint-Pierre, Saint-Jean-de-Latran, Sainte-Marie-Majeure et Saint Laurent-hors-les-Murs [4]. Deux semaines plus tard, il étendait la réserve au *Sancta Sanctorum*, à Sainte-Marie au Trastevere et à l'église du Panthéon [5]. Dès le mois de juin, il pouvait assigner sur ces offrandes le remboursement d'importantes avances faites par des marchands florentins : 6 000 florins à Niccolò Aldobrandini et Doffo Spina, 2 000 à Palliano Falchi et Corso de' Ricci [6].

On chercha ensuite à étendre le pseudo-jubilé de 1400 comme on avait étendu le Jubilé de 1390. L'indulgence plénière devint moyen de rémunération : le 26 juillet, Boniface IX l'accordait à ceux qui, de l'Apennin à Rome, aideraient à l'abattage, au transport et au sciage des bois nécessaires aux travaux de Saint-Paul-hors-les-Murs [7]. Dans le même temps, l'indulgence était concédée aux Bavarois contre une offrande équivalant aux frais de voyage et à l'offrande des pèlerins, à partager par moité entre une église locale et les basiliques romaines, c'est-à-dire le pape [8].

Il semble, cependant, que l'on s'en soit tenu là. Il faut attendre 1407 pour trouver une nouvelle concession locale ; encore n'y est-il pas fait expressément mention du Jubilé. Le 1er juin 1407, en effet, Grégoire XII sollicitait de Henri IV de Lancastre et du clergé anglais un subside caritatif et, afin de mettre également à contribution les laïcs, donnait aux archevêques de Cantorbéry et d'York le

---

1. J. VIELLIARD, *Pèlerins d'Espagne...*, dans les *Homenatge Rubio y Lluch. II.*
2. Mandement du 27 février 1400 ; *Ordonnances...*, VIII, p. 363-364.
3. N. VALOIS, *La France et le Grand Schisme...*, III, pp. 321-322 ; JUVÉNAL DES URSINS, *Hist. de Charles VI*, éd. Godefroy, p. 142 et 599.
4. *Reg. Vat.* 316, fol. 341 vo-342 ro. — Le 11 mars, il avait fait une exception en faveur de Saint-Paul-hors-les-Murs où des réparations étaient nécessaires ; *Reg. Vat.* 316, fol. 342 vo ; 317, fol. 6-8.
5. *Reg. Vat.* 316, fol. 349 ro-350 ro.
6. *Reg. Vat.* 317, fol. 30.
7. *Ibid.*, fol. 47-48.
8. Avant le 10 juillet 1400 ; *ibid.*, fol. 41-42.

pouvoir de concéder, contre une offrande équivalant aux frais de voyage, l'indulgence des pèlerins de Jérusalem, de Rome ou de Compostelle [1]. Le succès fut sans doute très limité.

C'était là une pratique à laquelle Boniface IX, avant d'étendre le Jubilé hors de Rome, ne s'était pas fait faute de recourir : le 5 décembre 1390, le référendaire Pavone Griffi, nonce en Allemagne et Bohême, recevait le pouvoir de relever de tous vœux de pèlerinage à Jérusalem et Compostelle, contre subside équivalant aux frais de voyage [2]. Semblable concession était faite, à titre individuel, à un chanoine de Prague [3]. Le 1er mars 1391, les nonces Uguccione et Gutierez étaient autorisés à commuer de la sorte les vœux de pèlerinage de deux cents sujets du roi de Castille [4].

La vente d'indulgences, on le voit, ne répugnait pas à la papauté romaine. A vrai dire, dès les origines du Schisme, Urbain VI avait espérer trouver dans les concessions spirituelles le moyen de financer une lutte dans laquelle ses soutiens financiers n'étaient pas à la hauteur de ceux du pape rival, lequel bénéficiait de l'appui français et angevin. Dès 1380, en effet, Urbain VI, envoyait à travers les pays de son obédience des prédicateurs chargés d'exhorter les fidèles à contribuer de leurs deniers à la lutte contre Avignon. Ce n'était pas encore le Jubilé, c'était déjà la Croisade.

L'indulgence plénière des croisés, telle que l'avait définie Urbain II au concile de Clermont, était accordée à tous ceux qui « prendraient la Croix contre l'intrus » ou fourniraient un subside équivalant à un an de service armé. On prêcha la Croisade en Angleterre, en Ecosse, en Irlande, en Flandre, en Gascogne, en Bretagne, en Italie, en Pologne et dans l'Empire [5]. Les prédicateurs devaient recevoir eux-mêmes ces subsides individuels et remettre leur recette aux collecteurs, chargés de la transmission par le canal des Guinigi. En fait, maint prédicateur garda pour lui sa recette, et l'on dut exiger les comptes des coupables, voire saisir leurs biens [6]. Parfois, il fallut interroger les fidèles — ce fut le cas en Ligurie — pour leur faire révéler le montant des offrandes remises par eux à de peu scrupuleux prédicateurs, Raymond de Capoue par exemple [7].

Dans l'intention du pape, la Croisade n'était pas un simple prétexte fiscal. Elle était la réalisation de la *voie de fait*. En mars 1381 l'évêque de Nordwich prêchait effectivement en Angleterre la guerre sainte et organisait les enrôlements pour une campagne continentale. Les troubles sociaux et religieux — c'est l'époque

1. *Reg. Vat.* 336, fol. 22-24.
2. *Reg. Vat.* 347, fol. 132 r°.
3. *Ibid.*, fol. 133 v°-134 r°.
4. *Reg. Vat.* 313, fol. 48 r°.
5. *Reg. Vat.* 310, fol. 21-22, 29-30, 34 v°-37 r°, 58 r°-59r°, 79-80 etc.
6. *Reg. Vat.* 310, fol. 29 r°-30 r°, 34 v°-35 r°, 230 v°-231 r°, 239 v°-240 r°, 254 v°-255 v° ; 313, fol. 331 v°-332 v°.
7. *Reg. Vat.* 310, fol. 58 r°-59 r°.

de Wyclif et des Lollards — retardèrent cette expédition. Mais, en avril 1383, l'armée urbaniste anglaise passait en Flandre. Après quelques victoires, ce fut, en août, l'échec devant Ypres. Les troupes françaises, à qui Clément VII ne marchandait pas les indulgences, repoussèrent la croisade urbaniste jusqu'à la mer [1]. Cette croisade avait cependant un résultat positif : l'abandon d'un premier projet de secours militaire à Louis d'Anjou ; le départ d'Enguerran de Coucy pour l'Italie fut retardé d'un an [2].

Urbain VI s'en prit aussi à la Castille clémentiste. Comme son adversaire, il tira parti de l'ambition politique d'un prince : en 1382, Jean de Gand, duc de Lancastre et prétendant à la couronne de Castille, prit la tête d'une expédition qui se solda par un autre échec [3]. Une nouvelle croisade, en 1386, avorta purement et simplement [4].

C'est encore de croisade que l'on parla en 1385 contre Charles de Durazzo, candidat urbaniste au royaume de Naples mais ingrat, dans la victoire, envers le pape qui l'avait appelé. Là encore, ce fut l'échec [5]. Echec, enfin, que la croisade prêchée en 1387 contre Bernardon de la Salle et ses complices d'Ombrie [6].

Mais la Croisade continua à justifier une prédication et une sollicitation qui tendaient à devenir permanentes. Pour lutter contre les bandes gasconnes et bretonnes, des nonces allèrent en 1390 vendre l'indulgence de la Croisade aux Siciliens [7]. La même mission fut confiée, en 1394, à l'archevêque de Lépante envoyé en Dalmatie, Croatie, Bosnie et Slavonie [8]. La même année, il est vrai, Boniface IX faisait prêcher en Autriche et en Vénétie la croisade contre les Turcs [9] ; mais l'argent reçu par l'archevêque de Lépante ne devait être affecté qu'à la lutte contre les hérétiques et les schismatiques : cela excluait les Turcs de Hongrie [10].

Ceux-ci se faisaient de jour en jour plus menaçants. La défaite chrétienne de Nicopolis, en 1396, mit Urbain VI dans l'impossibilité de continuer, pour sa lutte contre le pape d'Avignon, à se réclamer de la Croisade. Il fit prêcher et collecter des offrandes pour aider Manuel Paléologue ; des nonces parcoururent à cette fin l'Angleterre [11] et l'Allemagne [12]. Le pape s'arrangeait pour que la Croisade ne lui coûtât rien, mais elle avait cessé de lui rapporter. Quatre ans

---

1. Ed. PERROY, *L'Angleterre et le Grand Schisme...*, p. 181-192.
2. N. VALOIS, *op. cit.* II, p. 69.
3. PERROY, *op. cit.* p. 162-178.
4. *Ibid.*, p. 235.
5. DELARUELLE, LABANDE et OURLIAC, *op. cit.*, p. 56.
6. VALOIS, *op. cit.*, II, p. 131.
7. *Reg. Lat.* 13, fol. 279 v°-280 r°.
8. *Reg. Vat.* 314, fol. 259 v°-261 r°.
9. *Ibid.*, fol. 300-304 et 311-312.
10. Une nouvelle prédication pour collecter des fonds destinés à la lutte contre Turcs eut lieu dans la province de Mayence en 1398 ; *Reg. Vat.* 315, fol. 296 r°.
11. *Reg. Vat.* 316, fol. 216 et 234.
12. *Reg. Vat.* 315, fol. 296 r° ; 316, fol. 300 v°-306 r°.

après Nicopolis, le pseudo-jubilé de 1400 prenait financièrement la
relève ; elle fut de courte durée, et l'on comprend qu'à son lit de mort
Boniface IX n'ait eu de préoccupation plus angoissante que le vide
du trésor. A travers vingt ans d'une lutte dispendieuse, la vente des
indulgences — rachats de Croisade, offrandes de pèlerins ou
rachats de pèlerinages — avait constitué pour les finances romaines
un subtantiel appoint. Sous l'une et l'autre de ses formes, elle
cessait après 1400.

On pouvait aussi vendre des privilèges. Les collecteurs furent
chargés de vérifier ceux qu'avaient obtenu dans le passé les établissements ecclésiastiques et d'établir la liste des redevances et cens dus
pour ces privilèges, cela afin d'en poursuivre le recouvrement [1].
Pour la plupart, les collecteurs n'étaient point hommes à montrer
tant de zèle.

Une ressource plus appréciable fut procurée par la vente aux
marchands italiens des licences de commerce pour le trafic avec
l'Islam. Dès le 16 février 1382, Urbain VI, donnait pouvoir à un
légat d'autoriser l'envoi de marchandises — sauf armes, fers et
pièces de bois — dans les limites que fixaient deux bulles dont l'utilisation était sans doute laissée au choix du légat : l'une à concurrence de 80 000 florins de valeur globale, l'autre à concurrence de
dix navires [2]. Boniface IX usa largement de telles licences : il en fit
accorder, jusqu'à 100 000 florins, en Toscane en 1391 [3] ; le collecteur
de Portugal fut chargé, le 6 février 1392, d'autoriser l'envoi de dix
navires et d'absoudre, contre composition pécuniaire, ceux qui
auraient « visité le Saint-Sépulcre » sans autorisation ou exporté
vers Alexandrie et les autres ports de l'Islam des denrées interdites
par les constitutions : armes, fer et bois [4]. De même, le 19 août 1393,
voit-on absoudre le Génois Luciano Squarzafico qui avait envoyé un
navire de Lisbonne à Alexandrie sans autorisation [5]. Deux jours plus
tard, le collecteur de Gênes recevait le pouvoir d'absoudre en de tels
cas pendant un an, à condition qui lui fût versée par les fautifs une
somme équivalant au gain réalisé [6]. On ne saurait être plus explicite.

La concession de licences et l'absolution des contrevenants
allèrent dorénavant de pair, ce qui prouve que les deux mesures
avaient bien la même portée financière. La fraude devait être intense
si l'on en juge par les chiffres-limites : douze licences et cent absolutions accordées pour la Marche d'Ancône le 6 avril 1394 [7]. Même

1. Lettre à Viviano da Sanseverino, du 20 juin 1380 ; *Reg. Vat.* 310, fol. 86.
2. *Reg. Vat.* 310, fol. 214 vº-215 vº.
3. *Reg. Vat.* 313, fol. 199 vº.
4. *Ibid.*, fol. 283 vº-285 rº.
5. *Reg. Vat.* 314, fol. 144 vº-145 rº.
6. *Reg. Vat.* 314, fol. 136. — Même chose en mai 1396 ; *Reg. Vat.* 315, fol. 56.
7. *Reg. Vat.* 314, fol. 215 vº-216 rº.

si l'on tient compte du fait que plusieurs associés pouvaient se trouver fautifs pour un seul navire, il apparaît que la masse des fraudes n'était pas inférieure à celle du trafic licite.

Le Saint-Siège ne pouvait autoriser ce trafic alors que la Croisade était prêchée contre l'Infidèle. De 1395 à 1403, il ne fut pas question de licences de commerce. Mais, sitôt la situation militaire passagèrement calmée, les concessions reprirent : douze navires de la Marche d'Ancône et douze de Hongrie — c'est-à-dire de la côte illyrienne — en 1403 [1], dix de Lombardie, Ligurie et Vénétie en 1405 [2].

Que rapportait une telle pratique ? En cas d'infraction, on l'a vu, l'amende équivalait au gain sur l'exportation ; l'importation, en effet, ne semble pas avoir été visée par les mesures pontificales. On peut donc estimer la pénalisation à la moitié, environ, du bénéfice net réalisé par le marchand à l'occasion d'un voyage. Les voyages licites devaient être moins lourdement frappés, et il était facile aux marchands de négocier. Pour une large part, nous croyons que ceux-ci ne payaient pas les licences en argent mais en services. Le trafic avec l'Orient musulman, c'était l'affaire de grandes sociétés, souvent en relations avec la Chambre apostolique. Les livres des Bardi et Medici font apparaître l'ampleur de leur trafic avec Alexandrie [3]. Ils étaient donc parmi les bénéficiaires des licences pontificales, et nous pouvons penser qu'ils trouvaient là l'intérêt de leurs prêts et le loyer de leurs services.

Les expédients que nous venons d'envisager pourraient être qualifiés d'expédients spirituels. Ils étaient, tous, fondés sur le désir des fidèles d'obtenir une indulgence ou d'éviter l'excommunication. Mais le pape romain avait également recours à des expédients que lui procurait son temporel. Les états de l'Eglise faisaient de lui un prince temporel et un propriétaire. Les états pontificaux en Italie étaient sans commune mesure avec le Comtat venaissin et Avignon : le pape romain allait trouver là quelques compensations aux déficiences de sa fiscalité ecclésiastique.

Il avait, tout d'abord, la possibilité d'imposer les laïcs. On a vu que, devant l'insuffisance des revenus domaniaux, le pape disposait de revenus extraordinaires : tailles, subsides et gabelles. La ville de Rome — clercs et laïcs — fut à cet égard l'objet d'un traitement spécial. Les subsides n'épargnèrent point le clergé romain [4], cependant que le peuple représenté par les conservateurs, était fréquemment mis à contribution pour assumer une part des

1. *Reg. Vat.* 320, fol. 101 v⁰ et 150.
2. *Reg. Vat.* 333, fol. 351 v⁰.
3. Not. : *Arch. Stato,* Florence, *Arch. Med. av. Princ., filza* LXXXIII, n⁰ 2, et *filza* LXXXIV, n⁰ 106, fol. 198.
4. 3 000 florins en 1380 et en 1392, 5 000 en 1393 et en 1394 ; *Reg. Vat.* 310, fol. 6, 25 et 32 v⁰-33 r⁰ ; 313, fol. 315 et 392 r⁰ ; 314, fol. 104-105 et 263 v⁰-264 r⁰.

dépenses militaires dont le pape pouvait arguer qu'elles intéressaient la sécurité des Romains autant que celle du Saint-Siège. Nous avons dit, cependant, quelles limites chronologiques fort restreintes l'on peut assigner à la fidélité, donc à la contribution, des Romains.

C'est au temps de Boniface IX que cette contribution de Rome fut la plus importante. Ainsi, le 5 mars 1392, les « conservateurs de la Chambre de Rome [1] exerçant l'office du Sénat et administrateurs de la guerre » et les chefs des « régions » de la ville concluaient, à côté du cardinal Bulcano, camérier du pape, un traité avec le comte Bertoldo Orsini en vue de faire la guerre à Giovanni di Sciarra di Vico et aux Bretons qui ravageaient le Patrimoine. Les charges étaient partagées également entre le pape et les Romains : ces derniers devaient procurer et solder [2] cinquante des cent lances fournies au comte, et solder pour moitié les cinq cents lances et deux cents servants — dont cent cinquante arbalétriers — que celui-ci devait amener avec lui. Ils s'engageaient en outre à fournir aux troupes les vivres nécessaires et à assumer la moitié des dépenses extraordinaires. La solde du comte était mise pour trois mois — ou plus, si les foins n'étaient pas rentrés — à la charge des seuls Romains, le pape ne devant la prendre à son compte qu'au delà du 15 juin ou de la fenaison [3].

L'année suivante, aux termes d'un accord intervenu entre Boniface IX et les Romains, ceux-ci s'engageaient à prêter au pape 10 000 florins et à armer à leurs frais une galée pour assurer la protection de l'embouchure du Tibre [4]. En 1401, nous trouvons encore la ville de Rome concernée par un traité entre le pape et Giovanni Colonna [5].

Hormis ce qu'il tirait des collectivités laïques, le pape romain, seigneur temporel, s'en prenait aux individus. Sur les morts, il confisquait sous le moindre prétexte tout ou partie de bien des successions. Certes, il y avait des donations en faveur de l'Eglise : biens meubles d'un habitant de Cortone [6], leg en espèces d'un Romain originaire de Parme [7], terres d'un damoiseau romain [8], par exemple. Mais c'est à de véritables détournements que se livrait plus fréquemment le pape. Bien sûr, la pieuse affectation demeurait lorsque, le 1er mai 1400, Boniface IX affectait à la réparation de Saint-Paul-hors-les-Murs tous les legs faits en réparation d'usure [9], puis, le 27 octobre, tous les legs pieux compris

1. Il s'agit de la Chambre de la ville, non de la Chambre apostolique.
2. La solde était de 8 florins par lance et par mois.
3. *Arch. Stato*, Florence, *Arch. Capponi, fondo Orsini, perg.* n⁰ 29.
4. 8 août 1393 ; *Reg. Vat.* 314, fol. 146 v⁰-147 r⁰.
5. 17 janvier 1401 ; *Reg. Vat.* 317, fol. 127 r⁰-134 r⁰.
6. *Reg. Vat.* 314, fol. 53 v⁰-54 v⁰.
7. *Reg. Vat.* 316, fol. 63 v⁰-64 r⁰.
8. *Ibid.*, fol. 195.
9. *Reg. Vat.* 317, fol. 6 r⁰-8 r⁰.

dans des successions ouvertes ou à ouvrir avant le 1er mai 1401 dans le district de Rome [1]. Elle demeurait même lorsque, le 26 février 1401, il détournait à la même fin la fondation testamentaire d'un hôpital [2]. On allait, pour rendre efficaces de telles réserves, jusqu'à exiger des notaires romains la présentation des testaments reçus par eux [3]. Mais il faut noter que, pour la réfection de Saint-Paul, la Chambre apostolique abandonnait la part lui revenant normalement de tous les legs pieux, c'est-à-dire le quart.

Les intentions des testateurs étaient au contraire indubitablement trahies lorsqu'une vigne léguée à l'hôpital du Santo Spirito de Rome était dévolue au châtelain de Civita Castellana pour financer la défense de cette cité [4], ou lorsque des legs en argent faits par un Anglais de Rome pour la célébration de messes anniversaires et le rachat de prisonniers pour dettes étaient affectés à la réparation du château Saint-Ange [5]. Celle-ci, qui fut une lourde charge, paraît bien avoir été principalement financée par des expédients. Dietrich von Niehem s'en fait l'écho lorsqu'il rapporte que Boniface « fit refaire à neuf le château Saint-Ange, alors totalement détruit, à grands frais et grâce à l'argent acquis par la simonie » [6]. Plus que de simonie, c'est d'abus de pouvoir que l'on pourrait parler quand on voit des créances, laissées par un marchand de Pérouse mort sans héritier, récupérées au profit de la Chambre apostolique [7]. Le Schisme, enfin, était un bon prétexte à la confiscation de legs pieux : ainsi en alla-t-il, à la mort du patriarche d'Alexandrie Pierre Amiel, des maisons et terres sises à Rome et malencontreusement léguées par lui aux Augustines de Limoux et à d'autres établissements d'obédience avignonnaise [8]. Nous avons montré que le Schisme permettait également d'étendre la notion de bénéfice vacant à toutes les maisons religieuses dépendant de monastères de l'obédience adverse : Saint-Antoine de Viennois ou Roncevaux, par exemple [9].

La division politique de l'Italie procurait d'autre part au pape de nombreuses occasions de confisquer, de leur vivant, les biens de schismatiques. La liste de telles confiscations serait longue. Cette pratique, nous l'avons dit, était également en faveur à Avignon, mais il est évident que les Urbanistes étaient moins nombreux à Avignon et dans le Comtat venaissin que les Clémentistes à travers les provinces de l'état pontifical. Clément VII ne pouvait

1. *Ibid.*, fol. 82 v°-85 r°.
2. *Reg. Vat.* 320, fol. 10 r°-11 r°.
3. *Reg. Vat.* 317, fol. 165 v°-168 v°.
4. 4 juillet 1399 ; *Reg. Vat.* 316, fol. 193.
5. 13 décembre 1398 ; *ibid.*, fol. 66 v°-67 v°.
6. *De Schismate...*, éd. ERLER, p. 142.
7. 24 septembre 1407 ; *Reg. Vat.* 336, fol. 140 r°.
8. 7 juin 1401 ; *Reg. Vat.* 317, fol. 223 v°-224 v°.
9. Voir ci-dessus, p. 329-333.

prétendre en fait aux biens d'un Urbaniste de Lyon ou de Paris, alors qu'Urbain VI et ses successeurs le pouvaient à Florence et à Bologne. Ils le tentèrent même pour les bénéfices de clercs fidèles à Clément VII en Irlande, en Flandre, en Allemagne, en Corse et en Sardaigne [1], mais ce sont les mesures visant l'Italie qui furent les plus efficaces. Là seulement, le pape romain pouvait atteindre les laïcs en même temps que les clercs [2].

Citons, pour les clercs, en 1381, les créances de l'archevêque de Candie passé à Clément VII [3] et les biens de l'évêque de Bologne Bernardo Buonavalle [4], en 1398 les maisons que possédait à Rome l'évêque de Ségovie [5], et en 1408 les biens du cardinal rebelle Jean Gilles [6]. Les laïcs privés de leurs biens en raison de leur adhésion au pape d'Avignon ou à un complot politique contre le pape de Rome sont évidemment plus nombreux : ainsi, à Rome même, les immeubles de Bello [7] et Onorato Caetani [8] et de leurs fidèles [9] et ceux des Romains qui, tels Lodovico de' Capocini, soutinrent la cause du roi Ladislas [10], à Bénévent les immeubles de Calogini Mascambroni [11] et, non loin de la ville, la tour de Villafranca occupée par Pietro di Gregorio [12] ; à Sant' Angelo, près de Rimini, ce furent les biens de Paolo di Mucciolo de' Balacchi [13], dans la région de Fermo ceux de Firmano Angelelli [14], dans la terre de Piperno — près de Terracine — ceux d'un autre complice d'Onorato Caetani, Duccio Cecchi [15], et à Ferentino ceux de Lamberto da Anisio [16]. La recherche de biens susceptibles de confiscation fut poussée à l'extrême dans le duché de Spolète ; le recteur y avait commission permanente de faire vendre les biens des rebelles [17] et le trésorier de la province percevait les revenus et vendait meubles et immeubles [18]. Ceci, d'ailleurs, n'alimentait pas toujours la Trésorerie pontificale : nombre de terres et de maisons étaient données, par-

1. *Reg. Vat.* 310, fol. 3 v⁰-4 r⁰, 64 r⁰-65 r⁰ et 71 v⁰-74 r⁰ ; *Arm.* XXXIII, 12, fol. 28 et 42-43.
2. On tenta aussi d'atteindre les biens des laïcs clémentistes en Flandre ; bulle du 6 février 1391 à Guglielmo della *Vigna*; *Reg. Vat.* 313, fol. 30 v⁰-31 v⁰. — Voir J. PAQUET, *Le Schisme d'Occident à Louvain, Bruxelles et Anvers*, dans la *Rev. d'Hist. eccl.*, LIX, 1964, p. 420-423.
3. *Reg. Vat.* 310, fol. 89 v⁰-90 r⁰.
4. *Ibid.*, fol. 102.
5. *Reg. Vat.* 316, fol. 50 v⁰-52 r⁰.
6. *Reg. Vat.* 336, fol. 233 v⁰.
7. *Reg. Vat.* 310, fol. 87 v⁰-88 r⁰.
8. *Reg. Vat.* 316, fol. 189.
9. *Ibid.*, fol. 192 r⁰-193 r⁰.
10. *Reg. Vat.* 334, fol. 184 v⁰-186 r⁰.
11. *Reg. Vat.* 310, fol. 76 v⁰-77 r⁰.
12. *Reg. Vat.* 317, fol. 89 v⁰-90 r⁰.
13. *Ibid.*, fol. 304 v⁰-305 v⁰.
14. *Reg. Vat.* 313, fol. 68 v⁰-69 r⁰.
15. *Reg. Vat.* 316, fol. 348 v⁰-349 r⁰.
16. *Reg. Vat.* 310, fol. 108 v⁰-109 r⁰.
17. *Reg. Vat.* 313, fol. 81 v⁰.
18. *Reg. Vat.* 315, fol. 17 v⁰-18 r⁰.

fois même aux propres ayants-droit du coupable [1], cependant que d'autres étaient vendues pour payer les dépenses locales et en particulier l'entretien des fortifications et des châteaux [2].

La moindre rebellion, même suivie de repentir, était prétexte à imposition : les traités avec les cités comportaient une indemnité, les absolutions accordées aux particuliers ne venaient qu'après composition pécuniaire [3].

Recettes illusoires que celles dont nous venons de parler, d'ailleurs, car les sommes obtenues par la vente des biens confisqués — lorsqu'ils n'étaient pas donnés — étaient loin de valoir ce que coûtait la lutte contre les mêmes rebelles. Entre les difficultés suscitées par Onorato Caetani et le produit de la vente de ses maisons, la différence ne pouvait être qu'au passif de la Chambre apostolique.

La papauté romaine apparaît au contraire avantagée lorsque l'on considère les profits de la justice purement seigneuriale et laïque. Les justiciables d'Urbain VI étaient plus nombreux que ceux de Clément VII, les amendes d'un volume notablement plus considérable et les confiscations plus fréquentes [4] : biens de condamnés à mort [5], maisons et terres d'un suicidé [6], possessions des fidéjusseurs d'un défaillant [7].

Particulièrement fructueuse était aussi la procédure contre les usuriers, fondée sur la volonté de bien des marchands de décharger leur conscience en restituant — après leur décès — les sommes « mal acquises ». Les victimes demeurant le plus souvent introuvables, la Chambre romaine, comme l'avignonnaise [8], se substituait à elles, ce qui laissait à l'usurier un profit spirituel réputé identique. Mais il était naturellement des héritiers pour se prêter de mauvaise grâce à l'accomplissement de telles volontés testamentaires, « ne sachant à qui les sommes étaient dues ». Les nonces et les collecteurs devaient donc rechercher ces « biens mal acquis » et en assurer la dévolution à la Chambre apostolique, parfois après une composition avec les héritiers [9]. Deux fois, au moins, ces restitutions furent affectées à la croisade contre les Turcs : à Mayence et en Autriche [10]. En Castille et Léon, où le succès de l'opération ne pouvait être que limité, Boniface IX invoqua la nécessité d'œu-

---

1. Ainsi les biens de Guido da Polenta donnés à ses fils le 12 mai 1391 ; *Reg. Vat.* 313, fol. 98.
2. *Reg. Vat.* 313, fol. 123 ; 315, fol. 323.
3. *Reg. Vat.* 310, fol. 105 v°-106 r°.
4. Sur les confiscations prononcées par les papes avignonnais, voir ci-dessus, p. 588-589.
5. *Reg. Vat.* 347, fol. 29 r°-30 r°.
6. *Reg. Vat.* 317, fol. 283.
7. *Reg. Vat.* 313, fol. 91 r°.
8. Voir ci-dessus, p. 556.
9. *Reg. Vat.* 310, fol. 108 r° ; 313, fol. 49 et 186 v° ; 314, fol. 287 r°.
10. *Reg. Vat.* 314, fol. 303 v°-304 r° ; 315, fol. 296.

vrer — à grands frais — à l'unité de l'Eglise [1]. Ailleurs, c'est-à-dire en Italie, il ne se donna pas la peine de justifier une telle revendication.

D'autres cas pourraient être cités, où la Chambre apostolique fournit le moyen de racheter des fautes. Nous ne citerons qu'un exemple, fort curieux, et dans lequel, paradoxalement, la Trésorerie ne perçut rien. Giovanni di Jacopo de' Orlandini da Marcialla, citoyen de Florence, avait été le procureur de gens d'armes au service de Florence. Il se mettait d'accord avec les changeurs quant au prix des pièces qu'il devait changer pour la solde ; il obtenait de ses clients une part du fruit de leurs larcins [2], notamment du bétail et des chevaux ; bref, il réalisa une petite fortune. C'est tardivement que le doute le toucha quant à la légitimité de cette fortune. Il demanda alors son absolution au pape. Sans doute Boniface IX attendait-il de lui quelque service : il lui fit remise et « donation » de tous ses biens, pourvu qu'ils ne fussent l'objet d'aucune réclamation de la part de ceux qui les lui avaient donnés ; cette remise était faite « dans la mesure où étaient concernés l'intérêt public et la Chambre apostolique ». Que la Chambre ait eu des droits sur la fortune d'un homme d'affaires peu scrupuleux, voilà qui paraît indéniable [3].

Les états de l'Eglise, et tout spécialement le domaine pontifical, avaient un autre rôle, que la fiscalité ecclésiastique ne pouvait à elle seule remplir : cautionner le crédit du pape romain. Bien des châteaux furent donnés en gage à des capitaines pour le paiement de leur solde. La pratique était la même qu'à Avignon, mais un temporel plus vaste augmentait les possibilités du pape romain [4]. C'était évidemment remettre la sécurité du pape entre les mains de ses créanciers ; un tel abandon était lourd de conséquences politiques : même temporaire, il peut être interprété comme l'indice d'une crise grave. Nul ne s'étonnera donc que les engagements du temporel se soient multipliés à partir de 1403, alors que, nous le verrons plus loin, la charge militaire s'était accrue dans des proportions considérables.

Ces engagements immobiliers, nous les avons déjà cités. Il nous faut revenir sur l'usage que faisait le pape de ses gages domaniaux, car l'évolution n'en est pas sans intérêt.

Dès 1394, Boniface IX cherchait à engager Bertinoro et son district à Pino et Cecco degli Ordelaffi pour 20 000 florins [5], puis à Carlo di Malatesta pour 22 000 florins [6]. Quelques semaines plus

---

1. *Reg. Vat.* 313, fol. 49.
2. *De eorum lucris et predis more gentium armorum per eas factis...* ».
3. 8 février 1401 ; *Reg. Vat.* 317, fol. 155.
4. Voir ci-dessus, p. 552-554.
5. 15 mai 1394 ; *Reg. Vat.* 314, fol. 256.
6. 28 juin 1394 ; *ibid.*, fol. 283.

tard, il livrait aux Florentins Castrocaro et son territoire en gage
d'un prêt de 20 000 florins [1], sans doute après le refus des Ordelaffi et de Malatesta. Vers la même époque, il engageait *Perticaria*
(dioc. de Narni) à des gens d'armes dont il ne pouvait payer la
solde. Le risque était grand que ceux-ci ne cédassent le gage à qui
leur avancerait la somme ; aussi, le 19 décembre 1394, le pape
chargeait-il Gianpaolo Tomacelli d'emprunter l'argent nécessaire
de la commune de Terni et de récupérer le château pour le remettre
aux gens de Terni dont la fidélité paraissait plus sûre [2]. Boniface IX
avait déjà le sentiment que cette pratique risquait de le déposséder.
Le 23 mars 1397, il révoqua toutes donations et aliénations faites
au détriment de l'état pontifical [3]. C'était là surestimer ses ressources
En 1399, il fallut engager Civita Castellana, mais, cette fois, le
créancier était un homme sûr : Andrea Tomacelli [4]. C'est, de même,
à Giovanello Tomacelli que l'on engagea Terracine en juin 1403 ;
encore le créancier avait-il la charge d'assumer la garde, la défense
et les réparations de la citadelle [5].

Mais voici qu'en 1405 la Chambre apostolique, ne pouvant plus
faire face à ses dépenses militaires, se trouva dans l'obligation
d'engager une notable partie du temporel. Cannara fut remis à
Ceccolino de' Michelotti pour ses gages et ceux de ses quatre cents
lances [6], Civita Castellana — récemment dégagée grâce aux
Medici — et Terni à Andrea Tomacelli pour un prêt de 5 000 florins [7], cependant que la mitre du pape était livrée à Giovanni de'
Medici [8]. C'est alors que Giovanni da Mantova, collecteur de
Lombardie, fut chargé d'inventorier à travers tout l'état pontifical les meubles renfermés dans les châteaux du pape [9] ; sans doute
s'agissait-il de préparer d'éventuels engagements contre des avances
sur la décime que le même collecteur devait imposer [10].

Le mouvement ne fit ensuite que s'amplifier. Le 6 février 1406,
Brindisi et la terre de Baroli, alors dans la main du pape, étaient
hypothéquées à Raimondo del Balzo Orsini [11]. Le 26 avril, Ostie
l'était aux fils de Paolo di Goccio Capodiferro [12]. En août, Civitanova
fut engagée à Berardo da Varano [13] et une autre terre au podestat

---

1. 6 et 7 août 1394 ; *ibid.*, fol. 274 vᵒ-275 rᵒ et 288 rᵒ. — Sur l'importance de cet engagement du point de vue politique, voir M. DE BOÜARD, *La France et l'Italie...*, p. 157-158.
2. *Reg. Vat.* 314, fol. 318 vᵒ-320 rᵒ.
3. *Reg. Vat.* 315, fol. 194 vᵒ.
4. *Reg. Vat.* 316, fol. 76 et 148 rᵒ-150 rᵒ.
5. *Reg. Vat.* 320, fol. 118 vᵒ-119 vᵒ et 123 vᵒ-124 rᵒ.
6. *Reg. Vat.* 334, fol. 224 vᵒ-225 vᵒ.
7. *Reg. Vat.* 333, fol. 378.
8. Voir ci-dessus, p. 550-552.
9. *Reg. Vat.* 333, fol. 261 vᵒ-262 rᵒ.
10. *Arm.* XXXIII, 12, fol. 248.
11. *Reg. Vat.* 334, fol. 228 vᵒ-229 rᵒ.
12. *Ibid.*, fol. 90 rᵒ-91 rᵒ.
13. *Ibid.*, fol. 242 rᵒ-245 rᵒ.

de Mantoue, Francesco de Gonzague [1]. En septembre, c'était Piri que l'on devait engager à Onofrio di Cola Sineducci da Sanseverino [2].

De telles garanties commençaient à sembler insuffisantes aux créanciers. Le pape, lui, faute de pouvoir dégager terres et châteaux, n'était plus maître chez lui. Les débuts du pontificat de Grégoire XII furent donc marqués par une nouvelle pratique : assignations en remboursement et gages mobiliers, et non plus engagements du temporel immobilier. Les revenus de la terre de Corneto furent assignés, le 22 février 1407, à la commune de Corneto en remboursement de 3 000 florins, valeur d'un prêt de 1 000 muids de froment [3], puis, le 10 juillet 1408, aux neveux du pape, Marco et Paolo Correr, en rémunération de leur service militaire [4]. Pour se procurer la solde de Paolo Orsini et l'argent dû à Niccolò Ricci, le camérier Leonardo de' Fisici engagea de nouveau, le 17 février 1407, la mitre du pape. Dans le même temps, il remit à divers Florentins des gages mobiliers [5] et fit vendre quelques livres de la bibliothèque du pape [6].

Mais la disette financière était telle qu'il fallut revenir aux engagements immobiliers. Le 8 juin 1407, Grégoire XII donnait à tous les cardinaux le pouvoir d'engager n'importe quel bien immobilier de l'Eglise — sauf dans la Marche d'Ancône — pour se procurer l'argent nécessaire à l'exécution de l'accord de Marseille, c'est-à-dire pour préparer le voyage à Savone [7]. Le 21 août, devant la nécessité de solder des gens d'armes, il fallut imposer un subside dans le Patrimoine en Tuscie et s'en faire escompter 8 000 florins en engageant une terre de la province [8].

On voit quel large usage le pape romain faisait de son temporel italien. Par rapport à son adversaire, l'avantage était considérable. La possession de Rome et des états pontificaux ouvrait donc au pape romain le recours à des expédients inconcevables à Avignon. Mais on ne s'en tint pas là. Avec plus de hardiesse qu'à Avignon [9], la Chambre apostolique romaine usa du temporel des églises, le plus souvent vacantes, parfois non vacantes. Nous avons dit combien la réserve des vacants avait été peu fructueuse, même dans les diocèses de l'Italie centrale. Il reste à montrer comment le pape romain, pour exploiter plus complètement le temporel des

---

1. *Ibid.*, fol. 171 r°. — Nous ignorons de quelle terre il s'agissait.
2. *Ibid.*, fol. 253 r°-254 r°.
3. *Reg. Vat.* 335, fol. 60.
4. *Reg. Vat.* 336, fol. 235 v°.
5. *Ibid.*, fol. 81 v°-82 r°.
6. *Reg. Vat.* 335, fol. 112 v° ; *Div. cam.* 2, fol. 15 v°,-17 v°. — Voir ci-dessus, p. 555.
7. *Reg. Vat.* 336, fol. 30 r°-31 r° ; sur les accords de Marseille, voir les *Croniche di Lucca* de Giovanni Sercambi, éd. S. Bongi, III, p. 120 ; voir aussi SUAREZ-FERNANDEZ, *Castilla...*, p. 278.
8. *Reg. Vat.* 336, fol. 110 r°-111 r°.
9. Voir ci-dessus, p. 318-319.

églises, alla jusqu'à favoriser leur dilapidation, voire à les dilapider lui-même.

Spoliation temporaire que l'assignation par Boniface IX, en 1390, d'une pension viagère de 200 florins sur les revenus de l'évêché de Bologne [1]. La Chambre avignonnaise avait réalisé quelques opérations de ce genre. Spoliation avec le consentement du clergé que la vente ou l'engagement de biens par l'hôpital du Santo Spirito de Rome [2] ou par les bénéficiers du royaume de Naples [3] pour payer un subside exigé par le pape. De même l'aliénation de biens de sa mense patriarcale par Giovanni da Mantova, l'ancien collecteur devenu patriarche de Grado, pour payer une dette envers la Chambre apostolique [4].

Spoliation totale, au contraire, que les ventes effectuées aux dépens d'églises vacantes ou sans le consentement des bénéficiers. Le titre cardinalice des Douze-Apôtres était retenu en la main du pape lorsque Boniface IX chargea Corrado Caracciolo de vendre dix pièces de vigne et de terre appartenant à ce titre et sises à La Croce, au nord de la Porta Pinciana [5]. Des bénéficiers, le pape n'avait cure. Dès le 30 mai 1380, alors qu'il venait d'appeler à l'aide Charles de Durazzo [6], Urbain VI posait le principe en donnant aux cardinaux Filippo Ruffini et Poncello Orsini l'ordre d'aliéner, à temps ou à perpétuité, des biens meubles, immeubles et se mouvant [7] appartenant aux églises et monastères, à Rome et hors de Rome, même sans l'accord des prélats, chapitres, couvents et bénéficiers [8].

C'est, là encore, Boniface IX qui usa le plus de telles facilités. À Rome et dans la campagne romaine, il fit vendre la ville de Lanuvio, qui appartenait à Saint-Laurent-hors-les-Murs [9], le tiers du *Casale* Torre di Centio, qui appartenait à Saint-Saba [10], une maison dans la région Campitelli, appartenant à l'hôpital du Santo Spirito [11], le *Casale* Torricella appartenant à Sainte-Sabine [12] et le *Casale* Cartaricola appartenant à Sainte-Pudentienne [13]. On précisait à chaque fois qu'il était inutile de solliciter l'accord des cardinaux titulaires, de l'abbé de Saint-Laurent ou du précepteur du Santo Spirito, voire qu'il était inopportun de les prévenir.

1. 13 avril 1390 ; *Reg. Vat.* 347, fol. 110 v°-111 r°.
2. 3 avril 1392 ; l'hôpital « offrit » au pape 5 000 ducats, prix de la vente de biens sis en Angleterre, dans le comté d'Essex ; *Reg. Vat.* 313, fol. 312 v°-313 r°.
3. 17 août 1406 ; *Reg. Vat.* 334, fol. 245 v°-246 v°.
4. 10 août 1408 ; *Reg. Vat.* 336, fol. 260 v°-261 r°.
5. 29 novembre 1394 ; *Reg. Vat.* 314, fol. 317.
6. M. DE BOÜARD, *op. cit.*, p. 47.
7. C'est-à-dire du bétail.
8. *Reg. Vat.* 310, fol. 34.
9. 7 décembre 1390 ; *Reg. Vat.* 347, fol. 130 v°-131 r°.
10. Au sud de la Porta San Paolo ; 29 septembre 1392 ; *Reg. Vat.* 313, fol. 390 v°-391 r°.
11. 6 novembre 1392 ; *Reg. Vat.* 314, fol. 6 r°.
12. Hors de la Porta Appia ; 19 février 1394 ; *ibid.*, fol. 203 v°-204 r°.
13. Hors de la Porta San Giovanni ; 9 mars 1395 ; *ibid.*, fol. 339 v°-340 r°.

D'autres aliénations, temporaires ou définitives, furent faites sur commission par des cardinaux, par l'abbé de Saint-Paul-hors-les-Murs et par le camérier, aux dépens d'églises romaines dont le choix leur était laissé, pourvu que la somme exigée par la Chambre apostolique fût réunie : 15 000 florins en 1391, 10 000 puis 15 000 en 1392, 6 000 en 1395 [1]. Le pape ne manquait pas, à l'occasion, de montrer d'étonnants scrupules : l'abbé de Saint-Anastase ayant engagé de son propre chef — sinon de sa propre initiative — le *Casale* Utri, Boniface IX enjoignit, le 16 juillet 1392, au cardinal Francesco Carbone de vendre ou engager le *Casale* Dragone, appartenant au même monastère, sans demander l'avis de l'abbé, afin d'en utiliser le prix au dégagement du *Casale* Utri qui devait être rendu à l'abbé [2]. Il est permis de penser que le pape ne trouvait pas son compte au choix des biens aliénés ou à la personne du créancier de l'abbé.

Hors de Rome, les violences faites aux églises furent rares. Pour payer des gens d'armes, le légat à Naples et Giovanello Tomacelli, capitaine général de l'Eglise, furent autorisés, en 1390, à effectuer dans le royaume toutes les aliénations nécessaires [3]. Plus tard, le même Tomacelli fut chargé de vendre ou engager un domaine appartenant au monastère de Saint-Vincent au Volturno [4], et le camérier Marino Bulcano vendit pour 20 000 florins diverses terres des églises Saint-Raynier et Sainte-Trinité de Castellazzo (près d'Alexandrie) et Saint-Pantaléon de Boschi, et du monastère Saint-Bénigne de Gênes [5].

Il faut cependant signaler, hors de l'Italie, une opération de grande envergure : l'affaire de Riga. Cette ville appartenait à l'archevêque de Riga qui, depuis de nombreuses années, soutenait un procès contre les prétentions de l'ordre teutonique. Ce dernier ayant fomenté une révolte, l'archevêque dut quitter précipitamment la ville, que les chevaliers teutoniques occupèrent aussitôt. Saisi par les deux parties, Boniface IX attribua la possession de Riga à l'ordre teutonique, moyennant le paiement à la Chambre apostolique de 15 000 florins dont 5 000 furent payés le 15 mars 1394. Les chanoines furent même évincés de leur chapitre et remplacés par des chevaliers de l'ordre [6].

Rome et les états de l'Eglise ont, en définitive, été sévèrement mis à contribution pour leur propre défense. La guerre fut la principale cause des besoins d'argent du pape romain. Il était légitime, certes, que les cités et les églises défendues assumassent

---

1. *Reg. Vat.* 313, fol. 247, 316 et 394 ; 314, fol. 331 rᵒ.
2. *Reg. Vat.* 313, fol. 338 vᵒ-339 rᵒ.
3. 22 novembre 1390 ; *Reg. Vat.* 347, fol. 128.
4. 9 mars 1392 ; *Reg. Vat.* 313, fol. 292 vᵒ-293 rᵒ.
5. 3 et 27 janvier 1393 ; *Reg. Vat.* 314, fol. 52 et 61 vᵒ-62 rᵒ.
6. Dietrich Von NIEHEM, *De Scismate...*, éd. Erler, p. 150 ; M. JANSEN, *Papst Boni-fatius IX*, p. 194.

la charge de leur propre sécurité. Mais on doit souligner que celle-ci était d'autant plus troublée que le pape était à la fois contesté comme pontife et comme seigneur temporel. Pour les populations de l'Etat pontifical, pour les clercs comme pour les laïcs, et aussi pour les églises, le Schisme paraît avoir été fort onéreux.

Les expédients romains diffèrent profondément des expédients avignonnais. Les obédiences étaient fondamentalement différentes, tant par l'intervention des princes que par l'inégalité des structures administratives. Différents furent les recours en cas de crise : le pape d'Avignon se tournait vers son clergé, celui de Rome vers ses sujets, clercs et laïcs. D'un côté, ce furent les exactions et les pressions fiscales, de l'autre les exactions seigneuriales et les spoliations [1]. La possession des tombes apostoliques ajoutait une note essentielle à la gamme des expédients romains.

Parce qu'il disposait d'un puissant appareil administratif, le pape d'Avignon pouvait imposer et percevoir. Parce qu'il disposait du siège de saint Pierre, le pape de Rome pouvait, mieux que son adversaire, exploiter la foi de ses fidèles. C'est à Rome seulement que l'on a fait commerce des choses spirituelles : Jubilé, vœux, indulgences, privilèges. Peut-être ne pouvait-on le faire qu'à Rome. Mais ce n'est pas seulement à Avignon que l'on a fait commerce des bénéfices, évêchés et monastères [2]. Sans doute, la pression fiscale lors des collations n'a-t-elle pas atteint, dans l'obédience romaine, les mêmes excès que chez l'adversaire avignonnais. Les protestations de Niehem contre la décision du 24 mai 1397 ne nous renseignent pas sur le nombre d'évêques ou d'abbés privés de leur prélature pour n'avoir pu payer les communs et menus services [3]. La haine du chroniqueur à l'endroit de Boniface IX ne permet pas d'accepter sans réserves son affirmation selon laquelle l'exigence des services en moins d'un an aurait été appliquée *irremissibiliter* jusqu'à la mort de Boniface et de nombreux prélats auraient été privés de leurs droits et titres. Quoi qu'il en fût de la sévérité de la peine, le rendement financier de la décision romaine de 1397 était inférieur à celui de la décision avignonnaise de 1384-1385 prescrivant le paiement intégral des services avant la remise de la bulle de provision, et cela sans délai de grâce analogue à celui d'un an concédé par Boniface IX.

Entre Rome et Avignon, il est une différence capitale sur laquelle nous n'avons pas encore attiré l'attention. Le recours aux expédients était, sous l'autorité de François de Conzié, lié à l'évolution des besoins d'argent. Crises et expédients furent deux reflets conco-

---

1. Il est assuré que Clément VII fut tenté par une politique de spoliations. Ainsi, en 1384, pour les églises piémontaises (N. Valois, *op. cit.*, II, p. 29). Mais une telle politique était d'avance limitée ; dans ce cas précis, l'échec était inévitable.

2. Voir ci-dessus, p. 368-370.

3. Voir ci-dessus, p. 390-391.

mitants de la conjoncture politique. A Rome, au contraire, le recours aux expédients fut avant tout lié à la personne des papes, maîtres immédiats, par nécessité, d'une gestion financière pour laquelle nul grand administrateur ne put s'imposer. Aussi décèle-t-on au premier examen trois périodes dans l'histoire des expédients romains. Nous en retracerons brièvement, pour conclure, les caractères.

Avec Urbain VI, c'est l'austérité morale qui règne. On connaît les traits violents décochés par ce pape aux membres de la curie dès le lendemain de son élection. Hostile aux évêques non résidents, aux prélats fastueux et aux dépenses de prestige [1], Urbain VI était aussi hostile à sa propre fiscalité, dont il n'avait pas encore éprouvé le besoin. *Pecunia tua tecum sit in perditionem* aurait-il dit, citant saint Pierre [2], à un collecteur de bonne volonté venu rendre ses comptes. Sous ce pontificat, les expédients nous ont paru rares. Nul doute que le pape coléreux, cruel mais intègre qu'ont dépeint les contemporains n'ait recouru aux pressions et aux spoliations qu'en cas d'absolue nécessité.

Il en va différemment dès 1390. Au long de ce chapitre, un nom est sans cesse revenu, celui de Boniface IX. Son népotisme est évident. Son absence de scrupules l'est également. Des théologiens de son temps l'ont, dans leurs écrits, traité de simoniaque [3]. Aliénations de temporels ecclésiastiques, confiscations, engagements se sont multipliés sous son pontificat. C'est lui qui mit au point l'exploitation rationnelle des prélatures nouvellement pourvues. Urbain VI avait imaginé la Croisade. Boniface IX fit du Jubilé une vaste opération financière et préleva sa part sur les profits d'un commerce que l'Eglise était bien obligée de trouver immoral, le commerce avec l'Orient musulman.

La réaction de Boniface contre l'attitude de son prédécesseur se justifiait facilement : Urbain VI avait peut-être préservé — de ce chef, tout au moins — l'intégrité du Saint-Siège, mais il avait laissé le trésor vide. On ne saurait malheureusement dire que Boniface, au prix de ses excès, le laissa plein. Aussi la politique d'Innocent VII et de Grégoire XII fut-elle à la fois marquée par le désir de revenir à des pratiques plus licites et par la nécessité de trouver des fonds pour solder une armée de plus en plus lourde et pour financer une diplomatie devenue fort complexe à partir des accords de Marseille et de la révolte romaine de 1405. Les aliénations du patrimoine pontifical apparaissent alors marquées d'une plus grande prudence, du moins jusqu'à la crise finale. Les

---

1. F. Rocquain, *La Cour de Rome et l'esprit de réforme avant Luther*, III, p. 5-6 ; N. Valois, *op. cit.*, I, p. 67-68.
2. *Act. ap.*, VIII, 20. — L'anecdote est rapportée, sans référence, par M. Labande, Delaruelle, Labande et Ourliac, *op. cit.*, p. 11.
3. Dietrich von Niehem, *op cit.*, p. 178-179.

expédients spirituels sont abandonnés. Mais c'est, en fin de compte, la banqueroute, la dispersion de la bibliothèque papale et l'odyssée, de marchand en marchand, d'une mitre précieuse qui pourrait bien être la tiare [1].

Le refus d'Urbain VI, la complaisance de Boniface IX, la modération d'Innocent VII — le seul des quatre papes qui ait eu, étant collecteur, une expérience directe de la fiscalité — et la situation désespérée de Grégoire XII, voilà ce qui nous paraît caractériser la politique des papes romains sur le point des expédients.

1. Voir ci-dessus, p. 552, les raisons pour lesquelles nous pensons que ce n'était pas une mitre quelconque.

CHAPITRE XIII

LA VOIE DE FAIT
ET LES CHARGES EXTRAORDINAIRES

A. — LA POLITIQUE ANGEVINE

1. *La créance de Louis d'Anjou.* Le principal commanditaire de l'expédition italienne de Grégoire XI avait été le duc Louis d'Anjou, frère de Charles V. En deux versements, il avait avancé 100 000 francs dont la Chambre apostolique avait entrepris, dès 1378, le remboursement échelonné. A la veille du conclave de Fondi[1], 41 000 francs étaient déjà remboursés, dont 21 000 par la Trésorerie d'Urbain VI[2].

L'élection de Clément VII interrompit l'opération. L'appui donné à l'élu de Fondi par la cour de France ôtait à Urbain VI toute envie d'honorer la créance de Louis d'Anjou. Quant à Clément VII, il faisait à son tour appel au crédit angevin : au printemps de 1379, il reçut trois prêts pour un total de 35 000 francs. Louis d'Anjou avait donc avancé 135 000 francs à la papauté[3] ; mais, au moment où le Saint-Siège revenait s'installer sur les bords du Rhône, la créance n'était plus que de 94 000 francs. Les prétentions financières des Angevins s'étant, par la suite, constamment fondées sur cette créance, il est bon d'en retenir le chiffre : le poids qu'il allait faire peser sur la Chambre apostolique nous apparaîtra hors de proportions avec sa réalité. Que le pape fût dupe, il ne saurait en être question. Quelque obstination qu'aient apportée les conseillers du duc dans leurs débats ultérieurs avec les gens de la Chambre, nul doute ne pouvait subsister quant à la supériorité de l'aide financière apportée par le pape par rapport au montant de la dette.

---

1. Après bien des retards, étudiés par L. MIROT, *Les rapports financiers...*, dans les *Mélanges d'archéol. et d'hist.*, XVII, 1897, p. 117-125.
2. *Reg. Av.* 220, fol. 377 ; 274, fol. 549 r⁰ ; 325, fol. 307 ; *Instr. misc.* 3530, fol. 1 r⁰.
3. *Reg. Av.* 374, fol. 549 r⁰ ; 325, fol. 307 ; *Intr. ex.* 350, fol. 17 r⁰ et 20 r⁰.

LA CRÉANCE ANGEVINE

DATES	PRÊTS	REMBOURSEMENTS	SOLDE
1376, 16 septembre	60 000 fr.		
1377, 24 juin.....................	40 000		
1378, 3 janvier		10 200 fr.	
10 janvier		3 000	
29 janvier		3 000	
20 février		3 800	
21 juin		11 000	
2 août		10 000	
A l'avènement de Clément VII, total :	100 000	41 000	59 000 fr.
1379, 15 mars	12 000		
28 mars.....................	10 000		
28 avril.....................	13 000		
Solde définitif..................	135 000	41 000	94 000

A peine installé à Avignon, Clément VII commença à s'acquitter de sa dette. Diverses assignations furent faites : 2 000 francs payés par l'évêque d'Agen, 650 par le collecteur de Tours, 1 400 par celui de Toulouse, 500 par celui de Rodez [1] ; 1 500 francs furent payés à Béraud de Faudoas, en déduction de ce que lui devait le duc, par le nonce en Languedoc, Sicard de Bourguerol, et par l'archevêque de Rouen [2]. En 1380 et 1381, les assignations se multiplièrent, diversement honorées par les collecteurs. Le compte est malaisé à établir. Les commissaires angevins envoyés à une date ultérieure [3] pour dresser un bilan n'acceptèrent que 4 590 francs, refusant d'allouer au crédit du pape 21 135 francs dont le paiement n'était pas avéré [4]. Un autre compte, dressé au temps de Benoît XIII, ne faisait état que de 3 632 francs 15 sous tournois [5]. En ne gardant que ce chiffre — le plus bas — joint à celui des remboursements effectués avant le conclave de Fondi, c'est à un total de 44 632 francs 15 sous tournois que l'on parvient. Au moment où, en juin 1381, le comte de Caserte arrivait à Avignon pour y faire sanctionner par Clément VII les actes de la reine Jeanne en faveur de Louis

1. *Instr. misc.* 3530 ; *Reg. Av.* 220, fol. 440 v°-441 r° ; 274, fol. 549 v°.
2. *Instr. misc.* 3530, fol. 3 r°.
3. Avant 1394.
4. *Instr. misc.* 3530.
5. *Reg. Av.* 296, fol. 17.

d'Anjou, celui-ci avait donc, au maximum, une créance de 90 367 francs 5 sous tournois sur le pape.

En remboursant Louis d'Anjou, Clément VII n'acquittait pas toutes ses dettes. Au comte de Valentinois, Louis de Poitiers, Grégoire XI avait emprunté 30 000 florins de la Chambre que la Trésorerie mit près de quinze ans à rembourser [1]. Aux armateurs et patrons des galées nolisées par Clément VII lui-même, il fallut payer des gages : 2 665 florins 10 gros au Majorquais Pedro En Gayte pour plus de quatre mois de services [2], 9 925 florins au Toulonnais Jean Arquer et au Marseillais Jacques Guilherm pour huit mois [3], 400 florins enfin au Marseillais Antoine Fabre, envoyé à Naples dans le courant de l'été 1380 [4]. Les routiers engagés par Grégoire XI et passés au service des cardinaux, puis de Clément VII, prétendaient également à être payés. 2 848 florins furent assignés, dès février 1379, à un lieutenant de Jean de Malestroit [5], mais la dette pontificale envers Malestroit était beaucoup plus considérable et n'était pas encore éteinte en 1396, malgré l'assignation, faite le 21 décembre 1393, de la décime de Bretagne à concurrence de la somme de 32 000 francs ; les subsides n'avaient pu atteindre cette somme, la décime ne l'atteignit pas davantage [6]. D'autre part, le 1er novembre 1381, la Chambre apostolique dut reconnaître une dette de 43 032 florins courants envers Bernardon de la Salle et ses Gascons, pour leur service en Italie du 1er décembre 1375 au 3 avril 1378 [7]. A Hugues de la Roche étaient dus, en février 1381, 2 768 florins de la Chambre [8]. Quant à John Buch, la Chambre apostolique n'hésita pas à lui assigner les 30 000 florins qui lui étaient dus sur les revenus, très problématiques, de la collectorie d'Angleterre [9].

N'eût été le duc d'Anjou, les affaires italiennes — le retour à Rome, la lutte pour l'Italie moyenne et l'abandon — eussent donc coûté à Clément VII le remboursement de 165 000 et le paiement de quelque 130 à 150 000 florins, soit approximativement 300 000 florins : deux années de revenus environ [10]. L'obligation de payer cette somme représentait pour l'avenir de la papauté avignonnaise une assez lourde hypothèque. Elle était fort loin d'être levée lorsque survint une autre occasion de dépenses.

1. *Intr. ex.* 365, fol. 87 v° ; 369, fol. 114 v° et 124 v° ; 370, fol. 87 v°.
2. Du 24 novembre 1379 au 2 avril 1380 ; *Coll.* 359 A, fol. 61 v°-62 r°.
3. Du 15 novembre 1379 au 22 juillet 1380 ; *ibid.*, fol. 62 v°-63 r°.
4. *Coll.* 359, fol. 57 v°.
5. Florimond Daves ; *Instr. misc.* 3005. — Le collecteur de Paris paya avant le 9 mars 1382 ; *Coll.* 359 A, fol. 204 v°.
6. *Coll.* 372, fol. 70 r° ; *Reg. Av.* 274, fol. 12 v°-13 v°.
7. *Coll.* 359 A, fol. 138-139.
8. *Ibid.*, fol. 79.
9. 6 avril 1381 ; *ibid.*, fol. 66 v°-67 v°.
10. Ce chiffre ne représente évidemment qu'une partie du coût total de l'opération, car nombre de paiements avaient été faits par Grégoire XI sur ses revenus courants. Il ne s'agit ici que de la charge pesant sur la Chambre apostolique à partir de 1379.

2. *L'entreprise angevine.* Voyant dès l'abord les avantages qu'il pouvait tirer d'une action conjointe pour la récupération de l'Italie méridionale, Clément VII accepta, dans l'été de 1381, de contribuer au financement de l'entreprise angevine. Au comte de Caserte, qui arrivait de Naples, il remboursa les frais de location d'une galée, soit 1 200 francs, et 600 des 1 500 florins que le comte avait remis à Georges de Marle, maître d'hôtel du pape et homme de confiance de Louis d'Anjou, à Naples [1]. Andrea di Tici fut par ailleurs chargé d'envoyer 12 000 florins par un change sur Naples, sans doute pour financer la levée de troupes à l'arrivée du duc ; l'échec de l'expédition de 1381, à laquelle Louis d'Anjou s'abstint de participer, rendit cet envoi de fonds inopérant, et Tici rendit, en décembre, l'argent à la Trésorerie pontificale [2]. Pour ce qui est des galées envoyées devant Naples, où elles ne parvinrent qu'après la chute de la reine Jeanne, rien ne prouve qu'elles aient été armées aux frais du pape [3]. La contribution de Clément VII demeurait donc, en 1381, fort modique.

Ce fut tout différent lorsque le duc fit, en 1382, de réels préparatifs. Au vrai, l'initiative vint en bonne part de la papauté. Au conseil réuni le 5 janvier 1382 à Paris, ce sont les gens du pape — Murol, Marle, Girard et Raymond-Bernard Flamenc — qui conseillèrent l'entreprise, jugée « périlleuse et doutable » par les gens du duc. Ceux-ci furent en définitive d'avis que le duc devait aller à Avignon, éprouver la bonne volonté des Italiens et des Provençaux, s'assurer, enfin, « du pape quant à finance » [4].

La contribution pontificale constituait donc une condition préalable. Il ne s'agissait plus d'obtenir le remboursement des sommes prêtées avant 1380, il s'agissait, pour les conseillers du duc, de faire financer l'expédition par le pape comme par le roi, lequel venait — par la voix de ses oncles — de se montrer fort généreux [5]. Il n'est pas étonnant que le camérier Pierre de Cros figurât donc, dès février 1382, au premier rang des gens du pape chargés de mener les négociations [6].

Vers la fin du mois, pour faciliter les affaires, le pape accorda un premier subside : 2 000 francs, versés par moitiés par le trésorier et par le collecteur de Tours [7]. C'était là une goutte d'eau dans le gouffre angevin.

Le 11 mars, la décision était prise d'assigner au duc d'Anjou

1. *Intr. ex.* 354, fol. 112 r⁰ et 117 v⁰.
2. *Intr. ex.* 355, fol. 11 r⁰.
3. VALOIS, *op. cit.*, II, p. 11-12 ; le fait que Clément VII ait fait broder six bannières à ses armes, invoqué par Valois, ne nous paraît pas une preuve suffisante quant au financement par le pape ; les frais de ces galées n'apparaissent nulle part dans les comptes.
4. Jean LE FÈVRE, *Journal*, éd. Moranvillé, p. 13-14.
5. VALOIS, *op. cit.*, II, p. 14-15 et 24-25.
6. Jean LE FÈVRE, *op. cit.*, p. 17-20.
7. *Coll.* 359 A, fol. 149 v⁰.

la totalité des recettes de la Chambre apostolique pendant trois ans à compter du 31 mars. Dans l'état de l'obédience à cette date, il ne saurait s'agir que des revenus pontificaux en France, de ce qui sera reçu « par deçà »[1]. Le camérier, le trésorier, Raffin, Murol et Girard prêtèrent serment de verser toutes leurs recettes au trésorier des guerres du duc, Nicolas de Mauregart[2]. Le 31, les bulles étaient rédigées et expédiées[3]. Les revenus seigneuriaux furent eux-mêmes assignés au duc : le 2 avril, le pape ordonna aux marchands avignonnais de prêter à Louis d'Anjou le montant de la gabelle établie à Avignon sur le vin et le sel, et vendue pour quatre ans[4]. Au prix d'une forte diminution de revenus — on en tira 60 000 florins pour quatre ans, soit le double de deux années de la seule gabelle du vin — la Chambre apostolique escomptait un revenu à long terme[5].

Une résistance se manifesta vite dans les rangs du Sacré Collège. Parmi les revenus assignés, les communs services dus au pape n'étaient pas le moindre. Or, en consistoire, Clément VII pria les cardinaux de faire pareillement abandon de leur part des services ; ils demandèrent à réfléchir vingt-quatre heures[6] ; sans doute ignorerons-nous toujours leur réponse, que l'évêque de Chartres ne nous a pas fait connaître. Un refus nous paraît fort vraisemblable. Lorsque, en effet, le Sacré Collège consentira, en 1383, l'abandon de sa part des communs services de Castille en faveur du roi Jean, ce ne sera qu'à titre de prêt accordé au pape[7]. Les archives camérales conservent la trace de cette créance des cardinaux sur la Chambre apostolique ; nous ne pensons pas que, si une concession avait été faite en 1382, elle eût pu ne laisser aucune trace.

Le conseil royal ayant accordé au duc d'Anjou un subside de 200 000 francs et une aide d'un an sur ses terres[8], l'essentiel de la charge financière allait peser sur la Chambre apostolique. Pour commencer, on imposa une décime en France : nouvelle en Langue d'Oil, renouvelée en Langue d'Oc[9].

En théorie, Clément VII avait abdiqué tout droit sur ses propres revenus. Mais la réalité était moins rigoureuse. Noël Valois, cherchant à apprécier l'effort financier de la papauté, a fort justement

---

1. Jean LE FÈVRE, *op. cit.* p. 24.
2. *Ibid* ; sur ce personnage, trésorier de France, puis général des finances, voir G. DUPONT-FERRIER, *Le personnel de la Cour du Trésor,* dans l'*Ann.-bull de la Soc. de l'Hist. de France,* 1935-1936, et M. REY, *Le domaine du roi..., passim.*
3. *Reg. Vat.* 309, fol. 26 v°-28 r°.
4. Jean LE FÈVRE, *op. cit.,* p. 28. — L'évêque de Chartres se trompe en parlant d'une gabelle de trois ans. Voir ci-dessus, p. 177.
5. R. BRUN, *Annales...,* loc. cit., XII, p. 63 et 70.
6. Jean LE FÈVRE, *op. cit.,* p. 25.
7. Voir ci-dessous, p. 619.
8. VALOIS, *op. cit.,* II, pp. 24-25.
9. *Ibid.,* I, p. 166, et II, p. 27 ; *Reg. Vat.* 309, fol. 26 v°-28 r° ; *Coll.* 359 A, fol. 150 v°-153 r° et 155 v°-156 v°.

noté que les dépenses de la cour pontificale demeuraient imputées
sur ces revenus. Sinon, de quoi aurait vécu le pape et avec quoi
aurait-il payé ses officiers ? Achats de vivres et de vêtements,
gages et pensions sont donc à déduire des sommes reçues par
Nicolas de Mauregart. Son rôle « se borne, en définitive, à tenir
registre des deniers qui lui passent par les mains et, par conséquent,
à exercer un contrôle effectif sur presque toute la recette et la
dépense de Clément VII : il sait et peut dire à son maître l'emploi
que le pape fait de son argent »[1]. C'est donc bien, sous le contrôle
angevin, le pape et la Chambre qui financent l'expédition,
mais on ne saurait dire que, pour celle-ci, le pape se prive de tout.

Clément VII attendit d'ailleurs le 28 septembre — Louis d'Anjou
était déjà en Romagne, à cette date — pour révoquer toutes les
assignations faites sur les collectories ; ce qui importait alors,
c'était d'obtenir des collecteurs l'envoi rapide de 60 000 francs[2].
Bien plus, le pape ne cessa jamais, pendant ces trois années, d'assigner dons et pensions sur les collectories : au duc de Bourgogne[3],
aux légats en France[4], aux fournisseurs de la curie[5], par exemple.

La plus grande partie des fonds affectés à la guerre fut transférée par les soins de Mauregart en Italie. Cependant, une part des
paiements fut directement effectuée par les collecteurs : ainsi les
gages de certains lieutenants de Bernardon de la Salle[6] et ceux de
Bernin de Badefol furent-ils payés pour un temps par les collecteurs d'Auch, de Navarre et de Romanie[7], cependant que les gages
du maréchal Louis de Montjoie étaient assignés sur les revenus
pontificaux en Italie[8], avant de l'être en 1384 sur ceux du Comtat
venaissin[9].

Dès cette époque, parce qu'il fallait noliser des galées marseillaises[10], la Chambre apostolique dut faire appel au crédit des plus
grands marchands de Marseille : Etienne de Brandis et Jean Casse.
Le 2 octobre, ils percevaient les premiers intérêts de leurs
prêts[11].

L'expédition de secours dont, en 1383, la nécessité se fit sentir
allait représenter pour la papauté une nouvelle et écrasante charge.
Cette fois, le volume des revenus assignés à Louis d'Anjou fut
largement dépassé. Clément VII envoya du numéraire : 50 000 flo-

---

1. Valois, *op. cit.*, II. p. 26-27.
2. *Coll.* 359 A, fol. 243 v°-245 v°.
3. *Instr. misc.* 3183.
4. *Coll.* 359 A, fol. 253 v° ; 360, fol. 28.
5. *Coll.* 359, fol. 168-169, 184 v° et 186 v°-187 v°.
6. Pierre de Nyort, Guillonet de Sault, Bégon de la Roche, entre autres.
7. *Coll.* 359 A, fol. 144 v°-145 v° et 191 v°-192 r° ; *Reg. Av.* 233, fol. 90 v°.
8. *Coll.* 359 A, fol. 163 r°-164 r°.
9. *Coll.* 267, fol. 150 r°.
10. Sur cette flotte inutile, voir Valois, *op. cit.*, II, p. 55.
11. *Intr. ex.* 356, fol. 41 r° ; le pape avait dû engager des joyaux.

rins, confiés le 11 avril 1383 à Rinaldo Orsini [1] — qui s'empressa de les dilapider [2] — outre 6 000 florins qu'Orsini avait avancés au duc et que le pape lui remboursa. Surtout, la Chambre apostolique s'occupa de procurer les galées auxquelles il revenait d'assurer le blocus de Naples, et contribua au financement de l'armée de secours d'Enguerran de Coucy.

La participation pontificale à la solde des troupes fut limitée. Alors que Charles VI offrait 200 000 francs et que le seul Milon de Dormans, évêque de Beauvais, avançait la solde de deux cents lances pour deux mois [3], Clément VII n'assumait que la solde de soixante lances commandées par Louis de Trians, vicomte de Talard [4], et celle, permanente, de Louis de Montjoie et de Bernardon de la Salle, assignée sur les revenus du Comtat [5].

Toute la charge des galées retombait au contraire sur la Chambre apostolique. Pour y faire face dans les plus brefs délais, des mesures exceptionnelles s'imposaient.

On se tourna d'abord vers Gênes. En mars 1383, Ranerio di Grimaldi était à Avignon [6], où l'on disait qu'il allait être amiral de l'expédition [7], et Pierre de Cros constituait quatre Génois comme ses procureurs pour, de concert avec d'autres envoyés de la Chambre apostolique et du roi de France, noliser huit galées pour le service de Louis d'Anjou [8].

Dans le même temps, Seguin d'Authon négociait avec le roi Jean Ier de Castille. On sait que ce souverain, tout en se refusant à une adhésion explicite au pape avignonnais, avait, dès les débuts du Schisme, penché vers ce dernier. Le jeu des alliances franco-castillane et anglo-portugaise l'avait amené à prendre enfin parti et à se déclarer, le 19 mai 1381, en faveur de l'élu de Fondi [9]. Le temps paraissait maintenant venu de mettre à contribution sa fidélité et d'obtenir de lui un concours effectif. Seguin d'Authon avait d'ailleurs les moyens d'acheter ce concours à haut prix. Le 6 mars 1383, Clément VII ratifiait le traité passé entre le nonce et le roi de Castille [10]. Aux termes de ce traité, le roi s'engageait à armer six galées, montées par deux cent quinze arbalétriers, et à les fournir au pape d'Avignon pour un service de six mois, éven-

---

1. *Intr. ex.* 355, fol. 135 v°. — On parlait à Avignon d'une somme double, si l'on en croit la correspondance Datini ; BRUN, *Annales...*, *loc. cit.*, XII, p. 36.
2. VALOIS, *op. cit.*, II, p. 128.
3. *Ibid.*, p. 69.
4. *Reg. Av.* 233, fol. 95 r°-96 r° ; *Intr. ex.* 337, fol. 29.
5. *Coll.* 267, fol. 150 r° ; 268, fol. 69 v°.
6. BRUN. *loc. cit.*, XII, p. 35.
7. *Ibid.*, p. 54.
8. *Coll.* 360, fol. 39 ; c'étaient Leonardo Montaldo, Lodovico Tortino, Martino Pallavicini et Annibaldo Lomellini.
9. BALUZE, *Vitae paparum...*, éd. G. MOLLAT, IV, p. 250 ; SUAREZ-FERNANDEZ, *Castilla, el Cisma y la crisis...*, p. 155.
10. *Instr. misc.* 3135 ; *Reg. Av.* 233, fol. 62 r°-64 r° ; 279, fol. 44 v°-45 r°.

tuellement prolongeable. Le roi procurait également le biscuit
nécessaire. En paiement, il recevait une assignation générale des
revenus de la Chambre apostolique et du Sacré Collège en Castille,
y compris les communs services et les cinq menus services [1]. Ordre
était donné aux prélats et aux collecteurs et sous-collecteurs d'effectuer leurs versements — sans rien envoyer à la Trésorerie pontificale — à l'archevêque de Tolède, Pedro Tenorio, recevant pour
le compte du roi [2].

Une remarque s'impose. Dans l'état où se trouvaient les revenus
pontificaux de Castille, le pape se privait peu. Depuis le début du
pontificat de Clément VII, et ceci malgré l'adhésion de 1381, les
collecteurs de Castille n'avaient rien envoyé à Avignon [3] et les
assignations avaient été rares autant que modestes [4]. La fiscalité
pontificale était peu développée en Castille, et nous avons vu que,
au temps d'Innocent VI, les revenus des collectories castillanes
représentaient seulement 2 % des envois effectués par les collecteurs [5].
On peut même penser que l'assignation au roi augmentait les chances
de voir s'amplifier le mouvement de perception. En 1384, Clément
VII pouvait imposer en Castille une décime [6] ; sous forme de galées,
le roi en avait déjà escompté le produit.

Le coût des galées de Castille était fixé à 1 200 francs par galée
et par mois, soit pour six mois 43 000 francs. Malgré l'assurance
donnée par le pape quant à un prompt remboursement, le roi allait
demeurer longtemps créancier de la Chambre apostolique. La
remise des fonds à l'archevêque de Tolède ne commença sans doute
qu'en 1384, lorsque furent effectivement fournies les galées, décom-
mandées l'année précédente en raison de l'invasion anglaise [7].
C'est le 8 février 1384 que fut renouvelé l'ordre donné aux collecteurs et aux prélats [8]. Dans l'esprit des contractants de 1383-1384,
le paiement devait être rapide : il semble que le camérier ait
lui-même cru que ce fût possible car, le 1er mars 1383, il disposait
qu'une assignation faite au maître de bombardes Guilherm Camarasa était payable sur la collectorie de Tolède après solution de la
somme due au roi... et par moitiés en 1383 et 1384 [9]. Comme on aurait
dû s'y attendre, le paiement au roi fut très lent. Le 28 octobre 1384,
Conzié devait rappeler que l'assignation au roi était prioritaire [10]. Le

---

1. *Reg. Av.* 233, fol. 59.
2. *Reg. Av.* 233, fol. 57 v°-58 v° et 60-61 ; 279, fol. 44.
3. Sauf un versement de 2 500 florins collectés avant le Schisme et envoyés à Avignon
en décembre 1378 par les sous-collecteurs d'Orense et de Burgos ; *Intr. ex.* 350, fol. 9 r°.
4. Moins de 800 florins en quatre ans ; *Coll.* 359, fol. 41 v° ; 374, fol. 63 v° ; *Reg. Av.*
233, fol. 26 v°.
5. Voir ci-dessus, p. 580.
6. Imposée pour quatre ans le 15 décembre 1384 ; *Reg. Av.* 242, fol. 38.
7. VALOIS, *op. cit.*, II, p. 69.
8. *Reg. Av.* 238, fol. 101 r°-102 r°.
9. *Coll.* 360, fol. 36 v°-37 r°.
10. *Ibid.*, fol. 175 r°.

12 novembre, Clément VII prorogeait toutes les assignations jusqu'au complet remboursement du roi [1].

Entre 1384 et 1387, Jean Ier ne reçut du collecteur Guillaume Boudreville que 31 000 marabotins [2], soit environ 1 000 francs ! Le collecteur de Tolède continua, de son côté, à adresser au trésorier, à Avignon, une forte part de ses recettes : 1 800 francs pour la seule année 1384 [3], 1 200 francs en 1387 [4] ; quant à celui de Burgos, il versa à des légats et des envoyés de la curie la moitié des fonds dont il disposait [5]. Sept ans après la conclusion du traité, les comptes n'étaient pas encore apurés : Guilherm Garcias Manrique, évêque d'Oviedo et nonce apostolique, reçut commission, le 28 avril 1390, de les examiner avec les commissaires royaux [6].

Le pape n'en avait pas fini pour autant avec le paiement des six galées fournies par le roi de Castille : il devait encore à la plupart des cardinaux la part que ceux-ci avaient abandonnée, en prêt, sur les communs services des évêques castillans. En 1385, Clément VII faisait assigner pour ce motif 930 florins au cardinal de Malesset [7] ; il accordait en 1394 une compensation de 1 073 florins au cardinal Corsini [8]. Si l'on en juge par ces chiffres, comparés à ceux que fournissent les comptes de la Trésorerie et des collecteurs, il est probable que le remboursement des galées fut essentiellement assuré par les communs services des évêques castillans [9].

L'expédition, nous l'avons dit, fut retardée d'un an, délai qui permit à Clément VII de plus amples préparatifs. A Marseille comme sur le Rhône, on arma des galées. En mars 1383, déjà, on parlait à Avignon de huit galées en cours d'armement à Marseille [10]. Le nombre fut finalement réduit à quatre, que Gilles Boniface, Etienne de Brandis [11], Jean Bellisend et Bérenger Montagne s'engagèrent à procurer, avec cent vingt arbalétriers, deux bombardes et dix caisses de viretons, aux prix de 2 000 florins de la reine par galée et par mois, avec un abattement d'un cinquième pour les engagements égaux à cinq mois : cinq mois seraient dus par

---

1. *Reg. Av.* 242, fol. 2 v°.
2. *Coll.* 122, fol. 119 v°.
3. *Intr. ex.* 338, fol. 50-63.
4. *Intr. ex.* 363, fol. 37 v° et 45 r°.
5. *Coll.* 122, *passim.*
6. *Reg. Av.* 277, fol. 173-174.
7. *Coll.* 360, fol. 213 v°-214 r°.
8. *Reg. Vat.* 308, fol. 68 v°-71 r°.
9. Il y eut cependant des exceptions, car la pratique du paiement total et immédiat amena des prélats castillans à s'acquitter à la Trésorerie : ainsi l'abbé de Sahagun ; *Intr. ex.* 338, fol. 36 v°.
10. R. BRUN, *Annales...*, *loc. cit.*, XII, p. 35.
11. Sur ce personnage, peut-être d'origine italienne, qui avait déjà procuré des galées à Urbain V et Grégoire XI, voir : E.-R. LABANDE, *De quelques Italiens...*, dans les *Mélanges Halphen*, p. 364-365 ; Ch. DE LA RONCIÈRE, *Hist. de la Marine française*, II, p. 34 ; BARATIER et REYNAUD, *Hist. du commerce de Marseille*, II, p. 69-75.

les armateurs pour le prix de quatre, alors que les mois « à l'unité » seraient intégralement payés [1].

A Valence, sur le Rhône, Clément VII faisait construire deux galées dont l'une, la *Saint-Georges*, était destinée au patron catalan Pedro En Gayte, déjà cité pour son action en 1379, l'autre, l'*Etoile*, devant être confiée à un autre Catalan, Guilherm de Canet [2]. Les dépenses de fabrication furent en partie assignées sur les recettes du collecteur de Lyon et du sous-collecteur de Valence [3], en partie assumées par la Trésorerie [4]. La toile pour empaqueter le biscuit coûta, à elle seule, 360 florins : autant que les voiles. L'armement individuel ne fut pas négligé : on acheta trente bassinets, soixante-dix cervelières et dix-sept cuirasses [5]. Le biscuit, les arbalètes et les viretons étaient, de même que les hommes d'armes et les rameurs, à la charge des patrons. Pour leur salaire et leurs frais, Pedro En Gayte recevait 1 500 florins d'Aragon par mois — avec abattement d'un mois pour cinq de service — et Guilherm de Canet un don unique de 400 et des gages mensuels de 1 500 florins d'Aragon, sans abattement.

C'était trop lourd pour la Chambre apostolique. Ayant supporté la construction, elle ne put acquitter le salaire : le 15 novembre 1384, François de Conzié donnait en pleine propriété la *Saint-Georges* à Pedro En Gayte pour 3 000 florins courants qu'on ne pouvait lui payer [6].

On sollicita les services de patrons dont les galées étaient prêtes ou devaient l'être pour le printemps de 1384. Ainsi Conzié conclut-il des traités avec le chevalier Rodrigo Diez, de Valencia, avec le noble Jean Conort, docteur ès lois et sans doute simple armateur, avec un Sarde, Pedro Matecalde, patron de la Galiote *La Gimba*, alors à Marseille, avec le Provençal Hugues Barthélemy, de l'Ile de Martigues, avec un citoyen de Tarragone, enfin, Bernardo *de Arbocario*, lui-même associé à Rodrigo Rodriguez, de Valencia, et Rodrigo Diez déjà nommé, qui servit de fidéjusseur aux deux précédents [7]. Quant aux Génois, dont on avait demandé l'aide l'année passée, ils furent représentés par Giovanni di Grimaldi qui procura deux galées. Le pape ayant confirmé le traité de 1383 le 8 février 1384 [8], Raoul de Lestranges fut envoyé en Castille pour en obtenir l'exécution [9].

1. Contrat du 5 février 1384 avec les trois premiers ; Montagne, se joignit à eux le 14 mars ; Bibl. nat., lat. 5913 A, fol. 54 v°-56 v°.
2. *Ibid.*, fol. 47-51 ; BRUN, *loc. cit.*, p. 35 et 54.
3. *Coll.* 360, fol. 70 v°-71 r° et 75.
4. *Intr. ex.* 337, fol. 39-43.
5. BRUN, *loc. cit.*, p. 52.
6. *Instr. misc.* 3199.
7. Les traités furent passés entre janvier et mars 1384 ; Bibl. nat., lat. 5913 A, fol. 57 r°-66 r° ; *Coll.* 360, fol. 117-138.
8. *Reg. Av.* 238, fol. 101-r° 102 r°.
9. R. BRUN, *loc. cit.*, p. 51.

PATRON OU ARMATEUR	NAVIRE	RAMEURS			ARBALÉTRIERS	HOMMES D'ARMES	BOMBARDES	VIRETONS	VERSEMENT INITIAL	LOYER MENSUEL	COUT TOTAL MENSUEL en florins de la Chambre	ABATTEMENT (mois de service sans paiement)
		Bancs	Rameurs, par banc	Total								
Pedro En Gayte.	Galée	29	3	87	40					1 500 fl. Aragon	1 050	2 mois sur 5
Guilherm de Canet. ...	Galée	29	3	87	35				400 fl. Ar.	1 500 fl. Aragon	1 050	2 — 5
Rodrigo Diez	Galée	29	3	87	30		3	10 caisses		2 000 fl. reine	1 714. 8 s.	1 — 5
Bernardo de Arbocario.	Galée	29	3	87	35		2	10 caisses		2 000 fl. reine	1 714. 8 s.	1 — 5
Pedro Matecalde	Galiote	23	3	69			1			1 180 fl. Aragon	885	Après 6 mois et 20 jours : 2 mois sur 5, 20 jours sur 50
Jean Conort..........	Galée	29	3	87	30					1 400 fl. reine	1 200	1 mois sur 5
Hugues Barthélemy ..	Galiote	23	2	46	15					700 fl. reine	600	
Jean Bellisend	Galée	29	3	87	30		2	10 caisses		2 000 fl. reine	1 714. 8 s.	1 mois sur 5
Gilles Boniface	Galée	29	3	87	30		2	10 caisses		2 000 fl. reine	1 714. 8 s.	1 — 5
Bérenger Montagne ..	Galée	29	3	87	30		2	10 caisses		2 000 fl. reine	1 714. 8 s.	1 — 5
Etienne de Brandis ...	Galée	29	3	87	30		2	10 caisses		2 000 fl. reine	1 714. 8 s.	1 — 5
Giovanni di Grimaldi .	Galée	29	3	87	36					1 500 fl. Chambre	1 500	1 — 5
	Galée	29	3	87	36					1 500 fl. Chambre	1 500	
Armement par le roi de Castille	6 Galées	29	3	87	35	10				1 200 fr. par galée	7 714. 8 s.	
										Total :	25 784. 20 s.	

N. B. — A l'effectif de rameurs et d'hommes d'armes, il convient d'ajouter le patron ou capitaine, ainsi qu'une dizaine de serviteurs ou « officiers » (trompette, notaire, etc.). — On notera que toutes les galées et l'une des galiotes ayant embarqué des arbalétriers, il est certain que la mention des caisses de viretons doit être restituée lorsque le contrat n'y fait pas allusion. — Il faut, enfin, ajouter les serviteurs des bombardes.

Au total, la flotte avignonnaise et angevine allait se composer de dix-neuf navires. Quinze étaient déjà prêts à la mi-avril [1], après que la date du départ eût été successivement fixée au 1er mars, puis au 1er mai [2]. En juin, la flotte était rassemblée à Aigues-Mortes. Inutile expédition que celle-là ; nous n'en retracerons pas l'histoire : on sait qu'elle fut alourdie par les indécisions d'Enguerran de Coucy et fâcheusement interrompue par la mort du roi Louis, dans la nuit du 20 au 21 septembre 1384 [3].

Mais nous nous efforcerons, au contraire, d'en apprécier le poids financier. Dix-neuf navires est un chiffre minimum, celui dont nous assurent les documents [4]. Le tableau que nous avons dressé en récapitule les caractéristiques et le coût mensuel, auquel on doit ajouter le prix de construction de la *Saint-Georges* et de l'*Etoile*.

La charge financière était considérable : 25 784 florins par mois, pour l'ensemble. Le coût des galées castillanes étant escompté par le roi Jean de Castille, il ne restait à la Chambre apostolique que 18 070 florins à débourser par mois de campagne, du moins pendant les trois premiers mois. Après trois mois, et surtout après quatre, la charge devait être allégée par l'abattement prévu pour les engagements de longue durée : un mois de service gratuit pour tout engagement ou toute reconduction pour cinq mois. L'abattement le plus fort — deux mois gratuits pour trois payés — concernait une galiote, ainsi que les galées fournies par le pape.

La durée prévue de la campagne étant de six mois, la Chambre apostolique devait donc envisager une dépense globale de 91 850 florins, non compris les 43 000 francs avancés par le roi de Castille.

Les armateurs se protégèrent contre d'éventuels atermoiements. Presque tous firent stipuler que les galées ne pourraient être prêtes que si les paiements étaient préalablement effectués. Compte tenu de l'armement des deux galées du pape et de la fabrication du biscuit qui était à la charge de la Chambre [5], c'est environ 100 000 florins que François de Conzié dut trouver dans les trois premiers mois de 1384. « La Chambre fait de l'argent tant qu'elle peut » écrivait, le 24 mars, l'associé avignonnais de Datini [6]. Au vrai, on fut encore loin de recourir à tous les expédients possibles.

Au début de février, Clément VII expédia à travers les contrées de son obédience des nonces chargés de contracter tous emprunts jusqu'à une somme de 20 000 ou 30 000 francs chacun. Jean Le Fèvre

---

1. *Ibid.*, p. 54.
2. Valois, *op. cit.*, II, p. 68.
3. M. DE BOÜARD, *La France et l'Italie...*, p. 67-70 ; Valois, *op. cit.*, p. 70-84.
4. Noël Valois, qui oubliait les galées castillanes, dénombrait treize navires, dont neuf galées (*op. cit.*, II, p. 68). Boninsegna di Matteo, l'agent de Datini, en comptait douze ou quinze au départ d'Aigues-Mortes, mais il excluait, lui aussi, les galées castillanes qui joignirent directement l'Italie (Brun, *loc. cit.*, XII, p. 58).
5. *Coll.* 360, fol. 164-165.
6. Brun, *loc. cit.*, p. 54.

et Raoul de Lestranges furent chargés d'emprunter jusqu'à 100 000 francs du roi de Castille et de ses sujets [1]. A la Trésorerie, les emprunts se multiplièrent : de 711 florins en février, ils passèrent à 2 153 en mars, 4 837 en avril, 1 621 en mai, 10 825 en juin [2]. Pis aller que ces emprunts de caisse dont le développement tardif, en avril, indique bien le faible rapport des commissions d'emprunter lancées en février.

Tout cela était d'ailleurs insuffisant. On usa de la pression fiscale. Du clergé des royaumes de Castille et Léon on exigea un subside de 19 500 doubles [3]. Surtout, dès février 1384, la recette des communs services prit une importance exceptionnelle : 1 296 florins en janvier, 7 265 en février, 1 891 en mars, 2 528 en avril, 6 448 en mai, 5 463 en juin. Au terme de Noël, un prélat avait payé la totalité de ses services en un seul versement ; il y en eut un autre en janvier, mais quatre en février, trois en mars, six en avril et quatre en mai, soit dix-sept en quatre mois [4]. A la même époque, l'année précédente, on n'en avait compté que quatre [5].

La papauté n'était cependant pas aux abois. Néfaste à moyen terme, l'exigence immédiate des services était, à court terme, profitable. Le 13 février 1384, Clément VII pouvait suspendre pour un an la réserve des procurations, ce qui rendait au haut clergé français une part appréciable de ses revenus [6]. Le pape n'en était pas réduit, comme Louis d'Anjou [7], à faire fondre sa vaisselle : les ventes mobilières de l'année 1384 ne concernent que des objets provenant de dépouilles. Il ne fut même pas nécessaire de recourir aux vacants [8]. Les créanciers furent rapidement remboursés : ainsi Julien de Casaulx, de Marseille, qui avait avancé 200 francs à Rodrigo Diez le 13 juin 1384, fut-il remboursé par la Trésorerie le 17 novembre [9]. Le fait que l'on ait dû offrir à Pedro En Gayte, en déduction de ses gages, la galée qu'il commandait, ne dénonce aucune détresse : ayant fait les frais de la construction d'une galée, la Chambre apostolique trouvait ainsi le moyen de les amortir. Certes, le procédé montre bien le poids extraordinaire que l'expédition de 1384 faisait peser sur la Chambre, mais le Majorquin était un fidèle serviteur, et la papauté ne perdait rien en lui laissant la propriété d'une galée que, par intérêt, il mettrait sans difficulté au service du pape d'Avignon. La charge des galées de 1384 était donc lourde, mais la Chambre la supportait sans trop de dommage.

1. *Reg. Av.* 238, fol. 97-109.
2. *Intr. ex.* 338, fol. 12-45.
3. 2 décembre 1384 ; *Reg. Av.* 242, fol. 33 r⁰-35 r⁰.
4. *Intr. ex.* 338, fol. 11-45.
5. *Intr. ex.* 356, fol. 11-32.
6. *Reg. Av.* 238, fol. 102 v⁰-103 r⁰ et 107 v⁰-109 r⁰.
7. Bibl. nat., nouv. acq. fr. 3638, n⁰ 145.
8. Voir ci-dessus, p. 307.
9. *Intr. ex.* 359, fol. 64 v⁰.

La mort de Louis d'Anjou vint briser l'élan. La consolidation de l'œuvre réalisée en 1384 allait encore demander plusieurs années. Surtout, le financement allait poser des problèmes autrement ardus.

L'envoi, dans l'été de 1385, de trois galées commandées par Pedro En Gayte, Gonzalo Garcias et Pierre Huguet fut un pis-aller [1]. La Chambre apostolique commençait à manquer de liquidités et, surtout, épuisait l'une après l'autre ses sources de crédit [2]. Clément VII envoya 10 000 florins aux gens d'Aquila [3] qui avaient ménagé, deux ans plus tôt, un accueil triomphal au duc d'Anjou [4]. A Otton de Brunswick, en octobre 1386, il accorda 6 000 florins et en promit 24 000 [5]. Mais les réticences pontificales étaient de plus en plus vives. Entre la reine Marie et Clément VII, il fallut faire appel à l'arbitrage du duc de Berry [6]. Selon l'expression de Noël Valois, c'était à qui ne paierait pas les 40 000 ou 50 000 florins demandés par Bernardon de la Salle et Pierre de la Couronne pour entreprendre une campagne en Italie. Apprenant que les barons siciliens traitaient en secret avec Urbain VI, Clément VII était fondé à les considérer comme des « alliés peu sûrs » [7].

Une cause majeure des réticences pontificales a échappé à Noël Valois. Le pape ne devait plus rien aux Angevins. Les sommes reçues par Nicolas de Mauregart au nom de Louis d'Anjou entre le 31 mars 1382 et le 31 mars 1385, sommes dépensées par Mauregart pour les affaires italiennes, atteignaient 715 245 francs [8] : huit fois la valeur de la dette pontificale en 1381. Quelque refus qu'ait opposé plus tard Louis II à considérer cet argent comme versé en remboursement des prêts angevins de 1376-1379, Clément VII avait conscience qu'il avait assez fait. La papauté avait fourni une moyenne de 240 000 francs par an [9] ; le comté de Provence n'en fournissait que le dixième : 16 453 florins de la reine, soit à peine plus de 13 000 francs, pour les six mois allant du 8 octobre 1386 au 28 avril 1387 [10].

C'est cependant autour de la créance angevine qu'allaient tourner à partir de 1385, les exigences de la reine Marie. Le chiffre de 90 367 francs 3 gros 6 deniers était maintenu, les trois années de revenu abandonnées par le pape n'ayant pas été explicitement assignées en

1. Bibl. nat., lat. 5913 A. fol. 99 ; *Intr. ex.* 358, fol. 111-116.
2. C'est Andrea Rapondi qui avança l'essentiel de la solde des patrons de galées ; *Intr. ex.* 359, fol. 165 v° ; 360, fol. 54. — Les Marseillais, eux, eurent à se plaindre du pape et obtinrent de vendre les joyaux qu'il leur avait remis en gage ; Jean LE FÈVRE, *op. cit.*, p. 144 et 152.
3. VALOIS, *op. cit.*, II, p. 121.
4. *Ibid.*, p. 49.
5. *Intr. ex.* 358, fol. 154 r° ; 359, fol. 142 r°.
6. Jean LE FÈVRE, *op. cit.*, p. 140-141.
7. VALOIS, *op. cit.*, II, p. 120.
8. *Instr. misc.* 3530, fol. 1 v°.
9. En comptant l'hypothèque du roi de Castille sur les revenus de la Chambre apostolique, qui correspond à des galées fournies au roi Louis.
10. Arch. dép. Bouches-du-Rhône, B 1527, fol. 93 v°-94 v°.

remboursement. Peut-être doit-on faire intervenir à ce propos la
promesse qu'aurait faite Clément VII à Louis Ier, promesse dont ce
dernier fit état dans son testament : payer tous les frais de l'expédition si celle-ci ne parvenait pas à Naples [1]. C'est plus tard, sous le
pontificat de Benoît XIII, que les gens de la Chambre, pour mettre
un terme aux appétits financiers de Louis II, exhibèrent le compte
des dépenses faites en 1382-1385.

Le 7 juillet 1387, Otton de Brunswick pénétrait dans Naples, où
les excès d'Urbain VI autant que ceux de Marguerite de Durazzo
avaient conduit la population à s'insurger. La nouvelle eût réjoui
la curie avignonnaise si Brunswick n'avait aussitôt fait déployer
l'oriflamme du pape romain. Calcul politique ? Opportunisme
prudent ? C'est, en tout cas, ce que voulut croire Clément VII [2].
Seule l'arrivée à Naples du jeune Louis II pouvait clarifier la situation, et au profit d'Avignon. Clément VII intensifia son effort.

En mars 1387, il avait déjà versé 9 770 florins à la reine Marie
et 5 700 aux troupes engagées dans les Pouilles ; en mai, il avait
remis 1 000 florins à Pierre de Murles [3]. En septembre, il assuma la
charge d'une galée, louée pour deux mois aux prix de 3 270 florins [4],
et, le mois suivant, il remit 7 000 florins à l'envoyé des barons
napolitains, le comte de Cerreto [5]. Peut-être même finança-t-il
l'envoi de cinq galées placées sous l'autorité de ce comte [6].

Il était nécessaire d'obtenir du roi de France un concours financier
au moins égal à celui du pape. Clément acceptait de contribuer aux
dépenses de l'expédition, mais pour un tiers seulement. Déjà
avaient été écartées les propositions du duc de Bourbon qui exigeait
pour gagner l'Italie, une troupe de deux mille lances dont le pape
aurait dû avancer la solde, soit environ 480 000 francs. Ramené
à de très modestes proportions, le projet de voyage de Louis II
paraissait devoir coûter 200 000 francs ; le pape s'incrivit pour un
tiers [7]. Qui allait payer le reste ? Certainement pas la reine Marie
qui, vers cette époque, en était réduite à engager tous ses bijoux [8].

C'est alors que Charles VI, à la fin de 1388, rappela les vieux
conseillers de son père, les « Marmousets ». Pour les entreprises
angevines et pontificales, c'était une aubaine. Le cardinal de Thury
gagna Paris pour y « déclarer la piteuse calamité et misère du
royaume de Sicile » [9]. Charles VI promit 300 000 florins et en versa

1. Arch. nat., P 1334 [17], no 33 et 34.
2. Valois, op. cit., II, p. 123.
3. Intr. ex. 359, fol. 169 vo et 173 ro ; 362, fol. 94 vo et 105 vo.
4. Intr. ex. 362, fol. 143 ro et 145 ro.
5. Ibid., fol. 152 vo et 156 vo.
6. Cronicon Siculum..., éd. G. de Blasiis, p. 72.
7. Valois, op. cit., II, p. 141-142.
8. Brun, Annales..., loc. cit., XII, p. 107.
9. J. Juvénal des Ursins, Chronique, éd. Michaud et Poujoulat, p. 379.

d'ores et déjà le tiers. Clément VII ne pouvait demeurer en deçà : il laissa entendre qu'il fournirait également 300 000 florins. Les habitants de Provence et d'Anjou furent imposés : 160 000 et 55 000 florins en étaient attendus [1].

Mais ce rapprochement des politiques royale et angevine vint faire peser une charge inattendue sur la Chambre apostolique : celle de la visite que firent à Avignon le roi Charles VI et la cour, visite au cours de laquelle Louis II reçut, le 1er novembre 1389, l'investiture royale et la couronne de Sicile. Un chroniqueur estimait à 70 000 florins le coût des fêtes et des libéralités consenties par Clément VII à cette occasion [2].

A partir de ce moment, les préparatifs furent accélérés. Ils devaient l'être d'autant plus que la situation s'aggravait en Italie. Urbain VI, dont l'impopularité retenait bien des Napolitains dans le parti angevin et dont les Romains eux-mêmes s'accommodaient fort mal [3], venait de mourir, le 15 octobre 1389. Jouissant de l'entière confiance du Sacré Collège, reconcilié avec Marguerite de Durazzo — dont un légat alla couronner le fils, Ladislas — ainsi qu'avec les communes de Florence et de Bologne que leur commune crainte de Jean-Galéas Visconti unissait à la papauté, le nouveau pape Boniface IX était en passe de rétablir l'autorité romaine sur l'ensemble de la péninsule. L'assassinat de Rinaldo Orsini, le 14 avril 1390, portait un très rude coup aux Clémentistes italiens : Spolète et Viterbe allaient tomber aux mains des gens de Boniface IX [4].

Le conseil du roi Louis II, auquel se mêlaient les conseillers de Clément VII, décida d'envoyer, sans plus attendre, une flotte dans les eaux napolitaines.

L'été précédent, six galées avaient été armées, à Marseille, par l'intermédiaire d'Etienne de Brandis [5]. Des avances avaient été consenties aux patrons : 600 écus pour l'un d'entre eux [6]. Pedro En Gayte et sa galée étaient évidemment de l'entreprise. Mais le voyage ayant été différé, ces dépenses avaient été vaines ; après avoir longuement attendu le départ, les rameurs s'étaient même dispersés [7].

En 1389, il semble que l'on ait renoncé aux galées marseillaises. Marco et Luca di Grimaldi en procurèrent deux, l'Hospitalier Talebart [8] quatre. C'est à Barcelone, surtout, que furent armées la

---

1. Valois, *op. cit.*, II, p. 144-145.
2. *Cronicon Siculum*, p. 88.
3. Témoin l'émeute de 1388 ; Valois, *op. cit.*, II, p. 145.
4. *Ibid.*, p. 160-164.
5. Brun, *Annales...*, *loc. cit.*, XII, p. 110.
6. Acte passé devant Pierre Goutard, substitut du notaire Laurent Aicard, le 24 août 1388 ; Bibl. nat., nouv. acq. lat. 1343, fol. 14 r⁰.
7. Pedro En Gayte, qui avait payé une partie des gages par anticipation, se vit obligé d'engager une procédure contre les déserteurs (constitution de procureur à cette fin, le 29 septembre 1388) ; *ibid.*, fol. 34 v⁰-35 r⁰.
8. Sur Aymard Broutin, dit Talebart, voir N. Valois, *op. cit.*, III, p. 617-623.

plupart des quatorze galées et des huit brigantins réunis à Marseille en 1390 pour conduire et escorter le roi Louis [1].

D'octobre 1389, date des premiers contrats, à août 1390, date de l'arrivée royale à Naples, Clément VII avait versé 60 000 florins pour la cause angevine, tant en paiement de galées qu'en subside à la reine Marie [2]. Dans les semaines qui suivirent, il fit encore payer plus de 33 000 florins [3]. En huit ans, pour voir un duc d'Anjou faire dans Naples son entrée solonnelle, Clément VII avait dépensé environ un million de florins [4].

La charge financière des affaires napolitaines n'était d'ailleurs pas la seule que supportât, à la même époque, la Chambre apostolique. En secret, Clément VII aidait Jean III d'Armagnac à préparer son expédition contre Jean-Galéas Visconti [5], cependant qu'il engageait de lourdes dépenses pour se préparer lui-même à suivre l'expédition française qui devait le conduire en Italie et l'établir de force sur le siège de Rome ; l'achat de chevaux, de mules et de matériel de transport coûta alors fort cher à la Trésorerie [6]. On sait que la diplomatie de Richard II fit échouer le projet dès mars 1391 [7]. Le pape avait trouvé, dans cet illusoire « voyage à Rome » l'occasion d'extorquer et d'engloutir une assez grand nombre de subsides individuels [8].

L'aventure angevine n'était cependant pas achevée. Dans toutes les expéditions destinées, directement ou indirectement, à secourir Louis II la papauté allait se trouver impliquée et financièrement engagée.

Aussi lourde que vaine fut la charge de l'expédition projetée, en 1392 et 1393, par le duc de Bourbon. Ce fut, d'abord, en janvier 1393, l'abandon au duc du revenu total d'une décime imposée sur le clergé français, décime dont Jean Lavergne fut chargé d'hypothéquer le montant, pour la Langue d'Oc, en échange d'argent frais ; dans le même temps, était concédé au duc un subside de 40 000 francs immédiatement payable par la Trésorerie [9]. Ce fut, enfin, la fourniture, aux frais du pape [10], des galées nécessaires à l'expédition, galées que l'on se procura à Marseille, à Barcelone et même à Séville [11].

---

1. VALOIS, op. cit., II, p. 167 ; BRUN, Annales..., loc. cit., XII, p. 123.
2. Intr. ex. 366, fol. 165 r°.
3. Reg. Av. 254, fol. 263 v°.
4. Instr. misc. 3530, fol. 1 v° ; Reg. Av. 254, fol. 254 et 259-267 ; 296, fol. 17-24.
5. Le fait a été démontré par M. DE BOÜARD, op. cit., p. 123.
6. Textes cités par VALOIS, op. cit., II, p. 179.
7. Ed. PERROY, op. cit., p. 356 ; M. DE BOÜARD, op. cit., p. 127.
8. Intr. ex. 367, fol. 8 r°, 12 r°, 16 v°, 17 v°, 20 r°, 22 v°, etc.
9. Reg. Av. 272, fol. 73-85.
10. Intr. ex. 370, fol. 80 v°-81 v°.
11. Intr. ex. 370, fol. 80 r°, 87 r°, 125 r°, 138 r°, etc. ; Reg. Av. 272, fol. 135 ; 274, fol. 550 v° ; BRUN, loc. cit., XIII, p. 58.

Les vicissitudes de la politique italienne aggravaient pendant ce temps les charges de la Chambre apostolique. A peine avait-elle fini de payer la solde des gens de Bernardon de la Salle [1] qu'elle devait assumer une partie des dépenses de Jean III d'Armagnac dont la folle entreprise allait aboutir à la ruine de l'alliance franco-milanaise et dont les troupes, entretenues par Clément VII, allaient écraser l'armée milanaise de Bernardon, lui-même tué dans la bataille [2]. Clément VII avait versé 15 000 francs au comte [3] et dépensé 2 571 florins pour son séjour à Avignon [4] ; cela n'avait servi qu'à abattre le plus efficace défenseur des intérêts clémentistes en Italie.

Quant au duc de Bourbon, il finit, en juin 1393, par renoncer à se mettre en campagne. En vain avait été versé le subside, en vain avaient été louées plus de quinze galées [5]. De la décime [6], la Chambre apostolique ne conserva rien. Certes, les collecteurs la levèrent et en transmirent le revenu à la Trésorerie [7], mais la Chambre fit verser 26 822 florins pour le compte du duc, remettre 31 518 francs à Georges Tegrini, trésorier du roi Louis, et dépenser 10 000 florins courants et 12 659 francs pour l'envoi de blé et d'avoine à Naples [8].

C'en était pratiquement fini des expéditions dirigées sur Naples. Mais la lutte continuait pour la couronne de Sicile, et la contribution du pape ne cessa point. En 1395, Benoît XIII fit remettre 7 040 florins aux gens du roi Louis, l'année suivante 2 693 florins [9].

Le retour de Louis II en Provence, en 1399, ne mit pas fin à ses exigences. Dès l'abord, il obtint de Benoît XIII, pourtant prisonnier dans son palais et en proie à de graves difficultés financières [10], un premier subside de 5 000 francs [11]. En fait, le pape était politiquement aux abois et achetait ainsi l'adhésion de Louis II. Le roi, en effet, n'avait accepté que par son silence la décision de la reine Marie, sa mère, suivant la cour de France dans la soustraction d'obédience. La restitution d'obédience, votée en mai 1401 par les Etats de Provence, l'incita à se ranger du côté de Benoît XIII [12].

---

1. On trouve encore une obligation du 7 septembre 1391 pour 900 florins ; *Reg. Vat.* 301, fol. 138 v°-139 r°.
2. M. DE BOÜARD, *op. cit.*, p. 130-131.
3. *Intr. ex.* 367, fol. 110 v°.
4. *Ibid.*, fol. 121 v°. — Il faut cependant observer que Jean d'Armagnac était également à Avignon pour aider le pape contre Raymond de Turenne (ci-dessous, p. 635). et que cette aide suffisait à justifier la remise de subsides : ainsi, en janvier 1391, pour les 400 écus prêtés par Conzié ; *Intr. ex.* 367, fol 12 r°.
5. BRUN, *Annales...*, *loc. cit.*, XIII, p. 64-68.
6. N. VALOIS a soulevé, sans le résoudre, le problème de l'emploi de cette décime ; *op. cit.*, II, p. 172.
7. *Coll.* 85, fol. 104-106 et 516 v°.
8. *Reg. Av.* 274, fol. 550.
9. *Reg. Av.* 321, fol. 455 ; *Instr. misc.* 3530, fol. 2.
10. Voir ci-dessous, p. 657-660.
11. *Reg. Av.* 299, fol. 42 r° ; 321, fol. 455 v°.
12. VALOIS, *op. cit.*, III, p. 238 et 272-275.

Mais le pape dut acheter fort cher cette adhésion. Le roi Louis ne dédaigna pas de se livrer à ce que Noël Valois, dont les jugements étaient toujours mesurés, a qualifié de « misérable » et « assez odieux marchandage ». En août 1402, alors que le pape attendait, dans le palais d'Avignon, la venue de Louis II, les gens du roi vinrent réclamer le paiement de 100 000 francs encore dus sur les 135 000 prêtés par Louis Ier à Grégoire XI et Clément VII. La Chambre apostolique n'avait jamais, avancèrent-ils à l'appui de leur réclamation, spécifié que les sommes dépensées pour l'entreprise angevine étaient à déduire de la créance de Louis Ier [1]. On n'aurait su manifester plus de mauvaise foi.

Benoît XIII avait le choix : céder, ou perdre l'appui angevin, et par conséquent la Provence. Le 26 août, il accorda une promesse de 20 000 francs, dont 8 000 devaient être immédiatement versés et 12 000 étaient payables avant avril. C'était là un simple acompte, précisait le pape, sur le remboursement de la dette pontificale, en attendant que le compte fût établi par les commissaires des deux parties. Le solde serait assigné sur la collectorie de Provence. Si la dette n'atteignait pas 20 000 francs, cette somme resterait acquise en simple don au roi [2]. Celui-ci pouvait alors, le 27 août, faire hommage au pape et mettre sa personne, celle de son frère et toute sa terre au service de Benoît XIII [3]. Le 29, la Trésorerie pontificale versait 10 000 florins au roi Louis II [4]. Le 30, celui-ci proclamait sa restitution d'obédience. Les 20 000 francs étaient payés avant le 7 mai 1403 [5].

La reine Marie avait cependant profité de la soustraction d'obédience pour s'approprier les revenus de la Chambre apostolique en Provence. Des dépouilles de Jean de Rochechouart, archevêque d'Arles mort en 1398, elle aurait tiré 15 000 florins [6] ; les vacants de l'archevêché lui rapportèrent 2 000 francs [7]. Les dépouilles de Jacques Artaud, évêque de Gap, furent de même saisies en 1399 [8]. Les gens de Louis II en usèrent de la même façon en Anjou lors de la mort du collecteur Pierre de Saint-Rembert, dont le numéraire, la vaisselle et les créances privées furent, pour une part au moins, confisqués et appliqués à l'extinction des dettes du roi et de sa mère [9].

---

1. *Non fuerit dictum per expressum quod dabatur in diminutionem debiti* ; Bibl. nat., lat. 5913 A, fol. 113 r°.
2. *Ibid.*, fol. 109-110 ; *Reg. Av.* 321, fol. 455 v° ; *Instr. misc.* 3530, fol. 2.
3. Martin d'ALPARTIL, *Chronica actitatorum...*, éd. Ehrle, p. 136.
4. VALOIS, *op. cit.*, III, p. 274.
5. *Reg. Av.* 321, fol. 455 v°.
6. Ce chiffre, cité par VALOIS (*op. cit.*, III, p. 273, note 3) d'après Bertrand Boysset (EHRLE, *Die Chronik...*, p. 353), nous paraît être le revenu brut des dépouilles, non le revenu net dont disposèrent les gens du roi.
7. *Reg. Av.* 296, fol. 42 ; 321, fol. 456 r°.
8. Bibl. nat., lat. 5913 A, fol. 109 r°.
9. *Ibid.*, fol. 111-114 ; *Reg. Av.* 321, fol. 455 v°.

Au lendemain de son évasion d'Avignon, Benoît XIII récompensa l'appui angevin en concédant à Louis II l'ensemble des revenus de la Chambre apostolique en Provence, y compris les communs services dus à la Chambre. A ce titre, le roi reçut en deux ans des sous-collecteurs et des prélats un total de 20 713 florins courants [1], soit quelque 16 570 francs.

Pendant ce temps, les commissaires s'étaient mis au travail. En 1405, les gens du roi arrivèrent à la conclusion suivante [2] : depuis 1378, avaient été remboursés par le pape 69 179 francs 1 gros 5 deniers... Deux ans plus tard, Pierre du Pont et Julian de Loba étaient encore en pourparlers avec les commissaires angevins qui prétendaient au remboursement de la vieille créance de Louis Ier [3].

Le moment est venu, pour nous aussi, de dresser le bilan. Le tableau que voici tient compte de tous les paiements effectués par la Chambre apostolique ou sur ses revenus, aux Angevins ou sur leur ordre.

On voit que l'alliance angevine a coûté aux papes d'Avignon,

PAIEMENTS AUX ANGEVINS (1378-1405)

	SOMME	VALEUR EN FRANCS
Remboursements effectués en 1378-1382	44 632 fr. 15 s. t.	44 632
Assignation générale des revenus de la Chambre apostolique (déduction faite des sommes cependant dépensées pour la papauté), du 31 mars 1382 au 31 mars 1385.	715 245 fr.	715 245
Versements et paiements effectués :		
du 31 mars au 1er octobre 1385	58 303 fl. Ch.	54 416
du 1er novembre 1385 au 31 octobre 1386. .	22 354 fl. Ch.	20 863
du 1er novembre 1386 au 31 octobre 1387. .	57 060 fl. Ch.	53 256
du 1er novembre 1387 au 31 octobre 1388. .	33 367 fl. Ch.	30 809
du 1er novembre 1388 au 31 octobre 1389. .	29 396 fl. Ch.	27 436
du 1er novembre 1389 au 31 octobre 1390. .	93 763 fl. Ch.	87 512
du 1er novembre 1390 au 31 octobre 1391. .	23 114 fl. Ch.	21 573
du 1er novembre 1391 au 31 octobre 1392. .	35 706 fl. Ch.	33 325
du 1er novembre 1392 au 31 octobre 1393. .	74 019 fl. Ch.	69 084
du 1er novembre 1393 au 31 octobre 1394. .	17 597 fl. Ch. nouv.	17 597
du 1er novembre 1394 au 31 octobre 1395. .	7 040 fl. Ch. nouv.	7 040
du 1er novembre 1395 au 31 octobre 1396. .	2 693 fl. Ch. nouv	2 693
de 1402 à 1405.	25 000 fr.	25 000
Droits levés en Provence, communs services et vacants, de 1402 à 1405..............	2 000 fr	2 000
	20 713 fl. cour.	16 570
Total		1 229 051

1. *Reg. Av.* 296, fol. 43 r⁰.
2. *Instr. misc.* 3530.
3. *Reg. Av.* 331, fol. 98 v⁰-100 r⁰.

en un quart de siècle, 1 229 051 francs. Cette somme représente environ le double du revenu net annuel de Richard II [1]. Près de cinq tonnes d'or avaient été soustraites de la Trésorerie pontificale. On peut juger que ces subsides avaient été « médiocres » [2] ; ils n'en représentent pas moins le revenu global du pape pendant sept ans.

3. *Le royaume d'Adria.*   Avant même que le duc de Bourbon renonçât définitivement à son expédition, un autre projet prenait corps [3] : celui d'une intervention française plus directe, au profit de Louis d'Orléans, pour lequel le conseil de Charles VI sollicita, en mai-juin 1393, la reprise du vieux projet de royaume d'Adria, déjà évoqué en 1379 lors des négociations de Sperlonga entre Clément VII et les gens de Louis d'Anjou. On connaît l'histoire des négociations de 1393 [4] : Clément VII tergiversa, consulta trois cardinaux [5] et, finalement, refusa. Les envoyés français avaient fort habilement remontré au pape que la possession de Rome lui était indispensable, que l'inféodation d'une part des états pontificaux serait plus profitable que préjudiciable au Saint-Siège, que la menace florentine serait ainsi définitivement conjurée, bref, que l'opération ajoutait aux avantages de la voie de fait ceux d'une réorganisation des états pontificaux [6].

La prudence conseillée par les cardinaux inspira certainement le refus de Clément VII. Nous pensons, surtout, que l'aspect financier de la question ne laissa indifférents ni le pape ni ses conseillers. Il importait de ne pas se laisser emporter dans une aventure dont le Saint-Siège, s'il en devenait solidaire, devrait assumer, en tout ou en partie, la charge financière. Il est permis de penser que l'expérience angevine n'était pas étrangère à cette prudence. Jean de la Grange, sans contester l'intérêt du projet, mit l'accent sur le principal problème : comment le duc d'Orléans mettrait-il son projet à exécution ? Avec quels moyens ? Autrement dit, qui paierait ? Il est significatif que, pour demander au conseil royal quelques assurances à cet égard, Clément VII ait choisi d'envoyer par deux fois son trésorier, Antoine de Louvier [7].

---

1. Chiffres fournis par J.-H. RAMSAY, *A History of the revenues of the Kings of England*, II, p. 292-293, 422 et 430 ; interprétation de ces chiffres par Ed. PERROY, *L'administration de Calais...*, dans la *Revue du Nord*, XXXIII, 1951, p. 221, et *Compte de William Gunthorp...*, dans les *Mém. de la comm. dép. des Mon. hist. du Pas-de-Calais*, X [1], 1959, p. 9.
2. Jugement de M. REY (*Les finances royales...*, p. 593) auquel nous ne pouvons souscrire.
3. On en parlait à Avignon dès janvier 1393 ; BRUN, *loc. cit.*, XIII, p. 58.
4. E. JARRY, *La vie politique de Louis de France...*, p. 107-121 ; P. DURRIEU, *Le royaume d'Adria...*, p. 55-65.
5. J. de la Grange, N. Brancacci et P. de Thury ; DURRIEU, *op. cit.*, p. 63.
6. M. DE BOÜARD, *op. cit.*, p. 147-149.
7. DURRIEU, *op. cit.*, p. 67 ; de BOÜARD, *op. cit.*, p. 149-150.

Dans sa réponse aux envoyés du duc d'Orléans, Clément VII avait pris les devants, manifestant sa volonté de ne rien supporter des charges financières de l'opération. Il était nécessaire, affirmait le pape, que le duc disposât de deux mille lances, dont cinq cents formées d'Italiens ou de gens habitués à l'Italie, et de cinq cents arbalétriers à cheval. De simples « arbalétriers de galée » ne suffiraient pas, était-il précisé. Ces gens d'armes devraient être engagés et entretenus pendant trois ans au moins. Le duc devrait disposer, la première année, de 500 000 francs ; il faudrait 300 000 francs la seconde année, et autant la troisième : au total, une somme de 1 100 000 francs [1]. Ce que nous savons des affaires angevines confirme le bien-fondé des chiffres avancés par le pape ; les gens de la Chambre apostolique appréciaient exactement, par expérience, le coût de l'expédition. Faute de cette somme, affirmait Clément VII il était dangereux d'entreprendre la conquête : *et cum minori financia videretur sibi periculosum assumere dictam conquestam.*

Mais, quant à cet argent, il ne fallait pas compter sur la Chambre apostolique. Le roi de France et ses oncles n'avaient qu'à ordonner une aide financière et à procurer gens d'armes et galées. Aucune charge supplémentaire ne devrait être imposée sur le clergé français : donc, pas de décime à espérer. Et Clément VII de mettre les choses au point : le pape ne fournirait aucune finance [2].

Les envoyés français eurent beau faire valoir, lors d'une seconde ámbassade, dans l'été de 1394, que le duc avait les moyens de financer son entreprise, que le roi lèverait en sa faveur une aide de plus d'un million [3], le pape demeura inflexible, s'abritant derrière l'inaliénabilité des états pontificaux. En fait, il savait fort bien qu'une telle expédition ne pourrait être menée à bien sans qu'il en coûtât au Saint-Siège. Le pape mettait alors en balance les chances de succès de la voie de fait — sur lesquelles les difficultés rencontrées en Italie méridionale et, depuis peu, en Italie centrale, pouvaient laisser quelques doutes — et le coût de telles opérations. Après avoir dépensé pour elle plus d'un million de francs, Clément VII ne pouvait abandonner la cause angevine. Il pouvait éviter de s'attacher à la cause du duc d'Orléans.

Benoît XIII n'aida pas directement les entreprises françaises en Ligurie dont il devait, cependant, dix ans plus tard, tirer un appréciable profit politique. Mais, contre Jean-Galéas Visconti dont les visées sur la Sicile semblaient se préciser [4], le pape d'Avignon se rangea aux côtés de Martin, roi de Trinacrie et, depuis peu,

---

1. Arch. nat., J. 495, no 4, fol. 2, et no 4 *bis*, fol. 2 vo.
2. Arch. nat., J. 495, no 2, fol. 17.
3. Durrieu, *op. cit.*, p. 72. — Sur les finances du duc d'Orléans, et en particulier sur les dons à lui faits sur le trésor royal et sur les impositions royales dans les fiefs qu'il tenait, voir : M. Nordberg, *Les ducs et la royauté...*, p. 12-23.
4. Sur le renoncement définitif de Visconti à la Sicile, en octobre 1396, voir M. de Boüard, *op. cit.*, p. 204.

d'Aragon [1]. Deux galées furent nolisées, dans l'été 1396, pour le service commun du pape et du roi Martin ; le collecteur Berenger Ribalta paya 13 000 florins d'Aragon pour leur service [2].

Au même moment, Benoît XIII envoyait à Rome une ambassade dirigée par l'évêque de Tarazone, Fernando Perez Calvillo. Dans l'esprit de Benoît XIII, c'était la dernière concession aux voies de compromis avant le recours à la voie de fait [3]. Lourde charge, vu son inefficacité, que celle de cette ambassade. Il fallut deux galées, que l'on retint pendant quatre mois et demi, du 6 mai au 26 septembre. Le Majorquin Arnaldo Adimari reçut pour son service 4 993 florins d'Aragon [4], soit 3 495 florins de la Chambre. Pedro En Gayte reçut au moins autant [5]. Pour les frais de la mission, Fernando Perez, Thomas de Collioure et Pedro En Gayte emportèrent 1 200 florins de la Chambre [6] et en empruntèrent 400 d'un Pisan, contre une lettre en faveur de Pedro Maries, lettre que la Trésorerie paya le 30 septembre [7].

B. — LA DÉFENSE D'AVIGNON ET DU COMTAT

La dernière menace d'offensive avignonnaise avait fait long feu. Déjà, Benoît XIII devait songer à se défendre contre les anciens alliés de Clément VII. En Italie, certes, les positions avignonnaises étaient suffisantes pour laisser planer sur Rome la menace d'une conquête militaire. Lors d'une rencontre avec Perez Calvillo, le préfet Giovanni di Sciarra di Vico avait envisagé d'engager à Benoît XIII, pour 12 000 florins, la citadelle de Civita Vecchia ; s'il avait finalement refusé — prétextant qu'il n'avait plus besoin de la somme — de livrer le grand port aux gens d'Avignon, il ne s'en disait pas moins prêt à le remettre à Benoît XIII si celui-ci venait en Italie [8]. Pendant ce temps, Bernardon de Serres et Enguerran de Coucy menaient leurs troupes à travers la Toscane, au grand dam de Boniface IX et des populations locales [9].

Mais en France même, et en Provence, ceux qui avaient soutenu la cause avignonnaise se tournaient maintenant contre elle. C'était le retournement des princes français et du roi de Castille, l'hostilité du clergé français et celle, combien violente, de l'Université de Paris. C'était aussi, sur un plan purement local, les difficultés

1. Jean Ier était mort le 19 mai.
2. Avant mars 1397 ; *Reg. Av.* 301, fol. 17 v°-18 v°.
3. VALOIS, *op. cit.*, III, p. 88-94.
4. *Coll.* 372, fol. 58 r°-59 r° et 63 v° ; *Intr. ex.* 372, fol. 77 v°.
5. *Intr. ex.* 372, fol. 78 r°.
6. *Ibid.*, fol. 68 r° et 69 r°.
7. *Ibid.*, fol. 78 r°.
8. VALOIS, *op. cit.*, III, p. 93-94.
9. Nombreux témoignages dans VALOIS, *op. cit.*, III, p. 95 note.

suscitées en Provence, dans le Comtat et jusqu'aux portes d'Avignon par le neveu de Grégoire XI, Raymond de Turenne.

Raymond-Louis Roger, fils de Guillaume Roger, comte de Beaufort et vicomte de Turenne, était, par son père, le neveu de Grégoire XI et le petit neveu de Clément VI [1]. Avec l'accord de son père, il tenait en Provence diverses places appartenant à sa famille, entre autres Saint-Remy et la forteresse des Baux [2]. Les visées annexionistes de la reine Marie sur ces possessions le déterminèrent, au printemps de 1386, à se dresser contre les Angevins. A la même époque et pour la même raison, il se résolvait à exciper contre Clément VII de diverses créances : ses droits à l'héritage de Grégoire XI, et notamment les créances résultant de prêts consentis par Clément VI et Grégoire XI à la couronne de France, soit un peu plus de trois millions de francs [3], et, surtout, ses gages pour le temps où il servait dans l'armée pontificale en Italie, c'est-à-dire avant 1379 [4]. Les gages représentait une plus faible créance que les prêts de ses oncles, mais il était plus facile d'en exiger le paiement. En déduction de ces gages, il avait déjà reçu 1 000 florins du trésorier, le 11 août 1379 [5] ; on lui avait assigné, le 13 février 1382, 330 setiers de froment — ou leur contre-valeur en or — sur la collectorie du Puy [6]. Surtout, Raymond de Turenne avait sur les revenus du Comtat une assignation de 7 000 florins, payable par annuités de 500 à la Saint-Michel, à partir de 1379 [7] ; à cette cadence, la somme ne pouvait être acquittée qu'en 1392, voire en 1395 si l'on tient compte de la concession de tous les revenus du Comtat faite en 1384 pour trois ans aux cardinaux Corsini et de la Grange, à Louis de Montjoie et à Bernardon de la Salle [8]. Bref, Turenne se jugeait frustré. Il vint menacer Avignon. Le 24 août 1386, Clément VII était obligé de quitter Villeneuve et s'enfermait dans le palais des Doms [9].

Cette fois, il fallait se défendre. Le pape fit mettre en état l'artillerie du palais et recruter des archers. Dépenses minimes, au vrai, que celles-là : la Trésorerie ne déboursa, pour l'artillerie, que 19 florins et 20 sous [10].

Rapidement, ce fut la guerre, et la charge financière s'accrut. Le recrutement de soldats dans les régions voisines — Languedoc, Savoie, Genevois, Dauphiné — se fit plus onéreux. Il fallut renfor-

---

1. B. Guillemain, *La cour pontificale...*, p. 160, tableau.
2. N. Valois, *Raymond Roger...*, dans l'*Ann.-bull. de la Soc. de l'Hist. de France*, XXVI, 1889, p. 218.
3. Arch. nat., R 2 40, n° 61.
4. Valois, *La France et le Grand Schisme...*, II, p. 333.
5. *Intr. ex.* 353, fol. 31 v°.
6. *Coll.* 359 A, fol. 147.
7. *Coll.* 359, fol. 27-28 ; *Instr. misc.* 6059.
8. Voir ci-dessus, p. 168.
9. Valois, *Raymond Roger...*, p. 220.
10. *Intr. ex.* 361, fol. 139-146.

cer la garde des villes, de Châteauneuf d'Isère comme de Monté-limar [1]. Surtout, le pape se vit obligé de consentir des rançons. Un premier traité, le 7 janvier 1387, garantissait la paix contre versement à Turenne de 15 000 francs, à raison de 500 francs et 500 florins par an [2]. Il fallut, dès l'abord, que le pape payât la solde des gens d'armes du vicomte — quelque 1 400 florins — et celle des gens d'armes enrôlés contre lui par la reine Marie, soit 3 750 florins [3].

Après de nouveaux ravages et la prise de Châteauneuf-de-Mazenc et de Roquemartine par Turenne — celui-ci était alors à deux heures de marche d'Avignon — dans l'hiver 1388-1389, un second traité fut conclu. Pour financer la lutte, pour payer la solde des cin-quante lances du comte Pierre de Genève, soit 2 000 florins par mois [4], pour faire construire des machines de siège et des trébu-chets [5], Clément VII dut imposer à Avignon une gabelle excep-tionnelle dont il se fit avancer par la ville les 20 000 florins courants escomptés [6]. Le traité conclu vers le mois d'avril 1389 reprenait les clauses financières de 1387 [7] et y ajoutait le versement, avant la fin de 1389, d'une somme de 12 000 florins de la Chambre dont la moitié était remboursable, ultérieurement, par Turenne. Les frais de transbordement des troupes de Turenne sur la rive droite du Rhône étaient également à la charge du pape [8]. En décembre, la Chambre apostolique était à bout de ressources : il fallut exiger des états du Comtat venaissin une taille de 5 000 florins [9].

Un an plus tard, c'était de nouveau la guerre, et d'autant plus dévastatrice que, cette fois, le pape refusait la pure et simple capi-tulation dont l'inefficacité avait été démontrée. Les troupes du pape, commandées par le propre neveu de Clément VII, Humbert de Villars, assiégèrent les places tenues par Turenne, et en parti-culier, à plusieurs reprises, Châteauneuf-de-Mazenc où était établi le trésor du vicomte. Des renforts furent amenés, de la part de Charles VI, par le maréchal de Sancerre. Le comte de Genève en procura d'autres. Jean III d'Armagnac et son armée tentèrent de s'interposer et de rétablir la paix [10]. Ce fut, de 1390 à 1394, la guerre permanente à travers le Comtat et la Provence occidentale [11].

Le revenu du Comtat en fut notablement affecté. La valeur

---

1. *Intr. ex.* 365, *passim* ; VALOIS, *op. cit.*, II, p. 336-337.
2. Arch. nat., R ² * 38, fol. 23 r° ; Valois, *op. cit.*, II, p. 335.
3. *Intr. ex.* 362, fol. 71-85.
4. *Intr. ex.* 365, fol. 85.
5. BRUN, *Annales...*, *loc. cit.*, XII, p. 111.
6. *Ibidem* ; *Intr. ex.* 365, fol. 20 v°.
7. Ceci ressort de la consultation citée par VALOIS (*op. cit.*, II, p. 335) aux termes de laquelle les versements furent faits pendant six ans au moins.
8. VALOIS, *op. cit.*, II, p. 340.
9. *Coll.* 267, fol. 275.
10. P. DURRIEU, *Les Gascons...*, p. 69.
11. VALOIS, *op. cit.*, II, p. 340-359.

théorique des revenus domaniaux — affermés ou en régie — du pape dans le Comtat tomba, de 7 500 florins environ avant 1385, à 3 718 en 1392-1393 ; à partir de l'année suivante, ils demeurèrent inférieurs à 1 700 florins. Les recettes tombèrent dans le même temps de 5 000 florins environ à moins de 800 [1]. La taille de 1392 fut la dernière à laquelle les états du Comtat consentirent sans difficulté.

L'entretien des troupes pontificales était fort lourd [2] ; le coût de la diplomatie ne l'était pas moins. En mai 1392, à l'occasion d'une éphémère « paix perpétuelle », Turenne reçut 30 000 francs — pour le paiement desquels il fallut mettre à contribution l'évêque de Valence, le comte de Valentinois, le Comtat et Avignon [3] — et la promesse de 20 000 francs que gagèrent, en mort-gage, les revenus du prieuré de Saint-Pierre à Saint-Remy de Provence, qui appartenait à l'évêque d'Avignon, et des biens sis à Pertuis et à Pélissanne, qui appartenaient à Montmajour [4]. L'année suivante, Clément VII accordait à la reine Marie une aide de 5 000 francs par mois pour lutter contre Turenne [5] ; les états de Provence n'avaient accordé que 20 000 florins en tout [6].

Malgré des tentatives de paix faites en 1395 et en 1397 [7], la guerre continua jusqu'en 1399. Turenne trouva dans la soustraction d'obédience de 1398 un nouveau moyen de manifester son hostilité : il apporta son aide à Geoffroi Boucicaut [8]. Mais Jean Boucicaut, gendre de Raymond de Turenne, n'avait d'autre précocupation que de s'approprier les terres de son beau-père. Contre le vicomte, il traita avec la reine Marie. L'héritage de Turenne fut partagé, et Raymond réduit à l'impuissance [9].

Pendant quinze ans, cet ancien capitaine au service de la papauté avait tenu le pape d'Avignon en échec sur ses propres terres. La Chambre apostolique avait dû en passer plusieurs fois par ses exigences. C'est seulement devant les prétentions exorbitantes de 1395 que les gens du pape refusèrent de céder : Turenne n'exigeait-il pas de la Chambre le paiement de 5 000 francs à lui dus par Andrea di Tici et de 30 000 francs, valeur de la vaisselle confiée par lui au même Tici et subrepticement vendue par celui-ci [10] ? Pour le maintien de l'ordre autour d'Avignon, la Chambre apostolique avait dû financer une lutte constante et souvent vaine. Elle

---

1. Voir ci-dessus, p. 168-170.
2. *Coll.* 372, fol. 31-88.
3. Brun, *Annales...*, *loc. cit.*, XII, p. 133-134.
4. *Reg. Av.* 270, fol. 53 r⁰-54 r⁰ ; Arch. nat., K 54, n⁰ 10 ; R ² * 38, fol. 23 v⁰.
5. *Intr. ex.* 370, fol. 161 v⁰.
6. Valois, *Raymond, Roger... loc. cit.*, p. 11.
7. *Ibid.*, p. 31-35.
8. Froissart, *Chronique*, éd. Kervyn de Lettenhove, XVI, p. 126.
9. Valois, *Raymond Roger...*, p. 36-38.
10. *Ibid.*, p. 47, § VII et VIII.

avait, d'autre part et pour la même raison, subi dans la fiscalité domaniale les effets des dévastations.

Dépenses militaires, indemnités prévues par les traités, diminution des ressources, tout cela additionné n'atteindrait guère que le dixième du coût de la lutte pour Naples. Dans la crise financière, Raymond de Turenne n'est qu'un facteur secondaire. Mais si l'on songe que ces embarras furent causés par la volonté délibérée d'un seul homme, sans soutien politique [1] et sans autres ressources que de modestes seigneuries et la rapine, on mesure mieux la gravité de cette lutte et la force des bandes de routiers.

C. — LE PAPE DE ROME ET LA DÉFENSE DES ÉTATS PONTIFICAUX

Une telle constatation éclaire le peu que nous savons des charges supportées par la papauté romaine du fait de la guerre. Dans la compétition pour Naples, le pape de Rome et son candidat Charles de Durazzo avaient l'avantage de la position. Pas de galées à armer, d'expéditions à préparer, d'argent à transférer au loin. Ils étaient sur place. Mais la présence dans les états pontificaux, en Romagne comme dans le Patrimoine et en Toscane, des bandes de Bretons et de Gascons à la solde d'Avignon était sans doute plus lourde à supporter qu'elle n'était onéreuse pour le pape d'Avignon. La révolte permanente d'un Rinaldo Orsini ou d'un Francesco di Vico était certainement plus dommageable pour le pape romain que profitable pour son adversaire. L'efficacité du combat mené par Bernardon de la Salle était assurément sans rapport avec l'importance des effectifs engagés.

Nous ne nous étendrons pas ici sur les luttes italiennes. Nous ne voulons qu'en étudier le financement, c'est-à-dire la charge qu'elles imposèrent à la Chambre apostolique de Rome.

Le premier fait notable est l'abandon, pour des nécessités politiques et militaires, d'une part importante des revenus seigneuriaux du pape romain. Le cens de 8 000 onces d'or, soit 40 000 florins, dû par Charles de Durazzo eut beau être réduit à 3 000 onces, ce qui représentait encore 15 000 florins, la Chambre apostolique n'en perçut jamais, nous l'avons montré [2], un seul denier. Sans rien payer, le pape de Rome perdait donc plusieurs centaines de milliers de florins pour sa contribution à la défense du royaume contre les entreprises angevines. De même la commune de Florence devait-elle encore, en 1407, 220 000 florins sur les 250 000 qu'elle aurait dû payer à Urbain VI aux termes du traité de Sarzana [3] ; mais c'est

---

1. Turenne ne reconnut Boniface IX et Ladislas de Durazzo qu'à la fin de 1393 ; Arch. nat., P 1351, n° 694. — Cette reconnaissance tardive fut d'ailleurs sans effet pratique.
2. Voir ci-dessus, p. 185.
3. *Reg. Vat.* 336, fol. 114 v°-115 v°.

elle qui finança les entreprises de John Hawkwood en faveur de Charles de Durazzo, ce dont les Florentins ne laissèrent pas de s'indigner [1]. Les cens dus par Guido da Polenta pour son vicariat apostolique de Ravenne ne furent payés ni par lui ni par ses fils : clémentiste notoire, Guido avait été révoqué au profit de Galeotto di Malatesta [2] ; ses fils, nommés le 4 mai 1391, devaient être ménagés si l'on ne voulait pas qu'ils se tournassent contre Rome : leurs cens furent parfois revendiqués en vain par la Chambre apostolique, plus souvent remis [3] et, au total, très rarement payés [4]. De même voit-on Boniface IX remettre, en 1398, les cens que, depuis leur nomination, c'est-à-dire depuis sept ans, les vicaires de Sassoferrato avaient laissés impayés en raison de la guerre et des difficultés locales [5]. En bref, le pape de Rome ne pouvait se montrer exigeant envers les seigneurs qui tenaient les places de l'Italie centrale : leur ralliement avait parfois été long, leur fidélité n'était pas toujours indéfectible.

L'engagement de mercenaires, au contraire, exigeait de l'argent liquide. Dès les débuts du Schisme, Urbain VI devait faire appel, contre les routiers de Bernardon de la Salle, à la *Brigade de Saint-Georges* d'Alberigo di Barbiano [6] qui demeura au service du pape et, en fait, de Charles de Durazzo jusqu'à ce qu'Alberigo fût fait prisonnier par Louis de Montjoie le 24 avril 1391 [7]. Qui paya Alberigo ? Le fait qu'Urbain VI ait donné commission de l'engager pour le temps et pour la solde nécessaires laisse entendre que ce fut la Chambre apostolique qui paya. Mais ne passa-t-elle par la charge à Charles de Durazzo ? Nous l'ignorons.

Les hommes d'armes engagés par la suite pour le compte du pape romain furent presque tous affectés à la défense des états de l'Eglise. John Hawkwood, nous l'avons vu, fut rémunéré par Florence et non par la Chambre apostolique. Le duc Etienne de Bavière reçut, pour ses quatre mois de service, en 1380, une assignation de 16 000 florins sur l'indemnité due par Florence aux termes du traité [8]. En 1390, Boniface IX faisait vendre des cens dans le royaume de Naples pour payer la solde des gens d'armes engagés par le légat Angelo Acciaiuoli et le capitaine général Giovannello Tomacelli [9]. Au regard de ce que le pape dépensait pour la défense de l'Italie centrale,

---

1. *Reg. Vat.* 310, fol. 268 v°-269 r° ; Marchione di Coppo Stefani, *Istoria fiorentina*, p. 26 ; L'ARETIN, *Leonardi Aretini Historiarum Florentinarum libri XII*, p. 200.
2. 10 août 1383 ; *Arm.* XXXIII, 12 fol. 55-57.
3. *Reg. Vat.* 313, fol. 97 v° ; 320, fol. 76 v°-77 r° ; 335, fol. 97-98.
4. Ils payèrent, par exemple, le cens de 1393 ; *Reg. Vat.* 314, fol. 108 v°.
5. *Reg. Vat.* 315, fol. 324 v°-325 r°.
6. M. DE BOÜARD, *La France et L'Italie...*, p. 38 et 44 ; voir aussi la bulle du 27 mai 1380 ; *Reg. Vat.* 310, fol. 28 v° et 33.
7. M. DE BOÜARD, *op. cit.*, p. 140. — Alberigo passa plus tard au service de Jean Galéas Visconti.
8. 21 juin 1380 ; *Reg. Vat.* 310, fol. 49.
9. 22 novembre 1390 ; *Reg. Vat.* 347, fol. 128.

c'était peu. On verra même, en 1408, le roi Ladislas de Durazzo offrir à Grégoire XII 20 000 ducats [1]. Les luttes pour le royaume de Naples ne furent donc pas pour le pape romain la charge écrasante qu'elles furent pour celui d'Avignon.

Mais dans les états pontificaux, Urbain VI faisait piètre figure. Le préfet de Rome Francesco di Vico tint jusqu'en 1387 Viterbe, Todi, Narni et Civita Vecchia. L'évêque-collecteur clémentiste Pierre Arsenh tint Montefiascone jusqu'en 1387. En Ombrie, Rinaldo Orsini, comte de Tagliacozzo, battait la campagne au profit du pape avignonnais qui l'avait fait recteur du Patrimoine et du duché de Spolète. Dans Pérouse même, les Michelotti opposaient à Urbain VI une tenace résistance. Les troupes de Bernardon de la Salle, enfin sillonnaient l'Italie centrale [2]. Sans doute parce qu'ils étaient mal payés, les hommes d'armes engagés par Urbain VI étaient peu sûrs. Partis en 1388 pour prendre Naples, ils firent défection sitôt parvenus à Ferentino [3]. Les expédients d'Urbain VI ne pouvaient que faire long feu : il assignait au caporal Albrecht Cracowitz 600 florins sur les dettes passées et à venir de la commune de Città di Castello [4], à quatre mercenaires italiens 4489 florins sur l'indemnité que Florence n'était plus décidée à payer [5], à Pietro degli Alberti da Orte 188 florins sur la dette de la commune d'Orte [6], au caporal Domenico di Francesco di Ruffaldo da Siena, enfin, 3 474 florins sur les 60 000 que devait Pérouse pour sa paix [7].

La relative reconstitution du pouvoir seigneurial du pape donna à Boniface IX d'autres moyens de rémunération. Les assignations purent être faites sur des recettes, non plus sur d'aléatoires créances [8]. Au fur et à mesure que se ralliaient les seigneurs de Toscane, d'Ombrie, de Romagne et de la Marche, se multipliaient les cens utilisables pour des paiements réguliers. Dès février 1390, celui de Fermo (1 000 florins) était assigné à Gherardo degli Adigheri [9]. En octobre 1397, celui de Foligno l'était à Pandolfo di Malatesta [10]. Le mouvement s'amplifia à partir de 1399. Des tailles imposées sur les habitants des comtés de Narni et de Sabine permirent en 1394 de solder les hommes d'armes recrutés par Niccolò da Imola pour la reprise de Narni [11]. La recette des collecteurs d'Italie septentrionale servit à payer en 1393 les gages des châtelains de

---

1. 13 décembre 1408 ; *Reg. Vat.* 337, fol. 98 v°.
2. VALOIS, *La France et le Grand Schisme...*, II, p. 124-131.
3. VALOIS, *op. cit.*, II, p. 144-145.
4. *Reg. Vat.* 310, fol. 25 v°-26 r°.
5. *Ibid.*, fol. 93.
6. *Ibid.*, fol. 8 v°.
7. *Ibid.*, fol. 61 v°-63 r°.
8. La dernière assignation sur une créance douteuse nous paraît être celle faite, le 4 novembre 1392, sur les dettes de Pérouse ; *Reg. Vat.* 314, fol. 4 v°-5 r°.
9. *Reg. Vat.* 347, fol. 91.
10. *Reg. Vat.* 315, fol. 250 v°.
11. *Reg. Vat.* 314, fol. 208 r°.

Castrocaro et de Bertinoro [1], celle du collecteur de Brême à payer en 1398 la solde du défunt caporal Paolo da Teramo [2]. Les trésoriers pouvaient payer les gages de certains châtelains : l'Hospitalier Pietro di Grimaldi, châtelain de Fossato di Vico [3], Marino Tomacelli, châtelain de Rocca Contrada [4], Giovannoto Scondito, châtelain d'Assise [5], Nardo Dentice, châtelain de Montone [6], Lisulo Pulderico, châtelain de Corsano [7], Antonio de' Prandi da Venezia, podestat et châtelain de Fratte [8], par exemple.

Les ressources domaniales étaient parfois suffisantes pour supporter les charges de la défense : sur les gabelles de Viterbe furent assignés les gages du châtelain Cicco Bauffo (20 florins par mois), de ses huit arbalétriers (3 florins et demi chacun) et de sept lanciers (3 florins chacun) : 69 florins par mois, au total [9]. La taille imposée en 1401 sur les habitants de Frosinone fournissait 17 florins sur les 40 dus, chaque mois, au châtelain Lanzeletto di Giovanni ; le trésorier de Campagne et Maremme complétait la somme grâce aux recettes des amendes judiciaires [10]. Dans les mêmes provinces, en 1405, fut assemblé un « parlement » auquel on demanda un fouage d'un *bolognino* par feu : il fallait 200 florins par mois pour rémunérer les châtelains [11].

A partir de 1395-1397, Boniface IX préféra s'attacher un petit nombre de compagnies aux effectifs élevés. La première et la plus importante est la *Brigade rose* de Paolo Orsini. En mai 1395, la Chambre apostolique devait à la Chambre de la ville de Rome 2 260 florins prêtés par cette dernière pour les gages de Paolo Orsini [12]. Très rapidement, la charge financière de la *Brigade rose* devint notable. En 1398, pour payer la solde, il fallut imposer une taille sur les comtés de Viterbe, Montefiascone, Orte, Corneto et Toscanella [13]. L'année suivante, 9 600 florins étaient assignés à Orsini sur les cens dus par Pérouse et par les vicaires de Foligno et Rimini [14]. A la même époque, la Chambre apostolique soldait pour 1 521 florins seulement les services de Malatesta di Galeotto Malatesta [15], et pour 3 162 florins ceux de Bartolomeo da Castello et Guido de' Torelli [16].

1. *Ibid.*, fol. 110 r° et 115 v°.
2. *Reg. Vat.* 315, fol. 313 r°.
3. *Reg. Vat.* 314, fol. 25 v°-26 r°.
4. *Ibid.*, fol. 40 r°.
5. *Ibid.*, fol. 26.
6. *Ibid.*, fol. 29 v°.
7. *Ibid.*, fol. 34.
8. *Ibid.*, fol. 32.
9. 1er octobre 1398 ; *Reg. Vat.* 316, fol. 66.
10. *Reg. Vat.* 317, fol. 218 r° ; 320, fol. 2 v° 3 r°.
11. 21 décembre 1404 ; *Reg. Vat.* 333, fol. 109 v°-110 v°.
12. *Reg. Vat.* 314, fol. 356.
13. *Reg. Vat.* 316, fol. 18 r°.
14. 2 600 florins sur Pérouse, 1 000 sur Foligno et 6 000 sur Rimini ; *Reg. Vat.* 316 fol. 215 v°-217 r° et 254 v°-255 r°.
15. *Reg. Vat.* 316, fol. 81.
16. *Ibid.*, fol. 266 r°.

En 1401, Paolo Orsini avait quatre cent quarante lances. Les cens assignés pour payer la solde de la *Brigade rose* dépassaient la valeur de 10 750 florins [1]. En 1403, ils atteignaient 14 750 florins [2], et il fallut en outre imposer une taille dans la Marche d'Ancône [3], cependant qu'une autre taille était imposée en Campagne et Maremme pour la solde de Bartolomeo da Teramo et de ses cinquante lances : 7 800 florins [4]. Dans le courant de 1404, Paolo Orsini reçut le montant d'une taille de 50 000 florins sur la Marche d'Ancône, d'un subside de 8 000 florins sur la Romagne et les diocèses d'Aquilée Castello, Ferrare et Modène, une assignation de 30 000 florins sur les revenus de la cité et du comté de Bologne et une autre de 21 550 florins sur des cens de vicaires [5].

Aux troupes de Paolo, s'ajoutaient les cent lances de Francesco di Giovanni Orsini : le trésorier de la Marche d'Ancône leur paya 2 000 florins en décembre 1404 [6], celui du duché de Spolète 3 753 florins en mars 1405 [7]. A la même époque, la Chambre apostolique devait 24 000 florins à Conte da Carrara et lui assignait en déduction le 20 novembre 1404, 13 000 florins sur les arrérages de cens de Città di Castello, 3 000 sur la recette du trésorier de la Marche d'Ancône et 500 sur le cens de Radolfo da Varano [8].

La solde de Mostarda della Strada et de ses quatre cents lances était également fort lourde. Dès mars 1399, on devait lui assigner le montant d'une taille imposée dans la Marche d'Ancône [9]. En 1400, le subside exigé de la même province au profit du Mostarda atteignait 8 000 florins : 5 000 des laïcs, 3 000 du clergé [10]. En 1401, outre 6 000 florins sur le cens de Rimini, Mostarda reçut le montant d'une taille sur le duché de Spolète et la terre des Arnouls [11], taille qui fut renouvelée en sa faveur les trois années suivantes. En 1405, c'est la totalité d'une taille sur le Patrimoine qui lui fut assignée pour ses gages d'un an [12]. En complément des soldes passées et de celle de l'année courante, Mostarda recevait une assignation de 5 000 florins sur la traite du blé dans le Patrimoine, une de 7 500 florins sur la taille de Fermo et Recanati, et une de 4 000 sur la traite du sel et du blé dans la Marche d'Ancône [13]. La mort de Mostarda della Strada [14] vint disloquer sa compagnie. Lodovico et

1. *Reg. Vat.* 317, fol. 171 v°-173 r°.
2. *Reg. Vat.* 320, fol. 113 r°-114 r°.
3. *Ibid.*, fol. 138 r°.
4. *Reg. Vat.* 317, fol. 310 v° ; 320, fol. 80 v°-81 r° et 112 v°.
5. *Reg. Vat.* 319, fol. 6 v°-10 r° et 26 v°-27 r°.
6. *Reg. Vat.* 333, fol. 79 r°.
7. *Ibid.*, fol. 192.
8. *Ibid.*, fol. 102 r°-103 r°.
9. *Reg. Vat.* 316, fol. 125.
10. *Reg. Vat.* 317, fol. 51 r°-52 r° et 61 r°-62 r° ; *Arm.* XXXIII, 12, fol. 212.
11. *Reg. Vat.* 317, fol. 177 et 206.
13. *Reg. Vat.* 333, fol. 253-254.
12. *Ibid.*, fol. 261 r°-262 r°.
14. Entre le 13 juillet et le 29 octobre 1405 ; *Reg. Vat.* 333, fol. 287 v° et 314.

Gentile Megliorato lui succédèrent, l'un gardant deux cents lances, l'autre vingt-cinq [1].

C'est probablement en 1405 et 1406 que les troupes pontificales atteignirent leur effectif maximum, alors que le peuple romain, révolté contre Innocent VII et son neveu Lodovico Megliorato, tenait en échec l'armée du pape [2] et que Giovanni Colonna, puis Ladislas, avaient Rome en leur pouvoir [3]. Paolo Orsini avait en 1405 cinq cent dix lances ; il en ajouta quarante autres à sa compagnie, du 1er octobre 1405 au 8 mars 1406 [4]. Francesco Orsini en avait cent [5], Mostarda della Strada quatre cents [6], Ceccolino de' Michelotti cent trente [7] : au total, mille cent quatre-vingts lances représentant entre trois et quatre mille cavaliers et un millier de piétons [8].

Il s'agissait là, et c'est une différence fondamentale avec les corps expéditionnaires angevins, d'une armée maintenue en permanence sous les armes. La solde était payable douze mois sur douze. Faute de connaître le revenu exact de toutes les assignations, nous pouvons tenter une approximation : à 12 florins par lance et par mois, les soldes durent atteindre, en 1405, quelque deux cent mille florins. C'est évidemment moins que les sommes dépensées par la Chambre avignonnaise en 1384. C'est beaucoup plus que la charge moyenne annuelle de la même Chambre avignonnaise Les états de l'Eglise étaient pour le pape de Rome un véritable gouffre financier et leurs ressources, loin d'alimenter la Trésorerie pontificale, suffisaient à peine à assurer la défense. Cens, tailles, droits indirects furent, dans les années 1398-1408, intégralement affectés à la solde des compagnies. La collectorie lombardo-vénitienne était elle-même touchée par cette charge : sur les 7 500 florins assignés en 1396 à Broglio da Tridino, 3 000 l'étaient sur la recette du collecteur Lucchino Borsano [9]. Il fallut même, à plusieurs reprises engager le temporel de l'Eglise pour garantir le paiement des soldes. La ville et le district de Cassari furent engagés en 1403 à Ugolino de' Trinci, seigneur de Foligno, qui avançait en partie le montant de la solde [10] des gens d'armes chargés depuis cinq ans de défendre l'autorité pontificale en Ombrie et réduire les révoltes de Pérouse [11].

---

1. *Reg. Vat.* 335, fol. 5.
2. La bataille de Ponte Molle est du 5 avril 1405 ; J. GUIRAUD, *L'Etat pontifical...*, p. 14.
3. VALOIS, *op. cit.*, III, p. 407-408.
4. *Reg. Vat.* 333, fol. 336 ro-337 ro.
5. *Ibid.*, fol. 192.
6. *Ibid.*, fol. 261.
7. *Ibid.*, fol. 262 vo-263 ro.
8. Les cent trente lances de Michelotti comprenaient quatre cents cavaliers ; *Reg. Vat.* 334, fol. 224 vo-225 vo.
9. *Reg. Vat.* 315, fol. 49 vo.
10. 3 000 ou 5 000 florins, nous ne savons, car deux lettres furent préparées par la Chambre apostolique le 1er août 1403 ; *Reg. Vat.* 320, fol. 162 ro-164 ro.
11. GUIRAUD, *op. cit.*, p. 20.

Quatre ans plus tard, n'ayant pas les 8 000 florins nécessaires à l'engagement de routiers et ne pouvant attendre la recette d'un subside imposé à cette fin dans le Patrimoine en Tuscie, Grégoire XII chargeait le recteur de cette province, Marco Correr, d'engager une terre ou un château dont le choix était laissé à son initiative [1].

Les années qui précédèrent le concile de Pise ne virent pas s'alléger la charge militaire de Grégoire XII. Paolo Orsini, dont l'effectif se maintenait désormais autour de cinq cent cinquante lances [2], absorbait la meilleure part des revenus seigneuriaux du pape. Pour la seule année 1407, il reçut 3 000 florins par le canal d'un autre capitaine, Alberto de' Roberti [3], 6 000 florins que le banquier florentin Matteo di Bartolomeo Tenaglia prêtait à la Chambre apostolique [4], 15 000 florins que Baldassare Cossa put extorquer à la commune de Bologne [5], 1400 florins que les conservateurs de la ville de Rome se procurèrent en vendant des gabelles [6], et tout le produit de la taille imposée dans les provinces de la Marche d'Ancône du duché de Spolète, du Patrimoine en Tuscie, de la Sabine, de la terre de la Commission spéciale et de la terre des Arnouls. Cette taille devait représenter onze mois de gages [7].

On recruta d'autres capitaines. Bolognino Boccatorta de' Papationi conduisit cinquante lances en 1406 [8]. Berardo di Radolfo da Varano entra au service de Grégoire XII, le 1er juin 1407, avec deux cent vingt lances [9]. Ceccolino de' Michelotti et ses quatre cents cavaliers — sa troupe avait triplé en deux ans — y demeurèrent au moins jusqu'à la fin de 1407 [10]. Grégoire XII mit enfin son propre neveu Paolo Correr à la tête d'une forte troupe destinée. sans nul doute, à protéger le déplacement du pape romain qui prétendait aller au devant de Benoît XIII. C'est à Lucques, point extrême de l'avance de Grégoire XII [11], que, le 26 mai 1408, furent assignés à Paolo Correr divers cens de vicariats pour un total de 6 185 florins [12].

On sait ce que fut la dislocation de l'armée chargée par Grégoire XII de défendre ses états. Devant la pression de Ladislas, qui

---

1. *Reg. Vat.* 336, fol. 110.
2. *Reg. Vat.* 334, fol. 84-85.
3. *Reg. Vat.* 335, fol. 32 v°-33 r°.
4. *Ibid.*, fol. 43 v°-44 r°.
5. Le pape avait demandé 25 000 florins, Cossa jugea le chiffre déraisonnable ; *Reg. Vat.* 334, fol. 100 ; 336, fol. 3 v° et 67 v°-68 r°.
6. On les tint quittes, bien qu'ils se fussent engagés à verser 5 000 florins ; *Reg. Vat.* 334, fol. 94 et 102 v°-103 r° ; *Arm.* XXXIII, 12, fol. 276 r°.
7. Bulle du 23 mai 1407 ; *Reg. Vat.* 336, fol. 2 v°-3 r°. — La taille de la Marche d'Ancône fut finalement assignée, avec l'accord d'Orsini, à d'autres gens d'armes ; *Ibid.*, fol. 141 v°-142 r°.
8. *Reg. Vat.* 334, fol. 70 v°.
9. *Reg. Vat.* 336, fol. 5 v°-7 r° et 242 v°-243 r°.
10. *Ibid.*, fol. 178 v°.
11. Valois, *op. cit.*, III, p. 566 et suivantes.
12. *Reg. Vat.* 336, fol. 198 r°-199 r°.

cherchait à prendre Rome, Grégoire XII préféra traiter. Ladislas
reçut le vicariat de Rome. Les doutes ne peuvent subsister quant
au fait que ce vicariat ait été véritablement vendu par le pape [1].
C'est en effet à Paolo Correr, négociateur de l'accord, que Ladislas versa les 20 000 ducats dont nous avons déjà parlé et qui
sont le prix du vicariat [2]. Paolo Orsini, lui, après avoir défendu
Rome contre Ladislas et ses alliés Colonna [3], finit par négocier
avec Boucicaut [4], en attendant de passer au service de Ladislas [5].
Il ne restait plus à Grégoire XII, en 1409, que son neveu Paolo
Correr, auquel — non sans aplomb — il assigna, le 23 juin 1409,
à Rimini, une somme de 1 000 florins sur le cens de Città di Castello [6].

Conclusion. Il est malaisé de comparer les charges nées de la
guerre et des luttes politiques pour les deux Chambres
apostoliques. Le fait de tenir Rome et les états pontificaux constituait, on vient de le voir, une lourde charge pour Urbain VI
et ses successeurs. Le désir de les prendre en était une pour Clément
VII et Benoît XIII.

Financièrement, la différence est considérable. L'aventure
angevine avait mené Clément VII au renforcement de la fiscalité.
Passée la période initiale, une part appréciable des revenus demeura
à la Chambre apostolique. De plus, le pape avignonnais ne s'engageait en Italie qu'autant qu'il le voulait bien. La prudence manifestée à l'endroit des projets orléanais en est la preuve. Le pape
romain, lui, n'était pas libre de choisir entre l'engagement et l'expectative : la guerre s'imposait à lui. Or l'essentiel de ses revenus,
on l'a vu, provenait des états de l'Eglise et des collectories d'Italie
septentrionale. En affectant la quasi-totalité de ses revenus seigneuriaux, à partir de 1395-1398, à la solde des gens d'armes, le
pape romain réduisait à une portion à peine congrue la recette
effective de la Trésorerie pontificale. Nous y voyons la principale
raison du recours à des expédients comme le Jubilé, la vente de
privilèges et d'indulgences, l'aliénation, enfin, du temporel de
l'Eglise et du temporel des églises. La vie même de la curie romaine
tenait au succès de ces expédients.

---

1. Valois cite tous les textes concernant cette vente, mais aucun n'est absolument
affirmatif ; *op. cit.*, III, p. 579-580.
2. Le pape en donna quittance à son neveu le 13 décembre 1408 ; *Reg. Vat.* 337, fol. 98 v°.
3. Dietrich von Niehem, *De Scismate*, éd. Erler, p. 233.
4. Valois, *op. cit.*, III, p. 580.
5. M. de Boüard, *op. cit.*, p. 368.
6. *Reg. Vat.* 337, fol. 100 r°.

CHAPITRE XIV

LA VOIE DE CESSION
ET LES CRISES DE LA FIDÉLITÉ

Les crises précédemment envisagées étaient dues aux charges exceptionnelles que faisaient peser sur les deux Chambres apostoliques les nécessités de l'action militaire, de la défense et de la pacification. C'étaient des crises de dépenses, caractérisées par une aggravation de la fiscalité et compensées par le recours aux expédients. Elles se marquaient avant tout par l'accroissement du mouvement des fonds.

Tout autres sont les crises de la fidélité. Elles affectèrent avant tout les recettes, ce qui n'était évidemment pas sans conséquence immédiate pour les dépenses. Le mouvement des fonds s'amenuisait, la fiscalité ne rendait plus et les expédients devenaient inopérants. De telles crises frappaient aussi le personnel de la Chambre apostolique, placé devant un choix aussi grave que celui de 1378 mais bien différent en ce que les crises de la fidélité ne survenaient pas à l'improviste.

La plus spectaculaire de ces crises, ce fut, pour Avignon, la soustraction d'obédience de 1398-1403. La période qui suivit n'est pas moins digne d'intérêt : reprise en mains de l'appareil fiscal, tentatives faites par la Chambre pour rattraper le manque à gagner de la soustraction, nécessité de financer, dans des conditions nouvelles et fort difficiles, l'entreprise diplomatique du voyage en Italie. La seconde soustraction d'obédience vint alors, en 1407, porter à Benoît XIII le coup fatal.

A Rome, cependant, les crises étaient moins générales et la documentation ne permet pas d'en cerner toute la portée en matière de finances. La papauté romaine connut dans ses relations avec l'Angleterre de multiples crises. La fidélité de la curie, celle du Sacré Collège, furent également sujettes à éclipses. L'aspect politique l'emporte ici sur l'aspect financier. Par la faiblesse de son appareil administratif, la Chambre apostolique romaine était moins sujette que l'avignonnaise aux crises de la fidélité de ses serviteurs ; elle avait, à cet égard, moins à perdre.

A. — OBÉDIENCE D'AVIGNON

1. *Le déclin de la fidélité.*   La première défection notable dont souffrit la papauté avignonnaise fut celle de certains banquiers. L'un après l'autre, les Italiens sur lesquels s'était appuyé Clément VII restreignirent leur crédit. Les attaques portées contre Benoît XIII lors de l'assemblée parisienne de février 1395 [1] eurent comme premier effet d'amener les banquiers à craindre pour leurs créances sur la Chambre apostolique. C'est après la venue des princes à Avignon que Dino Rapondi, présent à cette époque dans l'entourage du duc de Bourgogne, mit un terme à ses relations avec la papauté [2].

C'est à la même époque que l'on voit le Sacré Collège, agent docile de la politique française [3], retirer pratiquement tout crédit à la Chambre apostolique. Le dernier prêt consenti par Jean de la Grange est du 27 août 1394 [4], les derniers de Jean de Brogny et de Pierre Girard lui-même sont du 8 juin 1394 [5]. Seul, Guillaume d'Aigrefeuille céda encore en 1397 aux sollicitations de la Chambre et prêta 2 000 écus sur la caisse des communs services [6]. Quant aux simples prélats, il y avait longtemps que la pression fiscale avait eu raison de leurs capacités de crédit : les derniers prêts consentis par des évêques remontent à 1393 [7]. Responsable de la Chambre apostolique, Conzié fait ici exception, continuant à avancer de ses deniers l'argent dont manquait parfois la Trésorerie pour exécuter les mandements qu'il lui adressait [8].

On sent donc que, de toutes parts, les bases de la papauté avignonnaise sont sapées et que l'on retire la confiance jusqu'ici accordée. Les créances sur la Chambre apparaissent suspectes. Bien plus, les débiteurs de la Chambre cherchent à gagner du temps. Jamais la temporisation fiscale n'a été si nette : treize prélats avaient payé leurs communs services en un seul versement immédiat dans le courant de 1393, treize autres avaient fait de même en 1394 ; de 1395 à 1398, on n'en trouve plus qu'un seul [9], auquel il faut joindre l'abbé de Saint-Genis-des-Fontaines qui, cinq mois après s'être obligé pour 10 florins, en paya 41 [10].

1. V. Martin, *Les origines du Gallicanisme*, I, p. 245.
2. Voir ci-dessus, p. 490-491 et 500.
3. Valois, *op. cit.* III, p. 96.
4. *Intr. ex.* 371, fol. 11 r°.
5. *Ibid.*, fol. 10 r°.
6. *Coll.* 372, fol. 84 v°-85 r° ; *Intr. ex.* 374, fol. 35 r°.
7. *Intr. ex.* 370, *passim*.
8. *Intr. ex.* 371, fol. 8 r° ; 374, fol. 26 r° ; 375, fol. 7 v°.
9. L'abbé de Beauport, qui s'obligea pour 50 florins le 15 octobre 1397 et les paya le 17 ; *Intr. ex.* 375, fol. 2 r°.
10. *Ibid.*, fol. 6 v°. Il est évident que l'on ne saurait considérer ce paiement global mais très tardif comme une preuve de fidélité.

Les prélats pourvus pendant ces quatre années rivalisèrent par leur temporisation. Sur cinquante-quatre, dix-sept au moins n'avaient pas soldé leurs services cinq ans après leur obligation ; neuf mirent pour cela plus de dix ans. Parmi les plus notables temporisations, on rencontre des Français, comme les archevêques de Vienne et de Tours, les évêques de Rodez et d'Aire, les abbés de Saint-Sernin de Toulouse, de Saint-Sulpice de Bourges, d'Ardorel, de Fontfroide, de la Case-Dieu. Il y a aussi des Provençaux, comme l'archevêque d'Aix ou l'abbé de Boscodon, et des Catalans, comme les abbés de Saint-Genis-des-Fontaines et de Sorède. Les Castillans ne paraissent pas plus pressés de s'acquitter : l'évêque d'Orense mit plus de dix ans, l'abbé de San Llorens del Munt de Gérone plus de six ans, et l'on peut encore citer les évêques de Cuenca et de Zamora. Mais il est à noter que des Aragonais font preuve d'une égale mauvaise volonté : ainsi les abbés de Santa Fe de Saragosse, de Fluvia, de Camprodon et de Cardona. Bref, la prudence est partout la règle [1].

Très significatif est le recours au paiement par petites fractions, déjà cité comme le meilleur moyen d'éviter les sanctions canoniques. Taxé le 13 octobre 1397 à 125 florins, l'abbé de Boscodon en verse 6 le 3 avril suivant. Taxé le 24 novembre 1397 à 150 florins, l'abbé de Saint-Augustin de Limoges en verse 14 le 29 juillet 1398. Plus audacieux encore est Guillaume Le Tort, évêque de Marseille, qui, s'étant obligé le 7 novembre 1396 pour 350 florins, en verse 4 au bout d'un an et 5 six mois plus tard. De même Philippe Froment, évêque de Nevers, taxé à 1 000 florins le 12 juillet 1395, en paie 44 en quatre versements répartis sur trois ans ; Amel du Breuil, archevêque de Tours, verse 20 florins tous les six mois pour solder une obligation de 1 250 florins.

Si le déclin de la fidélité conduit à celui des recettes fiscales, ce n'est pas par le seul moyen de la temporisation. Il est des cas où l'accord tacite de Benoît XIII est assuré ; le pape a délibérément laissé sans les recouvrer les dettes de prélats dont la fidélité pouvait être achetée. Parmi les plus longs délais de paiement, nous aurions dû citer ceux des évêques de Cambrai et de Mâcon, et de l'abbé de Montaragon ; mais il s'agit de Pierre d'Ailly, de Pierre Ravat et de Juan Martinez de Murillo.

Aux deux derniers, la tolérance papale tenait lieu de rémunération. Certes, Hélie de Lestranges, autre homme de confiance de Benoît XIII et son envoyé à Paris en 1396, paya en moins de trois mois, en 1397, les services de son évêché du Puy ; mais il avait mis plus de sept ans à s'acquitter pour son précédent siège, celui

---

1. Nous ne donnons pas la référence de chaque opération. Les dates d'obligation sont publiées, avec les chiffres (obligation pour la Chambre et le Sacré Collège) par Mgr Hoberg, *Taxae...* ; les paiements sont enregistrés dans : *Intr. ex.* 374 fol. 3-38 ; 375, fol. 2-6 ; *Reg. Av.* 321, fol. 7-92.

de Saintes. Ravat, lui, le fidèle défenseur de Benoît XIII et son porte-parole officiel [1], n'avait payé qu'un quart des services dus pour l'évêché de Mâcon lorsque, neuf ans plus tard, le 13 mai 1404, le pape lui fit remise du reste [2]; transféré, malgré le roi, à Saint-Pons-de-Thomières, il ne paya jamais les services pour ce nouveau siège. Juan Martinez, qui fut peut-être, en 1418, le dernier des cardinaux fidèles à Benoît XIII [3] et auquel ce pape confia, dès 1405, la régence de la Trésorerie pendant la mission de Frances Climent de Zapera en Castille [4], ne paya, semble-t-il, des 500 florins dus pour son monastère de Montaragon que les 90 florins versés en 1404. Quant à Pierre d'Ailly, il ne s'agissait pas de le rémunérer mais bel et bien d'acheter son adhésion à la cause pontificale. L'opinion publique ne manqua pas d'imputer le retournement d'Ailly à la concession de l'évêché du Puy. Le véritable achat de fidélité fut de laisser l'évêque ne payer que, dix-sept mois après l'obligation, 200 florins sur les 1 300 qui étaient dus pour Le Puy [5], puis de se contenter, pour l'église de Cambrai — taxée à 3 000 florins — dont Pierre d'Ailly fut pourvu en mai 1397, de 950 florins payés en dix ans, cependant que lui était donnée, le 24 juillet 1397, la moitié des revenus de l'évêché de Cambrai échus entre son transfert du Puy et sa prise de possession à Cambrai [6]. Achat de fidélité, certes, et le moins visible qui fût, puisque les gens de la Chambre pouvaient, seuls, en avoir connaissance : le prix de la fidélité ne sortait pas de la Trésorerie pontificale; il n'y entrait pas.

C'est également en renonçant à des recettes possibles que Benoît XIII s'efforça, dans une manœuvre trop tardive, d'obtenir un revirement des cours de France et de Castille. Le 24 avril 1396, il imposait en effet une décime sur le clergé castillan et en laissait les deux neuvièmes au roi Henri III [7]. Le 31 janvier suivant, il accordait à Charles VI la totalité d'une décime sur le clergé français [8]. De tels abandons étaient d'ailleurs vains. Un an plus tard, le pape pouvait bien refuser de proroger la décime : la cour de France, que dominait Philippe de Bourgogne, et celle de Castille étaient unies pour lancer à Benoît XIII un véritable ultimatum :

---

1. Sur le rôle de Ravat, voir outre N. Valois, *La France...*, et Hefele, *Histoire des conciles...*, éd. H. Leclercq, VI, les pages de V. Martin, *Les origines du Gallicanisme*, I, p. 276-280.
2. *Reg. Av.* 308, fol. 62 v°-64 r°.
3. Valois, *op. cit.*, IV, p. 438.
4. *Reg. Av.* 325, fol. 42 v°-43 r°.
5. *Intr. ex.* 374, fol. 11 r° et 32 r°; 375, fol. 4 r°.
6. *Coll.* 372, fol. 89 r°; sur la disculpation adressée au duc de Bourgogne par Pierre d'Ailly, pourvu de l'évêché de Cambrai contre le candidat du duc, voir : P. Piétresson de Saint-Aubain, *Documents inédits...*, dans la *Bibl. de l'Ecole des chartes*, CXIII, 1955, p. 123-126.
7. *Reg. Av.* 300, fol. 96 r°; Valois, *op. cit.*, III, p. 97.
8. Delaruelle, Labande et Ourliac, *op. cit.*, p. 89.

l'union devait être réalisée à la Chandeleur 1398, sous peine de soustraction d'obédience [1].

Pour éviter cela, Benoît XIII n'avait cependant ménagé ni la peine de ses diplomates, ni son argent. Car les ambassades coûtaient fort cher. En Aragon, c'est tout d'abord Frances Climent, clerc de la Chambre, qui demeura pendant plus de deux ans, à partir de juillet 1396, pour vaquer aux affaires de l'Eglise : le collecteur lui compta 4 florins de la Chambre par jour, soit au total quelque 3 000 florins [2] ; dépense utile, au moins, que celle-là, puisque l'homme d'affaires de Benoît XIII devint conseiller du roi Martin. En même temps, était parti pour Barcelone le neveu du pape, Juan Martinez de Luna, auquel le collecteur dut verser une provision de 600 florins d'Aragon [3]. Trois mois plus tard, c'était l'abbé de La Peña, Pedro Adimari, dont les frais de mission furent comptés comme ceux de Climent [4]. Pedro Sorian, familier du pape, suivit Adimari de près, mais avec une indemnité de un franc par jour seulement [5]. Le même taux fut fixé pour l'écuyer d'honneur Sancho Sabata, envoyé vers Barcelone à la fin de novembre 1396 [6]. En mai 1397, Luna et Sabata partaient de nouveau : il en coûta 300 florins d'Aragon au collecteur [7]. Cela n'était d'ailleurs rien en comparaison des 4 400 florins d'Aragon qu'il lui fallait verser dans le délai d'un an au roi Martin pour compléter les 15 000 que lui avait promis le pape et dont 10 600 venaient d'être payés par la Chambre apostolique [8].

Les revenus de la Chambre en Castille n'était pas moins obérés par la diplomatie pontificale que ceux d'Aragon. La mission du chapelain Juan Sanchez, doyen de Calahorra, à la fin de 1396, coûta un florin d'Aragon et demi par jour [9] ; celle de Sancho Sanchez de Rojas et Alfonso d'Exea, envoyés en janvier 1398, en coûta 8 et demi par jour [10]. Quant à la mission de Pierre Arsenh et Juan Sanchez en Italie, dans l'été 1398, elle coûta sans doute plus que ces nonces ne rapportèrent d'argent [11].

Mais c'est de Paris que venait le plus grand danger. C'est pour des missions à Paris et en France que Benoît XIII engagea les

---

1. EHRLE, *Aus den Akten...*, p. 422.
2. Assignations des 30 juin 1396, 11 mai 1397 et 2 juillet 1398 ; *Coll.* 372, fol. 55 v°-56 r°, 83 v° et 109 r°.
3. *Ibid.*, fol. 56 r°.
4. Assignation du 28 septembre 1396 ; *ibid.*, fol. 64 r°.
5. Assignation du 5 octobre 1396 ; *ibid.*, fol. 65 r°.
6. Assignation du 23 novembre 1396 ; *ibid.*, fol. 70 v°.
7. *Ibid.*, fol. 83 v°.
8. Le collecteur Jaime de Rives devait en outre rembourser 600 florins à Pedro Maries qui en avait fait l'avance au roi ; *ibid.*, fol. 82 r°-83 r°.
9. *Ibid.*, fol. 69 v°.
10. *Ibid.*, fol. 100.
11. Ils étaient chargés de récupérer toutes les créances de la Chambre en Italie (commission du 1er juin 1398) ; *Reg. Av.* 304, fol. 675 v°.

plus lourdes dépenses. Pendant tout le premier semestre de 1396, Guillaume d'Ortholan, évêque de Bazas, et le maître en théologie Gilles d'Orléans furent à la charge du collecteur de Paris [1], de même que Pierre Ravat — venu à Paris en mars sur l'ordre du pape et en août sur la convocation du roi — et, probablement, Hélie de Lestranges [2]. L'année suivante, ce furent Alfonso d'Exea et le secrétaire du pape Matteo Sanchez qui, outre une indemnité quotidienne de 7 florins et demi, avaient le droit d'exiger 1 500 francs du collecteur pour les besoins de leur mission [3]. Envoyés en France en novembre 1397, Martin Molinier et Simon de Prades furent défrayés, l'un par le collecteur de Paris, l'autre par celui de Bourges [4]. De telles missions n'allaient pas sans frais accessoires, cadeaux diplomatiques en particulier, comme ces chevaux et ces mules que — bien en vain — Benoît XIII fit offrir au duc Philippe de Bourgogne en 1396 [5].

De telles démarches et de telles dépenses furent inutiles. Le 27 juillet 1398, entérinant la décision prise par le clergé français [6], Charles VI se retirait de l'obédience de Benoît XIII [7]. Le 30 novembre la reine Marie, pour la Provence et l'Anjou [8], et le 12 décembre le roi Henri III, pour la Castille et le Léon [9], faisaient à leur tour soustraction d'obédience. Le pape avignonnais ne conservait que l'Ecosse, la Savoie, la Navarre et, surtout, l'Aragon.

A Avignon même, la curie se trouvait placée devant un choix. Pour la majorité des cardinaux, ce choix était fait d'avance : le 1er septembre les deux commissaires royaux promulguaient à Villeneuve-lès-Avignon l'ordonnance de soustraction et invitaient les clercs à quitter la ville pontificale. Le 2 septembre, dix-sept cardinaux passaient le Rhône, en partie par obéissance au roi, en partie par crainte d'être arrêtés par le pape qui n'ignorait pas leurs relations avec la cour de France [10]. La curie était scindée. Pour les dissidents comme pour ceux qui, enfermés dans le palais d'Avignon, demeuraient fidèles au pape, de nouveaux problèmes allaient se poser.

1. Ehrle, *Neue Materialen...*, p. 260 ; *Coll.* 372, fol. 42 v°.
2. Valois, *op. cit.*, III, p. 101.
3. Assignation du 25 mars 1397 ; *Coll.* 372, fol. 77 v°.
4. *Ibid.*, fol. 95 v°-96 v°.
5. Valois, *op. cit.*, III, p. 99.
6. Sur le concile français de 1398, voir : Valois, *op. cit.*, III, p. 148-188. Actes dans C.-E. du Boulay, *Historia Universitatis Parisiensis*, IV, p. 829-863 ; G.-D. Mansi, *Conciliorum...*, XXVI, col. 839-914 ; Ehrle, *Neue Materialen...*, p. 274-278. Pour le recensement des votes, voir les notes de H. Leclercq dans Hefele, *Histoire des conciles*, VI, p. 1222-1224.
7. *Ordonnances...*, VIII, p. 268-272.
8. *Amplissima collectio...*, VII, p. 602.
9. *Ibid.*, VII, p. 613 ; Suarez-Fernandez, *Castilla...*, p. 227.
10. Valois, *op. cit.*, III, p. 191-192.

2. *La première soustraction d'obédience :*   François de Conzié em-
  la Chambre apostolique   brassa le parti des cardi-
  et le Sacré Collège.   naux et prit le titre de
                                       « camérier de la Sainte

Eglise romaine ». La totalité du personnel caméral le suivit : le
trésorier, tout d'abord, avec la caisse de la Trésorerie [1], l'auditeur
Raymond d'Albi [2], le procureur fiscal du camérier Jacques Lagier [3],
le vice-gérant du procureur fiscal du pape Mathieu de *Boyaco* [4],
les clercs de la Chambre Pierre de Jouy [5], Pierre Borrier [6], Jacques
Pollier [7] et, surtout, Bertrand de Gamarenges dont Conzié fit en
1402 son lieutenant [8]. Les notaires de la Chambre [9], et en particulier Jean Louis [10], étaient également aux côtés du camérier avec
une partie, au moins, de leurs archives, comme l'atteste la continuité de l'enregistrement des lettres camérales. Comme en 1378,
la Chambre apostolique avait donc suivi son chef, au détriment
du pape [11].

Les cardinaux avaient la Chambre à leur service, ils n'avaient
pas pour autant les revenus du Saint-Siège. Le concile de 1398
avait en effet profité des circonstances politiques pour porter à
la fiscalité pontificale le coup tant attendu du clergé français.
Dès 1395, l'Université de Paris s'en était pris à la richesse de la
monarchie pontificale [12]. L'année suivante, l'évêque de Condom
Bernard Alaman dénonçait encore, au second concile parisien,
les impositions mises par le pape sur le clergé [13]. Aussi ne faut-il
pas s'étonner que les ordonnances de soustraction du 27 juillet
1398 aient immédiatement supprimé les annates, procurations,
décimes et subsides caritatifs imposés et à imposer, réservés et à
réserver, interdisant aux clercs de rien payer aux collecteurs et à
ceux-ci d'entreprendre quoi que ce fût contre les bénéficiers ; il
était en outre précisé que l'intention du roi n'était pas de détourner
à son profit la fiscalité pontificale, mais bien d'en exempter le

1. Nous reviendrons (p. 657) sur cette question qui peut prêter à contestation.
2. *Coll.* 372, fol. 122 r⁰.
3. *Ibid.*, fol. 122.
4. *Reg. Av.* 305, fol. 442.
5. *Coll.* 372, fol. 113 v⁰-114 r⁰.
6. *Ibid.*, fol. 115 v⁰-116 r⁰.
7. Peut-être n'était-il pas encore clerc en titre ; *ibid.*, fol. 123.
8. *Reg. Av.* 305, fol. 450 ; 306, fol. 45-46.
9. *Coll.* 372, fol. 122.
10. *Ibid.*, fol. 117 r⁰.
11. Nous ne pouvons affirmer que le Bernard Flamenc qui porta au sous collecteur de
Valence l'ordre, daté du 2 octobre 1400, d'envoyer à Avignon tout l'argent qu'il détenait,
et qui reçut pour sa peine une gratification de 3 écus (*Instr. misc.* 3723), fût le juriste Raymond Bernard Flamenc, alors juge mage de Provence et maître rational de la Cour des
comptes de Provence (COVILLE, *Raymond Bernard Flamenc...,* dans la *Bibl. de l'Ecole des
chartes,* C, 1939, p. 101). De toutes façons, Flamenc était, de par ses fonctions, en relations avec la curie dissidente.
12. DELARUELLE, LABANDE et OURLIAC, *op. cit.,* p. 87.
13. EHRLE, *Neue Materialen...,* VI, p. 208-210.

clergé [1]. Les cardinaux, que le roi avait incités à la révolte, se voyaient donc privés des revenus de la Chambre apostolique.

Leur restait-il au moins leurs revenus cardinalices ? Certes, ils gardaient leurs multiples bénéfices. Mais percevraient-ils les revenus « de leurs chapeaux », c'est-à-dire leur part des communs services ? Il parut très vite que, comme les annates des bénéfices mineurs, les services étaient supprimés dans les pays ayant fait soustraction. Le Sacré Collège protesta avec énergie : on ne pouvait ainsi s'affranchir de dettes valablement contractées. Dès janvier 1399, les cardinaux de Malesset, de Saluces et de Thury étaient à Paris. Leurs instructions étaient formelles : travailler auprès du roi pour que les cardinaux jouissent de leurs libertés, droits et prérogatives, qu'ils perçoivent les services à eux dus par les prélats, qu'ils puissent lever les procurations, qu'ils jouissent en paix de leurs bénéfices ainsi que des pensions à eux assignées, et cela aussi librement et intégralement que de coutume. Prévoyant qu'on leur objecterait l'annulation des obligations de même nature contractées envers le pape, les auteurs des instructions ajoutèrent que les trois cardinaux devaient demander au roi une compensation — sous forme de restitution ou de subside — pour le dommage que la soustraction pourrait causer au Sacré Collège [2]. En attendant, François de Conzié mettait en application ce qui n'était pourtant que demandes et ordonnait aux collecteurs de Paris et Reims de subvenir aux frais des cardinaux de Malesset et de Saluces : chacun devait recevoir 1 000 francs et une indemnité quotidienne de 20 francs. L'abbé de Saint-Gilles et Pierre de Jouy étaient chargés de récupérer assez d'argent dans les autres collectories françaises — en exigeant au besoin des communs services — pour servir les mêmes sommes au cardinal de Thury [3].

L'assemblée du clergé de mars 1399 opposa une fin de non-recevoir à de telles prétentions. Les taxes pontificales étaient abolies. Quant aux services dus au Sacré Collège, pouvait les payer qui voulait [4] : des prélats étaient intervenus auprès des ducs pour éviter une décision irréversible. En vain, les trois cardinaux firent observer qu'ils ne voyaient vraiment pas de quel droit on pouvait se déclarer libre de ses dettes et à l'abri des sentences d'excommunication [5]. Préjugeant d'ailleurs de la décision de l'assemblée, le procureur Simon de Bourich, l'un des plus actifs représentants des intérêts des prélats français en curie, avait regagné Paris dès la fin de 1398 ; le 20 décembre, il se faisait recevoir par le chapitre dans ses canonicat et prébende [6] ; en mars

1. *Ordonnances...*, VIII, p. 268-272.
2. EHRLE, *loc. cit.*, p. 297-298.
3. *Coll.* 372, fol. 113 v°-115 v°.
4. Religieux de Saint-Denis, II, p. 680 ; VALOIS, *op. cit.*, III, p. 313.
5. EHRLE, *Neue Materialen...*, VII, p. 43.
6. Il était chanoine-diacre ; Arch. nat., LL 108 B, p. 418 et 485.

1399, il avait repris sa pratique à Paris [1] : autant d'indices certains qu'il n'était plus question de payer les communs services.

Sur l'intervention des officiers royaux, la majorité des collecteurs avait, dès 1398, cessé toute activité [2]. Six d'entre eux, d'ailleurs, et non des moindres, moururent pendant la soustraction d'obédience : Jean de Champigny, Pierre de Saint-Rembert, Pons de Cros, Raymond de Senans, Pierre Merle et Jaime de Rives, respectivement collecteurs de Reims, de Tours, du Puy, de Rodez, de Provence et d'Aragon. Seul, ce dernier, dont le ressort demeurait fidèle à Benoît XIII, fut immédiatement remplacé : le pape désigna pour cela Berenger Ribalta. François de Conzié, camérier de l'Eglise, respecta la règle qui voulait que les collecteurs fussent avant tout nonces du pape : ne pouvant songer à obtenir de l'assiégé d'Avignon les bulles de nonciature nécessaires, il ne désigna pas de nouveaux collecteurs [3].

Le camérier s'efforça cependant de tirer quelque argent des deux collectories de Lyon et de Provence. Encore, bien des assignations étaient-elles faites sous condition de la très hypothétique levée de l'*empêchement* royal : ce fut aussi bien le cas des assignations, déjà citées, faites en faveur des cardinaux envoyés à Paris que du remboursement de divers prêts consentis par le cardinal de Vergy [4] ou du paiement de l'indemnité due au comte de Valentinois en exécution du traité du 18 mai 1399 [5] et des gages de Jacques de Montmaur, gouverneur du Dauphiné, pour son service contre Raymond de Turenne [6]. On laissait aux bénéficiaires — gens influents, comme on le voit — le soin d'obtenir cette levée : le cardinal de Vergy, qui ne l'avait pas encore obtenue le 7 janvier 1399, eut gain de cause avant le 24 avril.

De quelles sommes pouvaient disposer les collecteurs ? Et, d'abord, de quels revenus ? Il semble qu'en Provence et en Dauphiné les arrérages de décimes et de procurations aient été dans une certaine mesure levés pendant la soustraction. On voit en 1399 l'évêque de Valence Jean de Poitiers accepter que les dépenses supportées par lui comme médiateur entre son frère le comte de Valentinois et le Sacré Collège, estimées à 100 florins, soient déduites des sommes dues pour ses décimes et autres dettes envers la Chambre apostolique [7]. A la même époque, des assignations sont faites sur des dettes fiscales : ainsi sur celles du prieur de

---

1. P. GLORIEUX, *Gerson au chapitre de Notre-Dame de Paris*, dans la *Rev. d'hist. ecclés.*, 1961, p. 440.

2. Raymond de Senans note cette intervention pour expliquer la date à laquelle s'arrêtent ses comptes ; *Coll.* 90.

3. Voir la liste des collecteurs, p. 705 et suivantes.

4. *Coll.* 372, fol. 116 v°, 117 v° et 118 r°.

5. *Coll.* 372, fol. 119.

6. *Ibid.*, fol. 125 v°-126 v°.

7. 23 mai 1399 ; *ibid.*, fol. 119 r°.

Saint-Marcel-lès-Sauzet [1]. Pour leurs arrérages de décimes, annates et procurations, des clercs provençaux se font concéder d'importants délais [2]. La Chambre ne peut se montrer exigeante, mais il est évident que les bénéficiers ne peuvent traiter par le mépris l'action des collecteurs.

Le revenu total de ces deux collectories de Provence et de Lyon est relativement médiocre. Le collecteur de Lyon, Jean Joly, supposé le plus capable de paiement, reçut en 1399 des assignations pour 2 100 écus, 200 francs et 300 florins courants ; après décembre 1399, on ne tenta plus rien sur sa recette. Son sous-collecteur de Valence, Josserand Silvion, paya entre 1398 et 1400 les gages du bayle de Montélimar — 50 florins courants par an — et 130 florins pour ceux de gens d'armes servant au siège du palais d'Avignon [3] ; il fallut déduire les gages du bayle de l'assignation de 100 florins courants faite pour la réparation du château de Montélimar [4] : le sous-collecteur ne pouvait payer les deux. Conzié lui ayant ordonné, le 2 octobre 1400, d'adresser toute sa recette à la Trésorerie, Silvion fit verser, le 17, 120 florins courants [5] et s'en tint là. Du sous-collecteur de Besançon, Jean Crapillet, la Chambre ne reçut que le reliquat des recettes de son prédécesseur [6]. Celui de Die, Pierre de Rouède, ne fit qu'un seul versement, de 100 écus [7]. Quant à Henri Pojal, sous-collecteur de Genève, il paya en 1399 100 francs à François de Menthon pour le solde de ses gages comme capitaine d'Avignon [8] et 36 florins courants à un homme d'armes [9] ; il fit en outre porter une fois 100 florins courants et une autre 6 écus à Avignon [10].

Encore plus modique fut l'apport provençal. Le collecteur Pierre Merle versa 650 écus en exécution du traité conclu avec Jacques de Montmaur [11]. Son sous-collecteur général, Pierre Suchet, dépensa 40 florins courants pour l'office anniversaire de la mort de Clément VII, en octobre 1398 [12], et le sous-collecteur de Cavaillon, Pierre Lacour, remit 120 florins courants en 1399 au trésorier du Comtat venaissin pour solder des troupes [13].

Mais le clergé du royaume de France n'était pas, pendant ce temps, exempt de fiscalité. L'une des ordonnances du 27 juillet

1. *Ibid.*, fol. 120 r°.
2. *Reg. Av.* 305, fol. 437 r°-438 r°, 443 v° et 445 v°.
3. *Coll.* 372, fol. 127.
4. *Instr. misc.* 3711 et 3714.
5. *Instr. misc.* 3723.
6. Quittance du 4 novembre 1398 ; *Instr. misc.* 3715.
7. Quittance du 15 mars 1400 ; *Coll.* 372, fol. 127 r°.
8. *Ibid.*, fol. 116 v°-117 r°.
9. *Ibid.*, fol. 118 v°-119 r°.
10. *Ibid.*, fol. 124.
11. Assignation du 22 décembre 1399 ; *ibid.*, fol. 126 v°.
12. *Ibid.*, fol. 113 r°.
13. *Ibid.*, fol. 123 v°.

1398 avait bien supprimé les impositions pontificales ; elle n'avait pas touché aux aides indirectes que Clément VII et Benoît XIII avaient autorisé Charles VI à lever sur le clergé. Le refus opposé par Benoît XIII en 1398 à la demande périodique de renouvellement [1] n'empêcha pas le concile parisien d'accorder pour trois ans des aides dont le taux était considérablement accru [2]. Bien plus, en février 1399, le gouvernement royal exigea une imposition directe : une décime, dont le clergé obtint seulement, afin que le produit n'en soit pas détourné des affaires de l'Eglise, que la levée fût confiée à des ecclésiastiques élus pour cela dans chaque diocèse [3]. En août 1402, enfin, il fallut accorder au roi un subside triennal [4].

Le Sacré Collège et la Chambre apostolique ne pouvaient donc espérer autre chose des collectories — et par conséquent de la fiscalité ecclésiastique — que le déchargement de quelques rares obligations. On ne pouvait compter sur ces revenus pour vivre, non plus que pour survivre politiquement.

Il y eut des apports extraordinaires ; nous pouvons en citer deux. Venus à Avignon pour publier les ordonnances de soustraction, les commissaires royaux Tristan du Bos et Robert Cordelier apportèrent aux cardinaux, de la part du roi, un subside analogue à celui dont Charles V avait gratifié les rebelles de Fondi en 1378 : s'il faut en croire Martin d'Alpartil, le Sacré Collège aurait reçu 12 000 francs en septembre 1398 pour prix de sa soustraction [5]. C'est le renouvellement de ce geste qu'espéraient obtenir, six mois plus tard, les trois cardinaux envoyés à Paris. Faute d'un autre subside, ils perçurent une rançon : celle, versée en avril 1399, des cardinaux de Zalba et Ammanati, fidèles à Benoît XIII, arrêtés de manière assez déloyale au cours de négociations, le 24 octobre précédent, par Geoffroi Boucicaut [6]. Le Sacré Collège avait désavoué Boucicaut, il ne refusa cependant pas la rançon.

Mais c'est en définitive sur Avignon et sur le Comtat venaissin que dut vivre, de 1399 à 1403, la curie rebelle au pape prisonnier. Paradoxalement, c'est dans le Comtat que nous trouvons le seul des agents de la Chambre qu'il ait fallu remplacer parce que le titulaire avait pris parti contre le Sacré Collège et le camérier. Le 7 octobre 1398, Thomas de la Merlie avait été nommé trésorier du Comtat venaissin en remplacement de Bertrand Vincent [7], lequel

1. VALOIS, *op. cit.*, III, p. 143-144 et 164-165.
2. *Ibid.*, p. 187 ; G. BARRACLOUGH, *Un document...*, dans la *Rev. d'hist. ecclés.*, XXX, 1934, p. 103-105 et 114 ; M. REY, *Le domaine du roi...*, p. 285, note 4.
3. EHRLE, *Neue Materialen...*, VII, p. 42.
4. Arch. nat., LL 109 B, p. 247.
5. *Chronica actitatorum...*, éd. Ehrle, p. 35.
6. VALOIS, *op. cit.*, III, p. 201 et 217.
7. *Coll.* 271, fol. 144.

ne retrouva son office que le 28 mars 1403 [1], lorsque la restitution d'obédience eût été votée par les Etats du Comtat [2].

Dans le Comtat comme à Avignon, ce sont tout d'abord les impositions ecclésiastiques que put faire lever la Chambre apostolique. Annates et procurations furent normalement perçues. Les dépouilles furent saisies avec rigueur, de même que les vacants [3]. Le trésorier Thomas de la Merlie, cependant, ne demeurait pas inactif. Son premier souci avait été d'assurer la continuité et de maintenir en place les officiers : aussitôt après avoir rendu compte aux cardinaux de l'adhésion des Etats à la soustraction, il regagna Carpentras afin d'y rassurer les gens de la « Cour majeure » [4]. Puis il alla mettre la main sur les revenus de l'évêché et s'occupa d'établir une garde dans les principales places du Comtat [5]. C'est alors, seulement, qu'il entreprit de lever les revenus seigneuriaux. Nous avons déjà montré [6] que ceux-ci avaient été, durant la soustraction, plus faibles que jamais auparavant. La première année, ils n'atteignirent que 1 385 livres, soit 923 florins de la Chambre. Ils remontèrent à peine par la suite. Les clavaires ne versaient rien ; à partir de 1400, les arrérages ne rentrèrent plus [7]. Le subside imposé en 1397 sur les Juifs n'était heureusement pas levé en totalité lors de la soustraction : le trésorier en perçut le reste [8]. Les Etats, enfin, prirent à leur charge la solde de gens d'armes [9].

La situation financière du Sacré Collège rebelle était donc particulièrement mauvaise. La Chambre apostolique dut emprunter. Dès octobre 1398, le cardinal de Brogny prêtait 200 écus ; en novembre, il prêtait 225 florins courants, puis 200 francs [10]. Le cardinal de Vergy prêtait 100 écus le 29 septembre, 200 francs le 21 novembre, 100 florins courant le 31 décembre 1398 et 200 florins courants le 14 janvier 1399 [11]. L'auditeur Raymond d'Albi prêta 100 francs le 2 juillet 1399 ; le même jour, les notaires de la Chambre réunissaient la même somme [12]. Mais la Chambre apostolique au service du Sacré Collège n'avait guère trouvé dans les rangs de celui-ci que deux créanciers. Les cardinaux, que la soustraction privait d'une notable part de leurs revenus, ne pouvaient assurer sur leurs propres fortunes le financement de leur indépendance.

---

1. *Ibid.*, fol. 83.
2. Martin d'ALPARTIL, *op. cit.*, p. 141 ; Cl. FAURE, *Etude sur l'administration...*, p. 160.
3. *Coll.* 372, fol. 123 v°-124 r° ; *Reg. Av.* 305, fol. 444 v°-445 r°.
4. Il s'agit de la cour du juge mage ; Cl. FAURE, *op. cit.*, p. 69 et 186-188.
5. *Coll.* 271, fol. 187 v° 189 v°.
6. Voir ci-dessus, p. 170-171.
7. *Coll.* 271, fol. 144-221 ; 272, fol. 1-22.
8. *Coll.* 271, fol. 188 r°.
9. *Ibid.*, fol. 190 r°.
10. *Coll.* 372, fol. 114 v°-115 r°.
11. *Ibid.*, fol. 116 v°, 117 v° et 118 r°.
12. *Ibid.*, fol. 122.

Quant aux marchands, ils n'eussent prêté que sur des gages. Or les joyaux du trésor pontifical étaient demeurés dans le palais d'Avignon ; en septembre 1399, on osa — en vain — les réclamer à Benoît XIII [1].

Dans le même temps, l'austérité régnait sur l'administration locale : en février 1399, Conzié ordonnait à Thomas de la Merlie de suspendre le paiement des gages de tous les officiers du Comtat [2].

On ne saurait donc dire que la Chambre apostolique ait apporté aux cardinaux révoltés les moyens financiers dont disposait jusque-là Benoît XIII. Des résidus de la fiscalité ecclésiastique, des revenus seigneuriaux et domaniaux à leur plus bas niveau, un crédit pratiquement inexistant, voilà ce dont disposait François de Conzié, camérier de l'Eglise, pour financer la politique et la défense du parti de la soustraction.

3. *La première soustraction d'obédience :*   Privé de sa Chambre
   les ressources du pape assiégé.   apostolique, privé de sa
                                          Trésorerie, que gardait
Benoît XIII pour subsister ? S'appuyant sur les dires de Martin d'Alpartil, Noël Valois a cru que le trésor pontifical et les archives de la Chambre étaient demeurés au pouvoir du pape assiégé [3]. Nous ne le croyons pas. Que réclamait, en effet, Conzié lors des négo-ciations du 17 septembre 1399 ? A entrer chaque jour dans le palais, à récupérer les « instruments des droits de l'Eglise, les joyaux et quoi que ce soit d'autre » [4]. Valois a compris : les archives et le trésor. Qu'une partie des archives, et dans doute la plus importante par le volume, soit restée dans le palais, c'est évident. Mais on a vu que les notaires avaient au moins emporté les registres courants, dans lesquels l'enregistrement ne présente aucune discontinuité. Il est possible que, parmi les titres juridiques que désirait le camérier se trouvassent les livres d'obligations pour les communs services. Mais si les joyaux, qui eussent cautionné des emprunts et faisaient donc cruellement défaut, étaient restés dans le palais, rien n'indique que le numéraire de la Trésorerie n'ait pas été emporté, comme il était naturel, par le personnel de ce service.

Pour pallier la défection des gens de la Chambre, Benoît XIII confia des missions d'ordre financier aux Aragonais de son entourage, parmi lesquels certains demeurèrent après 1403 dans l'administra-tion camérale. Le chambellan Pedro Adimari, abbé de la Peña, assuma la direction des affaires financières avec le titre — attesté

1. Martin d'ALPARTIL, *op. cit.*, p. 84.
2. *Coll.* 271, fol. 190 r°.
3. VALOIS, *op. cit.*, III, p. 226.
4. *Tenere et custodire instrumenta jurium ecclesie et jocalia et quecunque alia* ; ALPARTIL, *op. cit.*, p. 84.

seulement à partir de 1401 [1] — de vice-gérant du camérier. Comme tel, il était habilité à ordonnancer les paiements du collecteur d'Aragon. C'est encore comme chef de l'administration financière qu'il fit partie des capitaines généraux désignés le 11 mars 1403 pour garder le palais d'Avignon lorsque Benoît XIII s'en serait évadé [2]. Pedro Zagarriga, autre chambellan, se vit chargé de missions en Provence [3] et en Catalogne, où nous le trouvons, de septembre 1398 à janvier 1399, occupé à réunir une flotte de secours [4]. Le troisième chambellan, Frances Climent de Zapera fut également, dès 1399, en Catalogne comme procureur du pape [5] ; c'est à Barcelone que, le 15 octobre 1400, il donna au collecteur de Sardaigne, Matteo da Rapazzo, quittance de diverses sommes et pièces d'argenterie [6]. Les référendaires Bernard d'Estruch, abbé de Bañolas, et François de Nice, évêque d'Imola [7], ne semblent pas avoir été chargés des questions financières.

Parmi les agents locaux, Benoît XIII gardait quelques fidèles. Le plus efficace — en dehors des envoyés de la curie, Zagarriga et Climent — fut certainement le marchand Guilherm de Fenolhet [8]. Il paraît avoir, en ce temps difficile, véritablement doublé le collecteur d'Aragon [9], ou plutôt les collecteurs, car il y en eut successivement deux : Jaime de Rives puis Berenger Ribalta. Avec ceux-ci, le plus fidèle des agents du pape fut le collecteur d'Elne, Jean de Rivesaltes.

De 1400 à 1402 [10], Ribalta reçut pour le compte du pape 31 390 livres barcelonaises [11], soit 41 853 florins. L'essentiel, 26 985 livres, fut envoyé à Avignon [12] : ce fut certainement le principal apport de numéraire à la trésorerie du captif. Jean de Rivesaltes, lui, disposait de sommes plus modiques. Il n'envoya guère que 400 florins d'Aragon, en décembre 1402 [13]. Mais c'est en subvenant à diverses missions diplomatiques que Jean de Rivesaltes se rendit vraiment utile à la cause de Benoît XIII : il remit au total 450 écus à Zagarriga, 300 écus et 700 florins à Raymond de Perilhos [14]. Sur l'ordre de Zagarriga, il paya l'envoi d'espions à Avignon pour étudier les possibilités de faire évader le pape — *pro spiam*, pour « étudier les

---

1. *Coll.* 160, fol. 143 v°.
2. *Reg. Av.* 308, fol. 45 v°-46 v°.
3. En janvier 1399 ; EHRLE, *Neue Materialen...*, VII, p. 27.
4. *Coll.* 160, fol. 134 v°-139 v°.
5. *Ibid.*, fol. 142 r°.
6. *Instr. misc.* 3724.
7. Egalement cités dans la bulle du 11 mars 1403 (voir ci-dessus).
8. Nous avons analysé, p. 501-505, son rôle et sa fonction.
9. *Reg. Av.* 308, fol. 45 v°-46 r°.
10. Nous n'avons pas le compte de Jaime de Rives.
11. *Coll.* 123, fol. 36 v° et 75 v°.
12. *Ibid.*, fol. 44 v° et 83 r°.
13. *Coll.* 160, fol. 144 v°.
14. Sur le rôle de Périlhos comme envoyé de Benoît XIII en France et en Aragon, voir notamment VALOIS, *op. cit.*, III, p. 220-226.

dispositions de la ville » — et l'établissement à Avignon de Bérenger, hôte de courriers à Montpellier, en tant qu'espion permanent pour donner des renseignements à l'armée de secours. C'est encore Jean de Rivesaltes qui assura la liaison, en janvier et février 1399, entre l'Aragon, Zagarriga et la flotte de secours [1]. Dans le même temps. il contribuait à l'approvisionnement du palais d'Avignon, envoyant avec régularité — comme avant la soustraction — du vin muscat, et y joignant même, en février 1402, vingt- quatre poissons salés qui lui avait commandés pour le pape Pedro Adimari [2].

L'imposition d'une demi-décime sur la province de Tarragone permit d'envisager dès la fin de 1398 la mise sur pied d'une expédition de secours [3]. Dix-huit galées et huit petits bateaux parvinrent, à la mi-janvier 1399, devant Arles, puis à Lansac ; bloquées par les basses eaux, elles ne purent aller plus loin [4]. Le manque d'argent n'avait pas attendu pour se faire sentir. A Barcelone, déjà, des galées avaient pris du retard, faute de paiement [5]. A Lansac, les patrons et les troupes ne tardèrent pas à perdre patience. Le 15 février, la débandade commença. Le 23, l'un des plus fidèles, le patron Arnaldo Adimari, qui avait déjà servi Benoît XIII, vint exposer à Antonio de Luna, capitaine des galées, qu'il n'était pas encore payé et que, compte tenu du délai nécessaire pour regagner l'Aragon, le temps de service prévu par son contrat était expiré ; il se fit donner, devant un notaire, une attestation de service destinée à servir le preuve lors de revendications ultérieures, et il repartit [6]. Le 3 mars, la dernière galée redescendait le Rhône [7]. Pour mal et tardivement payés que fussent les nolis, l'affaire n'avait pas dû coûter loin de 60 000 florins [8].

Le parti cardinalice avait, pour toute défense, dû faire fortifier — « encastelar » — le pont d'Avignon et tendre une chaîne sur le Rhône [9].

C'est sur les maigres revenus que lui assurait l'Aragon que Benoît XIII eut encore à supporter le coût du traité conclu avec Reforciat d'Agout. Pour faire renoncer ce seigneur belliqueux à ses créances sur la Chambre apostolique, les arbitres imposèrent le paiement de 5 000 florins par le pape et de 10 000 florins par le Sacré Collège et le Comtat. Agout cessa de rançonner la région : tout le profit était pour le Sacré Collège, maître du Comtat, alors que les deux tiers seulement de la charge lui incombaient [10].

1. *Coll.* 160, fol. 134-145 ; G. MOLLAT, *Les comptes de Jean de Rivesaltes*, dans la *Rev. d'hist. et d'archéol. du Roussillon*, V-VI, 1904-1905
2. *Coll.* 160, fol. 133 r⁰ et 149 v⁰.
3. VALOIS, *op. cit.*, III, p. 213.
4. B. BOYSSET, *Chronique*, éd. Ehrle, p. 355.
5. VALOIS, *op. cit.*, III, p. 213.
6. EHRLE, *Neue Materialen...*, VII, p. 28-29.
7. B. BOYSSET, *op. cit.*, p. 355.
8. Voir les taux des nolis de 1384, ci-dessus, p. 621.
9. B. BOYSSET, *loc. cit.*,
10. VALOIS, *op. cit.*, III, p. 217-218.

Le retour de la Provence à l'obédience, en 1402, fut également coûteux pour le pape. On a vu que Louis II d'Anjou ne s'était pas contenté des 5 000 francs que, encore captif, Benoît XIII lui avait offerts en espérant autre chose qu'une simple neutralité. Il fallut, le 26 août 1402, reconnaître une dette dont la Chambre apostolique avait cependant très largement remboursé le montant [1]. Devant le chantage, Benoit XIII céda. Il ne retrouvait donc l'obédience de la Provence que pour en aliéner les revenus fiscaux.

En définitive, la situation financière du pape n'était pas meilleure, malgré la contribution aragonaise, que celle du Sacré Collège. Dès avril 1400, les cardinaux fidèles, retranchés dans le palais d'Avignon, furent avisés que le pape cessait de les entretenir : ils devaient, dorénavant, vivre à leurs propres frais [2].

De part et d'autre, la crise était donc aiguë. Le retour du Comtat et du Sacré Collège à l'obédience, en mars 1403 [3], celui de la Castille le 29 avril et celui de la France le 28 mai allaient rendre à la Chambre apostolique une partie de ses revenus, ses moyens d'action et l'usage de quelques expédients. Croire que la restitution d'obédience effaçât cinq ans de soustraction serait cependant une erreur. D'autres problèmes se posèrent.

4. *La restitution d'obédience.*　　Benoît XIII songea d'abord à faire entrer dans la Chambre apostolique le personnel qui, au temps de la captivité, avait servi ses intérêts financiers. François de Conzié revenait à l'obédience, mais il revenait presque seul : Lavergne, Borrier, Gamarenges étaient morts, Jouy était évêque de Mâcon [4]. C'étaient autant de places que les Aragonais allaient prendre. Frances Climent de Zapera devint trésorier [5]. Dans l'été de 1403, Pedro Ximenez de Pilars devint receveur général [6] ; il fut remplacé, entre février et juin 1404 par Francisco de Tovia [7], lui même suppléé à Marseille par le registrateur Bernardo Forti [8]. Pendant ce temps, Juan Lobera, Nicola Lopez de Roncesvalles et Pedro Ximenez de Pilars devenaient clercs de la Chambre apostolique [9]. On vit enfin un Aragonais, Simon de Prades, placé à la tête de la collectorie de Provence.

Il fallait, en second lieu, assurer la marche de l'administration

---

1. Voir ci-dessus, p. 629 ; VALOIS, *op. cit.*, III, p. 272-275.
2. Martin d'ALPARTIL, *op. cit.*, p. 108.
3. Bertrand Vincent reprit son office de trésorier du Comtat. Thomas de la Merlie apparaît, dans les années suivantes, parmi les procureurs des Etats du Comtat ; Arch. dép. Vaucluse, C 6, fol. 36 v° et 36 bis, notamment.
4. Voir ci-dessus, p. 62-63.
5. *Reg. Av.* 321, fol. 7 r°.
6. *Reg. Av.* 306, fol. 72 v°.
7. *Coll.* 372, fol. 132 v° ; *Reg. Av.* 320, fol. 118 v°.
8. *Reg. Av.* 321, fol. 7 v° et 8 v°.
9. Adimari, Zagarriga et Estruch entrèrent au Conseil de la Chambre.

fiscale et reprendre la perception, à la curie comme dans les collectories.

Pour les communs services, ce fut chose relativement facile que de faire s'obliger les nouveaux prélats : on ne leur remettait leur bulle qu'après leur obligation. Dès août-septembre 1403, on inscrivit de nouvelles obligations [1]. Un an plus tard, lorsque reprend la série des *Introitus* conservés, les communs services figurent à la première place parmi les revenus de la Trésorerie : 2 119 florins — sur une recette de 4 288 — pour le seul mois d'août 1404 [2]. Nous avons dit que le revenu des services avait été, de 1404 à 1408, égal en moyenne à ce qu'il était de 1392 à 1394.

Il n'en allait pas de même du revenu des collectories. Dès l'été de 1404 les collecteurs avaient repris leurs versements à la Trésorerie. Seul, celui de Burgos attendit février 1405 pour envoyer à Avignon son sous-collecteur général Jaime Simon avec 1 445 florins [3]. Le revenu moyen des collectories de Langue d'Oc atteignit un chiffre voisin de celui des anées antérieures à la soustraction. L'Aragon dépassa même ce chiffre [4]. Pour ce qui était des créances courantes, aucune difficulté ne semble avoir surgi avant 1406. Les nouveaux curés payaient l'annate, les procurations étaient réservées au Saint-Siège, le produit de quelques décimes — en Aragon, par exemple — allait partiellement à la Chambre.

C'était tout différent pour les arrérages, arrérages antérieurs à la soustraction et, surtout, arrérages pour le temps de la soustraction. Les premiers furent levés avec peine mais sans soulever trop de protestations : les bénéficiers payaient mal mais ne contestaient guère le bien-fondé des exigences papales. Quelques cas litigieux pouvaient être soulevés, comme celui du chapitre de Paris qui, en 1399, avait offert au roi en subside ce qui était dû à la Chambre apostolique pour le temps passé [5]. Dans l'ensemble, le clergé paya, en 1404, ce qu'il devait en 1398. Les comptes des collecteurs de Rodez et de Reims font apparaître une recette des annates relatives à des collations antérieures à la soustraction [6]. Pierre Brengas, collecteur de Rodez, poursuivit même avec succès la levée de la procuration de 1397-1398 : il en reçut 2 030 livres tournois, alors que la procuration de 1405-1406 rapportait 4 610 livres. Dans la plupart des diocèses de sa collectorie, Vabres excepté, les restes non levés de l'une et de l'autre s'équivalaient en 1406. C'est également avec profit que Simon de Prades et ses sous-collecteurs revendiquèrent en Provence les arrérages de décimes, réussissant même à

1. *Obl. sol.* 49, fol. 147-160.
2. *Reg. Av.* 321, fol. 7-11.
3. *Ibid.*, fol. 45 v⁰.
4. Voir ci-dessus, p. 476-479.
5. Arch. nat. LL 108 B, p. 439.
6. *Coll.* 91, fol. 446 v⁰-449 v⁰ ; 195, fol. 6-31.

percevoir dans le diocèse d'Arles 84 florins sur les arrérages du temps de Clément VII [1]. Certains débiteurs obtinrent de composer : ainsi Guillaume de Lornay, évêque de Genève, paya-t-il 400 écus en six mois pour tous ses arrégages de décimes [2]. Nombreuses sont, enfin, dans les registres caméraux, les concessions de délais pour le paiement de vieilles dettes datant parfois du pontificat de Grégoire XI.

Pour le temps de la soustraction, c'était au contraire la lutte ouverte entre les collecteurs et les bénéficiers. Ceux-ci avaient, d'ailleurs, fort bien vu le danger dès 1399. Parmi les demandes formulées au roi par les prélats, on note en effet : « Item, pour ce que dit est que, avant la substraction général pour la liberté de l'Eglise, le roy ordonnerait que toutes charges acoustumées par les papes estre mises sur l'Eglise ou clergié cesseront, et aussi que les prélas porront donner les bénéfices de leurs collations, que de ce les prélas aient lettres a donner pour eulx excuser à tousjours, supposé que le pape fust bien ordené » [3]. De fait, le 23 décembre 1403, Benoît XIII promulga une réserve des annates avec effet rétroactif du 1er août 1398 [4], cependant que des réserves normales étaient promulguées en septembre et octobre, et renouvelées deux ans plus tard [5]. Immédiatement, les collecteurs se mirent à exiger les annates des bénéfices pourvus par collation ordinaire pendant la soustraction, aussi bien en Bretagne qu'en Aragon [6].

En même temps, conformément aux règles établies par ses prédécesseurs, Benoît XIII faisait exiger les vacants de tous les bénéfices réservés, à compter du jour de la vacance et jusqu'au jour de la provision apostolique. Dans le cas de bénéfices pourvus par élection ou par collation ordinaire, cela signifiait la saisie théorique des revenus échus entre la vacance et la régularisation par le pape et, en pratique, la perception d'une forte somme « pour les fruits indûment perçus », *pro male ablatis, pro fructibus male perceptis*, somme le plus souvent fixée par composition. Sauf accord contraire, cette composition ou cette saisie ne dispensait en rien de l'annate [7].

Les exigences de la Chambre apostolique passent pour avoir été considérables. En juin 1406, Jean Petit y trouva un argument de plus à son hostilité contre Benoît XIII :

« Quant les abbez et evesques et prélas sont alez devers lui *pro scrupulo consciencie* ou autrement pour avoir confirmation à leur proufit, [le pape] voloit que *primo* renunciassent simplement, et puiz faloit qu'il composassent *de fructibus male perceptis*, comme apert

1. *Coll.* 23, fol. 252 v°.
2. *Reg. Av.* 306, fol. 86 r°.
3. *Coll.* 377, fol. 209 ; BARRACLOUGH, *loc. cit.*, p. 114-115.
4. *Reg. Av.* 319, fol. 56-57.
5. *Reg. Av.* 325, fol. 67 v°-69 r° ; 317, fol. 50 v°-52 v°.
6. *Reg. Av.* 306, fol. 70 v°-71 r° et 72 v°.
7. *Reg. Av.* 319, fol. 57 v°-58 v°.

des abbez de Saint-Deniz et du Bech Heluyn et autres, desquelx l'un a esté rançonné à .XII^M., l'autre a .XVI. ou .XX., l'autre .IIII., *et sic de aliis*, et puiz leur demandoit ben s'il estoient reconsiliez *domino nostro*, et puiz s'il avoient composé et avoient la benisson de la grant main, et si disoient « De quoi reconsiliez *domino nostro* ? », « De ce, disoit l'en, que vous avez esté scismatiques ! », et par especial narre de l'abbé de Saint Oan de Rouen, qu'il a volu qu'il renonçast et qu'il composast, dont n'a volu rien faire »[1].

Nous n'avons pas trace du paiement effectué par l'abbé de Saint-Denis[2], sans doute inclus dans le versement de l'un ou l'autre des nonces. Mais nous savons que, pour cinq années de revenus échus entre son élection et sa confirmation par le pape, Guillaume d'Auvillers, abbé du Bec-Hellouin, composa à 2 500 florins auxquels s'ajouta une obligation de 1 500 florins pour ses communs services. Il finit de s'acquitter en mai 1405[3]. Il avait versé au total 4 000 florins, y compris les communs services, et non 12, 16 ou 20 000 comme l'aurait voulu Jean Petit qui a sans doute, en ce cas comme en d'autres[4], forcé la réalité. L'exemple de l'abbé de Saint-Ouen, cité par Petit lui-même, prouve que l'on pouvait tenir tête aux gens du pape.

Le roi soutenait d'ailleurs son clergé. Les collations faites pendant la soustraction étaient, selon les ordonnances royales, libres de toute annate. Au collecteur de Tours Alain d'Esvigné, qui menaçait d'excommunier les clercs pourvus d'un bénéfice pendant la soustraction s'ils ne payaient à bref délai leur annate, Charles VI fit ordonner par le bailli de Tours, le 16 décembre 1404, de révoquer ses monitions et de cesser toute exigence. Pour couper court à toute procédure en curie, le roi fit citer les éventuels opposants devant le Parlement[5]. Le 1er mars suivant, sur intervention du duc d'Orléans, Benoît XIII diminua ses prétentions et chargea deux nonces d'informer et composer au sujet des arrérages dans le royaume de France[6].

C'est alors qu'apparut un nouveau mode de pression pour la perception de l'annate, dont nous avons vu qu'elle était la principale préoccupation des nonces et des collecteurs. A plusieurs reprises, en 1404 et jusqu'en 1407, le camérier ordonna la saisie des revenus d'un bénéfice récemment pourvu par collation apostolique, à concurrence du montant de l'annate. Il ne semble cependant pas que ce fût là un témoignage de défiance à l'égard des bénéficiers. Parmi ceux que visèrent de telles mesures, nous relevons en effet les noms des curalistes comme Géraud Daniel, camérier du cardinal

1. Arch. nat., X¹ a 4787, fol. 362.
2. Celui-ci ne finit cependant de payer ses communs services qu'en mars 1406 ;   *eg. Av.* 324, fol. 215 v°.
3. *Reg. Av.* 321, fol. 19 v°, 34 r° et 64 r°.
4. J. FAVIER, *Temporels ecclésiastiques...*, *loc. cit.*, p. 116-117.
5. Bibl. nat., lat. 1479, fol. 129-130. — Valois, *op. cit.*, III, p. 421.
6. *Reg. Av.* 319, fol. 59 r°-60 r°. — Les nonces étaient Pedro de Luna et Pedro Adimari.

de Malesset [1], ou même de familiers et officiers du pape comme Domingo Forti [2] et le bouteiller Simon de Launay [3]. Dans un autre cas, celui de Bertrand Atger, official de Saint-Pons-de-Thomières [4], il est précisé que la saisie est faite sur la demande du bénéficier. Or il s'agit là de collations apostoliques contestées, de bénéfices sur lesquels deux collations s'étaient exercées et que le bénéficiaire de la collation ordinaire n'entendait pas lâcher. Nous connaissons en p usieurs cas le détail du conflit : un clerc s'était « introduit » dans le bénéfice et en percevait le revenu [5]. Le pape ne pouvait assurer la mise en possession de son candidat ; l'évincé ne pouvait payer l'annate, car il n'avait pas le revenu ; l'intrus ne se souciait pas de la payer à un pape qui soutenait son adversaire. Aussi la Chambre s'en prenait-elle au bénéfice par une mesure qui n'avait peut-être pas grande efficacité sur le moment mais avait au moins la valeur d'une prise d'hypothèque [6].

C'est au lendemain de la restitution d'obédience que la Chambre apostolique inaugura sa politique d'exploitation systématique des vacants. Jusqu'en 1398, nous l'avons montré, la vacance prolongée d'un bénéfice à des fins exclusivement fiscales était relativement rare. Le pape savait qu'un recours immodéré aux vacants engendrerait de fortes réactions, tant dans le clergé que dans le monde laïc, c'est-à-dire chez les princes. Avant 1402, notamment, la France n'avait été touchée que de manière sporadique. De 1402 à 1408, les évêchés vacants furent nombreux et les vacances se prolongèrent : Béziers, Grasse, Cavaillon, Carpentras, Pampelune demeurèrent sans évêque pendant plus de cinq ans. En cinq ans et neuf mois, la mense épiscopale de Béziers rapporta à la Chambre apostolique un revenu net de 10 913 livres tournois [7]. De cette aggravation du recours aux vacants, il faut rapprocher la vacance fictive des bénéfices pourvus pendant la soustraction ; c'est enfin à la même époque que l'on voit la Chambre effectuer des assignations sur le temporel de bénéfices qui n'étaient nullement vacants [8].

Pour aider les collecteurs à faire rentrer les impôts, pour harceler les bénéficiers et, secondairement, pour alléger les charges fiscales, des nonces furent envoyés à travers les pays de l'obédience avignonnaise. Tout allègement n'était, notons-le, qu'une reconnaissance de l'incapacité des débiteurs et, par conséquent, un

1. Pour une prévôté de Saint-Martin de Tours (2 août 1404) ; *Reg. Av.* 320, fol. 126 r⁰.
2. Pour sa paroisse de Mantosa (dioc. de Tortosa ; 27 juin 1407) ; *Reg. Av.* 326, fol. 20 v⁰-21 r⁰.
3. Pour son décanat de Dol (17 juin 1406) *Reg. Av.* 325, fol. 545 v⁰-546 r⁰.
4. Pour son archiprêtré de Moissac et sa paroisse de Saint-Paul-d'Espis (Lot-et-Garonne, cant. Moissac) (25 juin 1404) ; *Reg. Av.* 320, fol. 119.
5. *Reg. Av.* 320, fol. 100 r⁰, 119, etc.
6. Une telle pratique n'était pas nouvelle mais elle demeurait, jusqu'en 1404, fort rare ; cf. *Reg. Vat.* 308, fol. 10 v⁰-11 r⁰, 135 r⁰ et 138 v⁰.
7. Voir ci-dessus, p. 296-297.
8. Voir ci-dessus, p. 319.

moyen de préciser quelles sommes pouvait en réalité espérer la Chambre apostolique. Plus qu'une marque de générosité, c'était un assainissement fiscal.

Ainsi furent donc envoyés en 1404 Sancho Lopez de Vesco à travers les pays de Langue d'Oil [1], Guillaume de Gaudiac, doyen de Saint-Germain-l'Auxerrois, et Bernard de Pozuelo, sacriste d'Elne, dans les provinces de Sens, Reims et Rouen [2], Jacques de Mas-Guichard, auditeur du Sacré Palais, et Michel Falcon dans celles de Tours, Bourges et Bordeaux [3], Sicard de Bourguerol et Jacques Gilles en Languedoc [4], Bernard Berniaud, auditeur du Sacré Palais, et Francisco de Tovia, archidiacre de Cerdagne, dans les provinces de Lyon, Vienne, Besançon et la collectorie du Puy [5], Frances Climent, enfin, en Aragon [6]. Sans doute de tels nonces n'obtinrent-ils qu'un médiocre résultat : ils furent doublés, en 1405, par de plus hauts personnages. En France, ce furent Pedro de Luna et Pedro Adimari [7], auxquels succédèrent Jean d'Armagnac, archevêque d'Auch, Jean de la Coste, élu de Chalon, et Lazaro Martinez de Bordalva, doyen de Huesca [8]. Francisco de Tovia fut envoyé en Savoie pour seconder le collecteur Jacques de Monthous [9]. Pedro Adimari et Pedro Zagarriga repartirent en novembre, peut-être pour l'Aragon [10], cependant qu'était envoyé en Castille et Léon le trésorier Frances Climent [11] dont Juan Martinez de Murillo, abbé de Montaragon, assura l'intérim à la tête de la Trésorerie [12]. Aussitôt après, en janvier 1406, Pierre de *Gossio*, chanoine d'Aire, fut envoyé en France [13] et Martin d'Alpartil en Trinacrie [14]. Le référendaire Francesc Blanes alla en Aragon [15] ; le prieur de Saragosse, Domingo Rami, lui fut adjoint en juillet 1407 [16].

Ces nonces étaient tous, évidemment, des collecteurs exceptionnels. Nombre d'entre eux firent parvenir leur recette par le canal des collecteurs, mais certains firent à la Trésorerie des versements en leur propre nom. Ainsi pouvons-nous chiffrer leur apport. Du

---

1. *Reg. Av.* 308, fol. 75 v°-76 r°.
2. *Ibid.* fol. 11 v°-14 v°.
3. *Ibid.*, fol. 16.
4. *Reg. Av.* 316, fol. 31 v°-33 r°.
5. *Reg. Av.* 308, fol. 20 v°.
6. *Reg. Av.* 325, fol. 51.
7. Bulles du 1er mars 1405 ; *Reg. Av.* 319, fol. 59 r°-60 r°.
8. Bulles des 5 août 1405 et 13 janvier 1406 ; *Reg. Av.* 317, fol. 44-48 ; 331, fol. 94 v°-95 v°.
9. *Reg. Av.* 325, fol. 19 et 65.
10. *Ibid.*, fol. 58-63.
11. *Ibid.*, fol. 45 v°-58 r°.
12. *Reg. Av.* 325, fol. 42 v°-43 r°.
13. *Reg. Av.* 331, fol. 91 r°-92 r°.
14. *Reg. Av.* 325, fol. 65 v°-66 r°.
15. *Reg. Av.* 331, fol. 92-93.
16. *Reg. Av.* 328, fol. 22-24.

1ᵉʳ décembre 1404 au 29 septembre 1405, Sancho Lopez envoya
13 301 florins à la Chambre apostolique [1] ; de l'été 1405 à juillet
1408, Blanes envoya directement — car il n'est pas exclu que des
sommes envoyées par le collecteur d'Aragon ou par Fenolhet
vinssent de lui — un total de 49 486 florins [2]. Levées par les nonces
en personne, d'une part, reçues par eux des agents locaux et en
particulier des sous-collecteurs [3], d'autre part, ces sommes apparaissent considérables.

Mais l'activité essentielle des nonces en matière financière, ce
fut de mettre au point, sur place, les moyens de pression concernant les impositions impayées et contestées, de contrôler l'action
des collecteurs et d'aviser aux meilleurs moyens d'assurer les
paiements par des compositions et des octrois de délais. Ils avaient
pour ce faire les pouvoirs les plus étendus. Ils avaient aussi des
instructions très précises, dont nous analyserons les principaux
points [4].

Les nonces devaient effectuer une enquête sur l'état des collectories : convoquer chaque collecteur au chef-lieu de sa collectorie,
puis le sous-collecteur dans chaque diocèse, et leur demander la
liste des bénéficiers, le compte des arrérages à lever et un avis
sur les capacités de paiement aussi bien pour les décimes, procurations, subsides et annates que pour les communs services. C'est
ainsi que le sous-collecteur Jean Lechat dressa l'état des sommes
dues par les bénéficiers du diocèse d'Angers jusqu'au mois d'octobre
1404, et le remit aux nonces Mas-Guichard et Falcon [5]. La collaboration des agents permanents était donc indispensable aux
nonces.

. Pour les communs services, ces derniers n'avaient que des pouvoirs de perception. Le pape et le camérier se réservaient le droit
de concéder les délais [6] et d'absoudre des peines canoniques encourues pour retard. Il est à noter que les nonces devaient n'exiger
des prélats que la part des communs services due à la Chambre
apostolique et ne se préoccuper ni de la part due au Sacré Collège,
ni des cinq menus services. Peut-être faut-il voir dans cette mesure,
dont la conséquence fut un moindre empressement à s'acquitter
envers les cardinaux, une vengeance de Benoît XIII à l'encontre
du Sacré Collège naguère rebelle.

C'est sur les annates que les nonces devaient surtout porter leur

---

1. *Reg. Av.* 321, fol. 31-87.
2. *Reg. Av.* 321, fol. 56 v°, 67 r° et 85 r° ; 327, fol. 70 v°-75 r° ; 331, fol. 208 v°, 212 r°,
219 v°, 223 v° et 253 r°.
3. *Reg. Av.* 321, fol. 31 r°.
4. Le texte qui en est conservé date sans doute de l'été 1404 ; *Reg. Av.* 331, fol. 20-24.
5. Il a été publié par le vicomte MENJOT D'ELBENNE, *Etat des sommes...*, dans *La
province du Maine*, XXII, 1914.
6. Lazaro Martinez de Bordalva concéda un délai à l'évêque de Périgueux en février
1407, mais ce délai fut confirmé par le lieutenant du camérier ; *Reg. Av.* 327, fol. 58 v°.

effort. En la matière, les remises ne pouvaient être — comme pour les communs services — que tout à fait exceptionnelles. Il n'était guère onéreux, estimaient les gens de la Chambre, de donner au pape une année des revenus nets d'un bénéfice reçu pour toute une vie. Des délais pouvaient être accordés, dans les mêmes conditions que pour les autres dettes.

Avant de procéder aux compositions et de concéder remises et délais éventuels, les nonces devaient prendre en considération diverses circonstances. La nature de la dette intervenait d'abord, on vient de le voir. Son ancienneté pouvait être un élément du jugement : les dettes du temps de Clément VI seraient plus facilement remises que celles du temps de Grégoire XI ou de Clément VII ; les impositions échues postérieurement à novembre 1403 ne seraient remises en aucun cas. Pour les dettes que les bénéficiers avaient héritées de leurs prédécesseurs, les nonces enquêteraient pour savoir si les bénéficiers avaient reçu l'actif de l'héritage correspondant ou s'ils avaient un quelconque recours contre les héritiers. En dernier lieu, ils seraient attentifs à la fortune personnelle des débiteurs, les clercs riches devant « soutenir » leurs bénéfices pauvres. Un cas particulier pouvait se présenter : celui de bénéfices grevés de dettes fiscales en raison de nombreuses vacances consécutives ; il convenait d'être, en ce cas, d'une relative tolérance.

Les nonces étaient enfin chargés de contrôler étroitement la gestion des collecteurs. A cet effet, leurs instructions comportaient l'indication de diverses pratiques délictueuses dont les collecteurs pouvaient se rendre coupables au détriment de la Chambre apostolique [1]. Peut-être est-ce à la suite de l'enquête des nonces et à la suite de ses excès, eux-mêmes à l'origine de l'intervention royale déjà signalée, que fut révoqué en septembre 1405 le collecteur de Tours Alain d'Esvigné [2].

Les nonces n'avaient pas seulement pour mission de diriger la reprise des exigences fiscales. Nombre d'entre eux furent chargés de négocier dans les provinces l'octroi de subsides caritatifs et la concession de prêts destinés à financer la politique de Benoît XIII. Les charges étaient lourdes, en effet. Nous ne reviendrons pas sur les ultimes paiements qu'il fallut faire à Louis II d'Anjou en rémunération de son retour à l'obédience, paiements qui aliénèrent le revenu de la collectorie de Provence. Cinq mois plus tard, le pape offrait à Louis d'Orléans, en récompense de sa fidélité et pour l'aider dans ses entreprises italiennes, une somme de 50 000 francs payable à raison de la moitié de tous les arrérages antérieurs à 1403 — donc à 1398 — susceptibles d'être levés en

1. Voir ci-dessus, p. 134.
2. Sans doute fut-il convoqué à la curie, car il versa lui-même, à Gênes, le solde de son compte ; *Intr. ex.* 376, fol. 80 rº ; *Reg. Av.* 321, fol. 86 rº.

France et en Dauphiné [1]. De même dut-on récompenser le cardinal Fieschi qui abandonna Innocent VII le 18 octobre 1404 [2] et reçut de Benoît XIII, pour prix de son adhésion, un revenu annuel garanti de 15 000 florins [3]. Des cardinaux avignonnais faisaient également payer leur retour à l'obéissance : Jean de Brogny obtint une rente de 1 000 florins courants et le quart des émoluments des registres [4].

Les voyages de la curie vers Gênes et Savone furent également source de grosses dépenses. En 1405, Benoît XIII partit avec six galées [5]. En 1408, Jean Boucicaut était à la tête d'une escadre de huit galées et six brigantins [6]. Bernardon de Serres, gouverneur d'Asti, reçut 2 000 francs en 1405-1406 [7]. Les ressources courantes de la Chambre ne pouvaient suffire.

Benoît XIII exigea en premier lieu, dans le courant de 1405, des prestations en hommes d'armes. Les prieurs de l'ordre de l'Hôpital se virent enjoindre d'en fournir aux frais de l'ordre [8]. En Aragon, c'est le clergé que le référendaire Juan de Valterra exhorta à servir en armes ou à racheter son service [9]. L'archevêque de Séville Alfonso d'Exea promit de venir à la tête d'une troupe [10] ; promesse sans suite, pensons-nous [11].

Dès novembre 1404, Juan Lobera avait été envoyé en Aragon pour obtenir des subsides [12] et traiter à cette fin avec le roi, avec les évêques d'Elne, de Barcelone et de Tortosa — ceux-ci respectivement taxés à 4 000, 3 800 et 5 000 florins d'Aragon [13] — et avec les chapitres d'Elne et de Majorque, taxés chacun à 2 000 florins. En février 1405, Adimari et Zagarriga allèrent en France pour y imposer un subside ou une décime, ou les deux, jusqu'à la somme qu'ils jugeraient bon ; ils optèrent pour la décime et en escomptèrent une partie par des emprunts gagés sur la recette [14].

1. *Reg. Av.* 308, fol. 74-75 ; 319, fol. 58 v°-59 r°.
2. VALOIS, *op. cit.*, III, p. 392-393.
3. Bulle du 22 novembre 1404 ; *Reg. Av.* 325, fol. 50.
4. Lettre du camérier, du 14 août 1403 ; *Coll.* 372, fol. 129 r°-130 r°.
5. VALOIS, *op. cit.*, III, p. 405.
6. DELARUELLE, LABANDE et OURLIAC, *op. cit.*, p. 135.
7. *Intr. ex.* 376, fol. 85 r° et 227 v°.
8. *Reg. Av.* 319, fol. 50 v°-51 v°.
9. *Ibid.*, fol. 11 v°-12 r°.
10. *Ibid.*, fol. 19 v°.
11. Se fondant sur l'autorisation — dont nous avons fait état (p. 226) — donnée par le pape à l'archevêque, Noël VALOIS (*op. cit.*, III, p. 410) n'a pas craint d'affirmer l'envoi de troupes par plusieurs prélats, dont l'archevêque de Séville. Or une chose est certaine : du 2 juin 1405 à février 1406 au moins, et peut-être jusqu'en juillet 1407, Exea fut à la curie, chargé de négociations avec Benoît XIII pour le compte du roi de Castille. Rien, dans sa correspondance, ne permet de croire qu'il ait fait venir des hommes d'armes ; Suarez Fernandez, *Castilla...*, p. 54-56, 59, 253-258, 269-276 et 281.
12. *Reg. Av.* 327, fol. 79.
13. L'évêque de Tortosa avait le choix entre une galée armée, ou vingt hommes d'armes, ou 5 000 florins.
14. *Reg. Av.* 319, fol. 43-46 ; *Coll.* 91, fol. 447-449 ; 195, fol. 305.

C'est un subside caritatif qu'imposèrent au contraire Francesc Blanes et Berenger Ribalta en Aragon [1], Francisco de Tovia et Jacques de Monthous en Savoie [2] et les collecteurs Jean Boudreville et Pedro Fernandez de Montiel en Castille [3]. Dans ce dernier cas, la Chambre apostolique avait dégagé ses collecteurs de toute initiative, fixant à l'avance le montant global du subside — 20 000 francs — et la part de chaque diocèse : 2 231 francs pour Tolède, 1 937 1/2 pour Séville, 1 818 1/2 pour Compostelle..., jusqu'à 118 francs dus par le clergé du diocèse de Tuy ; le tout était payable par moitiés à la Purification et à l'Ascension 1406. Dans le même temps, Jacques Gilles partait pour l'Espagne afin d'emprunter en escomptant les subsides de Castille et d'Aragon [4]. Le clergé castillan fut certainement très réticent car, le 16 novembre 1405, Benoît XIII chargea Frances Climent d'imposer en Castille et Léon un subside qui ne semble pas s'être ajouté au précédent. Cette fois, la Chambre apostolique avait perdu ses illusions : le montant était laissé à l'appréciation du nonce [5]. Le lendemain, dans une bulle adressée à Adimari et Zagarriga, le pape menaçait de relever de leur « administration » les clercs qui refuseraient le subside [6]. Enfin, la mort du roi Henri III, le 25 décembre 1406, ayant modifié en faveur du pape avignonnais l'attitude castillane [7], Climent fut à nouveau chargé, le 24 mai 1407, d'imposer un subside en Castille et Léon [8].

Pour spontanés que fussent réputés ces subsides, l'exigence en était stricte — ce qui ne signifie pas qu'elle fût couronnée de succès — et la résistance était acharnée. L'exemple de l'archevêque d'Arles Artaud de Mélan est à cet égard significatif. Vers 1405 ou 1406, son procureur avait promis au pape un subside de 1 500 florins courants que l'archevêque offrait « spontanément », et demandé qu'on lui fixât des termes pour le paiement, ce qui fut fait. L'archevêque obligeait ses revenus, consentait à toutes contraintes et sentences en cas de non-paiement, et renonçait, par la voix du procureur et devant le notaire de la Trésorerie, à tous privilèges dont il pourrait exciper pour se dégager de l'obligation. Le dernier terme passé, l'archevêque n'avait encore payé que 500 florins courants, soit le tiers de son subside ; le 28 juillet 1407, Adimari ordonna aux officiaux et au clergé des huit diocèses voisins de promulguer les sentences d'excommunication, suspension et interdit sous le coup desquelles tombait Artaud de Mélan. Celui-ci paya

1. *Reg. Av.* 319, fol. 47-48 et 49 vᵒ-50 rᵒ.
2. *Reg. Av.* 317, fol. 57 vᵒ-59 rᵒ.
3. *Ibid.*, fol. 54 vᵒ-57 vᵒ.
4. *Reg. Av.* 319, fol. 19 rᵒ.
5. *Ibid.*, fol. 26 vᵒ-27 vᵒ.
6. *Reg. Av.* 325, fol. 62 vᵒ.
7. Suarez-Fernandez, *op. cit.*, p. 59.
8. *Reg. Av.* 328, fol. 20-21.

250 florins courants et promit le solde pour la Saint-Michel. Le 8 novembre, constatant le défaut de paiement, le lieutenant du camérier renouvela l'excommunication. Le 19 décembre, l'archevêque versa encore 250 florins et obtint pour le reste un délai jusqu'au 15 février. Le 28 mars, il devait encore les 500 florins lorsque Adimari l'excommunia de nouveau. Le procureur vint enfin payer 200 florins avant le 22 mai, et les 300 florins du solde avant le 24 juin 1408 [1]. On voit ce qu'était un subside offert « spontanément ».

Quant aux Etats du Comtat venaissin, ils opposèrent pour la première fois un refus lorsque Ximeno Dahé, lieutenant du recteur, formula de la part de Pedro Adimari la demande d'une nouvelle taille, en octobre 1406, afin de financer la lutte contre les compagnies. Le conseil des Etats fit savoir à Dahé « qu'il n'était pas nécessaire de faire quoi que ce fût », sinon envoyer un ou deux députés à Adimari pour lui dire que le conseil ne voulait rien faire... [2].

Le seul royaume dont les subsides aient effectivement soutenu l'effort politique de Benoît XIII, c'est évidemment l'Aragon. De 1406 à 1408, nous l'avons dit [3], les subsides et le revenu des bénéfices retenus par Benoît XIII atteignirent 133 108 florins d'Aragon [4].

Dans le temps où il sollicitait ou exigeait des subsides, le pape accordait des réductions de taxe. A court terme, il n'y avait aucune contradiction : le clergé achetait par son subside un dégrèvement définitif. Politique à courte vue, donc, que celle-là, qui diminuait des ressources quasi permanentes en vue d'une rentrée immédiate d'argent. Nous avons là une preuve de plus de la difficile situation financière après la restitution d'obédience. C'est en Provence que fut inaugurée cette politique : dès 1405, le clergé provençal accordait un subside de 8 000 francs contre réduction de moitié de la taxe pour la décime : plus des trois quarts de la somme furent réunis en deux ans [5]. L'Aragon obtint en 1407 semblable faveur en échange de ses subsides : le 1er juillet, le pape autorisa Francesc Blanes à réduire les taxes pour la décime qu'il jugerait trop fortes [6] ; le 21 décembre, à la suite d'une enquête menée par Blanes et Domingo Rami, une bulle réduisait de moitié, en Aragon, toutes les taxes pour la décime [7].

Le pape et ses nonces s'efforcèrent d'autre part de se procurer des ressources immédiates en empruntant de tous côtés. Ce fut, dans les années 1403-1408, une véritable course au crédit.

---

1. *Reg. Av.* 331, fol. 139 v°-142 r°, 148 r° et 157 v°.
2. Arch. dép. Vaucluse, C 6, fol. 15 v°-16 r°.
3. Voir ci-dessus, p. 226.
4. *Reg. Av.* 331, fol. 123 r°-125 r°.
5. J. FAVIER, *Les voyages de Jacques d'Esparron...*, *loc. cit.*, p. 407-422.
6. *Reg. Av.* 328, fol. 22 v°-23 v°.
7. *Reg. Av.* 333, fol. 27-30.

C'est vers 1403 que la Chambre apostolique dressa la liste des clercs « qui n'ont pas prêté mais peuvent prêter » : sept évêques [1], trois abbés [2], le doyen de Saint-Pierre d'Avignon et trois clercs de la curie. Etait jointe à cette liste celle de dix-neuf marchands avignonnais certainement concernés par l'appel au prêt [3]. Mais, même dans la curie, le crédit de Benoît XIII était déjà entamé. Du 1er août 1404 au 30 septembre 1405, la Chambre ne trouva que six prêteurs : quatre banquiers et deux évêques. Les emprunts atteignirent, pendant ces quatorze mois, 19 382 florins. Giovanni Ratoncini s'inscrivait dans ce total pour 7 592 florins [4], le banquier génois Parsivallo de' Vivaldi pour 4 500 [5] et Lorenzo di Dinolzo pour 3 490 [6] ; ces deux derniers créanciers étaient remboursés par assignation immédiate sur l'Aragon. A Nice, Bartolomeo da Solario prêta 800 florins [7]. Quant aux deux prélats, c'étaient Exea, pour 2 000 florins [8], et Adimari, pour 1 000 [9]. A ces chiffres, il convient d'ajouter les 4 000 francs avancés à Louis II d'Anjou par Antoine de Villeneuve et remboursés par la Chambre apostolique [10].

Le peu de crédit que conservait Benoît XIII ne tarda pas à s'effondrer. En 1406-1408, la Chambre ne trouva plus à emprunter que du maréchal Boucicaut : celui-ci prêta, en février 1408, 40 000 francs, remboursables en deux ans, avec constitution d'hypothèque sur divers biens immobiliers [11].

Le plus gros effort fut porté sur l'escompte local des revenus de la papauté. A travers la France et l'Espagne, nonces et commissaires apostoliques s'efforcèrent d'emprunter en engageant les recettes des subsides, des décimes, des bénéfices retenus, voire en vendant des rentes [12]. Le résultat, on l'a vu, ne paraît pas avoir été notable.

5. *Les voyages en Italie : la scission administrative.* D'une autre nature est la crise administrative née du maintien à Avignon d'une curie privée de la personne du pape. Evadé d'un palais dans lequel il avait été captif, volontairement éloigné d'une ville qui lui avait manifesté tant d'hostilité, Benoît XIII erra, de 1403 à 1409, le long de la côte méditerranéenne, de Marseille à Gênes, puis à Porto Venere, pour

---

1. Ceux d'Albi, Nîmes, Lombez, Saint-Papoul, Castres, Vabres et Rodez.
2. Ceux de Psalmodi, La Grasse et Montolieu.
3. *Reg. Av.* 346, fol. 242 v°.
4. *Reg. Av.* 321, fol. 55 v°, 62 r° et 90 r°.
5. *Ibid.*, fol. 74 v°.
6. *Ibid.*, fol. 21 r° et 56 v°.
7. *Ibid.*, fol. 42 r°.
8. *Ibid.*, fol. 86 v°.
9. *Ibid.*, fol. 90 r°.
10. *Intr. ex.* 376, fol. 171 v° ; *Reg. Av.* 324, fol. 190-197.
11. *Reg. Av.* 328, fol. 75-76 ; 331, fol. 231 et 244 r°.
12. Voir ci-dessus, p. 586-587.

terminer son périple à Perpignan et, enfin, à Peñiscola. L'histoire de ces voyages est assez connue, nous ne la referons pas.

C'est la nécessité d'une implantation stable des services administratifs qui, M. Guillemain l'a bien montré [1], avait conduit la papauté à renoncer à la vie itinérante. C'est, de même, la stabilité qui a permis le développement de l'administration. Il ne pouvait être question, en 1403, de revenir en arrière : la curie demeurait à Avignon, coûte que coûte. C'était la condition même de son efficacité. C'est à Avignon que les agents locaux faisaient parvenir l'argent, plutôt qu'à la résidence du pape, résidence changeante et donc, bien souvent, inconnue d'eux. C'est à Avignon que les collecteurs venaient rendre leurs comptes, à Avignon où se trouvaient les archives, les registres d'assignations et les livres de la Trésorerie, donc les moyens de travail des clercs vérificateurs. C'est à Avignon que rendirent ainsi leurs comptes Jean de Rivesaltes en décembre 1405 [2], Jean Martin en juillet 1406 [3], Jean Joly en août 1406 [4], Pierre du Pont en décembre 1406 [5], Pierre Brengas et ses sous-collecteurs en août 1407 [6], Simon de Prades en septembre 1407 [7] et Julien de Dole en février 1408 [8] ; à ces dates, le pape se trouvait à Savone, à Nice, à Marseille et à Porto Venere.

Mais, s'il était indispensable de centraliser à Avignon la gestion financière, bien des décisions devaient être prises dans la curie itinérante, auprès du pape qui, dirigeant lui-même et sur place sa diplomatie, engageait par contre-coup les dépenses extraordinaires. On empruntait à Gênes, Avignon faisait rembourser. On dépensait à Gênes, Avignon centralisait les recettes. Force était à la Chambre apostolique de se dédoubler.

Le camérier François de Conzié suivit le pape [9]. Il emmenait le trésorier Frances Climent [10] et Juan Martinez de Murillo, abbé de Montaragon, qui devint régent de la Trésorerie lorsque Climent,

1. *La cour pontificale...*, p. 74-75 notamment.
2. *Reg. Av.* 325, fol. 519 v°-523 v°.
3. *Ibid.*, fol. 550 r°-552 r°.
4. *Reg. Av.* 331, fol. 151-152.
5. *Reg. Av.* 325, fol. 568-570.
6. *Reg. Av.* 326, fol. 36 v°-41 v°.
7. *Ibid.*, fol. 45-46.
8. *Reg. Av.* 331, fol. 146-147.
9. Le 5 juillet 1404, il quitta Avignon pour Marseille (*Reg. Av.* 320, fol. 122-123) où il demeura jusqu'au 10 octobre (fol. 133 r°). Après un bref retour à Avignon en novembre (fol. 137 v°-138 v°), il regagna la curie itinérante : à Marseille en décembre (fol. 142 r°-143 r°), à Nice de janvier au 1er mai 1405 (fol. 148 et 151), à Gênes du 25 mai à août (*Reg. Av.* 320, fol. 150 v°-151 r° ; 325, fol. 522-523), à Savone à partir du 19 septembre (*Reg. Av.* 324, fol. 181 r°-182 r°). Il revint en Provence avec le pape ; on le trouve à Nice le 3 septembre 1406 (*Reg. Av.* 325, fol. 559-560). En mars 1407 il fit un très bref séjour à Avignon (fol. 577 r°-578 r°), puis regagna Marseille (*Reg. Av.* 326, fol. 33 et 44) où il prit part aux négociations avec les ambassadeurs de Grégoire XII. Après un autre séjour à Avignon en juin et juillet 1407 (fol. 22, 26 v°-27 r° et 33 v°-34 r°), nous perdons la trace de son itinéraire.
10. *Reg. Av.* 321, *passim*.

en novembre 1405, quitta la curie pour l'Aragon [1]. L'auditeur
de la Chambre étant resté à Avignon, il y eut auprès du camérier
un lieutenant de l'auditeur [2]. Des clercs de la Chambre suivirent
certainement leur chef : sans doute les clercs aragonais, dont la
présence n'est pas attestée à Avignon pendant toute cette période.
Il semble, enfin, que le registrateur Bernardo Forti ait fait office
de receveur de la Trésorerie [3].

A Avignon, la Chambre fut dirigée de façon presque constante
par Pedro Adimari, qui ne s'absenta que quelques jours en octobre
1404 pour aller à Lyon [4], et quelques mois, au printemps et au
début de l'été de 1405, pour se rendre à Paris et y imposer une
décime [5]. Vice-gérant du camérier à partir du 28 juin 1404 [6], Adimari fut constitué, le 10 août 1405, « lieutenant du camérier à
Avignon, dans le Comtat venaissin et les pays en deçà des Monts » [7].
Pedro Zagarriga lui fut adjoint, comme commissaire du pape,
de décembre 1405 à juillet 1406 [8]. Vers février 1406, Adimari prit
le titre de « lieutenant du camérier et gouverneur d'Avignon et
du Comtat venaissin » [9]. Il était encore à la tête de la Chambre
à Avignon le 2 mai 1409 [10].

A ses côtés, la Trésorerie était gérée par un « député », Diego
Navarrez [11], assisté d'un receveur général, Francisco de Tovia [12].
Le conseil de la Chambre était demeuré à Avignon dans sa majorité :
Bernard d'Estruch et Sicard de Bourguerol sont parmi les examina-
teurs des comptes rendus par les collecteurs, de même que le clerc
Nicola Lopez de Roncesvalles [13]. Zagarriga, lui, fut souvent en
mission. Quant à l'auditeur Ximeno Dahé, il s'établit à Carpen-
tras comme lieutenant du recteur du Comtat, Antonio de Luna [14].

On peut donc bien parler de scission administrative. Les responsabilités les plus lourdes allaient aux chefs, qui suivaient le
pape. Le soin de la gestion incombait à des fondés de pouvoir
établis à Avignon.

Les finances pontificales ne paraissent pas avoir souffert de ce
dédoublement. Les versements des prélats et ceux des collecteurs
parvinrent, selon les cas, à Avignon ou à la Chambre itinérante ;
aucune distinction ne peut être faite selon l'origine géographique

1. *Reg. Av.* 325, fol. 42 v°-43 r°.
2. *Reg. Av.* 321, fol. 26 v°.
3. *Reg. Av.* 321, *passim*.
4. *Instr. misc.* 3773.
5. Voir ci-dessus, p. 210.
6. *Instr. misc.* 3761.
7. *Reg. Av.* 320, fol. 155 ; 325, fol. 522-523.
8. *Reg. Av.* 325, fol. 517 v°-520 v°, 525-526 et 547.
9. *Ibid.*, fol. 565 r°-567 r° ; *Instr. misc.* 3832
10. *Reg. Av.* 332, fol. 19.
11. *Reg. Av.* 321, 328 et 331.
12. *Reg. Av.* 320, fol. 118 v°.
13. Références ci-dessus, p. 672.
14. Arch. dép. Vaucluse, C 6, *passim*.

des fonds, la principale raison du choix nous paraissant être l'appartenance des procureurs des prélats à la curie itinérante ou à la curie d'Avignon [1] ainsi que les facilités momentanées du change bancaire sur Avignon ou sur Marseille ou la Ligurie. Le collecteur de Narbonne [2] et celui de Rodez [3], qui apportaient ou envoyaient leur numéraire, continuèrent de verser à Avignon ; au contraire, le collecteur et les nonces en Aragon achetaient des lettres de change qui, parfois présentées en premier lieu à un banquier d'Avignon, furent le plus souvent payées par un banquier de Gênes ou de Savone à la curie itinérante [4]. C'est à cette dernière, enfin, que Diego Navarrez fit parvenir une notable partie de ses recettes. Ainsi, où qu'elles s'effectuassent, les rentrées d'argent étaient réparties en fonction des conditions de la dépense.

Une remarque s'impose pour conclure. La nécessité de diviser la Chambre apostolique aurait pu engendrer de graves difficultés. Il n'en fut rien. L'une des raisons nous paraît être le parfait fonctionnement de la machine administrative : les collecteurs ne sentirent certainement pas le bicéphalisme, ils continuèrent à travailler comme par le passé et à justifier leur activité comme ils devaient le faire. La seconde, et la plus importante, est sans doute le fait que la Chambre apostolique des papes avignonnais n'a jamais manqué de personnel qualifié. Elle a pu trouver sans mal deux chefs, deux responsables de la Trésorerie, deux receveurs, deux auditeurs, des conseillers et des clercs pour assurer un service dédoublé. La grande richesse de la Chambre avignonnaise fut certainement sa richesse en hommes, et en hommes compétents.

6. *La seconde soustraction d'obédience*   Le 11 septembre 1406, Charles VI déclarait l'Eglise de France « libre des subventions indûment établies » depuis la soustraction d'obédience de 1398 [5]. Le 4 janvier 1407, un concile réuni à Paris votait la « soustraction partielle d'obédience» et une ordonnance royale du 18 février interdisait la levée de toutes les impositions pontificales [6]. Pour Benoît XIII, le coup était sévère. L'apport financier de la Castille ayant toujours été mince, celui de l'Ecosse étant nul et celui de la Ligurie n'étant que théorique, la France avait été avec l'Aragon, la grande source de revenus de la papauté avignonnaise. Comme en 1398, cette source était tarie.

1. Ainsi les communs services de l'évêque de Lombez furent-ils payés en cinq versements, à Nice, Savone, Gênes et Avignon ; *Reg. Av.* 331, fol. 78 v°-79 r°.
2. *Coll.* 159, fol. 446-449.
3. *Reg. Av.* 321, fol. 63 v° ; 328, fol. 116 r° et 135 r°.
4. *Reg. Av.* 327, fol. 65-75.
5. C.-E. DU BOULAY, *Hist. Univ. Paris.*, V, p. 127.
6. *Ordonnances...*, IX, p. 183-185 ; MANSI, *Conciliorum...*, XXVI, col. 1019 ; MARTIN, *Les origines du Gallicanisme*, I, p. 324-325 ; VALOIS, *op. cit.*, III, p. 455-475.

Les collecteurs français furent d'un exemplaire loyalisme. Ils versèrent le solde de leur recette et, l'un après l'autre, cessèrent leur activité. Le dernier versement émane du collecteur de Bourges Guillaume Imbert, pour le compte de qui le référendaire Jean de la Coste, élu de Chalon, versa 500 écus le 17 octobre 1407 [1]. Pierre du Pont, Pierre Brengas, Simon de Prades et Julien de Dole vinrent ensuite rendre leurs comptes [2]. A partir d'octobre 1407, il n'y eut plus, pour alimenter la Trésorerie, qu'une seule collectorie : celle d'Aragon.

L'attitude des prélats n'en est que plus surprenante : bien peu, en 1407 et 1408, tentèrent de se soustraire à l'obligation qu'ils avaient contractée, et cela même parmi les bénéficiaires d'anciennes collations dont on ne peut penser qu'ils furent mis dans l'obligation de payer pour avoir leur bulle. Nombreux sont, assurément, ceux qui se contentèrent d'obtenir des délais et n'eurent d'autre préoccupation que leur prorogation. Il s'agit alors de prudence plus que de fidélité. Evêque de Saint-Paul-Trois-Châteaux le 28 décembre 1388 [3], Dieudonné d'Estaing n'avait encore payé que 81 florins 14 sous sur une obligation de 200 florins [4] lorsque, le 1er avril 1409, il sollicita, sans rien payer, un ultime délai [5]. La prudence l'avait dissuadé de s'acquitter rapidement, elle lui conseillait maintenant de demeurer en règle.

Il n'en demeure pas moins que, pour la plupart, les prélats débiteurs de communs services continuèrent leurs versements à la Trésorerie, versements souvent modestes — une dizaine de florins environ — mais non plus qu'avant la seconde soustraction d'obédience.

Que les Aragonais aient poursuivi leur versements, il n'y a là rien d'étonnant. Nous en voyons qui paient leurs communs services ou qui, ceux-ci soldés, achèvent de payer leurs menus services : l'archevêque de Tarragone [6], les évêques de Calahorra, Tarazone et Tuy, les abbés de la Peña, Guixols et San Quirse de Colera, auxquels il faut joindre ceux de la Réale de Perpignan, de Saint-Michel-de-Cuxa et d'Arles-sur-Tech, cependant que l'évêque de Lérida et l'abbé de Saint-Martin-du-Canigou faisaient proroger leurs délais.

Les Castillans, au contraire, étaient peu nombreux : les évêques de Lugo et Siguenza, et l'abbé de San Salvador de Lerez. Peut-être d'autres payèrent-ils leurs services à des nonces ?

Les versements de trois évêques écossais doivent être notés : ceux de Saint Andrews, Dumblane et Dunkeld.

Les Français du Nord apparaissent comme relativement réticents

---

1. *Reg. Av.* 331, fol. 207 v°.
2. *Reg. Av.* 325, fol. 568-570 ; 326, fol. 36 v°-38 v° et 45-46 ; 331, fol. 146-147.
3. EUBEL, *Hier. cath.*, I, p. 497.
4. *Intr. ex.* 366, fol. 10 v° et 35 r° ; 367, fol. 8 r° ; *Reg. Av.* 321, fol. 51 v°.
5. *Reg. Av.* 331, fol. 79 v°.
6. Pedro Zagarriga.

envers la Chambre apostolique. Compte tenu du vote de l'assemblée de 1407 et de la cessation de l'activité des collecteurs, il est cependant étonnant d'en voir tant payer leurs services à la Trésorerie pontificale : l'archevêque de Sens Jean de Montaigu [1], l'évêque de Cambrai Pierre d'Ailly, défenseur ardent, quoique tardif, de Benoit XIII, l'évêque de Chalon Jean de la Coste — référendaire du pape, il est vrai — et les abbés de Bernay, Hambye, Coulombs, Saint-Denis de Reims, Vézelay, Fontgombault, Ahun, Lure, Saint-Paul de Besançon, Saint-Rambert et Savigny. Des délais furent octroyés sans paiement aux évêques de Toul et de Verdun et aux abbés de Clairvaux et de Saint-Eloi de Noyon. Des prélats bretons, enfin, s'acquittèrent d'une part de leurs services : les évêques de Vannes et Nantes, et les abbés de Beaulieu et Géneston. De même l'abbé de Saint-Sixt (dans le diocèse de Genève) paya-t-il une partie de ses services.

Mais c'est de la France du Midi, et secondairement de Provence, que vint l'essentiel de la recette effectuée en 1407 et 1408 au titre des communs services : un archevêque, celui de Vienne ; quatorze évêques, ceux de Lombez, Tarbes, Couserans, Mirepoix, Aire, Albi, Cahors, Tulle, Lodève, Uzès, Nîmes, Mende, Rieux et Vaison ; treize abbés, ceux de Saint-Jean-d'Angély, Belleperche, Moissac, Sorèze, Aurillac, Pessan, Boulbonne, Fontfroide, Aniane, Saint-Thibéry, Villelongue, Psalmodi, Montmajour. Ajoutons à cette liste les prélats qui, sans verser pour autant d'argent, sollicitèrent un délai et dont on ne saurait donc dire qu'ils tenaient leur obligation pour annulée par la soustraction. Ce sont les évêques de Saint-Flour, Montauban, Périgueux, Saint-Paul-Trois-Châteaux, Valence et Die, et Comminges, et les abbés d'Eaunes, Larreule, Escaldieu, La Bénissons-Dieu, Féniers et Boscodon.

Conclure à une indéfectible fidélité du clergé méridional à Benoît XIII serait hâtif. Il y a, certes, un rapport immédiat entre une telle répartition des paiements et l'attitude opposée des universités de Paris et de Toulouse [2]. Mais il ne faut pas inverser les rapports de causalité. Dans un grand nombre de cas, les prélats méridionaux furent fidèles parce que Benoît XIII avait placé des fidèles dans les prélatures méridionales. Parmi les évêques qui s'acquittèrent de leurs services, qui relevons-nous ? L'ancien trésorier Jean Lavergne (Lodève), les conseillers de la Chambre Géraud du Breuil (Uzès) et Sicard de Bourguerol (Couserans), le référendaire Jean de la Coste (Chalon, puis Mende). Les évêques de Tulle et de Lombez sont d'anciens auditeurs du Sacré Palais. L'évêque d'Albi n'est autre que le fidèle ambassadeur Dominique de Florence. En France

---

1. Il paya, en un seul versement, 3 000 florins le 11 mai 1407 ; *Reg. Av.* 327, fol. 45 v°. — Eubel a oublié ce prélat dans sa liste ; *Hier. cath.*, I, p. 448. — Voir : *Gallia christiana*, XII, col. 81-82.

2. VALOIS, *op. cit.*, III, p. 432 et s. ; DELARUELLE, LABANDE et OURLIAC, *op. cit.*, p. 339.

du Nord, de même, c'est Pierre d'Ailly qui continua à payer ; c'est aussi Henri Barbu [1] dont l'évêché de Nantes était contesté par le candidat du chapitre, Bernard du Peyron [2].

Fidélité nouvelle, enfin, que celle du clergé ligure et piémontais. Nous avons là, n'en doutons pas, un résultat involontaire de la politique française à Gênes et Asti. Parmi les communs services acquittés en 1407, on trouve ceux des abbés de Brossonio et de San Michele della Chiusa.

En définitive, la recette des communs services ne souffrit pas de la seconde soustraction d'obédience. En 1405, les services avaient rapporté 15 711 florins, en 1406 10 309 florins ; la recette de 1407 dépassa, de peu, ce dernier chiffre : 10 464 florins ; en 1408, la Trésorerie reçut 12 377 florins. Le fléchissement des recettes n'est notable qu'à partir de l'été de 1408. Dès la fin d'octobre, c'en était fini des communs services. Chute brusque, donc, et combien tardive.

L'Aragon mis à part, les collectories ne rendaient plus rien. Mais la Trésorerie perçut encore quelques annates. Signe de déclin, signe — nouveau — de faiblesse administrative, que celui-ci : des bénéficiers mineurs venaient individuellement, à la Trésorerie pour payer leur annate. Certes, le droit de négliger l'intermédiaire du collecteur avait toujours été reconnu au bénéficiers pourvus par collation apostolique ; nombre de curialistes préféraient payer à Avignon plutôt qu'au siège d'un bénéfice dans lequel ils ne résidaient pas. Il y avait là, cependant, une source de difficultés, car la Chambre devait aviser du paiement le collecteur et le sous-collecteur, faute de quoi les procureurs établis dans les bénéfices risquaient de subir des revendications injustifiées. Le fait nouveau, en 1407, c'est la multiplication de ces paiements faits à la Trésorerie. Parce qu'il n'y avait plus de collecteurs, un tel mode de paiement devint la règle pour tous ceux qui entendaient s'acquitter de leur annate. Les officiers pontificaux et les curialistes étaient évidemment parmi les premiers : le garde des vivres pour un archidiaconé dans l'église de Ségovie [3], le clerc de la Chambre Julian de Loba pour son canonicat de Vich [4], l'auditeur du Sacré Palais Jean Faidit pour sa prévôté de Lavaur [5], le camérier du cardinal de Brogny pour son décanat et son canonicat d'Angoulême [6]. Mais on vit aussi venir, alors que la curie était en Provence, le 11 juin 1407, un chanoine de Gênes [7], et même, le 7 juillet suivant, le sous-collecteur de Sens, Jean Marentin, qui paya l'annate de son office de cellerier dans

1. *Reg. Av.* 327, fol. 61 v°.
2. VALOIS, *op. cit.*, III, p. 481.
3. *Reg. Av.* 328, fol. 121 r°.
4. *Reg. Av.* 331, fol. 221 r°.
5. *Reg. Av.* 328, fol. 142 r°.
6. *Reg. Av.* 331, fol. 208 r°.
7. *Reg. Av.* 328, fol. 137 r° ; 331, fol. 7 v°.

l'église de Sens [1]. Pour la plupart, nous ignorons quel lien pouvaient avoir avec la curie les clercs qui se présentèrent ainsi : le chanoine de Bazas Michel Dajasse [2], ou Jean Porcher, chapelain perpétuel à Saint-Jean d'Angers [3], pour ne citer que deux noms sur plusieurs centaines.

Pouvons nous conclure ? Une donnée nous échappera toujours : les sommes recueillies par les nonces sur les subsides qu'ils étaient chargés d'imposer, ou empruntés par eux en escomptant ces mêmes subsides, et dépensées par ces nonces. L'obédience avignonnaise a-t-elle connu, à son déclin, l'ordonnancement local si fatal aux finances romaines ? Une chose peut être affirmée : s'il y eut ordonnancement local, il ne fut aux mains que de clercs, d'hommes de confiance, d'hommes dont l'intérêt coïncidait étroitement avec celui de Benoît XIII. Les papes romains laissaient la dispositions de leurs finances à des vicaires au temporel souvent révoltés et à des collecteurs indisciplinés. Benoît XIII n'a abdiqué la gestion de ses finances ni entre les mains de Raymond de Turenne, ni en celles de Boucicaut.

Une impression se dégage cependant : la seconde soustraction d'obédience n'a pas ruiné la Chambre apostolique. Les collectories soudain stérilisées avaient cessé depuis longtemps d'être réellement productives : depuis 1398. La papauté avignonnaise était, pour une large part, devenue financièrement dépendante de l'Aragon. Le déclin de la contribution française avait déjà mis, de force, la Chambre apostolique à l'abri des conséquences d'une seconde soustraction d'obédience française.

Ce n'est donc pas un pape ruiné qui se présentait à Porto Venere pour négocier avec Grégoire XII. Benoît XIII avait perdu de son crédit, il avait perdu de ses ressources, mais sa situation financière n'était pas notablement plus mauvaise qu'en 1403. Mais ce fut la lamentable « dérobade des contendants ». Le 17 juin 1408, Benoît XIII quittait Porto Venere pour la Catalogne [4]. Ce fut alors, avec l'effondrement des derniers espoirs mis dans la voie de convention, le véritable effondrement financier. Les clercs les plus prudents savaient qu'ils pouvaient désormais cesser de payer leurs communs services ou leur annate. Dès le mois d'août 1408, la curie vivait sur elle-même : communs services de Frances Climent pour Tortosa [5], annate de Martin d'Alpartil pour son office d'ouvrier de Saragosse [6], annates payées par Guilherm de Fenolhet pour les canonicats obtenus à Barcelone par ses fils [7]. Les services payés — partiellement — par l'évêque de Quimper Gavan de Monceaux, le 6 oc-

1. *Reg. Av.* 328, fol. 142 r⁰.
2. *Reg. Av.* 331, fol. 215 r⁰.
3. *Reg. Av.* 328, fol. 141 r⁰.
4. Delaruelle, Labande et Ourliac, *op. cit.*, p. 142.
5. *Reg. Av.* 331, fol. 254 v⁰.
6. *Ibid.*, fol. 257 r⁰.
7. *Ibid.*, fol. 255.

tobre 1408 [1], ne furent qu'une exception. Ce même mois d'octobre 1408, le camérier François de Conzié passait au parti des cardinaux pisans [2].

C'est un clerc de la Chambre, Julian de Loba, qui prit alors la direction de fait d'une Chambre apostolique résiduelle, cumulant les fonctions — bien illusoires — de receveur de la Chambre avec le souci d'une correspondance camérale difficile, car les banquiers refusaient désormais tout crédit [3]. En même temps que d'argent, la Chambre apostolique d'Avignon manquait maintenant d'hommes.

Au moment où, à la Réale de Perpignan, s'ouvrait le concile des derniers fidèles [4], les finances de Benoît XIII n'étaient plus les finances d'un pape.

B. — OBÉDIENCE DE ROME

Si les crises de la fidélité envers les pontifes romains sont bien connues, leur aspect financier ne se laisse guère appréhender. Nous savons quelle hostilité opposa, pendant presque tout son pontificat, le pape Urbain VI à nombre de cardinaux qui, cependant, étaient ses « créatures ». La révolte latente des cardinaux, leurs complots, leur incarcération et même leur mort, tout cela eut-il sur les finances pontificales le moindre effet, c'est ce que nous ignorons.

D'une toute autre importance est l'insécurité touchant à la fidélité des collecteurs. On a vu [5], et nous n'y reviendrons pas, que la Chambre apostolique romaine n'avait pu constituer un corps stable de collecteurs compétents. De ceux qu'elle put trouver, la majorité ne rendit jamais de comptes. Une grande part de la recette, nous pouvons en être assurés, échappa de ce fait à la papauté, de même que la possibilité d'une efficace pression sur les contribuables, parmi lesquels étaient trop souvent choisis les collecteurs.

Les méfaits de l'ordonnancement local sont également inestimables. Que de grands seigneurs laïcs, podestats ou *condottieri*, que des prélats non dépourvus d'ambitions personnelles, aient été ordonnateurs des dépenses sur les revenus ordinaires, voilà qui dépossédait en pratique le Saint-Siège d'une grande partie de ses fonds. Bien plus, la Chambre apostolique était en fait — car elle réservait théoriquement ses droits — tenue dans l'ignorance du volume exact des recettes locales. Le pape romain était à la merci d'une trahison.

1. *Ibid.*, fol. 259 r⁰.

2. Art. de G. MOLLAT, dans *Dict. d'hist. et de géogr. ecclés.*, XIII, col. 799.

3. Il écrivit, le 17 avril 1409, à Averardo de' Medici et Francesco de Bardi pour se faire rendre compte d'un change ; *Arch. Stat*, Florence, *Arch. Med. av. Princ.*, *filza* XCIII, n⁰ 10.

4. Il se réunit le 15 novembre 1408 sous la protection du roi Martin d'Aragon ; MANSI, *Conciliorum...*, XXVI, col. 1109 ; Martin d'ALPARTIL, *op. cit.*, p. 185-186.

5. Ci-dessus, p. 143-145 et 154-160.

De combien fut-il la victime ? Nous ne pouvons le savoir. Nous voudrions au moins mettre en évidence, pour tout exemple, la trahison financière du cardinal Cossa.

Baldassare Cossa, chambellan de Boniface IX, avait été créé cardinal-diacre de Saint-Eustache le 27 février 1402 [1]. Nommé en janvier 1403 légat *de latere* à Bologne et en Romagne pour négocier le retour au pape de cette contrée, il demeura à Bologne jusqu'au temps de Grégoire XII. Nous avons montré [2] avec quelle efficacité Cossa avait restauré, à partir de 1404, les finances pontificales dans les territoires soumis à sa légation. Encore eût-il fallu que le profit allât à la Chambre apostolique !

Or, avec une étonnante constance, Cossa se serait trouvé dans l'obligation de faire appel à cette même Chambre apostolique pour pallier son manque d'argent et subvenir aux charges de sa mission. Le 22 janvier 1403, Boniface IX lui allouait le produit de subsides à imposer sur le clergé de Toscane, de la Marche, d'Etrurie, de Lombardie et de Vénétie : 6 000 florins au total [3]. Deux ans plus tard, Cossa avait emprunté quelque 4 000 ducats de divers marchand bolognais, dans l'intérêt de sa légation ; le 12 janvier 1405, Innocent VII ordonna que ces dettes fussent remboursées sur la recette du trésorier provincial de Bologne [4]. Le 19 mars suivant, le pape accordait au légat, en don viager, le péage de la Chaîne sur le Pô, dans le district de Ferrare [5]. Voilà qui n'empêcha pas Cossa d'alléguer, deux ans après ces générosités, sa totale impécuniosité. En avril 1407, en effet, le légat de Bologne répondait, lorsqu'on lui ordonnait de payer 25 000 florins pour la solde de Paolo Orsini, que l'état des finances de la ville ne permettait de payer que 15 000 florins au plus ; force fut à Grégoire XII de s'en contenter [6].

Un représentant zélé de la curie romaine, gêné par le manque d'argent, tel pourrait-on dépeindre Cossa sur la foi des documents caméraux.

Or, lorsqu'il se disait démuni, en avril 1407, Baldassare Cossa avait, à son nom personnel, un compte créditeur de 19 822 florins de Florence 18 sous 1 denier chez Giovanni de' Medici, et se préparait à placer chez le même banquier, trois mois plus tard, 17 728 florins. Fortune personnelle, dira-t-on, et dont le légat n'avait pas à faire usage pour solder les troupes pontificales. Certes, mais il est étrange que cette fortune ait été si rapidement réunie, et cela, précisément, depuis le début de la légation et du redressement financier de Bologne. La chronologie laisse bien entendre que les

1. Eubel, *Hier. cath.*, I, p. 26.
2. Ci-dessus, p. 187-188.
3. *Reg. Vat.* 320, fol. 90 v°-94 v°.
4. *Reg. Vat.* 333, fol. 145 v°-146 r°.
5. *Ibid.*, fol. 205 v°-206 r°.
6. *Reg. Vat.* 335, fol. 100.

placements effectués par Cossa n'étaient pas sans rapport avec sa mission et qu'ils en représentaient les profits. C'est d'ailleurs à Bologne, chez Giuliano di Giovanni, associé de Medici, que fut fait, le 28 août 1404, le premier versement. A Bologne encore, à Benedetto de' Bardi, avaient été faits ceux de 1405 et 1406. A Bologne, mais à Anello di Ser Bartolomeo, avaient été faits ceux de 1407. Peut-on, dans ces conditions, songer au revenu de biens patrimoniaux ou de bénéfices ecclésiastiques personnels ? C'est, nous ne pouvons en

COMPTE DU CARDINAL COSSA CHEZ GIOVANNI DE' MEDICI

DATES	DÉPOTS A BOLOGNE		RETRAITS (en florins de Florence)	SOLDE CRÉDITEUR	(1)
	Espèces versées	Valeur en florins de Florence			
1404, 28 août	8 937 ducats	9 410.18.6		9 410.18.6	36 rᵒ
1405, 28 avril	2 000 fl. Hongr	2 077		11 487.18.6	36 rᵒ
1406, 24 mars	8 000 ducats	8 334.28.7		19 822.18.1	53 rᵒ
1407, 22 mars	4 000 ducats	4 160		23 982.18.1	53 rᵒ
5 juil.	17 103 ducats	17 728		41 710.18.1	53 rᵒ
1408, 23 mars	1 000 ducats	1 045.14.6		42 756. 3.7	53 rᵒ
1409, 22 mars			41 449.17.	1 306.15.7	52 vᵒ
20 nov.	10 897 ducats	11 487.18.6	11 487.18.6	1 306.15.7	35 vᵒ
1411, 24 mars			1 306.15.7	0	52 vᵒ

(1) *Arch. Stato*, Florence, *Arch. Med. av. Princ.*, *filza* CLIII, I.

douter, aux dépens de sa légation que Cossa pouvait déposer 4 000 ducats chez Medici au moment où Grégoire XII prenait en considération la pauvreté du budget du légat.

Mais nous ne sommes pas en face d'un simple détournement de fonds. Il y a, entre les opérations bancaires de Baldassare Cossa et la conjoncture politique d'étonnantes coïncidences. Le premier dépôt est contemporain de la tentative faite en 1404 pour réaliser la voie de convention : au début de juillet, l'ambassade avignonnaise [1] était parvenue à Florence, où elle provoquait une certaine gêne [2], et, le 16 août, elle reprenait sa route pour Rome ; le 28, Cossa plaçait 2 300 ducats de Venise et 6 637 ducats de Bologne [3]. Nul doute qu'une part de ce dépôt vint du subside imposé en Italie moyenne et en Vénétie pour subvenir au légat de Bologne.

Cela n'est peut-être qu'une coïncidence fortuite. Nous constatons cependant que Cossa effectua son quatrième versement, de 4 000

1. Elle était composée de Ravat, Zagarriga, l'abbé de Sahagun et du procureur des Franciscains ; VALOIS, *op. cit.*, III, p. 372.
2. *Arch. Stato*, Florence, *Dieci di Balia* 2, fol. 68 vᵒ.
3. *Arch. Stato*, Florence, *Arch. Med. av. Princ.*, *filza* CLIII, I, fol. 36 rᵒ.

ducats, le 22 mars 1407, soit au moment où partaient pour Marseille les négociateurs romains [1]. Il semble donc que les tentatives d'accord entre les deux papes aient engagé le cardinal Cossa à placer de l'argent. Simple supposition, au demeurant, mais que nous devions énoncer.

Ce qui n'est assurément pas fortuit, c'est que, trois jours avant l'ouverture du concile de Pise (25 mars 1409), Baldassare Cossa possédait, en dépôt chez les Medici, 42 756 florins de Florence 2 sous 7 deniers, et que, ce 22 mars 1409, il retira la quasi-totalité de son avoir : 41 449 florins 17 sous.

Le concile de Pise qui allait déposer les deux papes était donc, dès sa réunion, assuré d'une réserve financière suffisante — compte non tenu d'éventuelles nécessités militaires — pour quelques mois de travail et de subsistance. On sait qu'il dura du 25 mars au 7 août 1409 [2]. Cette réserve financière, il la devait à celui qui, non sans quelque arrière-pensée [3], fut le meneur du conclave de 1409, à celui qui, pape en 1410 sous le nom de Jean XXIII, fut le principal bénéficiaire de la révolte cardinalice contre les contendants. Cossa avait travaillé pour le concile en volant Boniface IX et ses successeurs ; mais, de la sorte, il pouvait faire travailler le concile à ses fins. De la soumission des cardinaux pisans aux menées du futur Jean XXIII, les finances dont disposait celui-ci ne furent certainement pas le moins puissant facteur. Cossa avait l'argent, il eut le pouvoir.

Giovanni de' Medici n'avait pas, non plus, fait une mauvaise affaire en servant — par sa discrétion plus que par ses deniers [4] — les intérêts du parti cardinalice. Nous avons montré comment la grande compagnie florentine s'était abstenue de tout engagement trop net envers l'un ou l'autre pape. Elle misait en même temps sur le troisième parti.

Dès 1415, Giovanni de' Medici était en personne à Constance. Le 15 mars 1415, il prêtait 60 florins à Lucca Fieschi, comte de Lavagna, et au cardinal Lodovico Fieschi [5]. On a récemment mis en évidence la part des Medici dans les mouvements d'argent auxquels ont donné naissance les grands conciles du XVe siècle [6]. Mais ce n'est pas la filiale genevoise qui a suivi les affaires du concile de Constance ; c'est, à Constance même, le chef de la société.

---

1. Ils quittèrent Florence le 8 mars 1407 ; VALOIS, *op. cit.*, III, p. 503.
2. MANSI, *Conciliorum...*, XXVI, col. 1154-1156.
3. M. Labande l'a fort justement noté, l'élection d'Alexandre V préparait les voies de Baldassare Cossa ; DELARUELLE, LABANDE et OURLIAC, *op. cit.*, p. 153.
4. Il effectuait également des virements pour le compte du légat de Bologne, notamment lors du paiement de Paolo Orsini, en mai 1407 ; *Arch. Med. av. Princ., filza* LXXXIV, pièce reliée, fol. 106.
5. *Arch. Med. av. Princ., filza* CXXXVII, nº 989 (pièce datée par erreur de 1405 dans l'inventaire imprimé).
6. J.-Fr. BERGIER, *Genève et l'économie européenne de la Renaissance*, I, p. 286.

Ainsi les relations, fructueuses pour les Medici[1] et peut-être — ce serait à démontrer — pour la papauté, entre deux des plus grandes puissances d'argent du xve siècle trouvent-elles l'une de leurs racines, et sans doute la principale, dans l'alliance tacite du prudent Giovanni di Bicci et du peu scrupuleux Baldassare Cossa.

---

1. Aussi bien comme dépositaires de la Chambre apostolique (DE ROOVER, *The rise and decline...*, *passim*), que comme fermiers de l'alun de Tolfa (DELUMEAU, *L'alun de Rome...*, p. 82-96).

CONCLUSION

CONCLUSION

Le bilan des finances   Ce que l'on attend à la fin d'un travail
avignonnaises.   concernant l'histoire financière, c'est une
série de chiffres globaux permettant d'apprécier, fût-ce avec quelque imprécision, l'ensemble du revenu et
son évolution. Une fois encore — et nul ne s'en étonnera plus —
nous ne pourrons véritablement répondre à cette curiosité que
pour l'obédience avignonnaise. Faute de comptes, il ne saurait
y avoir d'appréciation quantitative des finances romaines.

Une estimation globale est au contraire possible pour Avignon.
Le chiffre des recettes de la Trésorerie est connu avec précision
pour bien des années, et nous savons quelle était à peu près la
part des recettes des collecteurs dépensée sur place et assignée
sur l'ordre de la Chambre apostolique : un peu moins de la moitié
avant 1398 ; un dixième environ après cette date.

Si l'on retire des recettes de la Trésorerie le montant des emprunts et celui des changes annulés — qui figurent deux fois dans
le total du compte — c'est-à-dire si l'on extrait des chiffres fournis
par les *Introitus* le chiffre des recettes « pures », on obtient en
moyenne pour la période antérieure à 1398 une recette comprise
entre 140 000 et 150 000 florins. Sur ce total, 55 000 à 95 000 florins
venaient des collecteurs ; en estimant leurs dépenses et assignations
comme il vient d'être dit, on peut conjecturer que le revenu total
de la papauté oscillait autour de 180 000 florins.

Un tel calcul ne s'applique cependant pas aux premières années
du Schisme, où de fortes sommes étaient levées et assignées par
des nonces et par les gens de Louis d'Anjou. En 1380-1381, par
exemple, la recette de la Trésorerie n'atteignit de ce fait que
81 036 florins ; mais la somme des assignations était certainement
très supérieure aux 16 364 florins à quoi se limitèrent les envois
des collecteurs.

L'effort porté en 1384-1385 sur les communs services permit
d'atteindre un chiffre maximum : la Trésorerie reçut au total
149 412 florins en un an, dont 35 980 des seuls communs services
et 58 579 des collecteurs. Ensuite, ce fut la compensation de la
politique d'anticipation sur des communs services qui auraient
normalement dû être payés en plusieurs années : la recette des

services descendit, n'atteignant plus que 11 306 florins en 1392-1393. Mais les collecteurs envoyèrent, cette dernière année, 95 067 florins : le renforcement de la fiscalité — décimes, procurations et surtout subsides — permettait de maintenir le niveau du revenu global. Ainsi la recette de la Trésorerie atteignait encore 142 086 florins. Le revenu total de la papauté devait se situer autour de 175 000 florins.

Le chiffre de 715 245 francs — soit 766 333 florins — indiqué par les comptes faits avec les Angevins pour le revenu total de trois années laisserait estimer à quelque 255 444 florins le revenu annuel entre 1382 et 1385. Mais il faut songer que ce chiffre tient compte de nombreux emprunts contractés par la Chambre apostolique, et souvent hors de la curie, emprunts qui furent remboursés sur la recette des années suivantes. Ces chiffres sont donc ceux des recettes réelles, non des recettes pures.

Après la restitution d'obédience, les assignations furent insignifiantes. Les 125 659 florins reçus à la Trésorerie en 1404-1405 représentent la quasi-totalité du revenu pontifical. Nous pouvons estimer celui-ci à 130 000 florins environ. Le déclin se poursuivit ensuite lentement : en 1407-1408, les recettes de la Trésorerie n'atteignaient plus que 115 205 florins, le revenu total se situant probablement autour de 120 000 florins.

En bref, le revenu total de la papauté avignonnaise était de quelque 180 000 florins avant 1398, de 130 000 puis 120 000 entre les deux soustractions d'obédience. Les crises de la fidélité n'avaient réduit que d'un tiers les recettes de la Chambre apostolique.

Les variations apparaissent faibles quant à la part relative des différents revenus. En 1384 comme en 1407, les communs services représentaient de 10 à 20% du revenu total, la recette des collecteurs de 45 à 70%. Quant à l'origine géographique des fonds, elle a, au contraire, notablement varié : nous avons dit quelle fut à partir de 1405 la prééminence de l'Aragon, et combien s'était effacée la contribution des pays de langue d'Oil.

Ce n'est pas au temps de l'entreprise angevine que les emprunts contractés par la Trésorerie ont culminé. Une aussi vaste affaire supposait un budget, même imparfait, donc des emprunts à long terme : en fait, l'escompte des revenus locaux, négocié et obtenu sur place par des nonces. Les emprunts de la Trésorerie ont au contraire atteint leur maximum dans le courant de 1379 — 83 055 florins — et dans les années 1391-1393 : 47 673 florins en 1391, 44 667 en 1392, 41 993 en 1393. En dehors de ces périodes, ils ont normalement oscillé entre 10 000 et 30 000 florins.

Le montant des revenus du pape avignonnais à l'époque du Schisme peut être comparé avec les chiffres établis pour d'autres périodes. Au temps d'Innocent VI, alors que la pratique des assignations n'était pas encore très développée, la recette moyenne de la Trésorerie était, déduction faite des emprunts, de 201 290 florins courants [1], soit 172 177 florins de la Chambre ; l'obédience de Clément VII rapportait donc autant, à peu de choses près, que toute la Chrétienté trente ans plus tôt. Mais c'est au temps de Grégoire XI que le revenu semble avoir sensiblement augmenté. Extrapolant les chiffres partiels connus, on a établi que ce pape disposait d'environ 500 000 florins de la Chambre par an [2]. Il nous paraît cependant que ce chiffre doit être notablement diminué, car il inclut non seulement les emprunts — ce dont Yves Renouard était parfaitement conscient — mais aussi les jeux d'écriture faussement créditeurs et les changes annulés qui font passer deux fois les mêmes sommes en recettes. Quoi qu'il en soit, le revenu pontifical avait augmenté dans les années qui précédèrent le Schisme : autour de 300 000 florins les années ordinaires, la moyenne étant perturbée par les 770 501 florins de 1373.

On ne saurait donc dire que le Schisme ait affecté les revenus pontificaux. Il les a divisés, mais il n'a entraîné ni diminution ni augmentation de l'ensemble. Les revenus de Clément VII correspondent à un peu plus de la moitié des revenus de Grégoire XI. Sur d'autres bases, nous avons abouti au même résultat quant au partage de la matière imposable.

Un siècle plus tard, Sixte IV jouissait d'un revenu total de 240 000 ducats environ. Sur ce chiffre, 15 000 ducats venaient de l'exploitation de Tolfa, évidemment inexistante à l'époque du Schisme [3]. Les revenus anciens n'atteignaient donc que 225 000 ducats, chiffre fort inférieur à ceux que nous avons précédemment cités, puisqu'il s'agit ici d'une papauté unique. Si l'on considère que les revenus seigneuriaux représentaient à la fin du XVe siècle 69 % du revenu total, et les revenus de la fiscalité ecclésiastique seulement 31 %, l'explication de ce déclin est simple : l'œuvre des conciles de Constance et, surtout, de Bâle, avait à jamais ruiné la fiscalité pontificale.

Un revenu brut de 180 000 florins à la meilleure époque, c'est-à-dire quelque 635 kg. d'or par an, cela faisait-il de la papauté avignonnaise du Schisme une puissance financière ?

A première vue, il n'y paraît pas. En France, Charles VI jouissait d'un revenu moyen annuel de 2 500 000 livres tournois [4], soit

---

1. 1 811 622 florins courants en neuf ans ; HOBERG, *Die Einnahmen...*, p. 34.
2. Y. RENOUARD, *Les relations...*, p. 32-35.
3. Cl. BAUER, *Studi...*, p. 344 ; corrigé par J. DELUMEAU, *La vie économique...*, p. 756.
4. Les aides procuraient environ, avec la gabelle, 2 000 000 livres, le Trésor 200 000, et l'ensemble des tailles imposées en vingt-neuf ans s'élève à 8 318 000 livres, soit 286 000 de moyenne annuelle, auxquelles il faut joindre quelque 20 000 livres, produit moyen annuel des sept décimes et demi-décimes imposées sur le clergé au bénéfice du roi ; M. REY, *Le domaine du roi...*, p. 80-101, 262, 341 et 404. Pour le domaine, M. Rey (p. 63-70) ne peut donner d'estimation globale des dépenses locales ; les exemples qu'il fournit font apparaître que le revenant-bon au Trésor n'était généralement qu'une faible partie du revenu, entre la moitié et le dixième.

2 678 000 florins de la Chambre anciens : quinze fois le revenu pontifical ; pour peu que l'on perçut dans le royaume un impôt exceptionnel, le rapport dépassait vingt : en 1386, par exemple, avec un revenu d'environ 3 700 000 livres [1]. Le revenu brut global du pape équivalait à peine aux sommes dépensées par le seul hôtel de Charles VI ou par celui du dauphin [2]. En Angleterre, Richard II avait un revenu annuel moyen de 120 000 livres sterling [3], soit environ 770 000 florins : quatre fois et demie le revenu du pape. Le duc de Bourgogne Philippe le Hardi disposa, lui, de 340 700 livres tournois en moyenne [4], soit 365 000 florins : deux fois le revenu pontifical ; à l'époque du Schisme, le rapport était même plus élevé : entre 400 et 450 000 livres en 1395, 463 000 livres en 1402-1403, soit deux fois et demie le revenu pontifical [5].

La valeur comparative de ces chiffres est cependant bien différente de leur valeur absolue. Un revenu n'a de signification qu'au regard des charges qu'il supporte. Or, seul parmi les princes de son temps, le pape d'Avignon n'avait guère d'administration locale à entretenir. On a vu que le revenu net des collectories atteignait 85 à 90 % du revenu brut. Aucun bailli, aucun receveur ne pouvait adresser à la trésorerie d'un prince laïque une telle part de sa recette ; que l'on songe aux charges que devait supporter, sur un revenu qui n'était que double de celui du pape, le maître de l'état bourguignon. Les charges ordinaires de la papauté avignonnaise étaient au contraire limitées à l'entretien de la curie et aux gages des officiers de l'administration centrale.

Encore, à propos des dépenses de la cour et de l'administration centrale, doit-on noter que le roi de France entretenait — à coup de pensions et, surtout, d'aliénations de ses revenus fiscaux — les princes et les grands du royaume, alors que ni les cardinaux ni les évêques les plus influents n'étaient à la charge de pape. Certains ne payaient pas, par tolérance, leurs dettes à la Chambre apostolique. Aucun, cependant, n'émargeait dans les livres de la Trésorerie ou des collecteurs autrement que pour d'épisodiques et faibles dons, ou pour le remboursement de très réels frais de mission. Si le pape aliénait ses finances, c'était en faveur de princes laïques et dans le dessein de s'en faire des alliés. Ce n'était jamais en faveur de ses gens et dans l'espoir d'éviter leur trahison. Le pape ne devait pas partager, ainsi que Charles VI, avec son entourage [6].

1. Grâce à deux tailles, d'un montant total de 1 400 000 livres ; *ibid.*, p. 404.

2. M. Rey, *Les finances royales...*, p. 348.

3. J. H. Ramsay, *A history of the revenues of the Kings...*, II, p. 292-293, 422 et 430 ; chiffres corrigés par Ed. Perroy, *L'administration de Calais...*, dans la *Rev. du Nord*, XXXIII, 1951, p. 221, et *Compte de William Gunthorp...*, dans les *Mém. de la Comm. dép. des Monuments historiques du Pas-de-Calais*, X, 1959, p. 9.

4. M. Mollat. *Recherches...*, dans la *Rev. hist.*, CCXIX, 1958, p. 305 ; M. Nordberg, *Les ducs et la royauté*, p. 36.

5. R. Vaughan, *Philip the Bold*, p. 226-236.

6. M. Rey, *Le domaine du roi...*, p. 264-265 et 374-375 ; *Les finances royales...*, *passim*.

Faible était également la part de l'hôtel pontifical parmi les chefs de dépense, très faible par rapport aux deux millions de francs nécessaires, bon an mal an, aux hôtels du roi de France et de la famille royale [1]. Les dépenses de la cour pontificale, en partie supportées par la Trésorerie, en partie assignées sur les recettes locales, n'ont été, ni à Rome ni à Avignon, une cause déterminante des difficultés financières. Mais une autre remarque est opposable à celle-ci : le pape disposait, avec les bénéfices ecclésiastiques, de ressources suffisamment importantes pour la rétribution de son personnel domestique et administratif ; il n'était pas nécessaire de pourvoir à l'entretien de ce personnel autrement que par des gages généralement modestes, perçus par les moins importants des curialistes. On ne trouve pas, dans les comptes de la Chambre apostolique, l'équivalent des listes de pensions servies par l'hôtel d'Isabeau de Bavière [2].

Pour être tout à fait exact, nous devrions donc faire apparaître parmi les ressources — non disponibles en liquidités, mais affectées — des papes de l'une et l'autre obédiences le revenu net global des bénéfices tenus par tous ceux dont il eût fallu, à défaut de ces bénéfices, rémunérer le service. Il n'est sans doute pas exagéré d'estimer que ces ressources indirectes mais très réelles — puisqu'elles diminuaient d'autant les dépenses de la curie, donc du pape — ont pratiquement doublé les ressources de la papauté d'Avignon et pallié dans une large mesure le manque de numéraire de celle de Rome. Si l'on accepte cette approximation, le potentiel financier de Clément VII et de Benoît XIII aurait été de quelque trois ou quatre cent mille florins [3].

Il résulte d'abord de ces observations que le pape d'Avignon disposait de sommes relativement considérables pour ses dépenses extraordinaires, c'est-à-dire pour la diplomatie, les nonciatures et légations, les expéditions italiennes, la guerre. Bref, la grande dépense des papes d'Avignon, ce fut le Schisme. Il en résulte, ensuite que le mouvement des fonds relatif aux finances pontificales était beaucoup plus important dans le mouvement européen que ne laisserait supposer le volume brut des recettes. On comprend alors l'inquiétude de certains devant le « flot d'or » coulant à travers la Chrétienté vers Avignon. Proportionnellement aux revenus, la Trésorerie pontificale drainait plus d'argent que les trésoreries des princes laïques.

Que le mouvement de fonds fût considérable n'implique pas que le trésor fût plein. A plusieurs reprises, nous avons eu l'occasion d'apprécier l'encaisse du trésorier : quelques centaines, voire

1. M. REY, *Les finances royales...*, p. 349.
2. *Ibid.*, p. 227.
3. Nous nous en tenons cependant au chiffre du revenu brut global — le seul qui soit assuré — dans les comparaisons esquissées ci-dessus.

quelques dizaines de florins. On a vu grâce à combien de prêts modiques le trésorier avait pu subvenir au jour le jour aux dépenses de la curie. Il n'y avait rien qui jouât le rôle imparti, en France, aux Coffres de Charles V et à l'Epargne de Charles VI : le contrôle financier y gagnait en précision, mais c'était une facilité de financement à laquelle le pape ne pouvait recourir, limité qu'il était par l'étroitesse de sa cassette personnelle.

Le manque de liquidités permanent de la Trésorerie, l'endettement endémique des prélats de la curie, voilà qui semble s'opposer à la vision traditionnelle, chère aux Romains de 1378, d'une papauté « gorgée d'or ».

La fiscalité pontificale   Les papes du Schisme ont eu en com-
à l'époque du Schisme.   mun avec les princes laïques de leur
                                                temps l'insuffisance des revenus ordi-
naires, ceux que le Saint-Siège tirait de l'état pontifical et des profits curiaux. A première vue, le million de florins qui représente le revenu brut de l'Italie moyenne ne souffre aucune comparaison avec les quelques milliers de florins procurés par la possession du Comtat venaissin et de la cité d'Avignon. Mais l'administration et la défense de l'état pontifical suffisait à absorber sur place la totalité de ses revenus, au point que les compagnies de soldats ne pouvaient être soldées sans le recours à des tailles extraordinaires. Le pape, chef de l'Eglise, ne pouvait rien espérer des revenus du pape, chef d'état temporel. De ce point de vue, la diminution des charges militaires et celle de la fiscalité ecclésiastique renverseront la situation au cours du xve siècle.

Car c'est la fiscalité ecclésiastique, celle qui pesait sur les clercs de toute la Chrétienté, qui formait l'essentiel des revenus du pape avignonnais et procurait au pape romain les disponibilités que ne lui laissait pas son temporel.

La décime n'était que d'un rapport fort limité. Le pape d'Avignon devait le plus souvent la concéder aux princes ou la partager avec eux. Le pape de Rome ne pouvait l'imposer effectivement hors d'Italie. Dans la recette des collecteurs avignonnais, la décime n'entrait guère pour plus d'un quart, soit environ un huitième du revenu pontifical.

On pourrait attribuer la même place à l'annate, si cet impôt n'était fondamentalement semblable aux communs services. Les modalités de taxation, d'obligation et de paiement étaient, certes, bien différentes ; mais les deux frappaient l'acquisition d'un bénéfice, et non — comme les autres impositions — sa possession. Aussi faut-il reconnaître à l'annate, au sens très large — annates des bénéfices mineurs, services des évêchés et abbayes — que prendra le terme dans les débats conciliaires de Bâle, la première place parmi les ressources du pape d'Avignon — plus du quart —

et, encore plus, de celui de Rome qui y trouvait l'essentiel de son revenu ecclésiastique. C'est pour les communs services, notons-le, que les deux Chambres apostoliques firent peser tout l'effort de la pression abusive sur les contribuables. Les paiements immédiats exigés au mépris des délais concédés conduisirent à la pratique véritablement simoniaque du paiement obligatoire lors de la provision, voire avant celle-ci. Cette pratique, Boniface IX l'a tentée à Rome, avec peu de succès. Le camérier François de Conzié en a fait, à Avignon, l'expédient fiscal par excellence.

La réserve des procurations représenta le point le plus avancé de l'audace pontificale : l'usurpation du droit qui garantissait la vie religieuse diocésaine. Mesure impopulaire, que cette réserve à laquelle étaient sensibles même les laïcs. Le pape de Rome ne put aller jusque-là ; la Chambre d'Avignon s'accrochait à cette réserve malgré la marée des protestations indignées et souvent hypocrites. Les procurations assuraient environ le tiers de la recette des collecteurs, soit le sixième du revenu pontifical.

Cette fiscalité de quotité l'emportait encore au début du Schisme. Décimes, annates, communs services, subsides caritatifs en manière de décime supplémentaire, ces droits étaient d'un rendement proportionnel à la valeur des bénéfices imposés. Les procurations, au contraire, n'étaient liées qu'au nombre et au rang des bénéfices, d'où de notables écarts, selon la région, entre le rendement relatif de cet impôt et celui des précédents : la richesse renforçait la recette des décimes et des annates, le nombre de bénéfices la recette des procurations. Mais, de même que l'on constate dans la fiscalité frappant le Comtat venaissin un glissement vers l'impôt de répartition, dont la levée laissait moins de déchets et dont le produit était plus aisément escomptable, de même voit-on se multiplier, à mesure que s'allongeait le Schisme, les subsides caritatifs de répartition dont le montant était parfois fixé en fonction des besoins du Saint-Siège. C'était, appliqué aux clercs, le système de la « taille ». Le clergé ne se laissait cependant pas aussi facilement imposer que les sujets du pape, et force fut de revenir en bien des régions à des subsides plus ou moins négociés, subsides dont le revenu paraît avoir été faible.

Le produit des vacants pouvait être appréciable. Mais la multiplication des vacances prolongées — les seules qui fussent fructueuses pour le Saint-Siège — était une erreur politique qui fut évitée dans les deux obédiences, sinon dans les années de crise qui précédèrent l'effondrement des contendants. Encore, dans le cas le plus sensible, le bénéfice des vacants allait-il à un laïc, le duc Louis II d'Anjou.

Quant au droit de dépouilles, il est de ceux qui scandalisaient le plus facilement. Or nous avons vu que la Chambre apostolique de chaque pape en avait usé avec modération, et cela parce que ce droit comportait le risque de faire passer à la charge du pape un passif supérieur à l'actif. On ne saisissait surtout, dans l'obédience d'Avignon, que les dépouilles des débiteurs du pape : ainsi pour les dettes fiscales des bénéficiers et pour les dettes de gestion des officiers comptables. Le pape de Rome, lui, s'en prenait parfois aux clercs de son entourage. L'un et l'autre ne tirèrent des dépouilles qu'un faible appoint de ressources.

On pouvait croire, et certains hommes du temps n'y ont pas manqué, que les papes multipliaient les mouvements épiscopaux, les transferts d'un siège à un autre, pour provoquer la saisie de vacants temporaires et la perception de nouveaux services. Nous avons montré qu'il n'en fut rien. Dans les deux obédiences, et même dans les régions les plus soumises à la collation pontificale, une relative stabilité peut être observée dans l'épiscopat. Nul doute que les monastères et les paroisses fussent encore moins perturbées.

Bien plus que dans les polémiques soulevées lors des conciles parisiens ou des parlements anglais, la résistance à la fiscalité apparaît dans les chiffres. Il y avait la temporisation excessive de certains prélats, que servaient d'habiles praticiens. Il y avait, surtout, le groupement régional de ces temporisations, que les dévastations dues à la guerre n'expliquent qu'en partie. Pour chaque imposition s'accroissait sans cesse la masse des « restes », des sommes que la Chambre désespérait parfois de recouvrer, que, le plus souvent, les gens du pape maintenaient de compte en compte, en sachant fort bien qu'ils n'en percevraient jamais qu'une très faible partie. Car, passé le temps normal de levée d'un impôt, les chances de voir levés les restes diminuaient très rapidement. Rien n'y faisait, ni la patience et l'acharnement des collecteurs envers les bénéficiers, ni les exigences irréductibles du camérier envers les prélats.

Entre la valeur théorique d'un impôt et sa recette réelle, l'écart était considérable. Même en poursuivant la quête des restes, les gens du pape ne pouvaient guère lever effectivement plus du tiers du montant global des taxes. Parce qu'ils ne se renouvelaient pas d'année en année, les droits casuels — annates et communs services — étaient recouvrés pour une plus grande part. Le cas des communs services, finalement soldés pour la majorité des prélats par eux-mêmes, leurs successeurs ou leurs héritiers, est à cet égard exceptionnel ; encore connaît-on des prélats comme l'abbé de Saint-Loup de Troyes qui ne put — ou ne voulut — s'acquitter en vingt ans d'une dette de 300 florins.

Le poids de la fiscalité était-il donc si lourd ? Il apparaît d'abord que l'assiette fiscale était inadéquate. Le système de taxation eût voulu la compensation de fréquentes enquêtes sur la valeur des temporels ecclésiastiques. Or l'attitude rigide de la Chambre ne s'accommodait pas de révisions : c'était le maintien de la taxe, la réduction de moitié ou l'exonération exceptionnelle. Il n'y avait jamais d'ajustements. La taxe correspondait donc à une situation économique dépassée, généralement antérieure aux guerres et à la Peste noire, souvent bouleversée par l'endettement des temporels ecclésiastiques doublement ressenti car les remboursements ne venaient pas en déduction du revenu imposable.

Les abus des agents locaux étaient une autre cause d'aggravation de la charge fiscale. Dans l'intérêt de la Chambre apostolique, dans leur intérêt propre aussi, les collecteurs et surtout les sous-collecteurs passaient parfois les limites du raisonnable : refus de monnaies pontificales, exigence d'annates vieilles d'un siècle, saisie de portes et de tuiles... Mais le plus grave était que les bénéficiers ignoraient trop quelles voies de recours leur étaient ouvertes. Car il n'était pas une plainte à laquelle le camérier ne fît droit, pas un abus au sujet duquel une enquête ne fût ouverte, pas une contestation pour laquelle la Chambre ne fournît elle-même des moyens de preuve et de vérification. Bien des clercs, et non des moindres, l'ignoraient et payaient cher cette ignorance.

C'est à Avignon, dans les années qui précédèrent la soustraction d'obédience, que la fiscalité pontificale semble avoir atteint son apogée. Par la double nécessité de compenser le partage de la Chrétienté et de financer les expéditions italiennes des princes français, les papes avignonnais du Grand Schisme ont atteint l'extrême limite de l'exploitation financière du clergé. Ils ont par là-même accru l'impopularité de leur pouvoir. La fiscalité pontificale n'a constitué qu'un appoint dans les ressources du pape romain Elle a permis à la papauté d'Avignon de survivre, mais elle a directement causé sa chute.

L'administration. Ce qui caractérise l'administration avignon-
avignonnaise. naise, lorsqu'on la compare aux autres administrations financières de l'époque, c'est d'abord l'extrême simplicité des pratiques et des procédures. Que l'on songe à la complexité de l'assignation en France, avec les innombrables décharges, acquits, cédules, attaches et autres pièces émanant de plusieurs officiers chargés de se surveiller et de se contrôler réciproquement. Au regard de cela, un simple mandement du camérier suffit pour assigner un paiement sur une collectorie. De même les versements sont-ils constatés par une simple quittance du trésorier au collecteur, ou du collecteur au contribuable. De même, et le fait est notable, les paiements faits par la Trésorerie ne donnent-ils lieu qu'à une inscription en *Exitus*, inscription dont le caractère probatoire suffisait à la sécurité de la Chambre ; nous sommes loin des quittances signées, scellées, voire notariées, qu'exigeaient alors bien des trésoreries princières.

Que l'on songe, aussi, à la simplicité de la procédure d'apurement des comptes : un seul clerc rapporteur, la plupart du temps, alors que la Chambre des comptes française devait déléguer au moins deux conseillers, un clerc et un laïc [1]. Cela reflète d'ailleurs un autre trait caractéristique, qui tient à la simplicité administrative comme à la rigueur du système de responsabilités : le refus de toute collégialité. Un chef unique, un trésorier unique [2], un clerc de la Chambre pour chaque affaire, un collecteur dans chaque collectorie [3], un enquêteur pour chaque difficulté, voilà l'administration avignonnaise. Si la mission des nonces était souvent collégiale en droit, c'est que le partage des attributions se faisait sur place, en fonction des nécessités. Tous les officiers étaient totalement responsables, juridiquement et financièrement, de leur action et de leur gestion.

La concentration des compétences nous apparaît comme un véritable principe. Nous la trouvons dans la centralisation par la Chambre apostolique de la connaissance de toutes les finances pontificales, ordinaires et extraordinaires. Nous le trouvons dans l'ordonnancement de tous les fonds, confié au seul camérier, de même que dans l'union de deux fonctions, essentiellement distinctes dans la plupart des pays, la direction et la justice contentieuse. Le camérier est maître des finances et juge des contestations, les clercs de la Chambre sont enquêteurs, rédacteurs et contrôleurs, les collecteurs sont à la fois chargés de l'assiette, de la recette et, sur commission, de la justice déléguée au contentieux. Concentration, enfin, que celle des différentes impositions dans la compétence des collecteurs : à l'époque où nous nous plaçons, ils ont mis la main sur la décime, sur les dépouilles et les vacants, souvent même sur les subsides caritatifs. Ni la fiscalité anglaise ni la française ne présentent pareil groupement dans la perception.

En définitive, tout l'ordonnancement est au pouvoir du camérier assisté des clercs de la Chambre. Ce sont, on le notera, les seuls officiers qui ne manient pas les deniers du pape : la séparation rigoureuse de l'ordonnancement et du paiement — trait commun à tous les systèmes financiers du temps — constitue donc une garantie suffisante contre les malversations [4].

Mais en fait tout le système avignonnais repose sur la probité du camérier [5]. Ce qui fait la force de l'administration camérale pourrait être aussi son point faible. Un camérier malhonnête aurait pu ruiner le pape. Les pouvoirs du camérier excédaient en effet, et notablement, ceux des trésoriers de France ou des généraux

---

1. *Ordonnances...*, VII, p. 241.
2. Le bicéphalisme des années 1403 à 1409 n'était en rien un système collégial.
3. Sauf à Lyon entre 1382 et 1385, pour des raisons qui nous échappent.
4. On notera que cette garantie ne jouait pas dans le cas des nonces chargés, à partir de 1405, de recevoir des fonds et d'en disposer.
5. Le système français, au contraire, tenait compte de la malhonnêteté décelable même au niveau le plus élevé, celui d'un Raoul d'Anquetonville ou d'un Jacques Hémon.

sur le fait des aides, à plus forte raison ceux des trésoriers anglais ou navarrais. Les officiers royaux n'avaient nullement l'initiative des acquits. Il se contentaient de proposer les paiements portés dans l'état général. Le camérier, au contraire, était couvert dans toutes ses initiatives par l'ordre oral présumé du pape : il avait en fait l'initiative de toutes ses décisions.

Il est un point sur lequel l'administration pontificale s'apparente à toutes celles de l'époque : l'immédiateté de principe de la hiérarchie. La Chambre ignorait les sous-collecteurs, et les collecteurs ignoraient les receveurs — ces officiers à peine perceptibles dans la documentation — choisis par certains sous-collecteurs.

Une dernière constatation s'impose, très lourde de conséquences : le non-périodicité de fait des comptes rendus par les agents locaux [1]. Pendant les trente années que nous considérons, aucun collecteur ne s'est astreint à rendre constamment ses comptes selon la périodicité prévue. Bien pire, la Chambre semble s'en être accomodée pour ne pas s'aliéner le service de bons serviteurs qui, à défaut de comptes, envoyaient de l'argent. Mais, pour n'avoir jamais reçu le compte annuel de leurs recettes, la Chambre n'a pu concevoir une notion déjà fort nette chez les princes laïques : celle de revenu annuel. Il nous paraît assuré que les papes de l'époque du Schisme n'ont eu — n'ont pu avoir — aucune idée de leurs ressources virtuelles. Pour faire face à leurs dépenses, ils n'ont eu que le recours à une fiscalité renforcée, à des abus, dont ils espéraient tirer... le plus possible. Le crédit flottant des fournisseurs, des hommes d'armes et des prêteurs réalisait l'équilibre entre les charges et l'insaisissable revenu. Faute d'état général « au vrai », aucun état de prévision n'était possible. Toute gestion ne pouvait donc être qu'empirique. Pour imposer comme pour assigner, les gens de la Chambre apostolique allaient à l'aveuglette. La notion même de budget leur était étrangère. La Chambre, rappelons-le, était dirigée et servie par des juristes dévoués et efficaces, mais non par des financiers.

Les deux papautés.   Si les papes de Rome sont allés moins loin dans l'usage de la fiscalité, c'est que leurs moyens étaient moins assurés. Entre les structures administratives des deux Chambres apostoliques, en effet, les différences étaient à l'avantage d'Avignon.

A Rome, certes, allait une obédience plus vaste et plus riche, mais géographiquement étirée et politiquement divisée. Aux communications faciles entre le pape d'Avignon et ses fidèles, correspondent des communications fort longues, peu sûres et souvent indirectes entre les pays de l'obédience romaine : les changes de

1. Une seule exception : le trésorier du Comtat venaissin.

Lisbonne à Rome passaient par Londres et Bruges. Mal informée, la Chambre de Rome se trouvait dans le cas de nommer collecteur un évêque déjà mort.

A Avignon étaient allés les hommes, les archives et le trésor de Grégoire XI. L'attitude du camérier Pierre de Cros en 1378 fut absolument déterminante : le pouvoir pontifical d'avant le Schisme se continua, administrativement, dans celui de Clément VII, non dans celui, improvisé, d'Urbain VI. Rome manqua jusqu'au bout d'administrateurs compétents, étroitement liés à leur office. Ce fut l'étourdissant défilé des camériers, des trésoriers, des clercs de la Chambre, des collecteurs. On recourut à des officiers de rencontre, qui ne donnaient plus signe de vie après avoir détourné leur recette. On prit comme collecteurs des évêques du cru, gens étrangers aux intérêts du pape et dont les intérêts propres étaient ceux-là même des contribuables. On vit, enfin, d'étonnants cumuls qui rendaient impossible l'exercice sérieux des offices assumés. Peu de collecteurs envoyèrent leur recette. La plupart ne rendirent jamais leurs comptes.

La Chambre romaine vécut donc sous le règne de l'improvisation. Les circonscriptions furent sans cesse bouleversées : que de collectories démembrées et remembrées au gré des circonstances ! Alors que, dans l'obédience d'Avignon, le collecteur était l'officier comptable d'une collectorie, dans l'obédience de Rome c'est la collectorie qui était le ressort d'un collecteur, de tel collecteur. De même la décime n'était-elle pas imposée dans tel royaume mais pour être levée par tel collecteur.

Improvisation, imprécision, instabilité, voilà qui ne favorisait guère la gestion par une administration centrale. A Avignon étaient centralisés — et très strictement — la connaissance des recettes et des dépenses, l'initiative des impositions et des assignations, le contrôle des gestions locales. Rien de tout cela n'était possible à Rome : on ignorait ce que recevaient les officiers, même les plus proches, et l'on assignait souvent les paiement au hasard. L'ordonnancement local l'emportait. La vaste lacune qui représente dans les archives vaticanes la Chambre apostolique romaine du Grand Schisme illustre assez bien cette totale abdication de l'administration centrale.

Le seul point sur lequel c'est à Rome que nous rencontrions une initative centrale et à Avignon une initiative locale, c'est le choix des voies de transfert et des banquiers chargés des changes. Mais ces transferts n'avaient pas la même valeur dans l'une et l'autre obédience. A Avignon, ils n'étaient la plupart du temps qu'un moyen technique d'acheminer les recettes locales : la Chambre pouvait faire confiance aux collecteurs quant au choix de la voie de transfert, les laisser libres d'user du transport matériel ou du change bancaire, leur laisser le choix des banquiers. A Rome, au contraire, la recette des collecteurs cautionnait le crédit bancaire du pape. Dès l'instant de sa perception, elle était frappée d'une hypothèque, elle appartenait virtuellement au créancier qu'était pour le pape le banquier qui avait ouvert un compte à la Chambre et lui consentait un découvert. Paradoxalement, la centralisation romaine était, ici, également signe d'abdication.

La dissemblance affectait les revenus comme elle affectait les hommes, les institutions et les pratiques. Rome avait reçu en 1378 l'essentiel du temporel du Saint-Siège ; on a vu ce qu'il pouvait en coûter de le défendre. Au moins ce temporel supportait-il la plus grande part des frais de sa propre défense. Le pape de Rome ne recevait à peu près rien du million de florins produit par l'état pontifical, mais il n'avait pas à payer sur ses revenus ecclésiastiques les gages des châtelains et ceux des officiers seigneuriaux, la réparation des remparts et l'entretien des garnisons. Le pape d'Avignon au contraire, devait compter sur la fiscalité ecclésiastique pour financer la conquête de l'Italie. Mais il avait reçu pour son obédience plus de la moitié de la masse ecclésiastique imposable ; d'où de plus larges possibilités de recours à la fiscalité, et notamment à la pression fiscale qui demeura l'expédient avignonnais par excellence. Rome, cependant, devait chercher ailleurs les moyens de compenser son insuffisance ; ce fut une suite d'expédients fort ingénieux, tantôt spirituels, tantôt temporels : vente d'indulgences, exploitation des prédications de la Croisade, exploitation, extension et dédoublement du Jubilé, vente de licence de commerce avec l'Orient musulman, aliénation d'immeubles appartenant au Saint-Siège ou à des églises purement et simplement spoliées.

Sur un point, le pape de Rome alla plus loin que son rival dans l'exploitation de ses droits fiscaux. Ce pape, qui ne pouvait réserver les procurations, qui n'obtenait guère de décimes hors de l'Italie et qui voyait demeurer vains ses appels au subside, n'hésita pas à user de rigueur envers les clercs qui le servaient. La curie fut tout spécialement visée par la réserve des dépouilles et par les spoliations. Le pape d'Avignon ménageait ses serviteurs, quitte à exiger d'eux des prêts qui en faisaient ses créanciers. Celui de Rome frappait ses serviteurs, quitte à n'en plus trouver ou à s'en faire des ennemis.

La dernière différence touche aux hommes qui ont imposé à la politique financière des deux papautés leur caractère propre. A Avignon, c'est avant tout le grand administrateur que fut François de Conzié, camérier de 1383 à 1432 ; ce sont aussi des hommes que l'on retrouve d'un bout à l'autre de cette histoire, un Pierre Borrier, un Sicard de Bourguerol, un Jean Lavergne, un Jean Joly, un Bertrand Vincent. Ces hommes étaient des techniciens de l'administration financière que nous voyons s'attacher, pendant trente ans et plus, aux intérêts du pape en même temps qu'au légitime intérêt de leur avancement. A Rome, au contraire, au dessus d'administrateurs occasionnels qui ne faisaient que passer, l'action de la Chambre apostolique a été effectivement dirigée par les papes. Le fâcheux mépris d'Urbain VI pour les questions d'argent, l'avidité effrénée de Boniface IX enfin maître — mais à quel prix — de ses états, la difficile recherche d'un juste milieu entre la ruine et les abus, entreprise avec succès par le technicien qu'était Innocent VII, l'ancien collecteur, et poursuivie avec moins de bonheur par Grégoire XII, voilà les grandes étapes d'une politique financière dont le moins que l'on puisse dire est que la continuité lui fit défaut. En définitive, jusque dans leurs dissemblances, les structures financières des deux papautés ont profondément subi la marque de quelques hommes.

Nous avons souligné les différences ; les points de ressemblance ne manquent cependant pas. C'est avant tout l'effrayant gouffre financier devant lequel se sont trouvés les gens de Rome comme ceux d'Avignon. Les deux papautés ont été grandes dépensières et les deux ont été besogneuses. Elles ont eu toutes deux de lourdes charges militaires : les galées ont coûté à Clément VII autant que les *condottieri* à Boniface IX. La défense de l'état pontifical et du royaume de Naples a été aussi onéreuse que les tentatives faites pour s'en emparer. Les deux Trésoreries ont eu en commun de vivre au jour le jour d'expédients de caisse ou d'avances. Les papes ont versé des centaines de milliers de florins en n'ayant jamais dans leurs coffres que quelques pièces.

Le fait n'a d'ailleurs rien d'exceptionnel. Toutes les puissances financières de ce temps ont manqué des fonds de roulement qui eussent facilité leurs affaires et réduit la nécessité du crédit ; ce fut l'un des vices permanents des grandes compagnies toscanes [1], ce fut aussi la source de bien des difficultés de Jacques Cœur [2]. Mais des entreprises commerciales pouvaient demeurer à découvert, dans la mesure ou le crédit permettait des investissements. Rien ne serait plus faux, au contraire, que de comparer l'endettement du pape à celui d'un état moderne empruntant, tel une entreprise commerciale ou industrielle, pour financer ses investissements. Les emprunts des papes du Grand Schisme ne sont que des emprunts de consommation qui, immédiatement absorbés, ne fournissaient aucune volant liquide et ne produisaient à long terme aucun revenu supplémentaire.

Les deux papautés, enfin, ont dû se passer du soutien des grandes banques florentines. Les Medici ont su ménager l'avenir sans trop s'engager. Les autres ont préféré s'abstenir de toute collusion avec l'un ou l'autre des papes. Ce fut d'abord le règne des Luc-

1. Y. Renouard, *Les hommes d'affaires...*, p. 145.
2. M. Mollat, *Les affaires de Jacques Cœur...*, p. XV-XVI.

quois, puis celui des petites compagnies bolognaises, astésanes, parfois florentines. On ne peut parler, pour l'époque du Grand Schisme, des relations entre les papes et les grandes compagnies bancaires. Les grandes puissances financières du monde laïque s'étaient progressivement éclipsées. C'est l'époque des relations épisodiques avec des marchands qui suivaient la curie mais ne se mêlaient point à elle. C'est surtout l'époque des changeurs.

Une image s'impose, croyons-nous, en conclusion : celle de deux pouvoirs en équilibre. Moyens et ressources étaient différents à Rome et à Avignon, les crises étaient également graves et les besoins également pressants. Mais les faiblesses de l'un correspondaient aux forces de l'autre. L'un exploitait ce qui manquait à l'autre.

C'est ainsi que, pendant trente ans, on pu survivre deux puissances également diminuées par le schisme de 1378. C'est ainsi qu'elles ont ensemble succombé, victimes de leur propre politique, au moment où tarissaient de part et d'autre les sources de revenus.

ANNEXE

LISTE DES COLLECTEURS

COLLECTEURS AVIGNONNAIS

Nous donnons ci-dessous la liste des collecteurs ayant exercé leur office de 1378 à 1409. Certaines indications ont été fournies pour les années antérieures au Schisme, lorsqu'elles présentaient un intérêt pour l'intelligence du présent ouvrage ; on voudra bien considérer qu'elles n'ont aucun caractère d'exhaustivité.

Dans l'impossibilité de discerner les cumuls de bénéfices, nous ne donnons qu'une indication sommaire des bénéfices tenus par chaque collecteur ; les repères chronologiques qui pourraient être procurés seraient nécessairement fallacieux.

Les nonces envoyés temporairement dans une collectorie ou un groupe de collectories sont pas mentionnés. Le sont au contraire, les régents de collectorie.

Pour les circonscriptions françaises, nous avons quelque peu modifié l'ordre géographique adopté par MM. Samaran et Mollat, afin de placer les collectories supprimées avant celles dans lesquelles leurs diocèses ont été intégrés.

PARIS   Provinces de Sens et Rouen [1].

Bertrand CARIT, mort avant février 1358. — Archidiacre d'Eu.

Bernard CARIT, neveu du précédent ; subrogé à son oncle le 21 janvier 1352 [2], collecteur unique à la mort de celui-ci ; évêque d'Evreux en 1376, mais encore attesté comme collecteur le 11 septembre 1380 [3] ; mort en août 1383 [4]. — Chanoine d'Evreux, Rouen et Paris, Archidiacre d'Eu et de Saint-Séverin de Paris, puis évêque d'Evreux.

Armand JAUSSERAND, attesté comme collecteur dès le 5 novembre 1380 [5] ; nommé clerc de la Chambre apostolique et régent de sa collectorie le 18 juillet 1388 [6] ; relevé de sa régence, sur sa demande,

---

1. L'appellation officielle est « collectorie des provinces de Sens et Rouen », mais nous usons, par souci de brièveté, de l'appellation « collectorie de Paris », appellation courante à la Chambre apostolique (*Coll.* 374, fol. 7 r°).
2. *Lettres secrètes de Clément VI*, n° 5152.
3. *Coll.* 359, fol. 55 v°.
4. EUBEL, *Hier. cath.*, I, p. 243.
5. *Coll.* 358, fol. 153 r°.
6. *Reg. Av.* 275, fol. 36 v°.

et doté d'une pension en raison de son grand âge le 29 octobre 1390 [1] ; attesté comme clerc de la Chambre résidant à Paris le 26 février 1392 [2] ; encore en vie en 1397 [3]. — Prêtre du diocèse de Cambrai, chanoine de Paris et Cambrai, archidiacre de Brie.

Jean de la CROLIERE, sous-collecteur général dès 1382 [4], nommé régent de la collectorie avant le 1er février 1391 [5] et sans doute vers novembre 1390 ; mort en fonctions avant le 15 septembre 1391 [6]. — Chanoine de Saint-Gauger de Cambrai et d'Evreux.

Guy d'ALBI [7], nonce chargé de lever un subside dans la collectorie de Lyon en 1391 [8] ; nommé collecteur de Paris le 22 septembre 1391 [9] et encore attesté comme tel le 13 mars 1408 [10]. — Docteur ès lois. — Chanoine de Paris.

REIMS　　　　　　　Province de Reims.

Jean MAUBERT, sous-collecteur général, attesté comme tel dès le 12 février 1364 [11] ; nommé collecteur peu après cette date [12] ; mort en fonctions peu avant le 28 juin 1388 [13]. — Chanoine de Chartres et Cambrai, chancelier de Noyon.

Jean de CHAMPIGNY, sous-collecteur de Beauvais et sous-collecteur général, attesté comme tel le 1er juin 1387 [14] ; nommé régent de la collectorie peu avant le 11 juin 1388 [15] et collecteur le 6 avril 1389 [16] ; mort en fonctions le 25 février 1400 [17]. — Chanoine de Cambrai, Reims et Troyes.

Julien de DOLE, scripteur des lettres apostoliques, attesté comme tel le 24 novembre 1391 [18] ; nommé collecteur le 30 août 1403 [19] et encore attesté le 7 février 1408 [20]. — Docteur en décrets [21]. — Chanoine de Meaux et Amiens, recteur de Bolleville (dioc. de Rouen).

1. *Reg. Av.* 277, fol. 217 v°.
2. *Instr. misc.* 3542.
3. *Intr. ex.* 374, fol. 34 v°.
4. *Instr. misc.* 3121.
5. *Reg. Vat.* 301, fol. 107 r°.
6. *Intr. ex.* 367, fol. 198 v°.
7. *De Albigesio*, d'Albiach (*Instr. misc.* 3611), d'Albie (*Instr. misc.* 3578, pièce n° 2). La forme d'Albiach est sans doute due à une confusion avec le nom de l'ancien clerc de la Chambre Pierre d'Albiartz, mort en 1374 (Fr. BAIX, *Notes sur les clercs...*, p. 40 et 43). Peut-être le collecteur était-il parent de l'auditeur de la Chambre Raymond d'Albi ?
8. *Intr. ex.* 367, fol. 39 v°.
9. *Reg. Vat.* 301, fol. 139 r°.
10. *Reg. Av.* 331, fol. 147 v°.
11. *Lettres d'Urbain V, France*, n° 816.
12. *Ibid.*, n° 705.
13. *Coll.* 192, fol. 1.
14. *Coll.* 364, fol. 101.
15. *Reg. Av.* 275, fol. 29 r°.
16. *Ibid.*, fol. 87 v°.
17. Bibl. nat., nouv. acq. fr. 20 024, fol. 7
18. Il était alors chevecier de Sainte-Opportune de Paris ; *Intr. ex.* 369, fol. 5 v°.
19. *Coll.* 195, fol. 1.
20. *Reg. Av.* 331, fol. 146 r°.
21. Il était encore maître ès arts en 1378 ; DENIFLE et CHATELAIN, *Chartularium Univ. Paris.*, III, p. 285.

TOURS   Province de Tours.

Guy de la ROCHE, nommé le 13 février 1365 [1] et attesté comme collecteur jusqu'à son élévation à l'épiscopat ; évêque de Lavaur le 25 octobre 1390 ; mort près d'Avignon en 1395, avant le 12 juillet [2]. — Chanoine et archidiacre de Tours.

Pierre de SAINT-REMBERT, scripteur des lettres apostoliques ; nommé collecteur le 15 septembre 1390 [3] ; mort en fonctions en 1399. — Chanoine de Rennes, archidiacre d'Outre-Loire (Angers), recteur de Torcé-en-Vallée (dioc. du Mans).

Alain d'ESVIGNE, nommé avant le 22 septembre 1403 [4] et révoqué en septembre 1405 [5]. — Chanoine de Rennes.

André *FIGULI* [6], sous-collecteur d'Angers [7], puis de Nantes [8] ; nommé collecteur peu après le 11 septembre 1405 [9] et encore attesté le 5 septembre 1407 [10]. — Licencié en décrets. — Recteur de Brigne (dioc. d'Angers).

SAINTES   Diocèses de Saintes, Périgueux, Sarlat et Angoulême.

Arnaud GAVIN, nommé le 11 avril 1364 [11] ; révoqué lors de l'union de sa collectorie à celle de Poitiers, le 2 septembre 1382 ; maintenu dans la région comme nonce et encore attesté comme tel le 9 mars 1383 [12]. — Chanoine de Saintes.

POITIERS   Diocèses de Poitiers, Luçon, Maillezais et, après le 2 septembre 1382, Saintes, Périgueux, Sarlat et Angoulême.

Pierre DOMAUD, ancien collecteur de Chypre, attesté comme tel le 19 novembre 1362 [13] ; nommé collecteur de Poitiers vers 1366-1369 et encore attesté le 4 juillet 1382 [14]. — Archidiacre de Limissos, puis chanoine et prévôt de Poitiers.

Pierre PREVOST, nommé le 2 septembre 1382 [15] et révoqué lors de l'union de sa collectorie à celle de Bourges, le 2 oct. 1382. — Chanoine de Poitiers.

---

1. *Lettres d'Urbain V, France*, n° 816.
2. Eubel, *Hier. cath.*, I, p. 518.
3. *Reg. Av.* 277, fol. 202 r°.
4. *Reg. Av.* 306, fol. 72 v°.
5. *Intr. ex.* 376, fol. 80 r°.
6. On ne saurait affirmer que ce soit la forme latine de Potier ou Pothier.
7. *Intr. ex..* 374, fol. 26 v° ; une erreur du clerc de la Trésorerie n'est pas impossible.
8. *Reg. Av.* 306, fol. 63-64.
9. *Intr. ex.* 376, fol. 80.
10. *Reg. Av.* 326, fol. 43 r°.
11. *Lettres d'Urbain V, France*, n° 882.
12. *Reg. Av.* 233, fol. 84. — Le compte d'Arnaud Gavin ne fut soldé à la Chambre apostolique que le 20 septembre 1390 ; *Intr. ex.* 366, fol. 47 v°.
13. *Lettres d'Urbain V, France*, n° 112.
14. *Coll.* 359, fol. 128 v°.
15. *Coll.* 359 A, fol. 213 v°.

BOURGES   Diocèses de Bourges et Limoges et, après le 2 octobre 1382, Poitiers, Luçon, Maillezais, Saintes, Périgueux, Sarlat et Angoulême.

Jean BRETON, nommé le 13 octobre 1374 [1] ; suppléé par un commissaire intérimaire pendant une absence ou une maladie à partir du 23 avril 1381 ; mort avant le 7 octobre 1381 [2] et probablement avant le 15 juillet, date de la nomination de son successeur. — Prêtre, prieur de Saint-Aignan (dioc. de Bourges).

Renaud CHAPEAU, nommé commissaire en l'absence de Jean Breton le 23 avril 1381 [3]. — Chanoine de Notre-Dame de Sales (Bourges).

Jean FRANÇOIS, nommé le 15 juillet 1381 pour la collectorie de Bourges [4] et le 2 octobre 1382 pour les anciennes collectories de Poitiers et Saintes [5] ; mort en fonctions à Avignon au début de mai 1396 [6]. — Licencié *in utroque*. — Chanoine de Chartres et doyen de Saintes.

Pierre JOVIT, attesté comme collecteur du 27 juin 1396 [7] au 18 décembre 1403 [8] ; probablement en fonctions jusqu'en août 1404. — Docteur ès lois. — Chanoine de Tours.

Guillaume IMBERT, nommé le 24 août 1404 [9] ; encore attesté le 11 mars 1406 [10]. — Licencié ès lois. — Chanoine de Bourges.

LE PUY   Diocèses du Puy, de Clermont, Mende et Saint-Flour [11].

Vital de BOSMEJO, nommé le 25 décembre 1375 [12] ; révoqué le 6 juin 1382 en raison de ses infirmités. — Licencié en décrets. — Chanoine du Puy.

Pons de CROS, nommé le 6 juin 1382 [13] ; encore attesté comme collecteur le 28 mai 1399 [14]. — Chanoine du Puy, doyen de Billom (dioc. de Clermont).

Guillaume MAYET, attesté comme collecteur à partir du 17 juin 1404 [15] ; mort en fonctions avant le 2 juillet 1407 [16]. — Chanoine de Clermont.

---

1. *Reg. Vat.* 281, fol. 66.
2. *Coll.* 359 A, fol. 128 r°.
3. *Coll.* 359, fol. 65 v°.
4. *Coll.* 359 A, fol. 87 ; MM. SAMARAN et MOLLAT ont publié (*La fiscalité pontificale...*, p. 207-209) une bulle, datée par eux du 16 mai 1345, adressée au collecteur Jean François. Il est évident que cet acte, mal classé dans les *Instrumenta miscellanea*, est de Clément VII et non de Clément VI. Il faut donc le dater du 16 mai 1382.
5. *Coll.* 359 A, fol. 246 r°.
6. *Intr. ex.* 372, fol. 65 v°-66 r°.
7. *Coll.* 372, fol. 54 v°.
8. *Reg. Av.* 320, fol. 81 r°.
9. *Reg. Av.* 308, fol. 34.
10. *Reg. Av.* 325, fol. 534.
11. L'appellation « Collectorie du Puy » était usuelle à la Chambre ; Pons de Cros en témoigne lui-même ; *Coll.* 85, fol. 278 r°.
12. *Lettres de Grégoire XI, France,* n° 3880.
13. *Coll.* 359 A, fol. 262 r°.
14. *Coll.* 372, fol. 119.
15. *Reg. Av.* 308, fol. 20 r°.
16. *Reg. Av.* 326, fol. 34.

Jean TORRET, nommé le 2 février 1408 [1] ; non attesté par ailleurs. — Chanoine du Puy.

RODEZ   Diocèses de Rodez, Cahors, Albi, Tulle, Castres et Vabres.

Guillaume *AMARINTI*, nommé le 23 janvier 1364 [2] ; révoqué le 27 mai 1381 en raison de son âge [3] ; mort après le 1er juillet 1383 [4] et sans doute peu avant juin 1389 [5]. — Prieur de Brousse (dioc. de Rodez).

Raymond de SENANS, nommé le 27 mai [6] ou le 10 juillet 1381 [7] ; encore attesté comme collecteur le 28 mai 1399 [8]. — Archiprêtre de Graulhet (dioc. de Castres).

Pierre BRENGAS, nommé le 13 août 1403 [9] ; encore attesté comme collecteur le 13 août 1407 [10]. — Docteur en décrets. — Chanoine et sacriste de Rodez.

LYON   Provinces de Lyon, Vienne, Besançon et Tarentaise [11].

Guillaume du LAC, ancien nonce en Allemagne, nommé collecteur de Lyon le 18 juillet 1375 [12] ; nommé, le 4 octobre 1382, clerc de la Chambre apostolique [13] ; régent de la collectorie de Lyon à partir de cette date, il exerce son office de concert avec le collecteur Robert Chambrier puis seul, après la démission de Chambrier [14] ; remplacé à la tête de la collectorie par Jean Lavergne le 1er février 1386 [15] ; clerc de la Chambre apostolique ; promu évêque de Lodève le 19 avril 1392 [16] et conseiller de la Chambre apostolique ; mort le 28 avril 1398. — Licencié ès lois et bachelier en décrets. Chanoine de Mayence, Tours et Rodez, prévôt de Genève.

---

1. *Reg. Av.* 331, fol. 517.
2. *Coll.* 80, fol. 2.
3. *Coll.* 359 A, fol. 75 v°-77 r°.
4. *Reg. Av.* 232, fol. 35 v°.
5. *Intr. ex.* 365, fol. 39 r°.
6. *Coll.* 359 A, fol. 75 v°-77 r°.
7. *Coll.* 394, fol. 254 r°-257 r°.
8. *Coll.* 372, fol. 119 v°.
9. *Reg. Av.* 326, fol. 36 v°-38 v°.
10. *Ibidem.*
11. Voir la collectorie de Savoie.
12. SAMARAN et MOLLAT, *La fiscalité pontificale...*, p. 188.
13. *Coll.* 457 ; fol. 27.
14. *Coll.* 359, fol. 172 v° ; *Coll.* 361, fol. 7-9 et 17 v°-18 r°.
15. *Coll.* 359, fol. 220 r°.
16. Eubel indique à cette place parmi les évêques de Lodève un certain Guillaume Grimoard (*Hier. cath.*, I, p. 310). Ce personnage n'a jamais existé que dans l'imagination des auteurs du *Gallia christiana*. L'identité des bénéfices antérieurs, celle des seings manuels et la coïncidence chronologique entre la disparition du clerc de la Chambre Guillaume du Lac et l'apparition de Guillaume, évêque de Lodève et conseiller de la Chambre, ne permettent aucun doute ; voir : J. FAVIER, *Rectification à la liste épiscopale de Lodève*, dans le *Bull. de la Soc. nat. des Antiquaires de France*, 1963, p. 72-73. M. Guillemain confirme *a silentio* notre identification (*La cour pontificale...*, p. 164)

Robert CHAMBRIER, associé, semble-t-il, à Guillaume du Lac avant le 13 juin 1382[1] ; nommé collecteur le 22 octobre 1382[2] ; démissionnaire le 21 juillet 1385[3]. — Licencié *in utroque*. — Chanoine de Genève.

Jean LAVERGNE, nommé le 1er février 1386 en remplacement de Guillaume du Lac[4] ; nommé clerc de la Chambre apostolique entre le 14 et le 19 juillet 1390[5] ; régent de la collectorie de Lyon jusqu'à son départ pour Avignon, entre janvier et juin 1391. — Licencié ès lois. — Préchantre de Lodève.

Jean JOLY, collecteur de Provence, transféré à la collectorie de Lyon avant le 12 juin 1391[6] ; encore attesté comme collecteur de Lyon le 17 mars 1407[7]. — Sacriste de Saint-Vincent de Lyon.

SAVOIE   Diocèses de Tarentaise, Genève, Lausanne, Maurienne, Aoste, Belley, Sion, et parties des diocèses de Lyon, Vienne, Besançon et Mâcon mouvant du comte de Savoie[8].

Jean de VERBOUZ[9], ancien chambellan de Clément VII[10], collecteur de la décime en Savoie en 1403 et 1404[11], puis collecteur de Savoie, ainsi qualifié à partir du 28 novembre 1404[12]. — Archidiacre de Sens, doyen de Valence et de Seyssel (dioc. de Genève).

Jacques de MONTHOUS, nommé le 25 mars 1405[13] ; encore attesté comme collecteur le 26 juin 1407[14]. — Prévôt de Genève.

Jean CRISTIN, nommé le 17 janvier 1408[15] ; encore attesté comme collecteur le 19 juin 1409[16]. — Trésorier de l'église de Tarentaise.

BORDEAUX   Diocèses de Bordeaux, Dax, Bayonne, Bazas et Périgueux[17].

Hélie POLET, nommé le 8 mars 1377[18] ; attesté comme collecteur pour la dernière fois le 10 mars 1378[19] ; passé à l'obédience romaine.

1. *Coll.* 359 A, fol. 233 v°-234 r°.
2. *Reg. Av.* 233, fol. 54 v°-55 v°.
3. *Coll.* 361, fol. 17 v°-18 r°.
4. *Coll.* 359, fol. 220 r°.
5. *Intr. ex.* 366, fol. 38-39.
6. *Intr. ex.* 367, fol. 33 v°.
7. *Reg. Av.* 326, fol. 15.
8. Selon la bulle du 25 mars 1405 ; *Reg. Av.* 317, fol. 19 r°-20 r°.
9. Parent de la mère de François de Conzié.
10. *Coll.* 364, fol. 45 r°.
11. *Reg. Av.* 306, fol. 83 v°, et 320, fol. 92 v°.
12. *Instr. misc.* 3779.
13. *Reg. Av.* 317, fol. 19 r°-20 r°.
14. *Reg. Av.* 332, fol. 43 r°.
15. *Reg. Av.* 331, fol. 516 v°-517 r°.
16. *Reg. Av.* 332, fol. 53 r°.
17. Ce collecteur était aussi appelé collecteur de Périgeux (*Reg. Vat.* 308, fol. 82 v° et 92 v°). Ce diocèse, cependant, pour la partie d'obédience avignonnaise, dépendait de la collectorie de Saintes, puis de Bourges.
18. *Reg. Vat.* 280, fol. 24 r°.
19. *Coll.* 359, fol. 3.

Pierre de MORTIERS, nommé le 25 novembre 1382 [1] ; encore attesté comme collecteur le 16 mars 1394 [2] ; puis receveur général de l'archevêque urbaniste Francesco Uguccione [3]. — Chanoine de Bordeaux.

Bertrand de *LUSERIO*, nommé le 1er août 1403 [4] ; encore attesté comme collecteur le 11 avril 1408 [5]. — Chanoine de Saint-Cyprien (dioc. de de Sarlat).

AUCH
Province d'Auch, sauf Bazas, Dax et Bayonne.

Arnaud de PEYRAT, nommé le 29 mai 1373 [6] ; suspendu pour négligence le 13 juillet 1380 [7] et révoqué le 12 mai 1381 [8] ; commis de nouveau avant décembre 1381 [9] ; définitivement révoqué lors de l'union de sa collectorie à celle de Toulouse en septembre 1382 [10]. — Licencié ès lois. — Chanoine de Lectoure et d'Agen [11].

Guillaume de BARGE, nommé nonce et visiteur des provinces d'Auch et Bordeaux le 14 juillet 1380 [12] ; encore attesté comme tel le 6 juin 1381 [13]. — Docteur en décrets. — Prieur séculier.

TOULOUSE
Province de Toulouse et, après septembre 1382, diocèses de la collectorie d'Auch.

Aimery PELLICIER, nommé collecteur en 1363 et attesté comme tel pour les dernières fois les 28 septembre et 14 octobre 1382 [14], alors que son successeur était déjà nommé ; mort peu avant le 1er avril 1389 [15]. — Chanoine d'Albi et sacriste de Saint-Jean de Perpignan.

Sicard de BOURGUEROL, conseiller de la Chambre et nonce en Languedoc [16], nommé collecteur de Toulouse le 2 septembre 1382 [17], nonce pour Auch le 4 septembre [18] et commissaire pour Auch le 10 octobre [19] ; transféré à la collectorie de Narbonne en septembre 1386. — Docteur en décrets. — Chanoine de Narbonne, doyen de Saint-Etienne de Montauban.

---

1. *Reg. Av.* 233, fol. 29-30.
2. *Reg. Vat.* 308, fol. 92 v°.
3. Léo DROUYN, *Comptes de l'archevêché de Bordeaux*, II, p. 455 notamment.
4. *Reg. Av.* 307, fol. 45.
5. *Reg. Av.* 331, fol. 154 v°.
6. *Lettres de Grégoire XI, France*, n° 1244.
7. *Coll.* 359, fol. 45 v°-46 r°.
8. *Coll.* 359 A, fol. 71 v°-73 r°.
9. *Coll.* 359, fol. 99.
10. Entre le 2 et le 4 ; voir ci-dessous.
11. Peut-être est-ce le même personnage qui devint évêque de Lectoure en novembre 1407 (Eubel, *Hier. cath.*, I, p. 299).
12. *Coll.* 359, fol. 46.
13. *Coll.* 359, A, fol. 81.
14. *Lettres de Grégoire XI, France*, n° 2814 ; *Coll.* 359 A, fol. 245 v° ; *Coll.* 364, fol. 56 r°-58 r°.
15. *Intr. ex.* 365, fol. 26 r°.
16. Voir ci-dessus, p. 73-74.
17. *Coll.* 359 A, fol. 214 v°.
18. *Ibid.*, fol. 216 v°.
19. *Coll.* 360, fol. 21 v°.

Pierre de TARASCON, nommé collecteur de Toulouse et commissaire pour Auch peu avant le 11 octobre 1386, date de sa prestation de serment [1] ; qualifié pour la première fois de collecteur de Toulouse et Auch le 13 décembre 1390 [2] ; mort en fonctions vers le début de 1396. — Chanoine de Mirepoix, doyen de l'Isle-Jourdain (dioc. de Lombez).

Pierre du PONT, nommé le 11 juillet 1396 [3], mais déjà attesté comme collecteur le 20 juin 1396 [4] ; encore en fonctions lors de sa désignation comme clerc de la Chambre apostolique, en juillet 1407 [5]. — Licencié ès lois. — Doyen de Castelnaudary (dioc. de Saint-Papoul).

Pierre TILHIN, nommé le 4 juillet 1407 [6] et encore attesté comme collecteur le 30 avril 1408 [7]. — Licencié en décrets. — Recteur de Montberon (dioc. de Toulouse).

NARBONNE Province de Narbonne, sauf le diocèse d'Elne.

Arnaud ANDRE, collecteur d'Aragon, transféré à Narbonne le 13 octobre 1374 [7] ; mort en fonctions au début de septembre 1386 [9]. — Licencié ès lois. — Archidiacre de Lunas, prieur de Lastours (dioc. de Béziers), prévôt d'Agde.

Sicard de BOURGUEROL, collecteur de Toulouse, transféré à Narbonne en septembre 1386 [10] et attesté comme collecteur de Narbonne jusqu'au 3 juillet 1398 [11] ; nommé clerc de la Chambre apostolique avant le 18 juillet 1404 [12]. — Docteur en décrets. — Chanoine de Narbonne et doyen de Saint-Etienne de Montauban, puis évêque de Couserans (20 novembre 1405).

Jean MARTIN, nommé le 13 août 1403 [13] et attesté comme collecteur jusqu'au 26 mai 1408 [14]. — Licencié ès lois. — Chanoine de Narbonne.

ELNE Diocèse d'Elne [15].

Nicolas GILLES, nommé sous-collecteur d'Elne le 12 septembre 1383 [16] ; attesté comme collecteur à partir du 10 juin 1390 [17] ; mort en fonctions le 12 novembre 1393 [18]. — Chanoine d'Elne.

1. *Reg. Vat.* 309, fol. 44 v°.
2. *Intr. ex.* 367, fol. 7 r°.
3. *Reg. Av.* 325, fol. 568 r°-570 v°.
4. *Coll.* 372, fol. 55.
5. Voir ci-dessus, p. 64.
6. *Reg. Av.* 326, fol. 47.
7. *Reg. Av.* 331, fol. 243 v°.
8. *Coll.* 356, fol. 83 r°.
9. *Coll.* 152, fol. 173 et suivants.
10. *Intr. ex.* 361, fol. 39-41.
11. *Coll.* 372, fol. 109.
12. *Reg. Av.* 316, fol. 31 v°-32 v°.
13. *Reg. Av.* 325, fol. 550 r°-552 r°.
14. *Reg. Av.* 331, fol. 156 v°.
15. Assimilé à la collectorie de Narbonne en ce qui concerne les impositions ; *Reg. Av.* 274, fol. 18 v°-19 r°.
16. *Reg. Av.* 233, fol. 101 v°.
17. *Reg. Av.* 277, fol. 240 v°.
18. *Coll.* 160, fol. 28 r°.

Jean de RIVESALTES, nommé le 1er décembre 1393 [1]; encore attesté comme collecteur le 28 décembre 1405 [2]. — Sacriste de Saint-Jean de Perpignan.

PROVENCE   Provinces d'Arles, Aix et Embrun.

Géraud MERCADIER, ancien collecteur de Rodez [3], collecteur d'Arles depuis 1360, nommé collecteur de Provence lors de la réunion des trois provinces le 19 novembre 1371 [4]; encore attesté comme tel le 10 août 1382 [5]; nommé peu après scripteur des lettres apostoliques [6]. — Bachelier ès lois. — Chanoine et préchantre d'Aix.

Guillaume THONERAT, maître de l'office de la Cire, nommé collecteur le 4 septembre 1382 [7]; rappelé peu avant le 1er octobre 1386 [8] et nommé clerc de la Chambre apostolique; mort avant le 1er avril 1388 [9]. — Chanoine et sous-chantre de Lausanne.

Jean JOLY, nommé peu avant le 1er octobre 1386 [10]; encore attesté comme collecteur de Provence le 30 octobre 1389 [11] et probablement en fonctions jusqu'à la fin de 1390; transféré ensuite à la collectorie de Lyon. — Sacriste de Saint-Vincent de Lyon.

Pierre MERLE, nommé nonce le 1er janvier et collecteur le 13 janvier 1391 [12]; encore attesté comme tel le 22 décembre 1399 [13]. — Chanoine de Saint-Paul de Lyon, recteur de Farges (dioc. de Mâcon).

Simon de PRADES, nommé peu avant le 26 août 1402, date de sa prise d'office lors de la restitution d'obédience [14]; confirmé dans cet office le 25 mai 1404 [15]; encore attesté comme collecteur le 2 mai 1409 [16]. — Bachelier en décrets. — Chanoine de Barcelone.

ARAGON   Provinces de Tarragone, Saragosse et île de Majorque.

Foulques PERIER, mort avant le 6 avril 1371 [17]. — Chanoine et prévôt de Valencia.

Arnaud ANDRE, collecteur de Bordeaux depuis 1364, transféré en Aragon avant le 19 septembre 1371 [18]; encore attesté comme collecteur

1. *Ibidem.*
2. *Reg. Av.* 325, fol. 519 v°.
3. SAMARAN et MOLLAT, *La fiscalité...*, p. 189.
4. *Reg. Vat.* 274, fol. 200.
5. *Coll.* 359 A, fol. 212 v°.
6. *Reg. Av.* 275, fol. 100 r°.
7. *Coll.* 359 A, fol. 214 r°.
8. *Coll.* 364, fol. 55 v°.
9. Fr. BAIX, *Notes sur les clercs...*, loc. cit., p. 51.
10. *Coll.* 364, fol. 55 v°.
11. *Reg. Av.* 275, fol. 108 v°.
12. *Reg. Vat.* 301, fol. 113-115.
13. *Coll.* 372, fol. 126 v°.
14. *Coll.* 23, fol. 252 r°.
15. *Reg. Av.* 308, fol. 9 v°-10 v°.
16. *Reg. Av.* 332, fol. 19.
17. *Reg. Vat.* 263, fol. 162 v°.
18. *Ibid.,* fol. 229 r°.

d'Aragon le 10 février 1373 [1] ; transféré à Narbonne le 13 octobre 1374 [2]. — Licencié ès lois. — Doyen d'Angoulême et Saintes, sous-doyen de Bordeaux.

Pierre BORRIER, nommé le 13 octobre 1374 [3] ; en fonctions jusqu'au 31 août 1377 [4] ; nommé clerc de la Chambre apostolique le 12 juillet 1377 [5]. — Docteur ès lois.

Bertrand du MAZEL, nommé vers septembre 1377 et confirmé dans son office le 15 février 1379 [6] ; mort en fonctions avant le 27 novembre 1381 [7]. — Licencié en décrets. — Archidiacre de Taranton (dioc. de Lérida).

Seguin d'AUTHON, patriarche d'Antioche, conseiller de la Chambre apostolique et nonce en Espagne, supervise les collecteurs de 1381 à 1383 [8].

Puis, les revenus de la Chambre sont intégralement dévolus au roi d'Aragon et la centralisation en est assurée par le marchand barcelonais Guilherm de Fenolhet, « procureur du pape et de la Chambre apostolique dans la région de Barcelone » [9].

Guillaume BOUDREVILLE, collecteur de Burgos, transféré en Aragon le 12 mars 1387 [10] ; encore attesté comme collecteur le 23 octobre 1393 [11] ; mort à la curie peu avant la fin de décembre 1393 [12]. — Licencié en décrets, bachelier ès lois. — Chanoine de Paris et Zamora.

Géraud AUGIER, sous-collecteur de Saragosse [13], nommé régent de la collectorie le 8 janvier 1394 [14]. — Prieur de Saint-Pierre-le-Vieux de Huesca.

Jaime de RIVES, sous-collecteur de Majorque, nommé collecteur le 24 janvier 1394 [15] ; encore attesté comme tel le 24 juillet 1398 [16]. Préchantre de Majorque.

Guilherm CARBONEL, régent de la collectorie à la mort de Jaimes de Rives [17]. — Chanoine de Barcelone.

1. *Reg. Vat.* 265, fol. 26.
2. *Coll.* 356, fol. 83 r°.
3. L. Greiner, *Un représentant...*, dans les *Mélanges...*, LXV, 1953, pp. 198-199.
4. *Coll.* 122, fol. 123 v° et 131.
5. Greiner, *loc. cit.*, p. 200.
6. *Coll.* 393, fol. 94.
7. *Coll.* 374, fol. 79 v°-80 r°.
8. Avec Gil Muñós ; voir ci-dessus, p. 141 et 578.
9. *Reg. Av.* 339, fol. 225 r° ; sur toute cette période, nous renvoyons aux travaux de J. Vincke.
10. *Reg. Av.* 250, fol. 281 v°.
11. *Reg. Av.* 272, fol. 68 v°.
12. *Reg. Vat.* 308, fol. 42 ; *Intr. ex.* 371, fol. 53 r°.
13. *Intr. ex.* 369, fol. 26 v°.
14. *Reg. Vat.* 308, fol. 43.
15. *Reg. Av.* 274, fol. 2.
16. *Coll.* 372, fol. 110.
17. *Coll.* 123, fol. 36 v°. Il devint clerc de la Chambre ; ci-dessus, p. 64-66.

Bérenger RIBALTA, nommé avant le 25 septembre 1400 [1]; promu
  évêque de Tarazone le 21 juillet 1404 mais encore attesté comme
  collecteur jusqu'à sa mort [2]; mort entre le 7 et le 18 mars 1405 [3]. —
  Bachelier en décrets. — Prieur de Sainte-Anne de Barcelone, puis
  évêque de Tarazone.

Vincente SAGARRA, nommé sans doute vers mars 1405, mais attesté
  seulement comme collecteur à partir du 13 septembre 1405 [4], et
  jusqu'au 7 octobre 1409 [5]. — Docteur en décrets. — Chanoine de
  Tortosa, puis abbé d'Ager (dioc. d'Urgel).

TOLÈDE

Provinces de Tolède et Séville, et diocèses
d'Avila et Badajoz [6].

Hugues de *MANHANIA*, attesté comme collecteur dès 1371 [7] et encore
  le 10 février 1373 [8]. — Archidiacre majeur de Tolède.

Foulques PERIER, nommé le 20 février 1375 [9] et confirmé après l'adhésion
  du roi Jean Ier [10] le 27 mai 1381 [11]; encore attesté comme collecteur
  le 29 septembre 1403 [12]; probablement mort en fonctions peu avant
  février 1405 [13]. — Licencié ès lois. — Chanoine de Séville, archidiacre
  de Castro [14].

Guilherm BARRAL, sous-collecteur de Cuenca, chargé de la régence de la
  collectorie pendant le long séjour de Périer à la curie, à partir
  du 30 septembre 1384 [15]. — Ecolâtre de Cuenca.

Pedro FERNANDEZ DE MONTIEL, nommé le 1er juillet 1405 [16]; encore
  attesté comme collecteur le 16 juillet 1407 [17]. — Chanoine et écolâtre de Cuenca.

---

1. *Coll.* 123.
2. *Reg. Av.* 319, fol. 26 r°.
3. *Reg. Av.* 319, fol. 54 v°-55 v°.
4. *Reg. Av.* 328, fol. 26.
5. *Reg. Av.* 331, fol. 125 v°.
6. Les deux collecteurs de Tolède et de Burgos sont tous les deux appelés « collecteurs
en Castille »; pour des raisons de commodité évidente, nous donnons à cette collectorie
le nom de sa principale métropole.
7. *Reg. Vat.* 263, fol. 102 r°.
8. *Reg. Vat.* 265, fol. 26.
9. *Coll.* 359, fol. 239 r°-241 r°.
10. Le 19 mai 1381.
11. *Coll.* 359 A, fol. 87 v°-88 v°.
12. *Reg. Av.* 306, fol. 75 v°.
13. *Reg. Av.* 321, fol. 42 v°.
14. Neveu et homonyme de l'ancien collecteur d'Aragon; *Reg. Vat.* 263, fol. 162.
15. *Reg. Av.* 238, fol. 167 v°-168 v°.
16. *Reg. Av.* 317, fol. 38-39.
17. *Reg. Av.* 326, fol. 27 v°.

BURGOS   Province de Compostelle (sauf Avila et Badajoz) et diocèses de Burgos, Orense, Tuy et Astorga [1].

Arnaud de VERNOL, attesté comme collecteur dès 1371 [2] et jusqu'au 29 décembre 1378 [3].

Pascase GARCIAS, sous-collecteur d'Orense [4], nommé collecteur avant 1381 [5] et confirmé le 27 mai 1381 [6]; promu évêque d'Orense le 29 janvier 1382 mais encore attesté comme collecteur jusqu'en février 1384. — Doyen d'Orense, puis évêque d'Orense et, en 1390, d'Astorga.

Guillaume BOUDREVILLE, nommé le 23 février 1384 [7]; transféré à la collectorie d'Aragon le 12 mars 1387 [8]. — Licencié en décrets et bachelier ès lois. — Chanoine de Paris.

Régence assurée par un sous-collecteur de mars à septembre 1387 [9].

Jean BOUDREVILLE, neveu de Guillaume, nommé collecteur le 24 septembre 1387 [10]; encore attesté comme tel le 1er septembre 1405 [11]. — Licencié ès lois. — Chanoine de Palencia, archidiacre de Lorca (dioc. de Cartagène).

PORTUGAL   Royaume de Portugal et Algarve.

Pedro CAVALER, nommé le 28 novembre 1372 [12]; promu évêque de Silves en mai 1380 mais encore attesté comme collecteur le 10 juin 1382 [13]. — Ecolâtre, puis archidiacre de Lisbonne.

Guillaume de *MONTE LAUDUNO*, nommé peu avant le 1er avril 1384 [14]. — Chanoine de Tours.

Ramon de RIVET, nommé le 29 mars 1385 [15]; révoqué avant le 7 avril 1386 [16]. — Ecolâtre de Lisbonne.

METZ   Diocèses de Metz, Toul et Verdun.

Jean de VERTRY, attesté comme collecteur du 6 juin 1373 [17] à sa mort; mort entre le 15 mai 1395 et février 1396 [18]. — Chanoine de Saint-Sauveur de Metz, chantre de Metz.

---

1. L'appellation courante « *Collector Burgensis* » est attestée en tête du compte de G Boudreville (*Coll.* 122).
2. *Reg. Vat.* 263, fol. 202 r⁰.
3. *Intr. ex.* 350, fol. 9 r⁰.
4. *Ibidem.*
5. *Coll.* 359 A, fol. 51.
6. *Coll.* 359 A, fol. 88 v⁰.
7. *Reg. Av.* 238, fol. 120 r⁰.
8. *Reg. Av.* 250, fol. 281 v⁰.
9. *Coll.* 364, fol. 100 r⁰.
10. *Reg. Av.* 250, fol. 319 v⁰.
11. *Reg. Av.* 317, fol. 54 v⁰.
12. *Reg. Vat.* 264, fol. 224 v⁰.
13. *Coll.* 359, fol. 124.
14. *Coll.* 360, fol. 83 v⁰.
15. *Reg. Av.* 242, fol. 56 v⁰-57 r⁰.
16. *Intr. ex.* 361, fol. 17 v⁰.
17. *Lettres de Grégoire XI, France,* n⁰ 1250.
18. *Coll.* 372, fol. 45 v⁰.

Didier BECHEGRAIN, attesté comme collecteur du 20 février 1396 [1] au 1er octobre 1407 [2]. — Chanoine de Verdun.

MAYENCE Provinces de Mayence, Cologne et Brême. Diocèses de Trèves, Bamberg et Bâle.

Gilles de SERINCHAMPS, encore attesté comme collecteur le 19 mai 1379 [3].

Bernard de BERNE, nonce en Allemagne, depuis 1371 [4] ; nommé collecteur le 21 août 1386 [5] et non attesté par ailleurs. — Licencié en décrets. — Chanoine et prévôt de Sainte-Croix de Liège, prévôt de Saint-Cassius de Bonn.

FLANDRE ET HAINAUT Extension variable et théorique.

Jacques GARREL, nommé, le 4 avril 1385, sous-collecteur autonome pour les parties schismatiques des diocèses de Tournai, Cambrai, Thérouanne, Arras, Liège et Utrecht, sans que soient révoqués les collecteurs et sous-collecteurs en fonction [6]. — Chapelain perpétuel de Saint-Pierre de Lille.

Gauthier THIERRY, nommé le 24 mars 1409 collecteur dans le diocèse de Liège [7]. — Chanoine de Liège.

ANGLETERRE

Arnaud GARNIER, nommé le 29 octobre 1371 [8] ; encore attesté comme collecteur le 10 mai 1379 [9]. — Licencié ès lois. — Chanoine de Châlons.

ECOSSE

John PEBLIS, évêque de Dunkeld ; attesté comme collecteur le 31 juillet 1379 [10].

Andrew, évêque de Dunkeld ; attesté comme collecteur par l'examen de ses comptes, le 1er mars 1386 [11].

---

1. *Ibidem.*
2. *Reg. Av.* 331, fol. 134 v°.
3. Berlière, *Documents...*, II, n° 782.
4. *Lettres de Grégoire XI concernant la France*, n° 108, 122, 1590 etc. ; *Lettres.. les pays autres que la France*, n° 643 et 2579.
5. *Reg. Av.* 242, fol. 85 v°-86 r°.
6. Berlière, *Les collectories...*, p. XIV ; *Reg. Av.* 240, f. 18 ; *Reg. Av.* 242, fol. 59 r°-60 r° ; *Reg. Vat.* 296, fol. 1.
7. *Reg. Av.* 332, fol. 77 v°-78 v°.
8. *Lettres... pays autres que la France*, n° 378.
9. *Coll.* 359, fol. 154 v°-156 r°
10. *Reg. Av.* 220, fol. 340 v°.
11. *Coll.* 359, fol. 221 r°-222 r° ; il est possible que le copiste se soit trompé et qu'il s'agisse de John.

ITALIE

SEPTENTRIONALE Collectories extrêmement variables, délimitées lors de l'envoi de chaque collecteur.

Guglielmo, abbé de Cavour, puis de San Solutore Maggiore de Turin ; attesté comme collecteur en Piémont du 1er juin 1382 [1] au 13 novembre 1383 [2].

Jacopo dei CAVALLI, évêque de Verceil ; nommé collecteur en Lombardie et Ligurie le 30 novembre 1385 [3].

Bertrammo BERONNI, nommé collecteur de la Marche de Trévise et de Venise le 2 juin 1385 [4]. — Prieur d'Aleta (Castello).

Jacques, évêques d'Aoste, nommé régent de la collectorie du diocèse d'Aoste le 27 janvier 1387 [5].

Giovanni BAUDI, nommé collecteur de Lombardie, Ligurie et Dalmatie le 13 février 1392 [6]. — Archiprêtre de Cherio (Turin).

Aymon de *ROMANIANO*, nommé collecteur de Piémont le 9 mars 1405 [7]. — Prévôt du Mont-Cenis.

Antonio de' GRASSIS, abbé de Sestri ; collecteur urbaniste de la province de Gênes, passé à l'obédience avignonnaise et nommé à nouveau collecteur le 8 juin 1405 [8].

PATRIMOINE en TUSCIE

Pierre ARSENH, de Pamiers, évêque de Montefiascone, nommé le 13 juin 1382 [9] ; non attesté d'autre part comme collecteur.

SARDAIGNE et CORSE

Pierre de MASIERES, nommé le 2 septembre 1388 [10]. — Prêtre du diocèse de Saint-Papoul et recteur de Buzy (Oloron).

Matteo da RAPAZZO, attesté comme collecteur du 5 juillet 1396 [11] au 6 juillet 1404 [12]. — Prieur de San Saturnino (dioc. de Cagliari).

ROMANIE

Bérenger GREGOIRE, collecteur de Chypre, mort avant le 9 août 1386 [13].

1. *Coll.* 359 A, fol. 234 ro.
2. *Reg. Av.* 238, fol. 116 ro.
3. *Coll.* 359, fol. 219 vo.
4. *Reg. Av.* 240, fol. 21 ro.
5. *Reg. Av.* 242, fol. 96.
6. *Reg. Av.* 270, fol. 40 ro.
7. *Reg. Av.* 317, fol. 16.
8. *Reg. Av.* 317, fol. 31 vo.
9. N. Valois, *op. cit.*, II, p. 126.
10. *Reg. Av.* 275, fol. 34 vo.
11. *Coll.* 486.
12. *Reg. Av.* 320, fol. 122-123.
13. *Coll.* 364, fol. 85.

RAYMOND, évêque de Paphos, attesté comme collecteur de Chypre du 12 avril 1380 [1] au 9 août 1386 [2].

Guillaume GRILHET, nommé collecteur de Grêce le 10 juin 1381 [3]. — Chanoine de Patras.

Pietro BUDANA, archevêque de Corfou, nommé collecteur de Grêce, Crète, Rhodes et Chypre le 17 juin 1382 [4].

Antoine MICHEL, nommé collecteur de Chypre avant le 22 mai 1382 [5]. — Archidiacre de Paphos.

Thomas de NEGREPONT, archevêque de Thèbes, nommé collecteur de Rhodes le 8 juillet 1392 [6].

Antonio FREMAJARI, archevêque de Colosse, attesté comme collecteur de Rhodes le 27 août 1403 [7].

Andrea d'ORSANO, nommé collecteur de Rhodes le 25 mars 1406 [8]. — Bachelier en décrets. — Chanoine de Colosse.

Francesco VIRGILI, attesté comme collecteur de Rhodes et Chypre le 20 septembre 1408 [9].

1. *Coll.* 359, fol. 25-26.
2. *Coll.* 364, fol. 85 r°.
3. *Coll.* 359 A. fol. 82 r°-83 r°.
4. *Ibid.*, fol. 180 r°.
5. *Coll.* 359, fol. 120 v° ; *Reg. Vat.* 309, fol. 31 r°.
6. *Reg. Av.* 270, fol. 63 v°-64 r°.
7. *Coll.* 306, fol. 58.
8. *Reg. Av.* 325, fol. 27.
9. *Reg. Av.* 331, fol. 525 r°-526 r°.

COLLECTEURS ROMAINS

Afin de faciliter les recherches, nous donnons ici l'ordre, approximativement géographique, dans lequel sont présentées les collectories.

VENISE

Provinces de Grado, Zara, Raguse, Split et Bar ;
Diocèses d'Aquilée, Trévise, Ceneda, Concordia,
Trieste, Capodistria, Parenzo, Pola et Pedena ; à
partir du 6 février 1392, diocèses de Modène,
Ferrare, Ravenne, Bologne, Imola, Faenza,
Forli, Bertinoro, Cesena, Sarsinia, Rimini,
Montefeltro, Cervia, Comacchio et Adria [1].

Viviano da SANSEVERINO, prieur de Santa Maria de Venise de l'ordre
des Crucifiés, puis maître général de l'ordre (1382) ; attesté du
22 juin 1380 [2] au 10 février 1386 [3] ; également collecteur de
Lombardie et, jusqu'en 1382, de Romanie.

Pellegrino PIETRI, plébain de San Pantaleone de Venise, nommé le
10 novembre 1389 [4] et attesté jusqu'à la nomination de son successeur ; chargé, le 12 avril 1396, de lever les décimes en Toscane, Marche d'Ancône, Lombardie et collectories de Venise et de Romanie [5].

Giovanni MANCO, clerc de la Chambre apostolique, ancien nonce en
Hongrie et en Romagne, nommé le 6 février 1392 [6] ; pouvoirs
étendus, le 28 novembre 1392, aux diocèses de Padoue, Mantoue,
Trente et Feltre [7] ; révoqué et convoqué à la curie le 25 avril 1393 [8] ;
révocation annulée le 15 mai [9] ; pouvoirs étendus à la Lombardie,
en collégialité avec Giovanni da Mantova, de 1400 à 1404 [10] ; nommé
à nouveau le 1er décembre 1404 [11] ; commissaire apostolique dans
la Marche d'Ancône le 18 janvier 1405 [12].

Donato GREPPA, évêque de Torcello, nommé le 18 janvier 1407 [13] ;
également collecteur de Lombardie à partir du 24 juin 1409 [14].

---

1. L'appellation « collecteur de Venise » était courante à la Chambre ; *Div. cam.* 1,
passim.
2. *Reg. Vat.* 310, fol. 78 v°.
3. *Arm.* XXXIII, 12, fol. 78 r°-80 r°.
4. *Arm.* XXXIII, 12, fol. 126 r°.
5. *Arm.* XXXIII, 12, fol. 192-193.
6. *Arm.* XXXIII, 12, fol. 153 v°.
7. *Arm.* XXXIII, 12, fol. 159 r°.
8. *Reg. Vat.* 314, fol. 93 v°-94 r°.
9. *Ibid.*, fol. 99 r°.
10. *Arm.* XXXIII, 12, fol. 203 v°-204 r°, 230, et *Reg. Vat.* 320, fol. 140 et 178 v°.
11. *Arm.* XXXIII, 12, fol. 239 r°.
12. *Reg. Vat.* 333, fol. 149.
13. *Arm.* XXXIII, 12, fol. 270 v°-271 r°.
14. *Arm.* XXXIII, 12, fol. 287 v°-288 v° ; le cumul est attesté le 1er juillet 1409 :
ibidem.

LOMBARDIE   Province de Milan ;
Diocèses de Côme, Plaisance, Parme, Reggio, Mantoue, Vérone, Trente, Vicence, Padoue, Feltre et Bellune ; à partir du 13 juin 1405, diocèse de Brescia ; collectorie particulière constituée le 29 juin 1409 avec la partie piémontaise de la province de Milan.

Unie à la collectorie de Venise jusqu'en 1389.

TOMMASO, abbé de Correto (Lodi), nonce pour récupérer les sommes dues à la Chambre dans les diocèses de Milan, Brescia, Crémone et Lodi, envoyé le 8 mai 1380 [1].

Viviano de SANSEVERINO.

Beltramo BORSANO, évêque de Côme, nommé le 10 novembre 1389 [2] mais attesté déjà le 23 avril 1389 [3] et encore le 20 octobre 1394 [4].

Lucchino BORSANO, évêque de Côme, nommé le 24 janvier 1396 [5] et encore attesté le 21 février 1400 [6].

Réunie à la collectorie de Venise de 1400 à 1405.

Giovanni MANCO.

Giovanni da MANTOVA, prieur de Santa Maria de Venise, puis (3 mars 1406) patriarche de Grado ; nommé collecteur de Venise le 10 mars 1400 [7] et de Lombardie le 13 juin 1405 [8], mais attesté en Lombardie, en collégialité avec Giovanni Manco, dès le 14 août 1403 [9].

Angelo BARBADIGO, évêque de Vérône, nommé le 18 janvier 1407 [10].

Réunie à la collectorie de Venise le 24 juin 1409.

Donato GREPPA.

PIÉMONT   Diocèses de Tortona, Bobbio, Alessandria, Asti, Alba, Albenga, Verceil et Turin.

Agostino CORTE, abbé de San Marciano de Tortona, nommé le 29 juin 1407 [11].

GENES   Province de Gênes, et, à partir du 21 novembre 1401, diocèses de Savone, Acqui et Vintimille.

Giovanni SIMONE, archiprêtre de Lucques, nommé le 9 janvier 1381 [12].

---

1. *Reg. Vat.* 310, fol. 11.
2. *Arm.* XXXIII, 12, fol. 126 r°.
3. *Div. cam.* 1, fol. 80 r°.
4. *Reg. Vat.* 314, fol. 309.
5. *Arm.* XXXIII, 12, fol. 188 v°-189 r°.
6. *Reg. Vat.* 316, fol. 323 r°.
7. *Arm.* XXXIII, 12, fol. 203 v°-204 r°.
8. *Arm.* XXXIII, 12, fol. 247 v°.
9. *Arm.* XXXIII, 12, fol. 229 r°.
10. *Arm.* XXXIII, 12, fol. 270.
11. *Arm.* XXXIII, 12, fol. 277 v°.
12. *Reg. Vat.* 310, fol. 88 v°-89 v°.

Enrico PILLI, nommé le 22 février 1382 [1].

Jacopo FIESCHI LAVAGNA, archevêque de Gênes, attesté comme collecteur le 24 mai 1387 [2].

Merchione da MORCEDO, prévôt de San Giorgio de Gênes, attesté du 6 février au 24 mai 1389 [3].

Agostino da MONTEACUTO, chanoine de Tortona, nommé le 17 février 1390 [4].

Pietro de' GRASSIS, prévôt de la maison de Santa Maria de Gênes, de l'ordre des Humiliés, puis abbé de Sestri ; nommé le 9 mai 1392 [5] et encore attesté le 13 décembre 1398 [6].

Antonio de' GRASSIS, abbé de Sestri, nommé le 21 novembre 1401 [7] et encore attesté le 16 avril 1404 [8].

Unie à la collectorie de Lombardie en 1405.

Giovanni da MANTOVA.

Angelo BARBADIGO.

Donato GREPPA.

TARENTAISE Province de Tarentaise.

Guillaume LE BON, évêque de Sion, nommé le 14 février 1394 [9] et mort en fonctions le 27 mai 1402 [10].

TRENTE Diocèse de Trente, séparé de la collectorie de Lombardie.

Rambaldo, doyen de Trente, nommé le 7 novembre 1395 [11] et encore attesté le 13 novembre 1400 [12].

TOSCANE Diocèses de Florence, Pise, Sienne, Lucques, Pistoia, Arezzo, Volterra, Fiesole, Luni, Massa et Grosseto.

Jacopo TOLOMEI, évêque de Narni (1378), Chiusi (1383) et Grosseto (1390) ; attesté du 5 juin 1380 [13] au 1er mai 1383 [14] ; également collecteur de Spolète.

1. *Reg. Vat.* 310, fol. 200 vo-201 ro.
2. *Arm.* XXXIII, 12, fol. 94 ro.
3. *Div. cam.* 1, fol. 32 ro et 90 ro.
4. *Arm.* XXXIII, 12, fol. 134 vo-135 ro.
5. *Arm.* XXXIII, 12, fol. 155 vo.
6. *Reg. Vat.* 316, fol. 70 a, vo.
7. *Arm.* XXXIII, 12, fol. 219 vo.
8. *Arm.* XXXIII, 12, fol. 234. La suppression de la collectorie de Gênes eut pour cause la défection du collecteur Antonio de' Grassis, qui passa à l'obédience de Benoît XIII, sans doute avec sa recette ; il fut aussitôt désigné comme collecteur clémentiste dans la province de Gênes, alors occupée par les Français (*Reg. Av.* 317, fol. 31 vo). Les successeurs d'Antonio de' Grassis n'eurent donc guère l'occasion de se manifester en Ligurie.
9. *Arm.* XXXIII, 12, fol. 170 ro.
10. *Reg. Vat.* 333, fol. 190.
11. *Arm.* XXXIII, 12, fol. 186 ro.
12. *Arm.* XXXIII, 12, fol. 213 ro.
13. *Reg. Vat.* 310, fol. 51.
14. *Arm.* XXXIII, 12, fol. 38 ro.

Ugolino MALPIGLI, docteur en décrets, chanoine de Pise, attesté depuis le 10 février 1386 [1], nommé (à nouveau ?) le 17 novembre 1394 [2] et encore attesté le 13 août 1395 [3].

Filippo CAVALCANTI, chanoine de Florence, attesté comme collecteur, avec Ugolino Malpighi, du 25 octobre 1385 au 27 janvier 1387 [4].

Pietro RICCI, chanoine de Florence, nommé le 18 juillet 1398 [5] ; évêque d'Arezzo en 1403 ; confirmé le 23 janvier 1404 [6], le 11 novembre 1404 [7] et le 4 février 1407 [8] ; encore attesté le 11 juin 1408.

Donato da NARNI, collecteur de Spolète, également chargé de la collectorie de Toscane du 10 mars [9] à la fin de l'année 1404, mais parti, en fait, pour Bologne dès le 6 juillet [10].

SPOLÈTE   Diocèses de Sabine, Rieti, Narni, Terni, Amelia, Todi, Spolète, Foligno, Assise, Nocera, Gubbio, Città di Castello ; de 1386 à 1396, les diocèses de la collectiorie de Pérouse.

Unie à la collectorie de Toscane, puis à celle de Pérouse.

Jacopo TOLOMEI, collecteur de Toscane.

Francesco, abbé de San Pietro de Pérouse, attesté du 10 février 1386 [11] ; au 26 novembre 1389 [12] ; également collecteur de Pérouse.

Ercolano, abbé de San Savino de Fermo, puis (1393) de Sant'Antimo (Chiusi) ; ancien collecteur de la Marche d'Ancône ; nommé le 19 décembre 1392 [13] et à nouveau le 10 juin 1393 [14].

Bandello BANDELLI, évêque de Città di Castello, puis (1407) de Rimini, cardinal en septembre 1408 ; nommé le 28 octobre 1394 [15] ; également collecteur de Pérouse.

Donato da NARNI, docteur en décrets, chanoine de Narni ; nommé le 13 janvier 1396 [16] ; également collecteur en Toscane en 1404 ; clerc de la Chambre apostolique en 1405.

Matteo PETRONI, docteur en décrets, de Spolète ; nommé le 24 février 1405 [17].

1. *Arm.* XXXIII, 12, fol. 82 v°.
2. *Arm.* XXXIII, 12, fol. 177 r°.
3. *Reg. Vat.* 314, fol. 377 v°.
4. *Div. cam.*, 1, fol. 35 v°-36 v°.
5. *Arm.* XXXIII, 12, fol. 198 r°.
6. *Arm.* XXXIII, 12, fol. 231 v°.
7. *Arm.* XXXIII, 12, fol. 239 v°.
8. *Arm.* XXXIII, 12, fol. 266.
9. *Arm.* XXXIII, 12, fol. 232.
10. *Reg. Vat.* 319, fol. 26 v°-27 r°.
11. *Arm.* XXXIII, 12, fol. 82 v°.
12. *Div. cam.* 1, fol. 126 v°.
13. *Arm.* XXXIII, 12, fol. 159 v°.
14. *Arm.* XXXIII, 12, fol. 162 v°.
15. *Arm.* XXXIII, 12, fol. 175 r°-176 r°.
16. *Arm.* XXXIII, 12, fol. 188 r° ; *Reg. Vat.* 315, fol. 15 v°.
17. *Arm.* XXXIII, 12, fol. 243 v°-244 r°.

Benedetto VANNI SCASI, prieur de San Benedetto de Norcia ; nommé le 1er février 1407 [1].

Domenico di Giovanni, chanoine de Spolète, nommé le 18 avril 1408 [2].

Benedetto VANNI SCASI, nommé à nouveau le 1er décembre 1408 [3].

PÉROUSE Diocèses d'Orvieto, Viterbe, Tuscania, Monte-fiascone, Civita Castellana, Bagnoregio, Castro, Orte, Sutri, Nepi, Pérouse, Chiusi, Cortone et Suano, et parties des diocèses d'Assise, Città di Castello, Gubbio et Nocera ne faisant pas partie du duché de Spolète.

Ottone da PERUGIA, chanoine de Sienne, attesté du 16 juin 1380 [4] au 29 juillet 1382 [5].

Unie à la collectorie de Spolète avant 1386 et jusqu'en 1396. Un collecteur fut probablement nommé par le recteur Andrea Tomacelli vers cette époque [6].

Francesco, abbé de San Pietro de Pérouse.

Ercolano, abbé de Sant'Antimo.

Bandello BANDELLI.

Michele di PIETRO da PISA, abbé de San Zeno de Pise, nommé le 4 février 1398 [7] et encore attesté le 10 mai 1401 [8].

Paolo DAMIANI, chanoine de Città di Castello, nommé le 4 novembre 1403 [9] ; ultérieurement nommé collecteur de la Marche d'Ancône.

Gasparro ALESSANDRI, clerc de la Chambre apostolique, chanoine de Pérouse ; nommé le 18 novembre 1404 [10].

Antonio PORZIANI, évêque de Sora, nommé le 24 février 1405 [11].

Antonio, abbé de Marzano (Città di Castello), nommé le 1er décembre 1405 [12] et à nouveau le 6 avril 1407 [13] ; encore attesté le 8 février 1408 [14].

Michele di PIETRO da PISA, nommé à nouveau le 23 décembre 1408 [15].

1. *Arm.* XXXIII, 12, fol 271 v°.
2. *Arm.* XXXIII, 12, fol. 281.
3. *Arm.* XXXIII, 12, fol. 286 r°.
4. *Reg. Vat.* 310, fol. 67 v°-68 r°.
5. *Reg. Vat.* 310, fol. 265 r°.
6. *Reg. Vat.* 314, fol. 400 v°.
7. *Arm.* XXXIII, 12, fol. 196 r°.
8. *Arm.* XXXIII, 12, fol. 216 v°.
9. *Arm.* XXXIII, 12, fol. 230 v°.
10. *Arm.* XXXIII, 12, fol. 238 r°.
11. *Arm.* XXXIII, 12, fol. 242 v°-243 v°.
12. *Arm.* XXXIII, 12, fol. 250 v°.
13. *Arm.* XXXIII, 12, fol. 274.
14. *Arm.* XXXIII, 12, fol. 280 v°.
15. *Arm.* XXXIII, 12, fol. 286 v°.

TODI   Comté et diocèse de Todi.

Felice GRAZIANI, nommé le 17 février 1393 [1], non attesté par ailleurs ;
le diocèse de Todi semble compris dans la collectorie confiée le
28 octobre 1394 à Bandello Bandelli dont la nomination fait état du
duché de Spolète, sans restriction.

LUCQUES   Diocèses de Lucques et Luni, sauf les terres
dépendant de la commune de Florence [2].

Niccolo di LAZZARO de' GUINIGI, évêque de Lucques, nommé collecteur
le 29 mai 1408 [3].

FANO   Diocèse de Fano.

Antonio da VENEZIA, évêque de Fano, nommé le 15 mars 1409 avec une
assignation générale des revenus de la Chambre dans son diocèse
à son profit [4].

**MARCHE
D'ANCÔNE**   Province de la Marche d'Ancône.

Domenico da SANSEVERINO, plébain de San Stefano de Monte Santo
(Fermo), attesté le 13 juin 1381 [5].

Ercolano, abbé de San Savino, attesté le 19 septembre 1389 [6] ; puis
collecteur de Spolète.

Taddeo, abbé de San Cristoforo de Casteldurante (Urbino), nommé le
12 février 1390 [7].

Antonio TRASSATI, évêque d'Umana, nommé le 23 juillet 1393 [8].

Francesco PIETRI, chanoine de Pesaro, nommé le 11 décembre 1396 [9].

Filippo PALLALIONI, recteur de San Zeno de Fermo, nommé le 28 juillet
1400 [10].

Francesco da TERAMO, attesté le 30 janvier 1401 [11].

Andreassio di ALDERISIO da SUMINA, docteur ès lois, chanoine de
Corfou, nommé le 21 mai 1402 [12].

Giovanni MANCO, clerc de la Chambre apostolique, collecteur de Venise,
nommé commissaire en Marche d'Ancône le 18 janvier 1405 [13].

---

1. *Arm.* XXXIII, 12, fol. 160 r°.
2. Elles dépendaient de la collectorie de Toscane (bulle du 12 sept. 1408) ; *Reg. Vat.*
337, fol. 39.
3. *Arm.* XXXIII, 12, fol. 281 v°-282 r°.
4. *Arm.* XXXIII, 12, fol. 287 r° ; *Reg. Vat.* 337, fol. 74 v°.
5. *Reg. Vat.* 310, fol. 115 r°.
6. *Div. cam.* 1, fol. 116 r°.
7. *Arm.* XXXIII, 12, fol. 133 v°-134 r°.
8. *Arm.* XXXIII, 12 fol. 162 r°.
9. *Arm.* XXXIII, 12, fol. 193 v°.
10. *Arm.* XXXIII, 12, fol. 205 v°.
11. *Reg. Vat.* 317, fol. 110 r°.
12. *Arm.* XXXIII, 12 fol. 221 v°.
13. *Reg. Vat.* 333, fol. 149.

Paolo DAMIANI, chanoine de Città di Castello, ancien collecteur de Pérouse, nommé en Marche d'Ancône le 7 février 1405 [1].

MARIOTTO, abbé de Santa Croce de Fonte Avellana (Gubbio), nommé le 1er septembre 1405 [2] et encore attesté le 29 septembre 1406 [3].

Giovanni CECCHI, évêque de Nicopoli (Stari Nicup, en Bulgarie), nommé le 18 janvier 1407 [4] et encore attesté le 30 mars 1407 [5].

Pietro ROMOLI, clerc de la Chambre apostolique, chanoine du Latran, nommé trésorier de la Marche d'Ancône le 28 septembre [6] et collecteur le 1er octobre 1408 [7].

CAMPAGNE ET MAREMME

Giovanni PANELLA, évêque de Ferentino, nommé le 26 juillet 1392 [8].

NAPLES   Extension variable.

Pietro, évêque de Gaëte, nommé le 15 octobre 1381 collecteur dans les provinces de Naples et Capoue et les diocèses de Gaëte, Fondi, Sora et Aquino [9].

Niccolò di DIANO, chanoine de Teano, nommé le 29 janvier 1393 collecteur dans les provinces de Naples et Capoue et le diocèse d'Aversa [10].

Erecco, évêque d'Aversa, nommé le 25 mai 1406 collecteur dans les provinces de Naples, Capoue, Salerne, Amalfi et Sorrente [11], confirmé le 1er janvier 1407 [12] et encore attesté le 1er avril 1407 [13].

AMALFI   Provinces d'Amalfi, Salerne et Sorrente.

Sergio GRISONI, archevêque d'Amalfi, nommé le 15 octobre 1381 [14].

Infante VULPULA, archidiacre de Vico Equense, nommé le 13 mai 1394 [15].

Niccolò da MASSO, primicier de l'église d'Ischia, nommé le 24 novembre 1399 collecteur dans les provinces d'Amalfi, Salerne, Sorrente et Bénévent [16].

Rattachée à la collectorie de Naples en 1406.

BÉNÉVENT   Province de Bénévent.

Donato da AQUINO, archevêque de Bénévent, attesté le 7 janvier 1392 [17].

1. *Arm.* XXXIII, 12, fol. 241 v°.
2. *Arm.* XXXIII, 12, fol. 249 r°.
3. *Reg. Vat.* 334, fol. 199 r°.
4. *Arm.* XXXIII, 12, fol. 269 r°.
5. *Reg. Vat.* 335, fol. 82.
6. *Reg. Vat.* 336, fol. 259 v°.
7. *Arm.* XXXIII, 12, fol. 284 r°.
8. *Arm.* XXXIII, 12, fol. 157 v°.
9. *Reg. Vat.* 310, fol. 134 v°.
10. *Arm.* XXXIII, 12, fol. 159 v°.
11. *Ibid.*, fol. 253 r°.
12. *Ibid.* fol. 267 r°.
13. *Reg. Vat.* 335, fol. 88.
14. *Reg. Vat.* 310, fol. 135 r°.
15. *Arm.* XXXIII, 12, fol. 170 v°.
16. *Ibid.*, fol. 202 v°.
17. *Reg. Vat.* 313, fol. 247 v°-248 r°.

Niccolò da MASSO (voir ci-dessus).

Bassostachio FORMICE, évêque de Lucera, nommé le 7 mai 1406 collecteur dans les provinces de Bénévent, Siponto, Trani et Bari ; nomination immédiatement annulée [1].

FONDI   Diocèses de Gaëte, Sessa, Fondi, Terracine et Aquino, et terres de l'abbaye du Mont-Cassin.

Détaché en 1406 de la collectorie de Campanie.

Marino MERULA, évêque de Gaëte, nommé le 1er février 1406 [2] et encore attesté le 12 mars 1407 [3].

CALABRE   Provinces de Cosenza, Reggio Calabria, Rossano et Santa Severina.

Giordano, archevêque de Reggio, nommé le 15 octobre 1381 [4].

Filippo, évêque de Squillace, nommé collecteur le 2 juin 1389 [5] et trésorier en Calabre le 13 juin [6].

Jacopo, évêque de Capaccio, nommé le 6 février 1393 [7].

Niccolò VALENTI, de Tarente, chantre de Mileto, nommé le 19 décembre 1397 [8].

Niccolò, évêque de Tricarico, nommé le 1er novembre 1399 [9].

Giovanni SICCI da TERAMO, évêque de Sarno, nommé le 30 juillet 1400 [10] et encore attesté le 23 avril 1403 [11].

Angelo da TAFO, évêque de Gerace, nommé le 17 avril 1406 [12] et confirmé le 1er avril 1407 [13].

TARENTE   Terre d'Otrante et principauté de Tarente ; provin-
et POUILLES   ces de Brindisi, Tarente, Acerenza, Conza et Siponto.

Division en 1381 :

Giovanni, archevêque de Siponto, nommé le 15 octobre 1381 collecteur dans les provinces de Siponto, Tarente et Brindisi [14].

---

1. *Arm.* XXXIII, 12, fol. 262 v°.
2. *Ibid.*, fol. 255 v°.
3. *Reg. Av.* 335, fol. 77 r°.
4. *Reg. Vat.* 310, fol. 134 r°.
5. *Reg. Vat.* 312, fol. 15.
6. *Reg. Vat.* 347, fol. 19 r°-20 r°.
7. *Arm.* XXXIII, 12, fol. 160 r°.
8. *Ibid.*, fol. 196 r°.
9. *Ibid.*, fol. 202 r° ; il fut transféré du siège de Rossano à celui de Tricarico vers cette date.
10. *Arm.* XXXIII, 12, fol. 211 r°.
11. *Reg. Vat.* 320, fol. 114 r°.
12. *Arm.* XXXIII, 12, fol. 259 v°.
13. *Ibid.*, fol. 274 v°.
14. *Reg. Vat.* 310, fol. 132 v°-133 v°.

Jacopo di SILVESTRO, archevêque d'Acerenza, nommé le même jour collecteur dans les provinces d'Acerenza et Conza [1].

Réunion, au plus tard en 1399 :

Giovanni da PIETRAMALA, évêque d'Ugento, nommé le 29 octobre 1399 [2].

Marco da TERAMO, évêque de Monopoli, nommé le 1er mars 1401 [3].

Division sans suite en 1406 :

Onofrio da SULMONA, évêque d'Ugento, nommé le 7 mai 1406 collecteur dans les provinces de Brindisi et Otrante ; nomination immédiatement annulée [4].

Riccardo da OLIBANO, archevêque d'Acerenza, nommé le même jour collecteur dans les provinces de Tarente, Acerenza et Conza ; nomination immédiatement annulée [5].

SICILE   Royaume de Trinacrie.

Simon de PUITS, évêque de Catane, nommé avant le 4 novembre 1380 [6] et encore attesté le 30 mars 1392 [7].

Gilforte RICCOBONE, archevêque de Palerme, nommé le 6 octobre 1395 [8], mort en 1398.

Ubaldino CAMBI, archevêque d'Oristano, docteur en décrets, ancien collecteur en Bohême, référendaire du Pape ; nommé le 3 septembre 1398 [9] ; mort en 1400, avant le 4 septembre [10].

Simone da MIROPONTE, prêtre du diocèse de Messine, nommé collecteur dans le diocèse de Messine le 11 janvier 1405 et attesté dès le lendemain comme collecteur de Trinacrie [11].

Tommaso GRISAFI, archevêque de Messine, nommé le 22 octobre 1408 [12].

SARDAIGNE   Iles de Sardaigne et, sauf avant 1386 et de 1391 à 1395, de Corse.

Jacopo, archevêque d'Oristano, attesté le 15 mai 1382 [13].

Benedetto ANDRIGHELLI, évêque de Castellaneta, nommé avec Gentile le 13 mai 1383 [14] ; mort vers 1386.

Gentile, évêque de Grasse [15], nommé le même jour.

---

1. *Ibid.*, fol. 134 r°.
2. *Arm.* XXXIII, 12, fol. 201 v°.
3. *Ibid.*, fol. 215 v°-216 r°.
4. *Ibid.*, fol. 261 r°.
5. *Ibid.*, fol. 262 r°.
6. *Reg. Vat.* 310, fol. 82.
7. *Reg. Vat.* 313, fol. 301 v°.
8. *Arm.* XXXIII, 12, fol. 184 v°.
9. *Arm.* XXXIII, 12, fol. 198 v°.
10. EUBEL, *op. cit.*, p. 102.
11. *Arm.* XXXIII, 12, fol. 241.
12. *Arm.* XXXIII, 12, fol, 284 v°.
13. *Reg. Vat.* 310, fol. 224 v°.
14. *Arm.* XXXIII, 12, fol. 40 r°.
15. Personnage totalement inconnu.

Giovanni di LORO, chanoine d'Oristano, attesté le 26 février 1386 [1].

Giovanni, évêque de Santa Giusta, attesté comme collecteur du 15 novembre 1389 [2] au 20 mars 1392 [3].

Francesco BUONACCORSI, évêque de Gravina, nommé le 3 août 1395 [4] et encore attesté le 13 janvier 1396 [5].

Bartolomeo VITI da BENETENDI, archidiacre de Volterra, nommé le 1er décembre 1399 [6] et encore attesté le 30 juin 1400 [7].

Abbate CONTI da PLATOMONE, chantre de Salerne, nommé le 9 avril 1404 [8].

Niccolò BERRUTI, archevêque d'Oristano, nommé le 15 mai 1405 [9] ; nomination annulée avant le 26 mai.

Antioco PUGILLO, chanoine d'Oristano, nommé le 26 mai 1405 [10] et encore attesté le 12 mars 1407 [11].

Lazzaro, chanoine de Pise, scripteur et abréviateur des lettres apostoliques, nommé collecteur le 11 juin 1407 [12].

CORSE   Unie à la collectorie de Sardaigne, sauf :

Sambuco BUONACCORSI, prêtre, recteur de Sant'Andrea d'Oletta (Nebbio), nommé nonce en Corse le 21 mai 1380 [13] et attesté comme collecteur le 23 mai [14].

Raffaele da CANCELLO, évêque de Nebbio, attesté le 1er juin 1382 [15].

Giovanni da OMESSA, évêque de Mariana, nommé le 18 novembre 1391 [16].

ANGLETERRE

Cosimo di GENTILE MEGLIORATO, licencié en décrets, chancelier de Capoue, prévôt de Sulmona, chapelain du Pape ; nommé le 27 août 1379 [17] et encore attesté le 24 mars 1386 [18] ; également clerc du Sacré Collège, attesté comme tel le 14 mars 1381 [19] ; ultérieurement archevêque de Ravenne en 1387, évêque de Bologne en 1389, cardinal le 18 décembre 1389, élu pape le 17 octobre 1404 (Innocent VII).

---

1. *Arm.* XXXIII, 12, fol. 91 r°-93 r°.
2. *Div. cam.* 1, fol. 123.
3. *Reg. Vat.* 313, fol. 298 r°.
4. *Reg. Vat.* 314, fol. 376 v°.
5. *Arm.* XXXIII, 12, fol. 188 v°.
6. *Arm.* XXXIII, 12, fol. 203 r°.
7. *Arm.* XXXIII, 12, fol. 209 v°.
8. *Arm.* XXXIII, 12, fol. 233 v°.
9. *Arm.* XXXIII, 12, fol. 245 v°.
10. *Arm.* XXXIII, 12, fol. 246 v°.
11. *Reg. Vat.* 335, fol. 76 r°.
12. *Arm.* XXXIII, 12, fol. 276 v°.
13. *Reg. Vat.* 310, fol. 20 v°-21 r°.
14. *Reg. Vat.* 310, fol. 26.
15. *Reg. Vat.* 310, fol. 247 v°.
16. *Arm.* XXXIII, 12, fol. 152 r°.
17. *Reg. Vat.* 310, fol. 9 r°-10 r°.
18. *Arm.* XXXIII, 12, fol. 87 v°.
19. *Reg. Vat.* 310, fol. 123 r°.

Jacopo DARDANI, licencié ès lois, archidiacre de Norfolk (Nordwich), clerc de la Chambre apostolique, ancien collecteur en Flandre; nommé en Angleterre le 1er mai 1388 [1] et mort en fonctions peu avant le 27 janvier 1399 [2].

Lodovico ALIOTTI, évêque de Volterra, nommé le 27 mars 1399 [3], encore attesté le 25 mars 1406 [4] et probablement jusqu'à la nomination de son successeur [5].

Lorenzo RICCI, évêque d'Ancône, nommé le 4 février 1407 [6].

IRLANDE

William, évêque d'Emly, déjà révoqué le 9 mai 1380 [7].

John DUNCAN, évêque de Suderoerne, déjà révoqué le 9 mai 1380.

William PYROIM, recteur de Dounbing, attesté comme nonce le 9 mai 1380.

John KARLELL, chancelier de Dublin, attesté comme nonce avec William Pyroim le 9 mai 1380, et comme ancien collecteur par une bulle du 18 juin 1392 [8].

William WESTORP, recteur de Craslaw, nommé le 7 décembre 1382 [9].

Francesco di CAPPONAGO, docteur en décrets, prieur de San Martino de Sienne, nommé le 10 novembre 1389 [10] et encore attesté le 7 septembre 1394 [11], après un voyage à Rome [12].

John FOX, chanoine de Dublin, nommé le 7 juillet 1397 [13] et encore attesté le 12 mars 1407 [14].

GUYENNE

Duché de Guyenne (partie soumise au roi d'Angleterre); les diocèses appartenant à la province d'Auch ont parfois formé une collectorie séparée.

Hélie POLET, révoqué avant 1380.

Jean du VERDIER, docteur en décrets, doyen de Saint-Seurin de Bordeaux [15], nommé le 20 avril 1380 [16]; mort en fonctions.

1. *Reg. Vat.* 311, fol. 172 v°. *Cal. pap. reg.*, IV, p. 267.
2. *Reg. Vat.* 316, fol. 79.
3. *Arm.* XXXIII, 12, fol. 199 r°.
4. *Reg. Vat.* 334, fol. 77 v°-78 r°.
5. *Reg. Vat.* 336, fol. 27.
6. *Arm.* XXXIII, 12, fol. 271 v°.
7. *Reg. Vat.* 310, fol. 16.
8. *Reg. Vat.* 313, fol. 331 v°-332 v°.
9. *Arm.* XXXIII, 12, fol. 39 v°.
10. *Ibid.*, fol. 129 r°.
11. *Reg. Vat.* 314, fol. 296.
12. Peut-être pour rendre ses comptes.
13. *Arm.* XXXIII, 12, fol. 195 v°.
14. *Reg. Vat.* 335, fol. 76 v°.
15. Il était d'une famille bordelaise qui avait déjà fourni plusieurs clercs au diocèse (Léo DROUYN, *Comptes de l'archevêché de Bordeaux*, II, p. 690). Nous croyons la forme Verdier plus conforme à la toponymie régionale que les formes Viridar ou Verger, préconisées par Drouyn.
16. *Reg. Vat.* 310, fol. 40 r°.

Raymond de ROCQUEIS, archevêque de Bordeaux, nommé le 19 mai 1382 pour la province de Bordeaux [1] et le 9 juin 1382 pour celle d'Auch [2].

Jean EMBRIN, doyen de Bordeaux, acolyte du pape ; nommé le 1er juillet 1392 [3].

Pierre du BOSC, évêque de Dax, nommé le 1er avril 1398 [4] ; attesté comme nonce en Angleterre les 13 mai 1398 [5] et 27 janvier 1399 [6] ; mort à Barcelone le 27 avril 1400 [7].

Pierre ARNAUD de *SALABERTANO*, trésorier de Saint-Seurin de Bordeaux, nommé le 1er septembre 1400 [8].

Bertrand de *CASTRO*, prieur de Saint-Pierre de Camelhas, puis (1405) abbé de Saint-Romain de Blaye, nommé le 27 août 1403 [9] et encore attesté le 1er mai 1405 [10].

Bertrand de *TIURASSIO*, sacriste de Sainte-Croix de Bordeaux, nommé le 6 mars 1406 [11].

Garcie, évêque de Dax, nommé le 1er mai 1407 [12].

Jean CONSTANT, docteur en décrets, chanoine de Bordeaux, nommé le 26 novembre 1407 [13].

Bertrand de *TIURASSIO*, nommé à nouveau le 11 août 1408 pour la province de Bordeaux [14] et le 2 décembre 1408 pour celle d'Auch [15] ; encore attesté le 12 juillet 1409 [16].

AUCH

Unie à la collectorie de Guyenne jusqu'en 1397.

Jean du VERDIER.

Jean EMBRIN.

Pierre d'ANGLADE, archevêque d'Auch, nommé collecteur dans les diocèses de Tarbes et Oloron le 22 septembre 1397 [17].

Réunie à la collectorie de Guyenne vers 1398 et jusqu'en 1400.

Pierre du BOSC.

Pierre d'ALBERNET, chanoine de Dax, nommé le 1er septembre 1400 [18].

Réunie à la collectorie de Guyenne de 1403 à 1407.

1. *Ibid.*, fol. 233 r°-234 r°.
2. *Ibid.*, fol. 242 r°.
3. *Arm.* XXXIII, 12, fol. 157 r°.
4. *Ibid.*, fol. 197 v°.
5. *Reg. Vat.* 315, fol. 307.
6. *Reg. Vat.* 316, fol. 79.
7. Eubel, *Hier. cath.*, I, p. 97. Il n'avait pas rendu ses comptes (*Arm.* XXXIII, 12, fol. 234 v°-235 r°). On a vu combien sa gestion avait été désastreuse (ci-dessus, p. 162).
8. *Arm.* XXXIII, 12, fol. 211.
9. *Arm.* XXXIII, 12, fol. 228 v°.
10. *Reg. Vat.* 333, fol. 256 v°.
11. *Arm.* XXXIII, 12, fol. 254 v°.
12. *Arm.* XXXIII, 12, fol. 276 r°.
13. *Arm.* XXXIII, 12, fol. 279 r°.
14. *Arm.* XXXIII, 12, fol. 283 r°.
15. *Arm.* XXXIII, 12, fol. 285 v°.
16. *Reg. Vat.* 337, fol. 115.
17. *Arm.* XXXIII, 12, fol. 194 v°. ; *Reg. Vat.* 315, fol. 187 v°.
18. *Arm.* XXXIII, 12, fol. 209 r°.

Bertrand de *CASTRO*

Bertrand de *TIURASSIO*.

Garcie, évêque de Dax.

Pellerin de FABO, élu de Dax [1], nommé le 26 novembre 1407 [2].
Réunie à la collectorie de Guyenne en 1408.

Bertrand de *TIURASSIO*, nommé pour Auch le 2 décembre 1408 [3].

BRETAGNE   Duché de Bretagne.

Robert de HOO, chanoine de Lincoln, nommé le 1er mars 1380 [4].

PORTUGAL

Giovanni di ANDRIOLO GUADAGNABENE da PIACENZA, doyen de
    Silves, nommé le 13 juin 1381 [5].

Lourenço VICENTE, archevêque de Braga, et Joâo JOANIZ de TOMAR,
    chanoine de Lisbonne, nommés le 17 mars 1382 [6].

Joâo HOMEM évêque de Viseu, nommé le 26 février 1387 [7] et encore
    attesté le 10 novembre 1389 [8] ; confirmé le 1er février 1391 [9].

Francesco CECCHI, évêque de Pouzzole, nommé le 14 décembre 1391 [10],
    mais déjà nonce au Portugal le 29 janvier 1390 [11] ; mort en fonctions
    peu avant le 22 octobre 1395 [12].

Tommaso MORGANTI, évêque d'Anagni, nommé le 22 octobre 1395 [13] et
    confirmé le 11 novembre 1404 [14].

Antonio da CARPINETO, docteur en décrets, chanoine de Penne, nommé
    le 1er décembre 1405 [15] et encore attesté le 22 février 1407 [16].

Jacobus WARNE, archidiacre de Salerne, nommé le 22 février 1407 [17].

ROMANIE   Provinces de Patras, Crète, Colosse, Durazzo, Corfou, Athènes, Thèbes, Corinthe, Lépante, Neä Paträ et Naxos.

Détachée de la collectorie de Venise en 1382.

Viviano da SANSEVERINO.

1. Inconnu de Eubel.
2. *Arm.* XXXIII, 12, fol. 279 v°.
3. *Ibid.*, fol. 285 v°.
4. *Reg. Vat.* 310, fol. 10 v°-11 r°.
5. *Ibid.*, fol. 117 v°.
6. *Ibid.*, fol. 205 r°-206 r°.
7. *Reg. Vat.* 311, fol. 33 r°.
8. *Arm.* XXXIII, 12, fol. 122 r°.
9. *Ibid.*, fol. 146 v°.
10. *Ibid.*, fol. 154 v°.
11. *Reg. Vat.* 347, fol. 84.
12. *Reg. Vat.* 314, fol. 400 r°.
13. *Arm.* XXXIII, 12, fol. 185 v°.
14. *Ibid.*, fol. 242 r°.
15. *Ibid.*, fol. 253 r°.
16. *Reg. Vat.* 335, fol. 50.
17. *Arm.* XXXIII, 12, fol. 272.

Antonio, archevêque d'Antivari, nommé le 30 juillet 1382 collecteur dans les provinces d'Antivari, Raguse et Durazzo, le diocèse de Cattaro et la principauté d'Albanie [1] ; encore en fonctions du 15 décembre 1386 au 22 octobre 1388 [2].

Antonio de' MERCADANTI, chanoine de Patras, déjà attesté en Crète le 9 janvier 1381 [3], nommé le 15 mai 1383 [4].

Benedetto, abbé de Santa-Maria de Pola, attesté le 19 juillet 1389 [5].

Guglielmo FIORE, d'Amalfi, recteur de San Gregorio de Salerne, nommé le 12 mai 1391 [6] et incarcéré lors de son arrivée à Patras [7].

Pietrospirito, abbé de San Tommaso de' Borgognoni (dioc. Torcello), nommé le 5 mai 1394 [8].

Lodovico ALIOTTI, archevêque d'Athènes, révoqué le 27 avril 1395 [9] ; ultérieurement collecteur d'Angleterre.

Pietro, abbé de San Tommaso (Torcello), nommé le 27 avril 1395 et encore attesté le 1er décembre 1400 [10].

Paolo di GIOVANNI, évêque de Chioggia, attesté le 17 février 1403 [11]

Francesco de' PAVONI, évêque de Chiron puis (1406) de Crète, nommé le 12 mai 1405 [12].

Unie à la collectorie de Venise le 18 janvier 1407.

Donato GREPPA.

CHYPRE   Province de Nicosie et royaume de Chypre.

Lucchino CIGALA, Génois, archidiacre de Famagouste, nommé le 6 juin 1391 [13].

COLOGNE   Province de Cologne et diocèse de Metz.

Siger von NEUENSTEIN, prévôt de Malines (Cambrai) nommé le 18 février 1372 [14] et peut-être avant 1360 [15] ; encore attesté, avec Jean de *Pavone*, le 20 février 1383 [16] ; mort en fonctions le 18 décembre 1383 [17].

---

1. *Reg. Vat.* 310, fol. 268 r°.
2. *Div. cam.* 1, fol. 33 r°-34 r°.
3. *Ibid.*, fol. 89 v°.
4. *Arm.* XXXIII, 12, fol. 36 r°.
5. *Ibid.*, fol. 112 r°.
6. *Ibid.*, fol. 149 v°.
7. Voir ci-dessus, p. 161-162.
8. *Arm.* XXXIII, 12, fol. 170.
9. *Ibid.*, fol. 182 r°.
10. *Ibid.*, fol. 214 r°.
11. *Ibid.*, fol. 223.
12. *Ibid.*, fol. 245.
13. *Ibid.*, fol. 151 r°.
14. *Lettres Grég. XI... autres que la France*, n° 554.
15. KIRSCH, *Die päpstl. Kollektorien*, p. 333.
16. *Reg. Vat.* 310, fol. 328 v°.
17. TIHON, *Lettres d'Urbain VI*, II, n° 2510.

Jacopo DARDANI, collecteur de Flandre et clerc de la Chambre apostolique, chargé de la collectorie de Cologne aux côtés de Neuenstein, le 15 juillet 1380 [1]; encore attesté à Cologne le 20 février 1383 [2].

Jean de *PAVONE*, docteur en décrets, chanoine de Cologne, nommé pour seconder Neuenstein le 1er juin 1382 [3]; encore attesté le 2 août 1386 [4]; mort avant le 8 juin 1396 [5].

Tilman von SMALENBORCH, doyen de *Sancta-Maria ad Gradus* de Cologne, nommé le 19 janvier 1390 [6] et encore attesté le 15 juin 1401 [7].

Gotfried von DINSLAKEN, chanoine de *Sancta-Maria ad Gradus* de Cologne, docteur en décrets, nommé le 1er février 1401 [8] et encore attesté le 11 mars 1407 [9].

MAYENCE
Province de Mayence et diocèses de Bamberg et Bâle.

Johann SCHADLAND, ancien évêque d'Augsbourg, mort le 1er avril 1378 [10].

Heilmann RUCKER, doyen de Saint-Victor de Mayence, révoqué avant le 5 juillet 1381 [11].

Eckard von DERSCH, évêque de Worms, nommé le 5 juillet 1381 [12], encore attesté le 10 novembre 1389 [13].

Colin, doyen de Saint-Paul de Worms, nommé le 13 juin 1394 [14] et encore attesté en 1396 [15].

Eberhard von KIRCHBERG, fils du comte Wilhelm, chanoine puis doyen de Strasbourg, enfin (1404) évêque d'Augsbourg; ancien collecteur de Strasbourg; nommé le 23 juillet 1397 [16], confirmé le 11 novembre 1404 [17] et encore attesté le 15 décembre 1404 [18].

Johann von SELHEIM, prévôt de *Sancta-Maria ad Gradus* de Mayence, nommé le 28 mai 1406 [19] et encore attesté le 1er décembre 1407 [20].

1. *Reg. Vat.* 310, fol. 74.
2. *Reg. Vat.* 310, fol. 329 r°.
3. *Reg. Vat.* 310, fol. 236 r°.
4. *Arm.* XXXIII, 12, fol. 89 v°.
5. *Reg. Lat.* 41, fol. 8 r°.
6. *Arm.* XXXIII, 12, fol. 127 v°.
7. *Reg. Lat.* 89, fol. 224 r°.
8. *Arm.* XXXIII, 12, fol. 229 v°.
9. TELLENBACH, *Repertorium*, II, col. 1316.
10. *Dict. hist. géogr. eccl.*, V, col. 404.
11. *Reg. Vat.* 310, fol. 120.
12. *Reg. Vat.* 310, fol. 119 v°.
13. TELLENBACH, *op. cit.*, col. 247.
14. *Arm.* XXXIII, 12, fol. 173 v°.
15. TELLENBACH, *op. cit.*, col. 11 (la date indiquée, 1386, doit être corrigée en 1396; cf. col, 303).
16. *Arm.* XXXIII, 12, fol. 195 v°.
17. *Ibid.*, fol. 239 v°.
18. *Reg. Vat.* 333, fol. 98 r°.
19. *Arm.* XXXIII, 12, fol. 256.
20. *Ibid.*, fol. 280 r°.

TRÊVES   Province de Trêves.

Johann RONE, vicaire perpétuel dans l'église de Trêves, puis (1410) prévôt de Saint-Paulin-hors-les-murs de Trêves ; nommé le 1er avril 1383 [1] et encore attesté le 1er septembre 1410 [2].

SALZBOURG   Province de Salzbourg et diocèses de Chur, Eichstätt, Augsbourg, Brixen et Trente.

Ortolf von WEITENSTEIN, doyen de Salzbourg, nommé le 17 mars 1382 [3].

Anton von STUBEN, prévôt de la Toussaint, puis (1392) de Saint-Etienne de Vienne ; nommé le 6 août 1392, sans effet [4] ; à nouveau nommé le 27 juin 1394, il refusa [5].

Marckard von RANDECK, docteur en décrets, prêtre du diocèse d'Augsbourg, professeur de droit canonique à Vienne ; évêque de Minden (1398) puis de Constance (1398) ; nommé collecteur le 8 février 1395 [6] et encore attesté le 30 avril 1403 [7].

Wenceslas THYEM, doyen de Passau, nommé le 1er mai 1407 [8].

MAGDEBOURG   Province de Magdebourg et diocèses de Halberstadt, Paderborn, Lübeck et Hildesheim.

Johann von MARTBURG, chanoine et trésorier de Magdeburg, nommé le 13 février 1383 [9] mais peut-être déjà en fonctions le 10 novembre 1381 [10] ; encore attesté le 10 février 1386 [11].

Gerhard von BERG, évêque de Hildesheim, nommé le 26 février 1387 [12] et encore attesté, après la nomination de son successeur, le 15 décembre 1391 [13].

Niklaus ZIEGENBOCK, évêque de Meissen, nommé le 1er février 1389 [14] et encore attesté le 18 octobre 1390 [15] ; mort avant le 3 décembre 1394 [16].

Johann REDEKIN, archidiacre dans l'église de Magdebourg, nommé le 8 mai 1394 [17] et encore attesté le 27 mars 1406 [18].

---

1. *Reg. Vat.* 310, fol. 352 v°.
2. *Reg. Lat.* 133, fol. 175 v°.
3. *Reg. Vat.* 310, fol. 203 r°-204 r°. Il était encore en vie le 10 décembre 1402 (TELLENBACH, *op. cit.*, col. 945).
4. *Arm.* XXXIII, 12, fol. 157 v°.
5. *Ibid.*, fol. 173 r°.
6. *Ibid.*, fol. 179 r°.
7. *Reg. Lat.* 110, fol. 41 v°.
8. *Arm.* XXXIII, 12, fol. 276 v°.
9. *Reg. Vat.* 310, fol. 316 v°.
10. TELLENBACH, *op. cit.*, col. 17.
11. *Arm.* XXXIII, 12, fol. 84 v°.
12. *Reg. Vat.* 311, fol. 35 r°.
13. *Reg. Vat.* 313, fol. 242 r°.
14. *Reg. Vat.* 311, fol. 279 r°.
15. *Reg. Vat.* 312, fol. 290 r°.
16. *Reg, Vat.* 314, fol. 315 v°.
17. *Arm.* XXXIII, 12, fol. 171 r°.
18. *Reg. Lat.* 124, fol. 121 r°.

STRASBOURG   Diocèses de Strasbourg, Bâle et Constance.

Ugo von RAPOLTZSTEIN, prévôt de Strasbourg, nommé le 5 juin 1382 [1].

Eberhard von KIRCHBERG, attesté les 10 février 1386 [2] et le 10 novembre 1389 [3]; nommé collecteur de Mayence le 23 juillet 1397, ce qui entraîne le rattachement de la collectorie de Strasbourg à celle de Mayence.

BRÊME   Provinces de Brême et Riga, et diocèses de Kammin, Verden et Sleswig.

Heinrich RANK, doyen de Bamberg, révoqué avant le 6 mai 1380 [4].

Gerhard HOLTORP, évêque de Razeburg, nommé le 26 février 1387 [5] et encore attesté le 23 janvier 1389 [6].

Johann SUMMYS, doyen de l'église de Schwerin, nommé le 11 décembre 1391 [7].

Niklaus von INSEL (*de Insula*), licencié en décrets, archidiacre de Warnen (Schwerin), nommé le 17 juillet 1393 [8] pour Brême, et le 28 mars 1395 [9] pour Riga; encore attesté le 1er mars 1399 [10].

Friedrich DEYS, docteur en décrets, doyen de Paderborn, nommé le 30 avril 1406 [11] et encore attesté le 4 avril 1407 [12].

Johann MOLNER, archidiacre dans l'église de Schwerin, nommé le 1er avril 1408 [13].

Niklaus BOCK, évêque de Kammin, nommé le 13 décembre 1408 [14].

BOHÊME   Province de Prague.

Pavone GRIFFI, évêque de Polignano, référendaire du Pape, nonce en Allemagne et Bohême en 1380 [15], 1390 [16] et 1392 [17].

Nicolas *CALVUS*, chanoine de Prague, collecteur dans le diocèse de Prague attesté le 10 novembre 1389 [18] et révoqué avant le 16 janvier 1393 [19].

1. *Reg. Vat.* 310, fol. 256 v°.
2. *Arm.* XXXIII, 12, fol. 84 v°.
3. *Arm.* XXXIII, 12, fol. 122 v°.
4. *Reg. Vat.* 310. fol. 14 v°.
5. *Reg. Vat.* 311, fol. 35 v°.
6. *Reg. Vat.* 311, fol. 272 v°.
7. *Arm.* XXXIII, 12, fol. 153 r°; la date du 11 septembre 1392 indiquée par Tellenbach (*Repertorium germanicum*, II, col. 769) avec cette référence, est erronée.
8. *Arm.* XXXIII, 12, fol. 162 r°.
9. *Arm.* XXXIII, 12, fol. 181 v°.
10. *Reg. Lat.* 69, fol. 186 r°.
11. *Arm.* XXXIII, 12, fol. 256 r°.
12. *Reg. Vat.* 335, fol. 88 v°.
13. *Arm.* XXXIII, 12, fol. 280 v°.
14. *Arm.* XXXIII, 12, fol. 286 r°.
15. *Reg. Vat.* 310, fol. 4 et 81-83.
16. TELLENBACH, *op. cit.*, col. 964.
17. *Reg, Vat.* 313, fol. 358 et 378 v°.
18. *Arm.* XXXIII, 12, fol. 122 v°.
19. *Reg. Vat.* 314, fol. 59 v°.

Ubaldino CAMBI, prieur de San Stefano al Ponte de Florence, docteur en décrets, chapelain puis référendaire du Pape ; évêque de Cortona en 1391 et archevêque de Torres en 1393 ; nommé le 19 avril 1390 [1] et encore attesté le 3 février 1395 [2].

Johann KLEINDIENST, évêque de Lübeck, mort le 3 août 1387 [3] ; nommé collecteur par erreur le 6 août 1392 [4] ;

Johann von MORAVIA, chanoine de Prague, nommé le 1er septembre 1400 [5] et encore attesté le 1er avril 1407 [6].

HONGRIE   Provinces d'Esztergom et Kalocsa.

Giovanni da PESARO, docteur en décrets, lecteur de l'église de Zagreb, nommé le 9 janvier 1381 [7] et encore attesté le 10 février 1386 [8].

Guglielmo da CELLMO, docteur en décrets, archiprêtre de Fossombrone, chapelain du Pape, nommé le 5 août 1393 [9].

Antonio dal PONTE, évêque de Sibenik, docteur en décrets, nommé le 6 février 1396 [10] et encore attesté le 1er décembre 1399 [11].

Brando da CASTIGLIONE, docteur *in utroque*, chapelain du Pape, ancien auditeur de la Chambre apostolique et ancien nonce dans la province de Cologne ; nommé en Hongrie le 12 juin 1403 [12].

Niklaus von WOLAVIA, prévôt de Saint-Gilles de Breslau, clerc de la Chambre apostolique, envoyé comme nonce en Hongrie le 21 août 1406 [13].

Enrico da PISCINA, de Milan, juriste, prévôt de Santa Maria d'Asilio (Trévise), nommé le 22 juin 1407 [14].

Andrea BENSI da GOALDA, archevêque de Split, nommé le 28 juillet 1408 [15].

POLOGNE   Royaume de Pologne.

Wenceslas GREGORI, custode de Cracovie, docteur en décrets, et Peter FRANZ, chanoine et camérier de Pécs, nommés le 15 mars 1382 [16].

Dobrogost NOWODWORSKY, évêque de Posnam en 1384 et archevêque de Gniezno en 1394 ; attesté dès 1385 [17] et du 10 février 1386 [18] au 13 décembre 1392 [19].

---

1. *Arm.* XXXIII, 12, fol. 136 v°.
2. *Reg. Vat.* 314, fol. 331 v°.
3. EUBEL, *op. cit.*, I, p. 312.
4. *Arm.* XXXIII, 12, fol. 159 r°.
5. *Arm.* XXXIII, 12, fol. 212 r°.
6. *Reg. Vat.* 335, fol. 89 r°.
7. *Reg. Vat.* 310, fol. 94 v° -95 v°.
8. *Arm.* XXXIII, 12, fol. 84 r°.
9. *Arm.* XXXIII, 12, fol. 164 r°.
10. *Arm.* XXXIII, 12, fol. 189 ; Antonio dal Ponte avait été auditeur du Sacré Palais.
11. *Reg. Vat.* 317, fol. 80 r°.
12. *Arm.* XXXIII, 12, fol. 227 v°.
13. *Reg. Vat.* 334, fol. 170.
14. *Arm.* XXXIII, 12, fol. 278 r°.
15. *Arm.* XXXIII, 12, fol. 283 r°.
16. *Reg. Vat.* 310, fol. 207 v°-208 v°.
17. TELLENBACH, *op. cit.*, col. 3.
18. *Arm.* XXXIII, 12, fol. 80 r°.
19. *Reg. Vat.* 314, fol. 43 r°.

Mission de Baylardino da VERONA, clerc de la Chambre apostolique, et de Giovanni, abbé de Carrara (Padoue), en octobre et novembre 1391 [1].

Jacopo di FILIPPO dei GUIDOTTI, clerc de Bologne, référendaire du pape ; évêque d'Imola en 1395, mort en 1399 ; nommé le 4 juillet 1393 [2] et encore attesté le 1er mai 1395 [3].

Matteo LAMBERTI, de Naples, clerc de la Chambre apostolique ; archidiacre de Breslau ; nommé le 23 avril 1399 [4] et confirmé le 4 juin 1405 [5].

Nicolas de PENESKONIS, nommé le 1er août 1405 [6].

Matteo LAMBERTI, nommé à nouveau le 31 janvier 1406 [7], confirmé le 1er avril 1407 [8] et encore attesté le 22 avril 1408 [9].

BRESLAU   Diocèse de Breslau. — Normalement dans la collectorie de Pologne.

Heinrich, abbé d'Arena (Breslau), nommé le 6 août 1392, sans effet [10].

POMÉRANIE   Province de Poméranie et diocèse de Kulm.

Niklaus BOCK, évêque de Kulm, nommé collecteur du denier de Saint Pierre en Poméranie le 1er juillet 1393 [11], et à nouveau le 14 octobre 1395 [12] ; ultérieurement collecteur de Brême.

LIÈGE   Diocèses de Liège et Utrecht et parties urbanistes de la province de Reims.

Jacopo DARDANI, clerc de la Chambre apostolique, attesté comme collecteur en Flandre dès le 29 mars 1380 [13] et comme collecteur en Hollande et Zélande le 8 mai 1380 [14] ; encore attesté le 20 février 1383 [15] ; ultérieurement collecteur d'Angleterre.

Jean LONIS, licencié en décrets, attesté en 1387 [16] et révoqué le 21 juillet 1388 [17].

Josse de WIDOY, nommé le 21 juillet 1388 ; mort vers la fin de 1389.

1. *Reg. Vat.* 313, fol. 185 v° et 201 v°.
2. *Arm.* XXXIII, 12, fol. 169.
3. *Reg. Lat.* 37, fol. 153 r°.
4. *Arm.* XXXIII, 12, fol. 200 r°.
5. *Arm.* XXXIII, 12, fol. 247 v°.
6. *Arm.* XXXIII, 12, fol. 248 v°.
7. *Arm.* XXXIII, 12, fol. 252 v°.
8. *Arm.* XXXIII, 12, fol. 267.
9. Tellenbach, *op. cit.*, col. 1407.
10. *Arm.* XXXIII, 12, fol. 158 v°.
11. *Reg. Vat.* 314, fol. 127 r°.
12. *Arm.* XXXIII, 12, fol. 186 v°.
13. *Reg. Vat.* 310, fol. 64 r°.
14. *Reg. Vat.* 310, fol. 16 v°.
15. *Reg, Vat.* 310, fol. 329 r°.
16. Sauerland, *op. cit.*, VI, n° 68-70.
17. *Reg. Vat.* 311, fol. 196 v°.

Gilles de POMPONNE, docteur en décrets, clerc de la Chambre apostolique, nommé le 10 novembre 1389 [1] mais arrêté par les Clémentins en 1390 [2].

Mission du Trésorier Guglielmo della VIGNA, à partir de février 1391 [3].

Wilhelm KESEL, curé d'une demi-portion à Saint-Jacques de Gand, nommé le 14 mai 1394 [4].

Jean de WIDOY, chanoine de Liège, frère de Josse, nommé le 27 mai 1394 [5] et encore attesté le 23 mai 1400 [6].

Niccolò *de HORTIS*, archevêque de Siponto, référendaire du Pape, nommé le 16 novembre 1405 [7] et encore attesté le 12 mars 1407 [8].

SCANDINAVIE   Royaumes de Danemark, Suède et Norvège.

Nicolas HERMANN, évêque de Linköping, attesté le 15 mai 1380 [9].
Division en deux collectories (Danemark et Suède-Norvège), en 1382.

DANEMARK

Johann von SCHONELEFE, évêque de Sleswig, nommé le 17 mars 1382 [10] et encore attesté le 10 février 1386 [11].

Peter UDGERSON, évêque d'Aarhus (1387), puis (1395, 3 juillet) de Roskild ; nommé le 26 février 1395 [12] et à nouveau le 1er mars 1399 [13].

Johann von SCHONELEFE, nommé à nouveau le 1er octobre 1406 [14] et encore attesté le 12 mars 1407 [15].

SUÈDE et NORVÈGE

Friedrik DYTMAR, chanoine de Roskild, nommé le 18 avril 1391 [16].
Division en deux collectories de Suède et de Norvège, en 1395.

SUÈDE

Nicolas MICHAEL, évêque de Västerås, nommé le 26 février 1395 [17].

---

1. *Arm.* XXXIII, 12, f, 124 r.
2. Voir ci-dessus, p. 161.
3. *Reg. Vat.* 313, fol. 7 v°-8 v°, 26 v°-31 v° et 35 v°-36 r° ; *Reg. Lat.* 13, fol. 269.
4. *Arm.* XXXIII, 12, fol. 171 v°.
5. *Arm.* XXXIII, 12, fol. 172 r°.
6. *Reg. Vat.* 317, fol. 46 v°.
7. *Arm.* XXXIII, 12, fol. 250.
8. *Reg. Vat.* 335, fol. 77 r°.
9. *Reg. Vat.* 310, fol. 42 v°.
10. *Reg. Vat.* 310, fol. 204 r°.
11. *Arm.* XXXIII, 12, fol. 83 v°.
12. *Arm.* XXXIII, 12, fol. 180 v°.
13. *Arm.* XXXIII, 12, fol. 199 r°.
12. *Arm.* XXXIII, 12, fol. 264 v°.
15. *Reg. Vat.* 335, fol. 77 r°.
16. *Arm.* XXXIII, 12, fol. 149 r°.
17. *Arm.* XXXIII, 12, fol. 180.

Peter INGEWAST, évêque de Västerås, nommé le 1er février 1404 [1] et à nouveau le 1er octobre 1406 [2]; encore attesté le 12 mars 1407 [3].

NORVÈGE

Augustin EYSTEIN, évêque d'Oslo, nommé le 26 février 1395 [4], et, le 16 septembre 1402, pour les seuls diocèses de Oslo et Hamar [5].

Eskil, archevêque de Trondheim, nommé le 1er octobre 1406 [6] et encore attesté le 12 mars 1407 [7].

BERGEN   Diocèses de Bergen, Trondheim, Stavanger, Hvar, Skara et Garde; détachés de la collectorie de Norvège pour :

Jacob CANUT, évêque de Bergen, nommé le 16 septembre 1402 [8].

Unie à la collectorie de Norvège en 1406.

1. *Arm.* XXXIII, 12, fol. 233 r°.
2. *Arm.* XXXIII, 12, fol. 264 v°.
3. *Reg. Vat.* 335, fol. 75 v°.
4. *Arm.* XXXIII, 12, fol. 181 r°.
5. *Arm.* XXXIII, 12, fol. 222 r°.
6. *Arm.* XXXIII, 12, fol. 263 v°-264 v°.
7. *Reg. Vat.* 335, fol. 76 r°.
8. *Arm.* XXXIII, 12, fol. 222.

INDEX NOMINUM

Les références données à la suite du nom d'un évêque, d'un abbé ou d'un collecteur n'ont pas été reportées à la rubrique de l'évêché, de l'abbaye ou de la collectorie. Les rubriques concernant les papes, les camériers et les principales villes (Avignon et Rome, en particulier) n'offrent qu'une sélection de références.

403, 404, 413, 428, 430, 484, 487, 492, 524, 528, 550, 561, 569, 579, 596, 611-624, 631, 687,
— (Louis II, duc d'), roi de Naples : 50, 183, 223, 233, 298, 299, 305, 312, 313, 314, 389, 413, 528, 570, 624-631, 660, 667, 671, 693.
— (Marie de Blois, duchesse d'), reine de Naples : 50, 305, 417, 489, 571, 624, 628, 629, 634, 635, 636, 650.
ANNECY (Haute-Savoie) : 585.
— (Pierre d') : 425.
ANQUETIL (Gauthier), sous-coll. Evreux : 104.
ANQUETONVILLE (Raoul d') : 696.
Anselmo da Milano : 589.
ANTIBES (Alpes-Mar.) : 315, 554.
ANTIOCHE (Syrie). Patr. : Authon (Seguin d').
ANTIVARI (Yougoslavie). Coll. : 734. — Archev. : Antonio.
Antonio, archev. Antivari, coll. Romanie : 734.
Antonio, év. Bolsino : 318.
Antonio, év. Lacedonia : 324.
Antonio, abbé Cava dei Tirreni, puis abbé Santa Maria de Pulsano : 328.
Antonio, abbé Marzano, coll. Pérouse : 215, 725.
Antonio di Francesco, march. à Avignon : 86, 488, 528, 571, 583, 584.
AOSTE (Italie). Coll. : 718. — Ev. : Jacques.
APIRO (Italie, prov. Macerata) : 553.
APPARAT (Aimery), official d'Alet : 50.
APT (Vaucluse). Sous-coll. : Lespinasse (Jean de) — Ev. : Breuil (Géraud du), Fillet (Jean).
AQUILA (Italie): 624.
AQUILÉE (Italie, prov. Udine). Patriarcat : 216, 232. — Patr. : 361, 390 ; Sobieslav (Jean), Caetani (Antonio) Panciera (Antonio). — Archid. : 152. — Dioc. : 641, 721.
AQUINO (Italie, prov. Frosinone). Dioc. : 232, 728.
— (Donato da), archev. et coll. Bénévent : 727.
ARAGON. Rois : 124, 181, 182, 210, 524, 581, 714, ; cf. Jean 1er, Martin, Pierre IV. — Collectorie et collecteurs : (liste : 713-715) 95, 101, 140, 141, 172, 209-211, 218, 220, 223, 225, 226, 235, 236, 237, 239, 240, 242, 250, 306, 389, 412, 413, 416, 427, 428, 455, 456, 471, 473-475, 478, 479, 483, 488, 491-494, 496, 501-505, 517, 533, 542-545, 558, 562, 580, 649, 650, 658, 666, 670, 674, 675, — Missions : 113, 140, 141, 217, 317, 357, 474, 478, 592, 649, 665, 668, 669. — Sous-coll. général : 108.
— (Jaime d'), év. Valencia : 308.
ARBOCARIO (Bernado *de*) : 620, 621.

BAYEUX (Calvados). Ev. : 389 ; Bosc (Nicolas du).

BAYLER (Henri), év. Valence : 368 ; chambellan : 414.

BAYONNE (Basses-Pyrénées) : 711. — Dioc. : 710.

BAZAS (Gironde) : 711. — Ev. : Ortholan (Guillaume d'). — Chan. : 678. — Dioc. : 710.

BEAUCAIRE (Gard) : 319, 410.

BEAUCE : 387.

BEAUFORT (Guillaume Roger, comte de), frère de Grégoire XI : 17, 535, 550, 634.

BEAULIEU (Côtes-du-Nord, cant. Broons, comm. Mégrit). Abbé : 676.

BEAULIEU (Sanche de), sous-coll. Auch : 277.

BEAUNE (Côte-d'or) : 262. — Saint-Etienne, prieuré : 254. — Vin : 408.

BEAUPORT (Côtes-du-Nord, cant. Paimpol, comm. Kerity). Abbé : 646.

BEAUREGARD (Haute-Savoie, cant. Douvaine, comm. Chens-sur-Léman) : 585.

BEAUVAIS (Oise). Sous-coll. : 706 ; Champigny (Jean de). — Ev. Dormans (Milon de), Augerant (Jean d'), Vienne (Guillaume de), Orléans (Louis d'), Savoisy (Pierre de). — Saint-Lucien : 305 ; abbé : Chanac (Foulques de), Roye (Raoul de). — Dioc. : 350.

BÈCHEGRAIN (Didier), coll. Metz : 75, 717.

BEC-HELLOUIN (LE) (Eure, cant. Brionne) : 385 ; abbé : Au-villers (Guillaume d'), Beuzeville (Guillaume de), Harenc (Geoffroi).

BÉDARRIDES (Vaucluse) : 563.

BEL (Barthélemy), march. toulousain : 492. — (Jean) : 492.

BELFORTE DEL CHIENTI (Italie, prov. Macerata) : 433.

BELLANTI (Francesco), év. Narni, trés. duché de Spolète : 401.

BELLEMÈRE (Gilles), év. Lavaur, év. du Puy, év. Avignon : 50, 71, 74, 274, 310, 311, 315, 374, 377.

BELLEPERCHE (Tarn-et-Garonne, cant.. Saint-Nicolas-de-la-Grave, comm. Cordes-Tolosanne). Abbé : 676.

BELLEY (Ain). Dioc. : 425.

BELLISEND (Jean), de Marseille : 619, 621.

BELLUNE (Italie). Dioc. : 722.

Benedetto, abbé de Santa Maria de Pola, coll. Romanie : 734.

BÉNÉDICTIN (Ordre) : 257.

FERRARI (Andrea), vic, gén. Cagliari : 54.
— (Bartolomeo), march. génois : 494, 504.
— (Pietro) : 504.
— (Raffaele) : 494.

FERRIER (Vincent), prédicateur : 578.

FÉTIGNY (Pierre de), conseiller de Charles VI, cardinal : 303.

FEUILLET (Jean de), serg. armes : 567.

FIESCHI (Lodovico), cardinal : 304, 312, 426, 668, 682.
— (Luca), comte de Lavagna : 682.

FIESCHI LAVAGNA (Jacopo), archev. et coll. Gênes : 723.

FIESOLE (Italie, prov. Florence). Ev. : 521 ; Altoviti (Jacopo). —
   Dioc. : 723.

FIGEAC (Lot) : 386. — Abbé : Astorge.

FIGULI (André), sous-coll. Angers, Nantes : 98, 105 ; coll. Tours :
   97, 98, 105, 106, 270, 360, 707.

FILIMARINI (Giovanella) : 444.
— (Giovanello) : 325, 449.
— (Tommaso) : 440.

FILIOL (Raymond), apothicaire : 267.
Filippo, év. Squillace, coll. Calabre : 728.
Filippo da Pisa, capitaine : 512.

FILLET (Jean), év. Apt : 302.

FIORANO (Sabino), év. Toul : 303.

FIORE (Guglielmo), coll. Romanie : 161, 162, 512, 734.

FIRMONI (Giovanni), év. Ascoli, trés. Marche d'Ancône : 155.

FISECCHIO (Tommaso da) : cf. Visconti.

FISICI (Leonardo de'), év. Ascoli, Fermo. : 150, 328 ; camérier :
   150, 420. 605.

FLAMENC (Raymond Bernard), juriste : 614, 651.

FLANDRE : 596. — Coll. et missions rom. : 142, 158, 446, 505,
   506, 510, 511, 591, 595, 601, 731, 735, 739. — Coll. et missions
   avignon. : (liste : 717) 90, 104, 251, 357, 522, 523, 585.
— (Louis de Male, comte de) : 578.

FLANDRIN (Guy), auditeur du S. Palais, nonce : 357.
— (Jean), archev. Auch, cardinal : 302, 375.

FLESSELLES (Pierre de), sous-coll. Amiens : 260.

FLEURY (Guillaume) : 425.

FLORENCE (Italie) : 16, 485, 578, 681. — Commune : 162, 163,
   231, 507, 553, 604, 626, 637, 638. — Coll. : cf. Toscane.
   Ev. : Adimari (Alemanno), Palladini (Jacopo). — Chan. :
   152, 153, 163, 724. — Dioc. : 723. — La Badia : 415, 520. —

MAURIENNE (auj. Saint-Jean-de-Maurienne, Savoie) . Ev. : 472 ; Malabayla (Giovanni di), Serny (Henri de).

MAYENCE (Allemagne, Hesse) : 602. — Coll. rom. : (liste : 735) 145, 155, 160, 514, 596, 737. — Coll. avignon. : (Liste : 717) 357. — Archev. : Nassau (Adolphe de). — Chan. : 709. — Prov. : 717, 735. — S. Maria *ad Gradus* : 735. — Saint-Victor : 735.

MAYET (Guillaume), coll. du Puy : 95, 101, 284, 314, 708.
— (Géraud) : 95.
— (Jean) : 95, 284.

MAZAN (Ardèche, cant, Montpezat, comm. Mazan-et-Mazeyrac). Abbé : 361.

MAZEL (Bertrand du), nonce : 99 ; coll. Aragon : 97, 100, 138, 139, 275, 420, 714.

MAZZERO (sans doute Mazzè, Italie, prov. Turin), châtellenie : 50.

MEAUX (Seine-et-Marne). Sous-coll. : Salerne (Guillaume). — Ev. : 124, 125. — Chan. : 706.

MEDFORD (Richard), év. Salisbury : 393.

MEDICI, famille florentine : 16, 514-519, 522, 523, 598, 604, 700.
— (Averardo di Francesco de') : 494, 497, 503, 505, 517, 518, 523, 573, 679.
— (Francesco di Bicci de') : 515,
— (Giovanni di Bicci de') : 189, 442, 446, 494, 495, 513, 515-518, 538, 551, 680-683.
— (Jacoba de') : 517.

MEDICI da ORVIETO (Niccolò de'), clerc de la Chambre : 152.

MEDINA DEL CAMPO (Espagne, prov. Valladolid) : 464.

MÉES (LES) (Basses-Alpes) : 254. — Prieur : Tolsan (Jean).

MEGLIORATO (Cosimo di Gentile), clerc de la Chambre : 143, 152, 154 ; nonce : 143 ; coll. Angleterre : 143, 152, 229, 336, 730 ; archev. Ravenne, év. Bologne, cardinal : 152, 182 ; pape : 152 ; cf. Innocent VII.
— (Gentile), capitaine : 189, 192, 194, 438, 642.
— (Giovanni), cardinal : 338.
— (Lodovico), capitaine : 193, 194, 641, 642.

MEGLIORINI (Agapito), apothicaire à Avignon : 589.

MEISSEN (Allemagne, Saxe). Ev. : Ziegenbock (Niklaus).

MÉJANÈS (Jean de), clerc du Sacré Collège : 536, 537, 568.
— (Pierre de), march. avignon. : 266, 496, 536.

MÉLAN (Artaud de), archev. Arles : 226, 312, 319, 669, 570.

MENA Y ROELAS VARGAS (Gonzalo), archev. Séville : 308, 536.

MENDE (Lozère). Sous-coll. : Golobert (Guillaume), Manuel (Raymond). — Ev. : 676 ; Garde (Pons de la), Armagnac

(Jean d'), Bosc (Robert du), Coste (Jean de la). — Dioc. :
263, 708. — Marchands : 465.

MENTHON (François de), capitaine d'Avignon : 425, 654.
— (Jean de) : 425.

MENTHONAY (Jacques de), chapelain du pape : 589 ; cardinal :
303.

MÉOBECQ (Indre, cant. Buzançay). Abbé : 281

MERCADANTI (Antonio de'), coll. Romanie : 734.

MERCADIER (Géraud), coll. Provence : 64, 97, 102, 141, 539,
568, 713 ; scripteur : 102.

MERCATELLO (Francesco da), clerc, puis auditeur de la Chambre : 151, 153.

MERCIER (Barthélemy), march. : 496.
— (Castellan), sous-coll. Orange : 115.
— (Jean), doyen de Saint-Germain d'Auxerre : 68, 274.

MERLE (Pierre), coll. Provence : 69, 116, 414, 653, 654, 713.

MERLIE (Thomas de la), trés. Comtat venaissin : 12, 171, 655-657,
660.

MERSEBURG (Allemagne, distr. Halle) : 152.

MERULA (Marino), év. Gaëte, coll. Fondi : 728.

MESSINE (Italie, Sicile). Coll. : 729. — Archev. : Lampugnani
(Maffiolo), Grisafi (Tommaso). — Dioc. : 729.

METINA (Pedro Gonzalez de) : 292, 293.

METZ (Moselle). Coll. : (liste : 716, 717) 101, 107, 238, 239, 428,
455, 474, 585. — Chantre : 84, 716. — Chan. : 254. — Saint-
Sauveur ; chan. : 716.

MÉZIÈRES (Pierre de), sous-coll. gén. Aragon : 108.

MICHAEL (Nicolas), év. Västeräs, coll. Suède : 740.

MICHEL (Antoine), coll. Chypre : 719.
— (François), dit Raimbert, sous-coll. Maurienne : 103.
— (Jean), dit Raimbert, sous-coll. Maurienne : 103.

Michele di Pietro da Pisa, abbé de San Zeno de Pise, coll. Pérouse :
215, 725.

Michele di Simone, march. : 501, 573.

MICHELOTTI, famille : 639.
— (Ceccolino de') : 554, 642, 643.

MIERS (Ebles de), év. Vaison : 583.

MILAN (Italie) : 184, 593. — Coll. Avign. : 50. — Coll. rom. : 147,
722, 738. — Sous-coll. : 327. — Archev. : Saluzzo (Antonio
da), Candia (Pietro da). — Archevêché : 327. — Prov. :
722. — Saint-Ambroise ; prévôt : 541. — Seigneur : Visconti.
Marchands : 519, 582.

MONTOLIEU (Aude, cant. Alzonne). Abbé : 530, 671, Saxo, Bertrand.

MONTONE (Italie, prov. Pérouse) : 640.

MONTPELLIER (Hérault) : 118, 659. — Saint-Firmin : 550. — Marchands : 452, 458, 495, 497.

MONTPEYROS (Jean de), march. du Puy : 496, 501.

MONTROND (Bernard de) : 262.

MONT-SAINT-ÉLOI (Pas-de-Calais, cant. Vimy). Monast. : 385.

MONT-SAINT-JEAN (Jean de), sous-coll. Die : 54.

MONT-SAINT-MICHEL (Manche, cant. Pontorson). Abbé : Le Roy (Pierre).

MONTSERRAT (Espagne, prov. Barcelone) : 306, 319.

MORAVIA (Johann von), coll. Bohême : 738.

MORAVIE (auj. Tchécoslovaquie) : 227, 228.

MORCEDO (Merchione da), coll. Gênes : 723.

MORGANTI (Tommaso), év. Anagni, coll. Portugal : 448, 733.

MORHOT (Philippot) : 358.

MORICONI, famille lucquoise : 444, 513, 521.
— (Bartolomeo di Lando) : 509.
— (Lando di Dino), dépositaire de la Chambre : 440, 509-512, 523, 534.
— (Pietro di Angelo) : 333.

MORNAS (Vaucluse, cant. Bollène) : 554, 586.

MORTIERS (Pierre de), coll. Bordeaux : 11, 141, 265, 289, 711.

MOTHONI (Grèce). Ev. : Nicolas. — Evêché : 337.

MOTTE (LA) (sur le Bas-Rhône) : 410.

MOULIN (Pierre), trés. de l'église de Toulouse : 118.

MOULINS (Bernard de), notaire de la Trésorerie : 85, 282, 432.
— (Philippe de), év. Evreux, Noyon : 125, 377.

MOUSTIERS-SAINTE-MARIE (Basses-Alpes) : 554.

MUNOS (Gil Sanchez), prévôt de Valencia : 141.

MURET (Jean), secrétaire de Benoît XIII : 274.

MURILLO (Juan Martinez de), abbé de Montaragon, régent de la Trésorerie : 647, 648, 665, 672.

MURLES (Pierre de), chev. : 487, 625.

MURO (auj. Muro-Lucano, Italie, prov. Potenza) : 312, 318.

MUROL (Jean de), év. Genève : 262, 287, 302 ; év. Saint-Paul-Trois-Châteaux : 302 ; nonce : 43, 112, 140, 285, 357, 404, 421, 422, 423, 453, 457, 475, 481, 482 ; conseiller de la Chambre : 75, 136, 614, 615 ; cardinal : 311.

MYLOPOTAMOS (Crète). Ev. : 158, 328.

PUCELLE (Jean), procureur en curie : 53.

PUCINELLE (Bartolomeo) : cf. Turchi.

PUGILLO (Antioco), coll. Sardaigne : 730.

PUITS (Simon de), év. Catane, coll. Sicile : 729.

PULDERICO (Lisulo) : 640.

PUPPIO (Thomas de), archev. Aix : 312.

PUSTERLA (Guglielmo da), év. Brescia : 375.
— (Tommaso da), év. Brescia : 375.

PUY (LE) (Haute-Loire). Coll. : (liste : 708, 709) 101, 107, 235-237, 239, 240, 410, 416, 425, 426, 428, 453, 455, 464, 468, 469, 474, 475, 544, 634, 665, — Ev. : 472 ; Tour (Bertrand de la), Chanac (Bertrand de), Girard (Pierre), Bellemère (Gilles), Martreuil (Itier de), Ailly (Pierre d'), Lestranges (Hélie de). — Evêché : 293, 301, 302, 314. — Chan. : 425, 708, 709. — Dioc. : 220, 221, 708. — Marchands : 134, 458, 461, 465, 496.
— (Géraud du), év. Saint-Flour : 314, 377.
— (Guillaume du), év. Mirepoix : 314.
— (Simon du), sous-coll. Aix : 115.

PYROIM (William), coll. Irlande : 731.

QUIMBAL (Arnaud de), év. Lombez : 258.

QUIMPER (Finistère). Sous-coll. : 424. — Ev. : Monceaux (Gavan de). — Dioc. : 254, 431.

RADICOFANI (Italie, prov. Sienne) : 435.

RAFFIN (Bertrand), clerc de la Chambre : 60, 65, 136, 406, 562, 615 ; nonce : 132, 138, 141, 222, 357, 543 ; év. Rodez : 60, 127, 253, 266, 267, 271, 282, 288, 386, 388, 406, 418, 419 ; conseiller de la Chambre : 75, 127,

RAGUSE (auj. Dubrovnik, Yougoslavie) : 147. — Dioc. : 721, 734.

RAIMBAUD (Hugues), év. Condom : 314.

RAIMBERT : cf. Michel.

RAMASFORTI (Pierre de) : 592.

Rambaldo, doyen de Trente, coll. Trente : 723.

RAMI (Domingo), nonce : 317, 665, 670.

RANDECK (Marckard von), év. Minden, Constance, coll. Salzbourg : 736.

RANK (Heinrich), coll. Brême : 138, 737.

RAOUL (Aubry), coll. Lyon : 539.

RAPAZZO (Matteo da), coll. Sardaigne : 12, 54, 658, 718.

Raphaël, év. Famagouste : 323.

RAPINE (Ayoul de) : 90.

RAPOLTZSTEIN (Ugo von), coll. Strasbourg : 158, 737.

RAPONDI, famille lucquoise : 137, 421, 423, 453, 461, 466, 469, 485-488, 497-501, 513, 548, 562, 571-573.
— (Andrea) : 83, 267, 350, 389, 472, 486-488, 490, 492, 497, 500, 557, 624,
— (Dino) : 413, 422, 430, 480, 483-487, 490, 495, 497, 500, 556, 557, 571, 646.
— (Filippo) : 429, 430, 484, 486.
— (Giovanni) : 485, 486, 490, 557.
— (Giovanni), familier de Boniface IX : 513.
— (Jacopo) : 486.
— (Pietro) : 486.

RATA (Lodovico della), archev. Capoue : 327.

RATISBONNE (Regensburg; Allemagne, Bavière). Saint-Emmeran; abbé : 390.

RATONCINI (Giovanni), march. : 176, 180, 482, 559, 560, 563, 572, 573, 671.

RAVAT (Pierre), év. Mâcon, Saint-Pons-de-Thomières, archev. Toulouse, cardinal : 305, 312, 316, 354, 359, 647, 648 ; nonce : 357, 650, 681.

RAVENNE (Italie) : 184, 185, 433, 447. — Archev. : Megliorato (Cosimo). — Dioc. : 721.

Raymond, év. Paphos, coll. Chypre : 719.

Raymond, abbé de Bonneval : 347.

RAZEBURG (Allemagne, distr. Neubrandenburg). Ev. : Holtorp (Gerhard).

REBOUL (Jacques), d'Avignon : 177.

REBOURS (Jean), march. : 572.

RECANATI (Italie, prov. Macerata) : 438, 519, 641.

REDEKIN (Johann), coll. Magdebourg : 736.

RÉGACOL (Pierre), sous-coll. gén. Aragon : 108, 503.

REGGIO CALABRIA (Italie). Archev. : Giordano. — Prov. : 728.

REGGIO EMILIA (Italie). Dioc. : 722.

REIMS (Marne) : 411. — Coll. avignon. : (liste : 706) 93, 101, 104, 132, 137, 140, 172, 207, 223, 233-240, 242-244, 248, 255, 406, 410, 411, 417, 418, 422-424, 428, 453, 455, 468, 469, 474, 475, 478, 484, 487, 497-501, 544, 550, 585, 661. — Coll. rom. : 142, 160, 510, 511, 522, 739. — Sous-coll. : 356, 459 ; Bernequin (Nicolas). — Archev. : 483 ; Pique (Richard), Cassinel (Ferri), Roye (Guy de). — Archevêché :299. —Chan.: 706. — Prov. : 357, 459. — Dioc. : 350. — Saint-Basle : 385. — Saint-Denis ; abbé : 676. — Saint-Nicaise ; abbé : **223**, Poitiers (Guillaume de).

RIQUER Y BASTERO (Francisco), év. Monreale, Huesca, Vich, Segorbe : 377.

RIS (Puy-de-Dôme, cant. Châteldon). Vin : 410.

RIVES (Jaime de), sous-coll. Majorque : 98 ; coll. Aragon : 98, 108, 503, 649, 653, 658, 714.

RIVESALTES (Jean de), coll. Elne : 12, 73, 75, 112-114, 128, 239, 291, 316, 410, 658, 659, 672, 713.

RIVET (Ramon de), coll. Portugal : 716.

Robert, abbé de Saint-Etienne de Caen : 379-381.

ROBERT (Aymar), év. Lisieux, Arras, Thérouanne, archev. Sens : 273, 349, 351, 352.

— (Aymar), neveu du précéd. : 349.

— (Bertrand), abbé de Tournus, év. Montauban : 353, 358.

ROBERTI (Alberto de'), capitaine : 643.

— (Antonio di Giovanni), march. florentin : 551, 561.

ROCCA (Catalano della), march. astésan, changeur de la Chambre : 79, 86, 88, 180, 283, 288, 463, 488, 489, 501, 528, 548, 572, 573, 584.

ROCCA CONTRADA (auj. Arcevia, Italie, prov. Ancône) : 192, 640.

ROCHE (Aymar de la), év. Saint-Paul-Trois-Châteaux, Genève : 302.

— (Aymar de la), archid. Tolède : 273.

— (Bégon de la) : 616.

— (Guy de la), coll. Tours : 48, 94, 101, 102, 129, 131, 138, 269, 481, 500, 540, 707 ; év. Lavaur : 48, 131, 252, 274, 300, 368, 369.

— (Hugues de la) : 94, 273, 613.

ROCHECHOUART (Jean de), év. Saint-Pons-de-Thomières, archev. Bourges, Arles : 312, 377, 583, 584, 629.

ROCHEFORT (Bertrand de) : 266.

— (Bonabès de), év. Nantes : 309.

— (Pons de), év. Saint-Flour : 290.

ROCHELLE (LA) (Char.-Mar.) : 264.

ROCQUEIS (Raymond de), archev. Bordeaux, coll. Guyenne : 732.

RODEZ (Aveyron). Coll. : (liste : 709) 101, 107, 221, 233, 235-237, 239, 240, 242, 243, 246, 247, 404, 406, 412, 416, 418, 419, 424-429, 455, 457, 468, 469, 474, 475, 478, 495, 496, 534, 562, 612. — Sous-coll. : 118, 127, 496 ; Bruguier (Bernard) — Ev. : 299, 472, 530, 647, 671 ; Raffin (Bertrand), Serny (Henri de). — Vic. de l'évêché : 127. — Chan. : 709. — Dioc. : 132, 221, 709. — Marchands : 495, 496.

RODRIGUEZ (Juan), év. Jaen, Siguenza : 302.

Chanc. : 414, 705. — Prov. : 93, 131, 221-223, 357, 705. — Dioc. : 350. — Saint-Ouen ; abbé : 663.

ROUGE (Raymond), serg. armes : 457.

ROUSSEL (Jean), év. Maillezais : 353.

ROUSSET (Jean), scripteur, notaire de la Chambre : 14, 137, 263, 267, 530.

ROUSSILLON (Guillaume de) : 425.

ROUTE (Pierre de la), sous-coll. Die : 104.

ROYE (Guy de), év. Verdun, Dol. archev. Tours, év. Castres, archev. Sens, Reims : 218, 269, 299, 302, 346, 375, 536, 565, 566. — (Raoul de), abbé de Saint-Lucien de Beauvais : 305, 344.

RUCAFFA (Espagne, Aragon) : 586.

RUCKER (Heilmann), coll. Mayence : 138, 735.

RUFFI (Bertrand), sous-coll. Carpentras et Vaison : 114.

RUFFINI (Filippo), cardinal : 606.

RUSHOOKE (Thomas), év. Llandaff, Chichester : 376.

RUSSIE. Missions : 158, 227.

SAARWERDEN (Friedrich von), archev. Cologne : 354, 355.

SABATA (Sancho) : 649.

SABINE (Italie, région de la prov. de Rome). Comté : 191, 192, 639, 643. — Evêché : 334, 335. — Dioc. 331, 438, 724.

SABLÉ (Sarthe). Archid. : 105.

SABLONCEAUX (Char.-Mar., cant. Saujon). Abbé : 355.

SADE (Hugues de), march. avignonnais : 177, 482. — (Jean de) : 573. — (Paul de), év. Marseille : 313.

SAGARRA (Vincente), coll. Aragon : 97, 108, 126, 475, 504, 715.

SAHAGUN (Espagne, prov. Leon). Abbé : 289, 291, 619, 681.

SAINS (Jean de), secrétaire de Louis Ier d'Anjou : 404.

SAINT-AIGNAN (Loir-et-Cher) : 708.

SAINT-ANDREWS (G.-B., Ecosse) : 527, 675 ; Trail (Walter).

SAINT-ANTOINE-DE-VIENNOIS (Isère, cant. Saint-Marcellin). Monast. : 330. — Ordre : 227, 257, 258, 330, 600. — Abbé : 257, 319, 330, 331, 507. — Sacriste : 257. — Préceptories : 257, 331-333, 340, 420, 551.

SAINT-BENOIT-SUR-SEINE (Aube, cant. Troyes) : 120.

SAINT-BONNET (Pons de), abbé d'Aiguebelle : 388.

SAINT-BRIEUC (Côtes-du-Nord). Sous-coll. : 424. — Ev. : 472 ; Faye (Laurent de la), Auger (Guillaume).

SAINT-CORNEILLE-DE-LA-CHAPELLE (Tarn). Prieuré : 254.

SANTA MARIA DE PULSANO (Italie, prov. Foggia). Abbé : Antonio.

SANT' ANGELO (Italie, prov. Rimini) : 601.

SANT' ANTIMO (Italie, prov. Sienne). Abbé ; Ercolano.

SANTA SEVERINA (Italie, prov. Catanzaro). Prov. : 728.

SANTIAGO : cf. Compostelle.

SANTIAGO DE SPATA (Ordre de) : 258.

SAN TOMMASO DE' BORGOGNONI (Italie, prov. Venise). Abbé : Pietrospirito, Pietro.

SAONE (riv.). Poissons : 408, 425.

SARAGOSSE (Espagne). Sous-coll. : 113, 714. — Archev. : 124, 126 ; Luna (Lope de), Heredia (Garcia de). — Archevêché : 306, 307, — Prov. : 713. — Dioc. : 207, 304. — Ouvrier : 678. — Santa Fe ; abbé : 647. — Marchands : 533.

SARDAIGNE : 181, 581. — Coll. rom. : (liste : 729) 145, 146, 155, 160, 211, 441, 444, 580, 601. — Coll. avignon. : 718.

SARLAT (Dordogne). Ev. : Palayrac (Gaillard de), Bretenoux (Raymond de), Lamy (Jean).
— Evéché : 307, 310, 314. — Vic. gén. : 100. — 133, 707, 708.

SARNO (Italie, prov. Salerne). Ev. : Sicci da Teramo (Giovanni).

SARSINIA (Italie, prov. Forli). Dioc. : 721.

SARVAL (Fulconet de) : 268.

SARZANA (Traité de) : 637.

SASSOFERRATO (Italie, prov. Ancône) : 184, 433, 436, 638.

SAULT (Bernard de), év. Saintes : 264.
— (Guillonet de) : 412, 616.

SAUVAGE (Guy), nonce : 225, 478.

Savary, abbé de Saint-Victor de Marseille : 263.

SAVE (Jean de), év. Albi : 55, 266, 267, 279-282, 584.

SAVELLI (Paolo) : 444.

SAVIGNY (Rhône, cant. L'Arbresle). Abbé : 676.

SAVOIE. Comté : 86, 126, 127, 634. — Coll. : (liste : 710) 72, 101, 107, 127, 130, 209, 210, 211, 218, 219, 226, 251, 650, 665.
— (Amédée VI, comte de), dit le Comte Vert : 210, 577.
— (Amédée VII, comte de) : 210.
— (Amédée VIII, duc de) : 210.
— (Edouard de), év. Sion, archev. Tarentaise : 210, 287.

SAVOISY (Pierre de), év. du Mans, de Beauvais : 299, 349, 350.

SAVONE (Italie) : 86, 87, 174, 409, 410, 470, 503, 504, 549, 605 668, 672. — Dioc. : 722. — Marchands : 493, 494, 674.

SAXE, Missions : 228, 590.

SPIEGEL (Heinrich), év. Paderborn : 322, 323.

SPIFAME, famille lucquoise : 482, 497.
— (Bartolomeo) : 482.
— (Carlo) : 483.
— (Giovanni) : 482, 483.
— (Simone) : 483.

SPINA (Dolfo di Nepo), march. florentin : 514, 515, 594.

SPINA (Tommaso della), clerc de la Chambre : 153.

Spinello di Francesco, march. florentin : 446, 514, 560, 561.

SPLIT (Yougoslavie). Archev. : Bensi da Goalda (Andrea). —
Dioc. : 721.

SPOLÈTE (Italie, prov. Pérouse) : 183, 193, 626, 724. — Duché :
104, 191-193, 216, 231, 331, 400, 438, 601, 639, 641, 643,
725, 726. — Coll. : (liste : 724, 725) 146, 147, 155, 160, 211,
723-726. — Sous-coll. : 159. — Trés. : Bodono (Stefano), Bellanti (Francesco). — Chan. : 725. — Dioc. : 332.

SQUARZAFICO (Enrico), march. génois : 503.
— (Luciano) : 597.

SQUILLACE (Italie, prov. Catanzaro). Ev. : Filippo.

STANGIL (Paul), march. de Breslau : 515.

STAVANGER (Norvège). Dioc. : 741.

STEPHAN (Peter), coll. Hongrie : 507.

STERNBERG (Simon von), év. Paderborn : 322, 323.

STETTIN (auj. Szezecin, Pologne) : 593.

STORNEL (Jacques), de Marseille : 412.

STRADA (Matteo della), clerc de la Chambre : 153.
— (Mostarda della), capitaine : 189, 191-194, 230, 231, 438, 447,
641, 642.

STRASBOURG (Bas-Rhin). Coll. : 735, 737. — Prévôt : 737.

STROBERG (Niklaus), coll. Pologne : 507.

STUBEN (Anton von), coll. Salzbourg : 156, 736.

STYRIE : 227.

SUANO (Italie, prov. Arezzo). Dioc. : 725.

SUCHET (Pierre), sous-coll. gén. Provence : 106, 107, 109-111, 654.

SUDEROERNE (Ecosse, Hébrides). Ev. : Duncan (John).

SUÈDE. Coll. : 138, 155, 160, 213, 740. — Missions : 138, 162, 228,
590.

SUELLI (Sardaigne). Ev. : 54.

SULLY-SUR-LOIRE (Loiret). Seigneur : Trémoille (Guy de la).

SULMONA (Italie, prov. L'Aquila). Prévôt de l'église : 730.
— (Onofrio da), év. Ugento, coll. Brindisi, Otrante : 156, 729.

Sous-coll. : 159. — Dioc. : 724, 726.

TOLÈDE (Espagne). Coll. : (liste : 715) 101, 120, 130, 428, 455, 456, 464, 474, 475, 496, 501, 618, 619, 715. — Sous-coll. gén. : 108. — Archev. : Tenorio (Pedro), Luna (Pedro de). — Archevêché : 306-308. — Archid. : 273, 317, 715. — Prov. : 715. — Dioc. : 223, 669.

TOLENTINO (Italie, prov. Macerata) : 184, 433, 436. — Préceptorie de Saint-Antoine : 331.

TOLFA (Italie, prov. Rome). Alun : 683, 689.

TOLOMEI (Giovanni), march. : 509.
— (Jacopo), év. Narni, Chiusi, Grosseto, coll. Toscane et Spolète : 325, 723, 724.

TOLSAN (Jean), sous-coll. Gap et Sisteron : 284.
— (Pierre) : 284.

TOMACELLI (Andrea), recteur de la Marche d'Ancône : 191, 400, 401, 437, 439, 445, 553, 604.
— (Antonio) : 436, 447.
— (Catarina) : 444.
— (Gianpaolo) : 604.
— (Giovanello), capitaine général : 447, 553, 604, 607, 638.
— (Giovanni), recteur du duché de Spolète : 401, 437, 528, 529.
— (Marcolino) : 444.
— (Marino) : 324, 640.
— (Roberto) : 324.

TOMAR (Joao de), coll. Portugal : 144.

TOMBA (auj. Tavullia, Italie, prov. Pesaro) : 185.

Tommaso, év. Minori : 318.

Tommaso, abbé de Correto, coll. Lombardie : 722.

TONSO (Enrico), march. génois : 510.

TORCÉ-EN-VALLÉE (Sarthe, cant. Montfort-le-Rotrou) : 707.

TORCELLO (Italie, prov. Venise). Ev. : Greppa (Donato). — San Tommaso ; abbé : 159, Pietro.

TORELLI (Guido de') : 640.

TORRES (Sardaigne). Archev. : Cambi (Ubaldino).

TORRET (Jean), coll. du Puy : 709.

TORTINO (Lodovico), cit. génois : 617.

TORTONA (Italie, prov. Alessandria). Chan. : 723. — Dioc. : 722. — San Marciano ; abbé : 722.
— (Marciano da), clerc de la Chambre : 154.

TORTOSA (Espagne, prov. Saragosse). Ev. : 668. — Administr. : 295. — Chan. : 715.

TOSCANE (Italie) : 182, 637, 639. — Coll. : (liste : 723) 146, 147, 149, 155, 159, 160, 183, 198, 211, 231, 241, 244, 444, 445, 467, 471, 483, 506, 508, 510, 516, 519, 520, 597, 680, 721. —

INDEX RERUM

Les chiffres en italique renvoient à des passages relatifs à l'obédience romaine. Les chiffres en romain concernent l'obédience avignonnaise.

Cens de vicariats apostoliques : *183-186, 194, 433, 434, 581, 638, 639*.

Cens ecclésiastiques : 233, 236, 237, 273, *581, 597*.

Censuelles (Pensions) : 586, 587.

Censure : 47, 91, 122, 289, 361.

Centralisation : 92, 121-128, 134, 281, *399-402*, 402-404, 419, *432, 452, 466,* 466, 467, *524,* 669, 678.

Chambellans : 63, *143*, 317, 355, 657, 658.

Chancellerie : 195, 196, 198, 411, 567, 568.

Change manuel : 134, 458-461, 463.

  — tiré : 134, 406, 407, 453-505, *510, 512*.

  Contrats de change : 458, 462.

  Frais de change : 453, 461, 463-465.

  Lettres de change : 453, 457, 462-465, 472, 481, 489, 493, 495-497, 503, 504, *510, 515, 516,* 527, 548, 614, 674.

  Cf. *Monnaies, monopoles de transfert.*

Changeur de la Chambre : 85, *506, 509,* 571, *592*.

Chapelains commensaux du pape : *143*.

  — d'honneur du pape : 117, 257, 278, 294.

Chapelle papale : 84, 85, 411.

Chasse : 121.

Chevauchement d'impositions : *214, 215, 224, 225, 231,* 542.

Chevaux : 120, 271, 406, 458, *603,* 627, 650.

Cire (Office de la) : 99, 411, 412.

Citations : 56, 57, 130, 131, *158,* 262, 264, 350.

Clavaires : 299, 656.

Clercs de la Chambre : 59-72, 97, 98, 102, 136, 141, *142, 143, 151-154, 328,* 651, 660.

  Gages : 71.

Collations : 206, 207, 292-294, 301, 316, *321-324,* 343, 368-370, 662-664.

Collecteurs.

  Attributions : 78,102-106, 109, 110, 121-128, *160,* 218, *228, 233, 237,* 243, 252, 263, 281, 294, 295, 311, *323, 324,* 343 ; 353 ; 356 ; 360, 361, *361, 362,* 369, 383, 452, 453, 462, *466,* 497-505, *595, 597,* 653.

  Comptes : 11, 12, 67, 75, 76, 81, 128-134, 140, *157, 158, 240* ; 249, 275, 542, *679*.

  Comptes brefs : 68.

  Dépenses : 48, 68, 75, 76, 81, 111, 113, 114, 131, *145, 146* ; 241-243, *243, 244,* 249.

  Nomination : 45, *161,* 653.

  Privilèges : 54.

  Recette : 233-240, *240,* 241, 241-249, 658.

  Recrutement : 93-100, *155-157*.

  Révocations : 105, 130, 131, 141.

  Salaire : 110-115, 131, *144,* 243.

Contentieuse (Justice) : 52-54, 56.
Correspondance de la Chambre : 88, 89, 103, 106, *212*, 243, *243*, 252, 419, 425.
Coton : 119.
Cour de la Chambre apostolique : 57-59, 69.
Couronnement impérial : *216*.
Croisade : 208, *216, 588, 595-597, 602*.
Cuisine papale (Office de la) : 68, 82, 407, 409, 411, 429.
   Acheteur de la Cuisine : 86, 429.
Cumul d'offices : 70, 100, *142-144, 151, 153, 154*.

Décimes : 208-211, *211-217*, 224, *227, 229*, 655, 659, 668.
   Exemption : 208, 226, *228*.
   Perception : 124-127, *145, 149, 213-215*, 224, 225, 244-248.
   Produit : 210, *217*, 220, 233-237, 249.
Décimes biennales : 208, 209.
Décimes concédées ou partagées : 125, 209-211, *216*, 234, 235, 238, *443*, 615, 627, 628, 648.
Dédoublement de la Chambre apostolique : 671-674.
Délais : 67, 122, 134, 654, 662, 666, 669, 670.
   pour les annates : 116, 667.
   pour les communs services : 343, 344, 346-348, 355, 362, 366, 370, 372, 376-389, *390-393*, 394, 395, 647, 675, 676.
   Révocation de délais : 140, 356.
Denier de Saint-Pierre : *590*.
Dépositaire de la Chambre : *509-511, 513, 517, 519-522*.
   Dépositaire à Bologne : *187*.
Dépouilles : 55, 250-291, *321-327, 337-340, 356*.
   de cardinaux : *338, 339* ; cf. cardinaux (testaments).
   d'officiers : *157*, 253, 258-260, *325, 326, 338*.
   du pape : *339, 340*.
   Commissaires aux dépouilles : 70, 71, 112, 113, 127, *326*.
   Envois à la Trésorerie : 84, 85, 280-283, 547.
   Exemptions : 251, 255-258, *337, 338*.
   Frais : 264-266, 279, 280, 290.
   Inventaire : 76, 89, 127, 260, 275, 285, 286, *338*.
   Mainlevée : 273, 274, 276.
   Modification : 250, 260-272, 285-287, *339*.
   Poursuite : 251, 259, 260, 265, 277, 322, *339*.
   Produit : 233, 236, 237, 278-281, 286, 287, 290, 291, 297, *340*, 629 ; cf. compositions.
   Renonciation de la Chambre : 76, 273, 274-276, 278, 281, *325*.
   Réserve : 127, 250-260.
   Saisie : 70, 89, 259, 260, 270, 271, 273, 275, 280, 281, *322, 324-326, 339, 340*.
   Vente : 275, 280, 282-284, 583, 584.

FAVIER.

TABLE DES CARTES ET GRAPHIQUES

TABLE DES MATIÈRES

Contents

List of contributors

Pieter Baas, Nationaal Herbarium Nederland, Universiteit Leiden Branch, PO Box 9514, 2300 RA Leiden, The Netherlands

Hendrik Bargel, Institut für Botanik, Zellescher Weg 22, 01062 Dresden, Germany

Wilhelm Barthlott, Botanisches Institut, Abteilung SystematiR und Biodiversität, Meckenheimer Allee 170, 53115 Bonn, Germany

David J Beerling, Department of Animal and Plant Sciences, University of Sheffield, Sheffield S10 2TN, UK

Pim F van Bergen, Organic Geochemistry, Earth Sciences, Utrecht University, PO Box 80021, 3508 TA Utrecht, The Netherlands

Peter C Bilkey, AgResearch International, 7841 East Oakbrook Circle, Madison, WI 53717, USA

Peter Blokker, Vrije Universiteit, Analytical Chemistry and Applied Spectroscopy, Faculty of Sciences, De Boelelaan 1083, 1081 HV Amsterdam, The Netherlands

William J Bond, Department of Botany, University of Cape Town, Private Bag, Rondebosch, 7700 South Africa

Adrianus C Borstlap, Transport Physiology Research Group, Department of Plant Sciences, Utrecht University, Sorbonnelaan 16, NL-3584 CA Utrecht, The Netherlands

Tim Brodribb, Parque Nacional Santa Rosa, Costa Rica

William G Chaloner, Department of Geology, Royal Holloway, University of London, Egham Hill, Egham, Surrey TW20 0EX, UK

Mark W Chase, Molecular Systematics Section, Jodrell Laboratory, Royal Botanic Gardens, Kew, Richmond TW9 3DS, UK

Jerry D Cohen, Department of Horticultural Science, University of Minnesota, Saint Paul, MN 55108, USA

Margaret E Collinson, Department of Geology, Royal Holloway University of London, Egham, Surrey TW20 0EX, UK

Martha E Cook, Department of Biological Sciences, Illinois State University, Normal, IL, USA

Todd J Cooke, Department of Cell Biology and Molecular Genetics, University of Maryland, College Park, MD 20742, USA

Stephen D Davis, Pepperdine University, Natural Science Division, Malibu, CA 90263–4321, USA

Michael E Day, Department of Forest Ecosystem Science, University of Maine, 5755 Nutting Hall, Orono, Maine, USA

Steven Dessein, Laboratory of Plant Systematics, Institute of Botany and Microbiology, K.U.Leuven, Kasteelpark Arenberg 31, B-3001 Leuven, Belgium

Joost van Dongen, Max Planck Institute of Molecular Plant Physiology, Am Mühlenberg 1, 14476 Golm, Germany

Dianne Edwards, School of Earth, Ocean and Planetary Sciences, Cardiff University, PO Box 914, Cardiff CF1 3YE, UK

Frank W Ewers, Michigan State University, Department of Plant Biology, East Lansing, MI 48824, USA

Richard D Firn, Department of Biology, University of York, York YO1 5DD, UK

Madeline M Fisher, Wisconsin Alumni Research Foundation, University of Wisconsin, Madison, WI 53706, USA

James M Graham, Department of Botany, University of Wisconsin, Madison, WI 53706, USA

Linda E Graham, Department of Botany, University of Wisconsin, Madison, WI 53706, USA

Howard Griffiths, Department of Plant Sciences, Downing Street, University of Cambridge, Cambridge CB2 3EA, UK

John M Hackney, Department of Botany, University of Wisconsin–Madison, WI 53706, USA

David T Hanson, Molecular Plant Physiology, Research School of Biological Sciences, National University, Canberra, ACT 2601, Australia

Robert S Hill, Centre for Evolutionary Biology and Biodiversity, South Australian Museum, Adelaide, South Australia 5000; Department of Environmental Biology, Adelaide University, South Australia 5005

Martin Ingrouille, School of Biological and Chemical Sciences, Birkbeck University of London, Malet Street, London WC1E 7HX, UK

Richard Jagels, Department of Forest Ecosystem Science, University of Maine, 5755 Nutting Hall, Orono, Maine, USA

Steven Jansen, Laboratory of Plant Systematics, Institute of Botany and Microbiology, K.U.Leuven, Kasteelpark Arenberg 31, B-3001 Leuven, Belgium

Philip John, School of Plant Sciences, The University of Reading, Reading RG6 6AS, UK

Clive G Jones, Institute of Ecosystem Studies, Box AB, Millbrook NY 12545–0129 Millbrook, USA

Kerstin Koch, Botanisches Institut, Abteilung SystematiR und Biodiversität, Meckenheimer Allee 170, 53115 Bonn, Germany

Robin B Kodner, Department of Organismal and Evolutionary Biology, Harvard University, Cambridge, MA 02138, USA

Pieter J C Kuiper, Department of Plant Biology, University of Groningen, The Netherlands

Cécile M H Lapré, Freelance Research Consultancy, Haren, The Netherlands

Tracy Lawson, Department of Biological Sciences, University of Essex, Wivenhoe Park, Colchester, Essex CO4 3SQ, UK

Jan W de Leeuw, Organic Geochemistry, Earth Sciences, Utrecht University, PO Box 80021, 3508 TA Utrecht; Marine Biogeochemistry and Toxicology, Royal NIOZ, PO Box 59, AB Den Burg, Texel, The Netherlands

Ben A LePage, Department of Earth and Environmental Science, University of Pennsylvania, 240 S. 33rd St, Philadelphia, PA 1910-6316, USA

Kate Maxwell, Department of Plant Sciences, Downing Street, University of Cambridge, Cambridge CB2 3EA, UK

Guy F Midgley, Ecology and Conservation, Kirstenbosch Research Centre, National Botanical Institute, Private Bag X7 Claremont, 7735 South Africa

James I L Morison, Department of Biological Sciences, University of Essex, Wivenhoe Park, Colchester, Essex CO4 3SQ, UK

Christoph Neinhuis, Institut für Botanik, Zellescher Weg 22, 01062 Dresden, Germany

John Obst, UDSA Forest Products Laboratory, Madison, WI 53706, USA

Colin P Osborne, Department of Animal and Plant Sciences, University of Sheffield, Sheffield S10 2TN, UK

Christopher N Page, Honorary Associate, Royal Botanic Garden, Edinburgh. Correspondence: Cornwall Geological Museum, Penzance TR18 2QR, UK

Norman W Pammenter, School of Life and Environmental Sciences, University of Natal, Durban, 4041 South Africa

DorothyBelle Poli, Department of Cell Biology and Molecular Genetics, University of Maryland, College Park, MD 20742, USA

John A Raven, Division of Environmental and Applied Biology, Biological Sciences Institute, School of Life Sciences, University of Dundee, Dundee DD1 4HN, UK

Elizabeth A Reynolds, School of Plant Sciences, The University of Reading, Reading RG6 6AS, UK

David Richardson, Department of Plant Sciences, Downing Street, University of Cambridge, Cambridge CB2 3EA, UK

Elmar Robbrecht, National Botanic Garden of Belgium, Domein van Bouchout, B-1860 Meise, Belgium

Wendy Robe, Department of Plant Sciences, Downing Street, University of Cambridge, Cambridge CB2 3EA, UK

Nick Rowe, Botanique et bioinformatique de l'architecture des plantes, UMR 5120, TA 40/PS 2 Boulevard de la Lironde, 34398 Montpellier, cedex 5, France

Lukas Schreiber, Botanisches Institut, Abteilung Ökophysiologie, Kirschallee 1, 53115 Bonn, Germany

Jaap S Sinninghe Damsté, Organic Geochemistry, Earth Sciences, Utrecht University, PO Box 80021, 3508 TA Utrecht; Marine Biogeochemistry and Toxicology, Royal NIOZ, PO Box 59, AB Den Burg, Texel, The Netherlands

Erik Smets, Laboratory of Plant Systematics, Institute of Botany and Microbiology, K.U.Leuven, Kasteelpark Arenberg 31, B-3001 Leuven, Belgium

Thomas Speck, Plant Biomechanics Group, Botanical Garden of the Albert-Ludwigs-Universität, Schänzlestrasse 1, D-79104 Freiburg, Germany

David R Vann, Department of Earth and Environmental Science, University of Pennsylvania, 240 S. 33rd St, Philadelphia, PA 1910–6316, USA

Toshihiro Watanabe, Graduate School of Agriculture, Hokkaido University, Sapporo, 0608589, Japan

Charles H Wellman, Department of Animal and Plant Sciences, University of Sheffield, Alfred Denny Building, Western Bank, Sheffield S10 2TN, UK

Elisabeth A Wheeler, North Carolina State University, Department of Wood & Paper Science, Box 8005, Raleigh, NC 27695–8005, USA

Lee W Wilcox, Department of Botany, University of Wisconsin, Madison, WI 53706, USA

Christopher J Williams, Department of Earth and Environmental Science, University of Pennsylvania, 240 S. 33rd St, Philadelphia, PA 1910–6316, USA

Preface

Despite its extensive history as a field of study, plant physiology has rarely been considered by palaeobotanists in the context of the fossil record. Similarly, those involved with modern physiology have rarely considered that the fossil record might have anything to offer with respect to a modern view of plants and their responses to environmental change. This is of no great surprise since few fossils are amenable to the traditional methods used in modern physiology and fossils are, quite rightly, viewed as being deficient in useful characters when compared with living specimens. However, over the past few years, the emerging field of palaeophytophysiology (the study of the physiology of living plant ancestors and their extinct relatives) has begun to redress this imbalance and the wealth of physiological information hidden within the palaeobotanical realm is finally being unearthed. It was with these thoughts in mind that the symposium, sharing the same title as this book, was organized jointly between the Linnean Society of London (Palaeobotany Specialist Group) and the Royal Botanic Gardens, Kew with sponsorship from the Annals of Botany Company. Its aim was to bring together researchers from a range of disciplines, each with their own perspective on the overlap between an interest in plant physiology and the botanical fossil record. At this unique and somewhat unusual event we were able to begin considering the mechanisms, responses, effects and subsequent repercussions of plant physiology through geological time.

The synthesis of such previously disparate disciplines has required the development of new techniques and interpretative frameworks. These have brought about an understanding of palaeophytophysiology in its widest context and have provided exciting ideas for physiologists, palaeobotanists and climate modellers alike. Cutting edge developments in this novel field provide the basis of this book drawing on subjects as distant as animal evolution, biochemistry, computer modelling, phylogenetic analyses, organic geochemistry and plant ecology to provide greater insights into the evolution of plant physiology in its widest context.

The origins of plant physiology

We begin with a focus on the physiology of early land plants with reference to the problems faced by bryophytes and embryophytes; their photosynthetic limitations and the mechanistic means of overcoming associated physiological limitations. The necessary advances in spore wall physiology, involving crucial adaptive responses to the new harsh subaerial environment, which ensured a successful invasion of the land, are discussed.

Evolution of plant physiology from the molecular level

Any consideration of physiological evolution must include reference to the associated biochemistry. This section delves deeper into our understanding of how and why selected

molecules and molecular structures have played an important role in palaeophytophysiology. These chapters provide an introduction to this area with focus on specific biomolecules such as auxin, aquaporins, ethylene and phenolics and their resulting influence on
the plants themselves concurrent with evidence from the fossil record. Biomacromolecules
with protective and supportive roles are considered.

Evolution of anatomical physiology

Physiological adaptation to environmental variables cannot improve without associated
advances in morphology and anatomy. Evolutionary development of the leaf and its associated anatomy is an obvious example but without an improved hydraulic system the
functioning of the leaves would undoubtedly fail. This section focuses on the development
of the megaphyll leaf, the stomata (a crucial advancement for photosynthesis and controlling water loss through transpiration) and the plan of hydraulic delivery of water
throughout the plant. This section also considers physiology with respect to reproduction
and its phylogenetic utility.

Evolution of environmental and ecosystem physiology

Evolutionary adaptation is inevitably a response to environmental change. Throughout
the course of geological time, the environments in which plants grew have been changing,
often radically and irreversibly. Therefore it is only right to include a section on their
adaptations to environments. Such adaptations include responses to factors as far reaching as the unique polar regime, specific elements present within the soil and large-scale
relationships between physiology, environment and species distribution.

This broad, but readable collection of contributions from leading specialists in systematics,
plant physiology, palaeobotany and bio/geochemistry provides an essential resource base
for both the newcomer and the established researcher in this new field. The contributions
are individual, thought provoking and sometimes even provocative. In some cases authors
disagree, but we view this as inevitable in a newly emerging field. Already, new terminology and conceptual frameworks are accruing; clearly the idea of 'trade-offs' among past
physiological requirements permeates this book. Our personal interest and enthusiasm for
this research area is only dampened somewhat by the realization that previous publications, and the chapters that make up this volume, represent only a small body of work and
that this currently constrains the intellectual walls against which we push. We are confident, however, that increasing interest, inspiring curiosity-driven research, and the obvious
relevance of palaeophytophysiology to all aspects of palaeoecology and environmental
change, coupled with the development of newly emerging techniques, will promote rigorous evaluation and notable expansion of this field. Regardless of the ultimate conclusions,
palaeophytophysiology certainly merits further investigation and we are confident that this
volume will act as a seed for the pursuit and dispersal of additional, more specialized and
comprehensive texts in the not too distant future.

Finally, we would like to thank all those who helped make the symposium and this publication a reality, including the independent reviewers for their time and effort spent on
each chapter. Special mention goes to John Marsden and the staff at the Linnean Society

along with Peter Crane and Simon Owens and the staff at the Royal Botanic Gardens Kew. For financial support and sponsorship we are grateful to The Annals of Botany and the Linnean Society of London.

Alan R Hemsley
Imogen Poole

PART

I

The Origins of Plant Physiology

1

Turning the land green: inferring photosynthetic physiology and diffusive limitations in early bryophytes

Howard Griffiths, Kate Maxwell, David Richardson and Wendy Robe

CONTENTS

Introduction

The tremendous interest in the form and function of the earliest land plants mirrors the enormous effect such plants had on the early climate, increasing the drawdown of CO_2 directly through photosynthesis and indirectly via weathering (Berner, 1998), both likely to lower global temperatures and encourage additional diversification on land (Algeo *et al.*, 2001). Despite recent developments in our understanding of land plant evolution, the physiological ecologist could feel somewhat marginalized, particularly if wary of engaging in *post hoc* speculations and reconstructions. There seems little doubt that bryophytes were key early players, since the fossil record has revealed some exquisite examples of early morphological details (Edwards *et al.*, 1995, 1998; Niklas, 1997). For many specimens, spore structure is consistent with bryophytes occurring throughout the Silurian,

The Evolution of Plant Physiology
ISBN 0–12–33955–26

particularly when associated with fossilized axes containing non-tracheophyte conducting elements in the Late Silurian/Early Devonian (Edwards, 1998, 2000). There has been considerable debate regarding the phyletic origins of bryophytes (Kenrick and Crane, 1997; Niklas, 1997; Renzaglia *et al.*, 2000; Kenrick, 2000). Despite the widespread use of *rbcL* as a phylogenetic marker (Chase *et al.*, 1993; Lewis *et al.*, 1997; Qiu and Palmer, 1999), analysis of the coevolution of Rubisco kinetic properties and variations in CO_2 concentrating mechanisms (CCM) have, in equivalent terms, received less attention (but see Badger and Andrews, 1987; Badger *et al.*, 1998; Raven *et al.*, 1998; Raven, 2000). Given that Rubisco is arguably the most abundant and important protein on Earth, such deficiencies need to be redressed.

Additionally, there have been few attempts to examine constraints to Rubisco carboxylation, mesophyll conductance and light utilization in extant representatives of early land-plant life-forms, such as the bryophytes (but see Green and Snelgar, 1982; Proctor *et al.*, 1992; Green and Lange, 1994; Deltoro *et al.*, 1998; Green *et al.*, 1998; Csintalan *et al.*, 1999; Zotz *et al.*, 2000; Proctor, 2001). This is despite many theoretical approaches (Raven, 1977, 1995; Edwards *et al.*, 1998), which have also called for additional measurements of water relations and photosynthetic characteristics of bryophytes. Accordingly, it is the aim of this chapter to redress the imbalance in some of these approaches and to consider why terrestrial land plants did *not* adopt the more widely used biophysical CCMs found in most algae and then in the Anthocerotae (Smith and Griffiths, 1996a,b), only to develop biochemical CCMs such as the C_4 pathway and crassulacean acid metabolism (CAM) much later in plant evolution.

Phylogeny of bryophytes

There has been considerable debate in the literature on whether the bryophytes (mosses, liverworts and hornworts) represent a monophyletic or paraphyletic group, relative to the tracheophytes (Kenrick and Crane, 1997; Kenrick, 2000). Based on a suite of morphological and molecular characteristics, Renzaglia *et al.* (2000) propose that the hornworts were the earliest divergent clade. Advanced features associated with reproductive and sporophyte development, as well as stomata and conducting tissues, arose in parallel and were not considered homologous across the bryophytes (Renzaglia *et al.*, 2000; Ligrone *et al.*, 2000). Other evidence suggests that hornworts represent the basal topology of the land-plant phylogenetic tree: from Rubisco large subunit (chloroplast *rbcL*) and small subunit rDNA sequences (Nickrent *et al.*, 2000), as well as mitochondrial *nad5* (Beckert *et al.*, 1999) and from an analysis of marchantioid liverwort radiation (Wheeler, 2000). Alternatively, liverworts have been suggested to be the earliest land plants, with hornworts monophyletic with mosses and closer to the tracheophytes, as identified by mitochondrial DNA markers and *rbcL* sequences (Lewis *et al.*, 1977; Qiu *et al.*, 1998; Qiu and Palmer, 1999).

Three alternative strategies were proposed by Kenrick (2000), based on a combination of traditional and molecular phylogenies, but ultimately he suggested that mosses were the immediate progenitor of higher plants in a progression including extinct protracheophytes. In conclusion, it seems that the three bryophyte groups are sufficiently similar for all authorities to support the notion strongly that they gave rise to the tracheophytes in a paraphyletic fashion, although the precise relationships are still to be resolved. Even the fossil record is not helpful here, since the hepatic characteristics which might be expected to be associated with spores and sporangia in the mid-Ordovician (460 million years (Ma)) are not well represented even in the Late Silurian, as compared to the megafossil record of protracheophytes, which occurs more clearly in the Early Devonian (Edwards, 2000; Kenrick, 2000). However, we note the warning given by Schuster (1981) in interpreting the phylogenetic progression, whereby many of the bryophyte lines were ultimately unsuccessful in colonizing land, and many of the more advanced liverworts families diversified in moist microclimates beneath angiosperms some 300 Ma later.

Rubisco: a discriminating marker for photosynthetic metabolism

Excursions in the stable carbon isotope record have long been used to infer changes in mass balance of $^{13}C:^{12}C$, which represent changes in the partitioning between geosphere and biosphere (Schidlowski, 2001). At present, the source air is progressively being depleted in CO_2 as we return the equivalent of some 60 years of net C_3 photosynthesis to the atmosphere by means of fossil fuel combustion (Hall and Rao, 1994). Carbon isotopes can also be used to distinguish photosynthetic pathways, such that a low discrimination (more enriched ^{13}C signal) is associated with terrestrial C_4 and CAM pathway and aquatic CCMs (Farquhar et al., 1989; Griffiths et al., 1999). In Figure 1.1 we collate data for a variety of such photosynthetic pathways, including terrestrial bromeliads (Figure 1.1A), which show the traditional bimodal distribution of carbon isotope discrimination (a measure which corrects the measured $\delta^{13}C$ of organic material for source CO_2 contribution to provide a positive value of biological discrimination). Thus CAM and C_4 plants show a lower discrimination because of the biochemical CCM and the action of PEP carboxylase, which suppress the inherent discrimination of Rubisco; in C_3 plants, this potentially high value of Rubisco fractionation is tempered by the diffusive limitation imposed by stomata, such that lower values of discrimination can be used to infer high water-use efficiency under comparable growth conditions

The biophysical CCM in algae and cyanobacteria is normally associated with low values of carbon isotope discrimination (Beardall et al., 1982; Máguas et al., 1995) and the values for lichens are included in Figure 1.1B to show the effect of assimilating CO_2 when high rates of respiratory CO_2 (from the associated fungal partner, the mycobiont) are presented to the photobiont. There are lessons here for bryophytes, which normally grow appressed to the soil substrate and hence would be likely to receive a respiratory CO_2 bonus (Raven, 2000; Raven and Edwards, 2001). Despite this, an analysis of the carbon isotope discrimination in a number of bryophyte species also shows a bimodal pattern much more closely allied to the C_4/CAM range (Figure 1.1C), because of the operation of a biophysical CCM in some hornworts (Smith and Griffiths, 1996a,b, 2000). Therefore, carbon isotopes provide one means to distinguish the occurrence of a CCM in bryophytes.

In addition, as shown below, we can also characterize the expression and activity of a CCM by measuring carbon isotope discrimination instantaneously during photosynthesis. Together with other measures, such as CO_2 compensation point, accumulation of an internal pool of dissolved inorganic carbon (DIC) and high carboxylation efficiency, it is possible to diagnose the operation of a CCM (Smith and Griffiths, 1996a,b). However, it should be noted that these are mostly indirect measures, and care should be taken in using CO_2 compensation points as a primary means of identifying CCM activity (Badger et al., 1998; Raven et al., 2000).

Why, then, does Rubisco need this type of photosynthetic turbocharger? The answer lies in the kinetic deficiencies of this extraordinary enzyme: often characterized as slow

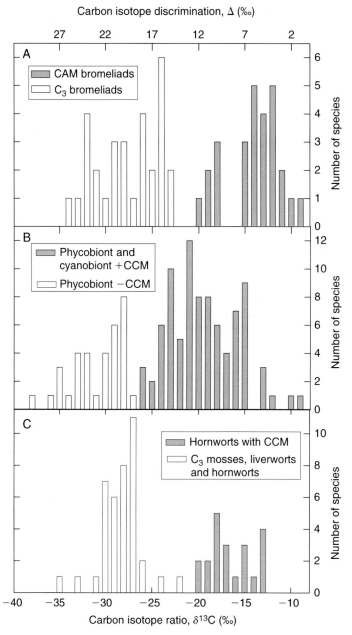

Figure 1.1 Carbon isotope ratio ($\delta^{13}C$) and discrimination (Δ) in organic material of contrasting plant groups: (A) bromeliads from Trinidad, showing distribution of C_3 and CAM photosynthetic pathways (data redrawn from Griffiths and Smith, 1983); (B) lichens, showing C_3-like discrimination associated with non-pyrenoidal algal photobionts and the more C_4-like signal associated with biophysical CO_2 concentrating mechanism (CCM) in pyrenoid (phycobiont) and carboxysome (cyanobacterial) of photobionts (data redrawn from Máguas *et al.*, 1995; Smith and Griffiths, 1996b); (C) bryophytes, showing C_3-like signal in most mosses and liverworts, with the CCM in Anthocerotae possessing a chloroplast pyrenoid (data redrawn from Proctor *et al.*, 1992; Smith and Griffiths, 1996b).

and inefficient, it has also been suggested to have evolved as a 'qwerty' enzyme, whereby, like the first typewriter keyboard which was designed to *slow* the typist, carboxylation efficiency is deliberately inefficient and prevents the total drawdown of CO_2 in the biosphere (Nisbet and Sleep, 2001). Additionally, having evolved prior to oxygenation of the atmosphere, this enzyme has a potentially fatal predilection for O_2 (as well as CO_2), leading to the production of phosphoglycolate, which can either be excreted (some algae: Raven *et al.*, 2000) or metabolized in photorespiration. Such competition between gaseous substrates would intuitively be over-run by the current molar ratios of CO_2:O_2 in the atmosphere. Indeed, Rubisco affinity for CO_2 is low (*Km*, or $K_{0.5}$, the substrate concentration required to half-saturate the enzyme), around 10–20 µmol CO_2 at 25°C, which is close to the CO_2 concentration in the cell cytosol. Thus, the enzyme should only ever be able to operate at half maximum velocity under normal conditions of diffusive CO_2 supply. However, the relative solubility of O_2 is lower than CO_2 at moderate temperatures, with O_2 now only some 25-fold higher in concentration. Another saving grace is that the affinity for O_2 is also relatively lower, around twice the dissolved O_2 concentration at 25°C, so that under these conditions Rubisco operates with the ratio of carboxylase: oxygenase rates (v_c/v_o) at around 2.5.

Rubisco is also catalytically slow, having a turnover rate (k_{cat}) of some $3\,s^{-1}$, as compared to $30\,000\,s^{-1}$ for carbonic anhydrase, an enzyme associated with the interconversion of bicarbonate and CO_2 in solution as a substrate for Rubisco, as well as central to many types of CCM activity. There is considerable variation in the kinetic properties of Rubisco, with one key indicator being the specificity factor (τ or S_{rel}), which reflects the selectivity for CO_2 over O_2. In general terms, cyanobacteria and other primitive (L2) forms of the enzyme have low specificity, at 25°C, while there seems to have been a progressive improvement from chlorophyte algae through to higher plants, and then, most surprisingly, to certain thermophilic red algae (Badger and Andrews, 1997; Badger *et al.*, 1998; Raven, 2000). While this is usually reflected in the *Km* for CO_2, there have been certain studies using site-directed mutagenesis which have led to dramatic increases in the *Km* for O_2 (Zhu *et al.*, 1998; Schlitter and Wildner, 2000). There is also usually a 'trade-off' between specificity and catalytic turnover, such that an enzyme with a high affinity for CO_2 tends to show a much lower k_{cat}. At any event, we now urgently need a more detailed survey of Rubisco specificity for the three bryophyte groups if we are to map the kinetic properties on to the wealth of phylogenetic information available to date.

What are the implications for Rubisco in bryophytes and the colonization of land? The elevated CO_2 likely to have been prevalent at 460 my would have suppressed oxygenase activity and photorespiration (Raven, 2000; Sage, 2002). Secondly, appressed to the soil surface, the respiratory bonus from today's organically enriched substrates may help to offset any oxygenase activity, particularly if thallus surfaces limit diffusive uptake of CO_2 (Raven, 2000; Raven and Edwards, 2001). In this regard, it is important to note that CO_2 diffuses 10 000 times more slowly in water than in air and that surficial films of water on bryophyte thalli can impose a significant limitation to CO_2 uptake. Therefore, an increasing degree of ventilation and internalization of air spaces seen in liverwort thalli represent a progression towards restricting external diffusion limitations at the thallus surface. Finally, the occurrence of a CCM in hornworts suggests that at some stage during the colonization of the land, the energetic differences associated with powering active transport for the CCM may have been replaced by those associated with recycling carbon skeletons during photorespiration. We evaluate the relative costs of these limitations experimentally below.

Life on land: caught in a compromising situation

An important point has recently been raised regarding the pattern of land plant evolution (Sage, 2002): while we accept that land plants evolved from a group within the Charophyceae, it is perhaps no coincidence that this has been the only group to evolve a high efficiency photorespiratory pathway to dispose of oxygenase products for aerial organs (see also Raven *et al.*, 2000; Raven, 2000). When moving onto land, two irreconcilable problems arose for plants: the compromise between water loss and desiccation and the need to dispose of glycolate as an oxygenase waste product in an aerial environment. This, Sage (2002) suggests, provides compelling evidence for the origins of land plants *via* the only group to evolve an effective photorespiratory pathway associated with the development of the peroxisome. The subsequent exploitation of the aerial environment has left us with a green world rather than red, yellow or brown should one of the other classes of algae have come to dominate. However, if hornworts were basal to the phylogeny of land plants, what happened to the genetic capacity to express a CCM, and why was it not more widely adopted?

In addition to direct effects of O_2, we have also alluded to other possible problems for a thalloid life form – the compromise between diffusion limitation and minimizing the thickness of water films through which CO_2 must diffuse (*via* internalization of air spaces); the difficulties of occupying a high UV world and need to develop mechanisms to control and dissipate excess photon energy; the need for additional C reserves to be allocated for lignin and structural support rather than simply for reproduction; and finally, the need to accommodate air spaces and operation of stomata (Raven, 1995, 2000). In addition, another problem might have been high temperatures (Algeo *et al.*, 2001), which in themselves promote the rate of oxygenase activity, spurred on by the double disadvantage of O_2 being increasingly soluble at high temperatures relative to CO_2, and the disproportionate shift in Rubisco S_{rel} in favour of O_2 at high temperatures. A final point to consider is whether Rubisco activase would have been present, and if so, operational under these conditions. Recent evidence has suggested that at temperatures close to 40°C, the activase does not activate Rubisco as effectively (Crafts-Brandner and Salvucci, 2000), rather acting to protect the enzyme (Rokka *et al.*, 2001).

Why is there no biophysical CCM in terrestrial plants other than hornworts?

Two features are required to allow the development of a CCM: the first is a compartment within which CO_2 may be concentrated. For C_4 plants, this is the bundle sheath; for CAM, in chlorenchyma throughout the entire leaf or cladode, as stomata close in the light; for a CCM, in cyanobacteria and phycobiont algae, some means to concentrate Rubisco and generate elevated CO_2, respectively, via the carboxysome and the pyrenoid. Secondly, some mechanism to concentrate CO_2, whether via biochemistry (C_4, CAM) or a biophysical CCM (cyanobacteria, algae and hornworts). The distribution of pyrenoids and association with single chloroplasts in algal cells has been reviewed in the context of the activity of the CCM and changes in Rubisco kinetics (Badger *et al.*, 1998). The association between pyrenoids, Rubisco and other Calvin cycle enzymes had been long established (Vaughn *et al.*, 1990; McKay and Gibbs, 1991). Earlier studies had suggested that the concentration of Rubisco and Rubisco activase in the pyrenoid reflected the evolutionary progression from uniplastidic to more advanced multiplastidic systems, with Rubisco distributed throughout the stroma (McKay and Gibbs, 1991). It now seems clear that the pyrenoid is consistently associated with CCM activity (Badger *et al.*, 1993, 1998; Palmqvist, 1993; Máguas *et al.*, 1995; Smith and Griffiths, 1996a,b). Indeed, there may be specialized thylakoid lamellae which are inserted through the pyrenoid which are enriched in Photosystem I (PSI). Such observations have led to suggestions that spatial separation of O_2 evolving PSII is one advantage (Pronino and Semenenko, 1992), and that cyclic electron flux may contribute to the ATP requirements of the CCM (Badger *et al.*, 1998). Whether this also indirectly generates the required pH environment for a specific intrathylakoid carbonic anhydrase enzyme still requires validation (Raven, 1997). Alternatively, pseudo-psyclic ATP generation has been associated with pyrenoid function (Sültemeyer *et al.*, 1993). Most recently, changes in allocation of Rubisco to the pyrenoid have been associated with diurnal changes in dinoflagellate photosynthesis (Nassoury *et al.*, 2001). In conclusion, theoretical models of eukaryote CCM activity strongly support the role of the pyrenoid in facilitating CCM activity, together with a central role for carbonic anhydrase (Badger *et al.*, 1998; Thoms *et al.*, 2001).

However, the evidence that the loss of the pyrenoid (and hence CCM) in the hornworts is associated with the multiplastidic condition is compelling, and is mirrored in a similar progression in unicellular algae (Smith and Griffiths, 1996b; Badger *et al.*, 1998). Despite analyses of the morphological correlates (Brown and Lemon, 1990), one key feature requiring more detailed analysis is the molecular control of chloroplast differentiation, so as to determine why genetic expression of the pyrenoid was lost, seemingly irrevocably. It seems likely that the development of the multiplastidic cell would bring about a dramatic increase in mesophyll conductance, allowing smaller chloroplasts to be appressed close to air spaces in increasingly well-ventilated photosynthetic thalli, thereby dramatically reducing the liquid- and lipid-phase diffusion limitation in the aerial environment. Perhaps it is this 'trade-off' which allowed the energetic disadvantage of photorespiration to be offset by higher values of Cc, the concentration of CO_2 at Rubisco. In a uniplastidic cell, the retention of the pyrenoid +CCM would be essential since Rubisco is so tightly packed in the pyrenoid that the low mesophyll conductance without a CCM would cause a major drawdown of CO_2 intracellularly (analogous to CAM plants during Phase IV of gas exchange: Maxwell *et al.*, 1997).

Comparative physiology of bryophyte photosynthesis

First, we consider the general characteristics of the CCM in hornworts, as compared to gas exchange and carbon isotope discrimination characteristics for other liverworts (Table 1.1). Rates of net CO_2 assimilation are similar for contrasting thalloid life forms when expressed on a chlorophyll basis (and also on a weight and area basis: Smith and Griffiths, 1996a,b, 2000). However, the higher carboxylation conductance of hornworts, as inferred from the $K_{0.5}$ and the lower CO_2 compensation point (Γ), is related to the magnitude of the dissolved inorganic carbon (DIC) pool accumulated (Table 1.1). Alternatively, for bryophytes with a varying degree of thallus ventilation, the gas exchange characteristics were uniformly more 'C_3-like', with higher $K_{0.5}$ values and higher Γ, suggesting that the efficiency of CO_2 acquisition is lower. The values for *Conocephalum conicum* (L.) Underw, with generally a low chlorophyll content, show a slight DIC pool, which is probably associated with alkalinization of the chloroplast stroma during the light-dark

Table 1.1 Net CO_2 assimilation, gas exchange and isotope discrimination characteristics for hornworts and liverworts

Species	Net CO_2 assimilation, A (nmol CO_2 mg^{-1} chl s^{-1})	Half saturation constant for CO_2, $K_{0.5}$ (μmol mol^{-1})	CO_2 compensation point, Γ (μmol mol^{-1})	Dissolved inorganic carbon (DIC) pool (nmol CO_2 mg^{-1} chl)	Instantaneous carbon isotope discrimination, Δ (‰)
Anthoceros crispulus	4.1	167	26	17.6	12.2
Phaeoceros laevis	5.1	110	25		12.4
Marchantia spp.	4.9	185		0	
Marchantia polymorpha	4.4		54		26.6
Pellia endivifolia	4.3	310	55	0	31.4
Pellia epiphylla	4.8	225	69	0	27.6
Conocephalum conicum	2.0	287	49	5.5	24.8

Data from Smith and Griffiths (1996b, 2000).

transient measurements (Smith and Griffiths, 1996a,b; Badger *et al.*, 1998). Finally, the on-line measurements of carbon isotope discrimination, which show the extent of discrimination directly during photosynthetic gas exchange (Griffiths *et al.*, 1999), are low in the two hornworts (*Phaeoceros laevis* L. and *Anthoceros crispulus* L.), close to the range normally associated with C_4-plant organic material (see Figure 1.1; Smith and Griffiths, 1996b), while the values for other liverworts are clearly within the C_3 range (Table 1.1).

Are there any advantages for maintaining a CCM in bryophytes? We have recently conducted a comparative study of bryophyte photosynthesis and light use, presented in Figure 1.2 (unpublished data). The CO_2 response of photosynthesis for the two non-ventilated thalli (*viz. Phaeoceros* and *Pellia endivifolia* (Dicks) Dum.) are clearly distinguished: thus the diffusion limitation imposed in *Pellia* results in a linear A/Ca response, with low rates of maximum CO_2 uptake (Figure 1.2A). The effect of the CCM is to lower the CO_2 compensation point and achieve maximum rates of net CO_2 uptake similar to the well-ventilated *Marchantia*. In terms of carbon gain, therefore, the CCM helps to overcome diffusive limitations in hornworts, but rates of C gain are then only comparable to the bryophytes which have reduced the diffusive limitation within the thallus by increasing 'internal' air spaces. In today's climate, the relative costs of photorespiration equate to those of driving the biophysical CCM, similar to C_3 and C_4 plants at 18–20°C (Raven, 1985; Raven *et al.*, 1998); in the environment under which similar life forms might have evolved on land, the perhaps 10-fold higher atmospheric CO_2 concentration (Berner, 1998; Sage, 2002) would have largely suppressed photorespiration, and so the energetic 'cost' of the CCM, needed to overcome diffusive limitations both internal (single chloroplast) and external (non-ventilated thallus), did not provide a selective advantage.

However, a comparison of photosynthetic light use, measured as Photosystem II fluorescence, reveals that the CCM-based photosynthetic system does allow electron transport

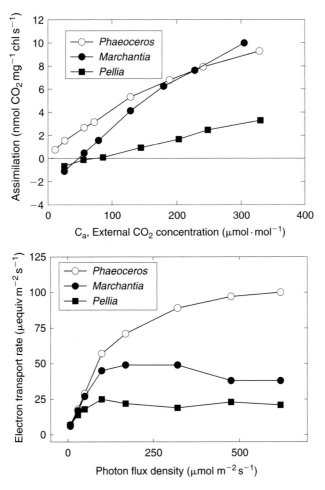

Figure 1.2   Photosynthetic CO_2 and light (electron transport) responses for hornworts and liverworts with a varying degree of thallus ventilation. CO_2 and PSII fluorescence were measured in a modified leaf cuvette (LD2, Hansatech, Kings Lynn, UK) coupled to an ADC 225 mk III infrared gas analyser (ADC, Hoddesdon, UK) in a closed system, and a PAM 101 Fluorometer (H. Walz, Effeltrich, Germany). Each response is the mean of measurements on two replicate thallus samples maintained under photon flux density of $50 \, \mu mol \, m^{-2} s^{-1}$, with CO_2 responses measured under $150 \, \mu mol \, m^{-2} s^{-1}$.

to be sustained under high photon fluxes up to full sunlight (Figure 1.2), as compared to both *Marchantia* and *Pellia*. Electron transport is saturated around a photon flux of $100 \, \mu mol \, m^{-2} s^{-1}$ for the latter, as opposed to around $600 \, \mu mol \, m^{-2} s^{-1}$ for *Phaeoceros* (Figure 1.2). Given that stomata do occur in the sporophyte generation of hornworts, the capacity to cope with high light seems to represent a lost opportunity for adopting more exposed habitats during colonization of the land, and supports observations that hornworts do thrive in relatively exposed conditions today. Perhaps the limitations imposed by the pyrenoid and the uniplastidic condition, with the dominance of chloroplast division over cell division processes (Brown and Lemon, 1990), inhibits the development of more complicated life forms.

Conclusions

A definitive phylogenetic tree would help to clarify the paraphyletic development of the bryophytes in the context of the protracheophytes and help to resolve how the dramatic change in reproductive life cycle was accomplished during the progression towards vascular plants. However, it would not necessarily resolve the occurrence of the pyrenoid in hornworts, since in the genus *Megaceros* there is the gradual loss of the pyrenoid associated with the development of the multiplastidic condition, which seemingly represents the derived condition (Burr, 1970; Brown and Lemon, 1990; Vaughn *et al.*, 1992; Badger *et al.*, 1998). However, we may make some physiological contribution towards the debate regarding phylogeny: if hornworts are to be considered basal (Beckert *et al.*, 1999; Wheeler, 2000; Nickrent *et al.*, 2000), and by inference closest to the *Coleochaete*-like ancestor, why was the genetic basis for expressing a pyrenoid lost? That the pyrenoid-containing members of the family are more primitive and uniplastidic (Vaughn *et al.*, 1992; Badger *et al.*, 1998), as well as possessing stomata in the sporophyte, seems to make this family the sister group for other bryophytes and hence all embryophytes (Beckert *et al.*, 1999; Nickrent *et al.*, 2000; Renzaglia *et al.*, 2000). Then again, the conclusions that liverworts are basal, using *rbcL* sequence of many bryophytes (Lewis *et al.*, 1997; Qiu *et al.*, 1998; Qui and Palmer, 1999) also seems compelling, and so ultimately we must adopt a compromise position (Kenrick, 2000) to account for the lack of agreement between molecular phylogeny and the bryophyte fossil appearance in terms of poor bryophyte preservation and changing geological conditions, rather than rapid diversification. Importantly, we now need to conduct a search at the molecular level for genes encoding the pyrenoid in other bryophytes and early tracheophytes (*cf.* Pfannschmidt *et al.*, 1999).

As far as Rubisco functioning, a study has now been completed in the variation of catalytic properties in a range of hornworts (Hanson *et al.*, 2002). We urgently need a comparative study on the range of bryophytes to clarify the interrelationships between the CCM and the changes in Rubisco specificity which may have occurred in terrestrial vascular plants. Since lower S_{rel} values are associated with C_4 plants which have perhaps maintained Rubisco under elevated CO_2 for only 10 my, it would be intriguing to determine whether any significant variations have developed between *Anthoceros* and *Megaceros*, respectively with and without the pyrenoid, or across the mosses and liverworts. At any event, when bryophytes first colonized the land some 460 my ago, the advantage of elevated CO_2 at that time would have been offset by the higher ambient temperatures, likely to have caused v_c/v_o to have decreased from 5.7 to 2.2 for an increase from 15 to 35°C (at current CO_2 concentrations) and also reduced activation by any Rubisco activase (Crafts-Brandner and Salvucci, 2000; Rokka *et al.*, 2001).

The increasing ventilation of thalli, in a progression seen in extant liverworts as well as in the fossil record through increasing stomatal densities (Osbourne *et al.*, 2001) would undoubtedly increase internal conductance to CO_2 (g_i), but at the cost of higher water loss. When we performed measurements of photosynthesis and carbon isotope discrimination on a wetted thallus, it was noticeable that the on-line discrimination signal decreased by 4‰ consistent with higher diffusion limitation, although net CO_2 uptake rate was barely affected (Smith and Griffiths, 1996b). Our data suggest that the CCM can operate in a non-wetted thallus and help to overcome diffusion limitation and *Anthoceros* is often observed growing in quite exposed conditions in arable fields (MCF Proctor, personal communication) and so wetting does not seem to be a prerequisite for CCM activity. We need additional information on the occurrence, location and activity of carbonic anhydrase throughout the hornworts (whether external, periplasmic, cytosolic, stromal or intrathylakoidal) and their interrelationship with CCM operation (Raven, 1997; Badger *et al.*, 1998; Thoms *et al.*, 2001).

Gas exchange characteristics of extant bryophytes provide some insight into the likely benefits of a CCM for hornworts as compared to the non-ventilated *Pellia* (see Figure 1.2). However, despite a higher carboxylation conductance (i.e. low $K_{0.5}$ for CO_2), and low compensation point, maximum rates of carbon gain are similar to the ventilated liverwort thalli (see Table 1.1, Figure 1.2). Indeed, we may infer that the expected energetic costs of the CCM are substantial (in contrast to the theoretical predictions of Raven, 1985), given the higher rates of electron transport needed to support this rate of CO_2 assimilation in *Anthoceros* (see Figure 1.2).

Ultimately, without a better understanding of the genes and regulatory processes leading to the expression (or suppression) of the pyrenoid or multiplastidic cells, we cannot make any more detailed inferences on the selective processes likely to have shaped the earliest terrestrial bryophytes. Perhaps we may uncover molecular evidence to show how and when the pyrenoid was lost from *Coleochaete* and hornworts and with it the potential to express a CCM. One thing seems certain – by becoming multiplastidic and internalizing airspaces, mesophyll conductance would have been dramatically increased. As long as oxygenase products could be detoxified via photorespiration, the higher light intensities available to drive electron transport (and not the CCM) could then have led to additional carbon reserves for creating structural material and conducting tissues for competing in the developing land-plant canopy. Despite the early opportunities and genetic basis for developing a CCM in early land plants, it appears that 400 to 450 my later, when the C_4 and CAM pathways became widespread, that potential had been irrevocably lost.

Acknowledgements

We are grateful for support from NERC and The Leverhulme Trust.

References

Algeo TJ, Scheckler SE, Maynard JB. 2001. Effects of the middle and late Devonian spread of vascular land plants on terrestrial weathering processes, and potential links to coeval marine extinction events and global climate change. In: Gensel GE, Edwards D, eds. *Plants Invade the Land*. New York: Columbia, 213–236.

Badger M, Andrews TJ. 1987. Co-evolution of Rubisco and CO_2 concentrating mechanisms In: Biggins J, ed. *Progress in Photosynthesis Research*. Dordrecht: Martinus Nijhof, 601–609.

Badger MR, Andrews TJ, Whitney SM, *et al.* 1998. The diversity and coevolution of Rubisco, plastids, pyrenoids, and chloroplast-based CO_2 concentrating mechanisms. *Canadian Journal of Botany* **76**: 1052–1071.

Badger MR, Pfanz H, Buedel B, *et al.* 1993. Evidence for the functioning of photosynthetic carbon dioxide concentrating mechanism in lichens containing green algal and cyanobacterial photobionts. *Planta* **191**: 57–70.

Beardall J, Griffiths H, Raven JA. 1982. Carbon isotope discrimination and the CO_2 accumulating mechanism in *Chlorella emersonii*. *Journal of Experimental Botany* **33**: 729–737.

Beckert S, Steinhauser S, Muhle H, Knoop V. 1999. A molecular phylogeny of bryophytes based on nucleotide sequences of the mitochondrial *nad5* gene. *Plant Systematics and Evolution* **218**: 179–192.

Berner RA. 1998. The carbon cycle and CO_2 over Phanerozoic time: the role of land plants. *Philospohical Transactions of the Royal Society of London Series B* 353: 75–82.

Brown RC, Lemon BE. 1990. Monoplastidic cell division in lower land plants. *American Journal of Botany* 77: 559–571.

Burr FA. 1970. Phylogenetic transitions in the chloroplasts of the Anthocerotales I. The number and ultrastructure of the mature plastids. *American Journal of Botany* 57: 97–110.

Chase M, Soltis DE, Olmstead RG, *et al.* 1993. Phylogenetics of seed plants: an analysis of nucleotides sequences from the plastid gene *rbcL*. *Annals of the Missouri Botanical Garden* 80: 528–580.

Crafts-Brandner SJ, Salvucci ME. 2000. Rubisco activase constrains the photosynthetic potential at high temperature and CO_2. *Proceedings of the National Academy of Sciences of the United States of America* 97: 13430–13435.

Csintalan Z, Proctor MCF, Tuba Z. 1999. Chlorophyll fluorescence during drying and rehydration in the mosses *Rhytidiadelphus loreus* (Hedw.) Warnst., *Anomodon viticulosus* (Hedw.) Hook & Tayl. and *Grimmia pulvinata* (Hedw.)Sm. *Annals of Botany* 84: 235–244.

Deltoro VI, Calatayud A, Gimeno C, *et al.* 1998. Changes in chlorophyll *a* fluorescence, photosynthetic CO_2 assimilation and xanthophyll cycle interconverison during dehydration in desiccation-tolerant and intolerant liverworts. *Planta* 201: 224–228.

Edwards D. 1998. Climate signals in Palaeozoic land plants. *Philosophical Transactions of the Royal Society of London Series B* 353: 141–157.

Edwards D. 2000. The role of Mid-Palaeozoic mesofossils in the detection of early bryophytes. *Philosophical Transactions of the Royal Society of London Series B* 355: 733–755.

Edwards D, Duckett JG, Richardson JB. 1995. Hepatic characters in the earliest land plants. *Nature* 374: 635–636.

Edwards D, Kerp H, Hass H. 1998. Stomata in early land plants: an anatomical and ecophysiological approach. *Journal of Experimental Botany* 49: 255–278.

Farquhar GD, Ehleringer JR, Hubick K. 1989. Carbon isotope discrimination and photosynthesis. *Annual Reviews of Plant Physiology and Plant Molecular Biology* 40: 503–557.

Green TGA, Lange OL. 1994. Photosynthesis in poikilohydric plants: a comparison of lichens and bryophytes. In: Schulze ED, Caldwell MM, eds. *Ecophysiology of Photosynthesis*. Berlin: Springer Verlag.

Green TGA, Schroeter B, Kappen L, *et al.* 1998. An assessment of the relationship between chlorophyll a fluorescence and CO_2 gas exchange from field measurements on a moss and a lichen. *Planta* 201: 611–618.

Green TGA, Snelgar WP. 1982. A comparison of photosynthesis in two thalloid liverworts. *Oecologia* 54: 275–280.

Griffiths H, Borland AM, Gillon J, *et al.* 1999. Stable isotopes reveal exchanges between soil, plants and the atmosphere. In: Press MC, Scholes JD, Barker MG, eds. *Physiological Plant Ecology*. Oxford: Blackwell Science, 415–441.

Griffiths H, Smith JAC. 1983. Photosynthetic pathways in the Bromeliaceae of Trinidad: relations between life-form, habitat preference and the occurrence of CAM. *Oecologia* 60: 176–184.

Hall DO, Rao KK. 1994. *Photosynthesis*. Cambridge: University Press.

Hanson D, Andrews TJ, Badger MR. 2002. Variability of the pyrenoid-based CO_2 concentrating mechanism in hornworks (Anthocerophyta). *Functional Plant Biology* 29: 407–416.

Kenrick P. 2000. The relationships of vascular plants. *Philosophical Transactions of the Royal Society of London Series B* 355: 747–855.

Kenrick P, Crane PR. 1997. The origin and early evolution of land plants. *Nature* 389: 33–39.

Lewis LA, Mishler BD, Vilgalys R. 1997. Phylogenetic relationships of the liverworts (Hepaticae), a basal embryophyte lineage, inferred from nucleotide sequence data of the chloroplast gene *rbcL*. *Molecular Phylogenetics and Evolution* 7: 377–393.

Ligrone R, Duckett JG, Renzaglia KS. 2000. Conducting tissues and phyletic relationships of bryophytes. *Philosophical Transactions of the Royal Society of London Series B* 355: 795–813.

Máguas C, Griffiths H, Broadmeadow MSJ. 1995. Gas exchange and carbon isotope discrimination in lichens: evidence for interactions between CO_2 concentrating mechanisms and diffusion limitation. *Planta* 196: 95–102.

Maxwell K, von Caemmerer S, Evans JR. 1997. Is a low conductance to CO_2 diffusion a consequence of succulence in plants with crassulacean acid metabolism? *Australian Journal of Plant Physiology* **24**: 777–786.

McKay RML, Gibbs SP. 1991. Composition and function of pyrenoids: cytochemical and immunocytochemical approaches. *Canadian Journal of Botany* **69**: 1040–1052.

Nassoury N, Fritz L, Morse D. 2001. Circadian changes in ribulose-1,5-bisphosphate carboxylase/oxygenase distribution inside individual chloroplasts can account for the rhythm in dinoflagellate carbon fixation. *The Plant Cell* **13**: 923–934.

Nickrent DL, Parkinson CL, Palmer D, Duff JD. 2000. Multigene phylogeny of land plants with special reference to bryophytes and the earliest land plants. *Molecular Biology and Evolution* **17**: 1885–1895.

Niklas KJ. 1997. *The Evolutionary Biology of Plants*. Chicago: University of Chicago Press.

Nisbet EG, Sleep NH. 2001. The habitat and nature of early life. *Nature* **409**: 1083–1091.

Osbourne C, Beerling DJ, Chaloner WG. 2001. Evolution of leaf form in land plants linked to atmospheric CO_2 decline in late Phanerozoic. *Nature* **410**: 352–354.

Palmqvist K. 1993. Photosynthetic CO_2-use efficiency in lichens and their isolated photobionts: the possible role of a CO_2-concentrating mechanism in cyanobacterial lichens. *Planta* **191**: 48–56.

Pfannschmidt T, Nilsson A, Allen JF. 1999. Photosynthetic control of chloroplast gene expression. *Nature* **397**: 625–628.

Proctor MCF. 2001. Mosses and alternative adaptation to life on land. *New Phytologist* **106**: 117–134.

Proctor MCF, Raven JA, Rice SK. 1992. Stable carbon isotope discrimination measurements in *Sphagnum* and other bryophytes. *Journal of Bryology* **17**: 193–202.

Pronino NA, Semenenko VE. 1992. The role of the pyrenoid in concentration, generation and fixation of carbon dioxide in chloroplasts of microalgae. *Fiziol Rast* **39**: 723–732.

Qiu Y-L, Cho JC, Cox JC, Palmer JD. 1998. The gain of three mitochondrial inserts identifies liverworts as the earliest land plants. *Nature* **394**: 671–674.

Qiu Y-L, Palmer JD. 1999. Phylogeny of early land plants: insights from genes and genomes. *Trends in Plant Science* **4**: 26–30.

Raven JA. 1977. The evolution of vascular land plants in relation to supra-cellular transport processes. *Advances in Botanic Research* **5**: 153–219.

Raven JA. 1985. The CO_2 concentrating mechanism In: Lucas WJ, Berry JA, eds. *Inorganic Carbon Uptake by Aquatic Photosynthetic Organisms*. Rockville: The American Society of Plant Physiologists, 67–81.

Raven JA. 1995. The early evolution of land plants: aquatic ancestors and atmospheric interactions. *Botanical Journal of Scotland* **47**: 151–175.

Raven JA. 1997. CO_2-concentrating mechanisms: a direct role for thylakoid lumen acidification? *Plant, Cell and Environment* **20**: 147–154.

Raven JA. 2000. Land plant biochemistry. *Philosophical Transactions of the Royal Society of London Series B* **355**: 833–846.

Raven JA, Edwards D. 2001 Roots: evolutionary origins and biogeochemical significance. *Journal of Experimental Botany* **52**: 381–401.

Raven JA, Griffiths H, Smith EC, Vaughn KC. 1998. New perspectives in the biophysics and physiology of bryophytes. In: Bates JW, Ashton NW, Duckett JG, eds. *Bryology for the Twenty-First Century*. Leeds: Maney Publishing and The British Bryological Society, 261–275.

Raven JA, Kubler J, Beardall J. 2000. Put out the light and then put out the light. *Journal of the Marine Biological Association* **80**: 1–27.

Renzaglia KS, Duff RJ, Nickrent DL, Garbary DJ. 2000. Vegetative and reproductive innovations of early land plants: implications for a unified phylogeny *Philosophical Transactions of the Royal Society of London Series B* **355**: 769–793.

Rokka A, Zhang LX, Aro EM. 2001. Rubisco activase: an enzyme with a temperature-dependent dual function? *The Plant Journal* **25**: 463–471.

Sage RF. 2002. Evolution of photosynthetic metabolism in terrestrial plants. PL14 *Proceedings of the 12th International Photosynthesis Congress*. Collingwood, Australia: CSIRO Publishing.

Schidlowski M. 2001. Carbon isotopes as biogeochemical recorders of life over 3.8 Ga of Earth history: evolution of a concept. *Precambrian Research* **106**: 117–134.

Schlitter J, Wildner GF. 2000. The kinetics of conformation change as determinant of Rubisco's specificity. *Photosynthesis Research* **65**: 7–13.

Schuster RM. 1981. Paleoecology, origin, distribution through time, and evolution of Hepaticae and Anthocerotae. In: Niklas KJ, ed. *Paleobotany, Paleoecology and Evolution*. New York: Praeger Publishers, 129–191.

Smith EC, Griffiths H. 1996a. The occurrence of the chloroplast pyrenoid is correlated with the activity of a CO_2-concentrating mechanism and carbon isotope discrimination in lichens and bryophytes. *Planta* **198**: 6–16.

Smith EC, Griffiths H. 1996b. A pyrenoid-based carbon-concentrating-mechanism is present in terrestrial bryophtes of the class Anthocerotae. *Planta* **200**: 203–212.

Smith EC, Griffiths H. 2000. The role of carbonic anhydrase in photosynthesis and the activity of the carbon-concentrating-mechanism in bryophytes of the class Anthocerotae. *New Phytologist* **145**: 29–37.

Sültemeyer DF, Biehler K, Fock HP. 1993. Evidence for the contribution of pseudocyclic photophosphorylation to the energy requirement of the mechanism for concentrating inorganic carbon in *Chlamydomonas*. *Planta* **198**: 235–242.

Thoms S, Pahlow M, Wolf-Gladrow DA. 2001. Model of the carbon concentrating mechanism in chloroplasts of eukaryotic algae. *Journal of Theoretical Biology* **208**: 295–313.

Vaughn KC, Campbell EO, Hasegawa J, *et al*. 1990. The pyrenoid is the site of ribulose 1-5 bisphosphate carboxylase/oxygenase accumulation in the hornwort (Bryophyta:Anthocerotae) chloroplast. *Protoplasma* **156**: 117–129.

Vaughn KC, Ligrone R, Owen H, *et al*. 1992. The Anthocerote chloroplast: a review. *New Phytologist* **120**: 169–190.

Wheeler JA. 2000. Molecular phylogenetic reconstructions of the marchantioid liverwort radiation. *The Bryologist* **103**: 314–333.

Zhu G, Jensen, RG, Bohnert H, *et al*. 1998. Dependence of catalysis and CO_2/O_2 specificity of Rubisco on the C terminus. *Photosynthesis Research* **57**: 71–79.

Zotz G, Schweikert A, Jetz W, Westeman H. 2000. Water relations and carbon gain are closely related to cushion size in the moss *Grimmia pulvinata*. *New Phytologist* **148**: 1–6.

2

Physiological evolution of lower embryophytes: adaptations to the terrestrial environment

John A Raven and Dianne Edwards

CONTENTS

Introduction

The physiology of embryophytes differs from that of their algal ancestors in a number of ways. Most relate to the differences in water relations of organisms which live on land, i.e. extant embryophytes, except the small number of species which have returned to live in water and those which live permanently in water, i.e. the great majority of species of algae.

The Evolution of Plant Physiology
ISBN 0–12–33955–26

This chapter sets out to examine the differences in physiology between embryophytes and their algal ancestors, with particular emphasis on their water relations. The embryophytes have very significant variations in water relations and the chapter considers their evolution within the embryophytes as well as the evolution of embryophyte water relations from those of their algal ancestors. The chapter also considers the relationship of the likely evolution of embryophyte water relations to cladistic analyses of embryophyte phylogeny and to the fossil record. A final point concerns the history of our understanding of this subject area and the possible constraints on achieving earlier syntheses.

The ancestors of embryophytes

The origins of the physiology of plants, i.e. embryophytes, must be sought in the extant algae which are most closely related to their algal ancestors. These algae are the Charophyceae *sensu lato*, and it is to the comparative electron microscopic studies of Pickett-Heaps (reviewed by Pickett-Heaps, 1975) and of Stewart, Mattox, Floyd and O'Kelly (reviewed by Stewart and Mattox, 1975) that the relationship of the Charophyceae to embryophytes was firmly established. Data on the occurrence of different enzymes catalysing the oxidation of glycolate, the hydrolysis of urea and the dismutation of superoxide radical anions supported the ultrastructural evidence (Bekheet and Syrett, 1977; Syrett and Al-Houty, 1984; De Jesus *et al.*, 1989). These findings have been supported by molecular phylogenetic studies (Nickrent *et al.*, 2000) and multifactorial cladistic analyses based on non-molecular studies (van den Hoek *et al.*, 1995; Kenrick and Crane, 1997; Graham and Wilcox, 2000a). The closest living relative of the embryophytes in the Charophyceae *sensu lato* has been widely held to be the small discoid alga *Coleochaete* Bréb. (van den Hoek *et al.*, 1995; Kenrick and Crane, 1997; Graham and Wilcox, 2000a; but see Karol *et al.*, 2001) which lives epilithically or epiphytically in fresh waters. The vegetative phase of *Coleochaete* is haploid and the only diploid phase in the life cycle is the zygote. Although earlier suggestions that there were mitotic divisions within the zygote before meiosis occurred have not been substantiated, one aspect of the life cycle of *Coleochaete* resembles that of the lower embryophytes. This is matrotrophy, i.e. nutrition of the zygote by the haploid vegetative phase using 'transfer cell'-like wall invaginations (Graham and Wilcox, 2000b). This similarity of *Coleochaete* to embryophytes is not shared by some charophyceans such as *Stichococcus* Nägeli and *Klebsormidium* Silva Mattox *et* Blackwell which are, however, sometimes found in terrestrial habitats (Graham, 1993). The analysis by Karol *et al.* (2001) of the phylogeny of the Charophyceae *sensu lato* in relation to the Embryophyta uses the sequences of one nuclear, one mitochondrial and two plastid genes in a range of analytical methods including Bayesian inference. Karol *et al.* (2001) conclude that the Charales are the sister clade to the embryophytes. Their findings suggest that the ancestors of embryophytes were vegetatively somewhat more complex than *Coleochaete*. However, Raven (1977) points out that extant members of the Charales, with most of the volume of the organism occupied by giant cells with volumes up to $10\,mm^3$, are not good mechanical or physiological prototypes for early embryophytes (Raven, 1977, 1986).

The embryophytes are characterized by an alternation of gametophyte and sporophyte phases, with the gametophyte phase occupying a decreasing fraction of the biomass in the life cycle in proceeding from the bryophyte grade of evolution through the pteridophyte grade to the spermatophyte grade. In parallel to this the frequency of desiccation tolerant species decreases and the frequency of species with internal conduction pathways for water increases

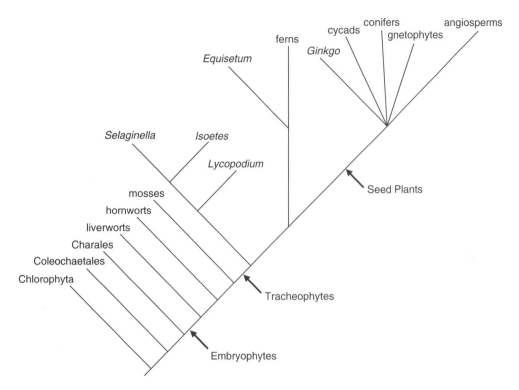

Figure 2.1 A phylogeny of the major groups of green plants based on several recent synthetic studies (summarized in Oliver *et al.* (2000), Karol *et al.* (2001)).

(Raven, 1977, 2002). Cladistic phylogeny (Kenrick and Crane, 1997; Qiu *et al.*, 1998; Qiu and Lee, 2000; Renzaglia *et al.*, 2000; Pryer *et al.*, 2001) and the fossil record (Chaloner, 1970; Gensel and Andrews, 1984; Edwards, 1993, 1996, 1998, 2000, 2003; Edwards *et al.*, 1996, 1998; Kenrick and Crane, 1997; Wellman and Gray, 2000; Raven and Edwards, 2001; Raven, 2002) are used as a framework for considering the evolution and the physiology of embryophytes (Figures 2.1 and 2.2).

Water, carbon dioxide and energetics of land plants

The physiology of the embryophytes is a very large subject and our considerations will be limited to resource acquisition and related mechanical matters. In particular, the acquisition of photons and inorganic carbon for photosynthesis from the atmospheric environment necessitates the loss of water vapour to the atmosphere. The use of light energy in photosynthesis necessarily involves dissipation of at least 73% of the absorbed photosynthetically active radiation other than in the reduced organic products of photosynthesis. The influx of CO_2 from the bulk atmosphere to Rubisco in chloroplasts requires a high-conductance diffusion pathway in the gas phase to a wet cell wall in which the CO_2 dissolves prior to diffusion in solution to Rubisco. The combination of an energy source for evaporation of water, the presence of a high conductance pathway for gas diffusion to the atmosphere and the general lack of saturation with water vapour of the atmosphere results in the loss of water from the photosynthetic structures to the atmosphere (Raven, 1977; Jones, 1992).

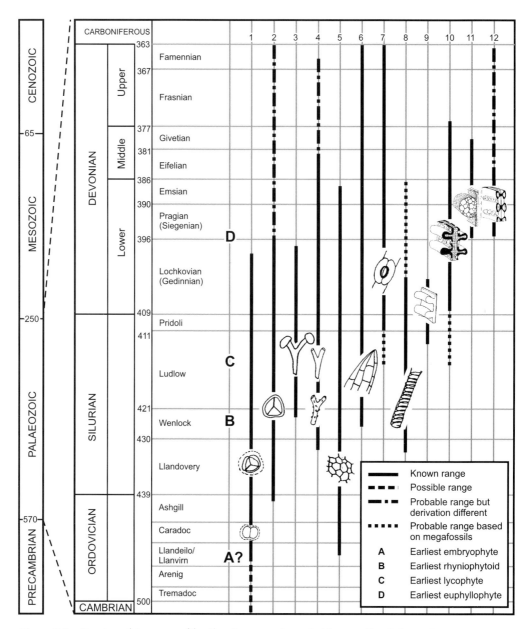

Figure 2.2 Stratigraphic ranges of fossils relevant to the early history of land plants. 1 = cryptospores (dyads and tetrads) thought to derive from bryophytes; 2 = trilete spores (monads) produced by tracheophytes; 3 = *Cooksonia* s.l.; 4 = axial fragments of ?tracheophytes; 5 = *Nematothallus* cuticles; 6 = sporangial and ?tracheophyte cuticles; 7 = stomata; 8 = unevenly thickened tubes of nematophyte affinity resembling tracheids; 9 = cooksonioid tracheids; 10 = G-type tracheid (zosterophylls and lycophytes); 11 = S-type tracheid (Rhyniopsida); 12 = P-type tracheid (typical early euphyllophyte tracheid).

An important aspect of the argument is the physics underlying the partitioning of energy dissipation from the photosynthetic apparatus. In addition to dissipation as the latent heat of evaporation of water, radiation, conduction and convection can also be involved in energy dissipation (Jones, 1992; Denny, 1993). Conduction between the photosynthetic structures and the environment is much less in photosynthetic structures in air than in water as a result of the much lower thermal conductivity of air than of water as modulated by differences in boundary layer thickness and volume-based specific heat (Denny, 1993). This means that the temperature of the photosynthetic structures of the aquatic ancestors of the terrestrial embryophytes was much closer to that of surrounding water than the photosynthetic structures of the embryophytes are to the surrounding air. The temperature of the photosynthetic structures in air is also dependent on the extent of energy dissipation in its evaporating water and the temperature of the structures in air and in water is also determined by and determines, energy dissipation as long-wave radiation according to the Stefan-Boltzman law (Jones, 1992; Denny, 1993).

The outcome of these various considerations on the energy balance and gas phase conductances is that photosynthetic organs on land with C_3 physiology (diffusive supply of CO_2 to Rubisco) lose hundreds of grams of water vapour during the photosynthesis equivalent to the gain of one gram dry matter. The exact value of the water cost of growth depends on the radiation environment, wind speed, air temperature and relative humidity and the adaptive, acclimatory and regulatory characteristics of the photosynthetic organism (Jones, 1992). The CO_2 content of the atmosphere is another factor which alters the water cost of photosynthetic growth; more CO_2 in the atmosphere can permit lower water costs (Edwards et al., 1998; Woodward, 1998; Konrad et al., 2000). The CO_2 content of the atmosphere varies annually by about $5\,\mu mol\,mol^{-1}$ out of a current total of some $360\,\mu mol\,mol^{-1}$ as a result of the excess of terrestrial photosynthesis, mainly in the northern hemisphere, over terrestrial respiration in the summer and the excess of terrestrial respiration over photosynthesis in the winter (Keeling et al., 1995; Berner and Berner, 1996). The present trend of year-on-year increases in atmospheric CO_2 as a result of changed land use, combustion of fossil fuels and cement manufacture could double atmospheric CO_2 over the next century (Berner and Berner, 1996). Clearly these arthropogenic effects are not relevant to the changes in atmospheric CO_2 prior to the evolution of man and rates of change of atmospheric CO_2 known from the Pleistocene ice record (Petit et al., 1999) are lower than the current rate of increase. More relevant to the evolution of an embryophytic land flora is the suggested high CO_2 in the Ordovician, Silurian and Lower Devonian (Berner and Kothavala, 2001; cf. Boucot and Gray, 2001), as modelled for photosynthesis by Lower Devonian organisms at the pteridophyte grade of organization (Konrad et al., 2000).

Another atmospheric factor which influences the water cost of growth is O_2 (which shows much less interannual variation in relative terms, than does CO_2: Keeling and Shertz, 1992; Keeling et al., 1995; Berner and Berner, 1996). Higher O_2 mol fractions in the atmosphere, combined with a CO_2 mol fraction which is limiting for photosynthesis, limits gross photosynthesis via the oxygenase activity of Rubisco relative to an atmosphere with less O_2 (Raven et al., 1994). The high CO_2 in the Ordovician, Silurian and Lower Devonian atmosphere (Berner and Kothavala, 2001), together with the evidence that the O_2 level was similar to the extant values (Berner, 2001), shows that O_2 was probably not a significant restriction on photosynthesis by the earliest embryophytes.

These considerations show that the water lost per unit dry matter increase is, other things being equal, lower in the atmosphere found in the Ordovician, Silurian and Lower Devonian than in the present atmosphere. A factor that would decrease the water cost of dry matter gain, especially at low CO_2 partial pressures, is the occurrence of CO_2 concentration mechanisms (Surif and Raven, 1990). Most green algae, including Coleochaete and many other members of the Charophyceae sensu lato, as well as some hornworts (see Figure 2.3), have pyrenoids which are invariably correlated with the presence of a CO_2 concentrating mechanism (CCM) (van den Hoek *et al.*, 1995; Smith and Griffiths, 1996a,b, 2000; Badger *et al.*, 1998; Graham and Wilcox, 2000a). These mechanisms decrease the external inorganic C concentration required to half-saturate photosynthesis and usually lead to whole-cell photosynthesis which is O_2-insensitive and which has a greater CO_2 affinity than does Rubisco from the same organism *in vitro* (Badger *et al.*, 1998; Raven, 2000). In addition to their occurrence in many charophycean algae, pyrenoids and the associated CCM are also found in a number of species of hornwort (Smith and Griffiths, 1996a,b, 2000). These data could be construed as indicating that the common ancestor of *Coleochaete* and the embryophytes had pyrenoids. Regardless of whether the liverworts (see Figure 2.1; Qiu *et al.*, 1998; Qiu and Lee, 2000) or the hornworts (Nickrent *et al.*, 2000; Renzaglia *et al.*, 2000) are the taxon of embryophytes which is most closely related to the algal ancestors of embryophytes, losses of pyrenoids would be required to explain the pyrenoid-less state of almost all embryophytes on the basis of the occurrence of pyrenoids in the algal ancestor of embryophytes. However, it is likely that pyrenoids are polyphyletic (Raven, 1997) and evolved in response to low CO_2 concentrations and so are unlikely to have occurred before the low CO_2 in the Upper Devonian and Carboniferous. Accordingly, it is not likely that the earliest embryophytes had pyrenoids and so they would not have had higher CO_2 affinity and higher water-use efficiencies than plants with C_3 physiology. In any case, C_3 plants growing in the high CO_2 environment of the Ordovician, Silurian and Lower Devonian would, as indicated above, already have relatively low water costs of growth (Konrad *et al.*, 2000).

Desiccation tolerance, desiccation intolerance, poikilohydry and homoiohydry

Poikilohydry of algae and early-evolving embryophytes

The inevitability of water loss in terrestrial photolithotrophs during growth, combined with variability of water supply, leads to potentially lethal water loss in organisms which combine two characteristics: poikilohydry and desiccation intolerance. Poikilohydric plants have little or no capacity to restrict water loss when the rate of evaporative water loss exceeds the rate of liquid water supply. Desiccation-intolerant plants have a lethal lower limit of water content corresponding to a cell or tissue water potential which is still relatively high. Before attempting to quantify the 'little or no capacity to restrict water loss' and 'relatively high water potential', we point out that the 'transmigrant' charophyceans were poikilohydric.

Whether these 'transmigrant' charophyceans were desiccation-tolerant is not clear, but it is very likely that they were (Oliver *et al.*, 2000). Some extant charophyceans (e.g. members of the Zygnematales) have desiccation-tolerant zygotes. As for the embryophytes, Oliver *et al.* (2000) (see also Tuba *et al.*, 1999) have performed a parsimony analysis of the occurrence and evolution of vegetative desiccation tolerance. A very significant fraction of the taxa in extant liverworts, hornworts and mosses are desiccation-tolerant and Oliver *et al.* (2000) suggest that these organisms are ancestrally desiccation-tolerant. Oliver *et al.* (2000) suggest that vegetative desiccation tolerance was lost early in the evolution of the vascular plant sporophyte; the loss was permitted by the evolution of homoiohydry and was evolutionarily favoured by the metabolic costs of desiccation tolerance which exceed those of homoiohydry. However, while there are data sets with lower specific growth rates for desiccation-tolerant algae (e.g. *Porphyra* C.A. Agardh sp.) than for less desiccation-tolerant algae (e.g. *Enteromorpha* Link in Nees, nom. con sp. and *Ulva lactuca* L.) (Nielsen and

Sand-Jensen, 1990; Abe *et al.*, 2001), phylogenetic bias must be considered (Raven, 1999). More research is needed to determine if the metabolic costs of desiccation tolerance exceed those of homoiohydry (Raven, 1999). There is also the correlation of vegetative desiccation tolerance with plants of relatively small stature (Raven, 1999). Propagules (spores and ultimately seeds) are frequently desiccation tolerant even in vascular embryophytes which are vegetatively intolerant of desiccation (Raven, 1999; Oliver *et al.*, 2000). The occurrence of reproductive desiccation tolerance could form the basis for the polyphyletic (re)evolution of vegetative desiccation tolerance in the lycopsid *Selaginella* Pal. and in ferns and at least eight times among the angiosperms (Figures 1 and 2 of Oliver *et al.*, 2000; Pryer *et al.*, 2001; see also Gaff, 1981, 1997).

Tuba *et al.* (1999) reviewed the responses of desiccation-tolerant and desiccation-intolerant terrestrial photosynthetic organisms to CO_2 levels higher than the present level and concluded that neither theoretical nor observational results suggest that elevated CO_2 will lead to any substantial shift in the balance of advantage between the two groups of plants. The theoretical aspects of the study should apply to the early embryophytes in their high CO_2 environment. Tuba *et al.* (1999) could find data on CO_2 enrichment only for one vascular plant species (*Xerophyta scabrida*) so that all of the data for desiccation-tolerant plants comes from poikilohydric plants (bryophytes) and lichens. Tuba *et al.* (1999) noted that *Polytrichum formosum* Hedw. is the moss gametophyte which comes closest in its response to increased CO_2 to non-desiccation-tolerant homoiohydric plants. Some *Polytrichum* spp. do approach the homoiohydric condition (Raven, 2002). Desiccation tolerance in photosynthetic organisms has recently been related to the expression of certain proteins (late embryogenesis expressed proteins, dehydrins, rehydrins: Close, 1997; Campbell and Close, 1997; Li *et al.*, 1998; Farnsworth, 2000; Velten and Oliver, 2001; *cf.* Thomson *et al.*, 1998). Although Close (1997) refers to unpublished immunological evidence of dehydrin protein in green algae there seem to be no sequence data confirming the presence of dehydrins in green and, especially, charophycean algae. However, the presence of dehydrins in cyanobacteria, based on sequence evidence (Close, 1997), as well as the extensive sequence evidence for dehydrins in seed plants and a lycopod (Close, 1997) is consistent with the universal occurrence of dehydrins in photosynthetic organisms, although lateral gene transfer cannot be ruled out. However, it is likely that other genes are significant in permitting desiccation tolerance.

Thus far our considerations of poikilohydry and desiccation tolerance as putatively ancestral states in embryophytes, i.e. present in their algal ancestors, has not dealt with whether the poikilohydric and the desiccation-tolerant states are qualitatively or quantitatively different from their alternate states, i.e. homoiohydry and desiccation intolerance. Desiccation intolerance has already been considered; it is the (apparently) obligatory state for the vegetative phase of all homoiohydric plants more than 1 m in height, and for the great majority of homoiohydric plants of smaller stature (Oliver *et al.*, 2000; Raven, 2002). Homoiohydry is the capacity to maintain vegetative tissue hydration over a range of external conditions of water availability in the soil and evaporative demand by the atmosphere. The restriction on water loss rate when evaporative demand exceeds the soil supply of water requires a waxy cuticle over above-ground parts of the plant combined with stomatal closure. The occurrence of photosynthesis and transpiration when evaporative demand does not exceed the soil supply of water requires open stomata, an intercellular gas space system supplying atmospheric CO_2 to photosynthetic cells and an endohydric conducting system (true xylem in all extant homoiohydric plants: Walter and Stadelmann, 1968; Raven, 1977, 1984, 1993, 1996, 2002; Jarvis, 1998).

Dealing first with poikilohydry, is there a qualitative difference between poikilohydric and homoiohydric plants? Slowing down the rate of water loss from plants in a habitat with intermittent water supply can to some extent replace homoiohydry in maintaining cell and tissue hydration. This is because the likelihood of the organisms remaining above a given water potential by the time another rain event occurs is increased. The requirement here is a lower conductance for water vapour between the evaporating surface and the bulk atmosphere, so that a given concentration difference of water vapour between the evaporating surface and the bulk atmosphere yields a smaller flux of water vapour. The geometry which lowers the conductance for water vapour occurs at the cell and tissue level (Green and Lange, 1994) and at the canopy level (Rice *et al.*, 2001) in bryophytes. Of course, a lower gas phase conductance for water vapour involves a lower gas phase conductance for CO_2, so that there is a lower rate of CO_2 fixation in photosynthesis on a unit biomass basis. Because there is a biochemical conductance involved in photosynthesis but not in transpiration, a given decrement in gas-phase conductance gives a greater decrement in water loss than in photosynthesis. This effect is partially offset by the higher tissue temperatures which occur if there is the same biomass-based rate of absorption of photosynthetically active radiation but less dissipation of this radiation as the latent heat of evaporation of water. Nevertheless, slowing the rate of dehydration as a result of a decrease in the gas-phase conductance also yields a greater dry matter gain per unit water lost (Table 2.1).

Such a low gas-phase conductance means that the achieved photosynthetic rate is lower than would be the case if there was a larger conductance. A low gas-phase conductance means that a given biochemical capacity for photosynthesis is not used to the extent that is possible with a higher gas-phase conductance. In the low gas-phase conductance case the rate of photosynthesis on a tissue nitrogen basis is lower than in the case of high gas-phase conductance. If there is a lower biochemical capacity for photosynthesis in parallel with a lower gas-phase conductance then the photosynthetic rate per unit nitrogen is the same in the high and the low gas-phase conductance cases, but the dry matter gain per unit water lost is also the same in the two cases (Table 2.1). A low gas-phase conductance reduces the use of the latent heat of evaporation of water in minimizing the increase in temperature of the tissue relative to the atmosphere (Table 2.1); changes in surface reflectance as a function of water content can also have an influence here (Hamerlynck *et al.*, 2000).

Conclusions from this analysis (see Table 2.1) show that there are cost-benefit 'trade-offs' for poikilohydric terrestrial plants in relation to variations in gas-phase and liquid-phase conductance in the absence of any specific regulatory changes in the conductances as a response to changed tissue water status, soil water availability, or the driving force for water loss to the atmosphere. Presumably different strategies (see Table 2.1) are more appropriate for particular habitats with (for example) different mean intervals between rainfall events, although it is not easy to find data which test this suggestion. Overall, poikilohydry, defined as the occurrence of little or no capacity to restrict water loss when the rate of evaporative water loss exceeds the rate of liquid water supply, is qualitatively different from homoiohydry.

However, there are examples of essentially poikilohydric plants which show some homoiohydric structural features. Examples are the endohydric, ventilated, cuticularized bryophyte gametophytes of many marchantiaceous liverworts and polytrichaceous mosses (Green and Lange, 1994; Raven, 2002). Despite the occurrence of intercellular gas spaces in the marchantiaceous liverworts, resembling those in homoiohydric sporophytes of vascular plants, there is no evidence of regulation of gas-phase conductance via changed pore

Table 2.1 The influence on poikilohydric plants of variation in gas-phase conductance and in biochemical conductance on maximum growth rate, dry weight gain per unit water lost, rate of dry weight gain per unit tissue nitrogen and the capacity to retain tissue hydration in environments of episodic rainfall. Based on Raven (1977, 1984, 1993, 2002) and Konrad et al. (2000), and discussion in the text of this chapter

Gas-phase conductance	Aqueous phase and biochemical conductance	Potential specific growth rate	Dry weight gain per unit water lost	Rate of dry weight gain per unit tissue nitrogen	Capacity to maintain hydration in environments with episodic rainfall	Excess of tissue temperature over air temperature in high light
High	High	High	Moderate	Moderate	Low	Low
High	Low	Moderate	Low	High	Low	Low
Low	High	Moderate	High	Low	High	High
Low	Low	Low	Moderate	Moderate	High	High

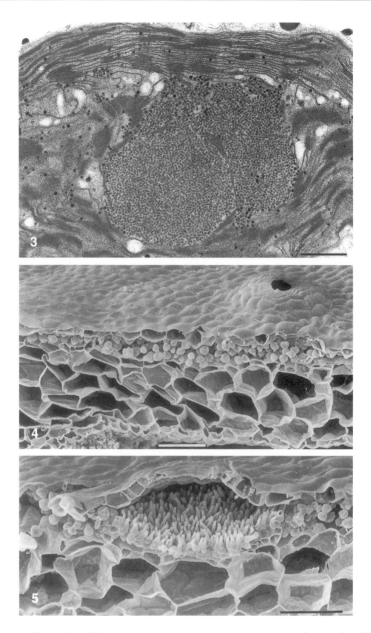

Figures 2.3–2.5   Figure 2.3 TEM (transmission electron micrograph) of part of cell of hornwort, *Dendroceros javanicus* Colenso, showing pyrenoid and part of chloroplast. Scale bar = 1 μm. Figures 2.4 and 2.5. SEMs (scanning electron micrographs) of fractured gametophyte of *Conocephalum conicum* (L.) Dum. after critical point drying. Scale bars = 100 μm. Figure 2.4 Note pore and photosynthetic tissue immediately below upper epidermis. Figure 2.5 Section through pore showing photosynthetic lamellae.

aperture (Figures 2.4 and 2.5) as a function of the driving force for water loss to the atmosphere or soil water availability or even tissue water status in the pre-emptive manner shown by stomata (Raven, 2002). The ventilatory system of the leaves of polytrichaceous mosses, i.e. photosynthetic lamellae on the upper leaf surface, is structurally less like the

Table 2.2 Variations in desiccation tolerance mechanisms in embryophytes (based on Oliver *et al.*, 2000; see van der Willigen *et al.*, 2001)

Characteristic	Grade of organization of desiccation-tolerant embryophyte		
	Bryophytes	Pteridophytes	Angiosperms
Tolerance of rapid (less than an hour) dehydration	Yes	No	No
Constitutive or induced tolerance of dehydration	Usually constitutive (*Funaria hygrometrica* is an exception)	Always induced	Always induced
Involvement of dehydrins or dehydrins-like proteins	Yes	Yes	Yes
Involvement of rehydrins	Yes	Yes	No
Involvement of ABA desiccation tolerances	Not in those with constitutive desiccation tolerance; involved in *Funaria*	Yes	Yes

intercellular gas spaces of the marchantiaceous liverworts (Figures 2.4 and 2.5) and homoiohydric vascular plant sporophytes. However, it appears that the regulation of gas-phase conductance by movements of leaf components, and of leaves relative to stems, have more resemblance to the pre-emptive functioning of stomata than does behaviour of marchantiaceous pores (Raven, 2002; see also Tuba *et al.*, 1998). These regulatory functions of changes in gas-phase conductance in gametophytes of polytrichaceous mosses could be construed as showing some, as yet poorly quantified, approach to the homoiohydric state.

Desiccation tolerance and intolerance

As to desiccation tolerance, again there is evidence of a continuum of tolerance and intolerance of desiccation in vegetative tissues (Table 2.2). Oliver *et al.* (2000) review the evolution of desiccation tolerance in land plants and argue that the ancestral desiccation tolerance mechanism in embryophytes is the constitutive mechanism shown by algae and bryophytes and by lichens. These organisms are tolerant of rapid water loss (which happens as a consequence of their poikilohydric condition), although less rapid water loss (several hours rather than one hour) correlates with more rapid recovery upon re-addition of water in the much-investigated moss *Tortula ruralis* (Hedw.) Gaertn *et al.* (Oliver *et al.*, 2000). The organisms which can tolerate dehydration only if water loss is gradual (several hours to days) are typically the desiccation-tolerant homoiohydric sporophytes of vascular plants (Oliver *et al.*, 2000). The most detailed work has involved flowering plants, where it seems that there is an induction of a cellular protection mechanism during drying, which presumably accounts for intolerance of rapid drying (Oliver *et al.*, 2000). Relatively slow drying is permitted by the homoiohydric nature of these organisms. Oliver *et al.* (2000) conclude that the vegetative desiccation tolerance of vascular plants involved recruitment to the vegetative phase of the desiccation tolerance mechanism found in the propagules, which in turn had evolved from the vegetative and reproductive desiccation-tolerance mechanism in algae and bryophytes. In the flowering plants the majority are homoiochlorophyllous (i.e. are able to tolerate vegetative desiccation in the green state). A few monocotyledonous flowering plants from the almost soil-less habitats of tropical inselbergs are tolerant of desiccation by a mechanism that involves loss of chloroplast fine structure with the need for three days of rehydration to re-establish full photosynthetic function (Oliver *et al.*, 2000). There is some evidence that vascular plants at the pteridophyte grade of organization have a desiccation-tolerance mechanism which is closer to the ancestral form than that of flowering plants. Thus, while pteridophytes, like angiosperms but unlike most bryophytes (an exception is *Funaria hygrometrica* Hedw.), show an induction of a cellular protection system upon dehydration, they resemble bryophytes in possessing rehydrins (Oliver *et al.*, 2000) (see Table 2.2).

Clearly the bryophyte mechanism(s) of vegetative desiccation tolerance are more relevant to the origin and early evolution of an embryophytic land flora. However, most of the quantitative data (tissue water potentials) or the extent of survivable dehydration in desiccation-tolerant and in desiccation-intolerant land plants comes from vascular plants. Raven (2002) suggests that desiccation-intolerant plants can tolerate water potentials not lower than -22 MPa, although the plants cannot grow at such low water potentials. By contrast, desiccation-tolerant plants can tolerate water losses equivalent to a cell water potential of -200 MPa or lower, and some of them (algae, bryophytes) can photosynthesize, and even grow, at water potentials as low as -30 MPa (Raven, 2002).

Evolution of homoiohydry

We have seen that the charophycean ancestors of the embryophytes, and the earliest embryophytes, were certainly poikilohydric and almost certainly desiccation tolerant. In considering how homoiohydry evolved, i.e. the order in which the homoiohydric characteristics occurred, what is physiologically plausible must be considered in relation to phylogeny of the embryophytes and to the fossil record.

The consideration of the origins of differentiated endohydric conducting tissues and stomata comes to different conclusions as to polyphyletic origins or losses and depends on the assumptions made about the phylogeny of the lower embryophytes. One interpretation has the hornworts as the extant embryophytes which are most closely related to ancestral embryophytes (Kenrick and Crane, 1997; Nickrent *et al.*, 2000; Renzaglia *et al.*, 2000; Karol *et al.*, 2001; see Figure 2.1), while another interpretation has liverworts as the extant organisms closest to the ancestral embryophytes (Kenrick and Crane, 1997; Qiu *et al.*, 1998; Qiu and Lee, 2000). The liverworts have some extant representatives with endohydric conducting systems in their gametophytes (see Figures 2.4 and 2.5), and others with an intercellular gas space system and pores in their gametophytes, together with a cuticle in some gametophytes (Raven, 1996; Kenrick and Crane, 1997; Ligrone *et al.*, 2000; Raven, 2002). This assumption of liverworts as the ancestral embryophyte taxon (at least as far as extant taxa are concerned) permits monophyly of stomata (and intercellular gas spaces) in sporophytes without loss of these structures at the higher taxon (superclass or subdivision) level. By contrast, assuming that the hornworts are the ancestral embryophytes requires either that stomata are polyphyletic, or that stomata were lost in the whole super-class or subdivision of liverworts (Kenrick and Crane, 1997; Raven, 2002). Hornworts lack differentiated endohydric-conducting tissues in both the gametophyte or the sporophyte phases.

Regardless of whether the hornworts or the liverworts were closest extant relatives of the ancestral embryophytes, it is clear that the stomata (Figures 2.6–2.9), with intercellular gas spaces and cuticle, preceded the vascular plant endohydric conducting system and may have preceded the occurrence of a differentiated endohydric conducting system. This would presumably involve a sporophyte of thalloid morphology, similar to the structure and function of the thalloid gametophytes of extant marchantiaceous liverworts. Such organisms are endohydric but, with only a few hundred μm vertically of aqueous phase transport pathway from rhizoids to transpiring surface, the transpiratory flux can be supported by movement through undifferentiated cell walls of parenchyma cells (Raven, 1993, 2002). The occurrence of cuticle and intercellular gas spaces, with stomata, would permit increased photosynthesis on a thallus projected area basis and maintain hydration even when evaporative demand with open stomata exceeds water supply from the soil (Raven, 1984, 1993, 1994a,b, 1998, 2002).

The alternative of endohydric water conduction (Ligrone *et al.*, 2000) with water-repellent cuticle but with no intercellular gas spaces or stomata has an extant analogue in the gametophytes of polytrichaceous mosses. Although there is no intercellular gas space system, these gametophytes are 'ventilated' via photosynthetic lamellae on the upper leaf surface and movements of lamellae and leaves can limit water loss at the expense of the photosynthetic rate (Green and Lange, 1994; Raven, 2002). However, these regulatory responses do not make the gametophytes homoiohydric. The sporophyte phase of these mosses has an endohydric conducting system as well as intercellular gas spaces, stomata (see Figures 2.8–2.11) and cuticle (Raven, 2002). While this apparently gives these sporophytes the attributes of homoiohydry, it must be remembered that these sporophytes are parasitic on the poikilohydric gametophyte, thereby constraining the extent to which the hydration state of the sporophyte can be maintained when soil water supply is low relative to the evaporative demand of the atmosphere (Raven, 1993, 2002).

While both of these hypotheses as to the evolution of homoiohydry seem evolutionarily plausible in terms of ecophysiology, the 'stomata before differentiated endohydric conducting system' seems more plausible in terms of phylogeny, at least if the endohydric system is equated with xylem *sensu stricto* (Raven, 1993, 2002).

Turning to the endohydric conducting system in the early embryophytes, including the conducting system in the gametophytes in some Lower Devonian polysporangiophytes, the plants were of relatively low stature with what are now known to be relatively low conductivity xylem ($m^3 H_2O$ m^{-2} transverse section area of conducting tissue $s^{-1} Pa^{-1} m = m^2 H_2O Pa^{-1} s^{-1}$) present in relatively small amounts in terms of the fraction of the axis cross-sectional area which is occupied by the conducting tissue (Raven, 1977, 1984). A low conductivity is a function of the small radius of the tracheids in the conducting tissue; there seems to be no evidence as to the length of the tracheids. The radius impacts on conductivity as defined above via the Hagen-Poiseuille equation (Jones, 1992; Nobel, 1999) in which the conductivity is directly proportional to the square of the conduit radius. The length of the tracheids relates to conductivity via the very low conductivity of the end walls relative to the lumen of the tracheids; the more frequent the cross walls, the lower the conductivity. There is a complex 'trade-off' between conductivity and prevention of cavitation and embolism; the former requires a large radius conduit and a large distance between cross-walls if a high conductivity is to occur, while a small radius and a small length of conduits means that a given cavitation or embolism event has less impact on overall conductivity. This latter correlation has a further relationship to overall conductivity: with more conducting units in a given cross-sectional area of xylem when the individual elements are small, the decreased effect of the failure of an individual element on the overall

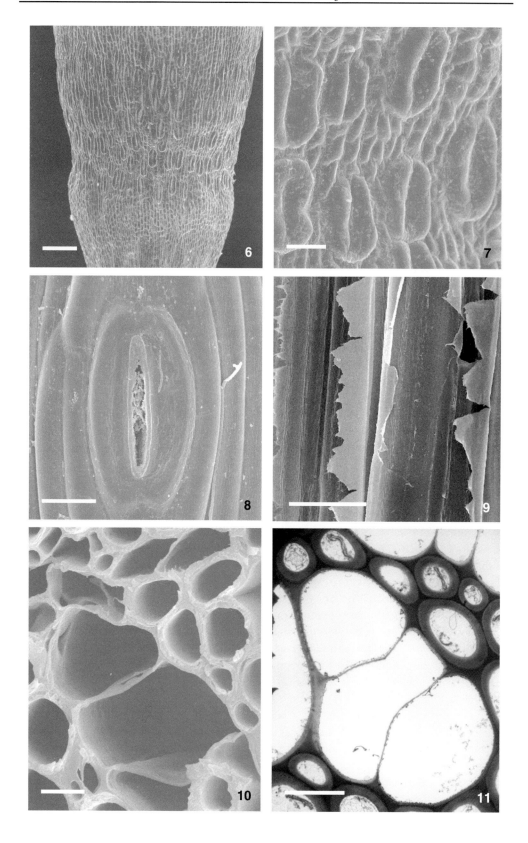

conductivity of the xylem might be offset by a greater number of elements in a given cross-sectional area or volume. The impact of element size on the likelihood of a given decrement in conductivity in response to a certain set of environmental conditions essentially depends on whether cavitation or embolism is a function of the volume of an element, or of the number of elements, or the total volume of the segment of xylem.

The discussion of the factors involved in the evaluation of the endohydric conducting system, and specifically of xylem, has taken place in the context of the cohesion-tension hypothesis (Dixon, 1914). This hypothesis seems to account for most of the data which are currently available (Steudle, 2001), although there is still dispute (Canny *et al.*, 2001; Cochard *et al.*, 2001; Richter, 2001).

As to the fossil record, the crucial evolutionary events apparently occurred in the Silurian (see Figure 2.2). Cuticles occur throughout the Silurian; although the earlier ones did not have any obvious relation to embryophytes (see Figures 2.12 and 2.13), the younger cuticles include those with clear relation to embryophytes (Edwards, 1993, 1996, 1998, 2000; Edwards *et al.*, 1996, 1998). Alas, the earliest embryophyte cuticles in the record yield no direct evidence on their chemistry or permeability (Edwards *et al.*, 1996). Fossil evidence for embryophyte cuticles only preceded the endohydric conducting system (Edwards and Wellman, 1996); later came stomata (see Figures 2.14 and 2.17) and xylem, with these two structures appearing in the record at a very similar time in the Upper Silurian (Edwards, 1993, 1996, 1998, 2000; Edwards *et al.*, 1996, 1998).

History of physiological interpretations of early embryophytes

Introduction

Here we consider the timing of some major discoveries in the palaeobotany of lower embryophytes and of major discoveries in plant physiology, and especially plant water relations. The three case histories considered in more detail are those of the role of transpiration and the endodermis in nutrient supply to the shoot of endohydric plants, the mechanism of water movement up the xylem during transpiration, and the role of stomata in determining the rate of photosynthesis and the water cost of photosynthesis in relation to the functioning of stomata.

Dawson, between 1850 and 1890, discovered and described Devonian vascular plants (e.g. *Psilophyton*) from the Maritime Provinces of Canada. The Rhynie Chert in Aberdeenshire, Scotland was discovered in 1912, and Kidston and Lang published on the Rhynie Chert embryophytes, with exquisitely preserved (permineralized) cellular structure, between 1917 and 1921. This work clearly shows xylem (or what in some cases are now interpreted to be analogous to endohydric water conducting systems: Edwards, 1993), stomata, intercellular gas spaces and cuticle (see Figures 2.19–2.33). Subsequent work extended the geographical and stratigraphical range of early embryophytes with good anatomical, cell-level preservation (Edwards, 1993). Scanning electron microscopy has

---

Figures 2.6–2.11 Figures 2.6 and 2.7 SEMs of stomata on seta of *Polytrichum commune* Hedw. Scale bars = 200 and 35 μm. Figure 2.8 SEM of surface view of stoma of hornwort, *Phaeoceros laevis* (L.) Prosk. Scale bar = 20 μm. Figure 2.9 SEM of longitudinal fracture through imperforate hydroids in central strand of *Dawsonia superba* Grev. Scale bar = 5 μm. Figure 2.10 SEM of transverse fracture through hydroids and surrounding stereids in *Dawsonia superba* Grev. Scale bar = 5 μm. Figure 2.11 TEM section through similar tissue. Scale bar = 5 μm.

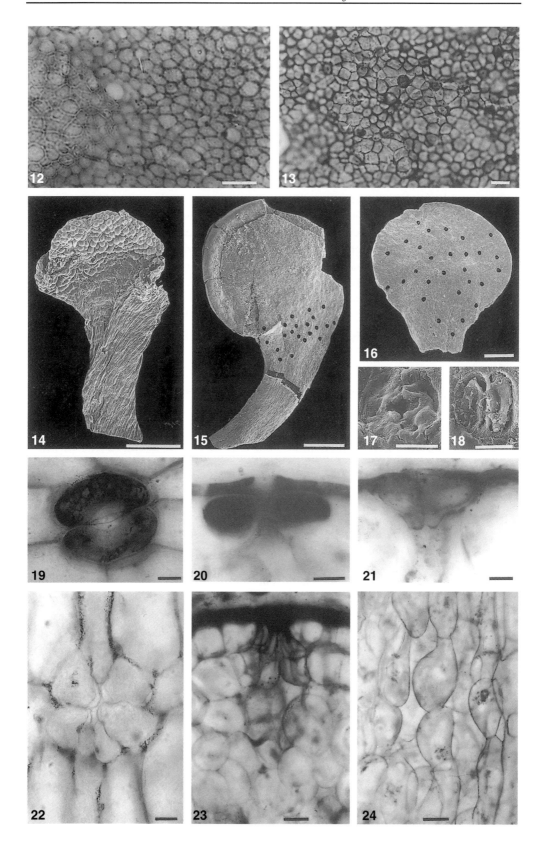

been very important in investigating the anatomy of early embryophytes, and has been particularly significant in examining coalified fragmentary polysporangiophyte (Figures 2.14–2.16) and possible bryophyte remains (Edwards, 1993, 1996, 2000).

Discoveries in plant photosynthesis, water relations and mineral nutrition include the discovery of photosynthesis by van Helmont and measurements of the water use efficiency of growth (Woodward, 1699) in the late seventeenth century. In the eighteenth century plant plumbing was investigated and root pressure discovered by Hales (1727), and the role of O_2 in photosynthesis and respiration was discovered. The nineteenth century saw advances in understanding of nutrition (Liebig's Law of the Minimum; Liebig, 1840), and by early in the twentieth century the physical basis of gas diffusion through stomata and of the cohesion-tension hypothesis of xylem water movement in transpiration had been formalized (Brown and Escombe, 1900, 1905; Dixon, 1914) as had limitation of rate (Blackman, 1905), as well as extent (Liebig, 1840), of physiological processes by external factors. Later in the twentieth century great advances were made in quantifying energetic as well as kinetic aspects of transpiratory water loss (the Penman–Monteith equation: Jones, 1992) and formalizing concepts of homoiohydry and poikilohydry in relation to desiccation tolerance and desiccation intolerance (Walter and Stadelmann, 1968).

Transpiration rate and endodermal function in regulating nutrient supply to the shoot

Turning now to the interpretation of the physiology of the early land embryophytes in relation to their anatomy, Haberlandt set an excellent precedent in the late nineteenth century by attempting to interpret the functional anatomy of extant plants. However, later attempts to interpret the evolution of land plants by Church (1919) made little use of fossil data

---

Figures 2.12–2.24 Figure 2.12 LM (Light micrograph) of isolated cuticle of *Nematothallus*. Area out of focus results from the typical undulating nature of the cuticle. Lochkovian: north of Brown Clee Hill, Shropshire. DE1. Scale bar = 20 μm. Figure 2.13 LM of papillate cuticle of *Cosmochlaina maculata*. Lochkovian: M50 motorway near exit 3 (Newent, Gloucestershire). NMW85.20G.6. Scale bar = 20 μm. Figure 2.14 SEM of holotype of *Hollandophyton collicula* with terminal bivalved sporangium terminating stomatiferous axis. Prídolí: Ludford Corner, Shropshire. NMW96.11G.7. Scale bar = 500 μm. Figure 2.14 was published in *Special Papers in Palaeontology*, **67**, 2002, 233–249 and is reproduced here with kind permission of The Palaeontological Association. Figure 2.15 SEM of bivalved sporangium, *Sporathylacium salopense*, with oblique band of stomata (dots). Lochkovian: north of Brown Clee Hill, Shropshire. NMW94.60G.11. Scale bar = 500 μm. Figure 2.16 SEM of unidentified sporangium with scattered stomata (dots). Lochkovian: north of Brown Clee Hill, Shropshire. NMW96.5G.7. Scale bar = 500 μm. Figures 2.15 and 2.16 were published in *Plant Cuticles*, 1996, 1–31 and are reproduced here with kind permission of BIOS Scientific Publishers Ltd, Oxford. Figure 2.17 SEM of stoma from *Hollandophyton* (Figure 2.14): the earliest stomata illustrated in a fertile taxon. Scale bar = 20 μm. Figure 2.18 SEM of stoma from Figure 2.15 Scale bar = 20 μm. Figures 2.19–2.24 LMs of silicified sections of axes of *Aglaophyton major*. Pragian: Rhynie Chert, Rhynie, Aberdeenshire. Scale bars = 20 μm (Figures 2.19–2.22) and 50 μm (Figures 2.23 and 2.24). Figure 2.19 Paradermal section through stoma. Note dark staining of guard cells compared with adjacent epidermal cells. P1603. Figure 2.20 TS guard cells with slightly separating cuticle and ledges. P1407. Figure 2.21 TS polar regions of stoma with extensions of the inner periclinal walls. P1611. Figure 2.22 TLS hypodermal cells below stoma: note thickenings surrounding channel to substomatal cavity. P1603. Figure 2.23 TS aerial axis just below a stoma to margin of the substomatal cavity. P1826. Figure 2.24 LS aerial axis showing parenchyma adjacent to substomatal cavity. Figures 2.19–2.24 were published in *Journal of Experimental Botany*, **49**, special issue, 1998, 255–298 and are reproduced here with kind permission of Oxford University Press.

and did not take fully into account what was known about the physics of stomatal function from the work of Brown and Escombe (1900, 1905) (see Edwards *et al.*, 1996; Raven, 2002). Thus, Church (1919) held that stomata were not involved in photosynthetic CO_2 uptake, but were involved in the transpirational flux of nutrients from the soil solution to the shoot. This suggestion is not entirely without foundation in evidence from the fossil record as far as transpiration and nutrient uptake are concerned. One line of evidence comes from the distribution of stomata on the sporophytes of Upper Silurian and Lower Devonian embryophytes, where the stomata are often concentrated around sporangia (Figures 2.15, 2.16 and 2.18), a presumed site of a high requirement for soil-derived nutrients such as N, P, K, Ca, Mg, S and Fe (Edwards *et al.*, 1996, 1998; Raven, 2002). A second line of evidence comes from the fact that, to date, presence of an endodermis in below-ground, nutrient-absorbing structures in embryophytes before the Carboniferous has not been demonstrated (Raven, 1984; Raven and Edwards, 2001), although it must be acknowledged that we have next to no anatomical information on such structures through this time interval. The endodermis is widely held to be a means of limiting entry of soil solutes which are present in the soil solution in concentrations in excess of plant demand, granted the likely transpiratory water use in growth equivalent to 1 g gain in dry matter and the elemental content per g dry matter. The endodermis is also held to be involved in limiting leakage of nutrients from the stelar tissues in those cases where energized transport of nutrients from the soil solution to the stele compensates for lower nutrient concentrations in the soil solution than would satisfy plant elemental requirement (per g dry matter) and the transpiration occurring during production of 1 g dry matter (Raven, 1984; Raven and Edwards, 2001). However, among extant endohydric plants an anatomically evident endodermis is absent from the gametophytes of endohydric mosses and leafy liverworts, and the sporophytes of *Lycopodium* spp. among vascular plants. Accordingly, the absence of an anatomically evident endodermis may not prevent the accumulation in, or exclusion from, the xylem of components of the soil solution (Raven and Edwards, 2001). Church (1919) must not, of course, be castigated for not commenting on these functions of the endodermis (or its anatomically indistinguishable analogue) in relation to nutrient acquisition since, although what is now known as root pressure was investigated by Hales in the eighteenth century and the barrier role of the endodermis had been shown by Lavison (1910), the function of the root system in the accumulation and exclusion of soil solutes was only fully characterized late in the twentieth century (Raven and Edwards, 2001).

The endodermis can also be related to Bower's suggestions (Bower, 1921, 1930) on the role of elaboration of the anatomy of primary stele tissue with increasing size of diameter of plant axial structure, both ontogenetically and phylogenetically as shown in the fossil record. Bower suggested that the increased complexity of the shape of the primary xylem in transverse section with increasing cross-sectional area of the axial plant structure was related to maintaining a near constant area of exchange of resources between xylem and the surrounding ground tissue. However, the nature of the exchanges was not specified and the restriction on radial solute fluxes may occur in the endodermis or a functional analogue thereof (Raven and Edwards, 2001). Nevertheless, Bower was prescient in attempting further functional interpretations of the anatomy and morphology of fossil plants.

Mechanism of endohydric water movement

In the context of the perception of the mechanism of endohydric water fluxes in interpreting the structure of the endohydric conduits in fossils of early embryophytes, the publication of the book by Dixon (1914; see Dixon and Joly, 1894, 1895) on the cohesion-tension hypothesis just predated the publication of anatomical details of the Rhynie Chert plants between 1917 and 1921 by Kidston and Lang. Integration of the cohesion-tension hypothesis into the structural data from early embryophytes (Figures 2.27–2.32) took some time (Raven, 1977). Indeed, in their ultrastructural detail, the walls of tracheids have no counterparts in extant tracheophytes (e.g. S-types: Figures 2.30, 2.31 and 2.33) and some of the features of xylem, e.g. the presence of lignin, are not generally directly demonstrable in early fossil embryophytes (e.g. by pyrolysis/mass spectrometry of fossils with organic matter preserved: Ewbank et al., 1997). Lignin is an important component of the cell wall of xylem conduits, providing rigidity and resisting the tendency to implode with cell contents under tension (Wainwright, 1970). Further work is needed on the functioning of the endohydric conducting system (hydrome) in, for example, extant polytrichaceous mosses to determine the tolerance of non-lignified but possibly polyphenolic endohydric conducting systems to increasingly negative pressures of the solution they contain.

Role of stomata in determining the rate of photosynthesis and the water cost of photosynthesis

Returning to the functioning of stomata, this time in the context of the possible photosynthetic rates and ratios of carbon assimilation to transpiratory water loss, post-Church (1919) analyses include the very important perception of Chaloner (see McElwain and Chaloner, 1995) about the significance of stomatal density measurements on early vascular plant fossils in the context of the potential rate of photosynthesis. Such concepts have now been integrated with the knowledge that the CO_2 mole fraction in the atmosphere has varied greatly over the Phanerozoic (McElwain and Chaloner, 1995); for a recent model for the CO_2 content of the atmosphere over the last 500 million years see Berner and Kothavala (2001).

However, these modelling studies relying on stomatal densities as proxies for atmospheric CO_2 (McElwain and Chaloner, 1995) and on the role of tracheophytes, via increased weathering, in lowering the CO_2 level in the Upper Palaeozoic (Berner and Kothavala, 2001) have been challenged by Boucot and Gray (2001). The main criticisms by Boucot and Gray (2001) include the mismatch between data from climatically sensitive sediments and the climate models and the lack of consideration of pretracheophytic land plants and of aquatic primary production in the consideration of the effect of biota on atmospheric CO_2 levels.

Despite the critique of Boucot and Gray (2001), we consider it likely that the CO_2 content of the atmosphere was 10–20 times higher than the present value at the time at which the earliest stomata are known from the fossil record and it is clear that the stomatal density of these Upper Silurian and Lower Devonian plants was much lower than that found today or in the Carboniferous when the CO_2 level was little greater than that found today (McElwain and Chaloner, 1995; Edwards et al., 1998; Berner and Kothavala, 2001; Lake et al., 2001; Raven, 2002). The possible photosynthetic rates and water costs of growth of early homoiohydric plants have been suggested by Raven (1977) who assumed that the atmospheric CO_2 content was the same as that found today. Konrad et al. (2000) give much more plausible estimates of gas exchange in Lower Devonian homoiohydric plants. The structural adaptations in the vicinity of stomata, including the deep seated substomatal cavity accessed by a narrow subporal canal illustrated here in certain Rhynie plants (see Figures 2.18–2.27), combined with low stomatal frequencies, infer high water-use efficiency (Edwards et al., 1998). Further modelling of stomatal function has been carried out by Beerling et al. (2001a) who have related the evolution of the euphyllophyte leaf

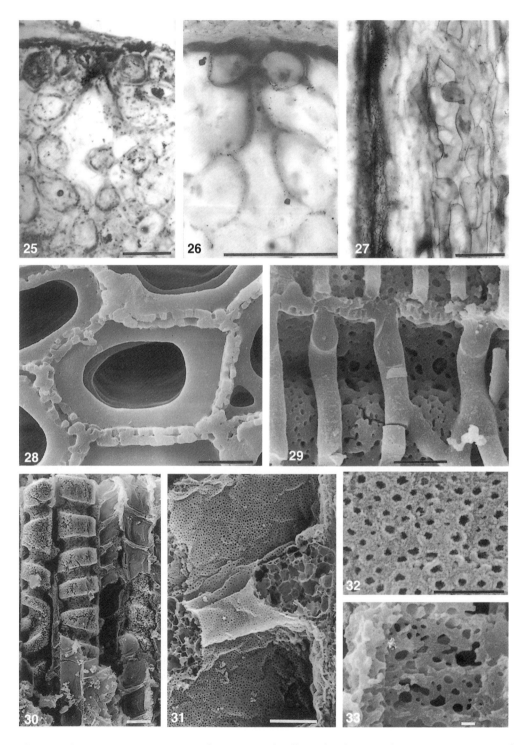

Figures 2.25–2.33 Figures 2.25 and 2.26 Guard cells and substomatal cavities in TS axes of *Aglaophyton major* (P1980) and *Rhynia gwynne-vaughanii* (P2219). Pragian: Rhynie Chert, Rhynie, Aberdeenshire. Scale bars = 100 µm. Figure 2.27 LS axis of *R. gwynne-vaughanii* with epidermis to left and aerating tissue at margin of substomatal cavity on right. P2238. Pragian: Rhynie Chert, Rhynie, Aberdeenshire. Scale bar = 100 µm. Figures 2.25–2.27 were published in *Journal of*

(Kenrick and Crane, 1997; Pryer *et al.*, 2001) in the context of decreasing atmospheric CO_2 content of the atmosphere during the Devonian and thermal balance of the photosynthetic structures. These suggestions have not been universally accepted (Hedrich and Steinmeyer, 2001; Tanner, 2001; *cf.* Beerling *et al.*, 2001b).

Conclusions

The physiological changes which occurred in the evolution from algal ancestors to the different grades of organization of embryophytes has been determined from the physiology of extant plants in relation to their phylogeny as determined by cladistic analysis and from the order in which anatomical features appeared in the fossil record. The fossil record of embryophytes also tells us about organisms with characteristics which are not found today. Examples are gametophytes with the anatomical characteristics of homoiohydry and homoiohydric sporophytes of polysporangiophytes which lacked true xylem as their endohydric conduits in the Rhynie Chert (Lower Devonian). The fossil record is not helpful in telling us about such important properties as desiccation tolerance or intolerance, except by applying an empirical correlation from extant plants that no embryophyte more than 1 m in height is desiccation tolerant in the vegetative phase. Overall conclusions from consideration of the lines of evidence indicated above are that the earliest embryophytes were desiccation tolerant and poikilohydric. Achieving homoiohydry could have followed the cuticle plus gas spaces plus stomata before endohydric conducting system, or vice versa.

Acknowledgements

JAR thanks colleagues past and present for their encouragement and support. We are grateful to Professor Hans Kerp and Herr Hagen Hass for the use of the Rhynie Chert

---

Experimental Botany, **49**, special issue, 1998, 255–298 and are reproduced here with kind permission of Oxford University Press. Figures 2.28 and 2.29 SEMs of coalified examples of G-type tracheids. Lochkovian: north of Brown Clee Hill, Shropshire. NMW99.20G.1. Scale bars = 5 μm. In these tracheids that characterize zosterophylls and basal lycophytes, annular or helical secondary thickenings are connected by perforated sheets of resilient material, believed to be deposited on the intervening compound middle lamella. Figure 2.28 Transverse fracture of xylem showing pitting in adjacent cell walls and a simple annular thickening. Note that the pits are only rarely coincident on adjacent walls. Figure 2.29 Longitudinal fracture of parts of tracheids. Note variation in size and shape of the pits. Figures 2.30–2.32 Xylem in *Sennicaulis hippocrepiformis*, preserved in pyrite, composed of S-type tracheids. These S-type tracheids occur in rhyniophytes such as *R. gwynnevaughanii*. They are composed of a resilient spongy material and have broad predominantly helical thickenings. The lumen of the tracheid is lined by a layer (with perforations of nannometre dimensions) which also covers the secondary thickenings. Lower Old Red Sandstone: Mill Bay West, South Wales. Figures 2.30–2.32 were published in *Palaeontology*, **34**, 1991, 751–766 and are reproduced here with kind permission of The Palaeontological Association. Figure 2.30 Longitudinally fractured xylem. Note residues of coalified material on left, pyrite casts of lumina on right. NMW90.42G.3. Scale bar = 20 μm. Figure 2.31 Fragment showing part of a thickening and its spongy matrix with overlying perforate layer. NMW90.42G.3. Scale bar = 5 μm. Figures 2.32 and 2.33 illustrate relative size of perforations in S and G-type tracheids. Figure 2.32 NMW90.42G.3. Scale bar = 1 μm. Figure 2.33 (from Figure 2.29) NMW99.20G.1. Scale bar = 1 μm. Figures 2.28, 2.29 and 2.33 were published in *Philosophical Transactions of the Royal Society of London*, B, **355**, 2000, 733–755 and are reproduced here with kind permission of The Royal Society.

photographs and Professors J.G. Duckett, K.S. Renzaglia and R. Ligrone for those on bryophytes. DE thanks L. Axe for technical support and the NERC for various grants.

References

Abe S, Kurashima A, Yokohana Y, Tanaka J. 2001. The cellular ability of desiccation tolerance in Japanese intertidal seaweeds. *Botanica Marina* **44**: 125–131.

Badger MR, Andrews TJ, Whitney SM, *et al.* 1998. The diversity and coevolution of Rubisco, plastids, pyrenoids, and chloroplast-based CO_2-concentrating mechanisms in algae. *Canadian Journal of Botany* **76**: 1052–1071.

Beerling DJ, Osborne CP, Chaloner WG. 2001a. Evolution of leaf-form in land plants linked to atmospheric CO_2 decline in the late Palaeozoic era. *Nature* **410**: 352–354.

Beerling DJ, Osborne CP, Chaloner WG. 2001b. Do drought-hardened plants suffer from fever? *Trends in Plant Science* **6**: 507–508.

Bekheet IA, Syrett PJ. 1977. Urea-degrading enzymes in algae. *British Phycological Journal* **12**: 137–143.

Berner EK, Berner RA. 1996. *Global Environment: Water, Air and Geochemical Cycles.* Upper Saddle River, New Jersey: Prentice Hall.

Berner RA. 2001. Modelling atmospheric O_2 over Phanerozoic time. *Geochimica et Cosmochimica Acta* **65**: 685–694.

Berner RA, Kothavala Z. 2001. GEOCARB III: a revised model of atmospheric CO_2 over Phanerozoic time. *American Journal of Science* **301**: 182–204.

Blackman FF. 1905. Optima and limiting factors. *Annals of Botany* **19**: 281–295.

Boucot AJ, Gray J. 2001. A critique of Phanerozoic climatic models involving changes in the CO_2 content of the atmosphere. *Earth Science Reviews* **56**: 1–159.

Bower FO. 1921. Size, a neglected factor in stellar morphology. *Proceedings of the Royal Society of Edinburgh* **41**: 1–25.

Bower FO. 1930. *Size and Form of Plants.* London: Macmillan.

Brown HT, Escombe F. 1900. Static diffusion of gases and liquids in relation to the assimilation of carbon and translocation in shoots. *Philosophical Transactions of the Royal Society of London B* **193**: 223–291.

Brown HT, Escombe F. 1905. Researches on some of the physiological processes of green leaves, with special reference to the interchange of energy between the leaf and its surroundings. *Proceedings of the Royal Society of London B* **76**: 29–111.

Campbell SA, Close TJ. 1997. Dehydrins: genes, proteins and associations with phenotypic traits. *New Phytologist* **137**: 61–74.

Canny MJ, Huang CX, McCully ME. 2001. The cohesion theory debate continues. *Trends in Plant Science* **6**: 454–455.

Chaloner WG. 1970. The rise of the first land plants. *Biological Reviews* **45**: 353–377.

Church AH. 1919. *Thalassiophyta and the Subaerial Transmigration.* Oxford Memoirs No 3. Oxford: Oxford University Press 1–95.

Close TJ. 1997. Dehydrins: A commodity in the response of plants to dehydration and low temperature. *Physiologia Plantanum* **100**: 291–296.

Cochard H, Améglio T, Cruiziat P. 2001. The cohesion theory debate continues. *Trends in Plant Science* **6**: 456.

De Jesus MD, Tabatabai F, Chapman DJ. 1989. Taxonomic distribution of copper-zinc superoxide dismutase in green algae and its phylogenetic importance. *Journal of Phycology* **25**: 767–772.

Denny MW. 1993. *Air and Water. The Biology and Physics of Life's Media.* New Jersey: Princeton University Press.

Dixon HH. 1914. *Transpiration and the Ascent of Water in Plants.* London: Macmillan.

Dixon HH, Joly J. 1894. On the ascent of sap. *Philosophical Transactions of the Royal Society of London B* **186**: 563–576.

Dixon HH, Joly J. 1895. The path of the transpiration current. *Annals of Botany* **9**: 403–420.

Edwards D. 1993. Tansley Review No 53. Cells and tissues in the vegetative sporophytes of early land plants. *New Phytologist* **125**: 225–247.

Edwards D. 1996. New insights into early land ecosystems; a glimpse of a Lilliputian world. *Review of Palaeobotany and Palynology* **90**: 159–174.

Edwards D. 1998. Climate signals in Palaeozoic land plants. *Philosophical Transactions of the Royal Society of London B* **353**: 141–157.

Edwards D. 2000. The role of Mid-Palaeozoic mesofossils in the detection of early bryophytes. *Philosophical Transactions of the Royal Society of London B* **355**: 733–755.

Edwards D. 2003. Xylem in early tracheophytes. *Plant Cell and Environment* **26**: 57–72.

Edwards D, Wellman CH. 1996. Chapter 13F. Older plant macerals (excluding spores). In: Jansonius J, McGregor DC, eds. *Palynology: Principles and Applications*. Salt Lake City, Utah: American Association of Stratigraphical Palynologists Foundation, Publishers Press, 383–387.

Edwards D, Abbott GD, Raven JA. 1996. Cuticles of early land plants: a palaeoecophysiological evaluation. In: Kerstiens G, ed. *Plant Cuticles: an Integrated Functional Approach*. Oxford: Bios Scientific publishers, 1–31.

Edwards D, Kerp H, Hass H. 1998. Stomata in early land plants: an anatomical and ecophysiological approach. *Journal of Experimental Botany* **49**: 255–278.

Ewbank G, Edwards D, Abbott GD. 1997. Chemical characterization of Lower Devonian vascular plants. *Organic Geochemistry* **25**: 461–473.

Farnsworth E. 2000. The ecology and physiology of viviparous and recalcitrant seeds. *Annual Review of Ecology and Systematics* **31**: 107–138.

Gaff DF. 1981. The biology of resurrection plants. In: Pate JS, Macomb AS, eds. *The Biology of Australian Plants*. Nedlands: University of Western Australia Press, 110–146.

Gaff DF. 1997. Mechanisms of desiccation tolerance in resurrection vascular plants. In: Basra AS, Basra RJ, eds. *Mechanisms of Environmental Stress Resistance in Plants*. Netherlands: Haward Academic Publishers, 43–58.

Gensel PG, Andrews HN. 1984. *Plant Life in the Devonian*. New York: Praeger.

Graham LE. 1993. *Origin of Land Plants*. New York: John Wiley & Sons, Inc.

Graham LE, Wilcox LW. 2000a. *Algae*. Upper Saddle River, New Jersey: Prentice Hall.

Graham LKE, Wilcox LW. 2000b. The origin of alternation of generations in land plants: a focus on matrotrophy and hexose transport. *Philosophical Transactions of the Royal Society of London B* **355**: 757–767.

Green TGA, Lange OL. 1994. Photosynthesis in poikilohydric plants; a comparison of lichens and bryophytes. In: Schultze E-D, Caldwell MM, eds. *Ecophysiology of Photosynthesis*. Berlin: Springer-Verlag, 319–341.

Hales S. 1727. *Statical Essays: Containing Vegetable Staticks; of an Account of some Statical Experiments on the Sap of Vegetables*. A. and J. Innys and T. Woodward. Reprinted by The Scientific Book Guild, London.

Hamerlynck EP, Tuba Z, Csintalan Z, *et al.* 2000. Diurnal variation in photochemical dynamics and surface reflectance of the desiccation-tolerant moss, *Tortula ruralis*. *Plant Ecology* **151**: 55–63.

Hedrich R, Steinmeyer R. 2001. Do drought-hardened plants suffer from fever? *Trends in Plant Science* **6**: 506.

van den Hoek C, Mann DG, Jahns HM. 1995. *Algae: An Introduction to Phycology*. Cambridge: Cambridge University Press.

Jarvis MC. 1998. Intercellular separation forces generated by intracellular pressure. *Plant, Cell and Environment* **21**: 1307–1310.

Jones HG. 1992. *Plants and Microclimate. A Quantitative Approach to Environmental Plant Physiology*, 2nd edn. Cambridge: Cambridge University Press.

Karol KG, McCourt RM, Cimino MT, Delwiche CF. 2001. The closest living relatives of land plants. *Science* **294**: 2351–2353.

Keeling CD, Whorf TP, Wahlen M, Van der Plicht J. 1995. Interannual extremes in the rate of rise of atmospheric carbon dioxide since 1980. *Nature* **375**: 666–670.

Keeling RF, Shertz SR. 1992. Seasonal and interannual variations in atmospheric oxygen and implications for the global carbon cycle. *Nature* **358**: 723–727.

Kenrick P, Crane PR. 1997. *The Origin and Early Diversification of Land Plants: a Cladistic Study.* Smithsonian Series in Comparative Evolutionary Biology. Washington: Smithsonian Institution Press.

Konrad W, Roth-Nebelsick A, Kerp H, Hass H. 2000. Transpiration and assimilation of Early Devonian land plants with axially symmetric telomes – simulations on the tissue level. *Journal of Theoretical Biology* **206**: 91–107.

Lake JA, Quick WP, Beerling DJ, Woodward FI. 2001. Signals from mature to new leaves. *Nature* **411**: 154.

Lavison JR. 1910. Du mode de pénétration de quelques sels dans la plante vivante. *Revue Générale de Botanique* **22**: 93–97.

Li R, Brawley SH, Close TJ. 1998. Proteins immunologically related to dehydrins in fucoid algae. *Journal of Phycology* **34**: 642–650.

Liebig J, von. 1840. *Chemistry in its Application to Agriculture and Physiology.* London.

Ligrone R, Duckett JG, Renzaglia KS. 2000. Conducting tissues and phyletic relationships of bryophytes. *Philosophical Transactions of the Royal Society of London B* **355**: 795–813.

McElwain JC, Chaloner WG. 1995. Stomatal density and index of fossil plants track atmospheric carbon dioxide in the Palaeozoic. *Annals of Botany* **76**: 389–395.

Nickrent DL, Parkinson CL, Palmer JD, Duff RJ. 2000. Multigene phylogeny of land plants with special reference to bryophytes and the earliest land plants. *Molecular Biology and Evolution* **17**: 1885–1895.

Nielsen SL, Sand-Jensen K. 1990. Allometric scaling of maximal photosynthetic growth rate to surface/volume ratio. *Limnology and Oceanography* **35**: 177–181.

Nobel PS. 1999. *Physicochemical and Environmental Plant Physiology*, 2nd edn. San Diego: Academic Press.

Oliver MJ, Tuba Z, Mishler BD. 2000. The evolution of vegetative desiccation tolerance in land plants. *Plant Ecology* **151**: 85–100.

Petit JR, Jouzel J, Raynaud D, *et al.* 1999. Climate and atmospheric history of the past 420,000 years from the Vostok ice core, Antarctica. *Nature* **399**: 429–436.

Pickett-Heaps JD. 1975. *Green Algae. Structure, Reproduction and Evolution in Selected Genera.* Sunderland, Mass: Sinauer Associates, Inc.

Pryer KM, Schneider H, Smith AR, *et al.* 2001. Horsetails and ferns are a monophyletic group and the closest living relatives to seed plants. *Nature* **409**: 618–622.

Qiu Y-L, Cho Y, Cox JC, Palmer JD. 1998. The gain of three mitochondrial introns identifies liverworts as the earliest land plants. *Nature* **394**: 671–674.

Qiu Y-L, Lee J. 2000. Transition to a land flora: a molecular phylogenetic perspective. *Journal of Phycology* **36**: 799–802.

Raven JA. 1977. The evolution of vascular land plants in relation to supracellular transport processes. *Advances in Botanical Research* **5**: 153–219.

Raven JA. 1984. Physiological correlates of the morphology of early vascular plants. *Botanical Journal of the Linnean Society* **88**: 105–126.

Raven JA. 1986. Evolution of plant life forms. In: Givnish TJ, ed. *On the Economy of Plant Form and Function.* Cambridge: Cambridge University Press, 421–492.

Raven JA. 1993. The evolution of vascular plants in relation to quantitative functioning of dead water-conducting cells and stomata. *Biological Reviews* **68**: 337–363.

Raven JA. 1994a. Physiological analyses of aspects of the functioning of vascular tissue in early plants. *Botanical Journal of Scotland* **47**: 49–64.

Raven JA. 1994b. The significance of the distance from photosynthesising cells to vascular tissue in extant and early vascular plants. *Botanical Journal of Scotland* **47**: 65–81.

Raven JA. 1996. Into the voids: the distribution, function, development and maintenance of gas spaces in plants. *Annals of Botany* **78**: 137–142.

Raven JA. 1997. Putting the C in phycology. *European Journal of Phycology* **32**: 319–333.

Raven JA. 1998. Extrapolating feedback processes from the present to the past. *Philosophical Transactions of the Royal Society of London B* **353**: 19–28.

Raven JA. 1999. The size of cells and organisms in relation to the evolution of embryophytes. *Plant Biology* **1**: 2–12.

Raven JA. 2000. Land plant biochemistry. *Philosophical Transactions of the Royal Society of London B* **355**: 833–846.

Raven JA. 2002. Selective pressures on stomatal evolution. *New Phytologist* **153**: 371–386.

Raven JA, Edwards D. 2001. Roots: evolutionary origins and biogeochemical significance. *Journal of Experimental Botany* **52**: 381–401.

Raven JA, Johnston AM, Parsons R, Kübler J. 1994. The influence of natural and experimental high O_2 concentrations on O_2-evolving phototrophs. *Biological Reviews* **69**: 61–94.

Renzaglia KS, Duff RJ, Nickrent DL, Garbary DJ. 2000. Vegetative and reproductive innovations of early land plants: implications for a unified phylogeny. *Philosophical Transactions of the Royal Society of London B* **355**: 769–793.

Rice SK, Collins D, Anderson AM. 2001. Functional significance of variation in bryophyte canopy structure. *American Journal of Botany* **88**: 1568–1576.

Richter H. 2001. The cohesion theory debate continues: the pitfalls of cryobiology. *Trends in Plant Science* **6**: 456–457.

Smith EC, Griffiths H. 1996a. The occurrence of the chloroplast pyrenoid is correlated with the activity of CO_2 concentrating mechanism and carbon isotope discrimination in lichens and bryophytes. *Planta* **198**: 6–16.

Smith EC, Griffiths H. 1996b. A pyrenoid-based carbon-concentrating mechanism is present in terrestrial bryophytes of the class Anthocerotae. *Planta* **200**: 203–212.

Smith EC, Griffiths H. 2000. The role of carbonic anhydrase in photosynthesis and the activity of the carbon-concentrating-mechanism in bryophytes of the class Anthocerotae. *New Phytologist* **145**: 29–37.

Steudle E. 2001. The cohesion-tension mechanism and the acquisition of water by plant roots. *Annual Review of Plant Physiology and Plant Molecular Biology* **52**: 847–875.

Stewart KD, Mattox KR. 1975. Comparative cytology, evolution and classification of the green algae with some consideration of the origin of other organisms with chlorophylls *a* and *b*. *Botanical Review* **41**: 104–135.

Surif MB, Raven JA. 1990. Photosynthetic gas exchange under emersed conditions in eulittoral and normally submersed members of the Fucales and Laminariales: interpretation in relation to C isotope ratio and N and water use efficiency. *Oecologia* **82**: 68–80.

Syrett PJ, Al-Houty FAA. 1984. The phylogenetic significance of the occurrence of urease/urea amidolyase and glycollate oxidase/glycollate dehydrogenase in green algae. *British Phycological Journal* **19**: 11–21.

Tanner W. 2001. Do drought-hardened plants suffer from fever? *Trends in Plant Science* **6**: 507.

Thomson GJ, Howlett GJ, Ashcroft AE, Berry A. 1998. A dhnA gene of *Escherichia coli* encodes class I fructose bisphosphate aldolase. *Biochemical Journal* **331**: 437–445.

Tuba Z, Proctor MCF, Csintalan Z. 1998. Ecophysiological responses of homoiochlorophyllous and poikilochlorophyllous desiccation tolerant plants: a comparison and an ecological perspective. *Plant Growth Regulation* **24**: 211–217.

Tuba Z, Proctor MCF, Tacács Z. 1999. Desiccation-tolerant plants under elevated air CO_2: a review. *Zeitschrift für Naturforschung* **54C**: 788–796.

Velten J, Oliver MJ. 2001. Tr288, A rehydrin with a dehydrin twist. *Plant Molecular Biology* **45**: 713–722.

Wainwright SA. 1970. Design in hydraulic organisms. *Naturwissenschaften* **57**: 321–326.

Walter H, Stadelmann EJ. 1968. The physiological prerequisites for the transition of autotrophic plants from water to terrestrial life. *BioScience* **18**: 694–701.

Wellman CH, Gray J. 2000. The microfossil record of early land plants. *Philosophical Transactions of the Royal Society of London B* **355**: 717–732.

van der Willigen C, Farrant JM, Pammenter NW. 2001. Anomalous pressure volume curves of resurrection plants do not suggest negative turgor. *Annals of Botany* **88**: 537–543.

Woodward FI. 1998. Do plants really need stomata? *Journal of Experimental Botany* **49**: 471–480.

Woodward J. 1699. Some thoughts and experiments concerning vegetation. *Philosophical Transactions of the Royal Society of London* **21**: 193–227.

3

Origin, function and development of the spore wall in early land plants

Charles H Wellman

CONTENTS

Introduction

The embryophytes (i.e. land plants) are one of the major kingdoms of eukaryote life. There is overwhelming evidence indicating that they are monophyletic, with extant charophycean green algae their sister group (e.g. Graham, 1993; Mishler *et al.*, 1994; Kenrick and Crane, 1997). All sexually reproducing land plants produce either spores, or their more derived homologues pollen, as part of their lifecycle. The resistant sporopollenin wall that encloses spores and pollen (spore exospore or pollen exine) is considered to be a synapomorphy of the embryophytes (e.g. Graham, 1993). It seems quite plausible that the invasion of the terrestrial subaerial habitat was not possible until a sporopollenin spore wall had evolved. Virtually all land plants possess spore/pollen walls composed of sporopollenin, except very rarely where this character has been secondarily lost (e.g. in certain aquatic angiosperms). This chapter is concerned with the role of the sporopollenin spore wall in the origin and early diversification of land plants (i.e. mid Ordovician-end Devonian). The aim is to explore and review our current understanding of: (1) the origin of the spore wall; (2) the function(s) of

The Evolution of Plant Physiology
ISBN 0–12–33955–26

the spore wall in early land plants (including evolution of the spore wall in response to changes in the habit and external environment of the plants); and (3) mode of spore wall formation in early land plants, including recent developments in the study of the genetic basis for spore/pollen wall formation. Referencing is not extensive, but is intended to provide easy access into the literature: it includes major texts and review papers, along with some more specific papers that are either directly relevant to discussions or are of particular interest.

Origin of the spore wall

The embryophytes can be considered as a grade of organization that evolved as an adaptive response to their invasion of the terrestrial environment, i.e. the origin of land plants is intimately related to the invasion of the land, with the unique features of the land plants (autapomorphies) evolving as an adaptive response that enabled transmigration from an aquatic to subaerial habitat. In this respect it is intriguing to consider the origin and function of the spore wall. Almost intuitively we tend to equate acquisition of a sporopollenin spore wall with the origin of land plants/invasion of the land. Hence sporopollenin spore/pollen walls are considered a synapomorphy of the embryophytes and are not present in their putative green algal precursors.

When plants made the transition from an aqueous to subaerial environment their reproductive propagules experienced a dramatic change in environment from aqueous (aqueous green algal precursors) to subaerial (earliest land plants). The aqueous environment may be considered as one of relative comfort and a medium in which propagule movement is relatively straightforward. The subaerial environment, on the other hand, is one that is extremely hostile and in which propagule transportation is problematic. Thus the process of propagule transport was translocated from: (1) the relative safety encountered in an aqueous medium, into the harsh subaerial environment, where propagules were exposed to increased solar UV-B radiation levels, desiccation and likelihood of mechanical damage; and (2) an aqueous environment in which movement is relatively easy, into a subaerial environment where transportation must essentially be subaerial (but with free water provided during some stage in the lifecycle). In this scenario the sporopollenin wall is viewed as an adaptation ideally suited to overcome these problems and protect the propagules in their harsh new environment. Of course, evolution of the spore is fundamentally related to evolution of the embryophyte life cycle (i.e. alternation of generations, e.g. Kenrick, 1994).

Sporopollenin production, however, is almost certainly preadaptive. It occurs in a variety of diverse algal groups (usually enclosing resting cysts or reproductive structures), including the charophyceans (the sister group to embryophytes) where it is located in an inner layer of the wall enclosing the zygote (Graham, 1993). In the vast majority, if not all, of these cases, the function of the sporopollenin coating is usually considered to be protective, i.e. to protect the enclosed resting cyst or reproductive structure from mechanical damage and/or microbial and fungal attack, and if exposed to the subaerial environment, desiccation and/or solar UV-B radiation (see p. 46). When considering mutations that enabled green algal ancestors to invade the subaerial environment and survive as the earliest land plants, Knoll and Bambach (2000, p. 8) note that 'principal among these mutations must have been one involving a simple change in the timing of gene expression for sporopollenin biosynthesis from just after zygote formation to after meiosis and spore formation… such a mutation, arguably lethal in water, would have provided protection against desiccation and harmful radiation at a critically vulnerable phase of the lifecycle'.

However, the extent to which the sporopollenin of spore/pollen walls of embryophytes and the resting cysts/reproductive structures of the diverse algal groups are similar is unclear. Studies of sporopollenin chemistry are difficult to assess. Sporopollenin is one of the toughest and most chemically resistant biological polymers known (hence its utility as a protective coating). These properties, however, render it difficult to analyse and the chemical composition and structure of sporopollenin are poorly understood as are the biochemical pathways leading to its synthesis. Recent reports suggest that the sporopollenin of different algal groups varies in chemical composition and structure (see, for example, Graham and Gray, 2001). In fact the sporopollenin produced by different embryophyte groups also appears to vary in chemical composition and structure (Hemsley *et al.*, 1995). However, it is unwise to use such evidence to prove/disprove homologies because: (1) analysis of such resistant material is fraught with difficulties; and (2) chemical composition/structure may simply have evolved in response to relatively minor biochemical changes, possibly related to changing utility and/or environment. It is generally considered that spore/pollen walls are homologous to the zygote walls of charophycean algae – we simply have a heterochronic switch from enclosing the zygote to the products of meiosis (e.g. Blackmore and Barnes, 1987; Graham, 1993; Hemsley, 1994). However, this needs to be tested at the biochemical and molecular level. Similarities in the mode of sporopollenin deposition in embryophytes and certain green algae (see p. 47) support interpretation of these structures as homologous. It is anticipated that ongoing research in the field of molecular genetics may also aid identification of homology by identifying homologous genes involved in sporopollenin synthesis and/or regulation of its deposition.

Function of the spore wall

In the diverse algal groups possessing sporopollenin walls that enclose resting cysts/reproductive structures, the primary function of the sporopollenin is most likely one of protection of the contents. In aquatic algae this involves protection from mechanical damage and fungal/microbial attack. There are almost certainly multiple secondary functions. These include aids to buoyancy (e.g. extensions to the walls of resting cysts) etc.

In the charophycean green algae, the sporopollenin enclosed zygote is generally confined to an aquatic habitat, but may be exposed to the subaerial environment, e.g. when a pond dries out. Graham and Gray (2001) recently reviewed the function of the sporopollenin zygote wall of charophycean green algae. They suggest that, in charophyceans, the primary function of the sporopollenin wall is to protect the zygote from mechanical damage and fungal/microbial attack during seasonal dormancy (and possibly also transport). Interestingly, they suggest that desiccation resistance is almost certainly a secondary function (if one at all). Graham and Gray (2001) note that 'there is no definitive evidence that sporopollenin (or other wall modifications) of algal resting cells prevents cellular water loss over extended periods of time, although it is possible that it functions as a short-term barrier to diffusion, as compact sporopollenin is regarded as essentially impermeable to water. Rather, sporopollenin in cell walls of charophyceans (and other aquatic algae) may provide protection from varied environmental extremes, where resistance to degradation of cytoplasmic contents is essential, such as during obligate periods of zygote dormancy'. They conclude that 'desiccation protection in aerial distribution, if any, is probably a secondary function of sporopollenin in charophycean algae'. This interpretation is based on the fact that of the algal groups that produce propagules with a sporopollenin component, few are demonstrably dispersed subaerially. In the majority of those that are subaerially dispersed, birds and insects are the dispersal vector and the sporopollenin is likely to protect against enzymatic digestion in the digestive tracts. In any case, the presence of a sporopollenin wall might even impede rehydration during germination.

The arguments developed are interesting regarding the function of the sporopollenin spore/pollen wall of embryophytes, particularly in that these are usually regarded as homologous to the sporopollenin walls present in various green algal groups. One of the major problems faced by land plants during the transition from an aquatic to subaerial environment was that of protection and dispersal of propagules outside of the aqueous environment (see p. 44). To what extent are the functions of the sporopollenin spore/pollen wall similar to those in green algal precursors and to what extent are they exaptations? Graham and Gray (2001) suggest that the primary function of the sporopollenin spore/pollen wall in embryophytes is similar to that in extant charophycean green algae, i.e. to provide mechanical protection to the spore protoplasm during seasonal dormancy prior to germination and to resist fungal and microbial attack. They consider that protection from desiccation is likely to be a secondary function (possibly as is protection from solar UV-B radiation). However, it is clear that sporopollenin does provide at least short-term protection of the spore protoplasm from desiccation. It is also clear that sporopollenin plays a critical role in protecting spore contents from solar UV-B radiation (summarized in Rozema *et al.*, 2001a,b).

As the embryophytes have evolved and diversified the spore/pollen wall morphology evolved as it acquired additional functions (i.e. exaptations) (e.g. Chaloner, 1976; Traverse, 1988). These include: (1) dispersal (by wind, water or animal vectors, including protection when passing through their guts); (2) protection from herbivores and detritivores; (3) lodging; and (4) germination control. A brief examination of spore/pollen walls in fossil and extant plants reveals prodigious morphological diversity (structure and ornament). This almost certainly reflects the multiple functions of the wall (both primary functions and exaptations) and these of course are intimately related to the evolving mode of life of plants and changes in the external environment. Ultimately, however, such diverse morphological adaptations function to facilitate sexual reproduction.

Spore wall development

So how do embryophytes actually build the sporopollenin spore/pollen wall? Clearly a very flexible system is involved that allows diverse morphology to evolve in response to changing lifestyles and environments. In the following section current knowledge of spore wall formation is summarized, concentrating on the information relevant to early land plant spores.

Basic mechanisms of spore wall formation

Ultrastructural studies carried out across the plant kingdom (extant and fossil) have shed light on spore wall ontogeny and the structures/processes operative during development. Blackmore and Barnes (1987) recognize four basic modes of sporopollenin deposition in spore walls. These are:

1. Accumulation on white-line-centred-lamellae (WLCL)
2. Deposition from surrounding cells of the sporangium onto previously existing layers
3. Accumulation within primexine (a pre-patterned cell surface glycocalyx)
4. Centripetal accumulation onto pre-existing layers.

Blackmore *et al.* (2000) subsequently considered these four principal modes of spore wall formation in greater detail and subdivided them. This was largely in order that they could be utilized as characters in a cladistic analysis of extant free-sporing vascular plants, but also to reflect an increasing understanding of these modes of spore wall formation.

Regarding mode of formation (1), WLCL have long been prominent in studies of spore wall formation. They appear to be involved in sporopollenin deposition in various green algae and the vast majority of, if not all, land plants. They have also been identified in fossil spores, including those over 400 million years old (Wellman *et al.*, 1998a). Deposition on a system of WLCL is considered to be the most primitive mode of sporopollenin wall formation. It occurs in many algae and is plesiomorphic in all embryophytes. WLCL appear to form at the plasma membrane with sporopollenin polymerizing out on either side of the white line. In *Chlorella* Beijerinck they link up to form a single continuous layer (Atkinson *et al.*, 1972). In bryophytes we see the acquisition of numerous superimposed lamellae (this appears to be an early transformation in the evolution of land plants). They can also occur in other forms (as extensions, overlapping etc.) and although walls thus formed are usually rather simple, complex ornamentation can be built up in this fashion. In their recent cladistic analysis, character 8 of Blackmore *et al.* (2000) concerned exine deposition involving WLCL formed on the plasma membrane (notably initial exine deposition). In mature spore/pollen walls parts formed by the accumulation of WLCL may appear lamellate or homogeneous. The latter occurs when compression and/or sporopollenin deposition conceals early substructures. Hence it is desirable to study ontogenetic sequences, not just the mature wall.

Mode of formation (2) (deposition from surrounding cells of the sporangium onto previously existing layers) was subdivided by Blackmore *et al.* (2000). Their character 10 concerned tapetal contribution to the exine. However, they distinguished exine formation involving a tapetum-derived component incorporated onto surfaces formed by the microspore (and usually based on WLCL) from epispore, perispore and paraexospore formation. Epispore (their character 13) is a layer within the sporoderm of heterosporous pteridophytes that is formed during the latest stages of exospore development, is composed of sporopollenin and is largely, if not exclusively, of tapetal origin. Perispore (their character 14) consists of material derived from the degenerating tapetum that condenses in one or more continuous layers over the surface of the spores. Taylor (2000) notes that sporopollenin derived from a tapetum may produce mature walls that are homogeneous and/or structures known as globules, orbicules or Ubisch bodies. Blackmore *et al.* (2000) also distinguish paraexospores (*sensu* Lugardon, 1976) (their character 11). A paraexospore is an outer layer of the exospore that is separated from the inner component by a large discontinuity (gap). Both layers are structurally similar and formed by WLCL. Clearly mode of formation (2), in its various guises, has major input from the diploid sporophyte (i.e. the tapetum). Blackmore and Barnes (1987) suggested that a tapetal contribution to the sporoderm was absent in basal land plants but acquired within both mosses and vascular plants. They considered this mode of deposition largely in terms of perispore formation (present in mosses and all vascular plants except *Lycopodium* L.). However, Blackmore *et al.* (2000) noted that a tapetal contribution to the sporoderm takes many forms (including addition to layers previously formed from WLCL or the formation of an epispore).

Mode of formation (3), accumulation within primexine (a pre-patterned cell surface glycocalyx), will not be considered further. This mode is confined to the pollen of seed plants and is thus of little relevance to our consideration of spore wall formation in early land plants.

Mode of formation (4) involves centripetal accumulation onto pre-existing layers. Blackmore *et al.* (2000) covered this in their character 12. They note that spore wall formation may involve accumulation below an earlier formed layer, either by accumulation by WLCL or deposition of granular or amorphous sporopollenin.

Blackmore *et al.* (2000) note that during sporogenesis a wide variety of mature forms is generated by a limited number of ontogenetic processes. They also note that the phylogenetic pattern of sporoderm synthesis is not simply a sequence of gains of additional wall components as there also appear to have been losses of developmental processes. However, later stages of development of spores are not always contingent upon the successful completion of earlier ones, so the deletion of an entire phase may not always prove fatal (Blackmore and Crane, 1988). Blackmore and Crane (1988) noted that sporoderm ontogeny is complex, but includes non-terminal additions or deletions of developmental steps without concomitant loss of reproductive viability. Blackmore *et al.* (2000) consider 'in our view this reflects the particular aspect of spore ontogeny that is unique among all plant cell walls, namely development through an interplay of haploid, gametophytic and diploid, sporophytic processes'.

Substructural organization of spore walls

A number of models for the substructure of spore/pollen walls have been proposed. Two recent models are briefly discussed below.

Rowley (e.g. 1995, 1996) suggests that all embryophyte spore/pollen walls are composed of similar substructures. He interprets these substructures as like wire-wound springs (termed tufts) that are always of similar size and configuration. Rowley suggests that the tufts form an early substructure and act as receptors for sporopollenin (i.e. sporopollenin polymerizes out on these tufts). Furthermore, he suggests that they can open and close and thus act as migration routes for various materials, including those utilized during spore wall construction. Rowley also suggests that the tufts combine actually to form WLCL. He suggests that the tufts orientate perpendicular to the white line and hence the sporopollenin polymerizes out on either side of the white line. He considers that the WLCL can also open and close and thus act as a migration route for various materials. Because they form early, and are subsequently coated in sporopollenin, tufts are difficult to study (they can only be viewed in early maturation or degraded walls). Rowley (1995) provides reconstructions of these substructures alongside photographs of immature and degraded spore/pollen walls in which they can purportedly be seen.

Another exciting development is the discovery that self-assembly is operative during spore wall formation in the rather thick walls of certain lycopsid megaspores (fossil and extant) (e.g. Hemsley *et al.*, 1994, 2000; Gabarayeva, 2000). It will be interesting to see how widespread this is in the plant kingdom, or if it is confined to the abnormally thick walls of megaspores. Interestingly, Scott (1994) has suggested that self-assembly of molecules (lipids and so on) is responsible for the formation of WLCL. I see absolutely no reason why self-assembly should not be involved in actual wall construction. However, I am convinced that this is ultimately under genetic control, in that the amount, composition and delivery of materials is genetically controlled, as is ornament morphology through various template systems.

Spore wall formation in extant plants

Extant plants most relevant to the study of early land plants essentially belong to the more 'primitive' free-sporing plants (i.e. non-seed plants): 'bryophytes' (liverworts, hornworts, mosses) and 'pteridophytes' (lycopsids, sphenopsids, ferns). Spore wall formation has been studied in representatives of all of these groups and includes studies of the isospores of homosporous forms and the microspores and megaspores of heterosporous forms. For reviews of spore wall formation in these plant groups the reader is referred to the following: bryophytes (Brown and Lemmon, 1988, 1990, 1991); pteridophytes (Lugardon, 1990; Tryon and Lugardon, 1991; Blackmore *et al.*, 2000). A brief summary of this information follows.

In most liverworts, immediately following meiosis, a spore special wall is deposited directly outside of the plasma membrane. This spore special wall appears to predict exospore ornamentation. More rarely, however, ornament is determined by exine precursors produced by the sporocyte (rather than individual haploid spores). In liverworts exospore development proceeds in a centripetal fashion. WLCL are formed external to the spore cytoplasm. These take on various forms and orientations (see Brown and Lemmon, 1990, Figure 8). Sometimes they are organized in multilaminar bands consisting of numerous parallel WLCL. The entire wall essentially comprises sporopollenin deposited on WLCL and the lamellate structure is clearly discernible at maturity. There is apparently no tapetal input and thus no extra-exosporal layers. Interestingly, the spores of *Sphaerocarpos* Boehmer often remain united in tetrads and the permanent tetrads may be enclosed within an envelope (Gray, 1985, 1991). These spores are similar to the envelope-enclosed cryptospore permanent tetrads produced by the earliest land plants and it has been suggested that such cryptospores derive from bryophyte-like plants closely related to the liverworts. Some workers have suggested that the cryptospore envelopes are tapetally derived (Gray, 1991; Edwards *et al.*, 1999). However, Renzaglia and Vaughn (2000) have demonstrated that in extant *Sphaerocarpos* it derives from the spore mother cell.

Spore wall formation in hornworts is little studied and poorly understood. A spore special wall is formed after meiosis and acts as a primexine in which the exospore is deposited. Interestingly, however, the exospore appears to develop without WLCL and the mature exospore is homogeneous.

In mosses, spore wall formation appears to occur in the absence of a spore special wall. Three types of spore wall are recognized among the mosses: Sphagnidae-type; Andreaeidae-type and Bryopsida-type (Brown and Lemmon, 1990).

Sphagnidae-type is illustrated by *Sphagnum* L. *Sphagnum* has a complex spore wall consisting of five layers: the endospore, lamellate inner exospore (A-layer), homogeneous outer exospore (B-layer), a unique translucent layer and the perine. The A-layer forms first and consists of 20–30 alternating light/dark layers that appear to derive from the spore, forming by sporopollenin accumulation on WLCL. The homogeneous B-layer accumulates above the A-layer. Overlying the exospore is the unique translucent layer, that consists of unconsolidated exospore lamellae in a matrix of unknown composition. Above this is the perine.

Andreaeidae-type is illustrated by *Andreaea* Hedwig, which has a spongy exospore that develops in the absence of WLCL. Development begins with the accumulation of homogeneous globules outside of the plasma membrane. These build up into an irregular layer with many interstitial spaces.

The Bryopsida-type of spore wall is homogeneous throughout, except for an inconspicuous foundation layer. The foundation layer develops first via sporopollenin accumulation on WLCL. In most cases a thick homogeneous exospore layer is deposited outside of the foundation layer in centrifugal fashion. It is likely that the outer homogeneous layer is in part of extrasporal origin, possibly deposited from the tapetum-like lining of the spore sac which may be secretory. Additionally, in some cases homogeneous material, presumably deriving from the spore cytoplasm, is deposited on the inside of the foundation layer (hence the foundation layer is not always located at the base of the exospore, but is sometimes located within the exospore). The perine is finally deposited on the exospore. Ornament may be elaborated in the exospore below, or perine may provide the sole ornament. The perine is believed to be of extrasporal origin. The perine is not acetolysis resistant.

Lycopodium clavatum L. is a good example of a homosporous lycopsid in which spore wall development is well understood (e.g. Uehara and Kurita, 1991). Here the plasma membrane folds shortly after meiosis indicating ornament pattern. Short WLCL begin to form on the plasma membrane and are elaborated in a centripetal direction, forming the bulk of the exospore. After the outer lamellar layer is formed, an inner granular layer is deposited, but only in the proximal region. There is no perispore (or other form of extra-exosporal layer). Spore wall development in all homosporous lycopsids appears to be similar to that in *L. clavatum*, except that a very thin perispore, consisting of one or two layers and forming after exospore completion, is present in some taxa (Lugardon, 1990; Tryon and Lugardon, 1991).

In the heterosporous lycopsids, spore wall structure and development differ between: (i) different taxa; (ii) the microspores and megaspores in the same taxon. Both *Selaginella* Palisot de Beauvois and *Isoetes* L. have been studied in detail and I will consider the microspores and megaspores of both.

The microspores of *Selaginella* have a bilayered exospore. The inner layer forms first. It is narrow and consists of imbricate lamellae, formed on WLCL, that are initiated in a centripetal direction. The outer layer forms second, after the inner layer is completed, and consists of amorphous sporopollenin that is deposited onto it. Extra-exosporal layers vary in the microspores of different species of *Selaginella*. It may consist of a perispore, a para-exospore (*sensu* Lugardon, 1976) or be absent. In *S. selaginoides* (L.) Link (Tryon and Lugardon, 1991) a paraexospore is present. This is ontogenetically and chemically related to the exospore. It begins to form before the exospore, consisting of a granulate accumu-lation on the inner surface of the special wall surrounding the tetraspores. Lamellae are formed within the granulate material as the exospore begins to develop below the para-exospore. The exospore and the paraexospore are completed at the same time, as similar amorphous sporopollenin is deposited forming the outer exospore layer and also accumulates on the lamellae of the paraexospore. In some species of *Selaginella* a perispore is present, that is usually thin and firmly attached to the exospore surface.

Selaginella megaspores have a bilayered exospore. Two layers of similar thickness are recognized early in sporogenesis. The inner layer is lamellate and the outer layer consists of small and poorly delimited elements. During exospore development the inner layer does not thicken and the lamellae form a compact basal layer. The outer layer, however, increases in thickness dramatically, due to self-assembly (Hemsley *et al.*, 1994, 2000; Gabarayeva, 2000). The outer layer has a very characteristic appearance. In most species silica is deposited in the voids of the outer layer and on the exospore surface. There are no extra-exosporal layers. The endospore forms between the exospore and the plasma mem-brane during the final stages of sporogenesis.

Uehara *et al.* (1991) describe microspore development in *Isoetes japonica* A. Br. The exospore is bilayered, with a large gap between the two layers. The outer layer forms first. Immediately after meiosis WLCL develop on the plasma membrane. These form an undu-lating plate consisting of two to three long and irregularly fused lamellae. The inner layer forms second. This forms by the centripetal accumulation of WLCL that develop on the plasma membrane. It comprises 12–14 lamellae (although more may be added later). At this point the lamellae of the outer exine layer are thickened by the addition of homogeneous sporopollenin. Lastly the perispore forms, from electron dense material that is presumably tapetally derived, and the endospore forms, between the exospore and the plasma membrane. Lugardon (1990) and Tryon and Lugardon (1991) regard the exospore outer layer of *Isoetes* as a paraexospore, because it is initiated prior to the exospore, but consists of sporopollenin similar to the exospore (i.e. the inner exospore layer of Uehara *et al.*) and both are completed at the same time.

The megaspores of *Isoetes* are similar in wall structure and development to those of *Selaginella*. It is bilayered, with the outer layer initiated before the inner layer. Large amounts of silica are deposited within and above the outer layer prior to exospore completion. During the late stages of sporogenesis the endospore is deposited between the exospore and plasma membrane.

Spores in extant sphenopsids are highly distinctive in terms of morphology and development and are unique among the plant kingdom. They are most likely highly derived. Uehara and Kurita (1989) provide a detailed description of spore wall development in *Equisetum arvense* L. They note that the spore wall consists of four layers: endospore, exospore, middle layer and pseudoelaters. The exospore forms after meiosis and consists of two distinct layers (inner exospore and outer exospore). The inner exospore is first formed by the accumulation of plate-like structures that are deposited on the plasma membrane. As this layer accumulates it becomes thick and homogeneous. The outer exospore then forms. It accumulates as granular material on the inner exospore and becomes thick and homogeneous. The inner and outer exospore are similar in thickness. After the exospore is completed, the middle layer is deposited. Initially the middle layer consists of a membranous structure, which subsequently thickens up to about 0.2–0.3 μm thick. It forms in the gap between the spore and the plasmodial plasma membrane, completely surrounding the spore, but only in contact in the region of the aperture. Next the pseudoelaters form. Initially the pseudoelaters appear as membranous structures on the surface of the plasmodial plasma membrane, spirally coiled around the middle layer. The pseudoelaters are subdivided into two distinct layers. The inner layer initially comprises longitudinal microfibrils, that surround the spore in spiral fashion, but is homogeneous at maturity. The outer layer is formed by discharge of granules from vesicles in the plasmodial cytoplasm and is homogeneous. The pseudoelaters are joined to the spore, via the middle layer, at the aperture. The final part of the spore wall to form is the endospore which is deposited on the inside of the exospore. Only the exospore and middle layer are acetolysis-resistant.

In homosporous ferns the active plasmodial tapetum surrounds the spore tetrads and exospore formation commences. The exospore develops in a centrifugal fashion. It is two-layered: an inner substructure and an outer thick layer of amorphous sporopollenin. The inner substructure consists of between one and twelve partly fused sheets. These form by sporopollenin accumulation of WLCL and develop in a centrifugal manner. The number of sheets appears to be greater in more primitive ferns (up to twelve sheets) than in more derived ferns (often reduced to a single sheet). The outer thick layer of homogeneous material contains very small cavities and thin radial canals or fissures. The perispore forms after the exospore is completed, through the condensation of particulate material and is deposited from the tapetum as it decays. The perispore is always present, but is extremely variable in morphology. Where the perispore is multilayered, the inner layer is first formed with other layers successively deposited on pre-existing layers.

Spore wall development is similar in all of the heterosporous ferns and is similar in both microspores and megaspores (although the spore wall is clearly much thicker in the latter). Spore wall development is similar to that in advanced homosporous ferns, except that the plasmodial tapetum penetrates the tetrad at an early stage enveloping each of the spores, and the perispore is replaced by an epispore (*sensu* Lugardon and Husson, 1982). The exospore consists of a single substructural sheet (similar to that in more derived homosporous ferns) covered by a thick outer layer of amorphous sporopollenin. In both microspores and megaspores the outer layer consists of an epispore. This is initiated between the tapetum and the incomplete exospore, and consists of amorphous sporopollenin deriving from the tapetum that is deposited simultaneously on the epispore and exospore until both are completed. Thus the completed epispore is partly fused with the exospore (especially in the distal and equatorial areas).

Spore wall formation in early land plants

The wealth of data obtained from ultrastructural studies of spore wall formation in extant plants has prompted the extension of similar investigations into the fossil record. Such research has been extremely profitable (see, for example, the series of investigations reported in Kurmann and Doyle, 1994). However, analysis of fossil material poses its own set of distinct problems, most important of which involves the identification of preservational artefacts. However, it has been demonstrated that well-preserved fossil spores can preserve exquisite ultrastructure (e.g. Wellman, 2001).

At present, studies of spore wall ultrastructure in early land plants is limited. Dispersed spores of latest Ordovician-earliest Silurian age have been reported by Taylor (1995a,b, 1996, 1997, 2000). *In situ* spores, from exceptionally preserved floras of latest Silurian-earliest Devonian age, have provided a wealth of information on spores that can, in many cases, be related to their parent plants (Rogerson *et al.*, 1993; Edwards *et al.*, 1995a,b, 1996, 1999; Wellman, 1999; Wellman *et al.*, 1998a,b; Habgood, 2000). Dispersed Middle Devonian spores have been described by Wellman (2001, 2002). There are a number of other reports of wall ultrastructure from a variety of Devonian *in situ* and dispersed spores (Pettitt, 1966; Fletcher, 1976; Gensel, 1979; Taylor *et al.*, 1980; Taylor and Brauer, 1983; Gensel and White, 1983; Cichan *et al.*, 1984; Hemsley, 1989; Meyer-Melikyan and Telnova, 1989; Telnova, 1993; Foster and Balme, 1994; Taylor and Scheckler, 1996).

Taylor's work on wall ultrastructure in dispersed spores of latest Ordovician-earliest Silurian age has shed light on the mode of spore wall formation in the earliest land plants, in addition to providing evidence for their affinities. Spores of this age derive from the 'bryophyte-like' plants that are believed to have comprised the land flora for the first 40 or so million years of its existence.

Taylor reports a variety of types of spore wall ultrastructure. Some have entirely homogeneous walls, and he notes that these can be produced in several ways, with the final product leaving little evidence for mode of formation. Hence little can be discerned regarding wall development in spores whose wall is homogeneous at maturity. However, many of Taylor's spores have walls that are, at least in part, lamellate. He reports a wide range of lamella morphology, with many similarities to those produced by extant plants.

Taylor notes that the walls of certain dyads are most similar to those of extant sphaerocarpalean liverworts. However, development of the envelope that often encloses early land plant spores (including monads and polyads) is problematic. Taylor considers that, in extant liverworts, the tapetum (if present at all) does not contribute to sporopollenin deposition and hence does not form a perispore. He also notes that the sporangium does not contribute to the sporopollenin wall of extant charophycean green algae, as the enclosed zygote represents the entire sporophyte generation. Thus the presence of an envelope, most easily explained as a perispore, is at odds with liverwort affinities. Taylor, however, considers that the absence of a perispore in extant liverworts does not preclude its presence in an ancestor of that lineage. It is interesting to note that Renzaglia and Vaughn (2000) consider that ?homologous envelopes in extant *Sphaerocarpos* derive from the spore mother cell.

Taylor (2000) goes on to propose developmental scenarios for the walls of a number of early land plant spore morphologies. He concludes that 'it is difficult to envision a reasonable developmental pathway for producing these complex cryptospore walls that does not involve tapetal deposition of sporopollenin and/or the envelope (perispore)'. He also notes that these early land plants 'had already evolved the basic structural units (and the developmental patterns to produce these units) that make up the sporoderm of most modern plants'.

Wall ultrastructure has been described in a number of different *in situ* spores from exceptionally preserved floras of latest Silurian-earliest Devonian age from the Anglo-Welsh Basin (see Figures 3.8–3.9). These include trilete spores (Rogerson *et al.*, 1993; Edwards *et al.*, 1995a,b, 1996; Wellman, 1999), hilate cryptospores (Wellman *et al.*, 1998a), permanent dyads (Wellman *et al.*, 1998b; Habgood, 2000) and permanent tetrads (Edwards *et al.*, 1999; Habgood, 2000). These spores derive from a mixture of vascular rhyniophytes and plants of uncertain status (including among them rhyniophytoids). In many of these the walls are entirely homogeneous. Others are at least in part lamellate, exhibiting a diverse array of different lamella morphologies, including those typical of WLCL (Wellman *et al.*, 1998a) (see Figure 3.8). Some spore morphotypes possess outer wall layers that are globular and interpreted as being tapetally derived (e.g. Wellman *et al.*, 1998a) (see Figures 3.7 and 3.9). Many, if not all, of the structures encountered can be recognized among extant plants (principally bryophytes and pteridophytes) and include evidence of sporopollenin deposition from both the haploid spore and diploid tapetum.

Wellman (2001, 2002), has commenced work documenting wall ultrastructure in dispersed spores of Middle Devonian age from the Middle Old Red Sandstone of Scotland. The spores are exceptionally well preserved and preserve exquisite wall ultrastructure (Figures 3.1–3.7, 3.10–3.14). Some of the examined spores have morphology far more complex than that in the previously discussed simple spores of Ordovician-Early Devonian age (e.g. *Ancyrospora* (Richardson) Richardson and *Samarisporites* Richardson are multilayered, acamerate and zonate; *Rhabdosporites* Richardson is two-layered and camerate). These spores preserve a number of different lamella morphologies, including WLCL (Figures 3.10 and 3.12) and clear evidence for extra-exosporal layers that are tapetally derived (Figure 3.7). Despite the complexities of the spore walls, Wellman was able to link preserved structures to those present in extant free-sporing plants and hence interpret spore wall formation in terms of developmental processes observed in extant plants. Some of the spore types could clearly be related to those of extant plants. For example, it was demonstrated that spore wall formation in *Ancyrospora* was similar to that in extant lycopsids and hence the parent plants (hitherto unknown) were almost certainly lycopsid (Wellman, 2002). Furthermore, it was demonstrated that complex structures, such as inner bodies, zona, camera and grapnel-tipped processes, were easily constructed using the simple mechanisms of spore wall formation identified in extant free-sporing plants.

In conclusion, I consider that virtually all of the structure we see in the spore walls of primitive extant plants (bryophytes and pteridophytes) and in early land plants fossil spores can be accounted for by a small number of relatively simple modes of formation involving principally lamellae (of various morphologies) and tapetally-derived material. Clearly we have a very flexible system that is capable of producing immense morphological diversity that can satisfy the rapidly evolving and diverse functions of spore walls.

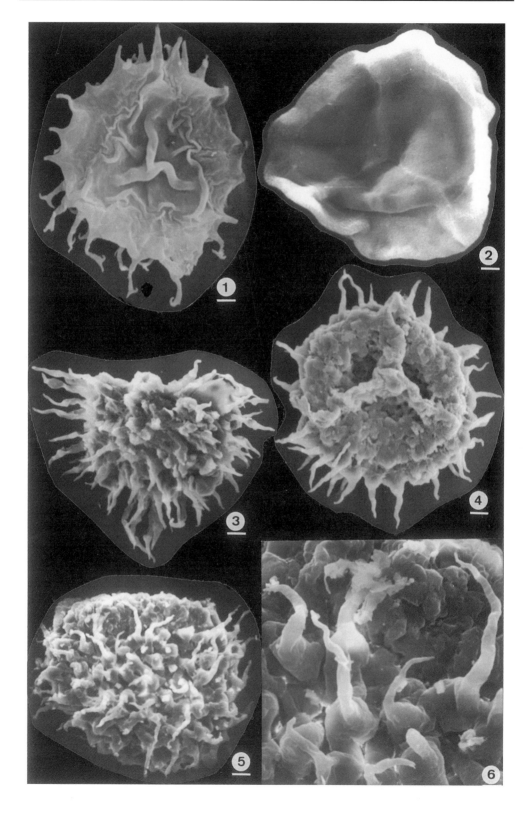

Molecular genetics of spore wall development

Research into the molecular genetics of sporogenesis is in its infancy, but understanding of this subject is progressing rapidly as a number of active research groups explore this fascinating topic. In the following section I have attempted to summarize current understanding of the molecular genetics of spore/pollen wall development. This review draws heavily on the most recent reviews of the subject (e.g. Davies *et al.*, 1992; Mascarenhas, 1989, 1990, 1992; McCormick, 1991, 1993; Scott *et al.*, 1991a), but also discusses important recent findings (e.g. Paxson-Sowders *et al.*, 2001). It is important to note that to date research has been confined to certain 'model' angiosperms (e.g. *Arabidopsis thaliana* (L.) Heynh., *Brassica napus* L.). Towards the end of this section I will discuss the potential relevance of this work on angiosperms with respect to more primitive plants (e.g. charophycean green algae, 'bryophytes' and 'pteridophytes') that are of more relevance to our understanding of spore wall development in early land plants.

Regarding genetic control of spore/pollen wall development, a couple of aspects have long been known. First, it is clear that in building the sporopollenin wall there is input from both the haploid spore and the diploid sporophyte. Secondly, control of wall patterning appears usually to be associated with the diploid pre-meiotic sporocyte. There are two lines of evidence for the latter: (1) ontogenetic studies often reveal pre-patterned templates forming in the sporocyte (e.g. Brown *et al.*, 1986); and (2) following abnormal meiosis, cytoplasmic fragments lacking a nucleus produce normal spore walls. However, for more detailed studies of the molecular genetics of spore/pollen wall development, we currently rely on research conducted on various model angiosperms.

The production of the angiosperm male gametophyte is a complex developmental process involving a tightly controlled series of cytological and biochemical changes. These are coordinated with the expression of anther-specific genes. Currently relatively little is known concerning the genes involved, although it is considered to involve a large number of both sporophytic and gametophytic genes. Evidence for the involvement of sporophytic genes includes numerous male-sterile mutations that disrupt microsporogenesis. The recessive nature of most such mutations suggests that expression of the involved genes occurs in diploid cells and not in the haploid developing pollen grain. Additionally, some male-sterile mutants exhibit altered tapetal metabolism. Evidence for the involvement of gametophytic

Figures 3.1–3.6 SEM images of early land plant fossil spores form the Eifelian (Middle Devonian) of Scotland (see Wellman, 2001, 2002). Figure 3.1 *Ancyrospora ancyrea* (Eisenack) Richardson, 1962: a bilayered, acamerate, zonate, trilete spore of probable lycopsid affinity. Scale bar = 10 μm. Note the ornament comprising long processes with grapnel-tipped endings. The function of the grapnel-tips is uncertain, but possible facilitated attachment to arthropods that possibly acted as a dispersal vector (Wellman, 2002). Figure 3.2 *Rhabdosporites langii* (Eisenack) Richardson, 1960: a bilayered, camerate, trilete spore of probable aneurophytalean (progymnosperm) affinity. Scale bar = 10 μm. The spore has a thick-walled, rigid inner body enclosed within a very loose, thin-walled outer layer, that is attached to the inner body only over the proximal surface. This 'bladder' possibly increases buoyancy. Figures 3.3–3.6 *Acinosporites macrospinosus* Richardson, 1965: a trilete spore, with a distinct apical prominence and a dense distal ornament of long and prominent spines, possibly of lycopsid affinity (based on wall ultrastructure evidence). Scale bars = 10 μm (Figure 3.3), 10 μm (Figure 3.4), 10 μm (Figure 3.5) and 3 μm (Figure 3.6). Figure 3.3 is preserved in lateral compression. Note that the apical prominence is missing (cf. Figure 3.5). Figure 3.4 is preserved in polar compression. Note the nature of the apical prominence and associated trilete mark. Figure 3.5 is preserved in lateral compression, clearly displaying the apical prominence. Figure 3.6 is an enlarged portion of the specimen in Figure 3.5 illustrating the nature of the ornament.

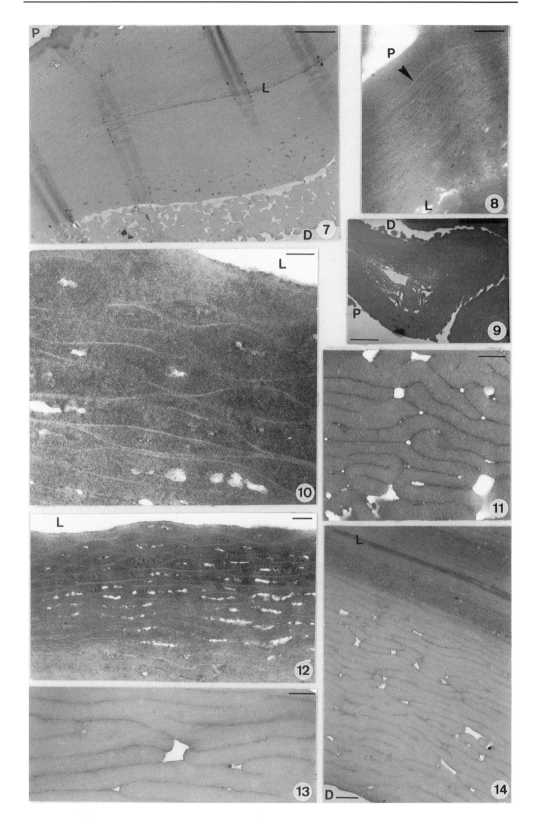

genes includes proof that transcription and translation from the haploid genome occurs during pollen development based on: (1) studies of several dimeric enzymes; and (2) utilizing pollen-expressed and pollen-specific clones to demonstrate activation of specific genes after meiosis and at specific periods during spore/pollen development (see Macarenhas 1989, 1992).

Male gametogenesis may be divided into three distinct phases. First, 'sporogenesis' consists of a series of archesporial cell mitotic divisions which give rise to the tapetum and sporogenous cells, the latter undergoing meiosis to produce microsporogenous cells. Secondly, 'microspore development' involves the development of the free uninucleate microspores. Thirdly, 'pollen maturation' encompasses microspore mitosis and the formation of the mature bi-or trinucleate gametophyte.

It is during the first and second phases that the pollen wall develops. In the majority of angiosperms, meiosis is synchronous, forming tetrads of microspores enclosed within a thick callose wall. This callose wall is digested and the microspores liberated, following the release of callase (β-(1,3)-glucanase) secreted into the locule from the tapetum. Pollen wall development commences while the microspores are still united in a tetrad, but following liberation there is further elaboration of the wall and the deposition of reserves such as lipids. The 'microspore development phase' essentially terminates when microspore mitosis commences.

It is generally believed that the protein components of intine are derived from gametophyte gene expression while those of the exine are produced by the sporophyte tapetal layer. The sporopollenin component of the pollen wall is considered to be polymerized from a

---

Figures 3.7–3.14 TEM images of wall ultrastructure in early land plant fossil spores. For all images: L = lumen; P = proximal surface; D = distal surface. Figure 3.7 *Rhabdosporites langii*: a bilayered, camerate, trilete spore from the Eifelian (Middle Devonian) of Scotland. Scale bar = 2 μm. The spore has a thick-walled inner body, that has lamellate ultrastructure only discernible at higher magnification. The outer layer is globular and almost certainly formed by the accumulation of tapetally-derived globules. The outer/inner layers are attached over the proximal surface, where the outer layer is thin and compressed, but separated over the distal surface (i.e. camerate), where the outer layer is thick and uncompressed. However, due to compression of the fossil, the camera is reduced. Figure 3.8 *Laevolancis divellomedia* Type C (*sensu* Wellman *et al.*, 1998a): a laevigate hilate cryptospore from the Lochkovian (Early Devonian) of the Welsh Borderland (see Wellman *et al.*, 1998a). Scale bar = 0.25 μm. The spore is bilayered, with a thick inner layer comprising structures typical of WLCL and a thinner outer layer, interpreted as tapetally derived. The arrowhead marks the junction between the two layers. Figure 3.9 *Laevolancis divellomedia* Type B (*sensu* Wellman *et al.*, 1998a): a laevigate hilate cryptospore from the Pridoli (Late Silurian) of the Welsh Borderland (see Wellman *et al.*, 1998a). Scale bar = 1 μm. The spore wall is bilayered with a lamellate inner layer, consisting of relatively thick and laterally continuous lamellae and a homogeneous outer layer. Globules of extra-exosporal material, similar to the material forming the outer layer of the exospore, adhere to the surface and are interpreted as tapetally derived. Figures 3.10–3.12 *Acinosporites macrospinosus*: a trilete spore with a dense distal ornament of long and prominent spines, from the Eifelian (Middle Devonian) of Scotland. Scale bars = 0.1 μm (Figure 3.10) and 0.25 μm (Figures 3.11–3.12). In the inner part of the spore wall laterally impersistent and overlapping WLCL are conspicuous (Figures 3.10, 3.12). Towards the outside of the wall these become less conspicuous (see Figure 3.12), presumably as sporopollenin has accreted onto them, forming a series of lamellae that thicken towards the outside of the wall, and are often folded (Figure 3.11). Figures 3.13–3.14 *Ancyrospora ancyrea*: a bilayered, acamerate, zonate, trilete spore from the Eifelian (Middle Devonian) of Scotland (see Wellman, 2002). Scale bars = 0.25 μm (Figure 3.13) and 0.5 μm (Figure 3.14). The spore has an electron dense inner body, consisting of narrow, parallel and continuous lamellae. The outer layer consists of thicker lamellae, that become increasingly thicker towards the outside of the wall. These lamellae are laterally continuous and bifurcate.

lipid-like monomer derived from caretenoids and/or caretenoid esters. The sporopollenin almost certainly derives from both the microspore and the tapetum, although the bulk usually derives from the latter. The species-specific sculpture patterns of the exine are believed to be genetically determined by the sporophyte.

The number of genes expressed in developing microspores and pollen grains (incorporating sporogenesis and gametogenesis) is considered to be very large. It has been estimated that during the lifecycle of pollen at least 15 000 different genes may be transcribed. However, substantial overlap occurs between genes active in the male gametophyte and in the sporophyte and studies of dimeric enzymes suggest that the vast majority of genes expressed in the male gametophyte are also expressed in the sporophyte, suggesting that many of these genes are simple housekeeping genes etc. Very few (usually less than 10%) are pollen specific (Mascarenhas, 1989).

Two distinct sets of genes have been identified with respect to the timing of their activity during pollen development (e.g. Mascarenhas, 1989, 1990). The so called 'early genes' are active soon after meiosis is completed. The mRNAs reach their maximum accumulation by late pollen interphase and then decrease substantially by anthesis. It is generally surmised that 'early genes' might encode cytoskeletal proteins and proteins needed for wall synthesis or starch deposition. The so-called 'late genes' are activated after microspore mitosis. The mRNAs increase in content up to maturity, suggesting a major function during germination and early tube growth (and possibly also during the later parts of pollen maturation).

Far more is known about the 'late genes' than 'early genes', which is unfortunate as the latter are almost certainly those involved in spore wall formation. This disparity occurs because the majority of studies have been based on cDNA libraries constructed from mature pollen or mature anther RNA, and pollen-specific cDNAs thus isolated are representative of these 'late genes'. We do not at present have any estimates for the numbers of 'early genes' or of their similarity to genes expressed in later development.

However, workers such as Scott et al. (1991a) have illustrated a strong allometric relationship between bud length/anther length and stages of anther development. They have demonstrated how this relationship can be utilized in the isolation and characterization of anther-specific cDNAs expressed at defined stages of anther development, including early stages (i.e. 'early genes'). Examples of identified 'early genes' are actin, alcohol dehydrogenase, β-galactosidase and those specifying the anther-specific tobacco transcripts TA25 and TA29 (see for example: Stinson and Mascarenhas, 1985; Albini et al., 1990, 1991; Koltunow et al., 1990; Smith et al., 1990; Scott et al., 1991b; Theerakulpisut et al., 1991; Foster et al., 1992; Roberts et al., 1993).

For some of the identified 'early genes' possible functions have been suggested, including, in some cases, involvement in spore wall formation. Scott et al. (1991b) isolated I3 cDNA from immature anthers of Brassica napus that exhibits microspore-specific expression. They speculated that the protein encoded by the gene represented by I3 may be involved in early cell surface structure of developing pollen, or even in directing the development of the intine. Foster et al. (1992) report on the isolation of a Brassica napus mRNA which is expressed during the 'microspore development phase' in both the developing microspore and the tapetum. The predicted protein of the E2 cDNA shows high homology with phospholipid transfer proteins (PLTPs), and Foster et al. speculated that the E2 PLTP isoenzyme might be involved in sporopollenin production.

More recently Paxson-Sowders et al. (2001) identified a gene (DEX1) they considered important in exine pattern formation. They worked on the dex1 mutation of Arabidopsis which disrupts exine formation and patterning. Pollen wall development in dex1 plants is similar to that in wild-type plants until the early tetrad stage. Thereafter, in *dex1* plants, primexine deposition is delayed and reduced, rippling of the plasma membrane and spacer production is absent and the produced sporopollenin is randomly deposited on the plasma membrane, but is not anchored to the microspore, and forms large aggregates on both the developing microspore and the locule walls. Following isolation and molecular characterization of DEX1 it was demonstrated that it encodes a novel plant protein, that was predicted to be membrane associated and to contain several potential calcium-binding domains. Factors controlling exine pattern are poorly understood and structures such as the primexine matrix, plasma membrane, endoplasmic reticulum and microtubules have been implicated. Interestingly, this work suggests that the plasma membrane does have an integral role in exine pattern formation. The fact that sporpollenin was synthesized and deposited, but failed to anchor to the surface of the microspore, suggests that DEX1 may function as the nucleation point for sporopollenin deposition. The authors speculated that DEX1 may either be a component of the primexine matrix or endoplasmic reticulum and involved in the assembly of primexine precursors. Recent discoveries of a number of other mutants in which exine development is disrupted, in *Arabidopsis* (e.g. Taylor *et al.*, 1998) and other plants such as *Zea mays* L. (Loukides *et al.*, 1995), are encouraging regarding the progress of similar research in the near future.

It is clear from the brief review outlined above that studies of the molecular genetics of spore/pollen wall formation are in their infancy. As more work is undertaken and techniques improve we can expect a dramatic, and hopefully rapid, increase in our understanding of these issues. Initially such work will be confined to angiosperms, but it is hoped that studies on other plant groups (gymnosperms, 'pteridophytes' and 'bryophytes') will follow. Only then will we be able to assess similarities/differences between the molecular genetics of spore/pollen wall formation in angiosperms and more primitive plant groups and ascertain how conserved the molecular mechanism and involved genes actually are. Also fruitful, and of direct relevance to early land plants, will be comparisons with the charophycean green algae, the sister group to embryophytes (land plants). Of interest will be the molecular genetics of the development of the sporopollenin layer surrounding the zygote, which will potentially shed light on the evolution of sporopollenin walled reproductive propagules in the earliest land plants.

Conclusions

It is concluded that the sporopollenin wall surrounding charophycean zygotes and embryophyte spores/pollen grains is homologous, and that the spore/pollen wall is an embryophyte synapomorphy that evolved as an adaptive response to the invasion of the land. It is considered that the primary function of the spore/pollen wall involves protection in the harsh subaerial environment. However, spore/pollen walls have taken on multiple secondary functions (exaptations), particularly as they evolved in response to changes in the habit and external environment of early land plants. Regarding spore wall development, ultrastructural studies have demonstrated that structural elements present in the spore walls of extant plants can be recognized in the fossil spores of early land plants, suggesting that spore wall development was similar in extant and ancient land plants. It is clear that spore wall construction is a simple and flexible process allowing rapid evolution of complex structure and morphology in response to evolving mode of life and external environment. Finally, studies of molecular genetics of spore wall formation are in their infancy, but have the potential to solve many unanswered questions regarding spore wall homologies and developmental processes, particularly when such studies are commenced on more 'primitive' land plants (bryophytes and pteridophytes) and their extant sister group (charophycean green algae).

Acknowledgements

This work was supported by NERC research grant GR8/03668.

References

Albini D, Altosaar I, Arnison PG, Fabijanski SF. 1991. A gene showing sequence similarity to pectin esterase is specifically expressed in developing pollen of *Brassica napus*. Sequences in the 5′ flanking region are conserved in other pollen-specific promoters. *Plant Molecular Biology* **16**: 501–513.

Albini D, Robert LS, Donaldson PA, *et al.* 1990. Characterization of a pollen specific gene family from *Brassica napus* which is activated during early microspore development. *Plant Molecular Biology* **15**: 605–622.

Atkinson AW, Gunning BES, John PCL. 1972. Sporopollenin in the cell wall of *Chlorella* and other algae: ultrastructure, chemistry and incorporation of 14C-acetate studies in synchronous culture. *Planta* **107**: 1–32.

Blackmore S, Barnes SH. 1987. Embryophyte spore walls: origin, development and homologies. *Cladistics* **3**: 185–195.

Blackmore S, Crane PR. 1988. The systematic implications of pollen and spore ontogeny. In: Humphries CJ, ed. *Ontogeny and Systematics*. New York: Columbia University Press, 83–115.

Blackmore S, Takahashi M, Uehara K. 2000. A preliminary phylogenetic analysis of sporogenesis in pteridophytes. In: Harley MM, Morton CM, Blackmore S, eds. *Pollen and Spores: Morphology and Biology*. London, Kew: Royal Botanic Gardens, 109–124.

Brown RC, Lemmon BE. 1988. Sporogenesis in bryophytes. *Advances in Bryology* **3**: 159–223.

Brown RC, Lemmon BE. 1990. Sporogenesis in bryophytes. In: Blackmore S, Barnes SH, eds. *Pollen and Spores: Patterns of Diversification*. The Systematics Association Special Volume No. 44. Oxford: Oxford Science Publications, 9–24.

Brown RC, Lemmon BE. 1991. Sporogenesis in simple land plants. In: Blackmore S, Knox RB, eds. *Microspores: Evolution and Ontogeny*. London: Academic Press, 55–94.

Brown RC, Lemmon BE, Renzaglia KS. 1986. Sporocytic control of spore wall pattern in liverworts. *American Journal of Botany* **73**: 593–596.

Chaloner WG. 1976. The evolution of adaptive features in fossil exines. In: Ferguson IK, Muller J, eds. *The Evolutionary Significance of the Exine*. Linnean Society Symposium Series No. 1. Academic Press, London, 1–14.

Cichan MA, Taylor TN, Brauer DF. 1984. Ultrastructural studies on *in situ* Devonian spores: *Protobarinophyton pennsylvanicum* Brauer. *Review of Palaeobotany and Palynology* **41**: 167–175.

Davies SP, Singh MB, Knox RB. 1992. Identification and *in situ* localization of pollen specific genes. *International Review of Cytology* **140**: 19–34.

Edwards D, Davies KL, Richardson JB, Axe L. 1995a. The ultrastructure of spores of *Cooksonia pertoni* Lang. *Palaeontology* **38**: 153–168.

Edwards D, Fanning U, Davies KL, *et al.* 1995b. Exceptional preservation in Lower Devonian coalified fossils from the Welsh Borderland: a new genus based on reniform sporangia lacking thickened borders. *Botanical Journal of the Linnean Society* **117**: 233–254.

Edwards D, Davies KL, Richardson JB, *et al.* 1996. Ultrastructure of *Synorisporites downtonensis* and *Retusotriletes* cf. *coronadus* in spore masses from the Pridoli of the Welsh Borderland. *Palaeontology* **39**: 783–800.

Edwards D, Wellman CH, Axe L. 1999. Tetrads in sporangia and spore masses from the Upper Silurian and Lower Devonian of the Welsh Borderland. *Botanical Journal of the Linnean Society* **130**: 11–155.

Fletcher AJ. 1976. Studies on Devonian megaspores. Unpublished D. Phil. Thesis Bristol University.

Foster CB, Balme BE. 1994. Ultrastructure of *Teichertospora torquata* (Higgs) from the Late Devonian: oldest saccate palynomorph. In: Kurmann MH, Doyle JA, eds. *Ultrastructure of Fossil Spores and Pollen.* London, Kew: Royal Botanic Gardens, 87–97.

Foster GD, Robinson SW, Blundell RP, *et al.* 1992. A *Brassica napus* mRNA encoding a protein homologous to phospholipid transfer proteins, is expressed specifically in the tapetum and developing microspores. *Plant Science* 84: 187–192.

Gabarayeva NI. 2000. Principles and recurrent themes in sporoderm development. In: Harley MM, Morton CM, Blackmore S, eds. *Pollen and Spores: Morphology and Biology.* London, Kew: Royal Botanic Gardens, 1–16.

Gensel PG. 1979. Two *Psilophyton* species from the Lower Devonian of eastern Canada with a discussion of morphological variation within the genus. *Palaeontographica B* 168: 81–99.

Gensel PG, White AR. 1983. The morphology and ultrastructure of the Early Devonian Trimerophyte *Psilophyton* (Dawson) Hueber and Banks. *Palynology* 7: 221–233.

Graham LE. 1993. *Origin of Land Plants.* New York: Wiley.

Graham LE, Gray J. 2001. The origin, morphology, and ecophysiology of early embryophytes: neontological and paleontological perspectives. In: Gensel PG, Edwards D, eds. *Plants Invade the Land: Evolutionary and Environmental Perspectives.* New York: Columbia University Press, 140–158.

Gray J. 1985. The microfossil record of early land plants: advances in understanding of early terrestrialization, 1970–1984. *Philosophical Transactions of the Royal Society London B* 309: 167–195.

Gray J. 1991. *Tetrahedraletes, Nodospora,* and the 'cross' tetrad: an accretion of myth. In: Blackmore S, Barnes SH, eds. *Pollen and Spores, Patterns of Diversification.* The Systematics Association Special Volume No. 44. Oxford: Clarendon Press, 49–87.

Habgood KS. 2000. Two cryptospore-bearing land plants from the Lower Devonian (Lochkovian) of the Welsh Borderland. *Botanical Journal of the Linnean Society* 133: 203–227.

Hemsley AR. 1989. The ultrastructure of the spores of the Devonian plant *Parka decipiens. Annals of Botany* 64: 359–367.

Hemsley AR. 1994. The origin of the land plant sporophyte: an interpolation scenario. *Biological Reviews* 69: 263–273.

Hemsley AR, Barrie PJ, Scott AC. 1995. [13]C solid-state n.m.r. spectroscopy of fossil sporopollenins: variation in composition independent of diagenesis. *Fuel* 74: 1009–1012.

Hemsley AR, Collinson ME, Kovach WL, *et al.* 1994. The role of self-assembly in biological systems: evidence from iridescent colloidal sporopollenin in *Selaginella* megaspore walls. *Philosophical Transactions of the Royal Society London, Series B* 345: 163–173.

Hemsley AR, Collinson ME, Vincent B, *et al.* 2000. Self-assembly of colloidal units in exine development. In: Harley MM, Morton CM, Blackmore S, eds. *Pollen and Spores: Morphology and Biology.* London, Kew: Royal Botanic Gardens, 31–44.

Kenrick P. 1994. Alternation of generations in land plants: new phylogenetic and palaeobotanical evidence. *Biological Reviews* 69: 293–330.

Kenrick P, Crane PR. 1997. *The Origin and Early Diversification of Land Plants. A Cladistic Study.* Washington and London: Smithsonian Institution Press.

Knoll AH, Bambach RK. 2000. Directionality in the history of life: diffusion from the left wall or repeated scaling of the right? *Paleobiology* 26: 1–14.

Koltunow AM, Turettner J, Cox KH, *et al.* 1990. Differential temporal and spatial gene expression patterns occur during anther development. *Plant Cell* 2: 1201–1224.

Kurmann MH, Doyle JA. 1994. *Ultrastructure of Fossil Spores and Pollen.* London, Kew: Royal Botanic Gardens.

Loukides CA, Broadwater AH, Bedinger PA. 1995. Two new male-sterile mutants of *Zea mays* (Poaceae) with abnormal tapetal cell morphology. *American Journal of Botany* 82: 1017–1023.

Lugardon B. 1976. Sur la structure fine de l'exospore dans les diverse groupes de ptéridophytes actuelles (microspores et isospores). In: Ferguson IK, Muller J, eds. *The Evolutionary Significance of the Exine.* London: Academic Press, 231–250.

Lugardon B. 1990. Pteridophyte sporogenesis: a survey of spore wall ontogeny and fine structure in a polyphyletic plant group. In: Blackmore S, Knox RB, eds. *Microspores: Evolution and Ontogeny.* London: Academic Press, 95–120.

Lugardon B, Husson P. 1982. Ultrastructure exosporale et caractères généraux du sporoderme dans les microspores et les megaspores des Hydroptéridées. *Comptes Rendus de l'Académie des Sciences de Paris* **294**: 789–794.

Mascarenhas JP. 1989. The male gametophyte of flowering plants. *The Plant Cell* **1**: 657–664.

Mascarenhas JP. 1990. Gene activity during pollen development. *Annual Review of Plant Physiology and Plant Molecular Biology* **41**: 317–338.

Mascarenhas JP. 1992. Pollen gene expression: molecular evidence. *International Review of Cytology* **140**: 3–18.

McCormick S. 1991. Molecular analysis of male gametogenesis in plants. *Trends in Genetics* **7**: 298–303.

McCormick S. 1993. Male gametophyte development. *The Plant Cell* **5**: 1265–1275.

Meyer-Melielikyan NR, Telnova OP. 1989. Sporoderm of the Frasnian and Famennian *Archaeoperisaccus* Naumova (the results of optical and electron microscopy). *Palaeontol. Zh.* **1**: 88–94.

Mishler BD, Lewis LA, Buchheim MA, *et al.* 1994. Phylogenetic relationships of the 'Green algae' and 'bryophytes'. *Annals of the Missouri Botanical Gardens* **81**: 451–483.

Paxson-Sowders DM, Dodrill CH, Owen HA, Makaroff CA. 2001. DEX1, a novel plant protein, is required for exine pattern formation during pollen development in *Arabidopsis. Plant Physiology* **127**: 1739–1749.

Pettitt JM. 1966. Exine structure in some fossil and recent spores and pollen as revealed by light and electron microscopy. *Bulletin of the British Museum (Natural History) Geology* **13**: 221–257.

Renzaglia KS, Vaughn KC. 2000. Anatomy, development and classification of the hornworts. In: Shaw J, Goffinet B, eds. *The Biology of Bryophytes.* Cambridge: Cambridge University Press, 1–19.

Roberts MR, Foster GD, Blundell RP, *et al.* 1993. Gametophytic and sporophytic expression of an anther-specific *Arabidopsis thaliana* gene. *The Plant Journal* **3**: 111–120.

Roberts MR, Robson F, Foster GD, *et al.* 1991. A *Brassica napus* mRNA expressed specifically in developing microspores. *Plant Molecular Biology* **17**: 295–299.

Rogerson ECW, Edwards D, Davies KL, Richardson JB. 1993. Identification of *in situ* spores in a *Cooksonia* from the Welsh Borderland. *Special Papers in Palaeontology* **49**: 17–30.

Rowley JR. 1995. Are the endexines of pteridophytes, gymnosperms and angiosperms structurally equivalent? *Review of Palaeobotany and Palynology* **85**: 13–34.

Rowley JR. 1996. Exine origin, development and structure in pteridophytes, gymnosperms, and angiosperms. In: Jansonius J, McGregor DC, eds. *Palynology: Principles and Applications.* American Association of Stratigraphic Palynologists. Publishers Press, Salt Lake City, Utah, 445–462.

Rozema J, Noordijk AJ, Broekman RA, *et al.* 2001a. (Poly)phenolic compounds in pollen and spores of Antarctic plants as indicators of solar UV-B. A new proxy for the reconstruction of past solar UV-B? *Plant Ecology* **154**: 11–26.

Rozema J, Broekman RA, Blokker P, *et al.* 2001b. UV-B absorbance and UV-B absorbing compounds (*para*-coumaric acid in pollen and sporopollenin: the perspective to track historic UV-B levels. *Journal of Photochemistry and Photobiology B: Biology* **62**: 108–117.

Scott R, Hodge R, Paul W, Draper J. 1991a. The molecular biology of anther differentiation. *Plant Science* **80**: 167–191.

Scott R, Dagless E, Hodge R, *et al.* 1991b. Patterns of gene expression in developing anthers of *Brassica napus. Plant Molecular Biology* **17**: 195–207.

Scott RJ. 1994. Pollen exine – the sporopollenin enigma and the physics of pattern. In: Scott RJ, Stead MA, eds. Society for Experimental Biology Seminar Series 55: *Molecular and Cellular Aspects of Plant Reproduction.* Cambridge: Cambridge University Press, 49–81.

Smith AG, Gasser CS, Budelier KA, Fraley RT. 1990. Identification and characterization of stamen- and tapetum-specific genes from tomato. *Mol. Gen. Genetic.* **222**: 9–16.

Stinson J, Mascarenhas JP. 1985. Onset of alcohol dehydrogenase synthesis during microsporogenesis in maize. *Plant Physiology* **77**: 222–224.

Taylor PE, Glover JA, Lavithis M, *et al.* 1998. Genetic control of male fertility in *Arabidopsis thaliana*: structural analysis of post meiotic developmental mutants. *Planta* **205**: 492–505.

Taylor TN, Brauer DF. 1983. Ultrastructural studies of *in situ* Devonian spores: *Barinophyton citrulliforme*. *American Journal of Botany* **70**: 106–112.

Taylor TN, Maihle NJ, Hills LV. 1980. Morphological and ultrastructural features of *Nikitinsporites canadensis* Chaloner, a Devonian megaspore from the Frasnian of Canada. *Review of Palaeobotany and Palynology* **30**: 89–99.

Taylor TN, Scheckler SE. 1996. Devonian spore ultrastructure: *Rhabdosporites*. *Review of Palaeobotany and Palynology* **93**: 147–158.

Taylor WA. 1995a. Spores in earliest land plants. *Nature* **373**: 391–392.

Taylor WA. 1995b. Ultrastructure of *Tetrahedraletes medinensis* (Strother and Traverse) Wellman and Richardson, from the Upper Ordovician of southern Ohio. *Review of Palaeobotany and Palynology* **85**: 183–187.

Taylor WA. 1996. Ultrastructure of lower Paleozoic dyads from southern Ohio. *Review of Palaeobotany and Palynology* **92**: 269–279.

Taylor WA. 1997. Ultrastructure of lower Paleozoic dyads from southern Ohio II: *Dyadospora murusattenuata*, functional and evolutionary considerations. *Review of Palaeobotany and Palynology* **97**: 1–8.

Taylor WA. 2000. Spore wall development in the earliest land plants. In: Harley MM, Morton CM, Blackmore S, eds. *Pollen and Spores: Morphology and Biology*. London, Kew: Royal Botanic Gardens, 425–434.

Telnova OP. 1993. *Spore Research on Devonian and Carboniferous Deposits of the Timan-Pechora Province*. St Petersburg: Nauka.

Theerakulpisut P, Xu H, Singh MB, *et al.* 1991. Isolation and developmental expression of Bcp an anther-specific cDNA clone in *Brassica campestris*. *Plant Cell* **3**: 1073–1084.

Traverse A. 1988. *Paleopalynology*. Boston: Unwin Hyman.

Tryon AF, Lugardon B. 1991. Spores of the Pteridophyta. Surface, wall structure, and diversity based on electron microscope studies. New York: Springer-Verlag.

Uehara K, Kurita S. 1989. An ultrastructural study of spore wall morphogenesis in *Equisetum arvense*. *American Journal of Botany* **76**: 939–951.

Uehara K, Kurita S. 1991. Ultrastructural study on spore wall morphogenesis in *Lycopodium clavatum* (Lycopodiaceae). *American Journal of Botany* **78**: 24–36.

Uehara K, Kurita S, Sahashi N, Ohmoto T. 1991. Ultrastructural study of microspore wall morphogenesis in *Isoetes japonica* (Isoetaceae). *American Journal of Botany* **78**: 1182–1190.

Wellman CH. 1999. Sporangia containing *Scylaspora* from the Lower Devonian of the Welsh Borderland. *Palaeontology* **42**: 67–81.

Wellman CH. 2001. Morphology and ultrastructure of Devonian spores: *Samarisporites (Cristatisporites) orcadensis* (Richardson) Richardson 1965. *Review of Palaeobotany and Palynology* **116**: 87–107.

Wellman CH. 2002. Morphology and wall ultrastructure in Devonian spores with bifurcate-tipped processes. *International Journal of Plant Sciences* **163**: 451–474.

Wellman CH, Edwards D, Axe L. 1998a. Ultrastructure of laevigate hilate spores in sporangia and spore masses from the Upper Silurian and Lower Devonian of the Welsh Borderland. *Philosophical Transactions of the Royal Society London* **353**: 1983–2004.

Wellman CH, Edwards D, Axe L. 1998b. Permanent dyads in sporangia and spore masses from the Lower Devonian of the Welsh Borderland. *Botanical Journal of the Linnean Society* **127**: 117–147.

Evolution of Plant Physiology from the Molecular Level

4

The evolution of plant biochemistry and the implications for physiology

Richard D Firn and Clive G Jones

CONTENTS

The Evolution of Plant Physiology
ISBN 0–12–33955–26

Introduction

Plant physiology and plant biochemistry are seen by some as brother and sister but by others as distant cousins. All would agree that there is a relationship but few would agree how close it is. The fact that books have been written on plant biochemistry with very little discussion of the physiology of plants shows that families can lose touch with each other. The aim of this chapter is to show that a functional understanding of plants can be gained by integrating physiological and biochemical knowledge. Our attempts to bring about integration start with an evolutionary prospective.

When introductory biochemistry is taught, there is a tendency initially to concentrate on the central metabolic pathways of 'the cell'. The default cell is usually mammalian. Plant cells are usually treated as unusual, but only in so far as they have walls and chloroplasts. This emphasis on the commonality of the basic metabolism of organisms is helpful to those learning the subject but it does tend to limit conceptual approaches to biochemistry. The reality is that most cells are biochemical specialists. Evolution has selected for biochemical traits of cells that are appropriate for their particular cellular environment in a manner analogous to the selection of organisms that are more suited to their environment. This specialization is found in both unicellular and multicellular organisms. However, in multicellular organisms, higher order coordination and control – physiological processes – can have a marked effect on the environment of specialist cells. To provide this coordination, specialist cells have evolved to play a central role in controlling many plant physiological processes (e.g. gas exchange is regulated by the guard cells, abscission depends on the abscission layer, seed reserve mobilization in grasses is dependent on the aleurone cells, etc.). Consequently there will be very clear links between physiological and biochemical processes. In this chapter we will argue that the selection pressures operating on the evolution of metabolism will have given rise to certain metabolic traits and, because of the intimate links between biochemistry and physiology, those traits have helped shape physiological processes. The intimate connection between the physiology and biochemistry of plants is well established in the case of some aspects of physiology, especially where there are dramatic morphological and anatomical adaptations which make the links clear – photosynthesis, germination, stomatal functioning, for example – and the links between the physiology and biochemistry of these processes will not be considered here. Instead, some more general principles concerning the evolution of metabolism will be discussed. These simple principles will then be used to consider the links between metabolism and physiology in cases where the anatomical and morphological signposts are less clear.

Molecular evolution, biochemical evolution and metabolic evolution – hierarchical terms

The term *molecular evolution* is currently used to refer to the way in which the evolution of protein structure relates to protein function, frequently with emphasis on tracing the lineage of base sequences in specific genes. Those working on molecular evolution generally focus on the role of one protein (or family of proteins). *Biochemical evolution* overlaps with molecular evolution but can extend to consider more than one enzyme in a pathway and the control of that pathway. *Metabolic evolution* could be considered to operate at the next higher level, determining the way in which the whole of metabolism evolves, with extensions or deletions of metabolic steps being the result of descent via modification in lineages subjected to natural selection. It is *metabolic evolution* that determines the scope of metabolism in an organism, with biochemical evolution and molecular evolution determining the degree to which operation of the enzymes and their controlling elements effect organismal fitness. It is *metabolic evolution* on which we focus, because it is at this level that links between physiology and biochemistry are most apparent.

Metabolic evolution – what determines whether a new enzyme is retained?

New enzymes usually arise as a result of gene duplication and subsequent mutation of one gene copy such that the mutated enzyme has an altered substrate tolerance and can act on a new substrate to produce a new product (Petsko *et al.*, 1993). Whether that new metabolite enhances the fitness of the producer depends entirely on whether the benefits of possession of the new product exceed the costs of producing it. In turn, the benefits depend upon the properties that the new metabolite brings to the organism. We identify three major classes of property that natural selection appears to have favoured during metabolic evolution.

Biomolecular activity – the evolution of 'secondary metabolism'

It has been well established from screening trials of collections of synthetic or naturally occurring molecules that the probability of any individual chemical possessing potent biological activity is very low (Jones and Firn, 1991; Firn and Jones, 1996). We proposed that this fact must have been a great constraint on the evolution of pathways leading to molecules that benefit their maker by possessing biological activity. However, the relevance of this fact to the understanding of the evolution of secondary metabolism has been challenged (Berenbaum and Zangerl, 1996). Berenbaum and Zangerl argued that the analogy between humans screening for a useful biological activity and organisms evolving chemical diversity in order to gain fitness by making biologically active chemicals was inappropriate – the nub of their argument was that vagueness in the definition of the term 'biological activity' led to a false analogy. However, by defining the term *biomolecular activity* quite precisely (as the ability of a molecule to interact with a biologically functional molecule such that its biological function is significantly changed), Firn and Jones (2000) countered this objection and provided evidence that the low probability of any chemical possessing potent *biomolecular activity* is a predictable and well understood consequence of ligand–protein interactions. Consequently, they reiterated a refined argument stating that the low probability of specific ligand–protein binding has been a significant evolutionary constraint on the production of biologically active molecules by organisms. Humans and other organisms may adopt different means of trying to reduce the impact of this fundamental constraint but they have both had to evolve ways of doing so. The methodology that humans have used when seeking to exploit the biological activity of chemicals (for example as pesticides or pharmaceuticals) has been the development and use of screening trials. These trials provide useful data about the frequency of any particular biological activity occurring in random collections of chemicals. Because such trials have been used to screen synthetic and naturally-occurring chemicals, and because they have been used against a wide range of biological targets, the information available from such trials is very extensive.

Do screening trials reveal any other relevant information? Indeed they do. They show that the type of biomolecular activity possessed by any individual chemical is unpredictable. Humans synthesizing new chemicals to test for biological activity are often surprised that a chemical made with the intention of producing one type of biological activity actually turns out to possess a very different, equally valuable activity. The discovery of Viagra is a recent well known example of human serendipity, but previous examples abound (Roberts, 1989). The herbicides paraquat and diquat emerged from an observation that a surfactant used in an experimental formulation was surprisingly phytotoxic, which led to some diquaternary dyestuff intermediates being examined in a herbicide screen with the result that the bipyridylium herbicides were discovered. Another example would be that the discovery of the pyrimidine fungicides started with attempts to make insecticides. In other words, the structure of any individual molecule is only partly predictive as to whether a molecule will possess biomolecular activity and is poorly predictive as to the type of biomolecular activity. The successful organism, like the successful company, exploits fortuitous events. Consequently, it is reasonable to predict that as a result of evolutionary adaptation, a pathway in an organism initially leading to one form of biomolecular activity can eventually lead to a quite different form of biomolecular activity. Hence we have two constraints that must be taken into account when considering the evolution of chemical diversity in plants – any new molecule has a very low probability of possessing biomolecular activity and the type of biomolecular activity cannot be reliably predicted from the biomolecular activity (if any) of the chemical(s) from which it derived.

Molecules retained because of their physicochemical properties

The terms 'primary metabolism' and 'secondary metabolism' are very commonly used, however, there are large groups of chemicals in organisms that sit between these two traditional groupings. Lipids, many pigments such as the carotenoids, many polysaccharides and some anthocyanins fall into this category. For example, consider lipids. All cellular organisms need lipids but they do not need them all – as a group lipids are essential but individually they are not. The paradox can be resolved by recognizing that the properties that have been selected for are physicochemical traits – lipophilicity, light absorption, structural properties, etc. These properties depend on the molecular properties shared by large numbers of structurally similar chemicals. Minor changes to part of the molecular structure might predictably make little difference to these properties – this is a marked contrast to the impossibility of predicting how such changes might alter the biomolecular activity of the same molecule. (Once again the analogy with chemicals made by humans is appropriate. A chemist who has synthesized a novel chemical can predict with some confidence its lipophilicity or its spectral properties but cannot reliably make any precise predictions about the biomolecular activity of the molecule.) Thus an organism that gains fitness by making a chemical that protects it against harmful irradiation, might as a result of extending the pathway leading to that pigment, produce another chemical with predictably similar useful properties. Slightly different extensions of the pathway leading from that point might have similar chances of creating new molecules with similar properties to the common precursor hence it is predictable that different species will produce a rather different mix of such chemicals – their overall requirement for a certain mix of chemicals with an average physicochemical property can be met in many different ways. The diversity of molecules selected for their physicochemical properties is thus predictable but the contribution that any one metabolite will make to the overall requirements is unpredictable. Under these circumstances, it would seem that the advantage given to the producer of a new chemical depends greatly on the existing overall mix of existing similar chemicals.

The diversity of molecules selected for their contribution to the overall physicochemical requirements carries with it a chemical diversity that can be exploited as a route to molecules possessing useful biomolecular activity. Thus it is predictable that compounds with useful biomolecular activity will sometimes arise from pathways usually considered to operate principally for other purposes. Thus the phenylpropanoid pathway can generate chemicals that have a role in absorbing visible or non-visible light but this pathway may also lead to compounds that can enhance the fitness of the producer because they possess useful biomolecular activity (Winkel-Shirley, 2001). Likewise, the isoprenoid pathway can give rise to photoprotecting pigments such as the xanthophylls (Taiz and Zeiger, 1991) or carotenoid pigments in flowers or fruits (Harborne, 1988), yet also gives rise to the plant hormones such as the gibberellins or abscisic acid (Davies, 1995).

Primary metabolism – canalized metabolism, each step depending on other pre-existing metabolic capabilities

For the purpose of this discussion we define 'primary metabolism' as metabolic pathways where there is a great interdependence of the individual steps and where the individual molecules made by an enzyme serve only to feed into another enzyme – the complete pathway is greater than the sum of the parts. A significant difference between 'primary metabolism' and the previous two categories of metabolism, is that in primary metabolism selection is less environmentally contingent and the evolved homeostatic mechanisms of the organism and of the cell make the selection pressure more constant. At some stage early in the evolutionary history of primary metabolism the incorporation of a new metabolite into the developing primary metabolism could only have occurred if the new molecule fitted usefully into the specific scheme of existing pathways. The actual advantage to the producer of this new metabolite would arise solely from the ability of the new molecule to be acted upon by an existing enzyme(s) to produce another molecule(s) that had properties that enhanced fitness. The most extreme outcome would be the production of a metabolic cycle where there is no single 'end point' on which selection can act but the overall net efficiency of the cycle is subject to intense selection. However, in such cycles (e.g. Calvin cycle, the photorespiratory carbon oxidation cycle, the C_4 cycle, etc.), selection that has fitted existing capabilities to local circumstance makes it much harder to introduce a new, compatible transformative capacity. Consequently, the pathway becomes severely canalized – the optimization of the coordinated processes increasingly reduces the opportunities to evolve radically different methods of achieving the same goal. (A dramatic example of canalization would be the genetic code – it is only one possible code of many that could have been used but once organisms evolved with a workable system on which selection could improve, the die was cast.) The powerful selection against new chemical diversity is in contrast to the previous property classes where there is a tolerance of chemical diversity (physicochemical properties) or selection for chemical diversity (biomolecular activity).

Selection for different molecular properties has consequences for metabolic evolution

Although it has been biochemical dogma that enzymes are highly substrate specific, this dogma has largely arisen from studies of enzymes involved in primary metabolism where canalization is severe. The biochemical properties evident in a highly evolved and specialized metabolism tell us about the outcome of the selection processes operating on that sphere of metabolism and provide little reliable guidance as to the properties of individual new enzymes arising as a result of mutation. We would argue that a mutant enzyme would have a high probability of possessing a broad substrate tolerance intially. The reasoning is that a mutant enzyme that cannot access an existing substrate because it has narrow substrate specificity cannot produce a new product. Hence the enzyme will not be selected for in any circumstance in which new products would confer evolutionary advantage. In contrast, a mutant with a broad substrate tolerance has a greater initial probability of producing new substances with useful properties, irrespective of the type of property considered. However, it is clear that the selection pressures that would operate after the new product(s) have been generated would differ greatly depending on the type of property brought to the cell. For example, gaining fitness by producing biomolecular activity requires chemical diversity to be generated and maintained, hence there might be little selection pressure narrowing substrate tolerance (Jones and Firn, 1991). Indeed, enzymes capable of acting on more than one substrate might bring benefits. So if a new enzyme produces a new lipid that adds to the physicochemical properties of the cell, as long as the enzyme does not generate a chemical with adverse cellular properties, there may be little selection to narrow the initial broad substrate tolerance. Where there will be strong selection for narrow substrate tolerance is in the final property class – participation in primary metabolism. Here an enzyme accessing a common, important intermediate would be expected to have a negative effect on the overall metabolic and homeostatic mechanisms due to substrate competition and the possible generation of compounds that act allosterically to hinder rather than aid metabolic control. These simple concepts predict that metabolic evolution will have produced rather different metabolic traits in different pathways and even at different stages within a pathway.

Biochemical evolution and physiology

Why should the ideas outlined above be of interest to physiologists or biochemists? The fact that these issues have rarely been addressed previously suggests that both physiologists and biochemists have been comfortable working without such general principles for most of the 150 years that these disciplines have existed. In order to help promote interest in building the evolutionary frameworks underpinning the links between plant biochemistry and physiology, we will use two topics as examples of how simple ideas about metabolic evolution could guide experiments:

1. the physiology of chemical interactions between plants and other organisms
2. the physiology of intraplant signalling (plant hormones).

The former area is chosen because it is one where an alternative evolutionary model – based on ecological rather than metabolic considerations – was well developed and widely accepted. That model is now challenged by our metabolic evolutionary model. The second area – the evolution of plant hormonal control – is chosen because plant hormones have been shown to play a role in many very important, basic physiological processes.

The interaction of plants with other organisms

The human experience

Human experience has been both a useful guide and a distraction in understanding the role of plant chemicals in the coevolution of plants with other organisms. Humans are themselves massively influenced by plant chemistry, although most people go about their lives unaware of this fact because plant chemicals are so embedded in most cultures. Few readers will be reading this sentence without some plant chemicals being active in their bodies – it will be the rare reader who starts this chapter (and an even rarer reader who finishes this chapter) without having taken one of the following during the previous few hours – coffee, tea, tobacco, chocolate, a recreational or prescription drug, a tasty wine, a flavoursome beer, a fruit drink or a piece of confectionery. If a reader cannot concentrate on this chapter because their mind would prefer to think of the meal that awaits them, it will not be the expectation of a plate of starch or a piece of protein that excites their mind but the thought of the pasta sauce, the exciting curry, the sharp onions, garlic or interesting green salad. Plant secondary chemicals feed the mind while plant storage products feed the body. The human craving for particular plant chemicals has been so powerful that it has driven colonial expansion in the past and today many national economies are dependent on such chemicals. The power that a few plant species exert over humans by making just a few strange chemicals is quite remarkable and yet traditionally we have considered such chemicals 'secondary products'! If we delve a little deeper into the human experience with such chemicals we find that humans value such chemicals for different reasons:

1. such chemicals attract or repel humans by acting on sense organs – smell and taste mechanisms have been honed by evolution in many animals just to identify potential food sources and avoid intoxication based on their chemistries. Had there been no chemical diversity in the plant or microbial derived material would we have such fine senses?
2. the ability of these chemicals to influence mental processes (behaviour, well-being, etc) means that we can change our perception of the world
3. less commonly in humans, these chemicals can have a physiological effect, acting on some metabolic pathways in a positive or negative manner.

Each of these apparently different modes of action shares a common feature in that the effect of the chemical at a cellular level is caused by the chemicals binding to a specific receptor. Here the rules of ligand/receptor interactions apply. However, there is one crucial difference in the taste/smell receptors that differentiates them from the neurological and physiological receptors. In the case of the taste/smell receptors, the receptors have evolved to detect ligands and that means that there is potential for coevolution of the ligand/receptor interaction. A pollinator that is attracted to a food source by a plant-derived odour gains fitness if it is a mutant that has an odour binding protein that better matches the structure of the odorous chemical – the evolution of the detection system becomes 'locked on' to the chemistry of the producer. In contrast, neurological and physiological receptors are usually 'fortuitous receptors' – the receptor proteins have roles unrelated to their fortuitous ability to bind the plant-derived chemical and selection for their primary role would be paramount. If the plant-derived chemical has a serious adverse effect on the organism by interrupting its normal function there will be massive selection pressure to select individuals that make a mutant protein which functions in its original role but which cannot bind the plant-derived chemical at the concentration that it occurs – the evolution of detection is 'locked off' (this is why insecticide-resistant pests and antibiotic-resistant microbes are an inevitable consequence of human attempts to use chemicals to reduce the fitness of competing organisms).

The human experience of plant and microbe-derived chemical diversity has thus been very important in human affairs and this experience can inform us about ligand/protein interactions but it can tell us little about the role of plant chemicals in the organisms that make them. However, this human experience does tell us a final, very important lesson. The great majority of chemicals made by plants or microbes have no direct impact on humans in any observable way. Even in plants grown and consumed by humans, the majority of plant chemicals made by those plants are unsensed by humans, these chemicals have no unambiguous physiological or neurological effect and there must be many such chemicals that are as yet uncharacterized by humans (who have tended to concentrate on the compounds that occur in large amounts or which are physiologically or neurologically active).

Plant/microbe and plant/insect interactions

Being (with a few exceptions) primary producers, plants are subject to attack by other organisms that seek access to the resources captured by the plant, resources that are now in a form usable by attackers. The evolution of plant physical and life cycle strategies which can reduce the rate, frequency or effectiveness of attack has obviously been an important feature of plant evolution (Rauscher, 1992) but such strategies will not be considered further, rather we shall concentrate on chemical defences. However, it is worth noting that there is an intimate link between physical defences and chemical ones. As in the case of physical defences used by humans, the chemistry of the material used to construct the physical form is crucial to its effectiveness. Likewise in plants, the cuticle, some trichomes and cell walls have chemistries that make the physical structure more suited to its purpose. The evolution of the chemistries of such structures is a topic which the following discussion might inform but it will not be considered further. We will concentrate on low molecular weight chemicals which are made by plants to gain fitness by acting directly on the interacting organism.

Because many organisms interacting with plants use volatile phytochemicals in order to locate the plant, plants will have evolved in response to the selection pressure that is associated with these volatile-mediated interactions (the clearest example of such selection comes from human selective breeding where human preferences for certain scents and flavours has resulted in plants (for example roses, carnations, apples, etc.) with extreme characteristics being bred and widely propagated throughout the globe by humans). The attraction of insects to a few plant volatiles can result in increased fitness for the plant in the case of pollination or in attraction of the insect natural enemies of plant-feeding insects (Harborne, 1988; Vet, 1999). However, a role can only be assigned (as an attractant or repellent) to a very few plant volatiles in the complex mixture made by any single plant species. There has certainly been a tendency to focus attention on the very small fraction of plant chemistry that possesses clear biological activity when building an evolutionary framework explaining all plant 'secondary' chemical diversity. Being impressed by the potent biological activity of some secondary chemicals, it was argued that these chemicals are used by the plant to increase fitness by negatively or positively affecting the metabolism or behaviour of other organisms (Fraenkel, 1959; Ehrlich and Raven, 1964; Harborne, 1988). To account for the tens of thousands of secondary chemicals for which there was no convincing evidence that the production enhanced the fitness of the producer, various explanations were offered. For example, given the diversity of other plants, animals and microbes that come into contact with a single plant species over evolutionary time and throughout the contemporary geographical range, it was argued that in order to confer specificity to the chemical interactions between a plant and these other organisms, a very large number of biologically active compounds would be expected to be found in any single plant species. This idea, supplemented with an idea of evolutionary relics, led to the view that 'every natural product has, or had, a purpose in the evolutionary strategy of the taxon concerned' (Swain, 1975). This model ignores the fact that the probability of any compound possessing any biomolecular activity is very low (see earlier). To generate a new chemical with useful biomolecular activity, repeatedly at each stage of a linear pathway, is extremely unlikely. Furthermore, there are countering selection pressures which would further reduce the chances of such linear pathways evolving. Consider a scenario, where by such extreme chance, a plant species has evolved a four-step synthesis of a compound that reduces the fitness of a herbivorous insect. Once the end product of the pathway has lost its effectiveness (which it will do rapidly judging by >100 years experience with evolution of resistance to many synthetic pesticides and antibiotics), the chances of the plant gaining fitness by evolving another novel new biologically active chemical from the now-redundant chemical is much lower than the chance of gaining fitness by reducing the costs by eliminating the now redundant four-step pathway. The longer the pathway the greater the problem becomes because the number of genes in which a mutation can give cost savings is greatly in excess of the number of genes that can give rise to a new useful product. Furthermore, in each gene, there will be a greater chance of destroying enzyme activity via mutation than changing it usefully. The alternative model to explain secondary product chemical diversity (The Screening Hypothesis; Jones and Firn, 1991), was based on well-defined general principles of ligand/protein interactions instead of being based on limited and maybe selective ecological evidence. The Screening Hypothesis proposes that organisms that gain fitness by making compounds with potent biomolecular activity are selected for because of the overall metabolic traits they possess that enhance the generation and retention of chemical diversity. Some of the chemicals made by this metabolic capacity will possess fitness enhancing properties but many (the great majority?) chemicals made will possess no properties that contribute to the current fitness of the maker. Many concepts that have driven previous studies should now be questioned:

1. *Presence indicates purpose?* Not necessarily. The presence of a chemical in a plant, even if the chemical is shown to possess interesting biomolecular properties in some assay, is insufficient evidence that selection has operated to promote the synthesis of this specific property. The safer deduction is that selection has operated to retain the overall metabolic capacity which gave rise to this and other molecules, one or more of which must possess properties that enhance fitness, provided that the overall fitness benefits outweigh the overall metabolic costs.

2. *Quantity indicates purpose?* Not necessarily. It is known from many structure-activity studies that the relative biomolecular activity of several structurally related molecules can vary by many orders of magnitude (Firn and Jones, 1996) hence the amount of chemical made by a plant provides little evidence of role.

3. *Pathways indicate purpose?* Not necessarily. Because the biomolecular properties of a chemical are unpredictable, a pathway at one stage in evolution contributing to plant defence against insect herbivores could subsequently contribute to another property (such as reducing the fitness of a pathogen).

4. *Compound X has been shown to defend plant A hence surely a similar chemical in plant B plays a similar role?* Not necessarily. The different evolutionary experience of different species and the flexibility of the metabolic traits used to make molecules possessing biomolecular activity means that similar compounds could serve different roles in different species and the different compounds could serve the same role in different species.

5. '*A well-known physiological function of the anthocyanin pigments and flavonol copigments is the recruitment of pollinators and seed dispersers....*' (Winkel-Shirley, 2001). '*Glucosinolates are biologically active secondary metabolites....*' (Kliebenstein *et al.*, 2001). Both these statements come from papers published recently and they are inaccurate in that they generalize for a pathway and imply that all the compounds made from a particular pathway play a particular role. It has not been shown that all flavonoids play a role in attracting insects. It has not been shown that all glucosinolates are biologically active (and it would mean little unless that activity was shown to be of benefit to the producer). It might be true to say that some members of these chemical groups play a particular role but there needs to be the recognition that most chemicals made by these pathways have not been shown to play any role.

The Screening Hypothesis clearly places great demands on those studying the role of chemicals in plants (and microbes). The 'rules' which have shaped metabolism in plants are operating at the molecular level and the outcome of these rules is usually studied at higher levels of organization. The rules do not predict outcomes. As in a game of chess, the few simple rules cannot predict the outcome. The operation of any rules simply opens up multiple opportunities and it is the players that ultimately shape the game.

The evolution of regulatory systems for secondary metabolism

As in the case of the immune system (another strategy evolved to counter the low probability of any antibody possessing the correct properties to enable it to bind at low concentrations to a specific hapten), an ability to induce the chemical defence only when needed provides a very great cost saving. To achieve cost saving by having inducible defences three extra elements are needed:

1. a sensing system(s) that can detect the conditions that are an accurate indicator of a need for defence
2. a regulatory step in the chemical production capacity (by either regulating transcription, translation or by allosteric means)
3. a linkage mechanism between the detection system and the regulatory system.

Evidence is accumulating that plants possess all three of the above abilities and evolution may have provided multiple ways of linking the three elements. Damage or invasion detection mechanisms involving the detection of low molecular weight compounds or proteins, either arising from the attacker or as a result of the attacker creating low molecular weight compounds as they break into the plant, have now been found in many plants (Karban and Baldwin, 1997; McDowell and Dangl, 2000). One linkage between the detection system and the regulation of gene expression involves transcription factors (Tamagnone *et al.*, 1998), however, we shall not consider the detailed mechanisms involved in such responses.

Rather, we will consider the evolutionary strategy that has given rise to inducibility. How could an organism best gain the cost-saving benefits of inducibility yet retain the flexibility to generate and retain chemical diversity? Might not a well-defined regulatory system operating on a pathway begin to canalize an area of metabolism in a manner which ultimately constrains the production and retention of new chemical diversity?

A speculative scenario for the evolution of the control of pathways leading to compounds retained because they possess biomolecular activity

Given the advantages that inducibility confers (reducing costs increases chances that benefits outweigh costs), it is expected that inducibility should have evolved at an early stage in the evolutionary history of any secondary product pathway. Once the inducibility had evolved at that position in a pathway, as long as the mechanisms provided adequate control of the amount of active compound made at a later stage along the pathway, the selection pressure to regulate the pathway at a later stage might be small. Thus regulation of flux through a pathway could be achieved by regulation at an entry point or early stage of a metabolic sequence. An immediate implication of this logic is that inducibility becomes quite a poor predictor of the role of any chemical made as a consequence of a pathway being induced by a particular stimulus. Just as the inducibility of the immune system tells one little about the role of each type of antibody, maybe the inducibility of secondary chemicals after a biotic challenge indicates a mechanism of response and not a role for each chemical made. However, a further complexity is introduced because of the predicted multifunctionality of secondary metabolic pathways. Because a pathway may serve different roles at different stages of evolution, or in different organisms, how can natural selection result in a sensing/induction system that adapts to the new role that a pathway may best serve? Consider two extreme scenarios:

1. At one extreme, a particular pathway could evolve with associated regulatory processes finely tuned to deal with one specific type of challenge only – an insect herbivore defence system using products of an alkaloid pathway, for example. This would result in excellent cost savings when it first evolved, but the chances of evolving novel anti-insect compounds (i.e. compounds that are sufficiently different in their mode of action from a now redundant one for which the insect now has evolved to resist) would be greatly reduced if there was a reliance on this one pathway. If the insect damage sensing system is uniquely linked to this alkaloid pathway then to evolve an extension of a non-alkaloid pathway brings a requirement for a whole new regulatory system for that pathway in order to gain cost savings.

2. At the other extreme, regulatory systems for several pathways could be evolved which could respond to one or more of several different challenges (insects, fungal, physical damage, etc.). Such a strategy would increase the chances of evolving new compounds with biomolecular activity able to serve any purpose. Thus a pathway evolved because it enhanced the fitness of a plant by making compounds that reduced the fitness of insects could at any time produce a compound that enhanced plant fitness by reducing the fitness of an invading pathogen (see the earlier analogous human experience of using whatever biological activity one finds despite the original purpose). The multifunctionality of the pathways maybe dictates a multifunctional sensing system.

These extremes are not mutually exclusive and a plant may have different pathways which fall anywhere along the spectrum of the extremes. However, in recent years there has been a growing awareness of 'cross talk' between signalling and response mechanisms in plants (Felton *et al.*, 1999a,b; Feys and Parker, 2000). This is precisely what would be predicted by one of the extreme scenarios just discussed where the multifunctionality of a pathway leads to a flexible response system which has 'cross talk' built into it. The possibility that cross talk is an inevitable consequence of the metabolic traits of such pathways has many consequences for those studying the role of products made by such pathways. Inducibility becomes a very poor predictor of the role of a chemical because inducibility has possibly been evolved as a general means of cost-saving to be applied in a non-specific manner because the underlying metabolism needs to retain the ability to generate chemical diversity.

Signalling molecules within plants

The concept of specific chemicals acting as the controllers of developmental and functional processes in plants has dominated the thinking of plant physiologists for many decades. At the centre of this thinking are the well established roles for the five major groups of plant growth substances (auxin, ethylene, abscisic acid, cytokinins and the gibberellins (Davies, 1995)). However, there are numerous reports in the literature of a very wide range of other chemicals (nearly always secondary plant metabolites) purportedly playing a regulatory role (Gross, 1975). It is often suggested that these secondary metabolites either replace or supplement the five major types of plant growth substances in particular circumstances (Gross, 1975). During the 35 years (1928–1963) that the major hormone groups were being discovered, a large number of plant extracts were tested for biological activity in plant-based bioassays, and many reports of new endogenous regulators appeared during that period. Possibly because the discovery of each of the major groups of plant hormone was unusual in some respect, with the active compounds first being isolated from unlikely sources or in a study that did not establish an unambiguous role (Table 4. 1), close scrutiny was not always given to other claims that new endogenous regulators had been discovered in certain plants. The result is that many substances or groups of substances have been ascribed roles as endogenous regulators in plants. The most commonly discussed examples are the polyamines (Evans and Malmberg, 1989; Bagni and Torrigiani, 1992), oligosaccharines (Albersheim, 1985), acetyl choline (Tretyn *et al.*, 1990) and the jasmonates (Pathier *et al.*, 1992). However, claims were also made for a much larger number of compounds of more much limited taxonomic distribution. Gross (1975) reviewed over 100 such substances that were considered to play a role as endogenous regulators, these included representatives of aliphatic and aromatic carboxylic acids, phenols, alkaloids, terpenes and S- and N-heterocyclic compounds. However, a satisfactory evolutionary explanation to explain why different species use different chemicals to control the same basic physiological process does not yet exist. Why should plant X use compound A to control flowering when plant Y uses compound B? Are the links between physiology and biochemistry in plants really anarchic? An answer to this question might be formed by considering the links between secondary metabolism and plant 'hormones'.

The link between secondary metabolism and hormonal control

Are plant hormones 'secondary metabolites'?
It is known that chemical communication is important in some simple organisms as a way of coordinating sexual reproduction. For example, in the water mold *Achlya*, the terpenoid compounds oogoniol or antheridiol are used to coordinate the sexual reproduction of

Table 4.1 The major groups of plant growth substance and their discovery

Hormone group	Biosynthetic pathway or precursor	Discovery
Indolyl-3-acetic acid (IAA) auxin	Tryptophan (?)	First isolated in the 1930s during a search for auxin activity from human urine, *Rhizopus* and *Saccharomyces* cultures. At that time plants were thought to contain a cyclopentane auxin (*auxin a* – now known not to exist). IAA identified in corn seed extracts in 1946 and widely reported in other plant extracts subsequently.
Gibberellins	Isoprenoid	First isolated from fungal cultures by Japanese phytopathologists investigating a disease of rice (1926). Several related compounds were subsequently found in fungal cultures. Gibberellins were not isolated from plants until the 1950s, some decades after some of their effects on plant growth had been described.
Abscissic acid	Isoprenoid	Isolated and characterized from abscising cotton bolls and dormant tree buds in 1963. No longer thought to play an important role in abscission or bud dormancy but good evidence for a role in controlling stomatal aperture and seed dormancy.
Cytokinin	Isoprenoid and purine	Searching for a substance capable of promoting cell division in cell and tissue cultures, coconut milk, malt extract, yeast extract and autoclaved herring sperm DNA were found to be active. A purine was isolated from the latter source by the mid-1950s. A decade elapsed before a related compound was isolated from maize endosperm.
Ethylene	Methionine	As a constituent of town gas, ethylene was known to have a potent effect on plants since 1906 and this compound was isolated from ripening apples in 1935. Some physiologists did not accept ethylene as a true plant growth substance until well into the 1960s, despite its widespread occurrence and high biological activity.

All the major hormones were either first isolated from unusual sources or were discovered as a result of the study of a physiological process in which the hormone now plays a disputed role.

colonies and in some simple fungi, trisporic acid (C15 isoprenoid) is used as a sporulation coordinator (Gooday and Adams, 1993). Thus the roots of plant hormonal control may lie in simple organisms communicating between cells of the same species in *different* individuals. With the evolution of true multicellular organisms, the need for coordinated development and functioning would have extended the scope for chemical signalling and using chemicals to coordinate the functioning or fate of cells within the *same* individual would be a small step. The extent and way in which such chemical signalling would have evolved would have depended on the nature of the specialized functions that appeared in various types of organism over evolutionary time. It can be postulated that in all early multicellular organisms, secondary metabolites, already selected for the capacity to generate compounds with potent biomolecular activity were put to a new role. Evidence for such a scenario can be found in the multiple roles played by members of the isoprenoid pathway. Individual isoprenoids function as plant growth substances, plant defence compounds, fungal sexual coordinators, animal hormones and animal olfactory attractants and repellents. Of the plant growth substances, three are derived fully or partly from the isoprenoid pathway – the gibberellins, abscissic acid and cytokinins (see Table 4.1). The other two plant hormones, auxin and ethylene, are derived from amino-acid precursors and amino acids also serve as the precursors for some chemical regulators in animals and play a part in plant defences, possibly because amino acids have commonly been used as precursors in 'inventive biosynthesis' (Wong, 1981). It is interesting that the exact route leading to the biosynthesis of IAA has been debated for nearly half a century, with the expectation that the biosynthesis of such an important molecule would be finely controlled. Traditional biochemical investigations could not provide definitive evidence for such a pathway, but unexpected phenotypes resulting from the manipulation of cytochrome P450 genes suggests that, in some species, there may be an intimate link between the synthesis of indole glucosinolates and the synthesis of IAA (Feldmann, 2001). IAA could be considered to be a 'secondary product' with a primary role. If the evolutionary recruitment of a 'secondary metabolite' to serve a role as an endogenous coordinator or regulator in plants has occurred, it is likely that the event will have brought to the emerging 'hormonal control' a series of metabolic traits that have evolved to serve a quite different purpose – the generation and retention of chemical diversity. If there is not a duplication of all the enzymes involved in the pathway leading to the plant hormone, the plant hormonal control will inevitably be somewhat compromised by the metabolic features of a pathway which is even more multifunctional in that it now includes a role as an internal signalling molecule. Could such multifunctionality explain some previously puzzling aspects of plant hormone biosynthesis? Maybe this multifunctionality explains why so many stimuli (from insects and fungi to many forms of physical stimuli such as various wavelengths of light, low and high temperatures, too little or too much water, etc.) can change the hormone content of plants (Davies, 1995).

Gibberellin synthesis – generating diversity?

Over 100 different gibberellins have been isolated and characterized – some are found in many species but others have a much more limited taxonomic distribution. A single plant species usually contains several gibberellins. The great majority of gibberellins do not possess high biological activity (or possess activity only because they are converted to other more active gibberellins) (Davies, 1995). The fact that the great majority of gibberellins possess low activity is itself consistent with the Screening Hypothesis, but is harder for other models of secondary metabolite evolution to explain. But why do plants (and some fungi) make so many gibberellins? We would argue that this group of plant hormones are showing their evolutionary origin as secondary products. Even when there is a need for a gibberellin to act as an essential regulator in the plant, the metabolic traits that generate chemical diversity are retained (or at least are not selected against). The particular trait of relevance to gibberellin biosynthesis is the proposal that some enzymes involved in secondary metabolite biosynthesis may possess a relatively broad substrate specificity, leading to matrix grid transformations. In such matrix grid biosynthetic routes, a few enzymes could add or transform substituents to a carbon skeleton and the order in which they are added or transformed is not fixed. Hence a number of intermediates can be generated. As long as the possession of at least one of the compounds made results in a net gain in plant fitness, the chemical diversity represented in all the intermediates can be retained. Evidence in support of this prediction can be found in the study of the gibberellin 20-oxidase which can convert two precursors into at least 11 products because it is multifunctional (Lange *et al.*, 1994). The fact that some parts of the biosynthetic pathway leading to the active gibberellin, GA_1, can operate as a matrix (Taiz and Zeiger, 1991) would be evidence that this type of mechanism does operate in plants even in a pathway used to make compounds which are central to controlling plant growth and development and that some enzymes involved in the pathway are following rules that would allow the extension and retention of chemical diversity. A similar complex metabolic grid may also exist in the biosynthetic pathways leading to brassinosteroids (Wang and Chory, 2000).

Plant hormone degradation – another role?

For many decades it has been argued by some that enzymes involved in metabolizing plant hormones (to give either breakdown products or conjugates) may play an important role in plant hormone homeostasis (Bandurski *et al.*, 1992). The control of hormone concentration by controlling the breakdown, rather than the synthesis, seemed counter intuitive to those schooled in hormonal control in mammals. However, if the biosynthetic machinery leading to plant hormone production carries with it some of the flexibility (and maybe the inducibility) of a metabolism evolved for multifunctionality, and where precise control of the amount of product may not be something that has been highly selected for, the evolution of other means of controlling the amount of any hormone by degradation perhaps deserves attention. However, an alternative explanation could be that, in some cells (maybe cells that are insensitive themselves to hormones), an ability to generate and retain chemical diversity has resulted in a production of hormones and it is in these cells that selection has resulted in a fairly crude method (degradation) of hormone concentration regulation so as to avoid disturbing more carefully regulated hormone levels in other cells. However, if these cells retain a capacity to make hormones and genes can be induced in them, possibly the extra burst of hormone synthesis could give rise to the hormone level changes that are sometimes associated with insect or fungal attack. This may be yet another opportunity for cross talk?

Summary

The aim of this chapter has not been to inform readers how plants work or indeed how plants have evolved. Rather it has been to try to engage readers in at least considering whether there might be an appropriate evolutionary framework for metabolism that could help us investigate and eventually understand many physiological processes. We have indulged in speculation in order to provoke readers and some may find the lack of certainty unsatisfactory. Readers provoked into rejecting the evolutionary model that has been advanced should feel free to make such a rejection ... as long as they have a better model with which to replace it. After any discovery, the question 'why do plants do that?' needs some evolutionary explanation. Maybe any plant physiology or plant biochemistry textbook without a section on evolution should be regarded as seriously incomplete.

Acknowledgements

We thank the Institute of Ecosystem Studies for support (CGJ). Contribution to the programme of the Institute of Ecosystem Studies.

References

Albersheim P, Darvill AG. 1985. Oligosaccharins: novel molecules that can regulate growth, development, reproduction, and defense against disease in plants. *Scientific American* **253**(3): 58–64.

Bagni N, Torrigiani P. 1992. Polyamines: a new class of growth substances. In: Karssen CM, van Loon LC, Vreugdenhil D, eds. *Progress in Plant Growth Regulation*. Dordrech: Kluwer, 264–275.

Bandurski RS, Desrosiers MF, Jensen P, *et al.* 1992. Genetics, chemistry and biochemical physiology in the study of hormonal homeostasis. In: Karssen CM, van Loon LC, Vreugdenhil D, eds. *Progress in Plant Growth Regulation*. Dordrech: Kluwer, 1–12.

Berenbaum MR, Zangerl AR. 1996. Phytochemical diversity: adaptation or random variation. In: Romeo JT, Saunders JA, Barbosa P, eds. *Phytochemical Diversity and Redundancy in Ecological Interactions. Recent Advances in Phytochemistry. Volume 30*. New York: Plenum Press, 1–24.

Davies PJ. 1995. *Plant Hormones: Physiology, Biochemistry and Molecular Biology*. Dordrecht: Kluwer.

Ehrlich PR, Raven PH. 1964. Butterflies and plants: a study in coevolution. *Evolution* **18**: 586–608.

Evans PT, Malmberg RL. 1989. Do polyamines have a role in plant development. *Annual Review of Plant Physiology and Plant Molecular Biology* **40**: 235–269.

Feldmann KA. 2001. Cytochrome P450s as genes for crop improvement. *Current Opinion on Plant Biology* **4**: 162–167.

Felton GW, Korth KL, Bi JL, *et al.* 1999a. Inverse relationship between systemic resistance of plants to micro-organisms and to insect herbivory. *Current Biology* **9**: 317–320.

Felton GW, Bi JL, Mathews MC, *et al.* 1999b. Cross-talk between the signal pathways for pathogen-induced systemic acquired resistance and grazing-induced resistance. In: Chadwick DJ, Goode JA. eds. *Insect–Plant Interactions and Induced Plant Defence*. Novartis Foundation Symposium 223. Chichester: John Wiley, 166–170.

Feys BJ, Parker JE. 2000. Interplay of signalling pathways in plant disease resistance. *Trends in Genetics* **16**: 449–455.

Firn RD, Jones CG. 1996. An explanation of secondary product redundancy. In: Romeo JT, Saunders JA, Barbosa P, eds. *Phytochemical Diversity and Redundancy in Ecological Interactions. Recent Advances in Phytochemistry. Volume 30*. New York: Plenum Press, 295–312.

Firn RD, Jones CG. 2000. The evolution of secondary metabolism – a unifying model. *Molecular Microbiology* **37**: 989–994.

Fraenkel G. 1959. The reason d'etre of secondary plant substances. *Science* **129**: 1466–1470.

Gooday GW, Adams DJ. 1993. Sex hormones and fungi. *Advances in Microbial Physiology* **34**: 65–145.

Gross D. 1975. Growth regulating substances of plant origin. *Phytochemistry* **14**: 2105–2112.

Harborne JB. 1988. *Introduction to Ecological Biochemistry*. London: Academic Press.

Jones CG, Firn RD. 1991. On the evolution of plant secondary metabolite chemical diversity. *Philosophical Transactions of the Royal Society of London* **333**: 273–280.

Karban R, Baldwin IT. 1997. *Induced Responses to Herbivory*. Chicago: The University of Chicago Press.

Kliebenstein DJ, Kroymann J, Brown P, *et al.* 2001. Genetic control of natural variation in *Arabidopsis* glucosinolate accumulation. *Plant Physiology* **126**: 811–825.

Lange T, Hedden P, Graebe JE. 1994. Expression cloning of a gibberellin 20-oxidase, a multifunctional enzyme involved in gibberellin biosynthesis. *Proceedings of the National Academy of Science* **91**: 8552–8556.

McDowell JM, Dangl JL. 2000. Signal transduction in the plant immune response. *Trends in Biochemical Science* **25**: 79–82.

Pathier B, Brückner, Dathe W, *et al.* 1992. Jasmonates: metabolism, biological activities, and modes of action in senescence and stress responses. In: Karssen CM, van Loon LC, Vreugdenhil D, eds. *Progress in Plant Growth Regulation*. Dordrech: Kluwer, 276–285.

Petsko GA, Kenyon GL, Gerlt JA, *et al.* 1993. On the origin of enzymatic species. *Trends in Biochemical Science* **18**: 372–376.

Rauscher MD. 1992. Natural selection and evolution of plant-insect interactions. In: Roitberg BS, Isman MD, eds. *Insect Chemical Ecology: an Evolutionary Approach*. New York: Chapman & Hall, 20–88.

Roberts RM. 1989. Serendipity – accidental discoveries in science. New York: John Wiley.

Swain T. 1975. Evolution of flavenoids compounds. In: Harborne JB, Maby TJ, Maby H, eds. *The Flavonoids*. London: Chapman and Hall, 1104.

Taiz L, Zeiger E. 1991. *Plant Physiology*. Redwood City, California: Benjamin.

Tamagnone L, Merida A, Parr A, *et al.* 1998. The AmMYB308 and AmMYB330 transcription factors from *Antirrhinum majus* regulate phenylpropanoid and lignin biosynthesis in transgenic tobacco. *Plant Cell* **10**: 135–154.

Tretyn A, Bossen ME, Kendrick RE. 1990. Evidence for different types of acetyl choline receptors in plants. In: Karssen CM, van Loon LC, Vreugdenhil D, eds. *Progress in Plant Growth Regulation*. Dordrech: Kluwer, 306–311.

Vet LEM. 1999. Evolutionary aspects of plant-carnivore interactions. In: Chadwick DJ, Goode JA, eds. *Insect–Plant Interactions and Induced Plant Defence*. Chichester: Wiley, 3–20.

Wang Z-Y, Chory J. 2000. Recent advances in molecular genetic studies of the functions of brassinolide, a steroid hormone in plants. In: Romeo JT, Ibrahim R, Varin L, De Luca V, eds. *The Evolution of Metabolic Pathways. Recent Advances in Phytochemistry. Volume 34.* Oxford: Pergamon, 409–432.

Winkel-Shirley B. 2001. Flavonoid biosynthesis. A colourful model for genetics, biochemistry, cell biology and biotechnology. *Plant Physiology* **126**: 485–493.

Wong JT-F. 1981. Coevolution of genetic code and amino acid biosynthesis. *Trends in Biochemical Science* **6**: 33–36.

5

Did auxin play a crucial role in the evolution of novel body plans during the Late Silurian–Early Devonian radiation of land plants?

Todd J Cooke, DorothyBelle Poli and Jerry D Cohen

CONTENTS

Introduction

The overall objective of this chapter is to identify plausible developmental mechanisms that might have contributed to the rapid diversification of early land plant lineages during the Late Silurian to Early Devonian Periods (Kenrick and Crane, 1997). An even more rapid diversification of bilateral animal lineages seems to have occurred during the well-known

The Evolution of Plant Physiology
ISBN 0–12–33955–26

Cambrian radiation (Gould, 1989; Raff, 1996; Conway Morris, 2000). Given that the lineages that ultimately gave rise to animals and to plants are most likely to have diverged as ancient lineages of unicellular flagellates (Baldauf *et al.*, 2000), the origins of early land plants occurred via different macroevolutionary processes than those operating in ancient animals (Meyerowitz, 2002). Nonetheless, as an archetypal example of organismal radiation, our current understanding of the Cambrian radiation can be used as a conceptual framework for considering the analogous radiation of early land plants.

Brief overview of Cambrian radiation of bilateral animals

Rapid diversification of animal phyla

Although well-preserved fossils of the soft-bodied Ediacaran fauna are widely distributed in Late Precambrian rocks, it has been very problematical to trace the evolution of the simple features of Ediacaran fossils into the more complex body plans of Cambrian metazoa (Knoll and Carroll, 1999; Conway Morris, 2000). Therefore, palaeontologists have focused on the Cambrian radiation that resulted in the rapid (or 'explosive' with respect to geological time) appearance of the crown phyla of bilateral animals, including molluscs, arthropods, echinoderms and chordates, around 550–530 million years ago (Ma) (Raff, 1996; Erwin *et al.*, 1997; Valentine *et al.*, 1999; Conway Morris, 2000). In marked contrast to the fossil record, molecular clock estimates predict that initial divergences of these lineages occurred much earlier in the Precambrian era (Bromham *et al.*, 1998; Heckman *et al.*, 2001). Even if a long Precambrian fuse was needed to ignite the Cambrian explosion (Fortey, 2001), it is still undeniable that earliest bilateral animals diversified into the crown metazoan lineages during a rather narrow slice of deep geological time, with the result that all extant animal phyla appeared before the end of the Cambrian. Some authors attribute the Cambrian radiation to the occurrence of large-scale environmental perturbations resulting in new adaptive landscapes at the Precambrian-Cambrian boundary (Knoll and Carroll, 1999), while others emphasize the possible role of new ecological selection pressures associated with the rise of filter feeding and macroscopic predation (Conway Morris, 2000). Of particular relevance to this chapter are the putative developmental mechanisms discussed below that may be responsible for generating new phylum-specific body plans in the presence of those selective pressures.

Characteristic body plan of each phylum

Traditionally, animal biologists have recognized different phyla on the basis of their fundamental *Baupläne* (or body plans in English), which encapsulate the nature and organization of tissues and organs within the animal body. For example, the arthropods comprise a diverse assemblage of bilateral organisms, including horseshoe crabs, spiders, millipedes, crustaceans and insects. Yet the arthropod phylum as a whole exhibits a common body plan with such unifying features as a segmented exoskeleton, jointed legs, ventral nerve cord and dorsal heart with an open circulatory system. Interestingly, the characteristic body plans of all extant animal phyla were already expressed in their marine ancestors by the end of the Cambrian radiation (Raff, 1996). While certain phyla underwent major structural innovations accompanying their post-Cambrian invasion of the land environment, these terrestrial adaptations occurred within the conserved patterns of their pre-existing body plans.

Early establishment of body plan

For two related reasons, until the recent innovations in molecular analyses, phylogenetic schemes for animal phyla were typically based on the comparative morphology of embryos and larvae. (1) the basic body plan of each phylum is first expressed at these early stages of animal development (Gilbert, 2000). Ever since von Baer (1828), it has been recognized that the general features of each phylum appear in embryonic and/or early postembryonic development as opposed to the more specialized features of individual classes that develop at later stages. Indeed, it is the common embryonic or larval features that disclose the close evolutionary relationships within those phyla like molluscs or arthropods with divergent adult forms. Furthermore, the common body plan of vertebrate embryos makes them also appear remarkably similar even though the specialized features of the adults are distinctly different. (2) the structures developing in the early, so-called phylotypic stage are more evolutionarily conserved than those formed at later stages (Raff, 1996). For example, in insects, the germ band or early larval stages have a segmented worm-like appearance that resembles the body plans of other taxa, such as the onychophorans, related to the arthropods (Ballard *et al.*, 1992). As another intriguing example, living echinoderms develop free-swimming bilateral larvae that undergo a complicated metamorphosis to become adults exhibiting 5-parted radial symmetry. Peterson and Davidson (2000) have hypothesized that ancestral stem-groups of bilateral animals developed simple larva similar to those characteristic of extant echinoderms. These larvae are then envisioned to have served as the structural platform for the activity of 'set-aside cells' required to generate the complex body plans of different crown bilateral animals.

Altered expression of embryonic genes resulting in new body plans

The basic approach in evolutionary developmental biology ('evo-devo') is to study the genetic regulation of embryonic and larval development of extant organisms belonging to various lineages in order to elucidate the developmental mechanisms responsible for the origin and/or diversification of those lineages (Raff, 1996; Gilbert, 2000; Arthur, 2002). This research is based on the reasonable, albeit untestable, assumption that genetic regulation of embryonic development is extraordinarily stable over vast geological time. The justification for this assumption is that any disruption in embryonic regulation should result in an avalanche of disruptive, and inevitably fatal, consequences for postembryonic development (Raff, 1996). Similar arguments have been also put forth to explain the failure of any new metazoan body plans to evolve following the Cambrian radiation (Gilbert, 2000).

The paradigmatic case of genetic regulation of metazoan body plan involves a conserved group of homeobox (*Hox*) genes (Erwin *et al.*, 1997; Gellon and McGinnis, 1998: Valentine *et al.*, 1999; Carroll *et al.*, 2001). *Hox* genes play crucial regulatory roles in various aspects of metazoan axis specification, such as external segment identity in arthropods and internal body segmentation in vertebrates. Molecular analyses of *Hox* gene diversity have shown that these genes were gradually duplicated during the ancient evolution of non-bilateral animals, with the result that the stem group of bilateral animals appear to have evolved a fully-fledged cluster consisting of a minimum of seven *Hox* genes (de Rosa *et al.*, 1999; Peterson and Davidson, 2000). Some workers have proposed that the *Hox* genes were responsible for encoding the original anterior-posterior axis in the common ancestor of all animals (e.g. Slack *et al.*, 1993), while others argue that the *Hox* cluster was recruited for pattern formation of the pre-existing anterior-posterior axis during the evolution of the stem group of bilateral animals (e.g. Peterson and Davidson, 2000). In either event, it appears that the evolution of different body plans in the lineages of bilateral animals did not depend on the evolution of new *Hox* clusters or other developmental master genes. Instead, the diversification of bilateral animals required various innovations in regulatory networks controlling the expression of these genes (Gellon and McGinnis, 1998; Knoll and Carroll, 1999; Carroll *et al.*, 2001). The molecular palette of developmental genes was already present in primordial bilateral animals before these genes were rewired to sculpt novel bilateral body plans.

In summary, it seems reasonable to conclude from this brief description that the Cambrian radiation of bilateral animals can be viewed as having arisen from the rapid emergence of new expression patterns of pre-existing developmental regulatory genes. These altered expression patterns resulted in a wide range of new body plans for bilateral animals. These new animals were presumably subjected in turn to ecological selection pressures that favoured those animals with body plans best adapted for surviving in Cambrian oceans.

Silurian–Devonian radiation of land plants

Using the conceptual framework derived from our consideration of the Cambrian radiation of bilateral animals, we intend here to discuss plausible developmental mechanisms underlying the evolution of novel plant body plans and hence the macroevolution of different plant lineages in the Late Silurian to Middle Devonian periods. The hormone auxin appears to regulate the organizational features comprising body plans of contemporary plants; therefore, particular attention is granted to the hypothesis that evolutionary changes in auxin action were causally involved in the generation of different body plans during the radiation of early vascular plants.

Did early land plants diverge in a rapid evolutionary radiation?

Recent work has provided cogent molecular, biochemical and cellular evidence that ancient charophycean green algae (also called charophytes), whose living descendants include the orders Zygnematales, Coleochaetales and Charales, represent the primordial group giving rise to land plants (Graham, 1993; Graham *et al.*, 2000; Karol *et al.*, 2001). Living charophytes, sometimes derided as 'pond scum', have haplobiontic life cycles, with a dominant haploid gametophyte and a diploid phase solely consisting of the zygote that undergoes meiosis to produce four haploid cells. These algae exhibit a diverse range of growth forms, including unicells, tip-growing filaments, margin-expanding discs and complex shoot-like axes consisting of alternating large multinucleate internodal cells and multicellular nodes bearing lateral branches. This diversity of growth forms in the charophytes is thought to reflect the more permissive nature of aquatic habitats (Niklas, 2000).

According to molecular clock estimates, ancient charophycean green algae are predicted to have invaded the land during the Precambrian around 600 Ma (Heckman *et al.*, 2001). Dating from the Middle Ordovician around 470 Ma, the oldest microfossils, which are considered to have originated from genuine land plants, are obligate spore tetrads with sporopollenin-impregnated walls, imperforate cuticles and narrow tubes (Gray, 1985; Edwards and Wellman, 2001; Graham and Gray, 2001). Indeed, the ability of these first land plants successfully to colonize terrestrial environments is often attributed to the desiccation-resistant coverings observed on these microfossils. This microfossil evidence suggests that the earliest land plants are likely to have exhibited a bryophyte-grade of structural organization, at least with respect to spore morphology (Gray, 1985; Edwards and Wellman, 2001; Graham and Gray, 2001). Available molecular sequence information is also consistent with the perspective that the three extant bryophyte lineages diverged earlier than the monophyletic lineage giving rise to the vascular plants (Qiu *et al.*, 1998; Nickrent *et al.*, 2000; Karol *et al.*, 2001).

It is sometimes postulated that the first land plants had quickly evolved the embryo, via the intercalation of mitotic divisions of the zygote prior to the occurrence of sporic meiosis (Graham and Wilcox, 2000). However, the lack of any confirming fossil evidence makes it conceivable that land plants did not develop embryos until long after the successful colonization of terrestrial habitats (Niklas, 1997). The earliest mesofossils with possible bryophyte affinities have been identified as miniature branching axes in Lower Devonian rocks (Edwards *et al.*, 1995; Edwards, 2000; Edwards and Axe, 2000). However, very few macrofossils, including *Sporogonites, Tortilicaulis* and *Pallaviciniites* from Devonian strata, appear to exhibit the characteristics of dorsiventral thalli and/or monosporangiate sporophytes that disclose their likely affinities to extant bryophytes (Taylor and Taylor, 1993). Thoughtful discussions about the inadequacy of the fossil record for elucidating the major events in bryophyte evolution can be found in many sources (e.g. Kenrick and Crane, 1997; Niklas, 1997; Edwards, 2000; Kenrick, 2000).

It is irrefutable that a considerable time interval exists between the first putative land plant spores in mid-Ordovician strata and the first protracheophyte *Cooksonia* in Upper Silurian rocks. In marked contrast to the bryophyte enigma, the fossil record for vascular plants provides compelling evidence that the appearance of *Cooksonia* was followed by the rapid radiation of numerous vascular plant lineages including those lineages that evolved into extant lycophytes, ferns and horsetails (Taylor and Taylor, 1993; Kenrick and Crane, 1997; Niklas, 1997). This radiation of vascular plants is dated to have occurred in the Late Silurian (424–409 Ma) according to cladistic analysis (Kenrick and Crane, 1997: Figure 7.15) or in the Early to Middle Devonian (409–381 Ma) according to macrofossil stratigraphy (Taylor and Taylor, 1993; Kenrick and Crane, 1997). The rapid diversification of early vascular plant lineages culminated with the origin of the progymnosperms (i.e. the progenitor lineage for seed plants) in the Middle Devonian, as indicated by the fossil *Svalbardia* (Taylor and Taylor, 1993; Berry and Fairon-Demaret, 2001).

The fossil record indicates that the Late Silurian to Middle Devonian was indeed the most innovative interval in the morphological diversification of land plants. During this interval, land plants appear to have evolved many features often assumed to serve as crucial terrestrial adaptations, including multicellular primary and secondary meristems, vascular tissues, vegetative organs (roots, stems, and leaves), and sporangium-bearing organs (sporophylls and sporangiophores) (Graham, 1993; Taylor and Taylor, 1993; Kenrick and Crane, 1997). Of particular interest to this chapter, it is often presumed that the first sporophyte consisted of a spherical embryo that was directly modified to form a simple sporangium embedded in the archegonium (Niklas, 1997; Graham and Wilcox, 2000). Its evolutionary elaboration into the complex vascular plant sporophyte with elevated sporangium-bearing axes must have been a critical adaptation for flourishing in terrestrial environments, because this plant body is well-constructed to produce numerous meiospores for effective aerial dispersal.

In parallel to the Cambrian radiation of bilateral animals, the rapid diversification of vascular plants starting in the Late Silurian hints at the possibility that the ancestral stem group for all vascular plants had just previously experienced a limited number of genetic innovations, which permitted and/or facilitated the rapid origin of new body plans. Contrary to the selection pressures operating on the first bilateral animals in Cambrian oceans, it is reasonable to propose that during the Silurian–Devonian radiation of land plants, natural selection acted to favour those body plans that enabled these plants to survive in terrestrial environments. The following sections will address the developmental mechanisms responsible for generating the body plans of land plants.

Are the characteristic body plans of land plants established during embryonic development?

Although not many plant biologists make explicit reference to the concept of body plan, its occasional appearance in the botanical literature has led to some confusion because it has been applied to different levels of plant organization. For instance, those plant biologists focusing on algal life forms have referred to different types of cellular organization, such as unicellular, siphonous, colonial and multicellular, as representing the basic body plans of photosynthetic eukaryotes (e.g. Niklas, 2000). The present chapter adopts an alternative perspective from the discipline of plant morphology, where the body plan concept, when used, is generally restricted to vascular plant sporophytes (e.g. Troll, 1943; Groff and Kaplan, 1988). The multicellular sporophyte of each land plant division can be said to exhibit a characteristic body plan that is based on such features as meristem organization, vascular tissue arrangement, positional relationships among vegetative organs and positional relationships of reproductive structures on vegetative organs (Bold *et al.*, 1987; Gifford and Foster, 1989). In this section, the sporophytes from representative divisions of extant land plants are illustrated in order to evaluate whether or not the embryo or the young post-embryonic plant expresses the fundamental body plan of each division.

As an example of the bryophyte grade of plant organization, the mature sporophyte of liverwort *Marchantia polymorpha* L. consists of three parts: absorptive foot, elongated seta and spore-producing capsule (Figure 5.1A–D) (Smith, 1995; Bold *et al.*, 1987; Crum, 2001). This sporophyte is initiated as a zygote that develops into a small spherical embryo inside the archegonium (Figure 5.1B). Then the spherical embryo differentiates into three regions in which different cell shapes reveal the ultimate fate of each region (Figure 5.1C). The small basal cells destined to form the foot are generally oriented perpendicular to the future growth axis. The presumptive seta is composed of enlarged isodiametrical cells, whereas the immature cells of the capsule are greatly elongated and oriented parallel to the future axis. Although each region is capable of a limited number of additional cell divisions, the embryo does not develop any localized region of cell division recognizable as a genuine meristem. Instead, the embryo expands and differentiates into the mature sporophyte illustrated in Figure 5.1D, which displays the typical foot and capsule found in almost all but a few semi-aquatic liverworts. The *Marchantia* seta is similar to other liverwort setae in that it elongates via diffuse growth over its entire length, but it is considerably shorter. This reduced length is attributed to *Marchantia* sporophyte developing suspended from an elevated archegoniophore, which does not arise on most other liverwort thalli. Because liverwort sporophytes never develop an apical meristem capable of producing additional organs, they do not exhibit the modular organization of reiterated units that is characteristic of vascular plant sporophytes.

In essence, the liverwort sporophyte can thus be said to exhibit a tripartite body plan that is first expressed in the young embryo. Hornworts and mosses, the other two bryophyte divisions, also exhibit tripartite body plans; however, the cellular activities associated with axial growth are distinctly different among bryophyte divisions (Smith, 1955; Wardlaw, 1955;

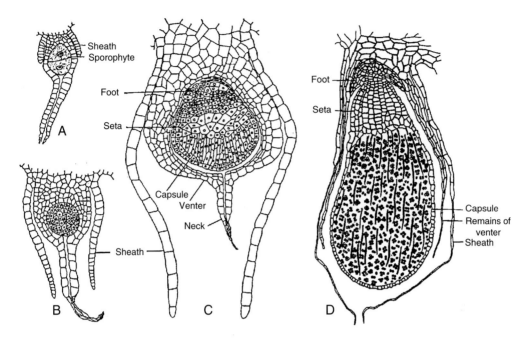

Figure 5.1   The development of the embryo and sporophyte of the liverwort *Marchantia polymorpha* L. (A) Two-celled embryo inside the archegonium. (B) Young spherical embryo lacking obvious cellular differentiation. (C) Expanded spherical embryo exhibiting tripartite organization. (D) Nearly mature sporophyte with well-defined foot, seta and capsule. Redrawn from Smith (1955) with permission from McGraw-Hill Companies.

Bold *et al.*, 1987; Crum, 2001). The embryo of the hornworts is also composed of a basal tier destined to become the foot and an apical tier representing the future apicalmost cells of the capsule (Campbell, 1918; Smith, 1955; Wardlaw, 1955; Crum, 2001). The intermediate tier develops into a narrow band of dividing cells called an intercalary meristem that remains positioned just above the foot. The intercalary meristem undergoes unifacial divisions on its capsule side, with the result that these new cells compose almost the entire linear capsule that rises above the gametophyte. Thus, the three-tiered hornwort embryo is directly enlarged into a tripartite body plan. In most mosses, it is difficult to recognize three cellular tiers in the first stages of embryonic development (Smith, 1955; Wardlaw, 1955; Lal and Bhandari, 1968; Bold *et al.*, 1987; Crum, 2001). A transient apical cell differentiates into the upper hemisphere and then this apical cell and its derivatives act to generate a spindle-shaped embryo. This embryo exhibits three well-defined regions that are destined to develop into the foot, seta and capsule of the mature moss sporophyte. In marked contrast to the diffuse growth of the liverwort seta, a unifacial intercalary meristem arises in the moss seta just beneath the immature capsule and its activity generates most of the cells composing the elongating seta.

The fern *Pityrogramma triangularis* (Kaulf.) Maxon serves here as a representative example of the pteridophyte grade of plant organization (Figure 5.2). The fern zygote within the archegonium undergoes a series of segmentation divisions resulting in the formation of a globular-shaped embryo (Campbell, 1918; Smith, 1955; Wardlaw, 1955; Gifford and Foster, 1989). This embryo is often said to be composed of four quadrants representing the shoot apex, first leaf, first root and foot (Figure 5.2A–D). The shoot apex is solely responsible

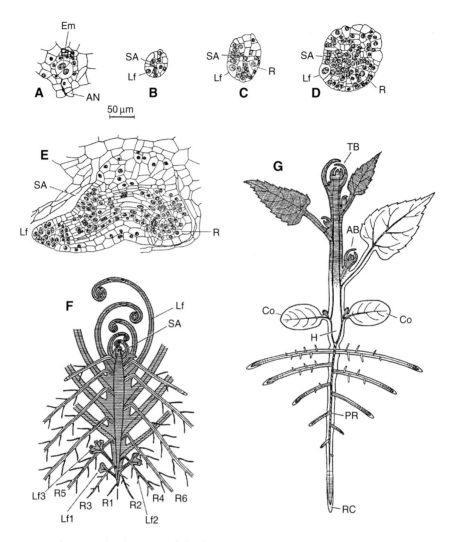

Figure 5.2   Embryonic development of the fern *Pityrogramma triangularis* (Kaulf.) Maxon (A–E) and the body plans of the ferns (F) and the dicots (G). (A). Two-celled embryo inside the archegonium. (B) Young spherical embryo exhibiting characteristic apical cells for shoot apex and first leaf in apical hemisphere. (C–E) Successive stages of the four-quadrant embryo composed of shoot apex, first leaf, first root and foot (unlabelled). The first root arises in a lateral position near the base of the first leaf. Panels (A–E) were redrawn with permission from unpublished work of W. Hagemann. (F) Diagrammatic illustration of typical fern body plan, which shows that the positional relationships first expressed in the unipolar embryo are reiterated in postembryonic development. (G) Diagrammatic illustration of the model dicot body plan, which shows that the positional relationships first expressed in the bipolar embryo are reiterated in postembryonic development. This situation does not hold true for all dicots. Panels (F) and (G) were redrawn from Troll (1959) with permission of Georg Thieme Verlag. Abbreviations: Em, embryo; AN, archegonial neck; SA, shoot apex; Lf, leaf; R, root; TB, terminal bud; AB, axillary bud; Co, cotyledon; PR, primary root; RC, root cap.

for generating the growth axis of the postembryonic plant; hence, the fern embryo is referred to as being unipolar (Groff and Kaplan, 1988). The first root arises near the base of first leaf (Figure 5.2E). All postembryonic roots are also observed to originate near leaf bases and thus, fern roots are consistently lateral with respect to the longitudinal axis of the growing plant (Figure 5.2F), which has been termed the homorhizic condition (Troll, 1943; Groff and Kaplan, 1988). The horsetails (*Equistem*), which are thought to comprise a monophyletic group with the ferns (Pryer *et al.*, 2001), exhibit similar organographic arrangements, with the first root subtending the first leaf and all postembryonic roots arising at the nodes (Gifford and Foster, 1989).

The relative positions of embryonic organs illustrated in Figure 5.2 foreshadow the postembryonic body plan in almost all ferns (Eames, 1936; Smith, 1955; Bierhorst, 1971; Gifford and Foster, 1989). In even those ferns exhibiting unusual habits, the body plan is irrevocably fixed by its embryonic organization. In marked contrast to the subterranean root systems of dicot trees, the tree ferns from such genera as *Dicksonia* and *Cyathea* develop buttress-like coverings of interwoven roots that arise at the bases of lower leaves and grow down the outside of the trunk and into the ground (Smith, 1955; Gifford and Foster, 1989). Additional roots continue to form at the bases of higher tree fern leaves, even though these roots are destined to remain short and never penetrate the soil. Mature plants of the aquatic floating fern *Salvinia* do not develop roots and this rootless feature can be traced back to its embryo, where the non-growing sector subjacent to the first leaf is often interpreted as a vestigial first root (Eames, 1936; Bierhorst, 1971). Even the problematic whisk ferns (Psilotales), which are apparently closely related to eusporangiate ferns according to molecular analyses (Pryer *et al.*, 2001), exhibit an embryonic organization that correlates with its mature morphology, at least with respect to the absence of any roots. In *Tmesipteris tannensis* Bernh. and *Psilotum nudum* (L.) Pal. Beauv., the embryos display a two-parted organization consisting of a distal shoot apex and a proximal foot with no evidence at all for leaf or root quadrants (Holloway, 1921, 1939; Bierhorst, 1971). The embryonic shoot apex develops into a branched plagiotropic rhizome lacking roots, which may be an adaptive response to the epiphytic habit frequently adopted by whisk ferns. (Eventually, the rhizome produces aerial axes bearing reduced dorsiventral structures called enations which are actually homologous to genuine leaves (for resolution of this controversial issue, see Kaplan, 2001).) A rare exception to the general rule about the embryonic encapsulation of fern body plan is seen in certain *Ophioglossum* species where roots develop subterminal buds capable of growing into new shoots (Peterson, 1970); nevertheless, the roots of the daughter shoots also emerge at the base of their fronds, thereby replicating the positional relationships of the original shoot.

The other major pteridophyte group, the lycophytes, also manifests unipolar embryonic organization, which is largely reproduced in the body plans of adult plants (Groff and Kaplan, 1988; Gifford and Foster, 1989). However, postembryonic roots in the lycophytes do not exhibit the same positional relationships as the ephemeral first root. For example, the embryos of different *Selaginella* species exhibit wide variation in the position of the first root relative to other embryonic organs, which are not reflected in the organographic arrangements of their postembryonic plant bodies (Bower, 1935; Gifford and Foster, 1989). Subsequent roots in many *Selaginella* species originate from leafless axes called rhizophores that form at stem bifurcations. The distal ends of these rhizophores bear typical roots with root caps. Some workers suggest that rhizophores are considered as true roots (e.g. Gifford and Foster, 1989), while others view them as unique root-bearing structures (e.g. Lu and Jernstedt, 1996). A similar uncoupling of embryonic root position and postembryonic organization is observed in other lycophytes. In most *Lycopodium* species, postembryonic roots originate close to the shoot tip and traverse down the cortex before emerging into the soil (Gifford and Foster, 1989). The postembryonic roots of *Isoetes* and its extinct relatives are borne on different specialized structures called rhizomorphs of uncertain homology

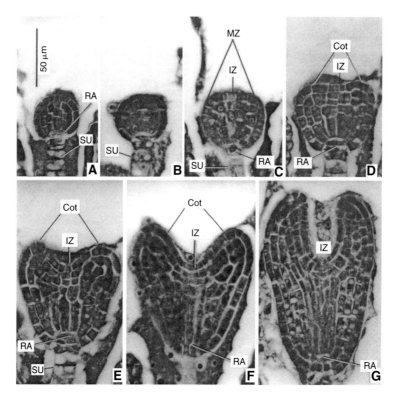

Figure 5.3   Embryonic development of the dicot *Capsella bursa-pastoris* (L.) Medic. (A) and (B) Young embryos exhibiting well-defined suspensor and embryo proper. The incipient root apical meristem can be recognized by the periclinal cell divisions delimiting the future root cap. (C) Mid-globular embryo displaying incipient shoot apical meristem with a lighter staining central (or initial) zone and a darker staining lateral (or morphogenetic) zone. (D–F) Early to late heart embryos showing cotyledon emergence from the lateral zones. (G) Early torpedo stage. Reprinted from Kaplan and Cooke (1997) with permission from American Society of Plant Biologists. Abbreviations: RA, root apex; SU, suspensor; MZ, morphogenetic zone; IZ, initial zone; Cot, cotyledon.

(Paolillo, 1963, 1982). In conclusion, it appears that the fundamental pteridophyte body plan is fully manifested in either developing embryos (ferns and horsetails) or young post-embryonic plants (lycophytes) and then it is reiterated throughout the life of the plant.

Characteristically, seed plant embryos exhibit bipolar (or allorhizic) organization with the embryonic shoot and root apices arising at opposite poles (Troll, 1943; Groff and Kaplan, 1988). In many, but not all, embryos, these incipient meristems act to perpetuate the bipolar organization, with the result that the primary plant body exhibits a central axis with opposite shoot and root systems, as is diagrammatically illustrated in Figure 5.2G. For example, in the dicot *Capsella bursapastoris* (L.) Medic. (Figure 5.3), the incipient root and shoot apical meristems arise during the globular stage of embryonic development (Kaplan and Cooke, 1997). These meristems can first be recognized by the cellular activities that accompany the formation of their distal or lateral structures. In particular, the origin of the root apical meristem is disclosed by periclinal divisions that delimit the distal root cap from the more proximal root body (Figure 5.3A–D). This first root will then generate the root system of the mature plant. The embryonic shoot apical meristem is revealed by the presence of cytohistological zonation at the shoot pole of the late globular embryo (Figure 5.3C–G).

The dark-staining lateral regions of this incipient meristem are clearly distinguishable from the light-staining central region. The lateral regions give rise to two cotyledons, which are homologous to the first leaf of pteridophyte embryos. The central region is destined to become the epicotylar shoot apical meristem that is ultimately responsible for generating the entire shoot system. Thus, the bipolar organization of the *Capsella* embryo establishes the positional relationships that are expressed throughout postembryonic development.

Although Figure 5.2G was proposed as the model for the bipolar condition in dicots (Troll, 1943), it is clear that the body plans of individual seed plants may represent either direct reiterations or modified arrangements of the original embryonic organization. The dicots in particular exhibit the greatest variation in the relationship between embryonic organization and mature body plan (Groff and Kaplan, 1988). Although many dicots maintain the bipolar embryonic organization throughout postembryonic development, the embryonic organization of numerous other species is subsequently modified by: (1) the shoots bearing lateral roots (e.g. many vines like *Vitis vinifera* L. and *Hedera helix* L.); (2) the roots bearing new shoots (e.g. saprophytic plants like *Monotropa uniflora* L.); or (3) both shoot-borne roots and root-borne shoots (e.g. many perennial herbs and certain trees) (Groff and Kaplan, 1988). It can be argued that root-borne shoots are simply mimicking the original bipolar axis, with the new shoot apex at one pole and the bud-producing root at the other. However, the origin of lateral roots from the shoot does not reflect the embryonic organization but rather represents a postembryonic modification of the bipolar body plan.

The bipolar organization of gymnosperm embryos is characteristically maintained during postembryonic growth, with very few reported examples of root-borne shoots or vice versa (Groff and Kaplan, 1988). By contrast, resolving the nature of positional relationships in monocot embryos represents an extraordinary challenge that can only cursorily be addressed here. The traditional perspective is that the single cotyledon occupies the terminal position in the developing monocot embryo (Souèges, 1931; Gifford and Foster, 1989), which suggests that the shoot apex should be viewed as a lateral structure. However, the weight of morphological evidence argues that the monocot shoot apex does indeed arise in the terminal position (Haccius, 1952, 1960; Swamy and Laksmanan, 1962), but it is subsequently displaced into what appears to be a lateral position by the pronounced growth of its overarching cotyledon (for further discussion, see Gifford and Foster, 1989). As an additional complication, the orientation of the first root relative to the central axis shows considerable variability in monocot embryos. The first root of many monocots is positioned at the opposite embryonic pole, thereby displaying the allorhizic organization of the typical bipolar embryo (Troll, 1943). However, the first roots of certain monocots such as *Zea mays* L. (Randolph, 1936) arise at the opposite pole but much later in embryo development, which resembles the timing of the first root initiation in unipolar fern embryos, while the first roots of still other monocots such as *Aponogeton madagascariensis* Mirbel (Yamashita, 1976) are reported to originate as genuine lateral structures. Nevertheless, the embryonic first root of almost all monocots is short lived or else poorly developed so that their postembryonic root system is almost entirely derived from shoot-borne roots. Therefore, although the monocot embryo is generally interpreted to have bipolar organization, the postembryonic monocot body plan is regarded as being secondarily homorhizic, due to the origin of subsequent roots as shoot-borne organs (Troll, 1943).

This section has established the following generalizations: embryonic pattern is amplified to form the postembryonic body in bryophytes, or it is reiterated to generate the postembryonic body in vascular plants. The most noteworthy exception to these generalizations is that in some vascular plants, the positional relationships of all roots except the embryonic root are established in the young postembryonic body.

What developmental mechanisms act to generate plant body plans?

It must be appreciated that the botanical research on this question is far less advanced than comparable research in animal development. However, the initial evidence reviewed below suggests that the hormone auxin (indole-3-acetic acid) acts as a critical developmental mechanism for generating the body plans of land plants.

As discussed in a previous section, the current theory for explaining the developmental mechanisms underlying the Cambrian radiation is that the genes responsible for regulating embryonic development in basal animals experienced repeated duplication and altered transcriptional regulation, with the result that these genes were able to specify more complex body plans. A similar working hypothesis is now being adopted by the emerging disciple of plant evolutionary developmental biology (for an excellent overview, see Cronk, 2001). For instance, plant homeobox genes can be classified into at least three subfamilies: *KNOTTED1*-like (*KNOX*) genes affecting meristematic cell fates; homeodomain-leucine zipper (*HD-ZIP*) genes regulating later developmental and physiological processes; and *GLABROUS2*-like genes specifying epidermal cell fates (Chan *et al.*, 1998; Williams, 1998; Bharathan *et al.*, 1999). The archetypal example of the first subfamily is the so-called *SHOOTMERISTEMLESS* gene (Barton and Poethig, 1993) that is expressed in the central region of the globular embryo of *Arabidopsis thaliana* (L.) Heynh. (Long *et al.*, 1996). The identical stage in the related *Capsella* embryo is illustrated in Figure 5.3C. Although the name of this gene implies that it is essential for the origin of the shoot apical meristem, an alternative interpretation is that it maintains the proliferative activity of the embryonic central region in order to generate the epicotylar shoot apical meristem (Kaplan and Cooke, 1997). The recent report of two *KNOX*-like genes in the moss *Physcomitrella patens* (Hedw.) B.S.G. indicates that this subfamily started diverging early in the evolution of land plants (Champagne and Ashton, 2001). The ability of *Physcomitrella* to perform homologous recombination should allow these investigators to determine the precise roles of homeobox genes in mosses (Theissen *et al.*, 2001). However, research to date has not revealed any direct relationship between evolutionary changes in homeobox genes and new body plans in plants. Since the primeval protist lineages evolving into animals and plants had probably diverged as single-celled eukaryotes, it should come as no surprise that plants might depend on different genetic mechanisms to organize their body plans (Meyerowitz, 2002).

On the other hand, it is quite intriguing that the molecular diversity of the MADS-box family of transcription factors correlates with the morphological complexity of land plants (Theissen *et al.*, 2000; Vergara-Silva *et al.*, 2000; Cronk, 2001). Seven MADS-box genes have been isolated from the moss *Physcomitrella patens* (Krogan and Ashton, 2000; Henschel *et al.*, 2002) in contrast to 15 genes from the fern *Ceratopteris richardii* Brogn. and to even larger numbers from several angiosperm species. Of particular importance to angiosperm reproductive development are the MADS-box genes that act as homeotic selector genes for controlling floral organ identity. Indeed, the ABC model provides molecular validation for the classical morphological concept of serial homology, i.e. all lateral dorsiventral structures from cotyledons to carpels are leaf homologues (Goethe, 1790), because the triple mutant in all three functions exhibits foliage leaf-like structures in place of floral organs (Coen and Meyerowitz, 1991). The molecular evolution literature expresses considerable optimism that the MADS-box gene diversity underlies the evolution of plant body

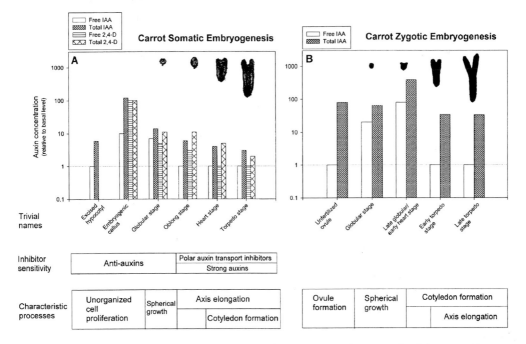

Figure 5.4   Auxin regulation of the somatic (A) and zygotic (B) embryogenesis of the carrot *Daucus carota* L. (for details, see Schiavone and Cooke, 1987; Michalczuk *et al.*, 1992a; Ribnicky *et al.*, 2002). Trivial names refer to the shapes of each embryonic stage; characteristic processes refer to the morphogenetic processes occurring at each stage; and inhibitor sensitivity refers to the auxin agonists or antagonists active at each stage. For the purpose of normalizing the data for free auxin concentrations between embryo types, all data are expressed relative to basal levels, which are 7 ng IAA/g FW and 14 ng 2,4-D/g FW in oblong to torpedo stages in somatic embryos and 26 ng IAA/g FW in unfertilized ovules and torpedo stages in zygotic embryos. Redrawn from Ljung *et al.* (2002) with permission from Kluwer Academic Publishers. Abbreviations: IAA, indole-3-acetic acid = endogenous auxin; 2,4-D,2,4-dichlorophenoxyacetic acid = synthetic auxin.

plans in general (for enthusiastic advocacy, see Vergara-Silva *et al.*, 2000). We wish to point out to the contrary that no compelling evidence yet exists to support the notion that MADS-box genes play even minor roles in establishing the fundamental tripartite, unipolar or bipolar organization of any division of land plants, including the angiosperms.

In our opinion, auxin is causally involved in the establishment of plant body plans, at least in the seed plants (Figure 5.4). The progression through both somatic and zygotic embryogenesis of the carrot *Daucus carota* L. appears to require the sequential activation of two different auxin biosynthetic pathways (Michalczuk *et al.*, 1992a,b; Ribnicky *et al.*, 1996, 2002). During the initial stages of embryo growth, a tryptophan-dependent pathway for auxin biosynthesis produces high levels of free (i.e. active) auxin, which are apparently critical for mediating the rapid cell divisions needed to generate the globular embryo. Then the embryo switches to a tryptophan-independent pathway for auxin biosynthesis that appears capable of exercising greater homeostatic control over the free auxin levels. The action of this pathway results in much lower free auxin levels that may be a necessary precondition for establishing auxin gradients regulating the polarized growth of older embryos. The results from inhibitor experiments are entirely consistent with these concepts: both synthetic auxins and polar auxin transport inhibitors are able to block or alter the polarized growth, but not the initial isodiametric expansion, of all angiosperm embryos examined

(Schiavone and Cooke, 1987; Liu *et al.*, 1993; Fischer *et al.*, 1997; Hadfi *et al.*, 1998). It remains critical to characterize auxin levels and biosynthetic pathways in other embryos than those of carrots. Auxin levels are reported to increase between the initial embryonic and subsequent postembryonic development in the wheat (*Triticum aestivum* L.) caryopsis (Fischer-Iglesias *et al.*, 2001). It is clear that these results are not directly comparable to those obtained from carrot embryo work because wheat embryos undergo prolonged postembryonic growth while still retained inside the caryopsis.

Molecular research is beginning to reveal the molecular basis for auxin action in *Arabidopsis* embryos (Souter and Lindsey, 2000; Hamann, 2001). For instance, a homozygous null mutation in the putative auxin receptor gene (*ABP1*) results in embryo development being blocked at the early globular stage (Chen *et al.*, 2001). Of even greater importance are the observations on *gnom* mutant embryos, which become enlarged spherical structures unable to initiate a polarized growth axis. The molecular basis for the mutant phenotype is that the embryos fail to localize the auxin efflux carrier PIN1 in the proper position for carrying out polar auxin transport (Steinmann *et al.*, 1999).

Moreover, auxin acts as a critical regulator of postembryonic body plan of seed plants. In particular, localized synthesis and/or polarized transport are thought to establish auxin gradients that appear absolutely critical for the positioning of new leaf primordia on the shoot apex (Meicenheimer, 1981; Reinhardt *et al.*, 2000) and of new lateral root primordia along developing roots (Reed *et al.*, 1998; Casimiro *et al.*, 2001). Finally, it is well documented that auxin exercises predominant control over many aspects of vascular tissue development, including the induction of primary vascular tissues (Roberts *et al.*, 1988; Aloni, 1995); the positioning of primary vascular bundles (Sachs, 1991; Berleth *et al.*, 2000); and the activity of vascular cambia (Uggla *et al.*, 1996, 1998). All this evidence taken together demonstrates that auxin acts as a very important regulator of the body plans of seed plants.

Much less research has been devoted to the auxin regulation of developmental processes in bryophytes and pteridophytes (for review, see Cooke *et al.*, 2002). In fact, to the best of our knowledge, no published work has directly studied auxin action in body plan organization in these plants. Nonetheless, three arguments can be advanced in support of the prediction that auxin must also help to regulate the body plans of non-seed plants. (1) it seems quite plausible that the seed plants would not have evolved *de novo* development mechanisms for generating body plans but rather would have modified pre-existing mechanisms already operating in the common ancestor of non-seed and seed plants. (2) we have noted elsewhere that the nature of metabolic regulation of auxin levels appears to have evolved in concert with the increasing morphological complexity in the land plant lineage (Sztein *et al.*, 2000). (3) certain auxin-mediated processes, including tropisms, apical dominance and axis elongation, are widespread among all land plants, including bryophytes (Cooke *et al.*, 2002). Among the positional relationships subject to auxin regulation in non-seed plants are: rhizoid initiation in bryophyte gametophytes (Kaul *et al.*, 1962; Kumra and Chopra, 1987; Nyman and Cutter, 1981: Chopra and Vashistha, 1990), root initiation in pteridophyte sporophytes (Wardlaw, 1957; Partanen and Partanen, 1963; Wochok and Sussex, 1975) and vascular differentiation in fern sporophytes (Ma and Steeves, 1992). It is also worthwhile here to mention the provocative modelling work of Stein (1993) who attempted to relate predicted patterns of auxin concentration in the shoot apex to the observed arrangements of primary vascular tissues in a wide range of fossil plants. Although this model is based on several assumptions about auxin biosynthesis, movement and accumulation that have never been evaluated with real meristems, it does result in a close correspondence between predicted hormone distributions and underlying stelar patterns for many fossil plants, which suggests that altered patterns of auxin action may have been involved in the diversification of stelar patterns throughout the land plant lineage.

Did major changes in auxin regulation occur prior to the Silurian–Devonian radiation?

The approach adopted in evolutionary development biology to address such questions involves: (1) the use of the fossil record and/or molecular phylogenies to identify those groups that diverged from the stem group prior to the radiation; and (2) the characterization of the developmental mechanisms in extant organisms from those early diverging lineages (Raff, 1996; Arthur, 2002). The ultimate goal is to predict those developmental mechanisms operating in the stem group that may have contributed to body plan diversification during the radiation. The critical assumption discussed earlier is that the developmental mechanisms for generating embryonic body plans are assumed to remain extraordinarily stable over geological time. This assumption has been validated in non-bilateral animals by the direct relationship between their homeobox gene diversity and their phylogenetic relationships (Peterson and Davidson, 2000), but we have no evidence to evaluate its validity for plants.

A comparable approach toward the Silurian–Devonian radiation of vascular plants would involve an investigation of the genes responsible for regulating auxin action in the three extant bryophyte lineages, which diverged from the vascular plant stem group prior to this radiation, according to morphological and molecular phylogenies (Kenrick and Crane, 1997; Qiu et al., 1998; Nickrent et al., 2000; Renzaglia et al., 2000; Karol et al., 2001). It must be acknowledged that this effort is hampered by several limitations. For instance, it is probably premature to attempt a comparative study of auxin regulatory genes in land plants because few non-seed plants, with the notable exception of Physcomitrella patens, are readily amenable to molecular manipulation. Moreover, the phylogenetic relationships among the bryophyte lineages remain unresolved, although the research cited above does frequently, but not always, place the mosses as the sister group to the vascular plants. Lastly, since macrofossils exhibiting the morphological characteristics of modern bryophytes (e.g. monosporangiate sporophytes and heteromorphic gametophyte-dominant generations) appear relatively late in the fossil record, one must always keep in mind the possibility that one or more modern bryophyte lineages may be derived from isomorphic, polysporangiate ancestors (Kenrick and Crane, 1997).

What can be accomplished here is that we can discuss the distribution of auxin regulatory processes in charophytes and bryophytes (Table 5.1) in order to speculate about developmental mechanisms that may have been operating in the stem group before the diversification of vascular plants in the Late Silurian–Early Devonian radiation. The tryptophan-independent pathway has definitively been identified as the predominant auxin biosynthetic pathway in the liverwort Marchantia polymorpha L., the moss Polytrichum ohioense Ren. & Card., and several vascular plants, which indicates that the capacity for tightly regulating auxin biosynthesis may be ubiquitous in the land plant lineage (Sztein et al., 2000). Because the charophyte Nitella spp. maintains auxin levels that are comparable with those measured in bryophytes, it is likely that the tryptophan-independent pathway is also operative in this group. In so far as charophytes and liverworts carry out metabolic inter-conversions between active free and inactive conjugated forms of auxin at slow rates, it appears that the free auxin levels are maintained in these groups via the balance between biosynthetic and degradative reactions. However, hornworts and mosses share the ability for rapid auxin conjugation with vascular plants, which provides these lineages the potential

Table 5.1 Phylogenetic distribution of critical processes involved in auxin action in green plants. The occurrence of polar auxin transport (PAT) was assessed by the direct measurement of PAT in agar-block experiments and/or by the sensitivity of auxin efflux to PAT inhibitors.

Process	Charophytes	Liverworts	Hornworts	Mosses	Vascular plants
Tryptophan-independent pathway	Predicted	Yes	n.d.	Yes	Yes
Auxin conjugation rates	Very slow	Slow	Intermediate to rapid	Intermediate to rapid	Rapid to very rapid
Predicted mechanism for regulating auxin levels	Biosynthesis/degradation	Biosynthesis/degradation	Conjugation/hydrolysis	Conjugation/hydrolysis	Conjugation/hydrolysis
PAT in gametophyte rhizoids	Yes?	n.d.	n.d.	Yes	n.d.
PAT in gametophyte thalli	No	Yes	n.d.	Yes	n.d.
PAT in young sporophytes	n.s.	No	No	Yes	Yes

n.d., no data; n.s., non-existent structure. For references, see text.

for even more precise regulation of auxin levels (Sztein *et al.*, 1995, 1999, 2000). One significant difference is that almost all vascular plants produce two specific conjugates, IAA-aspartate (or -glutamate) and IAA-1-O-glucose, that are not accumulated in bryophytes.

Membrane proteins capable of mediating the transmembrane auxin transport also evolved before the origin of the land plants, as evidenced by their activity in the thalli of the charophyte *Chara vulgaris* L. (Dibb-Fuller and Morris, 1992). However, there is contradictory evidence about whether charophytes carry out the more sophisticated process of intercellular auxin transport, as characterized by basipetal polarity and inhibitor sensitivity. The standard inhibitors of polar auxin transport do not affect auxin efflux from intact thalli (Dibb-Fuller and Morris, 1992), but these inhibitors are reported to have significant effects on decapitated thalli with growing rhizoids (Klambt *et al.*, 1992). Intercellular auxin transport with strong basipetal polarity and inhibitor sensitivity has been measured in liverwort thalli (Maravolo, 1976; Gaal *et al.*, 1982); moss protonemata (Rose *et al.*, 1983; Geier *et al.*, 1990), and moss rhizoids (Rose and Bopp, 1983). The sporophytes of hornworts and liverworts do not exhibit polar auxin transport (Thomas, 1980; DB. Poli, unpublished observations). By contrast, young setae of the moss *Polytrichum* maintain significant fluxes of basipetal polar transport that are even higher than those measured in corn coleoptiles (DB. Poli, unpublished observations). If mosses are the actual sister group of the vascular plants, then this observation suggests that their common ancestor evolved the auxin-dependent mechanism for generating polarized axes that is still being utilized in the sporophytes of extant members of both groups. Finally, bryophytes exhibit many of the auxin-mediated responses, such as apical dominance, phototropism and axis elongation also found in vascular plants (Cooke *et al.*, 2002). In summary, the range of auxin-regulated processes reported in extant bryophytes lends some credibility to the hypothesis that auxin was intimately involved in establishing the body plans of ancestral Silurian plants prior to the diversification of vascular plant lineages.

Conclusions

Using the conceptual framework derived from the study of the Cambrian radiation of bilateral animals, this chapter attempted to address four questions concerning the evolution of the early land plants. (1) the evidence assembled indicates that the early land plants did undergo a rapid evolutionary radiation during the Late Silurian to Early Devonian periods. (2) the characteristic body plans of different divisions of extant land plants are established during embryonic and early postembryonic development, which means that the regulatory mechanisms operating in embryonic development are also critical for generating these body plans. (3) the research evidence surveyed in this chapter establishes that the hormone auxin serves as a primary mechanism for regulating embryo and postembryonic development, at least in vascular plants. (4) judging from our current knowledge of auxin action in early-divergent bryophyte lineages, it appears that major changes in auxin action occurred in the earliest land plants prior to the Late Silurian. Therefore, the evidence available to date lends support to the appealing perspective that genetic changes in auxin action in early land plants were instrumental in the subsequent diversification of body plans in vascular plants. It follows that increased knowledge of the auxin regulation of embryonic mechanisms in extant plants should help to elucidate the developmental events that generated novel body plans during the Silurian–Devonian radiation of new vascular plant lineages.

Our enthusiasm for these interpretations is dampened somewhat by the realization that due to the limited number of relevant papers, we are skating over the conceptual equivalent of thin ice. A rigorous evaluation of the question posed in the title requires that much greater research effort be devoted toward the characterization of: (1) the phylogenetic relationships among the lineages of both extant bryophytes and putative bryophyte fossils; (2) the genetic regulation of auxin action in embryo development; and (3) the developmental mechanisms operating in charophytes, bryophytes and pteridophytes. Regardless of the ultimate answer, that question will be worth considering if it inspires further research on those three subjects.

Acknowledgements

The authors thank Drs Donald R. Kaplan (University of California, Berkeley) and Linda E. Graham (University of Wisconsin-Madison) for their useful discussions of several topics addressed in this chapter. The work reported from the laboratories of the author was supported in part by United States Department of Energy grant DE–FG02–00ER15079 and National Science Foundation grant IBN9817604.

References

Aloni R. 1995. The induction of vascular tissues by auxin and cytokinin. In: Davies PJ, ed. *Plant Hormones: Physiology, Biochemistry and Molecular Biology*, 2nd edn. Dordrecht: Kluwer Academic Publishers, 531–546.

Arthur W. 2002. The emerging conceptual framework of evolutionary developmental biology. *Nature* **415**: 757–764.

von Baer KE. 1828. *Entwicklungsgeschichte der Tiere: Beobachtung und Reflexion*. Konigsberg: Bornträger.

Baldauf SL, Roger AJ, Wenk-Siefert I, Doolittle WF. 2000. A kingdom-level phylogeny of eukaryotes based on combined protein data. *Science* **290**: 972–977.

Ballard JWO, Olsen GJ, Faith DP, *et al.* 1992. Evidence from 12S ribosomal RA sequences that onychophorans are modified arthropods. *Science* **258**: 1345–1348.

Barton MK, Poethig RS. 1993. Formation of the shoot apical meristem in *Arabidopsis thaliana*: an analysis of development in the wild type and shootmeristemless mutant. *Development* **119**: 823–831.

Berleth T, Mattisson J, Hardtke CS. 2000. Vascular continuity and auxin signals. *Trends in Plant Science* **5**: 387–393.

Berry CM, Fairon-Demaret M. 2001. The middle Devonian flora revisited. In: Gensel PG, Edwards D, eds. *Plants Invade the Land: Evolutionary and Ecological Perspectives*. New York: Columbia University Press, 120–139.

Bharathan G, Janssen BJ, Kellogg EA, Sinha N. 1999. Phylogenetic relationships and evolution of the *KNOTTED* class of plant homeodomain proteins. *Molecular Biology and Evolution* **16**: 553–563.

Bierhorst DW. 1971. *Morphology of Vascular Plants*. New York: Macmillan.

Bold HC, Alexopoulos CI, Delevoryas T. 1987. *Morphology of Plants and Fungi*, 5th edn. New York: Harper & Row.

Bower FO. 1935. *Primitive Land Plants*. London: Macmillan.

Bromham L, Rambaut A, Fortey R, *et al.* 1998. Testing the Cambrian explosion hypothesis by using a molecular dating technique. *Proceedings of the National Academy of Sciences (USA)* **95**: 12386–12389.

Campbell DH. 1918. *The Structure and Development of Ferns*, 3rd edn. New York: MacMillan.

Carroll SB, Grenier JK, Weatherbee SC. 2001. *From DNA to Diversity: Molecular Genetics and the Evolution of Animal Design*. Malden, Massachusetts: Blackwell Science.

Casimiro I, Marchant A, Bhalerao RP, *et al.* 2001. Auxin transport promotes *Arabidopsis* lateral root initiation. *Plant Cell* **13**: 843–852.

Champagne CEM, Ashton NW. 2001. Ancestry of *KNOX* genes revealed by bryophyte *Physcomitrella patens* homologs. *New Phytologist* **150**: 23–36.

Chan RL, Gago GM, Palena CM, Gonzalez DH. 1998. Homeoboxes in plant development. *Biochimica et Biophysica Acta* **1442**: 1–19.

Chen JG, Ullah H, Young JC, *et al.* 2001. ABP1 is required for organized cell elongation and division in *Arabidopsis* embryogenesis. *Genes and Development* **15**: 902–911.

Chopra RN, Vashistha BD. 1990. The effect of auxins and antiauxins on shoot-bud induction and morphology in the moss, *Bryum atrovirens* Will. ex Brid. *Australian Journal of Botany* **38**: 177–184.

Coen ES, Meyerowitz EM. 1991. The war of the whorls: Genetic interactions controlling flower development. *Nature* **353**: 31–37.

Conway Morris S. 2000. The Cambrian 'explosion': Slow-fuse or megatonnage? *Proceedings of the National Academy of Sciences (USA)* **97**: 4426–4429.

Cooke TJ, Poli DB, Sztein AE, Cohen JD. 2002. Evolutionary patterns in auxin action. *Plant Molecular Biology* **49**: 319–338.

Cronk QCB. 2001. Plant evolution and development in a post-genomic context. *Nature Reviews Genetics* **2**: 607–619.

Crum H. 2001. *Structural Diversity of Bryophytes*. Ann Arbor, Michigan: University of Michigan Herbarium.

Dibb-Fuller JE, Morris DA. 1992. Studies on the evolution of auxin carriers and phytotropin receptors: Transmemebrane auxin transport in unicellular and multicellular Chlorophyta. *Planta* **186**: 219–226.

Eames AJ. 1936. *Morphology of Vascular Plants: Lower Groups*. New York: McGraw-Hill.

Edwards D. 2000. The role of Mid-Palaeozoic mesofossils in the detection of early bryophytes. *Philosophical Transactions of the Royal Society of London, Series B* **355**: 733–755.

Edwards D, Axe L. 2000. Novel conducting tissues in Lower Devonian plants. *Botanical Journal of the Linnean Society* **134**: 383–399.

Edwards D, Duckett JG, Richardson JB. 1995. Hepatic characters in the earliest land plants. *Nature* **374**: 635–636.

Edwards D, Wellman C. 2001. Embryophytes on land: The Ordovician to Lochkovian (Lower Devonian) record. In: Gensel PG, Edwards D, eds. *Plants Invade the Land: Evolutionary and Ecological Perspectives*. New York: Columbia University Press, 3–28.

Erwin D, Valentine J, Jablonski D. 1997. The origin of animal body plans. *American Scientist* **85**: 126–137.

Fischer C, Speth V, Fleig-Eberenz S, Neuhaus G. 1997. Induction of zygotic polyembryos in wheat: influence of auxin polar transport. *Plant Cell* **9**: 1767–1780.

Fischer-Iglesias C, Sundberg B, Neuhaus G, Jones AM. 2001. Auxin distribution and transport during embryonic pattern formation in wheat. *Plant Journal* **26**: 115–129.

Fortey R. 2001. The Cambrian explosion exploded. *Science* **293**: 438–439.

Gaal DJ, Dufresne SJ, Maravolo NC. 1982. Transport of ^{14}C-indoleacetic acid in the hepatic *Marchantia polymorpha*. *The Bryologist* **85**: 410–418.

Geier U, Werner O, Bopp M. 1990. Indole-3-acetic acid uptake in isolated protoplasts of the moss *Funaria hygrometrica*. *Physiologia Plantarum* **80**: 584–592.

Gellon D, McGinnis W. 1998. Shaping animal body plans in development and evolution by modulation of Hox expression patterns. *Bioessays* **20**: 116–125.

Gifford EM, Foster AS. 1989. *Morphology and Evolution of Vascular Plants*, 3rd edn. New York: Freeman.

Gilbert SF. 2000. *Developmental Biology*, 6th edn. Sunderland, Massachusetts: Sinaeuer Associates.

Goethe JW. 1790. *Versuch die Metamorphose der Pflanzen zu erklären*. Gotha: Ettinger.

Gould SJ. 1989. *Wonderful Life: The Burgess Shale and the Nature of History*. New York: Norton.

Graham LE. 1993. *Origin of Land Plants*. New York: Wiley.

Graham LE, Cook ME, Busse JS. 2000. The origin of plants: Body plan changes contributing to a major evolutionary radiation. *Proceedings of the National Academy of Sciences (USA)* **97**: 4535–4540.

Graham LE, Gray J. 2001. The origin, morphology, and ecophysiology of early embryophytes: Neontological and paleontological perspectives. In: Gensel PG, Edwards D, eds. *Plants Invade the Land: Evolutionary and Ecological Perspectives*. New York: Columbia University Press, 140–158.

Graham LE, Wilcox LW. 2000. The origin of alternation of generations in land plants: A focus on matrotrophy and hexose transport. *Philosophical Transactions of the Royal Society of London, Series B* **355**: 755–767.

Gray J. 1985. The microfossil record of early land plants: Advances in understanding of early terrestrialization, 1970–1984. *Philosophical Transactions of the Royal Society of London, Series B* **309**: 167–192.

Groff PA, Kaplan DR. 1988. The relation of root systems to shoot systems in vascular plants. *Botanical Review* **54**: 387–422.

Haccius B. 1952. Die Embryoentwicklung bei *Ottelia alismoides* und das Problem des terminalen Monokotylen-Keimblatts. *Planta* **40**: 443–460.

Haccius B. 1960. Experimentell induzierte Einkeimblättrigkeit bei *Eranthis hiemalis*. II. Monokotylie durch Pheylborsäure. *Planta* **54**: 482–497.

Hadfi K, Speth V, Neuhaus G. 1998. Auxin-induced developmental patterns in *Brassica juncea* embryos. *Development* **125**: 879–887.

Hamann T. 2001. The role of auxin in apical-basal pattern formation during *Arabidopsis* embryogenesis. *Journal of Plant Growth Regulation* **20**: 292–299.

Heckman DS, Geiser DM, Eidell BR, *et al.* 2001. Molecular evidence for the early colonization of land by fungi and plants. *Science* **293**: 1129–1133.

Henschel K, Kofuji R, Hasebe M, *et al.* 2002. Two ancient classes of MIKC-type MADS-box genes are present in the moss *Physcomitrella patens*. *Molecular Biology and Evolution* **19**: 801–814.

Holloway JE. 1921. Further studies on the prothallus, embryo, and young sporophyte of *Tmesipteris*. *Transactions of the New Zealand Institute* **53**: 386–422.

Holloway JE. 1939. The gametophyte, embryo, and young rhizome of *Psilotum triquetrum* Swartz. *Annals of Botany* **3**: 313–336.

Kaplan DR. 2001. The science of plant morphology: Definition, history, and role in modern biology. *American Journal of Botany* **88**: 1711–1741.

Kaplan DR, Cooke TJ. 1997. Fundamental concepts in the embryogenesis of dicotyledons: a morphological interpretation of embryo mutants. *Plant Cell* **9**: 1903–1919.

Karol KG, McCourt RM, Cimino MT, Delwiche CF. 2001. The closest living relatives to the land plants. *Science* **294**: 2351–2353.

Kaul KN, Mitra GC, Tripathi BK. 1962. Responses of *Marchantia* in aseptic culture to well-known auxins and antiauxins. *Annals of Botany* **26**: 447–467.

Kenrick P. 2000. The relationships of vascular plants. *Philosophical Transactions of the Royal Society of London, Series B* **355**: 847–855.

Kenrick P, Crane PR. 1997. *The Origin and Early Diversification of Land Plants: A Cladistic Study*. Washington: Smithsonian Institution Press.

Klambt D, Knauth B, Dittmann I. 1992. Auxin dependent growth of rhizoids of *Chara globularis*. *Physiologia Plantarum* **85**: 537–540.

Knoll AH, Carroll SB. 1999. Early animal evolution: Emerging views from comparative biology and geology. *Science* **284**: 2129–2137.

Krogan NT, Ashton NW. 2000. Ancestry of plant MADS-box genes revealed by bryophyte (*Physcomitrella patens*) homologues. *New Phytologist* **147**: 505–517.

Kumra S, Chopra RN. 1987. Callus initiation, its growth and differentiation in the liverwort *Asterella wallichiana* (Lehm. et Lindenb.) Groelle I. Effect of auxins and cytokinins. *Journal of the Hattori Botanical Laboratory* **63**: 237–245.

Lal M, Bhandari NN. 1968. The development of sex organs and sporophyte in *Physcomitrium cyathicarpum* Mitt. *The Bryologist* **71**: 11–20.

Liu C-M, Xu Z-H, Chua N-H. 1993. Auxin polar transport is essential for the establishment of bilateral symmetry during early plant embryogenesis. *Plant Cell* 5: 621–630.

Ljung K, Hull AK, Kowalczyk M, *et al.* 2002. Biosynthesis, conjugation, catabolism and homeostasis of indole-3-acetic acid in *Arabidopsis thaliana*. *Plant Molecular Biology* 49: 249–272.

Long JA, Moan EI, Medford JI, Barton MK. 1996. A member of the *KNOTTED* class of homeodomain proteins encoded by the *STM* gene of *Arabidopsis*. *Nature* 379: 66–69.

Lu P, Jernstedt JA. 1996. Rhizophore and root development in *Selaginella martensii:* Meristem transitions and identity. *International Journal of Plant Sciences* 157: 180–194.

Ma Y, Steeves TA. 1992. Auxin effects on vascular differentiation in Ostrich fern. *Annals of Botany* 70: 277–282.

Maravolo NC. 1976. Polarity and localization of auxin movement in the hepatic, *Marchantia polymorpha*. *American Journal of Botany* 63: 529–531.

Meicenheimer RD. 1981. Changes in *Epilobium* phyllotaxy induced by N-1-naphthylphthalmic acid and α-4-chlorophenoxyisobutric acid. *American Journal of Botany* 68: 1139–1154.

Meyerowitz EM. 2002. Plants compared to animals: The broadest comparative study of development. *Science* 295: 1482–1485.

Michalczuk L, Cooke TJ, Cohen JD. 1992a. Auxin levels at different stages of carrot somatic embryogenesis. *Phytochemistry* 31: 1097–1103.

Michalczuk L, Ribnicky DM, Cooke TJ, Cohen JD. 1992b. Regulation of indole-3-acetic acid biosynthetic pathways in carrot cell cultures. *Plant Physiology* 100: 1346–1353.

Nickrent DL, Parkinson CL, Palmer JD, Duff RJ. 2000. Multigene phylogeny of land plants with special reference to bryophytes and the earliest land plants. *Molecular Biology and Evolution* 17: 1885–1895.

Niklas KJ. 1997. *The Evolutionary Biology of Plants*. Chicago: University of Chicago Press.

Niklas KJ. 2000. The evolution of plant body plans: A biomechanical perspective. *Annals of Botany* 85: 411–438.

Nyman LP, Cutter EG. 1981. Auxin–cytokinin interaction in the inhibition, release, and morphology of gametophore buds of *Plagiomnium cupidatum* from apical dominance. *Canadian Journal of Botany* 59: 750–760.

Paolillo DJ. 1963. *The Developmental Anatomy of* Isoetes. Urbana: University of Illinois Press.

Paolillo DJ. 1982. Meristems and evolution: Developmental correspondence among the rhizomorphs of the lycopsids. *American Journal of Botany* 69: 1032–1042.

Partanen JN, Partanen CR. 1963. Observations on the culture of roots of the bracken fern. *Canadian Journal of Botany* 41: 1657–1661.

Peterson KJ, Davidson EH. 2000. Regulatory evolution and the origin of the bilaterians. *Proceedings of the National Academy of Sciences (USA)* 97: 4430–4433.

Peterson RL. 1970. Bud formation at the root apex of *Ophioglossum petiolatum*. *Phytomorphology* 20: 183–190.

Pryer KM, Schneider H, Smith AR, *et al.* 2001. Horsetails and ferns are a monoplyletic group and the closest living relatives to seed plants. *Nature* 409: 618–622.

Qiu Y-L, Cho Y, Cox JC, Palmer JD. 1998. The gain of three mitochondrial introns identifies liverworts as the earliest land plants. *Nature* 394: 671–674.

Randolph LF. 1936. Developmental morphology of the caryopsis of maize. *Journal of Agricultural Research* 53: 881–916.

Raff RA. 1996. *The Shape of Life: Genes, Development, and the Evolution of Animal Form*. Chicago: University of Chicago Press.

Reed RC, Brady SR, Muday GK. 1998. Inhibition of auxin movement from the shoot into the root inhibits lateral root development in *Arabidopsis*. *Plant Physiology* 118: 1369–1378.

Reinhardt D, Mandel T, Kuhlemeier C. 2000. Auxin regulates the initiation and radial position of plant lateral organs. *Plant Cell* 12: 507–518.

Renzaglia KS, Duff RJ, Nickrent DL, Garbary DJ. 2000. Vegetative and reproductive innovations of early land plants: Implications for a unified phylogeny. *Philosophical Transactions of the Royal Society of London, Series B* 355: 769–793.

Ribnicky DM, Cohen JD, Hu WS, Cooke TJ. 2002. An auxin surge following fertilization in carrots: a general mechanism for regulating plant totipotency. *Planta* **214**: 505–509.

Ribnicky DM, Ilic N, Cohen JD, Cooke TJ. 1996. The effects of exogenous auxins on endogenous indole-3-acetic acid metabolism. The implications for carrot somatic embryogenesis. *Plant Physiology* **112**: 549–558.

Roberts LW, Gahan PB, Aloni R. 1988. *Vascular Differentiation and Plant Growth Regulators*. Berlin: Springer-Verlag.

de Rosa R, Grenier JK, Andreeva T, *et al.* 1999. Hox genes in brachiopods and priapulids and protostome evolution. *Nature* **399**: 722–776.

Rose S, Bopp M. 1983. Uptake and polar transport of indoleacetic acid in moss rhizoids. *Physiologia Plantarum* **58**: 57–61.

Rose S, Rubery PH, Bopp M. 1983. The mechanism of auxin uptake and accumulation in moss protonemata. *Physiologia Plantarum* **58**: 52–56.

Sachs T. 1991. Cell polarity and tissue patterning in plants. *Development (Supplement)* **1**: 83–93.

Schiavone FM, Cooke TJ. 1987. Unusual patterns of somatic embryogenesis in the domesticated carrot: Developmental effects of exogenous auxins and auxin transport inhibitors. *Cell Differentation* **21**: 53–62.

Slack MW, Holland PWH, Graham CF. 1993. The zootype and the phylotypic stage. *Nature* **361**: 490–492.

Smith GM. 1955. *Cryptogamic Botany: Volume II, Bryophytes and Pteridophytes*. New York: McGraw-Hill.

Souèges R. 1931. L'embryon chez *Sagittaria sagittaefolia* L. Le cone végétatif de la tige et l'extrémité radiculaire chez les monocotylédones. *Annales de Sciences Naturelles. Botanique et Biologie Végétale, 10e Série* **13**: 353–402.

Souter M, Lindsey K. 2000. Polarity and signalling in plant embryogenesis. *Journal of Experimental Botany* **51**: 971–983.

Stein W, 1993. Modelling the evolution of stelar architecture in vascular plants. *International Journal of Plant Science* **154**: 229–263.

Steinmann T, Geldner N, Grebe M, *et al.* 1999. Coordinated polar localization of auxin efflux carrier PIN1 by GNOM ARF GEF. *Science* **286**: 316–318.

Swamy BGL, Laksmanan KK. 1962. The origin of epicotyledonary meristem and cotyledon in *Halophila ovata* Gaudich. *Annals of Botany* **26**: 243–249.

Sztein AE, Cohen JD, Cooke TJ. 2000. Evolutionary patterns in the auxin metabolism of green plants. *International Journal of Plant Sciences* **161**: 849–859.

Sztein AE, Cohen JD, de la Fuente IG, Cooke TJ. 1999. Auxin metabolism in mosses and liverworts. *American Journal of Botany* **86**: 1544–1555.

Sztein AE, Cohen JD, Slovin JP, Cooke TJ. 1995. Auxin metabolism in representative land plants. *American Journal of Botany* **82**: 1514–1521.

Taylor TN, Taylor EL. 1993. *The Biology and Evolution of Fossil Plants*. Englewood Cliffs, New Jersey: Prentice Hall.

Theissen G, Becker A, Di Rosa A, *et al.* 2000. A short history of MADS-box genes in plants. *Plant Molecular Biology* **42**: 115–149.

Theissen G, Munster T, Henschel K. 2001. Why don't mosses flower? *New Phytologist* **150**: 1–5.

Thomas RJ. 1980. Cell elongation in hepatics: The seta system. *Bulletin of the Torrey Botanical Club* **107**: 339–345.

Troll W. 1943. *Vergleichende Morphologie der höheren Pflanzen. Erster Band Vegetationsorgane. Dritter Teil.* Berlin: Gebrüder Bomtraeger.

Troll W. 1959. *Allgemeine Botanik*. Stuttgart: Enke Verlag.

Uggla C, Mellerowicz EJ, Sundberg B. 1998. Indole-3-acetic acid controls cambial growth in Scots pine by positional signaling. *Plant Physiology* **117**: 113–121.

Uggla C, Moritz T, Sandberg G, Sundberg B. 1996. Auxin as a positional signal in pattern formation in plants. *Proceedings of the National Academy of Sciences (USA)* **93**: 9282–9286.

Valentine JW, Jablonski D, Erwin DH. 1999. Fossils, molecules and embryos: New perspectives on the Cambrian explosion. *Development* **126**: 851–859.

Vergara-Silva F, Martinez-Castilla L, Alvarez-Buylla E. 2000. MADS-box genes: development and evolution of plant body plans. *Journal of Phycology* **36**: 803–812.

Wardlaw CW. 1955. *Embryogenesis in Plants*. New York: Wiley.

Wardlaw CW. 1957. Experimental and analytical studies of pteridophytes. XXXVII. The effects of direct applications of various substances to the shoot apex of *Dryopteris austriaca* (*D. aristata*). *Annals of Botany* **21**: 427–437.

Williams RW. 1998. Plant homeobox genes: Many functions stem from a common motif. *Bioessays* **20**: 280–282.

Wochok ZS, Sussex IM. 1975. Morphogenesis in *Selaginella*. III. Meristem determination and cell differentiation. *Developmental Biology* **47**: 376–383.

Yamashita T. 1976. Über die Embryo- und Wurzelentwicklung bei *Aponogeton madagascariensis*. *Journal of the Faculty of Science, University of Tokyo. Section III. Botany* **12**: 37–63.

6

Aquaporins: structure, function and phylogenetic analysis

Joost T van Dongen and Adrianus C Borstlap

CONTENTS

Introduction

The colonization of land by plants – one of the most important events in the history of planet Earth – coincided with the diversification of basal embryophytes, which led to the emergence of mosses, horsetails, ferns and seed plants (Kenrick and Crane, 1997). The first embryophytes evolved as far back as 500 million years (Ma) ago from charophycean green algae, probably on the margins of drying pools. The earliest land plants inhabited damp places and were poikilohydric, that is their degree of hydration depended on atmospheric humidity. Large central vacuoles are typical of plant cells and must have already been present in the algal ancestors. In the earliest land plants vacuoles may have served, for the first time, as a reserve water supply stabilizing the hydration of the cytoplasm during short periods of drought stress (Wiebe, 1978).

The transition of poikilohydric into homoiohydric organisms has been a major step in the evolution of plants and allowed them to invade drier habitats (Walter and Stadelmann, 1968). Homoiohydric plants can maintain a constant internal water balance independent of atmospheric humidity. Their aerial parts are characterized by internal gas spaces and, more importantly, by a cuticle and closable stomata by which transpiration can be regulated.

The Evolution of Plant Physiology
ISBN 0–12–33955–26

The emergence of homoiohydric plants also required the innovation of a root system, or some similar underground structure, to exploit soil water resources (Raven and Edwards, 2001). In addition, an endohydric water-conducting system was needed to supply water to the aerial parts at rates sufficient to support the transpiratory loss of water during photosynthesis. Early land plants had an unexpected diversity of conducting cells, which evolved by parallel evolution (Ligrone *et al.*, 2000). Among these, the precursors of the xylem tracheary elements were the most successful and became the water-conducting system of all vascular plants (Friedman and Cook, 2000). At the same time the phloem evolved as a food conducting system to supply the heterotrophic roots with the products of photosynthesis.

The tracheal system in the xylem provides a low-resistance, apoplasmic pathway for the upward flow of water. But the passage of water through plant tissues also involves symplasmic and transcellular pathways and, therefore, transmembrane water fluxes (Steudle and Peterson, 1998). The sieve elements in the phloem constitute a symplasmic route by which organic nutrients are translocated. Being hydraulically operated, the functioning of this food-conducting system depends on the influx of water into the sieve elements at the loading site and the efflux of water at the site of unloading. Influx and efflux of water across the plasmalemma and tonoplast is also at the basis of turgor-regulated movements in plants, such as the opening and closure of stomata and the diurnal movements of leaf pulvini. Thigmotropic, turgor-dependent movements may be very fast as, for example, in the pulvini of the sensitive plant (*Mimosa pudica* Mimosa pudica L.), the traps of insectivorous plants (*Dionaea* Dionaea Ellis, *Utricularia* Utricularia L.), and the gynostemium of trigger plants (*Stylidium*). These rapid movements (15–30 ms in *Stylidium* Stylidium Sw. ex Willd) are thought to result from a very fast efflux of both solutes and water from motor cells (Hill and Findlay, 1981).

Transport of water across cell membranes

In the 18th century, Stephen Hales was the first to measure the transpiration of plants and the force of upward sap pressure in stems (Hales, 1727). Since then, the study of water flows and water relations in plants has been a major theme in plant physiology, though the mechanism by which water crosses plant cell membranes has received relatively little attention. The basic structure of cell membranes is a fluid lipid bilayer, which mainly consists of phospholipids and sterols. The intrinsic (or integral) membrane proteins are 'floating' in this 'sea' of lipid molecules, whereas extrinsic membrane proteins are located on both surfaces of the membrane (Singer and Nicolson, 1972). The lipid bilayer is a real barrier for water movements, impeding the diffusion of water by at least a factor of 3000.

Water can cross a membrane by diffusion or in response to an osmotic pressure gradient. The rate at which water permeates a membrane may accordingly be defined by the diffusion permeability coefficient (P_d) or by the osmotic permeability coefficient (P_f). Interestingly, the relationship between P_f and P_d depends on the nature of the membrane. For an 'oil' membrane, such as a phospholipid bilayer, the concentration of water within the membrane is so low that interactions between water molecules may be neglected. As a consequence, P_f and P_d for such membranes are equal. This may be different for porous membranes. If the movement of water through the membrane is restricted to the pores, and if the pores are so narrow that the transport of water molecules occurs in a single file, the remarkable relationship $P_f/P_d = N$ can be derived, where N is the number of water molecules in the single file that fills the pore (Finkelstein, 1987).

The permeability of lipid membranes for water has been the subject of intensive investigations (Finkelstein, 1987). Depending on parameters such as lipid chain length, degree of chain saturation and sterol content, P_f (or P_d), values for artificial lipid bilayers have been found to span almost three orders of magnitude, ranging from 2×10^{-5} to 1×10^{-2} cm s^{-1}. As these values encompass nearly the entire range of values reported for cell membranes it seemed that the water permeability of a membrane was fully attributable to its bilayer structure. Besides the magnitude of P_f, however, some additional issues remained that required an explanation. First, the P_f and P_d values for cell membranes were often found to be widely different. In careful experiments with red cell membranes, for instance, P_d amounted to 0.37×10^{-2} cm s^{-1}, whereas the value of P_f was nearly 6-fold higher and determined at 2.15×10^{-2} cm s^{-1} (Moura et al., 1984). Secondly, unlike the water flux through lipid bilayers, that through cell membranes could be largely inhibited by sulphydryl reagents such as p-chloromercuribenzene sulphonate (pCMBS), indicating that a proteinaceous channel is involved. Finally, the water permeability of epithelial cells in the urinary bladder of frog and toad and the mammalian collecting kidney tubules can increase up to 50-fold in response to vasopressin (the 'antidiuretic hormone'). This hormonal regulation is difficult to explain if water transport occurred exclusively through the bilayer. Thus around 1985 evidence had accumulated that the membranes of animal cells could contain pores which transported water and little else (Finkelstein, 1987). Similar conclusions were reached from studies of water transport into characean cells (Wayne and Tazawa, 1990). The nature of these pores, however, remained a mystery.

Discovery of aquaporins and the MIP-family

The first aquaporin was serendipitously discovered in Peter Agre's laboratory during efforts to purify the 32-kDa subunit of the red cell Rh blood group antigen. A novel 28-kDa protein was found, which displayed some similarity with certain channel-forming integral proteins, hence its name CHIP28. Further studies showed that the protein was also abundantly present in the epithelia of proximal tubules and thin descending limbs of rat kidneys. Renal epithelia are the site of intense water transport. In humans they are responsible for the absorption of 180 litres of fluid each day. Its presence in the kidney therefore sparked the idea that the novel 28-kDa polypeptide may be the long sought water channel (Agre et al., 1998; Borgnia et al., 1999). When the gene coding for CHIP28 was cloned this hypothesis could be tested by expression in oocytes of the African claw frog, Xenopus laevis. After injection of cRNA of CHIP28 into the oocytes, the permeability of oocyte membrane for water increased dramatically (from $\sim 0.2 \times 10^{-2}$ to $\sim 2 \times 10^{-2}$ cm s^{-1}), which caused them to explode rapidly when transferred to a hypotonic medium (Preston et al., 1992). Thus CHIP28 was identified as the first water-transporting protein and aptly renamed as aquaporin 1 (AQP1).

AQP1 belongs to the family of major intrinsic proteins (MIPs), one of the 46 families of the class of α-helix-type channels (Saier, 2000). The family has been named after the major intrinsic protein in the cell membrane of lens fibre cells, where it comprises >60% of the membrane proteins (Gorin et al., 1984). The existence of the MIP family first transpired when striking similarities were noticed in the amino acid sequences of the MIP from eye lens fibre cells (now known as AQP0) and two other membrane proteins from quite disparate cells (Baker and Saier, 1990). One of these was GlpF, the glycerol facilitator in the cell membrane of Escherichia coli. The other was Nodulin 26, a plant-encoded abundant protein isolated from the peribacteroid membrane of soybean nodules. At the time CHIP28 joined the family and was identified as the first aquaporin, some additional plant members of the MIP family were already known. These included the turgor-responsive gene *clone 7a/TRG-31* from the pea (Guerrero *et al.*, 1990; Guerrero and Crossland, 1993); *TobRB7*, which was identified in a cDNA library from tobacco roots (Yamamoto *et al.*, 1990); and α-TIP, an abundant protein from the tonoplast of protein-storing vacuoles in seeds of the common bean (Johnson *et al.*, 1990). The gene that codes for another tonoplast localized MIP-like protein in *Arabidopsis thaliana* (L.) Heynh, called γ-TIP, was also cloned in Maarten Chrispeels' laboratory, and subsequently characterized as the first plant aquaporin (Höfte *et al.*, 1992; Maurel *et al.*, 1993). The discovery of the PIPs, plant aquaporins that localize to the plasma membrane, followed soon after (Kammerloher *et al.*, 1994).

Structure and function of MIPs

Most MIPs are composed of 250–290 amino acids. All have six hydrophobic, putative transmembrane helices, which are connected by loops (Figure 6.1). The two halves of the protein exhibit substantial sequence similarity to one another. The B and E loop contain the asparagine–proline–alanine (NPA) motif which is highly characteristic for aquaporins. Because of the uneven number of transmembrane helices in each repeat, the two domains are obversely oriented in the membrane.

The functionality of MIPs is generally assessed after expression in *Xenopus* oocytes. These studies have shown that most MIPs can be classified either as aquaporins, which selectively facilitate the transport of water across the membrane, or as aquaglyceroporins that transport water as well as glycerol. Recently atomic models were published for the proto-types of the two functional classes, AQP1 and GlpF (Murata *et al.*, 2000; Fu *et al.*, 2000).

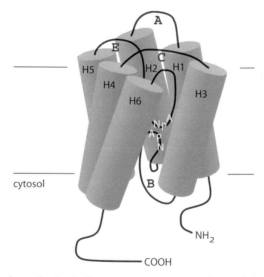

Figure 6.1 Topology of a major intrinsic protein. Six transmembrane helices (H1–6) are linked by loops (A–E). Loops B and E contain the highly conserved asparagine–proline–alanine (NPA) motif and bend inward into the protein. The NH$_2$- and COOH-termini are localized in the cytosol, whereas the opposite part of the protein is orientated towards the apoplast or the vacuolar lumen. Note that loop D between helices 4 and 5 is not visible in this figure.

Although AQP1 and GlpF are less than 30% identical, their gross structural features are very similar. Both proteins are right-handed helix bundles, organized in two symmetrical domains. The aquaporin has a narrow central constriction and wider external openings. The aqueous pathway is largely lined with hydrophobic residues that permit rapid water transport. The narrowest part of the pore, 0.3 nm (3 Å) wide, is in the centre of the membrane, just behind the region where loops B and E interact with each other. Four hydrophobic amino acid residues in helices 1, 2, 4, and 5, respectively, together with the asparagines of the NPA-motifs line the inside of the constriction pore (Murata *et al.*, 2000). The unit permeability of AQP1 has been determined at $\sim 10^9$ water molecule per second, remarkably close to the value predicted by theory (Sansom and Law, 2001).

In GlpF the selectivity filter consists of a 2.8 nm (28 Å) long, 0.34–0.38 nm (3.4–3.8 Å) wide amphipathic channel. The alkyl backbone of the glycerol molecule is wedged against the hydrophobic side of the channel, whereas the three hydroxyl groups of glycerol form successive hydrogen bonds with side groups of the hydrophilic side of the pore (Fu *et al.*, 2000).

MIPs of bacteria, fungi and animals

The genomes of the archaebacteria *Archaeoglobus fulgidus* and *Methanobacterium thermoautotrophicum* contain a single gene that codes for a MIP (Figure 6.2), but MIPs are lacking in *Methanococcus janaschii* and other sequenced archaea. Bacteria and fungi may possess MIPs of the aquaporin or the aquaglyceroporin type (Hohmann *et al.*, 2000). In *E. coli* the aquaporin AqpZ is involved in cellular hydration, whereas GlpF has a role in the utilization of glycerol. In the genome of bakers' yeast (*Saccharomyces cerevisiae*) three genes are related to aquaglyceroporins and three others to aquaporins. Curiously, most laboratory strains have no functional aquaporins because of mutations in the coding genes. Glycerol is an important osmolyte in many fungi, including yeast. The yeast aquaglyceroporin Fps1 is involved in the export of glycerol when the cells are exposed to a hypotonic medium (Luyten *et al.*, 1995).

The worm *Caenorhabditis elegans* has eight MIP genes (Kuwahara *et al.*, 1998). Only a few MIPs are known from insects. One is BIB (big brain) of *Drosophila*, which is a homologue of the mammalian AQP4. Another insect MIP is AQP_{cic} which was identified in the filter chamber of a sap-sucking cicada (*Cicadella viridis*) and, recently, the presence of an aquaporin in the Malpighian tubules of the bug *Rhodnius prolixus* was demonstrated (Borgnia *et al.*, 1999; Echevarría *et al.*, 2001).

In mammals 11 different MIPs have been identified. The mammalian aquaporins (AQP0, AQP1, AQP2, AQP4, AQP5, AQP8) play key roles in transmembrane water fluxes in many tissues (reviewed by Deen and Van Os, 1998; Borgnia *et al.*, 1999). Kidney, airways, eye and brain have tissues with complex expression patterns involving multiple aquaporins and aquaglyceroporins. The kidney, for instance, harbours at least four aquaporins and two aquaglyceroporins. AQP0 seems to be expressed exclusively in lens fibre cells, whereas AQP1 is expressed widely in various epithelial and capillary endothelia, including proximal tubule and thin descending limb in kidney. In kidney collecting ducts AQP2 mediates the vasopressin-induced increase in water permeability, which is required for the concentration of urine. AQP4 is the main aquaporin in brain. AQP5 resides in lung and salivary and lachrymal glands and presumably regulates airways humidification and the release of saliva and tears. AQP8 is found in various tissues, including those of testis, pancreas and liver. AQP6 is the only known intracellular aquaporin in animal cells. It has

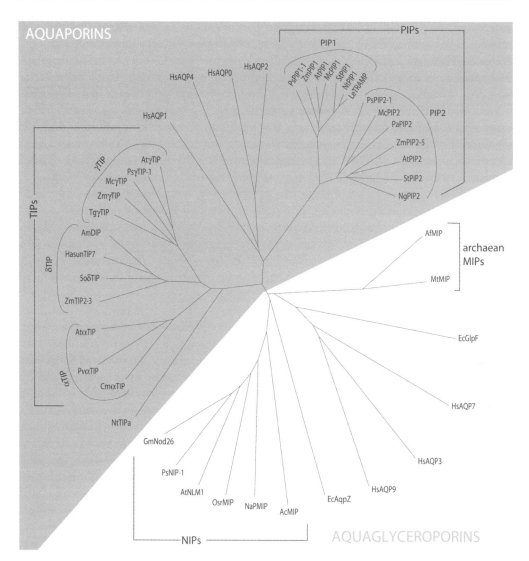

Figure 6.2   Phylogenetic analysis of some selected members of the family of major intrinsic proteins. Included are the MIPs from archaebacteria, the two MIPs from *E. coli*, several human MIPs and representatives of three subfamilies of plants MIPs (PIPs, plasmamembrane intrinsic proteins; TIPs, tonoplast intrinsic proteins; NIPs, Nodulin 26-like MIPs). Protein sequences were aligned using ClustalW at DDBJ (http://www.ddbj.nig.ac.jp/) and the tree was drawn with TreeView 1.6.5 (Page, 1996). Amino acid sequences of the following proteins were used as input. Plant PIP1-members: *Pisum sativum* PsPIP1-1 (P25794), *Zea mays* ZmPIP1 (Q9XF59), *Arabidopsis thaliana* AtPIP1 (Q39196), *Mesembryanthemum crystallinum* McPIP1 (Q40266), *Solanum tuberosum* StPIP1 (Q9XGF4), *Nicotiana tabacum* NtPIP1 (O24662), *Lycopersicon esculentum* LeTRAMP (Q08451). Plant PIP2-members: *Pisum sativum* PsPIP2-1 (Q9XGG8), *Zea mays* ZmPIP2-5 (Q9XF58), *Arabidopsis thaliana* AtPIP2 (P43287), *Mesembryanthemum crystallinum* McPIP2 (O24050), *Solanum tuberosum* StPIP2 (Q9XGF3), *Nicotiana glauca* NgPIP2 (Q9FPZ7), *Picea abies* PaPIP2 (O49921). Plant αTIP-members: *Phaseolus vulgaris* PvαTIP (P23958), *Arabidopsis thaliana* AtαTIP (P26587), *Cucurbita maxima* CmαTIP (Q39646). Plant γTIP-members: *Pisum sativum* PsγTIP (Q9XGG6), *Tulipa gesneriana* TgγTIP (Q41610), *Arabidopsis thaliana* AtγTIP (P25818), *Zea mays* ZmγTIP (O64964), *Mesembryanthemum crystallinum* McγTIP (O24048). Plant δTIP-members: *Spinacia oleracea* SoδTIP (Q9SM46), *Helianthus annuus* HasunTIP7 (Q39958), *Antirrhinum majus* AmDIP (P33560), *Zea*

low water permeability but, interestingly, is also permeable for anions (Yasui *et al.*, 1999). Of the aquaglyceroporins AQP3 is abundantly expressed in kidney collecting duct and at lower levels at multiple sites including airways, whereas AQP10 seems to be specific for the intestine (Ishibashi *et al.*, 2002). AQP9 from the liver is an extraordinary aquaglyceroporin as it is also permeable for various other neutral solutes (Tsukaguchi *et al.*, 1998). The aquaglyceroporin AQP7, isolated from testis, is identical to AQPap from adipocytes, which is involved in the glycerol export during lipolysis (Kishida *et al.*, 2000, 2001). The physiological role of the other aquaglyceroporins is not so clear.

Plant MIPs

Genes coding for MIPs are particularly abundant in plant genomes. In *Arabidopsis* as many as 35 MIP-genes have been recorded, which is 3-fold more than in any other sequenced organism and hints at the importance of hydraulics in a wide range of plant processes. Based on sequence homology, members of the MIP-family in higher plants fall into three major subgroups: the plasma membrane intrinsic proteins (PIPs), the tonoplast intrinsic proteins (TIPs), and the Nodulin 26-like MIPs (NLMs or NIPs). A fourth subfamily, the short, basic intrinsic proteins (SIPs), was recently revealed by genomic analysis, but nothing is known about their function, intracellular localization or expression patterns. *Arabidopsis* possesses 13 PIPs, 10 TIPs, 9 NIPs and 3 SIPs (Johanson *et al.*, 2001).

The PIP subfamily can be further divided into the highly homologous but clearly distinct subgroups PIP1 and PIP2, which differ significantly in the N- and C-terminus (Kammerloher *et al.*, 1994). Inasmuch as PIP2-members expressed in *Xenopus* oocytes induce relatively high permeabilities for water, but not for small neutral solutes like glycerol and urea, they may be regarded as orthodox aquaporins. The function of PIP1-members is less clear because, after expression in oocytes, they show a much lower aquaporin activity than PIP2-members or no activity at all (Kammerloher *et al.*, 1994; van Dongen, 2001). On the basis of circumstantial evidence it has been suggested that some PIP1-members (TRG-31 from pea and the ripening-associated membrane protein from tomato, TRAMP) might function as solute transporters (Jones and Mullet, 1995; Chen *et al.*, 2001). Another PIP1-member from maize expressed in oocytes slightly increased the transport of boric acid (Dordas *et al.*, 2000).

On the basis of a phylogenetic analysis of TIPs in *Arabidopsis* and maize, five subgroups are currently distinguished (Chaumont *et al.*, 2001; Johanson *et al.*, 2001). Best known are the α-, γ-, and δ-TIPs which, according to a newly proposed nomenclature are designated as the TIP3-, TIP1- and TIP2-group, respectively (Johanson *et al.*, 2001). Representatives of the α-, γ-, and δ-TIPs have been shown to function as aquaporins (reviewed by van Dongen, 2001). Different vacuolar compartments in the plant cell may

---

mays ZmTIP2-3 (O81216), *Nicotiana tabacum* NtδTIPa (Q9XG70). Members of the plant NIP-subfamily: *Pisum sativum* PsNLM (Q9XGG7), *Glycine max* GmNod26 (P08995), *Arabidopsis thaliana* AtNLM1 (O48595), *Oryza sativa* OsrMIP (Q40746), *Nicotiana alata* NaPMIP (P49173), *Adiantum capillus-veneris* AcMIP (Q9FXW2). Human aquaporins: *Homo sapiens* HsAQP0 (P30301), HsAQP1 (P29972), HsAQP2 (P41181), HsAQP4 (P55087). Human aquaglyceroporins: *Homo sapiens* HsAQP3 (Q92482), HsAQP7 (O14520), HsAQP9 (O43315). MIPs from *Escherichia coli* EcAqpZ (P48838), EcGlpF (P11244). Archaean MIPs: *Archaeoglobus fulgidus* AfMIP (O28846), *Methanobacterium thermoautotrophicum* MtMIP (O26206).

have different complements of TIP-subtypes. The α-TIPs are found in the membrane of protein storage vacuoles in seeds, whereas δ-TIPs localize to the membrane of vacuoles containing vegetative storage proteins and pigments. The γ-TIPs are typical for the membrane of lytic vacuoles, but may be also present in the tonoplast of storage vacuoles together with α- and/or δ-TIPs (Jauh *et al.*, 1999).

NIPs probably represent the most ancient MIPs in the plant kingdom, as their closest homologues are the MIPs from the archaebacteria (see Figure 6.2). The best-studied NIP is Nodulin 26, the major intrinsic protein of the peribacteroid membrane of the soybean nodule (Dean *et al.*, 1999, and references therein). Nodulin 26 as well as LIMP2 from the legume *Lotus japonicus* (Regel) K. Larsen (Guenther and Roberts, 2000) are exclusively expressed in nodules. A pea homologue (possibly orthologue) of Nodulin 26 is specifically expressed in the coat (integument) of developing seeds (van Dongen, 2001). It may be noted that the peribacteroid membrane in nodules and the plasma membrane of seed coat parenchyma cells have a common function. Both membranes have to accommodate the export of a variety of nutrients from the cytosol of the plant cell to feed the symbiotic bacteroids or the plant embryo.

It has been suggested repeatedly that the Nodulin 26 channel might be involved in the release of nutrients from the host cell, but up to now only two transport functions have been revealed. When expressed in oocytes, Nodulin 26 appears to function as a channel for water and glycerol (Dean *et al.*, 1999), whereas purified Nodulin 26 reconstituted in lipid vesicles functions as an ion channel (Lee *et al.*, 1995).

Though once thought to be unique for the legume nodule, NIPs have also been identified in non-legumes. The NIPs from *Arabidopsis* were reported to be expressed exclusively (*AtNLM1* and *AtNLM5*) or predominantly (*AtNLM2* and *AtNLM4*) in roots (Weig and Jakob, 2000 and references therein). A gene coding for a NIP was also cloned from the pollen of *Nicotiana alata* Link and Otto and another one from rice anthers (Liu *et al.*, 1994), the latter being expressed in shoots but not in roots. Interestingly, the only MIP-gene cloned so far from a non-seed plant, the fern *Adiantum capillus-veneris* L., belongs to the NIP sub-family (see Figure 6.2). As compared with other MIP genes, those coding for non-nodule NIPs seem to be expressed at low levels. Because the peribacteroid membrane is derived from the plasma membrane of the host cell, it may be expected that the non-nodule NIPs are localized in the latter membrane, but experimental evidence for this is lacking.

Classification of the NIP-subfamily into the aquaporin cluster (Heymann and Engel, 1999) has now to be revised because the five NIP-members whose functionality has been assessed all appeared to transport water as well as glycerol (reviewed by van Dongen, 2001). This seems to imply that members of the NIP-subfamily are the aquaglyceroporins of plants. As for mammalian aquaglyceroporins, the physiological significance of their plant counterparts is largely unknown. Glycerol is generally not regarded as an important osmolyte in plants, although the possibility that it might be so in certain specialized cells cannot be excluded.

That NIPs are aquaglyceroporins is underscored by sequence alignments with other glycerol transporters. The constriction pore (selectivity filter) in GlpF is lined by three residues: Trp^{48}, Phe^{200} and Arg^{206}, which are crucial for the selective permeation of glycerol by this transporter (Fu *et al.*, 2000; Unger, 2000). Alignment of several glycerol-transporting MIPs showed that a tryptophan residue similar to Trp^{48} in GlpF is conserved in Fsp1, the glycerol facilitator from *Saccharomyces cerevisiae*, and in several members of the NIP-subfamily, whereas in the mammalian aquaglyceroporins (AQP3, AQP7 and AQP9) it is replaced by a phenylalanine residue (van Dongen, 2001).

Plant aquaporins may play a role in a wide variety of processes, from water uptake during cell elongation to the water fluxes through plant tissues that are linked to the transpiration stream. Most likely they are also involved in other hydraulic processes such as the translocation of organic nutrients through sieve elements and turgor dependent movements of stomata, pulvini and the traps of insectivorous plants. The vacuolar aquaporin γTIP seems to play a crucial role in the large and rapid turgor variations in pulvinar motor cells of the sensitive plant *Mimosa pudica* (Fleurat-Lessard *et al.*, 1997).

As for other multigene families the expression of various MIPs in plants probably runs the gamut from general and overlapping to specific and localized. Expression of certain plant aquaporins is regulated by blue light, gibberellic acid or water deprivation. Specific aquaporins are involved in the inhibition of self-pollination, nematodal infection and the interaction between the plant parasite *Cuscuta* L. with its host (reviewed by Maurel, 1997; Werner *et al.*, 2001).

Phylogenetic analysis

Phylogenetic analysis of MIP sequences reveals two main clusters (see Figure 6.2), which have been designated as the AQP and GLP cluster (Heymann and Engel, 1999). The AQP cluster includes the plant aquaporins of plasma membrane and tonoplast and the animal aquaporins. The GLP cluster includes the aquaglyceroporins of bacteria, yeast, animals and plants (NIPs), but also AqpZ, the aquaporin from *E. coli*, and the two MIPs from archaebacteria.

One interpretation of this analysis could be that the common ancestor of archaea, bacteria and eukaryotes contained a single gene that coded for a MIP. This gene may be thought to have persisted in extant archaebacteria, while a gene duplication in the common ancestor of bacteria and eukaryotes gave rise to aquaporins and aquaglyceroporins. This scenario would provide a simple explanation for the presence of the two functional MIP-types in all major clades, except the archaea. However, it seems now generally accepted that the precursor of the eukaryotic cell originated from an archaean line and that this event was preceded by an earlier diversification into the bacteria and archaeans (Doolittle, 1999; Woese, 2000). This would mean that the bacterial aquaglyceroporins (such as GlpF) and those of eukaryotes (the mammalian AQP3, AQP7, AQP9 and AQP10 and the NIP-members in plants) have evolved by parallel evolution.

Nearly all known sequences of plant MIPs are from angiosperms. Members of the PIP1 and PIP2 subtypes as well as of the α, γ, and δ subtypes of TIPs are present in both monocotyledons and dicotyledons. This indicates that the various subtypes of plant aquaporins were already invented before the two angiosperm classes diverged. Gymnosperm MIPs are represented in the databases by a few PIP1- and PIP2-members. The only MIP-gene cloned so far from a non-seed plant, the fern *Adiantum capillus-veneris*, belongs to the NIP subfamily (see Figure 6.2). Among the 10954 sequences in an EST library of the moss *Physcomitrella patens* (Hedw.) Bruch Schimp. (http://www.moss.leeds.ac.uk) we found only a single fragment of a MIP gene. This fragment (GenBank acc. no. AW476973) is most similar to the corresponding fragment of a gymnosperm PIP2-member.

It seems likely that the plant aquaporins of the plasma membrane (PIPs) and the tonoplast (TIPs) are derived from a common ancestor. Tonoplast aquaporins probably arose after the diversification of fungi and green plants, because the vacuole membrane in fungi, at least that in yeast, seems to lack aquaporins. The various types of TIPs possibly evolved concurrently with the emergence of distinct types of plant vacuoles. Because of the lack of information of MIPs in green algae, bryophytes, lycopods, horsetails and ferns we have no idea when the various types of PIPs and TIPs have originated during the evolution of plants.

Acknowledgement

We thank Jolanda A.M.J. Schuurmans for constructing the phylogenetic tree in Figure 6.2.

References

Agre P, Bonhivers M, Borgnia MJ. 1998. The aquaporins, blueprints for cellular plumbing systems. *The Journal of Biological Chemistry* **273**: 14659–14662.

Baker ME, Saier Jr MH. 1990. A common ancestor for bovine lens fiber major intrinsic protein, soybean nodulin-26 protein, and *E. coli* glycerol facilitator. *Cell* **60**: 185–186.

Borgnia M, Nielsen S, Engel A, Agre P. 1999. Cellular and molecular biology of the aquaporin water channels. *Annual Review of Biochemistry* **68**: 425–458.

Chaumont F, Barrieu F, Wojcik E, *et al.* 2001. Aquaporins constitute a large and highly divergent protein family in maize. *Plant Physiology* **125**: 1206–1215.

Chen G, Wilson ID, Kim SH, Grierson D. 2001. Inhibiting expression of a tomato ripening-associated membrane protein increases organic acids and reduces sugar levels of fruit. *Planta* **212**: 799–807.

Dean RM, Rivers RL, Zeidel ML, Roberts DM. 1999. Purification and functional reconstitution of soybean nodulin 26. An aquaporin with water and glycerol transport properties. *Biochemistry* **38**: 347–353.

Deen PMT, Van Os CH. 1998. Epithelial aquaporins. *Current Topics in Cell Biology* **10**: 435–442.

van Dongen JT. 2001. *Transport Processes in Pea Seed Coats*. D. Phil. Thesis, Utrecht University.

Doolittle WF. 1999. Phylogenetic classification and the universal tree. *Science* **284**: 2124–2128.

Dordas C, Chrispeels MJ, Brown PH. 2000. Permeability and channel-mediated transport of boric acid across membrane vesicles isolated from squash roots. *Plant Physiology* **124**: 1349–1362.

Echevarría M, Ramírez-Lorca R, Hernández CS, *et al.* 2001. Identification of a new water channel (Rp-MIP) in the Malpighian tubules of the insect *Rhodnius prolixus*. *Pflügers Archiv: European Journal of Physiology* **442**: 27–34.

Finkelstein A. 1987. *Water Movement Through Lipid Bilayers, Pores, and Plasma Membranes. Theory and Reality*. New York: Wiley.

Fleurat-Lessard P, Frangne N, Maeshima M, *et al.* 1997. Increased expression of vacuolar aquaporin and H^+-ATPase related to motor cell function in *Mimosa pudica* L. *Plant Physiology* **114**: 827–834.

Friedman WE, Cook ME. 2000. The origin and early evolution of tracheids in vascular plants: integration of palaeobotanical and neobotanical data. *Philosophical Transactions of the Royal Society of London – Biological Sciences* **355**: 857–868.

Fu D, Libson A, Miercke LJW, Weitzman C, *et al.* 2000. Structure of a glycerol-conducting channel and the basis for its selectivity. *Science* **290**: 481–486.

Gorin MB, Yancey SB, Cline J, *et al.* 1984. The major intrinsic protein (MIP) of the bovine lens fiber membrane: characterization and structure based on cDNA cloning. *Cell* **39**: 49–59.

Guenther JF, Roberts DM. 2000. Water-selective and multifunctional aquaporins from *Lotus japonicus* nodules. *Planta* **210**: 741–748.

Guerrero FD, Crossland L. 1993. Tissue-specific expression of a plant turgor-responsive gene with amino acid sequence homology to transport-facilitating proteins. *Plant Molecular Biology* **21**: 929–935.

Guerrero FD, Jones JT, Mullet JE. 1990. Turgor-responsive gene transcription and RNA levels increase rapidly when pea shoots are wilted. Sequence and expression of three inducible genes. *Plant Molecular Biology* **15**: 11–26.

Hales S. 1727. *Statical Essays: Containing Vegetable Staticks; of an Account of some Statical Experiments on the Sap of Vegetables*. A. and J. Innys and T. Woodward. Reprinted by The Scientific Book Guild, London.

Heymann JB, Engel A. 1999. Aquaporins: phylogeny, structure, and physiology of water channels. *News in Physiological Sciences* **14**: 187–193.

Hill BS, Findlay GP. 1981. The power of movements in plants: the role of osmotic machines. *Quarterly Reviews of Biophysics* **14**: 173–222.

Höfte H, Hubbard L, Reizer J, *et al*. 1992. Vegetative and seed-specific forms of tonoplast intrinsic proteins in the vacuolar membrane of *Arabidopsis thaliana*. *Plant Physiology* **99**: 561–570.

Hohmann S, Bill RM, Kayingo G, Prior B. 2000. Microbial MIP channels. *Trends in Microbiology* **8**: 33–38.

Ishibashi K, Morinaga T, Kuwahara M, *et al*. 2002. Cloning and identification of a new member of water channel (AQP10) as an aquaglyceroporin. *Biochimica et Biophysica Acta* **1576**: 335–340.

Jauh G-Y, Phillips TE, Rogers JC. 1999. Tonoplast intrinsic protein isoforms as markers of vacuolar functions. *The Plant Cell* **11**: 1867–1882.

Johanson U, Karlsson M, Johansson I, *et al*. 2001. The complete set of genes encoding Major Intrinsic Proteins in *Arabidopsis* provides a framework for a new nomenclature for Major Intrinsic Proteins in plants. *Plant Physiology* **126**: 1358–1369.

Johnson KD, Höfte H, Chrispeels MJ. 1990. An intrinsic tonoplast protein of protein storage vacuoles in seeds is structurally related to a bacterial solute transporter (GlpF). *The Plant Cell* **2**: 525–532.

Jones JT, Mullet JE. 1995. Developmental expression of a turgor-responsive gene that encodes an intrinsic membrane protein. *Plant Molecular Biology* **28**: 983–996.

Kammerloher W, Fischer U, Piechottka GP, Schäffner AR. 1994. Water channels in the plant plasma membrane cloned by immunoselection from a mammalian expression system. *The Plant Journal* **6**: 187–199.

Kenrick P, Crane PR. 1997. *The Origin and Early Diversification of Land Plants. A Cladistic Study.* Washington and London: Smithsonian Institution Press.

Kishida K, Kuriyama H, Funahashi T, *et al*. 2000. Aquaporin adipose, a putative glycerol channel in adipocytes. *The Journal of Biological Chemistry* **275**: 20896–20902.

Kishida K, Shimomura I, Kondo H, *et al*. 2001. Genomic structure and insulin-mediated repression of the aquaporin adipose (AQPap), adipose-specific glycerol channel. *The Journal of Biological Chemistry* **276**: 36251–36260.

Kuwahara M, Ishibashi K, Gu Y, *et al*. 1998. A water channel of the nematode *C. elegans* and its implications for channel selectivity of MIP proteins. *American Journal of Physiology* **275**: C1459–C1464.

Lee JW, Zhang Y, Weaver CD, *et al*. 1995. Phosphorylation of nodulin 26 on serine 262 affects its voltage-sensitive channel activity in planar lipid bilayers. *The Journal of Biological Chemistry* **270**: 27051–27057.

Ligrone R, Duckett JG, Renzaglia KS. 2000. Conducting tissues and phyletic relationships of bryophytes. *Philosophical Transactions of the Royal Society of London – Biological Sciences* **355**: 795–813.

Liu Q, Umeda M, Uchimiya H. 1994. Isolation and expression analysis of two rice genes encoding the major intrinsic protein. *Plant Molecular Biology* **26**: 2003–2007.

Luyten K, Albertyn J, Skibbe WF, *et al*. 1995. Fps1, a yeast member of the MIP family of channel proteins, is a facilitator for glycerol uptake and efflux and is inactive under osmotic stress. *The EMBO Journal* **14**: 1360–1371.

Maurel C. 1997. Aquaporins and water permeability of plant membranes. *Annual Review of Plant Physiology and Plant Molecular Biology* **48**: 399–429.

Maurel C, Reizer J, Schroeder JI, Chrispeels MJ. 1993. The vacuolar membrane protein γ-TIP creates water specific channels in *Xenopus* oocytes. *The EMBO Journal* **12**: 2241–2247.

Moura TF, Macey RI, Chien DY, *et al*. 1984. Thermodynamics of all-or-none water channel closure in red cells. *Journal of Membrane Biology* **81**: 105–111.

Murata K, Mitsuoka K, Hirai T, *et al*. 2000. Structural determinants of water permeation through aquaporin-1. *Nature* **407**: 599–605.

Page RDM. 1996. TREEVIEW: An application to display phylogenetic trees on personal computers. *Computer Applications in the Biosciences* **12**: 357–358.

Preston GM, Carroll TP, Guggino WB, Agre P. 1992. Appearance of water channels in *Xenopus* oocytes expressing the red cell CHIP28 protein. *Science* **256**: 385–387.

Raven JA, Edwards D. 2001. Roots: evolutionary origin and biogeochemical significance. *Journal of Experimental Botany* **52**: 381–401.

Saier Jr MH. 2000. Families of proteins forming transmembrane channels. *Journal of Membrane Biology* **175**: 165–180.

Sansom MSP, Law RJ. 2001. Membrane proteins: Aquaporins – channels without ions. *Current Biology* **11**: R71–R73.

Singer SJ, Nicolson GL. 1972. The fluid mosaic model of the structure of cell membranes. *Science* **175**: 720–731.

Steudle E, Peterson CA. 1998. How does water get through roots? *Journal of Experimental Botany* **49**: 775–788.

Tsukaguchi H, Shayakul C, Berger UV, *et al.* 1998. Molecular characterization of a broad selectivity neutral solute channel. *The Journal of Biological Chemistry* **273**: 24737–24743.

Unger VM. 2000. Fraternal twins: AQP1 and GlpF. *Nature Structural Biology* **7**: 1082–1084.

Walter H, Stadelmann E. 1968. The physiological prerequisites for the transition of autotrophic plants from water to terrestrial life. *BioScience* **18**: 694–701.

Wayne R, Tazawa M. 1990. Nature of water channels in the internodal cells of *Nitellopsis*. *Journal of Membrane Biology* **116**: 31–39.

Weig AR, Jakob C. 2000. Functional identification of the glycerol permease activity of *Arabidopsis thaliana* NLM1 and NLM2 proteins by heterologous expression in *Saccharomyces cerevisiae*. *FEBS Letters* **481**: 293–298.

Werner M, Uehlein N, Proksch P, Kaldenhof R. 2001. Characterization of two tomato aquaporins and expression during the incompatible interaction of tomato with the plant parasite *Cuscuta reflexa*. *Planta* **213**: 550–555.

Wiebe HH. 1978. The significance of plant vacuoles. *BioScience* **28**: 327–331.

Woese CR. 2000. Interpreting the universal phylogenetic tree. *Proceedings of the National Academy of Sciences of the United States of America* **97**: 8392–8396.

Yamamoto YT, Cheng C-L, Conkling MA. 1990. Root-specific genes from tobacco and *Arabidopsis* homologous to an evolutionary conserved gene family of membrane channel proteins. *Nucleic Acids Research* **18**: 7449.

Yasui M, Hazama A, Kwon T-H, *et al.* 1999. Rapid gating and anion permeability of an intracellular aquaporin. *Nature* **402**: 184–187.

7

Evolutionary origin of the ethylene biosynthesis pathway in angiosperms[1]

Elizabeth A Reynolds and Philip John

CONTENTS

Introduction

In angiosperms, ethylene is an important regulator of seed germination, the response to wounding, leaf and flower abscission, senescence and the ripening of climacteric fruits. Its biosynthesis follows a well-characterized pathway from methionine which gives rise to the immediate precursor of ethylene, 1-aminocyclopropane-1-carboxylic acid (ACC). In non-angiosperms, much less is known of how ethylene is generated. However, it is known that in non-seed plants, ACC is not involved (Osborne, 1989). In this chapter we describe a feasible scenario for the evolutionary origin of the angiosperm ethylene biosynthesis pathway, refining previously published preliminary accounts (John, 1997; John *et al.*, 1997, 1999) and presenting new molecular evidence relating to the origin of ACC oxidase.

[1] Dedicated to the memory of Dr Andy G Prescott.

Evolution of the angiosperm ethylene biosynthesis pathway

Early responses to stress conditions

In angiosperms the ethylene biosynthesis pathway is as shown in Figure 7.1. Responsiveness to ethylene appears to be present throughout the plant kingdom. All species of algae, ferns and gymnosperms that have been tested detect and respond to ethylene (Edwards and Miller, 1972; Cookson and Osborne, 1978; Abeles *et al.*, 1992; Kong and Yeung, 1994; Kwa *et al.*, 1995; Chernys and Kende, 1996; Ingemarsson and Bollmark, 1997). Presumably evolution of ethylene responsiveness was driven by the natural connection between ethylene generation and plant stress. When cells are damaged, oxidative breakdown of cell constituents, particularly membrane fatty acids (Abeles *et al.*, 1992) generates ethylene, albeit in amounts that are orders of magnitude lower than those generated physiologically. Thus the gas constitutes a potentially useful signal of stress. An ability to detect (and then respond to) ethylene would have allowed plants to develop stress responses. Representatives of all major groups of land plants possess a high-affinity ethylene-binding activity (Bleeker, 1999). This activity was also found in the cyanobacterium, *Synechocystis*, which neither makes ethylene, nor responds to it. The protein responsible may function simply as a copper-binding protein. Thus we have evidence that the ability to detect ethylene arose early in the evolution of land plants (see *a* in Figure 7.2).

As land plants evolved, they acquired increasingly complex physiological and biochemical responses to the stresses to which they were exposed. Among the biochemical responses were betaine synthesis, to reduce water potential during drought, and lignification, to limit predator and pathogen attack. The synthesis of both betaine and lignin depends upon the availability of *S*-adenosylmethionine (SAM). This is an abundant metabolite in all organisms, playing a key role in transmethylation reactions. It is derived from methionine by the action of SAM synthetase (see *b* in Figure 7.2). As a present-day example of how stress stimulates the biosynthesis of SAM, Mayne *et al.* (1996) showed that drought conditioning of *Pinus banksiana* Lamb. seedlings, which enhanced betaine synthesis 3-fold, increased SAM synthetase activity 2-fold and mRNA abundance 6-fold.

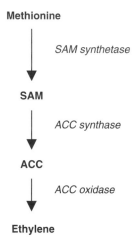

Figure 7.1   The biosynthetic pathway for ethylene as characterized in angiosperms.

The role of ACC

SAM is also the precursor of ACC, which arises by the action of ACC synthase on SAM. ACC is detectable in representatives of all major groups of land plants (J. Hodson, unpublished data). ACC has been shown to be present in the ferns *Regnellidium diphyllum* Lindman (Chernys and Kende, 1996; Osborne *et al.*, 1996) and *Marsilea quadrifolia* L., and notably, in *M. quadrifolia* it is generated by an ACC synthase with many of the properties of the angiosperm ACC synthase (Chernys and Kende, 1996). However, ACC is not used as the precursor of ethylene in these ferns (Cookson and Osborne, 1978; Osborne *et al.*, 1996; Chernys and Kende, 1996). Thus we propose that ACC was accumulated in these non-seed plants without being used as a precursor of ethylene. Naturally occurring compounds, such as ACC, that contain a cyclopropane ring can have insecticidal, antimicrobial and neurochemical properties (Salaün and Baird, 1995), with ACC itself known to have neurochemical properties (Zapata *et al.*, 1996). These properties would have made ACC useful in the phytochemical armoury of the plant. Therefore, it is proposed that before ACC became the precursor of ethylene, it accumulated as a response to predator or pathogen attack. Like the other biochemical responses to stress, ACC accumulation would have resulted from enhanced rates of SAM generation (see *b* in Figure 7.2).

The acquisition of ACC oxidase

The key step in the evolution of the complete angiosperm ethylene biosynthetic pathway is the acquisition of the final stage: the ability to generate ethylene from ACC by the action of the enzyme ACC oxidase (Figure 7.3). ACC readily penetrates plant tissues and, therefore, in principle, a simple test for the presence of ACC oxidase is available by measuring the ethylene generated when plant tissues are presented with ACC. On the basis of

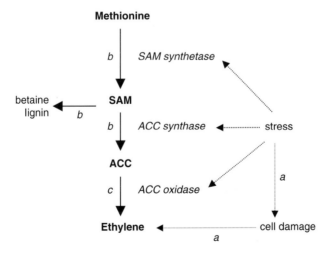

Figure 7.2   The evolutionary sequence leading to the pathway for ethylene biosynthesis in angiosperms. *a*, in the earliest land plants, cell damage arising from stress leads to the formation of ethylene by chemical breakdown of cell constituents; *b*, in ferns and allied non-seed plants, stress leads to the increased expression of S-adenosylmethionine (SAM) synthetase for lignin and betaine synthesis; and to enhanced ACC synthase activity and the accumulation of ACC; *c*, with acquisition of ACC oxidase in a group of seed plants ancestral to the Gnetales, Pinopsida and angiosperms, ethylene is produced from ACC.

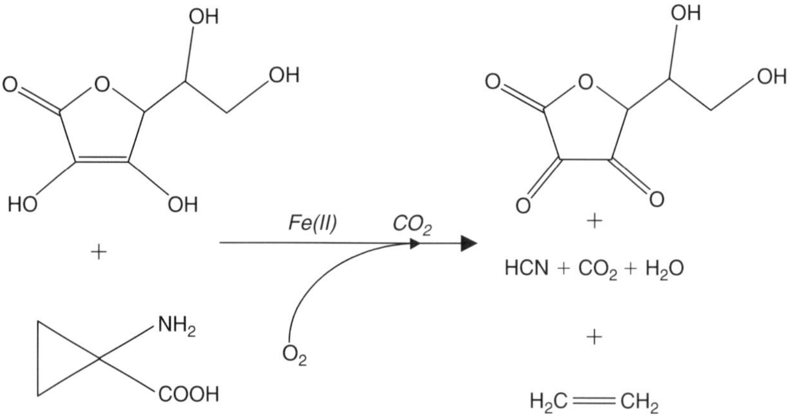

Figure 7.3 The reaction catalysed by ACC oxidase. 1-aminocyclopropane-1-carboxylate is oxidized to ethylene, and ascorbate is oxidized to dehydroascorbate. Fe(II) and CO_2 act as cofactors.

Table 7.1 Distribution among gymnosperms of ACC oxidase activity measured *in vitro* (from data in Reynolds and John, 2000)

		Leaf	*Germinated seed*
(angiosperms	*Cucumis*	Yes	Yes)
Pinopsida	*Pinus, Pseudotsuga* × *Cupressocyparis*	No	Yes
Gnetales	*Ephedra*	No	Yes
Ginkgoales	*Ginkgo*	No	No
Cycadales	*Cycas, Dioon, Zamia*	No	No

such tests, Osborne (1989) proposed that ACC was used by seed plants, but not by ferns and mosses. After it became possible for ACC oxidase to be assayed *in vitro* (Ververidis and John, 1991), Reynolds and John (2000) demonstrated that among the extant seed plants, only angiosperms showed ACC oxidase activity in leaf material; activity was absent from gymnosperm leaf extracts. Moreover, among representatives of the four extant gymnosperm groups, ACC oxidase activity was present in seedlings of the Pinopsida and Gnetales, but absent from seedlings of the Ginkgoales and Cycadales (Table 7.1). As a representative of gymnosperm ACC oxidases, the enzyme from *Pinus nigra* var. *nigra* Arnold was shown to resemble biochemically the angiosperm enzyme, including a requirement for ascorbate, CO_2 and Fe(II) (Reynolds and John, 2000). The simplest explanation of these findings was that ACC oxidase arose in a common ancestor of the three groups: angiosperms, Gnetales and Pinopsida, with the Ginkgoales and Cycadales basal to this proposed origin (Reynolds and John, 2000).

Our finding that ACC oxidase was strongly represented in germinated seeds of certain gymnosperms, but absent from leaf tissues of all gymnosperms tested (Table 7.1), led us to suggest (Reynolds and John, 2000) that the earliest role played by ACC oxidase may have been associated with germination, and only later in the evolution of angiosperms did it expand its repertoire of functions to leaves, and to the distinctively angiosperm organs of flowers and fruits. However, this suggestion must remain tentative until more is known of the relationship between ethylene production and germination (Petruzzelli *et al.*, 2000;

Matilla, 2000). Even in the relatively well-studied angiosperms 'the role of ethylene in germination remains controversial. Some authors hold that (it) is a consequence of the germination process, while others contend that ethylene production is a requirement for germination' (Matilla, 2000). Among the gymnosperms, nothing is known of the role of ethylene in germination.

Chemistry was on the side of ACC becoming the ethylene precursor in more ways than one. The cyclopropane ring of ACC is readily broken, with the release of ethylene, by oxidative reactions, such as the Fenton reaction in which hydrogen peroxide formed by the action of Fe(II) on ascorbate acts as the oxidizing agent (McRae *et al.*, 1983). ACC oxidase uses Fe(II) and CO_2 as cofactors and ascorbate as a cosubstrate to catalyse an accelerated and controllable conversion of ACC to ethylene. Additionally, one of the other products generated from ACC by ACC oxidase is cyanide, which may have helped the plant defend itself against attack (Grossman, 1996).

In the preceding we have identified the acquisition of ACC oxidase among the gymnosperm group as being the critical step in the evolutionary development of the biosynthetic pathway of ethylene biosynthesis present in angiosperms (see *c* in Figure 7.2). The production of ethylene from ACC meant that ethylene production now became a signal that was related to the *response* of the plant to the stress, as opposed to (or in addition to) ethylene production as a signal of plant stress *per se*. In angiosperms all three enzymes in the pathway from methionine to ethylene increase activity in response to stress (see Figure 7.2). Similarly in the non-angiosperms, in which ACC is not a precursor of ethylene, the activities of SAM synthetase (Mayne *et al.*, 1996) and ACC synthase (Chernys and Kende, 1996) increase in response to stress. The acquisition of ACC oxidase can thus be viewed as taking ACC from the relative obscurity of a secondary metabolite involved in stress responses, to being a key intermediate in the biosynthesis of a major plant growth regulator.

Two characteristic features of the angiosperm ACC oxidase assayed *in vitro* are: (1) a low specific activity of the purified enzyme compared with other 2-ODDs (John, 1994); and (2) a non-linear reaction rate due to progressive inactivation during catalysis (Smith *et al.*, 1994). It is not known whether these are features of the enzyme activity *in vivo*; they may be attributable to the *in vitro* conditions used for assay. However, it has been noted that in ripening fruits the enzyme is present in large amounts relative to the amount of ethylene formed: in apple, ACC oxidase has been estimated to constitute 5% of the total soluble protein (Abeles *et al.*, 1992). Enzymes involved in secondary metabolism commonly show high abundance where the enzyme has acquired an important function (Pichersky and Gang, 2000). The rationale for this high abundance is that the molecular changes required to increase expression of a protein are simpler and more feasible than those required to increase the rate of substrate turnover or enhance stability (Pichersky and Gang, 2000). Thus we suggest that ACC oxidase, as the 'newest recruit' to the ethylene biosynthesis pathway, compensates for its low catalytic efficiency by a high level of expression.

How ACC oxidase originated

ACC oxidase as a 2-oxoacid-dependent dioxygenase

Having identified the acquisition of ACC oxidase as the critical step in the evolutionary development of the ethylene biosynthetic pathway of angiosperms, we now turn to the evolutionary origin of the enzyme itself. What was the ancestral enzyme? What molecular gymnastics did it undergo to result in ACC oxidase activity?

By similarity of primary sequence and function, ACC oxidase belongs to the non-heme Fe(II), 2-oxoacid dependent dioxygenase (2-ODD) family of enzymes (Prescott and John, 1996). It is to these enzymes that we must turn when considering the possible evolutionary ancestor of ACC oxidase. The 2-ODDs are a large and important class of enzymes that catalyse a wide variety of oxidative reactions, including hydroxylation, desaturation and epoxidation (Prescott, 2000). Known 2-ODDs in plants are involved in a variety of pathways. Commonly, more than one 2-ODD is found in a biosynthetic pathway, notably those involving alkaloids, gibberellins and flavonoids. In *Arabidopsis* Heynh. it is estimated (Prescott, 2000) that there are about 100 genes that code for 2-ODD proteins, but it is only for a minority that any function can be ascribed.

The presence in specific plant groups of 2-ODDs catalysing particular reactions can be assumed on the basis of the presence of particular biochemical products. Flavonoids are present in mosses and higher orders; gibberellins in ferns and higher orders; and anthocyanins in gymnosperms and angiosperms (Koes *et al.*, 1994). On the basis of this, it can be inferred that, as a first approximation, the evolutionary sequence in which 2-ODDs have appeared is: (1) flavonoid enzymes, (2) gibberellin enzymes, (3) anthocyanin enzymes.

Molecular changes

Protein sequence considerations have been used to identify the gross molecular changes required in an evolutionary transition from a 2-ODD ancestor to a functional ACC oxidase. Multiple alignment of all available ACC oxidase sequences revealed that only 30% of the residues are functionally conserved in all sequences examined (Reynolds, 2001). Of the 95 conserved residues, 36 are also conserved in related 2-ODDs (Reynolds, 2001). Thus one can define ACC oxidase at a primary sequence level. However, these conserved sequences are more usefully interpreted in a functional context. In its enzymatic action, ACC oxidase differs from other 2-ODDs not only in its primary substrate specificity, but also in using ascorbate as a cosubstrate (rather than 2-oxoglutarate) and in using CO_2 as an essential cofactor (see Figure 7.3). To account for these unique functional features of ACC oxidase, the protein alignments must be viewed in terms of protein structure. The 3-D structure of ACC oxidase is unknown, but a structure for the microbial 2-ODD, isopenicillin N synthase (IPNS) is available (Roach *et al.*, 1995). There is sufficient sequence homology between IPNS and ACC oxidase for the IPNS structure to provide a basis for structural features of the ACC oxidase protein to be recognized (Roach *et al.*, 1995).

A summary of secondary structure predictions for ACC oxidase is shown in Figure 7.4. The most extensive region of conservation in ACC oxidase is in the centre of the protein from Pro[169] to Pro[255] (Figure 7.4). This region also shares most similarity with other 2-ODDs. Based on homology with IPNS, this domain probably constitutes the jellyroll motif (Stuart, 1993) of eight β-sheets, containing the active site of the protein. Conserved residues within this catalytic domain will provide the binding sites for Fe(II), oxygen, ACC and probably ascorbate (Roach *et al.*, 1995).

The region of ACC oxidase that diverges most from other 2-ODDs is the C-terminus (see Figure 7.4). This region can therefore be considered diagnostic for ACC oxidases compared with other 2-ODDs. The C-terminal region beginning at Tyr[281] contains 14 conserved residues, none of which is conserved in related 2-ODDs. Secondary structure prediction indicates that the C-terminal part of the protein forms a domain consisting of two α-helixes connected to the body of the protein by a loop section. This loop section is a poorly conserved region of ACC oxidase which can be up to 16 residues in length.

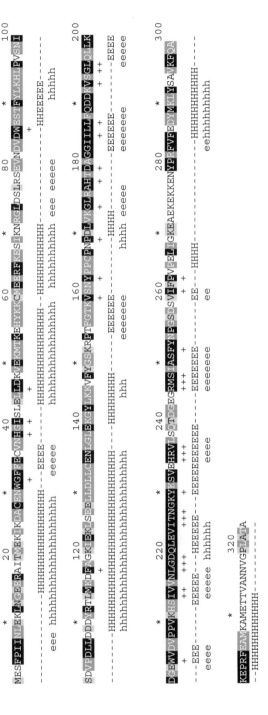

Figure 7.4 Summary of analysis of all available ACC oxidase protein sequences. The protein sequence of ACC oxidase from *Arabidopsis thaliana* L. is shown (Accession number AAC97998) shaded according to the multiple alignment of 65 ACC oxidase protein sequences. Residues shaded black are functionally conserved in all sequences, those shaded dark grey are functionally conserved in >80% of the sequences and light grey >60%. The + beneath the protein sequence indicates residues that are conserved in all 2-ODDs. The secondary structure prediction is given, where H/h = helix and E/e = sheet, – indicates no predicted structure. The line in upper case is a summary of predictions made using SOPM and SSPro and the line in lower case is the structure inferred by alignment with the related microbial protein of known structure, isopenicillin *N*-synthase (IPNS). (From Reynolds, 2001.)

The high degree of sequence conservation in the C-terminus region of ACC oxidase suggests that it is important functionally. ACC oxidase is unique among 2-ODDs in its requirement for CO_2 as a cofactor. The C-terminus region of ACC oxidase is rich in positively charged residues, such as arginine and lysine, which are potential binding sites for CO_2. Site-directed mutagenesis of ACC oxidase has provided evidence for the location of the CO_2 binding site at a conserved arginine residue in the C-terminus region: Arg^{300} in ACC oxidase from kiwi fruit (Lay *et al.*, 1996); Arg^{299} in ACC oxidase from apple fruit (Kadyrzhanova *et al.*, 1999). Thus we propose that acquisition of the C-terminal domain, by an ancestral 2-ODD was crucial in the step change in catalytic function to ACC oxidase, and it coincided with the requirement for CO_2 as a cofactor.

In the evolutionary acquisition of ACC oxidase activity, the ability to bind and turn over the novel substrate ACC was acquired, but also, we assume that ascorbate took the place of 2-oxoglutarate as cosubstrate. This latter assumption is strengthened by the finding (Iturriagagoitia-Bueno *et al.*, 1997) that 2-oxoglutarate, and other 2-oxo acids, inhibit ACC oxidase activity competitively with respect to ascorbate. Fe(II) chelation was excluded as an explanation of the action of 2-oxoglutarate, and it was concluded that ascorbate and 2-oxoglutarate were competing for the same binding site (Iturriagagoitia-Bueno *et al.*, 1997).

The enzyme ancestral to ACC oxidase

Prescott (2000) has created a phylogenetic tree of 64 2-ODDs from *Arabidopsis* (Figure 7.5). In this phylogeny, the three *Arabidopsis* ACC oxidases appear as terminal branches of a subgroup of five proteins, the other members of which are uncharacterized. The proteins of known function most closely related to ACC oxidases are those of the flavonoid pathway. They, and the ACC oxidases, appear to diverge from a common origin (Figure 7.5). On this basis we suggest that ACC oxidases evolved from an ancestral 2-ODD that was involved in flavonoid biosynthesis.

Flavonoids and ACC do not appear to have much in common chemically and further information is needed before our suggestion can be substantiated. However, in support of our suggestion, we note that 2-ODDs can show a relatively loose substrate specificity (Prescott and John, 1996; Prescott, 2000). This substrate flexibility is shown by the 2-ODDs in alkaloid, antibiotic and gibberellin synthetic pathways catalysing more than one reaction; ACC oxidase itself can convert *D*-valine to *iso*-butanal (Gibson *et al.*, 1998). We envisage that the substrate flexibility of 2-ODDs played a part in the early stages of the evolutionary development of the ACC oxidase.

When did the ethylene biosynthesis pathway arise?

Palaeoclimatic considerations

Although seed plants may have first appeared during the Devonian period, it was during the relatively dry Jurassic period that they diversified extensively and began to dominate (Willis and McElwain, 2002). Ethylene diffuses 10^4 times faster in air than in water (Musgrave *et al.*, 1972). Thus, in general, ethylene would have been a more useful signalling compound after the end of the relatively wet Devonian and Carboniferous periods, as suggested by Osborne *et al.* (1996). It is pertinent to note that the submerged aquatic angiosperm *Potamogeton pectinatus* L. is incapable of producing ethylene because it lacks

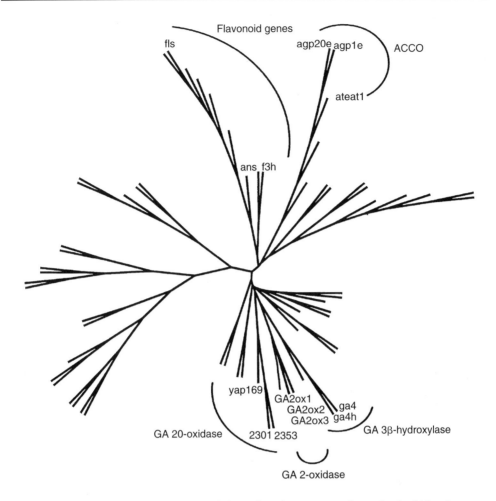

Figure 7.5 Phylogenetic tree of 2-oxoacid-dependent dioxygenases from the *Arabidopsis* genome. Each branch represents a single gene, the branches containing genes for ACC oxidases and for the enzymes involved in the syntheses of gibberellins and flavonoids are highlighted (Prescott, 2000).

ACC oxidase (Summers *et al.*, 1996). This secondary loss of ACC oxidase is likely to be related to the lack of a signalling function of ethylene in the aquatic environment of *P. pectinatus*.

In addition to ACC oxidase, the 2-ODD enzymes involved in anthocyanin biosynthesis also have their origin in the gymnosperms (Koes *et al.*, 1994). So it may have been that the Devonian period was one of divergence in the 2-ODD family of enzymes as a whole, with ACC oxidase activity representing one of many new catalytic activities among the 2-ODD enzyme family that arose in that period.

Acknowledgements

We thank the University of Reading Research Endowment Trust Fund for financial support, and the late Andy Prescott for invaluable advice and inspiration.

References

Abeles FB, Morgan PW, Saltweit ME. 1992. *Ethylene in Plant Biology.* San Diego: Academic Press.

Bleeker AB. 1999. Ethylene perception and signalling: an evolutionary perspective. *Trends in Plant Sciences* **4**: 269–274.

Chernys J, Kende H. 1996. Ethylene biosynthesis in *Regnellidium diphyllum* and *Marsilea quadrifolia. Planta* **200**: 113–118.

Cookson C, Osborne DJ. 1978. The stimulation of cell extension by ethylene and auxin in aquatic plants. *Planta* **144**: 39–47.

Edwards ME, Miller JH. 1972. Growth regulation by ethylene in fern gametophytes II. Inhibition of cell division. *American Journal of Botany* **59**: 450–457.

Gibson EJ, Zhang Z, Baldwin J, Schofield CJ. 1998. Substrate analogues and inhibition of ACC oxidase: Conversion of D-valine to *iso*-butanal. *Phytochemistry* **48**: 619–624.

Grossman K. 1996. A role for cyanide, derived from ethylene biosynthesis, in the development of stress symptoms. *Physiologia Plantarum* **97**: 772–775.

Ingemarsson BSM, Bollmark M. 1997. Ethylene production and 1-aminocyclopropane-1-carboxylic acid turnover in *Picea abies* hypocotyls after wounding. *Journal of Plant Physiology* **151**: 711–715.

Iturriagagoitia-Bueno T, Gibson EJ, Schofield CJ, John P. 1997. Inhibition of 1-aminocyclopropane-1-carboxylate oxidase by 2-oxoacids. *Phytochemistry* **43**: 343–349.

John P. 1994. Oxidation of 1-aminocyclopropane-1-carboxylic acid (ACC) in the generation of ethylene by plants. In: Wallsgrove R, ed. *Amino Acids and their Derivatives in Higher Plants – Biosynthesis and Metabolism.* SEB Seminar series. Cambridge: Cambridge University Press, 51–57.

John P. 1997. Ethylene biosynthesis: The role of 1-amino-cyclopropane-1-carboxylate ACC oxidase, and its possible evolutionary origin. *Physiologia Plantarum* **100**: 583–592.

John P, Iturriagagoitia-Bueno T, Lay V, *et al.* 1997. 1-aminocyclopropane-1-carboxylate oxidase: molecular structure and catalytic function. In: Kanellis AK, Chang C, Kende H, Grierson D, eds. *Biology and Biotechnology of the Plant Hormone Ethylene.* Dordrecht: Kluwer Academic Publishers, 15–21.

John P, Reynolds EA, Prescott AG, Bauchot AD. 1999. ACC oxidase in the biosynthesis of ethylene. In: Kanellis AK, Chang C, Klee H, *et al.* eds. *Biology and Biotechnology of the Plant Hormone Ethylene II.* Dordrecht: Kluwer Academic Publishers, 1–6.

Kadyrzhanova D, McCuly TJ, Warner T, *et al.* 1999. Analysis of ACC oxidase activity by site directed mutagenesis of conserved amino acid residues. In: Kanellis AK, Chang C, Klee H, *et al.*, eds. *Biology and Biotechnology of the Plant Hormone Ethylene II.* Dordrecht: Kluwer Academic Publishers, 7–12.

Koes RE, Quattrochio F, Moi JNM. 1994. The flavonoid biosynthetic pathway in plants: Function and evolution. *BioEssays* **16**: 123–132.

Kong LS, Yeung EC. 1994. Effects of ethylene and ethylene inhibitors on white spruce somatic embryo maturation. *Plant Science* **104**: 71–80.

Kwa S-H, Wee Y-C, Kumar PP. 1995. Role of ethylene in the production of sporophytes from *Platycerium coronarium* Koenig Desv. frond and rhizome pieces cultured *in vitro. Journal of Plant Growth Regulation* **14**: 183–189.

Lay VJ, Prescott AG, Thomas PG, John P. 1996. Heterologous expression and site-directed mutagenesis of the 1-aminocyclopropane-1-carboxylate oxidase from kiwi fruit. *European Journal of Biochemistry* **242**: 228–234.

Matilla AJ. 2000. Ethylene in seed formation and germination. *Seed Science Research* **10**: 111–126.

Mayne MB, Coleman JR, Blumwald E. 1996. Differential expression during drought conditioning of a root-specific S-adenosylmethionine synthetase from jack pine (*Pinus banksiana* Lamb.) seedlings. *Plant, Cell and Environment* **19**: 958–966.

McRae DG, Cober JA, Legge RL, Thompson JE. 1983. Bicarbonate CO_2-facilitated conversion of 1-aminocyclopropane-1-carboxylic acid to ethylene in model systems and intact tissues. *Plant Physiology* **35**: 426–432.

Musgrave A, Jackson MB, Ling E. 1972. *Callitriche* stem elongation is controlled by ethylene and gibberellin. *Nature New Biology* **238**: 93–96.

Osborne DJ. 1989. The control role of ethylene in plant growth and development. In: Clidjsters H, De Proft M, Marcelle R, Van Poucke M, eds. *Biochemical and Physiological Aspects of Ethylene Production in Lower and Higher Plants*. Dordrecht: Kluwer Academic Publishers, 1–11.

Osborne DJ, Walters J, Milborrow BV, *et al.* 1996. Evidence for a non-ACC ethylene biosynthesis pathway in lower plants. *Phytochemistry* **42**: 51–60.

Petruzzelli L, Coraggio I, Leubner-Metzger G. 2000. Ethylene promotes ethylene biosynthesis during pea seed germination by positive feedback regulation of 1-aminocyclo-propane-1-carboxylic acid oxidase. *Planta* **211**: 144–149.

Pichersky E, Gang RG. 2000. Genetics and biochemistry of secondary metabolites in plants: an evolutionary perspective. *Trends in Plant Science* **5**: 439–445.

Prescott AG. 2000. Two-oxoacid-dependent dioxygenases: Inefficient enzymes or evolutionary driving force? In: Romeo JT, Ibrahim R, Varin L, DeLuca V, eds. *Evolution of Metabolic Pathways*. Amsterdam: Pergamon Press, 249–284.

Prescott AG, John P. 1996. Dioxygenases: molecular structure and role in plant metabolism. *Annual Review of Plant Physiology and Plant Molecular Biology* **47**: 245–271.

Reynolds EA. 2001. Studies on the evolution of the ethylene forming enzyme: 1-aminocyclo-propane-1-carboxylate (ACC) oxidase. Unpublished PhD Thesis, The University of Reading.

Reynolds EA, John P. 2000. ACC oxidase is found in seedlings of two (Coniferales, Gnetales) of the four gymnosperm orders. *Physiologia Plantarum* **110**: 38–41.

Roach PL, Clifton IJ, Fulop W, *et al.* 1995. Crystal structure of isopenicillin-N-synthase is the first from a new structural family of enzymes. *Nature* **375**: 700–704.

Salaün J, Baird MS. 1995. Biologically active cyclopropanes and cyclopropenes. *Current Medicinal Chemistry* **2**: 511–542.

Smith JJ, Zhang ZH, Schofield CJ, *et al.* 1994. Inactivation of 1-aminocyclopropane-1-carboxylate ACC oxidase. *Journal of Experimental Botany* **45**: 521–527.

Stuart D. 1993. Viruses. *Current Opinion in Structural Biology* **3**: 167–174.

Summers JE, Voesenek LACJ, Blom CWPM, *et al.* 1996. *Potamogeton pectinatus* is constitutively incapable of synthesizing ethylene and lacks 1-aminocyclopropane1-carboxylic acid oxidase. *Plant Physiology* **111**: 901–908.

Willis KJ, McElwain JC. 2002. *The Evolution of Plants*. Oxford: Oxford University Press.

Ververidis P, John P. 1991. Complete recovery *in vitro* of ethylene forming enzyme activity. *Phytochemistry* **30**: 725–727.

Zapata A, Capdevila JL, Viu E, Trullas R. 1996. 1-aminocyclopropane-carboxylic acid reduces NMDA-induced hippocampal neurodegeneration in vivo. *NeuroReport* **7**: 397–400.

8

Structural biomacromolecules in plants: what can be learnt from the fossil record?

Pim F van Bergen, Peter Blokker, Margaret E Collinson, Jaap S Sinninghe Damsté and Jan W de Leeuw

CONTENTS

Introduction

When plants entered land they needed specific physiological adaptations to survive this new, hostile environment. Some of the main problems plants had to overcome included water loss or desiccation and exposure to increased UV radiation (Edwards, 2001). An increase in phenolic constituents in various plant tissues is believed to be one of the main adaptations to counteract the problem with UV radiation (Rozema *et al.*, 2001). With respect to desiccation, two important adaptations are suggested, i.e. (1) increased protection of the outer covering of the plant to prevent direct water loss and (2) enhanced water transport within the plant. The first aspect is directly related to the development of the cuticle on leaves and stems and resistant walls on the plant's reproductive tissues (i.e. spores), while the second relates to the formation of water-conducting elements such as tracheids and vessels.

Evidence for the evolution of these distinct structures is based primarily on morphological observations of plant remains dating as far back as the Ordovician for cuticles and distinct spore material (i.e. tetrads, dyads and monads) and the Middle Silurian for tracheids (Edwards, 2001 and references cited therein). In terms of evolution, it has been suggested that spore walls may have evolved from algal cell walls (Hemsley, 1994), whereas the direct origin of the cuticle and tracheids is still unknown (Edwards, 2001).

Apart from evidence for the morphological evolution of these entities, many studies link microscopic observations directly to biochemical evolution in these structures enabling plants to colonize land. Commonly, the presence of fossil cuticles is suggested to be directly related to the occurrence of the biopolyester cutin (e.g. Edwards, 2001; Cooper-Driver, 2001), whereas the findings of fossil water-conducting tissues such as tracheids in xylem are often indirectly related to the biomacromolecule lignin (e.g. Edwards *et al.*, 1997; Edwards, 2001; Cooper-Driver, 2001). In addition, acid resistant fossil spore wall material is suggested mostly to be composed of or impregnated by the, yet chemically poorly defined, biomacromolecule sporopollenin (Cooper-Driver, 2001; Edwards, 2001). Additional resistant macromolecular compounds mentioned in connection with fossil plant remains are cutan in cuticles and algaenan in algal cell walls.

Despite the circumstantial evidence that the chemical compositions of fossil plant remains were very similar to those occurring in modern plant cuticles, spore and pollen walls or xylem elements, to date no *unequivocal* molecular chemical evidence exists proving that this was actually the case. The search for such evidence is complicated by a number of aspects including: (1) the chemically resistant nature of these, mainly macromolecular, entities in modern plants; (2) the intimate association of these molecules with other, often more abundant, compounds preventing purification of the specific biomacromolecules and thus hampering the elucidation of the detailed molecular composition of the extant counterparts (i.e. sporopollenin); (3) the biological and chemical transformation reactions occurring upon burial and subsequent fossilization (i.e. diagenesis); and (4) the inconsistent use of nomenclature for the various resistant macromolecules. Note that the term 'resistant macromolecules' refers to those compounds that are resistant against normal chemical treatments but are destroyed by chemical oxidation. This chemical resistance is believed to be the main underlying reason for their high preservation potential under most, but not all, depositional settings.

The following terms will be used to avoid confusion: *algaenans* for the chemically resistant macromolecules present in algal cell walls (including the walls of algal zygospores); *sporopollenin* is the chemically resistant macromolecule in spore and pollen walls of non-algae excluding fungal spores; *cutan* is the highly aliphatic macromolecule recognized in modern and fossil plant cuticles; and *lignin* will only be used for the ether-linked macromolecule based on monolignols, i.e. *p*-coumaryl alcohol, coniferyl alcohol and sinapyl alcohol. Terms such as 'lignin-like' and 'sporopollenin-like' should be avoided.

In this chapter we will first describe the main chemical methods that can provide detailed molecular insight into the chemical composition of both extant and fossil resistant (bio)macromolecules. Subsequently, the macromolecular composition of modern and fossil outer coverings, including algal cell walls, spore and pollen walls and cuticular tissues will be discussed both in terms of their chemical similarities and differences and in relation to the physiological adaptations and evolution of land plants. Finally, the chemical composition of water-conduction tissues of modern and fossil land plants will be evaluated also in terms of their physiology but with specific emphasis on the biomacromolecule lignin.

Characterizing resistant biomacromolecules

In order to study chemically resistant fossil (bio)macromolecules one has to have detailed molecular insight into their modern counterparts. In most cases, the modern counterparts

Figure 8.1 Example of purified algal cell walls of modern *Tetraedron minimum* obtained by Potter homogenization. For chemical analyses of this sample the reader is referred to Blokker *et al.* (1998).

can only be isolated by purification steps involving both physical and chemical separation methods. Mechanical stripping of cuticular membranes from leaf material (Mösle *et al.*, 1997) and ultrasonic destruction to obtain purified algal cell wall material (Potter homogenization; Blokker *et al.*, 1998; Figure 8.1) are effective physical pretreatments.

Numerous chemical extraction methods exist to obtain the most resistant organic molecules in plant remains. Although it should be emphasized that the organic remains recognized in the fossil record are not necessarily identical to the resistant material that one obtains after purification and extraction steps under experimental conditions. Normally a full extraction method involves the following steps:

1. solvent extraction to eliminate low molecular weight lipids
2. hydrolysis, either with base and/or acid, to remove ester-bound/amide-bound moieties; this treatment often consists of two sequential steps, a base hydrolysis and an acid hydrolysis
3. acid treatment using H_2SO_4 to remove polysaccharides
4. an ultimate base treatment to remove moieties that have become accessible after the previous steps (*cf.* the results of cutan isolation from *Agave* L. in Tegelaar *et al.* (1989: Figure 17) and the same sample after this final base treatment in de Leeuw *et al.* (1991: Figure 6) revealing unequivocally that the polysaccharides are *not* part of the resistant molecule in cuticles!).

However, it should be noted that some chemical pretreatments that are used to mimic fossilization processes (i.e. acetolysis) might drastically affect the chemical composition of extant material under examination. A prime example in this respect relates to the study of sporopollenin whereby the most commonly used treatment involves acetolysis (Graham and Gray, 2001; Hemsley *et al.*, 1996). Although the remains obtained after this treatment are morphologically identical to those found in the fossil record, detailed molecular information based on ^{13}C NMR revealed that the chemical composition of sporopollenin from pine pollen was severely altered (Hemsley *et al.*, 1996). Furthermore, Allard *et al.* (1997) showed that newly formed condensation products (i.e. melanoidin-like polymers derived from cell wall polysaccharides), that are not related to the resistant entities originally present, can easily be produced. Appropriate modified isolation procedures can avoid such problems (Allard *et al.*, 1998).

The various chemical methods that are used to study the resistant biomacromolecules can be subdivided into non-destructive and destructive techniques. The former includes solid state ^{13}C NMR and FTIR, both of which reveal information pertaining to the various carbon environments present (e.g. Hatcher *et al.*, 1999) and have revealed very informative data on lignin, cutan, algaenan and sporopollenin. Pyrolysis and chemolysis are both destructive methods that will reveal detailed molecular information about the specific building blocks (e.g. van Bergen, 1999). Pyrolysis is often used as an effective initial screening method as it reveals qualitative insights into the overall chemical composition of the macromolecule. Pyrolysis has been used on most resistant biomacromolecules (i.e. lignin, cutan, algaenan, sporopollenin). For further information about the various pyrolysis methods, the reader is referred to Stankiewicz *et al.* (1998) and van Bergen (1999). The advantage of chemolysis is that one can target specific molecular building blocks using specific chemical reagents. Chemolysis is often used in combination with pyrolysis as the latter reveals characteristic moieties that subsequently can be examined using appropriate reagents (van Bergen *et al.*, 1994a; Gelin *et al.*, 1997; Blokker *et al.*, 1998). The main specific reagents or methods used nowadays include treatment with CuO, RuO_4, HI, $KMnO_4$ or thioacidolysis. For lignin the most commonly used methods include treatment with CuO and, more recently, thioacidolysis, for cutan RuO_4, for algaenan RuO_4 and HI and for sporopollenin $KMnO_4$, NO_x.

As both the destructive and non-destructive methods can yield biased results, a combination of these techniques should be used when possible, as this will provide greater insight into the composition of the biomacromolecule under investigation. Furthermore, it is always very instructive to undertake microscopic examinations prior to and after chemical treatments (Boon *et al.*, 1989; van Bergen *et al.*, 1995; Blokker *et al.*, 2001; Collinson *et al.*, 1998) as this can reveal where the actual resistant organic material resides in the plant organ. Also histochemical staining can reveal specific insight into the tissues that are preserved containing resistant macromolecules (van Bergen, 1994). However, a colourimetric method in itself does not *prove* the presence of one characteristic molecule as was shown in a study on modern and fossil chitin in arthropod cuticles (Bierstedt *et al.*, 1998). In particular with respect to fossil material specific histochemical colours cannot be used as chemical evidence for the presence of a certain macromolecule.

Resistant biomacromolecules in outer coverings

Algal cell walls

The abundant contribution of algal cell walls in many palynological microspore assemblages and coals (i.e. *Botryococcus* Kützing in boghead) has always been the main reason to suggest that these structures in the modern counterparts should contain a specific chemically resistant material. Subsequent chemical investigations, focusing initially on modern *Botryococcus* (Largeau *et al.*, 1986) and modern *Tetraedron* Kützing (Goth *et al.*, 1988), did indeed reveal the presence of distinct types of biomacromolecules nowadays called algaenans.

Recent studies on a number of modern freshwater and marine microalgae have shown that some, but not all, contain a resistant molecule in their cell walls (Gelin *et al.*, 1999; Blokker, 2000). To date, all algaenans obtained from modern algae are based on, so-called, aliphatic building blocks. However, large differences do exist. The algaenan obtained from *Botryococcus* is very different from those of all other algae studied to date (i.e. based on

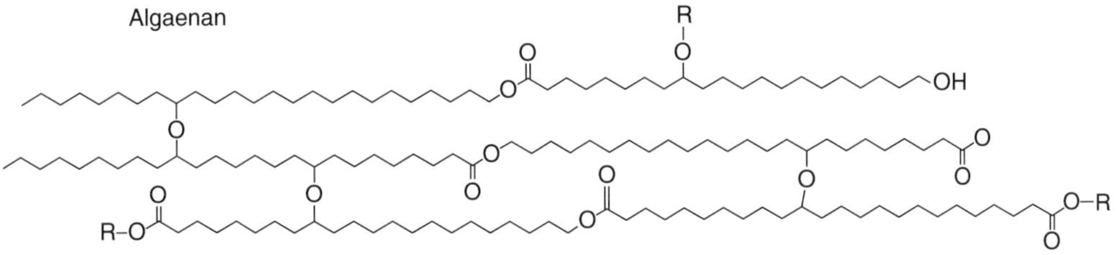

Figure 8.2 Simplified structure of an algaenan based on hydroxy and dihydroxy fatty acid units (modified after Blokker *et al.*, 1999).

ether-linked C_{32} dialdehyde monomers; Berthéas *et al.*, 1999). Detailed molecular data have shown that many biomacromolecule algaenans are based on long-chain (C_{36} and longer) ester- and ether-linked hydroxy fatty acids (Figure 8.2; *cf.* Blokker *et al.*, 1999). The building blocks of these biomacromolecules are connected by both ester and ether cross-links explaining why simple hydrolysis does not release the individual monomeric building blocks. The highly aliphatic nature of these compounds would provide an excellent hydrophobic outer covering preventing simple water transport across such a plant structure. With the exception of one case (see below), no molecular evidence exists of a contribution of aromatic or phenolic moieties to algaenans of modern algae.

Exceptions to the above are the finding of aromatic moieties in the alganean of *Chlorella marina* (Derenne *et al.*, 1996) and in resistant material obtained from walls of the resting cysts of the dinoflagellate *Lingulodinium* (Stein) Dodge (Kokinos *et al.*, 1998). However, in contrast to the numerous studies of other algae, the resistant cell walls of dinoflagellates have rarely been studied using the detailed molecular approach outlined above and thus the extent to which one can generalize the dinoflagellate results is yet unknown. Current unpublished results have as yet not been able to verify the contribution of aromatic moieties in either the same species or in any others (van Mourik *et al.*, unpublished data).

One intriguing observation relates to the detection of 10,16-dihydroxy-C_{16} fatty acid as part of the resistant algaenan in the cell walls of the extant Zygnematalean alga, *Spirogyra* Link (Blokker, 2000). This compound is commonly found as an abundant building block in the biopolyester cutin present in higher land plant cuticles (Holloway, 1982; see below). In this respect it is interesting that the Zygnematalean algae have been suggested to have evolved from organisms that first colonized the land, after which they returned to grow under aquatic conditions (e.g. Stebbins and Hill, 1980; van Geel and Grenfell, 1996). If this were proved to be true then the presence of 10,16-dihydroxy-C_{16} fatty acid as a structural building block in outer coverings may be an adaptation to life on land.

Chemical evidence of algaenans in fossil algal cell walls is based mainly on data from microalgae preserved as ultralaminea (Derenne *et al.*, 1991, 1992a) and well-preserved cell wall material of *Tetraedron* (Goth *et al.*, 1988) and *Botryococcus* (Largeau *et al.*, 1986; Gatellier *et al.*, 1993). In these cases the fossil macromolecules are still very similar to those recognized in their modern counterparts. However, unequivocal taxon-specific data only relates to fossil material found in the Tertiary sediments. Various older samples have been studied, in particular *Pelta* (=*Botryococcus*), *Tasmanites* Newton etc., but apart from revealing macromolecules that are highly aliphatic in nature no specific chemical characteristics are known that prove that these represent original or only slightly modified algaenans. Thus, chemical evidence of Palaeozoic fossil algae has to be interpreted with caution in relation to biochemical and physiological evolution. Even Tertiary material that is composed of rich monotypic algal cell wall material can be altered or interpreted incorrectly due to additional non-algal organic material that overprints the chemical signal. For example, chemical data from Late Miocene lacustrine oil shales containing up to 80% *Pediastrum* Meyen were used to suggest that the algaenan of this alga was mainly aromatic in nature (Sinninghe Damsté *et al.*, 1993). Subsequent analyses of modern *Pediastrum* cell walls revealed that the algaenan is based on C_{30} and C_{32} ω-hydroxy fatty acids clearly revealing its aliphatic nature similar to that of other Chlorococcales (Blokker *et al.*, 1998).

Pyrolysis data from a number of Tertiary, Palaeocene and Eocene, dinoflagellate cyst walls have revealed that these contain mainly aliphatic building blocks, although samples that appear to be more mature, based on colour, reveal an increase of aromatic pyrolysis products (Warnaar *et al.*, unpublished results). However, as no chemical data from modern counterparts are available yet, these data and, in particular, the significance of an aromatic contribution to algaenans, cannot be interpreted in terms of their original chemical composition or physiological differences.

Another distinct microfossil, without a direct modern counterpart, is *Gloeocapsomorpha prisca* Zalessky. The fossil remains of this organism constitute the bulk of the organic matter in Ordovician Kukersites (Foster *et al.*, 1989, 1990). Transmission electron microscopy revealed that the walls are composed of multiple sheets surrounding a void (Derenne *et al.*, 1992b; Blokker *et al.*, 2001). This distinct morphology, in combination with chemical data, means that the precise biological affinity of this organism is still unknown, although an algal or a bacterial affinity appears most likely (see Blokker *et al.*, 2001 and references cited therein). Based on the extremely low maturity of the Kukersite rocks it is believed that the organic matter preserved has not been altered significantly, which is an essential prerequisite for further meaningful interpretations. The building blocks of the resistant macromolecule present in the fossil remains of this organism are based on 5-*n*-alkyl-resorcinols with the alkyl side chain being mainly C_{15}, C_{17} and C_{19} (Derenne *et al.*, 1992b; Blokker *et al.*, 2001). If this organism were a true alga then this would be the first algaenan type containing 1,3-benzenediol (=resorcinol) building blocks (Metzger and Largeau, 1994). But if its closest biological affinity lies with the bacteria then the benzenediol contribution would be less surprising as these are known to produce resorcinols upon stress (Kozubek and Tyman, 1999). From a physiological point of view, however, the biological affinity is of minor importance as geological information has suggested that these organisms lived in a high UV light lagoonal or very near-shore environment (Foster *et al.*, 1990). This would probably induce the production of phenolic, i.e. resorcinol, moieties to counteract possible UV-induced damage.

Overall, the current molecular data on modern algaenans show primarily biomacromolecules based on long-chain ($\geqslant C_{26}$) hydrophobic moieties that most probably provide water repellent properties to the cell walls of these algae. Phenolic entities are not detected, but then one would not expect them in these aquatic organisms if their primary function was related to counteract high UV radiation levels.

Pollen and spore walls

In stark contrast to the algal material, spore and pollen walls are not protected constantly by an aqueous environment and thus will have been adapted to minimize water loss and to reduce UV damage. Studies of the chemical composition of the resistant material present in spore and pollen walls have a long history because acid resistant pollen and spores are present in coals and other sedimentary rocks, dating as far back as the Ordovician (Edwards, 2001). This fossil record is believed to be due to the presence of a highly resistant macro-molecule, namely sporopollenin. The term 'sporopollenin' was first used by Zetzsche and Kälin (1931) to represent the structural constituent of the outer walls (exines) of pollen and spores from vascular plants that is resistant to non-oxidative chemical treatments. As stated above, here we will use this definition of sporopollenin, excluding other remains such as algal and fungal spores, as well as avoiding the term 'sporopollenin-like'. However, we do include spore wall material from *Lycopodium clavatum* L. which has previously been mistaken for a marine algae (Bestougeff *et al.*, 1985).

Although earlier chemical studies had been undertaken (see Brooks and Shaw, 1978 for a review), it was Zetzsche and co-workers who started to analyse sporopollenin system-atically (e.g. Zetzsche and Kälin, 1931; Zetzsche *et al.*, 1937). Using mainly oxidative techniques and elemental analyses, they concluded that all sporopollenins could be repre-sented by a general empirical formula which they chose to formulate arbitrarily on a C_{90} basis. Although no precise molecular structure was postulated, Zetzsche *et al.* (1937) assigned a polyterpenoid structure to sporopollenin.

Following this early work it was not until the 1960s that, in particular, Shaw and Brooks started to re-examine sporopollenin using, among a variety of techniques, FTIR and ozonolysis as their main methods (e.g. Shaw and Yeadon, 1964; Brooks and Shaw, 1968, 1978). Based on their results, they postulated that the structural building units of sporopollenin were carotenoids and/or carotenoid esters. In particular, the similarities observed in FTIR spectra of a variety of samples, ranging from fossil and extant spores and pollen to algal cysts (*Tasmanites*) and meteorites, were thought to reflect the omni-presence of carotenoid-composed sporopollenin. However, subsequent pyrolysis data from the algal cyst *Tasmanites* showed that the structural building units of these cysts are, primarily, linear long-chain aliphatics in addition to some terpenoids (Philip *et al.*, 1982). No evidence of carotenoids was found, thus questioning the inference of the presence of carotenoids from the FTIR spectra. Moreover, it is interesting to note that similar FTIR spectra have been interpreted as indicative of aliphatic (Hayatsu *et al.*, 1988) or empha-sizing aromatic compounds (Schulze Osthoff and Wiermann, 1987) depending on the authors.

One of the possible reasons for Brooks and Shaw to postulate carotenoids as major con-stituents of sporopollenin might have been the fact that they expected the sporopollenin pre-cursor to be a lipid abundantly present during the development of the pollen or spore wall (*cf*. Shaw, 1970, 1971). The finding of large amounts of carotenoids with, at that time, no apparent biological function (Shaw, 1970, 1971), may have led to the suggestion that these compounds were the precursors of sporopollenin. Nowadays, however, carotenoids are known to be involved in light harvesting and/or protection against photo-oxidation (e.g. Wiermann and Gubutz, 1992 and references cited therein). Moreover, subsequent studies of sporopollenin indicate that carotenoids and/or carotenoid esters do not contribute at all to sporopollenins and that their recognition in these earlier studies must be ascribed to an incomplete purification of sporopollenin isolates (e.g. incomplete removal of non-resistant material; for reviews see Wiermann and Gubatz, 1992 and de Leeuw and Largeau, 1993).

Studies using solid state ^{13}C NMR, FTIR, oxidation and mild degradation techniques, tracer experiments and pyrolysis implied the presence of two chemically different types of sporopollenin. In one type the main building blocks are oxygenated aromatics (e.g. Schenck *et al.*, 1981; Schulze Osthoff and Wiermann, 1987; Herminghaus *et al.*, 1988; Wehling *et al.*, 1989; Mulder *et al.*, 1992), while in the other, the main building units are thought to be predominately aliphatic in nature (e.g. Guilford *et al.*, 1988; Hayatsu *et al.*, 1988). It is interesting to note that in most of these studies evidence for both aliphatic and aromatic constituents can be found. Combining all these results from modern spore and pollen wall material reveals that cinnamic acids, such as *p*-coumaric acid and ferulic acid, are major aromatic units present in modern sporopollenin (see Figure 8.3a). These phenolic units are both ester- and ether-linked (Mulder *et al.*, 1992) within the macromolecular structure explaining why simple base hydrolysis will not remove all these cinnamic acids.

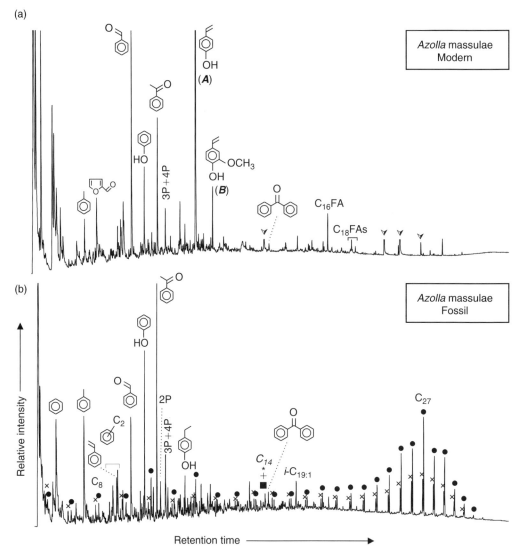

Figure 8.3 Gas chromatograms of pyrolysates (Curie-temperature 610°C) of sporopollenin from water ferns: (a) microspore massulae of modern *Azolla* Lam. (*cf.* van Bergen *et al.*, 1993) and (b) microspore massulae of fossil, K/T boundary, *Azolla*. The abundance of cinnamic acids in modern sporopollenin is evident from 4-vinylphenol (*A*) which is the main pyrolysis product derived from *p*-coumaric acid, while 4-vinyl-2-methoxyphenol (*B*) is the major pyrolysis product released from ferulic acid. Key: ● = *n*-alkanes, × = *n*-alk-1-enes, * = C_{14}-5-alkanone, ■ = C_{14}-6-alkanone, ⅄ = contaminant. C_{27} = heptacos-1-ene and heptacosane, 2P = 2-methylphenol, 3P + 4P = co-eluting 3- and 4-methylphenol, *i*-$C_{19:1}$ = prist-1-ene, FA = fatty acid. For additional information regarding the samples the reader is referred to van Bergen *et al.* (1993).

With respect to fossil material, relatively few papers have been published on well-characterized spore and/or pollen wall material (e.g. Shaw, 1970; Brooks, 1971; Hemsley *et al.*, 1992, 1993, 1996; van Bergen *et al.*, 1993; Collinson *et al.*, 1994). Similar to the data from the modern samples, a combination of both aliphatic and aromatic, mainly phenolic, moieties were found. However, pyrolysis results of both modern and fossil well-preserved spore material of water ferns showed that aliphatic moieties became enriched upon fossilization but evidence of cinnamic acids as part of the resistant spore wall material remained (Figure 8.3; van Bergen *et al.*, 1993). Based on these early results in combination with pyrolysis data from fossil pollen clusters, van Bergen *et al.* (1995) suggested that sporopollenin is composed of both long-chain aliphatic and oxygenated aromatic (mainly phenolic) moieties. Subsequent solid state ^{13}C NMR (Figure 8.4) and RuO$_4$ data, in combination with the pyrolysis results of both spore and pollen wall material, have led to a tentative structure for sporopollenin in which long-chain (C$_{24}$–C$_{28}$) highly aliphatic units form the backbone of the sporopollenin and the cinnamic acids are the cross-linking units (Figure 8.5). In fossil sporopollenin the amount of cinnamic acids will have decreased substantially leading to a more aliphatic macromolecule. This may also explain some of the chemical data related to sporinites, the coal maceral which consists of fossil spore and pollen walls, showing a dominance of aliphatic moieties (Hayatsu *et al.*, 1988; Davis *et al.*, 1988; Kruge *et al.*, 1991). However, some pyrolysis data of sporinites showed phenols to be dominant, while aliphatic pyrolysis products were relatively less abundant

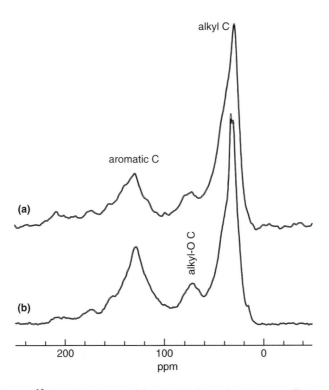

Figure 8.4   Solid state ^{13}C NMR spectra of fossil (K/T boundary) sporopollenin of (a) pollen clusters of the extinct angiosperm *Kurtzipites* Anderson and (b) microspore massulae of *Azolla* both obtained from the same bed. Both spectra are similar and reveal strong aliphatic carbons at 32 ppm, in addition to significant amounts of alkyl-O carbons at 71 ppm and aromatic carbons at 127 and 151 ppm. The pyrolysate of the *Azolla* sample is shown in Figure 8.3b. For additional information regarding the samples the reader is referred to van Bergen (1994).

(Nip *et al.*, 1988, 1992). Moreover, pyrolysates of handpicked Carboniferous microspores and megaspores also showed the abundant presence of simple aromatics and phenols (Collinson *et al.*, 1994). However, these phenols showed no direct structural link with cinnamic acids, making inferences in terms of the chemical composition of fossil sporopollenin somewhat hypothetical.

From a physiological point of view, the combination of a macromolecule based on a hydrophobic long-chain aliphatic backbone, that could provide water repellent properties, and cinnamic acid units, which could provide UV protection, would be ideal. Comparing the sporopollenin macromolecule with algaenan shows that both contain an aliphatic backbone which can be interpreted as evidence in favour of the evolutionary trend whereby sporopollenin is a modified algaenan. However, there are two significant differences, apart from the incorporation of cinnamic acid moieties into the structure of sporopollenin. First, the carbon chain length of the algaenans is longer than that of the sporopollenin and secondly the aliphatic chains in algaenans are generally based on hydroxy fatty acids, whereas those in sporopollenin appear to be based solely on ether-linked alkyl units. The difference in chain length is rather difficult to explain, although as yet it is not known whether the alkyl chains suggested for the water fern sporopollenin can be generalized. Maybe shorter chain alkyl units are an adaptation of life on land since the abundant biopolyester in cuticles, cutin, is based on much shorter alkyl groups (mainly C_{16}-units, see later). Shorter alkyl units may possibly have provided enough hydrophobicity in these structures to withstand desiccation. Reducing the amount of carbon needed to build these structural units that, under normal circumstances will not be used again by the plant, would be a major advantage in terms of energy.

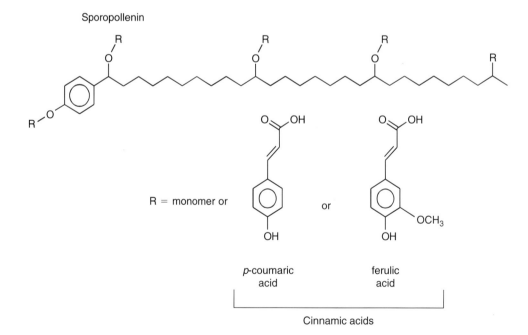

Figure 8.5 Tentative and simplified structure of a sporopollenin monomeric building block. The repeating units (R) can either be linked by ether bonds (C–O–C) or in case of the two acids also through ester bonds (C–O–CO–C).

Higher land plant leaf and stem cuticles

The bulk of the cuticle in modern plants is composed of a solvent-insoluble matrix (Tegelaar *et al.*, 1991). This matrix makes up the framework of the cuticle and is composed either of the hydrolysable biopolyester cutin, an insoluble non-hydrolysable macromolecule, named cutan, or (most commonly) a mixture of both (Tegelaar *et al.*, 1991).

The chemical structure of cutin in modern cuticles from both angiosperms and gymnosperms (Holloway, 1982; Collinson *et al.*, 1998) is well understood and is based primarily on ester-linked functionalized, mainly hydroxy- and dihydroxy-, C_{16} and C_{18} alkanoic acids (Figure 8.6; Holloway, 1982; Tegelaar *et al.*, 1991). Major building blocks include 10,ω-dihydroxy C_{16} or C_{18} alkanoic acids and 9,10,ω-trihydroxy C_{18} alkanoic acid, although the cutin is normally based either mainly on C_{16} or C_{18} units. In addition to the linear aliphatic moieties, the cutin fraction of some taxa also reveals the presence of cinnamic acids, in particular *p*-coumaric and ferulic acid (Kolattukudy, 1981; Holloway, 1982). Holloway (1982) however, stated that phenolic acids esterified to carbohydrates, rather than to cutin alkanoic acids, first have to be eliminated as a possible source for cinnamic acids in cutin. In particular, incorporation of cell wall material to the cuticle might lead to the apparent recognition of cinnamic acids as an integral part of cutin. Cinnamic acids have been suggested to be part of the cutin of only a small number of plants including *Lycopersicon esculentum* Mill. and *Ginkgo biloba* Linn. (Collinson *et al.*, 1998).

Unequivocal molecular evidence of cutin in fossil cuticles is sparse (Tegelaar *et al.*, 1991) as it would need to show the presence of the distinct C_{16} and C_{18} alkanoic acids; upon pyrolysis they occur as unsaturated alkanoic acids. In the few fossil cases where cutin was suggested, cinnamic acids were not recognized (Tegelaar *et al.*, 1991). In stark contrast, most fossil cuticles consist of macromolecular material composed of long-chain aliphatic compounds, termed cutan. The discovery of this material in fossil cuticles triggered a search to identify it in modern cuticles.

To date, the search for cutan in modern taxa has shown that only some modern cuticles reveal unequivocal evidence of this macromolecule (e.g. *Agave*, *Clivia* Lindl.). Moreover, the precise structure of cutan is still unclear. Pyrolysis data (de Leeuw *et al.*, 1991) in combination with chemolysis results (RuO_4 oxidation; Schouten *et al.*, 1998) indicate that it is based mainly on linear long-chain (C_{30}–C_{34}) aliphatic compounds, probably hydroxy-alkanoic acids. These could be bound covalently via non-hydrolysable ether bonds as well as via relatively labile ester bonds (Figure 8.7). Evidence of cinnamic acids in the cutan is

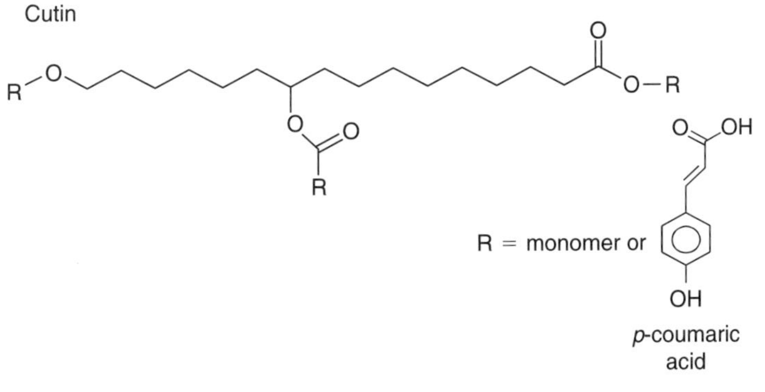

Figure 8.6 Structure of cutin building blocks based mainly on a dihydroxy fatty acid. See Figure 8.5 for additional information.

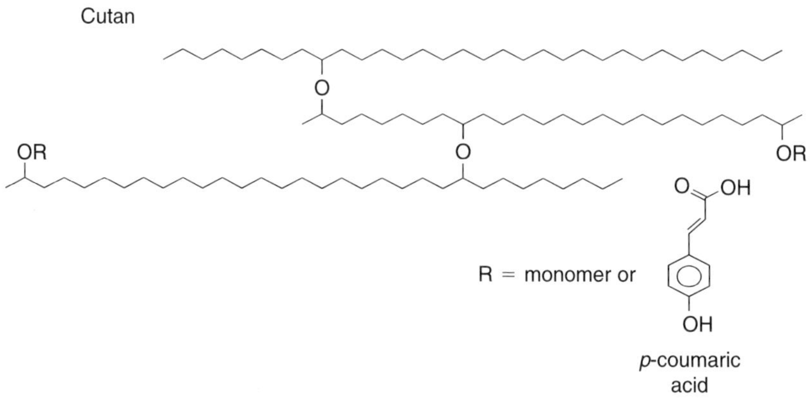

Figure 8.7 Tentative and simplified structure of a cutan based on long-chain alkyl units linked by ether moieties. See Figure 8.5 for additional information.

absent but the involvement of some small amounts of aromatic units in the cutan has been postulated based on ^{13}C NMR and thermochemolysis data (McKinney *et al.*, 1996).

Most fossil cuticles reveal the presence of a macromolecule based on long-chain aliphatic moieties often with distinct distribution patterns indicating mainly building blocks of even carbon chain length (C_{22}–C_{34}; Tegelaar *et al.*, 1991; van Bergen, 1994; Collinson *et al.*, 1994, 1998; Zodrow and Mastalerz, 2001). Interestingly, however, these fossils include taxa (e.g. *Ginkgo*; Collinson *et al.*, 1998) the modern counterparts of which are devoid of cutan. This therefore implies that the long-chain aliphatic macromolecule in fossil cuticles may in some cases be selectively preserved cutan or alternatively, a newly formed highly aliphatic geomacromolecule. As these fossil remains still appear as cuticles based on morphology and ultrastructure, the compounds involved will have to be derived from very near the cuticle itself. Cutin has been suggested as a source but it is unlikely that stabilization of this biopolyester plays a major part as this should reveal evidence of distinct linear C_{16} and/or C_{18} moieties. More recently, these observations have led to the hypothesis of within-cuticle diagenetic stabilization of normally labile aliphatic constituents, i.e. cuticular waxes, for the formation of highly aliphatic macromolecules in fossil cuticles (Collinson *et al.*, 1998). Interestingly, the chemical composition of fossil cuticular layers of related taxa can reveal chemosystematic characteristics indicating that if the highly aliphatic macromolecule in most fossil cuticles were formed upon within-cuticle stabilization this process cannot be entirely random as this would mask the chemosystematic signal (*cf. Potamogeton* L. versus *Limnocarpus* Reid and Chandler, van Bergen, 1999; van Bergen *et al.*, 1999; *Typha* L. versus *Sparganium* L.; Collinson and van Bergen, 2003; differences between various Carboniferous plant cuticles, Mösle *et al.*, 2002). Maybe cutan in modern cuticles is also based on within-cuticle cross-linking of cuticular lipids including long-chain *n*-alkanols, aldehydes and alkanoic acids. Enzymatic reactions or photo-oxidation in the living cuticle may in that case aid the formation of cutan. Recent pyrolysis data of cuticular lipids in combination with a mineral matrix showed that a cutan-type signal was obtained, suggesting that such an aliphatic macromolecular signal found in fossil cuticles may be formed during early diagenesis from waxes, some of which are present as metal salts (Finch and Freeman, 2001). In addition, one has to be aware of pyrolytically-induced alterations that can affect the chemical composition of fossil cuticles leading to spurious interpretations with respect to their original chemical composition. In particular, older cuticles often reveal chemical data implying relatively short-chain aliphatic building blocks (C_{10}–C_{18}; Collinson *et al.*,

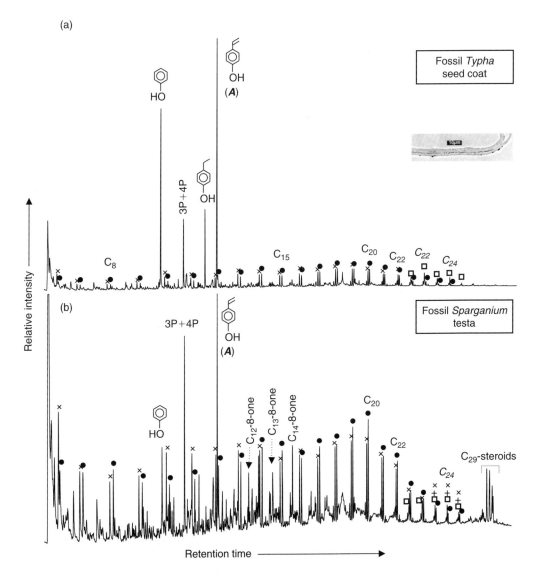

Figure 8.8 Gas chromatograms of pyrolysates (Curie-temperature 610°C) of (a) cuticular seed coat of fossil, Eocene (*ca.* 34 Ma), *Typha* and (b) fossil cuticular testa of *Sparganium*, obtained from the same bed, showing the presence of phenolic pyrolysis products (annotated P) derived from *p*-coumaric acid. Key: ● = *n*-alkanes, × = *n*-alk-1-enes, □ = 2-alkanones, C_9 = non-1-ene and nonane. C_{xx} indicate alkanones with *xx* representing the number of carbon atoms. P is phenol, 3P+4P = co-eluting 3- and 4-methylphenol. The LM photograph shows the two-layered cuticular composition of the fossil seed coat wall. For additional information regarding the samples, the reader is referred to van Bergen (1994a).

1994; Ewbank *et al.*, 1996; Zodrow and Mastalerz, 2001). These patterns are most probably solely due to increasing maturity of the organic material leading to an increase in cross-linking (van Bergen, 1999) and as such prevent unambiguous interpretations in terms of evolution and physiology.

In a few fossil cuticles evidence was found for the presence of phenolic compounds directly related to *p*-coumaric acid (Figure 8.8; seed cuticles of *Typha* and *Sparganium*;

leaf cuticles of *Ginkgo*; Collinson *et al.*, 1998). These phenolic compounds are linked both by ester- and ether-bonds. This could indicate that cinnamic acids are also incorporated in cutan of the cuticle, possibly with the same physiological function as in other plant organs (i.e. UV protection). However, the cuticular membrane of *Sparganium* is within a sclerotic endocarp making the need for UV protection less likely. Alternatively, these cinnamic acids have become incorporated upon within-cuticle stabilization during early diagenesis.

From a physiological point of view, the structural macromolecules in cuticles are, to some extent, similar and in other aspects rather different from those in algal, spore and pollen walls. First, the macromolecules in most cuticles do not contain abundant cinnamic acids, thus being distinct from sporopollenin. This despite the fact that most cuticles are directly exposed to direct sunlight. Most probably, other tissues underlying the cuticle (i.e. cell walls of the epidermis) may be involved in UV shielding, whereas no such protection exists for the cytoplasm in spores and pollen. A second difference is the presence of a structural polyester, i.e. cutin, that is based on relatively short-chain hydroxyacids. As long as these shorter alkyl units provide enough hydrophobicity in these structures, the production of such macromolecules may be advantageous. Reducing the amount of carbon needed to build these structural units, that under normal circumstances will not be used again by the plant, would be a major advantage. The similarity with algaenan and sporopollenin relates to cutan. This latter macromolecule is also based on long-chain aliphatic, ether- and possibly ester-linked (hydroxy) units. However, the paucity of in-depth molecular information of modern cutan prevents further physiological inferences.

Inner structural entities

Water-conducting and strengthening tissues

Lignin is most commonly associated with the secondary xylem in wood. This methoxyphenol-based biomacromolecule is often suggested to have been pivotal in an evolutionary sense for both water conductance and strengthening of the water-conducting elements (e.g. Edwards, 2001; Cooper-Driver, 2001). The findings of tracheids and other xylem-like elements in fossil settings as far back at the Silurian have been suggested to relate to the presence of lignin in these fossil remains (or at least lignification is implicated; Cook and Friedman, 1998; Cooper-Driver, 2001; Edwards, 2001).

The molecular building blocks of modern lignin are relatively well known despite the uncertainties of the overall molecular composition of the macromolecule itself. Lignin is based on monolignols including *p*-coumaryl alcohol, coniferyl alcohol and/or sinapyl alcohol (Figure 8.9) depending on the plant taxon (Sarkanen and Ludwig, 1971; Saiz-Jimenez and de Leeuw, 1986). In modern specimens the chemical composition of lignin is rather diverse with that of gymnosperms based mainly on coniferyl alcohol, whereas the angiosperms always contain coniferyl and sinapyl units. Monocotyledonous angiosperms and legumes may also contain abundant *p*-coumaryl units in addition to the other two. With respect to lower plants, such as bryophytes, controversy still exists as to whether the phenolic moieties present in these plants are indicative of real lignin (Lewis and Yamamoto, 1990). Proving the presence of lignin units is often dependent on detailed molecular analyses that can show intact and rather specific methoxyphenols. In particular the presence of intact side chains attached to the aromatic ring (Figure 8.10) is crucial

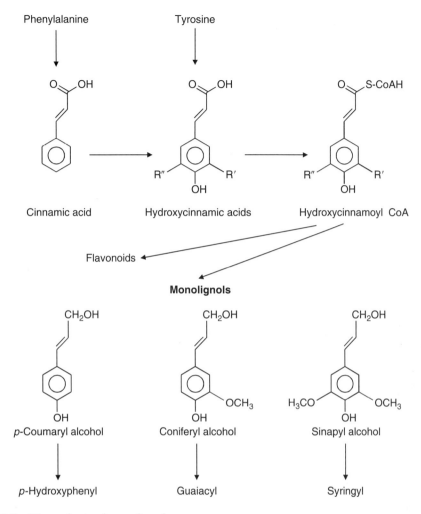

Figure 8.9 Biosynthesis of monolignols.

as various other biomolecules (e.g. tannins) can also release simple methoxyphenols (see below; Figure 8.11).

Evidence for lignin in fossil plant material is complicated by the fact that the characteristic (di)methoxyphenols undergo diagenetic transformation reactions leading to (3-methoxy)-1,2-benzenediols and ultimately phenols (Hatcher and Clifford, 1997; van Bergen *et al.*, 2000). These latter two compound classes are much less specific and can be derived from various sources other than lignin (i.e. from tannins, sporopollenin, proteins etc.). The distribution with time of original lignin units and their degradation products is shown in Figure 8.12. Unequivocal molecular evidence for lignin exists for wood samples as old Early Mesozoic, but most of these samples are characterized by lignin degradation products such as 1,2-benzenediols and phenols. In stark contrast, very few studies have shown the presence of methoxyphenols in Palaeozoic plant remains (e.g. wood material from the Moscow Basin; Hatcher and Lerch, 1991) and we know of no research revealing characteristic side chain evidence. For example Palaeozoic fossil wood from Carboniferous *Cordaites* only revealed phenols and to a smaller extent 1,2-benzenediols (Ewbank *et al.*,

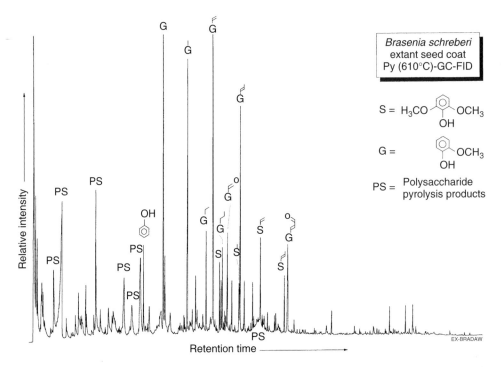

Figure 8.10 Gas chromatogram of the pyrolysate (Curie-temperature 610°C) of the ligno-cellulose complex present in seed coat of extant *Brasenia schreberi* J.F. Gmel. Note the abundance of products indicating 2-methoxyphenols (G) and 2,6-dimethoxyphenols (S) with side chains.

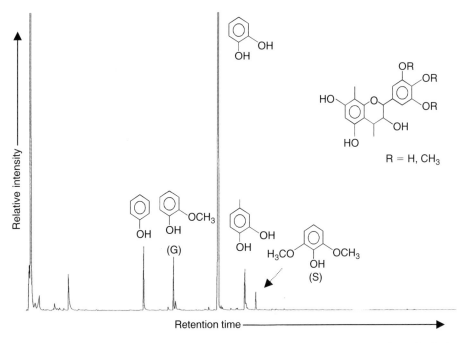

Figure 8.11 Gas chromatogram of the pyrolysate (Curie-temperature 610°C) of non-hydrolysable red wine tannin. Note the *absence* of 2-methoxyphenols and 2,6-dimethoxyphenols with side chains when compared with Figure 8.10.

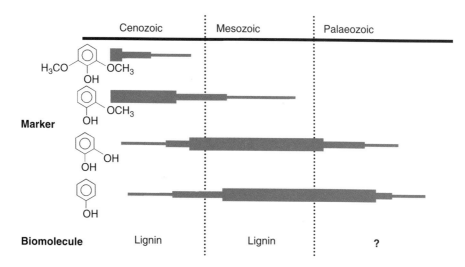

Figure 8.12 Abundance of (methoxy)phenols with time revealing the absence of characteristic methoxyphenols in the Palaeozoic.

1996), whereas older samples still, i.e. Devonian *Psilophyton, Prototaxites* Dawson and *Pachytheca* Hooker only showed evidence of phenols and simple aromatics (e.g. alkylbenzenes and naphthalenes; Edwards *et al.*, 1997; Abbott *et al.*, 1998). These data imply that the presence of lignin can only be proven in Mesozoic plant fossils and younger, minimizing the inferences that can be made on the physiological significance of the phenolic compounds present in early land plants in relation to strengthening and water conductivity.

However, xylem elements in modern plants also contain an abundant polysaccharide fraction *viz.* hemicellulose and cellulose which, together with lignin, form the ligno-cellulose complex. This complex in the main S-layers of the secondary wall is most probably composed of orientated cellulose fibres surrounded by a matrix of lignin and hemicelluloses (Terashima *et al.*, 1993; Salmén, 2000). Recent studies on the mechanical properties of wood imply that lignin in itself is not the sole factor determining cell wall strength (Hoffman *et al.*, 2000; Salmén, 2000). Cellulose fibres are now believed to be much more important for mechanical rigidity whereas lignin provides mainly a water proofing for the cellulose (Hoffman *et al.*, 2000). In addition, phenolic-based biomolecules such as condensed tannins (proanthocyanidins) have been suggested to play a structural role in some plant tissues (*cf.* Figure 3 in Shen *et al.*, 1986). Interestingly, pyrolysis data of condensed tannins revealed a number of distinct products including 1,2-benezendiols, 2-methoxyphenol and 2,6-dimethoxyphenol (see Figure 8.11). The presence of these latter two compounds is often used as evidence of lignin. However, the absence of additional (di)methoxyphenols containing characteristic side chains clearly shows that the sole occurrence of 2-methoxy- and/or 2,6-dimethoxyphenol cannot be used as unequivocal chemical evidence of lignin. An example that strengthening tissues of plants do not need lignin is provided by the molecular data of the fruit wall of *Nelumbo nucifera* Gaertn. (van Bergen *et al.*, 1997). These propagules are well-known for their extreme longevity (Shen-Miller *et al.*, 1995). Molecular analyses using solid state ^{13}C NMR in combination with pyrolysis revealed that the physically extremely hard sclerotic outer layer is based on a polysaccharide-tannin complex providing both physical strength as well as durability (van Bergen *et al.*, 1997). These molecular data from modern examples imply that lignin is not necessarily a physiological prerequisite for the evolution of structural plant tissues and that other phenolic macromolecular biomolecules may have played a key role in the early evolution of land plants (*cf.* Abbott *et al.*, 1998).

Conclusions

The invasion of the land by plants may have forced the evolution of specific physiological adaptation to survive this hostile new environment. Two of the main problems plants had to overcome included an increase in the levels of UV radiation and water loss or desiccation. Studying the resistant macromolecular composition of outer coverings and strengthening tissues from both modern and fossil examples can reveal information on the molecular evolution of these structures. The resistant molecules in cuticles (i.e. cutin and cutan) and spore and pollen walls (sporopollenin) are all based on even carbon numbered long-chain aliphatic chemical building blocks providing sufficient hydrophobicity to reduce water loss. These aliphatic moieties are largely similar to those present in the resistant walls of algae (algaenan) from which the land plants may have evolved. Apart from the aliphatic material, sporopollenin and, to some degree, cutin and cutan from both modern and fossil examples also reveal the presence of cinnamic acids, which probably are responses to the enhanced levels of UV radiation on land. With respect to the strengthening tissues, lignin may have been an important biomolecule in early land plants but, to date, no unequivocal molecular evidence exists that it actually occurred in the oldest land plants. Moreover, molecular data from modern strengthening tissues indicate that lignin is not necessarily a physiological prerequisite for the evolution of plant tissues that provide physical strength and that other phenolic macromolecular biomolecules may have played an additional (key) role in the evolution of the early land plants.

References

Abbott GD, Ewbank G, Edwards D, Wang G-Y. 1998. Molecular characterization of some enigmatic Lower Devonian fossils. *Geochimica et Cosmochimica Acta* 62: 1407–1418.

Allard B, Templier J, Largeau C. 1997. Artificial origin of mycobacterial bacteran. Formation of melanoidin-like artifact macromolecular material during the usual isolation process. *Organic Geochemistry* 26: 691–704.

Allard B, Templier J, Largeau C. 1998. An improved method for the isolation of artifact-free algaenans from microalgae. *Organic Geochemistry* 28: 543–548.

van Bergen PF. 1994. Paleaobotany of Propagules: An investigation combining microscopy and chemistry. D.Phil. Thesis, London University, UK.

van Bergen PF. 1999. Pyrolysis and chemolysis of fossil plant remains: applications to palaeobotany. In: Jones TP, Rowe NP, eds. *Fossil Plants and Spores: Modern Techniques*. London: The Geological Society, 143–148.

van Bergen PF, Collinson ME, de Leeuw JW. 1993. Chemical composition and ultrastructure of fossil and extant salvinialean microspore massulae and megaspores. *Grana* Suppl. 1: 18–30.

van Bergen PF, Goñi M, Collinson ME, *et al.* 1994a. Chemical and microscopic characterization of outer seed coats of fossil and extant water plants. *Geochimica et Cosmochimica Acta* 58: 3823–3844.

van Bergen PF, Scott AC, Barrie PJ, *et al.* 1994b. The chemical composition of Upper Carboniferous pteridosperm cuticles. *Organic Geochemistry* 21: 107–112.

van Bergen PF, Collinson ME, Briggs DEG, *et al.* 1995. Resistant biomacromolecules in the fossil record. *Acta Botanica Neerlandica* 44: 319–342.

van Bergen PF, Hatcher PG, Boon JJ, *et al.* 1997. Macromolecular composition of the propagule wall of *Nelumbo nucifera*. *Phytochemistry* 45: 601–610.

van Bergen PF, Collinson ME, Stankiewicz BA. 1999. The importance of molecular palaeobotany. *Acta Palaeobotanica* Suppl. **2**: 653–657.

van Bergen PF, Poole I, Ogilvie TMA, *et al.* 2000. Evidence for demethylation of syringyl moieties in archaeological wood using pyrolysis/gas chromatography/mass spectrometry. *Rapid Communications in Mass Spectrometry* **14**: 71–79.

Berthéas O, Metzger P, Largeau C. 1999. A high molecular weight complex lipid, aliphatic polyaldehyde tetraterpenediol polyacetal from *Botryococcus braunii* (L race). *Phytochemistry* **50**: 85–96.

Bestougeff MA, Byramjee RJ, Pesneau B. 1985. On the chemical mechanism of kerogen thermal transformation. Study of the transformation of sporopollenin. *Organic Geochemistry* **8**: 389–398.

Bierstedt A, Stankiewicz BA, Briggs DEG, Evershed RP. 1998. Quantitative and qualitative analysis of chitin in fossil arthropods using a combination of colorimetric assay and pyrolysis gas chromatography mass spectrometry. *The Analyst* **123**: 139–145.

Blokker P. 2000. Structural analysis of resistant polymers in extant algae and ancient sediments. *Geologica Ultraiectina* **193**: 145.

Blokker P, Schouten S, van den Ende H, *et al.* 1998. Chemical structure of algaenans from the fresh water algae *Tetraedron minimum*, *Senedesmus communis* and *Pediastrum boryanum*. *Organic Geochemistry* **29**: 1453–1468.

Blokker P, Schouten S, de Leeuw JW, *et al.* 1999. Molecular structure of the resistant biopolymer in the zygospore cell walls of *Chlamydomonas monoica*. *Planta* **207**: 539–543.

Blokker P, van Bergen PF, Pancost R, *et al.* 2001. The chemical structure of *Gloeocapsomorpha prisca* microfossils: Implications for their origin. *Geochimica et Cosmochimica Acta* **65**: 886–900.

Boon JJ, Stout SA, Genuit W, Spackman W. 1989. Molecular paleobotany of *Nyssa* endocarps. *Acta Botanica Neerlandica* **38**: 391–404.

Brooks J. 1971. Some chemical and geochemical studies on sporopollenin. In: Brooks J, Grant P, Muir MD, *et al.*, eds. *Sporopollenin*. London: Academic Press, 351–407.

Brooks J, Shaw G. 1968. The post-tetradontogeny of the pollen wall and the chemical structure of the sporopollenin of *Lilium henryii*. *Grana* **8**: 227–234.

Brooks J, Shaw G. 1978. Sporopollenin: a review of its chemistry, palaeochemistry and geochemistry. *Grana* **17**: 91–97.

Collinson ME, van Bergen PF. 2003. Evolution of angiosperm fruit and seed physiology: anatomical and chemical evidence from fossils. In: Hemsley AR, Poole I, eds. *The Evolution of Plant Physiology*. Oxford: Elsevier, 347–381.

Collinson ME, van Bergen PF, Scott AC, de Leeuw JW. 1994. The oil-generating potential of plants from coal and coal-bearing strata through time: a review with new evidence from Carboniferous plants. In: Scott AC, Fleet AJ, eds. *Coal and Coal-bearing Strata as Oil-prone Source Rocks?* Geological Society Special Publication 77: 31–70.

Collinson ME, Mösle B, Finch P, *et al.* 1998. The preservation of plant cuticle in the fossil record: a chemical and microscopical investigation. *Ancient Biomolecules* **2**: 251–265.

Cook ME, Friedman WE. 1998. Tracheid structure in a primitive extant plant provides an evolutionary link to earliest fossil tracheids. *International Journal of Plant Science* **159**: 881–890.

Cooper-Driver GA. 2001. Biological roles for phenolic compounds in the evolution of early land plants. In: Gensel PG, Edwards D, eds. *Plants Invade the Land. Evolutionary and Environmental Perspectives*. New York: Columbia University Press, 159–172.

Davis MR, Abbott JM, Cudby M, Gaines A. 1988. Chemical structure of telocollinites and sporinites. 2. Analysis of material unextractableby pyridine using ^{13}C CP/MAS N.M.R. and G.C.-M.S. spectrometry. *Fuel* **67**: 960–966.

Derenne S, Largeau C, Casadevall E, *et al.* 1991. Chemical evidence of kerogen formation in source rocks and oil shales via selective preservation of thin resistant outer walls of microalgae: origin of ultralaminae. *Geochimica et Cosmochimica Acta* **55**: 1041–1050.

Derenne S, Largeau C, Hatcher PG. 1992a. Structure of *Chlorella fusca* algaenan: relationships with ultralaminae in lacustrine kerogens: species- and environmental-dependent variations in the composition of fossil ultralaminae. *Organic Geochemistry* **18**: 417–422.

Derenne S, Metzger P, Largeau C, *et al.* 1992b. Similar morphological and chemical variations of *Gloeocapsomorpha prisca* in Ordovician sediments and cultured *Botryococcus braunii* as a response to changes in salinity. *Organic Geochemistry* **19**: 299–313.

Derenne S, Largeau C, Berkaloff C. 1996. First example of an algaenan yielding an aromatic-rich pyrolysate. Possible geochemical implications on marine kerogen formation. *Organic Geochemistry* **24**: 617–627.

Edwards D. 2001. Early land plants. In: Briggs DEG, Crowther PR, eds. *Palaeobiology II*. Oxford: Blackwell Science, 63–66.

Edwards D, Ewbank G, Abbott GD, 1997. Flash pyrolysis of the outer cortical tissues in Lower Devonian *Psilophyton dawsonii*. *Botanical Journal of the Linnean Society* **124**: 334–360.

Ewbank G, Edwards D, Abbott GD. 1996. Chemical characterization of Lower Devonian vascular plants. *Organic Geochemistry* **25**: 461–473.

Finch P, Freeman G. 2001. Simulated diagenesis of plant cuticles – implications for organic fossilisation. *Journal of Analytical and Applied Pyrolysis* **58–59**: 229–235.

Foster CB, Wicander R, Reed JD. 1989. *Gloeocapsomorpha prisca* Zalessky, 1917: A new study. Part I: taxonomy, geochemistry and palaeoecology. *Geobios* **22**: 735–759.

Foster CB, Wicander R, Reed JD. 1990. *Gloeocapsomorpha prisca* Zalessky, 1917: A new study. Part II: origin of Kukersite, a new interpretation. *Geobios* **23**: 133–140.

Gatellier J-PLA, de Leeuw JW, Sinninghe Damsté JS, *et al.* 1993. A comparative-study of macromolecular substances of a coorongite and cell-walls of the extant alga *Botryococcus braunii*. *Geochimica et Cosmochimica Acta* **57**: 2053–2068.

van Geel B, Grenfell HR. 1996. Spores of Zygnemataceae. In: Jansonius J, McGregor DC, eds. *Palynology: Principles and Applications*. Salt Lake City: American Association of Stratigraphic Palynologists Foundation, 173–179.

Gelin F, Boogers I, Noordeloos AAM, *et al.* 1997. Resistant biomacromolecules in marine microalgae of the classes Eustigmatophyceae and Chlorophyceae: geochemical implications. *Organic Geochemistry* **26**: 659–675.

Gelin F, Volkman JK, Largeau C, *et al.* 1999. Distribution of aliphatic, nonhydrolyzable biopolymers in marine microalgae. *Organic Geochemistry* **30**: 147–159.

Goth K, de Leeuw JW, Püttmann W, Tegelaar EW. 1988. Origin of Messel oil shale kerogen. *Nature* **336**: 759–761.

Graham LE, Gray J. 2001. The origin, morphology and ecophysiology of early embryophytes: neontological and paleontological perspectives. In: Gensel PG, Edwards D, eds. *Plants Invade the Land. Evolutionary and Environmental Perspectives*. New York: Columbia University Press, 140–158.

Guilford WJ, Schneider DM, Labovitz J, Opella SJ. 1988. High resolution solid state ^{13}C NMR spectroscopy of sporopollenin from different plant taxa. *Plant Physiology* **86**: 134–136.

Hatcher PG, Lerch HE III. 1991. Survival of lignin-derived structural units in ancient coalified wood samples. In: Schobert HH, Bartle KD, Lynch LJ, eds. *Coal Science II* ACS symposium series 461, Washington DC: American Chemical Society, 9–19.

Hatcher PG, Clifford DJ. 1997. The organic geochemistry of coal: from plant materials to coal. *Organic Geochemistry* **27**: 251–274.

Hatcher PG, Pan VH, Maciel GE. 1999. Solid state ^{13}C nuclear magnetic resonance of fossil plants and spores. In: Jones TP, Rowe NP, eds. *Fossil Plants and Spores: Modern Techniques*. London: The Geological Society, 149–155.

Hayatsu R, Botto RE, Mcbeth RL, *et al.* 1988. Chemical alteration of a biological polymer 'sporopollenin' during coalification: origin, formation, and transformation of the coal maceral sporinite. *Energy and Fuels* **2**: 843–847.

Hemsley AR, 1994. Exine ultrastructure in the spores of enigmatic Devonian plants: its bearing on the interpretation and on the origin of the sporophyte. In: Kurmann MH, Doyle JA, eds. *Ultrastructure of fossil spores and pollen*. Kew: Royal Botanic Gardens, 1–21.

Hemsley AR, Chaloner WG, Scott AC, Groombridge CJ. 1992. Carbon-13 solid-state nuclear magnetic resonance of sporopollenins from modern and fossil plants. *Annals of Botany* **69**: 545–549.

Hemsley AR, Barrie PJ, Chaloner WG, Scott AC. 1993. The composition of sporopollenin: its contribution to living and fossil spore systematics. *Grana* Suppl. **1**: 2–11.

Hemsley AR, Scott AC, Barrie PJ, Chaloner WG. 1996. Studies of fossil and modern spore wall biomacromolecules using ^{13}C solid state NMR. *Annals of Botany* **78**: 83–94.

Herminghaus S, Gubatz S, Arendt S, Wiermann R. 1988. The occurrence of phenols as degradation products of natural sporopollenin – a comparison with 'synthetic sporopollenin'. *Zeitschrift Naturforschung* **43c**: 491–500.

Hoffmann B, Chabbert B, Monties B, Speck T. 2000. 'Fine-tuning' of mechanical properties in two tropical lianas. In: Spatz H-C, Speck T, eds. *Plant Biomechanics 2000*. Stuttgart: Georg Thieme Verlag, 10–18.

Holloway PJ. 1982. The chemical constitution of plant cutins. In: Cutler DF, Alvin KL, Price CE, eds. *The Plant Cuticle*. Linnean Society Symposium Series **10**, 45–85.

Kokinos JP, Eglinton TI, Goni MA, *et al*. 1998. Characterization of a highly resistant biomacro-molecular material in the cell wall of a marine dinoflagellate resting cyst. *Organic Geochemistry* **28**: 265–288.

Kolattukudy PE. 1981. Structure, biosynthesis and biodegradation of cutin and suberin. *Annual Reviews in Plant Physiology* **32**: 539–567.

Kozubek A, Tyman JHP. 1999. Resorcinolic lipids, the natural non-isoprenoic amphiphiles and their biological activity. *Chemical Reviews* **99**: 1–26.

Kruge MA, Crelling JC, Hippo EJ, Palmer SR. 1991. Aspects of sporinite chemistry. *Organic Geochemistry* **17**: 193–204.

Largeau C, Derenne S, Casadevall E, *et al*. 1986. Pyrolysis of immature torbanite and of the resist-ant biopolymer (PRB A) isolated from the extant alga *Botryococcus braunii*. Mechanism for the formation and structure of torbanite. *Organic Geochemistry* **10**: 1023–1032.

de Leeuw JW, Largeau C. 1993. A review of macromolecular organic compounds that comprise living organisms and their role in kerogen, coal and petroleum formation. In: Engel MH, Macko SA, eds. *Organic Geochemistry*. New York: Plenum Publishing Corp., 23–72.

de Leeuw JW, van Bergen PF, van Aarssen BGK, *et al*. 1991. Resistant biomacromolecules as major con-tributors to kerogen. *Philosophical Transactions of the Royal Society of London B* **333**: 329–337.

Lewis NG, Yamamoto E. 1990. Lignin: Occurence, Biogenesis and Biodegredation. *Annual Reviews in Plant Physiology and Plant Molecular Biology* **41**: 455–496.

McKinney DE, Bortiatynski JM, Carson DM, *et al*. 1996. Tetramethylammonium hydroxide (TMAH) thermochemolysis of the aliphatic biopolymer cutan: Insights into the chemical struc-ture. *Organic Geochemistry* **24**: 641–650.

Metzger P, Largeau C. 1994. A new type of ether lipid comprising phenolic moieties in *Botryococcus braunii*. Chemical structure and abundance, and geochemical implications. *Organic Geochemistry* **22**: 802–814.

Mösle B, Finch P, Collinson ME, Scott AC. 1997. Comparison of modern and fossil plant cuticles by selective chemical extraction monitored by flash pyrolysis-gas chromatography-mass spec-trometry and electron microscopy. *Journal of Analytical and Applied Pyrolysis* **40–41**: 585–597.

Mösle B, Collinson ME, Scott AC, Finch P. 2002. Chemosystematic and microstructural investiga-tions on carboniferous seed plant cuticles from four North American localities. *Review of Palaeobotany and Palynology* **120**: 41–52.

Mulder MM, van der Hage ERE, Boon JJ. 1992. Analytical in source pyrolytic methylation electron impact mass spectrometry of phenolic acids in biological matrices. *Phytochemical Analysis* **3**: 165–172.

Nip M, de Leeuw JW, Schenck PA. 1988. The characterization of eight maceral concentrates by means of Curie point pyrolysis-gas chromatography and Curie point pyrolysis-gas chromatography-mass spectrometry. *Geochimica et Cosmochimica Acta* **52**: 637–648.

Nip M, de Leeuw JW, Crelling JC. 1992. Chemical structure of bituminous coal and its constitut-ing maceral fractions as revealed by flash pyrolysis. *Energy and Fuels* **6**: 125–136.

Philip RP, Gilbert TD, Russel NJ. 1982. Characterization by pyrolysis-gas chromatography-mass spectrometry of the insoluble organic residues from the hydrogenation of *Tasmanites* sp. oil shale. *Fuel* **61**: 221–226.

Rozema J, Broekman RA, Blokker P, *et al*. 2001. UV-B absorbance and UV-B absorbing com-pounds (*para*-coumaric acid) in pollen and sporopollenin: the perspective to track historic UV-B levels. *Journal of Photochemistry and Photobiology B: Biology* **62**: 108–117.

Saiz-Jimenez C, de Leeuw JW. 1986. Lignin pyrolysis products: Their structures and their signifi-cance as biomarkers. *Organic Geochemistry* **10**: 869–876.

Salmén L. 2000. Structure–property relations for wood: from the cell-wall polymeric arrangement to the macroscopic behaviour. In: Spatz H-C, Speck T, eds. *Plant Biomechanics 2000*. Stuttgart: Georg Thieme Verlag, 452–462.

Sarkanen KV, Ludwig CH. 1971. *Lignins. Occurrence, Formation, Structure and Reactions*. New York: Wiley-Interscience.

Schenck PA, de Leeuw JW, van Graas G, *et al.* 1981. Analysis of recent spores and pollen and of thermally altered sporopollenin by flash pyrolysis-mass spectrometry and flash pyrolysis-gas chromatography-mass spectrometry. In: Brooks J, ed. *Organic Maturation Studies and Fossil Fuel Exploration*. London: Academic Press, 225–237.

Schouten S, Moerkerken P, Gelin F, *et al.* 1998. Structural characterization of aliphatic, non-hydrolyzable biopolymers in freshwater algae and leaf cuticle by ruthenium tetroxide degradation. *Phytochemistry* 49: 987–993.

Schulze Osthoff K, Wiermann R. 1987. Phenols as integrated compounds of sporopollenin from *Pinus* pollen. *Journal of Plant Physiology* 131: 5–15.

Shaw G. 1970. Sporopollenin. In: Harborne JB, ed. *Phytochemical Phylogeny*. London: Academic Press, 31–58.

Shaw G. 1971. The chemistry of sporopollenin. In: Brooks J, Grant P, Muir MD, *et al.*, eds. *Sporopollenin*. London: Academic Press, 305–350.

Shaw G, Yeadon A. 1964. Chemical studies on the constitution of some pollen and spore membranes. *Grana Palynologica* 5: 247–252.

Shen Z, Haslam E, Falshaw CP, Begley MJ. 1986. Procyanides and polyphenols of *Larix gmelini* bark. *Phytochemistry* 25: 2629–2635.

Shen-Miller J, Mudgett MB, Schopf JW, *et al.* 1995. Exceptional seed longevity and robust growth – ancient sacred lotus from China. *American Journal of Botany* 82: 1367–1380.

Sinninghe Damsté JS, de las Heras FXC, van Bergen PF, de Leeuw JW. 1993. Characterisation of Tertiary Catalan lacustrine oil shales: Discovery of extremely organic sulphur-rich type I kerogens. *Geochimica et Cosmochimica Acta* 57: 389–415.

Stankiewicz BA, van Bergen PF, Smith MB, *et al.* 1998. Comparison of analytical performance of filament and Curie-point pyrolysis devices. *Journal of Analytical and Applied Pyrolysis* 45: 133–151.

Stebbins GL, Hill GJC. 1980. Did multicellular plants invade the land? *American Naturalist* 115: 342–353.

Tegelaar EW, de Leeuw JW, Largeau C, *et al.* 1989. Scope and limitations of several pyrolysis methods in the structural elucidation of macromolecular plant constituents in the leaf cuticle of *Agave americana* L. *Journal of Analytical and Applied Pyrolysis* 15: 29–54.

Tegelaar EW, Kerp JHF, Visscher H, *et al.* 1991. Bias of the paleobotanical record as a consequence of variations in the chemical composition of higher vascular plant cuticles. *Paleobiology* 17: 133–144.

Terashima N, Fukushima K, He L-F, Takabe K. 1993. Comprehensive model of the lignified plant cell wall. In: Jung HG, Buxton DH, Hatfield RD, Ralf H, eds. *Forage Cell Wall Structure and Digestibility*. Madison: ASA-CSSA-SSSA, 247–270.

Wehling K, Niester C, Boon JJ, *et al.* 1989. *p*-Coumaric acid – a monomer in the sporopollenin skeleton. *Planta* 179: 376–380.

Wiermann R, Gubatz S. 1992. Pollen wall and sporopollenin. *International Reviews in Cytology* 140: 35–72.

Zetzsche F, Kälin O. 1931. Membranes of spores and pollen. V. Autoxidation of sporopollenin. *Helvetica Chimica Acta* 14: 517–519.

Zetzsche F, Kalt P, Liechti J, Ziegler E. 1937. Membranes of spores and pollen. XI. Constitution of *Lycopodium* sporonin, tasmanin and fossil sporonins. *Journal für Praktische Chemie* 148: 267–286.

Zodrow EL, Mastalerz M. 2001. Chemotaxonomy for naturally macerated tree-fern cuticles (Medullosales and Marattiales), Carboniferous Sydney and Mabou Sub-Basins, Nova Scotia, Canada. *International Journal of Coal Geology* 47: 255–275.

9

Early land plant adaptations to terrestrial stress: a focus on phenolics

Linda E Graham, Robin B Kodner, Madeline M Fisher,
James M Graham, Lee W Wilcox, John M Hackney,
John Obst, Peter C Bilkey, David T Hanson and
Martha E Cook

CONTENTS

Introduction

The first land plants no doubt found the terrestrial environment to be a bountiful source of carbon dioxide and light – resources that may have limited growth and reproduction of their aquatic algal ancestors (Graham, 1993). But there was probably a stressful 'trade-off' in the form of increased heat, desiccation, oxidative damage, harmful radiation and low soil nutrient content. Interactions with terrestrial microbes may have been an additional new challenge. That early land plants successfully coped, is evidenced by more than a quarter million species of extant descendants and the many millions of terrestrial animal and microbial species that depend upon plants. Comparing the traits of modern representatives of ancient plant lineages offers insight into how plants developed ways of responding to terrestrial stressors. Molecular phylogenetic evidence indicates that modern land plants (embryophytes) are a monophyletic group descended from charophycean green algae (primarily aquatic) and that modern bryophyte lineages (primarily terrestrial) diverged prior to any group of modern vascular plants (data summarized by Kenrick and Crane, 1997).

The prevascular terrestrial biota probably included early plants that shared features with modern bryophytes. This assumption is supported not only by molecular sequence information, but also by an increasingly rich microfossil record of spores, tubes and cellular sheets that have been attributed to early, bryophyte-like plants (Edwards *et al.*, 1995; Graham and Gray, 2001 and references cited therein). Additional evidence is provided by morphometric similarity of ancient microfossils to remains of modern bryophytes that were subjected to procedures designed to mimic degradative changes that occur during fossilization (Kroken *et al.*, 1996; Kodner and Graham, 2001). Therefore, some traits of extant bryophytes may model early plant adaptations to terrestrial stress (though other features could be of more recent origin and thus not mirror the traits of ancient relatives).

One goal of our work was to map stress-related physiological traits onto a robust phylogeny for modern charophycean algae and bryophytes, because previous mapping of reproductive and structural developmental traits has provided useful insights into early plant evolution (Graham and Wilcox, 2000a; Graham *et al.*, 2000). Additional goals were to compare aspects of phenolic chemistry among charophyceans, bryophytes and pteridophytes and to estimate the extent to which non-vascular plants could have contributed to carbon sequestration prior to the origin of vascular plants. To these ends we: (1) used thioacidolysis as an assay for lignin-specific β-O-4 phenolic linkages in representative green algae and early-divergent land plants; (2) surveyed selected green algae and bryophytes for presence of resistant biomass; (3) quantitatively determined the percentages of resistant cell wall biomass for those that produced measurable amounts; and (4) used these and other data to estimate the amount of resistant organic carbon that might have been generated by early non-vascular land plants.

Materials and techniques

Trait mapping

We used phylogenies published by Karol *et al.* (2001) for charophyceans, Lewis *et al.* (1997) for liverworts, Qiu and Palmer (1999) and Nickrent *et al.* (2000) for bryophytes and Newton *et al.* (2000) for mosses, in order to compile a phylogram representing an emerging view of the early streptophyte (charophyceans plus embryophytes) radiation. Putative stress adaptation traits (whose occurrence was derived from the literature) were mapped onto the phylogram. Fourteen of these stress-related traits are described more fully in Appendix 9.1.

Thioacidolysis

Algae treated by thioacidolysis included unialgal, soil-free cultures representing major green algal lineages (Graham and Wilcox, 2000b): *Cladophora glomerata* (L.) Kütz.

(Ulvophyceae), *Chlorella vulgaris* Beij. (Trebouxiophyceae), *Oedogonium* Link sp. (Chlorophyceae), *Klebsormidium barlowii* (Silva *et al.*), *Spirogyra* Link sp., *Mougeotia* C.A. Agardh sp., *Staurastrum* Meyen sp., *Chara* L. sp. and *Coleochaete orbicularis* Pringsheim (Charophyceae). Soil-free laboratory cultures of the following bryophytes were examined: *Riccia fluitans* L. (liverwort), and the mosses *Sphagnum compactum* DC, *S. centrale* C. Jens, and *Polytrichum commune* Hedw. Moss cultures were generously provided by M. Sargent, University of Illinois. Cultures of the fern *Polypodium aureum* L. gametophytes and young sporophytes were grown from surface-sterilized spores in closed petri dishes containing mineral nutrient agar. The lycophytes *Lycopodium obscurum* L. and *Selaginella kraussiana* (Kunze) A. Braun and the pteridophytes *Psilotum nudum* L., *Tmesipteris vieillardii* Dangeard and *Adiantum capillus-veneris* L. were obtained from the University of Wisconsin Botany Department greenhouses and washed free of soil with sterile water prior to testing. Thioacidolysis was performed as described by LaPierre (1993). Freeze-dried plant or algal samples were boiled for 4 h under nitrogen in 0.2 M boron trifluoride etherate in 9:1 dioxane ethanethiol. After cooling, 10 μl distilled water was added and the pH was adjusted to 3–4 with 0.4 M NaHCO$_3$. Five ml of a tetracosane solution (either 0.1 or 0.01 of tetracosane per ml of CH$_2$Cl$_2$ depending upon the anticipated concentration of derivatized product to be measured) was added as an internal standard. The sample was then extracted three times with 10 ml CH$_2$Cl$_2$. The combined extracts were dried over a small amount of MgSO$_4$ and paper filtered into an evaporation flask and the sample was rotationally evaporated to near dryness. The resultant residue was subsequently evaporated to dryness with a directed stream of N$_2$ gas and the products were derivatized by adding 1 drop of pyridine and 4–5 drops of BSTFA (bis trimethylsilyl trifluoroacetamide). Finally, the sample was reacted by warming at the lowest setting on a hot plate for 0.5 h prior to its analysis by GC/MS (Finnagan Model MAT 4500; 30 m DB-1 column).

Qualitative and quantitative assessment of acid hydrolysis-resistant biomass

Green algae studied included the desmids (Chlorophyta, Charophyceae) *Staurastrum* sp. Meyen, *Euastrum insigne* (Smith) Bréb. ex Ralfs, *Euastrum pinnatum* Ralfs, *Micrasterias truncata* (Corda) Bréb., *Closterium ehrenbergi* Meneghini, *Hyalotheca dissiliens* (Sm.) Bréb., *Desmidium majus* Lagerheim, and *D. grevillii* De Bary, and the co-occurring, non-desmid *Eremosphaera viridis* De Bary (Chlorophyta, Trebouxiophyceae). These taxa were isolated from Blueberry Lake (Vilas County, WI), Jyme Lake (Oneida Co., WI), or Birch Lake (Marquette Co., WI) and grown in unialgal culture in defined, soil-free medium DYIII (Lehman, 1976). Cultured algal cells of the same age were harvested by micropore filtration and lyophilized. Early-divergent mosses studied included two species of *Sphagnum*, *Andreaea rupestris* Hedw. and *Polytrichum ohioense* Ren and Card. Axenic cultures of *Sphagnum nemoreum* and *S. compactum* Lam. et Cand. (obtained from M. Sargent, University of Illinois) were grown in one-third strength Gamborg's B5 Basal Salts medium (Sigma) with 1% sucrose added, for an equivalent period of time, in both liquid or agar form. Small amounts of *Andreaea rupestris* were obtained from granitic rocks at 11 000 ft (3350 m) elevation from the Indian Peaks Wilderness Area, Boulder Co., CO (with permission of the US National Forest Service). Gametophytes of *Polytrichum ohioense* were collected from UW Madison Kemp Biological Station, Oneida Co., WI.

Qualitative assessment of resistance was performed by acetolysis treatment in Eppendorf tubes with concentrated acetic acid for 5–10 min at room temperature, then boiling in 9:1 acetic anhydride/concentrated sulphuric acid for 20 minutes, followed by washes in concentrated acetic acid and then water (Kroken *et al.*, 1996). Each step was followed by gentle centrifugation in order to concentrate biomass so that supernatant could be removed by pipette. If plant or algal remains were present, they were visible as dark sediment in the tips of tubes and were removed for microscopic examination with a Pasteur pipette.

Quantitative determinations of resistant biomass were performed for the resistant-walled charophyceans *Staurastrum* spp., *Euastrum insigne*, *Desmidium grevillii* and *Hyalotheca dissiliens* and all of the mosses listed above. We first experimentally determined that the high temperature acid hydrolysis procedure described above did not significantly alter the weight of empty Eppendorf tubes. Lyophilized algae and mosses were thoroughly dried before being added to preweighed tubes, then tubes were re-weighed prior to acetolysis treatment. After treatment the tubes were dried for several days in an oven at 45°C before final weighing. Before and after treatment, plant or algal weight was calculated by subtracting the weight of the tube from the weight of the tube plus algae or plant material. The proportions of resistant to initial dry weights of specimens were computed and Student's *t*-test was used to identify significant differences among taxa.

Fluorescence, scanning and transmission electron microscopy

Acetolysed *Micrasterias* and *Andreaea* were examined with a Zeiss Axioplan fluorescence microscope in violet and UV excitation as described by Kroken *et al.* (1996). *Andreaea* was prepared for SEM by gold coating remains that had been affixed to aluminum stubs by double-sticky tape. Living specimens were prepared for transmission electron microscopy by soaking in 1% Triton-X for 1 h, followed by three quick rinses with phosphate buffer; fixation in 2% glutaraldehyde and 4% acrolein for 5 h, six buffer washes for 10 min each; fixation in 2% osmium tetroxide for 2 h, followed by six 10 min buffer rinses; dehydration in acetone, followed by infiltration with Spurr's resin over a period of 3 days; and polymerization at 70°C overnight. Images of sectioned, stained cells were obtained with a Zeiss 10 transmission electron microscope.

Global estimates of early Palaeozoic resistant and sequestered carbon

Estimates of sequesterable carbon produced by prevascular plants were developed by combining our quantitative determinations of acetolysis-resistant biomass in three early-divergent mosses (*Sphagnum*, *Polytrichum* and *Andreaea*) with literature-derived estimates for productivity and global area coverage. Minimal and maximal productivity estimates were 11–1656 g m^{-2} year^{-1} (Overbeck and Happach, 1957; Klinger *et al.*, 1994) for *Sphagnum* spp., 43–647 g m^{-2} year^{-1} (Davis, 1981; Cole and Monger, 1994) for *Polytrichum* spp. and 104 g m^{-2} year^{-1} (Longton, 1988) for *Andreaea alpina*. *Sphagnum* wetland habitat was estimated at 100% substrate cover (Vitt, 2000) of $3.5 \cdot 10^6$ km^2 terrestrial surface, a minimal estimate for area occupied by this moss today (Gorham, 1991). *Polytrichum* substrate cover was estimated at 18%, based on measurements made on Signy Island, Antarctica (Longton, 1988). Today *Polytrichum* occupies a wide range of mesic to xeric environments, so its potential habitat prior to the origin and spread of vascular plants was conservatively estimated as $11 \cdot 10^6$ km^2, 10% of the extent of modern humid tropical, temperate and dryland regions (Bailey, 1989). *Andreaea* substrate cover was estimated as 50% (Signy Island, Antarctica; Longton, 1988). Modern high latitude and altitude habitats occupy $38 \cdot 10^6$ km^2 (Bailey, 1989). Since similar Ordovician-early Silurian habitat areas are difficult to estimate, we used 10% of this modern value ($3.8 \cdot 10^6$ km^2) to estimate conservatively habitat area for ancient *Andreaea*-like mosses.

Molecular sequence divergence evidence suggests that earliest land plants may have appeared 700 million years ago (Ma) (Heckman *et al.*, 2001). However, our calculations were more conservatively made for the 40 Ma period ranging from the mid-Ordovician (Caradoc) (460 Ma) – when bryophyte-like microfossils first become apparent (Graham and Gray, 2001) – to the mid-Silurian (Wenlock-Ludlow boundary) (about 420 Ma) – when more complex plants began to dominate, as indicated by changes in the structure of dispersed spores and the appearance of higher plant-type cuticles in the fossil record (Wellman and Gray, 2000). Non-vascular decay-resistant plant carbon that could potentially be buried during this period was calculated as (biomass unit $area^{-1} year^{-1} \cdot$ % resistant biomass) $\cdot$ (% substrate cover $\cdot$ global habitat area) $\cdot 4 \cdot 10^7$). From the amount of such resistant carbon that might have survived weathering and other loss processes, sequestered carbon was conservatively estimated at 1% of this value.

Results

Figure 9.1 represents a consolidation of recent phylogenetic information for charophyceans, bryophytes and early-divergent vascular plants, onto which we mapped traits associated with stress adaptation that have been reported in the literature (see Appendix 9.1 for additional details regarding 14 of these traits). No evidence of hydroxyphenyl, guiacyl, or syringyl-propyl thioacidolysis products from β-O-4 ethers was detected by GC/MS for any of the green algae or bryophytes tested, nor for gametophytes of the leptosporangiate fern *Polypodium aureum*. However, guiacyl thioacidolysis products were detected at the 1.7% (dry biomass) level in cultured *Polypodium* sporophytes. *p*-Hydroxylphenyl thioacidolysis products were detected in adventitious roots (0.12%) and stems (0.01%) of the lycophyte *Lycopodium obscurum*, and in adventitious roots (0.02%) and stems (0.01%) of the lycophyte *Selaginella kraussiana*. *p*-Hydroxyphenyl thioacidolysis products were not detected in any of the other pteridophytes examined, though guiacyl residues were found in these pteridophytes.

Cell walls of both *Euastrum* species examined, *Staurastrum* spp., *Closterium ehrenbergii*, *Desmidium grevillii*, *Hyalotheca dissiliens* and *Micrasterias truncata* (Figure 9.2) survived acetolysis and were autofluorescent in violet and ultraviolet irradiation, suggesting the presence of phenolic constituents. Cell walls of the desmid *Desmidium majus* and the trebouxiophycean *Eremosphaera*, which occur in the same habitat as resistant desmids, did not survive acetolysis. Among the desmids whose walls were resistant and for which quantitative measurements were performed, the proportion of resistant biomass ranged from 5 to 17% and differences among genera were statistically significant (Table 9.1).

There was no significant difference in acetolysis resistance between the two *Sphagnum* species examined and there was no significant difference in the resistant carbon content of *Sphagnum compactum* grown in liquid versus that grown on agar media. Resistant biomass of the mosses examined ranged from 25 to 82% and differences among genera were statistically significant (Table 9.2). The extent of *Andreaea* resistance was surprising; entire stem and branch systems survived (Figure 9.3). Chlorophyll autofluorescence persisted in some cells, suggesting that acid did not penetrate to their cytoplasm. Cell walls of acetolysed *Andreaea* remains were strongly autofluorescent in V and UV excitation (Figure 9.4). Though some *Andreaea* cell walls were eroded by the acid treatment, many retained their typical morphology (Figures 9.3 and 9.4) and leaf fragments retained sufficient structure to be recognizable as moss leaves. Ultrastructural examination of non-acetolysed

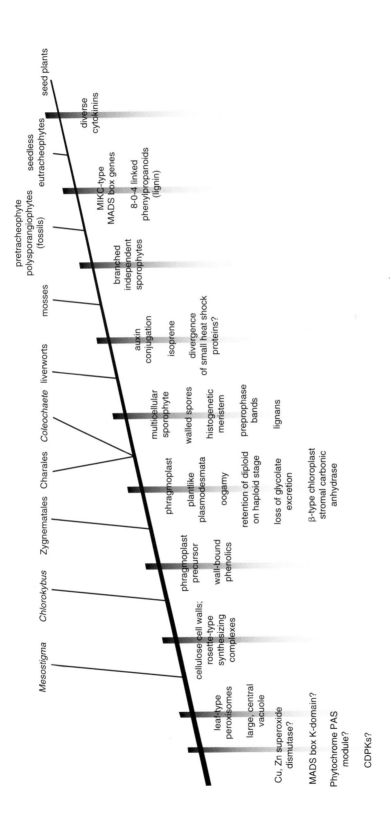

Figure 9.1 Traits 1–3 (see Appendix 9.1) appeared during the charophycean radiation, whereas traits 5 and 6 (as with the origin of the sporophyte) are associated with the dawn of embryophytes. Traits 7–12 likely appeared somewhat later, as their presence varies among bryophytes and trait 14 defines vascular plants. Though Karol *et al.* (2001) have linked Charales more closely with ancestry of land plants than *Coleochaete*, these taxa are figured together because they do not differ in the traits mapped here.

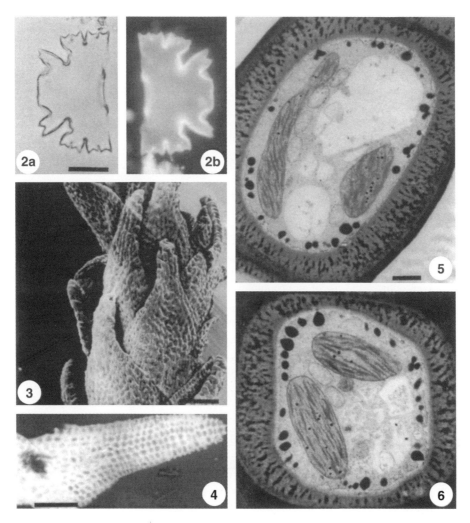

Figures 9.2–9.6 Resistant desmid and moss cells/tissues. Figure 9.2a Acetolysed *Micrasterias truncata*, LM view of semi-cell showing resistant wall having unaltered morphology. Scale bar = 50 μm. Figure 9.2b Same *M. truncata* specimen viewed with violet epifluorescence excitation. Figure 9.3 SEM of acetolysed *Andreaea* thallus showing intact branch and leaves. Scale bar = 23 μm. Figure 9.4 Autofluorescence of acetolysed *Andreaea* leaf in violet excitation suggests the presence of phenolics. Scale bar = 23 μm. Figures 9.5–9.6 TEMs of non-acetolysed *Andreaea* leaf cells showing extremely thick, densely-stained walls. Scale bar = 1.3 μm.

Table 9.1 Percent acetolysis-resistant biomass in selected charophycean green algae

	Number of analyses	X	s^2
Staurastrum sp.	8	0.17	0.006
Desmidium grevillii	4	0.08	0.0001*
Hyalotheca dissiliens	4	0.08	0.001*
Euastrum insigne	4	0.05	0.0001**

*Significantly different from *Staurastrum* at $P = 0.05$ level; **significantly different from *Staurastrum* at $P = 0.01$ level.

Table 9.2   Percent acetolysis-resistant biomass of early-divergent mosses

	N	X	s^2
Sphagnum nemoreum (A)	3	0.12	0.003
Sphagnum nemoreum (L)	3	0.24	0.002
Sphagnum compactum (A)	3	0.23	0.001
Sphagnum compactum (L)	3	0.26	0.006
Pooled *Sphagnum* data[+]	9	0.24	0.002*
Polytrichum ohioense	5	0.45	0.04
Andreaea sp.	3	0.81	0.018**

A, agar-grown cultures; L, liquid medium.
[+]All *S. compactum* plus liquid-grown *S. nemoreum* data pooled; *significantly greater than *Staurastrum* (and all desmids tested) at the $P = 0.05$ level; **significantly greater than *Sphagnum* (and all desmids tested) at the $P = 0.025$ level.

Table 9.3   Estimates of early plant resistant carbon potentially produced during hypothesized 40 Ma period between appearance of moss-like bryophytes and rise of more complex plants

	Minimum production rate	Maximum production rate
I. *Sphagnum*	$485 \cdot 10^{18}$ g	$57\,960 \cdot 10^{18}$ g
II. *Polytrichum*	$1\,567 \cdot 10^{18}$ g	$23\,572 \cdot 10^{18}$ g
III. *Andreaea*	$6\,482 \cdot 10^{18}$ g	
Total	$8\,534 \cdot 10^{18}$ g	$88\,014 \cdot 10^{18}$ g

Andreaea cell walls revealed that they were thick and stained densely with heavy metals (Figures 9.5 and 9.6).

Table 9.3 shows calculations of potential resistant organic carbon production by early non-vascular land plants. These are based on cover estimates and productivity data taken from the literature (cited in material and techniques section) and our measurements of percent resistant biomass for three early-divergent mosses: *Sphagnum* (characteristic of modern wetlands), *Andreaea* (an inhabitant of high altitude and high-latitude areas) and *Polytrichum* (which occurs in mesic to xeric regions).

Discussion

Mapping the traits of charophyceans and early-divergent land plants: (1) aids in discovery of new traits and provides an organizational basis for surveys of trait incidence in poorly-studied groups; (2) suggests the point of origin of traits, providing insight into adaptive or preadaptive function; (3) indicates how complex traits have evolved from simpler precursors, revealing systems that may be easier to investigate than those of higher plants; and (4) can be used to infer trait loss. One of the clearest signals emerging from the mapping exercise is the staged appearance of traits related to phenolic chemistry that contributed importantly to stress management.

Defensive phenolics associated with vegetative walls and sporopollenin-like materials (whose autofluorescence properties suggest presence of phenolic constituents) appear first in charophycean algae, prior to divergence of Zygnematales. Such defensive phenolics

(Appendix 9.1, Traits 2 and 4) were likely inherited by embryophytes (Graham, 1996), where they serve multiple roles (Cooper-Driver, 2001). Intracellular flavonoids and lignans, whose synthesis depends upon occurrence of the phenylpropanoid (C_6C_3) pathway, appear during divergence of bryophyte groups, but the order of first occurrence is unclear because flavonoids are not reported for hornworts and lignans have not been reported for mosses (Appendix 9.1, Traits 8 and 9). Presence of flavonoids and lignans implies the existence of biosynthetic pathways leading to production of cinnamic acid by deamination of phenylalanine, hydroxylation of cinnamate to *p*-coumaric acid and synthesis of ferulic acid and other compounds that are known intermediates and/or constituents of vascular plant lignin, cutin, suberin and sporopollenin (Cooper-Driver, 2001). O-methyl transferases, which confer greater reactivity to the number 4 carbon of phenylpropanoid monomers and thus facilitate formation of 8-O-4 (β-O-4) linkages (widely used to define lignin), appeared before the divergence of vascular plants (Appendix 9.1, Trait 14). The pattern of trait appearance suggests that biosynthetic and regulatory processes preadaptive to the evolution of lignin likely occurred in non-vascular plants, including ancestors of modern bryophyte and charophycean lineages. Trait mapping also suggests that early phenolics could have been preadaptive to the development of stable plant–microbe relationships (Appendix 9.1, Traits 3 and 11). As in modern plants, phenolic compounds may have controlled microbial behaviour, allowing microbes to live in close proximity to algae and early land plants without becoming pathogenic.

Our thioacidolysis data indicate that phenolic β-O-4 linkages are absent from non-vascular plants and charophyceans. Although lacking β-O-4 linkages, *Sphagnum* generates phenylpropanoids from phenylalanine via activity of phenylalanine ammonia lyase (PAL) and 4-cinnamic acid hydroxylase (4-CL) (Rasmussen *et al.*, 1995), as do vascular plants. Higher plant cell walls contain covalently bound non-lignin phenolics, which have been proposed to inhibit microbial degradation, serve as lignin-initiation sites, or limit wall extensibility (Wallace and Fry, 1994). We speculate that these higher plant wall phenolics may be related to those found in charophyceans and bryophytes. Our thioacidolysis results, that *p*-hydroxyphenyl monomers were more abundant in lycophytes (earliest-divergent extant vascular plants) than in the other vascular plants we examined, suggests that early lignins may similarly have been richer in non-methoxylated monomers than those characteristic of modern gymnosperms and angiosperms, where dominant monomers are methoxylated and β-O-4 bonds comprise 50–70% of linkages (Lewis, 1999). Quantitative assessment of resistant carbon content of selected desmids indicates that there is considerable variability among genera, with some desmids apparently lacking resistant walls, most tested species possessing resistant walls and *Staurastrum* having the largest proportion of resistant dry weight among desmid taxa tested. The latter result is consistent with: (1) the finding that *Staurastrum* is among the algae most resistant to microbial degradation (Gunnison and Alexander, 1975a); (2) the presence in *Staurastrum*'s walls of a 'lignin-like' phenolic polymer in amounts sufficient for chemical extraction, pyrolysis GC, thin-layer chromatography and other chemical analysis procedures (Gunnison and Alexander, 1975b); and (3) strong autofluorescence in V and UV excitation of *Staurastrum* cell walls both before and after high-temperature acid hydrolysis (Kroken *et al.*, 1996). Findings reported in the present work suggest that a variety of desmids (though not all) likely possess resistant cell walls that may protect them from microbial degradation and possibly also desiccation in some cases. Our data may explain: (1) the survival of desmid cells of several species after 3 months of drying and at depths to 6 cm in mud (Brook and Williamson, 1988); and (2) the occurrence of the earliest known putative fossil desmid (*Paleoclosterium*) in Middle Devonian deposits (Baschnagel, 1966).

Desmidium grevillii and *Hyalotheca dissiliens*, found in this study to possess similar levels (8% dry weight) of resistant biomass, are both known to harbour epibiontic bacterial communities. These communities include saprophytes having the potential to degrade carbohydrate components of cell walls, as well as members of the alpha proteobacteria (Fisher *et al.*, 1998a). Since many of the alpha proteobacteria are nitrogen fixers, it is possible (though not as yet demonstrated) that some desmid bacterial epibionts may provide nutritional advantage in nutrient-poor bog habitats. The presence of hydrolysis-resistant walls may reduce the chances that desmids might suffer deleterious effects, such as wall degradation, as a result of the activities of their epibiontic bacterial community. We propose that resistant wall phenolics originated in aquatic charophyceans as antimicrobial defences (that may also have provided some desiccation resistance), then acquired additional functions, including structural support and UV-screening in early land plants.

Our acetolysis analysis, demonstrating high proportions of resistant dry weight biomass in *Sphagnum* and other bryophytes, are consistent with conclusions that *Sphagnum* moss walls contain a 'lignin-like' 'polyphenolic network composed of *p*-hydroxyphenyl groups' 'linked with simple ether and ester bonds, interspersed with cinnamic acid' (Williams *et al.*, 1998). Our results help to explain why moss litter decomposes at 1–10% of the rate of vascular plants (Oechel and Van Cleve, 1986 and works cited therein).

Adaptive utility for high levels of wall phenolics in mosses might include: (1) resistance to attack by pathogenic bacteria, protists and fungi; (2) increased stability of cell walls, contributing to the ability to achieve increased height; (3) UV-damage resistance; and (4) desiccation resistance. *Sphagnum* occupies moist to waterlogged habitats in which bacterial abundance and activities are surprisingly high (Fisher *et al.*, 1998b). Hydrolysis-resistant cell walls may be helpful in resisting microbial attack and may also contribute to dimensional stability of the large, empty, porose water-holding hyaline cells of *Sphagnum*, which might otherwise tend to collapse. The relatively large size of *Polytrichum* erect shoots and the ability to form tall moss turf may be due in part to compression resistance aided by the presence of wall phenolics. Prevention of attack by microorganisms (and perhaps also invertebrate herbivores) provided by phenolic wall compounds may also contribute to biomass accumulation by *Polytrichum*, an inhabitant of mesic environments worldwide. The primary benefit obtained by *Andreaea* from its very high dry weight content of hydrolysis-resistant wall compounds may be UV protection afforded by phenolics, whose presence is implied by specific autofluorescence properties. This high altitude/high latitude moss occurs in some of the most UV-impacted habitats on earth. Resistant wall compounds may contribute to plant strength and formation of short, but high-density turfs and cushions, as may the extreme thickness of cell walls, an advantage in its harsh, wind-swept habitat. Wall phenolics may help maintain dimensional stability during cycles of hydration and dehydration, as well as contributing to desiccation and decay resistance. The bryalean moss, *Racocarpus purpurascens*, which likewise grows on rocks at high altitude, is reported to have cell walls consisting mainly of 'lignin', hemicellulose and cellulose in a ratio of about 9:8:5, that are architecturally adapted for absorption of water from fog, dew or rain (Edelmann *et al.*, 1998). The extreme habitats of *Andreaea* and *Racocarpus* model the exposed, bare rock surfaces that may have been occupied by some early land plants.

The rise of vascular land plants is regarded as an exceedingly important biogeochemical event in Earth's history because it is proposed to have played a dominant role in the dramatic Palaeozoic reduction in atmospheric CO_2 level (Berner, 1997) (but see Boucot and Gray, 2001 for a critique). The twin mechanisms of this CO_2 reduction are suggested (by Berner, 1997) to have been: (1) an increase in weathering of silicate minerals by root systems; and (2) burial of decay-resistant organic carbon in the form of lignin. However, unequivocal fossil evidence for roots (assembled by Kenrick and Crane, 1997) does not occur until the Early Devonian, whereas Berner's (1997) models based on geochemical evidence suggest that atmospheric CO_2 drawdown began prior to that time. Analyses of carbon isotopic ratios in $Fe(CO_3)OH$ of an upper Ordovician (440 myr) goethite dominating an oolitic ironstone (Neda Formation, Neda, Wisconsin, USA) suggest that the productivity of the prevascular biota was similar to that on modern soils (Yapp and Poths, 1994). Boucot and Gray (2001) point out that prevascular land plants, terrestrial and freshwater cyanobacteria, and marine algae may have generated considerable buried carbon during the Precambrian and Early Palaeozoic. Our results support Boucot and Gray's (2001) view that early bryophyte-like land plants may have played an important role in the carbon cycle prior to the rise of vascular plants.

Hanson *et al.* (1999) demonstrated that many mosses, including *Polytrichum* and *Sphagnum*, have the capacity to generate isoprene, which may protect the photosynthetic apparatus under high irradiance and temperature conditions. *Polytrichum* and *Andreaea* maintain the ability to photosynthesize at high levels after repeated cycles of dehydration and rehydration (Davey, 1997) associated with intermittently desiccating environments. Such environmental conditions probably prevailed in Ordovician-Silurian times, when a shady canopy of larger plants was absent. Soil-enriching, nutrient-binding humus is generated by modern mosses, which are the primary source of fresh organic matter in regions such as Antarctica (Beyer *et al.*, 1997).

Conclusions

The original data presented here, together with published molecular systematic and fossil evidence, suggest that productive bryophyte-like early land plants probably enriched soils with organic carbon and contributed to CO_2 sequestration for a long period prior to the rise of rooted plants. Even if as little as 1% of the $8540–82\,000 \times 10^{18}$ g resistant C that we estimated to have been produced by early bryophyte-like plants survived decomposition and weathering processes and was sequestered, early non-vascular plants could have removed 0.6–6% of atmospheric CO_2. If Berner's (1997) CO_2 drawdown models are correct in inferring that atmospheric CO_2 levels dropped from 20× present levels to 10× present levels during the 40 million year time period just prior to the rise of vascular plants, then our estimate for non-vascular plant resistant C sequestration (1% of resistant C produced) could account for 1–11% of this CO_2 drawdown.

Acknowledgements

We thank Kandis Elliot for rendering Figure 9.1 and two anonymous reviewers for helpful recommendations.

References

Bailey RG. 1989. *Ecoregions of the continents*. Washington DC: Forest Service, US Department of Agriculture.

Baschnagel RA. 1966. New fossil algae from the Middle Devonian of New York. *Transactions of the American Microbiological Society* 85: 297–502.

Berner RA. 1997. The rise of plants and their effect on weathering and atmospheric CO_2. *Science* 276: 544–545.

Beyer L, Blume HP, Sorge C, *et al.* 1997. Humus composition and transformations in a pergelic cryohemist of coastal Antarctica. *Arctic and Alpine Research* 29: 358–365.

Boucot AJ, Gray J. 2001. A critique of Phanerozoic climatic models involving changes in the CO_2 content of the atmosphere. *Earth Science Reviews* 56: 1–159.

Brook AJ, Williamson DB. 1988. The survival of desmids on the drying mud of a small lake. In: Round FE, ed. *Algae and the Aquatic Environment*. Bristol: BioPress, 186–196.

Cole DR, Monger HC. 1994. Influence of atmospheric CO_2 on the decline of C4 plants during the last deglaciation. *Nature* 368: 533–536.

Cooper-Driver GA. 2001. Biological roles for phenolic compounds in the evolution of early land plants. In: Gensel P, Edwards D, eds. *Plants Invade the Land*. New York: Columbia University Press, 159–172.

Cooper-Driver GA, Bhattacharya M. 1998. Role of phenolics in plant evolution. *Phytochemistry* 49: 1165–1174.

Cullman F, Becker H. 1999. Lignans from the liverwort *Lepicolea ochroleuca*. *Phytochemistry* 52: 1651–1656.

Davey MC. 1997. Effects of continuous and repeated dehydration on carbon fixation by bryophytes from the maritime Antarctic. *Oecologia* 110: 25–31.

Davis RC. 1981. Structure and function of two Antarctic terrestrial moss communities. *Ecological Monographs* 51: 125–143.

DeJesus MD, Tabatabai F, Chapman DJ. 1989. Taxonomic distribution of copper-zinc superoxide dismutase in green algae and its phylogenetic importance. *Journal of Phycology* 25: 767–772.

Delwiche CF, Graham LE, Thomson N. 1989. Lignin-like compounds and sporopollenin in *Coleochaete*, an algal model for land plant ancestry. *Science* 245: 399–401.

Edelmann HG, Neihuis C, Jarvis M, *et al.* 1998. Ultrastructure and chemistry of the cell wall of the moss *Rhacocarpus purpurascens* (Rhacocarpaceae): a puzzling architecture among plants. *Planta* 206: 315–321.

Edwards D, Duckett JG, Richardson JB. 1995. Hepatic characters in the earliest land plants. *Nature* 374: 635–636.

Fisher MM, Wilcox LW, Graham LG. 1998a. Molecular characterization of epiphytic bacterial communities on charophycean green algae. *Applied and Environmental Microbiology* 64: 4384–4389.

Fisher MM, Graham JM, Graham LG. 1998b. Bacterial abundance and activity across sites within two northern Wisconsin *Sphagnum* bogs. *Microbial Ecology* 36: 259–269.

Gorham E. 1991. Northern peatlands: Role in the carbon cycle and probable responses to climatic warming. *Ecological Applications* 1: 182–195.

Graham LE. 1990. Meiospore formation in charophycean algae. In: Blackmore S, Knox RB, eds. *Microspores: Evolution and Ontogeny*. London: Academic Press, 43–54.

Graham LE. 1993. *Origin of Land Plants*. New York: John Wiley & Sons, Inc.

Graham L. 1996. Green algae to land plants: An evolutionary transition. *Journal of Plant Research* 109: 241–251.

Graham LE, Gray J. 2001. The origin, morphology and ecophysiology of early embryophytes: Neontological and palaeontological perspectives. In: Gensel P, Edwards D, eds. *Plants Invade the Land*. New York: Columbia University Press, 140–158.

Graham LG, Wilcox LW. 2000a. The origin of alternation of generations in land plants: a focus on matrotrophy and hexose transport. *Philosophical Transactions of the Royal Society of London B* 335: 757–767.

Graham LG, Wilcox LW. 2000b. *Algae*. Upper Saddle River, NJ: Prentice Hall.

Graham LE, Cook ME, Busse JS. 2000. The origin of plants: Body plan changes contributing to a major evolutionary radiation. *Proceedings of the National Academy of Sciences* 97: 4535–4540.

Gunnison D, Alexander M. 1975a. Resistance and susceptibility of algae to decomposition by natural microbial communities. *Limnology and Oceanography* 20: 64–70.

Gunnison D, Alexander M. 1975b. Basis for the resistance of several algae to microbial decomposition. *Applied Microbiology* **29**: 729–738.

Hanson DT, Swanson S, Graham LE, Sharkey TD. 1999. Evolutionary significance of isoprene emission from mosses. *American Journal of Botany* **86**: 634–639.

Heckman DS, Geiser DM, Eidell BR, *et al.* 2001. Molecular evidence for the early colonization of land by fungi and plants. *Science* **293**: 1129–1133.

Karol KG, McCourt RM, Cimino MT, Delwiche CF. 2001. The closest living relatives of land plants. *Science* **294**: 2351–2353.

Kenrick P, Crane PR. 1997. The origin and early evolution of plants on land. *Nature* **389**: 33–39.

Klinger LF, Zimmerman PR, Greenberg JP, *et al.* 1994. Carbon trace gas fluxes along a successional gradient in the Hudson Bay lowland. *Journal of Geophysical Research-Atmospheres* **99**: 1469–1494.

Kodner RB, Graham LE. 2001. High-temperature, acid-hydrolyzed remains of *Polytrichum* (Musci, Polytrichaceae) resemble enigmatic Silurian-Devonian tubular microfossils. *American Journal of Botany* **88**: 462–466.

Kroken SB, Graham LE, Cook ME. 1996. Occurrence and evolutionary significance of resistant cell walls in charophytes and bryophytes. *American Journal of Botany* **83**: 1241–1254.

LaPierre C. 1993. Applications of new methods for the investigation of lignin structure. In: Jung HG, Buxton DR, Hatfield RD, Ralph J, eds. *Forage Cell Wall Structure and Digestibility*. Madison, WI: American Society of Agronomy, 133–166.

Lau E. 2000. Molecular assessment of microbial communities in a Northern Wisconsin peatland. D. Phil. Thesis, University of Wisconsin-Madison.

Lehman JT. 1976. Ecological and nutritional studies on *Dinobryon* Ehrenb.: Seasonal periodicity and the phosphate toxicity problem. *Limnology and Oceanography* **21**: 646–658.

Lewis N. 1999. A 20th century roller coaster ride: a short account of lignification. *Current Opinion in Plant Biology* **2**: 153–162.

Lewis N, Davin LB. 1994. Evolution of lignan and neolignan biochemical pathways. *American Chemical Society Symposium Series* **562**: 202–246.

Lewis LA, Mishler BD, Vilgalys R. 1997. Phylogenetic relationships of the liverworts (Hepaticae), a basal embryophyte lineage, inferred from nucleotide sequence data of the chloroplast gene *rbc*L. *Molecular Phylogenetics and Evolution* **7**: 377–393.

Longton RE. 1988. *Biology of Polar Bryophytes and Lichens*. Cambridge: Cambridge University Press.

Newton AE, Cox CJ, Duckett JG, *et al.* 2000. Evolution of the major moss lineages: phylogenetic analyses based on multiple gene sequences and morphology. *The Bryologist* **103**: 187–211.

Nickrent DL, Parkinson CL, Palmer JD, Duff RJ. 2000. Multigene phylogeny of land plants with special reference to bryophytes and the earliest land plants. *Molecular Biological Evolution* **17**: 1885–1895.

Oechel WC, Van Cleve K. 1986. The role of bryophytes in the nutrient cycling in the taiga. In: Van Cleve K, Chapin IFS, Flanagan PW, *et al.*, eds. *Forest Ecosystems in the Alaskan Taiga*. New York: Springer-Verlag, 121–137.

Oliver MJ, Tuba Z, Mishler BD. 2000. The evolution of vegetative desiccation tolerance in land plants. *Plant Ecology* **151**: 85–100.

Overbeck F, Happach H. 1957. Über das Wachstum und den Wasserhaushalt einiger Hochmoorsphagnen. *Flora* **144**: 335–402.

Proctor MCF. 2000. The bryophyte paradox: tolerance of desiccation, evasion of drought. *Plant Ecology* **151**: 41–49.

Qiu Y-L, Palmer JD. 1999. Phylogeny of early land plants: insights from genes and genomes. *Trends in Plant Science* **4**: 26–30.

Rasmussen S, Peters G, Rudolph H. 1995. Regulation of phenylpropanoid metabolism by exogenous precursors in axenic cultures of *Sphagnum fallax*. *Physiologia Plantarum* **95**: 83–90.

Read DJ, Duckett JG, Francis R, *et al.* 2000. Symbiotic fungal associations in 'lower' land plants. *Philosophical Transactions of the Royal Society London B* **355**: 815–831.

Redeker D, Kodner R, Graham LE. 2000. Glomalean fungi from the Ordovician. *Science* **289**: 1920–1921.

Remy E, Taylor TN, Hass H, Kerp H. 1994. Four hundred-million-year-old vesicular arbuscular mycorrhizae. *Proceedings of the National Academy of Sciences USA* **91**: 11841–11843.

Takeda R, Hasegawa J, Shinozaki M. 1990. The first isolation of lignans, megacerotonic acid and anthocerotonic acid, from non-vascular plants, Anthocerotae (hornworts). *Tetrahedron Letters* **31**: 4159–4162.

Vitt DH. 2000. Peatlands: ecosystems dominated by bryophytes. In: Shaw AJ, Goffinet B, eds. *Bryophyte Biology*. Cambridge: Cambridge University Press, 312–343.

Wallace G, Fry SC. 1994. Phenolic components of the plant cell wall. *International Review of Cytology* **151**: 229–267.

Waters ER, Vierling E. 1999. The divergence of plant cytosolic small heat shock proteins preceded the divergence of mosses. *Molecular Biology and Evolution* **16**: 127–139.

Wellman CH, Gray J. 2000. The microfossil record of early land plants. *Philosophical Transactions of the Royal Society London B* **355**: 717–732.

Williams CJ, Yavitt JB, Wieder RK, Cleavitt NL. 1998. Cupric oxide oxidation products of northern peat and peat-forming plants. *Canadian Journal of Botany* **76**: 51–62.

Yapp CJ, Poths H. 1994. Productivity of pre-vascular continental biota inferred from the $Fe(CO_3)OH$ content of goethite. *Nature* **368**: 49–51.

Appendix 9.1   Physiological traits related to early stress adaptation in land plants

Trait 1, Cu, Zn superoxide dismutase, is absent from most green algae, but occurs in all streptophytes that have been examined (DeJesus *et al.*, 1989). This enzyme prevents damage to cells by eliminating highly reactive oxygen radicals and may have contributed to early plant survival in the terrestrial atmosphere where O_2 diffuses into cells at a rate 10 000 times higher than in water.

Trait 2, decay- and acetolysis-resistant, autofluorescent phenolics in vegetative cell walls in some Zygnematales (Gunnison and Alexander, 1975a) as well as later-divergent charophyceans and bryophytes (Kroken *et al.*, 1996) is hypothesized to confer resistance to microbial attack (Gunnison and Alexander, 1975b), UV and possibly also desiccation and herbivory.

Trait 3, bacterial associations having putative beneficial properties with charophyceans (Fisher *et al.*, 1998a) and *Sphagnum* moss (Lau, 2000) suggest that such associations may be of ancient origin, possibly helping to alleviate low-nutrient stress.

Trait 4, sporopollenin-like layers in charophycean zygote walls (Delwiche *et al.*, 1989 and references cited therein), likely provide protection from microbial attack and possibly also desiccation during resting periods and dispersal of later-divergent charophyceans. Biochemical homology to embryophytic sporopollenin requires investigation.

Trait 5, sporopollenin-walled spores allowed meiospores of early plants (known as microfossils) to disperse via air. Sporopollenin provided dimensional stability, pathogen resistance (Graham and Gray, 2001) and possibly also desiccation resistance. Charophycean meiospores are devoid of sporopollenin wall layers (Graham, 1990).

Trait 6, tissues produced by a histogenetic meristem that cuts off derivatives in more than two directions is hypothesized as an adaptation that helped to prevent water loss from early plants by reducing surface area to volume ratio (Graham, 1996).

Trait 7, cuticle present on some moss tissues and hornwort sporophytes (Kroken *et al.*, 1996) (for which autofluorescence properties suggest inclusion of phenolics) likely reduces desiccation of underlying tissues, retards microbial attack and acts as a UV screen.

Trait 8, lignans – small, soluble polymers of phenylpropanoid monomers similar to those in lignin – characterize hornworts (Takeda *et al.*, 1990), liverworts (e.g. Cullman and Becker, 1999) and vascular plants (Lewis and Davin, 1994), but have not been reported from charophyceans or mosses. Because lignans function in lignin synthesis and perform as antibacterial, antifungal, or antiviral agents, or serve as antioxidants, they may have helped early land plants cope with the oxidative effects of higher terrestrial O_2 diffusion rates and pathogen attack or served as intracellular UV screens.

Trait 9, simple flavonoids, derived from the phenylpropanoid pathway and involving chalcone synthase, characterize at least some mosses and liverworts (but not hornworts, so far as is known) (Cooper-Driver and Bhattacharya, 1998). UV screening, antioxidant activity, mediation of plant-microbe symbioses and pathogen defences are among the roles played by flavonoids in modern plants that might be extrapolated to early plants.

Trait 10, vegetative desiccation tolerance, is present in at least some members of liverwort, hornwort and moss lineages, as well as some lycophytes, pteridophytes and angiosperms, and is regarded as a crucial step in the ecological transition from water to land (Oliver *et al.*, 2000; Proctor, 2000).

Trait 11 reflects associations of modern liverworts, hornworts and most groups of vascular plants (though not mosses or *Equisetum*, so far as is known) with 'mycorrhizal' fungi (Read *et al.*, 2000 and works cited therein). Presence of 455–460 My fossil glomalean fungi, which now occur only in symbiotic associations, together with molecular systematic analysis of the fungi (Redeker *et al.*, 2000 and works cited therein) and later fossil associations (Remy *et al.*, 1994) suggest that plants acquired fungal symbionts very early in their history. However, the time at which plants accrued positive benefits, namely increased access to nutrients and water, is not yet clear; the earliest plant–fungal associations may have been parasitic or saprophytic.

Trait 12, isoprene production in response to thermal and desiccation stress, has been demonstrated to occur in a hornwort, several mosses and various vascular plants, possibly functioning in protection of the photosynthetic apparatus. Absence of isoprene production from all liverworts examined (Hanson *et al.*, 1999) suggests that the enzyme isoprene synthase arose after the divergence of liverworts.

Trait 13, small heat shock proteins are produced by mosses and vascular plants in greater amounts as a response to high-temperature stress; they prevent thermal aggregation of cell proteins by maintaining them in a folded state. At least two of the five vascular plant families of small heat shock proteins occur in mosses (Waters and Vierling, 1999).

Trait 14, lignin, if defined as a polymer of phenylpropanoid monomers – at least some of which are linked by β-O-4 (8-O-4) bonds – occurs among extant plants only in vascular plants (Lewis, 1999) and coincides with the occurrence of O-methyl transferases.

10

Plant cuticles: multifunctional interfaces between plant and environment

Hendrik Bargel, Wilhelm Barthlott, Kerstin Koch,
Lukas Schreiber and Christoph Neinhuis

CONTENTS

Introduction

The plant cuticle covers all primary parts of vascular plants (except roots) and many bryophytes as a thin extracellular membrane. Deposited by the epidermis, the cuticle serves as the crucial protective layer between the organism and its environment, representing one of the largest interfaces between biosphere and atmosphere covering more than $1.2 \times 10^9 \, \text{km}^2$ in total (Riederer and Schreiber, 1995). The cuticle has been of particular interest since it was first described by Brogniart (1834). In early studies, macroscopically visible features and fine structures were described and analysed. The reader is referred to Martin and Juniper (1970) or Holloway (1982b) for a summary. More recently, the ontogenetic development and chemical composition of both cuticle and waxes, as well as biosynthesis and transport phenomena have been subjects of major interest (Schönherr, 1982; Jeffree, 1986; Hamilton, 1995; Kolattukudy, 2001).

The cuticle represents a natural composite that consists mainly of two hydrophobic components, the insoluble biopolyester cutin and soluble lipids (Martin and Juniper, 1970). This type of lipid-derived polyester membrane is restricted to plants, whereas animals use carbohydrates or proteins as outer coverings (Kolattukudy, 2001). Minor amounts of cutinized polysaccharide fibre including cellulose and hemicellulose and a frequently abundant

The Evolution of Plant Physiology
ISBN 0–12–33955–26

pectin layer link the plant cuticle to the cell wall (Holloway, 1994). The basic framework is made of cutin, which is composed of saturated C_{16} hydroxy- and unsaturated C_{18} hydroxy-epoxy fatty acids (Kolattukudy, 1980a). The most common monomers are 16-hydroxy C_{16} acid, 9- or 10,16-dihydroxy C_{16} acid, 18-hydroxy-9,10-epoxy C_{18} acid and 9,10,18-trihydroxy C_{18} acid (Kolattukudy, 2001). The ratio of the C_{16}/C_{18} monomers is organ as well as species specific and appears to vary. In general, fast growing plant organs, e.g. young leaves or fruits, seem to have a higher content of C_{16} monomers (Espelie *et al.*, 1979; Baker *et al.*, 1982). The cutin monomers form a linear polyester by esterified primary hydroxyl groups, and cross-linking of esterfied secondary hydroxyl groups yields a three-dimensional network (Kolattukudy, 1996; Ray *et al.*, 1998). In addition to cutin, a highly resistant residue, originally found in fossilized cuticles but also present in a few recent species, is named cutan (Nip *et al.*, 1986; Collinson *et al.*, 1998). Cutan has a high fossilization potential (van Bergen *et al.*, 1995; Mösle *et al.*, 1997) because of ether-linked long chain alkyl moieties mainly of even carbon chain length (C_{22}–C_{34}; Collinson *et al.*, 1998; Villena *et al.*, 1999). However, the origin and precise structure of this long chain aliphatic macro-molecule still remains unclear (Jeffree, 1996; see also van Bergen *et al.*, Chapter 8).

The soluble lipids, collectively termed waxes, are embedded into the cutin matrix (intra-cuticular) as well as deposited onto the surface (epicuticular). Whereas the intracuticular waxes may be either amorphous or crystalline (Riederer and Schreiber, 1995), the epicutic-ular waxes often form complex three-dimensional crystalline structures in addition to thin amorphous films (Bianchi, 1995), a feature useful in plant systematics (Barthlott, 1981; Gülz, 1994; Barthlott *et al.*, 1998; Figures 10.1–10.6). Plant cuticular waxes are a complex mixture of aliphatic or cyclic components, including hydrocarbons, long chain fatty acids, aldehydes, primary and secondary alcohols, ketones, β-diketones and pentacyclic triter-penoids (Kolattukudy, 1980b; Walton, 1990), with overall dominating chain length for the aliphatic compounds of C_{20} to C_{35} (von Wettstein-Knowles, 1995). It has been shown in recrystallization studies that crystalline wax projections originate from self-assembly based on their specific chemistry (Jeffree *et al.*, 1975; Jetter and Riederer, 1995; Meusel *et al.*, 2000). Moreover, one predominating component often is responsible for a characteristic type of epicuticular wax crystals (von Wettstein-Knowles, 1972; Barthlott *et al.*, 1996; Meusel *et al.*, 1999). Nevertheless, wax composition is subject to great variation among plant species as well as during organ ontogeny, indicating a very customizable system (Markstädter, 1994; Riederer and Markstädter, 1996). It is worth noting that former stud-ies on cuticular wax composition are more or less based on a mixture of intra- and epicutic-ular waxes caused by the extraction methods (Riederer and Markstädter, 1996), whereas it is now possible to separate both fractions distinctively with the help of a recently developed freeze-embedding method utilizing glycerol (Ensikat *et al.*, 2000; Jetter and Riederer, 2000).

Based on the results of chemical composition for different species, the plant cuticle appears to be without uniform composition and alterable during organ growth. Additional evidence for inhomogeneity was obtained from ultrastructural studies, e.g. the distinction between a thin outer 'cuticle proper' ($<$200 nm) with a variable number of layers supposed to contain either wax or cutin (lamellate region) and an inner 'cuticle layer' of variable thick-ness (up to 17 µm) (Holloway, 1982b). The latter represents a mixture of waxes, cutin and polysaccharide fibres originating in the cell wall, in addition to pectins (reticulate region), resulting from the impregnation of the epidermal cell wall (Jeffree, 1996). There have been several attempts to summarize the structural variation, most prominently by Holloway (1982b, 1994). He identified six different types of lamellated cuticles and an extended review by Jeffree (1996) displays data of 119 species from 94 genera. From a systematic

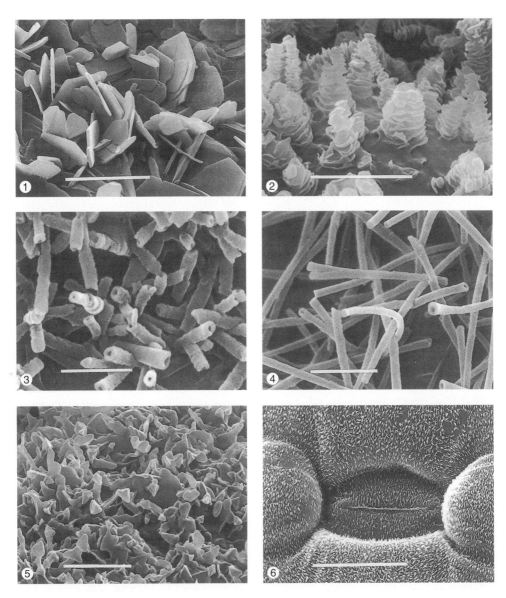

Figures 10.1–10.6 Wax crystal forms. Figure 10.1 *Lecythis chartacea* Berg (Lecythidaceae): plates, widespread within plants. Figure 10.2 *Williamodendron quadriocellatum* (van der Werff) Kubitzki & H.G. Richt. (Lauraceae): transversely ridged rodlets, containing palmiton. Scale bars = 5 µm. Figure 10.3 *Lonicera korolkovii* Stapf (Caprifoliaceae): Nonacosan-10-tubules. Scale bar = 1 µm. Figure 10.4 *Columellia oblonga* Ruiz & Pav. ssp. *sericea* (Kunth) Brizicky (Columelliaceae): β-diketone-tubules. Figure 10.5 *Ledum glandulosum* Nutt. (Ericaceae): triangular rodlets, unknown chemistry. Scale bars = 2 µm. Figure 10.6 *Convallaria majalis* L. (Convallariaceae): locally restricted orientation pattern. Scale bar = 20 µm.

point of view, no particular cuticle type can be allocated to a particular taxon. Moreover, evidence is strong that the major differences between cuticle structural types may be assigned to the developmental stage of the cuticular membrane rather than to differences in mechanisms of formation, biochemistry or methodical approach (Jeffree, 1996).

Both cutin and the wax compounds, except the cyclic ones, are aliphatic homologues derived by *de-novo* synthesis of C_{16} and C_{18} fatty acids in plastids of epidermal cells (Post-Beitenmiller, 1996). Two enzyme complexes, namely fatty acid synthetase and palmitoyl (C_{16})-elongase, have been found to be responsible for the basic fatty acid synthesis by a stepwise condensation-elongation mechanism (von Wettstein-Knowles, 1995). The resulting C_{16}/C_{18} fatty acids are then processed or elongated extraplastidally by either several microsomal enzymes to the different wax derivates, or by a family of mixed-function oxidases to cutin monomers (von Wettstein-Knowles, 1987; Post-Beitenmiller, 1996). However, little is known about either the molecular and genetic control, or the precise location where the biosynthetic processes take place.

The evolution of the cuticle is strongly interconnected to that of plant life on land. Pioneering land plants had to face the physical and physiological problems resulting from life out of water, such as gravity, desiccation, UV radiation or pollutant deposition on their surface (Edwards *et al.*, 1982). Earliest fossils, interpreted as cuticles, date back to the Ordovician and are more frequent in the Silurian (Edwards *et al.*, 1996; see also Raven and Edwards, Chapter 2). Due to their great functional importance, which will be discussed below, it is highly probable that early land plants were already covered, at least partially, by epicuticular wax crystals. These waxes, however, have no fossil record because of their delicate nature. Therefore, we only can speculate from extant plants what might have been the epicuticular coverings in extinct plants. The most widespread type of wax crystals to be found among all land plants is represented by small platelets, often composed of primary alcohols. Their most important function, especially in mosses and ferns, seems to be the protection against the formation of water films above stomata (Neinhuis and Barthlott, 1997) or other air-filled spaces, such as assimilation lamellae in Polytrichales (Neinhuis and Jetter, 1995), presumably to maintain high gas exchange rates. Another common type is represented by small tubules composed of, or dominated by, the secondary alcohol nonacosan-10-ol. It has been shown to occur in sporophytes of the moss family Polytrichaceae (Neinhuis and Jetter, 1995), in the fern genus *Pteris* L. (unpublished data), and characterizes most gymnosperms (Wilhelmi and Barthlott, 1997), as well as certain groups of angiosperms (Hennig *et al.*, 1994). This may indicate a mutual biosynthetic pathway once developed by the common ancestor of land plants. This question, however, remains open since the particular pathway leading to noncosan-10-ol is unknown to date.

Generally, the diversity of wax crystals is lowest in lycophytes and mosses. In ferns a large number of substances have been analysed, but only for a limited number of species. Gymnosperms are characterized mainly by nonacosan-10-ol tubules and appear to be extremely uniform with respect to epicuticular waxes, except for cycads which show some degree of variability. On the other hand, angiosperms exhibit by far the greatest diversity, which even allows specific groups to be circumscribed on the ordinal level or above. A detailed description and discussion of the systematic significance of wax crystals among land plants is given by Barthlott *et al.* (2002).

Despite the variability of both cuticle and epicuticular wax, this chapter embraces the complex processes at the interface between plant and environment and thus stresses the relevance of this multifunctional hydrophobic coverage of land plants.

The multifunctional interface

The multiple constraints on the evolution of such an outer envelope, found on fossil and recent plant material, can be summarized by transport phenomena across the cuticle, interaction with biotic and abiotic factors and biomechanical requirements. Most of the functions described in the following are related to the waxes within and upon the cuticle, a fact that stresses their importance in the interfacial interactions.

Transport properties of plant cuticles

One of the main functions of the cuticle, if not the most important, is the limitation of uncontrolled water loss via evaporation (Schönherr, 1982). Thus, selective pressure acted strongly on plants to develop an outer hydrophobic envelope functioning as a compromise between the contrary demands of desiccation avoidance and free gas exchange (Edwards et al., 1996; Bateman et al., 1998). Furthermore, leaching of organic and inorganic substances from the leaf interior has to be minimized (Tukey, 1970), as well as providing an effective barrier in terms of foliar uptake (Schönherr and Riederer, 1989) – a crucial role of the plant cuticle. Regarding the transport of organic and inorganic substances across plant cuticles, four different groups of compounds can be treated separately: (1) organic non-electrolytes (e.g. pesticides and xenobiotics); (2) water; (3) organic and inorganic ions; and, finally, (4) lipophilic molecules which form the cuticular waxes. The waxes are synthesized in epidermal cells and must cross the outer epidermal wall before they can be either sorbed into the cutin matrix or reach the surface of cuticles were they are deposited as epicuticular waxes. These different groups of compounds are considered in more detail below.

Organic non-electrolytes

In the past many investigations have been carried out analysing the transport of neutral organic compounds across plant cuticles (Schönherr and Riederer, 1989) and cuticular waxes (Riederer and Schreiber, 1995), and the effect of plasticizers on mobility in cuticles (Schönherr and Baur, 1994). Since plant cuticles themselves are essentially hydrophobic biopolymers, lipophilic substances generally have fairly high rates of diffusion across them. These investigations were either carried out in ecotoxicological research programmes, thus quantifying the uptake of lipophilic environmental xenobiotics entering the leaves by diffusion across the cuticle (Schönherr and Riederer, 1989), or it was intended to try to optimize the uptake of lipophilic herbicides into leaves (Hess and Foy, 2000). Transport across cuticles was studied using experimental systems at three different levels of complexity: (1) intact leaves (Schreiber and Schönherr, 1992a,b); (2) isolated cuticles (Riederer and Schönherr, 1984, 1985); and (3) isolated and subsequently recrystallized cuticular waxes (Schreiber and Schönherr, 1993). These studies showed that transport properties of recrystallized cuticular waxes, which represents a fairly artificial experimental system, were closely related to the transport properties of isolated cuticles and intact leaves (Kirsch et al., 1997). From these results it may be concluded that the transport barrier of cuticles provided by waxes is a system which is self-organized, as waxes spontaneously recrystallize leading to similar barrier properties as found in intact leaves and isolated cuticles (Schreiber et al., 1996a).

In steady state, transport of neutral molecules across cuticles is conveniently quantified using equation (1):

$$F = P \cdot A \cdot \Delta c \tag{1}$$

Flow, F, in mass per time (e.g. $g \cdot s^{-1}$), is directly proportional the area A (m^2) and the driving force Δc, in units mass per volume (e.g. $g \cdot m^{-3}$). The driving force Δc is defined as the concentration of substance in the donor minus that in the receiver ($c_{donor} - c_{receiver}$). The permeance P, in units of velocity ($m \cdot s^{-1}$), is the proportionality factor between F and

$A \cdot \Delta c$. The larger the value of P, the faster the transport across the cuticle and the poorer the barrier properties of cuticles. When P is known, barrier properties of cuticles from different species can be directly compared since they do not depend on experimental boundary conditions such as driving force, exposed cuticle area, or time (Kerler *et al.*, 1984). Cuticular permeances of different compounds across intact leaves and isolated cuticles varied between 10^{-11} to 10^{-7} m $\cdot$ s^{-1} and the extraction of cuticular waxes with organic solvents increased cuticular permeability for neutral organic compounds by factors varying between 10 and 10 000 (Schönherr and Riederer, 1989). This provides good evidence for cuticular waxes forming the transport-limiting barriers of plant cuticles for the diffusion of organic substances.

The permeance P (m $\cdot$ s^{-1}) itself is a composite quantity (Equation (2)):

$$P = \frac{D \cdot K}{\Delta l} \tag{2}$$

The diffusion coefficient D (m$^2 \cdot$ s^{-1}) describes the mobility of the compound in the cutin and amorphous wax phases. The partition coefficient K (dimensionless) is the ratio of the solubility of the compound in the lipophilic cuticle phase and in water (or other solvents), and Δl (m) gives the path length of diffusion across the cuticle (Kerler *et al.*, 1984). In simple homogeneous membranes, Δl would simply represent the thickness of the membrane, but since plant cuticles are heterogeneous membranes with the cuticular waxes basically establishing the transport-limiting barrier (Holloway, 1982a), the exact path length of diffusion is not known. There are, however, indications that the path length can be more than 2 orders of magnitude longer than the thickness of the cuticles due to the tortuosity of diffusion around impermeable, crystalline wax phases (Baur *et al.*, 1999; Buchholz and Schönherr, 2000). The partition coefficient K, a measure of the solubility of the compounds in the lipophilic cutin and wax phases, rises with increasing lipophility of the compounds and can vary by several orders of magnitude (Schönherr and Riederer, 1989). The diffusion coefficient D describes the mobility of the molecules in the cuticular membrane and decreases greatly when the molar volume of the solutes is increased (Baur *et al.*, 1997).

Water

Water permeability of plant cuticles has been studied repeatedly over the last decades (Schönherr, 1982; Kerstiens, 1996; Riederer and Schreiber, 2001). These ecophysiological investigations aimed at understanding the amount of water lost by cuticular transpiration under severe environmental conditions, such as water stress and high temperatures (Schreiber and Riederer, 1996), evaluating the limits of survival for plants. Most of these studies were carried out using isolated, astomatous cuticles. As water molecules are non-ionized, water transport across cuticles is normally analysed and quantified in the same way as with lipophilic organic compounds through equations (1) and (2).

Cuticular permeances for water, based on the concentration of liquid water as the driving force at 25°C, were measured on 24 species from different habitats (Schreiber and Riederer, 1996). Permeances varied between 10^{-11} and 10^{-9} m $\cdot$ s^{-1} and there was a clear relationship between cuticular transpiration and the natural habitat of the investigated species. Water permeability was lowest in tropical lianas reaching above the canopy with high radiation, increased in xeromorphic species naturally growing in the Mediterranean vegetation zone and were highest in mesomorphic species (Riederer and Schreiber, 2001). Most of the test specimens were not collected from their natural habitats but taken from greenhouse grown plants. This may indicate that barrier properties are genetically determined and growth conditions have little, if any, effect. Extraction of cuticular waxes increased cuticular water permeability by factors varying between 10 and 1000 (Schönherr and Riederer, 1989), indicating that cuticular wax also forms the major transport barrier for small non-ionized molecules, such as water.

Other experiments have shown that the degree of water permeability of cuticles is significantly influenced by relative humidity (Schönherr and Merida, 1981). Increasing the relative humidity from 0 to 100% increased cuticular water permeability by factors varying between 2 and 3 (Schreiber et al., 2001). This suggests that water molecules have to be adsorbed at the polar, non-esterified free carboxylic groups in the cutin polymer, leading to swelling and increased water permeability (Schönherr and Bukovac, 1973). Methylation of isolated cuticles, derivatizing free carboxyl groups to non-polar methyl ethers, in fact reduced the effect of relative humidity on cuticular water permeability by more than 50% (Schreiber et al., 2001). How can the effect of air humidity best be explained on a molecular level? With increasing relative humidity an increasing amount of water is adsorbed. As a consequence the cutin polymer swells and the number and/or the diameter of water-filled polar pores traversing the cuticles increase, leading to higher rates of water diffusion across the cuticles. The occurrence of polar pores in plant cuticles has been demonstrated by Schönherr (1976). These observations suggest a cuticular transport model composed of two parallel paths by which water can cross cuticles (Figure 10.7): a polar path composed of polar aqueous pores and a lipophilic path composed of the hydrophobic cutin and amorphous wax domains (Schreiber et al., 2001). Lipophilic compounds, having a high solubility in cutin and wax domains, will preferentially diffuse using the lipophilic path, while the polar path will be irrelevant for these compounds as their water solubility is limited. However, water has access to both paths of diffusion, namely through the lipophilic waxy domains and water-filled polar pores. This kind of interpretation is supported by the

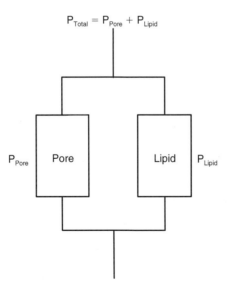

Figure 10.7 Schematic picture of the two parallel pathways of diffusion through plant cuticles: a polar path of diffusion across water-filled aqueous pores (Pore) and a lipophilic path of diffusion across cutin and waxes domains (Lipid). P_{Total} is the sum of the permeance across polar pores (P_{Pore}) and the permeance across lipid phases in the cuticle (P_{Lipid}).

experimental results for the transport of water across cuticles since water transport is strongly influenced by cuticular waxes. This indicates a transport across the lipophilic path, which is also affected by humidity, and suggests a parallel transport across polar pores. This transport model is further supported by studies of the transport of charged organic molecules and inorganic ions across cuticles, as discussed below.

Ions

Transport of ions (Schönherr, 2000, 2001) and charged organic molecules (Schönherr, personal communication) across cuticles isolated from several different plant species has been recently studied. Most interestingly, rates of cuticular penetration of these charged compounds were not significantly affected by temperature, since activation energies of permeation estimated from Arrhenius plots (P *vs.* $1/T$) were close to $0\,kJ\,mol^{-1}$ (Schönherr, 2000). In contrast to water transport properties, wax extraction for ion transport had only a small effect on rates of penetration, as they increased by factors between 2 and 3. These findings are fundamentally different from those previously published on transport of water and lipophilic molecules across plant cuticles. Activation energies for these two compounds vary between 20 and $200\,kJ\,mol^{-1}$ (Schönherr *et al.*, 1979; Baur *et al.*, 1997; Schreiber, 2001) and permeability always increased by factors from 10 to 10 000 upon wax extraction (Schönherr and Riederer, 1989). Furthermore, typical lipophilic plasticizers significantly increased the mobility of organic compounds and water in cuticles and waxes (Riederer and Schönherr, 1990; Schönherr *et al.*, 2001), whereas wax domains of the cuticle had no effect on the penetration rates of charged molecules (Schreiber *et al.*, 1996b). As observed with water permeability, the rates of penetration of inorganic ions increased with increasing humidity by factors of 2 to 3. Since hydrated charged molecules are neither soluble in oils nor in the lipophilic cutin and wax domains, nor can lose their hydration shells, these experimental results focusing on the transport of hydrated ions can only be explained when the existence of water-filled polar pores traversing the cuticles is postulated.

Wax movement: a simple solution?

In addition to organic non-electrolytes, water as well as ions, the transport of wax molecules through and onto the cuticles has gained special attention. The presence of epicuticular wax crystals has been continuously associated with the question of how these move through the cuticle. From a physicochemical point of view, the transport of wax compounds should follow the same rules as described for organic non-electrolytes, since cuticular waxes are either composed of linear, long-chain, aliphatic molecules or of pentacyclic, lipophilic aliphatic triterpenoids (Walton, 1990). After more than a century of intensive work, only recent studies have revealed some essential answers to the potential molecular mechanisms for wax transport through the plant cuticle (Riederer and Schreiber, 1995; Neinhuis *et al.*, 2001).

'Pores' or 'microchannels'

One old, yet still cited, model suggests wax transport across the cuticle via 'pores' or 'microchannels'. Deduced from the observation that single wax crystals lie a certain distance from the neighbouring crystals on the cuticle surface, numerous authors have postulated that channels or pore-like structures in the cuticle are involved in the process of wax movement (de Bary, 1871; Hall and Donaldson, 1962; Baker, 1982; Anton *et al.*, 1994). However, the concept of pores is inconsistent with the findings of transmission electron microscopy studies, where structures similar to such 'pores' show a greater electron-density than the cutin matrix (Jeffree, 1996). Wax 'microchannels' were reported in freeze-etched cuticles of *Trifolium repens* L. and using carbon replica of *Brassica oleracea* var. *botrytis* L. cuticles, in addition to other species, by Hall (1967). Miller (1986) reported the existence of 'transcuticular pores' in leaves of more than 50 species but, unfortunately, his observations were made with the light microscope having a resolution which is inadequate to confirm the identity of such features (Jeffree, 1996).

Lipid transfer proteins

Lipid transfer proteins (LTPs) are small, abundant proteins, first identified in animals as possible intercellular carriers of lipids between membranes and organelles (see also van Dongen and Borstlap, Chapter 6). Later, they were found in microorganisms (Yamada, 1992) and plants (Sterk *et al.*, 1991), where they have been isolated from epidermal tissues and leaf surface waxes, e.g. of *Brassica oleracea* L. ssp. *oleracea convar. botrytis* (L.) Alef. var. *italica* Plenck (sprouting broccoli). This led to speculation that they may be involved in transporting cutin monomers and wax compounds across the aqueous cell wall phase (Pyee *et al.*, 1994; Kader, 1997). As the transport direction of LTPs is from the inside of the cuticle to the outside and the LTPs do not return for additional transfer, the number of lipoid molecules to be transferred is limited (Post-Beitenmiller, 1996). As LTPs cannot explain all transport phenomena of the wax components across the cuticle, '… another, as yet unidentified mechanism must also be involved'. (Jeffree, 1996: 58).

Wax transport via diffusion

Model experiments analysing the transport properties of wax compounds in isolated plant cuticles (Baur *et al.*, 1996, 1997, 1999; Buchholz *et al.*, 1998; Buchholz and Schönherr, 2000) or in recrystallized cuticular waxes (Schreiber and Schönherr, 1993; Schreiber *et al.*, 1996a) from several plants species did show that waxes behave like lipophilic aliphatic and aromatic substances, supporting the conclusion that waxes behave in a similar way to organic non-electrolytes. Linear, long-chain alkanes, alcohols, fatty acids and cholesterol, serving as model compounds for triterpenoids, had mobilities in both cuticular waxes and isolated cuticular membranes in a similar range to that observed for typical organic compounds such as herbicides (Baur *et al.*, 1996; Schreiber *et al.*, 1996a). Typical plasticizers, which increase mobilities of organic non-electrolytes (Riederer and Schönherr, 1990) and water (Schönherr and Baur, 1994) diffusion across plant cuticles, had the same effect on characteristic wax compounds, e.g. tetracosanoic acid, where mobility was increased in recrystallized cuticular wax of *Hordeum vulgare* L. (barley) by factors ranging from 22 to 315 (Schreiber, 1995; Schreiber *et al.*, 1996b). From these experimental observations, it can be concluded that wax molecules themselves can passively diffuse within the lipophilic cutin matrix and wax domains along the concentration gradient, from the inner side to the sink, in the cutin matrix (intracuticular waxes) and onto the surface (epicuticular waxes).

Yet another possible mechanism for wax transport was proposed by Jeffree *et al.* (1976) and Baker (1982). These authors discussed diffusion of the wax precursors with an unknown carrier solvent through the cuticle with the wax components crystallizing after evaporation of the solvent. More recently, Neinhuis *et al.* (2001) argued that the solvent permeating through the cutin polymer could be water vapour. Thereby the cuticular transpiration is the major driving force for the movement of wax through the plant cuticle. However, this model requires the assumption that the lipid wax components interact with water. This could possibly result from a process similar to steam distillation in chemistry where substances with high boiling-points (e.g. hydrocarbons) can be separated by water vapour at ambient pressure so long as they are insoluble, or virtually insoluble, in water (Onken and Weiland, 1984; Falbe and Regitz, 1999). This holds true for the wax components. During this distillation process, the partial pressure of the water vapour is added to the partial pressure of the wax components, therefore their mobility should increase, allowing a facilitated movement through the lipophilic cuticle. As advantageous as the model of co-transport of the cuticular waxes with water sounds, up until now not all phenomena are properly understood and data concerning the general kinetics are lacking.

Interactions with the biotic and abiotic environment

Due to their sessile nature, plants have evolved defence and resistance strategies that are adapted to the selective pressures of offending organisms such as pathogenic fungi, bacteria or herbivorous animals in different environments (Edwards, 1992). Generally, colonization of microorganisms or feeding by herbivores on plant surfaces involve constitutive factors like contact and adhesion, recognition markers based on surface chemistry, cuticle thickness and toughness as well as tissue toughness, or is set by environmental factors such as the pH of surface water, water availability over time, wind exposure and speed as well as temperature (Southwood, 1986; Bernays, 1991; Juniper, 1991; Butler, 1996). With regard to the problem of adhesion for example, the offending pathogens and insects have to face self-cleaning and slippery plant surfaces caused by epicuticular waxes (Knoll, 1914; Barthlott and Neinhuis, 1997; Markstädter *et al.*, 2000). Additional hindering of successful growth or feeding is evoked by a range of inhibitory substances metabolized by plants, toxic for both pathogens and herbivores (Juniper, 1991; Zangerl and Berenbaum, 1993). Among these antimicrobial substances, mainly phenols and terpenoids, and to a lesser extent organic acids, flavones, polyacetylenes and alkaloids can be found. All appear to have three sources of origin: (1) deposited on the plant surface via diffusion; (2) associated with waxes; or (3) stored in glandular trichomes (Weinhold and Hancock, 1980; Blakeman and Atkinson, 1981). Again, the epicuticular waxes play a particularly important role in plant–animal interactions where the lipid components can determine growth and feeding (Woodhead and Chapman, 1986; Schwab *et al.*, 1995; Espelie, 1996). Instead of constitutive plant defence mechanisms, induced ones are based on cellular cascade mechanisms, e.g. hypersensitive response (Strange, 1992).

However, microorganisms themselves have developed strategies for establishment on their host plants, such as attaching structures (appressorium) (Wheeler, 1981), contact mediating proteins such as hydrophobins (Wessels, 1994), slime production often including glycoproteins to form adhesion pads (Mendgen, 1996) and an enzymatic repertoire of cutinases and esterases (Kolattukudy, 1985). Herbivores, particulary insects, exhibit tarsal pulvilli or mucilaginous secretion (Eigenbrode, 1996), morphological adaptations of the mandibles (Bernays, 1991), or pathways to metabolize toxic plant deterrents (Zangerl and Berenbaum, 1993). The interactions between defending plants and insects have been categorized to be co-evolutionary based on selective pressure on plant secondary metabolites. However, this is not necessarily correlated since plants are subject to multiple selective pressures from vertebrate to invertebrate herbivores, pathogens, other plants and from the abiotic environment (Edwards, 1992).

Interactions between insolation and UV-B radiation and the plant cuticle must also be noted. Evidence is strong that in visible (400–700 nm) and in infrared light (700–3000 nm), leaf epicuticular waxes increase reflectance of solar radiation leading to reduced photoinhibition of photosynthesis, reduced rates of transpiration and thereby increased leaf water-use efficiency (Eller, 1979; Robinson *et al.*, 1993; Barnes and Cadoso-Vilhena, 1996). Ultraviolet radiation (280–400 nm), especially UV-B, appears to be rather attenuated by flavonoids incorporated in the cuticle matrix or the surfaces waxes (Day *et al.*, 1993; Krauss *et al.*, 1997) and may have stimulating effects on epicuticular wax production and cuticle thickness (Steinmüller and Tevini, 1985; Givnish, 1988; Barnes *et al.*, 1994). The same holds true for visible radiation (Hallam, 1970; Reed and Tuckey, 1982).

Water repellency and self-cleaning property

Water repellency

In addition to the hydrophobic nature of the cuticle, the presence of epicuticular wax crystals often leads to water repellency instead of wetting. This is due to their hydrophobic nature and microroughness of about 1–5 µm (Baker, 1982; Jeffree, 1986). This is frequently observed in the garden cabbage patch where the leaves of *Brassica oleracea* L. are simply not wetted during rainfall. The physical principles of surface wetting were solved at the beginning of the last century and summarized by Wenzel (1936) and Cassie and Baxter (1944). Basically, roughening a hydrophilic solid increases wetting, in contrast, roughening of a hydrophobic solid causes water-repellency. Since then, the wetting properties of surfaces have been studied intensively and later reviewed in the fields of biology and physics (Holloway, 1970; Adamson, 1990; Myers, 1991; Herminghaus, 2000). Whenever a liquid is applied on a solid, the process of wetting involves three different interfacial boundaries, i.e. solid–liquid, solid–air and liquid–air. The epicuticular waxes minimize the contact area between water (liquid) and the plant surface (solid) by the combination of hydrophobic chemistry and microroughness and form an enlarged water/air interface, thus constituting a composite surface with air enclosures between the epicuticular wax crystals (Dettre and Johnson, 1964). On such 'low energy' surfaces water forms spherical droplets due to the surface tension and rest on the outermost tips of the wax crystals, a phenomenon called water repellency. Water repellency is generally expressed as the contact angle θ [°] between the water droplet and the surface (Holloway, 1970). A contact angle of 0° implies complete wetting, while an angle of 180° describes complete non-wetting, but neither extreme is apparent in plants. Barthlott and Neinhuis (1997) categorized the contact angle of wettable leaves <110°, whereas water-repellent species often display contact angles >150°.

Influence of biotic and non-biotic factors on water repellency

As mentioned above, plant surfaces are living habitats for microorganisms such as pathogenic fungi and bacteria, all of which have more or less pronounced effects on wetting (Martin, 1964; Dickinson, 1976; Juniper, 1991). Knoll and Schreiber (2000) have shown that epiphytic microorganisms can mask the native wetting properties of leaf surfaces and discuss a pH-dependent decrease of contact angles due to carboxylic groups of the microorganisms (Bunster *et al.*, 1989).

As well as organisms, plant surfaces are subject to large quantities of airborne pollutants such as organic and inorganic dust. These contaminants are the product of natural erosion or have anthropogenic origin (Pye, 1987) and may cause considerable damage to leaf surface morphology as well as influencing physiological processes, depending upon their size and chemical nature (Crossley and Fowler, 1986; Eveling, 1986; Farmer, 1993).

It was shown by Eller (1977, 1985) that road dust deposits lead to increased leaf temperature under insolation and result in reduced photosynthesis and higher transpiration rates, as well as influencing stomatal diffusive resistance (Flückiger *et al.*, 1979). Direct impact on plant surfaces and their waxes derives from mechanical abrasion due to dust particles or even snow crystals (van Gardingen *et al.*, 1991; Grace and van Gardingen, 1996).

The influence of acidic rain or ozone on the micromorphology of plant surfaces has been extensively studied and reviewed in forest decline research (Mengel *et al.*, 1989; Turunen and Huttunen, 1990; Percy *et al.*, 1994; Huttunen, 1996) but no uniform picture could be drawn from the findings. Whereas several authors claim that air pollutants cause severe damage, e.g. destruction of waxes caused by chemical degradation processes (Mudd *et al.*, 1982), other researchers reached the conclusion that the observed effects cannot be separated from natural environmental influences (Grill *et al.*, 1987; Euteneuer-Macher, 1990; Neinhuis *et al.*, 1994; Neinhuis and Barthlott, 1998) or even could not be found (Riederer, 1989). Burkhardt *et al.* (2001) argue that fused wax patterns described in forest decline research are more likely caused by deliquescent hygroscopic aerosol particles. It can be concluded that air pollution effects can alter the structural and physiological appearance of epicuticular waxes at least in combination with other factors, but strongly depend on the species investigated (Kim and Lee, 1990).

Concerning pesticides, influences of tensides, which enable the uptake of active ingredients by decreasing the surface tension of water (Stevens and Bukovac, 1985; Knoche and Bukovac, 1993), can cause considerable damage to the wax ultrastructure and thus decreased water repellency (Noga *et al.*, 1987, 1991; Wolter *et al.*, 1988). Contrary to the aim of pesticide application, contaminating particles including spores and conidia are also found within the areas of altered waxes, a condition that enhances the probability of infection (Neinhuis *et al.*, 1992).

Self-cleaning property: the 'lotus-effect'

Despite numerous types of potential contamination, there are several plants that appear to be almost completely clean throughout the year. This can be most impressively demonstrated with the large peltate leaves of *Nelumbo nucifera* Adan. (sacred lotus, Figure 10.8), which are characterized by large epidermal papillae densely covered with wax tubules (Barthlott *et al.*, 1996). There has been a vague knowledge of the correlation between water repellency and reduced contamination for more than a century (Lundström, 1884), but enlightenment in this aspect can be assigned to Barthlott and co-workers (Barthlott and Ehler, 1977; Barthlott and Wollenweber, 1981; Barthlott, 1990; Barthlott and Neinhuis, 1997), who named this self-cleaning ability of plant surfaces the 'lotus-effect'. After screening the leaf surfaces of some 15 000 species by electron microscopy, it can be demonstrated that microrough water repellent plant surfaces display the ability to self-clean, whereas smooth wettable cuticles accumulate particulate contaminations. This holds true even for very small particles, independent of their chemical nature. Again, minimization of the contact area is the clue, here, between particle and plant surface or epicuticular waxes, respectively, leading to a quantitative higher contact area between water droplet and particle. The consequence is greater adhesion of particles to the water droplet instead of to the plant surface (Barthlott and Neinhuis, 1997). Thus, depositions are removed from the plant surface by rainwater droplets and even dew droplets are able to clean such leaves (see Figures 10.9 and 10.10). During recent studies on structural parameters for an optimized 'lotus-effect', evidence was found that a single surface microstructure built up by epicuticular waxes and a secondary, larger scaled papillose cellular

Figure 10.8 The Lotus plant (*Nelumbo nucifera* Adan.), a symbol of purity and model for technical surfaces with a self-cleaning property.

structure underneath the waxes are necessary, as characterized for *Nelumbo nucifera* Adan. (Wagner *et al.*, 2002).

Hence, double-structured plant surfaces represent an optimized compromise. Epicuticular waxes are fragile and thus limit the self-cleaning property of plants. As outlined above, the waxes can be altered, destructed or removed mechanically. To some extent plants can regenerate their coverage to compensate for the damage (Hallam, 1970;

Figure 10.9 Droplet of saturated sugar solution on the papillose adaxial epidermal surface of *Alocasia macrorrhiza* (L.) G. Don f., demonstrating the 'lotus-effect'. Contaminating particles adhere more to the surface of the droplet than to the plant's surface. Scale bar = 500 μm.

Wolter *et al.*, 1988) but this is not ubiquitous. Considerable differences in the ability to regenerate wax were discussed with respect to seasonal changes of leaf contamination of *Fagus sylvatica* L., *Quercus robur* L. and *Ginkgo biloba* L. by Neinhuis and Barthlott (1998). Recently, Neinhuis *et al.* (2001) studied the regeneration ability of 24 plant species and classified four categories: (1) regeneration occurs at all stages of development; (2) regeneration occurs only during leaf expansion; (3) regeneration occurs only in fully developed leaves; and (4) plants were not able to regenerate wax at all. What is the strategy of these plants that do not regenerate their epicuticular wax crystals? Conifers and evergreen as well as deciduous angiosperm trees can be generally distinguished by three different surface syndromes via the evolution of two protection mechanisms, either the 'lotus-effect' or the development of a thick cuticle (Neinhuis and Barthlott, 1997). Moreover, several species replace the surface waxes by developing thick cuticles during ontogeny.

The biological implications of the self-cleaning property are obvious – contaminations of multiple origin and their impacts are effectively excluded. Moreover, the 'lotus-effect' plays an important role in the green arms race against pathogens. The availability of water is a crucial factor for adhesion, germination and growth of spores and conidia (Rogers, 1979; Campbell *et al.*, 1980; Juniper, 1991). Due to extremely low water-capacity, self-cleaning plant surfaces are virtually dry, a condition not very beneficial for the majority of plant invaders, except for a few pathogens causing powdery mildew (Wheeler, 1981). But the self-cleaning property is not only restricted to plants. It can also be found on large insect wings that cannot be cleaned by legs (Wagner *et al.*, 1996). In this case, the maintenance of flight capability seems to be the major evolutionary impetus. Thus, the 'lotus-effect' has an overall biological importance, which is based only on physicochemical properties of natural surfaces. It was therefore possible to initiate a joint project together with several

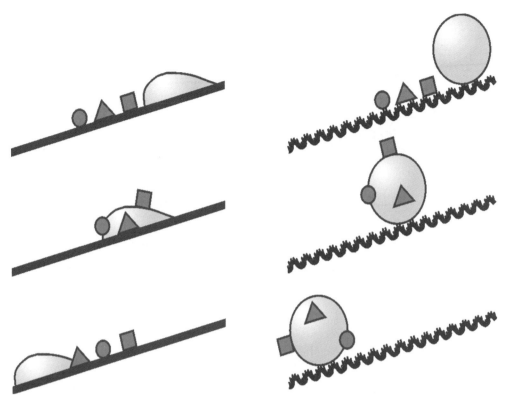

Figure 10.10   Schematic diagram summarizing the 'lotus-effect'. (Left) On smooth surfaces particles are mainly distributed by water, (right) while they adhere more strongly to the water droplet than to the rough hydrophobic surface on 'lotus-effect' leaves and are efficiently removed when the droplets roll off.

industrial companies to transfer the 'lotus-effect' seen in plants, to biomimetic self-cleaning technical products, such as wall paint or roof tiles.

Biomechanical properties

As mentioned above, the plant cuticle can also be seen as the first mechanical barrier against microorganisms and herbivores. The overall cuticle thickness can be very great, even more so than the epidermal cell wall, which in fact may be heavily encrusted (Fritz, 1935; Holloway, 1994). From a mechanical point of view, the location at the outer perimeter of plant organs and its rigid appearance, at least in succulents, indicates that the cuticle may function as external structural element that possibly adds mechanical support for tissue integrity and impacts on morphogenetic processes (Edelmann and Neinhuis, 1997), as is proposed for bark (Niklas, 1999). Hoffmann-Benning and Kende (1994) showed that the cuticle of rice coleoptiles is under tension during coleoptile elongation and thus could provide a mechanical constraint on organ growth. The mechanical properties of the cuticle, especially of fruits, are of commercial significance. To prove this, surface cracking studies on tomato or cherry (*Prunus avium* L.) fruits have been carried out but none of these distinguished between epidermis and cuticle (Voisey *et al.*, 1970; Sekse, 1995). Up to now, only very few reports have addressed the biomechanical properties

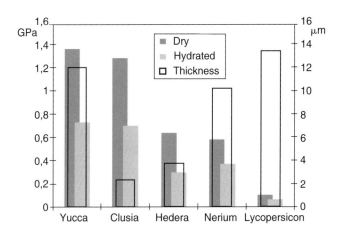

Figure 10.11 Young's moduli and thicknesses of isolated plant cuticles of leaves of *Yucca aloifolia* L., *Clusia fluminensis* Planch. & Triana, *Hedera helix* L., *Nerium oleander* L. and fruit of *Lycopersicon esculentum* Mill. Hydration causes a decrease in stiffness of about 35–50%.

solely of the plant cuticle in an experimental approach (Pescareta *et al.*, 1991; Hasenstein *et al.*, 1993; Wiedemann and Neinhuis, 1997), whereas the literature on general plant biomechanics does not refer to cuticles (Niklas, 1992). Hence, available data are rare, although vague indications of significance can be found in the literature. Wiedemann and Neinhuis (1997) studied the mechanical properties of isolated cuticles from five leaf and one fruit species by means of a one-dimensional tension test and reported Young's modulus – a measure of stiffness – ranging between 0.6 and 1.3 GPa for the leaves and 0.1 GPa for tomato fruit (Figure 10.11). Direct comparison with polyethylene (0.2 GPa) reveals remarkably high stiffness values for these cuticles (Czichos, 1989). Hydration of the cuticles caused a decrease in the Young's modulus of about 35–50%. As a consequence, water acts as a plasticizer, a fact supported by studies focusing on the decrease in the surface elastic modulus of isolated tomato fruit cutin in relation to water content (Round *et al.*, 2000). This is most likely to occur if water binds to polar groups or disrupts hydrogen-bonded cross-links in the cutin matrix (Dominguez and Heredia, 1999; Round *et al.*, 2000). Recently, Marga *et al.* (2001) undertook chemical analyses of cuticles from different organs, each having different biomechanical properties, and found that rigid cuticles can be classified by C_{16} cutin monomers, while elastic cuticles correspond to mixed C_{16}/C_{18} cutin monomers. During tomato fruit ripening, the elasticity of the cuticle seem to decrease as the stiffness increases (Bargel *et al.*, 2000; Bargel and Neinhuis, unpublished data), an aspect that may be determined by a decrease in the relative amount of trihydroxy C_{18} fatty acids (Baker *et al.*, 1982). Thus, hydroxyl groups seem to enhance the hydrophilic character and the hydration state of the cutin matrix, which in turn results in higher plasticity.

The few results outlined here could be seen as the first steps towards an understanding of cuticle biomechanics. Even from an engineering approach, the outer plant coverage appears to be a highly diverse composite with biomechanical properties determined by its dynamic structure and chemical composition. From these, the cuticle may inherit a possible role in stabilization of plant organs and thus a newly described function that has been largely neglected so far to date.

Acknowledgements

The authors would like to thank the Deutschen Forschungsgemeinschaft (DFG), Deutsche Bundesstiftung Umwelt (DBU), Bundesministerium für Bildung und Forschung (BMBF), Fonds der Chemischen Industrie (FCI) and Creavis GmbH (Marl, Germany) for substantial funding and Robin Seidel for critical comments on the manuscript. (http://www.lotus-effect.de)

References

Adamson AW. 1990. *Physical Chemistry of Surfaces*. London: Wiley.

Anton LH, Ewers FW, Hammerschmidt R, Klomparens KL. 1994. Mechanisms of deposition of epicuticular wax in leaves of broccoli, *Brassica oleracea* L. var. *capitata* L. *New Phytologist* **126**: 505–510.

Baker EA. 1982. Chemistry and morphology of plant epicuticular waxes. In: Cutler DF, Alvin KL, Price CE, eds. *The Plant Cuticle*. London, New York: Academic Press, 139–166.

Baker EA, Bukovac MJ, Hunt GM. 1982. Composition of tomato fruit cuticle as related to fruit growth and development. In: Cutler DF, Alvin KL, Price CE, eds. *The Plant Cuticle*. London, New York: Academic Press, 33–44.

Bargel H, Edelmann HG, Neinhuis C. 2000. Biomechanics of tomato fruit growth. In: Spatz HC, Speck T, eds. *Plant Biomechanics 2000*. Stuttgart: Thieme, 313–314.

Barnes JD, Cadoso-Vilhena J. 1996. Interactions between electromagnetic radiation and the plant cuticle. In: Kerstiens G, ed. *Plant Cuticles an Integrated Functional Approach*. Oxford: Bios Scientific, 157–174.

Barnes J, Paul N, Percy K, *et al.* 1994. Effects of UV-B radiation on wax biosynthesis. In: Percy KE, Cape JN, Jagels R, Simpson CJ, eds. *Air Pollution and the Leaf Cuticle*. Berlin, Heidelberg: Springer, 321–328.

Barthlott W. 1981. Epidermal and seed surface characters of plants: systematic applicability and some evolutionary aspects. *Nordic Journal of Botany* **3**: 345–355.

Barthlott W. 1990. Scanning electron microscopy of the epidermal surface in plants. In: Claugher D, ed. *Scanning Electron Microscopy in Taxonomy and Functional Morphology*. Oxford: Clarendon Press, 69–94.

Barthlott W, Ehler N. 1977. Raster-Elektronenmikroskopie der Epidermisoberflächen von Spermatophyten. *Tropische und subtropische Pflanzenwelt* **19**: 367–467.

Barthlott W, Neinhuis C. 1997. Purity of the sacred lotus or escape from contamination in biological surfaces. *Planta* **202**: 1–7.

Barthlott W, Wollenweber E. 1981. Zur Feinstruktur, Chemie und taxonomischen Signifikanz epicuticularer Wachse und ähnlicher Sekrete. *Tropische und subtropische Pflanzenwelt* **32**: 7–67.

Barthlott W, Neinhuis C, Cutler D, *et al.* 1998. Classification and terminology of plant epicuticular waxes. *Botanical Journal of the Linnean Society* **126**: 137–260.

Barthlott W, Neinhuis C, Jetter R, *et al.* 1996. Waterlily, poppy, or sycamore: on the systematic position of *Nelumbo*. *Flora* **191**: 169–174.

Barthlott W, Theisen I, Borsch T, Neinhuis C. 2002. Epicuticular waxes and vascular plant systematics: integrating micromorphological and chemical data. In: Stuessy TF, Mayer V, Hörandl E, eds. Deep morphology – towards a Renaissance of morphology in plant systematics. *Regnum Vegetabile* **141**: 189–206.

de Bary A. 1871. Über die Wachsüberzüge der Epidermis. *Botanische Zeitschrift* **29**: 128–139, 145–154, 161–176, 566–571, 573–585, 605–619.

Bateman RM, Crane R, DiMichele WA, *et al.* 1998. Early evolution of land plants: phylogeny, physiology, and ecology of the primary terrestrial radiation. *Annual Review of Ecology and Systematics* **29**: 263–292.

Baur P, Buchholz A, Schönherr J. 1997. Diffusion in plant cuticles as affected by temperature and size of organic solutes: similarity and diversity among species. *Plant, Cell and Environment* **20**: 982–994.

Baur P, Marzouk H, Schönherr J. 1999. Estimation of path lengths for diffusion of organic compounds through leaf cuticles. *Plant, Cell and Environment* **22**: 291–299.

Baur P, Marzouk H, Schönherr J, Bauer H. 1996. Mobilities of organic compounds in plant cuticles as affected by structure and molar volumes of chemicals and plant species. *Planta* **199**: 404–412.

Bergen PF van, Collinson ME, Briggs DEG, *et al.* 1995. Resistant biomacromolecules in the fossil record. *Acta Botanica Neerlandica* **44**: 319–342.

Bernays EA. 1991. Evolution of insect morphology in relation to plants. *Philosophical Transactions of the Royal Society London B* **333**: 257–264.

Bianchi G. 1995. Plant waxes. In: Hamilton RJ, ed. *Waxes: Chemistry, Molecular Biology and Functions*. Dundee: The Oily Press, 177–222.

Blakeman JP, Atkinson P. 1981. Antimicrobial substances associated with the aerial surfaces of plants. In: Blakeman JP, ed. *Microbial Ecology of the Phylloplane*. London, New York: Academic Press, 245–264.

Brogniart A. 1834. Nouvelles recherches sur la structure de l'epiderme des végéteux. *Annales des Sciences naturelles 2e Sér.* **1**: 65–71.

Buchholz A, Schönherr J. 2000. Thermodynamic analysis of diffusion of non-elecrtolytes across plant cuticles in the presence and absence of the plasticiser tributyl phosphate. *Planta* **212**: 103–111.

Buchholz A, Baur P, Schönherr J. 1998. Differences among plant species in cuticular permeabilities and solute mobilities are not caused by differential size selectivities. *Planta* **206**: 322–328.

Bunster L, Fokkema NJ, Schippers B. 1989. Effect of surface-active *Pseudomonas* spp. on leaf wettability. *Applied and Environmental Microbiology* **55**: 1340–1345.

Burkhardt J, Koch K, Kaiser H. 2001. Deliquescence of deposited atmospheric particles on leaf surfaces. *Water, Soil and Air Pollution* **Focus 1**: 313–321.

Butler DR. 1996. The presence of water on leaf surfaces and its importance for microbes and insects. In: Kerstiens G, ed. *Plant Cuticles an Integrated Functional Approach*. Oxford: Bios Scientific, 267–282.

Campbell CL, Huang J-S, Payne GA. 1980. Defense at the perimeter: the outer walls and the gates. In: Horsfall JG, Cowling EB, eds. *Plant Disease an Advanced Treatise*. New York, London: Academic Press, 103–120.

Cassie ABD, Baxter S. 1944. Wettability of porous surfaces. *Transaction of the Faraday Society* **40**: 546–551.

Collinson ME, Mösle B, Finch P, *et al.* 1998. The preservation of plant cuticles in the fossil record: a chemical and microscopical investigation. *Ancient Biomolecules* **2**: 251–265.

Crossley A, Fowler D. 1986. The weathering of Scots pine epicuticular wax in polluted and clean air. *New Phytologist* **103**: 207–218.

Czichos H ed. 1989. *Hütte – Die Grundlagen der Ingenieurwissenschaften*. Berlin: Springer.

Day TA, Martin G, Vogelmann TC. 1993. Penetration of UV-B radiation in foliage: evidence that the epidermis behaves as a non-uniform filter. *Plant, Cell and Environment* **16**: 735–741.

Dettre RH, Johnson RE. 1964. Contact angle hysteresis II. Contact angle measurements on rough surfaces. In: Gould RF, ed. *Advances in Chemistry Series*. Los Angeles: American Chemical Society, 136–144.

Dickinson CH. 1976. Fungi on the aerial surfaces of higher plants. In: Dickinson CH, Preece TF, eds. *Micobiology of Aerial Plant Surfaces*. London, New York: Academic Press, 293–324.

Dominguez E, Heredia A. 1999. Water hydration in cutinized cell walls: a physico-chemical analysis. *Biochimica et Biophysica Acta* **1426**: 168–176.

Edelmann HG, Neinhuis C. 1997. Effect of hydration and temperature on the extensibility of isolated plant cuticles. In: Jeronomidis G, Vincent JFV, eds. *Plant Biomechanics 1997*. Reading, Hampshire: Ashford, 31–32.

Edwards D, Abbot GD, Raven JA. 1996. Cuticles of early land plants. In: Kerstiens G, ed. *Plant Cuticles an Integrated Functional Approach*. Oxford: Bios Scientific, 1–31.

Edwards D, Edwards DS, Rayner R. 1982. The cuticle of early vascular plants and its evolutionary significance. In: Cutler DF, Alvin KL, Price CE, eds. *The Plant Cuticle*. London: Academic Press, 341–361.

Edwards PJ. 1992. Resistance and defence: the role of secondary plant substances. In: Ayres PG, ed. *Pests and Pathogens. Plant Responses to Foliar Uptake*. Oxford: Bios Scientific, 69–84.

Eigenbrode S. 1996. Plant surface waxes and insect behaviour. In: Kerstiens G, ed. *Plant Cuticles an Integrated Functional Approach*. Oxford: Bios Scientific, 201–222.

Eller BM. 1977. Road dust induced increase of leaf temperature. *Environmental Pollution* **13**: 99–107.

Eller BM. 1979. Die strahlungsökologische Bedeutung von Epidermisauflagen. *Flora* **168**: 146–192.

Eller BM. 1985. Epidermis und spektrale Eigenschaften pflanzlicher Oberflächen. *Berichte der Deutschen Botanischen Gesellschaft* **98**: 465–475.

Ensikat HJ, Neinhuis C, Barthlott W. 2000. Direct access to plant epicuticular wax crystals by a new mechanical isolation method. *International Journal of Plant Science* **161**: 143–148.

Espelie KE. 1996. Integrated case study: effects of maize leaf epicuticular lipids on insect pests. In: Kerstiens G, ed. *Plant Cuticles an Integrated Functional Approach*. Oxford: Bios Scientific, 223–230.

Espelie KE, Dean BB, Kolattukudy PE. 1979. Composition of lipid-derived polymers from different anatomical regions of several plant species. *Plant Physiology* **64**: 1089–1093.

Euteneuer-Macher T. 1990. *Morphologie und Chemie der Epikutikularwachse von Picea abies L. Karst. unter dem Einfluß von Klima und Immissionen*. Berlin, Stuttgart: J. Cramer.

Eveling DW. 1986. Scanning electron microscopy of damage by dust deposits to leaves and petals. *Botanical Gazette* **147**: 159–165.

Falbe J, Regitz M eds. 1999. *Römpp Lexikon Chemie*. Stuttgart: Georg Thieme.

Farmer AM. 1993. The effect of dust on vegetation – a review. *Environmental Pollution* **79**: 63–75.

Flückiger W, Oertli JJ, Flückiger H. 1979. Relationship between stomatal diffusive resistance and various applied particle sizes on leaf surfaces. *Zeitschrift für Pflanzenphysiologie* **91**: 173–175.

Fritz F. 1935. Über die Kutikula von Aloe- und Gasteriaarten. *Jahrbücher für wissenschaftliche Botanik* **81**: 718–746.

van Gardingen PR, Grace J, Jeffree CE. 1991. Abrasive damage by wind to the needle surfaces of *Picea sitchensis* (Bong.) Carr. and *Pinus sylvestris* L. *Plant, Cell and Environment* **14**: 185–193.

Givnish TJ. 1988. Adaptation to sun and shade: a whole-plant perspective. *Australian Journal of Plant Physiology* **15**: 63–92.

Grace J, van Gardingen P. 1996. Plant cuticles under challenge. In: Kerstiens G, ed. *Plant Cuticles an Integrated Functional Approach*. Oxford: Bios Scientific, 319–329.

Grill D, Pfeifhofer H, Halbwachs G, Waltinger H. 1987. Investigations on epicuticular waxes of differently damaged spruce needles. *European Journal of Forest Pathology* **17**: 246–255.

Gülz P-G. 1994. Epicuticular leaf waxes in the evolution of the plant kingdom. *Journal of Plant Physiology* **143**: 453–464.

Hall DM. 1967. The ultrastructure of wax deposits on plant leaf surfaces II. Cuticular pores and wax formation. *Journal of Ultrastructure Research* **17**: 34–44.

Hall DM, Donaldson LA. 1962. Secretion from pores of surface wax on plant leaves. *Nature* **194**: 1196.

Hallam ND. 1970. Growth and regeneration of waxes on the leaves of *Eucalyptus* L'Hérit. *Planta* **93**: 257–268.

Hamilton RJ ed. 1995. *Waxes: Chemistry, Molecular Biology and Functions*. Dundee: The Oily Press.

Hasenstein KH, Pescareta TC, Sullivan VI. 1993. Thigmonasticity of thistle staminal filaments II. Mechano-elastic properties. *Planta* **190**: 58–64.

Hennig S, Barthlott W, Meusel I, Theisen I. 1994. Mikromorphologie der Epicuticularwachse und die Systematik der Magnoliidae, Ranunculidae und Hamamelididae. *Tropische und subtropische Pflanzenwelt* **90**: 5–60.

Herminghaus S. 2000. Roughness-induced non-wetting. *Europhysics Letters* **52**: 165–170.

Hess FD, Foy CL. 2000. Interaction of surfactants with plant cuticles. *Weed Technology* **14**: 807–813.

Hoffmann-Benning S, Kende H. 1994. Cuticle biosynthesis in rapidly growing internodes of deep-water rice. *Plant Physiology* **104**: 719–723.

Holloway PJ. 1970. Surface factors affecting the wetting of leaves. *Pesticide Science* **1**: 156–163.

Holloway PJ. 1982a. The chemical composition of plant cutins. In: Cutler DF, Alvin KL, Price CE, eds. *The Plant Cuticle*. London, New York: Academic Press, 46–86.

Holloway PJ. 1982b. Structure and histochemistry of plant epicuticular membranes: an overview. In: Cutler DF, Alvin KL, Price CE, eds. *The Plant Cuticle*. London, New York: Academic Press, 1–32.

Holloway PJ. 1994. Plant cuticles: physicochemical characteristics and biosynthesis. In: Percy KE, Cape JN, Jagels R, Simpson CJ, eds. *Air Pollution and the Leaf Cuticle*. Berlin: Springer, 1–13.

Huttunen S. 1996. Interactions between epiphytic microbes and deposited compounds. In: Kerstiens G, ed. *Plant Cuticles an Integrated Functional Approach*. Oxford: Bios Scientific, 301–318.

Jeffree CE. 1986. The cuticle, epicuticular waxes and trichomes of plants, with reference to their structure, functions and evolution. In: Juniper BE, Southwood SR, eds. *Insects and the Plant Surface*. London: Edward Arnold, 23–63.

Jeffree CE. 1996. Structure and ontogeny of plant cuticles. In: Kerstiens G, ed. *Plant Cuticles an Integrated Functional Approach*. Oxford: Bios Scientific, 33–82.

Jeffree CE, Baker EA, Holloway PJ. 1975. Ultrastructure and recrystallization of plant epicuticular waxes. *New Phytologist* **75**: 539–549.

Jeffree CE, Baker EA, Holloway PJ. 1976. Origins of the fine structure of plant epicuticular waxes. In: Dickinson CH, Preece TF, eds. *Microbiology of Aerial Plant Surfaces*. London, New York: Academic Press, 119–158.

Jetter R, Riederer M. 1995. In vitro reconstitution of epicuticular wax crystals: Formation of tubular aggregates by long chain secondary alkanediols. *Botanica Acta* **108**: 111–120.

Jetter R, Riederer M. 2000. Leaf cuticular waxes are arranged in chemically and mechanically distinct layers: evidence from *Prunus laurocerasus* L. *Plant, Cell and Environment* **23**: 619–628.

Juniper BE. 1991. The leaf from the inside and the outside: a microbe's perspective. In: Andrews JH, Hirano SS, eds. *Microbial Ecology of Leaves*. New York, Berlin: Springer, 21–42.

Kader JC. 1997. Lipid-transfer proteins: A puzzling family of plant proteins. *Trends in Plant Science* **2**: 66–70.

Kerler F, Riederer M, Schönherr J. 1984. Non-electrolyte permeability of plant cuticles: a critical evaluation of experimental methods. *Physiologia Plantarum* **62**: 599–602.

Kerstiens G. 1996. Cuticular water permeability and its physiological significance. *Journal of Experimental Botany* **47**: 1813–1832.

Kim YS, Lee JK. 1990. Chemical and structural characteristics of conifer needles exposed to ambient air pollution. *European Journal of Forest Pathology* **20**: 193–200.

Kirsch T, Kaffarnik F, Riederer M, Schreiber L. 1997. Cuticular permeability of the three tree species *Prunus laurocerasus* L., *Ginkgo biloba* L. and *Juglans regia* L. – comparative investigation of the transport properties of intact leaves, isolated cuticles and reconstituted cuticular waxes. *Journal of Experimental Botany* **48**: 1035–1045.

Knoche M, Bukovac MJ. 1993. Studies on octylphenoxy surfactants: XI. Effect on NAA diffusion through the isolated tomato fruit cuticular membrane. *Pesticide Science* **38**: 211–217.

Knoll D, Schreiber L. 2000. Plant-microbe interactions: wetting of Ivy (*Hedera helix* L.) leaf surfaces in relation to colonization by epiphytic microorganisms. *Microbial Ecology* **41**: 33–42.

Knoll F. 1914. Über die Ursache des Ausgleitens der Insektenbeine an wachsbedeckten Pflanzenteilen. *Jahrbücher für wissenschaftliche Botanik* **54**: 448–498.

Kolattukudy PE. 1980a. Biopolyester membranes of plants: cutin and suberin. *Science* **208**: 990–1000.

Kolattukudy PE. 1980b. Cutin, suberin, and waxes. In: Stumpf PK, ed. *Lipids: Structure and Function*. London, New York: Academic Press, 571–646.

Kolattukudy PE. 1985. Enzymatic penetration of the plant cuticle by fungal pathogens. *Annual Review of Phytopathology* **23**: 223–250.

Kolattukudy PE. 1996. Biosynthetic pathways of cutin and waxes. In: Kerstiens G, ed. *Plant Cuticles an Integrated Functional Approach*. Oxford: Bios Scientific, 83–108.

Kolattukudy PE. 2001. Polyesters in higher plants. In: Scheper T, ed. *Advances in Biochemical Engineering/Biotechnology*. Berlin: Springer Verlag, 4–49.

Krauss P, Markstädter C, Riederer M. 1997. Attenuation of UV radiation by plant cuticles from woody species. *Plant, Cell and Environment* **20**: 1079–1085.

Lundström AN. 1884. *Pflanzenbiologische Studien*. Lundequistsche Buchhandlung, Upsala.

Marga F, Pesacrcta TC, Hasenstein KH. 2001. Biochemical analysis of elastic and rigid cuticles of *Cirsium horridulum*. *Planta* 213: 841–848. Doi: 10.1007/s004250100576.

Markstädter C. 1994. Untersuchungen zur jahreszeitlichen Entwicklung der kutikulären Wachse von *Fagus sylvatica* L. D. Phil Thesis, Kaiserslautern.

Markstädter C, Federle W, Jetter R, *et al.* 2000. Chemical composition of the slippery epicuticular wax blooms on *Macaranga* Thours. (Euphorbiaceae) ant-plants. *Chemoecology* 10: 33–40.

Martin JT. 1964. Role of cuticle in the defense against plant disease. *Annual Review of Phytopathology* 2: 81–100.

Martin JT, Juniper BE. 1970. *The Cuticles of Plants*. London: Edward Arnold.

Mendgen K. 1996. Fungal attachment and penetration. In: Kerstiens G, ed. *Plant Cuticles an Integrated Functional Approach*. Oxford: Bios Scientific, 175–187.

Mengel K, Hogrebe AMR, Esch A. 1989. Effect of acidic fog on needle surface and water relations of *Picea abies* (L.) Karst. *Physiologia Plantarum* 75: 201–207.

Meusel I, Barthlott W, Kutzke H, Barbier B. 2000. Crystallographic studies of plant waxes. *Powder Diffraction* 15: 123–129.

Meusel I, Neinhuis C, Markstädter C, Barthlott W. 1999. Ultrastructure, chemical composition and recrystallisation of epicuticular waxes: transversely ridged rodlets. *Canadian Journal of Botany* 77: 706–720.

Miller RH. 1986. The prevalence of pores and canals in leaf cuticular membranes. *Annals of Botany* 57: 419–434.

Mösle B, Finch P, Collinson ME, Scott AC. 1997. Comparison of modern and fossil plant cuticles by selective chemical extraction monitored by flash pyrolysis-gas chromatography-mass spectroscopy and electron microscopy. *Journal of Analytical and Applied Pyrolysis* 40–41: 585–597.

Mudd JB, Banerjee SK, Dooley MM, Knight KL. 1982. Pollutants and plant cells. Effects on membranes. In: Koziol MJ, Whatley FR, eds. *Gaseous Air Pollutants and Plant Metabolism*. London: Butterworth Scientific, 105–116.

Myers D. 1991. *Surfaces, Interfaces, and Colloids. Principles and Applications*. Weinheim: VCH.

Neinhuis C, Barthlott W. 1997. The tree leaf surface: structure and function. In: Rennenberg H, Eschrich W, Ziegler H, eds. *Trees – Contributions to Modern Tree Physiology*. Amsterdam: SPB Academic Publishing, 3–18.

Neinhuis C, Barthlott W. 1998. Seasonal change of leaf surface contamination in beech, oak, and ginkgo in relation to micromorphology and wettability. *New Phytologist* 138: 91–98.

Neinhuis C, Jetter R. 1995. Ultrastructure and chemistry of epicuticular wax crystals in Polytrichales sporophytes. *Journal of Bryology* 18: 399–406.

Neinhuis C, Koch K, Barthlott W. 2001. Movement and regeneration of epicuticular waxes through plant cuticles. *Planta* 213: 427–434. Doi: 10.1007/s004250100530.

Neinhuis C, Wolter M, Barthlott W. 1992. Epicuticular wax of *Brassica oleracea* L.: changes of microstructure and ability to be contaminated of leaf surfaces after application of Triton X-100. *Zeitschrift für Pflanzenkrankheiten und Pflanzenschutz* 99: 542–549.

Neinhuis C, Wolter M, Küppers K, Barthlott W. 1994. Der Einfluß gasförmiger Luftschadstoffe auf die Epicuticular-Wachse von Quercus robur. *European Journal of Forest Pathology* 24: 210–216.

Niklas KJ. 1992. *Plant Biomechanics*. Chicago: University of Chicago Press.

Niklas KJ. 1999. The mechanical role of bark. *American Journal of Botany* 86: 465–469.

Nip M, Tegelaar EW, de Leeuw JW, Schenk PA. 1986. A new non-saponifiable highly aliphatic and resistant biopolymer in plant cuticles. Evidence from pyrolysis an 13 C-NMR analysis of present-day and fossil plants. *Naturwissenschaften* 73: 579–585.

Noga G, Knoche M, Wolter M, Barthlott W. 1987. Changes in leaf micromorphology induced by surfactant application. *Angewandte Botanik* 61: 521–528.

Noga G, Wolter M, Barthlott W, Petry W. 1991. Quantitative evaluation of epicuticular wax alterations as induced by surfactant treatment. *Angewandte Botanik* 62: 239–252.

Onken U, Weiland P. 1984. Grundzüge der thermischen Verfahrenstechnik. In: Harnisch H, Steiner R, Winnacker K, eds. *Chemische Technologie*, 4th edn. München: Carl Hanser.

Percy KE, Cape JN, Jagels R, Simpson CJ eds. 1994. *Air Pollution and the Leaf Cuticle.* Berlin, Heidelberg: Springer.

Pescareta TC, Sullivan VI, Hasenstein KH, Durand JM. 1991. Thigmonasticity of thistle staminal filaments I. involvement of a contractile cuticle. *Protoplasma* **163**: 174–180.

Post-Beitenmiller D. 1996. Biochemistry and molecular biology of wax production in plants. *Annual Review of Plant Physiology and Plant Molecular Biology* **47**: 405–430.

Pye K. 1987. *Aeolian Dusts and Dust Deposits.* London, New York: Academic Press.

Pyee J, Yu H, Kolattukudy PE. 1994. Identification of a lipid transfer protein as the major protein in the surface wax of broccoli (*Brassica oleracea* L.) leaves. *Archives of Biochemistry and Biophysics* **311**: 460–468.

Ray AK, Chen Z, Stark RE. 1998. Chemical depolymerization studies of the molecular architecture of lime fruit cuticle. *Phytochemistry* **49**: 65–70.

Reed DW, Tuckey HB. 1982. Light intensity and temperature effects on epicuticular wax morphology and internal cuticle ultrastructure of carnation and brussel sprout leaf cuticles. *Journal of American Society for Horticultural Science* **107**: 417–420.

Riederer M. 1989. The cuticles of conifers: structure, composition and transport properties. In: Schulze ED, Lange OL, Oren R, eds. *Ecological Studies, Vol. 77.* Berlin, Heidelberg: Springer, 157–192.

Riederer M, Markstädter C. 1996. Cuticular waxes: a critical assessment of current knowledge. In: Kerstiens G, ed. *Plant Cuticles an Integrated Functional Approach.* Oxford: Bios Scientific, 189–200.

Riederer M, Schönherr J. 1984. Accumulation and transport of (2,4-dichlorophenoxy) acetic acid in plant cuticles: 1. Sorption in the cuticular membrane and its components. *Ecotoxicology and Environmental Safety* **8**: 236–247.

Riederer M, Schönherr J. 1985. Accumulation and transport of (2,4-dichlorophenoxy) acetic acid in plant cuticles: 2. Permeability of the cuticular membrane. *Ecotoxicology and Environmental Safety* **9**: 196–208.

Riederer M, Schönherr J. 1990. Effects of surfactants on water permeability of isolated plant cuticles and on the composition of their cuticular waxes. *Pesticide Science* **29**: 85–94.

Riederer M, Schreiber L. 1995. Waxes – the transport barriers of plant cuticles. In: Hamilton RJ, ed. *Waxes: Chemistry, Molecular Biology and Functions.* Dundee: The Oily Press, 131–156.

Riederer M, Schreiber L. 2001. Effects of environmental factors on the water permeability of plant cuticles. *Journal of Experimental Botany* **52**: 2023–2033.

Robinson SA, Lovelock CE, Osmond CB. 1993. Wax as a mechanism for protection against photoinhibition – a study of *Cotyledon orbiculata* L. *Botanica Acta* **106**: 307–312.

Rogers HJ. 1979. Adhesion of microorganims to surfaces: some general considerations of the role of the envelope. In: Ellwood DC, Melling J, Rutter P, eds. *Adhesion of Microorganisms to Surfaces.* London, New York: Academic Press, 29–55.

Round AN, Yan B, Dang S, *et al.* 2000. The influence of water on the nanomechanical behavior of the plant biopolyester cutin studies by AFM and solid-state NMR. *Biophysical Journal* **79**: 2761–2767.

Schönherr J. 1976. Water permeability of isolated cuticular membranes: the effect of cuticular waxes on diffusion of water. *Planta* **131**: 159–164.

Schönherr J. 1982. Resistance of plant surfaces to water loss: transport properties of cutin, suberin and associated lipids. In: Lange OL, Nobel PS, Osmond CB, Ziegler H, eds. *Encyclopedia of Plant Physiology.* Berlin: Springer, 153–179.

Schönherr J. 2000. Calcium chlorite penetrates plant cuticles via aqueous pores. *Planta* **212**: 112–118.

Schönherr J. 2001. Cuticular penetration of calcium salts: effects of humidity, anions, and adjuvants. *Journal of Plant Nutrition* **164**: 225–231.

Schönherr J, Baur P. 1994. Modelling penetration of plant cuticles by crop protection agents (CPA) and effects of adjuvants on rates of penetration. *Pesticide Science* **42**: 185–208.

Schönherr J, Bukovac MJ. 1973. Ion exchange properties of isolated tomato fruit cuticular membrane: exchange capacity, nature of fixed charges and cation selectivity. *Planta* **109**: 73–93.

Schönherr J, Eckl K, Gruler H. 1979. Water permeability of plant cuticles: the effect of temperature on diffusion of water. *Planta* **147**: 21–26.

Schönherr J, Merida T. 1981. Water permeability of plant cuticular membranes: the effects of humidity and temperature on the permeability of non-isolated cuticles of onion bulb scales. *Plant, Cell and Environment* **4**: 349–354.

Schönherr J, Riederer M. 1989. Foliar penetration and accumulation of organic chemicals on plant cuticles. *Review of Environmental Contamination and Toxicology* **108**: 1–70.

Schönherr J, Schreiber L, Buchholz A. 2001. Effects of temperature and concentration of the accelerators ethoxylated alcohols, diethyl suberate and tributyl phosphate on the mobility of [C-14]2,4-dichlorophenoxy butyric acid in plant cuticles. *Pest Management Science* **57**: 17–24.

Schreiber L. 1995. A mechanistic approach towards surfactant/wax interactions: effects of octaethyleneglycolmonododecylether on sorption and diffusion of organic chemicals in reconstituted cuticular wax of barley leaves. *Pesticide Science* **45**: 1–11.

Schreiber L. 2001. Effect of temperature on cuticular transpiration of isolated cuticular membranes and intact leaf disks. *Journal of Experimental Botany* **52**: 1893–1900.

Schreiber L, Kirsch T, Riederer M. 1996a. Transport properties of cuticular waxes of *Fagus sylvatica* L. and *Picea abies* (L.) Karst.: estimation of size selectivity and tortuosity from diffusion coefficients of aliphatic molecules. *Planta* **198**: 104–109.

Schreiber L, Riederer M. 1996. Ecophysiology of cuticular transpiration: comparative investigation of cuticular water permeability of plant species from different habitats. *Oecologia* **107**: 426–432.

Schreiber L, Riederer M, Schorn K. 1996b. Mobilities of organic compounds in reconstituted cuticular wax of barley leaves: effects of monodiperse alcohol ethoxylates on diffusion of pentachorphenol and tetracosanoic acid. *Pesticide Science* **48**: 117–124.

Schreiber L, Schönherr J. 1992a. Analysis of foliar uptake of pesticides in barley leaves: role of epicuticular waxes and compartmentation. *Pesticide Science* **36**: 213–221.

Schreiber L, Schönherr J. 1992b. Uptake of organic chemicals in conifer needles: surface adsorption and permeability of cuticles. *Environmental Science and Technology* **26**: 153–159.

Schreiber L, Schönherr J. 1993. Mobilities of organic compounds in reconstituted cuticular wax of barley leaves: determination of diffusion coefficients. *Pesticide Science* **38**: 353–361.

Schreiber L, Skrabs M, Hartmann K, *et al.* 2001. Effect of humidity on cuticular transpiration of isolated cuticular membranes and leaf disks. *Planta* **214**: 274–282.

Schwab M, Noga G, Barthlott W. 1995. Bedeutung der Epicuticularwachse für die Pathogenabwehr am Beispiel von Botrytris cinerea-Infektion bei Kohlrabi und Erbse. *Gartenbauwissenschaft* **60**: 102–109.

Sekse L. 1995. Fruit cracking in sweet cherries (*Prunus avium* L.). Some physiological aspects – a mini review. *Scientia Horticulturae* **63**: 135–141.

Southwood TRE. 1986. Plant surfaces and insects – an overwiew. In: Juniper BE, Southwood TRE, eds. *Insects and the Plant Surface*. London: Edward Arnold, 1–22.

Steinmüller D, Tevini M. 1985. Action of ultraviolet radiation (UV-B) upon cuticular waxes in some crop plants. *Planta* **164**: 557–564.

Sterk P, Booij H, Schellenkens GA, *et al.* 1991. Cell-specific expression of the carrot EP2 lipid transfer protein gene. *The Plant Cell* **3**: 907–921.

Stevens PJG, Bukovac MJ. 1985. Properties of octylphenoxy surfactants and their effects on foliar uptake. *Weeds* **3C**: 309–316.

Strange RN. 1992. Resistance: the role of the hypersensitive response and phytoalexins. In: Ayres PG, ed. *Pests and Pathogens. Plant Responses to Foliar Uptake*. Oxford: Bios Scientific, 39–56.

Tukey HB, Jr. 1970. The leaching of substances from plants. *Annual Review of Plant Physiology* **21**: 305–324.

Turunen M, Huttunen S. 1990. A review of the response of epicuticular waxes of conifer needles to air pollution. *Journal of Environmental Quality* **19**: 35–45.

Villena JF, Dominguez E, Stewart D, Heredia A. 1999. Characterization and biosynthesis of non-degradable polymers in plant cuticles. *Planta* **208**: 181–187.

Voisey PW, Lyall LH, Kloek M. 1970. Tomato skin strength – its measurement and relation to cracking. *Journal of the American Society for Horticultural Science* **95**: 485–488.

Wagner P, Fürstner R, Barthlott W, Neinhuis C. 2002. Quantitative assessment to the structural basis of water repellency in natural and technical surfaces. *Comparative Biochemistry and Physiology* **132/A**: 160.

Wagner T, Neinhuis C, Barthlott W. 1996. Wettability and contaminability of insect wings as a function of their surface sculpture. *Acta Zoologica* 77: 213–225.

Walton TJ. 1990. Waxes, cutin and suberin. In: Harwood JL, Bowyer JR, eds. *Lipids, Membranes and Aspects of Photobiology*. London: Academic Press, 105–158.

Weinhold AR, Hancock JG. 1980. Defense at the perimeter: extruded chemicals. In: Horsfall JGEBC, ed. *Plant Disease*. London, New York: Academic Press, 121–138.

Wenzel RN. 1936. Resistance of solid surfaces to wetting by water. *Industrial and Engineering Chemistry* 28: 988–994.

Wessels JGH. 1994. Developmental regulation of fungal cell wall formation. *Annual Review of Phytopathology* 32: 413–437.

von Wettstein-Knowles P. 1972. Genetic control of β-diketone and hydroxy-β-diketone synthesis in epicuticular waxes of barley. *Planta* 106: 113–130.

von Wettstein-Knowles P. 1987. Genes, elongases and associated enzymes system in epicuticular wax syntheses. In: Stumpf PK, Mudd JB, Nes WD, eds. *The Metabolism, Structure, and Function of Plant Lipids*. New York: Plenum Press, 489–498.

von Wettstein-Knowles P. 1995. Biosynthesis and genetics of waxes. In: Hamilton RJ, ed. *Waxes: Chemistry, Molecular Biology and Functions*. Glasgow: The Oily Press, 91–130.

Wheeler BEJ. 1981. Biology of powdery mildews on leaf surfaces. In: Blakeman JP, ed. *Micobial Ecology of the Phylloplane*. London, New York: Academic Press, 69–84.

Wiedemann P, Neinhuis C. 1997. Biomechanics of isolated plant cuticles. *Botanica Acta* 111: 28–34.

Wilhelmi H, Barthlott W. 1997. Mikromorphologie der Epicuticularwachse und die Systematik der Gymnospermen. *Tropische und subtropische Pflanzenwelt* 96: 7–48.

Wolter M, Barthlott W, Knoche M, Noga GJ. 1988. Concentration effects and regeneration of epicuticular waxes after treatment with Triton X-100 surfactant. *Angewandte Botanik* 62: 53–62.

Woodhead S, Chapman RF. 1986. Insect behaviour and the chemistry of plant surface waxes. In: Juniper BRS, ed. *Insects and the Plant Surface*. London: Arnold, 123–135.

Yamada M. 1992. Lipid transfer proteins in plants and microorganisms. *Plant Cell Physiology* 33: 1–6.

Zangerl AR, Berenbaum MR. 1993. Plant chemistry, insect adaptations to plant chemistry, and host plant utilization pattern. *Ecology* 74: 47–54.

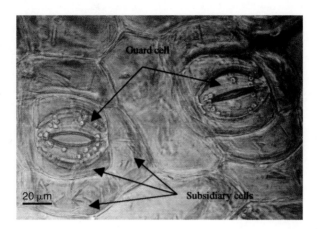

Plate 1 A reflected light image of a section of epidermal peel taken from *Commelina communis* showing two stomatal complexes within the epidermis.

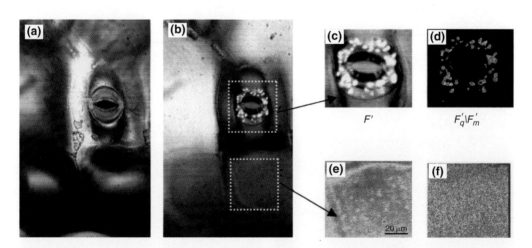

Plate 2 Example of the use of high resolution imaging of chlorophyll fluorescence in guard cells in *Tradescantia* (a) reflected light image, (b) whole fluorescence image, (c) and (e) isolated areas of mesophyll and guard cells showing steady state fluorescence images, (d) and (f) built up image of F_q'/F_m'.

Plate 3 Three growth forms of the Fynbos Mediterranean ecosystem: the deeper rooted proteoid growth form, *Protea nitida* Mill. (top), the more shallow rooted ericoid form, *Phaenocoma prolifera* (L.) D.Don. (bottom left) and also the shallow rooted restioid form, *Elegia juncea* L. (bottom right).

Plate 4 The open vegetation of the Fynbos, characterized by its low density with representatives of the families Restionaceae, Compositae, Ericaceae and Proteaceae (left). Vertical distribution of the open vegetation is accentuated by *Erica chloroloma* Lindley (right) and other species.

Plate 5 Three *Pelargonium* species with entire, deeply lobed and parsley-like leaf forms. From left to right: *P. cucullatum* (L.) L.'Her., *P. scabrum* (L.) L.'Her. and *P. triste* (L.) L.'Her.

Evolution of Anatomical Physiology

11

Falling atmospheric CO_2 – the key to megaphyll leaf origins

Colin P Osborne, William G Chaloner
and David J Beerling

CONTENTS

Introduction

The vast majority of contemporary leaves are megaphylls, derived from the 'planation' of determinate, overtopped side-branch systems and their 'webbing' by a thin lamina of photosynthetic mesophyll tissue, a sequence first documented as the telome theory (Figure 11.1; Zimmermann, 1930, 1952). Since the independent occurrence of this evolutionary innovation in four clades around 360 million years ago (Ma) (Boyce and Knoll, 2002), megaphyll leaves have become such a successful and ubiquitous feature of plants that it is difficult to imagine a world without them. Primary production by these organs is the energy source for almost all terrestrial life, with tetrapod and arthropod foliar herbivores key components in most modern ecosystems. Similarly, leaf carbon, energy and water exchanges are key driving steps in biogeochemical cycles and the regional climate system. Despite this pivotal role in ecosystem energy flows, laminate megaphyll leaves did not become widespread in plant assemblages until the Late Devonian, some 40–50 million years after the first appearance of their vascular ancestors on land (Figure 11.2) (Chaloner and Sheerin, 1979). Quite why this evolutionary change took so long to accomplish has hitherto been unclear (Robinson, 1991; van der Burgh, 1996; Niklas, 1997).

The Evolution of Plant Physiology
ISBN 0–12–33955–26

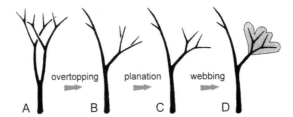

Figure 11.1   Stages in the evolution of the megaphyll leaf, as documented by the telome theory (Zimmermann, 1930, 1952). A. The ancestral form – a dichotomizing axis branching in three dimensions (e.g. rhyniophytes); B. Evolutionary 'overtopping' produces a main axis bearing reduced, lateral, determinate, photosynthetic stem systems, each branching in three dimensions (e.g. trimerophytes); C. 'planation' flattens these lateral systems of terete stem segments to a single plane (e.g. some cladoxylaleans); D. 'webbing' joins the segments of lateral branches with a lamina of photosynthetic mesophyll tissue (e.g. some progymnosperms).

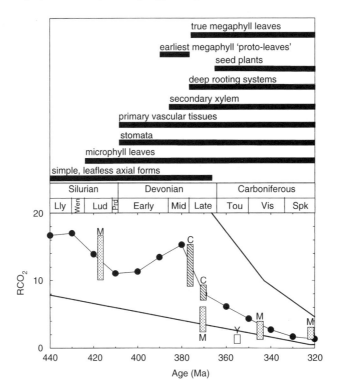

Figure 11.2   Evolutionary innovations of early terrestrial plants (upper panel) and concurrent changes in atmospheric CO_2 (lower panel). Intervals for the emergence and duration of characteristics in the fossil record were obtained for: axial forms, stomata, microphylls, primary vascular tissues (Edwards and Wellman, 2001); secondary xylem, megaphylls (Chaloner and Sheerin, 1979); 'proto-leaves' (Berry and Fairon-Demaret, 2001; Hao and Gensel, 2001); root systems (Raven and Edwards, 2001); and seed plants (Chaloner *et al.*, 1977). Periods and epochs of the geological timescale are shown for reference, with the abbreviations: Lly, Llandovery; Wen, Wenlock; Lud, Ludlow; Prd, Pridoli; Tou, Tournaisian; Vis, Visean; and Spk, Serpukhovian (Harland *et al.*, 1990). Modelled atmospheric CO_2 concentration, relative to today's value (RCO_2), is plotted with a range of error (bold lines) based on sensitivity analyses (Berner and Kothavala, 2001). RCO_2 ranges estimated from the carbon isotope composition of palaeosols (C, Cox *et al.*, 2001; M, Mora *et al.*, 1996; Y, Yapp and Poths, 1996) are also shown.

The earliest vascular land plants consisted of dichotomizing, leafless, cylindrical (terete) axes, but megaphyll evolution soon gave rise to determinate, non-laminate but presumably photosynthetic, lateral branch systems in their successors (Edwards and Wellman, 2001; Figure 11.2). The deeply lobed laminate leaves of the enigmatic Early Devonian fossil *Eophyllophyton bellum* Hao and Beck (1993) demonstrate that such evolution had occurred by around 390 Ma, although most plants at this time were still leafless or possessed microphyll leaves (Gensel *et al.*, 2001; Figure 11.2). Laminate megaphyll leaves had therefore clearly evolved in at least one lineage by the Early Devonian, but were not widely adopted until the appearance of the first forests in the Late Devonian (Gensel and Andrews, 1984; see Figure 11.2). This delay is puzzling, because the Devonian period witnessed far more complex polyphyletic evolutionary innovations in other plant structures (see Figure 11.2): the development of the seed habit and heterospory from homosporous ancestors (Chaloner *et al.*, 1977) and the rise of arboreal forms from tiny herbaceous ancestors (Chaloner and Sheerin, 1979). The latter feature, in itself, necessitated the origin of extensive root systems (Algeo and Scheckler, 1998; Algeo *et al.*, 2001; Gensel *et al.*, 2001; Raven and Edwards, 2001). It therefore seems appropriate to enquire why the widespread adoption of laminate megaphyll leaves took so long to come about.

The close coupling between leaves and the atmosphere suggests a likely role for some change in the aerial environment in early megaphyll evolution. A dramatic drop in atmospheric CO$_2$ is a good candidate, because simulations of the long-term geochemical carbon cycle indicate a fifteen-fold reduction during the Devonian (Berner and Kothavala, 2001). These model predictions are supported by independent estimates of atmospheric CO$_2$ (see Figure 11.2) using the stable carbon isotope composition of fossil soils (Mora *et al.*, 1996; Yapp and Poths, 1996; Cox *et al.*, 2001). We previously proposed a causal link between the delayed evolution of megaphyll leaves and this pronounced decline in atmospheric CO$_2$ (Beerling *et al.*, 2001a), mediated on a timescale of at least 40 Ma by the tight inverse relationship between the density of stomata on photosynthetic structures and atmospheric CO$_2$ concentrations (Beerling and Royer, 2002).

This chapter further details the mechanism of this linkage and the distinctive trends in early megaphyll leaf evolution expected to arise from it. The validity of these expected trends is explored by a preliminary quantitative analysis of megafossils, using published works on the Devonian and Early Carboniferous fossil record. In this analysis, we have focused on the origin, occurrence and form of megaphyll leaves to provide a preliminary to test of the Beerling *et al.* (2001a) hypothesis.

A mechanism coupling Devonian megaphyll evolution with falling CO$_2$

In developing our hypothesized link between CO$_2$ and plant evolution we have used a model of leaf biophysics and physiology to investigate the functional consequences for Devonian megaphylls of the evolutionary relationship between stomatal density and atmospheric CO$_2$ (Beerling *et al.*, 2001a) (Figure 11.3). The model mathematically describes the key interactions between photosynthetic CO$_2$ fixation, stomatal conductance, transpiration and the leaf energy balance (Beerling and Woodward, 1997). It explicitly accounts for the influences of temperature, light, humidity and CO$_2$ on these processes, and their feedbacks operating via CO$_2$ concentration in the sub-stomatal cavities, leaf temperature and the leaf–air vapour pressure deficit.

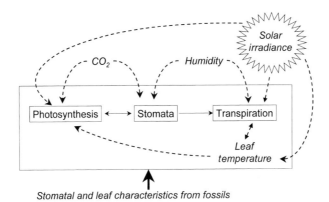

Figure 11.3 Model of leaf biophysics. A biochemical model of leaf photosynthesis is fully coupled with a model of stomatal functioning and leaf energy balance, incorporating the environmental feedbacks from atmospheric humidity, temperature and CO_2 (Beerling and Woodward, 1997). The stomatal model is initialized using measurements of density and pore dimensions from fossil cuticles, and simulations of the leaf laminar boundary layer (see Figure 11.4C) utilize estimates of fossil leaf dimensions (for details, see Beerling *et al.*, 2001a).

Leaf temperature in the model is determined by the absorption of solar energy, and the extent to which this is dissipated through: (1) the emission of longwave radiation; (2) the loss of latent heat by the evaporation of water in transpiration; and (3) the transfer of sensible heat to air flowing across the leaf surface. Stomatal density and pore size are key inputs into the model (see Figure 11.3) because they constrain the maximum stomatal conductance and therefore the rates of transpiration and latent heat loss. Leaf size is also a critical model input because it influences leaf boundary layer characteristics and hence the transfer of sensible heat to the atmosphere. A detailed model description is provided by Beerling and Woodward (1997).

Model simulations show that hypothetical large megaphyll leaves would have provided no selective advantage over branched axes for photosynthesis in the Early Devonian high CO_2 atmosphere (Beerling *et al.*, 2001a). This is because the exceptionally low stomatal densities observed for this period (Edwards, 1998) would have restricted transpiration rates in these leaves, and so dissipated very little absorbed solar energy as latent heat (Figure 11.4B), with a high associated risk of lethal overheating (Beerling *et al.*, 2001a). Efficient absorption of solar energy for photosynthesis by laminate leaves (Figure 11.4A) may therefore have carried a fatal cost.

By contrast, the erect forms of early axial land plants protected them from overheating by minimizing solar energy absorption around midday (Figure 11.4A), when the sun is high in the sky and air temperature approaches its maximum. This ecological strategy is used to good effect by some modern aridland plants, which have secondarily evolved reduced, erect leaves (Valladares and Pearcy, 1997) or photosynthetic stems (Haase *et al.*, 1999). Further protection from overheating in early plants could have been obtained by small, cylindrical, or highly dissected photosynthetic surfaces, which minimize the thickness of the laminar boundary layer and therefore aerodynamic resistance to sensible heat dissipation (Gurevitch and Schuepp, 1990; Figure 11.4C).

This mechanism leads us to predict that the earliest megaphyll leaves would have been erect, small and/or highly dissected (Beerling *et al.*, 2001a). In the absence of significant cooling through sensible and latent heat fluxes, we calculate that the effective solar energy

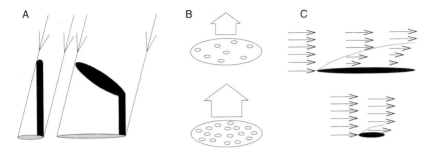

Figure 11.4 Mechanisms coupling leaf morphology and stomatal density with energy balance. If energy gained by the absorption of solar radiation exceeds that lost as latent heat and longwave radiation, leaf temperature will rise (Gates, 1979). A. Interception of solar energy is lower in an erect axis (left) and it therefore casts a smaller shadow (grey) than a more horizontal laminate leaf (right) when the sun is high in the sky. B. Rising stomatal density leads to greater stomatal conductance and therefore transpiration (top to bottom) indicated by relative size of the arrows. This higher transpiration rate increases the energy lost as latent heat. C. Air flowing over the leaf surface is slowed by friction (wind velocity indicated by length and direction of arrows), forming a laminar boundary layer that impedes energy losses as latent heat and convection. This resistance to energy loss increases with the thickness of the layer, which is greater for a large leaf (top) than a cylindrical stem, or a small (bottom) or dissected leaf (both examples are viewed in cross-section).

interception by large megaphylls would have caused lethal overheating. However, drastic evolutionary increases in stomatal density tracking the decline in Late Palaeozoic CO$_2$ concentration would have markedly increased latent heat loss, thus reducing the inherent biophysical constraints for developing larger and more entire megaphylls.

Our calculations show that, as stomatal density rose in response to falling CO$_2$ levels through the Devonian and Early Carboniferous, large laminate megaphyll leaves increasingly gained a selective advantage in terms of carbon gain by photosynthesis, without the penalty of high temperature damage. The advantage to photosynthesis was gained through a higher leaf conductance to CO$_2$ and more effective absorption of solar energy by the planated and more horizontal lamina (see Figure 11.4A). Higher stomatal densities would also have permitted greater transpiration rates, dissipating more absorbed solar energy as latent heat (Figure 11.4B), thereby lowering leaf temperatures and reducing the risk of lethal overheating (Beerling *et al.*, 2001a). It is important to note that cooling by transpiration is a fortuitous, but inevitable, consequence of stomatal guard cell opening for CO$_2$-fixation, rather than a prescribed primary function for stomata in our model (Beerling *et al.*, 2001b). The mechanism is widely accepted as a cooling device in leaves (Gates, 1968; Burke and Upchurch, 1989). Experiments using soybean clones differing in stomatal density provide strong support for our proposed linkage between cooling and stomatal characteristics. Rapid transpiration rates significantly reduced leaf temperatures in a high stomatal density soybean clone compared with those of its low stomatal density counterpart (Tan and Buttery, 1995).

Cooling by transpiration is an ecological strategy adopted by large-leaved plants in today's deserts, savannah, Mediterranean and riparian zones, and may be critical in avoiding lethal overheating during exposure to high solar radiation (Gates, 1979; Ehleringer, 1988; Matsumoto *et al.*, 2000). Latent heat losses from these rapidly transpiring leaves may lower their temperature by up to 15°C below that of the air (Lange, 1959). By contrast, leaves coated experimentally with a compound designed to prevent transpiration quickly reach lethal temperatures under these conditions (Lange, 1959). Although the application of such 'anti-transpirants' may alter leaf surface properties such as absorptance, significant cooling by transpiration has also been demonstrated using independent techniques causing stomatal closure, such as the exogenous application of abscisic acid (Kitano *et al.*, 1995).

The cooling strategy requires an adequate water supply and rapid rates of uptake and vascular transport (Beerling *et al.*, 2001b). Studies of stem conductance in extant species with a similar primitive stelar anatomy to those of early land plants, show that these would have been insufficient to meet the high hydraulic demands of laminate leaves simulated by our model (Beerling *et al.*, 2001a). The requirement for effective water transport would therefore have provided a strong selection pressure for the coevolution of xylem tissues and leaves in Late Devonian plants. The fossil record supports this prediction, showing that the simulated increase in water demand was met by the evolution of secondary xylem tissues (see Figure 11.2), and an increase in the complexity of stelar anatomy (Niklas, 1997) and root systems (Algeo and Scheckler, 1998; Raven and Edwards, 2001) in several clades. However, the appearance of leaves is unlikely to have been the sole selection pressure acting on the evolution of Devonian vascular anatomy. Selection for the efficient operation of xylem tissues in mechanical support (Niklas, 1994) and the transport of mineral nutrients for growth (Niklas, 1997) would also have been driven by an increase in plant height and size. An evolutionary trend in height and size is observed in plant fossils throughout the Devonian (Chaloner and Sheerin, 1979), and would have increased fitness by promoting the dispersal of propagules and minimizing the shading of photosynthetic organs (Niklas, 1997).

Our simulations therefore provide a biologically plausible mechanism for the observed delay in megaphyll leaf evolution and suggest strong selection pressures for Devonian stem evolution. Critically, they also make important predictions about the morphology of the earliest leaves that are testable using the plant fossil record. These predictions are characterized by two key expectations:

1. Biophysical constraints would have restricted the earliest megaphylls to small or highly dissected shapes, which maximize the dissipation of absorbed solar energy (see Figure 11.4C).
2. Concurrent changes in atmospheric CO_2 and stomatal density during the Devonian would have permitted the evolution of larger and less dissected laminate megaphylls by increasing the energy lost in transpiration (see Figure 11.4B).

We next turn to evidence from the fossil record in an effort to test these expectations, using the first quantitative analysis of leaf size in Late Palaeozoic fossil floras.

Early evolution of the megaphyll leaf

The earliest tracheophyte land plants had neither lateral branches nor leaves, and consisted merely of naked, dichotomous-branching, three-dimensional stem systems (Edwards and Wellman, 2001). Their simple axial form is typified by *Cooksonia* Lang (Edwards *et al.*, 1983), initially appearing as macrofossils in the Mid-Silurian plant fossil record (Wenlock), but inferred from earlier spore assemblages (Edwards and Wellman, 2001). The discovery of stomata in Late Silurian (Pridoli) plants with a similar morphology is strongly suggestive of photosynthetic function in these axes, with gas exchange occurring through stomatal openings in an otherwise impermeable cuticle (Edwards *et al.*, 1996).

The evolution of primary xylem tissues appeared, significantly, at the same time (see Figure 11.2; Edwards *et al.*, 1992), facilitating the delivery of water to photosynthetic tissue, and permitting the evaporation that must inevitably accompany stomata-based CO$_2$-fixation in a land plant. Rhyniophyte species with the leafless axial form diversified and became common in the Late Silurian–Early Devonian (Edwards and Wellman, 2001). Although rare after the Early Devonian, they did not entirely disappear until the close of the Devonian with the widespread appearance of megaphyll leaves and rise of arborescence (Berry and Fairon-Demaret, 2001).

In contrast with the slow arrival of megaphylls, microphylls make an early appearance in the terrestrial plant fossil record – for many years *Baragwanathia longifolia* Lang and Cookson (1935), with its covering of narrow, linear microphylls, was the earliest known land plant (Ludlow-Lochkovian). Microphylls are presumed to have evolved from the enlargement of tiny spine-like 'enations' (Bower, 1935) and, despite their name (literally 'small leaves'), are defined by their simple, usually unbranched venation and distinctive vascular anatomy (Stewart and Rothwell, 1993). These ultimately reached lengths of up to a metre in the arborescent lycophytes dominating Carboniferous forest communities, but always remained narrow (Kosanke, 1979; Chaloner and Meyer-Berthaud, 1983). The importance of microphylls subsequently declined with the rise of gymnosperms and they are retained only in relict groups within the extant flora (Wikström and Kenrick, 2001). Our analysis of leaf evolution is currently confined to megaphyll leaves, although the physical principles involved could equally be applied to microphylls.

Rapid evolutionary radiation in Early Devonian (Pragian-Emsian) plants apparently led to the widespread appearance of determinate lateral branch systems (Gensel *et al.*, 2001), the necessary precursors to megaphyll leaves (see Figure 11.1; Zimmermann, 1930, 1952). However, interpretation of these 'proto-leaves' as lateral appendages may be problematic because the natural orientation of major axes may be difficult to ascertain in some fossils – i.e. whether they were more or less upright, axial systems or an over-topped, determinate, lateral branch. This difficulty is illustrated well by the recent re-interpretation of the Mid-Devonian plant *Hyenia* '*complexa*' Leclercq (Fairon-Demaret and Berry, 2000). Similarly, fossilization by compression may artificially flatten shoot systems, making it difficult to determine whether planation in lateral branches is a taphonomic or a truly developmental phenomenon. Nevertheless, the 'overtopping' of dichotomous branch systems (see Figure 11.1) and appearance of determinate laterals does seem to have been an evolutionary innovation within the Early Devonian trimero-phytes. The dichotomizing axial form remained common, but was confined to rhynio-phytes such as *Horneophyton lignieri* (Kidston and Lang) Barghoorn and Darrah (Figure 11.5; Eggert, 1974).

Morphology is diverse in Early Devonian fossil branched axial systems (Figure 11.5), but all are characterized by repeated dichotomies and a lack of evidence in most cases of pronounced planation (Gensel *et al.*, 2001). Termination may be either in sterile tips or sporangia, but branching is nearly always three-dimensional (Figure 11.5), as in the trimerophytes *Pertica quadrifaria* Kasper and Andrews (1972) and *Psilophyton* Dawson (Gensel and Andrews, 1984). Vascular traces in permineralized proto-leaves of *Psilophyton coniculum* Trant and Gensel (1985) are markedly differentiated from those of the main axis, providing anatomical evidence that they were indeed developed laterally (Gensel, 1984).

Proto-leaves from the Chinese Yunnan (Pragian) fossil assemblages are markedly more differentiated than most Early Devonian examples, with those of *Eophyllophyton bellum*

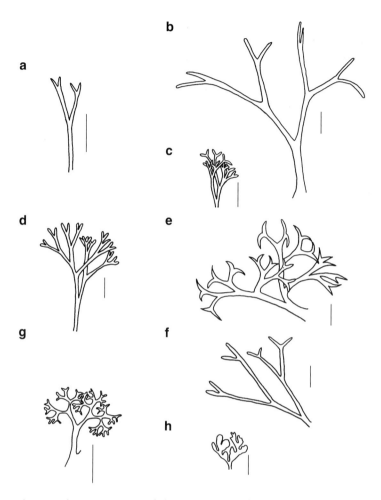

Figure 11.5 Photosynthetic structures of characteristic Early Devonian genera. Asterisks indicate that the genus is confined to this epoch, following Chaloner and Sheerin (1979). Each outline is redrawn from either a: [†]reconstruction; [‡]drawing of a fossil; or [¶]photograph of a fossil. Scale bars represent 10 mm for a–g and 1 mm for h. Estimated stages follow the time scale of Harland *et al.* (1990) and are abbreviated as: Pra, Pragian; Ems, Emsian; Eif, Eifelian; Giv, Givetian; Frs, Frasnian; and Fam, Famennian.

a   *Psilophyton dapsile* Andrews *et al.* (1977)[†] (Ems/Eif).
b   *Ps. forbesii* Gensel[†] Andrews *et al.* (1977).
c   *Ps. dawsonii* Banks *et al.* (1975)[†] (Ems/Eif).
d   *Horneophyton lignieri* (Kidston and Lang) Barghoorn
       and Darrah[†] (Pra/Ems) Eggert (1974).
e   *Pertica quadrifaria* Kaspar and Andrews[†] (Ems/Eif) Andrews *et al.* (1977).
f   *Psilophyton microspinosum* Andrews *et al.* (1977)[†] (Ems/Eif).
g   *Ps. charientos* Gensel (1979)[†] (Ems/Eif).
h   *Eophyllophyton bellum* Hao and Beck (1993)[‡] (Pra).

being both planated and webbed by a thin lamina (thickness = 40–200 μm; Hao and Beck, 1993). Unlike similar laminar structures in *Adoketophyton subverticillatum* Li and Edwards and *Calatheca beckii* Hao and Gensel from the same flora, which are always confined to terminal fertile regions, those in *E. bellum* are lateral and may be fertile or sterile (Hao and Gensel, 2001). Thus the proto-leaves of *E. bellum* seem to have no clear role in protecting the sporangia and are interpreted as true photosynthetic megaphyll leaves (Hao, 1988; Hao and Beck, 1993). Their morphology is distinctive, being deeply divided into lobes and reach only 2.0 to 4.5 mm in length and 1.4 to 4.0 mm in width (see Figure 11.5; Hao and Beck, 1993). While their interpretation as the earliest photosynthetic megaphyll leaves may be contentious, these structures undoubtedly demonstrate that there were no developmental barriers to megaphyll leaf evolution in at least one lineage by the Early Devonian.

A transition towards later forest floras began in the Mid-Devonian (Eifelian-Givetian), with large increases in plant stature of up to 3–5 m permitted by the evolution of secondary xylem or cortex tissues (Chaloner and Sheerin, 1979; Niklas, 1997; Berry and Fairon-Demaret, 2001). Laminate megaphyll leaves also appear at this time in several rare genera of uncertain affinity (Høeg, 1967), and may be present in the early progymnosperm *Svalbardia polymorpha* Høeg, although the finely dissected ultimate appendages of this species have been variously interpreted as branches (Beck, 1970) and laminae (Høeg, 1942). However, species with non-laminate, determinate, lateral branch systems (proto-leaves) remain the norm in fossil assemblages (Figure 11.6), and naked, dichotomizing rhyniophyte axes are still present, but restricted in distribution (Berry and Fairon-Demaret, 2001).

Non-laminate proto-leaves of Mid-Devonian age are more commonly planated than are their Early Devonian counterparts (see Figures 11.1 and 11.6), as illustrated by the cladoxylalean *Cladoxylon scoparium* Kräusel and Weyland (Leclercq, 1970) and the putative sphenophyte *Ibyka amphikoma* Skog and Banks (1973). Nevertheless, some species retain three-dimensional branching structures, for example the progymnosperms *Tetraxylopteris schmidtii* Beck (1957) and *Actinoxylon banksii* Matten (1968) and the cladoxylalean *Pseudosprochnus nodosus* Leclercq and Banks (Berry and Fairon-Demaret, 1997). While the terminal segments of these fossils may appear laminate, this is as likely to be taphonomic as developmental, the result of compression of an initially terete structure during preservation (Chaloner, 1999).

Large laminate megaphylls are atypical of Mid-Devonian fossil floras and, in most cases, are species or genera known only from a single locality or specimen. The morphogenus *Platyphyllum* (Dawson) White is represented by five Mid-Devonian species, all characterized by fan-shaped (flabelliform) laminae between 2 and 15 cm in length and 1 and 5 cm in width (Høeg, 1967). Apparent evidence of tracheids in at least three of these specimens confirms their status as tracheophytes (Høeg, 1967), but details are lacking on the plants that bore them. *Ginkgophytopsis gilkinetii* (Leclercq, 1928) Høeg is similar in morphology and similarly enigmatic. However, the largest leaves of late Mid-Devonian (or earliest Late Devonian) age belong to the flabelliform *Enigmophyton superbum* Høeg (1942) and measure at least 16 cm by 12 cm. They demonstrate that, although rare, large laminate megaphylls were clearly a viable adaptation in some environments at this time. It would be of great interest to know more of the ecology of these rare Mid-Devonian flabelliform leaves.

True laminate megaphyll leaves finally came of age in the forest floras of the Late Devonian (Frasnian-Famennian) dominated by the progymnosperm genus *Archaeopteris* Dawson (Beck, 1964). Fossil megaphylls of these trees vary considerably in size and morphology, ranging from the laminate leaves of *A. hibernica* (Forbes) Dawson to the finely dissected branching structures of *A. fissilis* Schmalhausen (Figure 11.7). Thus, although laminate leaves were widespread, plants bearing non-laminate proto-leaves remained key components of forest floras (Gensel and Andrews, 1984). The planated, finely branching,

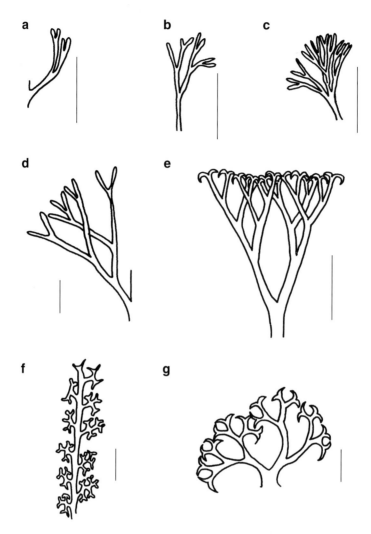

Figure 11.6   Photosynthetic structures of characteristic Middle Devonian genera. See Figure 11.5 for key. Scale bars represent 10 mm for all except a, where the scale is 5 mm.

a   *Calamophyton bicephalum* Leclercq and Andrews (1960)*‡ (Giv).
b   *Hyenia elegans* Kräusel and Weyland*‡ (Eif) Hirmer (1927).
c   *Pseudosprochnus nodosus* Leclercq and Banks (1962)† (Giv).
d   *Actinoxylon banksii* Matten (1968)*† (Giv).
e   *Ibyka amphikoma* Skog and Banks (1973)† (Giv).
f   *Arctophyton gracile* Schweitzer (1968)† (Eif).
g   *Protocephalopteris praecox* (Høeg) Ananiev*† (Eif/Giv) Schweitzer (1968).

non-laminate 'fronds' of the putative primitive fern *Rhacophyton ceratangium* Andrews and Phillips are particularly noteworthy in this context (see Figure 11.7), many reaching lengths in excess of 30 cm (Andrews and Phillips, 1968). They demonstrate that laminate megaphylls, although obviously successful, were by no means a ubiquitous adaptation in Late Devonian plants.

Fossil floras of the Early Carboniferous (Tournaisian-Visean) are dominated by arborescent lycophytes with long microphyll leaves, and megaphylls are confined to the

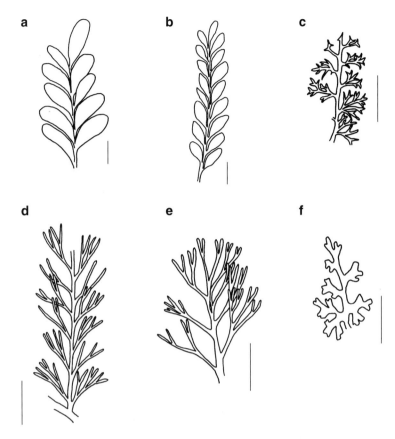

Figure 11.7 Photosynthetic structures of characteristic Late Devonian genera. See Figure 11.5 for key. Scale bars represent 10 mm.

a *Archaeopteris hibernica* (Forbes) Dawson *[¶] (Fam) Original.

b *A. halliana* (Goeppert) Lesquereux *[¶] (Fam) Hirmer (1927).

c *Rhacophyton ceratangium* Andrews and Phillips[¶] (Fam) Cornet *et al.* (1976).

d *Archaeopteris fissilis* Schmalhausen *[†] (Stage uncertain) Andrews *et al.* (1965).

e *Svalbardia banksii* Matten (1981)[†] (Frs).

f *Sphenopteridium rigidum* (Ludwig) Potonié[¶] (Fam) Cleal and Thomas (1995).

ferns, pteridosperms and sphenophytes. In early sphenophytes such as *Archaeocalamites radiatus* (Brongniart) Stur and *Spenophyllum tenerrimum* Ettingshausen, these remain as lateral branching systems without laminae (Figure 11.8), although laminate forms appear in later genera of this group (Stewart and Rothwell, 1993). By contrast, megaphylls of the pteridosperms *Diplopteridium teilianum* (Kidston) Walton and *Rhacopteris circularis* Walton, and likely members of the same group *Charbeckia macrophylla* Knaus *et al.* (2000) and *Genselia compacta* Knaus and Gillespie (2001), are exclusively laminate, closely resembling those of modern ferns (Figure 11.8). However, Lower Carboniferous leaves display a wide diversity in form (Boyce and Knoll, 2002), with the broad laminae of pteridosperms such as *C. macrophylla* coexisting with the highly dissected terete forms of examples such as *Diplopteridium holdenii*. With the decline of arborescent lycophytes in the Late Carboniferous and rise of gymnosperms, the laminate megaphyll leaf became firmly established in subsequent floras, as it is today (Beck, 1970).

Quantifying the trends in early megaphyll leaf evolution

Qualitative trends in megaphyll evolution support the two key expectations arising from our model, with small, dissected, non-laminate lateral branches being followed by larger laminate megaphylls during the course of the Devonian. Here we quantify these trends using simple observations on a representative selection of Late Palaeozoic photosynthetic structures. For each, we have measured the maximum width of the ultimate segment of branches or laminae, the key determinant of laminar boundary layer thickness for both terete and laminate structures (Jones, 1992). The results presented here are the preliminary findings of a more comprehensive study currently underway.

Figures 11.5 to 11.8 illustrate examples of the ultimate vegetative appendages of Devonian and Early Carboniferous genera. They are chosen quite subjectively to represent what may fairly be regarded as the characteristic range of leaf form (or branched axial systems) shown by plants of each age. We have indicated in the list of genera (Figures 11.5–11.8) those regarded as characteristic of a particular epoch (Chaloner and Sheerin, 1979). We include only forms which are megaphylls with an evident branched vein system, or what appear to be determinate lateral branch systems of the kind which are widely regarded as the antecedents to such megaphylls. We deliberately exclude lycopsid microphylls since our interest is in the origin of the megaphyll leaf.

In interpreting the photosynthetic physiology of these fossils, one weakness is our uncertainty about the extent to which some of the individual small-diameter branch divisions are laminate, since the narrow segment of a laminate structure will develop

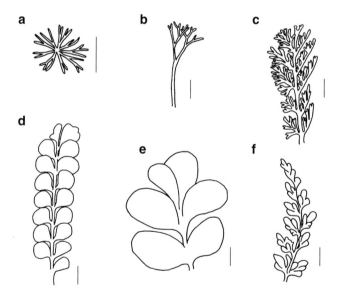

Figure 11.8 Photosynthetic structures of characteristic Early Carboniferous genera. See Figure 11.5 for key. Vis, Visean; Tou, Tournaisian, other epoch abbreviations as Figure 11.2. Scale bars represent 10 mm.

a   *Sphenophyllum tenerrimum* Ettinghausen[‡] (Vis) Hirmer (1927).
b   *Archaeocalamites radiatus* (Brongniart) Stur[‡] (Tou through Vis) Hirmer (1927).
c   *Diplopteridium teilianum* (Kidston) Walton[¶] (Vis) Andrews *et al.* (1970).
d   *Rhacopteris circularis* Walton[¶] Andrews *et al.* (1970).
e   *Charbeckia macrophylla* Knaus *et al.* (2000)[‡] (Tou).
f   *Genselia compacta* Knaus and Gillespie (2001)[‡] (Tou).

different boundary layer conditions to a terete stem (Jones, 1992). As they are almost exclusively compression fossils (Chaloner, 1999), we may be either viewing a finely divided lamina, or an extensively branched terete lateral branch system. For most of the Early Devonian plants, the circumstantial evidence is that these are terete, branched axial systems; for the Mid-Devonian, some of the finely branched laterals may indeed be laminate (i.e. each final unit being broader than deep in cross-section). We accept that we probably cannot resolve this uncertainty for all the material figured.

The morphological nature of the units illustrated and analysed is also uncertain, but this does not affect the parameter (ultimate segment width) we have recorded. In some cases we are simply making measurements on part of a branched axial system, either the whole subaerial plant (Figure 11.5d) or simply part of it (Figure 11.5a–c) or what appears to be a determinate lateral branch system (Figure 11.5h). In that the pattern is generally repeated within each axial system as a whole, the parameter we are measuring will be the same, whether we base it on a representative sample or the entire system.

A further problem concerns the three-dimensional nature of the branching of some of the Early and Mid-Devonian plants; in many such cases part of a branch system may be hidden within the rock matrix, as a single fracture plane in a rock reveals only two dimensions. Palaeobotanists investigating such a fossil will normally excavate into the matrix to reveal the three-dimensional character of the plant ('degagement' – see Fairon-Demaret *et al.*, 1999). The whole three-dimensional form of the plant may then be presented as a reconstruction by the author, and where available, we have used such a reconstruction in making our figures of characteristic forms (Figures 11.5–11.8). Of course, we may have part of a branch system missing in such a reconstruction, but again, as the part seen is presumably a representative sample of the whole, this will not affect the value of the ultimate branch width.

Maximum widths of the ultimate segment of branches or laminae were measured to the nearest millimetre in the examples from Figures 11.5–11.8, and displayed in Figure 11.9 after a correction for scale. These observations provide preliminary quantitative support

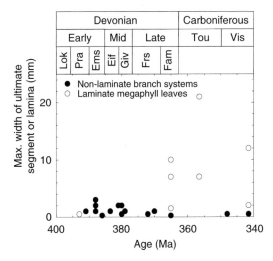

Figure 11.9 Maximum width of the terminal segment of branches or leaves in genera characterizing floras of the Devonian and Early Carboniferous. All are illustrated in Figures 11.5–11.8 and plotted against age, estimated as the Stage mid-point after Harland *et al.* (1990). The symbols distinguish non-laminate axial branching structures from laminate megaphyll leaves.

for the qualitative trends already described. Branched, non-laminate photosynthetic organs of the selected species were less than 3 mm in width throughout the Early and Mid-Devonian. *Eophyllophyton bellum* is the only example of a species with laminate mega-phyll leaves during this interval and also conforms to the pattern, with leaf lobes less than 1 mm in width. Only late in the Late Devonian (Famennian) did photosynthetic organs increase in size, with the widespread appearance in progymnosperms of laminate mega-phyll leaves up to 10 mm in width. This upward trend in maximum leaf size continued in the Carboniferous, as illustrated by the pteridosperms in Figure 11.8, exceeding 20 mm in *Charbeckia macrophylla*. Narrow, non-laminate 'proto-leaves' were still present in sphenophyte floras at this time, but were rare by comparison with their heyday in the late Early and Mid-Devonian.

Discussion

The quantitative analysis presented in Figure 11.9 must be regarded as a preliminary investigation of the trends occurring in megaphyll evolution during the Late Palaeozoic, rather than a rigorous objective test of our hypothesis. Nevertheless, it supports the two key predictions arising from our model simulations. First, that biophysical constraints restricted the earliest megaphylls to narrow or highly dissected shapes. Evidence from the fossil record suggests that these constraints were important limiters of megaphyll evolution, confining proto-leaves to (predominantly) non-laminate forms throughout the Early and Mid-Devonian, and delaying the widespread appearance of laminate forms until the Late Devonian (see Figure 11.9).

Secondly, evidence supports our expectation that the evolution of larger and less dissected laminate megaphylls tracked the Devonian and Early Carboniferous decline in atmospheric CO_2. Our examples show a clear trend in maximum lamina width and suggest that this evolutionary change was particularly rapid in the 20 Ma spanning the latest Devonian and earliest Carboniferous (see Figure 11.9). This period must therefore be regarded as an important focus for future studies. The precise starting date for these increases in lamina size is uncertain, because of the combination of examples selected for study and the small sample size. Future examination of Givetian-Frasnian fossils will be important to date this evolutionary event with greater accuracy (see Figure 11.9).

For the reasons set out earlier (Beerling *et al.*, 2001a) and amplified here, we therefore interpret the late appearance of laminate foliage as a response to changes in atmospheric composition, largely brought about by terrestrial plant life itself (Algeo and Scheckler, 1998; Algeo *et al.*, 2001). However, we accept that this simple interpretation must be qualified with some provisos.

The first of these is the presence from the Early Devonian onwards of very few records of flabelliform leaves, seemingly produced by vascular plants. Unfortunately we know next to nothing of the ecology of the plants producing them, or indeed the ecology of most of the plants that we use here to illustrate this theme. The interpretation of these 'anomalous' leaves is complicated by the fact that the vascular nature of the plants themselves is not in every case securely documented. The flabelliform phylloids attributed to *Prototaxites* Dawson (see e.g. Schweitzer, 1987: Figure 11.7), a structure now considered to be fungal (Hueber, 2001), are a reminder of the possible confusion between such structures and the leaves of terrestrial land plants.

A further proviso relates to the fact that, synchronously with the early pinnate mega-phylls of the Late Devonian/Early Carboniferous progymnosperms, pterodosperms and/or pteridophytes, there remains a range of deeply divided leaves or leaf-like lateral systems (e.g. Figure 11.8a–c). This is hardly surprising because modern plants with very different light-trapping and transpiration strategies evidently coexist in the same communities (e.g. Gates, 1979). The presence of rosette weeds such as the deeply dissected *Achillea millefolium* L. in juxtaposition in the same sward as the entire-leaved *Plantago major* L. reminds us that we need to be guarded in offering simplistic explanations attributing 'adaptive' merit of one strategy against another. Leaves of small herbaceous plants encounter a wide range of environmental variables through the course of a seasonal climate and equally must ward off a range of different herbivores. While one plant may use chemical means of achieving this, others may use structural modifications, so producing very different leaf forms for different reasons. It is evident that the appearance of megaphyll leaves did not 'displace' their more deeply dissected antecedents, but while expanding in diversity in different plant groups, came to coexist with them.

As we see in other aspects of evolutionary change in plants, an innovation may partially displace the version that had preceded it, but only rarely supplants it entirely. In a simple way, this might be argued of the development of heterospory from homospory and subsequently of the seed habit from heterospory. Those three types of life cycle are still well represented in the present-day flora, although clearly the representation of each has changed drastically since Devonian time.

Further expectations from our biophysical simulations relate to the ecology and spatial distribution of early megaphyll evolution. First, we might expect laminate leaves to have appeared first in species of shaded forest understorey habitats, where the adverse effects of high solar irradiance are reduced, but not eliminated (Woodward, 1980). Unfortunately, the Devonian plant fossil record does not permit a test of this expectation, since sun leaves cannot be distinguished from the shade leaves of early forests. Secondly, we might expect to see significant latitudinal trends in the early evolution of leaves. Since solar elevation declines with latitude, the interception of solar energy by a planated lamina must also decrease (see Figure 11.4A), reducing the risk of overheating and the necessity for effective heat dissipation. The laminate megaphyll leaf is therefore likely to have become widespread first at high latitudes, an expectation that may be tested using palaeolatitude data for fossil localities (Scotese and McKerrow, 1990). Furthermore, the temporal trend in leaf width seen in Figure 11.9 is likely to be paralleled by a spatial pattern, with megaphyll laminae becoming larger and less dissected with latitude. Such expectations offer another key test of our simulations, requiring the assembly of a larger set of observations.

Acknowledgements

We thank Charles Wellman and Dana Royer for their comments on the manuscript. This work was funded through the award of a Leverhulme Trust research grant. DJB gratefully acknowledges funding through a Royal Society University Research Fellowship and the Leverhulme Trust.

References

Algeo TJ, Scheckler SE. 1998. Terrestrial–marine teleconnections in the Devonian: links between the evolution of land plants, weathering processes, and marine anoxic events. *Philosophical Transactions of the Royal Society of London B* 353: 113–130.

Algeo TJ, Scheckler SE, Maynard JB. 2001. Effects of the Middle to Late Devonian spread of vascular plants on weathering regimes, marine biotas, and global climate. In: Gensel PG, Edwards D, eds. *Plants Invade the Land*. New York: Columbia University Press, 213–236.

Andrews HN, Arnold CA, Boureau E, *et al.* 1970. *Traité de Paleobotanique; Volume 4, Part 1, Filicophyta*. Paris: Masson et Cie.

Andrews HN, Kasper AE, Forbes WH, *et al.* 1977. Early Devonian flora of the Trout Valley Formation of northern Maine. *Review of Palaeobotany and Palynology* 23: 255–285.

Andrews HN, Phillips TL. 1968. *Rhacophyton* from the Upper Devonian of West Virginia. *Botanical Journal of the Linnean Society* 61: 37–64.

Andrews HN, Phillips TL, Radforth NW. 1965. Paleobotanical studies in Arctic Canada. I. *Archaeopteris* from Ellesmere Island. *Canadian Journal of Botany* 43: 545–556.

Banks HP, Leclercq S, Hueber FM. 1975. Anatomy and morphology of *Psilophyton dawsoni* sp. n. from the later Lower Devonian of Quebec (Gaspe), and Ontario, Canada. *Palaeontographica Americana* 8: 77–127.

Beck CB. 1957. *Tetraxylopteris schmidtii* gen. et sp. nov., a probable pteridosperm precursor from the Devonian of New York. *American Journal of Botany* 44: 350–367.

Beck CB. 1964. Predominance of *Archaeopteris* in Upper Devonian flora of western Catskills and adjacent Pennsylvania. *Botanical Gazette* 125: 126–128.

Beck CB. 1970. The appearance of gymnospermous structure. *Biological Review* 45: 379–400.

Beerling DJ, Osborne CP, Chaloner WG. 2001a. Evolution of leaf form in land plants linked to atmospheric CO_2 decline in the Late Palaeozoic era. *Nature* 410: 352–354.

Beerling DJ, Osborne CP, Chaloner WG. 2001b. Do drought-hardened plants suffer from fever? Response. *Trends in Plant Science* 6: 507–508.

Beerling DJ, Royer DL. 2002. Reading a CO_2 signal from fossil stomata. *New Phytologist* 153: 387–397.

Beerling DJ, Woodward FI. 1997. Changes in land plant function over the Phanerozoic: reconstructions based on the fossil record. *Botanical Journal of the Linnean Society* 124: 137–153.

Berner RA, Kothavala Z. 2001. GEOCARB III: a revised model of atmospheric CO_2 over Phanerozoic time. *American Journal of Science* 301: 182–204.

Berry CM, Fairon-Demaret M. 1997. A reinvestigation of the cladoxylopsid *Pseudosporochnus nodosus* Leclercq et Banks from the Middle Devonian of Goé, Belgium. *International Journal of Plant Sciences* 158: 350–372.

Berry CM, Fairon-Demaret M. 2001. The Middle Devonian flora revisited. In: Gensel PG, Edwards D, eds. *Plants Invade the Land*. New York: Columbia University Press, 120–139.

Bower FO. 1935. *Primitive Land Plants*. London: Macmillan & Co.

Boyce CK, Knoll AH. 2002. Evolution of developmental potential and the multiple independent origins of leaves in Paleozoic vascular plants. *Paleobiology* 28: 70–100.

van der Burgh J. 1996. Changes in leaf shape and environment during the Upper Devonian. In: Corsettii F, Tiffney BH, eds. *Fifth Quadrennial Conference Abstract Volume*. Santa Barbara: International Organization of Paleobotany, 106.

Burke JJ, Upchurch DR. 1989. Leaf temperature and transpirational control in cotton. *Environmental and Experimental Botany* 29: 487–492.

Chaloner WG. 1999. Plant and spore compression in sediments. In: Jones TP, Rowe NP, eds. *Fossil Plants and Spores – Modern Techniques*. London: Geological Society, 36–40.

Chaloner WG, Hill AJ, Lacey WS. 1977. First Devonian platyspermic seed and its implications in gymnosperm evolution. *Nature* 265: 233–235.

Chaloner WG, Meyer-Berthaud B. 1983. Leaf and stem growth in the Lepidodendrales. *Botanical Journal of the Linnean Society* 86: 135–148.

Chaloner WG, Sheerin A. 1979. Devonian macrofloras. In: House MR, Scrutton CT, Bassett MG, eds. *The Devonian System*. London: The Palaeontological Association, 145–161.

Cleal CJ, Thomas BA. 1995. *Palaeozoic Palaeobotany of Great Britain*. London: Chapman & Hall.

Cornet B, Phillips TL, Andrews HN. 1976. The morphology and variation in *Rhacophton ceratangium* from the Upper Devonian and its bearing on frond evolution. *Palaeontographica B* 158: 105–129.

Cox JE, Railsback LB, Gordon EA. 2001. Evidence from Catskill Pedogenic carbonates for a rapid Late Devonian decrease in atmospheric carbon dioxide concentrations. *Northeastern Geology and Environmental Sciences* **23**: 91–102.

Edwards D. 1998. Climate signals in Palaeozoic land plants. *Philosophical Transactions of the Royal Society of London B* **353**: 141–157.

Edwards D, Abbott GD, Raven JA. 1996. Cuticles of early land plants: a palaeoecophysiological evaluation. In: Kerstiens G, ed. *Plant Cuticles – an Integrated Functional Approach*. Oxford: BIOS Scientific Publishers, 1–31.

Edwards D, Davies KL, Axe L. 1992. A vascular conducting strand in the early land plant *Cooksonia. Nature* **357**: 683–685.

Edwards D, Feehan J, Smith DG. 1983. A late Wenlock flora from Co. Tipperary, Ireland. *Botanical Journal of the Linnean Society* **86**: 19–36.

Edwards D, Wellman C. 2001. Embryophytes on land: The Ordovician to Lochkovian (Lower Devonian) record. In: Gensel PG, Edwards D, eds. *Plants Invade the Land*. New York: Columbia University Press, 3–28.

Eggert DA. 1974. The sporangium of *Horneophyton lignieri* (Rhyniophytina). *American Journal of Botany* **61**: 405–413.

Ehleringer JR. 1988. Comparative ecophysiology of *Encelia farinosa* and *Encelia frutescens*. 1. Energy balance considerations. *Oecologia* **76**: 553–561.

Fairon-Demaret M, Berry CM. 2000. A reconsideration of *Hyenia elegans* Kräusel et Weyland and *Hyenia 'complexa'* Leclercq: two Middle Devonian cladoxylopsids from Western Europe. *International Journal of Plant Sciences* **161**: 473–494.

Fairon-Demaret M, Hilton J, Berry CM. 1999. Surface preparation of macrofossils (degagement). In: Jones TP, Rowe NP, eds. *Fossil Plants and Spores – Modern Techniques*. London: Geological Society, 33–35.

Gates DM. 1968. Transpiration and leaf temperature. *Annual Review of Plant Physiology* **19**: 211–238.

Gates DM. 1979. *Biophysical Ecology*. New York: Springer Verlag.

Gensel PG. 1979. Two *Psilophyton* species from the Lower Devonian of eastern Canada with a discussion of morphological variation within the genus. *Palaeontographica B* **168**: 81–99.

Gensel PG. 1984. A new Lower Devonian plant and the early evolution of leaves. *Nature* **309**: 785–787.

Gensel PG, Andrews HN. 1984. *Plant Life in the Devonian Period*. New York: Praeger Scientific.

Gensel PG, Kotyk ME, Basinger JF. 2001. Morphology of above- and below-ground structures in Early Devonian (Pragian-Emsian) plants. In: Gensel PG, Edwards D, eds. *Plants Invade the Land*. New York: Columbia University Press, 83–102.

Gurevitch J, Schuepp PH. 1990. Boundary layer properties of highly dissected leaves – an investigation using an electrochemical fluid tunnel. *Plant, Cell and Environment* **13**: 783–792.

Haase P, Pugnaire FI, Clark SC, Incoll LD. 1999. Diurnal and seasonal changes in cladode photosynthetic rate in relation to canopy age structure in the leguminous shrub *Retama sphaerocarpa*. *Functional Ecology* **13**: 640–649.

Hao SG. 1988. A new Lower Devonian genus from Yunnan, with notes on the origin of the leaf. *Acta Botanica Sinica* **30**: 441–448.

Hao SG, Beck CB. 1993. Further observations on *Eophyllophyton bellum* from the Lower Devonian (Siegenian) of Yunnan, China. *Palaeontographica B* **230**: 27–41.

Hao SG, Gensel PG. 2001. The Posongchong floral assemblages of southeastern Yunnan, China – diversity and disparity in Early Devonian plant assemblages. In: Gensel PG, Edwards D, eds. *Plants Invade the Land*. New York: Columbia University Press, 103–119.

Harland WB, Armstrong RL, Cox AV, *et al.* 1990. *A Geologic Timescale 1989*. Cambridge: University Press.

Hirmer M. 1927. *Handbuch der Palaeobotanik*. Oldenbourg, München, Berlin.

Høeg OA. 1942. The Downtonian and Devonian flora of Spitsbergen. *Norges Svalbard-og Inshavs-Underskelser* **83**: 1–228.

Høeg OA. 1967. Ordre *Incertae Sedis* des Palaeophyllales. In: Boureau E, ed. *Traité de Paléobotanique, Vol. II.* Paris: Masson et Cie, 362–399.

Hueber FM. 2001. Rotted wood–alga–fungus: the history and life of *Prototaxites* Dawson 1859. *Review of Palaeobotany and Palynology* **116**: 123–158.

Jones HG. 1992. *Plants and Microclimate*, 2nd edn. Cambridge: University Press.

Kasper AE, Andrews HN. 1972. *Pertica*, a new genus of Devonian plants from northern Maine. *American Journal of Botany* **59**: 897–911.

Kitano M, Tateishi J, Eguchi H. 1995. Evaluation of leaf boundary layer conductance of a whole plant by application of abscisic acid inhibiting transpiration. *Biotronics* **24**: 51–58.

Knaus MJ, Gillespie WH. 2001. *Genselia compacta* (Jongmans *et al.*) Knaus et Gillespie comb. nov.: new insights into possible developmental pathways of early photosynthetic units. *Palaeontographica B* **110**: 1–34.

Knaus MJ, Upchurch GR, Gillespie WH. 2000. *Charbeckia macrophylla* gen. et sp. nov. from the Lower Mississipian Price (Pocono) Formation of southeastern West Virginia. *Review of Palaeobotany and Palynology* **111**: 71–92.

Kosanke RM. 1979. A long-leaved specimen of *Lepidodendron. Geological Society of America Bulletin* **90**: 431–434.

Lang WH, Cookson IC. 1935. On a flora, including vascular plants associated with *Monograptus*, in rocks of Silurian age, from Victoria, Australia. *Philosophical Transactions of the Royal Society of London B* **224**: 421–449.

Lange OL. 1959. Untersuchungen über den Wärmehaushalt und Hitzeresistenz mauretanischer Wüstern- und Savennenpflanzen. *Flora* **147**: 595–651.

Leclercq S. 1928. *Psygomophyllum gilkineti*, sp. n. du Dévonien Moyen à facies old red sandstone de Malonne (environs de Namur, Belgique), par S. Leclercq et M. Béllière. *Botanical Journal of the Linnean Society* **48**: 1–14.

Leclercq S. 1970. Classe des Cladoxylopsida Pichi-Sermoli 1959. In: Boureau E, ed. *Traité de Paléobotanique, Vol. IV.* Paris: Masson et Cie, 119–165.

Leclercq S, Andrews HN. 1960. *Calamophyton bicephalum*, a new species from the Middle Devonian of Belgium. *Annals of the Missouri Botanical Gardens* **47**: 1–23.

Leclercq S, Banks HP. 1962. *Pseudosporochnus nodosus* nov. sp., a Middle Devonian plant with cladoxylalean affinities. *Palaeontographica B* **110**: 1–34.

Matsumoto J, Muroaka H, Washitani I. 2000. Ecophysiological mechanisms used by *Aster kantoensis*, an endangered species, to withstand high light and heat stress of its gravely floodplain environment. *Annals of Botany* **86**: 777–785.

Matten LC. 1968. *Actinoxylon banksii* gen. et sp. nov.: a progymnosperm from the Middle Devonian of New York. *American Journal of Botany* **55**: 773–782.

Matten LC. 1981. *Svalbardia banksii* sp. nov. from the Upper Devonian (Frasnian) of New York State. *American Journal of Botany* **68**: 1383–1391.

Mora CI, Driese SG, Colarusso LA. 1996. Middle to Late Palaeozoic atmospheric CO_2 levels from soil carbonate and organic matter. *Science* **271**: 1105–1107.

Niklas KJ. 1994. *Plant Allometry: The Scaling of Form and Process.* Chicago: University Press.

Niklas KJ. 1997. *The Evolutionary Biology of Plants.* Chicago: University Press.

Raven JA, Edwards D. 2001. Roots: evolutionary origins and biogeochemical significance. *Journal of Experimental Botany* **52**: 381–401.

Robinson JM. 1991. Phanerozoic atmospheric reconstructions: a terrestrial perspective. *Palaeogeography, Palaeoclimatology, Palaeoecology* **97**: 51–62.

Scotese CR, McKerrow WS. 1990. Revised world maps and introduction. In: Scotese CR, McKerrow WS, eds. *Palaeozoic Palaeogeography and Biogeography. Geological Society Memoir Number 12.* London: Geological Society, 1–21.

Schweitzer HJ. 1968. Pflanzenreste aus dem Devon Nord-westspitzbergens. *Palaeontographica B* **123**: 43–73.

Schweitzer HJ. 1987. Introduction to the plant bearing beds and flora of the Lower Devonian of the Rhineland. *Bonner Paläobotanische Mitteilungen* **13**: 1–94.

Skog JE, Banks HP. 1973. *Ibyka amphikoma* gen. et sp. n., a new protoarticulate precursor from the late Middle Devonian of New York state. *American Journal of Botany* **60**: 366–380.

Stewart WN, Rothwell GW. 1993. *Paleobotany and the Evolution of Plants*, 2nd edn. New York: Cambridge University Press.

Tan CS, Buttery BR. 1995. Determination of the water-use of 2 pairs of soybean isolines differing in stomatal frequency using a heat-balance stem-flow gauge. *Canadian Journal of Plant Science* **75**: 99–103.

Trant CA, Gensel PG. 1985. Branching in *Psilophyton*: a new species from the Lower Devonian of New Brunswick, Canada. *American Journal of Botany* **72**: 1256–1273.

Valladares F, Pearcy RW. 1997. Interactions between water stress, sun-shade acclimation, heat tolerance and photoinhibition in the sclerophyll *Heteromeles arbutifolia*. *Plant, Cell and Environment* **20**: 25–36.

Wikström N, Kenrick P. 2001. Evolution of Lycopodiaceae (Lycopsida): estimating divergence times from rbcL gene sequences by use of nonparametric rate smoothing. *Molecular Phylogenetics and Evolution* **19**: 177–186.

Woodward FI. 1980. Shoot extension and water relations of *Circea lutetiana* in sunflecks. In: Grace J, Ford ED, Jarvis PG, eds. *Plants and their Atmospheric Environment*. Oxford: Blackwell Scientific Publishers.

Yapp CJ, Poths H. 1996. Carbon isotopes in continental weathering environments and variations in ancient atmospheric CO$_2$ pressure. *Earth and Planetary Science Letters* **137**: 71–82.

Zimmermann W. 1930. *Die Phylogenie der Pflanzen*. Jena: Gustav Fischer Verlag.

Zimmermann W. 1952. Main results of the telome theory. *The Palaeobotanist* **1**: 456–470.

ELSEVIER
SCIENCE

WITH COMPLIMENTS

Elsevier Science Ltd., Linacre House, Jordan Hill, Oxford OX2 8DP, UK
Tel +44 (0) 1865 310366 | Fax +44 (0) 1865 310043 | www.elsevier.com

12

Stomatal function and physiology

Tracy Lawson and James I L Morison

CONTENTS

Introduction

Stomata are small adjustable pores found in large numbers on the surface of most aerial parts of higher plants (Spermatophyta), and also in the Pteridophyta. They have been recorded in the fossil record from as early as 411 million years (Ma) ago in the late Silurian-early Devonian period (Edwards *et al.*, 1992). During this period plants colonized terrestrial environments which led to the evolution of thin cuticles, stomata and vascular systems in order to avoid desiccation and to transport water while still allowing CO_2 exchange (Chaloner, 1970). Stomata are formed from two specialized cells in the epidermis, known as guard cells and, in many species, there are also other adjacent subsidiary cells, that are

The Evolution of Plant Physiology
ISBN 0–12–33955–26

morphologically distinguishable from the general epidermal cell (see Colour Plate 1). The central role of stomata is in regulating gas exchange between the inside of the leaf and the external environment (Cowan and Troughton, 1971; Jones, 1992) because the cuticle is almost impermeable to water vapour and CO_2. The plant needs sufficient CO_2 to enter the leaf to photosynthesize, while conserving water to avoid tissue dehydration and metabolic disruption. Even though the stomatal pores as a whole occupy only 0.5–5% of the leaf surface when fully open, almost all the water transpired as well as the CO_2 absorbed for photosynthesis passes through these pores, so stomatal function has huge importance in the global hydrological and carbon cycles.

Stomatal aperture is regulated by both internal physiological and external environmental factors. Pore opening through guard cell movements is stimulated by illumination with light in the photosynthetically effective waveband (particularly the blue waveband), low CO_2 concentrations and high humidity, while closure is promoted by darkness, low humidity, high temperature and high CO_2 concentrations (see reviews by Assmann, 1993 and Willmer and Fricker, 1996). Such guard cell movements are brought about through changes in guard cell turgor (Heath, 1938) and through changes in the difference between guard and epidermal cell turgor (Weyers and Meidner, 1990). These turgor changes require the loss or accumulation of K^+ or other cations and the parallel exchange of anions including organic solutes such as malate and sucrose (e.g. Willmer and Fricker, 1996; Outlaw, 1996; Asai *et al.*, 2000).

The numbers of stomata per unit leaf area (referred to as stomatal density or frequency) vary with species and conditions and range from 0 to 2000 or more stomata mm^{-2} (Willmer and Fricker, 1996). In herbaceous plants, stomata are found on both the upper (usually adaxial) and lower (usually abaxial) surfaces of leaves and are termed amphistomatous, although there are usually more stomata on the lower surface. However, many tree species have stomata only on the lower surface (hypostomatous) and aquatic plants with floating leaves, such as water lilies have stomata only on the upper surface (epi- or hyperstomatous).

Interest in stomata and their evolution, function, anatomy and physiology have been the subjects of intense studies over the last century. In this chapter, we will concentrate on their function and physiology, in order to clarify the role stomata play in determining carbon assimilation. First, we look at the role of stomata in controlling gas exchange and the limitation stomata can impose on leaf CO_2 uptake. We then describe the effects of three key environmental factors on stomatal movements and the consequences for photosynthesis. In the last section we will briefly discuss some new approaches for studying stomatal function and physiology. Our approach is illustrative, rather than an extensive review as there are many detailed texts and reviews available (e.g. Assmann, 1993; Willmer and Fricker, 1996; Zeiger, 2000).

Stomatal control of leaf gas exchange

The diffusion rate of gases into or out of the leaf, or any other plant part, depends on the concentration gradient and the diffusive resistance of the pathway. For water loss from the mesophyll cells inside the leaf, the major pathway is therefore from the mesophyll cell walls through the sub-stomatal cavity to the pore and then out through the layer of air immediately surrounding the leaf, to the mixed air stream (Figure 12.1). The pathway for the uptake of CO_2 by the mesophyll during photosynthesis is essentially the same, in the converse direction, but with an additional component of diffusion through the mesophyll cell into the chloroplast. The resistance of the stomatal pathway depends on the geometry

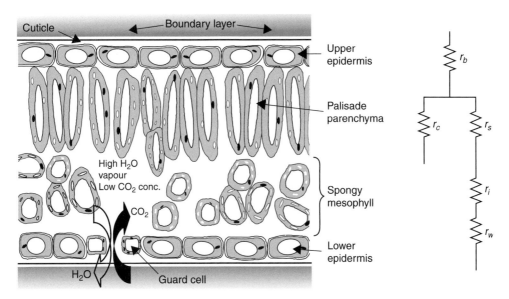

Figure 12.1 Diagrammatic cross-section of leaf showing pathway for diffusion for CO_2 and H_2O into and out of a leaf, respectively. The resistance network analogy is also shown for one surface combining the boundary layer (r_b), cuticular (r_c), stomatal (r_s) and intercellular space (r_i) resistances (see Nobel, 1991: 143, for details and typical values of the resistances).

of the pores as well as their frequency. Note that although the pore area when open may only be at maximum a few percent of the total leaf area, the rates of evaporation can be about half that of a wet surface of similar dimensions; this is due to the 'edge effect' of diffusion through multiple pores (see Willmer and Fricker, 1996: 116). The stomatal resistance, r_s, can be calculated from pore dimensions of elliptical pores as:

$$r_s = \frac{(d + 2c)}{D_w \cdot A_s \cdot SF} \tag{1}$$

where: D_w = water diffusivity in air ($mm^2 s^{-1}$); A_s = mean pore area (mm^2), d = pore depth (mm), c = an 'end correction' for the edge effect (mm) and SF = stomatal frequency (mm^{-2}). Different end corrections are necessary for different shaped pores (for further details see Weyers and Meidner, 1990: 57). The units of r_s are therefore in time taken to diffuse unit distance ($s\,mm^{-1}$). However, it is common to use the reciprocal of resistance, termed a 'conductance', g_s, and to express fluxes as a molar density, giving conductance in $mmol\,m^{-2}s^{-1}$. To convert r_s in $s\,mm^{-1}$ to g_s in $mmol\,m^{-2}s^{-1}$, the $1/r_s$ is multiplied by (P/RT) where P = atmospheric pressure (Pa), R = gas constant ($J\,mol^{-1}K^{-1}$), and T = mean of leaf and air temperature (K, see Jones, 1992: 56). Equation (1) can be used to examine the sensitivity of r_s or g_s to changes in the component parameters (Weyers and Lawson, 1997). Using a plausible range of values for the stomatal parameters for *Phaseolus vulgaris* L. (Figure 12.2), it is clear that the various stomatal characters influence the calculation of g_s to different extents. The main determinant of g_s is pore aperture (width), and stomatal frequency makes a smaller contribution, although more than pore depth or length.

Equation (1) only describes the stomatal part of the pathway for diffusion of water vapour from inside the leaf into the mixed air stream. First, the 'boundary layer' of air close

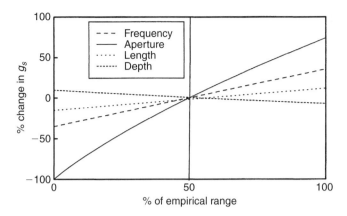

Figure 12.2 Predicted sensitivity of stomatal conductance, g_s, to changes in pore dimension and frequency within empirically derived ranges. Effects of adjusting each anatomical character within its estimated range on g_s were calculated using Equation (1) in the text, keeping the other values constant according to Weyers and Lawson (1997). The analysis follows typical ranges of values derived from observation of *Phaseolus vulgaris*: stomatal aperture, 0–15 µm; stomatal frequency, 35–65 mm^{-2}; pore length, 33.3–40 µm; pore depth, 15–25 µm. Values within each range were used to calculate stomatal conductance, g_s, using Equation (1). The vertical line represents the g_s obtained using the median values for each variable, which was 431 mmol m^{-2} s^{-1}.

to the leaf (see Figure 12.1) also poses a resistance to diffusion (r_b) and this resistance is not uniform across the leaf, increasing with increasing downwind distance across the leaf (Grace and Wilson, 1976). The magnitude of r_b varies widely depending upon surface characteristics, such as presence of hairs, leaf size and shape and also wind speed and turbulence. For large leaves the boundary layer can be a few millimetres thick even under moderate wind speeds (e.g. Aphalo and Jarvis, 1993). Lobes and serrations reduce the effective downwind leaf dimension and reduce the average r_b compared with a leaf with equal surface area, but smooth margins (Gottschlich and Smith, 1982). Narrow grass leaves and needle-shaped leaves obviously have the lowest r_b values (see Jones, 1992: 65, for graphs showing the relationships between r_b, wind speed and size). Secondly, while the cuticle is relatively impermeable, some water is lost through it (varying with species and conditions, see review by Kerstiens, 1996) giving a 'cuticular resistance', r_c, in parallel to and usually much higher than r_s. There is also an internal resistance, r_i, for the pathway from cell wall to pore, but this is normally small compared to r_s and r_b. The rate of diffusion of water from a leaf (E, mmol m^{-2} s^{-1}) can therefore be calculated (Equation (2)) from the difference in water vapour pressure between the inside and outside of the leaf, (VPD = $w_i - w_a$, kPa) and the leaf resistance, r_l (m$^2 \cdot$ s mol^{-1}), or conductance, g_l (mmol m^{-2} s^{-1}), which is given by the sum of the various resistances in series and/or parallel as appropriate as shown in Figure 12.3, and expressed in Equation (3):

$$E = \frac{w_i - w_a}{r_l \cdot P} \quad \text{or} \quad E = \frac{w_i - w_a}{P} \cdot g_l \tag{2}$$

$$r_l = \frac{r_c(r_s + r_i)}{r_c + r_s + r_i} + r_b \tag{3}$$

Figure 12.3a shows that if the cuticular resistance is very low, then r_l becomes curvilinearly related to r_s and Figure 12.3b shows that r_b only influences E when $r_s < r_b$. Note

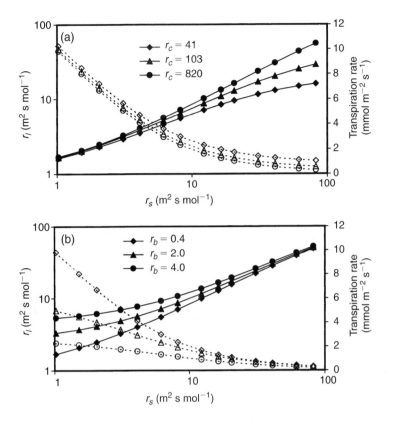

Figure 12.3 Effect of changes of (a) cuticular resistance and (b) boundary layer resistance on leaf resistance (closed symbols) and transpiration rate (open symbols) (calculated from Equations (2) and (3), see text). Calculations in both used a ratio of abaxial to adaxial r_s of 0.3, $r_i = 0.82\,\mathrm{m^2 s\,mol^{-1}}$ and a VPD of 1.0 kPa. In (a) fixed $r_b = 0.41$ and in (b) $r_c = 410\,\mathrm{m^2 s\,mol^{-1}}$.

that equations can be written for leaf net CO_2 assimilation rate (A) that are essentially very similar to Equations (2) and (3), but replace the partial pressure of water vapour by that for CO_2 and take into account that the resistance for CO_2 diffusion in air is slower than that for water vapour (see Jones, 1992: 185).

The above diffusion equations can be used for simple analyses, but in practice the leaf temperature is not independent of the transpiration rate, thereby affecting convective heat transfer, the long-wave radiation balance and the internal water vapour pressure, w_i. In particular, this latter determines the driving gradient for evaporation (Equation (2)). Because of these 'feedbacks' it is necessary to consider a more complete 'energy balance' equation, such as the Penman-Monteith equation (see, for example Jones, 1992: 112) in order to examine the relative control that stomata exert on transpiration, compared with other components. Analyses with these additional aspects show (Figure 12.4) that the important feature is the degree of 'coupling' of the leaf to the air stream (Monteith, 1981); if the leaf has a small r_b compared to r_s then the leaf is 'well-coupled' and leaf temperature will not increase substantially, and changes in r_s will be reflected in E (for other example calculations see Morison and Gifford, 1984). This is typically the case with small, needle-shaped leaves, at the top of the canopy with relatively high wind speeds. The opposite situation occurs with large, broad leaves within short, dense canopies, in still conditions when

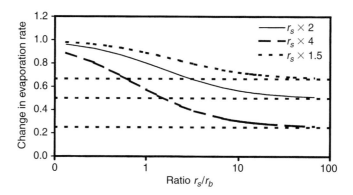

Figure 12.4 Effect of set increases in the stomatal resistance, r_s on the relative evaporation rate, E, from a leaf. Calculated using energy-balance equations, with air temperature of 20°C, radiative resistance of 5.1 and a boundary layer resistance of $0.37\,m^2\,s\,mol^{-1}$. Evaporation rate is shown as the changed rate, relative to original. Dotted lines indicate E change equals r_s change.

E will not closely reflect changes in r_s as r_s/r_b is small (Figure 12.4). Indeed, it has recently been suggested that the evolution of larger planate leaves from the earlier leafless branched shapes became possible during the late Devonian period because increased stomatal frequencies, in response to declining atmospheric CO_2 concentrations, produced greater evaporative cooling and kept leaves below their lethal temperature limit (Beerling *et al.*, 2001; see Chapter 11).

Role of stomata in leaf gas exchange

Stomatal behaviour is obviously important because it directly modifies the CO_2 assimilation rate and transpiration rate and consequently affects plant water and carbon status. In addition, there are also other less obvious indirect effects such as on nutrient status and leaf temperature, caused by stomatal control of transpiration. Here we will concentrate on the direct effects. Clearly, the restriction that stomata (and the other parts of the diffusion pathway) place on CO_2 assimilation rate, A, (i.e. the diffusion limitation) depends upon environmental conditions and plant photosynthetic characteristics. Assimilation rate, A, is not linearly related to leaf conductance, g_l (Figure 12.5), because under all but very restricted CO_2 supply rates, assimilation rate is colimited by other factors (primarily light). When CO_2 supply through the stomata is high, further increase in g_l has little or no effect (in this example, when $g_l > 500\,mmol\,m^{-2}\,s^{-1}$). The limitation that stomata can pose to leaf CO_2 assimilation rate can best be examined through the now traditional 'A/C_i' analysis, where A is measured at a range of external CO_2 concentrations, usually at high light and constant temperature and the intercellular space CO_2 concentration (C_i) is calculated from the diffusion equations (see Farquhar and Sharkey, 1982). Typical A/C_i response curves constructed for *Zea mays* L. (C_4) and *Phaseolus vulgaris* (C_3) show (Figure 12.6) that A is near saturation at low C_i concentrations in maize, but in bean A increases up to C_i of ca. $500\,\mu mol\,mol^{-1}$. The intersections of the dashed vertical line with the A curves indicate the assimilation rates if there was no diffusion limitation by stomata ($g_l = \infty$ so $C_i = C_a$) at present atmospheric CO_2 concentration. The dashed diagonal lines therefore represent 'supply functions' corresponding to lower g_l values and, as g_l is reduced, supply of CO_2 is reduced, so C_i declines, possibly affecting A depending on the

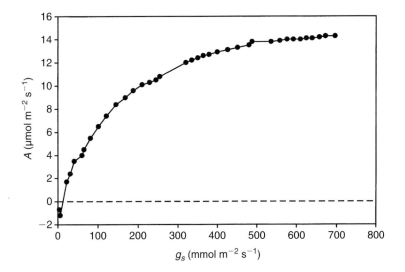

Figure 12.5 The relationship between net CO_2 assimilation rate, A, and stomatal conductance, g_s for a single *Phaseolus vulgaris* (bean) leaf. The change in g_s was caused by illuminating a pre-darkened plant (to ensure stomatal closure), at a saturating PPFD of $1200\,\mu\mathrm{mol\,m^{-2}s^{-1}}$. Cuvette CO_2 concentration was maintained at $356\,\mu\mathrm{mol\,mol^{-1}}$ and VPD of 1.4 kPa and temperature 24°C.

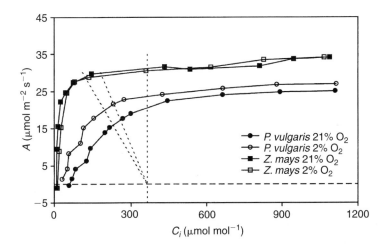

Figure 12.6 Relationship between net CO_2 assimilation rate (A) and internal CO_2 concentration (C_i) in *Phaseolus vulgaris* (C_3) and *Zea mays* (C_4) measured in 2 and 21% oxygen concentration. Solid curves represent the CO_2 'demand function' and dashed lines indicated the 'supply function' depending upon g_l as described by Farquhar and Sharkey (1982).

degree of photosynthetic CO_2 saturation. In the example curves shown (in normal 21% O_2), all values of g_l limit A significantly in the bean leaf, whereas the maize leaf would still photosynthesize at close to the maximum rate with g_l of $150\,\mathrm{mmol\,m^{-2}s^{-1}}$. Another contrast between these C_3 and C_4 photosynthetic types is shown by the effect of low O_2 concentration (2.1%), which is also of palaeontological interest. Obviously there is no effect of reduced O_2 on A in the C_4 species but, in the C_3 species, it causes a 6–25% increase in A and reduces the sensitivity to stomatal diffusion limitation markedly. While in Figure 12.6 the major contrast between the two species in photosynthetic sensitivity to stomatal limitation is due to different photosynthetic pathways, similar but less dramatic differences can be seen between leaves with nitrogen content differences (Wong, 1979), or sun and shade morphologies and biochemistry (Patterson, 1980) and with other stresses, e.g. water (von Caemmerer and Farquhar, 1984). It should be clear from these examples that to understand the control that stomata exert on photosynthesis requires a quantitative description of photosynthesis in the particular conditions being examined. This in turn will help in understanding stomatal responses to changes of environmental conditions in the geological past.

Heterogeneity in stomatal characters

It is probable that when they measure g_l or r_l on a whole leaf in a cuvette, many researchers imagine that it is a simple bulk version of that shown in the stylized diffusion pathway diagram of Figure 12.1. However, we should always remember that it is a bulk measurement across a very large and heterogeneous population of stomata and meso-phyll. As mentioned in the introduction, there are likely to be differences between the leaf surfaces, as well as other important sources of variation. Heterogeneity in both space and in time of stomatal anatomical characteristics (or related variables such as g_s) is found at many scales, from the size, frequency and behaviour of small groups of guard cells to the gas exchange of whole plants or stands of plants, even in apparently homogeneous environments (Tichá, 1982; Solárová and Pospišilová, 1983; Pospišilová and Šantrucek, 1994; Weyers and Lawson, 1997). For example, Colour Plate 1 shows two guard cell complexes adjacent to one other, yet one pore is open and the other is closed, illustrating variation in stomatal behaviour even at this small scale. Heterogeneity in stomatal characters is not confined to anatomical features but has also been observed in function. As an example, Figure 12.7 shows substantial variation in g_s, A and C_i over the adaxial surface of a *Phaseolus* leaf interpolated from approximately 30 spot readings on $1.25\,cm^2$ areas (see Lawson and Weyers, 1999 for other examples). It is also obvious that g_l and A are not con-sistently well correlated in different areas, although a general pattern exists. Comparison with the map of C_i emphasizes that areas of high g_s may have high C_i and low A rates, indicating that g_s and C_i are not limiting the rate of A. Other common examples of stom-atal variation can be found between leaves on plants, due probably to age and ontogenetic effects. Figure 12.8 shows that in grape vine shoots g_s values increased with leaf number from the base (and therefore also with decreasing age) up to leaf 10, but newer leaves fur-ther along the shoot had progressively lower g_s. This was not simply related to illumina-tion as all apart from the basal few leaves were well lit, nor was it related to leaf size, but was probably largely due to leaf age effects, with a peak g_s in mature but not old leaves (see also Solárová and Pospišilová, 1983).

It is important to recognize the extent of spatial and temporal variability in stomatal and photosynthetic parameters because experimental treatment effects are often examined with 'snapshot' measurements of gas exchange with small chambers that sample only small proportions of the total area of a leaf, at least on broadleaved species. The existence of spatial and temporal heterogeneity in stomatal behaviour necessitates that we ensure that: (1) measurements are taken from a similar area in each sample leaf; (2) conditions around the leaf under examination are kept constant; and (3) a large sampling area is employed. Furthermore, we should remember that leaves on a plant are not independent particularly because of hydraulic connections and therefore ideally conditions around the whole plant

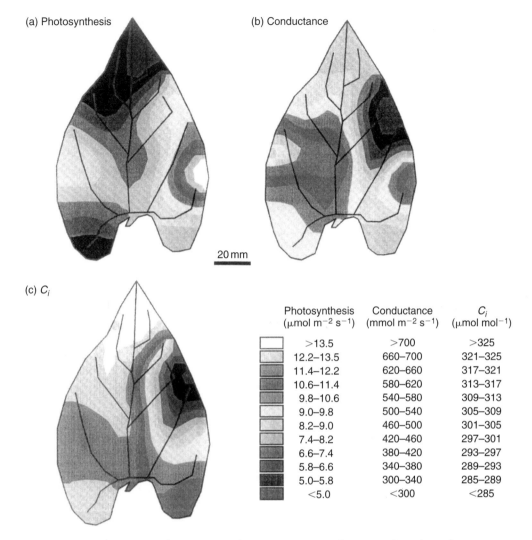

Figure 12.7 Contour maps showing spatial variation in gas exchange in *Phaseolus vulgaris*: (a) net CO_2 assimilation rate, (b) leaf conductance and (c) estimated internal CO_2. Data were collected from 24 sites using a 125 mm² cuvette. Cuvette conditions were set at an external CO_2 concentration of 347 ± 3 µmol mol⁻¹ and relative humidity of $47.2 \pm 4\%$.

should be controlled. We need also to bear in mind that treatments or stresses may change the variability, which may be interesting in itself (e.g. Weyers *et al.*, 1997).

Effect of environmental variables on stomata and photosynthesis

Part of the fascination with stomata is that apertures respond to many different environmental stimuli because the guard cells sense several stimuli, most notably CO_2, humidity, light and temperature. While many studies have tried to isolate individual factors for study, it is important to realize that naturally it is often the combination of environmental stimuli that affect stomatal behaviour. This is as important to studies on palaeoecophysiology as to those on modern plants. For example, a change in light intensity may

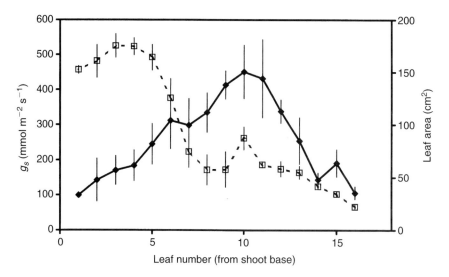

Figure 12.8 Stomatal conductance (solid symbols) and area (open symbols) of leaves along well-illuminated shoots of grape vine. Measurements taken on 27th June 1991, in a vineyard in central Spain, in clear sky conditions, around midday (PPFD > 1700 μmol m^{-2}s^{-1}, air temperature = 35°C, VPD = 3.2 kPa) measured with a diffusion porometer. Average of four similar shoots, bars are standard error of the mean.

simultaneously change photosynthetic rate and therefore C_i, and change leaf temperature, which will modify transpiration and the leaf water status. In addition, the majority of work has examined steady-state responses and has not looked at dynamic changes, which are probably critical in natural environments. Below we show the effect of CO_2, humidity and light and discuss both the direct and indirect effects and also illustrate the effect of interactions between a couple of environmental parameters on stomatal and photosynthetic responses.

Stomatal response to CO_2

The stomatal response to CO_2 has gained great attention over the last couple of decades due to concerns about the effect of rising atmospheric CO_2 concentrations ([CO_2]) caused by industrialization and land use change (Mansfield *et al.*, 1990). However, an explanation of how stomata respond to CO_2 has been a central question in stomatal physiology since the earliest observations of Linsbauer (1916) and Freudenberger (1940). It is now clear that there are at least two different parts to the question of how stomata respond to increased ambient [CO_2]. The first part is a medium- to long-term morphological and developmental response where the numbers and frequency of stomata may change after growth of the plant in high or low ambient CO_2 partial pressure (see review by Woodward and Kelly, 1995). Stomatal characters have now been used to infer past climatic conditions (McElwain, 1998) which are then used in the evaluation of global palaeoclimatic models (e.g. Beerling *et al.*, 1998). Therefore, it is important to understand more about the mechanisms determining stomatal patterns and the variation that exists between taxa and conditions. This stomatal patterning response to [CO_2] has two particularly interesting features. First, in both experimental work and analysis of herbarium specimens the largest increase in stomatal frequency is usually at concentrations *lower*

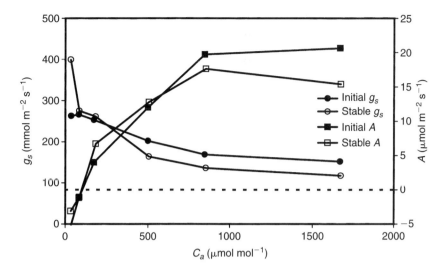

Figure 12.9 The response of stomatal conductance and net CO_2 assimilation rate to external CO_2 concentration, C_a, in *Phaseolus vulgaris*. Cuvette conditions were maintained at 1.24 kPa VPD at a temperature of 25°C and a PPFD of 1200 $\mu mol\, m^{-2}\, s^{-1}$.

than present atmospheric (Woodward, 1988). Secondly, it has been shown in one experimental system with *Arabidopsis*, that the signal for the altered patterning is not generated by the $[CO_2]$ around the developing leaf, but is a transmissible signal generated in older leaves exposed to different concentrations (Lake *et al.*, 2001). The second part of the stomatal response to $[CO_2]$ increase is a short-term, reversible, physiological response where aperture reduces with an increase in ambient $[CO_2]$ in most situations and, in most species examined, with a typical reduction of g_s of about 40% with a twofold increase in ambient $[CO_2]$ (see Morison, 1987, 1998). However, there is some notable variation in the response, from high to zero sensitivity, dependent on environmental conditions, preconditioning and, apparently, with species, although it has to be noted that there are very few detailed side-by-side comparisons of species sensitivity to CO_2. In addition, it should be appreciated that the response of g_s is commonly not linear, showing usually a reduced sensitivity at higher than present atmospheric concentrations (Morison, 1987, 2001). Whether this is simply because that with reduced apertures, there is less scope for further movements, or whether it is an important consequence of the underlying physiological mechanism is not yet clear. Another point of concern is the general assumption that stomata respond in a similar manner today as they did many millions of years ago (e.g. using 'nearest living equivalent' material, e.g. McElwain, 1998). However, there is some evidence that long-term growth in high $[CO_2]$ can cause an acclimation (a 'physiological change in response', Drake *et al.*, 1997) in the stomatal response to $[CO_2]$ with changed stomatal sensitivity (Morison, 1998; Assmann, 1999; Lodge *et al.*, 2001).

An example of the effect of ambient $[CO_2]$ on both g_s and A in a leaf of the C_3 species *Commelina communis* L. is shown in Figure 12.9. Initial measurements were taken only a few minutes after changing $[CO_2]$, and A showed the typical increase at higher C_a which levelled off at ca. 1000 $\mu mol\, mol^{-1}$ C_a, whereas g_s showed a decline with increasing C_a, particularly between 50 and 500 $\mu mol\, mol^{-1}$ C_a. Measurements taken after the leaf had stabilized (20–30 minutes) are similar, but g_s increased at lower C_a and decreased at higher C_a. This slower change in g_s than in A resulted in small but significant modifications in A, emphasizing the effect of stomatal behaviour on CO_2 diffusion into the leaf.

There is no clear explanation for how changes in $[CO_2]$ cause the change in aperture or conductance (Assmann, 1999), although it can be demonstrated that several physiological processes in guard cells, whether intact, in peels or in protoplast suspensions (e.g. carbon fixation, ion transport, chlorophyll fluorescence) can be affected by large changes in ambient $[CO_2]$. However, this is not the same as elucidating the signalling pathway for how a 50 or 100 $\mu mol\, mol^{-1}$ change in C_i results in a marked change of aperture in the intact leaf (e.g. Figure 12.9). It has been demonstrated convincingly that it is C_i not the external concentration that affects guard cells (Mott, 1988). From an entirely teleological point of view, a control mechanism based on C_i could be a way to link demand for CO_2 by the mesophyll cells with supply by the guard cells (Raschke, 1976). However, the many observations showing that g_s is largely independent of the rate of mesophyll carbon fixation over a short period of time (e.g. Figure 12.5) show that this is not the only controlling factor. Clearly, C_i interacts with other environmental signals and C_i is not *constant*, although it is *conservative*, because it is both the result and an effector of stomatal aperture (Jarvis and Morison, 1981).

Stomatal response to humidity

As described above in Equation (**2**), diffusion of gases through stomata depends on the difference in concentration between the inside and outside of the pore. If g_s is unchanged, the transpiration rate increases linearly with leaf-to-air vapour pressure difference (VPD) caused either by changes in air vapour pressure (w_a) or by leaf temperature affecting the vapour pressure inside the leaf, w_i. However, it is important to realize that VPD has a direct effect on stomata independently of the effect on whole leaf transpiration and it is the VPD, rather than relative humidity to which the stomata respond (Aphalo and Jarvis, 1991). Stomatal responses to VPD were first described by Schulze *et al.* (1972) who studied species living in desert habitats. In general, stomatal aperture declines as the VPD increases and, under certain conditions, the reduction in aperture may be so large as to reduce the transpiration rate (Farquhar, 1978), thereby preventing extreme water loss from the plant. In an elegant experiment, Mott and Parkhurst (1991) used differences in the diffusion rate of water vapour in different gases to conclude that stomata respond to water loss rates and do not directly sense, and respond to, the water vapour pressure near the leaf. Therefore, the most widely accepted mechanism for stomatal responses to humidity is that evaporation directly from epidermal and guard cells near the stomatal pore alters the guard cell water potential independently from that of mesophyll cells.

Figure 12.10a shows the effect of increasing w_a from 0.8 kPa to 1.88 kPa on leaf gas exchange in *Phaseolus vulgaris*. This caused a drop in the VPD and resulted in an initial drop in g_s for about 5 min, a 'hydropassive' stomatal behaviour (Stålfelt, 1955), caused by a change in water balance between epidermal and guard cells. This was followed by a steady increase for the subsequent 35 min, after which time g_s remained stable with an overall increase in g_s of 57%. The initial drop in g_s was matched by a fall in C_i, which then rose with increased g_s and remained stable after about 20 min; but further increase in g_s did not result in a further increase in C_i. A remained stable for the first 20 min, after which A increased with increasing g_s, which accounts for the lack of increasing C_i with increasing g_s. These results show that decreased VPD eventually allowed a larger g_s and consequently a higher C_i and higher A. An opposite increase in VPD (Figure 12.10b) led to an

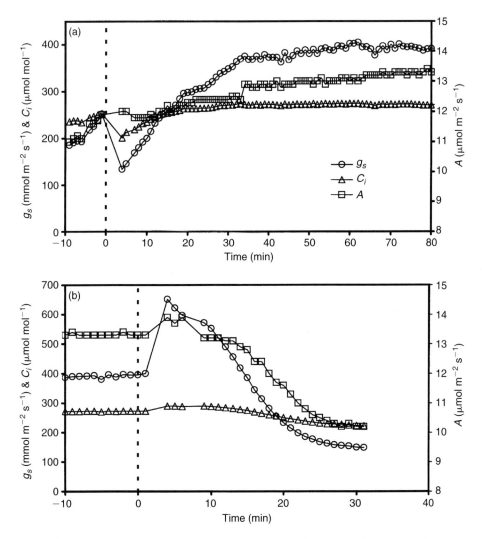

Figure 12.10 Effect of changes in humidity on stomatal conductance and CO_2 assimilation rate in *Phaseolus vulgaris*. (a) VPD was decreased from 1.74 to 0.77 kPa. (b) VPD was increased from 0.77 to 1.83 kPa. Assimilation rate is represented by squares, conductance by circles and C_i by triangles. Cuvette conditions were temperature of 21.6°C, with a PPFD of 245 μmol m^{-2}s^{-1}, and CO_2 concentration at 352 μmol mol^{-1}.

increase in g_s for the first 5 min, followed by a slow decline. C_i initially increased slightly, then after 10 min it declined and remained stable around 270 μmol mol^{-1}. A remained approximately constant during the initial 5 min, but dropped with decreasing g_s. Comparison of the figures (noting different axis scales) indicates that the rate of stomatal response was slightly faster with increasing, rather than decreasing, VPD. These examples show once again that changing environmental conditions can directly affect stomatal behaviour, which in turn affects assimilation rate, with consequent changes in C_i also affecting stomata. Disentangling these effects is difficult and has led to various 'systems analysis' approaches over the years, such as the feedback analysis of Farquhar and colleagues (Dubbe *et al.*, 1978).

Stomatal response to light

The effect of light on stomata was first recognized by Francis Darwin (1898), who noticed that a leaf facing a bright window had open stomata, while a leaf in the dark had closed stomata. Guard cells have chlorophyll (which is unusual, as other epidermal cells in many species do not) and stomata usually open in response to light in the photosynthetically effective wavelengths (blue through to red, 400–700 nm). It is incontrovertible that photosynthesis in the guard cells results in ATP and $NADPH^+$ production, which can then be used in ion transport and possibly in carbon assimilation, although this last point is hotly debated (see Willmer and Fricker, 1996; Zeiger, 2002). In addition, there is high sensitivity to blue light (e.g. Zeiger et al., 1981), as well as to various UV wavelengths (Eisinger et al., 2000). The blue light response could be acting through various flavonoid and carotenoid pigments found in guard cells (Lu et al., 1993). It has faster dynamics than the red light response, (particularly in grass (Poaceae) and sedge (Cyperaceae) species) and it may be involved in the rapid opening of stomata at dawn (Zeiger et al., 1981) and during sun flecks (Kirschbaum et al., 1988).

The overall light response is made up of several components. There is a direct photosynthetic and blue light response which is clearly evidenced by guard cell responses in epidermal strips and in guard cell protoplasts (e.g. Zeiger and Zhu, 1998). An indirect effect of light is also caused by the response of guard cells to CO_2 depletion in the intercellular air spaces due to mesophyll photosynthesis and in intact leaves it is hard to disentangle this from the direct response. A third effect of light may be through a signal transmitted from the mesophyll cells to the guard cells such that mesophyll photosynthesis controls the degree of stomatal opening (Heath and Russell, 1954; Wong et al., 1979; Lee and Bowling, 1993). Such a messenger would explain the usually close positive correlation between photosynthetic rate and conductance, but the nature of any messengers is not yet clear. Sucrose movement is a possibility, as recently Outlaw and colleagues have shown that sucrose transport in the transpiration stream of Vicia faba can be a major source of organic carbon for the guard cells and can also exert an osmotic effect by accumulation in the cell apoplast (Lu et al., 1997; Outlaw and De Vlieghere-He, 2001). However, the extent of this process in other species and its role in stomatal regulation in the field needs clarification.

In the whole leaf, the overall light response varies between species and growing conditions. Typically, whole leaf conductance saturates at photosynthetic photon flux density (PPFD) between $300 \, \mu mol \, m^{-2} s^{-1}$ and $800 \, \mu mol \, m^{-2} s^{-1}$ (Figure 12.11). In general g_l increases in parallel with A with increasing PPFD, whereas C_i remains relatively constant, except at low PPFD levels, when A is limited by light more than by CO_2 diffusion. However, there are marked differences between stomata on the upper and lower surfaces in response to light, as the latter open at much lower light intensities and have wider apertures (see review by Pemadasa, 1981), presumably reflecting their lower light environment. Sun and shade leaves also differ in responses (e.g. Turner, 1979), echoing the differences between upper and lower surfaces. In addition, it should be noted that the opening response to light is not universal, as plants with CAM photosynthetic metabolism show stomatal closure during daylight and opening at night. This is thought to be because the light response is overridden by the control of aperture by C_i (Willmer and Fricker, 1996).

As with other environmental factors affecting stomata, much of the work on light responses has been directed at examining 'steady-state' responses, where the stomatal aperture or conductance value has been measured when it has reached a quasi-constant value after a long period (tens of minutes) at a constant light intensity. However, under natural

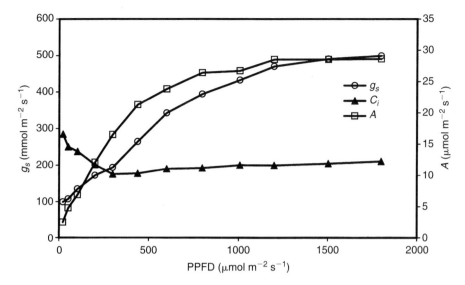

Figure 12.11   The response of stomatal conductance (g_s), assimilation rate (A) and internal CO_2 concentration (C_i) to PPFD in *Phaseolus vulgaris*. Cuvette conditions were 1.27 kPa VPD, temperature of 25°C and a CO_2 concentration of 372 μmol mol^{-1}.

condition leaves are exposed to a highly fluctuating light environment, with sun and shade flecks ranging between seconds and minutes (Barradas and Jones, 1996) caused by canopy movement and leaf flutter in the wind (Tang *et al.*, 1988) and cloud movements (Knapp and Smith, 1987). After a period of low light, an increase in irradiance does not result in an immediate increase in A, but shows a delay before maximum A is achieved. This lag period is due to both mesophyll photosynthetic induction (which involves the light regulation of key enzymes and changes in metabolite pool sizes) and changes in stomatal aperture (Pearcy, 1990). The changes in the metabolite pool sizes are relatively rapid, altering within seconds, compared to light regulation of enzymes which is in the order of minutes (Pearcy, 1990). Although the increase of g_s in response to a light increase during sun flecks is faster than the decreasing response to a drop in light, stomatal movements which can take up to tens of minutes, and can 'overshoot' – continuing to open after the sun fleck has passed (Kirschbaum *et al.*, 1988; Tinoco-Ojanguren and Pearcy, 1993). Therefore, stomata could limit assimilation rate during sun flecks. However, most work has indicated that the main control of assimilation during the first 10 min of induction is within the biochemistry of photosynthesis and that stomata do not cause a major limitation (Pearcy, 1990; Barradas and Jones, 1996).

To illustrate the effect of these different time lags on A and g_s, the effects of 5 and 15 minute artificial 'sun flecks' of 615 μmol m^{-2} s^{-1} PPFD on a *Phaseolus vulgaris* leaf adapted to 215 μmol m^{-2} s^{-1} are shown in Figure 12.12. During the 5 min 'sun fleck' (Figure 12.12a), A increased rapidly within the first minute and showed a reduced rate of increase up to a maximum at the end of the fleck after which A immediately dropped back to the original value. The largest change in g_s occurred after the sun fleck finished, with g_s continuing to rise steadily. During a 15 min 'sun fleck' (Figure 12.12), after starting with similar A and g_s values to those during the 5 min sun fleck, A showed a similar initial increase after 5 min, but continued to increase with increasing g_s to a value some 11% higher after 15 min. The stomatal conductance increased throughout the whole 15 minutes, although it was

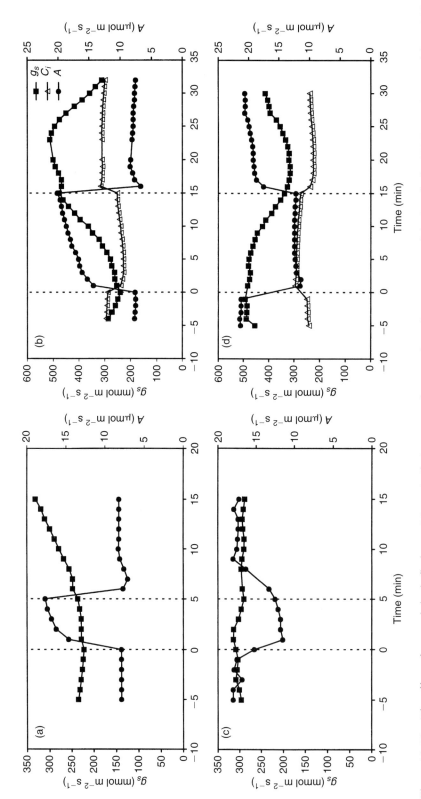

Figure 12.12 The effect of sun and shade flecks on CO_2 assimilation rate and stomatal conductance. (a) and (b) *Sun flecks*: PPFD was increased from 230 to 615 $\mu mol\,m^{-2}\,s^{-1}$ at time zero for (a) 5 min, (b) 15 min. Measurements of assimilation rate (solid circles) and stomatal conductance (solid squares) made every 5 s. (c) and (d) *Shade fleck*: PPFD was decreased from 615 to 230 $\mu mol\,m^{-2}\,s^{-1}$ at time zero. Photosynthesis is represented by solid circles and leaf conductance by solid squares. C_i is represented by open triangles. Readings were taken at 5 s intervals with cuvette CO_2 maintained at 357 $\mu mol\,mol^{-1}$. Cuvette conditions were maintained at 1.34 kPa VPD at a temperature of 25°C.

appearing to slow down by the end. After the sun fleck, the increase was small and continued for only 6–8 min, before closure started. Note that most of the C_i change occurred when illumination changed and, although there were subsequent small changes, changes in g_s were not sufficient to keep C_i constant. Of course, the effect of 'shade flecks' on A and g_s are potentially as important as sun flecks (Figure 12.12c and d). During both 5 and 15 min duration 'shade flecks' there was an immediate decrease in A which recovered back to its original value when the PPFD was restored in the 5 min fleck. However, A took about 15 min to return back to the original value after a 15 min shade fleck, because of the decrease in g_s that had occurred with the lower light. The start of a stomatal opening response was delayed for about 8 min after the end of the shade period and the slow recovery back towards its original value took over 15 min, consequently limiting A through CO_2 diffusion by some 10%. Such sun and shade fleck data emphasize the importance of the different dynamic behaviour of stomata and photosynthesis which can result in A and g_s being uncorrelated with each other, in the natural, changeable environment. Note also that these examples are with a species with rapidly responsive stomata, but there are other species with much more sluggish stomata (e.g. some conifers, Ng and Jarvis, 1980), where the correlation must be much less complete or frequent (Jarvis and Morison, 1981).

Environmental interactions and stomatal responses

Clearly, stomata are sensitive to a large number of environmental factors, but these rarely vary singly in nature, so the interaction between factors must be borne in mind. Two examples are shown here: the interaction between $[CO_2]$ and light (PPFD) and between $[CO_2]$ and VPD. Figure 12.13 shows the effect of increasing the ambient CO_2 concentration from 360 to 700 μmol mol^{-1} on g_s and A (Figure 12.13a and b) at different PPFD. At each PPFD the leaf was left to stabilize for a minimum of 30 min before C_a was increased. Clearly, the initial rates of g_s and A depended upon the initial PPFD as we expect from the steady-state responses discussed above. In addition, the effect of increased C_a was much larger at higher (1000 and 500 μmol m^{-2} s^{-1}) than at lower PPFD. Note again that g_s took considerably longer than A to reach a new approximately steady value following the step change. As expected, A increased in response to high C_a as the extra CO_2 removed the supply limitation at high light. In contrast, the larger g_s at high PPFD was largely suppressed by the high C_a, showing clearly the interactive effect of CO_2 and PPFD on stomatal behaviour.

While light and $[CO_2]$ both influence assimilation rates directly, VPD does not. However, VPD affects stomata, so can indirectly affect assimilation rate through influencing CO_2 supply, as exemplified in Figure 12.13c and d. At normal ambient $[CO_2]$, g_s differed by about 70% between a VPD of 0.95 and 2.2 kPa, so that at the higher VPD assimilation rate was reduced by about 25% (as suggested by the example A/C_i curve in Figure 12.6). However, when the C_a was increased, A increased and the stomatal limitation was reduced. In all three VPD conditions, g_s followed a similar time course when CO_2 was doubled, taking over 20 min to come to a new steady value, twice that for A. Note also that the marked effect of VPD on g_s was reduced in high $[CO_2]$ which is in part due to the reduction in aperture and the consequent reduced 'scope' for stomatal aperture changes (see Morison and Gifford, 1984 for other examples).

Several other interactions have been examined, but there is obviously a potentially bewildering range of possible combinations and few studies have examined any more than two or three, and usually on only one or two species in the same conditions. For this

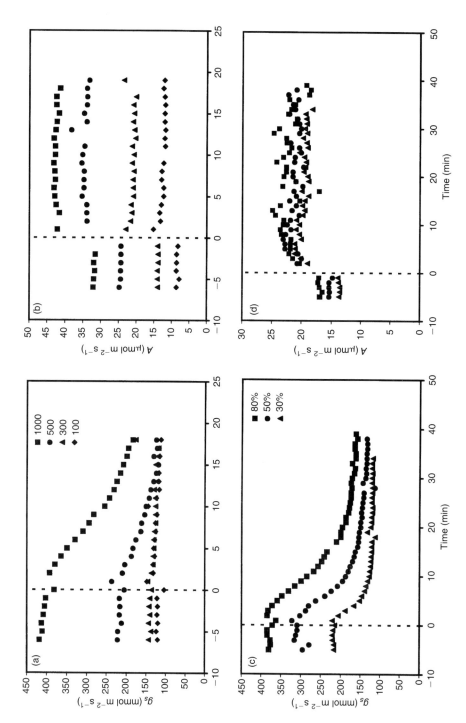

Figure 12.13 The effect of increasing CO_2 from 360 to 720 μmol mol^{-1} on stomatal conductance (a and c) and CO_2 assimilation rate (b and d) in *Phaseolus vulgaris* at different (a and b) PPFD or (c and d) humidity. Apart from the variable under investigation other cuvette conditions remained constant, at a PPFD of 1200 μmol mol^{-1}; temperature 25°C; VPD 1.27 kPa, C_a 365 μmol mol^{-1}. Initially the leaf was left to stabilize (for 20–30 min) at the conditions described above before a step increase in CO_2.

reason, much reliance has been placed on models for prediction of leaf gas exchange under different environmental conditions. There are two common types: the empirical model pioneered by Jarvis (1976) and the assimilation rate linked model suggested originally by Ball *et al.* (1987). The Jarvis-type model is based upon a multiplicative combined reduction of conductance from a maximum value depending on functions derived from measurements of stomatal responses to environmental factors. The Ball-Berry model and its subsequent refinements assume that stomata respond in order to regulate C_i. While both approaches have had considerable success for particular tasks, the problem is that they are not based upon the various mechanisms involved in stomatal behaviour and so will not capture the sorts of interactions demonstrated above, nor the dynamic changes illustrated. Some models that are more closely based on the physiological processes in guard cells have been devised (e.g. Farquhar and Wong, 1984; Jarvis and Davies, 1998), but while very promising, they are at the moment experimental and limited. It may be unrealistic to include all the many observed environmental sensitivitics, but we urgently require physiological models that can integrate the key responses of stomata that are so readily demonstrated in the laboratory and the field.

Modern techniques for ecophysiological stomatal research

Although gas exchange techniques, such as exemplified here, have been important in monitoring stomatal behaviour in relation to mesophyll photosynthesis, they obviously do not probe what is going on at the single cell scale. Clearly, physiological and molecular biology work on guard cells in epidermal strips and other isolated systems is invaluable for probing the complexity of guard cell ion transport and metabolism. However, results from that research do need to be placed in the *in vivo, in natura* context of intact, photosynthesizing and transpiring leaves. Recently, there have been a number of cell scale investigations that open up new possibilities. First, microscope work with pressure probes has investigated guard cell mechanics and water relations (e.g. Franks and Farquhar, 2001). Secondly, imaging systems are now available to measure aperture changes in intact leaves, in the laboratory and even in the field as the environment changes and consequently relate these to gas exchange (e.g. Kaiser and Kappen, 2000). Thirdly, it is now possible to study guard cell photosynthesis *in vivo* using high resolution chlorophyll fluorescence imaging (Oxborough and Baker, 1997; Lawson *et al.*, 2002) which allows pos-sible links between stomatal behaviour and underlying mesophyll photosynthesis to be studied. The basic principle in this latter technique is that fluorescence measurements are made with an imaging system through a microscope under the experimental conditions and under different light conditions when photosystem II (PSII) is in defined states (for details see Baker *et al.*, 2001). This results in measurements of the parameter F_q'/F_m' which estimates the yield of PSII photochemistry, often described as a measure of the efficiency of photosynthetic electron transport. Values from guard cell chloroplasts can be compared with those from the adjacent underlying mesophyll, and an example is shown in Colour Plate 2. This work has revealed that the photosynthetic Calvin cycle is functional in guard cells in a range of species and that the guard cell photosynthetic electron transport efficiency responds to light, water stress and $[CO_2]$ in a quantitatively similar way to that in mesophyll chloroplasts. The technique now makes it possible to compare a range of species which are different ecologically, taxonomically and evolutionarily, which will help build more mechanistic models of stomatal behaviour and the relationship with mesophyll assimilation.

Evolutionary context

Fossilized stomatal characters such as stomatal density (SD) have been used to determine past CO_2 concentrations (Kürschner, 1996; McElwain, 1998) and, in conjunction with other parameters, can be used to estimate g_s (Kürschner et al., 1997). While in some species SD has been shown to correlate closely with g_s under certain conditions (e.g. Woodward and Bazzaz, 1988) the influence of SD on g_s is secondary to that of stomatal aperture (see Figure 12.2) which may not always be obtainable from fossil material. It may be possible to use a surrogate measure of aperture (Lawson et al., 1998) or use pore length to give an indication of the maximum possible aperture (Beerling and Woodward, 1987). Maximum g_s can then be used to predict water-use efficiency and carbon balance (Beerling and Woodward, 1993), given assumptions about the link between conductance and assimilation rate (for example, see survey in Leuning et al., 1995). While a general correlation between A and g_s certainly exists, there are many situations where stomatal aperture does not always correlate with assimilation rate (Jarvis and Morison, 1981) and as exemplified in the A/g_s curve shown in Figure 12.5. Furthermore, the evolution of stomatal behaviour may not have been driven by an optimization of instantaneous A with a minimum E, but may have been driven by other very different pressures such as the need to avoid water stress and runaway xylem embolism, or to avoid lethal high temperatures. Clearly, adaptation pressures may have differed according to habitats and conditions as they do in modern plants today. Therefore, we should be cautious about simple correlative models.

An example of how physiological understanding of plants can help to identify and explain plant fossils records has been shown by McElwain et al. (1999) who suggested that high levels of atmospheric CO_2 at the end of the Triassic may have resulted in the observed decrease in floral species in the fossil record. They suggest that high atmospheric CO_2 led to low stomatal density/index which resulted in reduced evapotranspiration rates and lethal increases in leaf temperature. Further evidence to support the theory that forced-CO_2 global warming can explain selective floral extinctions found in the fossil record has been published recently by Beerling (2002). Although this shows the important use of modern physiological understanding in determining past floral distribution, it has been pointed out that the use of anatomical parameters of fossil plants to reconstruct palaeoatmospheric CO_2 concentrations, which are then used to evaluate consequences for palaeoplant physiology, may compound errors already associated with assuming a direct correlation between stomatal properties and CO_2 (Beerling and Chaloner, 1993; Cowling, 2001).

It has been suggested that evolution of land plants should be considered in terms of the plants' ability to balance photosynthetic carbon gain versus water loss (Knoll, 1984). As both of these processes are under the direct influence of stomata, this implies that stomata could play a key role in plant evolution and distribution. Therefore, a full understanding of the physiology and function of stomata is important not only in modern plant physiology but could provide vital information about plant evolutionary processes. The study of modern plants compared with those that grew in the geological past could give an indication of the direction of such processes. For example, comparing ferns and cycads (which could be taken as representing evolutionary end points) with evolutionarily modern plants (such as angiosperms) could indicate evolutionary changes and adaptations. Such an experimental approach has suggested that ancient taxa such as ferns and cycads evolving under periods of high $[O_2]$ and low $[CO_2]$ may have photosynthetic systems with lower sensitivities to O_2 when compared with modern day angiosperms (Beerling et al., 1998). However, when studying modern plant physiology it is important to remember that they have developed over many hundreds of years, therefore biochemical and biophysical adjustments (acclimation) to their current environmental conditions could have taken place as well as genetic adaptation (Cowling, 2001) and therefore, behave differently today than in the past.

By studying modern C_3 species, C_4 and CAM plants we are looking at the results of millions of years of evolution and we can begin to understand how plants have adapted to changing environmental conditions. For example, the development of a CO_2 concentrating mechanism in C_4 and CAM photosynthetic pathways was probably the evolutionary result of changed atmospheric gas concentrations (Sage, 2001). Whether a particular species evolved a CAM or C_4 pathway depended upon the initial steps in the evolutionary sequence. These initial steps involved different selection pressures, in CAM this was associated with the scavenging of respiratory CO_2 during the dark, while in C_4 evolution it was associated with scavenging photorespiratory CO_2 in the light (Sage, 2002). Due to the CO_2 concentrating mechanisms displayed in CAM and C_4 plants, changes in atmospheric CO_2 concentrations have little effect on stomatal density, index or pore areas (Raven and Ramsden, 1988). Royer (2001) documented that only one out of nine C_4 plants studied revealed an inverse relationship with CO_2 concentration. Although stomatal responses to changing CO_2 concentration may be less significant in C_4 and CAM plants, it is possible that they still played a critical role in C_4 distribution and evolution. Sage (2001) suggested that many ecological factors, including CO_2 concentration, influenced where and when C_4 photosynthesis evolved. One such factor was the influence that low $[CO_2]$ contributed to aridification, through increased transpiration resulting from an increase in stomata aperture – such conditions would benefit the establishment of C_4 over C_3 plants.

The use of modern techniques may help to establish the timing of evolutionary processes, for example, the oldest C_4 fossils are believed to be 12 My old, however, phylogenetic evidence from molecular clock interpretations of genetic similarities in various grass lineages, indicates divergence of C_4 taxa was occurring 20–30 My ago (Kellogg, 1999). Further, comparison of responses of angiosperms with gymnosperms, CAM with C_3 plants and also plants from different environmental locations could reveal novel and interesting information about the evolutionary development of plant physiology. By combining palaeoecophysiology with modern plant physiology we will enhance our predictions of both future and past interpretations of global climate environments and associated plant responses. For example, recent work by Sage (2002) suggests that low CO_2 probably acted as a significant evolutionary agent, selecting plants adapted to CO_2 deficiency and that adaptations to low CO_2 might still exist in plants today, which might constrain responses to the current rising CO_2 concentration. Such acclimation would have important implications for current agriculture, water-use efficiency and natural selection.

Conclusion

A detailed understanding of stomatal behaviour and function is essential to understand both past and present impacts of environmental change on global carbon and hydrological cycles. In this chapter we have looked at the role of stomata in leaf gas exchange and the way they respond to three key environmental variables of light, CO_2 and humidity. Other factors such as leaf water status are obviously as important as these to plant growth and survival, but are less directly amenable to short-term experiments. We have tried to emphasize the role of stomata in determining mesophyll CO_2 assimilation rates. Examples of physiological variation at a number of different levels stress the importance of appropriate sampling strategies for both modern plant physiologists and those attempting to use stomatal characters as indicators of past environments. The effects of a number of environmental factors, both singly and when interacting, on both stomatal and photosynthetic behaviour have exemplified the complexity of the relationship between mesophyll assimilation and stomatal function. In the final sections, examples of modern techniques for studying stomatal physiology have been illustrated. Use of such techniques should improve the elucidation of stomatal behaviour and mechanisms in a range of species (from ancient to modern), and hence reveal evolutionary changes.

Acknowledgements

Dr Jonathan Weyers (University of Dundee) is gratefully acknowledged for his input and guidance on a number of the experiments reported here. The development of the high resolution chlorophyll fluorescence imaging system is an ongoing collaboration with Dr Kevin Oxborough and Professor Neil Baker at the University of Essex, funded by the UK BBSRC.

References

Aphalo PJ, Jarvis PG. 1991. Do stomata respond to relative humidity? *Plant, Cell and Environment* **14**: 127–132.

Aphalo PJ, Jarivs PG. 1993. The boundary layer and the apparent responses of stomatal conductance to wind speed and to the mole fractions of CO_2 and water vapour in the air. *Plant, Cell and Environment* **16**: 771–783.

Asai N, Nakajima N, Tamaoki M, *et al.* 2000. Role of malate synthesis mediated by phosphoenolpyruvate carboxylase in guard cells in the regulation of stomatal movements. *Plant Cell Physiology* **41**: 10–15.

Assman SM. 1993. Signal transduction in stomatal guard cells. *Annual Review of Cell Biology* **9**: 345–375.

Assman SM. 1999. The cellular basis of guard cell sensing of rising CO_2. *Plant, Cell and Environment* **22**: 629–637.

Baker NR, Oxborough K, Lawson T, Morison JIL. 2001. High resolution imaging of photosynthetic activities of tissues, cells and chloroplasts in leaves. *Journal of Experimental Botany* **52**: 615–621.

Ball JT, Woodrow IE, Berry JA. 1987. A model predicting stomatal conductance and its contribution to the control of photosynthesis under different environmental conditions. In: Biggins J, ed. *Progress in Photosynthesis Research IV*. Dordrecht: Martinus Nijhoff, 221–224.

Barradas VL, Jones HG. 1996. Responses of CO_2 assimilation to changes in irradiance: laboratory and field data and a model for beans (*Phaseolus vulgaris* L.). *Journal of Experimental Botany* **47**: 639–645.

Beerling DJ. 2002. CO_2 and the end-Triassic mass extinction. *Nature* **415**: 386–387.

Beerling DJ, Chaloner WG. 1993. Evolutionary responses of stomatal density to global CO_2 change. *Biological Journal of the Linnean Society* **48**: 343–353.

Beerling DJ, Woodward FI. 1987. Changes in land plant function over the Phanerozoic: reconstructions based on the fossil record. *Botanical Journal of the Linnean Society* **124**: 137–153.

Beerling DJ, Woodward FI. 1993. Ecophysiological responses of plants to global environmental change since the last glacial maximum. *New Phytologist* **125**: 641–648.

Beerling DJ, McElwain JC, Osborne CP. 1998. Stomatal responses of the 'living fossil' *Ginkgo biloba* L. to changes in atmospheric CO_2 concentrations. *Journal of Experimental Botany* **49**: 1603–1607.

Beerling DJ, Woodward FI, Lomas MR, *et al.* 1998. The influence of carboniferous palaeoatmospheres on plant function: An experimental and modelling assessment. *Philosophical Transactions of the Royal Society, Series B* **353**: 131–140.

Beerling DJ, Osborne CP, Chaloner WG. 2001. Evolution of leaf-form in land plants linked to atmospheric CO_2 decline in the late Palaeozoic era. *Nature* **410**: 352–354.

von Caemmerer SC, Farquhar GD. 1984. Effects of partial defoliation, changes of irradiance during growth, short-term water stress and growth at enhanced p(CO_2) on photosynthetic capacity of leaves of *Phaseolus vulgaris* L. *Planta* **160**: 320–329.

Chaloner WG. 1970. The rise of the first land plants. *Biological Review, Cambridge Philosophical Society* **45**: 353–377.

Cowan IR, Troughton JH. 1971. The relative role of stomata in transpiration and assimilation. *Planta* **97**: 325–336.

Cowling SA. 2001. Plant carbon balance, evolutionary innovation and extinction in land plants. *Global Change Biology* **7**: 231–239.

Darwin F. 1898. Observations on stomata. *Philosophical Transactions of the Royal Society, Series B* **190**: 531–621.

Drake BG, Gonzalez-Meler MA, Long SP. 1997. More efficient plants: a consequence of rising atmopheric CO_2. *Annual Review of Plant Physiology and Plant Molecular Biology* **48**: 609–639.

Dubbe DR, Farquhar GD, Raschke K. 1978. Effects of abscisic acid on the gain of the feedback loop involving carbon dioxide and stomata. *Plant Physiologist* **62**: 413–417.

Edwards D, Davies KL, Axe L. 1992. A vascular conducting strand in the early land plant *Cooksonia. Nature* **357**: 683–685.

Eisinger W, Swartz T, Bogomolni R, Taiz L. 2000. The ultraviolet action spectrum for stomatal opening in broad bean. *Plant Physiology* **122**: 99–105.

Farquhar GD. 1978. Feed forward responses of stomata to humidity. *Australian Journal of Plant Physiology* **5**: 787–800.

Farquhar GD, Sharkey TD. 1982. Stomatal conductance and photosynthesis. *Annual Reviews of Plant Physiology* **33**: 317–345.

Farquhar GD, Wong SC. 1984. An empirical model of stomatal conductance. *Australian Journal of Plant Physiology* **11**: 191–210.

Franks PJ, Farquhar GD. 2001. The effect of exogenous abscisic acid on stomatal development, stomatal mechanics, and leaf gas exchange in *Tradescantia virginiana. Plant Physiology* **125**: 935–942.

Freudenberger H. 1940. Die Reaktion der Schliesszellen auf Kohlensäure und Sauerstoff Entzug. *Protoplasma* **35**: 15–34.

Gottschlich DE, Smith AP. 1982. Convective heat transfer characteristics of toothed leaves. *Oecologia* **53**: 418–420.

Grace J, Wilson J. 1976. The boundary layer over a populus leaf. *Journal of Experimental Botany* **27**: 231–241.

Heath OVS. 1938. An experimental investigation of the mechanism of stomatal movement, with some preliminary observations upon the response of the guard cells to 'shock'. *New Phytologist* **37**: 385–395.

Heath OVS, Russell J. 1954. Studies in stomatal behaviour. VI. An investigation of the light responses of wheat stomata with the attempted elimination of control by the mesophyll, Part 2: interactions with external carbon dioxide and general discussion. *Journal of Experimental Botany* **5**: 269–292.

Jarvis AJ, Davies WJ. 1998. The coupled response of stomatal conductance to photosynthesis and transpiration. *Journal of Experimental Botany* **49**: 399–406.

Jarvis PG. 1976. The interpretation of the variations in leaf water potential and stomatal conductance found in canopies in the field. *Philosophical Transactions of the Royal Society, Series B* **273**: 593–610.

Jarvis PG, Morison JIL. 1981. The control of transpiration and photosynthesis by the stomata. In: Jarvis PG, Mansfield TA, eds. *Stomatal Physiology.* Cambridge: Cambridge University Press, 248–279.

Jones HG. 1992. *Plants and Microclimate: a Quantitative Approach to Environmental Plant Physiology.* Cambridge: Cambridge University Press, 56–185.

Kaiser H, Kappen L. 2000. *In situ* observation of stomatal movements and gas exchange of *Aegopodium podagraria* L. in the understorey. *Journal of Experimental Botany* **51**: 1741–1749.

Kellogg EA. 1999. Phylogenetic aspects of the evolution of C_4 photosynthesis. In: Sage RF, Monson RK, eds. C_4 *Plant Biology*. San Diego: Academic Press, 411–444.

Kerstiens G. 1996. Diffusion of water vapour and gases across cuticles and through stomatal pores presumed closed. In: Kerstiens G, ed. *Plant Cuticles – an Integrated Functional Approach*. Oxford: BIOS Scientific Publishers, 121–134.

Kirschbaum MUF, Gross LJ, Pearcy RW. 1988. Observed and modelled stomatal responses to dynamic light environments in the shade plant *Alocasia macrorrhiza*. *Plant, Cell and Environment* **11**: 111–121.

Knapp AK, Smith WK. 1987. Stomatal and photosynthetic responses during sun/shade transitions in subalpine plants: influence on water use efficiency. *Oecologia* **74**: 62–67.

Knoll AH. 1984. Patterns of extinction in the fossil record of vascular plants. In: Nitecki MH, ed. *Extinctions*. Chicago: University of Chicago Press, 21–68.

Kürschner WM. 1996. Leaf stomata as biosensors of paleoatmospheric CO_2 levels. *LLP contribution. Series 5*, 1–153.

Kürschner WM, Wagner F, Visscher EH, Visscher H. 1997. Predicting the response of leaf stomatal frequency to a future CO_2-enriched atmosphere: constraints from historical observations. *Geologische Rundschau* **86**: 512–517.

Lake JA, Quick WP, Beerling DJ, Woodward FI. 2001. Signals from mature to new leaves. *Nature* **411**: 154.

Lawson T, James W, Weyers JDB. 1998. A surrogate measure of stomatal aperture. *Journal of Experimental Botany* **49**: 1397–1403.

Lawson T, Weyers JDB. 1999. Spatial and temporal variation in gas exchange over the lower surface of *Phaseolus vulgaris* primary leaves. *Journal of Experimental Botany* **50**: 1381–1391.

Lawson T, Oxborough K, Morison JIL, Baker NR. 2002. Responses of photosynthetic electron transport in stomatal guard cells and mesophyll cells in intact leaves to light, CO_2 and humidity. *Plant Physiology* **128**: 52–62.

Lee J, Bowling DJF. 1993. Influence of the mesophyll on stomatal opening. *Australian Journal of Plant Physiology* **22**: 357–363.

Leuning R, Kelliher FM, De Pury DGG, Schulze ED. 1995. Leaf nitrogen, photosynthesis, conductance and transpiration: scaling from leaves to canopies. *Plant, Cell and Environment* **18**: 1183–1200.

Linsbauer K. 1916. Beträge zur Kenntnis der Spaltöffnungsbewegung. *Flora* **9**: 100–143.

Lodge RJ, Dijkstra P, Drake BG, Morison JIL. 2001. Stomatal acclimation to increased CO_2 concentration in a Florida scrub oak species *Quercus myrtifolia* Willd. *Plant, Cell and Environment* **24**: 77–88.

Lu P, Outlaw HW Jr, Smith BG, Freed GA. 1997. A new mechanism for the regulation of stomatal aperture size in intact leaves. Accumulation of mesophyll-derived sucrose in the guard-cell wall of *Vicia faba* L. *Plant Physiology* **114**: 109–114.

Lu Z, Quinones MA, Zeiger E. 1993. Abaxial and adaxial stomata from Pima cotton (*Gossypium barbadense* L.) differ in their pigment content and sensitivity to light quality. *Plant, Cell and Environment* **16**: 851–858.

Mansfield TA, Hetherington AM, Atkinson CJ. 1990. Some current aspects of stomatal physiology. *Annual Review of Plant Physiology* **41**: 55–75.

McElwain JC. 1998. Do fossil plants signal palaeoatmospheric CO_2 concentration in the geological past? *Philosophical Transactions of the Royal Society, Series B* **353**: 83–96.

McElwain JC, Beerling DJ, Woodward FI. 1999. Fossil plants and global warming at the Triassic-Jurassic boundary. *Science* **285**: 1386–1390.

Monteith JL. 1981. Coupling of plants to the atmosphere. In: Grace J, Ford ED, Jarvis PG, eds. *Plants and their Atmospheric Environment*. Oxford: Blackwell, 1–29.

Morison JIL, Gifford RM. 1984. Plant growth and water use with limited water supply in high CO_2 concentrations. I. Leaf area, water use and transpiration. *Australian Journal of Plant Physiology* **11**: 361–374.

Morison JIL. 1987. Intercellular CO_2 concentration and stomatal response to CO_2. In: Zeiger E, Cowan IR, Farquhar GD, eds. *Stomatal Function*. Standford, CA: Stanford University Press, 229–251.

Morison JIL. 1998. Stomatal response to increased atmospheric CO_2. *Journal of Experimental Botany* **49**: 443–452.

Morison JIL. 2001. Increasing atmospheric CO_2 and stomata. *New Phytologist* **149**: 154–158.

Mott KA. 1988. Do stomata respond to CO_2 concentrations other than intercellular? *Plant Physiology* **86**: 200–203.

Mott KA, Parkhurst DF. 1991. Stomatal response to humidity in air and helox. *Plant, Cell and Environment* **14**: 509–515.

Ng PAP, Jarvis PG. 1980. Hysteresis in the response of stomatal conductance in *Pinus sylvestris* L. needles to light: observations and a hypothesis. *Plant, Cell and Environment* **3**: 207–216.

Nobel PS. 1991. *Physiochemical and Environmental Plant Physiology*. San Diego: Academic Press.

Outlaw WH. 1996. Stomata: biophysical and biochemical aspects. In: Baker NR, ed. *Photosynthesis and the Environment*. Dordrecht: Kluwer Academic Publishers, 241–259.

Outlaw WH, De Vlieghere-He X. 2001. Transpiration rate. An important factor controlling the sucrose content of the guard cell apoplast of broad bean. *Plant Physiology* **126**: 1716–1720.

Oxborough K, Baker NR. 1997. An instrument capable of imaging chlorophyll a fluorescence from intact leaves at very low irradiance and at cellular and subcellular levels of organization. *Plant, Cell and Environment* **20**: 1473–1483.

Patterson DT. 1980. Light and temperature adaptation. In: Hesketh JD, Jones JW. eds. *Predicting photosynthate production and use for ecosystem models*. Boca Raton, Florida: CRC Press, Inc., Vol I, 205–235.

Pearcy RW. 1990. Sunflecks and photosynthesis in plant canopies. *Annual Reviews Plant Physiology, Plant Molecular Biology* **41**: 421–453.

Pemadasa MA. 1981. Photocontrol of stomatal movements. *Biological Reviews of the Cambridge Philosophical Society* **56**: 551–559.

Pospišilová J, Šantrucek J. 1994. Stomatal patchiness (review). *Biological Plantarum* **36**: 481–510.

Raschke K. 1976. How do stomata resolve the dilemma of opposing priorities? *Philosophical Transactions of the Royal Society, Series B* **273**: 551–560.

Raven JA, Ramsden HJ. 1988. Similarity of stomatal index in the C_4 plant *Salsola kali* L. in material collected in 1843 and 1987: relevance to changes in atmospheric CO_2 content. *Transactions of the Botanical Society of Edinburgh* **45**: 223–233.

Royer DL. 2001. Stomatal density and stomatal index as indicators of paleoatmospheric CO_2 concentration. *Review of Palaeobotany and Palynology* **114**: 1–28.

Sage RF. 2001. Environmental and evolutionary preconditions for the origin and diversification of the C-4 photosynthetic syndrome. *Plant Biology* **3**: 202–213.

Sage RF. 2002. Are crassulacean acid metabolism and C_4 photosynthesis incompatible? *Functional Plant Biology* **29**: 775–785.

Schulze ED, Lange OL, Buschbom U, *et al.* 1972. Stomatal responses to changes in humidity in plants growing in the desert. *Planta* **108**: 259–270.

Solárová J, Pospišilová J. 1983. Photosynthetic characteristics during ontogenesis of leaves. Stomatal diffusive conductance and stomata reactivity. *Photosynthetica* **17**: 101–151.

Stålfelt MG. 1955. The stomata as a hydrophotic regulator of the water deficit of the plant. *Physiologia Plantarum* **8**: 572–593.

Tang Yt, Washitani I, Tsuchiya T. 1988. Fluctuations of photosynthetic flux density within a *Miscanthus sinensis* canopy. *Ecological Research* **3**: 253–266.

Tichá I. 1982. Photosynthetic characteristics during ontogenesis of leaves. 7. Stomatal density and size. *Photosynthetica* **16**: 375–471.

Tinoco-Ojanguren C, Pearcy RW. 1993. Stomatal dynamics and its importance to carbon gain in two rain forest *Piper* species I. VPD effects on the transient stomatal response to light flecks. *Oecologia* **94**: 388–394.

Turner NC. 1979. Differences in response of adaxial and abaxial stomata to environmental variables. In: Sen DS, Chawan DD, Bansal RP, eds. *Structure Function and Ecology of the Stomata*. Dehra Dun: Bishen Singh Mahendra Pal Singh, 320–329.

Weyers JDB, Meidner H. 1990. *Methods in Stomatal Research*. Harlow: Longman Scientific & Technical, 57–58.

Weyers JDB, Lawson T, Peng Z. 1997. Variation in stomatal characteristics at the whole leaf level. In: van Gardingen P, Foody G, Curran P, eds. *Scaling up. Society for Experimental Biology, Seminar Series*. Cambridge: Cambridge University Press, 129–149.

Weyers JDB, Lawson T. 1997. Heterogeneity in stomatal characteristics *Advances in Botanical Research* **26**: 317–352.

Willmer CM, Fricker M. 1996. *Stomata*, 2nd edn. London: Chapman & Hall.

Woodward FI. 1988. The response of stomata to changes in atmospheric levels of CO_2. *Plants Today* **July–August**: 132–135.

Woodward FI, Bazzaz FA. 1988. The responses of stomatal density to CO_2 partial pressure. *Journal of Experimental Botany* **39**: 1771–1778.

Woodward FI, Kelly CK. 1995. The influence of CO_2 concentration on stomatal density. *New Phytologist* **131**: 311–327.

Wong SC. 1979. Elevated atmospheric partial pressure of CO_2 and plant growth. 1. Interactions for nitrogen nutrition and photosynthetic capacity in C_3 and C_4 plants. *Oecologia* **44**: 68–74.

Wong SC, Cowan IR, Farquhar GD. 1979. Stomatal conductance correlates with photosynthetic capacity. *Nature* **282**: 424–426.

Zeiger E, Iino M, Shimazaki K-I, Ogawa T. 1981. The blue-light response of stomata: Mechanism and function. In: Zeiger E, Farquhar GD, Cowan IR, eds. *Stomatal Function*. Stanford: Stanford University Press, 207–227.

Zeiger E, Zhu J. 1998. Role of zeaxanthin in blue light photoreception and the modulation of light–CO_2 interactions in guard cells. *Journal of Experimental Botany* **49**: 433–442.

Zeiger E. 2000. Sensory transduction of blue light in guard cells. *Trends in Plant Science* **5**: 183–185.

Zeiger E. 2002. The guard cell chloroplast: A perspective for the 21st century. *New Phytologist* **153**: 415–424.

13

The photosynthesis–transpiration compromise and other aspects of leaf morphology and leaf functioning within an evolutionary and ecological context of changes in CO_2 and H_2O availability

Pieter J C Kuiper and Cécile M H Lapré

CONTENTS

The Evolution of Plant Physiology
ISBN 0–12–33955–26

Introduction

This chapter begins with a description of the 'trade-off' between photosynthesis and water loss by transpiration in desert plants. Is saving water a key strategy for desert plants? The stomatal response to atmospheric CO_2, recently and in the past, is another factor affecting the water-use efficiency of plants. The 'trade-off' between photosynthesis and transpiration is only one of several compromises and a strategy with emphasis on a single environmental factor should be replaced by strategies in which the whole environment, including the ecosystem (vegetation) structure and seasonality, is taken into account.

Modern Mediterranean ecosystems are chosen as an example of seasonality, in which the strategies concerning maintenance of photosynthesis and water relations should operate in the dry and hot summer as well as in the wet and cool winter.

During the wet season rainfall and fog may inhibit photosynthesis by blocking stomatal opening with raindrops. Also, a dripping point of the leaf and positioning of the leaf within the canopy are important in rainfall interception and possible inhibition of photosynthesis. Other factors, such as wettability of leaves and the presence of wax plugs in the stomatal pore and a hair layer over the leaf, also may alleviate negative effects of rainfall on photosynthesis. Next to inhibition of photosynthesis by rain, wet leaves are susceptible to fungal leaf pathogens; also, during rainfall leaves may leach nutritional ions.

Photosynthesis of wet leaves may be restored by drying of the leaves by evaporation of the intercepted rain. The rate of drying of wet surfaces of different sizes is formulated under conditions of an ample energy supply (diffusion law of Fick, see Martin (1943), e.g. in an open vegetation) and under energy limitation (Penman-Monteith equation, see Monteith and Unsworth (1990), e.g. in a dense forest). The role of the (wet) leaf size in the rate of drying is included in these formulations. In addition vegetation structure is included as a factor influencing the rate of drying of wet vegetation: drying of wet leaves in a dense forest with a closed canopy will be limited by available energy for evaporation sooner than an open and heterogeneous Mediterranean ecosystem with small leaves and a low leaf area index. A simulation example will be presented.

The review concludes with a discussion regarding how differences in leaf morphology could be functionally related to 'trade-off' between photosynthesis and water relations in a Mediterranean ecosystem.

'Trade-off' between photosynthesis and transpiration

Desert plants

In the desert environment saving water via a 'trade-off' between photosynthesis and water loss by transpiration is a popular view (Gibson, 1998). Indeed CAM succulents such as cacti, euphorbs and stapeliads exhibit a high degree of water saving by having closed stomata during the daytime and open stomata during the night (Gibson and Nobel, 1986). They tolerate extremely high temperatures in the stem at midday because of a lack of evaporative cooling.

Non-succulent desert plants that have both leaves and photosynthetic stems are very well suited for maximizing photosynthesis: under an adequate water supply the leaves are best suited for absorption of light and CO_2 together with evaporative cooling. At the same time stems are better at saving water, as evident from the less negative carbon isotope ratio of the stem tissue (Ehleringer *et al.*, 1987). The relationship between water-use efficiency and carbon isotope ratio can be explained as follows. During photosynthesis, CO_2 diffuses into the leaf via the stomata, while simultaneously H_2O diffuses outwards to the atmosphere. Because of its lower molecular weight, $^{12}CO_2$ diffuses at a faster rate into the leaf than the heavier $^{13}CO_2$ causing an enrichment of ^{12}C in the plant tissue, compared with atmospheric CO_2. This effect of ^{12}C enrichment in plants can be counterbalanced by an increase in affinity for CO_2 in the plant tissue, resulting in a change in the carbon isotope ratio, as mentioned above for stems of desert plants.

Non-succulent desert plants exhibit a wide range of responses to the desert climate. In a careful review, Gibson (1998) doubts that saving water is the key strategy for these plants, but that maximizing carbon gain by photosynthesis is at least as important. Annual desert plants show the highest P_{max} values, followed by shrubs with drought-deciduous leaves and evergreen shrubs. The longer time span of photosynthesis of an evergreen, such as the creosote bush (*Larrea divaricata* Cav.), compensates for a lower rate of photosynthesis with its deep root system (Table 1 in Gibson, 1998). In conclusion, there is no single and generally valid 'trade-off' between photosynthesis and transpiration in desert plants.

Stomatal response to atmospheric CO_2

In 1987 Woodward published his observation that stomatal numbers were sensitive to an increase of atmospheric CO_2; since pre-industrial times a gradual decrease in stomatal density with time has been observed. More recently Wagner *et al.* (1996) demonstrated that global climate change, in the form of an effect of increasing atmospheric CO_2 on plant performance, is clearly present: analysis of the buried leaves of an isolated birch tree (*Betula pendula* Roth) in a Dutch bog revealed that stomatal density of the leaves from this tree had decreased from 270 per mm^2 in 1955 to 180 per mm^2 in 1995, a response in line with the increase in atmospheric CO_2 during these 40 years. In the same birch leaves a similar reduction in the stomatal index, the proportion of stomata as a percentage of the total number of cells (epidermal cells + stomatal cells), was noted.

Other tree species, e.g. durmast oak (*Quercus petraea* Liebl.), showed a similar reduction in stomatal density and index when tree seedlings were exposed to elevated CO_2 in a climate room experiment (Kürschner *et al.*, 1998). Transpiration was reduced at elevated CO_2 by partial closure of the stomata, as has been observed in other tree species (Ceulemans and Mousseau, 1994; Curtis, 1996). There is an evolutionary effect of the response of stomata to elevated CO_2; some coniferous species show no reaction to elevated CO_2 (Eames and Jarvis, 1989). In modern species stomata close as a response to high CO_2. Stomatal opening is stimulated at low CO_2, an adaptive response to the limiting CO_2 concentrations during the ice age intervals (Kuiper, 1998).

It is important to test the validity of the field observations on the above mentioned birch tree (Wagner *et al.*, 1996) on other tree species (e.g. *Eucalyptus*). By their high transpiration rate eucalypt forests maintain a low level of saline groundwater and thus prevent dry land salinization. Removal of forest for agriculture may result in rising groundwater and consequent salinization. A similar stomatal response to increasing atmospheric CO_2 in *Eucalyptus*, as observed in birch, would contribute to dry land salinization and provide part of the explanation for the present-day dramatic dry land salinization in south and western Australia.

So far, discussion has focused on the effect of atmospheric CO_2 on stomata. The tree fern, *Cibotium schiedei* (Dicksoniaceae), has a leaf epidermis almost exclusively of stomata with an occasional parenchyma cell (Eschrich, 1995). In this ancient group of plants epidermal parenchyma cells may have evolved during times of adequate atmospheric CO_2, eventually leading to the modern pattern of a CO_2-dependent stomata/parenchyma ratio of the leaf epidermal cells.

C_4-photosynthesis is the evolutionary answer to low atmospheric CO_2 concentrations in more recent geological times (see an extensive review by Sage, 2001).

Analysis of the 'trade-off' response within a broader context

As mentioned in the introduction, the 'trade-off' between photosynthesis and transpiration is only one of several compromises and a strategy with emphasis on a single environmental factor such as water and CO_2 availibility should be replaced by strategies in which the whole environment, including ecosystem (vegetation) structure and seasonality of the environment, is taken into account. Such an approach is also in line with an evolutionary approach: evolutionary changes in plant populations and species occur within an ecosystem context. Sage (2001) also stresses the point that the evolution of C_4-photosynthesis should be analysed within the context of a combination of environmental conditions, such as high light and high temperature, salinity and aridity.

Modern Mediterranean ecosystems were choosen as an example of seasonality, in which the adaptive strategies concerning maintenance of photosynthesis and water relations should operate during the dry and hot summer as well as in the wet and cool winter. Besides, in line with continental drift, many land surfaces have moved from a situation with a relatively constant environment to one with seasonality, as demonstrated by the splitting up of the ancient Gondwana palaeo-continent.

Modern Mediterranean ecosystems

Dry season

During the dry season, water availability will determine photosynthesis and transpiration of the plant species. In the South African Fynbos, a Mediterranean ecosystem with a relatively low drought stress, three growth forms are recognized: shallow-rooted restios and ericoid shrubs (see Colour Plate 3) exhibit a greater response to drought in the form of a strong reduction in water potential and photosynthesis in summer; the deeper rooted proteoid growth form maintains photosynthesis and water potential in summer (Stock *et al.*, 1992). Wind will cool the foliage of the restioid and ericoid growth forms by heat exchange between leaf and air and wind will cool the leaves of the proteoid growth form by heat exchange as well as by increased transpiration, under ample water availability. The so-called sclerophylly in the above growth forms has not been entirely attributed as an adaptive trait to drought stress: in particular in South Africa and Australia a sclerophyllous leaf structure has been related to nutrient use efficiency under the relatively nutrient-poor habitats of these regions, phosphate in particular (Beadle, 1966; Specht and Rundel, 1990; Stock *et al.*, 1992; Keeley, 1992). Sclerophylly and low nutrient levels in the leaf are linked together since sclerophyllous leaves are rich in structural carbon compounds such as cellulose and lignins, which lead to a dilution of nutrient concentration per unit leaf weight. Moreover, low nutrient levels in combination with a high content of cellulose and lignin will reduce edibility and act as a defence against herbivory (see also Johnson, 1992).

Wet season

During the wet season the above mentioned growth forms of the Fynbos and similar growth forms of other Mediterranean ecosystems are physiologically active due to an ample water supply and moderate temperatures. No 'trade-off' between photosynthesis and transpiration is evident, on the contrary, CO_2 exchange between the atmosphere and leaf and, consequently, photosynthesis may be hindered by rain and fog: leaves may become wet and covered with a layer of water. The rate of diffusion of CO_2 in liquid water is around 10 000 times slower than in air (Nobel, 1991), which explains an inhibition of CO_2 exchange in rain-wetted leaves. To give an example, after a short rain shower the leaves of an ash tree (*Fraxinus excelsior* L.), located at the Biological Centre, Haren, The Netherlands, were covered with a layer of water of 0.03 mm, measured by radar (de Jong, 2001). Diffusion of CO_2 through this liquid film layer is equal to diffusion through a gaseous leaf boundary air layer of 30 cm; in reality the latter is around 0.5 to 1 cm under still air conditions in a room (Kuiper, 1961; Gates, 1980; Monteith and Unsworth, 1990). In this case the wet ash leaf has no appreciable rate of CO_2 exchange and a strong wind is essential to dry the leaf quickly for restoration of photosynthesis.

The problem of the low rate of diffusion of CO_2 in liquid water has long been recognized in studies on CO_2 exchange in submerged aquatic higher plants and algae. Various mechanisms to counteract this negative effect on photosynthesis have been described: (1) a more effective CO_2 concentrating mechanism; (2) conversion of bicarbonate into extra CO_2 by acidification of the boundary layer of water surrounding the leaf of higher plants; and (3) direct uptake of bicarbonate in algae (Elzenga and Prins, 1989). Surprisingly, the possible negative effects of a layer of water or water droplets on photosynthesis in wet leaves due to rain have never attracted much attention and, with the exception of Horton (1919), have only recently been adequately studied (Smith and McClean, 1989; Ishibashi and Terashima, 1995; Brewer and Smith, 1997; Feild *et al.*, 1998; Hill and Brodribb, 2001). The next section deals with the various strategies plants have developed to reduce prolonged wetting of leaves and facilitation of drying. In addition to inhibition of photosynthesis in wet leaves, rain may also leach nutritional ions from the wet leaves and stimulate fungal leaf pathogens.

Prevention of wetting of leaves by rain and facilitation of drying

Dripping tip of leaves and position of the leaf

In tropical rainforests, leaves of several species possess a *dripping tip*, which may facilitate water runoff (Berrie *et al.*, 1987). In addition, such leaves are often hanging – the perpendicular position may facilitate runoff of water by gravity and result in a thinner water film on the leaf. In Mediterranean ecosystems numerous *Eucalyptus* species exhibit vertical leaves, with a possible similar function. The sleeping position of leaflets of many Leguminosae at night may also facilitate rainwater runoff during the night.

Wettability of leaves

Wettability of the leaf is involved in the prevention of the formation of a water film on a leaf; a low adhesion between leaf surface and raindrops is created by a waxy cuticle which, as in *Ficus elastica* Roxb.ex Hornem. and *Asplenium scolopendrium* L., may prevent the formation of a thin film of water on the leaf. On the other hand, leaf surface roughness may facilitate the aggregation of small rain droplets into larger ones which eventually may roll off the leaf surface. In several plant species leaf veins are slightly sunken in the leaf surface and thus may function as 'gutters'.

Horton (1919) was the first to describe raindrop interception on leaves of various species. Smith and McClean (1989) observed an adaptive relationship between leaf water repellency and stomatal distribution over both sides of the leaves. In 50 out of 57 species the leaf side with the highest stomatal frequency was also the side with the highest water repellency. Application of a fine mist to bean plants caused closure of the stomata within 2 min and partial recovery of stomatal opening within 60 min (Ishibashi and Terashima, 1995). Photosynthesis was reduced similarly: an abrupt reduction at the onset of rain, followed by partial recovery. In addition, a long-term negative effect of 24 h of rain was measured under dry conditions, indicating that leaf wetness caused not only immediate reduction of photosynthesis, but also damage to the chloroplast. Brewer and Smith (1997) introduced an elegant method to determine leaf water repellency: a droplet of 5 mm^3 water was placed on a horizontal leaf and its contact angle was determined by measuring the line tangent to droplet through the point of contact between droplet and leaf surface. In the montane and alpine area of the Rocky Mountains (USA) plant species of open meadows were characterized by more frequent leaf wetting by rain and dew than species of the forest understorey. As an adaptive response, species of open meadows were less wettable and had more stomata than species of the understorey. Also, in species of the open meadows the presence of leaf trichomes reduced the area of leaf surface covered with water.

Avoidance of direct contact between water film and stomata: effect of a hair layer and stomatal wax plugs

CO_2 exchange in a leaf takes place via the stomatal pores in the epidermis and wetting of the leaves may block the stomatal pore with liquid water. Bosveld (1999) observed a difference between measured and calculated transpiration in a partially wet Douglas-fir (*Pseudotsugo menziesii* Franco) forest: this difference could be explained by assuming that one-third of the stomata were blocked by rain under wet conditions.

Blockage of the pores by rainwater may possibly be prevented by several adaptive strategies, e.g. an interrupted water film on the leaf by low wettability of the cuticular surrounding of the stomatal guard cell in combination with a sunken location of the stomata. Feild *et al.* (1998) observed that stomatal cutin plugs of *Drimys winteri* Forster and Forster, a tropical cloudforest species, protect leaves from mist: removal of the stomatal plugs resulted in a marked increase of wettability together with reduced photosynthesis. Leaves without stomatal plugs showed closure of the stomata with increasing evaporative demand, a usual reaction for higher plants. Intact leaves with stomatal plugs remained open, as expected from a cloudforest tree.

Another possibility is the presence of a hair layer on the leaf, which prevents formation of a continuous water film so that direct contact of the rain drops with the stomatal pores is no longer possible (Brewer and Smith, 1997). From the Australian macrofossil record of Proteaceae and Casuarinaceae, Hill and Brodribb (2001) conclude that a dense covering of the leaves with trichomes primarily functions as mechanism of keeping the water off the leaf surface. *Hypericum elodes* L., an Atlantic species of shallow lakesides, is characterized by tomentose leaves and it is very unlikely that the hair layer has a function in drought tolerance. Alpine vegetation in Papua New Guinea with a continuous wet climate also contain many species with tomentose leaves (Hope, 1986; Lapré, personal observation). In alpine plants pubescence of the leaves is a major factor for retention of rain and fog, thus contributing to the negative effects of acid rain to natural vegetation (Monson *et al.*, 1992).

Grasses like *Ammophila arenaria* (L.) Link create a microatmosphere, which is inaccessible for raindrops by lengthwise rolling of the leaf blades (Massart, 1907).

Another way to avoid direct blockage of stomatal pores by raindrops is the exclusive location of stomata on the underside (hypostomatous) of the leaves as evident in numerous deciduous trees: raindrops will hit and wet the upper surface, while the lower surface with stomata will only be wetted after a more prolonged period of rain.

Further ecological consequences: effect of fungal leaf pathogens and ion leaching

In the above sections the beneficial effects of prevention of wetting and fast drying of leaves on photosynthesis have been discussed. Prevention of wetting and fast drying of leaves may also be of ecological significance in other cases, e.g. as in prevention of infection of leaves by microbes and fungal pathogens: the longer the leaves stay wet, the more likely a possible fungal infection of the leaves, especially at the end of the wet season when temperature rises. Presence of water on the leaf surface is important for germination of spores and for hyphal growth of fungal pathogens through stomatal pores (Butler, 1996). Wind speed is important in leaf wetness, since the amount of intercepted water on the leaf will be limited by increasing wind speed. In addition, the rate of drying increases with wind velocity as noted herein.

Another negative effect of continued wetting of the leaf canopy is loss of nutritional ions by leaching (Tukey, 1962, 1970; Ovington, 1968; De Luca d'Oro and Trippi, 1987). Leaching of young plants with distilled water for 24 h resulted, in some species, in considerable losses of Ca (up to 31%), Mg (up to 27%), K (up to 20%) and P (up to 16%; Tukey, 1962). Measurements of K, Ca and Mg in precipitation at ground level in hardwood and coniferous forests demonstrated high concentrations of these ions under the forest canopy, compared with an open field (Ovington, 1968). More recently Gordon *et al.* (2000) showed species-specific differences in red spruce (*Picea rubens* Sarg.), black spruce (*Picea mariana* (Mill.) Britton) and white spruce (*Picea glauca* (Moench.) Voss) plantations in the nutrient content of rainwater that had reached ground level after passage through the canopy: beneath white spruce precipitation was enriched in total N, organic N, NH_4^+ and K, compared with the other two species; the canopy of all three plantations acted as a sink for P during rain. Species differences in nutrient cycling were ascribed to differences in morphology and crown structure of the spruce species.

Drying of wet leaves by evaporation

Formulation of the rate of drying of a wet surface

In this section, first a description of the effect of leaf size and shape on evaporation from wet leaves is given, following Fick's diffusion law. Afterwards the effect of energy limitation of evaporation is discussed, using the Penman–Monteith equation (Monteith and Unsworth, 1990).

Under conditions when there is a direct contact between the water film and leaf surface and the stomatal pores are blocked by liquid water, the resulting question is how quickly a leaf becomes dry again and CO_2 exchange can be restored. Climatic factors, which determine the rate of evaporation from a wet surface are wind velocity and the difference between the saturation vapour pressure of the evaporating wet surface (at leaf surface temperature) and the actual vapour pressure of the atmosphere.

Leaf size and shape are important for the rate of drying. Aerodynamic properties of the evaporating leaf will determine the thickness of the boundary air layer adjacent to the evaporating surface: under identical external conditions small leaves will dry more quickly than leaves with a larger surface and, as will be shown below, long, narrow leaves will dry quicker than short and wide leaves of the same surface area (under condition that the wind direction is parallel to the length of the leaf). In addition, the leaf edge is important: a serrate or dentate leaf edge will facilitate air turbulence thus reducing the boundary air layer with its laminar flow of water vapour. No data on evaporation of wet leaves are available, but as a first approximation evaporation of rectangular pieces of wet blotting paper has been measured and formulated (Martin, 1943; Penman, 1948; Raschke, 1956, 1960; Kuiper, 1961; Gates, 1980) in wind tunnel experiments under the condition of ample energy supply for evaporation. More recently, Brenner and Jarvis (1995) confirmed these earlier results.

Formulation of the combined results yields:

$$E = 0.73 \cdot k \cdot (e_s - e_d) \cdot W^{-0.2} \cdot L^{-0.3} \cdot V^{+\alpha} \qquad (1)$$

in which E = evaporation of a rectangular piece of blotting paper ($g \cdot h^{-1} \cdot 100\,cm^{-2}$), k = coefficient of diffusion of water vapour ($cm^2 \cdot sec^{-1}$), $e_s - e_d$ = vapour pressure difference in mmHg at atmospheric pressure, W = width (cm) of the evaporating area at right angles to the wind direction, L = length (cm) of the evaporating area parallel to the wind direction, V = wind velocity ($cm \cdot sec^{-1}$), α = a proportionality factor, 0.78 (Raschke, 1956) or 0.76 (Kuiper, 1961) for turbulent air flow and 0.5 (Kuiper, 1961) for laminar air flow (see also Brenner and Jarvis, 1995). Reformulation of (1) gives:

$$E/0.73 \cdot k \cdot (e_s - e_d) \cdot V^{+\alpha} = W^{-0.2} \cdot L^{-0.3} \qquad (2)$$

A proportionality factor, K, is introduced for the first part of equation (3):

$$K = W^{-0.2} \cdot L^{-0.3} \qquad (3)$$

in which $K = 1$ for W and L both being 1 cm, a quadrant of $1\,cm^2$.

Figure 13.1 summarizes values for K for evaporating surfaces with W and L varying between 0.1 and 100 cm. High values of K implicate a relatively high rate of evaporation and fast drying of a wet leaf surface and low values of K the reverse. $K = 3.16$ for W and L both being 0.1 cm, a quadrant of $0.01\,cm^2$, indicative for a very small leaf (upper left corner of Figure 13.1). K = intermediate for long and narrow quadrants, e.g. $K = 0.47$ for $W = 0.5$ cm and $L = 20$ cm, representative for grass- and rush-like leaves and very low for larger quadrants (lower right corner of Figure 13.1). In this figure the curves for varying width merge at increasing length, indicating that differences between the rate of drying of wet surfaces are most visible at low values of W and L.

It is important to realize that the effect of large differences between high and low values of K on drying may be considerably reduced, because heat exchange is also dependent

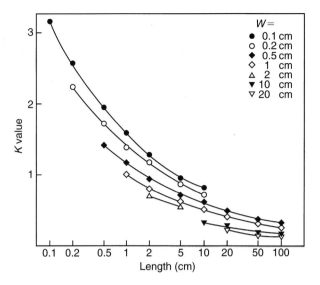

Figure 13.1 Effect of length (*L*) and width (*W*) of a rectangular wet surface, as a model for plant leaves, on *K*, the evaporation rate per unit surface and per unit vapour pressure difference between wet surface and air, including an effect of wind velocity. On the ordinate *K* is expressed as:

$$K = E/0.73 \cdot k \cdot (e_s - e_d) \cdot V^{+\alpha} = W^{-0.2} \cdot L^{-0.3}$$

in which *E* = evaporation per unit time and surface, *k* = diffusion coefficient of water vapour, $e_s - e_d$ = vapour pressure difference between wet surface and air, *V* = wind velocity and α = a proportionality factor. High and low values of *K* represent respectively high and low rates of evaporation, due to the length and width of the evaporating surface.

on leaf morphology, causing a counterbalancing effect of the surface water vapour saturation pressure, e_s, which is highly temperature dependent. Even more important, the energy demand for evaporation of water may easily limit evaporation and transpiration of partially wet leaves and leaf temperature and leaf vapour pressure will drop, resulting in reduced effects of leaf size on the rate of drying. Also, competition for energy between transpiration and evaporation of the partially wet needle surface of Douglas fir was evident (Bosveld, 1999). Water storage by leaves during rain and the simultaneous evaporation of components of rainfall interception are analysed by Lankreijer *et al.* (1993) and Klaassen *et al.* (1998).

The Penman–Monteith equation removes the problem of the strong temperature dependence of the vapour pressure of water: two components, the energy requirement for evaporation and the water vapour pressure difference between leaf and air, are combined in a single formulation (see Monteith and Unsworth, 1990). Heat transport by convection (sensible heat):

$$C = \rho c_p (T - T_0)/r_H \tag{4}$$

and heat transport by evaporation (latent heat):

$$\lambda E = \rho c_p (e_s - e_d)/\gamma^* r_H \tag{5}$$

With incoming radiation, $\mathbf{R}_n$, the heat balance is:

$$\lambda E + C = R_n \tag{6}$$

Combination of (4), (5) and (6) yields:

$$\lambda E = \frac{\Delta R_n + \rho c_p (e_s - e_d) r_H^{-1}}{\Delta + \gamma^*} \tag{7}$$

in which: C = flux of heat per unit area, ρ = density of air, c_p = specific heat of air, T = temperature, T_0 = temperature of surface, r_H = resistance for heat transfer for convection, λ = latent heat of vaporization, E = evaporation rate, γ^* = apparent value of psychrometer constant, $\mathbf{R}_n$ = net radiation flux density and Δ = rate of change of saturation vapour pressure with temperature.

Equation (7) contains a radiation component and a vapour pressure component. The contribution of these components to drying of wet vegetation now will strongly depend upon the following factors:

1. The amount of incoming radiation for energy supply
2. The conductance of the vegetation to heat and evaporation fluxes, which in turn will depend upon leaf area and leaf distribution within the vegetation.

Clearly vegetation structure will be a decisive factor for the rate of drying: a high vegetation density as in crops and forests with a closed canopy will easily lead to a limitation of drying, due to lack of energy, especially at low net radiation (see Lankreijer *et al.*, 1993; Klaassen *et al.*, 1998; Bosveld, 1999; Klaassen, 2001).

The situation in Mediterranean vegetations (see Colour Plate 4) is quite different from the above situation with:

1. A low vegetation density
2. A low leaf area index
3. An effective vertical distribution of the leaves
4. Strong wind during the rainy winter.

The radiation component will not so easily limit drying of wet Mediteranean vegetation as is the case with high yield crops and forests with a closed canopy.

A detailed study of drying of wet forest in relation to canopy wetness, canopy cover and net radiation is given by Klaassen (2001). A micrometeorological model with a detailed representation of a forest canopy, including a vertical distribution of the leaf area index (LAI) over 20 m, was evaluated against experimental results. The vertical distribution of sensible and latent heat (equations (4) and (5) respectively) in a wet and homogeneous forest was simulated. Evaporation of the wet canopy increased with canopy cover and, because of increasing energy limitation and increasing canopy roughness, the increase in canopy evaporation with canopy cover gradually slowed down. As expected, a patchy distribution of canopy leaves facilitates drying of the leaves and the drying rate in a patchy canopy cover was stimulated more at low canopy cover: 28% (cover = 0.2), decreasing to 4% (cover = 0.8).

A similar procedure was followed for canopy evaporation versus canopy wetness: after the start of rain, canopy evaporation strongly increased with canopy wetness and reached a rather constant level when canopy wetness approached 0.5. When the rain stopped, a fully wet canopy exhibited the fastest drying rate, which strongly decreased until a wetness value of 0.6 was reached.

In conclusion, the above described methodology may be very helpful to compare forests and shrub vegetations with different heights and canopy structures – a closed canopy versus an open and often patchy structure – and to relate these canopy structures to possible adaptive leaf morphology.

Ecological consequences of leaf morphology on the rate of drying of wet leaves

Wetted small leaves are characterized by high values of K and thus will dry relatively quickly (see Figure 13.1). In the Mediterranean Fynbos of South Africa wetted leaves of the restioid and ericoid growth form will dry quicker than leaves of the proteoid growth form, enabling the first two growth forms to perform photosynthesis even during cool winter days with frequent showers, provided wind velocity sufficiently compensates for the low vapour pressure deficit during these cool and rainy days.

The same conclusion also applies for other Mediterranean ecosystems. As a consequence the so-called sclerophyllous leaf structure also functions adequately in the fast drying process as a possible adaptation to frequent rainy and windy conditions. The above ericoid leaf growth form exhibits small leaves, which dry quickly. In addition, many species are characterized by hairs on the surface, which will reduce wetting of the leaf during rain, as in many *Erica* species (Schumann *et al.*, 1992), including the European Atlantic *Erica tetralix* L.

A comparison of entire and compound leaves with respect to drying seems appropriate. Wet compound leaves will dry quicker than entire leaves of a similar leaf area as the combined leaflets, because of the spatial distribution of the small and separate leaflets, have a reduced leaf boundary layer thickness. We will give an example, based on the data of K in Figure 13.1. Assume an entire large leaf, corresponding to a rectangular evaporating surface of $W = 10$ cm and $L = 20$ cm and $K = 0.26$. In a narrower leaf of $W = 5$ cm and L remains 20 cm the K value is 0.295 and the drying rate will be enhanced by 14% because of the narrower leaf shape. If the leaf is divided into leaflets of a size comparable with $W = 2$ cm and $L = 5$ cm, the K value is 0.26 and the drying rate is more than double that of the original entire leaf, all under non-limiting energy supply.

There is some experimental evidence that exchange processes, like evaporation, proceed faster in compound leaves. Taylor (1975) reported that the first pinnation in the leaf of *Pteridium aquilinum* (L.) Kuhn, the bracken fern, was the fundamental unit (boundary layer) for heat exchange. The third and second pinnation had a common boundary air layer and heat exchange was only enhanced up to the second pinnation. Unfortunately, no experimental data are given. The large leaves of Musaceae (*Heliconia latispatha* Berth. and *Strelitzia nicolia* Regel and Koern.) commonly show leaf tearing by wind and the boundary layer may be reduced by tearing as evident from leaf temperature measurements: in exposed sites entire leaves often exhibited nearly lethal leaf temperatures, with even a reduced photosynthesis, while plants with damaged leaves were at an advantage in this respect (Taylor and Sexton, 1972).

With respect to drying, a similar comparison can be made between leaves with an entire leaf margin and leaves with a serrate or dentate leaf margin. The aerodynamic properties of the latter category would facilitate the drying process but, at the same time, transpiration of the leaf would be enhanced under dry weather conditions. In this respect it is of interest that the veins of serrate or dentate leaves in general extend to the leaf margin, while the major veins of leaves with an entire margin in general loop within the margins (Parrish, 1998: 140). As mentioned earlier, veins of leaves of many species may act as gutters for runoff for water during rain and thus facilitate drying afterwards, as in many species of Melastomataceae.

Adaptive changes in leaf morphology in relation to the 'trade-off' between photosynthesis and transpiration

As mentioned earlier, the wet season in Mediterranean ecosystems is characterized by a relatively cool and rainy period, where drying of leaves is determined by a compensatory effect of strong wind to the relatively low water vapour pressure deficit. Palaeoclimate has regularly fluctuated from warmer to cooler conditions and vice versa, including the last 2 million years (Deacon et al., 1992). Changes in climatological conditions in the past, e.g. from a geological period with a high transpiration demand to a cool and rainy period with a low transpiration demand could exert selective pressure on leaf morphology via the drying process: genotypes with entire and simple leaves might possibly be replaced by genotypes with an increased leaf rim as for example in dentate and serrate leaves or lobed leaves, palmately or pinnately. Under further selective pressure, genotypes with compound leaves divided into separate leaflets may have evolved. As mentioned earlier, a reduction of leaf surface is much less effective in drying after rain when the entire leaf shape is maintained than when the reduction in leaf area is realized by development of leaflets of compound leaves. It is also evident, that the selection pressure will only be profound in open vegetations, as occurs after a catastrophic event in which all vegetation has been destroyed.

The effectiveness of selective pressure of climate changes will depend on the number of genes involved in the adaptive change. The genetics of leaf shape seems to be controlled by relatively few genes e.g., Sambucus nigra L. with its one time pinnate leaves also has a variety laciniata with a delicate parsley-like leaf structure. Variability of leaf shape within a single plant may be large, e.g. in the case of Acacia heterophylla Vassal (Ursem, personal communication). Some plant species have two different leaf forms, during the vegetative and generative phase, as in ivy (Hedera helix L.), indicating developmental timing in leaf development. A similar case has been described by Stebbins (1974) for the effect of developmental timing on flower petal shape: a large fused and sympetalous flower corolla is formed if the intercalary cells develop along with the petal primordia. If they develop after the petal primordia have grown, the result is well separated petal lobes of the flower. Clearly, modification of leaf and petal shape is, genetically speaking, not complicated.

Closely related species are important since they may exhibit strikingly different leaf forms. An example within a very limited area as the Fynbos, South Africa, is the genus Pelargonium and the following species may be mentioned: P. cuculatum (L.) L.'Her. with entire leaves, P. scabrum (Burm.f) L.'Her. with deeply lobed leaves with coarse hairs, P. triste (L.) L.'Her. with a delicate parsley-like leaf form (see Colour Plate 5). A study of the microclimate of sites of these species may reveal whether these different leaf forms exhibit any consistent adaptive value to differences in microclimate.

To take another example, wet, cool and shady habitats with practically no wind exhibit a low transpiration demand. Such a habitat may contain ferns, mosses and liverworts.

Ferns like *Athyrium filix-femina* (L.) Roth and *Woodwardia radicans* (L.) Sw. exhibit compound leaves, sometimes divided two or three times, with only a relatively small reduction in leaf area. This morphology allows a large leaf area for photosynthesis in the shade, together with the advantage of numerous small leaflets, which are adapted to relatively quick drying under these humid conditions. A fern species with entire leaves from a humid and wet habitat such as *Asplenium scolopendrium* L. has shiny leaves, with probably a low wettability. Mosses and foliose liverworts with their minute foliage will also be able to dry quickly under these otherwise unfavourable evaporative conditions.

Finally, evolutionary aspects should be taken into account. As an example for Mediterranean ecosystems, the Fynbos is situated along the rim, where two oceans meet: the Atlantic Ocean with cold water and the Indian Ocean with warm water. This situation causes an extreme average westerly wind speed and together with the large number of climate fluctuations in the past may have led to a species-rich flora (Cowling, 1992), in which the rate of speciation exceeded the rate of extinction. The combination of a continuous strong westerly wind since the breakup of Gondwana, together with regular climatic fluctuations, may also have caused a relatively low degree of variation of leaf shape: the larger the number of repeated climatic fluctuations the lower the number of adaptive traits which will facilitate in survival of the species.

Final remarks

In the above, leaf morphology is related to drying after rain in order: (1) to restore photosynthesis; (2) to minimize nutritional ion leaching; and (3) to reduce infection by fungal leaf pathogens. Physical formulations of evaporation from wet surfaces under energy limiting conditions, as in closed forest canopies, and under less energy limiting conditions, as in open Mediterranean ecosystems, are used in order to evaluate the effect of vegetation structure on leaf morphology. In addition, suggestions are made for prevention of wetting by various adaptive leaf morphology traits.

The presented experimental evidence and observations in the field are, in general, limited to recent publications and the approach is to collect more experimental data in the field to test the applicability of the hypothesis. Within this perspective a number of questions may be asked and the answer to these questions may help to understand leaf morphology within the photosynthesis–transpiration compromise.

The following questions among others may be asked. Is photosynthesis reduced in rain-wetted leaves of varying morphology? How thick is the water layer of wet leaves of different sizes? Which species have a low/high wettability of leaves? Does photosynthesis continue during rain in velvet and tomentose leaves? Can the simulation of rainfall interception and evaporation of Klaassen (2001) be used for Fynbos vegetation and other Mediterranean ecosystems?

Acknowledgements

We cordially thank Dr W. Klaassen, Dr J.J.M. de Jong, Professor V. Westhoff (†), Drs Ir. W.N.J. Ursem and Dr G. Londo for assistance and critical advice during the preparation of the manuscript.

References

Beadle NCW. 1966. Soil phosphate and its role in molding segments of the Australian flora and vegetation, with special reference to scleromorphy and sclerophylly. *Ecology* **47**: 952–1007.

Berrie GK, Berrie A, Eze JMO. 1987. *Tropical Plant Science*. New York: Longman Scientific and Technical.

Bosveld FC. 1999. Exchange processes between a coniferous forest and the atmosphere. D. Phil. thesis Wageningen University.

Brenner AJ, Jarvis PG. 1995. A heated leaf replica technique for determination of leaf boundary layer conductance in the field. *Agricultural and Forest Meteorology* **72**: 261–275.

Brewer CA, Smith WK. 1997. Patterns of leaf surface wetness for montane and subalpine plants. *Plant, Cell and Environment* **20**: 1–11.

Butler DR. 1996. The presence of water on leaf surfaces and its importance for microbes and insects. In: Kerstiens G, ed. *Plant Cuticles*. Oxford: BIOS Scientific Publishers, 267–282.

Ceulemans R, Mousseau M. 1994. Effects of elevated atmospheric CO_2 on woody plants. *New Phytologist* **127**: 425–446.

Cowling R. 1992. *The Ecology of Fynbos: Nutrients, Fire and Diversity*. Oxford: Oxford University Press.

Curtis PS. 1996. A meta-analysis of leaf gas exchange and nitrogen in trees grown under elevated carbon dioxide. *Plant, Cell and Environment* **19**: 127–137.

Deacon HJ, Jury MR, Ellis F. 1992. Selective regime and time. In: Cowling R, ed. *The Ecology of Fynbos: Nutrients, Fire and Diversity*. Oxford: Oxford University Press, 6–23.

De Jong JJM. 2001. Remote sensing of wet forests. D.Phil. thesis Groningen University, The Netherlands.

De Luca d'Oro GM, Trippi VS. 1987. Effect of stress conditions induced by temperature, water and rain on senescence development. *Plant and Cell Physiolology* **28**: 1389–1396.

Eames D, Jarvis PG. 1989. The direct effects of increase in global atmospheric CO_2 concentration on natural and commercial temperate trees and forests. *Advances in Ecological Research* **19**: 1–55.

Ehleringer JR, Comstock JP, Cooper TA. 1987. Leaf-twig carbon isotope ratio differences in photosynthetic-twig desert shrubs. *Oecologia* **57**: 318–320.

Elzenga JTM, Prins HBA. 1989. Light-induced polar pH changes in leaves of *Elodea canadensis*. I. Effects of carbon concentration and light intensity. *Plant Physiology* **91**: 62–67.

Eschrich W. 1995. *Funktionelle Pflanzenanatomie*. Berlin: Springer.

Feild TS, Zwieniecki MA, Donoghue MJ, Holbrook NM. 1998. Stomatal plugs of *Drimys winteri* (Winteraceae) protect leaves from mist but not drought. *Proceedings of the National Academy of Sciences, USA* **95**: 14256–14259.

Gates DM. 1980. *Biophysical Ecology*. Berlin: Springer.

Gibson AC. 1998. Photosynthetic organs of desert plants. *BioScience* **48**: 911–920.

Gibson AC, Nobel PS. 1986. *The Cactus Primer*. Cambridge: Harvard University Press.

Gordon AM, Chourmouzis C, Gordon AG. 2000. Nutrients in litterfall and rainwater fluxes in 27-year old red, black and white spruce plantations in Central Ontario, Canada. *Forest Ecology and Management* **138**: 65–78.

Hill RS, Brodribb TJ. 2001. Macrofossil evidence for the onset of xeromorphy in Australian Casuarinaceae and tribe Banksieae (Proteaceae). *Journal of Mediterranean Ecology* **2**: 127–136.

Hope GS. 1986. Development of present day biotic distributions in the New Guinea mountains. In: Barlow, ed. *Flora and Fauna of Alpine Australasia: Ages and Origin*. Melbourne: CSIRO, 129–147.

Horton RE. 1919. Rainfall interception. *Monthly Weather Review* **47**: 603–623.

Ishibashi M, Terashima I. 1995. Effects of continuous leaf wetness on photosynthesis: adverse effects of rainfall. *Plant, Cell and Environment* **18**: 431–438.

Johnson SD. 1992. Plant–animal relationships. In: Cowling R, ed. *The Ecology of Fynbos: Nutrients, Fire and Diversity*. Oxford: Oxford University Press, 175–206.

Keeley JE. 1992. A Californian's view of Fynbos. In: Cowling R, ed. *The Ecology of Fynbos: Nutrients, Fire and Diversity*. Oxford: Oxford University Press, 372–389.

Klaassen W. 2001. Evaporation from rain-wetted forest in relation to canopy wetness, soil cover and net radiation. *Water Resources Research* 37: 3227–3236.

Klaassen W, Bosveld F, de Water E. 1998. Water storage and evaporation as constituents of rainfall interception. *Journal of Hydrology* 212–213: 36–50.

Kuiper PJC. 1961. The effects of environmental factors on the transpiration of leaves, with special reference to stomatal light response. *Mededelingen Landbouwhogeschool, Wageningen, The Netherlands* 61: 1–48.

Kuiper PJC. 1998. Adaptation mechanisms of green plants to environmental stress. *Annals of the New York Academy of Sciences* 851: 209–215.

Kürschner WM, Stulen I, Wagner F, Kuiper PJC. 1998. Comparison of palaeobotanical observations with experimental data on the leaf anatomy of durmast oak (*Quercus petraea*, Fagaceae) in response to environmental change. *Annals of Botany* 81: 657–664.

Lankreijer HJM, Hendriks MJ, Klaassen W. 1993. A comparison of models simulating rainfall interception of forests. *Agricultural and Forest Meteorology* 64: 187–199.

Martin E. 1943. Studies on evaporation and transpiration under controlled conditions. *Publications Carnegie Institute at Washington* 550: 1–48.

Massart J. 1907. Essai de Géographie Botanique des Districts Littoraux et Alluviaux de la Belgique. *Recueil de l'Institut botanique Léo Errera, Bruxelles* 7: 167–584.

Monson RK, Grant RC, Jaeger CH, Schoettle AW. 1992. Morphological causes for the retention of precipitation in the crowns of alpine plants. *Environmental and Experimental Botany* 32: 319–327.

Monteith JL, Unsworth MH. 1990. *Principles of Environmental Physics*. London: Edward Arnold.

Nobel PS. 1991. *Physicochemical and Environmental Plant Physiology*. New York: Academic Press.

Ovington JD. 1968. Some factors affecting nutrient distribution within ecosystems. In: Eckhardt FE, ed. *Functioning of Terrestrial Ecosystems at the Primary Production Level*. Paris: UNESCO, 95–105.

Parrish JT. 1998. *Interpreting pre-Quaternary Climate from the Geologic Record*. New York: Columbia University Press.

Penman HL. 1948. Natural evaporation from open water, bare soil and grass. *Proceedings of the Royal Society of London A* 193: 120–146.

Raschke K. 1956. Über die physikalischen Beziehungen zwischen Warmeübergangszahl, Strahlungaustausch, temperatur und transpiration eines Blattes. *Planta* 48: 200–238.

Raschke K. 1960. Heat transfer between the plant and the environment. *Annual Review of Plant Physiology* 11: 111–126.

Sage RF. 2001. Environmental and evolutionary precondition for the origin and diversication of the C_4 photosynthetic syndrome. *Plant Biology* 3: 202–213.

Schumann D, Kirsten G, Oliver EGH. 1992. *Ericas of South Africa*. Vlaeberg: Fernwood Press.

Smith WK, McClean TM. 1989. Adaptive relationship between leaf water repellency, stomatal distribution, and gas exchange. *American Journal of Botany* 76: 465–469.

Specht RL, Rundel PW. 1990. Sclerophylly and foliar nutrient status of Mediterranean-climate plant communities in Southern Australia. *Australian Journal of Botany* 38: 459–474.

Stebbins GL. 1974. *Flowering Plants: Evolution above the Species Level*. Cambridge: Belknap Press of Harvard University Press.

Stock WD, van der Heyden F, Lewis OAM. 1992. Plant structure and function. In: Cowling R, ed. *The Ecology of Fynbos: Nutrients, Fire and Diversity*. Oxford: Oxford University Press, 226–241.

Taylor SE. 1975. Optimal leaf form. In: Gates DM, Schmerl RB, eds. *Perspectives of Biophysical Ecology. Ecological Studies* 12: 73–87.

Taylor SE, Sexton OJ. 1972. Some implications of leaf tearing in Musaceae. *Ecology* 53: 143–149.

Tukey HB. 1962. Leaching of metabolites from above-ground plant parts, with special reference to cuttings used for propagation. *Combined Proceedings of the Plant Propagators Society* **11**: 63–70.

Tukey HB. 1970. The leaching of substances from plants. *Annual Review of Plant Physiology* **21**: 305–324.

Wagner F, Below R, De Klerk P, *et al.* 1996. A natural experiment on plant acclimation: lifetime stomatal frequency response of an individual tree to annual atmospheric CO_2 increase. *Proceedings of the National Academy of Sciences, USA* **93**: 11705–11708.

Woodward IF. 1987. Stomatal numbers are sensitive to increases in CO_2 from pre-industrial levels. *Nature* **327**: 617–618.

14

Xylem hydraulics and angiosperm success: a test using broad-leafed species

Norman W Pammenter, Guy F Midgley and William J Bond

CONTENTS

Introduction

Angiosperms are both more numerous in species and more diverse in form than other seed plants. They also dominate low latitude and low altitude biomes of the world in terms of biomass. Angiosperms began to diversify only in the Cretaceous when they also began to infiltrate, and eventually displace, vegetation dominated by *Ginkgo* L., conifers, cycads, Gnetales and extinct gymnosperm groups (Crane *et al.*, 1995; Wing and Boucher, 1998). Over the last ten years, there has been considerable progress in identifying attributes of early angiosperms from remarkable fossil discoveries and in identifying sister taxa from molecular and morphological phylogenetic analyses (Crane *et al.*, 1995; Crepet, 2000; Friedman and Floyd, 2001). There has also been a growing number of studies on angiosperm traits that might account for their ecological 'success'. Diversification of angiosperms has been linked to co-evolution with insect pollinators in many angiosperm groups (Grimaldi, 1999; Crepet, 2000) and to the evolution of growth forms with short generation times (Eriksson and Bremer, 1992; Tiffney and Mazer, 1995; Dodd *et al.*, 1999). However, diversity does not necessarily translate to ecological dominance, as measured by the area occupied or the proportion of biomass present (Bond, 1989). It is this aspect of angiosperm success that we consider here.

Extant gymnosperms are all woody and most have long-lived leaves with low surface area to weight ratios. Many angiosperms resemble gymnosperms, with long-lived evergreen leaves similar to extant conifers (although few have needle-like leaves) and often grow together with them. However, angiosperms also include trees, shrubs and herbs with leaves of a short life span and high surface area to weight ratios (Reich 1998), unlike any extant (or extinct) gymnosperms. Plants with these leaf properties dominate ecosystems where gymnosperms are rare or absent, including temperate deciduous forests, lowland tropical forests (which, although evergreen, are ever-growing), savannas, and herb-dominated grasslands and ruderal communities. Bond (1989) suggested that the presence of vessels and of distinctive, anastomosing leaf venation in angiosperms, coupled with a reproductive system that allowed them rapidly to produce seeds, permitted flowering plants to develop novel growth forms that could out-grow gymnosperms. He suggested that these features might be most important in the recruitment stage, before gymnosperms could build up a large leaf mass by accumulating successive cohorts of evergreen leaves. Rapid growth and rapid reproduction would be most favoured in productive environments and it is these that are now dominated by flowering plants. Angiosperms would have little advantage over gymnosperms in environments with chronic stress such as cold, or nutrient poor areas and here gymnosperms would still be able to persist.

There are a number of recent studies of hydraulic properties and leaf physiology of angiosperms and gymnosperms (Becker *et al.*, 1999; Brodribb and Feild, 2000) and of angiosperms which lack vessels (Feild *et al.*, 1998, 2000; Feild and Holbrook, 2000). Becker (2000) has reviewed such studies in the context of Bond's (1989) hypothesis, that differences in the hydraulic system partly account for angiosperm 'success'. The general conclusion is that angiosperms can attain higher conductance and photosynthetic capacity than gymnosperms but that values measured for many angiosperms overlap those obtained for gymnosperms. Becker (2000) argues that the results do not support the contention that angiosperm innovations in the hydraulic system influence leaf physiology and competitive performance. However, most of the studies compared angiosperm and gymnosperm trees growing together in low productivity environments including cloud forests, nutrient poor soils and other sites with chronic stress, where the hydraulic characteristics of angiosperms would have little advantage.

A more appropriate test of the importance of hydraulic design in limiting gymnosperm success, would be to compare relative performance of species with similar growth forms in productive environments, from which gymnosperms have been excluded. The question is whether gymnosperm-like vascular systems can support fast-growing angiosperm-like canopies. Could a gymnosperm-type hydraulic system, made up of tracheids, supply water fast enough to sustain uniquely angiosperm-type leaves with short life spans, a high surface area to mass ratio and the capacity to rapidly grow and fill space? Could these uniquely angiosperm leaf properties function with gymnosperm-like leaf vasculature (Roth-Nebelsick *et al.*, 2001)? Because we do not have the technology to design plants to specification, with mixed angiosperm and gymnosperm elements, we explored the first question, of hydraulic limitations on leaf function, by searching for gymnosperms with leaves most similar to those of angiosperms growing in productive environments. There are very few of them: most extant conifers have needle-like or scale leaves. *Ginkgo* is the only extant gymnosperm which grows a broad-leaf and discards it in a single season. We compared this species with broad-leaved deciduous angiosperm trees of genera that occur in temperate deciduous forests. Although the earliest angiosperms were probably evergreen, we chose deciduous rather than evergreen angiosperms for three reasons: (1) the hypothesis concerns the dominance, not the origin of angiosperms, and deciduous broad-leafed ginkgophytes were displaced by deciduous angiosperms from the Cretaceous (Upchurch *et al.*,

1998); (2) we wished to ensure that the study species had short-lived leaves (leaf life span of evergreen plants is extremely variable among species and growth conditions); and (3) the angiosperm and 'model' gymnosperm species to be compared would have the same growth form. To extend the database for the gymnosperms, we also included data from two further species, *Agathis* Salisb. and *Podocarpus* L' Hér. ex Pers. which, although evergreen, are relatively broad-leafed. All the trees were growing in resource-rich productive sites. We wished to determine whether: (1) the hydraulic properties of these broad-leafed gymnosperms differ from those of angiosperms with a similar tree growth form; (2) whether any such differences are correlated with leaf physiology; and (3) whether differences in leaf physiology could potentially influence competitive ability.

Materials and methods

Choice of species

To assess the influence of anatomy or morphology on physiological characteristics, the plants chosen should ideally be growing together, so as to avoid potentially confounding effects of different growth conditions. This requirement for species of similar habit occurring in the same habitat imposed constraints on the species available for study. However, in a municipal park in Cape Town, South Africa, some suitable species have been planted. In addition to *Ginkgo biloba* L., the following broad-leafed deciduous angiosperm species were studied: *Quercus robur* L. (English oak), *Quercus palustris* Münchh. (southern pin oak), *Ulmus procera* Salisb. (English elm), and the London plane (*Platanus* × *acerifolia* (Aiton) Willd., a hybrid between *Platanus orientalis* L. and *P. occidentalis* L., sometimes also referred to as *Platanus* × *hispanica* (Pakenham, 1996)). The park where the plants were growing was irrigated during the dry summer months, when the measurements were taken. To broaden the base of the gymnosperm data set, studies were undertaken on *Agathis robusta* (Moore) Bailey: although not deciduous this species has relatively broad leaves in comparison with most gymnosperms. Additionally, some data collected for a different study on the gymnosperm *Podocarpus latifolius* (Thunb.) R. Br. ex Mirb. were included in the data set.

The constraints imposed on the choice of species create statistical difficulties in that truly independent samples were not available for all species. Studies were conducted on four individual young trees of *G. biloba*, three mature *Q. robur* trees, two young specimens of *Q. palustris* and a single young but mature tree of each of *U. procera* and *P.* × *acerifolia*. A single specimen of *A. robusta* growing as a street tree near the park in Cape Town was used for the water relations studies and a young specimen in the Durban Botanic Gardens was used to investigate photosynthesis characteristics. The specimen of *P. latifolius* was growing in an irrigated domestic garden in Durban. In all cases, measurements were made on several (up to five) individual leaves or twigs from the trees available. Where appropriate, analyses of variance were conducted and data that were not normally distributed were log-transformed prior to analysis.

Physiological studies

Water relations

Hydraulic conductivities of excised young branches were measured using the procedure of Sperry *et al.* (1987). Briefly, conductivity was calculated by measuring the mass flow of water passing through a branch segment connected to a constant pressure reservoir (2 kPa).

It was ensured that all branch segments were longer than the longest xylem vessel. Hydraulic conductivity was measured after flushing the branch segment at a pressure of approximately 200 kPa until no further increase in flow rate occurred and values reported here are maximum values. A 0.01 M HCl solution (with filtered (0.22 μm membrane filter), degassed, distilled water) was used throughout. After measurement, safranin dye (0.05%) was passed into the stem to stain the functional xylem, the area of which was measured and the data were expressed as specific conductivity (k_s). Leaf area distal to the measured stem was measured and data also expressed as leaf specific conductivity (k_l).

Stomatal conductances and transpiration rates of leaves in their natural orientation were measured using a LiCor 1600 porometer (LiCor, Lincoln, Nebraska) and light intensity incident on the leaf surface noted. The water potential of each leaf on which transpiration rate had been measured was determined immediately afterwards by means of a pressure chamber (Soil Moisture Corporation, Santa Barbara, California). Measurements were taken from pre-dawn to shortly after midday to establish the relationship between transpiration rate and leaf water potential (measurements were not taken in the afternoon to avoid hysteresis effects).

Photosynthesis studies

Rates of net carbon dioxide assimilation (A) were measured using a LiCor 6200 portable photosynthesis system with a 1 l chamber volume. Leaves were maintained in their natural orientation during measurements and light intensity incident on the surface was measured. Data were collected from pre-dawn to shortly after midday and measured rates were plotted against incident photosynthetic photon flux density (PPFD), so that photosynthesis rate at saturating light intensity (A_{max}) could be assessed. We used a number of leaves to construct a single 'light curve' and replicates consisted of measurements on different days.

The response of rates of assimilation to intercellular CO_2 concentration (C_i) were measured using the same equipment (except for *A. robusta* and *P. latifolius*). A fully illuminated leaf was enclosed in the chamber at normal atmospheric CO_2 concentration and photosynthetic rates measured as the CO_2 concentration in the chamber was drawn down by the photosynthesis of the leaf. Once the compensation point had been approached the CO_2 concentration in the chamber was increased by the injection of a small quantity of pure CO_2, and photosynthetic rates measured as CO_2 concentration was drawn down to ambient levels. Data sets in which there were differences between the two measures of assimilation rate at ambient CO_2 concentration (at the start and end of the experiment) were rejected. Relative humidity in the chamber was maintained close to ambient levels by controlling the proportion of the airflow passing through a desiccant. Leaf temperatures increased during the course of measurements, but did not exceed air temperature by more than 5°C. A:C_i curves and light response curves of *A. robusta* and *P. latifolius* were measured using a LiCor 6400 portable photosynthesis measuring system. The initial slope of the response of A to C_i was taken as a measure of the carboxylation coefficient, which has been related to the activity of ribulosebisphosphate (RuBP) carboxylase (Farquhar and Sharkey, 1982). The saturation value (J_{max}) indicates the maximum rate of RuBP regeneration and thus electron flow through the photosynthetic electron transport pathway (Farquhar and Sharkey, 1982). To have sufficient data points for calculation and analysis of initial slopes, the data from individual A:C_i curves were combined.

Stomatal limitation to photosynthesis was assessed according to Farquhar and Sharkey (1982). Instead of calculating a stomatal limitation for each individual A:C_i curve for each species, a single value was estimated by combining all the curves for a species and using the mean value of stomatal conductances at PPFD values greater than $200\,\mu\text{mol}\,\text{m}^{-1}\text{s}^{-1}$ (the light intensity by which stomatal conductance had saturated). Although this means that replicate values were not available, it was felt to be more representative of the leaves in their natural state, as stomatal conductances of leaves in these conditions, rather than in a chamber, were used.

Results

The maximum hydraulic conductivity of minor branches expressed per unit area of functional xylem is shown in Figure 14.1. The values separated into two statistically distinct groups, with the angiosperms having specific conductivities an order of magnitude higher than those of the gymnosperms. In terms of water supply to leaves, inefficient xylem could be compensated for by decreases in the leaf area supplied per unit area of xylem. In the species studied, although the gymnosperms did have lower leaf area/xylem area ratios, the differences were not large (data not shown). Consequently, when hydraulic conductivity was expressed per unit leaf area supplied, the differences apparent in specific conductivity were maintained, with the angiosperms having leaf specific conductivities five to ten times higher than those of the gymnosperms (Figure 14.2).

The tension developed in the transpiration stream is directly related to the transpiration rate and inversely proportional to the leaf specific conductivity (Tyree and Ewers, 1991). Thus a low leaf specific conductivity would imply either, or both, low transpiration rates and low leaf water potential. The relationship between transpiration rate and the leaf water potential developed support this (Figure 14.3; the lines for individual species are extended to the maximum transpiration rates measured). The slopes of this relationship for the species studied fall into two statistically distinct groups, with the gymnosperms showing the steeper slopes. Consequently, the gymnosperm species had midday transpiration rates

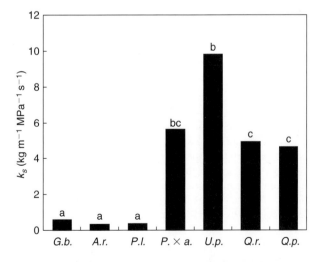

Figure 14.1 Maximum hydraulic conductivity per unit xylem area (k_s) of three gymnosperm and four angiosperm species. Abbreviations: *G.b.*, *Ginkgo biloba*; *A.r.*, *Agathis robusta*; *P.l.*, *Podocarpus latifolius*; *P. × a.*, *Platanus × acerifolia*; *U.p.*, *Ulmus procera*; *Q.r.*, *Quercus robur*; *Q.p.*, *Quercus palustris*. The same abbreviations are used in all the figures. Values with the same letter are not statistically different (analysis of variance followed by Tukey's multiple range test, $P < 0.05$).

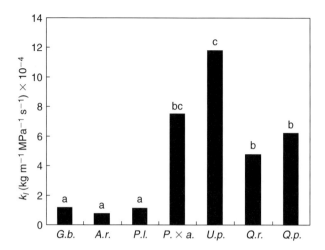

Figure 14.2 Maximum hydraulic conductivity per unit leaf area supplied (k_l). Abbreviations as in Figure 14.1. Values with the same letter are not statistically different (analysis of variance followed by Tukey's multiple range test, $P < 0.05$).

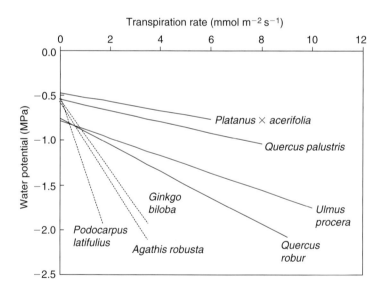

Figure 14.3 Relationship between transpiration rate and leaf water potential developed. For clarity only the fitted linear regressions, rather than all individual data points, are shown. The lines have been extended to the maximum transpiration rates measured. The solid lines and the dotted lines constitute two statistically distinct groups of regressions (T'-method for unplanned comparisons among a set of regression coefficients at 95% confidence level; Sokal and Rohlf, 1981).

considerably less than those of the angiosperms. The leaf water potentials developed by the gymnosperms tended to be lower than those experienced by the angiosperms, although there was some overlap.

The fact that the gymnosperms exhibited lower transpiration rates than the angiosperms, under the same soil water supply and atmospheric vapour pressure deficit conditions,

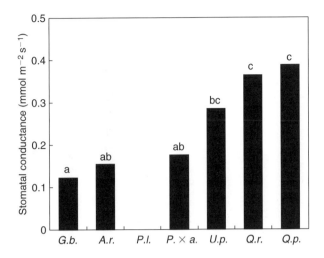

Figure 14.4 Average stomatal conductances measured in the field at incident photosynthetically active radiation intensities greater than 200 μmol photons m^{-2} s^{-1}. Abbreviations as in Figure 14.1. Values with the same letter are not statistically different (analysis of variance followed by Tukey's multiple range test, $P < 0.05$).

suggests that the stomatal conductances to vapour diffusion were lower in the gymnosperms. Stomatal conductance is dependent upon incident light intensity, but in the species studied the effect was generally saturated by a PPFD of 200 μmol m^{-2}s^{-1}. The mean stomatal conductance measured for each species at incident radiation higher than this is shown in Figure 14.4 (as the data for *P. latifolius* were collected for a different study, stomatal conductance values are not available). Although the differences were not as marked as reported for the hydraulic conductivities, there is a tendency for the gymnosperms to have lower stomatal conductances than the angiosperms, with *P. × acerifolia* showing intermediate values closer to the gymnosperms than the other angiosperms.

Lower stomatal conductances could possibly limit CO_2 diffusion into the leaf and hence reduce maximum photosynthetic rates. Light-saturated rates of photosynthesis (A_{max}, PPFD > 1000 μmol m^{-2}s^{-1}) fell into distinct groups (Figure 14.5), although *P. × acerifolia* again grouped with the gymnosperms, not the angiosperms. To assess whether the lower maximum photosynthetic rates were a consequence of stomata-imposed limitations on rates of CO_2 diffusion, stomatal limitations were calculated (Figure 14.6). Although the method of calculation did not permit statistical analysis of the data, it is clear that there are no major differences in stomatal limitation between the two groups of plants. To assess whether photosynthetic capacity, rather than stomata, limited light-saturated photosynthetic rates, the carboxylation coefficients (Figure 14.7) and maximum rates of RuBP regeneration (Figure 14.8) were measured from $A:C_i$ curves. Differences in carboxylation coefficients were not clear, although there was a tendency for the species with high rates of light-saturated photosynthesis to have high carboxylation coefficients (Figure 14.7). In terms of maximum rates of RuBP regeneration, although *P. × acerifolia* had the lowest value among the angiosperms, the gymnosperms constituted a single group with values lower than any of the angiosperms (Figure 14.8). Thus the low maximum photosynthetic rates of the gymnosperms is a consequence of low photosynthetic capacity, rather than directly due to stomatal limitation to CO_2 diffusion. In terms of photosynthetic characteristics, *P. × acerifolia* is more similar to the gymnosperms, than to the angiosperms.

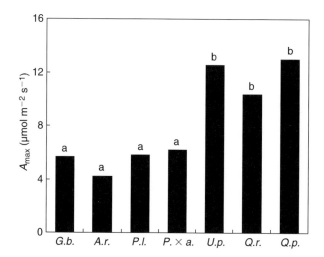

Figure 14.5 Average rates of photosynthesis measured in the field at incident photosynthetically active radiation intensities greater than $1000 \, \mu\text{mol photons m}^{-2}\text{s}^{-1}$ (A_{max}). Abbreviations as in Figure 14.1. Values with the same letter are not statistically different (analysis of variance followed by Tukey's multiple range test, $P < 0.05$).

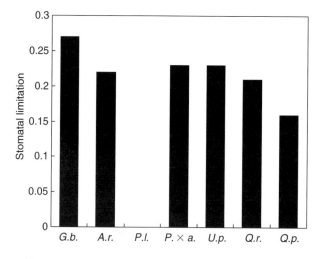

Figure 14.6 Stomatal limitation to photosynthesis, assessed from bulked replicate $A{:}C_i$ curves and average stomatal conductance measured in the field at incident photosynthetically active radiation intensities greater than $200 \, \mu\text{mol photons m}^{-2}\text{s}^{-1}$. Abbreviations as in Figure 14.1.

Discussion

The essence of the argument presented here concerning the current dominance of the angiosperms is that the more efficient hydraulic characteristics conferred by the vessels of the angiosperms could provide this group with a competitive advantage *under conditions of high potential productivity*. Thus, when subjecting this hypothesis to test, the choice of species is critical. Additionally, although there is considerable overlap in the hydraulic properties of gymnosperms and angiosperms (Tyree and Ewers, 1996; Becker, 2000), hydraulic

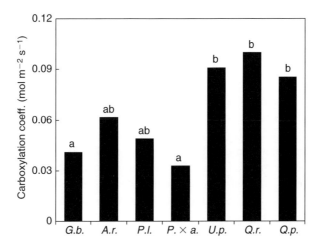

Figure 14.7 Carboxylation coefficient measured as the slope of bulked $A:C_i$ curves. Abbreviations as in Figure 14.1. Values with the same letter are not statistically different (T'-method for unplanned comparisons among a set of regression coefficients at 95% confidence level).

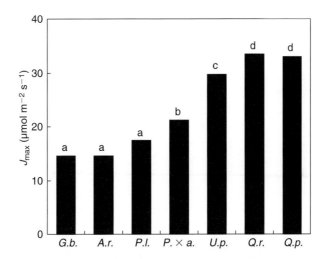

Figure 14.8 Maximum rates of RuBP regeneration (J_{max}) measured from $A:C_i$ curves. Abbreviations as in Figure 14.1. Values with the same letter are not statistically different (analysis of variance followed by Tukey's multiple range test, $P < 0.05$).

architecture and conductivities may respond to growth conditions (Shumway *et al.*, 1993; Mencuccini and Grace, 1995; Heath *et al.*, 1997; Vander Willigen and Pammenter, 1998; Brodribb and Feild, 2000). This reinforces the need to select, not only the test species, but also the individual plants, with care. Becker *et al.* (1999) showed similar whole plant hydraulic conductances of sapling-sized angiosperms and gymnosperms, but these were growing on nitrogen- and phosphorus-poor white sands in Borneo. Similarly, Feild and Holbrook (2000) showed no difference in leaf specific conductivities between the vessel-less *Drimys granadensis* L. (Winteraceae) and co-occurring vessel-bearing angiosperms in a cloud forest of Costa Rica. However, the conductivities measured were at the low end of the range for angiosperms and were, in fact, similar to the values we measured for the gymnosperms in our study. Thus we chose angiosperms with broad, short-lived leaves from productive habitats, the species being selected specifically because they were growing together with a gymnosperm of similar growth habit. Two additional relatively broad-leafed gymno-sperm species were also included; the specimens of both species were growing in productive environments.

There were clear differences between the angiosperms and gymnosperms in our study in terms of hydraulic conductivities of twigs, expressed on either xylem area (see Figure 14.1) or leaf area (see Figure 14.2). Although the roots may constitute the main resistance to water flow, particularly in small plants (Tyree and Ewers, 1991), these differences in minor branches in our study translated into differences at the leaf level of intact plants, in terms of rates of transpiration and leaf water potentials developed (see Figure 14.3). Becker *et al.* (1999) have pointed out the importance of measuring whole plant conductance when assessing the significance of hydraulic characteristics. We were unable to do this directly because it is difficult to measure root conductance using a high pressure flow meter (Tyree *et al.*, 1995) on plants with basal diameters in excess of a few centimetres (over-and-above problems of getting permission to fell trees in a park!). Meinzer *et al.* (1999) have estimated whole plant conductance from stem sap flow measurements and leaf water potentials: we were unable to do this because of the range in stem size we were dealing with. However, the slope of the relationship between leaf transpiration rate and leaf water potential frequently has been taken as a measure of whole plant conductance (see Table 4 in Becker *et al.* (1999) for references). This measure indicated significantly lower whole plant conductances of the gymnosperms when compared with the angiosperms in our study (see Figure 14.3).

The lower hydraulic conductances and lower transpiration rates of the gymnosperms were associated with lower stomatal conductances to diffusion (see Figure 14.4). It has been suggested that a function of stomata is to maintain transpiration rates at levels preventing excessive tensions in the xylem water columns, so preventing runaway embolism cycles (Tyree and Sperry, 1989) and hydraulic constraints on stomatal conductance and transpiration have been reported (Whitehead, 1998; Kolb and Sperry, 1999; Meinzer *et al.*, 1999; Clearwater and Meinzer, 2001). The clear exception here is the low stomatal conductance of *P.* × *acerifolia*, which is obviously not a consequence of low plant hydraulic conductance. The reason for this is unknown: it should not be related to the diffuse-porous nature of the wood of this species (the other angiosperm species are ring-porous), because hydraulic conductivities were measured directly; additionally, the existence of scalariform perforation plates would suggest that the species has low vulnerability to cavitation and so transpiration rates would not have to be kept low to maintain low xylem tensions, as would be the case if vulnerability was high.

Low stomatal conductances could possibly limit photosynthesis by restricting CO_2 diffusion into the leaf intercellular air spaces (Farquhar and Sharkey, 1982) and light-saturated rates of photosynthesis of the gymnosperms were indeed lower than those of the angiosperms (except *P.* × *acerifolia*; see Figure 14.5) and there was a significant linear relationship between stomatal conductance and A_{max} ($R^2 = 0.81$, $P < 0.02$). However, these lower photosynthetic rates in the gymnosperms do not appear to be a direct consequence of stomatal limitations as there were no clear differences between the gymnosperms and angiosperms in stomatal limitations to carbon assimilation rate (as assessed from $A:C_i$ curves and average light-saturated value of stomatal conductances (see Figure 14.6)). Rather, the differences in photosynthetic rates between the groups seem a consequence simply of higher photosynthetic capacity in the angiosperms (i.e. higher carboxylation coefficients and RuBP regeneration rates, see Figures 14.7 and 14.8).

It is now well known that the relationship at leaf level between maximum stomatal conductance and maximum assimilation rate is strongly conserved across many plant species and functional types (Schulze *et al.*, 1994), as is the relationship between carboxylation capacity and RuBP regeneration rate (Wullschleger, 1993). Therefore, a functional limitation on stomatal conductance imposed by hydraulic constraints should translate to lower leaf level photosynthetic capacity. Our data indeed show a significant positive relationship between A_{max} and k_l ($R^2 = 0.59$, $P < 0.05$). This result echoes that of Brodribb and Feild (2000), who showed a significant positive relationship between k_l and photosynthetic capacity (assessed from electron flux through PSII) in a wide range of angiosperm and gymnosperm trees. In that study, although there were some overlaps, the gymnosperms and vessel-less angiosperms had significantly lower hydraulic conductivities and photosynthetic capacities (from which was inferred lower stomatal conductances) than the vessel-bearing angiosperms.

Thus, in our study the hydraulic conductivities of broad-leafed deciduous angiosperms were higher than those of broad-leafed gymnosperms growing in the same or similar environments and these differences in hydraulic characteristics were associated with differences in leaf physiology, with the angiosperms having higher photosynthetic capacities and light-saturated photosynthetic rates (with the exception of *P. × acerifolia*). Growth rates, of course, depend upon more than photosynthesis rates per unit leaf area, with characteristics such as partitioning of photosynthate (Körner, 1991) and respiration rates and relative sink strengths (Farrar, 1999) being important. It is thus unlikely that differences in leaf physiology are the sole factor underlying the dominance of woody angiosperms over gymnosperms in these environments. However, among species of similar growth habit (woody, broad-leafed, short leaf life span) and habitat (productive environments), a higher photosynthetic capacity could translate into potentially higher growth rates and hence competitive ability.

We speculate that hydraulic limitations are likely to emerge as constraints on plant growth and there is evidence of a general trend of high whole plant hydraulic conductivities being associated with fast growth rates of pioneer species (Tyree and Ewers, 1996). In addition to any affect at the level of leaf physiology, hydraulic limitations are likely to constrain canopy development rates as well. Because of the lower stem hydraulic conductivity per unit xylem area of the gymnosperms, to maintain high capacity for water delivery to leaves with high transpiration rates (and thus photosynthetic rates), more wood has to be allocated to support unit leaf area. (This ratio, like other aspects of hydraulic architecture, is influenced by locality and growth conditions, and so comparisons should be made among similar growth forms and habitat type.) Allocation of more carbon to non-photosynthetic conducting tissue is likely to reduce total photosynthate assimilation and so potential growth rate. To develop both the physiological and allometric arguments fully, information on maximum individual growth rate, maximum canopy leaf area index and canopy development rate are needed, not only at the seedling level (the 'slow seedling' hypothesis of Bond (1989)), but also at the sapling stage. It is well known, for example, that pine (gymnosperm) plantation forests are highly productive, but the key to this apparent paradox is that they require time to develop the leaf area indexes and canopies to achieve high production rates once established.

An additional possible factor in the competitive potential of angiosperms is that our casual (unrecorded) observations suggest that the growth form of angiosperm trees is more plastic than that of gymnosperms. This plasticity would be an advantage in exploiting stochastically available resources (such as gaps in a forest canopy), leading to a competitive edge. However, high growth rates are a prerequisite for plants to be able to take advantage of this plasticity.

In summary, our data set pertaining to angiosperms and gymnosperms species of similar growth habit in similar habitats are consistent with the concept of a hydraulic limitation to the growth rate of gymnosperms and hence their relative lack of success in productive habitats in the face of competition from 'better-plumbed' angiosperms. The ultimate test of manipulating the hydraulic conductivities of the test species and observing the effects on leaf physiology and growth rates awaits to be done.

References

Becker P. 2000. Competition in the regeneration niche between conifers and angiosperms: Bond's slow seedling hypothesis. *Functional Ecology* **14**: 401–412.

Becker P, Tyree MT, Tsuda M. 1999. Hydraulic conductances of angiosperms versus conifers: similar transport sufficiency at the whole-plant level. *Tree Physiology* **19**: 445–452.

Bond WJ. 1989. The tortoise and the hare: ecology of angiosperm dominance and gymnosperm persistence. *Biological Journal of the Linnean Society* **36**: 227–249.

Brodribb TJ, Feild TS. 2000. Stem hydraulic supply is linked to leaf photosynthetic capacity: evidence from New Caledonian and Tasmanian rainforests. *Plant, Cell and Environment* **23**: 1381–1388.

Clearwater MJ, Meinzer FC. 2001. Relationships between hydraulic architecture and leaf photosynthetic capacity in nitrogen-fertilized *Eucalyptus grandis* trees. *Tree Physiology* **21**: 683–690.

Crane PR, Friis EM, Pedersen KR. 1995. The origin and early diversification of angiosperms. *Nature* **374**: 27–33.

Crepet WL. 2000. Progress in understanding angiosperm history, success, and relationships: Darwin's abominably 'perplexing phenomenon'. *Proceedings of the National Academy of Sciences of the United States of America* **97**: 12939–12941.

Dodd ME, Silvertown J, Chase MW. 1999. Phylogenetic analysis of trait evolution and species diversity variation among angiosperm families. *Evolution* **53**: 732–744.

Eriksson O, Bremer B. 1992. Pollination systems, dispersal modes, life forms, and diversification rates in angiosperm families. *Evolution* **46**: 258–266.

Farquhar GD, Sharkey TD. 1982. Stomatal conductance and photosynthesis. *Annual Review of Plant Physiology* **33**: 317–345.

Farrar JF. 1999. Acquisition, partitioning and loss of carbon. In: Press MC, Scholes JD, Barker MD, eds. *Physiological Plant Ecology*. Oxford: Blackwell Science, 25–43.

Feild TS, Zwieniecki MA, Donoghue MJ, Holbrook NM. 1998. Stomatal plugs of *Drimys winteri* (Winteraceae) protect leaves from mist but not drought. *Proceedings of the National Academy of Sciences of the United States of America* **95**: 14256–14259.

Feild TS, Holbrook NM. 2000. Xylem sap flow and stem hydraulics of the vesselless angiosperm *Drimys granadensis* (Winteraceae) in a Costa Rican elfin forest. *Plant, Cell and Environment* **23**: 1067–1077.

Feild TS, Zwieniecki MA, Holbrook NM. 2000. Winteraceae evolution: An ecophysiological perspective. *Annals of the Missouri Botanical Garden* **87**: 323–334.

Friedman WE, Floyd SK. 2001. Perspective: The origin of flowering plants and their reproductive biology – A tale of two phylogenies. *Evolution* **55**: 217–231.

Grimaldi D. 1999. The co-radiations of pollinating insects and angiosperms in the Cretaceous. *Annals of the Missouri Botanical Garden* **86**: 373–406.

Heath J, Kerstiens G, Tyree MT. 1997. Stem hydraulic conductance of European beech (*Fagus sylvatica* L.) and pedunculate oak (*Quercus robur* L.) grown in elevated CO_2. *Journal of Experimental Botany* **48**: 1487–1489.

Kolb KJ, Sperry JS. 1999. Transport constraints on water use by the Great Basin shrub, *Artemesia tridentata*. *Plant, Cell and Environment* **22**: 925–935.

Körner Ch. 1991. Some often overlooked plant characteristics as determinants of plant growth: a reconsideration. *Functional Ecology* **5**: 162–173.

Meinzer FC, Goldstein G, Franco AC, *et al*. 1999. Atmospheric and hydraulic limitations on transpiration in Brazilian cerrado woody species. *Functional Ecology* **13**: 273–282.

Mencuccini M, Grace J. 1995. Climate influences the leaf area-sapwood area ratio in Scots pine. *Tree Physiology* **15**: 1–10.

Pakenham T. 1996. *Meetings with Remarkable Trees*. London: Weidenfeld and Nicolson.

Reich PB. 1998. Variation among plant species in leaf turnover rates and associated traits: implications for growth at all life stages. In: Lambers H, Poorter H, Van Vauren MMI, eds. *Inherent Variation in Plant Growth: Physiological Mechanisms and Ecological Consequences*. Leiden: Backhuys, 467–487.

Roth-Nebelsick A, Uhl D, Mosbrugger V, Kerp H. 2001. Evolution and function of leaf venation architecture: A review. *Annals of Botany* **87**: 553–566.

Schulze E-D, Kelliher FM, Körner Ch, *et al*. 1994. Relationships among maximum stomatal conductance, ecosystem surface conductance, carbon assimilation, and plant nitrogen: A global ecology scaling exercise. *Annual Review of Ecology and Systematics* **23**: 629–660.

Shumway DL, Steiner KC, Kolb TE. 1993. Variation in seedling hydraulic architecture as a function of species and environment. *Tree Physiology* **12**: 41–54.

Sokal RR, Rohlf FJ. 1981. *Biometry*, 2nd edn. San Francisco: W.H. Freeman.

Sperry JS, Donnelly JR, Tyree MT. 1987. A method for measuring hydraulic conductivity and embolism in xylem. *Plant, Cell and Environment* **11**: 35–40.

Tiffney BH, Mazer SJ. 1995. Angiosperm growth habit, dispersal and diversification reconsidered. *Evolutionary Ecology* **93**: 93–117.

Tyree MT, Ewers FW. 1991. The hydraulic architecture of trees and other woody plants. *New Phytologist* **119**: 345–360.

Tyree MT, Ewers FW. 1996. Hydraulic architecture of woody tropical plants. In: Mulkey SS, Chazdon RL, Smith AP, eds. *Tropical Forest Plant Ecophysiology*. New York: Chapman & Hall, 217–243.

Tyree MT, Patiño S, Bennick J, Alexander J. 1995. Dynamic measurements of root hydraulic conductance using a high pressure flow meter in the laboratory and field. *Journal of Experimental Botany* **46**: 83–94.

Tyree MT, Sperry JS. 1989. Do woody plants operate near the point of catastrophic xylem dysfunction caused by dynamic water stress? Answers from a model. *Plant Physiology* **88**: 574–580.

Vander Willigen C, Pammenter NW. 1998. Relationship between growth and xylem hydraulic characteristics of clones of *Eucalyptus* spp. at contrasting sites. *Tree Physiology* **18**: 595–600.

Upchurch GR, Otto-Bliesner BL, Scotese C. 1998. Vegetation – atmospheric interactions and their role in global warming during the latest Cretaceous. *Philosphical Transactions of the Royal Society, Series B* **353**: 97–112.

Whitehead D. 1998. Regulation of stomatal conductance and transpiration in forest canopies. *Tree Physiology* **18**: 633–644.

Wing SL, Boucher LD. 1998. Ecological aspects of the Cretaceous flowering plant radiation. *Annual Review of Earth and Planetary Sciences* **26**: 379–421.

Wullschleger SD. 1993. Biochemical limitations to carbon assimilation in C_3 plants – a retrospective analysis of the A/C_i curves from 109 species. *Journal of Experimental Botany* **44**: 907–920.

15

Evolution of xylem physiology

Pieter Baas, Frank W Ewers, Stephen D Davis and
Elisabeth A Wheeler

CONTENTS

Introduction

This chapter summarizes how, according to our present understanding, certain wood anatomical traits evolved in woody angiosperms and how during the geological past clear ecological preferences can be recognized for a number of arbitrarily defined wood functional types. That summary will be related to experimental evidence of how key wood anatomical traits affect hydraulic (and to a lesser extent mechanical) functioning of woody trees, shrubs and vines. In conclusion, the ecological patterns in xylem anatomy will be discussed in terms of their functional significance.

The Evolution of Plant Physiology
ISBN 0–12–33955–26

'Trade-off' triangle

Xylem evolution can be viewed in the context of a 'trade-off' triangle (Figure 15.1), with different adaptive solutions to the structure/function problems depending on environmental demands as well as phylogenetic constraints (taxonomic history). Evolution of xylem physiology is complicated by the fact that, ever since the early evolution of land plants, xylem has simultaneously performed multiple functions. These include not only water transport but also mechanical support of the plant and storage of water, minerals and carbohydrates. The optimal structures for each of the xylem functions most likely differ and selection to optimize for one function could lead to suboptimal performance or even complete failure of another function. An extreme example would be wood maximized for efficient water conduction with many wide thin-walled conduits, but which is so mechanically weak that stem failure occurs prior to seed production.

Herein, conductive efficiency of xylem is expressed in terms of specific conductivity (k_s in $m^2 MPa^{-1} s^{-1}$). Specific conductivity is the hydraulic conductivity divided by the xylem transverse area, with hydraulic conductivity equal to the flow rate per pressure gradient (Wagner *et al.*, 1998). Resistance to embolism (air blockage) is defined as the water potential (in MPa) at which there is 50% loss in conductivity due to embolism (Tyree *et al.*, 1994). We define mechanical strength both in terms of stem strength and vessel wall strength. For stem strength we use modulus of rupture (MOR in $GN m^{-2}$) of fresh stems, as measured with a cantilever test. This test is relevant since breakage of stems in nature would impair reproductive output by a plant (Wagner *et al.*, 1998). For vessel strength we use $(t/b)^2$, which is the square of vessel wall thickness (t) divided by the diameter of the conduit (b). This parameter is relevant to determining the resistance to vessel implosion (Hacke *et al.*, 2001), which is a danger to plants since the xylem sap is transported under negative pressure (= tension).

Early beginnings

The first woody plants had vessel-less wood and the first forests were comprised of trees with vessel-less woods (Meyer-Berthaud *et al.*, 1999). Vessels arose independently in

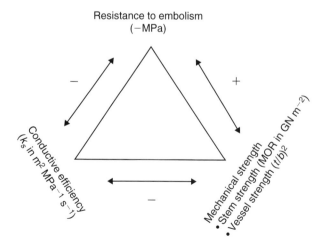

Figure 15.1 Xylem evolution can be viewed in the context of a 'trade-off' triangle, where conductive efficiency is inversely proportional to both mechanical strength and resistance to dysfunction via embolism.

several clades (e.g. ferns, horse tails, *Selaginella* Pal., Gnetales, angiosperms). Recent molecular phylogenies indicate angiosperms were primitively vessel-less (Soltis *et al.*, 2000). The vessel-less *Amborella* Baillon, a monotypic genus of evergreen shrubs from New Caledonia, is basal to all angiosperms. Thus, presumably, vessel-less angiosperms gave rise to vessel-bearing ones. Bailey and Tupper (1918) proposed a transformation series for this evolutionary event. It is debated whether vessel-lessness in Winteraceae and *Tetracentron* Oliver, which are nested in more advanced angiosperm clades, represents a reversion or whether these woods are primitively vessel-less with several independent, unparsimonious origins of vessels in the lower clades (Baas and Wheeler, 1996; Herendeen *et al.*, 1999; Doyle and Endress, 2000). Comparison of the most successful of modern vessel-less woody plants, the conifers or softwoods, with the most successful modern vessel-bearing plants, the dicotyledons or hardwoods, shows two alternative strategies.

Conifers have longitudinal tracheids interconnected by large bordered intertracheary pits whose pit membranes (modified primary walls) usually are differentiated into a porous margo and a central thickened non-porous torus. The porous margo allows for effective sap transport. The non-porous torus provides safety against embolisms spreading from one tracheid to another. If an embolism occurs, the pit membrane, if flexible, deflects so that the torus presses against the pit border and seals the opening (aperture) between adjacent cells. This process effectively limits the spread of the embolism, as long as pressure differences across the pit aperture do not exceed a threshold that disrupts the seal (Sperry and Tyree, 1990). Individual longitudinal tracheids are approximately 100 times longer (2–4 mm) than wide (0.02–0.04 mm). Vessel-less angiosperms also rely on long tracheids, but their pit membranes are much less porous than conifers and the membranes generally lack tori.

Angiosperms have vessels for xylem sap transport and fibres for support. Vessels are comprised of a series of vessel elements with perforated common end walls. Vessels, while considerably longer than longitudinal tracheids, are finite in length, varying from a few millimetres to several metres long (Zimmermann, 1983). Vessel diameter ranges from 0.025–0.3 mm, most commonly more than 0.05 mm. Intact sapwood intervessel pits have relatively compact, seemingly non-porous pit membranes which would not readily allow movement of embolisms from vessel to vessel.

Distribution of wood anatomical features

Vessel element perforations

According to the transformation series of Bailey and Tupper (1918), in angiosperms, vessel elements with scalariform perforation plates and scalariform pitting were derived from imperforate elements with scalariform pitting. Subsequently, vessel elements with simple perforation plates were derived from vessel elements with scalariform perforations. Support from the fossil record for this transformation series includes: (1) the angiosperms as a whole, a higher incidence of scalariform perforations in the Cretaceous than in Tertiary (Figure 15.2) (Wheeler and Baas, 1991, 1993); (2) the Platanaceae, Cretaceous and Early Tertiary species have exclusively scalariform perforation plates, while Late Tertiary and modern species have a mixture of simple and scalariform perforations (Wheeler, 1991). However, the fossil record also shows ambiguities with respect to the Baileyan transformation series: *Paraphyllanthoxylon* is one of the two oldest types of angiosperm and it has vessel elements with simple perforations (about 100 million years

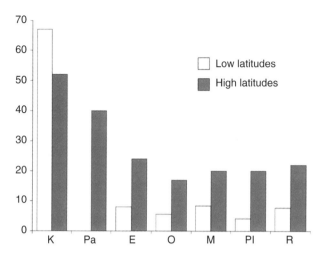

Figure 15.2   Incidence of scalariform perforations (%) through time, percentage of number of reports per time unit for Gondwana (primarily low latitudes) and Laurasia (primarily high latitudes). K = Cretaceous (from Aptian/Albian onward, *ca.* 100–65 Ma); Tertiary records reported for epoch: Pa = Palaeocene, E = Eocene; O = Oligocene; M = Miocene; Pl = Pliocene, R = Recent. Data from Wheeler *et al.* (1986) and Wheeler and Baas (1991) plus updates.

before present, Ma) (TX, USA, Serlin, 1982; Utah, Thayn *et al.*, 1983). *Paraphyllanthoxylon*-type woods occur throughout the Cretaceous, are abundant at some localities and some were more than 1 m in diameter (e.g. Mogollon Rim, AZ, USA, E.A. Wheeler and J.A. Wolfe, personal observation; AL, USA, Cahoon, 1972). Vessel-less angiosperm woods are not known until approximately 20 million years later (Antarctica, Poole and Francis, 2000). There is a need to examine additional collections of Aptian-Albian woods as well as later stages of Cretaceous, especially from low latitudes, to elucidate the wood anatomical characteristics of early angiosperms and changes in wood structure throughout the Cretaceous. Examination of charcoalified woods with well-preserved detail and potentially representing plants of small stature should be particularly useful (e.g. Herendeen, 1991a,b).

Modern ecological trends show scalariform perforations have been preferentially retained in cool mesic conditions and to be rare in warmer more xeric climates and among lowland tropical trees (Baas, 1982, 1986). That trend can be traced in the fossil record as the differences in incidences of scalariform perforation plates (see Figure 15.2) between temperate-zone Europe, North America and Asia and tropical Africa, Malesia and Central and South America are similar from the Eocene onwards. After the globally warm early Eocene interval, the middle Eocene marks the beginning of modernization of climates in the northern hemisphere (Graham, 1999).

A simple functional explanation for the decline in the incidence of scalariform perforation plates is that the bars offer some resistance to flow and, in hot and seasonally dry climates, simple perforations would be advantageous as they would have low resistance to flow. Recent experimental work has shown that the additional resistance to water flow offered by perforation plates is least for simple perforation plates (from 1.7 to 5.1% of the total resistance; Ellerby and Ennos, 1998), greater for scalariform plates with about 4 bars (about 8% in *Liriodendron tulipifera* L.; Schulte and Castle, 1993) and still greater in a species with about 19 bars (about 22% in *Liquidambar styraciflua* L.; Schulte, 1999).

Models have not been tested for species with a large number (more than 50) of closely-spaced bars and with steeply inclined end walls, but it is possible that this 'primitive' type of perforation plate would offer still greater resistance to flow. Zimmermann offered an alternative explanation (1983), that the retention of scalariform perforations was adaptive in regions with frost as the bars in the perforations would trap embolisms during the thawing of frozen water. That explanation may apply to Arctic and cool temperate regions, but would not explain the high incidence of scalariform plates in tropical montane regions that, although cool, usually are frost free at 1500–2000 m. More experimental work is needed by physiologists and biophysicists to understand the role of scalariform perforations in the hydraulic architecture of woody plants. Monocots also show a trend from vessel-less to scalariform perforations to the elimination of scalariform perforations, especially within roots and basal parts of stems (e.g. Cheadle, 1944; Thorsch, 2000).

Diameter, density and length of vessels

Vessel diameter and density are less controversial wood functional parameters than vessel element length and perforation plate type. Numerous studies show that in erect trees and shrubs vessel density is roughly inversely proportional to vessel diameter (at least the logarithmically transformed data, Baas, 1973; van der Oever et al., 1981; Noshiro and Baas, 1998, 2000; Klaassen, 1999). Only lianas often have both wide vessels and high vessel densities (Carlquist, 1991). Another correlation that has been established several times is that wide vessels are associated with much greater total vessel length than narrow vessels (Zimmermann and Jeje, 1981). Thus, vessel diameter might be considered a proxy for vessel length for purposes of discussion of hydraulic efficiency.

We have delimited a number of somewhat arbitrary hydraulic types and analysed their occurrence in modern floras and, when data permit, in the geological past:

1. Diffuse-porous woods with very wide vessels (>200 μm) (Figure 15.3a, see Figure 15.6)
2. Diffuse-porous woods with narrow vessels (<100 μm) (Figure 15.3b, see Figure 15.7)
3. Ring-porous woods with very wide earlywood vessels and narrow latewood vessels. (Figure 15.3c, see Figure 15.8)
4. Wood with mixed wide and narrow vessels throughout the growth ring (Figure 15.3d, see Figure 15.5)
5. Lianas: vessels both wide and frequent; often with clusters or multiples of narrow vessels (Figure 15.3e, see Figure 15.5)

Ecological preferences in modern woods

Type 1

Wide-vesselled diffuse-porous species are typical of lowland evergreen rainforest trees (Baas and Wheeler, 2000). The syndrome of wide, infrequent vessels also occurs in some drought tolerant deep-rooting desert trees (e.g. *Acacia gerrardii* Benth. subsp. *negevensis*, *Balanites aegyptiaca* (L.) Del., Fahn et al., 1986). This wood type is not known to occur in shrubs and trees of high latitudes.

Type 2

Narrow-vesselled diffuse-porous species are typical of both evergreen tropical montane and temperate trees and many deciduous temperate species of trees and shrubs. In widespread taxa the narrowest vessels occur in Arctic and alpine shrubs and in highly xeric desert shrubs. This has been demonstrated for florulas within California (Carlquist and Hoekman, 1985), for the Middle East (Baas *et al.*, 1983), North America, and for temperate versus tropical world woods (Wheeler and Baas, 1991, 1993). Within the genera *Cornus*, *Ilex*, *Symplocos*, or the family Theaceae, the widest vessels occur in tropical lowlands, the narrowest at high latitudes and intermediate at high tropical altitudes.

Type 3

Ring-porosity is typical of seasonal climates in the Northern Hemisphere (Gilbert, 1940; Woodcock, 1994; Woodcock and Ignas, 1994) and subtropical/mediterranean climates. In the tropics, only some deciduous species of seasonally dry monsoon forests are ring-porous; Teak, *Tectona grandis* L. is the most well known example. Ring-porosity tends to be restricted to certain clades (families, genera). Some typically ring-porous genera include diffuse-porous species at the tropical periphery of their primarily temperate distribution (e.g. *Celtis*, *Fraxinus*, *Sapindus*, *Ulmus*) (Baas *et al.*, 1988; Zhong *et al.*, 1992; Klaassen,

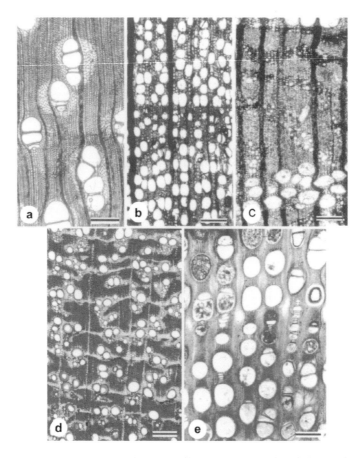

Figure 15.3   Wood types 1, 2, 3, 4 and 5. (a) Diffuse-porous wood with few wide vessels (Clarno Nut Beds, Oregon, Middle Eocene). (b) Diffuse-porous wood with many narrow vessels (Clarno Nut Beds, Oregon, Middle Eocene). (c) Ring-porous wood (Florissant Fossil Beds, Late Eocene). (d) Diffuse-porous wood with different vessel size classes intermingled, *Nitraria retusa* (Forssk.) Aschers. (Recent). (e) Liana-type wood (Clarno Nut Beds, Oregon, Middle Eocene).

1999). Some typically diffuse-porous clades (e.g. Bignoniaceae, *Morus*) include extratropical deciduous genera or species that are ring-porous (e.g. *Catalpa*, *Morus rubra* L.). However, there are also many families that are entirely diffuse-porous, even though they include deciduous species that occur in north temperate or seasonally dry monsoonal forests (e.g. Cornaceae, Hamamelidaceae, Magnoliaceae).

As far as we know ring-porosity only occurs in deciduous plants. A subsequent section on xylem physiology discusses the strategy of ring-porosity and its correlation with phenology.

Type 4
The wood type with different vessel size classes intermingled throughout a growth ring is rather poorly documented, but analyses of ecological trends within the woody floras in the Middle-East and Europe have revealed the common occurrence of this syndrome (Baas *et al.*, 1983; Baas and Schweingruber, 1987). In some ecosystems of temperate and dry Mediterranean to desert regions, 80–97% of all species have a dual strategy for safe and efficient transport with conduits for both (relatively) efficient and (relatively) safe transport.

Type 5
Lianas also show two vessel size classes with large and small vessels intermixed throughout the wood (Carlquist, 1991; Gasson and Dobbins, 1991). This contradicts the notion that efficiency of xylem sap transport is all that matters in lianas with long, slender climbing stems and massive foliage many tens of metres from the root system. There is apparently a need for a safety network through narrow (often clustered) and assumedly short vessels as well.

In Figures 15.4 and 15.5, the incidence of trees and shrubs with two vessel size classes in the European, Middle Eastern and tropical Javanese floras is illustrated. The category of

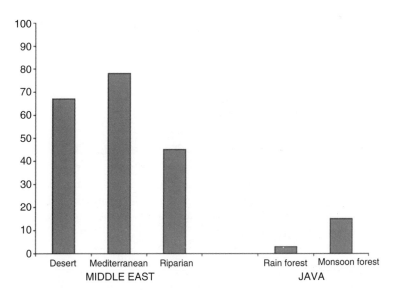

Figure 15.4   Incidence of species (%) with two or more vessel size classes (caused by ring- or semi-ring porosity or by different size classes throughout the growth rings) in different ecological categories in the Middle East and in tropical Java (data from Table 2 in Baas *et al.*, 1983).

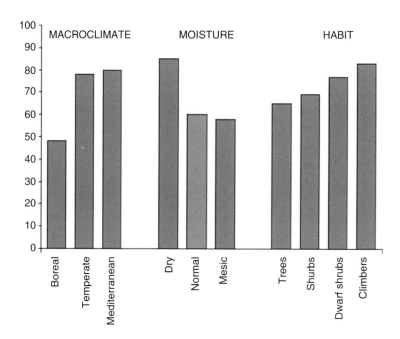

Figure 15.5   Incidence of species (%) with two or more vessel size classes (caused by ring- or semi-ring porosity or by different size categories throughout the growth rings) in different latitudinal (macroclimatic), moisture availability and habit categories in the European flora (redrawn from Baas and Schweingruber, 1987).

two vessel size classes combines wood types 3 and 4 and a subset of type 5. It is striking how much more common the syndrome of different vessel size classes is in seasonal (European and Middle Eastern) than in aseasonal tropical floras. Within these broad geographical categories there are distinct ecological trends showing that the dual strategy for efficiency (relatively wide vessels) and safety (relatively narrow vessels) is most developed in ecological categories that 'need' it most (Mediterranean shrubs in Europe and the Middle East and monsoon species in Java) (Baas *et al.*, 1983; Baas and Schweingruber, 1987).

Geological record

We have updated a database for fossil angiosperm woods that was used in earlier analyses of the incidence of selected wood anatomical features through time (Wheeler and Baas, 1991, 1993). Fossil roots and twigs are excluded from consideration because vessel diameter varies from pith to bark and between stem and root. For the diffuse-porous woods within this group, we included only those records with data for vessel diameter. This leaves about 1100 records (Table 15.1).

Very wide vessels, as now commonly occur in tropical lowland floras, were less common in the Cretaceous than in the Tertiary (Figure 15.6). Narrow vessels were more common (Figure 15.7), especially in the Cretaceous, even at tropical palaeolatitudes. In the Tertiary, the statistics fluctuate but, overall, they are not very different from the modern flora. Does this mean that in the Cretaceous there was a greater need to opt for safety rather than efficiency of xylem sap transport? We do not think so. There are at least

Table 15.1   Reports of dicotyledonous woods that are not roots or twigs and have information about anatomy and age (derived from database described in Wheeler and Baas 1991, including updates)

Age	Number of records
Pliocene	192
Miocene	449
Oligocene	129
Eocene	219
Palaeocene	39
Cretaceous	80
Total	1108

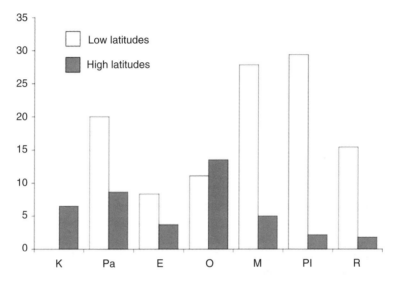

Figure 15.6   Incidence of vessels (%) with average tangential diameter more than 200 μm through time, per time unit for Gondwana (primarily low latitudes) and Laurasia (primarily high latitudes). K = Cretaceous (from Aptian/Albian onward, *ca.* 100–65 Ma); Tertiary records reported for epoch: Pa = Palaeocene, E = Eocene; O = Oligocene; M = Miocene; Pl = Pliocene, R = Recent. Data from Wheeler *et al.* (1986) and Wheeler and Baas (1991) plus updates.

two possible explanations. One is that there was a higher incidence of smaller trees in the Cretaceous than at present; very wide vessels are extremely rare in small trees and shrubs in the recent flora (Wheeler, 1991). Multistratal tropical rain forests with large emergents are believed not to have appeared until the Tertiary (Graham, 1999). A second explanation is related to the higher incidence of scalariform perforation plates in the Cretaceous than in the Tertiary and present-day. A link between scalariform perforations and narrow maximum vessel diameter, as occurs in the present-day, may have constrained the development of wide diameter vessels. However, there are notable exceptions in the fossil record. The Albian *Paraphyllanthoxylon* Bailey from Texas has wide vessels (Serlin, 1982; Wheeler, 1991). Also, one combination of features that is more common in Cretaceous than at present is the co-occurrence of a few wide vessels with scalariform perforation plates, albeit the bars are few and widely spaced. This combination is extraordinarily rare in the extant flora (Wheeler *et al.*, 1987; Wheeler and Lehman, 2000). Why this

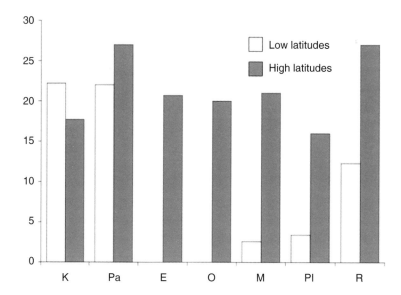

Figure 15.7   Incidence of vessels (%) with average tangential diameter less than 50 μm through time, per time unit for Gondwana (primarily low latitudes) and Laurasia (primarily high latitudes). K = Cretaceous (from Aptian/Albian onward, *ca.* 100–65 Ma); Tertiary records reported for epoch: Pa = Palaeocene, E = Eocene; O = Oligocene; M = Miocene; Pl = Pliocene, R = Recent. Data from Wheeler *et al.* (1986) and Wheeler and Baas (1991) plus updates.

combination should occur in trees of the Cretaceous is unclear. The Cretaceous world was not similar to the present-day, e.g. CO_2 levels were higher and large herbivores were more common. Whether and how these different conditions might affect leaf development and characteristics of Cretaceous plants and, consequently, their xylem differentiation and physiology is a fascinating, but poorly understood topic.

From the Palaeocene onwards the percentage of woods with very wide vessels is at, above, or slightly below modern values, with a clear predominance of widest vesselled species at tropical (palaeo) latitudes (Figure 15.6). Complementarily, a relatively high incidence of tree species with very narrow vessels is typical for high latitudes from the Eocene onwards (Figure 15.7). In the Cretaceous, the Northern (Laurasia) and Southern (Gondwana) floras do not differ in their incidence of narrow vessels. The Cretaceous records for diffuse-porous woods with wide vessels are from Laurasia, in contrast with the Tertiary and Recent. However, during the Albian, Texas and Utah, where these wide-vesselled woods occur, were at lower latitudes than today.

The oldest known ring-porous wood is from the Late Cretaceous of Antarctica (Poole *et al.*, 2000). This report of *Sassafras*-like wood is remarkable and supports the suggestion that high latitude trees of the Cretaceous were deciduous as an adaptation to a seasonal climate, with a long, dark and relatively cool season. The first occurrence of ring-porous woods being in the southern hemisphere is also remarkable because ring-porous woods are now rare in temperate zones of the Southern Hemisphere (data from the OPCN database, Wheeler *et al.*, 1986). In both the Cretaceous and Palaeogene, the incidence of ring-porosity was low and reached more or less modern levels in the Miocene of the northern hemisphere (Figure 15.8), coincident with development of temperate seasonal climates (Graham, 1999).

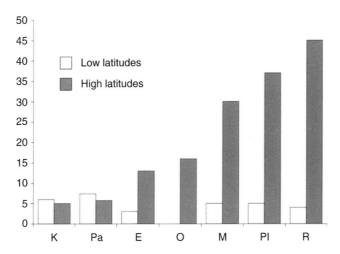

Figure 15.8 Incidence of ring-porous wood (%) through time, per time unit for Gondwana (primarily low latitudes) and Laurasia (primarily high latitudes). K = Cretaceous (from Aptian/Albian onward, *ca.* 100–65 Ma); Tertiary records reported for epoch: Pa = Palaeocene, E = Eocene; O = Oligocene; M = Miocene; Pl = Pliocene, R = Recent. Data from Wheeler *et al.* (1986) and Wheeler and Baas (1991) plus updates.

Unfortunately, data for the fossil wood database were not recorded in a way that allows systematic review for the occurrence through time of the syndrome of two vessel size classes, mixed throughout the rings.

The syndrome of numerous wide vessels mixed together with multiples of very narrow vessels, characteristic of vines, is known from the Late Cretaceous onwards (e.g. Page, 1970; Wheeler and LaPasha, 1994; Melchior, 1998; Poole, 2000; Wheeler and Lehman, 2000). The number of well-documented fossil liana samples is, however, too low for quantitative analysis of trends through time.

This brief summary of hydraulic structure of fossil woods shows that by the end of the Cretaceous the basic types listed above were present. Also, during the Tertiary the general pattern of incidences of vessel diameter categories and ring-porosity corresponds with general changes in climate. More detailed studies of sequences from specific geographic areas, as is being done for Antarctica (e.g. Poole, 2000), are needed to better understand the nature and timing of changes in wood structure through time.

Experimental work

Conductive efficiency versus vulnerability to embolism

Herein, regression analysis of various physiological and anatomical characters is used to look for trends and possible 'trade-offs' between various extant species. The temporal and spatial distribution of the wood types discussed above are largely explained by the 'trade-offs' between xylem conductive efficiency and vulnerability to embolism. The two major causes of embolism in plants appear to be freezing and water stress, but the mechanism for embolism formation differs in these two cases (Figure 15.9). For drought-induced embolism, the size of pores in the pit membranes appears to be the critical factor to resisting embolism (Sperry and Tyree 1988; Jarbeau *et al.*, 1995; Sperry *et al.*, 1996). In Figure 15.9, B has few relatively wide pores and therefore the capillary forces preventing

Two causes of xylem embolism

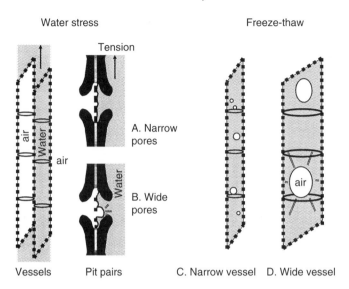

Figure 15.9 Water stress and freezing stress are the two major causes of embolism in plants. Vulnerability to water–stress induced embolism is proportional to the diameter of pores in the pit membrane; case B is more vulnerable than A. Vulnerability to freeze-induced embolism is proportional to the diameter of the vessel, and so case D is more vulnerable than C. Modified from Langan *et al.* (1997) and Sperry *et al.* (1996).

the entry of air from an adjacent air-filled conduit are not as great as in A, which has relatively narrow pores.

The positive correlation between conductive efficiency and vulnerability to freezing-induced embolism is clear (Figure 15.10); wider conduits, which are the most efficient in transport, are also the most prone to embolism caused by freezing (Ewers, 1985; Cochard and Tyree, 1990; Sperry and Sullivan, 1992; Davis *et al.*, 1999b). Evidently, vessel diameter determines the size of gas bubbles forced out of solution during a freezing event and wider vessels produced larger bubbles which are more resistant to dissolution at the time of thaw. Such bubbles are more likely to result in embolism. Why would plants evolve such risky vessels? There must be a selective advantage for wide vessels, as they occur early in the history of angiosperm wood. According to Poiseuille's law for ideal capillaries, conductive efficiency should be proportional to the sum of vessel diameters to the fourth power (Zimmermann, 1983). This means that doubling the number of vessels per cross-sectional area should double k_s, whereas doubling vessel diameter should increase k_s by 16-fold.

The amount of embolism with freeze-thaw depends not just on vessel diameter but also the water stress that the plants experience during the freeze-thaw event (Sperry and Sullivan, 1992; Sperry *et al.*, 1994), the rate of thaw (Langan *et al.*, 1997) and the position of the stem within the plant (Lemoine *et al.*, 1999). Davis *et al.* (1999b) found that for isolated 8–12 mm diameter stem segments under a water stress of -0.5 MPa, vessels wider than 44 μm will always embolize upon freeze/thaw (Figure 15.10). There may be a similar vessel diameter threshold for 8–12 mm stems with regard to phenology of wood production and leaf maturation.

It is well established that temperate ring-porous trees, which have very wide earlywood vessels, have delayed bud break and delayed leaf maturation in the spring (Lechowicz,

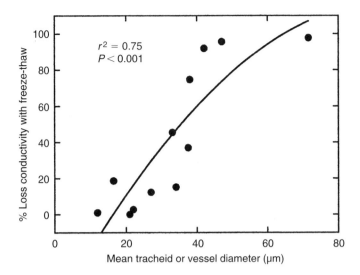

Figure 15.10 Percent loss conductivity with freeze–thaw as a function of mean tracheid diameter (in the case of two conifer species) or mean vessel diameter (in the case of 10 angiosperm species) in 8–12 mm diameter stems. Each point is an average for one species, the curve fit was a second order polynomial. Modified from Davis *et al.* (1999a).

1984; Wang *et al.*, 1992). Why is vessel diameter related to leaf phenology in temperate woody plants? In north temperate areas, where freezing now occurs every year, the wide earlywood vessels of ring-porous trees remain conductive for only one growing season (Zimmermann, 1983; Ellmore and Ewers, 1986; Cochard and Tyree, 1990; Sperry *et al.*, 1994; Hacke and Sauter, 1996; Jaquish and Ewers, 2001). The narrow latewood vessels often remain conductive for several years, but they contribute little to the total hydraulic conductance of the stem. For instance, in *Ulmus americana* L. the latewood vessels of wood more than a year old contributed only about 6% of the total axial conductance (Ellmore and Ewers, 1986). The total conductive efficiency of stems of ring-porous trees tends to be quite high, but there is a cost because their current year's wood does not mature until danger of freezing is past in the late spring and thus they have a shorter growing season. Apparently there has been natural selection for ring-porous trees to delay maturation of their leaves and their new xylem, thus allowing the mature leaves to have a reliable water supply (Zimmermann, 1983; Lechowicz, 1984; Wang *et al.*, 1992). While ring-porous wood can be extremely efficient in conduction, the wide vessels tend to be prone to dysfunction during periods of freezing or severe drought. For species with wider vessels, bud break and leaf maturation is delayed in the spring and the leaves also tend to senesce earlier in the autumn, with the result that there is an inverse correlation between vessel diameter and the length of the growing season. In Figure 15.11, growing season length was defined as the number of weeks between bud break in the spring and leaf colour change or leaf abscission in autumn. Note that in Figures 15.10 and 15.11, narrow stems were used; there is research currently underway to examine the same relationships in the trunk xylem of trees, which have much wider vessels than those of the narrow stems.

At the other extreme from ring-porous trees and shrubs in North America, evergreen plants have the longest potential growing season and they have consistently narrow conduits. At the North American sites for the study shown in Figure 15.11, there were also seven evergreen species present (not shown in Figure 15.11), five conifers and two

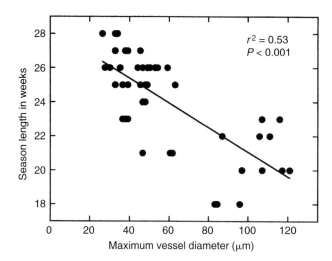

Figure 15.11   Growing season length in weeks as a function of maximum vessel diameter in 7–11 mm diameter stems of woody deciduous plants in Michigan, USA. Seventeen species were sampled in 1991, with three individuals per species. Season length was defined as the number of weeks between bud break in the spring and leaf colour change or leaf abscission in autumn. Wide vessel species tend to have late bud break and early leaf senescence, resulting in a short growing season. Data from a study by Billingsley *et al.* (1994).

dicotyledons, whose stems had a maximum conduit diameter of 23.1 μm (SE = 4.3, $n = 7$), well below the freeze/thaw embolism threshold for stems of that size. Their freezing resistant transport system allows evergreen plants to have the relatively long growing seasons, albeit with low conductive efficiency that can limit their maximum photosynthetic rates (Pallardy *et al.*, 1995).

Resistance to drought-induced embolism, like freezing embolism, appears to be inversely related to conductive efficiency. For instance, Tyree *et al.* (1994), in a literature review on vulnerability curves comprising over 60 plant species from tropical, Mediterranean, and temperate habitats, found a weak, but significant ($r^2 = 0.18$) linear regression between resistance to embolism and conductive efficiency. The correlation is statistically significant due to the high number of species sampled, but the weakness of the correlation is not satisfying to those who wish to understand the mechanisms. However, when only plants from a particular habitat are considered, for instance, chaparral plants of southern California, the inverse correlation is stronger (Figure 15.12; $r^2 = 0.31$) but still not as strong as for freeze-thaw embolism. However, it appears that drought-induced embolism is indirectly related to vessel diameter and directly related to the size of pit membrane pores (Sperry and Tyree, 1988; Pockman *et al.*, 1995; Jarbeau *et al.*, 1995; Sperry *et al.*, 1996). In tracheids, the pit membrane resistance to flow is often as great or greater than lumen resistance (Gibson *et al.*, 1985; Calkin *et al.*, 1986) and the same may be true for vessels. In angiosperms, as in conifers and ferns, the measured conductance is typically about 20–80% of the theoretical axial conductance defined by Poiseuille's law (Tyree and Zimmermann, 1971; Chiu and Ewers, 1992; Hargrave *et al.*, 1994; Wagner *et al.*, 1998). The reduction in measured conductance below the theoretical axial conductance may be due largely to pit membrane resistance. It follows that if pit membrane resistance is one of the major limiting factors to water flow, k_s should be proportional to the diameter of pores in pit membranes and inversely proportional to resistance to drought-induced embolism.

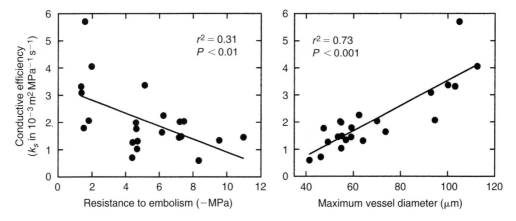

Figure 15.12 Conductive efficiency (k_s in $10^{-3}\,\mathrm{m^2\,MPa^{-1}\,s^{-1}}$) as a function of resistance to embolism and maximum vessel diameter in species of chaparral shrubs in southern California. Each point is an average for one species. Resistance to embolism is equal to the water potential at 50% embolism, based upon dehydration vulnerability curves. Unpublished data from studies by Davis *et al.*

As with freezing embolism, the narrow vessels and tracheids in a stem are generally more resistant to drought-induced embolism than are wide vessels in the same stem (Salleo and Lo Gullo, 1986, 1989; Sperry and Tyree, 1988; Lo Gullo and Salleo, 1991; Hargrave *et al.*, 1994). Thus there seems to be validity to Carlquist's hypothesis (1988) that narrow vessels and tracheids serve as high resistance auxiliary pathways for use when wide vessels become embolized. This would explain the common occurrence of narrow conduits closely associated with wide ones within the woods from arid regions.

The common occurrence of wood with strictly narrow vessels or tracheids in Arctic, alpine and dryland habitats is best explained in terms of resistance to freezing or drought-induced embolism. Diffuse-porous wood, a characteristic of the earliest known dicot woods, appears to be adapted to a wide range of habitats. Ring-porous wood appears to be more narrowly adapted to strongly seasonal environments where growing conditions are suitable for only a part of the year. This is consistent with the first appearance of ring-porous woods in the Late Cretaceous of Antarctica and the increased incidence of this wood type in the Late Tertiary of the Northern Hemisphere when seasonality becomes more pronounced (see Figure 15.8).

Conductive efficiency versus mechanical strength

Increasing vessel diameter or vessel frequency, both of which would increase conductive efficiency, should tend to make less dense, weaker wood, since vessels represent weak areas of the xylem. For modulus of rupture, it is the 'weakest link' that determines the point of failure and for wood the weakest mechanical link could be the vessels (Wagner *et al.*, 1998). An inverse relationship between mechanical strength and conductive efficiency has been found when comparisons are made between closely related taxa. For instance, when co-occurring species pairs of *Ceanothus* L. and *Adenostoma* Hook. and Arn. were examined, *C. spinosus* Nutt. and *A. sparsifolium* Torr. had greater k_s values but lower stem mechanical strength than the co-occurring *C. megacarpus* Nutt. and *A. fasciculatum* Hook. and Arn. (Wagner *et al.*, 1998). Similarly, within *Toxicodendron diversilobum* (Torr. and Gray) Greene, a species that produces heteromorphic stems, viney (supported) and shrubby (unsupported) stems showed a similar trend, viney stems having greater conductive efficiency but being mechanically weaker than shrubby stems (Gartner, 1991a,b). However, in angiosperms there can be mechanical compensation for wide vessel lumens with the evolution of thicker-walled fibres, tracheids and vessels. Although the entire range from very thin-walled to very thick-walled fibres occurs in emergent tropical trees, thin-walled fibres are more typical for rapidly growing early successional species and thick-walled fibres more common in climax species (Swaine and Whitmore, 1988).

When comparisons are made between lianas and free-standing trees and shrubs of the same genus or within the same family, the liana taxa usually have wider conduits (Figure 15.13, route B), or greater vessel frequency per cross-sectional area (Figure 15.13, route A), depending on the taxa (ter Welle, 1985; Fisher and Ewers, 1995; Ewers *et al.*, 1997). The wide vessels and high vessel frequency have resulted in lianas having greater conductive efficiency but weaker stems than free-standing growth forms (Ewers *et al.*, 1991; Chiu and Ewers, 1992). The weaker stems for lianas are not a liability since they depend on host plants or other external objects for mechanical support.

As mentioned above, for free-standing growth forms, vessel frequency per transverse area is inversely proportional to vessel diameter. This may be because wood with relatively few wide vessels may be as mechanically strong and have greater conductive efficiency, than wood with many narrow vessels (Figure 15.13, route C). Conversely, if vessel diameter is increased without decreasing vessel frequency (Figure 15.13, route B), then mechanically weak, liana-like wood is produced. However, in angiosperms, the evolution of thicker-walled fibres can help to compensate for the mechanical weakness brought on by wider vessels. Therefore vessel evolution is likely to affect fibre evolution and vice versa.

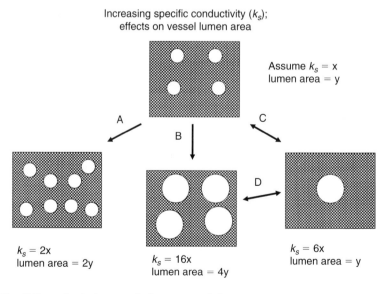

Figure 15.13 Effect of relative vessel diameter and frequency per transverse area on theoretical hydraulic efficiency (k_s) and lumen area. Large lumen area per transverse area can weaken the wood. According to Poiseuille's law for ideal capillaries, doubling the vessel frequency doubles the lumen area and merely doubles the k_s (route A), whereas doubling the diameter increases lumen area 4-fold and increases k_s by 16-fold (route B). Route C shows a method of increasing k_s without increasing lumen area, perhaps explaining the typical inverse relationship between vessel frequency and vessel diameter in most taxa.

Cohesion–tension theory and sap ascent

The cohesion–tension theory has been the leading explanation for xylem transport in plants for more than a century and, despite recent challenges (Balling and Zimmermann, 1990; Canny, 1995, 1997) support for the theory is quite robust (Tyree, 1997; Steudle, 2001). The theory is critical to our understanding of xylem evolution, since it means that the water is normally under considerable negative pressure (tension) during transport. The vessels thus must be constructed to avoid the entry of air, which can cause cavitation and embolism (air blockage) of the water columns. They also have to withstand the negative pressure (tension) of the water column to avoid implosion. The cohesion–tension theory also implies that parenchyma cells, which are present in most woods, do not have a direct role in transport but function in storage of photosynthates, water and minerals and for resisting the invasion of pathogens.

Mechanical strength, implosion resistance and resistance to embolism

In a recent study including 36 species of angiosperms and 12 species of conifers from North America, it was found that there was a positive correlation between wood density and resistance to drought-induced embolism (Hacke *et al.*, 2001). The authors offered the explanation that resistance to drought-induced embolism required, among other things, that vessels or tracheids must be able to resist implosion due to the water tension (negative pressure) that the conduits experience. They argued that the critical factor was $(t/b)^2$, that is, the square of the thickness of the vessel or tracheid wall (t) divided by the diameter of the conduit (b), as used in Figures 15.1 and 15.14. Therefore, to resist collapse of the conduits, plants that experience very low water potentials must have thick walls and narrow lumens, with high wood density as a corollary. However, it may not be avoidance of vessel implosion itself that causes the observed correlation, but characteristics of the pit membranes. Stretching of pit membranes under extreme negative pressures may enlarge the pit membrane pores so that they are more prone to air seeding. Is deflection of pit membranes in high density woods less likely to enlarge pit membrane pores?

Another possible explanation is that selection for resistance to embolism would tend to result in narrower conduits, as argued above. Wood with narrower conduits will tend to have greater branch strength. Among chaparral shrubs we have found that resistance to

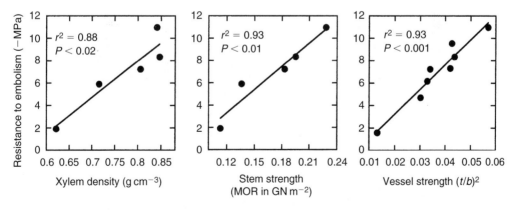

Figure 15.14 Resistance to embolism as functions of xylem dry density, stem strength (modulus of rupture, MOR in $GN\,m^{-2}$), and vessel strength $(t/b)^2$ in chaparral shrubs. Each point represents the mean for one species. Based upon data from Wagner *et al.* (1998) and Hacke *et al.* (2001).

embolism correlates well with wood density, stem strength and vessel strength (Figure 15.14). It is well known that wood density is correlated with wood strength, but in some cases high wood density may have been selected for as a mechanism to resist vessel embolism or as a mechanism to resist vessel implosion. It remains to be determined which of these factors are most critical in wood evolution.

Hacke *et al.* (2001) note that fibre evolution would impact implosion resistance of vessels and they suggest that, as a result, $(t/b)^2$ values are fundamentally different for angiosperms versus gymnosperms. In angiosperms, fibres offer some of the support against implosion, whereas in conifers only tracheid walls are involved with implosion resistance.

Roots versus stems

The aforementioned studies have all involved the xylem of stems. In considering the 'trade-off' triangle, it should be noted that, compared to stems, roots would normally not experience such low water potentials, nor would the mechanical support demands be as great as for free-standing stems; the soil surrounding roots provides some of the mechanical support for plants. In addition, roots tend to play a greater role in carbohydrate storage than do stems. Given the above considerations, it is not surprising that woody roots in many plants have wider vessels than woody stems, more parenchyma and less fibre (Fegel, 1941; Zimmermann and Potter, 1982; Gasson, 1985; Gartner, 1995; Pate *et al.*, 1995). Based upon vulnerability curves, roots tend to be more vulnerable to embolism than are stems, as might be predicted by their wider vessel diameters (Sperry and Saliendra, 1994; Alder *et al.*, 1996). However, some species' roots have fewer, narrower vessels than do their stems and so their roots may prove to have similar or lower vulnerability to embolism than the stems (see illustrations in Cutler *et al.*, 1987). Another exception may be for lianas, where the mechanical demands on the stems are much reduced. In lianas, unlike free-standing growth forms, vessel diameters of stems tend to be similar to those found in roots (Ewers *et al.*, 1997).

Parenchyma

In this chapter little attention was paid to the role of parenchyma (ray and axial). The abundance and distribution of parenchyma varies considerably within the angiosperms. Some schemes suggesting functional significance in variation of parenchyma distribution and abundance have been devised (e.g. Braun, 1970).

Woods with abundant (diffuse) parenchyma and high ray volumes are common in some Cretaceous floras (Wheeler *et al.*, 1987; Wheeler and Lehman, 2000): were these woods indicative of xeric conditions and the need for water storage? In modern floras such types are exemplified by certain Bombacaceae (*Adansonia* L., abundant axial parenchyma) and Cucurbitales (very broad rays). Alternative strategies for water storage are found in woods that lack axial parenchyma but have septate fibres which take over the water storage and other living functions of parenchyma, e.g. in many Sapindales (Burseraceae, Sapindaceae, Meliaceae). This wood type is among the earliest known and is abundant throughout the Cretaceous (Wheeler and Baas, 1991), but today tends to be most common in mesic tropical rain forests (Baas, 1982).

Towards a synthesis: the evolution of hydraulic structure and function

What sense do the global ecological trends in xylem anatomy make in terms of the experimentally demonstrated 'trade-offs' between vessel diameter, vessel density and dual vessel diameter strategies and hydraulic efficiency (conductivity) and safety (control and repair of tension and freezing embolisms)?

In frost-prone areas it has been abundantly shown that the freezing/thawing embolisms must somehow be controlled and prevented from spreading. That possibility exists in short- and narrow-vesselled woods (often provided with scalariform perforations), which is the most common type in these regions. Woods with a dual safety-efficiency strategy (ring-porosity; two vessel size classes in diffuse-porous condition) are extremely common in ecosystems characterized by seasonality where temporary high demands for conductive efficiency alternate with demands for safety and localization and/or repair of drought-stress embolism. Finally, wide-vesselled diffuse-porous woods, opting for high conductive efficiency, without apparent safety provisions characterize the rapidly dwindling tropical rainforest flora. This should perhaps surprise us rather than confirm our intuitive ideas. After all tall rainforest emergents have their transpiring crowns above the canopy, with daily sunny periods when the humidity on the forest floor stays high, but becomes quite low above the canopy. According to the cohesion theory these tall trees have to develop considerable xylem sap tensions, although the tensions are less than those that shorter, arid habitat plants experience during droughts. The experimental work summarized in this chapter provides a basis for understanding the variations in the incidences of vessel diameters as related to freezing and drought. However, additional experimental work is needed to elucidate the physiological significance of variations in vessel wall thickness, vessel perforation type, wood density and parenchyma distribution.

Acknowledgements

Some of the work reported in this chapter was supported by grants from the National Science Foundation NSF IBN–0130870 and 0131247

References

Alder NN, Sperry JS, Pockman WT. 1996. Root and stem xylem cavitation, stomatal conductance, and leaf turgor in *Acer grandidentatum* across a soil moisture gradient. *Oecologia* **105**: 293–301.

Baas P. 1973. The wood anatomical range in *Ilex* (Aquifoliaceae) and its ecological and phylogenetic significance. *Blumea* **21**: 193–258.

Baas P. (ed.) 1982. Systematic, phylogenetic and ecological wood anatomy – history and perspectives. In: *New Perspectives in Wood Anatomy*. The Hague: Nijhoff Junk, 23–58.

Baas P. 1986. Ecological patterns of xylem anatomy. In: Givnish J, ed. *On the Economy of Plant Form and Function*. New York: Cambridge University Press, 327–352.

Baas P, Schweingruber FH. 1987. Ecological trends in the wood anatomy of trees, shrubs and climbers from Europe. *International Association of Wood Anatomists Bulletin, New Series* **8**: 245–274.

Baas P, Wheeler EA. 1996. Parallelism and reversibility in xylem evolution – a review. *International Association of Wood Anatomists Journal* **17**: 351–364.

Baas P, Wheeler EA. 2000. Wood structure of southeast-asian timbers – the PROSEA woods reviewed. In: Kim, YS, ed. *New Horizons in Wood Anatomy*. Korea: Chonnam National University Press, 1–9.

Baas P, Werker E, Fahn A. 1983. Some ecological trends in vessel characters. *International Association of Wood Anatomists Bulletin, New Series* **4**: 141–159.

Baas P, Esser PM, van der Westen MET, Zandee M. 1988. Wood anatomy of the Oleaceae. *International Association of Wood Anatomists Bulletin, New Series* **9**: 103–182.

Bailey IW, Tupper WW. 1918. Size variation in tracheary cells. I. A comparison between the secondary xylems of vascular cryptogams, gymnosperms and angiosperms. *Proceedings American Academy of Arts and Sciences* **54**: 149–204.

Balling A, Zimmermann U. 1990. Comparative measurements of the xylem pressure of *Nicotiana* plants by means of the pressure bomb and pressure probe. *Planta* **182**: 325–338.

Billingsley GF, Kopper BJ, Ewers FW. 1994. Vessel diameter and season length in temperate woody plants. *American Journal of Botany* **81** (sup. 6): 19 (abstract).

Braun, HJ. 1970. *Funktionelle Histologie der sekundären Sprossachse.I. Das Holz.* Encyclopedia of Plant Anatomy IX (1). Berlin: Borntraeger.

Cahoon EJ. 1972. *Paraphyllanthoxylon alabamense* – a new species of fossil dicotyledonous wood. *American Journal of Botany* **59**: 5–11.

Calkin HW, Gibson AC, Nobel PS. 1986. Biophysical model of xylem conductance in tracheids of the fern, *Pteris vitata. Journal of Experimental Botany* **37**: 1054–1064.

Canny MJ. 1995. A new theory of the ascent of sap – cohesion supported by tissue pressure. *Annals of Botany* **75**: 343–357.

Canny MJ. 1997. Vessel contents during transpiration – embolisms and refilling. *American Journal of Botany* **84**: 1223–1230.

Carlquist S. 1988. *Comparative Wood Anatomy. Systematic, Ecological, and Evolutionary Aspects of Dicotyledon Wood.* New York, Berlin: Springer-Verlag.

Carlquist S. 1991. Anatomy of vine and liana stems: a review and synthesis. In: Putz FE, Mooney HA, eds. *The Biology of Vines.* Cambridge: Cambridge University Press, 53–71.

Carlquist S, Hoekman DA. 1985. Ecological wood anatomy of the woody southern California flora. *International Association of Wood Anatomists Bulletin, New Series* **6**: 319–347.

Cheadle VI. 1944. Specialization of vessels within the xylem of each organ in the Monocotyledonae. *American Journal of Botany* **31**: 81–92.

Chiu ST, Ewers FW. 1992. Xylem structure and water transport in a twiner, a scrambler, and a shrub of *Lonicera* (Caprifoliaceae). *Trees, Structure and Function* **6**: 216–224.

Cochard H, Tyree MT. 1990. Xylem dysfunction in *Quercus*: vessel size, tyloses, cavitation and seasonal changes in embolism. *Tree Physiology* **6**: 393–407.

Cutler DF, Rudall PJ, Gasson PE, Gale RMO. 1987. *Root Identification Manual of Trees and Shrubs. A Guide to the Anatomy of Roots of Trees and Shrubs Hardy in Britain and Northern Europe.* London: Chapman and Hall.

Davis SD, Ewers FW, Wood J, et *al.* 1999a. Differential susceptibility to xylem cavitation among three pairs of *Ceanothus* species in the Transverse Mountain Ranges of Southern California. *Ecoscience* **6**: 180–186.

Davis SD, Sperry JS, Hacke UG. 1999b. The relationship between xylem conduit diameter and cavitation caused by freezing. *American Journal of Botany* **86**: 1367–1372.

Doyle JA, Endress PK. 2000. Morphological phylogenetic analysis of basal angiosperms: Comparison and combination with molecular data. *International Journal of Plant Sciences* **161**: 121–153.

Ellerby DJ, Ennos AR. 1998. Resistances to fluid flow of model xylem vessels with simple and scalariform perforation plates. *Journal of Experimental Botany* **49**: 987–985.

Ellmore GS, Ewers FW. 1986. Fluid flow in the outermost xylem increment of a ring-porous tree, *Ulmus americana. American Journal of Botany* **73**: 1771–1774.

Ewers FW. 1985. Xylem structure and water conduction in conifer trees, dicot trees and lianas. *International Association of Wood Anatomists Bulletin, New Series* **6**: 309–317.

Ewers FW, Carleton MR, Fisher JB, et *al.* 1997. Vessel diameters in roots versus stems of tropical lianas and other growth forms. *International Association of Wood Anatomists Journal* **18**: 261–279.

Ewers FW, Fisher JB, Fichtner K. 1991. Water flux and xylem structure in vines. In: Putz F, Mooney H, eds. *The Biology of Vines.* Cambridge: Cambridge University Press, 119–152.

Fahn A, Werker E, Baas P. 1986. *Wood Anatomy and Identification of Trees and Shrubs from Israel and Adjacent Areas.* Jerusalem: Israel Academy of Science and Humanities.

Fegel AC. 1941. Comparative anatomy and varying physical properties of trunk, branch and root wood in certain northeastern trees. *Bulletin New York State College of Forestry, Syracuse, Vol 14, No 2b, Technical Publication* no. **55**: 1–20.

Fisher JB, Ewers FW. 1995. Vessel dimensions in liana and tree species of *Gnetum* (Gnetales). *American Journal of Botany* **82**: 1350–1357.

Gartner BL. 1991a. Structural stability and architecture of vines vs. shrubs of poison oak, *Toxicodendron diversilobum*. *Ecology* **72**: 2005–2015.

Gartner BL. 1991b. Stem hydraulic properties of vines vs. shrubs of poison oak, *Toxicodendron diversilobum*. *Oecologia* **87**: 180–189.

Gartner BL. 1995. Patterns of xylem variation within a tree and their hydraulic and mechanical consequences. In: Gartner BL, ed. *Plant Stems: Physiology and Functional Morphology*. London: Academic Press, 175–196.

Gasson PE. 1985. Automatic measurement of vessel lumen area and diameter with particular reference to pedunculate oak and common beech. *International Association of Wood Anatomists Bulletin, New Series* **6**: 219–237.

Gasson PE, Dobbins DR. 1991. Wood anatomy of the Bignoniaceae, with a comparison of trees and lianas. *International Association of Wood Anatomists Bulletin, New Series* **12**: 389–417.

Gibson AC, Calkin HW, Nobel PS. 1985. Hydraulic conductance and xylem structure in tracheid-bearing plants. *International Association of Wood Anatomists Bulletin, New Series* **6**: 293–302.

Gilbert SG. 1940. Evolutionary significance of ring porosity in woody angiosperms. *Botanical Gazette* **102**: 105–120.

Graham A. 1999. *Late Cretaceous and Cenozoic History of North American Vegetation*. New York: Oxford University Press.

Hacke UG, Sauter JJ. 1996. Xylem dysfunction during winter and recovery of hydraulic conductivity in diffuse-porous and ring-porous trees. *Oecologia* **105**: 435–439.

Hacke UG, Sperry JS, Pockman WT, *et al.* 2001. Trends in wood density and structure are linked to prevention of xylem implosion by negative pressure. *Oecologia* **126**: 457–461.

Hargrave KR, Kolb KJ, Ewers FW, Davis SD. 1994. Conduit diameter and drought-induced embolism in *Salvia mellifera* Greene (Labiatae). *New Phytologist* **126**: 695–705.

Herendeen PS. 1991a. Lauraceous wood from the mid-Cretaceous Potomac Group of eastern North America: *Paraphyllanthoxylon marylandense* sp. nov. *Review of Palaeobotany and Palynology* **69**: 277–290.

Herendeen PS. 1991b. Charcoalified angiosperm wood from the Cretaceous of eastern North America and Europe. *Review of Palaeobotany and Palynology* **70**: 225–239.

Herendeen PS, Wheeler EA, Baas P. 1999. Angiosperm wood evolution and the potential contribution of paleontological data. *Botanical Review* **65**: 278–300.

Jaquish LL, Ewers FW. 2001. Seasonal conductivity and embolism in the roots and stems of two clonal ring-porous trees, *Sassafras albidum* (Lauraceae) and *Rhus typhina* (Anacardiaceae). *American Journal of Botany* **88**: 206–212.

Jarbeau JA, Ewers FW, Davis SD. 1995. The mechanism of water-stress-induced embolism in two species of chaparral shrubs. *Plant, Cell and Environment* **18**: 189–196.

Klaassen R. 1999. Wood anatomy of the Sapindaceae. *International Association of Wood Anatomists Journal*, Supplement 2, 1–214.

Langan SJ, Ewers FW, Davis SD. 1997. Xylem dysfunction caused by water stress and freezing in two species of co-occurring chaparral shrubs. *Plant, Cell and Environment* **20**: 425–437.

Lechowicz MJ. 1984. Why do temperate deciduous trees leaf out when they do? Adaptation and the ecology of forest communities. *American Naturalist* **124**: 821–842.

Lemoine D, Granier A, Cochard H. 1999. Mechanism of freeze-induced embolism in *Fagus sylvatica* L. *Trees: Structure and Function* **13**: 206–210.

Lo Gullo MA, Salleo S. 1991. Three different methods of measuring xylem cavitation and embolism: a comparison. *Annals of Botany* **72**: 417–424.

Melchior RC. 1998. Paleobotany of the Williamsburg Formation (Paleoocene) at the Santee Rediversion site Berkeley County, South Carolina. In: Sanders AE, ed. Paleobiology of the Williamsburg Formation (Black Mingo Group; Paleogene) of South Carolina, USA. *Transactions of the American Philosophical Society* **4**: 49–121.

Meyer-Berthaud B, Scheckler SE, Wendt J. 1999. *Archaeopteris* is the earliest known modern tree. *Nature* **398**: 700–701.

Noshiro S, Baas P. 1998. Systematic anatomy of Cornaceae and allies. *International Association of Wood Anatomists Journal* **19**: 43–97.

Noshiro S, Baas P. 2000. Latitudinal trends in wood anatomy within species and genera: case study in *Cornus* SL. *American Journal of Botany* **87**: 1495–1506.

van den Oever L, Baas P, Zandee M. 1981. Comparative wood anatomy of *Symplocos* and latitude of provenance. *International Association of Wood Anatomists Bulletin, New Series* **23**: 3–24.

Page VM. 1970. Angiosperm wood from the Upper Cretaceous of central California. III. *American Journal of Botany* **57**: 1139–1144.

Pallardy SG, Cermak J, Ewers FW, *et al.* 1995. Water transport dynamics in trees and stands. In: Smith WK, Hinckley TM, eds. *Resource Physiology of Conifers: Acquisition, Allocation and Utilization.* New York: Academic Press, 299–387.

Pate JS, Jeschke WD, Aylward MJ. 1995. Hydraulic architecture and xylem structure of the dimorphic root systems of south-west Australian species of Proteaceae. *Journal of Experimental Botany* **46**: 907–915.

Pockman WT, Sperry JS, O'Leary JW. 1995. Sustained and significant negative water pressure in xylem. *Nature* **378**: 715–716.

Poole I. 2000. Fossil angiosperm wood: its role in the reconstruction of biodiversity and palaeoenvironment. *Botanical Journal of the Linnean Society* **134**: 361–381.

Poole I, Francis JE. 2000. The first record of fossil wood of the Winteraceae from the Upper Cretaceous of Antarctica. *Annals of Botany* **85**: 307–315.

Poole I, Richter HG, Francis JE. 2000. Evidence for Gondwanan origins for *Sassafras* (Lauraceae)? Late Cretaceous fossil wood of Antarctica. *International Association of Wood Anatomists Journal* **21**: 463–475.

Salleo S, Lo Gullo MA. 1986. Xylem cavitation in nodes and internodes of whole *Chorisia insignis* H.B. et K. plants subjected to water stress: relations between xylem conduit size and cavitation. *Annals of Botany* **58**: 431–441.

Salleo S, Lo Gullo MA. 1989. Differential aspects of cavitation resistance in *Ceratonia silique*, a drought-avoiding Mediterranean tree. *Annals of Botany* **64**: 325–336.

Schulte PJ. 1999. Water flow through a 20-pore perforation plate in vessels of *Liquidambar styraciflua*. *Journal of Experimental Botany* **50**: 1179–1187.

Schulte PJ, Castle AL. 1993. Water flow through vessel perforation plates – a fluid mechanical approach. *Journal of Experimental Botany* **44**: 1135–1142.

Serlin BS. 1982. An early Cretaceous fossil flora from northwest Texas: its composition and implications. *Palaeontographica* **182B**: 52–86.

Soltis DE, Soltis PS, Chase MW, et al. 2000. Angiosperm phylogeny inferred from 18S rDNA, rbcL, and atpB sequences. *Botanical Journal of the Linnean Society* **133**: 381–446.

Sperry JS, Sullivan JEM. 1992. Xylem embolism in response to freeze-thaw cycles and water stress in ring-porous, diffuse-porous, and coniferous species. *Plant Physiology* **100**: 603–613.

Sperry JS, Tyree MT. 1988. Mechanism of water stress-induced xylem dysfunction. *Physiologia Plantarum* **74**: 276–283.

Sperry JS, Tyree MT. 1990. Water-stress-induced xylem embolism in three species of conifers. *Plant, Cell and Environment* **13**: 427–436.

Sperry JS, Nichols KL, Sullivan JEM, Eastlack SE. 1994. Xylem embolism in ring-porous, diffuse-porous, and coniferous trees of northern Utah and interior Alaska. *Ecology* **75**: 1736–1752.

Sperry JS, Saliendra NZ. 1994. Intra- and inter-plant variation in xylem cavitation in *Betula occidentalis*. *Plant, Cell and Environment* **17**: 1233–1241.

Sperry JS, Saliendra NZ, Pockman WT, *et al.* 1996. New evidence for large negative xylem pressures and their measurement by the pressure chamber method. *Plant, Cell and Environment* **19**: 427–436.

Steudle E. 2001. The cohesion-tension mechanism and the acquisition of water by plant roots. *Annual Review of Plant Physiology and Plant Molecular Biology* **52**: 847–875.

Swaine MD, Whitmore TC. 1988. On the definition of ecological species groups in tropical forests. *Vegetatio* **75**: 81–86.

Thayn GF, Tidwell WD, Stokes WL. 1983. Flora of the Lower Cretaceous Cedar Mountain Formation of Utah and Colorado. Part I. *Paraphyllanthoxylon utahense*. *Great Basin Naturalist* **43**: 394–402.

Thorsch JA. 2000. Vessels in Zingiberaceae: a light, scanning, and transmission microscope study. *International Association of Wood Anatomists Journal* **21**: 61–76.

Tyree MT. 1997. The cohesion-tension theory of sap ascent: current controversies. *Journal of Experimental Botany* **48**: 1753–1765.

Tyree MT, Davis SD, Cochard H. 1994. Biophysical perspectives of xylem evolution: is there a tradeoff of hydraulic efficiency for vulnerability to dysfunction? *International Association of Wood Anatomists Journal* **15**: 335–360.

Tyree MT, Zimmermann MH. 1971. The theory and practice of measuring transport coefficients and sap flow in the xylem of red maple stems (*Acer rubrum*). *Journal of Experimental Botany* **22**: 1–18.

Wagner KR, Ewers FW, Davis SD. 1998. Tradeoffs between hydraulic efficiency and mechanical strength in the stems of four co-occurring species of chaparral shrubs. *Oecologia* **117**: 53–62.

Wang J, Ives NE, Lechowicz MJ. 1992. The relation of foliar phenology to xylem embolism in trees. *Functional Ecology* **6**: 469–475.

ter Welle BJH. 1985. Differences in wood anatomy of lianas and trees. *International Association of Wood Anatomists Bulletin, New Series* **6**: 70.

Wheeler, EA. 1991. Paleocene dicotyledonous trees from Big Bend National Park, Texas. Variability in wood types common in the Late Cretaceous and Early Tertiary, and ecological inferences. *American Journal of Botany* **78**: 658–671.

Wheeler EA, Baas P. 1991. A survey of the fossil record for dicotyledonous wood and its significance for evolutionary and ecological wood anatomy. *International Association of Wood Anatomists Bulletin, New Series* **12**: 271–332.

Wheeler EA, Baas P. 1993. The potentials and limitations of dicotyledonous wood anatomy for climatic reconstructions. *Paleobiology* **19**: 486–497.

Wheeler EA, LaPasha CA. 1994. Woods of the Vitaceae. Fossil and modern. *Review of Palaeobotany and Palynology* **80**: 175–207.

Wheeler EA, Lehman TM. 2000. Late Cretaceous woody dicots from the Aguja and Javelina Formations, Big Bend National Park, Texas, USA. *International Association of Wood Anatomists Journal* **21**: 83–120.

Wheeler EA, Lee M, Matten LC. 1987. Dicotyledonous woods from the Upper Cretaceous of southern Illinois. *Botanical Journal of the Linnean Society* **95**: 77–100.

Wheeler EA, Pearson RG, LaPasha CA, *et al.* 1986. *Computer-aided Wood Identification*. Raleigh, NC: Station Bulletin No. 474, North Carolina Agriculture Research Service.

Woodcock DW. 1994. Occurrence of woods with a gradation in vessel diameter across a ring. *International Association of Wood Anatomists Journal* **15**: 377–385.

Woodcock DW, Ignas CM. 1994. Prevalence of wood characters in eastern North America: What characters are most promising for interpreting climates from fossil wood? *American Journal of Botany* **81**: 1243–1251.

Zhong Y, Baas P, Wheeler EA. 1992. Wood anatomy of trees and shrubs from China. IV. Ulmaceae. *International Association of Wood Anatomists Bulletin, New Series* **13**: 419–453.

Zimmermann MH. 1983. *Xylem Structure and the Ascent of Sap*. New York: Springer.

Zimmermann MH, Jeje AA. 1981. Vessel-length distribution in stems of some American woody plants. *Canadian Journal of Botany* **59**: 1882–1892.

Zimmermann MH, Potter D. 1982. Vessel-length distribution in branches stems and roots of *Acer rubrum* L. *International Association of Wood Anatomists Bulletin* **3**: 103–109.

16

Hydraulics and mechanics of plants: novelty, innovation and evolution[*]

Nick Rowe and Thomas Speck

CONTENTS

Introduction

Physiological traits are exceptionally difficult to ascertain in fossils of long extinct plant groups. In this chapter we discuss the significance of hydraulic and mechanical novelties, both of which are physiologically interrelated and show high levels of interdependence

[*] Dedicated to Hanns-Christof Spatz on the occasion of his 65th birthday.

The Evolution of Plant Physiology
ISBN 0–12–33955–26

and constraint. Mechanical tissue for generating stiffness is most effective if comprised of thick-walled fibre elements, but these are physiologically expensive; water-conducting elements are most effective if composed of wide diameter elements but such tissues are less dense and thus contribute less effectively to mechanical stiffness. These two functions could, therefore be viewed to be in conflict. Another example of conflicting functional roles is seen in stem systems without specialized mechanical tissues, where mechanical structure is upheld by the hydraulic system and maintenance of turgor. Turgor requires living parenchyma cells and when these are fully hydrated the stem/leaf system is mechanically sound and does not wilt. If water supply becomes limited the stem/leaf system will wilt if there are no other mechanical strengthening elements within the stem. Advanced wilting and water stress can have a range of deleterious effects including embolism and mechanical failure. There is a conflict in this system because turgescent water-filled cells are heavy when fully hydrated and thus mechanically load the plant. These are some simple examples of potential compromises between mechanics and hydraulics that have probably played important roles during radiations of terrestrial plants. These kinds of processes are potentially relevant to a wide range of plant organs as well as entire plants of different complexity. The 'trade-offs' associated with turgor, such as weight load, were probably important for many early land plants and are still so for almost any organ or young developmental stage of any plant. The compromise between hydraulic and mechanical functions in terms of water-conducting elements and fibre tissues has many examples among more complex architectures such as the appearance of hypodermal steromes and lateral meristems. Hydraulic and mechanical constraints can be seen as coupled functions and, to a large extent, physiological compromises which have to be met for adaptive modification of the plant body. Many authors have commented on this, but in our view co-organization of these constraints is especially crucial for morphological radiation of growth forms. By growth form we mean the size, shape and, importantly, the mechanical posture or orientation of the plant. Self-supporting plants can show quite different mechanical and hydraulic specializations from non-self-supporting plants. Trees, shrubs, herbs, climbers, epiphytes and hemi-epiphytes show an incredible variety of hydraulically and mechanically coupled innovations. Given the recent advances in plant biomechanics and hydraulics as well as more decisive and testable methods for establishing phylogenetic and historical contexts, the combination of functional biology and phylogenetic studies offers the opportunity for more accurately understanding how diverse plant forms and their underlying functioning have evolved.

Terminology and evolution

An accepted terminology for unambiguously referring to functional aspects of an organism and their evolutionary significance is a rich area of controversy. The main point of discussion is historically and in our opinion misleadingly centred around adaptation. In the latter half of the 20th century, such discussions focused particularly on whether it is possible to identify traits which are of adaptive significance (Gould and Lewontin, 1979; Gould and Vrba, 1982; Rose and Lauder, 1996). This has more recently led to an extension of this theme questioning the adaptive significance of morphological radiations in plants as well as the gradual or punctual processes characterizing them (Bateman and DiMichele, 1994; Bateman, 1999a,b). While these arguments are of great interest in resolving high level evolutionary processes we argue that significant avenues of doubt still remains over the actual functioning of many observed traits, let alone whether they are adaptive or not. This is particularly relevant to systems of long extinct organisms which might show little in the way of modern potential analogues (Novacek, 1996).

Another term directly relevant to hydraulic and mechanical function is that of 'evolutionary innovation' or 'key innovation', terms that are generally deployed to describe a trait or syndrome which launched a significant morphological radiation. Perceived interpretation of a key innovation without a (1) functional, (2) phylogenetic and historical framework is not proof. Recent observers point to more combined and testable approaches which usually include (1) a functional argument to assess the 'performance' of the structure and (2) a phylogenetic framework to observe and test patterns of traits within the context of a chosen evolutionary hypothesis (Jablonski and Bottjer, 1990; Sanderson and Donoghue 1996; Bateman, 1999b). Both analyses of function and evolutionary pattern are complicated by the fact that many plants are complex structures and that a single trait or structure might have several functions and confer several benefits to the life history of the plant which might interplay in any number of ecological, evolutionary or adaptive scenarios. This aspect of functional biology is one of several bugbears at the heart of controversies concerning function and evolution where functional studies attempting to assess the significance of one of a range of functions stand accused of implicitly 'atomizing' an organism's biology (Gould and Lewontin, 1979).

Inferred physiological constraints and innovations have formed the basis of many evolutionary discussions concerning plant radiations, especially the appearance and morphological radiations of land plants. A convincing interpretation of function is a basic requirement for any higher-level conceptual interpretation of evolutionary process. In this chapter we discuss the impact of biophysical studies for interpreting specific functions of plants and how knowledge of basic biomechanical results from experimental work on living plants can be usefully applied, with caution, to long extinct but nevertheless, pivotal representatives of major radiations. The second aim of this chapter is to demonstrate the complex nature of interpreting functional process – let alone innovatory or adaptive significance – and to investigate examples from different levels and periods of plant evolution. While specific functional and evolutionary approaches have been traditionally the realm of zoologists, e.g. (Lauder, 1990, 1991; Larson and Losos, 1996), we hope that this contribution might help to consolidate and open the field more into studies based on plants.

Hydraulic and mechanical functioning are two of several areas of functions commonly believed to be essential for invading and establishing major plant lineages on the land. Hydraulic innovations have been popularly stated to include: an outer envelope of cuticle to control evaporation from the plant body; the appearance of primary xylem or xylem-like water-conducting tissue to increase conductance over less efficient parenchyma; the appearance of stomata to control and optimize gaseous exchange; and the appearance of roots or rhizoids for water uptake. Mechanical innovations have been stated to include an outer envelope to act as a mechanical wall of tissue surrounding soft tissues – in mechanical parlance, a pneumatic structure; the appearance of fibre tissue comprising a hypodermal sterome towards the outside of the stem for added mechanical stiffness; the appearance of xylem tissue to impart additional mechanical stiffness and toughness; and the appearance of lateral meristems for augmenting and mechanically sustaining increased body size and complex branched architectures. From both the relatively simple viewpoint of perceived function up to the more conceptually challenging levels of perceived ecological performance and evolutionary fitness many, if not all, of the major structures discussed have therefore been attributed both hydraulic and mechanical significance.

There exists a range of interpretational levels when discussing trait appearance, function, innovatory significance and what is best described as interactedness between other functional parts. Within the context of the hydraulic and mechanical aspects discussed here we provisionally define five terms for the sake of argument, for this chapter.

Function How a structure or tissue functions; a single tissue or combination of tissues may of course have more than one function. Biophysical approaches based on living plants can measure hydraulic conductance and mechanical properties and can be integrated within biophysical models of fossil plants.

Novelty A *de novo* structure or a derived modification of an existing one which significantly alters its function. Its identification requires empirical functional analyses as well as a historical perspective ideally from phylogenetic and/or temporal references.

Innovation A hypothesis in which a novelty arose that 'triggered' a major diversification. Its identification requires empirical functional analysis and a historical perspective as well as a test of competing hypotheses as would be performed by integration of functional traits in an experimental and comprehensive phylogenetic analysis. The word 'triggered' is important here, there could be two possible inferences to this: (1) the trigger was immediate in a temporal sense and the diversification followed the appearance of the novelty; (2) the key innovation represented only part of a 'template' for potential evolutionary diversification but still required either or both (a) intrinsic element(s): additional novelties or (b) extrinsic element(s): a favourable ecological regime.

Integration Implicit or necessary functional coordination of novelties within the organism; the introduction of one functional novelty, such as secondary growth of xylem, may 'require' further developmental characteristics, e.g. compensatory tissue arrangement and additional lateral cambia such as a periderm for accompanying expansion of the stem.

Modularity Dissociation of novelties within a functional whole; the introduction of one functional novelty; e.g. *de novo* production of sclerenchyma fibres within a parenchymatous cortex might not require coupled developmental processes to accommodate or function with other novelties or existing structures.

We have selected four divergent themes relevant to discussions on the evolution of hydraulic and mechanical functioning. These range from: (1) recent biomechanical analyses of early land plants, tracheophytes and lignophytes; (2) a consideration of the mechanical significance of lignin in plant cell walls; (3) an example from the Permian of the relatively 'late' appearance of reaction wood representing physiologically mediated mechanical modulation of a wood cylinder. Finally we present a brief discussion on the hydraulic and mechanical 'trade-offs' involved in specialized climbing growth habits and the fact that recent phylogenetic analyses (Bowe *et al.*, 2000; Chaw *et al.*, 2000; Donoghue and Doyle, 2000) now point to potentially separate origins of sophisticated lianoid growth habits in Gnetales and angiosperms.

Turgor

Recent discussions focusing on the probable ecology of early land plants suggest that the initial phases of land colonization were undoubtedly dominated by hydraulic novelties (e.g. Raven, 1984, 1994; Edwards, 1996, 1999). Homoiohydry (physiological maintenance of a hydrated plant body) resulted from the appearance of an outer cutinized envelope surrounding hydrated, living plant tissues. The initial function of the outer cuticle of putative Palaeozoic bryophytes and 'protracheophytes' was almost certainly hydraulic in combating desiccation. Hydrated turgor systems in plant stems were mechanically important for upright columnar growth and spreading semi-recumbent clonal axes in plants such as *Aglaophyton major* Kidston and Lang, *Horneophyton lignieri* Barghorn and Darrah and *Rhynia gwynne-vaughanii* Kidston and Lang. In such stems, hydrated parenchyma was the principal contributing element to stem stiffness (Speck and Vogellehner, 1988, 1994; Niklas 1989, 1992; Speck *et al.*, 1990). Thickened epidermal cell walls combined with a layer of cuticle could also have functioned as a peripheral tension bracing system and mechanical pneumatic structure (Speck and Vogellehner, 1988; Speck *et al.*, 1990). Quantitative biomechanical models of this grade of organization indicate that central conducting strands were small and too centrally placed within the stem to contribute significantly to stem flexural stiffness (Speck *et al.*, 1990; Speck and Vogellehner, 1994) (Figure 16.1); stem stiffness permitting upright and probably mutually supported stands of upright stems was almost entirely a result of turgor systems. The central conducting strands of such early land plants represent primarily hydraulic functional novelties (Roth and Mosbrugger, 1996; Bateman *et al.*, 1998; Roth *et al.*, 1994, 1998; Roth-Nebelsick *et al.*, 2000; Konrad *et al.*, 2000) compared with aquatic and dorsoventral body plans of antecedent forms. Hydraulic optimization via tracheid-like central strands and the increased and more rapid supply (Raven, 1994) to more extensive and more distant parts of the plant body probably conferred improved hydraulic supply for more extensive clonal systems of horizontal axes.

Central conducting strands did not contribute considerably in a direct manner to stem stiffness and were primarily hydraulic in function. On the face of it, this appears to have permitted greater hydraulic supply to a larger plant body and ensuring greater degrees of intrinsic homoiohydry. The appearance of a small central strand of tracheids is effectively a 'modular novelty' in that its appearance did not necessitate further simultaneous developmental novelties for the new structure to function; this holds true if one assumes that a cuticle and epidermis with stomata for regulating transpiration and rhizoids for water uptake had already been put in place. Within limits, the appearance of a conducting strand could be interpreted as a 'key innovation' in as much as it set a template for optimized conductance in a number of putative lineages (Kenrick and Crane, 1997a,b). In terms of an immediate morphological diversification, the appearance of the conducting strand probably represented an innovation for extensive clonal growth and low-lying vegetation commonly depicted for the early land plant radiation, but not one for significantly enlarging and expanding plant architectures into the aerial realm.

The hypodermal sterome

By the Middle Devonian many lineages of land plants possessed members with thick-walled fibre tissues at or towards the outside of the stem cross-section. Biomechanical investigations indicate that these types of tissue configurations represented significant contributions to the stiffness of the stem (Speck *et al.*, 1990; Speck and Vogellehner, 1994) potentially allowing greater height and more diverse branched architectures than were possible from turgor systems. Devonian plants such as *Psilophyton dawsonii* Banks, Leclercq and Hueber (Figure 16.2), *Gosslingia breconensis* Heard and species of *Zosterophyllum* Penhallow show that the hypodermal sterome generally contributes to over 95% of the flexural stiffness of the stem. In these plants at least, the hypodermal sterome undoubtedly had a mechanical function.

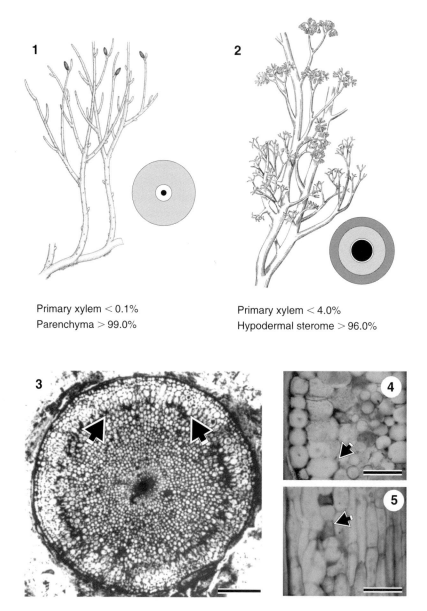

Primary xylem < 0.1%
Parenchyma > 99.0%

Primary xylem < 4.0%
Hypodermal sterome > 96.0%

Figures 16.1–16.5   Biomechanics of the central conducting strand and hypodermal sterome in two representative early land plants. Figures 16.1 and 16.2 Reconstructions of *Rhynia gwynne-vaughanni* and *Psilophton dawsonii*, cross-sections: black = central xylem tissue; white = phloem; light grey = parenchymatous cortex; dark grey = hypodermal sterome. Figure 16.1 *Rhynia gwynne-vaughanii*; the central xylem elements contribute less than 0.1% to the flexural stiffness of the stem, the parenchymatous cortex dominates in contributing to the stem stiffness which is dependent on turgor. Figure 16.2 *Psilophyton dawsonii*, an enlarged xylem cylinder contributes minimally to flexural stiffness whereas the hypodermal sterome dominates the mechanical contribution to flexural stiffness. Figure 16.3 *Aglaophyton major*, entire stem (TS), arrows, indicate slightly thicker-walled cells of the parenchymatous cortex. Scale bar = 1 mm. Figures 16.4 and 16.5 *Rhynia gwynne-vaughanii*. Figure 16.4 Outer stem and cortex of stem with thicker walled elements in mid-cortex (TS). Scale bar = 0.25 mm. Figure 16.5 Outer stem and cortex, showing epidermis, enlarged cortical elements with thicker cell walls than surrounding parenchyma (LS). Scale bar = 0.25 mm.

A developmental change from parenchymatous cells to fibre elements is a relatively simple novelty requiring little coordinated developmental features. Biomechanical models have focused on early land plants with turgor systems and well-developed hypodermal steromes and it is clear that some plants, such as *Aglaophyton major* and *Rhynia gwynne-vaughanii*, show cortical differentiation with moderately thicker-walled parenchyma towards the outer part of the inner cortex (Figures 16.3–16.5). Kidston and Lang (1917, 1920) refer to a 'mechanical hypoderma' comprising the outer cortex which, in both species, consists of larger cortical cells with relatively thin walls. In our observations, thicker-walled and smaller cells are found just to the inside of this zone forming a boundary with smaller cells of the inner cortex and appear more well developed in stems attributed to *A. major* (Figures 16.3–16.5). The origin(s) of the hypodermal sterome among different basal clades is probably complex and involved a range of integrated features to combine both mechanical and photosynthetic functioning of the plant. Photosynthetic tissue would either have had to be placed outside the hypodermal sterome – but somehow communicating with the xylary and translocatory apparatus – or placed on more distal appendages of the branch system where a hypodermal sterome was less completely developed. Interestingly, Kidston and Lang (1917) observe gaps in the outer cortex of *R. gwynne-vaughanii* where the inner cortex extends to areas subtending stomata, suggesting some degree of functional differentiation between possible mechanical, assimilatory and transpirational functioning.

The origins and exact functioning of early hypodermal steromes and their surrounding tissues deserve much more attention from a functional and evolutionary perspective. Are certain kinds of sterome 'hydraulic' in function, whereby a layer of thicker-walled parenchyma cells prevented evapotranspiration? Were mechanical steromes modifications of this via wall thickening and elongation into fibre elements?

Whether the hypodermal sterome was initially hydraulic or mechanical in function, derived hypodermal systems are predominantly mechanical and permitted a wider range of branched architectures and almost certainly higher plant growth forms. Branch attachments and wider branch angles are more effectively articulated compared with those of parenchymatous turgor systems. From this perspective the appearance of hypodermal steromes among basal plant groups permitted an increase in architectural diversity in the Lower to Middle Devonian. It is notable that hypodermal systems could have increased the height of not only independent self-supporting plant species, but also contributed to the robustness and height of clonal, mutually supporting upright stems.

Functional studies of the early land plant radiation can be combined with phylogenetic analyses and provide invaluable references for assessing single or multiple origins of functional novelties such as conducting strand tissue, hypodermal steromes and secondary growth. Analysis of Kenrick and Crane's (1997a) representative cladogram (Kenrick and Crane 1997a; Figure 4.32) and consensus tree of polysporangiophytes (Figure 16.6) indicates an early accumulation of hydraulic and mechanical novelties. Basal groups such as Horneophytopsida, *Aglaophyton* and Rhyniopsida show a range of modifications of a possibly homologous central conducting strand, which vary mostly in terms of the types of wall thickening (Kenrick and Crane, 1991, 1997a). These are mostly turgor-maintained mechanical axial systems. A hypodermal sterome, as defined by these authors – present as a single centripetal ring of thick-walled cells several cells thick – is characteristic of eutracheophytes (Euphyllophytes, Lycopsida, Zosterophyllopsida and a grade basal to zosterophylls including cooksonioid species) with a loss of the sterome in *Asteroxylon* Kidston and Lang, *Huperzia* Bernhardi and *Nothia* Lyon. Among Euphyllophytes, basal members such as *Psilophyton* possess an entire sterome, whereas more derived types of sterome

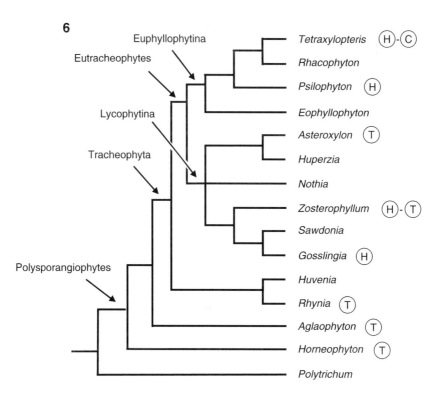

Figure 16.6 Phylogenetic relationships of early polysporangiophytes (based on Kenrick and Crane, 1997a; Figure 4.33). Biomechanical structures are indicated for tested taxa: T = turgor system, H = hypodermal sterome, C = vascular cambium.

characterize both lignophyte taxa and the putative basal sphenopsid *Ibkya* Skogg and Banks. Finally, a hypodermal sterome and a bifacial vascular cambium characterizes *Tetraxylopteris* Beck and other lignophytes (Figure 16.6).

Secondary growth

Secondary xylem evolved separately in possibly five different lineages and four of these, lycopsids, lignophytes, *Rhacophyton* Crépin and cladoxylls, had appeared by the Middle Devonian. The vascular cambia generally differ considerably in organization and products formed (Cichan, 1986a; Cichan and Taylor, 1990) as well as in actual function. Biomechanical analyses indicate that wood in arboreous lycophytes is nearly entirely hydraulic in function (Speck and Vogellehner, 1992; Speck, 1994b). Wood in some stem-group lignophytes, such as *Archaeopteris* Dawson, was clearly both hydraulic and mechanical (Galtier *et al.*, 1999). The functional and ecological significance of these separate origins is of extreme interest for understanding the post-homoiohydric phase of diversification in land plants and has been discussed briefly in a broadly biomechanical perspective elsewhere (Rowe, 2000). In this section and below we focus on the bifacial vascular cambium in lignophytes and consider the functional significance of the appearance of secondary xylem in basal members of the group.

Preliminary biomechanical findings based on *Tetraxylopteris schmidtii* Beck indicate that young stages of growth possess a mechanical hypoderm which contributes dominantly to the flexural stiffness of the stem (Galtier *et al.*, 1999; Rowe *et al.*, 2000) (Figure 16.7). A second stage of development where secondary xylem and phloem mostly fill the previously mid-cortical region up to the outer hypodermal tissue (Figure 16.7) shows a higher contribution of secondary xylem to the flexural stiffness of the stem and, by the final stage of development tested, in which an extensive layer of peridermal tissue has formed, the contribution of the wood to flexural stiffness approaches 60% in the model selected (Figure 16.7). Despite the increase in contribution of flexural stiffness of the wood, the pattern of Young's modulus for these three stages is not typical for a self-supporting plant (Figure 16.8) (Speck, 1994a; Speck and Rowe, 1999a,b). Self-supporting plants show basal or older stages of development having higher Young's elastic moduli than more distal segments, which therefore represent relatively stiffer bases for supporting the distal load. In *T. schmidtii*, periderm forms a wide, parenchymatous and disorganized tissue continuing outwards from the secondary phloem (Figure 16.12) (Scheckler and Banks, 1971; Scheckler, 1976). Preliminary results based on a model of ontogeny of *Triloboxylon arnoldii* Matten indicate a similar general pattern in the trend of calculated Young's modulus, although material under investigation of this plant (Stein and Beck, 1983) shows a different pattern of secondary development (Figures 16.9–16.10) where fibre and sclereid reorganization of the hypoderm as well as periderm formation differ from that in *Tetraxylopteris*. The results for *Tetraxylopteris* and *Triloboxylon* will be presented in detail elsewhere.

Both *T. schmidtii* and *T. arnoldii* show a hypodermal sterome organization (Figures 16.9 and 16.11) which dominates the mechanical architecture in youngest growth stages. This organization is comparable with some basal land plants relying on a hypodermal sterome for mechanical support. The hypodermal sterome in these aneurophytes consists of longitudinal ribs around the perimeter of the stem in the form of a 'sparganum' cortex differing from the entire hypodermal steromes seen in plants such as *Psilophyton* and *Leclercqia* Banks, Bonamo and Grierson.

Current phylogenetic analyses (Rothwell and Serbet, 1994; Kenrick and Crane, 1997a) most commonly place aneurophytalean progymnosperms at the base of the lignophyte clade. These plants are usually depicted as small statured, possibly understorey shrubs, with relatively determinate growth (Scheckler, 2001). Significant development of the bifacial vascular cambium enlarges and modifies the geometry of the primary body and is developmentally complex. Secondary development within the primary plant body clearly requires integral developmental pathways for expansion, containment, prevention of rupturing and sealing-off of the outside of the primary body (Figures 16.9 and 16.12). Neither of the aneurophytes examined shows a secondary growth process, which produces trends in Young's modulus typical of a self-supporting plant. In other words, the production of secondary xylem and secondary phloem fibres in the latest stage of growth does not occupy a sufficiently large proportion of the stem to 'optimize' the stiffness of the basal stem part to a value which would be normal for a self-supporting plant (Speck and Rowe, 1999a). In *T. schmidtii*, there is a wide zone of outer secondary cortical tissue (Figure 16.12) and in *T. arnoldii* there are one or more zones of proliferated primary and secondary cortex (Figure 16.9).

At the risk of generalization, many woody self-supporting gymnosperms and angiosperms have a woody cylinder surrounded by a zone of bark tissue which is relatively thin compared with the diameter of the wood. A relatively stiff woody component

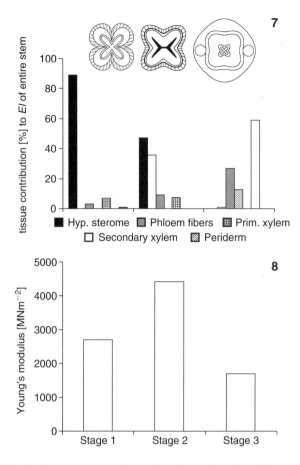

Figures 16.7 and 16.8 Preliminary biomechanical analysis of the basal lignophyte *Tetraxylopteris schmidtii*. Figure 16.7 Contribution of main tissues to flexural stiffness [%] (graph shading: black = hypodermal sterome, white = secondary xylem, grey = phloem, cross hatched = primary xylem, diagonal hatched = periderm). Three tested stages of *Tetraxylopteris schmidtii*, from young to old stages (left to right) are depicted at top. Stage 1, tissues from outside to inside: banded hypodermal sterome, primary parenchymatous cortex, band of primary phloem, primary xylem; Stage 2, tissues from outside to inside: banded hypodermal sterome, thin band of secondary phloem and compressed cortical parenchyma, wide band of secondary xylem, inner star-shaped band of primary xylem; Stage 3, tissues from outside to inside: periderm (mostly parenchymatous), pair of branch traces consisting mostly of xylem and phloem (the model presented here does not compute the branch traces as these are not continuous along stem, depart at wide angles from the axis and so do not contribute continuous longitudinal resistance to the entire stem), thin band of secondary phloem, broad band of outer secondary xylem, band of inner secondary xylem, primary xylem. Calculations are based on centrisymmetric models and data gathering protocols explained in Rowe *et al.*, 1993; Speck, 1994b; Speck and Vogellehner, 1994. Stage 1 is dominated by contribution by the outer sparganum cortex; stage 2 combines relatively high values of both hypodermal sparganum cortex and secondary xylem. Further development of the axis involves loss of the hypodermal sterome and development of a broad and mostly parenchymatous periderm around the wood cylinder; a contribution of wood to flexural stiffness of around 60% is not typical of self-supporting plants in which mechanical support is dominantly provided by the wood cylinder. Figure 16.8 Young's modulus for stages 1–3. The trend observed with a lower value of Young's modulus for the oldest ontogenetic stage compared with younger ontogenetic stages is not typical of self-supporting plants. This corresponds to the loss of the hypodermal sterome, the relatively large proportion of parenchymatous periderm towards the outside of the stem and the consequently relatively central position of the wood cylinder.

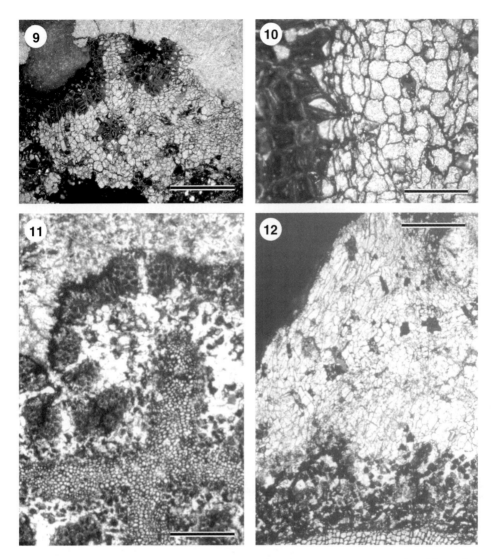

Figures 16.9–16.12 Secondary development in aneurophyte progymnosperms (basal lignophytes). Figures 16.9 and 16.10 *Triloboxylon arnoldii*. Figure 16.9 Hypodermal sterome with packets of thick-walled fibre cells and sclereids alternating with parenchyma; secondary development has already developed and accompanied by fissuring of the outermost cortex and at least two types of secondarily produced cortex (Stein and Beck, 1983), scale bar = 0.6 mm. Figure 16.10 Secondary cortex, produced around the periphery of longitudinal fissures and within meristematic zones between the outer secondary phloem and the hypodermal sterome, scale bar = 0.2 mm. Figures 16.11 and 16.12. *Tetraxylopteris schmidtii*. Figure 16.11 Hypodermal sterome comprising alternating packets of thick-walled fibres and parenchymatous tissue, scale bar = 0.5 mm; Figure 16.12 peridermal development in outer part of stage 3 (see Figure 16.7), heterogeneous parenchymatous tissue with scattered thick-walled cells extends from the limit of secondary phloem fibres. Scale bar = 0.8 mm.

occupies a relatively large proportion of older stems and such axes have a correspondingly higher stiffness than younger axes with less wood and more cortex. We cannot overstate the fact that these are initial findings based on the few adequately preserved specimens of this rare plant group, but ones which are, nevertheless, of great interest for determining the constraints and possible functioning of the appearance of the vascular cambium in lignophytes. We summarize the functional significance of these findings below.

1. Young stages of aneurophytes are mainly supported by a hypodermal sterome of the sparganum type of longitudinal ribs of sclerenchymatous fibres that are fused or nearly fused in young ontogenetic stages. This organization can be viewed as a structural and developmental novelty compared with entire hypodermal steromes of antecedent tracheophytes. The modified function of such an arrangement could be linked to integral processes such as (i) coordination of mechanics with externally placed photosynthetic tissues (as seen in many extant herbaceous plants), (ii) reduced expenditure of physiologically costly thick-walled fibres, or (iii) integral optimization permitting expansion of the outer parts of the primary body as a result of expansion of secondary growth from inside. Whatever the functional innovation operating here, there are several possibilities which would confer developmental innovation over archetypal forms with entire hypodermal steromes.

2. The xylem produced by the secondary vascular cambium, at least in *Tetraxylopteris*, exceeds the original area of primary xylem within the primary body. This is clearly a developmental novelty over other body plans with only primary xylem development. Some authors have interpreted xylem in *Psilophyton* to show possible secondary development as seen from aligned primary xylem elements (Banks *et al.*, 1975). The actual function of the wood cylinder seen in *Tetraxylopteris* and *Triloboxylon* is difficult to demonstrate unequivocally from a physiological, hydraulic or mechanical point of view. The result from the biomechanical models of these plants indicate that the increase in xylem volume *does not* contribute 'mechanically' to a self-supporting growth form. All tested self-supporting plants show an increase in Young's modulus during ontogeny or towards the base of the plant so that older development stages are constructed from a stiffer material (Speck and Rowe, 1999a; Figure 1). Despite the comparatively large volume of wood in the old stage of *Tetraxylopteris*, the Young's modulus for this stage is less than that calculated for younger stages. The larger size and the presence of wood in older stages of *Tetraxylopteris* do produce a stiffer stem in terms of flexural stiffness and this is true for many lianas in which older stages are simply larger (Speck and Rowe, 1999a; Figure 2) but, as in lianas and other non-self-supporting stems, the material properties of the older basal parts of the stem are not stiffer than those younger or above in terms of Young's modulus and this is not an optimal design for a self-supporting plant. Xylem volume increase is possibly some kind of hydraulic novelty but it is difficult to examine further in what precise way. It is unknown, for example, whether the entire wood cylinder remained water conducting throughout development or only in the most recently formed wood. It is possible that an increased xylem cylinder either optimized conductivity over a longer time or over more extended aerial portions of the plant or both. Uncertainty of how much of a wood cylinder remained conductive and, indeed, how much of the distal part of the fossil plant was supplied, remain major obstacles for models of hydraulic functioning in fossil plants (Cichan, 1986a; Rowe and Speck, 1998).

3. Cortical proliferation and peridermal activity also represent developmental novelties compared with most earlier tracheophyte body plans. Evidence exists of localized cellular proliferation in plants lacking other secondary growth and this is sometimes referred to as 'wound tissue' (Banks, 1981) such as in *Psilophyton*. This is quite different

(though possibly developmentally allied) with fully circumferential periderm growth coupled as integral developmental traits with bifacial vascular cambium activity. Periderm and cortical development in *T. schmidtii* and *T. arnoldii* appear to 'surround' and 'seal off' respectively the geometric change brought about by secondary growth. They could justifiably be cited as examples of integral functional novelties formed *de novo* and coupled with expansion of the wood and secondary phloem. Interestingly, the peridermal systems observed in *Tetraxylopteris* and *Triloboxylon* are different (see Figures 16.9–16.12) suggesting that integral pathways linked with secondary development of the bifacial vascular cambium were derived independently. Once again the functional origin of periderm is an interesting one of possible co-option where an original wound repair mechanism possibly related to phytophagy was later modified and deployed as an integral developmental system linked to growth of the bifacial vascular cambium. Certainly this is hinted at by the cortical activity in *T. arnoldii* where at least two broadly defined meristematic areas occur just inside the outer hypodermal sterome and flanking longitudinal fissures caused by internal expansion of the axis (see Figure 16.9).

4. Secondary phloem proliferation and significant volumes of tissues in both species suggest prolonged translocatory function over a more extensive plant body. Fibre cells within the secondary phloem might have had a mechanical role, but rows of fibres are not interconnected and contain rounded sclereids, which are not as mechanically efficient as fibres.

Does the appearance of the bifacial vascular cambium represent a key innovation?

More derived progymnosperms, Archaeopteridales, co-occurred with aneurophytes, became globally distributed and developed additional vegetative novelties including leaves, complex branch organization and large-bodied architectures (Scheckler, 2001). Lignophytes from the Late Devonian onwards possess a bifacial vascular cambium and show increasing architectural diversity. From this viewpoint, the combination of novelties built around the bifacial vascular cambium represents further consolidation of the lignophyte body plan and accompany a morphological and architectural diversification. In terms of the long-term success of lignophytes, the implication that the bifacial vascular cambium was a key innovation triggering a morphological radiation of lignophytes must be considered with caution. The appearance of the seed habit – perhaps a clear example of a modular innovation in relation to vegetative novelties associated with secondary growth – is another of the 'key innovations' widely believed to have contributed to the radiation of the group.

The bifacial vascular cambium emerged prior to the seed. We have shown that, among at least two representatives, cambial activity might have optimized hydraulic conductivity and photosynthate translocation. Both are physiological novelties compared to basal groups with a more static primary growth trajectory.

Phylogenetic resolution of basal lignophytes and seed plants remains unsubstantiated in any great detail. However, biomechanical analyses of some early seed plant representatives indicate that some and probably many show body plans with a vascular cambium in which secondary growth is mainly confined within the primary plant body and that mechanical stiffness was conferred by a hypodermal sterome of the sparganum or dictyoxylon type (Speck and Vogellehner, 1992, 1994; Rowe *et al.*, 1993). Other early seed plants following the Late Devonian were undoubtedly capable of woody self-supporting growth habits (Speck and Rowe, 1994a). Interestingly, the earliest known seed plants are small-bodied plants with limited secondary growth but extensive leaves (Rothwell and Scheckler, 1988; Serbet and Rothwell, 1992), a later novelty which could be interpreted as an innovation added to the cambial body plan organization observed in aneurophytes. Furthermore, the possession of planated leaf surfaces could be considered as integrated novelties linked to the enhanced hydraulic potential of cambial activity. The appearance of seed structures represents a modular innovation in relation to the bifacial cambium body plan.

In summary, the appearance of the bifacial vascular cambium appears to have been an innovation for lignophyte architecture with a primary functional novelty concerned with optimizing hydraulics rather than immediately conferring mechanical advantages as witnessed with the limited stature of tested aneurophytes and the biomechanical results suggesting poor optimization for self-supporting habits. Self-supporting architectures are seen among Archaeopteridales and other putative progymnosperms, such as *Protopitys*, and it is a fascinating aspect of the early evolution of lignophytes that this lignophyte stem group became largely extinct by the early Carboniferous – apart from one possible Lazarus taxon *Cecropsis lunulata* Stubblefield and Rothwell (Stubblefield and Rothwell, 1989). Only members of the clade having the seed habit, an unrelated additional modular innovation, diversified after this point.

Lignification and biomechanics of the plant cell wall

Chemical and physical complexity of plant phenolics and especially lignin have been of particular interest to evolutionary studies, where their primary roles as either light screens, phytophagy deterrents, water-repellents or mechanical stiffening have been discussed recently (Cooper-Driver, 2001). In addition to the difficulties of understanding what lignin actually does in living plant cell walls, is the notorious problem of unequivocally identifying lignin derivatives in fossil plants, especially in the early land plant radiation. There are several elements to the potential functional roles of lignin in plant tissue mechanics. First is its potential role as a 'water proofing agent'; as a hydrophobic molecule it 'chemically dries' the embedded cellulose microfibrils which can maintain more intramolecular H-bonds and so retain higher stiffness. Second, as a matrix structure or filler (Wainwright *et al.*, 1976; Niklas, 1992) in composite cell walls, it can only act mechanically in combination with longitudinally orientated molecules, such as cellulose. These two functions of lignin discussed in the recent experimental literature (Hoffmann *et al.*, 2000a,b; Spatz and Speck, 2000) are significant for interpreting the origins of such roles in early land plants. Retaining stiffness in water-conducting cell walls is important to prevent collapse resulting from negative pressures building up inside the lumen; it is possible that lignin might have played a crucial role at some point in the evolution of water-conducting strands where lignin maintained stiffness in cell walls constantly in contact with water. Somewhat different constraints might have characterized lignin functioning in hypodermal steromes. As these tissues do not conduct water after cell death they might have been less reliant on lignified cell walls for protecting cellulose wall-stiffening elements from contact with water. The role of lignin in strengthening water-conducting cells is possibly linked with other geometric features of the cell wall including spiral, annular and scalariform thickenings, which can also locally reinforce and strengthen water-conducting cells against negative pressure.

Recent biomechanical research on a wide systematic range of plants from algae to seed plants is one way of observing how different clades deploy varying mechanical strategies at the architectural, morphological, anatomical, ultrastructural and biochemical levels (Spatz and Speck, 2000). In this case study we briefly report some recent results from studies on *Equisetum* L. where mechanical support is provided from non-lignified fibre cells.

Equisetum hyemale L., is a herbaceous, clonal plant with a hollow stem, nodal structure and a mechanical architecture which provides a lightweight, 'cheap' organization that resists mechanical failure by local buckling (Speck *et al.*, 1998). In *Equisetum hyemale* ovalization of the stem and local buckling are resisted by relatively high Young's elastic moduli of the hollow stem wall. The wall includes a non-lignified hypodermal sterome in combination with a double layer of relatively thick-walled endodermis cells with lignified casparian rings (Figure 16.13). Detailed staining techniques with phloroglucinol (Gerlach, 1984) and other reagents indicate that cells of the hypodermal sterome are living and unlignified (Figure 16.13). This tissue has Young's moduli varying from 4.5 GPa in basal internodes to lower values of 1.5 Gpa towards the apex (Speck *et al.*, 1998). All values in these data are lower than the usual range for sclerenchyma which range in values from 5 to 30 GPa (Wainwright *et al.*, 1976; Niklas, 1992) and higher than values measured for collenchyma ranging from 1 to 2 GPa (Nachtigall *et al.*, 1988; Spatz and Speck, 1995).

Unlignified tissues can provide significant mechanical stiffness approaching values to those of lignified tissues. One of the uncertainties of any kind of biomechanical modelling of fossil plants is that biochemical composition of cell walls is unknown or unknowable and that measurements on living plants might not be confidently applied to fossils (Edwards *et al.*, 1997). Of course, cell wall chemistry, ultrastructure and degrees of hydration as well as numerous other factors influence cell wall mechanical properties and values of Young's moduli assigned to fossil tissues can only be hoped to represent a similar magnitude of value. The point we wish to make here is that lignification is not a prerequisite for conferring 'stiffness' to a plant tissue and that a thick-walled tissue comprising fibre-shaped elements would not necessarily require lignin in its walls to have a high value of Young's modulus. This has direct implications for interpreting the functioning of hypodermal

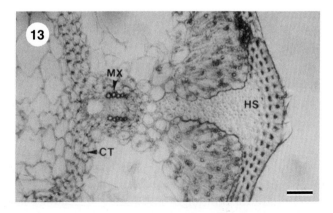

Figure 16.13 Transverse section of *Equisetum hyemale*, stained for lignin, based on Speck *et al.* (1998). A segment of dense thick-walled tissue representing a hypodermal sterome (HS) represents an important contribution to the mechanical stability of the stem but is unlignified; other lignified tissues in the same stem cross-section include the metaxylem (MX) and the casparian thickenings (CT). Scale bar = 0.1 mm.

steromes in early land plant diversifications where lignification of cell walls would not be prerequisite for a mechanically significant structure. The physiological and mechanical roles assigned to phenolics in general, from light screens, pathogen/phytophage deterrence, water repellent and mechanical properties of cell walls underline the difficulty of confidently assigning function to biochemical processes and such areas undoubtedly require more research based on carefully deployed studies of living plants.

Reaction wood

Reaction wood is a developmental modification of normal wood concerned with righting, adjusting and maintaining the orientation of woody leaders and branches (Archer and Wilson, 1970; Wilson and Archer, 1977). Two types of reaction wood exist, including compression wood in extant conifers and tension wood in angiosperms. Both show cellular characteristics differing from normal wood and often occur in crescent-shaped areas within the wood cylinder. Generally, compression wood is often, but not always, found on the underside of conifer lateral branches and tension wood is often found in the upper side of angiosperm branches.

The fact that reaction wood is so widespread and common in extant trees and shrubs, prompted some workers to consider when it first appeared in the evolution of woody plants (Timell, 1983, 1986). Considering the large body size and architectural complexity of woody lignophytes since the Devonian and the dependence of extant woody architectures on reaction wood, this is an interesting question. Was compression wood present since the appearance of Middle Devonian plants such as *Archaeopteris* or was it a more derived feature that was 'added' to an increasingly complex and derived system comprising the bifacial vascular cambium? Timell (1983) located only low to moderate wood heterogeneity in *Callixylon* wood and nothing that he could confidently ascribe to reaction wood. His survey of wood illustrations from the Permian fossil woods of eastern Europe (Greguss, 1967) also revealed difficulties in definitely establishing the presence of reaction wood.

Re-investigation of cordaite shoots of *Pennsylvanioxylon tianii* from the Early Permian of China (Baolin and Wang, 1988; Li, 1995; Baolin *et al.*, 1996) and *Pennsylvanioxylon* from the Permian of France, indicate crescent-shaped zones of modified wood within several small branches (Figures 16.14–16.16). One branch pair includes reaction wood, on opposite sides of each branch. Areas of reaction wood are sharply differentiated with transitions to normal wood (Figure 16.15). Cell wall outlines of individual tracheids within crescent-shaped areas have more elliptical outlines, thicker walls and a different type of preservation in which the wall content between the outline of the lumen and the outer part of the secondary wall is usually empty (Figure 16.16). Opposite and temporally alternating areas of reaction wood are a well-known phenomenon in extant compression wood formation during 'over-correction' of upright or lateral branches (Timell, 1986). In cases of over-correction, physiological and mechanical reactions in one direction exceed the 'programmed' equilibrium position for the orientation of the stem and result in the formation of reaction wood in the opposite direction to readjust the position of the branch. This finding suggests a relatively late appearance of reaction wood among lignophytes. It remains to be seen whether reaction wood can be detected in other seed plant groups or among progymnosperms. Analyses of *Archaeopteris*, *Tetraxylopteris* and *Triloboxylon* as well as wood of putative seed plants *Pitus* Witham, *Endoxylon* Kidston and *Eristophyton* Zallesky have not yet yielded the levels of differentiation found among these cordaites.

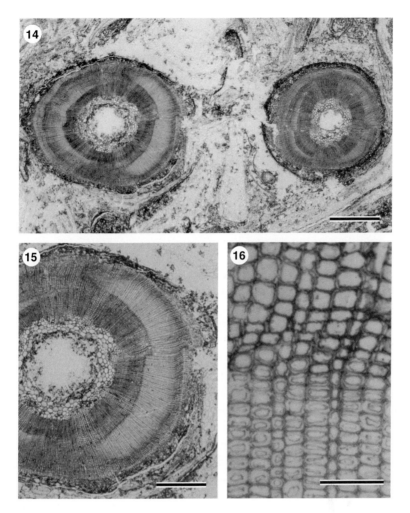

Figures 16.14–16.16 *Pennsylvanioxylon tianni*, a late Permian cordaitalean plant from China. Figure 16.14 A pair of twigs showing at least three crescent-shaped developments of reaction wood represented by the lighter areas of wood. Reaction wood is organized in the same (left to right) orientation for both axes and is very similar to opposite reaction wood formed in extant conifers, scale bar = 1.2 mm. Figure 16.15 Crescent-shaped area of reaction wood alternating with segments of normal wood, scale bar = 0.6 mm. Figure 16.16 Transverse section of transition between reaction wood, below and normal wood above. As in many instances of compression wood in extant plants, the compression wood consists of tracheids with thicker cell walls and elliptical outlines. Scale bar = 80 μm.

Whether reaction wood will be identified in basal groups of lignophytes or not, it represents a physiological and mechanical novelty superposed on the vascular cambium body plan. This highlights a crucial aspect of the vascular cambium as a developmental plan that can accommodate added functional novelties. Reaction wood is clearly mechanical in function in extant plants and almost certainly so for cordaites. Interestingly, recent studies on extant conifers indicate that conductance might be reduced by compression wood (Spicer and Gartner, 1998) suggesting that the appearance of reaction wood might have been of mechanical advantage for the development of complex architectures but with some integrative burden and 'trade-off' with stem hydraulics.

Hydraulics, mechanics and evolution of the climbing habit

Types of climbing strategy

Climbing plants can show quite different mechanical and hydraulic constraints from self-supporting plants (Gartner, 1991; Putz and Holbrook, 1991; Ewers *et al.*, 1991; Speck, 1991, 1994b; Speck and Rowe, 1999a). Furthermore, different types of climbing strategy also show quite different trends in mechanical and hydraulic properties during development. Recent and ongoing biomechanical and hydraulic analyses have shown that climbing strategies involve a range of interrelated constraints based on hydraulics and mechanics. A plant that has reduced the physiological cost of mechanical support by producing slender stems needs to augment its hydraulic conductance if it is to maintain a comparable photosynthetic surface. This is often accomplished via large-diameter conducting elements; water conductance, generally speaking, scales to the fourth power of the radius of the conducting element. However, slender stems with large-diameter conducting elements supplying a large leaf area can be a risky business. Climbing stems can be easily damaged by host tree movement, canopy sway, tree falls, host branch failure from epiphyte loading and so on. A relatively small amount of damage to the stem in terms of surface area because of damage by excessive bending or torsion could potentially cut off a large portion of hydraulic supply; this situation is made worse by the fact that large diameter elements are more prone to dysfunction on account of cavitation (embolism) and that relatively limited damage such as localized cracks passing in the vicinity of vessels might be enough to cause embolism and hydraulic dysfunction (Putz and Holbrook, 1991).

At the risk of over generalization, there are basically three different strategies to overcome these conflicts involved in minimizing stem diameter and maximizing stem conductance. First, grow very close to or actually fixed along the surface of large-bodied supports and reduce free movement between the host support and the climber (root climbers, e.g. Araceae, *Hedera* L.). Second, protect a non-self-supporting stem with stiff mechanical properties, these plants (sometimes referred to as semi-self-supporters (Speck, 1994a,b; Speck and Rowe, 1999a) can exceed their stable critical buckling height and maintain a relatively 'loose' more-or-less vertical scrambling position in the surrounding vegetation. Third, attach firmly along host plants by stem twining, winding and tendrils etc. and produce specialized compliant stems, which dissipate mechanical energy under bending or torsional stresses. This latter strategy can increase survival of the attached plant during swaying and movement of the host as well as raising the probability of survival during dramatic rearrangements of the surrounding forest structure during tree falls. Arguably the most complex strategy in terms of hydraulics and mechanics is the third kind of strategy which is found among many families of lianoid angiosperms and the gnetalean genera *Gnetum* L. and *Ephedra* L.

Appearance of the lianoid habit

The possibility of elucidating specific growth habits of long extinct organisms and the implications for interpreting community structure and evolutionary patterns is appealing. Progress has been made in recent years with the discovery of cuticular plant compressions with attachment organs from the late Palaeozoic indicating probable climbing strategies of the first type described above (Kerp and Krings, 1997; Krings and Kerp, 1997, 1999) as well as biomechanical models indicating climbing strategies of the second type (Speck and Vogellehner, 1992; Rowe *et al.*, 1993; Speck, 1994b; Speck and Rowe 1999b). In addition to these are the quantitative hydraulic studies, particularly of Michael Cichan, investigating the potential hydraulic traits of a range of fossil plants discussed in reference to climbing habits. These include sphenophylls (Cichan, 1985) and sphenopsids, (Cichan and Taylor, 1983; Cichan, 1986b), and medullosans and cordaites (Cichan, 1986a). Other recent discoveries include remarkable vessel-like structures among gigantopterid seed plants (Li *et al.*, 1996), which have also been suggested as representing climbing plants.

In many forms of lianoid development there is an ontogenetic shift from young, relatively stiff stems with dense wood and low specific conductance, to larger diameter, relatively flexible stems with high specific conductance (Figures 16.17–16.20). Old stages of many lianas also have high degrees of built in toughness (not to be confused with stiffness), where stems can be bent or twisted to a remarkable extent before becoming mechanically and hydraulically dysfunctional (Putz and Holbrook, 1991). This is often accomplished by predisposed segmentation via alternation of hydraulically active tissues with wedges of deformable and fracture-confining tissues (Figure 16.18). During early development, mechanical stiffness is a prerequisite for searching leaders or self-supporting young individuals (Speck and Rowe, 1999a). Following secure attachment to the host, increased hydraulic optimization, seen in large surface areas of large diameter vessels, is combined with mechanical compliance and segmentation of the wood cylinder. Our examples here serve to illustrate the complex developmental patterns in a species of the angiosperm *Bauhinia* L. and the gymnosperm *Gnetum*. Mechanical data based on Young's modulus measured in bending for the two species illustrates that both species show a significant drop in Young's modulus during ontogeny.

Vessels and the climbing habit

Enhanced hydraulic conductance via vessels can be viewed as a functional novelty compared with the type of organization seen among most basal lignophytes and non-lignophytes, most of which show little differentiation of tracheid elements in terms of wide size variation. Like the appearance of reaction wood discussed above, vessel appearance could be seen as another supplementary novelty to the existing bifacial cambium body plan. The appearance of vessels has often been cited as a specialization, whereby hydraulic and mechanical functioning within the wood cylinder could be performed by more specialized cell types within the same tissue (Carlquist, 1975).

It is not clear whether, climbers with lianoid (type 3 climbing strategy) existed in early or later Palaeozoic ecosystems. Certain forms such as *Sphenophyllum* Koenig, *Medullosa* Cotta and cordaites have been observed to combine large diameter xylem elements with slender stems, but biomechanical studies are yet to provide evidence whether such forms comprised biomechanically sophisticated flexibility and toughness or adopted the arguably more conservative mechanical strategies such as root climbers or relatively rigid 'semi-self-supporting' types mentioned above. Xylem element diameter taken on its own is not a clear indicator of a lianoid habit.

The appearance of wide conducting elements and vessels in the lignophyte body plan could have potentially elevated leaf surface to stem diameter ratios. The three types of climbing habit outlined above would require different integral and modular novelties. For example, semi-self-supporting plants produce and retain stiff stem mechanics, which would require either stiffening elements in the wood cylinder or in the cortex. This situation contrasts with the necessary integral novelties associated with lianoid climbers, which require compliancy and toughness. Lianoid features arose independently many times among angiosperms and with many variations in terms of ways in which the older stages of development

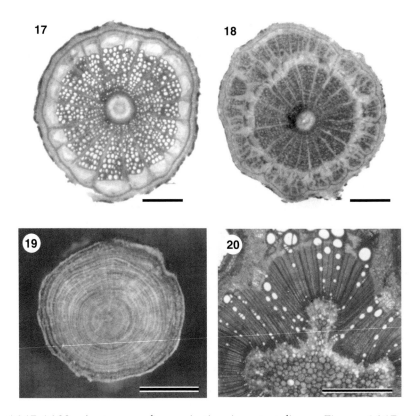

Figures 16.17–16.20 Anatomy and organization in extant lianas. Figures 16.17 and 16.18 Anatomy in young and older stems of the gymnospermous liana *Gnetum africanum*. Figure 16.17 The young stage has relatively dense wood with increasing numbers of vessels towards the outside of the wood cylinder, scale bar = 2.5 mm. Figure 16.18 The older stage shows segmentation of the wood cylinder via variant cambium development, which has formed segments of secondary phloem and cortical tissue around and between the second ring of wood formed. This type of organization is similar to many angiosperm lianas and is typical of older stem development showing high compliance and protection of the hydraulic system via fracture-limiting areas between xylem segments, scale bar = 5.0 mm. Figures 16.19 and 16.20 Transverse sections of the angiosperm liana *Bauhinia guianense* (see also Speck and Rowe, 1999a). Figure 16.19 Young developmental stage of a self-supporting individual prior to the climbing phase. The young growth has produced dense wood with many fibres and very few vessels, scale bar = 3.0 mm. Figure 16.20 Anatomical transition marking shift from young self-supporting phase to lianoid phase and a shift from dense stiff wood to a second wood type with many large vessels. In this species, the vascular cambium is limited to growth in two areas of the perimeter forming a ribbon-shaped lianoid stem, in this figure the continued growth of lianoid wood is at the top. Scale bar = 0.85 mm.

produce flexibility and partition their hydraulic system for protection against hydraulic failure following mechanical perturbation (Gentry, 1991; Ewers *et al.*, 1991; Speck, 1991, 1994a; Speck *et al.*, 1996a; Speck and Rowe, 1999a). Close inspection of any modern habitat, temperate or tropical, indicates enormous differences in position, volume, length, branching, shading and many other characteristics between root climbers, self-supporters and lianas. Dense swathes of semi-self-supporting ferns of *Gleichenia* Smith in the tropics, for example, up to eight or so metres high occupy an entirely different niche from lianoid forest climbers which produce the bulk of their leaves in the canopy via stems that are entirely dependent on self-supporting hosts. These kinds of differences are detectable from consideration of stem mechanics and hydraulics of fossil plants. A putative fossil liana with wide xylem elements, but with a thick fibrous hypodermal sterome around the periphery of old stages of growth can not have been a flexible lianoid climber but more probably a semi-self-supporter.

Since the earliest land plant radiations, the different kinds of potential climbing strategy we have outlined above would have required similar mechanical functioning as plants today involved in attachment and stem stiffness and compliancy. If the entire suite of characters contributing to a climbing syndrome is viewed as a complex character, clearly some climbing strategies are more complex than others.

Growth forms requiring minimal associated novelties probably include root climbing and semi-self-supporting growth forms where increased hydraulic capacity could be accompanied by either retainment of existing mechanical tissues, e.g. the hypoderm for stem stiffness (semi-self supporters) and repositioning of rooting meristems or other attachment organs on cauline parts of the stem (root climbers). Both of these types of climbing strategy could be attained by simple body plans without secondary growth, with relatively little organizational rearrangement and few additional novelties. Heterotopic expression of rooting meristems on stem axes could provide root climbers with the necessary anchorage mechanism. Given adequate hydraulic supply, semi-self-supporters would probably require even fewer additional novelties. If growth was confined to the primary body and primary tissues of the hypodermal sterome, simple continuation of apical meristems would rapidly exceed the plant's critical buckling length, the plant would no longer be 'self-supporting' and would then require support from a dense stand of similar neighbours perhaps of the same clonal stand or larger bodied self-supporters. Simply leaning or interlocking branches to maintain a relatively stiff plant stem upright would not require sophisticated attachment devices and, indeed, many modern tested semi-self-supporters simply interlock branches or petioles with the surrounding vegetation to stay upright (Gallenmüller et al., 2001).

At least these two 'types' of climbing strategies require relatively little modification from bauplans based on turgor, hypodermal or lignophyte body plans. It is possible that such forms were appearing relatively early in the land plant radiations and that such climbing growth forms were just a short physiological step away from the underlying thigmomorphogenetic economizing (Jaffe, 1973) that a great many green plants appear inherently to possess. A shift to a root-climbing or semi-self-supporting growth form would not require a large input of secondary novelties. A number of early land plants do possess both horizontal axes with rhizoids as well as upright aerial axes and this organization might be relatively predisposed towards at least potentially facultative root-climbing, if not on host plants then on local ground topography. Root climbing is possibly more amenable to turgor systems as once firmly attached to a solid host support there is little requirement for stem stiffness or toughness, indeed many root-climber stems are actually brittle structures. Semi-self-supporting strategies among turgor systems were probably more limited as local bending moments on a cylindrical turgor system from greatly extended upright stems may be prone to mechanical and hydraulic failure. It is possible that 'climbing' strategies among such forms were more limited to optimizing and opportunistically modulating safety factors (variable stem lengths *below* the critical buckling length) than greatly developing long semi-self-supporting axes (Speck and Vogellehner, 1994).

The appearance of the hypodermal sterome is often talked about as being an innovation for stem stiffening among early land plants and for optimizing self-supporting growth habits (Niklas, 1992; Speck and Vogellehner, 1994; Rowe and Speck, 1997).

In fact, the appearance of the hypodermal sterome could have also facilitated climbing semi-self-supporters by imparting sufficient integral stiffness in stems exceeding their critical buckling length but laterally supported by other supports. Evolutionary transitions between self-supporting and semi-self supporting among plants with simple body plans therefore probably require little added novelties and little extra integrated developmental characters.

What is special about lianas?

The mechanical and hydraulic properties present in lianoid climbing habits require numerous integral and modular novelties superimposed on a basal early land plant or early lignophyte body plan. Like other climbing growth forms an optimized hydraulic supply and vessel-sized elements is probably essential to maintain hydraulic supply to a large effective leaf surface via a narrow stem. Essential mechanical features include stiff young stages as searchers and increasing compliancy during development associated with stem toughness. This mechanical shift in properties is an essential feature and one that distinguishes the lianoid habit from root climbing and semi-self-supporting strategies. A basal lianoid body plan would require relatively high levels of integral novelties including optimized hydraulic conductance, compliance and toughness.

Conclusions

Following the establishment of basic embryophyte organization and physiology (Graham *et al.*, 2000), the early phase of terrestrialization concerned mostly hydraulic novelties and the establishment of physiologically homoiohydric body plans. Columnar growth forms depending on physiologically maintained turgor were hydraulically optimized by outer cutinized sheaths and central conducting strands. Both represented primary hydraulic novelties. Biomechanical studies demonstrate that many early conducting strands did not contribute directly to the bending mechanics of the stem and thus clarify that mechanical support of columns relied on physiologically mediated water maintenance. The central position of the xylem tissue and its relatively small contribution to the second moment of area of the stem indicate a small direct contribution to flexural stiffness of the stem (see Figure 16.1). It is possible that xylem strands and cutinized sheaths might, however, have been of secondary mechanical significance in ensuring turgor and hydraulically stable axes for larger plant bodies or during intermittent water availability (e.g. Bateman *et al.*, 1998).

Representatives of basal clades show of a range of hypodermal steromes. Biomechanical analyses indicate that the hypodermal sterome became important for contributing directly to the stiffness of the stem and represented a functional novelty for larger and more diverse architectures. Mechanical hypodermal steromes were important in optimizing self-supporting growth forms as well as semi-self-supporting forms. There is some indication that cell wall thickening in the mid to outer cortex in some early representatives such as *Rhynia gwynne-vaughanii* and *Aglaophyton major* may have initially been concerned with limiting evapotranspiration and had little or no effect on directly contributing to stem stiffness. It is possible that such steromes could have secondarily optimized mechanical stability by better controlling turgor pressure over larger and/or taller body plans. Further functional analyses coupled with more inclusive phylogenetic histories might indicate that 'hypodermal steromes' were primarily hydraulic novelties co-opted for mechanical support.

Basal lignophytes possess an undoubtedly mechanical hypoderm in young stages of growth, which are fused or nearly fused in young ontogenetic stages. Development of the bifacial vascular cambium conferred several functional breakthroughs including increased hydraulic, mechanical and translocatory functions. Biomechanical studies suggest that large surface areas of cortex at the 'mechanically influential' outside of the stem meant that the relatively centrally positioned wood cylinder contributed little to flexural stiffness of the stem and the products of the secondary vascular cambium were not optimized for a mechanically self-supporting stem system.

Whereas many authors agree that the Siluro-Devonian radiations were periods of 'innovation' characterized by appearances of many new physiological and morphological 'novelties', precisely how these new novelties actually functioned is more easy to speculate on than to test empirically. This is undoubtedly true in terms of 'hydraulic' or 'mechanical' functioning. A major part of the problem lies in the potentially rapid integral functioning of hydraulic and mechanical features among these early body plans. Conducting strands may have represented *secondary* mechanical novelties by increasing turgor potential over a larger or taller plant body; thick-walled hypodermal sterome fibres might represent modified cortical cells initially concerned with restricting evapotranspiration; secondary xylem acting initially as hydraulic optimization became mechanically important for self-supporting architectures after the addition of further integrated novelties such as entire periderm formation. Further additional novelties to the cambial body plan then permitted yet greater diversification of growth forms via novelties, such as reaction wood and vessels.

The appearance of the bifacial vascular cambium as seen in basal aneurophytalean lignophytes provided a developmental template for a wide range of further physiological and structural novelties including indeterminate, self-supporting as well as non-self-supporting woody architectures. Reaction wood could be said to represent one of the 'bells and whistles' or additional novelties added to the basic cambial body plan, which can be perhaps more directly interpreted as a purely mechanical novelty. The evidence from observed aneurophytes and Archaeopteridales – up to present – indicates that reaction wood was not present in these basal lignophytes. Reaction wood, is an example where a functional novelty is more easily ascribed a single function, compared with more primordial novelties more basic to the emerging polysporangiophyte and tracheophyte body plan where emerging developmental templates share a range of functions.

Phylogenetic investigations of recent radiations, which include functional observations based on living plants, potentially carry higher expectancies for resolving evolutionary processes. A combination of molecular and morphological character traits as well as empirical experimentation on the physiology, hydraulics and mechanics can offer more robust frameworks for interpreting correctly the significance of novelties, innovations and adaptations. Functional studies combined with phylogenetic frameworks can more easily address patterns in hydraulic and mechanical developmental strategies such as transitions between self-supporting plants and climbers. Derived seed plants such as Gnetales and angiosperms have complex and integrated hydraulic and mechanical novelties adapted for lianoid climbing strategies.

Such studies are demonstrating whether transitions in growth form during evolution from self-supporters to climbers occurs via hydraulically and mechanically 'intermediate' forms (e.g. semi-self-supporters) and whether a clade that has once established a lianoid body plan can revert back to a self-supporting architecture (Speck *et al.*, 1997; Civeyrel and Rowe, 2001). In the latter case ongoing work is indicating that the hydraulic and mechanical novelties accumulated during the development of climbing body plans carries high degrees of developmental and ecological burden which is rarely reversed and that subsequent 'self-supporting' plants show differences in trends of mechanical or geometrical characters.

Developmental burden and the ability to 'turn back' having accumulated a specialized mechanical and hydraulic body plan is a fascinating aspect of plant evolution and one which might be relevant to many patterns of body plan complexity and intrinsic constraint from the Devonian radiations onward. The rise and decline of the lycopsid, sphenopsid and filicopsid clades are monumental examples of rises in complexity, long-term ecological success, potential intrinsic constraint and canalization and, finally, disastrous extinction. We argue that an increased application of biophysical modelling on such topics based on parallel studies of living plants that can be appropriately applied to fossils can potentially offer much in the way of explaining or at least reducing the number of speculative scenarios.

Key innovations are widely believed to initiate major radiations and observers are surely correct in emphasizing the necessary phylogenetic framework for testing potentially conflicting or alternative hypotheses based on phylogenetic pattern rather than simply mapping *a priori* assessed functional related traits (Bateman, 1999b). The above examples illustrate the wide range of data-related and conceptual difficulties centred on interpreting function, let alone interpretation of higher conceptual levels such as innovatory significance and adaptation. We propose that function-level interpretations lie at the core of any study involving assessments of innovation and adaptation.

A recurring theme in identifying key innovations in plants is the significance of vegetative and architectural novelties as opposed to reproductive novelties. Was the bifacial vascular cambium a key innovation for the radiation of lignophytes? Or can the ultimate success of lignophytes be attributed to a step-wise series of innovations including acquisition of heterospory and the seed habit. What was the key innovation underlining the radiation of angiosperms? Was it based on sophisticated hydraulic and mechanical architectures generated by deployment of vessels? Or was it due more to coevolution with insect pollinators or rapid generation turnover? Given an appropriate phylogenetic framework as well as rigorous functional and biophysical studies these kinds of questions might be answerable. Many functional traits or processes are 'taken for granted' in the literature as well as in the relatively few systematic studies that comment on functional and ecological traits in any mechanistic detail. Examples include the supposed mechanical significance of the appearance of wood, the functioning of the seed plant ovule and seed and the appearance and developmental significance of periderm, to name just a few. If one of the aims of evolutionary studies is to infer functional process-related dynamics, such as the radiation of early land plants and the radiation of angiosperms and Gnetales, such studies are potentially just as lost without functional analysis as they are without a phylogenetic and historical background.

Functional studies and biophysical modelling allow investigations of structural evolution over long time periods and across gradients of complexity. The origin(s) of complex structures have been one of the most discussed aspects of evolutionary biology. Some of the findings discussed above show potentially interesting patterns of function and complexity. Simple *de novo* appearance of the conducting strand, the hypoderm and the bifacial vascular cambium show relatively clear primary functional characteristics, which are possibly either coupled initially with secondary functional implications or closely followed by that secondary function. In all three novelties this has been argued as a shift from primarily hydraulic to hydraulic *and* mechanical functioning.

Acknowledgements

We thank Wm. Stein and Robyn Burnham for kindly providing slides of *Triloboxylon* for analysis and Steve Scheckler for lending slides of *Tetraxylopteris*. Shijun Wang generously provided material of *Pennsylvanioxylon* for the analysis of reaction wood – research carried out with the support an exchange grant from the French and Chinese consuls. We both acknowledge support from a French–German PROCOPE exchange grant over the last few years. Finally, we would like to thank Hanns-Christof Spatz for all of his lively ideas and encouragement over the years and we are confident that this long and amicable collaboration will continue for a long time to come.

References

Archer RR, Wilson BF. 1970. Mechanics of the compression wood response I. Preliminary analyses. *Plant Physiology* **46**: 550–556.

Banks HP. 1981. Peridermal activity (wound repair) in an early Devonian (Emsian) trimerophyte from the Gaspé Peninsula, Canada. *Palaeobotanist* **28–29**: 20–25.

Banks HP, Leclercq S, Hueber FM. 1975. Anatomy and morphology of *Psilophyton dawsonii*, sp.n; from the late Lower Devonian of Quebec (Gaspé), and Ontario, Canada. *Palaeontographica Americana* **48**: 77–127.

Baolin T, Wang S. 1988. Study on primary vascular systems of cordaitean stems *Shanxioxylon sinense* and *Pennsylvanioxylon tianii* in coal balls from Shanxi. *Acta Palaeontologica Sinica* **27**: 21–29.

Baolin T, Wang S, Guo Y, *et al.* 1996. Flora of Palaeozoic coal balls of China. *The Palaeobotanist* **45**: 247–245.

Bateman RM. 1999a. Architectural radiations cannot be optimally interpreted without morphological and molecular phylogenies. In: Kurmann MH, Hemsley AR, eds. *The Evolution of Plant Architecture*. Kew: Royal Botanic Gardens, 221–250.

Bateman RM. 1999b. Integrating molecular and morphological evidence of evolutionary radiations. In: Hollingsworth PM, Bateman RM, Gornall RJ, eds, *Molecular Systematics and Plant Evolution*. London: Taylor and Francis, 432–471.

Bateman RM, DiMichele WA. 1994. Saltational evolution of form in vascular plants: a neo-Goldschmidtian synthesis. In: Ingram DS, Hudson A, eds. *Shape and Form in Plants and Fungi*. London: Academic Press, 63–102.

Bateman RM, Crane PR, DiMichele WA, *et al.* 1998. Early evolution of land plants: Phylogeny, physiology and ecology of the primary terrestrial radiation. *Annual Review of Ecology and Systematics* **29**: 263–292.

Bowe LM, Coat G, dePamphilis CW. 2000. Phylogeny of seed plants based on all three genomic compartments: Extant gymnosperms are monophyletic and Gnetales' closest relatives are conifers. *Proceedings of the National Academy of Sciences* **97**: 4092–4097.

Carlquist S. 1975. *Ecological Strategies of Xylem Evolution*. Berkeley and Los Angeles: University of California Press.

Chaw SM, Parkinson CL, Cheng Y, *et al.* 2000. Seed plant phylogeny inferred from all three plant genomes: monophyly of extant gymnosperms and origin of Gnetales from conifers. *Proceedings of the National Academy of Sciences* **97**: 4086–4089.

Cichan MA. 1985. Vascular cambium and wood development in Carboniferous plants. II. *Sphenophyllum plurifoliatum*. *Botanical Gazette* **146**: 395–403.

Cichan MA. 1986a. Conductance in the wood of selected Carboniferous plants. *Palaeobiology* **12**: 302–310.

Cichan MA. 1986b. Vascular cambium and wood development in Carboniferous plants III. *Arthropitys* (Equisetales, Calamitaceae). *Canadian Journal of Botany* **64**: 688–695.

Cichan MA, Taylor TN. 1983. A systematic and developmental analysis of *Arthropitys deltoides* sp. nov. *Botanical Gazette* **144**: 285–294.

Cichan MA, Taylor TN. 1990. Evolution of cambium in geologic time. In: Iqbal M, ed. *The Vascular Cambium*. Taunton, Somerset: John Wiley, 213–228.

Civeyrel L, Rowe NP. 2001. Relationships of the Secamonoideae based on molecules, morphology and anatomy. *Annals of the Missouri Botanical Garden* **88**: 583–602.

Cooper-Driver GA. 2001. Biological roles for phenolic compounds in the evolution of early land plants. In: Gensel PG, Edwards D, eds. *Plants Invade the Land, Evolutionary and Environmental Perspectives*. New York: Columbia University Press, 159–172.

Donoghue MJ, Doyle JA. 2000. Seed plant phylogeny: demise of the anthophyte hypothesis? *Current Biology* **10**: 106–109.

Edwards D. 1996. New insights into early land ecosystems: a glimpse of a Lilliputian world. *Review of Palaeobotany and Palynology* **90**: 159–174.

Edwards D. 1999. Origins of plant architecture: adapting to life in a brave new world. In: Kurmann MH, Hemsley AR, eds. *The Evolution of Plant Architecture*. Kew: Royal Botanic Gardens, 3–21.

Edwards D, Ewbank G, Abbot GD. 1997. Flash pyrolysis of the outer cortical tissues in Lower Devonian *Psilophyton dawsonii*. *Botanical Journal of the Linnean Society* **124**: 345–360.

Ewers FW, Fisher JB, Fichtner K. 1991. Water flux and xylem structure in vines. In: Putz FE, Mooney HA, eds. *The Biology of Vines*. Cambridge: Cambridge University Press, 127–160.

Gallenmüller F, Müller U, Rowe NP, Speck T. 2001. The Growth form of *Croton pullei* (Euphorbiaceae) – Functional morphology and biomechanics of a neotropical liana. *Plant Biology* **3**: 50–61.

Galtier J, Meyer-Berthaud B, Rowe NP, *et al.* 1999. Biomechanical consequences of the progymnosperm vascular cambium. In: *XVI International Botanical Congress (Abstracts)*. St Louis: IBC XVI, 13.

Gartner BL. 1991. Stem hydraulic properties of vines vs. shrubs of western poison oak, *Toxicodendron diversilobum*. *Oecologia* **87**: 180–189.

Gentry AG. 1991. The distribution and evolution of climbing plants. In: Putz FE, Mooney HA, eds. *The Biology of Vines*. Cambridge: Cambridge University Press, 73–97.

Gerlach D. 1984. *Botanische Mikrotechnik*. Stutgart, New York: Thieme Verlag.

Gould SJ, Lewontin RC. 1979. The spandrels of san marco and the panglossian paradigm: a critique of the adaptationist programme. *Proceedings of the Royal Society of London, series B* **205**: 581–598.

Gould SJ, Vrba ES. 1982. Exaptation – a missing term in the science of form. *Paleobiology* **8**: 4–15.

Graham LE, Cook ME, Busse JS. 2000. The origin of plants: Body plan changes contributing to a major evolutionary radiation. *Proceedings of the National Academy of Sciences* **97**: 4535–4540.

Greguss P. 1967. *Fossil Gymnosperm Woods in Hungary*. Budapest: Akadémiai Kiado.

Hoffmann BJ, Chabbert B, Monties B, Speck T. 2000a. Fine-tuning of mechanical properties in two tropical lianas. In: Spatz H-C, Speck T, eds. *Plant Biomechanics 2000 – Proceedings of the 3rd International Plant Biomechanics Conference*. Freiburg-Badenweiler, Stuttgart-NewYork: Thieme-Verlag, 10–18.

Hoffmann BJ, Chabbert B, Monties B, Speck T. 2000b. Mechanical properties and chemical cell wall composition of two tropical lianas. In: Wisser A, Nachtigal W, eds. *Proceedings of the Workshops in Saarbrücken 1999, BIONA-report 14*. Mainz: Akademie der Wissenschaften und der Literatur, 10–15.

Jablonski D. 2001. Origin of evolutionary novelties. In: Briggs DEG, Crowther, PR. eds. *Palaeobiology II*. Oxford: Blackwell Science, 162–166.

Jablonski D, Bottjer DJ. 1990. The ecology of evolutionary innovations: the fossil record. In: Nitecki MH, ed. *Evolutionary Innovations*. Chicago: University of Chicago Press, 253–288.

Jaffe MJ. 1973. Thigmomorphogenesis: the response of plant growth and development to mechanical stress. *Planta* **114**: 143–157.

Kenrick P, Crane PR. 1991. Water-conducting cells in early fossil and land plants: implications for the early evolution of the tracheophytes. *Botanical Gazette* **152**: 335–356.

Kenrick P, Crane PR. 1997a. *The Origin and Early Diversification of Land Plants: a Cladistic Study*. Washington, DC: Smithsonian Institution Press.

Kenrick P, Crane PR. 1997b. The origin and early evolution of plants on land. *Nature* **389**: 33–39.

Kerp H, Krings M. 1997. Climbing and scrambling growth habits: common life strategies among Late Carboniferous seed ferns. *Comptes rendu hebdomaire des séances de l'académie des sciences, Paris, Sciences de la terre et des planètes* **326**: 583–588.

Kidston R, Lang WH. 1917. On Old Red Sandstone plants showing structure, from the Rhynie Chert Bed, Aberdeenshire. Part 1. *Rhynia gwynne-vaughani* Kidston and Lang. *Transactions of the Royal Society of Edinburgh* **51**: 761–784.

Kidston R, Lang WH. 1920. On Old Red Sandstone plants showing structure, from the Rhynie chert bed, Aberdeenshire. Part II. Additional notes on *Rhynia gwynne-vaughani*, Kidston and Lang; with descriptions of *Rhynia major* n. sp., and *Hornea lignieri*, n. g., n. sp. *Transactions of the Royal Society of Edinburgh* **52**: 603–627.

Konrad W, Roth-Nebelsick A, Kerp H, Hass H. 2000. Transpiration and assimilation of Early Devonian land plants with axially symmetric telomes – simulations on the tissue level. *Journal of Theoretical Biology* **206**: 91–107.

Krings M, Kerp H. 1997. Cuticles of *Lescuropteris genuina* from the Stephanian (Upper Carboniferous) of Central France: evidence for a climbing growth habit. *Botanical Journal of the Linnean Society* **123**: 73–89.

Krings M, Kerp H. 1999. Morphology, growth habit, and ecology of *Blanzyopteris praedentata* (Gothan) Nov; comb., a climbing neuropterid seed fern from the Stephanian of Central France. *International Journal of Plant Sciences* **603**: 603–619.

Larson A, Losos JB. 1996. Phylogenetic systematics of adaptation. In: Rose MR, Lauder GV, eds. *Adaptation*. San Diego: Academic Press, 187–220.

Lauder GV. 1990. Functional morphology and systematics: studying functional patterns in an historical context. *Annual Review of Ecology and Systematics* **21**: 317–340.

Lauder GV. 1991. Biomechanics and evolution: integrating physical and historical biology in the study of complex systems. In: Rayner JMV, Wooton RJ, eds. *Biomechanics in Evolution*. Cambridge: Cambridge University Press, 1–19.

Li C, Cui J. 1995. *Atlas of Fossil Plant Anatomy in China*. Beijing: Science Press.

Li H, Taylor EL, Taylor TN. 1996. Permian vessel elements. *Science* **271**: 188–189.

Nachtigall W, Wisser C-M, Wisser A. 1988. Ein erster Einblick in biomechanische Konstruktionsprinzipien von Gräsern. *Natürliche konstruktionen – Mitt. SFB 230* **1**: 59–66.

Niklas KJ. 1984. Size-related changes in the primary xylem anatomy of some early tracheophytes. *Paleobiology* **10**: 487–506.

Niklas KJ. 1989. Mechanical behaviour of plant tissues as inferred from the theory of pressurized solids. *American Journal of Botany* **76**: 929–937.

Niklas KJ. 1992. *Plant Biomechanics: An Engineering Approach to Plant Form and Function*. Chicago, USA: University of Chicago Press.

Novacek MJ. 1996. Paleontological data and the study of adaptation. In: Rose MR, Lauder GV, eds. *Adaptation*. San Diego: Academic Press, 311–359.

Putz FE, Holbrook NM. 1991. Biomechanical studies of vines. In: Putz FE, Mooney HA, eds. *The Biology of Vines*. Cambridge: Cambridge University Press, 73–97.

Raven JA. 1984. Physical correlates of the morphology of early vascular plants. *Botanical Journal of the Linnean Society* **88**: 105–126.

Raven JA. 1994. Physiological analyses of aspects of the functioning of vascular tissue in early land plants. *Botanical Journal of Scotland* **47**: 49–64.

Rose MA, Lauder GV. 1996. Post-Spandrel adaptationism. In: Rose MR, Lauder GV, eds. *Adaptation*. San Diego: Academic Press, 187–220.

Roth A, Mosbrugger V. 1996. Numerical studies of water conduction in land plants: evolution of early stele types. *Paleobiology* **22**: 411–421.

Roth A, Mosbrugger V, Neugebauer HJ. 1994. Efficiency and evolution of water transport systems in higher plants: a modelling approach. II Stelar evolution. *Philosophical Transactions of the Royal Society of London, series B* **345**: 153–162.

Roth A, Mosbrugger V, Wunderlin A. 1998. Computer simulations as a tool for understanding the evolution of water transport systems in land plants: a review and new data. *Review of Palaeobotany and Palynology* **102**: 79–99.

Roth-Nebelsick A, Grimm G, Mosbrugger V, *et al.* 2000. Morphometric analysis of *Rhynia* and *Asteroxylon*: testing functional aspects of early land plant evolution. *Paleobiology* **26**: 405–418.

Rothwell GW, Scheckler SE. 1988. Biology of ancestral gymnosperms. In: Beck CB, ed. *Origin and Evolution of Gymnosperms*. New York: Columbia University Press, 85–134.

Rothwell GW, Serbet R. 1994. Lignophyte phylogeny and the evolution of spermatophytes: A numerical cladistic analysis. *Systematic Botany* **19**: 443–482.

Rowe NP. 2000. The insides and outsides of plants: the long and chequered evolution of secondary growth. In: Spatz H-C, Speck T, eds. *Plant Biomechanics 2000, Proceedings of the 3rd Plant Biomechanics Conference*. Freiburg-Badenweiler: Georg Thieme Verlag, 129–140.

Rowe NP, Speck T. 1997. Biomechanics of *Lycopodiella cernua* and *Huperzia squarrosa*: implications for inferring growth habits of fossil small-bodied lycopsids. *Mededelingen Nederlands Instituut voor Toegepaste Geowetenschappen TNO* **58**: 293–302.

Rowe NP, Speck T. 1998. Biomechanics of plant growth forms: the trouble with fossil plants. *Review of Palaeobotany and Palynology* **102**: 43–62.

Rowe NP, Speck T, Galtier J. 1993. Biomechanical analysis of a Palaeozoic gymnosperm stem. *Proceedings of the Royal Society of London* **252**: 19–28.

Rowe NP, Speck T, Scheckler SE. 2000. Mechanical significance of the appearance of wood in land plants. In: *Society for Experimental Biology* (Abstracts). Exeter: Springer, 32.

Sanderson MJ, Donoghue MJ. 1996. Reconstructing shifts in diversification rates on phylogenetic trees. *Trends in Ecology and Evolution* **11**: 15–20.

Scheckler SE. 1976. Ontogeny of Progymnosperms. I. Shoots of Upper Devonian Aneurophytales. *Canadian Journal of Botany* **54**: 202–219.

Scheckler SE, Banks HP. 1971. Anatomy and relationships of some Devonian progymnosperms from New York. *American Journal of Botany* **58**: 737–751.

Scheckler SE. 2001. Afforestation – the first forests. In: Briggs DEG, Crowther PR eds. *Palaeobiology II*. Oxford: Blackwell Science, 67–71.

Serbet R, Rothwell GW. 1992. Characterizing the most primitive seed ferns. I. A reconstruction of *Elkinsia polymorpha*. *International Journal of Plant Science* **153**: 602–621.

Spatz H-C, Speck T. 1995. Mechanische Eigenschaften von Hohlrohren am Beispiel von Gräsern. In: Nachtigall W, ed. *BIONA-report 9 – Technische Biologie und Bionik 2*. Stuttgart, Jena, New York: Gustav Fischer Verlag, 91–132.

Spatz H-C, Speck T. 2000. *Plant Biomechanics 2000, Proceedings of the 3rd Plant Biomechanics Conference* Freiburg-Badenweiler: Georg Thieme Verlag.

Speck T. 1991. Changes of the bending mechanics of lianas and self-supporting taxa during ontogeny. In: *Natural Structures: Principles, Strategies and Models in Architecture and Nature*, Proceedings of the II International Symposium Sonderforschungsbereich 230, part I. Mitteilungen des SFB 230 Heft 6, Stuttgart, 89–95.

Speck T, Neinhuis C, Gallenmüller F, Rowe NP. 1997. Trees and shrubs in the mainly lianescent genus *Aristolochia* s.l.: Secondary evolution of the self-supporting habit? In: Jeronimidis G, Vincent JFV, eds. *Plant Biomechanics*. Reading: University of Reading, 201–208.

Speck T. 1994a. A biomechanical method to distinguish between self-supporting and non-self-supporting plants. *Review of Palaeobotany and Palynology* **81**: 65–82.

Speck T. 1994b. Bending stability of plant stems: ontogenetical, ecological and phylogenetical aspects. *Biomimetics* **2**: 109–128.

Speck T, Rowe NP. 1994a. Biomechanical analysis of *Pitus dayi*: early seed plant vegetative morphology and its implications on growth habit. *Journal of Plant Research* **107**: 443–460.

Speck T, Rowe NP. 1994b. Biomechanical consequences of different stem structures in early seed plants: efficiency of the distribution of stem tissues. In: *Evolution of natural structures: principles, strategies and models in architecture and nature*. Proceedings of the III International Symposium Sonderforschungsbereich 230, part 9. Mitteilungen des SFB 230 Heft 9, Stuttgart, 197–202.

Speck T, Rowe NP. 1999a. A quantitative approach for analytically defining, growth form and habit in living and fossil plants. In: Kurmann MH, Hemsley AR, eds. *The Evolution of Plant Architecture*. Kew: Royal Botanic Gardens, 447–479.

Speck T, Rowe NP. 1999b. Biomechanical analysis. In: Jones TP, Rowe NP, eds. *Fossil Plants and Spores, Modern Techniques*. The Geological Society of London Special volume. Bath: The Geological Society, 105–109.

Speck T, Rowe NP, Brüchert F, Haberer W, *et al*. 1996a. How plants adjust the 'material properties' of their stems according to differing mechanical constraints during growth: an example of smart design in nature. In: Engin AE, ed. *Bioengineering. Proceedings of the 1996 Engineering Systems and Design and Analysis Conference*, PD-Vol. 77, volume 5, ASME 1996, Vol. 5 Bioengineering. New York: The American Society of Mechanical engineers, 233–241.

Speck T, Rowe NP, Spatz H-C. 1996b. Pflanzliche Achsen, hochkomplexe Verbundmaterialien mit erstaunlichen mechanischen Eigenschaften. *Technische Biologie und Bionik 3, BIONA-report* 10: 101–131. In: Nachtigall W, Wisser A, ed. Stuttgart: Fischer Verlag, 101–131.

Speck T, Spatz H-C, Vogellehner D. 1990. Contributions to the biomechanics of plants. I. Stabilities of plant stems with strengthening elements of differing cross-sections against weight and wind forces. *Botanical Acta* 103: 111–122.

Speck T, Speck O, Emanns A, Spatz H-C. 1998. Biomechanics and functional anatomy of hollow stemmed sphenopsids: III. *Equisetum hyemale*. *Botanical Acta* 111: 366–376.

Speck T, Vogellehner D. 1988. Biophysical examinations of the bending stability of various stele types and the upright axes of early 'vascular' land plants. *Botanica Acta* 101: 262–268.

Speck T, Vogellehner D. 1992. Fossile Bäume, Spreizklimmer und Lianen. Versuch einer biomechanischen Analyse der Stammstruktur. *Courier Forschungs-Institut Senckenberg* 147: 31–53.

Speck T, Vogellehner D. 1994. Devonische Landpflanzen mit und ohne hypodermales Sterom. Eine biomechanische Analyse mit Überlegungen zur Frühevolution des Leit- und Festigungssystems. *Palaeontographica B* 233: 157–227.

Spicer R, Gartner BL. 1998. Hydraulic properties of Douglas-fir (*Pseudostuga menziesii*) branches and branch halves with reference to compression wood. *Tree Physiology* 18: 777–784.

Stein WE, Beck CB. 1983. *Triloboxylon arnoldii* from the Middle Devonian of western New York. *Contributions to the Museum of Palaeontology University of Michigan* 26: 257–288.

Stubblefield SP, Rothwell GW. 1989. *Cecropsis luculentum* gen. et sp. nov.: evidence for heterosporous progymnosperms in the Upper Pennsylvanian of North America. *American Journal of Botany* 76: 1415–1428.

Timell TE. 1983. Origin and evolution of compression wood. *Holzforschung* 37: 1–10.

Timell TE. 1986. *Compression Wood in Gymnosperms*. New York: Springer-Verlag.

Wainwright SA, Biggs WD, Currey JD, Gosline JM. 1976. *Mechanical Design in Organisms*. New York: John Wiley.

Wilson BF, Archer RR. 1977. Reaction wood: induction and mechanical action. *Annual Review of Plant Physiology* 28: 24–43.

17

Becoming fruitful and diversifying: DNA sequence phylogenetics and reproductive physiology of land plants

Martin Ingrouille and Mark W Chase

CONTENTS

Introduction

The use of physiological data in systematics and phylogeny reconstruction has been limited because the physiology of relatively few species has been examined in any detail. However, morphology, anatomy and biochemistry have provided many useful surrogate physiological characters, if physiology is regarded in the broadest sense as covering all aspects of the plant in action. For example, photosynthetic pathways in grasses have been usually inferred from the anatomy of the leaf (Clayton and Renvoize, 1986). The same broad approach to physiology has been used in this chapter.

In general, though, systematists have not valued physiological characters highly. Physiological characters have been regarded as being somewhat different from other characters, more influenced by the environment and not normally a source of phylogenetic information. This was not always the case. Early systematists emphasized the importance of

The Evolution of Plant Physiology
ISBN 0–12–33955–26

functional characters that had the greatest influence on the organism. This essentialist approach, pioneered perhaps by Cesalpino (1583), achieved great success since it directed early taxonomists to the importance of reproductive characters and led to the establishment of many 'natural' groups still recognized today. One example of the success of this *a priori* approach was the recognition by Ray of the taxonomic significance of the number of cotyledons, although it has become clear that only the monocot type is useful phylogenetically (Chase *et al.*, 1993).

However, the realization that it was difficult to identify the most essential, or most important functional, characters led to the rejection of this *a priori* approach. De Candolle, who at first propounded *a priori* principles (de Candolle, 1813) later, in his *Prodromus systematis naturalis regni vegetabilis* (de Candolle, 1824-onward), adopted a more pragmatic Adansonian approach, utilizing the distribution of characters to identify the most essential, i.e. those with the most constancy within groups were obviously the most essential.

Most post-Darwinian taxonomists adopted this pragmatic approach (Cain, 1959), even those who explicitly indicated that their classification was phylogenetic. Now they had a theoretical framework to explain why physiological/functional characters might not indicate the phylogenetic history of large groups: they were regarded as having been particularly strongly selected and especially exposed to parallel and convergent evolution that might obscure a phylogenetic signal. For example, a fundamental physiological difference like the presence or absence of crassulacean acid metabolism (CAM) was found to be seemingly randomly distributed in ferns and a range of angiosperm families. Many of the physiological characters have a scattered distribution across all angiosperms and even within families. For example, in a well-defined family such as Poaceae, distinct kinds of PS ('starch' or parenchyma sheath) type and MS (inner or mestome sheath) type Kranz anatomy associated with variation in C_4 photosynthesis, have been shown to have evolved independently at least five times (Clayton and Renvoize, 1986). Nevertheless, surrogate physiological characters, especially from reproductive physiology have remained important.

This rejection of the use of functional characters did not occur at species rank at which adaptation of a species to its environment came to be viewed as an important validation for an evolutionary species concept. Biosystematists such as Clausen and his colleagues (Clausen, 1951) emphasized that the process of speciation involved adaptation to different environments so that at first ecotypes and then sister species differed in their functional characters. The use of that important tool of the biosystematist, the botanic garden, can be regarded as a 20th century attempt to identify what are the 'essential characters' of different groups by cultivating plants in order to minimize environmentally induced variation. In addition, functional differences, relating to pollination and fertilization, which might confer reproductive isolation, were regarded as important for the recognition of what came to be called the 'biological species' (Mayr, 1942). In general, though, taxonomic practice changed little from the morphological-geographical approach long used by most systematists.

However, the availability of stable phylogenetic trees derived from genetic (DNA sequence) data (Chase *et al.*, 1993; Soltis *et al.,* 1997, 1999, 2000; Qiu *et al.*, 2000; Savolainen *et al.*, 2000; Pryer *et al.*, 2001), has provided a new opportunity to study physiological data in a phylogenetic context and thereby evaluate the importance of physiological diversification in the adaptive radiation of plants (Weller *et al.*, 1995).

At first glance, physiological characters, such as the distribution of CAM (crassulacean acid metabolism) or C_4 photosynthesis, widespread in many lineages, do not appear to be constant within clades in the new phylogenetic trees. This scattered distribution in the new classification (APG, 1998) is also true of some other kinds of characters and is not just a feature of physiological characters. A striking example of sister taxa that is counterintuitive is the placing of such morphologically distinct families as the Nelumbonaceae (lotus), Proteaceae (*Banksia* L.f., *Grevillea* R.Br. ex J.Knight, *Leucadendron* R.Br etc.) and Platanaceae (planes) as close lineages in Proteales. The new phylogeny does point out some remarkable associations such as all the nitrogen fixing taxa in the same major clade of the rosids.

In a similar way, an understanding of the evolution of self-incompatibility (SI) in angiosperms has been hindered by two things: first, by a lack of information outside a few well studied crop plants and, secondly, by the use of broad and imprecise categories. As a consequence, little correlation between phylogeny and SI has been detected. A traditional dichotomy has been made between sporophytic and gametophytic SI on the basis of whether the haploid gametophytic tissue in the pollen grain or the diploid sporophytic tissue in the tapetum mediates the SI specificity, but as we will explain below this is misleading. Gametophytic SI is so widespread that it does not appear to carry any phylogenetic signal (Figure 17.1). Likewise it has been perplexing that the more narrowly distributed sporophytic SI is found in such diverse and unrelated groups as Asteraceae, Betulaceae and Brassicaceae. The perceived low taxonomic value of SI data is being challenged by recent research that has studied the physiology of SI in greater depth and in a greater range of organisms. Below we discuss the distribution of different kinds of SI in the angiosperms in the light of the latest phylogenetic trees derived from DNA sequence data.

First we explore some examples from the reproductive physiology of plants in the broadest sense, utilizing surrogate characters from gynoecial and androecial morphology, anatomy, cytology and development. In fact, although there are some remarkable differences between the phylogenies derived from molecular data and pre-existing phylogenetic classifications, there is, overall, broad agreement. Ironically, this is largely because taxonomists, who have rejected the *a priori* choice of physiologically important characters, have discovered the self-same 'biologically important', 'organizational' or 'constitutive' characters, *a posteriori*, because of their constancy within groups (Davis and Heywood, 1973). The importance of a number of surrogate physiological reproductive characters has been confirmed or re-established and that of a number of new ones indicated. Several of these reproductive characters are also highly significant in the evolution of self-incompatibility in the angiosperms.

Reproductive 'Physiology'

In the following, we review some of the most remarkable examples of the distribution of surrogate reproductive physiological characters in relation to the phylogenies derived from molecular sequence data (some data from Watson and Dallwitz, 1992 onwards). The examples may be placed into one of two contrasting categories. One category includes lineages/groups that have long been established on the basis of reproductive characters and which find support in the new phylogenetic trees, though frequently the circumscription of the lineage/group has undergone minor changes. The other category includes lineages/groups that have been previously unsuspected but which are supported by some characters from the reproductive physiology of plants previously undervalued or ignored.

One of the most remarkable results of molecular phylogenetics has been the re-establishment of extant gymnosperms as a monophyletic group (Bowe *et al.*, 2000; Pryer *et al.*, 2001). In recent decades gymnosperms have been regarded as a paraphyletic group

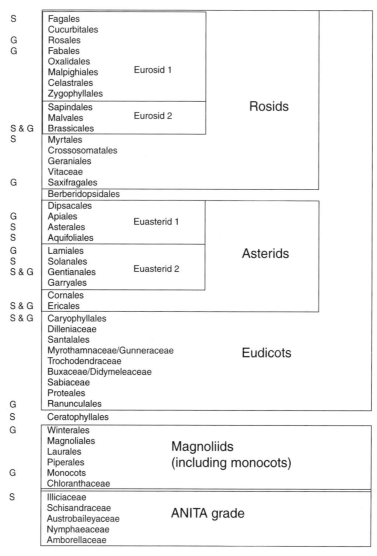

S = Sporophytic
G = Gametophytic

Figure 17.1   A simplified taxonomic arrangement of the angiosperms, based on APG (1998), with the distribution of sporophytic (S) and gametophytic (G) self-incompatibility indicated.

with at least two distinct clades, the cycads plus *Ginkgo* L. and the conifers plus gneto-phytes differing in seed and other characters. Similarly, the angiosperms are maintained as a monophyletic group for which there has been little doubt, although there are few synapo-morphic characters. The production of a specialized pollen reception tissue, the stigma, along with the closure or semi-closure of the carpel, is confirmed as an apomorphic or 'essential' character for the angiosperms, although in some basal angiosperms the carpel is not fused but sealed by mucilage (Endress, 2001). The presence of a stigma greatly enhanced the possibilities of the evolution of self-incompatibility and the evolution of a dis-tinct, elongated style in eudicots and advanced monocots greatly expanded this potential.

Alternatively the gnetophytes rather than being a distinct gymnosperm lineage, 'anthophyte' sister to the angiosperms, are now placed as a highly derived lineage of pines (Pinopsida) in the new phylogenetic trees (Bowe *et al.*, 2000). A bisexual fertile apex is now relegated from being an 'essential' character.

The new phylogeny does not support the dichotomy of monocots versus dicots, although it does support the essential nature of the possession of a single cotyledon because, although the monocots are demonstrated to be a monophyletic lineage, they are now subsumed as a clade within a broader magnolioid clade close to the base of the angiosperm tree. Closer to the root of the angiosperm tree are a set of minor relatively primitive minor clades, sometimes called the ANITA group from the constituent taxa (Amborellaceae, Nympheales, Illiciaceales, Trimeniaceae, Austrobaileyaceae). Therefore, the possession of more than one, usually two cotyledons is shown to be unreliable and dicots are shown to be a paraphyletic group (Savolainen *et al.*, 2000). The exclusion of the magnoliid dicots and various other relatively primitive dicot taxa leaves a monophyletic eudicot group defined by several features. This major lineage of flowering plants has triaperturate pollen with furrows running in parallel to the polar axis, compared to the monoporate/monosulcate pollen of the non-eudicots. They also have a secretory anther tapetum, simultaneous microsporo-genesis, well-differentiated stamens with a filament much longer than the anther and two leaf traces. Within the eudicot clade there are two major clades, the rosids and asterids, each divided into two large subclades (euasterid 1 and 2, eurosid 1 and 2) and several other clades such as the ranunculids and caryophyllids (see Figure 17.1).

Non-eudicots frequently have pollen produced by successive microsporogenesis and rather flattened or petaloid stamens. The relationship of some of these characters to the evolution of SI may prove a fruitful avenue for research. An obvious relationship is suggested between SI and a secretory tapetum producing and depositing molecules carrying self-incompatibility specificity into the complex exine of eudicot pollen. One wonders if there is any relationship between type of SI and the distinction that can be made in Asparagales between those (including the Orchidaceae, Iridaceae, Asphodelaceae) with simultaneous microsporogenesis and those with successive microsporogenesis (Alliaceae, Amaryllidaceae, Agavaceae, Hyacinthaceae, Asparagaceae and Rus aceae).

Other reproductive characters do not relate to SI. For example, the core of the caryophyllid clade has been long recognized on the basis of their gynoecium and developing embryo as the Centrospermae as well as by their betalain pigments and particular phloem sieve-tube plastids. The new phylogenetic trees have revolutionized the circumscription of the main mass of eudicots with the recognition of two main lineages the asterids and rosids, the former including nearly all tenuinucellate and unitegmic eudicots and the latter being mostly crassinucellate and bitegmic. These last two features are also present in non-eudicots but are homoplasious. There are several kinds of crassinucellate conditions, each separately derived. This distinction between the apomorphic tenuinucellate unitegmic state and a plesiomorphic crassinucellate bitegmic state is paralleled by the distinction between the monophyletic leptosporangiate ferns and the paraphyletic eusporangiate ferns and fern allies (Pryer *et al.*, 2001). Remarkably the horsetails are now included within this diverse set of eusporangiate taxa, amply demonstrating that the 'eusporangiate' condition includes many different types of sporangia, in the same way as the crassinucellate condition includes many different kinds of nucellus.

Other aspects of reproductive physiology are valuable phylogenetically at lower taxonomic ranks. For example, tetrasporic development is found in a number of groups of families indicated by molecular data. It links the families now subsumed within the

Adoxaceae (Adoxaceae, Sambucaceae and Viburnaceae). Similar groups of sister lineages can be identified that are bisporic such as the Alismataceae plus Potamagetonaceae, Zannichelliaceae and Limnocharitaceae. Another useful character is the nature of the endothecium. For example, the endothecium has fibrous thickenings in a number of groups including Ericaceae (including Empetraceae, Epacridaceae and Monotropaceae) and Myrsinaceae. Girdling thickenings are widespread in monocots but spiral thickenings are found in some sets of families such as the Anarthiaceae–Eriocaulaceae–Flagellariaceae–Poaceae–Joinvilleaceae.

Sexual incompatibility systems

Self-incompatibility (SI) as a defining angiosperm characteristic

Among plants, self-incompatibility (SI) is almost uniquely an angiosperm phenomenon. The presence of mating types in isogamous algae is closer to the determination of two different sexes than the self-recognition characteristic of self-incompatibility. Self-incompatibility has not been reported from bryophytes and pteridophytes. Outcrossing rates that have been measured are relatively high, but this is largely due to alternative mechanisms such as herkogamy (dicliny or dioecy) or dichogamy (protogyny or protandry), or in other cases to inbreeding depression. The single documented case of SI in the fern *Pteridium* Gled. Ex Scop. (Hiscock and Kuess, 2000) is geographically variable within the species and has been doubted by several other workers. Among the gymnosperms self-incompatibility would not be expected in the dioecious cycads, *Ginkgo* and gnetophytes. Owens *et al.* (1998) report SI in *Picea,* active at the stage of pollen tube penetration of the nucellus. This is the only attested example in the gymnosperms, but a similar acting interspecific incompatibility is widespread in Pinaceae (Hiscock and Kuess, 2000).

The relationship between self-incompatibility and the remarkable Cretaceous radiation of the angiosperms has been fertile ground for speculation. *Clavatipollenites* Couper, Forster and Forster grains provide the earliest direct evidence for the presence of angiosperms because they have a complex tectate structure (Friis *et al.*, 1987). *Clavatipollenites* is like the pollen of the living *Ascarina* (Chloranthaceae). Its columellate tectate pollen is associated in living angiosperms with sporophytic incompatibility; the chemical signal mediating one part of the incompatibility is carried within the tectum. In a similar way, the presence of an earlier analogous complex, *Classopollis* Pfl., of the extinct conifers Cheirolepidaceae has been related to their high Jurassic and Cretaceous diversity as if they had had SI (Alvin, 1982). However, SI, especially sporophytic SI, is unlikely to have been ancestral in angiosperms. The distribution of SI among 'primitive' living angiosperms is haphazard as far as has been determined. For example, *Amborella* Baillon., sister to all other angiosperms (Qiu *et al.*, 1999), is dioecious. Many of the ANITA group and relatively primitive eumagnoliids are self-compatible, but some do have SI: *Saururus* L. (Saururaceae) has SI acting at the dry stigma (Pontieri and Sage, 1999), and some members of Winteraceae have late-acting SI.

In recent years information has accumulated from more diverse groups, and molecular techniques have enabled a more precise definition of SI types. In harness with the new phylogeny (Chase *et al.*, 1993), these advances are beginning to demonstrate that the evolution of SI has been far from haphazard. Indeed it reinforces the importance of the evolution of different kinds of SI in the evolutionary diversification of angiosperms, enabled as it was by the key event of the closure of the carpel. The closure of the carpel and evolution of the stigma and style provided a greatly magnified stage on which self-incompatibility could act. Pollination became a complex sequence of physiological events, from early to late stages, that provided many potential opportunities for the evolution of SI specificity. SI can become manifest at any stage (Wilhemi and Preuss, 1999):

- adhesion of the pollen to the stigma
- hydration of the pollen grain
- germination of the pollen grain
- penetration of the stigma
- growth of the pollen tube in the style
- guidance of the pollen tube to the ovule and embryo sac.

There are also post-fertilization SI mechanisms (Lipow and Wyatt, 2000; Vervaeke *et al.*, 2001).

Each of these stages requires several coordinated physiological events involving cell signalling, and there is a complex cascade of activity with a large potential for specificity at any stage. Different groups have evolved SI by introducing specificity at one or more stages. Although, it seems in some families, or groups of families, a particular form of SI was adopted early in their diversification and has become widespread within all derived lineages, it is clear that some groups have multiple types of SI present. Even in the single species of Asteraceae, *Rutidosis leptorrhynchoides* F. Muell., the rejection of self-pollen takes place at multiple stages, by the cumulative reduction in adherence of pollen to stigma, pollen germination and pollen-tube penetration of stigma and fertilization (Young *et al.*, 2000). In heterostylous Turneraceae SI is mediated by a different mechanism in short-styled plants from long-styled plants (Tamari *et al.*, 2001). Polemoniaceae have two distinct kinds of SI in different genera (Goodwillie, 1997) as shown by their distinct pattern of inheritance: in *Phlox* L. there is gametophytic SI and *Linanthus* Benth. sporophytic SI (Goodwillie, 1999).

SI acting at the stigma

Brassicaceae exhibit a self-incompatibility type termed sporophytic because the pollen carries the male determinant of both SI alleles present in the diploid anther. However, as has been pointed out (Doughty *et al.*, 1998, 1999) this may simply be because the developing haploid produces pollen coat proteins (PCPs) gametophytically but which are freed and mix within the anther with PCPs from alternative alleles so that all pollen grains carry both signals. In this case SI is only pseudo-sporophytic. Alternatively the diploid tapetum cells might express both alleles in a heterozygote, which would be true sporophytic SI.

The complex cascade of physiological activity involved in SI has been studied in most detail in Brassicaceae. The complex S-locus in Brassicaceae contains several genes expressed in the stigma, including an S glycoprotein (SLG) and a related S receptor protein kinase (SRK) located in the plasma membrane. SLG and SRK function in the stigma and not in the pollen (Conner *et al.*, 1997). SRK is a transmembrane protein, one of a class of receptor-like protein kinases (RLKs) (McCubbin and Kao, 2000). The SLG acts to transfer pollen-coat proteins to the SRK and the SRK mediates the SI (Luu *et al.*, 1997, 1999). SLG also has an adhesive function. Pollen coat proteins, called SCRs or SP11, which are the male determinants of SI, are also part of the complex S-locus (Watanabe *et al.*, 2000). The SCRs act by releasing the inhibition of SRK autophosphorylation normally caused by a stigma thioredoxin (THL1)(Cabrillac *et al.*, 2001). Hypervariable regions that have evolved by point substitutions and intragenic recombination may provide specificity. Phylogenetic trees suggest possible co-evolution of genes coding for male and female determinants (Watanabe *et al.*, 2000).

Pre-existing signal and receptor molecules have been taken over to mediate the SI response. The SLG (S locus glycoprotein) is similar to the extracellular part of SRK. SLG diversification predates speciation of *B. oleracea* L. and *B. campestris* L. (Kusaba *et al.*, 1997), and also SLGs diverged before the *Brassica/Raphanus* split. SLR is an SLG-like receptor targeted to the stigma cell wall. SLR1 is expressed and highly conserved among *Brassica* and functions in pollen–stigma adhesion. SRK and SLG are part of an S-gene family that includes several receptor-like kinase genes (RLKs). The other classes of RLKs are either leucine-rich (LRR) or epidermal growth factor-like (EGF) RLKs. These three have kinase domains that share 40% identity at the amino acid sequence but have different patterns of expression. Other S-gene family kinases are not related to the SI response. In *Brassica* there are other SLRs that are not factors in cell adhesion such as SLR2 and SLR3: the latter is transcribed in leaves, cotyledons and developing anthers and is not linked to the S-locus (Luu *et al.*, 2001). *Orychophragmus violaceus* Bunge and more distantly related Brassicaceae had similar SLR1 sequences to *Brassica/Raphanus* but lacked closely-related SLG sequences (Sakamoto *et al.*, 1998). One, a kinase called SFR2, is implicated in plant defence and accumulates rapidly in response to bacterial infection (Pastuglia *et al.*, 1997), emphasizing the availability of molecules with the potential to mediate SI.

Other genes associated with SI activity in Brassicaceae are an aquaporin gene related to water channel for water transfer to pollen (Ikeda *et al.*, 1997), a kinase-associated protein phosphatase (KAPP) gene (McCubbin and Kao, 2000) and a gene coding for a molecule with thioredoxin activity. Each has a role as an effector molecule in the SI signal cascade as targets of the SRK, but again they have a more general biological function in plant tissues.

In *Ipomoea trifida* (Kunth) G. Don (Convolvulaceae), there is a single S-locus homologous to that in *Brassica* and with molecules called IPG and IRK that have 40–46% similarity to *Brassica* SLGs and SRKs, respectively. IPG expression is developmentally regulated in stigma and anther tissue (Kowyama *et al.*, 1995; Kakeda and Kowyama, 1996). However IRK1, a putative receptor kinase, appears not to be primarily involved in the self-incompatibility system and shows no linkage to the S-locus (Kowyama *et al.*, 1996, 2000). Similar S-gene RLKs have been detected in maize (*Zea* L.).

Asteraceae also have sporophytic SI, but this is different in detail from that in Brassicaceae and is likely to be of independent origin. For at least some species it acts in a different way to Brassicaceae SI: by cumulative reductions in the adherence of pollen, pollen germination, pollen tube penetration of the stigma and fertilization (Young *et al.*, 2000). Betulaceae also have a sporophytically determined SI but, at least in *Corylus avellana* L. it does not show any relationship to that in Brassicaceae (Hampson *et al.*, 1996).

More similar to the *Brassica* model of SI is that exhibited by Papaveraceae, yet this is genetically determined gametophytically. The lack of any extensive style precludes a stylar recognition mechanism reported for some other gametophytic systems. Here SI occurs in two stages. The first stage is as if the process of pollen hydration and germination have been taken over by the SI mechanism as it has in Brassicaceae, at least in part because it involves Ca^{2+} and calmodulin dependent increased phosphorylation of a 26-kD glycoprotein (Rudd *et al.*, 1997; Hearn *et al.*, 1996). However, it also involves DNA degradation (Jordan *et al.*, 2000b).

SI acting in the style

One of the most common and phylogenetically widespread SI mechanisms has arisen by the taking over of specific RNases acting in the style to degrade RNA produced by the growing pollen tube, especially in eudicots and more derived monocots because they have an elongated style. This may prove to be the most common form of SI because elongated style S-RNase-mediated incompatibility is associated with wet stigmas and pollen binucleate at anthesis, conditions that are widespread in eudicots and monocots. RNases have been widely detected in plants and fungi as regulators of development but here have gained specificity to mediate the SI response (Bower *et al.*, 1996).

The assessment of homologies is complex, and it may be that there has been substantial independent evolution of stylar-acting SI mediated by RNases. Lack of homology may be indicated by variations in the precise mechanism of S-RNase-mediated SI in diverse families such as Solanaceae, Scrophulariaceae, Campanulaceae and Rosaceae. This is gametophytically determined because the RNA targets are being transcribed in the haploid pollen tube. One could predict that S-RNase-mediated SI is likely to be discovered in other groups with gametophytic SI with stylar inhibition such as Fabaceae. However, Fabaceae may differ because they seem to be capable of having an order of magnitude greater number of SI alleles than Rosaceae (Kowyama *et al.*, 1996) and, at least in *Acacia Senegal* (L.) Willd., self-incompatibility acts in the embryo sac (Tandon *et al.*, 2001). S-RNase-madiated SI is also likely to be present in monocot families with stylar gametophytic SI such as Bromeliaceae (Vervaeke *et al.*, 2001). The question of whether S-RNase activity is a plesiomorphic or apomorphic feature for these groups has been addressed by a detailed study of the phylogeny of the S-RNase sequences in three families, Solanaceae, Scrophulariaceae and Rosaceae and fungi (Richman *et al.*, 1997). RNases not linked to the S-locus and with functions other than SI were included in the study. RNases that function in defence against pathogens in *Petunia* Juss. are related to S-proteins in Solanaceae (Lee *et al.*, 1992). Angiosperm non-S-RNases form one monophyletic group, and the S-RNases of each of the families form three more monophyletic groups.

Independent origin of stylar RNase-mediated SI does seems likely in the rosids and asterids. The S-RNases of Rosaceae are sufficiently distinct from those in Solanaceae/Scrophulariaceae to indicate an independent origin (Sassa *et al.*, 1996). S-RNases have been studied in most detail in Solanaceae and Rosaceae and, in both, diverged at an early stage of, or even before, the diversification of these families. S-RNases have only 25% sequence identify to non-S-RNases in Rosaceae (Norioka *et al.*, 1996). In each family there has been extensive trans-specific and trans-generic evolution of alleles (Richman *et al.*, 1995, 1996).

SI in euasterid I

In Solanaceae, sets of alleles among *Physalis* L., *Nicotiana* L., *Petunia* and a species of tomato, *Solanum peruvianum* L., are more similar to each other than alleles are intraspecifically. The alleles of a different species of tomato, *Solanum esculentum*, have an independent origin (Richman and Kohn, 1996) as do those in the distant genus *Momordica* L. (Cucurbitaceae). Similarly, in Rosaceae, pairs of alleles between *Pyrus* L. and *Malus* L. are more similar to each other than those within either genus (Ishimizu *et.al.*, 1998). S-RNases have also been detected in *Prunus* L. (Burgos *et al.*, 1998).

Even though the S-RNases of Solanaceae and Scrophulariaceae appear to be related and these families are both in the major angiosperm clade euasterid I, the origin of S-RNase-mediated SI may be independent in these two families (Xue *et al.*, 1996).

S-RNase-mediated SI is not universal in the euasterid I clade. Although S-RNase-determined SI is widespread, alternative mechanisms exist even within those families in which S-RNase has been detected. *Lycium cestroides* Schtdl. (Solanaceae) has ovarian SI (Aguilar and Bernadello, 2001). *Asclepias exaltata* L. in another family, Apocynaceae, has a different kind of SI involving post-zygotic rejection of self-fertilized ovules due to a single late-acting SI locus (Lipow and Wyatt, 2000). Apocynaceae are different in another way in having a complex pollen presentation mechanism and are also members of Gentianales in which heterostyly is widely distributed; four out of five Gentianales are heterostylous (Gelsemiaceae, Gentianaceae, Rubiaceae, Loganiaceae). In addition, another kind of SI is found in the unplaced euasterid family Boraginaceae, detected because it has polygenic inheritance.

In another euasterid I family, Lamiaceae, SI has not been demonstrated convincingly (Owens and Ubera-Jiménez, 1992), although differences between the two major lineages in pollination strongly indicate that, if it is present, there are at least two distinct kinds. It is no accident that detected SI is rare in this family in which there are highly developed mechanisms of dichogamy and herkogamy, preventing self-pollination. Another example of a family where SI is rare is Orchidaceae in which a complex floral morphology mechanically limits the opportunities for selfing (Johnson and Edwards, 2000). Perhaps the lack of SI in Lamiaceae is more a consequence of it not having been looked for. Certainly the clear separation of two major lineages of Lamiaceae, Lamiodeae and Nepetoideae, is suggestive of a differential distribution of types of SI: Lamioideae have binucleate pollen at anthesis and wet stigmas, conditions normally associated with gametophytic SI and Nepetoideae have tri-nucleate pollen and dry stigmas, which are normally associated with sporophytic SI (though exceptionally *Lavandula* L. has wet stigmas).

Alternative kinds of SI

Various other kinds of SI have been detected. In *Lilium* L., SI is associated with the activity of 1-aminocyclopropane-1-carboxylate (ACC) oxidase. Self-incompatibility provokes a kind of stress response with reduced levels of ethylene and superoxide dismutase and enhanced catalase, ascorbate peroxidase, dehydrogenase reductase and glutathione reductase (Suzuki *et al.*, 2001). In *Narcissus* L. there is another kind of SI resulting from embryo sac degeneration following self-pollination (Sage *et al.*, 1999).

Grasses exhibit yet another kind of gametophytically-determined SI, two-locus SI. The two loci, S and Z, are unlinked showing remarkable synteny and conservation of gene order among grasses, in Triticeae, Poeae and Avenae, possibly all Poaceae (Baumann *et al.*, 1999). The S-gene is present throughout grasses in all subfamilies regardless of self-compatibility (Li *et al.*, 1997). The S-gene in grasses has thioredoxin activity and an allele-specific portion as well as catalytic domain. SI in grasses is associated with trinucleate pollen, high respiration, short viability, difficult growth *in vitro*, dry stigma papillae with entire cuticle, inhibition at stigma surface, and callose deposited in exine.

In *Theobroma cacao* L. (Malvaceae), the incompatibility response is modulated by auxin (Hasenstein and Zavada, 2001). Multilocus SI is found in Ranunculaceae (*Ranunculus* L.) and Amaranthaceae (*Beta* L.). Concealed genes for self-incompatibility have also been detected in Caryophyllaceae (Lundqvist, 1995).

Heteromorphic SI

It is clear that SI has diverse origins but, at lower taxonomic ranks, shows homology. This fits in well with what is understood about the evolution of heteromorphic SI, which is present in 24 families and has clearly multiple origins (Ganders, 1979). Here too confusion has been created because of the sloppy use of terms to describe non-homologous adaptations. Differential pollen tube growth in styles of different lengths (heterostyly) mediates SI in some heterostylous groups, as in many *Primula* L. (Primulaceae) species (Richards, 1986). However, in *P. obconica Hance* and *P. vulgaris* Hudson most of the SI is mediated at the stigma. In heterostylous *Linum* L. (Linaceae) differences in osmotic pressure ratio between the morphs of pollen and style leads either to non-germination of the pollen or bursting of the pollen tube in alternative incompatible pollinations (Lewis, 1943).

'Heterostyly' is recorded from about 13 families, including Plumbaginaccac but, in this family at least, it is weak and rare and has little to do with SI, which is instead associated with dimorphism of the stigma and pollen and the adhesion of pollen to the stigma. Similarly in *Narcissus triandrus* L., which is tristylous, there are no significant differences in pollen tube growth in the style, and SI is mediated by differential ovule development in self- and cross-pollinated plants (Sage *et al.*, 1999).

Heteromorphic SI provides more examples of the complexity of SI mechanisms in the angiosperms, and the lack of homology among groups at higher taxonomic ranks but more evidence for the homology of individual mechanisms at lower taxonomic ranks.

Self-compatibility

Self-incompatibility of different sorts has arisen many times, obscuring any simple phylogenetic pattern. An additional confusion is the widespread distribution of self-compatibility (SC). This has evolved even more times than SI. It may be ancestral (plesiomorphous) in the angiosperms, but it is clear that most SC has arisen from SI independently in each group, even within sets of closely related species, for example in *Linanthus* Benth. (Goodwillie, 1999). Phylogenetic analysis has demonstrated that the presence of SI is the ancestral state in one section of *Linanthus* within which there have been three to four transitions to self-compatibility. The distinct self-compatible lineages exhibit convergent evolution with respect to morphological and behavioural traits associated with self-compatibility (Goodwillie, 1997).

SC has sometimes arisen by deletion of SI loci as in *Arabidopsis* Heynh. (Conner *et al.*, 1998) but, gametophytic mutants have also been detected that impose SI in various stages from pollen tube growth to endosperm development and even fruit development (Wilhelmi and Preuss, 1999). Of great evolutionary significance is what Hiscock (2000), from studies of *Senecio*, has called pseudo-self-compatibility. In *Senecio squalidus* L. SI is weakened by a cryptic unlinked gametophytic modifying element (G gene). S-locus function is retained but modified under selection, thereby furnishing the possibility of a flexible evolutionary response to selection for greater or lesser rates of out-crossing. It also clouds the perception of the distribution of SI within groups because of the perception of the phylogenetic intermingling of SI and SC species.

Another seemingly paradoxical pattern is the frequent presence of dioecy and SI in sister lineages. A clue has been provided by the failure of SI due to polyploidy, which has, for example, been demonstrated in *Rosa* L. recently (Ueda and Akimoto, 2001). Charlesworth (2001) has suggested that dioecy provides a mechanism by which a lineage can maintain high rates of outbreeding after polyploidization and SI breakdown.

Conclusion

In the light of the new DNA sequence derived phylogenetic trees, physiological traits have been shown to have patterns of distribution substantially the same as other types of characters. They are neither more nor less essential or more or less functional than other characters. They potentially have as much value in classification as other characters.

The distribution of different kinds of SI across groups at different ranks in the taxonomic hierarachy appears complicated because of a hitherto unsuspected flexibility in SI response. The assessment of homology is complicated because a shared common origin of an SI mechanism (true homology) may be obscured by multiple loss of SI and the presence of other kinds of SI in the families. Gene duplication and transpacific evolution, so that lineages of different SI genes in an individual taxon pre-date the divergence of the taxon itself, further complicate evolutionary patterns. Parallel evolution of identical SI mechanisms has also occured by the subversion of the same cell-signalling process at multiple stages of pollination. In the latter cases detailed study of the arrangement of genes, or of the gene sequences, has indicated a lack of true homology. For example detailed analysis of the S-RNases between Solanaceae, Scrophulariaceae and Rosaceae has indicated homology between the first two and a remarkable convergence between them and Rosaceae. As with other kinds of characters the absence of a feature, of a certain kind of physiology, provides a rather weak kind of taxonomic information. In fact the detailed study of the physiology of self-incompatibility is revealing hitherto unsuspected variation, potentially the source of many new characters.

The amazing physiological diversity of self-incompatibility between and within groups emphasizes the importance of self-incompatibility in the diversification of the angiosperms. It also reflects on the fundamental importance of the closure of the carpel and evolution of the style and stigma within angiosperms because it was these events that provided the locus from which many kinds of self-incompatibility could arise.

There are examples of similar kinds of SI being present across widely divergent taxa, such as the distribution of S-RNases between Solanaceae/Scrophulariaceae and Rosaceae, but detailed analysis often indicates a remarkable convergence rather than a shared ancestral state. As with other characters, absence of a feature, of a certain kind of physiology, provides a rather weak kind of taxonomic information.

The mistrust with which physiological characters, such as the distribution of types of SI, have been regarded by systematists is unjustified. In relation to self-incompatibility it rests only on ignorance of the precise nature of the physiology and of the distribution of such characteristics across a broad range of taxa. More generally the 'essential' nature of physiological characters depends upon the group in which they are being examined.

References

Aguilar R, Bernadello G. 2001. The breeding system of *Lycium cestroides*: a Solanaceae with ovarian self-incompatibility. *Sexual Plant Reproduction* 13: 273–277.

Alvin KL. 1982. Cheirolepidaceae: biology, structure and palaeoecology. *Review of Palaeobotany and Palynology* 37: 71–98.

APG. 1998. An ordinal classification for the families of flowering plants. *Annals of the Missouri Botanical Garden* 85: 531–533.

Baumann U, Juttner J, Bian X, Landridge P. 1999. Self-incompatibility in the grasses. *Annals of Botany* 85(Supplement A): 203–209.

Bowe LM, Coat G, dePamphilis CW. 2000. Phylogeny of seed plants based on all three genomic compartments: Extant gymnosperms are monophyletic and Gnetales' closest relatives are conifers. *Proceedings of the National Academy of Sciences of the United States of America* 97: 4092–4097.

Bower MS, Matias DD, Fernandes Carvalho E, *et al.* 1996. Two members of the thioredoxin-h family interact with the kinase domain of a *Brassica* S-locus receptor kinase. *Plant Cell* **8**: 1641–1650.

Burgos L, Perez-Tornero O, Ballester J, Olmos E. 1998. Detection and inheritance of stylar ribonucleases associated with incompatibility alleles in apricot. *Sexual Plant Reproduction* **11**: 153–158.

Cabrillac D, Cock JM, Dumas S, Gaude T. 2001. The S-locus receptor kinase is inhibited by thioredoxins and activated by pollen coat proteins. *Nature* **410**: 220–223.

Cain AJ. 1959. Function and taxonomic importance. *Systematics Association Publication* **3**: 5–19.

de Candolle AP. 1813. *Théorie Élémentaire de la Botanique*. Paris: Déterville.

de Candolle AP. 1824. *Prodromus systematis naturalis regni Vegetabilis*. Paris: Masson.

Cesalpino A. 1583. *De plantis libri XVI*. Florence: Marescottum.

Charlesworth D. 2001. Evolution: An exception that proves the rule. *Current Biology* **11**: R13–R15.

Chase MW, Soltis DE, Olmstead RG, *et al.* 1993. Phylogenetics of seed plants: an analysis of nucleotide sequences from the plastid gene *rbcL*. *Annals of the Missouri Botanical Garden* **80**: 528–580.

Clausen, J. 1951. *Stages in the Evolution of Plant Species*. Ithaca, New York: Cornell University Press.

Clayton WD, Renvoize SA. 1986. Genera graminum. Grasses of the world. *Kew Bulletin, Additional Series* **13**: 1–389.

Conner JA, Tantikanjana T, Stein JC, *et al.* 1997. Transgene-induced silencing of S-locus genes and related genes in *Brassica*. *Plant Journal* **11**: 809–823.

Conner JA, Conner P, Nasrallah ME, Nasrallah JB. 1998. Comparative mapping of the *Brassica* S locus region and its homeolog in *Arabidopsis*: Implications for the evolution of mating systems in the Brassicaceae. *Plant Cell* **10**: 801–812.

Davis PH, Heywood VH. (1973) *Principles of Angiosperm Taxonomy*. Nuntington, New York: Robert E. Krieger Publishing Company.

Doughty J, Dixon S, Hiscock SJ, *et al.* 1998. PCP-A1, a defensin-like *Brassica* pollen coat protein that binds the S-locus glycoprotein, is the product of gametophytic gene expression. *Plant Cell* **10**: 1333–1347.

Doughty J, Wong HY, Dickinson HG. 1999. Cysteine-rich pollen coat proteins (PCPs) and the interactions with stigmatic S (incompatibility) and S-related proteins in *Brassica*: Putative roles in SI and pollination. *Annals of Botany* **85**(Supplement A): 161–169.

Endress PK. 2001. The flowers in extant basal angiosperms and inferences on ancestral flower. *International Journal of Plant Sciences* **162**: 1111–1140.

Friis EM, Chaloner WG, Crane PR. 1987. Introduction to angiosperms. In: Friis EM, Chaloner WG, Crane PR, eds. *The Origins of Angiosperms and their Biological Consequences*. Cambridge: Cambridge University Press. 1–15.

Ganders FR. 1979. The biology of heterostyly. *New Zealand Journal of Botany* **17**: 607–635.

Goodwillie C. 1997. The genetic control of self-incompatibility in *Linanthus parviflorus* (Polemoniaceae). *Heredity* **79**: 424–432.

Goodwillie C. 1999. Multiple origins of self-incompatibility in *Linanthus* section *Leptosiphon* (Polemoniaceae): Phylogenetic evidence from internal-transcribed spacer sequence data. *Evolution* **53**: 1387–1395.

Hampson CR, Coleman GD, Azarenko AN 1996. Does the genome of *Corylus avellana* L. contain sequences homologous to the self-incompatibility gene of *Brassica*? *Theoretical and Applied Genetics* **93**: 759–764.

Hasenstein KH, Zavada MS. 2001. Auxin modification of the incompatibility response in *Theobroma cacao*. *Physiologia Plantarum* **112**: 113–118.

Hearn MJ, Franklin FCH, Ride JP. 1996. Identification of a membrane lycoprotein in pollen of *Papaver rhoeas* which binds stigmatic self-incompatibility (S-) proteins *Plant Journal* **9**: 467–475.

Hiscock SJ. 2000. Self-incompatibility in *Senecio squalidus* L. (Asteraceae). *Annals of Botany* **85** (Supplement A): 181–190.

Hiscock SJ, Kuess J. 2000. Cellular and molecular mechanisms of sexual incompatibility in plants and fungi. *International Review of Cytology – A Survey of Cell Biology* **193**: 165–295.

Ikeda S, Nasrullah JB, Dixit R, *et al*. 1997. An aquaporin-like gene required for the *Brassica* self-incompatibility response. *Science* **276**: 1564–1566.

Ishimizu T, Mitsukami Y, Shinkawa T, *et al*. 1998. Presence of asparagines-linked N-acetylglucosamine and chitobiose in *Pyrus pyrifolia* S-RNases associated with gametophytic self-incompatibility. *European Journal of Biochemistry* **263**: 624–634.

Johnson SD, Edwards TJ. 2000. The structure and function of orchid pollinaria. *Plant Systematics and Evolution* **222**: 243–269.

Jordan ND, Ride JP, Rudd JJ, *et al*. 2000a. Inhibition of self-incompatible pollen in *Papaver rhoeas* involves a complex series of cellular events. *Annals of Botany* **85**(Supplement A): 197–202.

Jordan ND, Franklin FCH, Franklin-Tong VE. 2000b. Evidence for DNA fragmentation triggered in the self-incompatibility response in pollen of *Papaver rhoeas*. *Plant Journal* **23**: 471–479.

Kakeda K, Kowyama Y. 1996. Sequences of *Ipomoea trifida* cDNAs related to the *Brassica* S-locus genes. *Sexual Plant Production* **9**: 309–310.

Kowyama Y, Kakeda K, Kondo K, *et al*. 1996. A putative receptor protein kinase gene in *Ipomoea trifida*. *Plant Cell Physiology* **37**: 681–685.

Kowyama Y, Kakeda K, Nakano R, Hattori T. 1995. SLG/SRK-like genes are expressed in the reproductive tissues of *Ipomoea trifida*. *Sexual Plant Reproduction* **8**: 333–338.

Kowyama Y, Tsuchiya T, Kakeda K. 2000. Sporophytic self-incompatibility in *Ipomaea trifida* a close relative of sweet potato. *Annals of Botany* **85**(suppl. A): 191–196.

Kusaba M, Matsushita M, Okazaki K, *et al*. 2000. Sequence and structural diversity of the S-locus gene from different lines with the same self-recognition specificities in *Brassica oleracea*. *Genetics* **154**: 413–420.

Kusaba M, Nishio T, Satta Y, *et al*. 1997. Striking sequence similarity in inter- and intra-specific comparisons of class I SLG alleles from *Brassica oleracea* and *Brassica campestris*: Implications for the evolution and recognition mechanism. *Proceedings of The National Academy of Sciences of The United States of America* **94**: 7673–7678.

Lee HS, Singh A, Kao TH. 1992. RNase X2, a pistil specific ribonuclease from *Petunia inflata* shares sequence similarity with solanaceous S-proteins. *Plant Molecular Biology* **20**: 1131–1141.

Lewis D. 1943. Physiology of incompatibility in plants II *Linum grandiflorum*. *Annals of Botany* **7**: 115–122.

Li XM, Paech N, Hayman D, Langridge P. 1997. Self-incompatibility in the grasses: Evolutionary relationship of the S gene from *Phalaris coerulescens* to homologous sequences in other grasses. *Plant Molecular Biology* **34**: 223–232.

Lipow SR, Wyatt R. 2000. Single gene control of postzygotic self-incompatibility in poke milkweed, *Asclepias exaltata* L. *Genetics* **154**: 893–907.

Lundqvist A. 1995. Concealed genes for self-incompatibility in the carnation family Caryophyllaceae. *Hereditas* **122**: 85–89.

Luu DT, Heizmann P, Dumas C, *et al*. 1997. Involvement of SLR1 genes in pollen adhesion to the stigmatic surface in Brassicaceae. *Sexual Plant Reproduction* **10**: 227–235.

Luu DT, Marty-Mazars D, Trick M, *et al*. 1999. Pollen-stigma adhesion in *Brassica* spp involves SLG and SLR1 glycoproteins. *Plant Cell* **11**: 251–262.

Luu DT, Hugues S, Passelegue E, Heizmann P. 2001. Evidence for orthologous S-locus-related I genes in several genera of Brassicaceae. *Molecular and General Genetics* **264**: 735–745.

Mayr, E. 1942. *Systematics and the Origin of Species*. New York: Columbia University Press.

McCubbin AG, Kao TH. 2000. Molecular recognition and response in pollen and pistil interactions. *Annual Review of Cell and Developmental Biology* **16**: 333–364.

Norioka N, Norioka S, Ohnishi Y, *et al*. 1996. Molecular cloning and nucleotide sequences of cDNAs encoding S-allele specific stylar RNases in a self-incompatible cultivar and its self-compatible mutant of Japanese pear, *Pyrus pyrifolia* Nakai. *Journal of Biochemistry* **120**: 335–345.

Owens JN, Takaso T, Runions CJ. 1998. Pollination in conifers. *Trends In Plant Science* **3**: 479–485.

Owens SI, Ubera-Jiménez JL. 1992. Breeding systems in Labiatae. In: Harley RM, Reynolds T, eds. *Advances in Labiate Science*. Kew, Richmond: The Royal Botanic Gardens, 257–280.

Pastuglia M, Roby D, Dumas C, Cock JM. 1997. Rapid induction by wounding and bacterial infection of an S gene family receptor-like kinase gene in *Brassica oleracea*. *Plant Cell* **9**: 49–60.

Pontieri V, Sage TL. 1999. Evidence for stigmatic self-incompatibility, pollination induced ovule enlargement and transmitting tissue exudates in paleoherb, *Saururus cernuus* L. (Saururaceae). *Annals of Botany* **84**: 507–519.

Pryer KM, Schneider H, Smith AR, *et al*. 2001. Horsetails and ferns are a monophyletic group and the closest living relatives to seed plants. *Nature* **409**: 618–622.

Qiu Y-L, Lee J, Bernasconi-Quadroni F, *et al*. 1999. The earliest angiosperms: Evidence from mito-chondrial, plastid and nuclear genomes. *Nature* **402**: 404–407.

Qiu YL, Lee J, Bernasconi-Quadroni F, *et al*. 2000. Phylogeny of basal angiosperms: Analyses of five genes from three genomes. *International Journal of Plant Sciences* **161**: S3–S27.

Richards AJ. 1986. *Plant Breeding Systems*. London: George Allen & Unwin.

Richman AD, Kao TH, Schaeffer SW, Uyenoyama MK. 1995. S-allele sequence diversity in natural-populations of *Solanum carolinense* (horsenettle). *Heredity* **75**: 405–415.

Richman AD, Broothaerts W, Kohn JR. 1997. Self-incompatibility RNases from three plant families: Homology or convergence? *American Journal of Botany* **84**: 912–917.

Richman AD, Kohn JR. 1996. Learning from rejection: The evolutionary biology of single-locus incompatibility. *Trends in Ecology and Evolution* **11**: 497–502.

Richman AD, Uyenoyama MK, Kohn JR. 1996. S-allele diversity in a natural population of *Physalis crassifolia* (Solanaceae) (ground cherry) assessed by RT-PCR. *Heredity* **76**: 497–505.

Richman AD, Uyenoyama MK, Kohn JR. 1996. Allelic diversity and gene genealogy at the self-incompatibility locus in the Solanaceae. *Science* **273**: 1212–1216.

Rudd JJ, Franklin FCH, Lord JM *et al*. 1996. Increased phosphorylation of a 26-KD pollen protein is induced by the self-incompatibility response in Papaver rhoeas. *The Plant Cell* **8**: 713–724.

Sage TL, Strumas F, Cole WW, Barrett SCH. 1999. Differential ovule development following self-cross-pollination: The basis of self-sterility in *Narcissus triandrus* (Amaryllidaceae). *American Journal of Botany* **86**: 855–870.

Sakamoto K, Kusaba M, Nishio T. 1998. Polymorphism of the S-locus glycoprotein gene (SLG) and S-locus related gene (SLR1) in *Raphanus sativus* L. and self-incompatible ornamental plants in Brassicaceae. *Molecular and General Genetics* **258**: 397–403.

Sassa H, Nishio T, Kowyama Y, *et al*. 1996. Self-incompatibility (S) alleles of the Rosaceae encode members of a distinct class of the T-2/S ribonuclease superfamily. *Molecular and General Genetics* **250**: 547–557.

Savolainen V, Chase MW, Hoot SB, *et al*. 2000. Phylogenetics of flowering plants based on com-bined analysis of plastid *atpB* and *rbcL* gene sequences. *Systematic Botany* **49**: 306–362.

Soltis DE, Hibsch-Jetter C, Soltis PS, *et al*. 1997. Molecular phylogenetic relationships among angiosperms: an overview based on *rbcL* and 18S rDNA sequences. In: Iwatsuki K, Raven PH, eds. *Evolution and Diversification of Land Plants*. Tokyo: Springer, 157–178.

Soltis DE, Soltis PS, Chase MW, *et al*. 2000. Angiosperm phylogeny inferred from 18S rDNA, *rbcl*, and *atpB* sequences. *Botanical Journal of the Linnean Society* **133**: 381–461.

Soltis, PS, Soltis DE, Chase MW. 1999. Angiosperm phylogeny inferred from multiple genes as a tool for comparative biology. *Nature* **402**: 402–403.

Suzuki H, Tsuruhara A, Tezuka T. 2001. Regulations of the C_2H_4-forming system and the H_2O_2-scavenging system by heat treatment associated with self-incompatibility in lily. *Sexual Plant Reproduction* **13**: 201–208.

Tamari F, Athanasiou A, Shore JS. 2001. Pollen tube growth and inhibition in distylous and homostylous *Turnera* and *Piriqueta* (Turneraceae). *Canadian Journal of Botany* **79**: 578–591.

Tandon R, Shivanna KR, Ram HYM. 2001. Pollination biology and breeding system of *Acacia senegal*. *Botanical Journal of the Linnean Society* **135**: 251–262.

Taylor TN, Alvin Kl. 1984. Ultrastructure and development of Mesozoic pollen – *Classopollis*. *American Journal of Botany* **71**: 575–587.

Ueda Y, Akimoto S. 2001. Cross- and self-compatibility in various species of the genus *Rosa*. *Journal of Horticultural Science and Biotechnology* **76**: 575–587.

Vervaeke I, Parton E, Maene L, *et al*. 2001. Post fertilization barriers between different Bromeliaceae. *Euphytica* **118**: 91–97.

Watanabe M, Suzuki G, Takayama S, *et al.* 2000. Genomic organization of the SLG/SRK region of the S-locus in *Brassica* species. *Annals of Botany* **85**(Supplement A): 155–160.

Watson L, Dallwitz MJ. 1992 onwards. The families of flowering plants: descriptions, illustrations, identification, and information retrieval. 14th version: December 2000. http://biodiversity.uno. edu/delta/.

Weller SG, Donoghue MJ, Charlesworth D. 1995. The evolution of self-incompatibility in flowering plants: a phylogenetic approach. In: Stephenson AG, ed. *Experimental and molecular approaches to plant biosystematics. Monographs in Systematic Botany from Missouri Botanic Garden* **53**: 355–382.

Wilhemi LK, Preuss D. 1999. The mating game: pollination and fertilization in flowering plants. *Current Opinions in Plant Biology* **2**: 18–22.

Xue Y, Carpenter R, Dickinson HG, Coen ES. 1996. Origin of allelic diversity in *Antirrhinum* S-locus. *Plant Cell* **8**: 805–814.

Young A, Miller C, Gregory E, Langston A. 2000. Sporophytic self-incompatibility in diploid and tetraploid races of *Rutidosis leptorrhynchoides* (Asteraceae). *Australian Journal of Botany* **48**: 667–672.

18

Evolution of angiosperm fruit and seed dispersal biology and ecophysiology: morphological, anatomical and chemical evidence from fossils

Margaret E Collinson and Pim F van Bergen

CONTENTS

The Evolution of Plant Physiology
ISBN 0–12–33955–26

Introduction

Angiosperms, or flowering plants, become obvious in the fossil record from about 125 million years ago (Ma) and dominant from about 90 Ma (Crane *et al.*, 1995; Wing and Boucher, 1998). A second radiation (Collinson, 1990) takes place in the latest Cretaceous and early Tertiary (Palaeogene). This chapter documents those fruit and seed palaeoeco-physiological strategies (especially dispersal biology, embryo and endosperm development, germination and establishment, dormancy and resistance) which had evolved by, or during, the Palaeogene (65 to 34 Ma) after this second radiation. Evidence for these strategies comes largely from the gross morphology and internal anatomy of fossils as well as the chemical composition of resistant layers (e.g. fruit wall, seed coat) which survive in fossils. Where possible the evolutionary status in the Palaeogene will be compared with that of the earlier stages of angiosperm evolution in the Cretaceous.

Dispersal biology

Abiotic – plumes

Details of Palaeogene plumed disseminules are given in Appendix 18.1. These details reveal that there is an extremely low diversity of plumed disseminules in contrast to the high diversity of winged forms (Figure 18.1, Appendix 18.2) in the Palaeogene. Only a single type of plumed seed is clearly represented (the *Apocynospermum*-like plume; see Appendix 18.1), in which the plume probably functioned to control orientation on landing. This seed morphology is very uncommon although it is widespread in Palaeogene floras across Europe and North America. The only other clearly documented example is hairs on achenes of middle Eocene *Platanus*, hairs being lacking on earlier platanaceous fossils. The plumed strategy of influencing speed or orientation of fall seems to have been scarcely exploited in the Palaeogene and has not been reported in the preceding Cretaceous.

Palaeogene floras seem to have exhibited an extremely limited array of plumed disseminules by comparison with the modern variety (e.g. Ridley, 1930; Burrows, 1986). Taphonomic bias (including shedding and loss of pappus, lack of recognition of small plumed seeds, inadequate study of bedding surfaces of sufficiently fine grained sediments) could all have affected the fossil record of plumes. However, small seeds are well known in the Cretaceous and Palaeogene record where SEM studies should have revealed plume scars and the numerous winged disseminules (see Figure 18.1, Appendix 18.2) testify to extensive study (at least for the Palaeogene) of fine grained bedding surfaces. Plumes may be more recent evolutionary innovations as is seen in the fossil record of Platanaceae (Appendix 18.1) and also by the fact that many modern plumed taxa belong in relatively advanced clades (e.g. Asteraceae) with almost no Palaeogene fossil record (Collinson *et al.*, 1993). Higher humidities may not have favoured the early evolution of this strategy.

Abiotic – wings

In striking contrast to plumes, Figure 18.1 shows that a huge variety of wings are known in the Palaeogene, encompassing all major modern categories and having the potential to

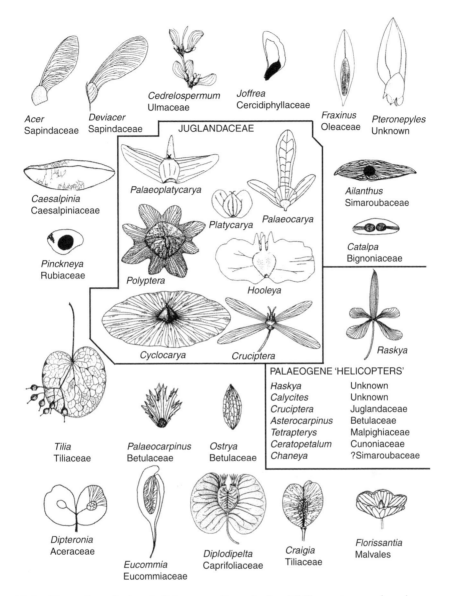

Figure 18.1   The variety of wings in Palaeogene disseminules. All illustrations are based on actual fossils. References to the sources may be found in the text of Appendix 18.2. The figure demonstrates the following points, which are also discussed in the main text:

1.   That there is a wide variety of winged disseminules in the Palaeogene. None of this variety is present in the Cretaceous
2.   That a wide variety of wings may be seen within a single family, e.g. Juglandaceae
3.   That a given wing morphology (e.g. 'helicopters') may be found across a wide variety of taxonomic affinities
4.   That wings are derived from a wide variety of different parts of the inflorescence, flower, fruit wall and seed coat
5.   That the variety of wing morphology which was established by the Palaeogene encompasses the vast majority of modern strategies.

exploit a wide variety of flight paths, trajectories and attitudes in flight (Burrows, 1986). Details of Palaeogene winged disseminules are summarized in Appendix 18.2. Although the summary is extensive it may not be totally comprehensive. However, it does serve to demonstrate the following key points:(1) that individual flowering plant families in the Palaeogene may show considerable variety of wing form (e.g. Juglandaceae, Figure 18.1, Appendix 18.2); (2) that comparable wing morphologies in the Palaeogene occur across systematic boundaries (e.g. helicopters, Figure 18.1, Appendix 18.2); (3) that comparable wing morphologies in the Palaeogene were developed from different anatomical entities (many examples, Figure 18.1, Appendix 18.2); and (4) that a very wide variety of wing morphology, on seeds and fruits, and derived from a variety of organs, had already evolved in the Palaeogene (many examples, Figure 18.1, Appendix 18.2).

In sharp contrast to the situation in the Palaeogene, Cretaceous relatives (where well-understood and based on actual fossils) tend to show unaided dispersal (Crane et al., 1995). Taphonomic bias may partly account for this observation as many studies of Cretaceous angiosperm fruits and seeds are based on sieved residues where wings would be less obvious than they are when preserved on bedding surfaces. However, scars of former wing attachment should be obvious from SEM studies of specimens from sieved residues. Many Cretaceous angiosperms, especially those of the earlier phases of angiosperm evolution, were probably plants of small stature, which produced small fruits and seeds. Neither of these attributes would have favoured the earlier development of winged disseminules. Eriksson et al. (2000a) recorded up to 15% wind dispersal in late Cretaceous fruit and seed floras with lower levels (0–7%) in Palaeogene floras rising again in the Neogene. However, they inferred dispersal based on extrapolation from nearest living relatives, whereas in this chapter we document actual presence of wings in the fossils themselves. In addition, it is not clear if they included small dry fruits/seeds lacking wings in their wind-dispersed category. There are few examples of seeds with wings preserved in the literature on Cretaceous seeds, those that are documented (e.g. Crepet and Nixon, 1994) are minute wings on small seeds. The exceptionally preserved early Cretaceous angiosperms from the Crato Formation (bedding plane assemblages in fine grained limestone where wings would typically be preserved) do not include any winged disseminules (Mohr and Friis, 2000). Even if Cretaceous floras contained significant amounts of wind dispersed disseminules, any wings were small and certainly did not show the elaborate variety documented in Appendix 18.2 for the Palaeogene.

Abiotic – dust and microseeds

Cretaceous seeds, almost without exception, are small (volume less than $1 \, mm^3$) (Crane et al., 1995; Friis et al., 1999, 2000; Eriksson et al., 2000a,b). Only in the latest Cretaceous (Maastrichtian) is a small increase in size evident (Knobloch and Mai, 1986, 1991). Small seeds persist in the Palaeogene where they are joined by a wide variety of larger forms.

Cretaceous seed assemblages are only just beginning to be studied in detail so systematic affinities are mostly not yet clear enough to assess more detailed evolutionary patterns. Certainly, some families, with larger seeds today, are represented in the late Cretaceous (e.g. Campanian and Santonian) by extinct forms with small seeds. These include: members of the Fagales sensu APG, 1998 and Fagaceae (Herendeen et al., 1995; Sims et al., 1998; Schönenberger et al., 2001); the Juglandaceae (Friis, 1983; Knobloch and Mai, 1986, 1991; Herendeen et al., 1999) and the Mastixioid Cornaceae in the Maastrichtian (Knobloch and Mai, 1986, 1991). Less clear is the Cretaceous representation of taxa with small seeds today but it certainly includes members of the Ericales (Friis, 1985b; Knobloch and Mai, 1986, 1991; Schönenberger and Friis, 2001). Small seed size in the Cretaceous may in part be related to small stature (e.g. Wing and Boucher, 1998) of early angiosperms, a suggestion also made by Erikkson *et al.* (2000a), rather than reflecting the adoption of a particular dispersal strategy. Nevertheless, small seeds would be appropriate for the colonizing strategy implied by the occurrence of early angiosperm fossils in depositional environments representing disturbed habitats (e.g.Wing and Boucher, 1998).

Palaeogene floras also include small seeds and many of these belong to families which are typified by small seeds today. Examples include:

1. *Rhododendron* (Ericaceae) with elongate seeds, with small terminal prolongations of the seed coat which are recorded from the Palaeocene/Eocene transition in England (Collinson and Crane, 1978; Collinson and Cleal, 2001c) and in the late Eocene of California (Wang and Tiffney, 2001)
2. *Hydrangea* (Hydrangeaceae) and *Emmenopterys* (Rubiaceae) with tiny winged seeds from the middle Eocene of the USA (Manchester, 1994b)
3. Hydrangeaceae, Ericaceae and Onagraceae from the middle Oligocene and Miocene of Europe (Mai, 1985b, 1998)
4. Restionaceae (Dettman and Clifford, 2000) from the Eocene/Oligocene of Australia
5. Juncaceae from the Eocene/Oligocene transition of England (Collinson, 1983a)
6. Lythraceae and Flacourtiaceae, with seeds less than 1 mm in length, from the early Eocene London Clay flora of England and middle Eocene Clarno flora of the USA (Reid and Chandler, 1933; Manchester, 1994b; Collinson and Cleal, 2001b).

Based on their size the smallest of these Cretaceous and Palaeogene seeds can only have had minimal stored reserves in the endosperm or embryo (no preservation known). Therefore, they may have relied on alternative nutritional associations like some of their living relatives.

Abiotic – flotation

The fibrous fruit wall of fossil *Nypa* fruits is indicative of the potential for dispersal by flotation similar to modern fruits of the genus. This is consistent with the fossil record of the fruits, including their sedimentary facies and strand-line-like accumulations (e.g. Collinson, 1993, 1996) and the overall comparability of the reproductive biology between modern and fossil examples. Some fossil seeds exhibit thin-walled tissues in the seed coat often referred to as 'spongy', which may represent light tissue aiding flotation. Examples include *Decodon* (Cevallos-Ferriz and Stockey, 1988a and references therein) and to a lesser extent *Keratosperma* (Cevallos-Ferriz and Stockey, 1988b). Water tight seed-coat layers, such as columnar palisades, may aid dispersal in water (see discussion on dormancy).

Biotic – dry fruits and seeds

Potential dispersal by animals is likely (based on inference via living relatives) for large dry nuts with an extensive food reserve, e.g. Juglandaceae, Betulaceae, Fagaceae which became abundant in the late Eocene, coincident with a radiation of rodents (Collinson, 1999; Collinson and Hooker, 2000; Hooker and Collinson, 2001). In the late Cretaceous, Juglandaceae and Fagaceae are represented only by small dry nuts, while Betulaceae have not yet been reported (see Appendix 18.2 and Chen *et al.*, 1999).

Previous work has shown that the earliest examples of larder hoarding are Miocene (Collinson, 1999; Hooker and Collinson, 2001; Gee *et al.*, in press). Except in cases of hoarding, direct fossil evidence of animal interaction with nuts and dry seeds represents seed predation. These include rodent-gnawed seeds dating from the latest Eocene and insect borings in Eocene Rutaceae seeds (Collinson, 1999; Collinson and Hooker, 2000; Hooker and Collinson, 2001).

Biotic – spines

Spines or hook-like protrusions are known on Eocene *Fagus* cupules (Meyer and Manchester, 1997), on Eocene *Castanea* cupules (Crepet and Dahglian, 1980), on Oligocene *Sloanea* capsules (Kvacek *et al.*, 2001) and on Palaeocene *Aesculus* capsules (Manchester, 2000b, 2001). They are also recorded on small (2 mm maximum dimension) early Cretaceous fruits named *Appomattoxia* (Friis *et al.*, 1995). Larger fruits of *Trapa*, *Ceratostratiotes* Gregor and *Ceratophyllum* (from the Palaeocene and Eocene) also bear short to long spines, sometimes hooked (Mai, 1985a, 1995; Herendeen *et al.*, 1990; Wehr, 1995; Manchester, 2000a; Meller and van Bergen, 2003), some of which are known attached to complete plants confirming their hydrophytic biology (Herendeen *et al.*, 1990). Spines of aquatic disseminules can function as anchors and this has also been argued (Collinson, 1999) as their probable role in *Appomattoxia*. In other cases, especially when unhooked (e.g. *Sloanea*), spines probably had a protective function. A dispersal function seems less likely in cases where fruits shed seeds on splitting.

The only known proof of fossil animal epizoochory of an angiosperm of which we are aware is that where mammalian hairs are entwined in the hooks of a fruit identified as the bamboo *Pharus* from late Eocene Dominican amber (Poinar and Columbus, 1992). Modifications favouring epizoochory seem to be exceptionally rare in Cretaceous and Palaeogene fruits and seeds in spite of the logical origin of mammalian fur in the late Triassic (Collinson, 1999; Hooker and Collinson, 2001).

Biotic – fleshy tissues

Fossil evidence for endozoochory has recently been documented elsewhere (Collinson, 1999; Hooker and Collinson, 2001). This evidence is derived from exceptionally preserved fossils including mammalian and bird gut contents and evidence for the former presence of soft tissues on fruits (e.g. from the middle Eocene of Messel, Germany, Richter, 1987; Schaal and Ziegler, 1992) as well as from dental morphology and microwear of mammalian fossils. This evidence shows that, by the early Palaeogene, large fleshy fruit existed (e.g. Lauraceae, Vitaceae, Menispermaceae). Fleshy fruits were consumed by mammals and, at least in one case, the seeds survived uncrushed in the stomach and so could have been voided in faeces in a viable condition. Seed predation is also evident in the form of crushed seeds in the gut content of one mammal. However, these examples are rare and, although they prove seed predation and potential endozoochorous seed dispersal in the Palaeogene, most interpretation of animal dispersal is still based on inference from the presence (or inferred presence) of fleshy tissues. Mack (2000) argued that fleshy fruit pulp might have evolved as a defence against seed predation and secondarily become structures to promote seed dispersal.

By contrast to the Palaeogene, Cretaceous fruits and seeds were small and none were enclosed in large fleshy fruits. Some fruits possessed thin layers of fleshy tissue which may originally have been rather leathery (Knobloch and Mai, 1986, 1991; Crane *et al.*, 1995; Friis *et al.*, 1999, 2000; Eriksson *et al.*, 2000a). Eriksson *et al.* (2000a) documented that proportions of animal dispersal increased steadily from about 80 million years ago and reached a peak in the Palaeogene. However, their study relied mainly on living relatives to assign a dispersal system for the fossils (see also Abiotic – wings above). In one very well-studied early Cretaceous fruit and seed flora (Eriksson *et al.*, 2000b) it was determined that about one quarter of the taxa could be interpreted as drupes or berries with specialised tissues for animal dispersal. This interpretation was based on the presence of thin outer fruit walls. The average fruit volume was 2.22 mm^3 (range 0.31–7.58 mm^3). Thus, the Cretaceous fleshy fruit resource is of an utterly different category, in terms of size and tissue volume, compared with that of the Palaeogene. The significance of Cretaceous birds or reptiles for fruit and seed dispersal is uncertain but small Mesozoic mammals, such as multituberculates, haramyids and docodonts all had dentitions indicative of potential fruit or seed eating (Eriksson *et al.*, 2000a,b; Hooker and Collinson, 2001). However, direct evidence of a dispersal (as opposed to predation) role for Cretaceous fruit and seed feeders is lacking, though it could be argued that such small seeds would avoid tooth crushing and survive to be defecated much as tomato seeds do in humans today.

Germination and establishment

Embryo and endosperm

Radicle emergence

Emergence of a radicle (hence proof not only of presence of an embryo but also of mode of germination) is recorded in fossil seeds but very rarely. We are aware of only three examples. One is a late Cretaceous charred seed (Friis, 1985a), the second the seeds named *Microphallus* Manchester (affinity unknown) from the middle Eocene Clarno flora (Manchester, 1994b) and the third three specimens of *Joffrea* (Cercidiphyllaceae) from a compression flora with numerous seedlings (see seedlings below). *Microphallus* is quite common (25 specimens in a flora where a number of taxa are represented by fewer than ten specimens but others by 200+). The number of specimens showing radicle emergence probably indicates more or less simultaneous germination. (See also under seedlings below.)

Dispersal strategies (above) suggest utilization of appropriate orientations, positionings, or placements, at least in the Palaeogene. However, there is little or no evidence of the elaboration of this such as is associated with many dry land herbs today (e.g. no twisting awns etc).

Embryo and endosperm development, dormancy and establishment

Sources of evidence. Charred fossils from the Cretaceous do preserve anatomical details of delicate tissues such as endosperm. However, the emphasis in the study of the Cretaceous charred angiosperms has so far been largely on the flowers which yield ovule rather than seed detail (e.g. Drinnan *et al.*, 1990). Friis (personal communication 2001) considers that the Cretaceous dispersed charred seeds (e.g. Eriksson *et al.*, 2000b) do hold potential for investigation of embryo and endosperm characteristics.

The degree of development of the embryo and endosperm (see following section) can be assessed from several permineralized floras from the Cretaceous/Tertiary transition and Palaeogene. These are summarized below. Where embryo and endosperm preservation is lacking this can sometimes be shown to be due to the activities of fungi prior to permineralization (Kalgutkar *et al.*, 1993; Stockey *et al.*, 1998).

The floras from the Deccan Intertrappean series have been variously considered as Tertiary or Cretaceous in the past, but recent dating suggests that the Intertrappean Series spans the Cretaceous/Tertiary (Maastrichtian/Palaeocene) transition including the boundary itself (Courtillot *et al*., 1988; Jaeger *et al*., 1989; Courtillot, 1999; Guleria and Srivastava, 2001). Reviews of the flora and floral lists may be found in Prakash (1960, 1978), Bande *et al*. (1988) and Band and Chandra (1990). The fossils are preserved as silica perminer-alizations or petrifactions and hence preserve some anatomical details not found in com-pression floras. There are relatively few fruits or seeds described from this flora. A large number of these have suggested affinity with the palms (e.g. lists in Prakash, 1960, 1978). Some of these do not preserve internal seed details (e.g. Mehrotra, 1987) while others do (e.g. Bonde, 1990), the latter having a small, apical undifferentiated embryo within extensive non-ruminate endosperm. Seeds of *Viracarpon* (?Araceae, Prakash, 1978) are unfortunately not sufficiently well-preserved to reveal embryo or endosperm detail (Chitaley, 1958). Fruits of *Tricoccites* Rode are known in organic attachment to plants with *Cyclanthodendron* Sahni and Surange stems (Bonde, 1985; Biradar and Bonde, 1990) with affinity with Musaceae/Strelitziaceae. Their anatomical preservation is discussed below. In addition, fruits of *Enigmocarpon* (?Myrtales) are also discussed below.

The middle Eocene flora from the Princeton Chert is reviewed by Cevallos-Ferriz *et al*. (1991) and Pigg and Stockey (1996) and is currently under active study (e.g. Stockey *et al*., 1998). This flora is permineralized by silica and provides excellent anatomical detail (e.g. Cevallos-Ferriz *et al*., 1991; LePage *et al*., 1997; Stockey *et al*., 1998). The early Eocene London Clay flora was reviewed by Collinson (1983b) and Collinson and Cleal (2001b). The fossils are preserved by pyrite permineralization and many yield good anatomical detail. The middle Eocene flora of the Clarno Chert was monographed by Manchester (1994b). The specimens are mostly preserved as silica petrifactions with some permineral-ization yielding anatomical details of less resistant tissues. The late Palaeocene Almont flora was reviewed by Crane *et al*. (1990) and also contains some anatomical details as the result of siliceous preservation.

Fossil evidence of Palaeogene endosperm and embryos. The following list summarizes the direct fossil evidence for Palaeogene endosperm and embryos taking all the above flo-ras into account. Additional references are cited where necessary.

Small undifferentiated embryos with large amounts of endosperm occur in Musaceae from the middle Eocene of Clarno (Manchester and Kress, 1993; Manchester, 1994b) and some seeds assigned to palms from the Deccan flora (Bonde, 1990).

Direct evidence of the presence of an extensive ruminate endosperm filling the seeds, and hence indirect evidence of a small embryo, is known from numerous seeds. In particular these are numerous forms of Anonaceae seeds (*Anonaspermum*) in the Eocene Clarno and London Clay floras and also from the Palaeocene of Pakistan with earliest records in the Maastrichtian of Nigeria (review in Tiffney and McClamer, 1988; see also As-Saruri *et al*., 1999). Vitaceae from the London Clay and Clarno are another example.

Perisperm (a product of the nucellus) accompanied by a small embryo has also been inferred on the basis of cellular preservation with a suitably placed embryo cavity in seeds of *Allenbya* (Nymphaeaceae) from the middle Eocene Princeton Chert (Cevallos-Ferriz and Stockey, 1989) and in seeds of the dicotyledon *Princetonia* Stockey from the same flora (Stockey and Pigg, 1991). In the absence of anatomical preservation it is not possible to establish degree of differentiation of embryo in these examples.

Small differentiated embryos are represented in *Tricoccites* from the Deccan flora (see Zingiberales below).

Larger differentiated embryos with little endosperm include *Decodon* and *Enigmocarpon* (Lythraceae and extinct relative) (see Myrtales below) and *Keratosperma* (Araceae) from the middle Eocene Princeton Chert (Cevallos-Ferriz and Stockey, 1988a,b; Cevallos-Ferriz *et al.*, 1991) and *Trema* (Ulmaceae) from the middle Eocene of Clarno which has a large coiled embryo with a prominent curved radicle. A weakly differentiated (possibly imma-ture) embryo not associated with endosperm is preserved in *Palaeorosa* Basinger (Rosaceae) from the Princeton Chert (Cevallos-Ferriz *et al.*, 1993).

Embryos filling the seed and fully differentiated are found in Sapindaceae and *Juglans* from the Eocene of the London Clay and Clarno. The Sapindaceae are diverse and repre-sented by several clearly distinct forms (distinct at generic level and with several morpholo-gies within each form genus). Each shows a fully differentiated radicle and paired folded cotyledons comparable with modern members of the family. In the case of *Juglans* the nature of the embryo with two large relatively smooth cotyledons is inferred from chal-cedony casts of the embryo cavity (Manchester, 1994b) which conform to those of living relatives.

Although relatively limited, these data show examples of a range of strategy in the early Palaeogene. At one extreme this variety includes potentially dormant embryos and embryos with slow germination as the food reserve is mobilized from a large endosperm store to the embryo. However, the examples are ruminate, thus increasing the surface area for this mobilization. In contrast, there are larger differentiated embryos indicating faster germin-ation and establishment. The bent or folded embryos, where the curved structures stretch on germination, increasing the chances of reaching the soil surface and placing cotyledons above adjacent vegetation or litter etc., are indicative of strategies enhancing the chance of rapid establishment (Bewley and Black, 1994).

Embryo and endosperm in the order Myrtales

In the case of the *Decodon* seeds, the relationships to the Lythraceae and to *Decodon* are confirmed by the reconstruction of two partial to complete whole plants from the middle Miocene (Kvacek and Sakala, 1999) and middle Eocene, (Little and Stockey, 2000). These also confirm the habitat of the fossils based on facies and anatomical evidence as being from aquatic to swampy conditions similar to the extant relative *D. verticillatus* (the former) and in submerged conditions with fluctuating water levels at the edge of a shallow water system (the latter). Seeds of *Decodon* and extinct relatives have an extensive Palaeogene fossil record (Tiffney, 1981; Cevallos-Ferriz and Stockey, 1988a; Manchester, 1994b).

The Cretaceous/Tertiary transitional Deccan fruit *Enigmocarpon* and its allied flowers are a very abundant element in the Deccan intertrappean flora. These have been compared to modern members of the Myrtales especially Sonneratiaceae and Lythraceae (Sahni, 1943; Shukla, 1944; Chitaley, 1977; see also discussion in Friis and Crepet, 1987:161). In com-bination these two examples offer an opportunity to consider the evolution of embryo and endosperm in the order Myrtales.

Both *Enigmocarpon* (Sahni, 1943) and *Decodon allenbeyensis* (Cevallos-Ferriz and Stockey, 1988a) have relatively large developed, differentiated embryos with little endosperm or no endosperm. This is comparable to seeds of extant *Decodon* (Baskin and Baskin, 1998) and typical of Myrtales (Cronquist, 1981) showing that the modern strategy had developed by the Palaeogene. Unfortunately, other permineralized Myrtales do not exhibit embryo or endosperm preservation (e.g. berries of *Paleomyrtinaea* from the Eocene Princeton Chert and Palaeocene Almont floras, Pigg *et al.*, 1993). Further details on the fossil record of the order, including another partially reconstructed plant from a compres-sion flora, are given by Manchester *et al.* (1998).

Embryo, endosperm and seed internal organization in the order Zingiberales
Rodríguez-de la Rosa and Cevallos-Ferriz (1994) described two types of late Cretaceous (Campanian) permineralized zingiberalean fruits from Mexico. The Formation in which these fossils were found contains dinosaurs and is biostratigraphically dated as latest Campanian (Kirkland *et al.*, 2000). One fruit, *Striatornata*, Rodriguez-de la Rosa and Cevallos-Ferriz, was judged to be closely related to the extinct *Spirematospermum* (represented by compression fossils of seeds and fruits from the late Cretaceous to Neogene, see summary in Manchester and Kress, 1993). Both of these genera are assigned to the Musaceae based on the presence of a chalazal chamber and hilar cavity. In *Striatornata* the embryo sac itself is represented by an internal mould but cells are preserved in the chalazal chamber. Middle Eocene permineralized seeds of *Ensete oregonense* Manchester and Kress (1993), (see also Manchester, 1994b, 1995) of the Musaceae, also contain a chalazal chamber and hilar cavity. In addition, a few specimens reveal preservation of an endosperm chamber containing a small, straight bulbous embryo suspended from the hilar end. A small cylindrical to bulb-shaped embryo in this position is characteristic for the Zingiberales (Manchester and Kress, 1993) while the enlarged chalazal chamber appeared to be diagnostic for the family Musaceae (Manchester and Kress, 1993) where it may function to assist germination. In modern Musaceae, the embryo is usually shorter than in other families of the order, as it is in the fossil *Ensete* (Manchester and Kress, 1993).

The other mexican Cretaceous fruit, *Tricostatocarpon* Rodriguez-de la Rosa and Cevallos-Ferriz, was of uncertain affinity within the order, lacking the musaceous chalazal chamber. Other fossil seeds of uncertain affinity within the order, are permineralized specimens formerly assigned to *Musa* but which lack the chalazal chamber, originally described by Jain from the Cretaceous/Tertiary transitional strata of the Deccan Intertrappean Beds of India (Manchester and Kress, 1993). Fruits of *Callistemonites* Bande *et al.*, also from the Deccan, were assigned to Musaceae and are certainly similar to that illustrated by Manchester (1995) but, although seed morphology is well-preserved, no internal anatomical detail could be discerned (Bande *et al.*, 1993). The genus *Cyclanthodendron*, a reconstructed whole plant said to combine features of the Musaceae and the Strelitziaceae, bore the fruits described as *Tricoccites* (Bonde, 1985; Biradar and Bonde, 1990) and comes from the Cretaceous/Tertiary transition of the Deccan Intertrappean Beds. Seeds contained within these fruits reveal a large cellular endosperm containing a small elongate, cylindrical (ribbon-like in section), cellular embryo in which some possible differentiation was observed (Bonde, 1985). However, the fruit structure is considered as controversial and poorly known by Biradar and Bonde (1990) suggesting a need for re-investigation of the details.

Overall these fossils suggest that the internal organization characteristic of modern seeds of Zingiberales was in place by the late Cretaceous. Specific internal structures (e.g. large chalazal chamber), combined with embryo and endosperm preservation, proves organization comparable with modern Musaceae at least by the middle Eocene.

Seedlings

Vivipary in Rhizophoraceae
Direct evidence of establishment strategy comes from fossil seedlings. Viviparous embryo hypocotyls of *Ceriops* and *Palaeobruguiera* (Rhizophoraceae), first recognized by Chandler, were fully described by Wilkinson (1981, 1983). That work shows beyond doubt that vivipary was exhibited by early Eocene Rhizophoraceae and specimens are preserved at two localities (Herne Bay and Sheppey) of slightly different ages (Collinson, 1983b). The London

Clay flora is perhaps the only fossil flora likely to demonstrate this as rapid permineralization with anatomical preservation is required in a flora from a brackish to marine facies. Another possibility is the Deccan Traps where the mangrove palm *Nypa* is found (see below) but *Nypa* is very rare. In sites such as Bracklesham (Collinson, 1996), rich in *Nypa*, but with preservation in the form of carbonaceous compression, mangrove hypocotyls probably would not have been preserved, or if preserved might not be recognizable as such.

Tomlinson and Cox (2000) showed, by experimentation, that modern viviparous seedlings were able rapidly to erect after rooting if dispersed by floating on the seawater surface and then, as likely, stranded horizontally. This strategy raises the plumule above tidal influence. It leaves anatomical evidence in the form of reaction (tension) wood fibres and morphological evidence in a resultant hook-like base. Wilkinson (1981) emphasized that the fossils were fragments of the hypocotyl, although she indicated that 'the fragments most frequently found suggest that they come from the distal tip'. The fossil *Ceriops* from Sheppey is sufficiently abundant (one per visit, personal observation) to examine for evidence of self-erection, but studies would have to be accompanied by detailed anatomical work to demonstrate that the true base of the seedling was preserved. Collinson has not encountered a hooked *Ceriops* during years of collecting in the London Clay of Sheppey. Although specimens figured by Chandler (1961, 1978) and Collinson (1983a) are curved, this is likely to be merely normal curvature of the hypocotyl axis. Only one is strongly curved (Chandler 1978: plate 7 Figure 1) and Chandler (1978) stated specifically that this is broken and incomplete at the radicle end. Therefore, the erection strategy to raise the plumule, is not demonstrated in the Palaeogene embryos.

Vivipary in Nypa

The mangrove palm *Nypa* also exhibits vivipary today (Tomlinson, 1986; Farnsworth, 2000). Fossil *Nypa* fruits have been shown to be exactly comparable to modern fruits in many ways (Collinson, 1993). The only obvious difference being that the fossil fruits reached larger maximum sizes than the modern fruits. However, in all *Nypa* fossils, even permineralizations, the seed-containing cavity has a mineral (amorphous silica, micro or macrocyrstalline pyrite) or, rarely, sediment infill. This is the case for the London Clay flora based on many different workers who have studied hundreds of specimens (Bowerbank, 1840; Reid and Chandler, 1933; Chandler, 1961; Collinson, 1993, personal observation); and for the Belgian Brussels Sands specimens where again, many have been studied (Stockmans, 1936; Collinson, 1993). It is also the case for the Deccan Intertrappean flora, although only four specimens have been studied anatomically and *Nypa* is apparently very rare in this flora (Sahni and Rode, 1937; Chitaley, 1960a,b; Nambudiri, 1966; Chitaley and Nambudiri, 1969). Three-dimensionally preserved specimens with carbonaceous preservation, e.g. from the Eocene of Bracklesham, West Susssex, England (Collinson, 1996) have sediment infill in the seed cavity.

These *Nypa* fossils have a basal aperture (Reid and Chandler, 1933; Sahni and Rode, 1937) which is comparable with the germinal aperture in modern fruits. Mature modern fruits have a small undifferentiated embryo which then differentiates while still attached to the fruiting head. The detachment of the fruits from the fruiting head is assisted by the growth of the plumule, which breaks through the fruit at the base (Tomlinson, 1986). The fact that many fossils are found dispersed is not in itself proof of shedding through viviparous seedling growth because many aborted fruits, lacking seeds or former seed-containing cavities, are also found fossil (Collinson, 1993, 1996; Pole and MacPhail, 1996).

There are several explanations why embryo preservation has not been documented in any permineralized *Nypa* fruit specimens. First, once the plumule has penetrated the fibrous mesocarp at the base of the fruit, the germinal aperture is formed. At this stage, failing establishment, the soft tissues would be readily vulnerable to decomposition. Secondly, once established and the food resource used up, the fruit could be released from the seedling yielding an empty husk with high preservation potential. Thirdly, it should be noted that relatively few of the mineralized specimens have actually been cut and polished or thin-sectioned so that future work might reveal embryos in *Nypa* fossils. Such work on some silicified specimens from Curacao is in progress (Collinson). In conclusion, although vivipary cannot be proven in the case of *Nypa* fossils, the lack of seed and embryo preservation in many fossils is consistent with a viviparous habit comparable with the modern *Nypa*.

Other seedlings

Numerous (over 8000) fossil seedlings have been found in a thin layer, traced laterally for 50–60 m in the Palaeocene of Joffre Bridge in Canada; 99% of these seedlings are of *Joffrea*, a Cercidiphyllaceae (Stockey and Crane, 1983), reconstructed as a partial whole plant (Crane and Stockey, 1985). Other seedlings (about 100 specimens) are platanaceous (Stockey and Crane, 1983; Crane and Stockey, 1985; Pigg and Stockey, 1991). Almost all seedlings are preserved upright in growth position. They are preserved at many different stages of development but none have more than three pairs of leaves suggesting that they all germinated at approximately the same time. Germination was epigeal producing an emerging radicle, thin hypocotyl and two cotyledons 2–4 mm long (*Joffrea*) and epigeal yielding two cotyledons with other parts obscure (Platanaceae). These two plants have small seeds, produced in large numbers (especially *Joffrea* and relatives with small winged seeds) and their remains are frequently found in association in fluvial sediments. Together with the seedling biology these features suggest that the plants represent early successional communities, with rapid seedling establishment that occurred in disturbed habitats along stream margins (Stockey and Crane, 1983; Pigg and Stockey, 1991). Hoffman and Stockey (1999) place the seedling bed at Joffre Bridge in detailed sedimentological context which supports this interpretation. *Joffrea* seedlings have also been recorded, along with seedlings of a taxodiaceous *Metasequoia*-like plant, in the Palaeocene of two other Palaeogene localities in Canada in comparable situations (Falder *et al.*, 1999).

Dormancy *versus* germination

Categories of dormancy can be generally summarized as follows (Bewley and Black, 1994: Chapter 5; Baskin and Baskin, 1998: 28)

Endogeneous (sensu Baskin and Baskin); broadly equal to embryo controlled
Physiological – physiological inhibition
Morphological – underdeveloped embryo; released by suitable conditions for growth
Morphophysiological – the above combined.

Exogenous = coat imposed/enhanced
Physical – coat impermeable to water; released by specialized opening mechanism
Chemical – germination inhibitors; released by leaching
Mechanical – restriction (physical constraint) on growth by woody tissues; released by stratification.

Germination may be defined as beginning with water uptake and ending with axis (usually radicle) emergence from the seed (Bewley and Black, 1994). Direct fossil evidence of radicle emergence during germination does exist but is very limited (see above). Fossil evidence of vivipary and of other seedlings (see above) also prove germination mechanisms in fossils. Preserved embryo evidence (see above) clearly shows differentiated embryos which are unlikely to have had morphological dormancy as well as probable dormant seeds with poorly developed embryos.

Exogenous, coat-imposed/enhanced, dormancy can act by interference with water uptake, mechanical restraint, influencing gas exchange, preventing exit of inhibitors (from/to) embryo and supplying inhibitors. In exogenous dormancy the fruit or seed coat is extremely important. To quote Boesewinkel and Bouman (1995:9): 'The seed coat is not just a protective covering but a multifunctional organ that transports, transforms and secretes metabolites and oxygen to the embryo sac'. The fossil record provides a huge amount of evidence on the fruit and seed coat.

Hard seed coats have long been considered to be a widespread cause of dormancy. Many fossils have hard seed (or endocarp) coats so it seems highly likely that many (or at least some) were probably dormant. Direct evidence of the specialist opening mechanisms that are associated with physical dormancy, as defined above, is readily available and widespread in the Palaeogene fossil record. These include plugs or valves in endocarps of Anacardiaceae, Mastixioid and other Cornaceae, Nyssaceae, Potamogetonaceae and in seeds of Nymphaeaceae (Collinson, 1983b; Mai, 1993, 1998; Manchester, 1994b; van Bergen *et al.*, 1996; Tiffney and Haggard, 1996; Stockey *et al.*, 1998; Manchester *et al.*, 1999). Maastrichtian (latest Cretaceous) mastixioid Cornaceae are also recorded (Knobloch and Mai, 1986, 1991).

Bewley and Black (1994) cite experiments that indicate the importance of the osteosclereid layer beneath the palisade layer where, in dormant seeds, puncture of the osteosclerids is necessary for germination to occur. However, most of this experimental evidence is derived from agriculturally important plants, few of which have a Palaeogene record. Therefore, this experimental evidence cannot easily be extrapolated to the past.

Columnar palisades and thick tough seed/endocarp coats with potential for imposing or enhancing coat dormancy, are very common in Cretaceous and Palaeogene seeds. However, these are very variable and the relative potential for dormancy conferred by each of the following, for example, is uncertain:

(i) Extremely close-packed columnar palisades (e.g. modern legumes) are represented in endocarp walls such as Neogene *Cinnamomum* (Pingen *et al.*, 1994) and many Lauraceae endocarps are known in the Palaeogene. There is an extensive record of fossil legumes (Herendeen and Dilcher, 1992). However, data on seed coat anatomy seem to be lacking, seeds are generally poorly preserved and much of the work has relied on fruits. In their study of *Nelumbo* disseminule preservation, van Bergen *et al.* (1997) showed that a closely packed columnar structure need not imply high chemical resistance and argued that a distinctive tannin polysaccharide composition might account for the fossil record lacking *Nelumbo* disseminules while *Nelumbo*-like leaves occur from the Cretaceous onwards. It is possible that legume seed-coat chemistry may have affected the preservation potential of legume seeds.

(ii) Closely packed columnar sclerotesta, e.g. Nymphaeaceae, widespread in the Palaeogene which, if water tight, would aid aquatic dispersal and could also confer dormancy (Collinson, 1980; Cevallos-Ferriz and Stockey, 1989; Cevallos-Ferriz *et al.*, 1991; van Bergen *et al.*, 1996).

(iii) Rather porous or open columnar sclerotesta, where palisade cells have larger lumina than in i, or ii, as, for example, in some Nymphaeaceae (Collinson, 1980; van Bergen

et al., 1996) and Moraceae (Collinson, 1989) and also commonly present in Cretaceous
seeds (Friis et al., 1999, 2000).

(iv) More equiaxial as opposed to columnar sclereids (e.g. *Torricellia* endocarp, Collinson
1988 (as ?Lythraceae); Meller and Collinson unpublished data).

(v) Varying thickness of these layers, which are obviously relatively thinner, (though not
necessarily proportionately thinner in terms of overall seed dimension) in smaller
Cretaceous seeds.

Overall, the common occurrence of specialized plugs and valves as well as distinctive dehiscence patterns, combined with thick, tough, compact seed (or endocarp) coat organization,
combined with the presence of fossils of both germinated and non-germinated but of mature
size seeds (Collinson, 1999), all argue strongly for the presence of coat-induced dormancy
of a wide diversity in Palaeogene seeds. Until more detailed studies are made on large assemblages of Cretaceous seeds, with this question in mind, the evidence prior to the Palaeogene
is less clear but suggestive of the existence of fewer specializations at that time.

Of course we cannot easily address seed longevity in these fossil assemblages as we do not
know if the germinated fossils germinated immediately on shedding or how long the last to
germinate existed prior to germination. The more recent fossil/archaeological record does
have the potential to address longevity in the natural environment (see review in Bewley
and Black, 1994). There are claims for Arctic lupin to 10 000 years and *Nelumbo* to 1700
years (but both have no direct dating). Reliable evidence would depend on accurate dating
of associated materials or of a molecule from the seed coat that has not been metabolically
active thus avoiding recycled carbon. Shen-Miller et al. (1995) reported a *Nelumbo* seed
which was germinated and then destroyed for dating giving an age of 1288 ± 271 years old.
Another specimen, the plant of which was still growing in 1994, was dated from a fragment
of pericarp as 332 ± 135 years old. As van Bergen et al. (1997) have shown the *Nelumbo*
disseminule wall is not only physically very tough but also has a distinctive tannin/
polysaccharide composition which may play a role in seed longevity. Legume seeds from
herbarium sheets of known age, were shown to germinate after some 150 years when affected
by fire extinguishing water at the British Museum of Natural History. The best-authenti-
cated large scale example seems to be the Beal experiment where, of 21 species buried,
only one retained viability after 100 years (1979), although several extended to 35–50 years.
(Bewley and Black, 1994). However, this experiment was undertaken mainly on small-
seeded, economically important arable plants or weeds and so gives little indication as to
the link between seed coat anatomy and longevity in the vast majority of angiosperms.

A broadly-based study of the relationship between the anatomy of the seed (or endocarp)
coat, the possession of specialist physical opening structures and other physical attributes of
the seed coat and the longevity of seeds or their dormancy mechanisms would be of considerable value. In this regard the fossil record is able to provide direct evidence of the location,
morphology and structure of the physically and chemically resistant layers (which survive as
fossils). These include cuticles and thick-walled sclerotic tissues (Figures 18.2 and 18.3) both
of which are common constituents of fossil seeds and endocarps (Collinson, 1980, 1983b;
Collinson and Gregor, 1988; van Bergen et al., 1996, 1999; and see the following section).

Chemical composition of resistant layers

Fossil fruits and seeds highlight those layers which are sufficiently resistant (e.g. to decomposition) to have survived in the fossil record. These layers can, therefore, be argued to
have had a function in life related to their survival ability, such as in dormancy (physical

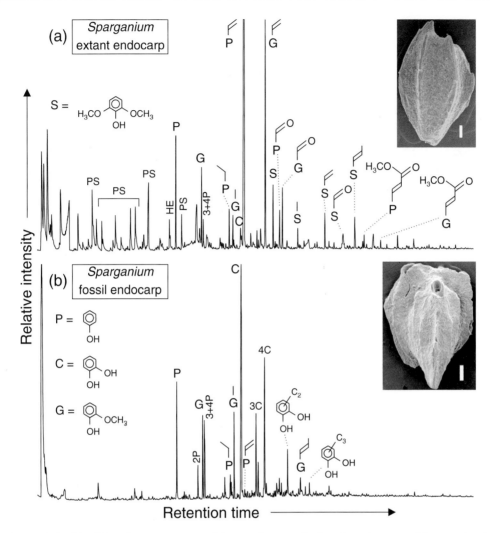

Figure 18.2 Total ion chromatograms of the pyrolysates of sclerotic endocarps of *Sparganium* (a) modern and (b) fossil showing a typical modern lignin–cellulose–hemicellulose complex and its modified condition in Eocene material with loss of PS (polysaccharides) and HE (hemicelluloses) but with the retention of most lignin markers, i.e. G (guaiacyl) and P (*p*-hydroxyphenol units). S = Syringyl and C = Catechol units. 2P = 2-methyl-phenol; 3 + 4P = co-eluting 3-methyl- and 4-methyl-phenol. Scale bars on SEM illustrations of endocarps represent 500 μm.

constraint, impermeability to gas or water, inhibition etc. see above) or for protection (from physical or biological hazards). Fossil fruits and seeds often include both cuticular layers and thick-walled sclerotic tissues. These fossils therefore provide perfect packages in which the chemical composition of both can be studied. Examples include *Sparganium* endocarps figured herein (Figure 18.3c); *Potamogeton* and *Limnocarpus* (van Bergen *et al.*, 1999) and Nymphaeaceae (van Bergen *et al.*, 1996). Resin composition has also been documented for fossil endocarps of mastixioid Cornaceae (van Aarssen *et al.*, 1994).

The different coats of fossil fruits and seeds retain distinctive chemical signatures, which can be recognized in modern relatives both in cuticles and in thick-walled, sclerotic tissues. This has been shown for Nymphaeaceae (van Bergen *et al.*, 1996) and for *Stratiotes*

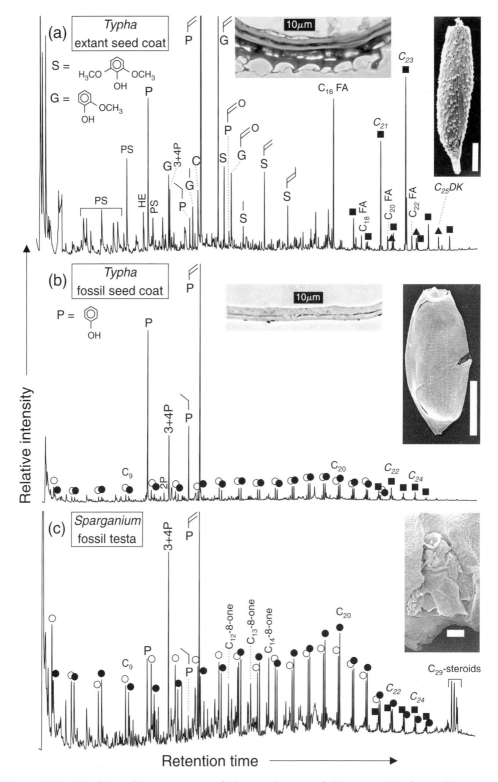

Figure 18.3 Total ion chromatograms of the pyrolysates of the extant *Typha* seed coat (a) dominated by monocotyledonous lignin markers (peaks labelled P and G) and the fossil seed coats of

(van Bergen *et al.*, 1999). These results demonstrate that the particular biosynthetic pathways producing resistant fruit and seed coats, which exist today, also existed in the past (at least as far back as mid-Palaeogene). The results also add a new dimension of chemosystematics to the study of fossil seeds. For example, *Potamogeton* and the extinct *Limnocarpus* show clear chemosystematic relationship, which supports that previously based only on morphological comparisons (van Bergen *et al.*, 1999).

Here we report new results from *Sparganium* and *Typha* (families Sparganiaceae and Typhaceae, together order Typhales *sensu* Dahlgren *et al.*, 1985; and family Sparganiaceae, order Poales Small *sensu* APG, 1998). The fossil samples are derived from the Bembridge Limestone Formation, Gurnard Ledge, Thorness Bay, Isle of Wight, from the top 20 cm of Daley and Edwards (1990) bed 6C (see Collinson and Cleal, 2001a for details of the flora and references) and thus are from the Eocene/Oligocene transitional interval, probably latest Eocene in age.

The chemical composition of the modern and fossil resistant disseminule walls was examined by pyrolysis, which is a destructive method using thermal decomposition to yield characteristic building blocks (van Bergen, 1999). Details of methods are as reported in van Bergen *et al.* (1996, 1999). The fossil *Sparganium* sclerotic endocarp shows, as expected, modification of the lignin-hemicellulose complex (compared with the modern endocarp) with the loss of PS (polysaccharides) and HE (hemicellulose) but with the retention of most lignin markers, i.e. G (Guaiacyl) and P (*p*-hydroxy-phenol) units (See Figure 18.2). The chromatogram of the pyrolysate (Figure 18.2b) is quite distinct from that of the sclerotesta of fossil *Stratiotes* (order Alismatales Dumort. *sensu* APG, 1998) reported by van Bergen *et al.*, (1999) from the same fossil assemblage.

The fossil *Typha* and *Sparganium* seed coats are thin cuticles and their total ion chromatograms of the pyrolysates are dominated by alkene-alkane doublets (see Figure 18.3), which are long straight chain aliphatic hydrocarbon units that are typical of fossil cuticles (see Chapter 8). In addition, there are phenolic pyrolysis products, most probably derived from *p*-coumaric acid moieties. The extant *Typha* seed coat, in contrast, is multilayered, including cuticular layers and cellular layers. The chromatogram is dominated by monocotyledonous lignin markers (e.g. peaks labelled P and G on Figure 18.3a) which swamp out a small signal from the cuticles which can be detected in appropriate mass chromatograms. Detailed mass chromatograms (Figure 18.4) are essential to provide chemical evidence for similarities. These show that the fossil *Typha* and *Sparganium* seed coats are strikingly similar in distribution patterns of specific constituents such as the alkanes (sharp drop off after C_{20} and C_{22}) and the 2-alkanones (sharp drop off after C_{22} and C_{24}). These latter compounds are also characteristic long-chain aliphatic units in cuticular membranes and in combination with alkanes/alkenes provide crucial evidence of chemical similarities. In addition, there is a distinct group of 8-alkanones which are dominated by the C_{14}-8-alkanone

---

Typha (b) and *Sparganium* (c), dominated by alkene-alkane doublets with phenolic pyrolysis products most probably derived from *p*-coumaric acid moieties. The difference between fossil and modern is largely explained by the fact that the modern *Typha* has a multilayered seed-coat as shown in the transverse section, while the resistant material which survives in both the fossils is translucent cuticles only (as shown in the fossil *Typha* transverse section). Entire seed cuticles are illustrated by scanning electron micrographs; that of *Sparganium* is in place within a fractured endocarp. Transverse sections are transmitted light micrographs. Open circles: *n*-alk-1-enes, closed circles: *n*-alkanes, closed squares: 2-alkanones (= methyl ketones), Closed triangles: diketones, other abbreviations as in Figure 18.2. Scale bars on SEM illustrations of specimens represent 250 μm.

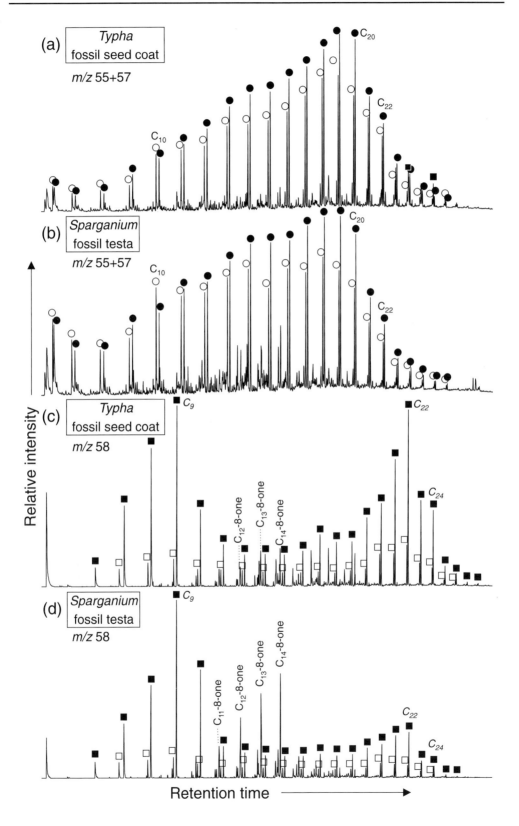

in both taxa. Furthermore, these mass chromatograms are very different from those documented in cuticular seed coats of *Potamogeton* and *Limnocarpus* (order Alismatales Dumort. *sensu* APG, 1998) from the same fossil assemblage where alkanes show drop off at C_{26} and 2-alkanones (=methyl ketones) at C_{28} (van Bergen *et al.*, 1999).

Fossils readily reveal resistant fruit wall and seed coat layers, the morphology and anatomy of which can easily be studied. Our results, from a variety of flowering plants (Nymphaeaceae, Potamogetonaceae, *Stratiotes*, *Typha* and *Sparganium* – see above), demonstrate that markers of chemosystematic and biosynthetic significance are surviving in Palaeogene fossils. These results indicate the potential to investigate any links (in fossils and their living relatives) between chemical composition, physical nature and the anatomy of fruit and seed coats and their functional role. This new combined information can be applied, in future, not only to understand the evolution of exogenous dormancy via the fossil record but also further to understand controls on dormancy and longevity at the present day.

Conclusions

The aim of this chapter was to document the grade of evolution of dispersal biology and ecophysiological strategies that had been attained by the Palaeogene and to compare this, where possible, with that in the preceding Cretaceous. The following are the main conclusions from this study.

Plumes, which may enable 'floatation' in air or may assist in orientation on landing, were lacking in Cretaceous floras and were of extremely low diversity in the Palaeogene. Only one form, *Apocynospermum*-like with a long tufted plume, is reasonably widespread, although rare, in Palaeogene floras. Taphonomic bias is unlikely to explain this low diversity which may be related to higher humidities which would not favour plumed disseminules or to phylogenetic constraints (many plumed disseminules occur in clades with first fossil occurrences in the Neogene).

In contrast to plumes, wings, which may confer aerodynamic properties favouring varied dispersal trajectories and behaviour, were very widespread, very abundant and highly diverse in Palaeogene floras (See Figure 18.1). A wide variety of wings may be seen within a single family, e.g. Juglandaceae and a given wing morphology (e.g. 'helicopters') may be found across a wide variety of taxonomic affinities. Wings were derived from a wide variety of different parts of the inflorescence, flower, fruit wall and seed coat. The variety of wing morphology, which was established by the Palaeogene, encompasses many, if not most, of the modern strategies. By comparison wings were insignificant in preceding Cretaceous floras.

Small seeds, including dust and microseeds, were dominant throughout the Cretaceous. This may be as much related to parent plant stature as to a specific dispersal strategy. There are clear examples where clades with larger seeds in the Palaeogene and Recent had small seeds in the Cretaceous, thus excluding a simple phylogenetic constraint. Dust seeds are

Figure 18.4 Mass chromatograms of the pyrolysates of the fossil *Typha* (a, c) and *Sparganium* (b, d) seed coats which demonstrate a striking similarity in distribution patterns of specific constituents such as the alkanes (sharp drop off after C_{20} and C_{22}) and the 2-alkanones (sharp drop off after C_{22} and C_{24}). In addition there is a distinct group of 8-alkanones, which are dominated by the C_{14}-8-alkanone in both taxa. Open circles: *n*-alk-1-enes, closed circles: *n*-alkanes, closed squares: 2-alkanones (= methyl ketones), open squares: monounsaturated 2-alkanones, other abbreviations as in Figure 18.2.

also found in Palaeogene floras, representing families and often genera that have similar seeds today. Potential dispersal by floatation in water is indicated by the fibrous fruit wall of Palaeogene *Nypa* fruits.

Like plumes, spines on disseminules are very rare in Palaeogene (and in Cretaceous) floras. Only one example can be convincingly argued to be adapted for animal dispersal (a small fruit entwined in mammal hair within late Eocene amber) in spite of the logical origin for mammalian fur in the late Triassic. Spines may also function in anchoring to other substrates such as wet mud.

Large dry nuts and large fleshy fruits exhibit an Eocene radiation, the former coincident with a radiation of rodents. Seed predation (gnawing by rodents; crushing by mammal teeth and boring by insects) and survival of seeds from fleshy fruit in mammalian gut contents both indicate interactions, including potential dispersal, by mammals. However, these examples are still rare in the Palaeogene. As Cretaceous fruits and seeds were all so small, large dry nuts were lacking. Furthermore, fleshy tissue attractants or food resources and indeed food resources from seed contents were at an utterly different, very small scale compared with those of the Palaeogene.

Rare Cretaceous and Palaeogene fossils prove radicle emergence and seedling strategy including rapid simultaneous germination from small seeds in Palaeogene examples. Preserved (permineralized) embryo and endosperm in Palaeogene fossils indicates a wide range of strategies, comparable to those of the present day. These range from underdeveloped potentially dormant embryos including those with extensive ruminate endosperm tissue, to large embryos, including those which are fully differentiated, filling the seed and having folded cotyledons adapted for rapid establishment. In the very few examples where several members of one order can be assessed (e.g. Myrtales, Zingiberales), the indications are that modern strategies already existed in Palaeogene or even in Late Cretaceous examples. Vivipary is also documented in the Palaeogene.

Fossil fruit walls and seed coats provide a wealth of information pertinent to the further understanding of the evolution of dormancy. Physical dormancy, released by specialized opening mechanisms, is widely indicated in Palaeogene floras by the presence of distinct plugs and valves and germinated and non-germinated but mature seeds. This strategy was present in at least a few late Cretaceous examples but is much more common in the Palaeogene. Resistant layers, which are evident by their preservation as organic compression fossils, have the potential to confer not only physical but also mechanical and chemical dormancy. These layers include both sclerotic and cuticular materials in fruit walls and seed coats. Palaeogene sclerotic tissues vary considerably in their compactness and sclereid form (columnar to equiaxial) as well as in thickness, whereas earlier Cretaceous examples tend to be thin, single-layered and with sclereids with relatively open lumina. This may indicate differences in dormancy potential. Surprisingly, in spite of the excellent Palaeogene record of legume fruits, containing evidence of the former presence of seeds, no well-preserved legume seed coat (the classic columnar palisade of text-books) is known to us. This might indicate a distinctive underlying chemistry as we found in columnar sclereids of modern *Nelumbo* disseminules.

Resistant cuticular layers, which may function in dormancy as physical constraints or impermeable barriers, are particularly easily revealed in fossils. An assemblage of fossils with examples comprising both sclerotic and cuticular layers provides ideal packages in which to study the chemical composition of fossils because variations due to conditions of fossilization are eliminated. Our studies of Palaeogene fossils, including new data on co-occurring *Sparganium* and *Typha* reported here, show that different taxa and different tissue types carry distinctive chemical signatures indicative of underlying distinctive biosynthetic pathways. These distinctive chemistries may all have played a role in mechanical and chemical (and possibly endogenous) dormancy in the Palaeogene. In combination, morphology, anatomy and chemistry of the resistant layers of disseminules have future potential as a powerful tool to investigate aspects of fruit and seed physiology in the past and in the present. This combined approach would not only improve our understanding of the evolution of fruit and seed ecophysiology but also help to understand controls on dormancy and on seed longevity at the present day.

Acknowledgements

We would like to thank the editors and two anonymous referees for their helpful comments. One referee also provided valuable additional references. The chemical results reported and discussed in this chapter were obtained during the tenure of a NERC Research grant from the Biomolecular Palaeontology special topic which is gratefully acknowledged. MEC would also like to thank the Royal Society for their support during her research career on fossil fruits and seeds in the form of a Royal Society University Research Fellowship held from 1983 to 1993.

References

van Aarssen BGK, de Leeuw JW, Collinson ME, *et al*. 1994. Occurrence of polycadinene in fossil and recent resins. *Geochimica et Cosmochimica Acta* **58**: 223–229.

APG, 1998. An ordinal classification for the families of flowering plants. *Annals of the Missouri Botanical Garden* **85**: 531–553.

As-Saruri ML, Whybrow PJ, Collinson ME. 1999. Geology, fruits, seeds and vertebrates (?Sirenia) from the Kaninah Formation (middle Eocene), Republic of Yemen. In: Whybrow PJ, Hill A, eds. *Fossil Vertebrates of Arabia*. New Haven, London: Yale University Press, 443–453.

Bande MB, Chandra S. 1990. Early Tertiary vegetational reconstructions around Nagpur-Chhindwara and Mandla, central India. *Palaeobotanist* **38**: 196–208.

Bande MB, Chandra A, Venkatachala BS, Mehrotra RC. 1988. Deccan Intertrapean floristics and its stratigraphic implications. In: Maheshwari HK, ed. *Paleocene of India*. Lucknow: Indian Association of Palynostratigraphers, 83–123.

Bande MB, Mehrotra RC, Awasthi N, 1993. Revision of *Callistemonites indicus* Bande Mehrotra and Prakash from the Deccan Intertrappean Beds of Mandla District, Madhya Pradesh. *Palaeobotanist* **42**: 66–69.

Barnes RW, Hill RS. 1999. *Ceratopetalum* fruits from Australian Cainozoic sediments and their significance for petal evolution in the genus. *Australian Systematic Botany* **12**: 635–645.

Baskin CC, Baskin JM.1998. *Seeds Ecology, Biogeography, and Evolution of Dormancy and Germination*. San Diego: Academic Press.

Bellon H, Buzek C, Gaudant J, *et al*. 1998. The Ceske Stredohori magmatic complex in Northern Bohemia ^{40}K-^{40}Ar ages for volcanism and biostratigraphy of the Cenozoic freshwater formations. *Newsletters in Stratigraphy* **36**: 77–103.

van Bergen PF. 1999. Pyrolysis and chemolysis of fossil plant remains: applications to palaeobotany. In: Jones TP, Rowe NP, eds. *Fossil Plants and Spores: Modern Techniques*. London: The Geological Society, 143–148.

van Bergen PF, Collinson ME, de Leeuw JW. 1996. Characterization of the insoluble constituents of propagule walls of fossil and extant water lilies: implications for the fossil record. *Ancient Biomolecules* **1**: 55–81.

van Bergen PF, Collinson ME, Stankiewicz BA. 1999. The importance of molecular palaeobotany. *Acta Palaeobotanica Supplement* **2**: 653–657.

van Bergen PF, Hatcher PG, Boon JJ, *et al.* 1997. Macromolecular composition of the propagule wall of *Nelumbo nucifera*. *Phytochemistry* **45**: 601–610.

Bewley JD, Black M. 1994. *Seeds: Physiology of Dormancy and Germination*, 2nd edn. London: Plenum.

Biradar NV, Bonde SD. 1990. The genus *Cyclanthodendron* and its affinities. In: Douglas JG, Christophel DC, eds. *Proceedings of the Third International Organisation of Palaeobotany Conference, Melbourne*. IOP/ Douglas & Christophel, 51–57.

Boesewinkel FD, Bouman F. 1995. The seed: structure and function. In: Kigel J, Galili G, eds. *Seed Development and Germination*. New York: Marcel Decker, 1–24.

Bonde SD. 1985. Further contribution to the knowledge of *Tricoccites trigonum* Rode and its affinities. *Biovigyanam* **11**: 65–71.

Bonde SD. 1990. *Arecoidocarpon kulkarnii* gen, et sp. nov., an arecoid palm fruit from Mohgaon Kalan, Madhya Pradesh. *Palaeobotanist* **38**: 212–216.

Bowerbank JS. 1840. *A History of the Fossil Fruits and Seeds of the London Clay*. London: John Van Voorst.

Brown RW. 1934. The recognizable species of the Green River flora. *United States Geological Survey Professional Paper* **185C**: 45–77.

Budantsev L. (ed.) 1994. *Fossil Flowering Plants of Russia and Adjacent States. Volume 3 Leitneriaceae–Juglandaceae*. St Petersburg: Komarov Botanical Institute.

Burrows FM, 1986. The aerial motion of seeds, fruits, spores and pollen. In: Murray DR, ed. *Seed Dispersal*. Sydney: Academic Press, 1–47.

Buzek C, Holy F, Kvacek Z. 1976. Tertiary flora from the Volcanogenic Series at Markvartice and Veselicko near Ceska Kamenice (Ceske stredohori Mts.). *Sbornik geologickych Ved paleontologie* **18**: 69–125.

Buzek C, Kvacek Z, Manchester SR. 1989. Sapindaceous affinities of the *Pteleaecarpum* fruits from the Tertiary of North America. *Botanical Gazette* **150**: 477–489.

Call VB, Dilcher DL. 1992. Investigations of angiosperms from the Eocene of southeastern North America: samaras of *Fraxinus wilcoxiana* Berry. *Review of Palaeobotany and Palynology* **74**: 249–266.

Call VB, Dilcher DL. 1995. Fossil *Ptelea* samaras (Rutaceae) in North America. *American Journal of Botany* **82**: 1069–1073.

Call VB, Dilcher DL. 1997. Fossil record of *Eucommia* (Eucommiaceae) in North America. *American Journal of Botany* **84**: 798–814.

Cevallos-Ferriz SRS, Stockey RA. 1988a. Permineralized fruits and seeds from the Princeton Chert (Middle Eocene) of British Columbia: Lythraceae. *Canadian Journal of Botany* **66**: 303–312.

Cevallos-Ferriz SRS, Stockey RA. 1988b. Permineralized fruits and seeds from the Princeton Chert (Middle Eocene) of British Columbia: Araceae. *American Journal of Botany* **75**: 1099–1113.

Cevallos-Ferriz SRS, Stockey RA. 1989. Permineralized fruits and seeds from the Princeton Chert (Middle Eocene) of British Columbia: Nymphaeaceae. *Botanical Gazette* **150**: 207–217.

Cevallos-Ferriz SRS, Stockey RA, Pigg KA. 1991. The Princeton Chert: evidence for *in situ* aquatic plants. *Review of Palaeobotany and Palynology* **70**: 173–185.

Cevallos-Ferriz SRS, Erwin DM, Stockey RA. 1993. Further observations on *Paleorosa similkameenensis* (Rosaceae) from the Middle Eocene Princeton Chert of British Columbia, Canada. *Review of Palaeobotany and Palynology* **78**: 277–291.

Chandler MEJ. 1961. *The Lower Tertiary Floras of southern England. I. Palaeocene floras London Clay Flora (supplement)*. Text and Atlas. London: British Museum (Natural History).

Chandler MEJ 1978. Supplement to the Lower Tertiary floras of southern England. Part 5. *Tertiary Research Special Paper* **4**: 1–47.

Chen Zhi-Duan, Manchester SR, Sun Hai-Ying. 1999. Phylogeny and evolution of the Betulaceae as inferred from DNA sequences, morphology and paleobotany. *American Journal of Botany* **86**: 1168–1181.

Chitaley SD. 1958. Seeds of *Viracarpon hexaspermum* Sahni from the Intertrappean beds of Mohgaon Kalan, India. *Journal of the Indian Botanical Society* **37**: 408–411.

Chitaley SD. 1960a. A new specimen of *Nipa* fruit from Mohgaonkalan Cherts. *Nature* **186**: 495.

Chitaley SD, 1960b. *Nipa* fruit from the Deccan intertrappeans of India. *Bulletin of the Botanical Society, College of Science, Nagpur* **1**: 31–35.

Chitaley SD. 1977. *Enigmocarpon parijai* and its allies. *Frontiers of plant sciences* (Prof. P. Parija felicitation Volume): 421–429.

Chitaley SD, Nambudiri EMV. 1969. Anatomical studies of *Nypa* fruits from Deccan Intertrappean beds of India – I. In: Chowdhury KA, ed. Recent advances in the anatomy of tropical seed plants; proceedings of the first national symposium held at Muslim University Aligarh, December 1966. *International Monographs on Advanced Biology and Biophysics*. Delhi: Hindustan Publishing Corporation India, 235–248.

Collinson ME. 1980. Recent and Tertiary seeds of the Nymphaeaceae *sensu lato* with a revision of *Brasenia ovula* (Brong.) Reid and Chandler. *Annals of Botany* **46**: 603–632.

Collinson ME. 1983a. Palaeofloristic assemblages and palaeoecology of the Lower Oligocene Bembridge Marls, Hamstead Ledge, Isle of Wight. *Botanical Journal of the Linnean Society* **86**: 177–225.

Collinson ME. 1983b. Fossil Plants of the London Clay. *Palaeontological Association Field Guides to Fossils Number 1*. London: Palaeontological Association.

Collinson ME. 1988. The special significance of the Middle Eocene fruit and seed flora from Messel, West Germany. *Courier Forschungs-Institut Senckenberg* **107**: 187–197.

Collinson ME. 1989. The fossil history of the Moraceae, Urticaceae (including Cecropiaceae), and Cannabaceae. In: Crane PR. Blackmore. S., eds. *Evolution, Systematics, and Fossil History of the Hamamelidae. Volume 2 'Higher' Hamamelidae*. Systematics Association Special Volume 40B. Oxford: Clarendon Press, 319–339.

Collinson ME. 1990. Plant evolution and ecology during the early Cainozoic diversification. *Advances in Botanical Research* **17**: 1–98.

Collinson ME. 1993. Taphonomy and fruiting biology of recent and fossil *Nypa*. *Special Papers in Palaeontology* **49**: 165–180.

Collinson ME. 1996. Plant macrofossils from the Bracklesham Group (Early and Middle Eocene), Bracklesham Bay, West Sussex, England; review and significance in the context of coeval British Tertiary Floras. *Tertiary Research* **16**: 175–202.

Collinson ME. 1999. Evolution of angiosperm fruit and seed morphology and associated functional biology: status in the Late Cretaceous and Palaeogene. In: Kurmann MH, Hemsley AR, eds. *The Evolution of Plant Architecture*. Kew: Royal Botanic Gardens, 331–357.

Collinson ME, Boulter MC, Holmes PL. 1993. Magnoliophyta ('Angiospermae'). In: Benton MJ, ed. *The Fossil Record 2*. London: Chapman and Hall, 809–841.

Collinson ME, Cleal CJ. 2001a. Late middle Eocene–early Oligocene (Bartonian-Rupelian) and Miocene palaeobotany of Great Britain. In: Cleal CJ, Thomas BA, Batten DJ, Collinson ME. *Mesozoic and Tertiary Palaeobotany of Great Britain*. Geological Conservation Review Series No. 22, Peterborough: Joint Nature Conservation Committee, 227–274.

Collinson ME, Cleal CJ. 2001b. Early and early-middle Eocene (Ypresian-Lutetian) palaeobotany of Great Britain. In: Cleal CJ, Thomas BA, Batten DJ, Collinson ME. *Mesozoic and Tertiary Palaeobotany of Great Britain*. Geological Conservation Review Series No. 22, Peterborough: Joint Nature Conservation Committee, 185–226.

Collinson ME, Cleal CJ. 2001c. The palaeobotany of the Palaeocene and Palaeocene-Eocene transitional strata in Great Britain. In: Cleal CJ, Thomas BA, Batten DJ, Collinson ME. *Mesozoic and Tertiary Palaeobotany of Great Britain*. Geological Conservation Review Series No. 22, Peterborough: Joint Nature Conservation Committee, 155–184.

Collinson ME, Crane PR. 1978. *Rhododendron* seeds from the Palaeocene of southern England. *Botanical Journal of the Linnean Society* **76**: 195–205.

Collinson ME, Gregor HJ. 1988. Rutaceae from the Eocene of Messel, West Germany. *Tertiary Research* **9**: 67–80.

Collinson ME, Hooker JJ. 2000. Gnaw marks on Eocene seeds: evidence for early rodent behaviour. *Palaeogeography, Palaeoclimatology, Palaeoecology* **157**: 127–149.

Courtillot V. 1999. *Evolutionary Catastrophes*. Cambridge: Cambridge University Press.

Courtillot V, Féraud G, Maluski H, *et al.* 1988. Deccan floor basalts and the Cretaceous/Tertiary boundary. *Nature* **333**: 843–846.

Crane PR. 1981. Betulaceous leaves and fruits from the British Upper Palaeocene. *Botanical Journal of the Linnean Society* **83**: 103–136.

Crane PR. 1984. A re-evaluation of *Cercidiphyllum*-like plant fossils from the British early Tertiary. *Botanical Journal of the Linnean Society* **89**: 199–230.

Crane PR. 1988. *Abelia*-like fruits from the Palaeogene of Scotland and North America. *Tertiary Research* **9**: 21–30.

Crane PR, Herendeen PS. 1996. Cretaceous floras containing angiosperm flowers and fruits from eastern North America. *Review of Palaeobotany and Palynology* **90**: 319–337.

Crane PR. Stockey RA. 1985. Growth and reproductive biology of *Joffrea speirsii* gen. et sp. nov., a *Cercidiphyllum*-like plant from the Late Paleocene of Alberta, Canada. *Canadian Journal of Botany* **63**: 340–364.

Crane PR, Friis EM, Pedersen KR. 1995. The origin and early diversification of angiosperms. *Nature* **374**: 27–33.

Crane PR, Manchester SR, Dilcher DL. 1990. A preliminary survey of fossil leaves and well-preserved reproductive structures from the Sentinel Butte Formation (Paleocene) near Almont, North Dakota. *Fieldiana Geology New Series* **20**: 1–63.

Crepet WL, Daghlian CP. 1980. Castaneoid inflorescences from the middle Eocene of Tennessee and the diagnostic value of pollen (at the subfamily level) in the Fagaceae. *American Journal of Botany* **67**: 739–757.

Crepet WL, Nixon KC. 1994. Flowers of Turonian Magnoliidae and their implications. *Plant Systematics and Evolution Supplement* **8**: 73–91.

Cronquist A. 1981. *An Integrated System of Classification of Flowering Plants*. New York: Columbia University Press.

Dahlgren RMT, Clifford HT, Yeo PF. 1985. *The Families of Monocotyledons*. Berlin: Springer-Verlag.

Dettmann ME, Clifford HT. 2000. Monocotyledon fruits and seeds, and an associated palynoflora from Eocene-Oligocene sediments of coastal central Queensland, Australia. *Review of Palaeobotany and Palynology* **110**: 141–173.

Drinnan AN, Crane PR, Friis EM, Pedersen KR. 1990. Lauraceous flowers from the Potomac Group (Mid Cretaceous) of eastern North America. *Botanical Gazette* **151**: 370–384.

Eriksson O, Friis EM, Löfgren P. 2000a. Seed size, fruit size and dispersal systems in angiosperms from the early Cretaceous to the Late Tertiary. *The American Naturalist* **156**: 47–58.

Eriksson O, Friis EM, Pedersen KR, Crane PR. 2000b. Seed size and dispersal systems of early Cretaceous angiosperms from Famalicao, Portugal. *International Journal of Plant Sciences* **161**: 319–329.

Falder AB, Stockey RA, Rothwell GW. 1999. *In situ* fossil seedlings of a *Metasequoia*-like taxodiaceous conifer from Paleocene river floodplain deposits of central Alberta, Canada. *American Journal of Botany* **86**: 900–902.

Farnsworth E. 2000. The ecology and physiology of viviparous and recalcitrant seeds. *Annual Review of Ecology and Systematics* **31**: 107–138.

Feng Guang-Ping, Li Cheng-sen, Zhilin SG, *et al.* 2000. *Nyssidium jiayinense* sp. nov. (Cercidiphyllaceae) of the early Tertiary from north-east China. *Botanical Journal of the Linnean Society* **134**: 471–484.

Friis EM, 1983. Upper Cretaceous (Senonian) floral structures of juglandacean affinity containing *Normapolles* pollen. *Review of Palaeobotany and Palynology* **39**: 161–188.

Friis EM.1985a. Structure and function in Late Cretaceous angiosperm flowers. *Biologiske Skrifter* **25**: 1–37.

Friis EM. 1985b. *Actinocalyx* gen. nov., sympetalous angiosperm flowers from the Upper Cretaceous of southern Sweden. *Review of Palaeobotany and Palynology* **45**: 171–183.

Friis EM, Crepet WL. 1987. Time of appearance of floral features. In: Friis EM, Chaloner WG, Crane PR, eds. *The Origins of Angiosperms and their Biological Consequences*. Cambridge: Cambridge University Press, 145–179.

Friis EM, Pedersen KR, Crane PR. 1995. *Appomattoxia ancistrophora* gen. et sp. nov., a new early Cretaceous plant with similarities to *Circaeaster* and extant Magnoliidae. *American Journal of Botany* **82**: 933–943.

Friis EM, Pedersen KR, Crane PR. 1999. Early angiosperm diversification: the diversity of pollen associated with angiosperm reproductive structures in early Cretaceous floras from Portugal. *Annals of the Missouri Botanical Garden* **86**: 259–296.

Friis EM, Pedersen KR, Crane PR. 2000. Reproductive structure and organization of basal angiosperms from the early Cretaceous (Barremian or Aptian) of western Portugal. *International Journal of Plant Sciences* **161**: S169–S182.

Gee CT, Sander PM, Petzelberger BEM. in press. A Miocene rodent nut cache in coastal dunes of the Lower Rhine Embayment, Germany. *Palaeontology*.

Grande L. 1984. Paleontology of the Green River Formation, with a review of the fish fauna. 2nd edn. *Bulletin of the Geological Survey of Wyoming* **63**: 1–333.

Grote PJ, Dilcher DL. 1992. Fruits and seed of tribe Gordonieae (Theaceae) from the Eocene of North America. *American Journal of Botany* **79**: 744–753.

Guleria JS, Srivatsava R. 2001. Fossil dicotyledonous woods from the Deccan Intertrappean beds of Kachchh, Gujarat, Western India. *Palaeontographica B* **257**: 17–33.

Hably L. 2001. Fruits and leaves of *Ailanthus* Desf. from the Tertiary of Hungary. *Acta Palaeobotanica* **41**: 207–219.

Hably L, Kvacek Z, Manchester SR. 2000. Shared taxa of land plants in the Oligocene of Europe and North America in context of Holarctic phytogeography. *Acta Universitatis Carolinae – Geologica* **44**: 59–74.

Hably L, Thiébaut W. 2002. Revision of *Cedrelospermum* (Ulmaceae) fruits and leaves from the Tertiary of Hungary and France. *Palaeontographica B,* **262**: 71–90.

Herendeen PS, Dilcher DL. 1991. *Caesalpinia* subgenus *Mezoneuron* (Leguminosae, Caesalpinioideae) from the Tertiary of North America. *American Journal of Botany* **78**: 1–12.

Herendeen PS, Dilcher DL. (eds) 1992. *Advances in Legume Systematics Part 4 The Fossil Record.* Kew: Royal Botanic Gardens.

Herendeen PS, Crane PR, Drinnan AN. 1995. Fagaceous flowers, fruits and cupules from the Campanian (Late Cretaceous) of Central Georgia, USA. *International Journal of Plant Sciences* **156**: 93–116.

Herendeen PS, Les DH, Dilcher DL. 1990. Fossil *Ceratophyllum* (Ceratophyllaceae) from the Tertiary of North America. *American Journal of Botany* **77**: 7–16.

Herendeen PS, Magallón-Puebla S, Lupia R, *et al.* 1999. A preliminary conspectus of the Allon flora from the late Cretaceous (Late Santonian) of Central Georgia, USA. *Annals of the Missouri Botanical Garden* **86**: 407–471.

Hoffman GL, Stockey RA. 1999. Geological setting and palaeobotany of the Joffre Bridge Roadcut fossil locality (late Paleocene), Red Deer Valley, Alberta. *Canadian Journal of Earth Sciences* **36**: 2073–2084.

Hooker JJ, Collinson ME. 2001. Plant-animal interactions: dispersal. In: Briggs DEG, Crowther PR, eds. *Palaeobiology* II. Oxford: Blackwell Science, 429–431.

Jaeger J-J, Courtillot V, Tapponnier P. 1989. Palaeontological view of the ages of the Deccan Traps, the Cretaceous/Tertiary boundary, and the India-Asia collision. *Geology* **17**: 316–319.

Kalgutkar RM, Nambudiri EMV, Tidwell WD. 1993. *Diplodites sweetii* sp. nov. from the Late Cretaceous (Maastrichtian) Deccan Intertrappean Beds of India. *Review of Palaeobotany and Palynology* **77**: 107–118.

Kirkland JI, Rivera RH, Martinez MCA, *et al.* 2000. The Late Cretaceous Difunta Group of the Parras Basin, Coahuila, Mexico, and its vertebrate fauna. In: Rivera RH, Kirkland JI, Nunez RG, coordinators. *Guide Book for the field trip of Cretaceous dinosaurs from the State of Coahuila, Mexico.* In: Guide Book for the Field Trips, Society of Vertebrate Paleontology, 60th annual meeting, Mexico, 2000. Avances en Investigacion, Special Publication. Universidad Autónoma del Estado de Hidalgo Ciudad Universitaria, Pachuca, Hgo. Mexico: Hecho, 131–172.

Knobloch E, Mai DH. 1986. *Monographie der Früchte und Samen in der Kreide von Mitteleuropa.* Prague: Geological Survey.

Knobloch E, Mai DH. 1991. Evolution of Middle and Upper Cretaceous floras in Central and Western Europe. *Jahrbuch der Geologischen Bundesanstalt* **134**: 257–270.

Kvacek Z, Konzalová M. 1996. Emended characteristics of *Cercidiphyllum crenatum* (Unger) R.W. Brown based on reproductive structures and pollen *in situ*. *Palaeontographica B* **239**: 147–155.

Kvacek Z, Sakala J. 1999. Twig with attached leaves, fruits and seeds of *Decodon* (Lythraceae) from the Lower Miocene of northern Bohemia, and implications for the identification of detached leaves and seeds. *Review of Palaeobotany and Palynology* **107**: 201–222.

Kvacek Z, Walther H. 1995. The Oligocene flora of Suletice-Berand near Usti Nad Labem, North Bohemia – a review. *Acta Musei Nationalis Pragae, Series B, Historia Naturalis* **50**: 25–54.

Kvacek Z, Walther H. 1998. The Oligocene volcanic flora of Kundratice near Litomerice, Ceske Stredohori volcanic complex (Czech Republic) – A review. *Acta Musei Nationalis Pragae, Series B, Historia Naturalis* **54**: 1–42.

Kvacek Z, Buzek C, Manchester SR. 1991. Fossil fruits of *Pteleaecarpum* Weyland – Tiliaceous, not Sapindaceous. *Botanical Gazette* **152**: 522–523.

Kvacek Z, Hably L, Manchester SR. 2001. *Sloanea* (Elaeocarpaceae) fruits and foliage from the Early Oligocene of Hungary and Slovenia. *Palaeontographica B* **259**: 113–124.

Kvacek Z, Manchester SR, Zetter R, Pingen M. 2002. Fruits and seeds of *Craigia bronnii* (Malvaceae – Tilioideae) and associated flower buds from the late Miocene Inden Formation, Lower Rhine Basin, Germany. *Review of Palaeobotany and Palynology*, **119**: 311–324.

LePage BA, Currah RS, Stockey RA, Rothwell GW. 1997. Fossil ectomycorrhizae from the Middle Eocene. *American Journal of Botany* **84**: 410–412.

Little SA, Stockey, RA. 2000. Reconstructing aquatic angiosperms from the Middle Eocene Princeton Chert: *Decodon allenbyensis*. *American Journal of Botany* **87**: 70–71.

MacGinitie HD. 1969. The Eocene Green River flora of northwestern Colorado and northeastern Utah. *University of California Publications in Geological Sciences* **83**: 1–140.

Mack AL. 2000. Did fleshy fruit pulp evolve as a defence against seed loss rather than as a dispersal mechanism? *Journal of Bioscience* **25**: 93–97.

Magallón-Puebla S, Cevallos-Ferriz SRS. 1994a. *Eucommia constans* n.sp. fruits from upper Cenozoic strata of Puebla, Mexico: morphological and anatomical comparisons with *Eucommia ulmoides* Oliver. *International Journal of Plant Sciences* **155**: 80–95.

Magallón-Puebla S, Cevallos-Ferriz SRS. 1994b. Latest occurrence of the extinct genus *Cedrelospermum* (Ulmaceae) in North America: *Cedrelopsermum manchesteri* from Mexico. *Review of Palaeobotany and Palynology* **81**: 115–128.

Mai DH. 1985a. Entwicklung der Wasser- und Sumpfpflanzen-Gesellschaften Europas von der Kreide bis ins Quartär. *Flora*, **176**: 449–511.

Mai DH. 1985b. Beiträge zur Geschichte einiger holziger Saxifragales-Gattungen. *Gleditschia* **13**: 75–88.

Mai DH. 1993. On the extinct Mastixiaceae (Cornales) in Europe. *Geophytology* **23**: 53–63.

Mai DH. 1995. *Tertiäre Vegetationsgeschichte Europas*. Jena: Fischer Verlag.

Mai DH. 1997. Floras from the Upper Oligocene at the northern margin of Lausitz, Saxony. [In German]. *Palaeontographica B* **244**: 1–124.

Mai DH. 1998. Contribution to the flora of the middle Oligocene Calau Beds in Brandenburg, Germany. *Review of Palaeobotany and Palynology* **101**: 43–70.

Mai DH. 1999. The Lower Miocene floras of the Spremberger sequence and the second brown coal horizon in the LU.S.A.tica region. Part I: waterferns, conifers and monocotyledons. *Palaeontographica B* **250**: 1–76.

Manchester SR 1986. Vegetative and reproductive morphology of an extinct plane tree (Platanaceae) from the Eocene of western North America. *Botanical Gazette* **147**: 200–226.

Manchester SR.1987. The fossil history of the Juglandaceae. *Monographs in Systematic Botany from the Missouri Botanical Garden* **21**: 1–137.

Manchester SR. 1989a. Early history of the Juglandaceae. *Plant Systematics and Evolution* **162**: 231–250.

Manchester SR. 1989b. Systematics and fossil history of the Ulmaceae. In: Crane PR, Blackmore S, eds. *Evolution, Systematics, and Fossil History of the Hamamelidae. Volume 2 'Higher' Hamamelidae*. Systematics Association Special Volume 40B. Oxford: Clarendon Press, 221–251.

Manchester SR. 1989c. Attached reproductive and vegetative remains of the extinct American-European genus *Cedrelospermum* (Ulmaceae) from the early Tertiary of Utah and Colorado. *American Journal of Botany* **76**: 256–276.

Manchester SR. 1991. *Cruciptera*, a new juglandaceous winged fruit from the Eocene and Oligocene of western North America. *Systematic Botany* **16**: 715–725.

Manchester SR. 1992. Flowers, fruits and pollen of *Florissantia*, an extinct malvalean genus from the Eocene and Oligocene of western North America. *American Journal of Botany* **79**: 996–1008.

Manchester SR. 1994a. Inflorescence bracts of fossil and extant *Tilia* in North America, Europe, and Asia: patterns of morphologic divergence and biogeographic history. *American Journal of Botany* **81**: 1176–1185.

Manchester SR. 1994b. Fruits and seeds of the Middle Eocene Nut Beds Flora, Clarno Formation, Oregon. *Palaeontographica Americana,* **58**: 1–205.

Manchester SR. 1995. Yes, we had bananas. *Oregon Geology,* **57**: 41–43.

Manchester SR. 1999. Biogeographical relationships of North American Tertiary floras. *Annals of the Missouri Botanical Garden* **86**: 472–522.

Manchester SR. 2000a. Late Eocene fossil plants of the John Day Formation, Wheeler County, Oregon. *Oregon Geology* **62**: 51–63.

Manchester SR. 2000b. Leaves and fruits of *Aesculus antiquorum* (Newberry) Iljinskaya (Sapindales) from the Paleocene of North America. *American Journal of Botany* **87**: 71.

Manchester SR, 2001. Leaves and fruits of *Aesculus* (Sapindales) from the Paleocene of North America. *International Journal of Plant Sciences* **162**: 985–998.

Manchester SR, Chen Zhi-Duan. 1998. A new genus of Coryloideae (Betulaceae) from the Paleocene of North America. *International Journal of Plant Sciences* **159**: 522–532.

Manchester SR, Crane PR. 1987. A new genus of Betulaceae from the Oligocene of Western North America. *Botanical Gazette* **148**: 263–273.

Manchester SR, Dilcher DL. 1997. Reproductive and vegetative morphology of *Polyptera* (Juglandaceae) from the Paleocene of Wyoming and Montana. *American Journal of Botany* **84**: 649–663.

Manchester SR, Donoghue MJ. 1995. Winged fruits of Linnaeae (Caprifoliaceae) in the Tertiary of western North America. *International Journal of Plant Sciences* **156**: 709–722.

Manchester SR, Hably L. 1997. Revision of '*Abelia*' fruits from the Palaeogene of Hungary, Czech Republic and England. *Review of Palaeobotany and Palynology* **96**: 231–240.

Manchester SR, Hermsen EJ. 2000. Flowers, fruits, seeds and pollen of *Landeenia* gen. nov., an extinct sapindalean genus from the Eocene of Wyoming. *American Journal of Botany* **87**: 1909–1914.

Manchester SR, Kress WJ. 1993. Fossil bananas (Musaceae): *Ensete oregonense* sp. nov. from the Eocene of western North America and its phytogeographic significance. *American Journal of Botany* **80**: 1264–1272.

Manchester SR, Collinson ME, Goth K. 1994. Fruits of the Juglandaceae from the Eocene of Messel, Germany, and implications for early Tertiary phytogeographic exchange between Europe and North America. *International Journal of Plant Sciences* **155**: 388–394.

Manchester SR, Crane PR, Golovneva LB. 1999. An extinct genus with affinities to extant *Davidia* and *Camptotheca* (Cornales) from the Paleocene of North America and eastern Asia. *International Journal of Plant Sciences* **160**: 188–207.

Manchester SR, Dilcher DL, Wing SL. 1998. Attached leaves and fruits of myrtaceous affinity from the Middle Eocene of Colorado. *Review of Palaeobotany and Palynology* **102**: 153–163.

McClain AM, Manchester SR. 2001. *Dipteronia* (Sapindaceae) from the Tertiary of North America and implications for the phytogeographic history of the Aceroideae. *American Journal of Botany* **88**: 1316–1325.

Mehrotra RC. 1987. Some new palm fruits from the Deccan Intertrappean Beds of Mandla district, Madhya Pradesh. *Geophytology* **17**: 204–208.

Meller B, van Bergen PF. 2003. The problematic systematic position of *Ceratostratiotes* Gregor (Hydrocharitaceae?) – morphological, anatomical and biochemical comparison with *Stratiotes* L. *Plant Systematics and Evolution* **236**: 125–150.

Meyer HW, Manchester SR. 1997. The Oligocene Bridge Creek Flora of the John Day Formation, Oregon. *University of California Publications in Geological Sciences* **141**: 1–195.

Mohr BAR, Friis EM. 2000. Early angiosperms from the lower Cretaceous Crato Formation (Brazil), a preliminary report. *International Journal of Plant Sciences* **161**: S155–S167.

Mosbrugger V. 1996. Die Pflanzenwelt des Ober-Oligozäns von Rott. In: von Köenigswald W, ed. *Fossillagerstätte Rott. 2 erweiterte Auflage.* Siegburg: Rheinlandia-Verlag, 27–40.

Nambudiri EMV. 1966. More *Nypa* fruits from the Deccan Intertrappean beds of Mohgaonkalan. *Current Science* **35**: 421–422.

Pigg KB, Stockey RA. 1991. Platanaceous plants from the Paleocene of Alberta, Canada. *Review of Palaeobotany and Palynology* **70**: 125–146.

Pigg KB, Stockey RA. 1996. The significance of the Princeton Chert permineralized flora to the middle Eocene upland biota of the Okanogan Highlands. *Washington Geology* **24**: 32–36.

Pigg KB, Stockey RA, Maxwell SL. 1993. *Paleomyrtinaea*, a new genus of permineralized myrtaceous fruits and seeds from the Eocene of British Columbia and Paleocene of North Dakota. *Canadian Journal of Botany* **71**: 1–9.

Pingen M, Ferguson DK, Collinson ME. 1994. *Homolanthus costatus* Mai: a new Miocene fruit of *Cinnamomum* Schaeffer (Lauraceae). *Palaeontographica B,* **232**: 155–174.

Pingen M, Kvacek Z, Manchester SR. 2001. Früchte und Samen van Craigia bronnii aus dem Obermiozän von Hambach (Niederrheinische Bucht – Deutschland). *Documenta naturae* **138**: 1–7.

Poinar GO Jr., Columbus JT. 1992. Adhesive grass spikelet with mammalian hair in Dominican amber : first fossil evidence for epizoochory. *Experientia* **48**: 906–908.

Pole MS, Macphail MK. 1996. Eocene *Nypa* from Regatta Point, Tasmania. *Review of Palaeobotany and Palynology* **92**: 55–67.

Prakash U. 1960. A survey of the Deccan intertrappean flora of India. *Journal of Paleontology* **34**: 1027–1040.

Prakash U. 1978. Palaeoenvironmental analysis of Indian Tertiary floras. *Geophytology* **2**: 178–205.

Reid EM, Chandler MEJ. 1926. *Catalogue of Cainozoic plants in the department of Geology Volume 1 The Bembridge Flora.* London: British Museum (Natural History).

Reid EM, Chandler MEJ. 1933. *The London Clay Flora.* London: British Museum (Natural History).

Richter G. 1987. Untersuchungen zur Ernährung Eozäner Säuger aus der Fossil-Fundstätte Messel bei Darmstadt. *Courier Forschungs – Institut Senckenberg* **91**: 1–33.

Ridley HN. 1930. *The Dispersal of Plants throughout the World.* Ashford, Kent: L. Reeve & Co., Ltd.

Rodríguez-de la Rosa RA, Cevallos-Ferriz SRS. 1994. Upper Cretaceous Zingiberalean fruits with *in situ* seeds from southeastern Coahuila, Mexico. *International Journal of Plant Sciences* **155**: 786–805.

Sahni B. 1943. Indian Silicified Plants 2 *Enigmocarpon Parijai*, a silicified fruit from the Deccan, with a review of the fossil history of the Lythraceae. *Proceedings of the Indian Academy of Sciences* **17**: 59–96.

Sahni B, Rode KP. 1937. Fossil plants from the intertrappean beds of Mohgaon Kalan, in the Deccan, with a sketch of the Geology of Chhindwara district. *Proceedings of the National Academy of Sciences India* **7**: 165–170.

Sakala J. 2000. Flora and vegetation of the roof of the main lignite seam in the Bílina Mine (Most Basin, Lower Miocene). *Acta Musei Nationalis Pragae, Series B, Historia Naturalis* **56**: 49–84.

Schaal S, Ziegler W. 1992. *Messel. An Insight into the History of Life and of the Earth.* Oxford: Clarendon Press.

Schönenberger J, Friis EM. 2001. Fossil flowers of Ericalean affinity from the Late Cretaceous of southern Sweden. *American Journal of Botany* **88**: 467–480.

Schönenberger J, Pedersen KR, Friis EM. 2001. Normapolles flowers of fagalean affinity from the Late Cretaceous of Portugal. *Plant Systematics and Evolution* **226**: 205–230.

Shen-Miller J, Mudgett MB, Schopf JW, *et al.* 1995. Exceptional seed longevity and robust growth: ancient sacred lotus from China. *American Journal of Botany* **82**: 1367–1380.

Shukla VB. 1944. On *Sahnianthus*, a new genus of petrified flowers from the Intertrappean beds at Mohgaon Kalan in the Deccan and its relation with the fruit *Enigmocarpon Parijai* Sahni from the same locality. *Proceedings of the National Academy of Sciences India* 14: 1–39.

Sims HJ, Herendeen PS, Crane PR. 1998. New genus of fossil Fagaceae from the Santonian (Late Cretaceous) of Central Georgia, USA. *International Journal of Plant Sciences* 159: 391–404.

Stockey RA, Crane PR. 1983. *In situ Cercidiphyllum*-like seedlings from the Paleocene of Alberta, Canada. *American Journal of Botany* 70: 1564–1568.

Stockey RA, Pigg KB 1991. Flowers and fruits of *Princetonia allenbyensis* (Magnoliopsida; family indet.) from the Middle Eocene Princeton Chert of British Columbia. *Review of Palaeobotany and Palynology* 70: 163–172.

Stockey RA, LePage BA, Pigg KB. 1998. Permineralised fruits of *Diplopanax* (Cornaceae, Mastix-ioideae) from the Middle Eocene Princeton Chert of British Columbia. *Review of Palaeobotany and Palynology* 103: 223–234.

Stockmans F. 1936. Végétaux Éocène des environs de Bruxelles. *Mémoires du Musée Royal d'Histoire Naturelle de Belgique* 76: 1–56.

Takhtajan A. (ed.) 1974. *Fossil Flowering Plants of the USSR Volume 1 Magnoliaceae-Eucommiaceae.* Leningrad: Nauka. [In Russian]

Takhtajan A. (ed.) 1982. *Fossil Flowering Plants of the USSR Volume 2 Ulmaceae-Betulaceae.* Leningrad: Nauka. [In Russian]

Thiebaut M. 1999. A new locality of *Raskya vetusta* (Ettingshausen) Manchester & Hably from France. *Revue de Paléobiology Genève* 18: 509–515.

Tiffney BH. 1981. Fruits and seeds of the Brandon Lignite VI *Microdiptera* (Lythraceae). *Journal of the Arnold Arboretum* 62: 487–516.

Tiffney BH, Haggard KK. 1996. Fossil mastixioideae (Cornaceae) from the Palaeogene of western North America. *Review of Palaeobotany and Palynology* 92: 29–54.

Tiffney BH, McClammer, JU. 1988. A seed of the Anonaceae from the Palaeocene of Pakistan. *Tertiary Research* 9: 13–20.

Tomlinson PB. 1986. *The Botany of Mangroves.* Cambridge: Cambridge University Press.

Tomlinson PB, Cox PA. 2000. Systematic and functional anatomy of seedlings in mangrove Rhizophoraceae: vivipary explained? *Botanical Journal of the Linnean Society* 134: 215–231.

Vassiliev I, Ablaev A, Striegler U. 1995. On systematic belonging of *Carpites koreana* fruit from the Miocene of northern Korea and Primorye (Far East). *Documenta Naturae* 93: 16–18.

Wang N, Tiffney BH. 2001. Seeds of Rhododendron (Ericaceae) from the Late Eocene of California. *Palaeontographica B* 259: 245–254.

Wang Yu-Fei, Manchester SR. 2000. *Chaneya*, a new genus of winged fruit from the Tertiary of North America and Eastern Asia. *International Journal of Plant Sciences* 161: 167–178.

Wang Yu-Fei, Li Cheng-Sen, Collinson ME, et al. 2003. *Eucommia* (Eucommiaceae), a potential biothermometer for the reconstruction of palaeoenvironments. *American Journal of Botany* 90: 1–7.

Wehr WC. 1995. Early Tertiary flowers, fruits, and seeds of Washington State and adjacent areas. *Washington Geology* 23: 3–16.

Wilde V, Frankenhäuser H. 1998. The Middle Eocene plant taphocoenosis from Eckfeld (Eifel, Germany). *Review of Palaeobotany and Palynology* 101: 7–28.

Wilkinson HP. 1981. The anatomy of hypocotyls of *Ceriops* Arnott (Rhizophoraceae), Recent and fossil. *Botanical Journal of the Linnean Society* 82: 139–164.

Wilkinson HP. 1983. Starch grain casts and moulds in Eocene (Tertiary) fossil mangrove hypoctyls. *Annals of Botany* 51: 39–45.

Wing SL, Boucher LD. 1998. Ecological aspects of the Cretaceous flowering plant radiation. *Annual Review of Earth and Planetary Sciences* 26: 379–421.

Wolfe JA, Tanai T. 1987. Systematics, phylogeny, and distribution of *Acer* (maples) in the Cenozoic of western North America. *Journal of the Faculty of Science of Hokkaido University* 22: 1–246.

Appendix 18.1 Palaeogene Plumed Disseminules

Apocynospermum-like plumes

Fossil seeds named *Apocynospermum* Reid and Chandler, *Cypselites* Heer and *Echitonium* Unger represent seeds similar to those in modern Apocynaceae and Asclepiadaceae (Reid and Chandler, 1926; Hably *et al.*, 2000: 65). These occured in the Eocene Green River flora of North America (e.g. Brown, 1934: pl. 10 fig 3; MacGinitie, 1969: pl. 18 fig 4); the Eocene of Clarno and Florissant, North America (Manchester, 1999); the Eocene/Oligocene transition flora of England (Reid and Chandler, 1926; Collinson and Cleal, 2001a); the middle Eocene of Eckfeld (Wilde and Frankenhäuser, 1998: pl. 18 fig 12); the middle Eocene of Messel, Germany (Manchester, 1999: 476) and the late Eocene to early Oligocene floras of Hungary and the Czech Republic and the middle Miocene of Switzerland and Czech Republic (Kvacek and Walther, 1998; Manchester, 1999; Hably *et al.*, 2000; Sakala, 2000). Rather similar seeds were assigned to *Phyllanthera* (Asclepiadaceae) by Reid and Chandler (1926). Together these demonstrate one plumed seed morphology (possibly including several species, genera or even more than one family) in the Palaeogene, very uncommon but widespread, sometimes represented by just a single or few specimens though Reid and Chandler (1926) had 15 *Apocynospermum* specimens (13 with coma of hairs preserved) and also 6 (2 with coma) which they assigned to *Phyllanthera*.

In the terminology of Hoerner, applied by Burrows (1986), this terminal coma of long simple uniseriate hairs (Reid and Chandler, 1926) may act as a guide parachute rather than a drag parachute. A major functional role may have been in orientation on landing rather than influencing the aerodynamic properties of the seed.

Other plumes

Typha fossils are widespread and very common seeds (e.g. Collinson, 1983a; Mai, 1997 and references cited therein; Dettman and Clifford, 2000). Intact fruiting heads are known in the Eocene Green River flora (Grande, 1984:.265) and early Miocene infructescence fragments are figured by Mai (1999: Taf. 29 figs 5 and 6). These figures do not indicate any pappus hairs. Whereas isolated seeds are to be expected (Collinson, 1999), in view of the dehiscence of fruits, the fruiting heads should show pappus hairs on the fruits had they existed. However, I know of no detailed study of the Green River *Typha* fossils and Mai (1999, Taf. 29) refers to the infructescences in the plate explanation as 'Teile von fruchtständen. Achse mit ansitzenden Samen'.

Hairs are not preserved on the awns of the fruits named *Clematis* by Reid and Chandler (1926). The middle Eocene Clarno plane and platanaceous plants from the Canadian Palaeocene at Joffre Bridge (*Macginicarpa* Manchester) lack pappus hairs on the achenes as do earlier Cretaceous relatives (Pigg and Stockey, 1991; Manchester, 1994b). However, middle Eocene achenes from the Clarno flora and nearby sites possesses pappus hairs and have been identified as the earliest true *Platanus* (Manchester, 1986, 1994b). We are not aware of any umbrella-like drag parachutes in Palaeogene floras.

Appendix 18.2 Palaeogene Winged Disseminules

Selected examples are illustrated in Figure 18.1 to demonstrate the variety of Palaeogene winged disseminules.

Betulaceae (see review in Chen *et al.*, 1999 and also Takhtajan, 1982)

Ostrya nutlets, surrounded by bladder-like involucres, occur in the early Oligocene of the USA and Europe and Miocene of USA, China and Japan (Meyer and Manchester, 1997; Manchester, 1999; Hably *et al.*, 2000). The extinct *Cranea* also produced a nutlet surrounded by an involucre and is known from the Palaeocene of the USA (Manchester and Chen, 1998).

The extinct *Asterocarpinus* (Manchester and Crane, 1987) produced four to seven-winged helicopters with *Carpinus*-like nutlets and occurred in the late Eocene and Oligocene of the USA (Manchester and Crane, 1987; Meyer and Manchester, 1997). The extinct *Palaoecarpinus* Crane (1981) produced small *Carpinus*-like nutlets with paired deeply dissected to entire margined bracts similar to those of modern *Corylus*. *Palaeocarpinus* was circumboreal in the Palaeocene, persisting into the Eocene of western North America and eastern Asia (Manchester, 1999).

The asymmetrical trilobed bracts of *Carpinus*, with basal nutlets, occurred in the middle Eocene and later in Europe (Wilde and Frankenhäuser, 1998; Manchester, 1999) and doubtfully in the USA (Manchester, 1999). *Betula*, with bilaterally winged fruits, is rare in the Oligocene of U.S.A, Europe and Asia (Hably *et al.*, 2000), though the earliest records of trilobed bracts (characteristic of *Betula*) are from the middle Eocene of the USA and Palaeocene of Asia (Manchester, 1999).

Juglandaceae (see Manchester, 1987, 1989a; Budantsev, 1994)

The extinct *Cruciptera* Manchester (1991) produced four-winged propeller-like samaras with central nutlets and occurred in the middle Eocene of Messel, Germany (Manchester *et al.*, 1994) and middle Eocene to Oligocene of western USA (Manchester *et al.*, 1994; Meyer and Manchester, 1997; Manchester, 1999, 2000a). The extinct *Palaoecarya* Saporta produced trilobed bracts with triveined lobes with a basal nutlet and occurred in the middle Eocene of Europe and North America and the Oligocene to Miocene of Europe and the USA (Hably *et al.*, 2000; Manchester 1999, 2000a). *Casholdia*, from Palaeocene/Eocene transitional strata in England and France, has an unlobed wing but is otherwise similar to engalhardioid fruits (Manchester, 1989a). *Pterocarya* has bilaterally winged nutlets and occurred in the early Oligocene and Miocene of the USA and Oligocene to Pliocene of Europe and Asia (Meyer and Manchester, 1997; Manchester, 1999). The extinct *Hooleya* produced bilaterally winged nutlets with large wings and occurred in the middle Eocene of North America and at the Eocene and Oligocene transition of Germany, England and Hungary (Manchester, 1987; Wilde and Frankenhäuser, 1998). Bilaterally winged nutlets of *Platycarya* occurred in the early Eocene of England and North America (Manchester, 1999) while those of *Palaeoplatycarya* Manchester occurred in the early Eocene of the USA (Manchester, 1987).

Cyclocarya nutlets with large, entire disk-like encircling wings, occurred in the Palaeocene and Eocene of North America and in the Oligocene to Pliocene of Eurasia (Manchester, 1999; Hably *et al.*, 2000). The extinct *Polyptera* Manchester and Dilcher produced nutlets with large, multilobed, disc-like encircling wings and occurred in the Palaeocene of western North America (Manchester and Dilcher, 1997). *Polyptera* is the oldest unequivocal Juglandaceae and is known from a reconstructed partial plant. In spite of this wealth of wing variety in late Palaeocene and Eocene Juglandaceae, Cretaceous relatives of this family show no similar modifications for dispersal and have only small nuts (Friis, 1983; Crane and Herendeen, 1996; Manchester and Dilcher, 1997: 649)

Oleaceae

Fruits of *Fraxinus*, with flattened single-seeded samaras with lateral and apically extended wings, occurred in the middle Eocene and Oligocene of North America and the Oligocene of Europe and Kazakhstan. They became much more common in the Miocene of Europe and North America and Miocene to Pliocene of Asia (Call and Dilcher, 1992; Meyer and Manchester, 1997; Manchester, 1999; Hably *et al.*, 2000).

Tiliaceae and Tilioideae

Tilia bracts, subtending fruiting peduncles, are documented by Manchester (1994a) with the earliest record in the late Eocene of North America (Manchester, 1994a, 1999). Distinctive extinct round-bracted forms, with peduncle attached at the base (type A), occur in the early Oligocene of Oregon. Round bracted forms and oval bracted forms occur together in the Bridge Creek flora, early Oligocene USA (Meyer and Manchester, 1997). Type B bracts, ovate with peduncle fused at the base, occur in the late Eocene to Miocene of North America and Miocene to Pliocene of Europe. Type C bracts, ovate with peduncle fused midway like most extant species, occur in the Asian Oligocene onwards. Broad bracted forms also occur in the European Oligocene (Hably *et al.*, 2000).

Craigia (Malvaceae : Tilioideae) produced capsular fruit with five two-winged valves, often represented by single valves, formerly named *Koelreuteria*, *Ptelea* and *Pteleaecarpum* Weyland (Buzek *et al.*, 1989; Kvacek *et al.*, 1991, 2002; Pingen *et al.*, 2001). The fruits are recorded in the Eocene and Oligocene of the USA, the Eocene to Miocene of Asia and the Oligocene to Pliocene of Europe (Manchester 1994a, 1999, 2000a; Meyer and Manchester, 1997; Hably *et al.*, 2000; and references above). Kvacek *et al.*, (1991) described fossil *Craigia* as three-winged and this led Vassiliev *et al.*, (1995) to question the inclusion of some Asian Miocene fossils in *Craigia*, arguing for an affinity with *Tripterygium* (Celastraceae) on the basis of the presence of three wings, while modern *Craigia* has five wings. However, continuing investigations and studies of new material have enabled Pingen *et al.*, (2001) and Kvacek *et al.*, (2002) to demonstrate conclusively the five-winged nature of fossil *Craigia* fruits.

Some authors assign *Florissantia* Manchester to the Tilioideae or Malvaceae (see section on other winged disseminules).

Ulmaceae

Cedrelospermum (an extinct Ulmaceae known from a partial reconstruction of the plant) produced a small samara. It occurred in the Eocene and Oligocene of western North America, the Neogene of South Mexico and Eocene to Miocene of Europe (Manchester, 1989b,c, 1999; Magallón-Puebla and Cevallos-Ferriz, 1994b; Meyer and Manchester, 1997; Hably *et al.*, 2000; Hably and Thiébaut, 2002). Winged fruits of *Ulmus* are known from the late Eocene to Oligocene of the USA and the Oligocene to Miocene of Europe (Manchester, 1989b,c, 2000b; Meyer and Manchester, 1997; Hably *et al.*, 2000).

Aceraceae/Sapindaceae

Acer, large schizocarpic samaras with one-sided wings, are represented by at least six morphotypes in the early Oligocene Bridge Creek flora, USA (Meyer and Manchester, 1997). The earliest record is from the late Palaeocene of the USA (Crane *et al.*, 1990). There is an extensive Palaeogene record in North America and Eurasia but links between fruits and leaves to establish species diversity more accurately are still needed (Wolfe and Tanai, 1987;

Manchester, 1999; Hably *et al.*, 2000). *Deviacer* Manchester (1994b) produced schizocarpic samaras with backward orientation of fruits compared to *Acer* (Manchester, 1994b: text-fig 17) and occurred in the middle Eocene of the USA (Manchester, 1994b, 1999).

Dipteronia (sometimes previously named *Bohlenia)* produced schizocarpic samaras with encircling wing, paired or grouped in threes. Though the genus is now restricted to Asia in the Palaeogene it occurred only in the USA in the late Palaeocene, Eocene and Oligocene (Wolfe and Tanai, 1987; Meyer and Manchester, 1997; Manchester, 1999, 2000a; McClain and Manchester, 2001). Isolated valves of the inflated winged capsules of *Koelreuteria* occurred in the Eocene of the USA, Oligocene to Miocene of Europe and Miocene of China (Manchester, 1999).

Caprifoliaceae

Dipelta, large fruits with large bracts forming lateral wings and a smaller median wing, occurred in the Eocene/Oligocene transition of England (Reid and Chandler, 1926; Manchester and Donoghue, 1995; Collinson and Cleal, 2001a). The extinct *Diplodipelta* Manchester and Donoghue produced a samara-like, two-fruited infructescence with two larger bract wings and smaller median wings. *Diplodipelta* occurred in the late Eocene to Miocene of western USA (Manchester and Donoghue, 1995; Meyer and Manchester, 1997; Manchester, 1999).

Other winged disseminules

One-sided lateral wings

Seeds of *Saportaspermum* Meyer and Manchester (1997), sometimes named 'Embothrium', (affinity unknown) are recorded from the Oligocene of the USA and late Eocene and Oligocene of Europe (Hably *et al.*, 2000).

Large winged seeds of *Gordonia* (Theaceae) are recorded from the middle Eocene and Oligocene of the USA and late Eocene of Europe (Grote and Dilcher, 1992). The related extinct genus *Gordonopsis* Grote and Dilcher lacked wings.

Small seeds of *Joffrea/Nyssidium* (Cercidiphyllaceae) are up to 5 mm long with an elliptic seed body and a curved terminal wing. These were widespread in the late Cretaceous to Eocene of North America; late Cretaceous to Palaeocene of Asia and Palaeocene to Eocene of Europe, Greenland and Spitsbergen (Crane, 1984; Crane and Stockey, 1985; Manchester, 1999; Feng *et al.*, 2000). *Cercidiphyllum* itself, with similar winged seeds, is known from the Oligocene onwards (Kvacek and Konzalova, 1996; Meyer and Manchester, 1997).

Winged *Liquidambar*-like seeds (Hamamelidaceae) are recorded from the Eocene of Washington State, USA (Wehr, 1995).

Fruits of *Pteronepyles* Manchester (1994b) (affinity unknown) are samaras with a laterally flattened endocarp and an elongate almost elliptical wing. They are recorded from the middle Eocene of Clarno and Republic, USA (Manchester, 1994b; Wehr, 1995).

Fruits of *Liriodendron* (Magnoliaceae) are two-seeded winged samaras. They are recorded from the Eocene/Oligocene transition onwards in Europe (Buzek *et al.*, 1976; Kvacek and Walther, 1995; Bellon *et al.*, 1998).

Encircling wings

Potanispira Meyer and Manchester (1997) (affinity unknown) were small, 7 mm diameter, winged seeds. They are recorded from the early Oligocene of western North America.

Small (up to 10 mm in maximum dimension) seeds of *Bekerosperma* Meyer and Manchester (1997) and Manchester (2000a) (affinity unknown) are recorded from the late Eocene and Oligocene of western North America.

The small seeds (6 mm) of *Pinckneya* (Rubiaceae) were surrounded by a reticulate membranous wing. They are recorded from the early Oligocene of the USA (Meyer and Manchester, 1997).

The small winged seeds of *Landeenia* (Sapindales) are recorded from the middle Eocene of Wyoming, USA (Manchester and Hermsen, 2000).

The small winged seeds of *Hydrangea* are recorded from the middle Eocene of Oregon, USA (Manchester, 1994b, 1999).

Fruits of *Eucommia* (Eucommiaceae) are large elongate samaras, with an asymmetrical wing surrounding a single-seeded fruit body. They are recorded from the Eocene of the USA and Asia, Neogene of South Mexico and Oligocene of Asia (Takhtajan 1974; Magallón-Puebla and Cevallos-Ferriz, 1994a; Call and Dilcher, 1997; Manchester, 1999, 2000a; Wang *et al.*, 2003).

Fruits of *Florissantia* Manchester (1992) (assigned to extinct Sterculiaceae by Meyer and Manchester, 1997; to Tilioideae by Hably *et al.*, 2000 and to the broadly circum-scribed Malvaceae by Manchester, 2000b) have a round encircling wing formed from the persistent calyx. They occurred in the middle Eocene to early Oligocene of the USA (Meyer and Manchester, 1997; Manchester, 2000b) with one record in the Miocene of eastern Asia (Manchester, 1999).

Fruits of *Micropodium* are winged legume pods that occurred in the early Oligocene of the USA (Meyer and Manchester, 1997). Rather bladder-like fruits of the legume *Caesalpinia* subgenus *Mezoneuron* are recorded from the Eocene and Miocene of the USA and Eocene of England (Herendeen and Dilcher, 1991, 1992).

Fruits of *Paliurus* (Rhamnaceae) are large nuts with a round encircling wing, convergent with *Cyclocarya* (see Manchester, 1999, for distinguishing characteristics). *Paliurus* occurred in the early Eocene to Miocene of the USA, middle Eocene to late Miocene of Asia and Upper Oligocene and Miocene of Europe (Manchester, 1999).

Fruits of *Buzekia* Manchester (1999) of unknown affinity (formerly named *Pterocarpus*), had a large encircling wing. They are recorded from the Oligocene to early Miocene of Europe and Miocene of North America.

Fruits of *Ptelea* (Rutaceae) are two- (rarely three-) loculed samaras with an ovoid fruit body and two (rarely three) broad surrounding papery wings. They are recorded from the Mid-Miocene of Oregon-Idaho, USA (Call and Dilcher, 1995).

Bilateral wings

The small (6 mm long) seeds of *Catalpa* (Bignoniaceae) have transversely elongate striate wings (?composed of stiff coarse hairs), the striae radiating straight out from the sides of the seed body. They are recorded from the late Eocene and Oligocene of the USA (Meyer and Manchester, 1997; Manchester, 2000b); Eocene/Oligocene transition of England (Reid and Chandler, 1926) and Oligocene to Miocene of continental Europe (Hably *et al.*, 2000). Seeds assigned to *Radermachera* (Bignoniaceae) with long striate wings (15 mm broad) are recorded from the Eocene/Oligocene transition in England (Reid and Chandler, 1926; Collinson Cleal, 2001a). Bilaterally winged seeds assigned to Bignoniaceae are also recorded from the Eocene of Washington State, USA (Wehr, 1995).

Fruits of *Terminalia* (Combretaceae) have two wide longitudinal wings, lacking marginal veins and radiating from a fusiform body. They are recorded from the Eocene and early Oligocene of western USA (Meyer and Manchester, 1997).

Large fruits of *Ailanthus* have large twisted lateral wings. They are recorded from the middle Eocene to middle Miocene of Europe, the Oligocene to Miocene of Asia and Eocene and Miocene of the USA (Mosbrugger, 1996; Manchester 1999, 2000a; Hably, 2001).

Multiple wings ('helicopters/propellers')

Tetrapterys (Malpighiaceae) has a four winged fruit with a central nutlet. It is recorded from the Oligocene of Slovenia and Hungary (Hably *et al.*, 2000).

The extinct *Calycites* Crane (affinity unknown) was a fruit with six wings and an elongate fruit body. It is recorded from the Palaeocene of Scotland and Wyoming and middle Eocene of western North America (Crane, 1988; Manchester; 1999).

Raskya Manchester and Hably was a four-winged, hypogynous, propeller-like fruit, with a fusiform body. It is recorded from the latest Eocene to early Oligocene of England, Czech Republic, France and Hungary (Manchester and Hably, 1997; Thiebaut, 1999).

'*Abelia*'-like fruits (affinity unknown) are three to five winged propeller-like fruits originally described as *Abelia* but now all rejected as not belonging to this genus (Collinson and Cleal, 2001a: table 9.3). They are from the Eocene/Oligocene transition, England.

Chaneya Wang and Manchester (2000) (affinity uncertain, similar to some Simaroubaceae) was a five-winged accrescent calyx with one or more globose fruit bodies. It is recorded from the middle to late Eocene of the USA, the Eocene of China and the Miocene of eastern Asia. It is possibly congeneric with forms named *Porana* and *Monotes* in Europe (Wang and Manchester, 2000).

Ceratopetalum (Cunoniaceae), is a fruit with four to six woody sepals radiating from a central disc. It is recorded from the middle Eocene of South Australia (Barnes and Hill, 1999).

Multiple wings (longitudinally arranged)

Halesia (Styracaceae) has fruits with two to four longitudinal wings (with intramarginal veins) radiating from a spindle-shaped body. It is recorded from the late Tertiary of Europe (Manchester, 1999).

Evolution of Environmental and Ecosystem Physiology

19

The rise and fall of the Podocarpaceae in Australia – a physiological explanation

Tim Brodribb and Robert S Hill

CONTENTS

Introduction

Two large families dominate conifer diversity today. Remarkably, the distributions of these two families are almost perfectly separated by the equator, with the southern hemisphere dominated by Podocarpaceae and the northern hemisphere by Pinaceae. These families are ecologically and physiologically distinct and have apparently remained separate for many tens of millions of years. Reasons for this extraordinary pattern of hemispheric preference are likely to be associated with climatic factors, particularly the current predominance of highly seasonal continental type climate in the northern hemisphere compared with the oceanic climate in the southern landmasses where seasonal extremes are greatly attenuated.

In this chapter we will examine the history of the Podocarpaceae in Australia and discuss how the distribution and diversity of this family has changed since the rise to dominance of the angiosperms. Using evidence from the physiology of extant members of the Podocarpaceae, we will postulate how this family was able to compete successfully with angiosperms until later in the Cenozoic, when drying of the Australian continent led to large scale range contractions and extinction.

The Evolution of Plant Physiology
ISBN 0–12–33955–26

A physiological approach to the interpretation of the fossil record

The fundamental assumption in arguments we present here is that the physiology of living Podocarpaceae species can be taken as representative of closely related extinct fossil taxa. Clearly this assumption would be entirely unjustified when dealing with many angiosperm families, which show aggressive speciation and span large morphological ranges. An example of such a group is the Proteaceae, an extremely common family in Australia today and one that is typically associated with Podocarpaceae fossils. Unlike Podocarpaceae, clades within the Proteaceae today occupy a great range of environments, and exhibit enormous variation in their tolerance to environmental stresses (Beadle, 1981). Because of this, it is often difficult to use the physiology of living Proteaceae species to interpret conditions (including climate) that were prevailing when related fossil species were growing tens of millions of years ago (e.g. Carpenter *et al.*, 1994).

In contrast to families like the Proteaceae, Podocarpaceae species provide an ideal opportunity for nearest living relative research. The reasons for this are that the morphology of many extant genera have remained highly conserved over evolutionary time, so much so in some cases that fossil species from as far back as the Eocene or Early Oligocene are almost identical in morphology to extant species (e.g. the fossil *Microstrobos microfolius* P. Wells and R.S. Hill *cf.* the extant *M. niphophilus* J. Garden and L.A.S. Johnson (Wells and Hill, 1989) and the fossil *Phyllocladus aberensis* R.S. Hill *cf.* the extant *P. aspleniifolius* (Labill.) Hook. f. (Hill, 1989)). Secondly, clades within the Podocarpaceae are generally small and well resolved (Conran *et al.*, 2000), meaning that macrofossils that can be identified to genus are likely to exhibit a high degree of similarity to extant members of that genus. Finally, the community associations of podocarps have remained largely conserved over time and these associations typically involve other morphologically conservative taxa such as the conifer families Araucariaceae and Cupressaceae and the angiosperm families Nothofagaceae, Winteraceae and Cunoniaceae. Even at the extremes of their distributions, in regions such as Central America, podocarps are found associated with their palaeo-counterparts *Drimys* Forster and Forster f. (Winteraceae) and *Weinmannia* L. (Cunoniaceae). This further strengthens confidence that the physiology and even ecology of the extant species of Podocarpaceae are very similar to their fossil relatives.

There are currently 19 extant genera in the Podocarpaceae, although not everyone accepts this (Hill and Brodribb, 1999). Most extant species belong to *Podocarpus* L'Hér. ex Pers., but there is evidence to suggest that *Podocarpus* may not be monophyletic (Kelch, 1997). The morphological diversity among extant Podocarpaceae is large, although its ecological and environmental range is relatively small, with almost all species restricted to rainforest or wet montane environments. Within these forests regeneration can take the form of either a continuous recruitment of shade tolerant seedlings (Midgley *et al.*, 1990; Lusk and Smith, 1998) or in less shade tolerant species it is reliant on small scale disturbances or topographic features such as rivers or ridgelines to open the canopy. A few Podocarpaceae possess leaves that are imbricate and microphyllous and they grow as low shrubs in subalpine vegetation across the full range of southern latitudes available for woody vegetation.

The fossil record of the Podocarpaceae

The Podocarpaceae are one of the oldest of the extant conifer families, with several Early Triassic species reported (e.g. Townrow, 1967; Axsmith *et al.*, 1998). More research is needed to clarify the relationships of the earliest probable podocarp fossils, but the inference is that the Podocarpaceae or near relatives may have been widespread and important early in the Mesozoic. Podocarps were still prominent in the southern hemisphere in the Cretaceous and they are usually assigned to extinct genera. There are other Mesozoic and Cenozoic macrofossil records of the Podocarpaceae from the northern hemisphere that require further research (e.g. Dilcher, 1969; Krassilov, 1974; Reymanówna, 1987; Kimura *et al.*, 1988), but the fossil record of the family in the Cenozoic is overwhelmingly southern hemispheric.

The Cretaceous and Cenozoic Podocarpaceae macrofossil record is mainly based on vegetative material, but many diagnostic vegetative characters of the extant genera fossilize well, thus enabling reliable identification of most fossils. Among the extant genera, only *Afrocarpus* (J. Buchholz and N.E. Gray) C.N. Page, *Halocarpus* Quinn, *Nageia* Gaertn., *Parasitaxus* de Laub. and *Saxegothaea* Lindl. have no macrofossil presence in the Cenozoic.

Podocarpaceae diversity through time

The macrofossil record for south-eastern Australia is now well enough understood to be able to attempt a preliminary assessment of the diversity of Podocarpaceae through time. This can only be done for the Cenozoic, since relevant Cretaceous fossils are sporadic. Every Cenozoic site that has been reasonably well documented has been included (Table 19.1), but the data from each locality are not always strictly comparable for a variety of reasons, including:

1. Research is incomplete on most sites, so some species numbers underestimate reality
2. Some localities represent limited catchments, whereas others (notably the Latrobe Valley coal) represent very large catchment areas and several different vegetation types
3. Some sites probably represent relatively small time intervals, whereas others represent long periods of continual fossil accumulation and therefore a greater potential for mixing of different community types.

The overall picture is of a high diversity of Podocarpaceae at cooler locations throughout the region from the Late Paleocene through to the present day, although there has been an obvious decline in diversity since the peaks of the Late Eocene–Early Oligocene. However, with the possible exception of Anglesea, the warmer Middle Eocene sites on mainland south-eastern Australia stand as an anomaly, with very low Podocarpaceae diversity. Podocarpaceae today enjoy only limited success in such lowland broad-leaf forest and this may be due to mechanical limitations on the maximum size of leaves and shoots. Although it has not been tested, it is probable that the cost of increasing leaf or shoot size in Podocarpaceae is higher than in angiosperms given the common limitations of having only a single vein per leaf and relatively low specific leaf area. This would result in podocarps being unable to reach the maximum growth potential of angiosperms and thus being excluded from highly productive forest. *Nageia* (the only podocarp with multiveined leaves) come closest to competing with angiosperms in these environments. The single tropical species of *Phyllocladus* Rich. ex Mirb., with its multiveined phylloclades, also competes with angiosperms. Other species in the Podocarpaceae have alternative strategies to allow them to compete and these are outlined later. The overall difference between diversity and range of Podocarpaceae in the Palaeogene and today is clear, with species numbers uniformly much lower today (see Table 19.1), and this is matched by range decreases.

Podocarpaceae shoots are rare in the Australian Cretaceous, but those that have been recovered usually have narrow, imbricate foliage. The first appearance of podocarps with

Table 19.1 Podocarpaceae diversity in selected Cenozoic macrofossil localities in south-eastern Australia (modified from Hill and Brodribb, 1999).

Site	Age	Fossil Podocarpaceae	Podocarpaceae living in catchment
SE mainland Australia			
Lake Bungarby	Late Paleocene	6 (4)	0
Anglesea	Middle Eocene	5 (4)	0
Golden Grove	Middle Eocene	2 (2)	0
Nelly Creek	Middle Eocene	2 (1)	0
Nerriga	Middle Eocene	*1 (1)	0
Berwick Quarry	Late Oligocene-earliest Early Miocene	1 (1)	0
Latrobe Valley	Oligocene-Miocene	5 (4)	0
Tasmania			
Buckland	Early Eocene	7 (4)	0
Regatta Point	Early Eocene	5 (4)	1
Hasties	mid-Late Eocene	10 (7)	1
Loch Aber	mid-Late Eocene	4 (4)	1
Cethana	Early Oligocene	10 (6)	2(2)
Lea River	Early Oligocene	6 (4)	2(2)
Little Rapid River	Early Oligocene	19 (9)	1
Monpeelyata	Late Oligocene-earliest Miocene	2 (2)	1
Pioneer	Late Oligocene-earliest Miocene	7 (5)	0
Regatta Point	Early Pleistocene	5 (5)	1

For each location the number of fossil species is given followed by the number of genera in brackets. Also shown is the number of podocarp species growing within these catchments today. Data from Cookson and Pike (1953a,b, 1954), Townrow (1965), Blackburn (1981, 1985), Hill (1982, 1989, 1995), Hill and Macphail (1983, 1985), Christophel *et al.* (1987), Greenwood (1987), Wells and Hill (1989), Carpenter (1991), Hill and Carpenter (1991), Hill and Pole (1992), Pole (1992), Macphail *et al.* (1993), Pole *et al.* (1993), Carpenter *et al.* (1994a), Jordan (1995), Hill and Scriven (1997, 1999), Hill and Christophel (2001).
*Identification as a conifer not confirmed.

significantly bilaterally flattened shoots was in southern Australia during the Palaeogene and it is probable that the podocarp genera with bilateral shoots first evolved under the low solar angle conditions experienced during the Cretaceous/Palaeogene.

Although the data are not precise, there do seem to be patterns of extinction that vary among the podocarp genera present in the Australian macrofossil record. At the extremes, we know that several genera have persisted into the living Australian vegetation, although only a few of these have broad photosynthetic surfaces (e.g. *Phyllocladus*, *Podocarpus*, *Prumnopitys* Phil., *Sundacarpus* (J. Buchholz and N.E. Gray) C.N. Page), while there are broad-leaved genera in the fossil record that are now globally extinct (e.g. *Smithtonia* R.S. Hill and M.S. Pole, *Willungia* R.S. Hill and M.S. Pole) that have no known fossil record past the Early Oligocene. Although the physiology of these extinct genera is unknown, predictions about some aspects may be possible as our understanding of the physiological responses of living podocarps improves and we develop good correlations between morphology and physiological response. Other podocarp taxa with a broad photosynthetic area seem to have become extinct in Australia at different times. For example, *Acmopyle* Pilg. is quite common in the macrofossil record up until the Early Oligocene, but has not yet been recorded after that time, *Phyllocladus* with compound phylloclades (now extinct in Australia) persists in the macrofossil record until at least the Early Miocene and *Dacrycarpus* (Endl.) de Laub. persists until the Early Pleistocene. It is important not to assume that genera that are present today have a long history in the region. For example, the monospecific genus *Lagarostrobos* Quinn only occurs in Tasmania today and has a good Quaternary macrofossil record, but is sparse or possibly absent as a macrofossil before this time. The only formally described fossil in this genus, *L. marginatus* P. Wells and R.S. Hill (Wells and Hill, 1989), was described before *Manoao colensoi* (Hook.) Molloy was separated off from *Lagarostrobos* and this fossil is not particularly close to the single extant species, *L. franklinii* (Hook. f.) Quinn. This may reflect either a minor presence in the vegetation earlier, a different ecological niche, or a relatively late evolution of the genus.

Large contractions and extinctions of Podocarpaceae species have been a feature of the Holocene, although there is no useful macrofossil record of this. Several glacial cycles have no doubt played a significant role in this process. However, there is strong evidence to show that the effects of humans on coniferous species have been particularly severe. The most important influence of humans has been to greatly increase the frequency of forest fire (Figure 19.1), and this has had serious consequences for conifers. Few conifer taxa survive fire and of these none are capable of the type of rapid maturation seen in some angiosperms. Hence, in regions such as south-eastern Australia and Papua New Guinea, there has been a large scale decrease in conifer abundance and even local extinction (e.g. *Phyllocladus* on King Island in the 19th century, probably following European settlement, Jennings (1959)).

Figure 19.1 *Eucalyptus* L'Hérit. dominated forest in south-western Australia with *Podocarpus drouynianus* in the foreground. This is one of the few podocarp species that can regenerate vegetatively following fire.

Adaptation to low light

The Australian fossil record suggests that, although conifers have been a major component of the southern hemisphere flora since the early Cretaceous, it was not until the Palaeogene (Palaeocene to Oligocene), more than 80 million years later, that conifer diversity reached its peak in southern Australia (Hill, 1995; Wells and Hill, 1989; see Table 19.1). Conditions at this time are believed to have been highly equable, with a prevailing wet, temperate climate which apparently enabled the coexistence of a high diversity of conifer and angiosperm taxa (Quilty, 1994). Angiosperms also thrived under these conditions and the shift from conifer dominated forest to largely evergreen conifer/angiosperm mixed forest around this time is likely to have had a profound effect on light availability. This effect would have been most profound in the understorey of such forests where canopy closure by angiosperms most likely decreased light availability (Stenberg, 1996). The bulk of the coniferous taxa recorded from this period are araucarians and podocarpaceous genera bearing broad shoots, such as *Acmopyle, Dacrycarpus, Phyllocladus, Podocarpus, Prumnopitys, Retrophyllum* C.N. Page and extinct genera *Smithtonia* and *Willungia* (Hill and Pole, 1992).

In general, conifer leaves possess only a single vein and this has been suggested as a major factor limiting conifer success in competition with broad leaved angiosperms in the regeneration niche (Bond, 1989). An impressive number of podocarps appear to have overcome this limitation, having evolved an array of bilaterally flattened photosynthetic structures derived from short shoots, branch tips and leaves. Some 135 species of extant podocarps from 11 genera exhibit flattened or composite photosynthetic structures. We hypothesize that the predominance of conifers with flattened shoots during the Palaeogene demonstrates that these species were growing in forests with relatively dark understoreys and that the flattening of podocarp shoots represents a convergence in conifer foliage towards the efficient light harvesting broad leaf of angiosperms.

Strong support for this hypothesis was provided in a study that illustrated a functional correlation between shoot morphology and light requirements in conifer species (Brodribb and Hill, 1997a). A study of the living relatives of these broad-shoot bearing conifers, as well as other conifer species in the southern hemisphere, revealed that the flattening of shoots was associated with the light saturation characteristics of leaves (Brodribb and Hill, 1997a). Photosynthesis in species with highly flattened leaves was found to become light saturated at low light intensities (Figure 19.2) relative to conifers that did not exhibit shoot flattening, indicating their suitability to low light environments. Given these findings, it is surprising that the podocarps that have multiple-veined photosynthetic organs (leaves in *Nageia* and phylloclades in *Phyllocladus*) have not become more successful and widespread in comparison to the single-veined genera. For *Nageia* this may be because it has evolved relatively recently (it has no macrofossil record and a relatively restricted diversity and distribution), but *Phyllocladus* has been extant for at least 50 million years.

Other evidence points towards a change in the availability of light in forests of the Palaeogene, such as the distribution of stomata in leaves of fossil *Acmopyle*, another podocarp bearing broad shoots (Hill and Carpenter, 1991; Hill, 1994). The oldest fossil species (Late Paleocene) has fully formed stomata evenly distributed over both leaf surfaces and no partially formed (hypoplastic) stomata. However, Eocene and Early Oligocene species show varying levels of loss of fully formed stomata from one leaf surface and varying densities and distributions of hypoplastic stomata. *Acmopyle* has not been recorded as a fossil in Australia after the Early Oligocene.

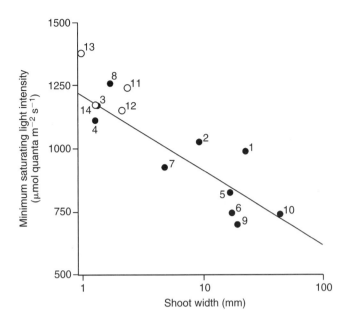

Figure 19.2 Mean light saturation requirements for shoots from 10 species of Podocarpaceae; 1 *Acmopyle pancheri* (Brongn. and Gris) Pilg., 2 *Dacrycarpus dacrydioides* (A. Rich.) de Laub., 3 *Lagarostrobos franklinii*, 4 *Microstrobos niphophilus*, 5 *Phyllocladus aspleniifolius*, 6 *Podocarpus dispermus* C.T. White, 7 *Podocarpus drouynianus* F. Muell., 8 *Podocarpus lawrencei* Hook. f., 9 *Prumnopitys ferruginea* (G. Benn. ex D. Don) de Laub., and 10 *Retrophyllum comptonii* (J. Buchholz) C.N. Page, and four species of Cupressaceae; 11 *Athrotaxis cupressiodes* D. Don, 12 *Athrotaxis selaginoides* D. Don, 13 *Callitris rhomboidea* R.Br. ex Rich. and A. Rich., 14 *Diselma archeri* Hook. f. All plants were grown under identical glasshouse conditions.

Hypoplastic stomata may be evidence for stages in either the loss or acquisition of stomata from one leaf surface, but given the relative ages of the species, the former is more probable. The living *Acmopyle* species both have fully formed stomata in two rows along the entire length of the underside of the leaf, but on the upper surface stomata are usually restricted to small areas near the leaf base and apex with hypoplastic stomata in between. However, glasshouse grown specimens are very plastic in their stomatal distribution. In low light, shoots are almost hypostomatic, whereas in high light shoots tend towards amphistomatic (Brodribb, unpublished data), demonstrating that stomatal distribution on the leaf undersurface is not genetically fixed and it probably was not during the Cenozoic. Therefore, the trends seen in stomatal distribution among the fossils probably represent a plastic response to the environment in which they occurred.

It has been demonstrated that leaf diffusive conductance is well correlated with maximum assimilation (Wong *et al.*, 1985; Körner *et al.*, 1991) and that a linear relationship exists between stomatal density and maximum conductance in extant podocarps (Brodribb and Hill, 1997b). Thus the decrease in stomatal density in *Acmopyle* is almost certainly a response to decreased maximum assimilation rate in leaves and this most likely came about either through a decrease in temperature, or a decrease in light availability. Evidence supporting a decrease in light intensity comes from the fact that stomatal numbers were found to become differentially reduced on the upper surface of the shoot when compared to the lower surface, thus causing a shift from amphistomy to hypostomy in shoots. Hypostomy in extant *Acmopyle* species is most common in shade plants, while amphistomy is generally associated with leaves from open habitats (Peat and Fitter, 1994). Thus a shift from amphistomy to hypostomy in *Acmopyle* fossils tends to suggest a reduction of the available light in the *Acmopyle* habitat. A closure of the canopy by invading angiosperms as Australia moved into lower latitudes may have been the cause for such a change in the distribution and availability of light from forest crown to floor. There is also evidence of a decrease in temperature by the time of the last occurrences of *Acmopyle* in Australia (Early Oligocene). Although this temperature change apparently did not affect the shoot size of *Acmopyle*, it is possible that it may have contributed to stomatal loss in the later history of the genus in Australia.

Another fossil Podocarpaceae genus that exhibits a trend in foliar morphology during the Cenozoic is *Dacrycarpus*. Two groups of fossil *Dacrycarpus* species cover a substantial time range and probably represent separate phylogenetic lines. The first is *D. mucronatus* P. Wells and R.S. Hill (Early Eocene to the Early Oligocene in Tasmania), where the oldest specimens have both bilaterally and bifacially flattened foliage and stomata are distributed equally over all leaf surfaces. Bifacially flattened foliage is the normal form of leaf flattening, with a distinct abaxial and adaxial surface, whereas bilaterally flattened foliage in the Podocarpaceae leads to each functional leaf surface containing part of the original adaxial and abaxial surface, with the original leaf margins being approximately in the middle of each flattened surface. By the Early Oligocene *D. mucronatus* is known only as bifacially flattened foliage. The phylogenetically more remote *D. latrobensis* R.S. Hill and R. Carpenter, from Victoria, occurs substantially later in time and still has both foliage types (Cookson and Pike, 1953a). However, stomata are more common on one leaf surface of the bilaterally flattened foliage than the other (Hill and Carpenter, 1991). Therefore, in these species there is evidence for loss of stomata on bilaterally flattened foliage and, in Tasmania at least, loss of the bilaterally flattened foliage type. Recently discovered fossils from Miocene sediments in northern New South Wales further demonstrate that *Dacrycarpus* from lower latitudes did not lose the bilaterally flattened foliage as quickly as those species in Tasmania (Hill and Whang, 2000).

The second phylogenetic line is *Dacrycarpus linifolius* P. Wells and R.S. Hill which occurs in Early Eocene and Early Oligocene sediments in Tasmania and has only been recovered as bifacially flattened foliage, which in gross leaf morphology is identical across the time range. However, while the Early Eocene leaves have stomata along the entire length of both leaf surfaces, the Early Oligocene leaves have stomata restricted to less than the basal third of the abaxial surface, providing further evidence for reduction in stomatal distribution, but this time on bifacially flattened leaves.

While the phylogenetic relationships of the remaining *Dacrycarpus* fossils are not clear, they do exhibit general leaf morphology trends. Six *Dacrycarpus* species have been described from lowland Oligocene–Early Miocene Tasmanian sites, all with imbricate, bifacially flattened foliage. Five are amphistomatic, but the sixth, *D. linearis* P. Wells and R.S. Hill, probably has stomata restricted to the adaxial surface. All bifacially flattened foliage of extant *Dacrycarpus* species is amphistomatic, although in *D. compactus* (Wasscher) de Laub., which occurs at high altitudes in New Guinea and is the only extant species to lack bilaterally flattened foliage, there are extremely few stomata on the abaxial surface. Significantly, the extant podocarpaceous alpine Tasmanian species *Microstrobos niphophilus* and *Microcachrys tetragona* (Hook.) Hook. f. are closely imbricate and epistomatic. A similar *Microstrobos* J. Garden and L.A.S. Johnson species co-occurs with *Dacrycarpus* in two Tasmanian fossil localities.

The last Australian *Dacrycarpus* macrofossil record is from Early Pleistocene Tasmanian sediments (Jordan, 1995). Only bifacially flattened foliage of this fossil has been recorded, with stomata restricted to the adaxial leaf surface. *Dacrycarpus* must have become extinct in Australia soon after this. The change in leaf morphology in *Dacrycarpus* is more complex than in *Acmopyle*, but some aspects of it are similar. The ability to change foliage form completely (from bilaterally to bifacially flattened leaves) gave *Dacrycarpus* more flexibility and may explain its longer known time range in Australia.

Cretaceous forest structure at high southern latitudes

There has been some speculation as to the structure and function of the high latitude conifer/angiosperm dominated forests that apparently extended across much of Australia and Antarctica during the mid-late Cretaceous (e.g. Specht *et al.*, 1992) and this has considerable bearing on the evolution of today's conifer flora. During the mid-Cretaceous, Australia and Antarctica were joined and most of Australia was south of 60°S. Occurrence of these forests at such high latitudes has led to the hypothesis that they were dominated by stands of pyramidal crown conifers, as this crown shape most efficiently harvests light at low solar angles (Terborgh, 1985; Specht *et al.*, 1992), forming a forest structure similar to that seen at high latitudes in the northern hemisphere boreal zone today. However, apart from the Araucariaceae, few of the southern hemisphere conifers today have the classical conical shape of many northern hemisphere conifers and it is unlikely that this conical shape was common in the southern hemisphere in the past. Many southern conifers have foliage cascading down the sides of the tree in a more random fashion and this is a more likely model for high southern latitude forests in the past. Evidence suggests that many of the angiosperms (and gymnosperms) present in these Cretaceous forests were deciduous (Pole, 1992; McLoughlin *et al.*, 1995; Hill and Scriven, 1995), also conforming to the observed pattern in the boreal forests, where a mixture of deciduous angiosperms and evergreen conifers predominates. Obviously there are difficulties in ascertaining the relative importance of the deciduous element in these fossil floras, as the taxonomic affinities of the species present are often poorly understood and the identification of deciduousness is sometimes based on fairly meagre evidence. However, it is widely accepted that a mixture of deciduous and evergreen angiosperms was present. Extant evergreen broad-leaved taxa with affinities to fossil species have been shown to survive long dark periods such as those that would have prevailed during winter at high latitudes (Read and Francis, 1992). The presence of a significant high latitude evergreen angiosperm flora contrasts with the situation today at high latitudes in the northern hemisphere. Persistence of the evergreen element was probably allowed by the fact that mild winter temperatures (Dorman, 1966) did not cause significant damage to overwintering broad-leaves while not allowing excessive dark respiration.

Constraints on extant Podocarpaceae distributions

It appears that podocarps, by virtue of their relatively large foliar morphological range, are well adapted to survive under most light conditions. Changing light conditions therefore do not appear to account for the restriction and extinction of conifers during the Cenozoic in the southern hemisphere. To address better the question of why podocarps, and indeed all conifer families, suffered during the later Cenozoic it is instructive to examine what constrains the distribution of extant southern conifer species.

The fundamental requirement for genetic survival in conifers, and indeed all plants, is the production of enough photosynthate to allow growth and reproduction. Thus, limitations imposed by the physical environment on the distribution of plant species will usually manifest themselves through their effects on leaf photosynthesis. The environmental parameters most commonly used to explain presence or absence of species are temperature and rainfall regimes and their inferred effects are almost invariably on the photosynthetic capacity of the species in question. Because of their characteristic longevity (Loehle, 1989), sporadic reproduction, slow rates of dispersal and short-term viability of soil-borne seed, (Gibson et al., 1994; Veblen et al., 1995), conifers are particularly closely linked to long-term environmental characteristics. Unlike the fast growing, highly fecund angiosperms, most conifers do not have the capacity to move in and out of marginal environments in response to short-term physical fluctuations and are thus confined at the physiological extremes of their distributions by the long-term survival of adult plants.

Despite the anecdotal and quantitative evidence of environmental constraints on species distributions, few studies have demonstrated the actual mechanisms by which physical limitations affect the survival and reproduction of plant species. Over the last 50 years, research into the characteristics and control of leaf gas exchange has been prolific and the use of leaf photosynthetic characters to explain simple successional changes in the vegetation has become common in the literature, typically using water-use efficiency (e.g. Meinzer et al., 1984; Dias-Filho and Dawson, 1995), drought response (e.g. Kubiske and Abrams, 1993) and light response (e.g. Field, 1988; Knapp and Smith, 1991; Ashton and Berlyn, 1994) to account for small-scale competitive outcomes. This type of ecophysiological research generally takes the form of comparisons between small numbers of species and, as such, does not attempt to make a quantitative link between photosynthetic function and environmental parameters. Indeed, with a few exceptions (e.g. Teeri and Stowe, 1976), large-scale relationships between physiology, environment and species distributions have been overlooked by ecophysiologists.

In order to understand how the distribution of species is likely to have been affected by historical climate change and might be affected by future climatic perturbations, it is important to be able to describe current, known distributions in terms of the most likely physiological constraint. This was undertaken for a group of 13 conifer species, including eight podocarps, in a study by Brodribb and Hill (1998). We took species from a diverse geographical range spanning Australia (Figures 19.3 and 19.4), New Zealand, New Guinea, South Africa and New Caledonia (Figure 19.5) and a broad spectrum of habitats and compared the water-use efficiency and drought tolerance of photosynthesis with environmental water availability. Water availability was considered the most likely constraint on distribution given that podocarp forest in the southern hemisphere is almost exclusively restricted to areas of high rainfall, with the most extensive and diverse conifer forests occurring on the west coasts of New Zealand and Tasmania (Figure 19.4), in New Caledonia (Figure 19.5) and highland New Guinea, where rainfall is commonly over 5000 mm per annum (van Royen, 1979).

We measured two physiological parameters related to the drought tolerance of leaves and the xylem vascular system. The first of these was maximum water-use efficiency during drought (Brodribb and Hill, 1996) and the second was the vulnerability of xylem to cavitation by water stress (Brodribb and Hill, 1999). These parameters were compared with minimum rainfall data over the ranges of the selected species. A good correlation between maximum water-use efficiency (see Brodribb, 1996 for details) and rainfall parameters (Figure 19.6) suggests that the climatic ranges of these conifers are closely controlled by their photosynthetic and gas-exchange characteristics during drought. This is an important result as it provides a direct link between instantaneous gas-exchange characteristics

Figure 19.3 Cool temperate rainforest in western Tasmania containing mature trees of *Phyllocladus aspleniifolius*. These trees have been recently exposed on a road cutting.

and species distribution. The cost to the plant of maximizing water-use efficiency, as measured by these two parameters, may come as an increase in the saturation light requirement (discussed below) and respiration rate of leaves. Increases in leaf nitrogen associated with higher carboxylation efficiency and photosynthetic capacity in species have commonly been linked to increases in the dark respiration rate and this has been explained by suggestions of higher tissue maintenance costs, or costs associated with phloem loading and carbohydrate export from the leaf (Connor *et al.*, 1993; Bouma *et al.*, 1995; Baxter *et al.*, 1995). Thus, there must be a significant selective pressure on these species to maintain their physiological drought tolerance to a level dictated by the long-term water availability in the environment and an insufficient drought response must become limiting by causing local extinction of a species, either by death during periods of extreme conditions, or by competitive exclusion by more efficient species. Either way, the importance of rainfall is emphasized in constraining the distribution of these species.

Strong correlation also exists between xylem vulnerability to cavitation and average rainfall during the dry season in the Podocarpaceae and southern hemisphere Cupressaceae

Figure 19.4   High altitude vegetation on Mt Read in western Tasmania. Six conifer species coexist in this area, with four belonging to the Podocarpaceae. The very damaging impact of fire can be seen in the foreground.

Figure 19.5   Conifer dominated forest in New Caledonia, with *Dacrycarpus* and Araucariaceae among the prominent trees.

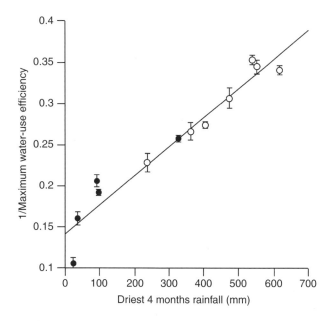

Figure 19.6   Shows highly significant correlation ($r = 0.97$) between mean rainfall during the driest four months within the distributions of 8 Podocarpaceae (O) and 5 Cupressaceae (●), and leaf drought tolerance. The drought tolerance parameter is the lowest ratio of mesophyll to ambient CO_2 concentration measured in leaves during imposed drought. This ratio is inversely proportional to the maximum water-use efficiency attainable by leaves.

(Brodribb and Hill, 1999). Species from wet environments were highly vulnerable to cavitation while species from the semi-arid zone produced stem xylem that was extremely resistant to pressure-induced cavitation. Clearly this indicates an important role for xylem vulnerability in determining the distributional limits of these plants in terms of minimum water availability. This also provides evidence for linkage between leaf drought tolerance and stem cavitation characteristics, as shown by a highly significant regression relating maximum water-use efficiency with the water potential (Ψ_{50}) that caused 50% cavitation in stem xylem (Figure 19.7). One possible inference from this is that a loss of hydraulic conductance in the xylem during water shortage is the causal factor dictating a loss of leaf function during drought in these species. Such a hypothesis is supported by data suggesting that plants may operate close to the point of 'runaway cavitation', where a positive feed-back following xylem embolism has the potential to cause the vascular system rapidly to lose hydraulic conductivity unless transpiration is reduced (Sperry *et al.*, 1993; Alder *et al.*, 1996). However, several pieces of evidence point away from xylem dysfunction as the primary cause of leaf failure during drought, particularly for species from drier habitats. This evidence comes from research illustrating that complete stomatal closure and a loss of optimal quantum yield (indicating damage to photosystem II) in these species both occurred at leaf water potentials above the value corresponding to Ψ_{50} (Brodribb and Hill, 1999). Given this large 'safety margin' between stem water potential during active photosynthesis and that which would induce significant (or possibly runaway) cavitation, it seems unlikely that the xylem water potential would approach Ψ_{50} unless plants were subject to severe water shortage. Considering that none of the species investigated are likely to suffer significant embolism by freeze-thaw cycles (Sperry *et al.*, 1994), large-scale stem xylem cavitation probably only occurs when plants experience soil moisture conditions approaching Ψ_{50}.

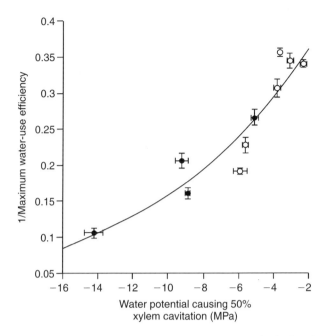

Figure 19.7   The relationship between average ($n = 5$) water potential which reduced stem hydraulic conductance to 50% of the measured maximum (Ψ_{50}), and the average ($n = 3$) leaf drought tolerance index (Figure 19.6) (Brodribb, 1996) in each of 6 species of Podocarpaceae (O) and 4 Cupressaceae (●). A highly significant exponential regression ($y = 0.71x^{-0.66}$; $r^2 = 0.89$, $P < 0.001$) is shown.

The conclusion here, that conifer distributions are commonly water limited, has significant implications for interpretation of the conifer history in the southern hemisphere. Large-scale changes in the rainfall and other climatic characteristics are proposed to have occurred throughout the Cenozoic and these changes must have significantly influenced conifer survival. This is reflected in the species numbers shown in Table 19.1 and in the staged extinction of Podocarpaceae genera with broad photosynthetic surfaces discussed earlier. The Australian environment changed from one that could support widespread rainforest in the Palaeogene to the current arid-dominated landscape over a long time period, but it was not a smooth transition. As the fossil record improves we will better be able to test the correlation of extinctions in the Podocarpaceae against periods of intense aridification.

Synthesis

The most common conifer shoots from Australian Cretaceous deposits are narrow, imbricate foliage from genera within the Araucariaceae, Cupressaceae (including Taxodiaceae) and Podocarpaceae. The first appearance of podocarps with significantly bilaterally flattened shoots is in southern Australia during the early Cenozoic (probably *Acmopyle* in the Palaeocene; Hill and Carpenter, 1991) and it is probable that the podocarp genera with bilateral shoots first evolved under the low solar angle conditions experienced during the Cretaceous/Palaeogene. Shoot arrangement in many conifers from high latitudes in the northern hemisphere today shows a progression from cylindrical in the canopy, to bilaterally flattened in the understorey (Sorrenson-Cothern *et al.*, 1993) and it is conceivable that a similar pressure to allow penetration of light deep into the canopy (Stenberg, 1996) led

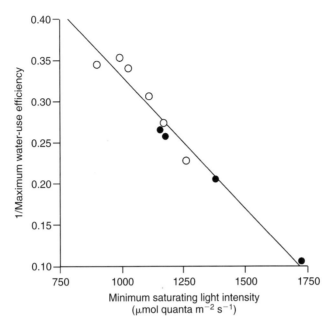

Figure 19.8   A strong negative correlation exists between saturation light intensity and (water-use efficiency)$^{-1}$ in 6 species of Podocarpaceae (O) and 4 southern hemisphere Cupressaceae (●) indicating a probable 'trade-off' between these two physiological properties of leaves.

to the evolution of morphological plasticity in podocarp shoots. Of course, as Australia drifted north and the solar angle increased, allowing the winter period to become relatively light, the advantages of producing a deep crown and deciduousness were reduced. Higher incident radiation year round would have allowed broad-leaved, evergreen angiosperms to flourish in the canopy. Podocarps would have been 'exapted' (Gould and Vrba, 1981) to this change and the expansion of genera with broad shoots at this time would have taken advantage of the change in light conditions. The morphological plasticity of these broad shoots allowed efficient light harvesting in the understorey as well as the ability to adopt a three-dimensional helical leaf arrangement in the canopy that is suited to harvesting high light intensities.

The foliar convergence between broad-shoot podocarps and angiosperm broad-leaves appears to have enabled the persistence, and possibly the radiation, of conifer taxa bearing this shoot morphology as the Cenozoic forest structure in southern Australia apparently shifted from high latitude conifer/deciduous to evergreen broad-leaf forest. A significant liability does, however, seem to be linked to this adaptation, that being a low tolerance of water stress. Virtually all extant podocarps exhibit quite low drought tolerance and the broad-shoot genera, such as *Dacrycarpus* and *Acmopyle,* are particularly intolerant of drought, a feature evident in the physiology of both leaf and xylem tissues (see Figures 19.6 and 19.7) of these species. Interestingly, there appears to be an inverse relationship between shade tolerance and drought tolerance of leaves of southern hemisphere conifers when data from 10 species are compared (Figure 19.8). A 'trade-off' between drought and shade tolerance has been frequently hypothesized but rarely shown (Smith and Huston, 1989; Holmgren *et al.,* 1997) and the significant inverse correlation between drought and shade (Figure 19.8) provides strong support for a drought/shade tolerance 'trade-off' in southern hemisphere conifers. The outcome of this is that while flattened broad-shoots may have allowed podocarps to retain codominance in high rainfall, mixed Cenozoic forests, these taxa were left extremely vulnerable to the progressive decrease in water availability that followed.

Acknowledgements

This research was supported by grants from the Australian Research Council. RSH is in receipt of an ARC Senior Research Fellowship.

References

Alder MN, Sperry JS, Pockman WT. 1996. Root and stem xylem embolism, stomatal conductance and leaf turgor in *Acer grandidentatum* populations along a soil moisture gradient. *Oecologia* **105**: 293–301.

Ashton PMS, Berlyn, GP. 1994. A comparison of leaf physiology and anatomy of *Quercus* species in different light environments. *American Journal of Botany* **81**: 589–597.

Axsmith BJ, Taylor TN, Taylor EL. 1998. Anatomically preserved leaves of the conifer *Notophytum krauselii* (Podocarpaceae) from the Triassic of Antarctica. *American Journal of Botany* **85**: 704–713.

Baxter R, Bell SA, Sparks TH, *et al.* 1995. Effects of elevated CO_2 concentrations on three montane grass species. III. Source leaf metabolism and whole plant carbon partitioning. *Journal of Experimental Botany* **46**: 917–929.

Beadle NCW. 1981. *The Vegetation of Australia*. Stuttgart, New York: Gustav Fischer Verlag.

Blackburn DT. 1981. Tertiary megafossil flora of Maslin Bay, South Australia: Numerical taxonomic study of selected leaves. *Alcheringa* **5**: 9–28.

Blackburn DT. 1985. *Palaeobotany of the Yallourn and Morwell Coal Seams*. Palaeobotanical Project – report 3: State Electricity Commission of Victoria.

Bond WJ. 1989. The tortoise and the hare: ecology of angiosperm dominance and gymnosperm persistence. *Biological Journal of the Linnean Society* **36**: 227–249.

Bouma TJ, DeVisser R, van Leeuwen PH, *et al.* 1995. The respiratory energy requirements involved in nocturnal carbohydrate export from starch-storage mature source leaves and their contribution to leaf dark respiration. *Journal of Experimental Botany* **46**: 1185–1194.

Brodribb T. 1996. Dynamics of changing intercellular CO_2 concentration (c_i) during drought and determination of minimum functional c_i. *Plant Physiology* **111**: 179–185.

Brodribb T, Hill RS. 1996. The drought physiology of a diverse group of Southern Hemisphere conifer species is correlated with minimum seasonal rainfall. *Functional Ecology* **12**: 465–471.

Brodribb T, Hill RS. 1997a. Light response characteristics of a morphologically diverse group of Southern Hemisphere conifers as measured by chlorophyll fluorescence. *Oecologia* **110**: 10–17.

Brodribb T, Hill RS. 1997b. Imbricacy and stomatal wax plugs reduce maximum leaf conductance in Southern Hemisphere conifers. *Australian Journal of Botany* **45**: 657–668.

Brodribb T, Hill RS. 1998. The photosynthetic drought physiology of a diverse group of southern hemisphere conifer species is correlated with minimum seasonal rainfall. *Functional Ecology* **12**: 465–471.

Brodribb T, Hill RS. 1999. The importance of xylem constraints in the distribution of conifer species. *New Phytologist* **143**: 365–372.

Carpenter RJ. 1991. *Palaeovegetation and Environment at Cethana, Tasmania*. Unpublished Ph.D. Thesis, University of Tasmania.

Carpenter RJ, Hill RS, Jordan GJ. 1994a. Cenozoic vegetation in Tasmania: Macrofossil evidence. In: Hill RS, ed. *History of the Australian Vegetation*. Cambridge: Cambridge University Press, 276–298.

Carpenter RJ, Jordan GJ, Hill RS. 1994b. *Banksieaephyllum taylorii* (Proteaceae) from the Late Paleocene of New South Wales and its relevance to the origin of Australia's scleromorphic flora. *Australian Systematic Botany* **7**: 385–392.

Christophel DC, Harris WK, Syber AK. 1987. The Eocene flora of the Anglesea locality, Victoria. *Alcheringa* **11**: 303–323.

Connor DJ, Hall AJ, Sadras VO. 1993. Effect of nitrogen content on the photosynthetic characters of sunflower leaves. *Australian Journal of Plant Physiology* **20**: 251–263.

Conran JG, Wood GM, Martin PG, *et al.* 2000. Generic relationships within and between the gymnosperm families Podocarpaceae and Phyllocladaceae based on an analysis of the chloroplast gene *rbc*L. *Australian Journal of Botany* **48**: 715–724.

Cookson IC, Pike KM. 1953a. The Tertiary occurrence and distribution of *Podocarpus* (section *Dacrycarpus*) in Australia and Tasmania. *Australian Journal of Botany* **1**: 71–82.

Cookson IC, Pike KM. 1953b. A contribution to the Tertiary occurrence of the genus *Dacrydium* in the Australian region. *Australian Journal of Botany* **1**: 474–484.

Cookson IC, Pike KM. 1954. The fossil occurrence of *Phyllocladus* and two other podocarpaceous types in Australia. *Australian Journal of Botany* **2**: 60–67.

Dias-Filho MB, Dawson TE. 1995. Physiological responses to soil moisture stress in two Amazonian gap-invader species. *Functional Ecology* **9**: 213–221.

Dilcher DL. 1969. *Podocarpus* from the Eocene of North America. *Science* **164**: 299–301.

Dorman FH. 1966. Australian Tertiary palaeotemperatures. *Journal of Geology* **74**: 49–61.

Field CB. 1988. On the role of photosynthetic responses in constraining the habitat distribution of rainforest plants. *Australian Journal of Plant Physiology* **15**: 343–358.

Gibson N, Barker PCJ, Cullen PJ, Shapcott A. 1994. Conifers of southern Australia. In: Enright NJ, Hill RS, eds. *The Ecology of the Southern Conifers*. Melbourne: Melbourne University Press, 223–251.

Gould SJ, Vrba E. 1981. Exaptation: a missing term in the science of form. *Paleobiology* **8**: 4–15.

Greenwood DR. 1987. Early Tertiary Podocarpaceae: Megafossils from the Eocene Anglesea locality, Victoria, Australia. *Australian Journal of Botany* **35**: 111–133.

Hill RS. 1982. The Eocene megafossil flora of Nerriga, New South Wales, Australia. *Palaeontographica Abt. B* **181**: 44–77.

Hill RS. 1989. New species of *Phyllocladus* (Podocarpaceae) macrofossils from south eastern Australia. *Alcheringa* **13**: 193–208.

Hill RS. 1994. The history of selected Australian taxa. In: Hill RS, ed. *History of the Australian Vegetation*. Cambridge: Cambridge University Press, 390–419.

Hill RS. 1995. Conifer origin, evolution and diversification in the Southern Hemisphere. In: Enright NJ, Hill RS, eds. *The Ecology of the Southern Conifers*. Melbourne: Melbourne University Press, 10–29.

Hill RS, Brodribb TJ. 1999. Southern conifers in time and space. *Australian Journal of Botany* **47**: 639–696.

Hill RS, Carpenter RJ. 1991. Evolution of *Acmopyle* and *Dacrycarpus* (Podocarpaceae) foliage as inferred from macrofossils in south-eastern Australia. *Australian Systematic Botany* **4**: 449–479.

Hill RS, Christophel DC. 2001. Two new species of *Dacrydium* (Podocarpaceae) based on vegetative fossils from Middle Eocene sediments at Nelly Creek, South Australia. *Australian Systematic Botany* **14**: 193–205.

Hill RS, Macphail MK. 1983. Reconstruction of the Oligocene vegetation at Pioneer, northeast Tasmania. *Alcheringa* **7**: 281–299.

Hill RS, Macphail MK. 1985. A fossil flora from rafted Plio-Pleistocene mudstones at Regatta Point, Tasmania. *Australian Journal of Botany* **33**: 497–517.

Hill RS, Merrifield HE. 1993. An Early Tertiary macroflora from West Dale, southwestern Australia. *Alcheringa* **17**: 285–326.

Hill RS, Pole MS. 1992. Leaf and shoot morphology of extant *Afrocarpus*, *Nageia* and *Retrophyllum* (Podocarpaceae) species, and species with similar leaf arrangement from Tertiary sediments in Australia. *Australian Systematic Botany* **5**: 337–358.

Hill RS, Scriven LJ. 1995. The angiosperm-dominated woody vegetation of Antarctica: a review. *Review of Palaeobotany and Palynology* **86**: 175–198.

Hill RS, Scriven LJ. 1997. Palaeoclimate across an altitudinal gradient in the Oligo-Miocene of northern Tasmania: an investigation of nearest living relative analysis. *Australian Journal of Botany* **45**: 493–505.

Hill RS, Scriven LJ. 1999. *Falcatifolium* (Podocarpaceae) macrofossils from Paleogene sediments in south-eastern Australia: a reassessment. *Australian Systematic Botany* 11: 711–720.

Hill RS, Whang SS. 2000. *Dacrycarpus* (Podocarpaceae) macrofossils from Miocene sediments at Elands, eastern Australia and their relationship to living and fossil species. *Australian Systematic Botany* 13: 395–408.

Holmgren M, Scheffer M, Huston MA. 1997. The interplay of facultation and competition in plant communities. *Ecology* 78: 1966–1975.

Jennings JN. 1959. The coastal geomorphology of King Island, Bass Strait, in relation to changes in the relative level of land and sea. *Records of the Queen Victoria Museum Launceston* 11: 1–35.

Jordan G.J. 1995. Extinct conifers and conifer diversity in the Early Pleistocene of western Tasmania. *Review of Palaeobotany and Palynology* 84: 375–387.

Kelch DG. 1997. The phylogeny of the Podocarpaceae based on morphological evidence. *Systematic Botany* 22: 113–131.

Kimura T, Ohana T, Mimoto K. 1988. Discovery of a podocarpaceous plant from the Lower Cretaceous of Kochi Prefecture, in the Outer Zone of southwest Japan. *Proceedings of the Japan Academy* 64: 213–216.

Knapp AK, Smith WK. 1991. Gas exchange responses to variable sunlight in two Sonoran desert herbs: comparison with subalpine species. *Botanical Gazette* 152: 269–274.

Körner C, Farquhar GD, Wong SC. 1991. Carbon isotope discrimination by plants follows latitudinal and altitudinal trends. *Oecologia* 88: 30–40.

Krassilov VA. 1974. *Podocarpus* from the Upper Cretaceous of eastern Asia and its bearing on the theory of conifer evolution. *Palaeontology* 17: 365–370.

Kubiske ME, Abrams MD. 1993. Stomatal and nonstomatal limitations of photosynthesis in 19 temperate tree species on contrasting sites during wet and dry years. *Plant, Cell and Environment* 16: 1123–1129.

Loehle C. 1989. Tree life history strategies: the role of defences. *Canadian Journal of Forest Research* 18: 209–222.

Lusk CH, Smith B. 1998. Life history differences and tree species co-existence in an old-growth New Zealand rainforest. *Ecology* 79: 795–806.

Macphail MK, Jordan GJ, Hill RS. 1993. Key periods in the evolution of the flora and vegetation in western Tasmania I. the Early-Middle Pleistocene. *Australian Journal of Botany* 41: 673–707.

McLoughlin S, Drinnan AN, Rozefelds AC. 1995. A Cenomanian flora from the Winton Formation, Eromanga Basin, Queensland, Australia. *Memoirs of the Queensland Museum* 38: 273–313.

Meinzer F, Goldstein G, Marisol J. 1984. The effect of atmospheric humidity on stomatal control of gas exchange in two tropical coniferous species. *Canadian Journal of Botany* 62: 591–595.

Midgley JJ, Seydack A, Reynell D, McKelly D. 1990. Fine-grain pattern in Southern Cape Plateau forests. *Journal of Vegetation Science* 1: 539–546.

Peat HJ, Fitter AH. 1994. A comparative study of the distribution and density of stomata in the British flora. *Biological Journal of the Linnean Society* 52: 377–393.

Pole MS. 1992. Eocene vegetation from Hasties, north-eastern Tasmania. *Australian Systematic Botany* 5: 431–475.

Pole MS, Hill RS, Green N, Macphail MK. 1993. The Late Oligocene Berwick Quarry flora – rainforest in a drying environment. *Australian Systematic Botany* 6: 399–428.

Quilty PG. 1994. The background: 144 million years of Australian palaeoclimate and palaeogeography. In: Hill RS, ed. *History of the Australian Vegetation*. Cambridge: Cambridge University Press, 14–43.

Read J, Francis J. 1992. Responses of some Southern Hemisphere tree species to a prolonged dark period and their implications for high-latitude Cretaceous and Tertiary floras. *Palaeogeography, Palaeoclimatology, Palaeoecology* 99: 271–290.

Reymanówna M. 1987. A Jurassic podocarp from Poland. *Review of Palaeobotany and Palynology* 51: 133–143.

Royen P. 1979. *The Alpine Flora of New Guinea. Vol.12*. Amsterdam: J.Cramer, 20–22.

Smith TM, Huston MA. 1989. A theory of the spatial and temporal dynamics of plant communities. *Vegetatio* 83: 49–69.

Sorrensen-Cothern KA, Ford ED, Sprugel DG. 1993. A model of competition incorporating plasticity through modular foliage and crown development. *Ecological Monographs* **63**: 277–304.

Specht RL, Dettmann ME, Jarzen DM. 1992. Community associations and structure in the Late Cretaceous vegetation of southeast Australasia and Antarctica. *Palaeogeography, Palaeoclimatology, Palaeoecology* **94**: 283–309.

Sperry JS, Alder NN, Eastlack SE. 1993. The effect of reduced hydraulic conductance on stomatal conductance and xylem cavitation. *Journal of Experimental Botany* **44**: 1075–1082.

Sperry JS, Nichols KL, Sullivan JEM, Eastlack SE. 1994. Xylem embolism in ring-porous, diffuse-porous, and coniferous trees of northern Utah and interior Alaska. *Ecology* **75**: 1736–1752.

Stenberg, P. 1996. Simulations of the effects of shoot structure and orientation on vertical gradients in intercepted light by conifer canopies. *Tree Physiology* **16**: 99–108.

Teeri JA, Stowe LG. 1976. Climatic patterns and the distribution of C_4 grasses in North America. *Oecologia* **23**: 1–12.

Terborgh J. 1985. The vertical component of plant species diversity in temperate and tropical forests. *American Naturalist* **126**: 760–766.

Townrow JA. 1965. Notes on Tasmanian pines I. Some Lower Tertiary podocarps. *Papers and Proceedings of the Royal Society of Tasmania* **99**: 87–107.

Townrow JA. 1967. On *Rissikia* and *Mataia* podocarpaceous conifers from the Lower Mesozoic of southern lands. *Papers and Proceedings of the Royal Society of Tasmania* **101**: 103–136.

Veblen TT, Burns BR, Kitzberger T, *et al.* 1995. The ecology of the conifers of southern South America. In: Enright NJ, Hill RS, eds. *The Ecology of the Southern Conifers*. Melbourne: Melbourne University Press, 120–155.

Wells PM, Hill RS. 1989. Fossil imbricate-leaved Podocarpaceae from Tertiary sediments in Tasmania. *Australian Systematic Botany* **2**: 387–423.

Wong S-C, Cowan IR, Farquhar GD. 1985. Leaf conductance in relation to rate of CO_2 assimilation. III Influences of water stress and photoinhibition. *Plant Physiology* **78**: 830–834.

20

The adaptive physiology of *Metasequoia* to Eocene high-latitude environments

Richard Jagels and Michael E Day

CONTENTS

Introduction

Both conceptual (Wolfe, 1979, 1985) and predictive (Iverson and Prasad, 1998) models that relate the distribution of plant species to palaeoclimates have focused primarily on temperature and hydrological parameters, with the assumption that these are the principal forces driving latitudinal changes in distribution. While the predominance of these two factors in determining the ranges of species under current global climate regimes is

The Evolution of Plant Physiology
ISBN 0–12–33955–26

well established (Woodward, 1987), in the climatic regime of the palaeo-Arctic, the light environment may have exerted a major control over plant distribution. Such conditions, which have no contemporary analogue, would occur during global temperature maxima, when plant growth at high latitudes would not be restricted by low temperatures. Plant populations migrating toward polar regions, would encounter light environments characterized not only by reduced maximum irradiance but unique temporal patterns on both diel and seasonal scales. Optimizing growth in warm, high-latitude irradiance regimes would require specialized approaches to carbon balance physiology that would be both qualitatively and quantitatively distinct from those optimal at low and middle latitudes.

Because assimilation of CO_2 necessitates water loss through stomata, success in a particular environment requires an appropriate balance between carbon gain and hydraulic stresses. Many modern plants that are adapted to both high-temperature and high-light environments employ crassulacean acid metabolism (CAM) or C_4 photosynthetic pathways to maximize water-use efficiency. However, CAM requires a diurnal dark period to operate effectively and, to our knowledge, the C_4 pathway has not been demonstrated in any conifer, therefore these adaptations would have not been available to conifers in high-latitude Eocene environments. The greater distances between roots and photosynthetic organs in trees, increases the potential for hydraulic limitations to photosynthesis in that lifeform. In addition, success in the continuous light of the high-Arctic summer requires effective mechanisms for protection from detrimental effects of excess light energy. When solar energy is captured by photosynthetic pigment complexes it must be dissipated by photosynthetic or non-photochemical systems to prevent damage to the photosynthetic apparatus. In a continuous light environment, these systems must function without restriction (i.e. inhibition by accumulation of a product at any stage) and without a non-photosynthetic period for maintenance of structural and enzymatic components offered by diurnal day-night cycles. Although various photoprotective mechanisms have been studied in herbaceous species, their function in tree canopies is poorly understood.

The high-Arctic, swamp palaeoforests of the Eocene were often dominated by the gymnosperm *Metasequoia* Miki, while the extant natural range of this genus, consisting of a single species *M. glyptostroboides* Hu et Cheng (Figure 20.1), is restricted to deep valleys in the Hupeh province of China. This contrast poses some interesting and important questions. What physiological and morphological attributes did *Metasequoia* possess that enabled it to dominate the unique environment offered by the Eocene high-latitude sites, in the face of competitors such as *Larix* P. Mill, a genus that now dominates many northern boreal forest ecosystems? Can the morphology and physiology of extant *M. glyptostroboides* provide clues to ecophysiological attributes that confer competitive advantages to temperate, continuous-light habitats? In this chapter we explore the physiological basis for *Metasequoia*'s success in the Eocene high-Arctic and, in so doing, hope to shed light on ecophysiological attributes which imparted adaptive value to trees inhabiting that unique environment. In our attempt at answering these questions, we have adopted a comparative ecophysiological approach contrasting attributes of *Metasequoia* with *Larix* and other conifers that now occupy boreal forests.

Background

The Eocene lowland forests of Axel Heiberg Island

At least 28 layers of buried fossil forests from the middle Eocene, about 45 million years ago (McIntyre, 1991; Ricketts and McIntyre, 1986), have been found on the Canadian

Figure 20.1 *Metasequoia glyptostroboides* growing at approximately 44.8°N latitude in Hancock County, Maine, USA.

Arctic Island of Axel Heiberg (79°55′N, 88°58′W), where wood, cones, fruits and leaves have been mummified and possess extraordinary preservation (Basinger, 1986; LePage and Basinger, 1991; Young, 1991) (Figure 20.2). Current evidence indicates that these were wet-site forests, dominated by the gymnosperm *Metasequoia* (Estes and Hutchison, 1980; Basinger, 1991; Francis, 1991; Irving and Wynne, 1991; Greenwood and Basinger, 1994). Other fossil *Metasequoia* sites have been found throughout the high Arctic (Christie and McMillan, 1991; Monohara, 1994).

At an estimated palaeolatitude of 78 ± 5°N (Irving and Wynne, 1991), the Axel Heiberg palaeoforests grew under light/temperature combinations not currently found on the planet (Figure 20.3). During the months of May, June, July and parts of April and August, the forests received continuous, albeit low to moderate intensity, low-angle sunlight combined

Figure 20.2   *Metasequoia* trunk excavated at the Axel Heiberg palaeosite.

with warm temperatures. However, during the months of November, December, January and February the forests were exposed to either no light or light levels below the compensation point of photosynthesis (Berner, 1991; Pielou, 1994; Greenwood and Wing, 1995). Despite the restricted growing season, productivity of the polar *Metasequoia* forests approximated that of contemporary lower latitude *Metasequoia glyptostroboides* stands (see Chapter 21).

The palaeoforests of Axel Heiberg have been characterized as swamp-type wetlands between river systems (Francis, 1991; Tarnocai and Smith, 1991). In forested horizons, autochthonous leaf-litter mats represent the ancient forest floors of poorly-drained floodplains and associated swamps (Ricketts, 1986, 1991; Basinger, 1991). Megafloral remains in forest-floor mats include the fertile and vegetative remains of the dominant *Metasequoia* and, to a lesser extent, *Glyptostrobus* (Endlicher), with minor occurrences of *Larix, Picea* A. Dietr., *Pseudolarix* Gordon, *Pinus* L., *Betula* L., *Alnus* P. Mill., *Juglans* L., *Chamaecyparis* Spach., *Tsuga* Carr., *Osmunda* L. and several unidentified angiosperm taxa (Ricketts and McIntyre, 1986; Basinger, 1991; LePage and Basinger, 1991; McIntyre, 1991).

Among the tree stems and stumps which we have identified to genus (approximately 30), most are *Metasequoia*, a few are *Larix* (Jagels *et al.*, 2001) and one is a dicotyledon (possibly a member of the Lauraceae; unpublished data, R. Jagels). This suggests that *Larix* grew as a minor component in a *Metasequoia*-dominated lowland wet-site forest. As no large woody fossils of the other conifers have been found at the Axel Heiberg site, it is possible that their cones and small branches were transported from higher elevations and deposited at the site. Preliminary analysis of the tree trunks and stumps (see Chapter 21) provide estimates of forest structure and biomass. The diameters of the preserved tree trunks indicate that the *Metasequoia*-dominated swamp and floodplain forests were 33–39 m tall (see Figure 20.2).

The only fossil *Larix* species found at Tertiary high-latitude sites are those with short-bracted cones (LePage and Bassinger, 1991). Hu (1980) lists *Larix potaninii* Batalin as a member of the *Metasequoia* flora in China. However, according to Wang and Zhong (1995) *L. potaninii* is not found at altitudes below 2300 m and is only common between

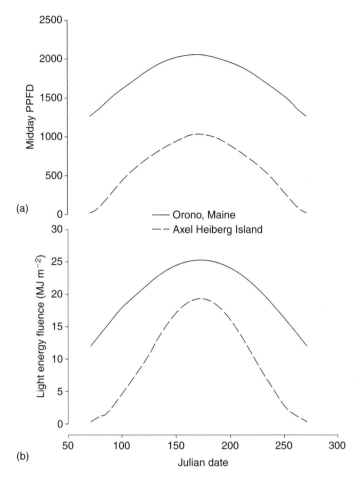

Figure 20.3 Modelled seasonal patterns of (a) midday photosynthetic photon flux density (PPFD, μmol m^{-2} s^{-1}) and (b) light energy fluence for 44.8°N latitude (Orono, Maine) and 78°N latitude (Axel Heiberg Is.). Model is based on equations in Gates (1980), with the assumptions of 70% atmospheric transmission, 50% of incident light energy in PAR (400–700 nm) wavelengths and an average of 4.6 μmol photons J^{-1} PAR (Jones, 1992).

2600 and 4000 m elevation, where it is sympatric with *Picea* and *Abies* P. Mill. species. In contrast, natural populations of *Metasequoia* occur between 1000 and 1100 m, elevations that are mostly devoid of *Picea* and *Abies* (Hu, 1980). In any case, *L. potaninii* is a long-bracted species, a characteristic typical of montane *Larix* species. For our comparative studies, we therefore have chosen *Larix laricina* (DuRoi) K. Koch as representative of the circumboreal short-bracted *Larix* species, to compare with *M. glyptostroboides*. However, it should be noted that *Larix* is a widely distributed genus with 10 species and numerous varieties, ecotypes and hybrids (Schmidt and McDonald, 1995). Therefore, the likelihood that any modern *Larix* species is representative of the fossil *Larix* is presumptuous. Nevertheless, since the modern species are all deciduous and have numerous morphological and physiological attributes in common, a comparison with *Metasequoia* can provide some insight into their relative adaptability and competitiveness in the Axel Heiberg palaeoenvironment.

Characteristics of the temperature regime at the 45 million year old palaeosite are very speculative at present. Rates of primary production in the palaeoforest suggest a temperate climate (see Chapter 21). Bassinger (1991) suggested that winter temperatures seldom dropped below freezing, based on identification of vegetative remains and the lack of significant latewood production in *Metasequoia*. However, *Larix* from the same site shows significant latewood production (Jagels *et al.*, 2001). McIntyre (1991) concluded that the climate was warm-temperate, based on the pollen assemblage.

Metasequoia: fossil and living

Extant natural stands of *Metasequoia* (*M. glyptostroboides*) are restricted to a small, remote area of Hupeh province near the border of Szechuan, China at an approximate latitude of 30°10′N (Chu and Cooper, 1950). Although in the fossil high-latitude forests *Metasequoia* was the upper-canopy dominant species and exhibited growth rates more typical of shade-intolerant conifers, characteristics of both the natural forests in China (Chu and Cooper, 1950; Florin, 1952; Li, 1957) and planted stands of extant *Metasequoia* (personal observations) suggest that the species maximizes growth in partially shaded rather than full sun conditions. This paradox will be explored further in later sections of this chapter.

Several authors have proposed that the deciduous habit of *Metasequoia* provided a competitive advantage for the Arctic winter (Francis, 1991; Basinger, 1991; McIntyre, 1991; see Chapter 21). Chaney (1948) postulated that the deciduous forest type originated in the north during the Cretaceous and migrated south during the later Tertiary and Vann *et al.* (see Chapter 21) suggest the possibility that *Metasequoia* evolved at high-latitudes. Hu (1980) disputed Chaney's hypothesis on the basis that a deciduous habit can also be adaptive to wet/dry periodicity in relatively frost-free areas, such as the Hupeh Forest. Fossil evidence demonstrates that *Metasequoia* was well established at lower latitudes during the Cretaceous (Figure 20.4), predating the Eocene Arctic swamp forests. This is consistent with Hu's argument for the evolution of the deciduous habit under a wet-dry climate regime, particularly since this is a rare attribute in conifers. Therefore, in high-latitude Eocene forests deciduousness may have been adaptive not only by reducing metabolic carbon demand during winter dark periods, but by reducing water stress during the dry phase of soil moisture cycles. In a contemporary analogy, *Taxodium distichum* (L.)

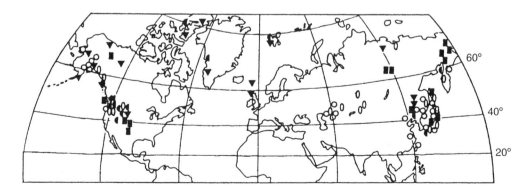

Figure 20.4 Distribution of *Metasequoia* fossil palaeosites. Key to sites: ■ = Late Cretaceous, ▼ = Palaeocene, ◀ = Eocene, 0 = Oligocene, O = Miocene. Map adapted from Monohara (1994).

Richard is deciduous and is restricted to floodplains in the southern USA where wet-dry periods dominate the soil moisture regime.

Metasequoia was well distributed above the Arctic circle from the Palaeocene through the Eocene. As the earth cooled and became drier during the Oligocene and Miocene (Wolfe, 1985) its distribution became more limited to temperate zones of North America and Asia (see Figure 20.4) and eventually became restricted to moist, narrow river valleys in China (Chu and Cooper, 1950; Li, 1957; Momohara, 1994). In contrast, short-bracted *Larix*, an equally poor competitor, but one having a greater low-temperature tolerance (either a preadaptation or one evolving over time) was able to successfully occupy north temperate and boreal hydric sites where competition is minimal.

Vann *et al.* (see Chapter 21) develop a compelling case that *Metasequoia glyptostroboides* retains a substantial array of morphological and, by implication, physiological traits present in the Eocene *Metasequoia*, and is, therefore, a useful nearest living relative (NLR) for comparative studies. As discussed in subsequent sections, extant *M. glyptostroboides* appears to have 'relict' traits; and unusual combinations of morphological and physiological characteristics would have particular adaptive value in the unique environment suggested for the Eocene high-Arctic forests. In modern temperate forests these same traits would have little adaptive value and may even be maladaptive. This collection of morphological and physiological traits is consistent with the suggestion of Konoe (1960) that establishment of this species may depend on successful responses to multiple environmental factors. While also consistent with a high latitude evolution for *Metasequoia*, it does not rule out the possibility that these adaptations evolved at lower latitudes and provided *Metasequoia* with a preadaptive advantage in Eocene Arctic swamp-forests.

Physiological challenges of a high-latitude, continuous-light environment

Our research has focused on physiological and morphological traits which would be adaptive to a tree species growing in a temperate climate with a season of continuous light (CL) alternating with a season of continuous darkness (CD). Light intensities during the summer were assumed to be substantially less than at lower latitudes (see Figure 20.3). Categories of attributes considered adaptive to the Eocene palaeoarctic forest environment were: (1) the ability to photosynthesize efficiently under the light intensities and temporal patterns of high latitudes; (2) possession of an integrated carbon balance strategy (photosynthesis, respiration and allocation) that would be adaptive to growth and reproduction in that unique environment; (3) an expeditious system for translocation of photosynthetic products to prevent direct or indirect feedback inhibition of photosynthesis; (4) processes for dissipation of excess light energy through non-photochemical pathways or photorespiration in order to protect photosynthetic systems; and (5) strategies for minimizing limitations to photosynthesis from water stress imposed by continuous transpiration in CL.

Adaptations to Arctic light regimes

During the CD period of winter, the tree must be able to effectively minimize metabolic activity, which would provide strong selective pressure for a deciduous habit. Because the polar early spring provides only minimal light intensity, the tree should be able to produce new foliage and initiate chlorophyll synthesis at very low light levels. Foliar characteristics along the sun-foliage to shade-foliage continuum are determined by the light environment under which the leaves develop and are adaptive in that carbon and nutrient resources are allocated in proportion to potential carbon gain (Givnish, 1988; Küppers, 1994). However, at high latitudes spring light intensity is far lower than the summer intensity (see Figure 20.3), decreasing the efficiency of this mechanism. This great variation in light intensities over the growing season would impart adaptive advantage to photosynthetic physiology that provided for efficient carbon fixation (relative to the allocation costs) over a wide range of light intensities. While photosynthetic traits associated with shade-adapted foliage would be optimal during the Arctic spring and autumn, shade-adaptation has been shown to be negatively correlated with attributes necessary to address the physiological stresses of higher irradiance environments (Givnish, 1988; Johnson *et al.*, 1993; Tyree *et al.*, 1998).

Under selective pressure to optimize carbon gain in the Arctic light regime, this incompatibility between shade- and sun-adaptation could be addressed through one or more of the following mechanisms: (1) by modifying the photosynthetic physiology of existing foliage; (2) by production of new foliage as the light environment changes; or (3) by producing foliage that exhibits relatively efficient photosynthesis over a wide range of light intensities (i.e. an 'optimal compromise' of sun- and shade-adaptations). Adaptive adjustment of photosynthetic attributes of existing foliage to increasing light intensities has been demonstrated in conifers (Brooks *et al.*, 1996), however, this process has not been examined in *Metasequoia* or closely related species. Trees with an indeterminate growth habit, such as *Metasequoia*, continuously produce foliage through the growing season (Table 20.1). This provides a mechanism for adjusting the light-adaptation status of foliage to changing light environments (Pothier and Margolis, 1991). Furthermore, as discussed in the next section, the photosynthetic light-response curve of *Metasequoia* suggests that both shade-adapted and sun-adapted foliage of that species is photosynthetically efficient over a wide range of low to moderate light intensities, roughly coincident with those found in the high Arctic.

Carbon balance physiology

Efficient carbon balance physiology requires synchronization of photosynthetic, carbohydrate sink and storage activity with diel and seasonal cycles of resource availability (Luxmoore, 1991). A deciduous habit is obviously adaptive to extended periods when photosynthesis is resource (light or moisture) limited. In annual cycles at middle latitudes aspects of carbon balance are controlled by phenological processes (Cannell, 1990), which are induced by environmental cues such as day length and temperature. Adaptation to a temperate high-latitude environment would require modification of these processes in a manner that has no extant analogue.

During the midsummer period of maximum light intensity, down-regulation of photosynthesis by end-product buildup may become a challenge to plants growing in a CL environment. End-product down-regulation may decrease carboxylation rates through several potential pathways that may act directly on biochemical mechanisms or indirectly by genetic induction (Stitt, 1991; Krapp and Stitt, 1995) and have a two-fold deleterious influence by concurrently limiting potential carbon gain and restricting the carboxylation pathway for dissipation of intercepted light energy. Pathways leading to end-product inhibition of photosynthesis may be specific to metabolites accumulated (Schaffer *et al.*, 1986; Stitt, 1991; Huber and Huber, 1992; Krapp and Stitt, 1995; Jang *et al.*, 1997). Therefore, physiological strategies to limit feedback inhibition of photosynthesis under CL conditions must

Table 20.1 Comparison of attributes of crown architecture and foliar morphology among the gymnosperms *Metasequoia glyptostroboides*, *Larix laricina* and *Picea rubens*. SLA data for *P. rubens* from Day *et al.* (2001) and for *Larix laricina* from Hutchison *et al.* (1990).

Attribute	Metasequoia glyptostroboides	Larix laricina	Picea rubens
Shade-tolerance	Mixed (see text)	Intolerant	Tolerant
Regeneration	Seedling rapidly captures growing space	Seedling rapidly captures growing space	Advance regeneration captures canopy gap
Juvenile growth	Rapid	Rapid	Slow
Leaf area index ($m^2 m^{-2}$)	5.0	1.4–1.8	4.0–5.0
Mutual shading by foliage on shoot	Low	Low	High
Leaf orientation	Horizontal	Multidirectional	Multidirectional
Shoot development	Indeterminate throughout growing season, recurrently flushing	Limited indeterminate	Determinate (second flushes rare in natural environments)
Foliar longevity	1 year	1 year	7–15 years
Specific leaf area of sun-foliage ($cm^2 g^{-1}$)	110	100	40
Specific leaf area of shade-foliage ($cm^2 g^{-1}$)	315	–	46
Plasticity of foliage morphology with respect to light environment	Very high	Low	Intermediate
Surface-to-volume ratio	High	High	Low
Epidermal walls	Adaxial moderately thick, abaxial thin	Uniformly thick	Uniformly thick
Hypodermis	Absent	Present	Present
Chloroplasts in epidermal cells	Present on abaxial surface	Absent	Absent
Stomata: Arrangement	Hypostomatic	Amphistomatic	Amphistomatic
Position	Surface	Sunken	Sunken
Density	Relatively low	Relatively high	Relatively high

address not only rate of export of photosynthetic products, but also form of end products (sugars, starch).

Site dominance

Dominant tree species in forested ecosystems are characterized by a suite of attributes that enable capture and retention of available growing space, while limiting the ability of potential competitors to infringe on that growing space (Oliver and Larson, 1990). Such attributes include rapid shoot growth, production of high leaf area index (LAI) and longevity (Küppers, 1994). When growing on nutrient-poor soils, such as the spodosols suggested for the Axel Heiberg palaeoforest (Tarnocai and Smith, 1991), a competitive advantage would be gained by species that could develop and maintain a high LAI with minimal investment of carbon and nutrient resources for supporting woody structures and species with a high nutrient-use efficiency for production and maintenance of photo-synthetic organs.

Photoprotection

Photoprotective mechanisms prevent damage to components of the photosynthetic system from excessive energy input and are presumed to have significant adaptive value to species currently inhabiting high-latitude or alpine environments where incident solar radiation is substantially in excess of photosynthetic capacities (Lloyd and Woolhouse, 1979; Mawson *et al.*, 1986; Streb *et al.*, 1998; Manuel *et al.*, 1999). However, a direct comparison is complicated by the lower temperature regimes in those regions under current-climate conditions.

Challenges associated with protection from photoinhibitory damage include dissipation of excess incident light energy through non-photochemical (thermal) quenching pathways or photorespiration to prevent damage to photosynthetic pigment-protein complexes (Johnson *et al.*, 1993; Demmig-Adams and Adams, 1996; Park *et al.*, 1996; Streb *et al.*, 1998); maintaining protective transthylakoid proton gradients to control cross-membrane pH gradients in the grana of chloroplasts (Briantais *et al.*, 1979; Manuel *et al.*, 1999); preventing the buildup of excess ATP and reducing capacity (Kozaki and Takeba, 1996); and accumulation of antioxidants such as glutathione, which is a byproduct of photorespiratory activity (Noctor *et al.*, 1999).

Water balance

The challenges associated with water relations for trees in a temperate CL habitat are poorly understood, but may be qualitatively different from those faced by trees under normal day-night cycles. In a CL regime, optimum growth requires continuous gas exchange without excessive risk of catastrophic xylem embolism (see Sperry *et al.* (1993) for a review of water relations challenges associated with high energy environments).

Extant conifers in temperate and boreal biomes generally use stem capacitance as an integral part of water relations strategies (Pallardy *et al.*, 1995). High transpirational demand during the day is supported, in part, by water stored in stem sapwood, with losses from storage sapwood replenished during the night when transpirational demand is low. This may permit the maintenance of a larger leaf area with a root system that would not be capable of directly meeting transpirational demands. However, in the continuous light of a high-latitude warm summer the value of a water-relations strategy employing capacitance and overnight recharging is lost, placing a greater adaptive value on higher water-use efficiency (WUE; unit CO_2 fixed per unit H_2O transpired).

The Eocene *Metasequoia*-dominated forests have been described as swamp-forest types, which would imply minimal restriction on productivity by soil moisture limitations. However, in extant temperate swamp-forest analogues, productivity is subject to both seasonal (predictable) and stochastic (unpredictable) limitations to water availability and/or uptake. These processes can be restricted by drought and/or limitations to root uptake due to anoxic conditions in the rooting zone during flooding (Kozlowski *et al.*, 1991; Oren *et al.*, 2001).

Comparative ecophysiology of *Metasequoia glyptostroboides*

The following presentation of morphological and physiological traits of *Metasequoia* that may have imparted an adaptive advantage in a temperate, high-latitude forest is based on our experiments and observations, as well as information adapted from the literature. Potential relationships between traits and adaptive advantages for success in the Eocene temperate, high-latitude forest are explored. Where appropriate, attributes of *Metasequoia* are contrasted with those of *Larix*, which was a minor component of Eocene high-latitude palaeoforests (but commonly dominates extant forests in sub-Arctic biomes) and with other conifers that are currently important components of boreal forests.

Foliar morphology and crown architecture

Metasequoia has both long (persistent) and short (deciduous) shoots. Foliage is decussately arranged (Figure 20.5). Leaves are uninerved with bifacially flattened, linear lamina and decurrent bases. The hypostomatic leaves have two bands of stomata on the abaxil surface and guard cells are surrounded by four to eight subsidiary cells. Non-stomatal epidermal cells have 'undulating' walls (Sterling, 1949; Florin, 1952; Srinivasan and Friis, 1989). Examinination with light microscopy of freehand sections of living leaves (Figure 20.6) and

Figure 20.5   Shoot and foliage structure of *Metasequoia glyptostroboides*. Arrow points to a late season shoot arising from a leaf base and the scale bar is 2 cm long.

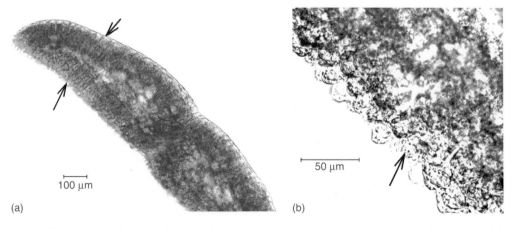

(a)   (b)

Figure 20.6   Microphotographs of cross-sections from *Metasequoia glyptostroboides* leaves. (a) Presents a comparison of abaxial and adaxial epidermal cell morphology. Note the thin exterior walls on the abaxial cells and thicker adaxial walls (arrows). (b) The protruding nature of adaxial epidermal cells and the presence of chloroplasts are apparent. The arrow points to a protruding abaxial epidermal cell containing chloroplasts.

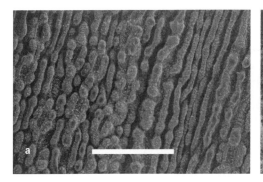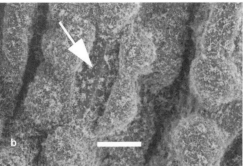

Figure 20.7 Scanning electron micrographs of the adaxial surface of a *Metasequoia glyptostroboides* leaf. (a) The convoluted surface arising from protruding epidermal cells and (b) stomatal guard cells (arrow) surrounded by raised subsidiary cells. Scale bars: (a) = 100 μm; (b) = 10 μm.

scanning electron micrographs of leaf surfaces (Figure 20.7), revealed that *Metasequoia* leaves have thickened outer walls on adaxial epidermal cells, while those on the abaxial surface have very thin walls. Abaxial epidermal cells contain chloroplasts, which seem to be lacking in their adaxial counterparts. In addition, the abaxial epidermis is characterized by protruding cells interspersed with deep grooves (Figures 20.6 and 20.7a). Stomata are hypostomatic and not sunken, while subsidiary cells are raised (Figure 20.7b).

In Table 20.1 we compare crown morphological features and foliar attributes for *Metasequoia glyptostroboides*, *Larix laricina* and *Picea rubens* Sarg. An interspecific comparison of photosynthetic response to light is shown in Figure 20.8. For these comparisons, *P. rubens* was included as a representative cold-temperate, shade-tolerant species and *Pinus banksiana* Lamb. as a cold-temperate, shade-intolerant species adapted to water-limited habitats.

Metasequoia has some characteristics which are typical of extant shade-intolerant species, such as crown architecture, regeneration strategy, indeterminate shoot growth, rapid shoot elongation, high photosynthetic efficiency (initial slope of light response curve) and low diversity in photosynthetic light-response and foliar display between sun- and shade-adapted foliage (Givnish, 1988; Walters and Reich, 1999). In contrast, traits such as large differences in specific leaf area between sun- and shade-adapted foliage, horizontal leaf orientation, planar foliage display and high foliar density and LAI are generally characteristic of shade-tolerant species (Givnish, 1988). Other attributes, such as unusual presence of chloroplasts in the epidermal cells of abaxil leaf surfaces and their thin outer walls, are more characteristic of shade-loving ferns and other pteridophytes.

Several anatomical characteristics suggest that *Metasequoia* is best adapted to an environment with high atmospheric humidity. These include a high surface-to-volume ratio, enhanced by a convoluted lower epidermis (see Figure 20.6 and 20.7a), non-sunken stomata with raised subsidiary cells (see Figure 20.7b), thin epidermal walls on the abaxial surface and lack of a hypodermis. This contrasts with the more xerophytic leaf anatomy of *Larix*, *Picea* and many other conifers. Whether the humid palaeoenvironment included fog is not known, but we know that *Sequoia sempervirens* (D.Don) Endl. satisfies a large portion of its water needs through fog capture (Dawson, 1998). Dew capture might be a valuable asset during periods of reduced soil moisture (Munne-Bosch and Alegre, 1999). In *Metasequoia*, condensation of dew from humid air would be enhanced by the spreading

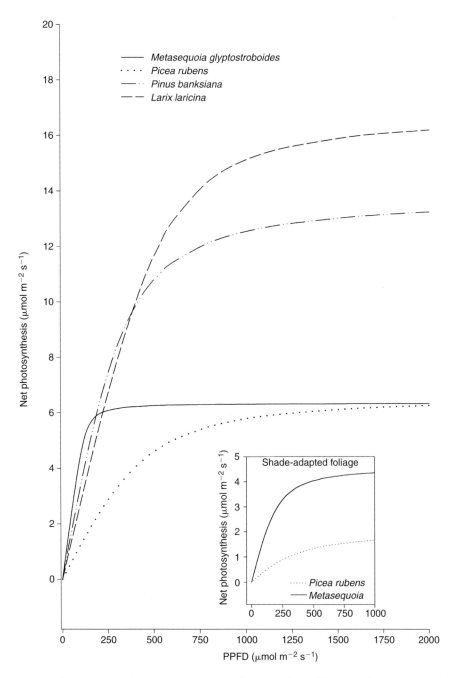

Figure 20.8 Photosynthetic light-response curves for sun-adapted foliage of *Metasequoia glyptostroboides*, red spruce (*Picea rubens*), jack pine (*Pinus banksiana*) and eastern larch (*Larix laricina*) at photosynthetic photon flux densities (PPFD) $<1000\,\mu mol\,m^{-2}s^{-1}$. *M. glyptostroboides* shows photosynthetic efficiencies similar to shade-intolerant species (*P. banksiana* and *L. laricina*) at low PPFD levels and a rapid approach to the light-saturated state, giving it much greater carbon gain per unit leaf area than the shade-tolerant *P. rubens*. Insert compares shade-adapted foliage of *M. glyptostroboides* and *P. rubens*, showing the similarities between response curves of sun- and shade-adapted *M. glyptostroboides* and their great divergence in *P. rubens*. Curves were modelled from light-response data for 6 saplings of each species, with data collected under standardized conditions.

foliar display which would increase the rate of radiational heat loss and more effectively lower foliar temperatures. In addition, the increased surface-to-volume ratio resulting from the convoluted abaxial surface may increase convective heat transfer and enhance the efficiency of dew collection (Muselli *et al.*, 2001).

Most monopodial conifers have determinate growth (Kozlowski *et al.*, 1991). However, *Metasequoia* shows both a monopodial growth habit and indeterminate shoot growth, a pattern more common in angiosperms. With adequate moisture, new leaves are produced throughout the growing season. This growth habit provides a continuous sink (new shoot growth) for carbohydrates produced in neighbouring leaves (Luxmore, 1991), which would reduce sink limitations to photosynthesis and associated challenges. Although sink-limitation of photosynthesis has been relatively unexplored in conifers, indirect evidence has been reported for *Psuedotsuga menziesii* (Mirb.) Franco (Leverenz, 1981) and *Picea rubens* (Day, 2000) and experimentally demonstrated for *Pinus taeda* L. (Myers *et al.*, 1999).

In *Metasequoia*, new foliage can arise on epicormic shoots on small stems or branches, as side shoots on short shoots, as new flushes on long shoots and occasionally from the bases of leaflets on short shoots. These subsequent shoots may often be oriented in a vertical direction to maximize light capture in the crown (see Figures 20.1 and 20.5). In general, carbon allocation to foliage is positively associated with high relative growth rates and competitive advantage in woody species (Poorter, 1989, 1999; Cornelissen *et al.*, 1996). The indeterminate growth habit of *Metasequoia* may be a critical component of its ability to dominate the high-Arctic forests by: (1) enhancing growth potential and capture of growing space in the long growing season; (2) permitting new foliage to be produced and displayed to adjust effectively to changing angular light distribution; (3) producing new foliage with morphological and physiological traits optimized to the particular light intensity at the time of development; and (4) providing a constant sink for photosynthate, thereby reducing problems associated with end-product down-regulation of photosynthesis. This growth habit confers the ability to develop foliage that is morphologically and physiologically optimized for the light environment in which it develops. As we presented in our list of challenges faced by species in the unique high-Arctic light regime, this is theoretically an important adaptation to low-intensity, low-angle incident light during the Arctic spring and fall and moderate intensities during the summer. In addition, this habit permits exploitation of changing distributions of light resources due to the effects of competition and small-scale disturbances (Canham and Marks, 1985; Canham, 1989).

Based on our greenhouse and field experiments and observations of planted trees in various environments, *Metasequoia* trees rapidly develop extensive crowns with high foliar density (FD) under favourable conditions of moisture and light, which contrasts with the much lower FD and LAI of *Larix* (see Table 20.1). In three 20+ year-old planted *Metasequoia* stands in Japan, Vann *et al.* (see Chapter 21) reported only 1–3% of incident PPFD penetrated to the forest floor. This degree of light interception is typical of climax forests (Landsburg and Gower, 1997). In *Metasequoia* plantings receiving full sunlight for only part of the day, we have observed the rapid development of a closed canopy. However, if trees are growing under full sunlight for more than 6 hours per day, shoot elongation is greatly reduced and the leaves are smaller and appear chlorotic. Under these conditions both crown size and foliar density are reduced. Under dense shade, shoot elongation is favoured over leaf production, a characteristic typical of shade-intolerant species (Kozlowski *et al.*, 1991). Typical shade-tolerant conifers such as *P. rubens* can survive for decades under dense shade as suppressed saplings (Davis, 1991). This advance regeneration is then available to respond to small-scale disturbances to attain upper canopy status.

In contrast, *Metasquoia* appears to perform poorly under dense shade, which is, in part, a consequence of producing foliage with a one-year lifespan. In temperate gymnosperms, leaf longevity is correlated with shade-tolerance (*P. rubens* can retain needles for up to 16 years). Among the genera of deciduous gymnosperms native to North America, *Larix* is classified as very shade-intolerant and *Taxodium* is described as requiring full sunlight for maximum growth (Burns and Honkala, 1990). Ida (1981) found that *Metasequoia* increased its leaf weight much more effectively at low light intensities than did *T. distichum*.

Among conifers, specific gravity (sp. gr.) of wood varies considerably. Those adapted to windy sites generally produce denser wood. *Metasequoia* has an unusually low sp. gr. among conifers. Depending on source, sp. gr. ranges from 0.29 to 0.31, while that of *Larix* species ranges from 0.57 to 0.59 (Alden, 1997; Polman *et al.*, 1999). Thus, considerably less photosynthetic resources are needed to create the same height of supporting trunk for a *Metasequoia* tree compared to *Larix*. *Metasequoia* partially compensates for low wood density by producing a fluted trunk near its base to provide additional lateral stability. *Metasequoia* may also be competitively favoured over *Larix* in crown attributes such as FD and LAI (see Table 20.1). These traits in *Metasequoia* more closely resemble those of the more shade-tolerant conifers (e.g. *Picea* and *Abies* spp.) that often dominate better quality sites in boreal and cool-temperate forests to the exclusion of *Larix*. Extant *Larix* is often relegated to bogs or steep mountain slopes due to competition on better sites from conifers producing substantial shade (Schmidt and McDonald, 1995).

Photosynthetic light-response

As with its morphology and growth habits, *M. glyptostroboides* shows characteristics in its photosynthetic light-response curve (see Figure 20.8) that are typical of both sun- and shade-adapted species. Photosynthetic quantum efficiency (QE: mol CO_2 fixed per mol photons absorbed, i.e. the initial linear slope of the response curve) is similar to the shade-intolerant *L. laricina* and *P. banksiana* at low light levels, but its maximum photosynthetic rates are more comparable with the shade-tolerant *P. rubens*. However, in contrast to *P. rubens*, maximum photosynthetic rates are reached at a far lower light intensity, resulting in a response curve with much higher convexity (lower loss in apparent quantum efficiency between its initial linear portion and light-saturation). Additionally, the photosynthetic light-responses of sun- and shade-adapted foliage show remarkably less divergence in characteristics than those of typical shade-tolerant conifers (compare with *P. rubens*, insert in Figure 20.8). These physiological traits contrast with the significant sun-shade divergence with respect to specific leaf area (see Table 20.1). This inconsistency between high morphological and low physiological variation along the sun-shade adaptation continuum can be interpreted as adaptations to two opposing challenges in the model of the high-latitude light environment. The stochastic probability that foliage produced under low light intensity might become 'obsolete' as light resources are limited by shading within the canopy warrants minimal investment of resources. Opposing this is the predictable seasonal cycle of foliar development under low light intensities followed by exposure to much greater intensities as the growing season progresses (see Figure 20.3). In this interpretation, *Metasequoia* evolved a compromise response by minimizing carbon investment in foliage developed under low illumination, while investing greater resources in the photosynthetic apparatus than prevailing light conditions would warrant. Carbon investment in foliage is permanent and is lost if a leaf senesces due to low light availability. However, most nutrients (e.g. N, P, K, Mg) are mobile and are commonly retranslocated from senescing foliage before abscission. Therefore, investment of nutrients in the photosynthetic system has a lower risk of permanent loss to the tree and provides the potential for delivering higher photosynthetic output if, or when, higher light resources become available. Interestingly, this strategy, while adaptive to the unique light regime of the high-Arctic, would have much reduced value under forest light regimes in current temperate zones, where the light environment under which foliage develops would be highly correlated with the light environment throughout the growing season. In species of similar leaf longevity, investment in nutrient resources closely parallels investment in carbon and nutrient resources (Evans, 1989; Hikosaka and Terishima, 1995; Hollinger, 1996) and may be an important physiological trait for shade-tolerance (Niinemets *et al.*, 1998). The unusual composite of sun-shade characteristics in *M. glyptostroboides* may be a conserved relict trait from cloudier, wetter paleoclimates in the lower latitudes.

The saturating light intensity for *M. glyptostroboides* (see Figure 20.8) is close to the predicted maximum intensity for 78°N latitude (see Figure 20.3). This suggests that investment of resources in maximum photosynthetic capacity may be optimal for the high-latitude light environment. The high convexity of the light-response curve for individual leaves compared with those of the other conifers (see Figure 20.8) shows a minimal loss of quantum efficiency from self-shading at the leaf level. A Blackman-response curve, where response increases linearly with input of resource (in this case light) until a saturation point is reached, describes an optimal utilization of resource. Any departure from that response, indicated by a bending of the response curve (non-linearity in the presaturation portion), suggests less than optimal resource utilization. In the case of photosynthetic light-response, this departure from optimality is associated with mutual shading of light harvesting elements (Hikosaka and Terashima, 1995). At the leaf-level, mutual shading is due to the architecture of mesophyll cells and the chloroplasts they contain. Under high intensity illumination, mutual shading may permit capture of 'excess' light by photosynthetic elements lying deeper in the mesophyll as surface elements become light-saturated. However, in an environment characterized by low-angle direct solar radiation at low to moderate intensities, architecture that minimizes mutual shading (e.g. *Metasequoia*) would provide for more efficient resource utilization compared to conifers with more robust needle morphology (e.g. *Larix* or *Picea*). Although we have not developed whole-tree light-response curves, this structural minimization of mutual shading is carried to the shoot-level, where flat-bladed foliage would be more efficient in this respect than the multidirectional, clustered foliar architecture common to many extant conifers, including *Larix* and *Picea*. A flattened foliar display pattern is also associated with more efficient light harvesting in environments of low to moderate light intensity (Canham and Marks, 1985; Givnish, 1988). The presence of chloroplasts in the protruding abaxial epidermal cells of *Metasequoia* (see Figure 20.6b), could additionally enhance capture of low-intensity diffuse light.

Efficiency in CO_2 fixation might be enhanced by transport and/or sink physiology that reduces potential inhibition from the direct and/or indirect effects of photosynthetic end-product accumulation, such as a reduction of starch production in foliage. From an experiment with 72 one-year-old *M. glyptostroboides* trees planted in a forest opening in Orono, Maine, in which half the trees received natural diurnal light (NL) and half were under CL (supplied by high intensity metal halide lights at night), we found that by mid-July leaves from the NL side had abundant starch, but leaves from trees on the CL side produced little or no starch (as determined microscopically with IKI staining). Omitting starch synthesis in leaves would improve energy efficiency and might reduce investments in catalytic systems. The avoidance of starch production and subsequent catabolism reduces energy costs to the plant but, under CL conditions, requires a continuous and rapid transport of soluble carbohydrates to a sink, which is provided by indeterminate shoot growth. Furthermore, reducing starch storage in chloroplasts permits more efficient light capture and decreases the possibility of physical damage to grana from accumulating starch (Schaffer *et al.*, 1986).

Water-use efficiency: direct measurements and stable isotope data

High water-use efficiency (WUE: Figure 20.9) and hypostomatic leaves with non-sunken stomates suggest that *Metasequoia* efficiently regulates gas exchange through stomata. This ability would contribute to maximizing carbon fixation under continuous illumination and to adapting to possible wet/dry soil moisture cycles associated with seasonally flooded habitats. By contrast *Taxodium* and *Sequoia* have amphistomatic leaves (Srinivansan and Friis, 1989).

Table 20.2 shows data for stable isotopes of carbon which we have determined for cellulose extracted from fossil *Metasequoia* and *Larix* wood (method of Loader *et al.*, 1997) collected from Axel Heiberg Island (80°N latitude). This is compared to extant

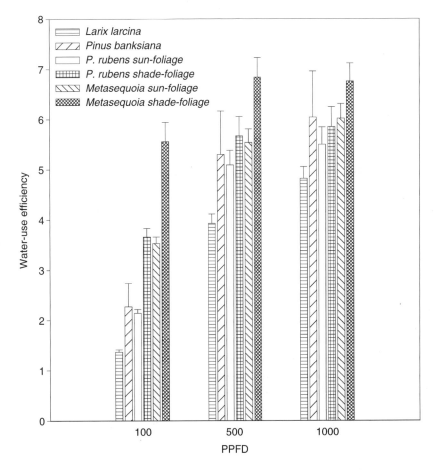

Figure 20.9 Photosynthetic water-use efficiency (μmol CO_2 fixed per mmol H_2O transpired) for saplings of selected gymnosperms. Species and sampling were the same as those as described for the light-response curves in Figure 20.8.

Table 20.2   Mean $\delta^{13}C$ values (‰) extracted α-cellullose from both fossil and extant specimens. Means calculated from 6 samples. Standard deviations are given in parentheses.

	Fossil species		Extant species	
	Metasequoia	Larix	M. glyptostroboides	L. laricina
α-cellulose $\delta^{13}C$ (‰)	−20.53	−21.70	−22.42	−24.80
Standard deviation	(0.066)	(0.137)	(0.187)	(0.133)

Metasequoia glyptostroboides and *Larix laricina* wood. Of note is the fact that both fossil woods have more positive values than the modern counterparts and *Metasequoia* is more positive than *Larix* (both fossil and modern).

The $\delta^{13}C$ values for extant *Metasequoia* and *Larix* species fall mostly within the expected range for extant C_3 species, including conifers (−23 to −34‰), although the *Metasequoia* value (−22.42) is slightly more positive. Values for fossil *Metasequoia* and *Larix* are more positive than those usually associated with C_3 plants (O'Leary, 1988). Several environmental factors can promote more positive $\delta^{13}C$ values by influencing stomatal conductance. These include high irradiance and factors elevating plant water stress such as moisture limitations (Guy and Reid, 1986; Farquhar *et al.*, 1989; Ehleringer, 1993; Gröcke, 1998). Yet the fossil trees are believed to have grown under low level irradiance and were wet site species. Growth rates of the fossil trees (our ring width data and Vann *et al.* (see Chapter 21)) are comparable to that observed in extant *Metasequoia* growing on good sites (Jagels *et al.*, 2003).

Gröcke *et al.* (1999) have recently proposed that $\delta^{13}C$ values of fossil plant remains are primarily controlled by concentration and isotopic composition of CO_2 in the ocean–atmosphere system (as registered in marine carbonates) and not by palaeoenvironmental and palaeoecological factors. For the 40 million years ago time period, several studies have suggested that atmospheric CO_2 concentrations were higher than at present and more negative values in marine carbonate sources have been reported (Berner, 1991; Cerling, 1992; Freeman and Hayes, 1992). If true, one would expect that $\delta^{13}C$ values from the fossil specimens would be more negative than that of their NLRs, the opposite of what we have observed. In contrast, the reconstruction of Eocene atmospheric CO_2 concentrations by Royer *et al.* (2001) indicates values comparable with present-day levels. In addition, Pearson *et al.* (2001) have recently proposed that surface water temperatures of tropical seas during the Eocene were 10°C higher than previous estimates. Therefore, if Eocene CO_2 concentrations were near those of the present and global temperatures were driven by factors other than CO_2 concentrations, $\delta^{13}C$ values of fossil cellulose are likely to be driven by the same ecophysiological factors influencing stable carbon isotope values at present. These would include, stomatal resistance to gas exchange, external and internal water relations, form and rate of photosynthetic end-product production and photorespiration rates. All of these factors would be potentially influenced by light regime periodicity (CL versus diurnal cycle).

WUE and $\delta^{13}C$ values have been shown to be highly correlated by numerous studies (e.g. Silim *et al.*, 2001). Therefore, $\delta^{13}C$ values have been widely used as indicators of integrated water-use efficiency. The more negative $\delta^{13}C$ values of *Larix* compared with *Metasequoia*, for both living and fossil specimens (see Table 20.2), suggest that *Metasequoia* had greater WUE than the second most abundant tree species in the Axel Heiberg Eocene lowland forests. This agrees with the extensive survey by Kloeppel *et al.* (1998) who found that WUE in most *Larix* species, determined from $\delta^{13}C$ values, were lower than for co-occurring conifers.

Two principal factors control WUE: (1) stomatal control that minimizes transpiration and limitats to photosynthesis by decreasing internal CO_2 concentration (C_i); and (2) the photosynthetic efficiency and rates of carbon fixation at a given C_i. To evaluate the first factor, we tested photosynthetic WUE (μmol CO_2 fixed per mmol H_2O transpired) for sapling-sized *M. glyptostroboides, L. laricina, P. rubens* and *P. banksiana* (see Figure 20.9) over light intensities of 100 to 1000 μmol m^{-2} s^{-1} PPFD. Since none of these trees were drought-stressed and measurements were made under ambient CO_2 levels, the differences are presumed to be characteristic of the genetic potential of each species (Donovan and Ehleringer, 1994; Osório and Pereira, 1994). Shade-adapted *M. glyptostroboides* demonstrated the highest WUE values throughout the range of light intensities. *Metasequoia* sun-foliage had WUE values as high as or higher than all other species by foliar type combinations. In contrast, *Larix* displayed the lowest WUE values. In addition, the relative consistency in WUE of *Metasequoia*, especially its shade-adapted foliage, across the range of light intensities indicates that stomatal conductance is more sensitive to photosynthetic rates. At low light intensity, stomatal conductance decreases to conform with reduced photosynthetic rates in *Metasequoia*, while stomatal conductance remains high in the other species, decreasing their WUE at low light levels. Thus, *M. glyptostroboides* appears to be better able to finely tune its gas exchange to minimize water loss at low to medium light intensities, intensities comparable with those through most of the high-latitude growing season. At high light intensity, *Metasequoia* shade-foliage still maintained the greatest WUE, followed by *Pinus banksiana*, a species adapted to dry, well drained sandy soils (Burns and Honkala, 1990).

While a conceptual model based on stomatal optimization of gas exchange rates is consistent with the interspecific variations in WUE observed at lower light intensities (i.e. *Metasequoia* showing greater optimization efficiency than the other species), its continued maintenance of high WUE at greater light intensities is somewhat surprising, given the much higher light-saturated photosynthetic rates of *L. laricina* and *P. banksiana* (see Figure 20.8). A possible contributor to the high WUE and $\delta^{13}C$ values in *Metasequoia* is an enhanced level of photorespiratory activity which has been shown to influence net carbon isotope discrimination (Gillon and Griffiths, 1997). This possibility suggests that photorespiration may be a critical process for optimization of carbon utilization, phosphorus cycling and photoprotective functions under CL conditions. We are currently conducting research that will provide a better understanding of these potential mechanisms.

Photosynthetic and accessory pigments

The low intensity light environment of the Arctic spring would make chlorophyll production at low light levels advantageous in temperate high-latitude forests. Wieckowski and Goodwin (1967) and Mitrakos (1963) have reported that chlorophyll synthesis can occur in complete darkness in gymnosperms, including *Metasequoia* (Nikolaeva *et al.*, 1979). Ida (1981) has shown that in the Taxodiaceae chlorophyll production actually increases as light intensity decreases, down to a minimum of about 7% of full daylight. *Metasequoia* produced more chlorophyll at all light intensities than three other members of the Taxodiaceae and, in particular, produced significantly more at low light intensities when compared with the other deciduous member, *Taxodium distichum*. Ida (1981) also found chlorophyll a:b ratios to be negatively correlated with light intensity. Decreases in the chlorophyll a:b ratio have been associated with improved photosynthetic efficiency at low light levels (Kirk and Tilney-Bassett, 1978; Fedtke, 1979).

We have noted differences in leaf colour between trees growing in NL and CL regimes in our experiments. However, we have not determined whether these differences are related to absolute or relative concentrations of chlorophylls and/or accessory pigments. In a preliminary trial where *Metasequoia* seedlings were grown under natural and continuous light regimes under the ambient light intensities of 45°N latitude, the continuous light cycle led to significant production of a red accessory pigment. This pigment in *Metasequoia* has been identified as rhodoxanthin (Czeczuga, 1987), the production of which has been shown to be a photoprotective response (Jagels, 1970; Czeczuga, 1987).

Summary: a conceptual model for the success of *Metasequoia* in Eocene high-Arctic forests

Over millions of years plants have evolved adaptations to environments with widely differing light, temperature and water regimes. These environments can be characterized by both levels (intensities) and temporal distribution of inputs. The environment that has been advanced for Eocene high-latitude forests provided a unique combination of light, temperature and water regimes not currently found on the planet and, therefore, offered an unparalleled set of adaptive challenges to plant species. The temperate continuous light (CL) regime offered both substantial physiological challenges and the potential benefit of high growth rates for species able to overcome those physiological hurdles. Our research to date has allowed us to develop a compelling, although admittedly incomplete, understanding of how the morphological and physiological traits of *Metasequoia* permitted this now relict species to attain such complete dominance of many Eocene high-latitude lowland swamp forests.

Among the unusual aspects of *Metasequoia* is a collection of characteristics that do not fit contemporary models of shade-adaptation or sun-adaptation. Typically, species successful in these opposing light-niches generally do not possess a complete set of shade-adapted or sun-adapted characteristics (Givnish, 1988; Hättenschwiler, 2001). However, *Metasequoia* possesses an aggregation of characteristics not generally associated with either adaptive strategy, but competitively adaptive at high latitudes. While its photosynthetic rates under light intensities typical of the growing season at middle latitudes are clearly much lower than those of sun-adapted conifers (see Figure 20.8), its resource allocation to photosynthetic systems (leaf-level) is close to optimum for the moderate light intensities of the Arctic lowland forests, or cloudier lower palaeolatitudes.

Our research indicates that fixed carbon is rapidly translocated as sugars under CL conditions, a process driven by strong growth sinks and an indeterminate growth habit, minimizing end-product inhibition of photosynthesis. These mechanisms, combined with flexibility in production of photoprotective pigments and perhaps enhanced photorespiratory systems, would be highly adaptive by minimizing damage from excess fluence of light in a CL environment. The indeterminate growth habit would also provide plasticity in leaf display and physiology to permit continual adjustment to changing light resources during the growing season light conditions in an environment characterized by high seasonal variability in light intensity. Finally, the deciduous habit would eliminate carbon losses by leaf respiration during the winter dark period.

In the Eocene lowland forests, *Metasequoia* could rapidly produce canopies with extensive leaf area, not only efficiently capturing incident light for photosynthesis, but minimizing the transmitted light that would be available for competitors. Production of low density stem wood permitted *Metasequoia* rapidly to overtop potential competitors that were establishing concurrently (Jagels *et al.*, 2003).

It is possible that photorespiration is of adaptive value to growth in a CL environment through several pathways, including photoprotection, enhancing internal cycling and production of antioxidants that lessen the effects of free radicals. Enhanced levels of photorespiration would be consistent with the unusually positive $\delta^{13}C$ values for extracted α-cellulose. We are currently exploring the importance of photorespiration and alternate pathways for photoenergetics in *Metasequoia* and other species growing under CL regimes.

Acknowledgements

This research was supported by funds from the Andrew W. Mellon Foundation and the Maine Agricultural and Forest Experiment Station, MAFES report no. 2650.

References

Alden HA. 1997. *Softwoods of North America*. Washington, DC: USDA Forest Service FPL-GTR-102.

Basinger JF. 1986. Our 'tropical' arctic. *Canadian Geographic* 106: 28–37.

Basinger JF. 1991. The fossil forests of the Buchanan Lake formation (early Tertiary) Axel Heiberg Island, Canadian Archipelago: preliminary floristics and palaeoclimate. *Geological Survey of Canada Bulletin* 403: 39–65.

Berner RA. 1991. A model for atmospheric CO_2 over Phanerozoic time. *American Journal of Science* 291: 339–376.

Briantais JM, Vernotte C, Picaud M, Krause GH. 1979. A quantitative study of the slow decline of chlorophyll *a* fluorescence in isolated chloroplasts. *Biochimica et Biophysica Acta* 548: 128–138.

Brooks JR, Sprugel DG, Hinckley TM. 1996. The effects of light accumulation during and after foliar expansion on photosynthesis of *Abies amabilis* foliage within the canopy. *Oecologia* 107: 21–32.

Burns RM, Honkala BM. 1990. *Silvics of North America, volume 1 conifers*. Agricultural Handbook 654. Washington, DC: USDA Forest Service.

Canham CD. 1989. Different response to gaps among shade-tolerant tree species. *Ecology* 70: 549–550.

Canham CD, Marks PL. 1985. The responses of woody plants to disturbance: patterns of establishment and growth. In: Pickett STA, White PS, eds. *The Ecology of Natural Disturbance and Patch Dynamics*. Orlando: Academic Press, 197–217.

Cannell MGR. 1990. Modeling the phenology of trees. *Silva Carelica* 15: 11–27.

Cerling TE. 1992. Use of carbon isotopes in paleosols as an indicator of the $p(CO_2)$ of the paleo-atmosphere. *Global Biogeochemical Cycles* 6: 307–314.

Chaney RW. 1948. The bearing of the living *Metasequoia* on problems of Tertiary paleobotany. *Proceedings of the National Academy of Sciences* 34: 503–515.

Christie RL, McMillan NJ, (eds.) 1991. *Tertiary Fossil Forests of the Geodetic Hills Axel Heiberg Island Arctic Archipelago*. Ottawa: Geological Society of Canada, Bulletin 403.

Chu K, Cooper WS. 1950. An ecological reconnaissance in the native home of *Metasequoia glyptostroboides*. *Ecology* 31: 260–278.

Cornelissen JHC, Castro-Diaz P, Hunt R. 1996. Seedling growth, allocation, and leaf attributes in a wide variety of woody plant species and types. *Journal of Ecology* 84: 755–765.

Czeczuga B. 1987. Different rhodoxanthin contents of the leaves of gymnosperms grown under various light intensities. *Biochemical Systematics and Ecology* 155: 531–533.

Davis WC. 1991. The role of advance regeneration of red spruce and balsam fir in east central Maine. In: Simpson CM, ed. *Proceedings of the Conference on Natural Regeneration Management*. Fredericton, New Brunswick: Forestry Canada Maritimes Region, 157–168.

Dawson TE. 1998. Fog in the California redwood forest: ecosystem inputs and use by plants. *Oecologia* 117: 476–485.

Day ME. 2000. Influence of temperature and leaf-to-air vapor pressure deficit on net photosynthesis and stomatal conductance in red spruce (*Picea rubens*). *Tree Physiology* 20: 47–53.

Day ME, Greenwood MS, White AS. 2001. Age-related changes in foliar morphology and physiology in red spruce and their influence on declining photosynthetic rates and productivity with tree age. *Tree Physiology* 21: 195–204.

Demmig-Adams B, Adams WW III. 1996. The role of xanthophyll cycle carotenoids in the protection of photosynthesis. *Trends in Plant Science* 1: 21–26.

Donovan LA, Ehleringer JR. 1994. Potential for selection of plants for water use efficiency as estimated by carbon isotope discrimination. *American Journal of Botany* 81: 927–935.

Ehleringer JR. 1993. Variation in leaf carbon isotope discrimination in *Encelia farinosa*: Implications for growth, competition, and drought survival. *Oecologia* 95: 340–346.

Estes R, Hutchison HJ. 1980. Eocene lower vertebrates from Ellesmere Island, Canadian Arctic Archipelago. *Paleogeography, Paleoclimatology, Paleoecology* 30: 324–347.

Evans JR. 1989. Photosynthesis and nitrogen relationships in leaves of C_3 plants. *Oecologia* 78: 1–19.

Farquhar GD, Ehleringer JR, Hubrick KT. 1989. Carbon isotope discrimination and photosynthesis. *Annual Review of Plant Physiology and Plant Molecular Biology* 40: 503–537.

Fedtke C. 1979. Plant physiological adaptations induced by low rates of photosynthesis. *Z. Naturforsch* 34c: 932–935.

Florin R. 1952. On *Metasequoia*, living and fossil. *Botaniska Notiser* 1: 1–29.

Francis JE. 1991. The dynamics of polar fossil forests; Tertiary fossil forests of Axel Heiberg Island, Canadian Arctic Archipelago. *Geological Survey of Canada Bulletin* 403: 29–38.

Freeman KH, Hayes JM. 1992. Fractionation of carbon isotopes by phytoplankton and estimates of ancient CO_2 levels. *Global Biogeochemical Cycles* 6: 185–198.

Gates DM. 1980. *Biophysical Ecology*. New York: Springer-Verlag.

Gillon JS, Griffiths H. 1997. The influence of (photo)respiration on carbon isotope discrimination in plants. *Plant, Cell and Environment* 20: 1217–1230.

Givnish TJ. 1988. Adaptation to sun and shade: a whole plant perspective. *Australian Journal of Plant Physiology* 15: 63–92.

Greenwood DR, Basinger JF. 1994. The paleoecology of high-latitude Eocene swamp forests from Axel Heiberg Island, Canadian High Arctic. *Review of Paleobotany and Palynology* 81: 83–97.

Greenwood DR, Wing SL. 1995. Eocene continental climates and latitudinal temperature gradients. *Geology* 23: 1044–1048.

Gröcke DR. 1998. Carbon-isotope analysis of fossil plants as a chemostratigraphic and paleoenvironmental tool. *Lethaia* 31: 13.

Gröcke DR, Hesselbo SP, Jenkyns HC. 1999. Carbon-isotope composition of lower Cretaceous fossil wood: Ocean atmosphere chemistry and relation to sea-level change. *Geology* 27: 155–158.

Guy RD, Reid DM. 1986. Photosynthesis and the influence of CO_2 enrichment on $\delta^{13}C$ values in a C_3 halophyte. *Plant, Cell and Environment* 9: 65–72.

Hättenschwiler S. 2001. Tree seedling growth in natural deep shade: functional traits related to interspecific variation in response to elevated CO_2. *Oecologia* 129: 31–42.

Hikosaka K, Terashima I. 1995. A model of the acclimation of photosynthesis in the leaves of C_3 plants to sun and shade with respect to nitrogen use. *Functional Ecology* 10: 335–343.

Hollinger DY. 1996. Optimality and nitrogen allocation in a tree canopy. *Tree Physiology* 16: 627–634.

Hu SY. 1980. The *Metasequoia* flora and its phytogeographic significance. *Journal of the Arnold Arboretum* 61: 41–94.

Huber SC, Huber JLA. 1992. Role of sucrose phosphate synthase in sucrose metabolism in leaves. *Plant Physiology* 99: 1275–1278.

Hutchison KW, Sherman CD, Weber J, *et al.* 1990. Maturation in larch. II. Effects of age on photosynthesis and gene expression in developing foliage. *Plant Physiology* 94: 1308–1315.

Ida K. 1981. Ecophysiological studies on the response of Taxodiaceous conifers to shading with special reference to the behavior of leaf pigments. II. Chlorophyll and carotenoid contents in green leaves grown under different grades of shading. *Botanical Magazine Tokyo* **94**: 181–196.

Irving E, Wynne PJ. 1991. The paleolatitude of the Eocene fossil forests of arctic Canada. *Geological Survey of Canada Bulletin* **403**: 209–211.

Iverson LR, Prasad AM. 1998. Predicting abundance for 80 tree species following climate change in the eastern United States. *Ecological Monographs* **68**: 465–485.

Jagels R. 1970. Photosynthetic apparatus in *Selaginella*. II. Changes in plastid ultrastructure and pigment content under different light and temperature regimes. *Canadian Journal of Botany* **48**: 1853–1860.

Jagels R, LePage BA, Jiang M. 2001. Definitive identification of *Larix* (Pinaceae) wood based on anatomy from the middle Eocene, Axel Heiberg Island, Canadian High Arctic. *IAWA Journal* **22**: 73–83.

Jagels R, Visscher GE, Lucas J, Goodell B. 2003. Palaeo-adaptive properties of the xylem of *Metasequoia*: mechanical/hydraulic compromises. *Annals of Botany* **92**: 79–88.

Jang J-C, León P, Zhou L, Sheen J. 1997. Hexokinase as a sugar sensor in higher plants. *Plant Cell* **9**: 5–19.

Johnson GN, Young AJ, Scholes JD, Horton P. 1993. The dissipation of excess excitation energy in British plant species. *Plant, Cell and Environment* **16**: 673–679.

Jones HG. 1992. *Plants and Microclimate*, 2nd edn. Cambridge: Cambridge University Press.

Kirk JTO, Tilney-Bassett RAE. 1978. *The Plastids*. Amsterdam: Elsevier.

Kloeppel BD, Gower ST, Treichel IW, Kharuk S. 1998. Foliar carbon isotope discrimination in *Larix* species and sympatric evergreen conifers: a global comparison. *Oecologia* **114**: 153–159.

Konoe R. 1960. Preliminary study on the optimum temperature for the growth of *Metasequoia* and related genera. *Journal of Institute Polytechnic Osaka* **D-11**: 101–107.

Kozaki A, Takeba G. 1996. Photorespiration protects C_3 plants from photooxidation. *Nature* **384**: 557–560.

Kozlowski TT, Kramer PJ, Pallardy SG. 1991. *The Physiological Ecology of Woody Plants*. New York: Academic Press.

Krapp A, Stitt M. 1995. An evaluation of direct and indirect mechanisms for the 'sink-regulation' of photosynthesis in spinach: changes in gas exchange, carbohydrates, metabolites, enzyme activities and steady-state transcript levels after cold-girdling source leaves. *Planta* **195**: 313–323.

Küppers M. 1994. Canopy gaps: competitive light interception and economic space filling – a matter of whole-plant allocation. In: Caldwell MM, Pearcy RW, eds. *Exploitation of Environmental Heterogeneity by Plants*. San Diego: Academic Press, 111–144.

Landsburg JJ, Gower ST. 1997. *Applications of Physiological Ecology to Forest Management*. San Diego: Academic Press.

LePage BA, Basinger JF. 1991. Early Tertiary *Larix* from the Buchanan Lake formation, Canadian Arctic Archipelago, and a consideration of the phytogeography of the genus. *Geological Survey of Canada Bulletin* **403**: 67–68.

Leverenz JW. 1981. Photosynthesis and transpiration in large forest grown Douglas-fir: interactions with apical control. *Canadian Journal of Botany* **59**: 2568–2576.

Li H. 1957. The discovery and cultivation of *Metasequoia*. *Morris Arboreatum Bulletin* **8**: 49–53.

Lloyd NDH, Woolhouse HW. 1979. Photosynthesis, photorespiration and transpiration in four species of the Cyperaceae from the relict flora of Teesdale, northwestern England. *The New Phytologist* **83**: 1–8.

Loader NJ, Robertson I, Barker AC, *et al.* 1997. An improved technique for batch processing of small wholewood samples to α-cellulose. *Chemical Geology* **136**: 313–317.

Luxmoore RJ. 1991. A source-sink framework for coupling water, carbon, and nutrient dynamics of vegetation. *Tree Physiology* **9**: 267–280.

Manuel N, Cornic G, Aubert S, *et al.* 1999. Protection against photoinhibition in the alpine plant *Geum montanum*. *Oecologia* **119**: 149–158.

Mawson BT, Svoboda J, Cummings RW. 1986. Thermal acclimation of photosynthesis by the arctic plant *Saxifraga cernua*. *Canadian Journal of Botany* **64**: 71–76.

McIntyre DJ. 1991. Pollen and spore flora of an Eocene forest, eastern Axel Heiberg Island, NWT. *Geological Survey of Canada Bulletin* **403**: 83–97.

Mitrakos K. 1963. Relationship to chlorophyll metabolism and its photoperiodism, endogenous daily rhythm and far-red reaction system. *Photochemistry and Photobiology* **2**: 223–231.

Momohara A. 1994. Paleoecology and paleobiogeography of *Metasequoia*. *Fossils* **57**: 24–30.

Munne-Bosch S, Alegre L. 1999. Role of dew on the recovery of water-stressed *Melissa officinales* L. plants. *Journal of Plant Physiology* **154**: 759–766.

Muselli M, Beysens D, Marcillat J, *et al.* 2001. A radiation-cooled dew condenser. *Second International Fog Conference Proceedings*, St Johns, Newfoundland, 317–320.

Myers DA, Thomas RB, DeLucia EH. 1999. Photosynthetic responses of loblolly pine (*Pinus taeda*) needles to experimental reduction in sink demand. *Tree Physiology* **19**: 235–242.

Nikolaeva LF, Florova NB, Porshneva EB. 1979. Spectral forms of chlorophyll synthesized in the absence of light by seedlings of relict coniferous plants. *Zhurnal Obshchei Biologii* **40**: 128–137.

Niinemets Ü, Kull O, Tenhunen JD. 1998. An analysis of light effects on foliar morphology, physiology, and light interception in temperate deciduous woody species of contrasting shade tolerance. *Tree Physiology* **18**: 681–696.

Noctor G, Arisi A-CM, Jouanin L, Foyer CH. 1999. Photorespiratory glycine enhances glutathione accumulation in both the chloroplastic and cytosolic compartments. *Journal of Experimental Botany* **50**: 1157–1167.

O'Leary MH. 1988. Carbon isotopes in photosynthesis. *Bioscience* **38**: 328–336.

Oliver CD, Larson BC. 1990. *Forest Stand Dynamics*. New York: McGraw-Hill.

Oren R, Sperry JS, Ewers BE, *et al.* 2001. Sensitivity of mean canopy stomatal conductance to vapor pressure deficit in a flooded *Taxodium distichum* L. forest: hydraulic and non-hydraulic effects. *Oecologia* **126**: 21–29.

Osório J, Pereira JS. 1994. Genotypic differences in water use efficiency and ^{13}C discrimination in *Eucalyptus globulus*. *Tree Physiology* **14**: 871–882.

Pallardy SG, Černák J, Ewers FW, *et al.* 1995. Water transport dynamics in trees and stands. In: Smith WK, Hinckley TM, eds. *Resource Physiology of Conifers Aquisition, Allocation, and Utilization*. New York: Academic Press, 301–389.

Park Y-I, Chow WS, Osmond CB, Anderson JA. 1996. Electron transport to oxygen mitigates against the photochemical inactivation of photosystem II *in vivo*. *Photosynthesis Research* **50**: 23–32.

Pearson PN, Ditchfield PW, Singano J, *et al.* 2001. Warm tropical sea surface temperatures in the late Cretaceous and Eocene epochs. *Nature* **413**: 481–487.

Pielou EC. 1994. *A Naturalists Guide to the Arctic*. Chicago: University of Chicago Press.

Polman JE, Michon SGL, Militz H, Helmink AThF. 1999. The wood of *Metasequoia glyptostroboides* (Hu et Cheng) of Dutch origin. *Holz als Roh-und Werkstoff* **57**: 215–221.

Poorter L. 1989. Interspecific variation in relative growth rate: on physiological causes and ecological consequences. In: Lambers H, Cambridge ML, Konings H, Pons TL, eds. *Causes and Consequences of Variation in Growth Rate and Productivity in Higher Plants*. The Hague: SPB Academic Press, 45–68.

Poorter L. 1999. Growth response of 15 rain-forest tree species to a light gradient: the relative importance of morphological and physiological traits. *Functional Ecology* **13**: 396–410.

Pothier D, Margolis HA. 1991. Analysis of growth and light interception of balsam fir and white birch saplings following precommercial thinning. *Annals of Scientific Forestry* **48**: 123–132.

Ricketts BD. 1986. New formations in the Eureka Sound group, Canadian Arctic Islands. *Geological Survey of Canada Papers* **86-1B**: 363–374.

Ricketts BD. 1991. The influence of sedimentation and Eurekan tectonism on the fossil forest succession, eastern Axel Heiberg Island. *Geological Survey of Canada Bulletin* **403**: 1–27.

Ricketts BD, McIntyre DW. 1986. The Eureka Sound group of eastern Axel Heiberg Island: New data on the Eureka Orogeny, Current Research, Part B. *Geological Survey of Canada Papers* **86-1B**: 405–410.

Royer DL, Wing SL, Beerling DJ, *et al.* 2001. Paleobotanical evidence for near present-day levels of atmospheric CO_2 during part of the Tertiary. *Science* **292**: 2310–2313.

Schmidt WC, McDonald KD. 1995. *Ecology and Management of* Larix *Forests: a Look Ahead*. Washington: USDA Forest Service GTR-INT-319.

Schaffer AA, Kang-Chien L, Goldschmidt EE, *et al*. 1986. Citrus leaf chlorosis induced by sink removal: starch, nitrogen, and chloroplast ultrastructure. *Journal of Plant Physiology* 124: 111–121.

Silim SN, Guy RD, Patterson TB, Livingston NJ. 2001. Plasticity in water-use efficiency of *Picea sitchensis*, *P. glauca* and their natural hybrids. *Oecologia* 128: 317–325.

Sperry JS, Alder NN, Eastlack SE. 1993. The effect of reduced hydraulic conductance on stomatal conductance and xylem cavitation. *Journal of Experimental Botany* 44: 1075–1082.

Srinvasan V, Friis EM. 1989. Taxodiaceous conifers from the Upper Cretaceous of Sweden. *Biolgiske Skrifter, Det Kongelige Danske Videnskabernes Selskab* 35: 1–57.

Stitt M. 1991. Rising CO_2 levels and their potential significance for carbon flow in photosynthetic cells. *Plant, Cell and Environment* 14: 741–762.

Streb P, Shang W, Feierabend J, Bligny R. 1998. Divergent strategies of photoprotection in high-mountain plants. *Planta* 207: 313–324.

Sterling C. 1949. Some features of the morphology of *Metasequoia*. *American Journal of Botany* 36: 461–471.

Tarnocai C, Smith CAS. 1991. Paleosols of the fossil forest area, Axel Heiberg Island. *Geological Survey of Canada Bulletin* 403: 171–187.

Tyree MT, Velez V, Dalling JW. 1998. Growth dynamics of root and shoot hydraulic conductance in seedlings of five neotropical tree species: scaling to show possible adaptation to different light regimes. *Oeocolgia* 114: 293–298.

Walters MB, Reich PB. 1999. Research review – low-light carbon balance and shade tolerance in the seedlings of woody plants: do winter deciduous and broad-leaved evergreen species differ? *New Phytologist* 143: 143–154.

Wang S, Zhong S. 1995. *Ecological and Geographical Distribution of* Larix *and cultivation of its major species in southwestern China*. Washington, DC: USDA Forest Service GTR-INT-319.

Wieckowski S, Goodwin TW. 1967. Studies on the metabolism of assimilatory pigments in cotyledons of four species of pine seedlings grown in darkness and light. In: Goodwin TW, ed. *Biochemistry of Chloroplasts II*. London: Academic Press, 445–451.

Wolfe JA. 1979. Temperature parameters of humid to mesic forests of eastern Asia and relation of forests of other regions of the Northern Hemisphere and Australasia. *US Geological Survey Professional Papers* 1106: 1–37.

Wolfe JA. 1985. Distribution of major vegetational types during the Tertiary. *Geophysical Monographs* 32: 357–375.

Woodward FI. 1987. *Climate and Plant Distribution*. Cambridge: Cambridge University Press.

Young GS. 1991. Microscopic characterizations of fossil wood from Geodetic Hills, Axel Heiberg Island. *Geological Survey of Canada Bulletin* 403: 159–170.

21

Experimental evaluation of photosystem parameters and their role in the evolution of stand structure and deciduousness in response to palaeoclimate seasonality in *Metasequoia glyptostroboides* (Hu *et* Cheng)

David R Vann, Christopher J Williams and Ben A LePage

CONTENTS

Introduction

Reconstruction of palaeoenvironments is frequently accomplished using floristic analogy based on nearest-living-relatives (NLRs), comparing the species assemblages from the fossil record and inferring the palaeoclimate from that of the closest extant ecosystem.

The Evolution of Plant Physiology
ISBN 0–12–33955–26

This method has been applied widely to interpret Tertiary environments (e.g. MacGinitie, 1941; Hickey, 1977; Mosbrugger and Utescher, 1997). In this approach, it is assumed that the physiological requirements and climatic tolerances of the fossil representatives have not changed appreciably through geological time. Reliability of NLR use increases when: (1) there is a close morphological relationship between a fossil species and its NLRs; (2) there are a large number of NLRs represented in a fossil flora that have similar climatic affinities today; (3) the living representatives belong to widespread and diverse groups; and (4) the plant groups used possess anatomical and morphological features related to their climatic tolerances (Wing and Greenwood, 1993). Wolfe (1978) has observed that this approach can be flawed, as many modern NLRs have relictual distributions that fail to reflect the full potential range of the species. More recently, Jordan (1997) has returned to this issue, presenting comparisons of modern and reconstructed climates using species ranges, concluding that temperature estimates for many Tertiary sites are probably overestimated.

The presence of a well-preserved Eocene (45–50 million years ago (Ma)) flora within the 'Fossil Forest' at the Napartulik site in the Geodetic Hills site of Axel Heiberg Island, Nunavut, Canada (Francis and McMillan, 1987; Basinger *et al.*, 1994) has presented an unparalleled opportunity to explore some of the difficulties and test some of the assumptions inherent in florisitic analogy and the NLR approach to palaeoenvironmental reconstruction. The dominant species at the Fossil Forest site is *Metasequoia occidentalis* (Newberry) Chaney (McIver and Basinger, 1999, and references therein), which is morphologically indistinguishable from the modern NLR, *Metasequoia glyptostroboides* Hu *et* Cheng. The site consists of coaly layers alternating with sandy layers; the coaly layers contain, *in situ*, rooted stumps and forest floor litter layer with palaeosols and *ex situ*, detached logs in sandy layers as well as in the coaly layers (see chapter 20; McIver and Basinger, 1999 and other references herein for additional details).

Application of the floristic analogy approach to the Axel Heiberg site has led some authors to conclude that the palaeoenvironment at this site was warm-temperate (Francis, 1988; Basinger *et al.*, 1994; McIver and Basinger, 1999); it has been described in the popular press as a 'tropical' or 'Carolinian' flora (Basinger, 1986; Struzik, 1999). However, the absence of certain important genera which define the modern 'Carolinian' flora of the southeastern USA (e.g. *Magnolia* L., *Sabal* Adans., *Serenoa* Hook. f.) underscores the limitations of floristic analogy, as without these clearly warm-temperate genera, the Arctic flora is no different from a 'Pennsylvanian' flora (Table 21.1).

An alternate approach to the use of floristic analogy is the use of the autecological characters of the NLR to infer the fossil species' ecological environments (Wing and DiMichele, 1992). These authors outline three assumptions underlying this approach: (1) there must be a close morphological/anatomical relationship between the fossil and extant taxa; (2) the extant species can be found in a full range of suitable environmental conditions; and (3) there has been little evolution in the organism's ecological tolerance. The Napartulik site provides an opportunity to apply these rules in as close a fashion as is likely possible with the fossil record. The living and fossil *Metasequoia* Miki used in our analyses are morphologically indistinguishable and based on this similarity, the Eocene *Metasequoia* could be assigned to the extant species. The specimens from this site are 'mummified' material, consisting of compressed and desiccated, but not decayed, original plant matter (Basinger *et al.*, 1994; McIver and Basinger, 1999). Consequently, we have high confidence that the two species are identical from a morphological standpoint, satisfying the first condition.

Table 21.1　List of genera found in three floras

Genus	Flora			Genus	Flora		
	Arctic	PA	GA		Arctic	PA	GA
Acer	+	+	+	Metasequoia	+	−	−
Alnus	+	+	−	Myrica	+	+	+
Betula	+	+	+	Nyssa	+	+	+
Carya	+	+	+	Pachysandra	+	−	+
Castanea	+	+	+	Picea	+	+	−
Cercidiphyllum	+	−	−	Pinus	+	+	+
Corylus	+	+	−	Pterocarya	+	−	−
Diervilla	+	+	−	Quercus (E/D)	−/+	−/+	+/+
Engelhardtia	+	−	−	Sabal	−	−	+
Fagus	+	+	+	Serenoa	−	−	+
Fraxinus	+	+	+	Salix	+	+	+
Ilex	+	+	+	Tilia	+	+	+
Juglans	+	+	−	Tsuga	+	+	−
Magnolia (E/D)	−/−	−/+	+/−	Ulmus	+	+	+

Arctic flora is the fossil assemblage found at the Napartulik site, Axel Heiberg Island; PA is Pennsylvania, USA, a cool-temperate region (Mean annual temperature (MAT) 10–12°C, with frost); GA is coastal lowland Georgia, USA, a warm-temperate region ('Carolinian'; MAT 12–15°C, frost-free). + = present, − = absent, E = evergreeen, D = deciduous. Data from Sargent, 1965; McIntyre, 1991).

Subsequent to the discovery of a large relict population of *M. glyptostroboides* in China in the late 1940s (Chaney, 1948), seeds were widely distributed to botanical gardens and academic institutions throughout the world. Horticultural interest has resulted in its propagation at many additional sites since that time. As a result, we have access to mature individuals growing under a very wide range of conditions that appear to exceed the range over which *Metasequoia* has been found in the fossil record, thus fulfilling the second condition.

The third condition, little evolutionary change in the ecological preference of the species, is more difficult to assess. There are no morphological/anatomical differences; consequently, any such features tied to environmental conditions are present in both the extant and fossil forms. From this aspect, their ecological constraints are the same. Changes in physiological responses to the environment could well arise from more subtle responses, such as changes in the cell biochemistry or enzyme efficiencies. Such biochemical differences are more difficult to assess, as organic compounds tend to deteriorate with time. At this point, we have extracted some residual biochemicals and expect to analyse this question in some detail. Preliminary analyses of amber resin suggest that, apart from the expected oxidation products, there is little difference between the chemical composition of fossil and the extant amber (Anderson and LePage, 1995). We do not expect to detect many differences in the biochemical constituents of the two species.

Metasequoia first appears in the fossil record near the Arctic circle (60–63°N) during the Cenomanian (about 95 Ma) and became widely distributed during the Palaeogene (Yang and Jin, 2000); the modern form was found growing around 30°N latitude in a small portion of central China. It is reasonable to ask whether any physiological changes occurred during the expansion and contraction of this species' distribution, as global climate cooled and the species went from a largely aseasonal to a strongly seasonal habitat with a markedly different light regime. To address this question, we have begun exploring the physiological ecology of *M. glyptostroboides*. If we find evidence of changes in the species' physiological response in the modern environment, this forms a model system from which to infer physiological evolution in response to changing climates. Conversely, there may be no evidence for physiological differences between the modern *M. glyptostroboides* and the fossil genus. In this case, as *Metasequoia* is a major component of the northern hemisphere flora throughout the Tertiary (Tidwell, 1998), understanding the ecology of *M. glyptostroboides* should provide important insights into the nature of many Tertiary palaeoenvironments.

In particular, we would like to consider three questions that this system seems well suited to address, as follows: (1) are the environmental tolerances of the modern species consistent with its distribution above the Arctic circle? (2) how do physiology and environment interact to influence stand structure? and (3) could deciduousness have evolved in response to light/dark seasonality?

The high latitude light regime is substantially different from that of the lower latitudes and may represent a selection pressure inducing physiological responses particular to this environment. We conducted a survey of gas exchange parameters to evaluate response to various environmental conditions. The responses were then used to delineate the optimal environment for the species and to identify conditions under which the tree would likely be unsuccessful. From this range of conditions it is possible to infer fossil palaeoenvironments. Conversely, if the fossils are found under conditions for which supporting evidence indicates a climate outside of the modern species' tolerances, one can infer some sort of physiological evolution. Second, we use the species' light-response data, along with observations on modern plantation-grown trees and a seed germination study, to examine how physiology affects stand structure and dynamics. Light levels, branching patterns and tree density provide insights into stand structure. Finally, we examine the possibility that the Arctic light and climatic regime determined leaf turnover rates in this species.

Wing and DiMichele (1992) observe that the floristic analogy approach is more reliable if there are physical characters that are associated with specific climatic tolerances. *M. glyptostroboides* is an annually deciduous member of the Pinopsida. Conifers are almost exclusively evergreen (defined as holding a cohort of leaves for more than a year) and have been successful in exploiting habitats from the sub-Arctic to the tropics. Seasonal deciduousness has evolved in only four other genera in the Pinopsida; *Taxodium* Rich., *Glyptostrobus* Endl., *Larix* Mill. and *Pseudolarix* Gordon. The closest relatives of each of these taxa are evergreen. The first two taxa are closely related to *Metasequoia*; all three were once separated into a distinct family (Taxodiaceae); recently, this family has been consolidated into the Cupressaceae (Hart and Price, 1990). *Taxodium* is seasonally deciduous in a temperate climate; this genus appears to be very closely related to *Glyptostrobus* (Kusumi *et al.*, 2000), which in turn seems to be largely drought-deciduous, although the ecology of this species is poorly known at this time. Similarly, from known locations, *M. glyptostroboides* is seasonally deciduous. The evolution of deciduousness in an otherwise evergreen and widely-dispersed clade implies the existence of particular selection pressures. It has been inferred that *Metasequoia* evolved near the Arctic circle (Yang and Jin, 2000). In the high latitudes, it has been suggested that deciduousness may have evolved in response to the seasonal pattern of light rather than temperature (Axelrod, 1984; Read and Francis, 1992). The rationale behind this is that, during a mild winter, the respiratory activity of the leaves would exceed their carbon reserves fixed during the short growing season. At some point, the cost of replacing a leaf would be less than respiratory loss of carbon if the leaf were retained. Using the gas exchange data and biomass estimates from reconstructed and plantation stands, we provide a simple evaluation of the leaf carbon balance under various winter scenarios.

Materials and methods

Gas-exchange measurements

All gas-exchange measurements were conducted using a portable photosynthesis and transpiration measurement system (LCA-4; Analytical Development Company, Ltd., Hertfordshire, UK) outfitted with PLC4B cuvette. Leaf area was determined using a digital scanner (ScanJet IIcx, Hewlett-Packard, Inc., Palo Alto, CA, USA) and image analysis software (SigmaScan Pro 5, SPSS, Inc., Chicago, IL, USA). The LCA-4 was calibrated using standard gases of known CO_2 concentration prior to each use. Light-response curves were obtained using the LCA-4's built-in light and neutral density filters or using 15-cm diameter Tiffen brand neutral density filters placed over the cuvette when in full sunlight in the field. Filter densities ranged from ND0.1 to ND1.0 and were stacked to obtain intervening values. Light intensities were determined using the PLC4B's internal light sensor. CO_2 and humidity were regulated using the LCA-4's built-in controls. Temperature response was determined using the built-in temperature controls for portions of the range. The LCA-4's internal system was unable to regulate the chamber temperature beyond about 10°C above or below the ambient temperature. The response to temperatures below about 15°C was assessed in the laboratory, with the cuvette's Peltier cooler embedded in ice or with the entire cuvette in a refrigerator. Laboratory measurements were performed on branches cut in the field and re-cut immediately in water. Such measurements were made on samples collected from trees at the University of Pennsylvania campus or from the Morris Arboretum, USA.

Field measurements of light and temperature (15–35°C) response were conducted at arboreta or educational institutions spanning a range of latitudes (Table 21.2) using mature trees from the 1948 plant distribution (Wyman, 1970) or their vegetatively propagated

Table 21.2 List of locations used in gas-exchange experiments and whole-tree metrics. All locations in the continental USA or on Honshu Island, Japan

Location	MAT °C	MAP cm	Elev. m	Lat. °N	N
Morris Arboretum, Philadelphia, PA	12	1040	40	40	8
University of Pennsylvania, Philadelphia, PA	12	1040	18	40	2
National Arboretum, Washington, DC	13	990	12	39	3
Sarah P. Duke Gardens, Duke University, Durham, NC	15	1150	120	36	1
J. C. Raulston Arboretum, Raleigh, NC	15	1150	137	36	3
North Carolina State University, Raleigh, NC	15	1150	133	36	1
Tulane University, New Orleans, LA	20	1665	3	30	1
Loyola University, New Orleans, LA	20	1665	3	30	1
Tanashi Experimental Station, Tanashi, Japan	13.7	1400	60	35	na
Aono Experimental Forest, Minamiizu, Japan	15	2300	180	34	na
Kamigamo Experimental Forest, Kyoto, Japan	15.3	1700	150	35	na

MAT = approximate mean annual temperature. MAP = mean annual precipitation. Lat = approximate latitude. N = number of individual trees at each site (gas-exchange measurements only). In the USA, all trees are from the 1948 seed collection except at Raulston (3) and Morris (3) Arboreta, which were derived from cuttings. Slope is 0% for all sites except Izu (15%) and Kyoto (20%), both of which had NW aspect.

offspring. There was typically a single tree at each site. Three to six branches on each tree were used for measurements of photosynthesis and transpiration. More intensive sampling and measurements of CO_2 and humidity response, as well as low temperature response (5–15°C) were performed on trees at the Morris Arboretum (seven trees) or on the campus of the University of Pennsylvania (two trees). Measurements were performed on days with full sun or slight overcast; photosynthetically-active photon flux density (PPFD) was greater than the light saturation value for this species as determined in preliminary experiments (and shown below). Dark respiration was determined by completely covering the cuvette with foil. Tests were performed both in the field and in the laboratory at 5, 15, 25, 35 and 40 + °C. The lowest and highest temperatures were only tested in the laboratory.

Stand structure

Stand structure for the Napartulik site was inferred by analogy with modern plantations growing in Japan. We compared stem density and diameter with branching patterns from open- and closed-grown plantation trees. We analysed four stands at three experimental forests on Honshu Island, Japan, located in the warm-temperate climate zone. At the Tokyo University Forests, Tanashi Experimental Station, two small stands of differing age and initial planting density were analysed. One stand (hereafter referred to as 'Tanashi A') was established in 1953 from two parent trees. Trees were established on a 2 m square grid pattern and the original plot size was about 600 m². A second stand (hereafter referred to as 'Tanashi B') was established in 1980 and was planted on a 1 m square grid; the stand is about 420 m² in area. The third stand was located on the Izu Peninsula at the Aono Forest of the Arboricultural Research Institute, Minamiizu. The fourth stand analysed was located at the Kyoto University, Kamigamo Experimental Forest. All stands were derived from rooted cuttings.

In June 2000, 14 plantation trees across a range of stem diameters (minimum 8.9 cm, maximum 40.1 cm, measured 1.4 m above the soil; dbh) were selected and sampled using the methods of Vann *et al.* (1998) and Whittaker *et al.* (1974). Briefly, trees were felled and a measuring tape was laid along the stem axis from tip to base. Diameter of the stem was measured at intervals of 1–2 m. The distances of all living and dead branches were tallied from the tip downward along with branch diameter at the point at which it joined the stem. Measurements were made using standard dbh tapes for stem and large diameter branches (>10 cm). Smaller diameters were measured using digital calipers. Five to six live branches were selected from the canopy of each tree and the length, fresh foliage weight and fresh branch wood weight were measured. Field measurements of stem, branch and leaf components were made with a combination of spring scales (10, 25, 50, 125 kg capacity) and a portable electronic scale (5 kg capacity). Dry weight determination of these fractions was based on the fresh/dry weight ratios determined on oven-dried (65°C) subsamples. Stems were cut into logs (1–2 m long). Fresh weights and dimensions of the logs were recorded and sample discs about 20 cm in diameter were cut from the logs near the base, middle and top of each tree for dry weight determination. Dry weights of logs were calculated from the log fresh weights and disc fresh/dry ratios.

Three plantation trees and all open-grown trees from arboretea or academic insititutions were sampled using a non-destructive technique (see Vann *et al.*, 1998). This involved climbing each tree to a point as close to the apex of the tree as possible (typically within 3 m of the apex). This distance was determined based on the canopy density and safety of the climber. The area of the canopy not directly accessible to the climber was assessed visually and branches were counted and diameters estimated by eye. Total tree height of open grown trees was determined using a distance tape in combination with a height pole raised by the climber. The diameter of each limb below the top was measured and recorded. The climber then moved down the length of the stem measuring stem diameter at 1–2 m intervals and the basal diameters of all branches.

The data for branch diameter, branch length and branch foliar biomass were natural log transformed prior to analysis. Branch wood and foliage dry weights ($n = 80$) were regressed against branch basal diameter using ordinary least-squares regression to predict branch and foliar biomass. These regressions were then applied to the basal diameters of all non-weighed branches and the results summed to estimate the dry weight of branch wood and foliage in the total canopy of each sample tree. Measured weights were related to diameters using ordinary least-squares regressions with the standard allometric formula $Y = \alpha x^{\beta}$, where $\alpha = e^{\gamma + \varepsilon}$ and $\gamma =$ the regression intercept and $\varepsilon =$ an error term equal to ½ the mean squared error from the regression analysis. The error term compensates for a bias introduced during back-transformation of regression estimates (Bell *et al.*, 1984). Statistical analyses were completed using the statistical program JMP 4.03 (SAS Institute, Raleigh, NC).

Fossil evidence

Fossils examined in this study were recovered from sediments of the Buchanan Lake Formation, Eureka Sound Group on Axel Heiberg Island (Ricketts, 1991). The Buchanan Lake formation crops out sporadically throughout the Sverdrup Basin and is well exposed at Napartulik. Thirty-seven fossil stems were excavated from unconsolidated mud and silt-stone layers. We located fossil stems that were protruding from the sedimentary layers and excavated the stem with shovels and pick axes until a complete sample was obtained or permafrost impeded further excavation. We preferentially sampled stems that were buried at shallow depths above the permafrost layer or were oriented in a direction parallel to the slope, which generally permitted greater lengths of stems to be exposed.

The length of each exposed log was measured with standard measuring tapes. Logs were typically fractured into several segments and any gap between each segment was measured to adjust the total length of each log. Diameter measurements were taken at 50 cm intervals along the stem using large metal calipers. We also mapped the location of exposed branch stubs and branch scars on the stem surface using the distance from the basal end of the log as a reference point, as well as an approximate location of the branch stub on the stem at that distance (e.g. top centre or bottom right). For each branch stub, two diameters were measured to the nearest millimetre (major and minor) using digital calipers. Diameters were estimated for missing branch stubs. We also assessed the external morphology of each branch stub to determine whether a callus of wood had formed around the stub. We used the presence of a callus as an indicator of whether the branch was alive or dead at the time of burial (e.g. Mattheck, 1991:34–36). In the course of excavating fossil logs we recovered the remains of seven stems that were characteristic of the upper portions of tree stems with numerous exposed small diameter branch stubs projecting from the surface of the fossil. We applied allometric equations developed from plantation grown *M. glyptostroboides* (see above) to estimate foliar and branch wood dry weights for the fossil tree tops.

Forest stand density for the Napartulik site has been described previously; the forest (designated 'N-layer') was originally surveyed by Francis (1991) and later resurveyed by T. Sweda of Ehime University, Japan. A preliminary analysis of Sweda's mapping data was published by Basinger *et al.* (1994). Sweda's raw dataset includes measurements of stump diameter (base and top), location and type of soil in which the stump was rooted (i.e. mineral soil or organic soil). We re-analysed Sweda's original dataset of field measurements of *in situ* stumps to determine the stand density and basal area of the N-layer forest. Because forest biomass studies typically report results based on bole diameter at a standard stem height (dbh), we reconstructed fossil stem dbh (cm) using a regression equation relating stump basal diameter (D_b, cm) to dbh developed from plantation grown *M. glyptostroboides* trees (dbh = 0.775 $D_b^{0.990}$; R^2 = 0.97, n = 444). We reconstructed fossil stem height using a combination of techniques. Kuser *et al.* (1997) summarized the measurements of 52 *M. glyptostroboides* growing within its native range in China. Using their original dataset we developed the following allometric regression equation expressing the relationship between tree height (m) and dbh (m): Tree ht = 42.26 dbh$^{0.678}$ (R^2 = 0.63). We also used sequential measurements made along the length of the log sections to determine a rate of stem taper, from which we derived an estimate of tree height using standard parabolic volume curves and the basal diameters of the fossil stumps.

Light measurements

Measurements of PPFD were determined using a quantum sensor (Li-Cor Corp., Lawrence, KS, USA) attached to a datalogger (LI-1000, Li-Cor). Multiple values (100–200) were recorded for each of the three plantations in Japan; these were obtained via a random walk through the plantation at approximately 2 m intervals or some 4–10 m outside of the plantation in the open. Values for the Arctic site were continuously recorded as hourly averages and total integrated sums during July 1999 and 2000.

Seedling germination study

In the spring of 2001 we established a series of greenhouse experiments to examine the influence of seedbed soil type and the influence of leaf litter on seed germination success of *M. glyptostroboides* seedlings under well-watered conditions. We germinated commercially available seeds (Sheffield Seed Company, Locke, NY) on three types of substrate; Pro Mix Bx (Premier Horticulture, Dorval Quebec, Canada), a *Sphagnum* L. peat based potting soil; pure washed beach sand; and a mineral soil (Earthgro Topsoil, Scotts Company, OH, USA). A second experiment evaluated the effect of two levels of litter layer thickness on germination success. We collected senescent *M. glyptostroboides* litter from a 45 year-old stand in Princeton, NJ. Litter was air dried and manually sorted to remove any seeds. Three treatments included a no litter control, a thin litter treatment (15 g dried litter, equivalent to 2 mm thickness) and a thick litter treatment (35 g dry litter equivalent to 5 mm thickness). Dried litter was spread to a uniform thickness across the surface of each tray.

Both experimental treatments were carried out using an unblocked design (four replicates of three soil types in the case of the substrate treatment; and eight replicates of three litter treatments in the litter thickness experiment). Germination trays were moved to a new position at random every 7 days to avoid any variation in environmental conditions within the experimental area. We germinated 2000 seeds in the soil treatment and 1000 seeds in the litter addition treatment. We then tracked percentage germination in each treatment over a period of 6 weeks. All germination percentages were arcsine transformed prior to statistical analysis. We used ANOVA to analyse the final percentage germination values for each treatment to test the hypothesis that substrate type or presence of litter had no effect on germination success.

Results

Light environment

Average light intensity in the modern Arctic is moderate compared with the values seen at lower latitudes (Table 21.3). Peak values are in excess of that which saturates the photosystem in *M. glyptostroboides* (Figure 21.1B), so light would not limit the photosynthetic rate on clear days. The range of values seen on overcast days are about one-third or less of the clear sky values, but would not be expected to limit significantly carbon gain in this species. On clear days, during the polar summer of continuous light, the total PPFD received in the Arctic is about twice that received at 40°N latitude for the same period.

Palaeolatitude for the Fossil Forest site was about 78°N (Irving and Wynne, 1991); the small difference between this value and the current latitude is not expected to result in significant differences in the light environment at these high latitudes.

Gas exchange

Temperature, light, humidity and CO_2 response did not differ significantly between individuals or leaves at either a single location or between locations (data not shown). Consequently, all trees were pooled for the data presented in the accompanying figures. The data shown in Figure 21.1A and B represent all measurements from all trees at all locations; CO_2 and humidity data were determined only from seven trees at the Morris Arboretum. The CO_2 uptake rate shows a fairly broad response to temperature, with the maximal values occurring between 15° and 25°C (Figure 21.1A). Based on the general shape of the curve, it appears that the optimal temperature for photosynthesis in this species is about 20°C. This peak is about 2.5 times the rate seen at 5°C. The rate of CO_2 uptake drops rapidly above 25°C, with one half the maximum rate at about 30°C; above 35°C the rate drops very sharply. Leaves exposed to temperatures above 40°C did not return to pre-exposure rates within one hour, suggesting damage to the photosynthetic apparatus (data not shown).

The CO_2 uptake rate of *M. glyptostroboides* shows a very rapid response to low light intensities, saturating at a relatively low light intensity, about 700 µE (Figure 21.1B), less than one-half the typical clear-day intensity seen in the Arctic (Table 21.4). The leaves

Table 21.3 Summary of light intensity (PPFD) measurements made at several sites

Light received (PPFD)			*Canopy light penetration*			
Arctic (summer peak)				Above	Below	
Full sun	1500–1700	µE	Tanashi	458 ± 75	9 ± 3	µE
Overcast	300–500	µE	Izu	1415 ± 123	15 ± 6	µE
Total per day	130	E	Kyoto	476 ± 113	16 ± 9	µE
Low latitude						
Full sun	2200–2400	µE				
Total per day	60	E				

Values are average peak intensities except total per day, which is the total integrated input for 24 hours (Arctic) or 10 hours (Philadelphia). Arctic is the Napartulik site on Axel Heiberg Island., Nunavut, Canada; low latitude is Philadelphia, Pennsylvania, USA. Canopy light measurements were made in Japan, at or near the cities listed. *Note*: measurements at Tanashi and Kyoto were performed on overcast days. Units: E = Einsteins, or moles of photons $m^{-2}s^{-1}$ (for wavelengths active in stimulating photosynthesis).

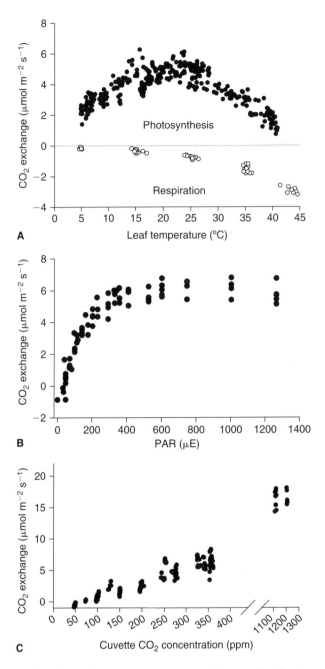

Figure 21.1   Carbon dioxide exchange in *Metasequoia glyptostroboides* in response to several environmental parameters. A. Response to temperature; closed circles represent net photosynthesis; open circles show 'dark' respiration. B. Response to light intensity, measured as photosynthetically active radiation (μmol photons $m^{-2}s^{-1}$). C. Response to CO_2 concentration of the input air stream.

maintain one-half the saturated rate at a very low 150 μE. However, below 100 μE, carbon gain is trivial. The low light saturation value indicates that the photosystem is unable to exploit the higher light intensities seen at lower latitudes. Following Leverenz (1987), we calculated the convexity of the light response curve (θ). The value, 0.9, is high compared

Table 21.4 Metrics from tree, plantation and fossil forest analysis

| | | Extant | | | | | | | | | | Fossil |
| | | Plantations | | | | Open grown trees | | | | | | |
Site		Tanashi	Tanashi	Izu	Kyoto	Kyoto #8	Kyoto #1	NCSU	Tulane	Duke		Napartulik
Age	(years)	20	48	48	48	48	48	50	50	50		>250
Original planting density	(trees/ha)	10000	2500	3086	3500	na	na	na	na	na		unknown
Tree density	(trees/ha)	3219	816	2000	1000	na	na	na	na	na		480/1275[c]
Height	(m)	18	30.7	31	28.5	37.6	37.1	22	27.4	19		39, 42[d]
Length of canopy	(m)	6.9	10	9.5	8.3	35.3	32.8	21.5	26.4	18		ca. 9
Average dbh	(cm)	12.1	35.8	25.9	24.4	76.8	62.1	67.4	66	103		41/25
dbh range (cm)	(min, max)	(1.5, 40.1)	(19.8, 50.6)	(10.0, 65.7)	(6.2, 52.0)	na	na	na	na	na		20, 131
Longest branchless span[a]	(m)	8.4	7.5	24.3	14	4	2.3	1.5	1.3	0.8		6.5[b]
Average branch diameter	(cm)	0.88	3.4	2.1	1.6	5.1	4.8	7	5.8	11		2.5
Minimum		<0.5	<0.5	0.5	<0.5	1.8	1.1	1.9	1.1	1.1		<0.5
Maximum		3	7.6	5.8	4.1	10.49	9.2	12.8	12.6	16.2		7.6
Average tree biomass												
Trunk	(kg)	50	338	204	170							660[e]
Canopy foliage	(g)	2000	11639	7248	6231							6582
Canopy branch	(g)	5064	42606	24672	19692							27105

[a] without live branches in living trees; without emergent branch remnants in fossils.
[b] from an 8.4 m fossil log.
[c] values represent stems with dbh > 15 cm/stems of all recorded sizes.
[d] first value based on parabolic taper, second value based on regression.
[e] reconstructed values.

with many needle-leaved conifers (0.44–0.58; Leverenz, 1996), but is consistent with the planar nature of the leaves and the observed shade intolerance.

Short-term exposure to elevated CO_2 resulted in an equivalent increase in net photosynthesis (Figure 21.1C). Carbon gain decreased rapidly with declining CO_2 concentrations, reaching the compensation point between 50 and 100 ppm, consistent with the general pattern seen in C_3 plants. There was little response to changes in humidity over a range of 20–80% RH. Measurements at higher RH values were confounded by temperature effects. Below 20% RH, carbon exchange became erratic and unstable. Based on transpiration data (not shown), it appeared that the stomata were opening and closing irregularly, possibly in an attempt to conserve water.

Dark respiration measurements were performed at five different temperatures; values at the highest temperature ranged from 1.6 to 3.2 μmol $CO_2\,m^{-2}\,s^{-1}$ (mean 2.4, $n = 8$). At this setting (>40°C), the gas analyser had difficulty in maintaining a steady temperature. At 35°C, the CO_2 efflux rate varied from 1.2 to 1.8 μmol $m^{-2}\,s^{-1}$ (mean 1.6, $n = 12$); at 25°C the rate ranged from 0.6 to 0.93 (mean 0.76, $n = 12$); at 15°C the mean value was 0.35 (range 0.18–0.51, $n = 12$); and at the lowest temperature, 5°C, the range was 0.09–0.22 (mean 0.15, $n = 8$). This is summarized in Figure 21.1A.

Stand structure

Plantation grown *M. glyptostroboides* exhibited rapid height growth, attaining relatively uniform canopy heights within each plantation. Average height of canopy dominant trees in the 20-year-old stand was 18 m. Canopy dominant trees in all of the 48-year-old plantations attained similar maximum tree heights (28.5–31 m). The height corresponded to vertical growth rates of approximately 0.9 m year^{-1} in the youngest plantation and between 0.6 to 0.65 m year^{-1} in the older plantations.

Average stem diameter increased with decreasing original planting density (see Table 21.4). Despite relatively uniform canopy heights, we found that stem diameter varied considerably within a given stand (see Table 21.4). This is reflected by an overall poor relationship (e.g. Tanashi B, $R^2 = 0.19$) between bole diameter and total tree height of the canopy dominants in a given plantation.

On average, the youngest trees possessed the smallest branches and expressed the least variability in branch diameter (mean 0.88 cm, range <0.5–3.0, $n = 372$). In contrast, trees in the older, low density plantation (Tanashi B) had the largest average branch diameter (mean 3.4 cm) and the widest range (<0.5–7.6, $n = 390$). As expected, we found that the stands of trees with the largest diameter branches also had the largest foliar and branch biomass. Length of the live canopy differed among plantations (see Table 21.4). However, when expressed as a function of total tree height the proportion of live canopy to total tree height was similar among the older plantations (29 to 31%) but slightly higher in the youngest plantation where 38% of the total tree height was covered by live canopy.

Open grown solitary trees differed greatly from plantation grown trees in their overall structure. Total tree height varied considerably among solitary trees (range 19–37.6 m) and solitary trees had significantly larger stem diameters than plantation grown trees of similar age. The canopy structure of solitary *M. glyptostroboides* differed considerably from plantation grown trees. Maximum branch diameters were observed on the Duke Gardens tree (mean 11.0 cm, range 1.1–16.2, $n = 104$); whereas Kyoto #1 was observed to have the smallest branches and least variability of the open grown trees (mean 4.8 cm, range 1.1–9.2, $n = 129$). We found no sign of self-pruning occurring on open grown trees. The canopy of open grown *M. glyptostroboides* was more extensive on solitary as opposed to plantation grown trees (see Table 21.4). This corresponds to a smaller amount of branch-free stem wood (expressed as the longest span between live branches) on open grown trees than on plantation grown trees. In contrast, plantation trees exhibited signs of strong self-pruning and long lengths of bole lacking live branches.

Fossils recovered from the Napartulik locality indicate a large stature, low-density forest of moderate to high biomass (see Table 21.4). We estimated fossil tree height to be 39 m using the tapers of excavated logs. Using reconstructed dbh of the ten largest well-preserved fossil stumps and the height to diameter relationship of modern *M. glyptostroboides* from China we estimated a fossil tree height of 42 m. Of the 37 fossil logs recovered from the sediments, the longest log with no evidence of exposed branches was 8.4 m in length; 6.5 m of the log was clear wood with no branches. A 16.7 m log was also exposed, which had 6 m of branch-free wood. We estimated the live canopy of the fossil *Metasequoia* trees was approximately 9 m on the basis of the length of fossil tree tops we recovered. Branch diameters measured on exposed branch stubs from seven nearly complete upper stem (i.e. canopy) segments averaged 2.5 cm; range <0.5–7.6, $n = 565$). We estimated the average fossil canopy consisted of about 6580 g dw of foliage and 27.1 kg dw branch wood using allometric equations derived from plantation grown trees.

Seedling germination

The majority of seeds germinated 7 days after sowing and no new seedlings emerged after 28 days in any treatment. Seedling germination was low in all treatments, with approximately 5% maximum germination (Table 21.5). Soil type did not affect the germination rate significantly ($F_{2,9} = 1.1439$, $P > 0.3$), although it is possible that it would have had an effect on survival, which we did not follow beyond 4 weeks. Depth of burial, however, did have an effect with decreasing germination as the litter layer increased in depth; the thick litter layer reduced germination significantly ($F_{2,9} = 48.67$, $P < 0.0001$). Similarly, we observed no germination within the plantations in Japan, although seedlings were observed on an open road cut across from a plantation and in light shade under trees at the road's edge in the Kyoto plantation (personal observation).

Discussion

The Napartulik site has been reconstructed as a deltaic environment, either a braid- or meander-plain (Ricketts, 1991; McIver and Basinger, 1999). The remnant forests in

Table 21.5　Results of germination trials of *Metasequoia glyptostroboides* germinated on differing substrates and in the presence or absence of *Metasequoia* litter. Values followed by the same letter are not significantly different ($P > 0.05$)

Substrate type	Germination percentage (mean followed by s.e.)	
Potting soil	5.1 ± 0.4	*a*
Mineral soil	4.6 ± 0.4	*a*
Beach sand	4.4 ± 0.2	*a*
Burial depth (all on potting soil)		
No litter	5.0 ± 0.4	*a*
~2 mm depth (thin layer)	4.2 ± 0.2	*a*
~5 mm depth (thick layer)	1.3 ± 0.3	*b*

China exist in a dissimilar habitat (Yang and Jin, 2000); it is montane and, although the species tends to be concentrated near riparian channels, it is lacking a permanent water source. Consequently, a modern analogue of the Napartulik site does not exist. However, several lines of evidence suggest that the ancient forests followed a riparian model, becoming established on open flood sediments as even-aged cohorts (*sensu* Oliver and Larson, 1996:145–167). First, the seeds are small and winged, similar to *Sequoia sempervirens* [D. Don (Endl.)], whose seeds do not fall far from the tree (Olson *et al.*, 1990); however, they do float. Second, the seedling germination study indicates that the best germination rate occurs on open soil (see Table 21.5), as opposed to beneath forest floor litter. This is consistent with results from *Sequoiadendron giganteum* [(Lindl.) Buchholz], whose seedlings rarely become established on undisturbed forest floor, apparently resulting from rapid dessication of the thick litter (Olson *et al.*, 1990). Moreover, Falder *et al.* (1999) describe *in situ* fossil *Metasequoia* seedlings from a Palaeocene floodplain environment and interpret *Metasequoia* as a colonizer of marshy, mineral soil habitats. Finally, the species attains its best growth in the absence of water stress (Kuser, 1982). Considering the low light levels within the forest stands (see Table 21.3), it seems reasonably evident that the establishment of individuals within the stand is unlikely, consequently, multi-cohort stands would not result. Rather, the simultaneous germination of individuals on open flood soils would produce single-cohort stands. Although the existence of multiple stump diameters has been taken as evidence of a multi-aged stand (e.g. Nobori *et al.*, 1997), the data from plantations in Japan demonstrate that single-cohort stands of similar canopy height can have a wide range of trunk diameters (see Table 21.4). We therefore contend that seedling physiology as reflected in germination and light tolerance is consistent with single-cohort stands subject to infrequent major disruptions or 'patch'-scale disturbances. However, seasonal flooding would produce new areas which could be rapidly colonized. This is suggestive of an evolutionary trend toward an invasive habit, exploiting riparian habitats where competition may have been lower in the past.

The thermotolerance of CO_2 uptake in *M. glyptostroboides* is fairly broad (see Figure 21.1A), and is consistent with the patterns of growth seen in planted specimens throughout the world (Kuser, 1982). This range of temperature is also consistent with the geographical extent of the fossil *Metasequoia* and the presumed range of palaeoclimate. This suggests that, at least for temperature, *M. glyptostroboides* is an adequate NLR. However, it also indicates that *M. glyptostroboides* is of limited use in predicting palaeoclimate. Certainly, it would be expected to perform poorly in subtropical and tropical environments. Water availability appears to be the primary determinant of habitat for this species (Kuser, 1982). In warm-temperate regions with adequate water supply, the tree performs remarkably well; for example, the tree on the NCSU campus (MAT = 15.4°C) is increasing in diameter by about 1.2 cm year^{-1} and the average rate at the Tanashi plantation (MAT = 13.7°C) is 5.8 mm year^{-1} (C.J. Williams, unpublished data). Presumably, carbon gain during the cooler spring and fall months offsets the losses associated with the peak summer temperatures in these locations. In contrast, the Napartulik trees grew only about 1.38 ± 0.52 mm year^{-1} (C.J. Williams, unpublished. data). Since water was unlikely to be limiting in the riparian environment at Napartulik, it seems reasonable to assume that the slow growth rates were a consequence of low temperatures.

The photosynthetic apparatus of *M. glyptostroboides* saturates at a relatively low level of light, approximately 1700 μE (see Figure 21.1B). Indeed, chlorophyll content declines with increasing light intensity (Ida, 1981b) and the pigment rhodoxanthin increases (Ida, 1981a; Czeczuga, 1987a), leading to a reddish cast in the upper leaves of the trees (personal observation). This pigment is normally an autumnal coloration (Ida, 1981a; Czeczuga, 1987b); it probably serves in a protective capacity during the summer, shading the chloroplast pigments. The low light saturation level is consistent with the evolution of the photosynthetic system under the reduced light levels above the Arctic circle; full-sun measurements in the Arctic are relatively low (see Table 21.3), but exceed the saturation value. A light saturation value greater than that actually experienced by the plant would represent an investment in unused photosynthetic materials and would likely be selected against as an unnecessary energetic cost. The performance under low light conditions is intriguing; it is conceivable that *Metasequoia* evolved in a foggy riparian environment. However, the high shoot convexity value (θ) is seemingly inconsistent with this scenario, as lower convexity values are thought to be related to more efficient absorbance of diffuse light (Leverenz, 1987) within the conifer shoot. The planar nature of the *Metasequoia* leaf, compared with the needle display of conifers with low convexity values, undoubtedly explains the θ value. Interestingly, the fact that the light saturation level is low, in spite of the modern species' distribution at low latitudes, suggests that the species has not experienced a strong selective pressure to adapt physiologically to alternate light regimes and may not have evolved much in other aspects either. It is worth noting that, in high light environments and at the top of trees, the leaf morphology changes, with the leaflets becoming substantially narrower (D.R. Vann, personal observation; see also Chapter 20). This response appears to be quite plastic in the modern species. Although there is an extensive, well-preserved litter layer at the Napartulik site, the fossil leaves seldom show such a narrow leaflet morphology (B. LePage, personal observation). This implies low light levels in the Eocene Arctic and that the modern species' primary response to light intensities at low latitudes is morphological, rather than physiological. Specific leaf area varies such that mass-based photosynthetic rates are similar in sun and shade leaves (see Chapter 20).

Alternately, the roughly three-fold increase in CO_2 uptake accompanying a three-fold increase in the CO_2 concentration of the cuvette input air stream (see Figure 21.1C) suggests that the plateau in the light response curve is not primarily a limitation in the carboxylation capacity of the cell. Instead, it implies a diffusional limitation. If this is true, it suggests that stomatal density may limit carboxylation efficiency (on a quantum basis). This may have arisen as a compromise between water loss and carbon uptake. Xie and co-workers reported that *M. glyptostroboides* has low drought tolerance and poor xylem hydraulic conductivity (Xie *et al.*, 1999a,b). Further experimentation is required to resolve this question. Presumably, with an adequate CO_2 supply, the light saturation value would increase, indicating that the photosystem's capacity is not saturated at current ambient CO_2 levels.

Plants that shed their leaves simultaneously on an annual basis are considered 'deciduous'; generally deciduous species are responding to a seasonal stress such as cold or drought. As the late Tertiary and much of the Quaternary are considered to have had relatively mild climates, without the large temperature fluctuations seen today at the higher latitudes, cold seems an unlikely candidate as the driving force behind deciduousness in *Metasequoia*, particularly as its evergreen relatives all tolerate frost (Sakai and Okada, 1971; Sakai, 1983). At higher altitudes and in cold lowland regions, evergreen taxa survive the winter in a state of suspended physiology. It has been argued that warmer temperatures could lead to substantial respiratory losses in the winter (Axelrod, 1984). If these losses cannot be replaced, as would occur during the polar night, the plants might not survive. This has not been explored extensively, although the results of Read and Francis (1992) were consistent with this idea.

Metasequoia apparently evolved near the Arctic circle during a period when lowland winter temperatures probably seldom went below freezing (Yang and Jin, 2000). It is therefore reasonable to ask whether the polar light seasonality could have been a driving force for the evolution of deciduousness in this species. To test this, we used the foliar biomass estimates derived for the Napartulik site (see Table 21.4) and the gas-exchange data to derive a coarse carbon budget for the canopy under various temperature scenarios. An 'average' tree at the Napartulik site was calculated to hold approximately 6580 g of foliage (see Table 21.4). Using an average foliage density of 60 g m^{-2} dw (D.R. Vann, unpublished data; see also Chapter 20 who provide a range from 30 to 90 gm m^{-2} dw), there is some 108 m^2 in the canopy foliage. Based on the photosynthetic rates determined above and using 3780 total hours of daylight (at 65°N latitude, for days with daylength longer than 5 h), a canopy of this size can fix a maximum of perhaps 8.8 kmol CO_2 year^{-1}. This figure assumes that the entire canopy is sunlit and fully functional. The actual value is likely considerably lower, as we do not consider a number of factors, such as the loss of photosynthetic capacity during senescence or the effect of rain or overcast weather. Carbon content of foliage is about 49%, so the amount of carbon in the foliage is 3.2 kg. Construction cost is some 30–50% (e.g. Baruch and Goldstein, 1999), therefore, the cost of rebuilding the foliage annually is around 0.4 kmol CO_2.

Based on the values given in the Results section, maintenance respiration rates for the leaf during mean growing season temperatures of 10, 15, 20 and 25°C would be 0.42, 0.51, 0.84 and 1.1 kmol CO_2 respectively. Dark season respiration at temperatures of 2, 5 and 10°C would amount to 0.11, 0.29 and 0.55 kmol CO_2 respectively. Based on these estimates, and using 0.4 kmol CO_2 as the canopy replacement cost, the 'break-even' temperature is somewhere around 7°C. This figure is a coarse estimate. It is reasonable, however, to expect that temperatures between 5 and 10°C would favour a loss of foliage during the dark months. This also assumes that the reserves are present in the plant. The total amount of carbohydrate required to support this respiration rate amounts to some 12% of the dry weight of the leaf, an unrealistic figure. Storage in other parts of the plant, such as the twigs, is possible, but translocation in the dark, without transpiration to assist, would require an additional energy expenditure. In any case, this analysis is also sensitive to latitude; during the portion of the year with 5 or more hours of daylight, total dark hours decrease with increasing latitudes; these hours accrue prior to and after the polar summer of continuous light. At the latitude where the sum of spring and autumn dark and light hours are equal, the total respiration requirements decline to the point where the foliage could presumably survive a warmer winter (about 8°C). This is an important result for evaluating the evolution of deciduousness as a physiological trait, as it constrains the environment under which this trait emerged. Winter temperatures below 5°C would appear to allow the retention of an evergreen habit, whereas warmer temperatures accompanied by prolonged dark periods represent a selection pressure towards deciduousness. This analysis does not examine whole-tree carbon balance; it is likely that competition for photosynthate from cambial respiration, below-ground growth and reserves for spring budbreak would reduce the balance to favour lower temperatures.

The logic of this result can be generalized to other species. It is consistent with the hypothesis that deciduous plants could have greater success at surviving and/or dominating in warm, dark winters. We cannot establish that dark winters initiated the deciduous trait; it could have existed prior to the migration of these species above the Arctic circle, where it provided a competitive edge over evergreen types. Applying the details of the rather naive analysis above to other species would not be appropriate. There is a large variation in the relationship between specific leaf area and photosynthesis, resulting in a spread of 'break-even' temperatures. Nonetheless, the general approach could work for other species. However, in all cases, the metabolic rates are so low below about 2°C, that it appears most species could survive, so cold, dark winters would not appear to be an important selective force. This is interesting in light of the fact that the majority of modern clades, in which deciduousness is present, evolved prior to the global cooling trends producing the modern temperate world.

As intimated above, it is possible that *Metasequoia* had already evolved the deciduous trait in response to drought (see Chapter 20). In this case, drought deciduousness could have been important in aiding the colonizing of Arctic habitats by *Metasequoia*. Different cues trigger drought-related leaf-fall compared with dark-deciduousness; based on the phenology of *Metasequoia*, it is responding to a seasonal light cue, probably short days. When it experiences drought, the plant generally responds with a loss of green shoots, rather than the normal senescent process. Considering the species' association with hydric environments and its large water storage capacity within the trunk, it seems unlikely that drought drove the development of deciduousness. Conceivably, *Metasequoia*'s ancestor might have become deciduous in response to a seasonally predictable dry period, triggered by a seasonal light cue. The true origin is unresolved at this time, but it has bearing on the other deciduous members of this clade, *Taxodium* and *Glyptostrobus*, as it is likely the trait evolved in the common ancestor. Each of these is strongly associated with wetland habitats and drought sensitivity.

In conclusion, the variables measured to date support the idea that *M. glyptostroboides* is very likely an example of evolutionary stasis and, as such, it is a good NLR. However, its rather broad climatic tolerance means it is not useful in reconstructing past environments, with the probable exception of indicating a moist habitat. In terms of the evolution of physiological parameters, there seems to be little evidence that this has occurred, as the plasticity of the modern plant would allow its success in all known fossil locations. This does not preclude ecotypic variations (*sensu* Fryer and Ledig, 1972) in the history of the genus, however, the modern form is most likely little changed from the dominant fossil form (*M. occidentalis*). The similarity of fossil and modern stand structure as affected by physiological constraints suggests that the past forests functioned in a similar manner and that sunlight duration does not affect this process. Finally, we provide physiological evidence supporting the hypothesis that evolution of deciduousness could have been driven by warm, dark winters at high (although not polar) latitudes.

Acknowledgements

We thank A.H. Johnson, P. Semonche and D. Liptzin for help in unearthing trees at Napartulik and A. Ikeda, T. Sweda, T. Kusakabe and H. Tsuzuki for assistance in the analysis of trees at the Japanese plantations. We gratefully thank the Andrew Mellon Foundation for financial support and the Canadian Polar Shelf Project for access and logistical support at Napartulik, as well as Tokyo University and Kyoto University for access to their plantations. This is PCSP contribution #00702.

References

Anderson K, LePage BA. 1995. Analysis of fossil resins from Axel Heiberg Island, Canadian Arctic. *American Chemical Society Symposium Series* **617**: 170–192.

Axelrod DI. 1984. An interpretation of Cretaceous and Tertiary biota in polar regions. *Palaeogeography, Palaeoclimatology, Palaeoecology* **45**: 105–147.

Baruch Z, Goldstein G. 1999. Leaf construction cost, nutrient concentration, and net CO_2 assimilation of native and invasive species in Hawaii. *Oecologia* **121**: 183–192.

Basinger JF. 1986. Our 'tropical' arctic. *Canadian Geographic* **106**: 28–37.

Basinger JF, Greenwood DR, Sweda T. 1994. Early Tertiary vegetation of Arctic Canada and its relevance to paleoclimatic interpretation. In: Boulter MC, Fisher HC, eds. *Cenozoic Plants and Climates of the Arctic*. New York: Springer-Verlag. 175–196.

Bell JF, Ek AR, Hitchcock III HC, Iles K, *et al.* 1984. Timber measurement. In: Wenger FW, ed. *Forestry Handbook*, 2nd edn. Toronto: Wiley-Interscience. 253–360.

Chaney RW. 1948. Redwoods in China. *Natural History Magazine* **47**: 440–444.

Czeczuga B. 1987a. Different rhodoxanthin contents in the leaves of gymnosperms grown under various light intensities. *Biochemical Systematics and Ecology* **15**: 531–533.

Czeczuga B. 1987b. Ketocarotenoids – autumn carotenoids in *Metasequoia glyptostroboides*. *Biochemical Systematics and Ecology* **15**: 303–306.

Falder AB, Stockey RA, Rothwell GW. 1999. *In situ* fossil seedlings of a *Metasequoia*-like taxodiaceous conifer from Paleocene river floodplain deposits of central Alberta, Canada. *American Journal of Botany* **86**: 900–902.

Francis JE. 1988. A 50-million-year old fossil forest from Strathcona Fiord, Ellesmere Island, Arctic Canada: evidence for a warm polar climate. *Arctic* **41**: 314–318.

Francis JE. 1991. The dynamics of polar fossil forests of Axel Heiberg Island, Canadian Arctic Archipelago. In: Christie RL, McMillan NJ, eds. *Tertiary Fossil Forests of the Geodetic Hills, Axel Heiberg Island, Arctic Archipelago*. Ottawa, Canada: Geological Survey of Canada. 29–38.

Francis JE, McMillan NJ. 1987. Fossil forests in the far north. *Geos* **16**: 6–9.

Fryer JH, Ledig FT. 1972. Microevolution of the photosynthetic temperature optimum in relation to the elevational complex gradient. *Canadian Journal of Botany* **50**: 1231–1235.

Hart JA, Price RA. 1990. The genera of the Cupressaceae (including Taxodiaceae). *Journal of the Arnold Arboretum* **71**: 275–322.

Hickey LJ. 1977. Stratigraphy and paleobotany of the Golden Valley Formation (early Tertiary) of western North Dakota. *Geological Society of America Memoir* **150**: 1–181.

Ida K. 1981a. Eco-physiological studies on the response of taxodiaceous conifers to shading with special reference to the behaviour of leaf pigments I. Distribution of carotenoids in green and autumnal reddish brown leaves of gymnosperms. *Botanical Magazine of Tokyo* **94**: 41–54.

Ida K. 1981b. Eco-physiological studies on the response of taxodiaceous conifers to shading with special reference to the behaviour of leaf pigments II. Chlorophyll and carotenoid contents in green leaves grown under different grades of shading. *Botanical Magazine of Tokyo* **94**: 181–196.

Irving E, Wynne PJ. 1991. The paleolatitude of the Eocene fossil forests of Arctic Canada. *Geological Survey of Canada Bulletin* **403**: 209–211.

Jordan GJ. 1997. Contrasts between the climatic ranges of fossil and extant taxa: causes and consequences for paleoclimatic estimates. *Australian Journal of Botany* **45**: 465–474.

Kuser J. 1982. *Metasequoia* keeps on growing. *Arnoldia* **42**: 130–138.

Kuser JE, Sheely DL, Hendricks DR. 1997. Genetic variation in two *ex situ* collections of the rare *Metasequoia glyptostroboides* (Cupressaceae). *Silvae Genetica* **46**: 258–264.

Kusumi J, Tsumura Y, Yoshimaru H, Tachida H. 2000. Phylogenetic relationships in Taxodiaceae and Cupressaceae sensu stricto based on *MATK* gene, *CHLL* gene, *TRNL-TRNF IGS* region, and *TRNL* intron sequences. *American Journal of Botany* **87**: 1480–1488.

Leverenz JW. 1987. Chlorophyll content and the the light response curve of shade-adapted conifer needles. *Physiologia Plantarum* **71**: 20–29.

Leverenz JW. 1996. Shade-shoot structure, photosynthetic performance in the field, and photosynthetic capacity of evergreen conifers. *Tree Physiology* **16**: 109–114.

MacGinitie HD. 1941. A middle Eocene flora from the central Sierra Nevada. *Carnegie Institute of Washington Publications* **534**: 1–94.

Mattheck C. 1991. *Trees: the Mechanical Design*. Berlin: Springer-Verlag.

McIntyre DJ. 1991. Pollen and spore flora of an Eocene forest, Eastern Axel Heiberg Island, N.W.T. In: Christie RL, McMillan NJ, eds. *Tertiary Fossil Forests of the Geodetic Hills, Axel Heiberg Island, Arctic Archipelago*. Ottawa, Canada: Geological Survey of Canada, 83–97.

McIver EE, Basinger JF. 1999. Early Tertiary floral evolution in the Canadian high arctic. *Annals of the Missouri Botanical Garden* **86**: 523–545.

Mosbrugger V, Utescher T. 1997. The coexistence approach – a method for quantitative reconstructions of Tertiary terrestrial palaeoclimate data using plant fossils. Palaeogeography, Palaeoclimatology, Paleaeoecology **134**: 61–86.

Nobori Y, Hayashi K, Kumagai H, *et al*. 1997. Reconstruction of a Tertiary fossil forest from the Canadian High Arctic using three-dimensional computer graphics. *Journal of Forest Planning* **3**: 49–54.

Oliver CD, Larson BC. 1996. *Forest Stand Dynamics*. New York: John Wiley & Sons, Inc.

Olson DF Jr, Roy DF, Walters GA. 1990. *Sequoia sempervirens* (D. Don) Endl. Redwood. In: Burns RM, Honkala BH, eds. *Silvics of North America*. Washington, DC: United States Department of Agriculture Forest Service, 541–551.

Read J, Francis J. 1992. Responses of some Southern Hemisphere tree species to a prolonged dark period and their implications for high-latitude Cretaceous and Tertiary floras. *Palaeogeography, Palaeoclimatology, Palaeoecology* **99**: 271–290.

Ricketts BD. 1991. Sedimentation, Eurekan tectonism and the fossil forest succession on eastern Axel Heiberg Island, Canadian Arctic Archipelago. In: Christie RL, McMillan NJ, eds. *Tertiary Fossil Forests of the Geodetic Hills, Axel Heiberg Island, Arctic Archipelago*. Ottawa, Canada: Geological Survey of Canada. 1–27.

Sakai A. 1983. Comparative study of freezing resistance of conifers with special reference to cold adaptation and its evolutive aspects. *Canadian Journal of Botany* **61**: 2323–2332.

Sakai A, Okada S. 1971. Freezing resistance of conifers. *Silvae Genetica* **20**: 91–97.

Sargent CS. 1965. *Manual of the Trees of North America*. New York: Dover Publications.

Struzik E. 1999. Requiem for a fossil forest. *Canadian Geographic*: 43–48.

Tidwell WD. 1998. *Common Fossil Plants of Western North America*. Washington, DC: Smithsonian Institution Press.

Vann DR, Palmiotto PA, Strimbeck GR. 1998. Allometric equations for two South American conifers: test of a non-destructive method. *Forest Ecology and Management* **106**: 55–71.

Whittaker RH, Bormann FH, Likers GE, Siccama, TG. 1974. The Hubbard Brook ecosystem study: forest biomass and production. *Ecological Monographs* **44**: 233–254.

Wing SL, DiMichele WA. 1992. Ecological characterization of fossil plants. In: Behrensmeyer AK, Damuth JD, DiMichele WA, *et al*. eds. *Terrestrial Ecosystems through Time: Evolutionary Paleoecology of Terrestrial Plants and Animals*. Chicago: University of Chicago Press, 139–180.

Wing SL, Greenwood DG. 1993. Fossils and fossil climate: the case for equable continental interiors in the Eocene. *Philosophical Transactions of the Royal Society of London, Series B* **341**: 243–252.

Wolfe JA. 1978. A paleobotanical interpretation of Tertiary climates in the northern hemisphere. *American Scientist* **66**: 694–703.

Wyman D. 1970. The complete *Metasequoia* story. *American Nurseryman* **131**: 12, 13, 28–30, 36.

Xie Y, Shen H, Luo A. 1999a. A study on the water relations parameters of seedlings of four conifer species in the south of China under water stress. [Chinese]. *Journal of Nanjing Forestry University* **23**: 41–44.

Xie Y, Shen H, Luo A, Zhu X. 1999b. A study on the physiological indexes of drought-resistance in seedlings of seven afforestation tree species in the south of China. [Chinese]. *Journal of Nanjing Forestry University* **23**: 13–16.

Yang H, Jin J. 2000. Phytogeographic history and evolutionary stasis of *Metasequoia*: geologic and genetic information contrasted. *Acta Paleontologica Sinica* **39**: 288–307.

22

Adaptive ancientness of vascular plants to exploitation of low-nutrient substrates – a neobotanical overview

Christopher N Page

CONTENTS

Introduction

Several living families of ferns have taxonomic fossil lineages which date back at least into the Lower Mesozoic (e.g. Osmundaceae, Dicksoniaceae, Matoniaceae, Dipteridaceae) or even into the Palaeozoic (Marattiaceae, Schizaeceae) (Cleal, 1993; Collinson, 1996; Rothwell, 1996a,b; van Konijnenburg-van Cittert, 1999). Various conifer groups (Rothwell, 1982; Page, 1990) as well as clubmosses of the living families Lycopodiaceae and Selaginellaceae (Thomas, 1992) also date back to the Palaeozoic, as do the Equisetaceae, whose sole living genus *Equisetum* has been suggested to have even changed little since that time (Page, 1972a). Indeed, some whole extant fern floras are ancient: that

The Evolution of Plant Physiology
ISBN 0–12–33955–26

of the Canary Islands is an intact fern flora of Miocene age (Page, 1973), that of southern Siberia, though modified by later glacial influences, contains elements which appear to originate from the Cretaceous (Gureyeva, 2001). Among living pteridophytes, ancient elements as well as modern elements often coexist (e.g. Stewart and Rothwell, 1993). In the 1970s, I had the honour (so far as I can work out) of first appropriating the word 'diversity' into biology (Page, 1979a). Similarly, for convenience of reference, a new single phrase is needed for all of these ancient living vascular plants (from pteridophytes to conifers) – as there is no comprehensive taxonomic term. These are here collectively christened Ancient Living Vascular Plants or ALVPs for short (the 'OAPs' of the plant world).

The operation and dynamics of ecological strategies by which these ALVPs have succeeded in achieving their long-term survival, as well as widespread adaptive diversity, have been identified using evidence gained from the living members of these ancient groups, combining observations from field, whole-plant experimental cultural and laboratory approaches (Page, 1979a,b, 1990, 1997b, 2002a and b). This chapter outlines fundamental but little-researched aspects of the edaphic adaptations of ALVP clubmosses, horsetails, ferns and conifers, concentrating on the potential of many, on a global basis, for colonization of substrates characterized by usually direct mineral surfaces of permanently low-nutrient availability and often also of acute nutrient disequilibrium.

These adaptations enable many ALVPs today to continue to exist in sites in which they show exceptional abilities at 'doing without', reflecting extremely efficient standards of nutrient management. In consequence, these abilities enable these ALVPs to occupy diverse edaphically marginal habitats for which today most other modern plant competition is necessarily low. They effectively avoid encountering the many more vigorous competitors that would be more dangerously confronted within almost all more nutrient-rich, more mesic habitats, and the presence to this day of so many ALVPs in such low-nutrient sites remains a stringent test of the efficacy of this strategy for long-term survival.

The modern array of low-nutrient habitats

The term 'low-nutrient habitats' here encompasses all habitats which are, by their very nature, far from being nutrient-rich. Many, but not all, are the direct results of the dynamics of Earth Science processes and involve exposures of largely mineral terrains, with little previous amelioration by climatic or biological agents. Others are added to by biological activity, such as nutrient-poor peat surfaces and bark-surface epiphytic habitats. Among the total of nutrient-poor habitats arising, two broad regimes of tolerance types exist widely among ALVPs. These are tolerance of:

1. regimes of low-nutrient levels *per se*, in which the great majority of mineral elements are either lacking or in very short supply (e.g. the majority of exposed mineral surfaces, peats and plant bark surfaces)
2. regimes of low-nutrient levels of essential mineral elements, but in which non-essential mineral elements may additionally occur in excess, some of which may be regarded as generally toxic (e.g. mineral surfaces containing heavy metal loadings).

Within each of these regimes, field evidence suggests that there are many variations of mineral availability, combination and quantity, which overall determine the habitats to which suites of ALVP species are differentially able to tolerate, while availability of moisture regimes and habitat accessibility to propagules (e.g. epiphytic sites) further prescribes the groups of plants differentially exploiting them.

The suites of habitats of low-nutrient levels *per se* are especially widespread. Beside the epiphytic habitats (noted above), they include such sites as lowland sand-plains and innundated sand, clay and gravel streamsides and basins, intrinsically nutrient-poor sandy heathlands and savannahs, and leached soils such as laterites. Some of these habitats are ones also associated with wildfire regimes. In upland areas, widely occurring sites include a great variety of direct erosion-surface mineral exposures of most rocks of all types in virtually all climates, forming cliffs, screes, slump, slide and landslip surfaces, newly formed volcanic outpourings, ash and ejecta surfaces and, additionally, in the wet tropics, especially high mountain rocky summits, ridges and saddles, where gleyed clay ridges result. Ecologically, many of these seem remarkably little studied. For example, mountain summit ridges and saddles form habitats which contain (typically dominantly, Page, 1979a) special suites of ALVPs suggesting these to be among the most extreme in mineral deficiency anywhere.

The suites of habitats in which low-nutrient levels of essential mineral elements combine with toxic non-essential mineral element availability (mineral overload habitats) require further physiological abilities for toleration of such excesses. Such habitats occur where potentially toxic rock types of high mineral-yielding ability occur (and especially where metalliferous elements are yielded). In wild sites at all altitudes, these can include cliffs, major landslip surfaces, landslide debris fans, scree slopes and appropriate post-volcanic disturbance sites. Particularly toxic are the minerals of naturally surface-exposed ultramafic peridotite (volcanic) and serpentine (metamorphic) rock types, in which manganese, cobalt, nickel and chromium typically occur and whose mineral excesses of these elements often combine with simultaneous deficiencies of calcium. Other less toxic habitats, but in which mineral excesses play a particularly species-selective role, are those where calcium or magnesium are particularly high, such as in carboniferous or dolomitic limestones respectively. Man has locally added greatly to the surface occurrence of some of these in the form of discarded minespoil tailings, particularly where workable metal-containing ores occur (e.g. zinc, lead, copper, tin, cadmium and strontium), with discarded mine-tailing exposures still with toxic amounts of metals present also often containing arsenic and sulphurous compounds. In all, the exact mineral excesses involved clearly depend on the rock type itself, its chemical constitution, levels of mineral overload and the rate at which such excesses of minerals are yielded under the occurring climatic conditions.

Whether the sites are merely especially low-nutrient *per se*, or are ones of potentially toxic high mineral overload levels, and whether the habitats are wild or man-made, all these sites present surfaces exposed to potential colonization by arriving ALVP propagules, including wind-borne seeds of conifers and, especially, the highly mobile airborne spores of pteridophytes. Such immigrant seeds and spores have the potential to arrive from the earliest stages of new rock-surface exposures following disturbance events (such as landslides, but also smaller disturbance-event mosaics), when exposure surfaces are particularly fresh. These immigrant propagules include chance arrival of 'unadapted' species arrays from potentially long-distance sources (notably so in Pteridophyta), or from other existing 'adapted' species already occurring on other nearby rock exposures. In each, as mineral susbstrates vary, local selection for particularly closely-adapted populations undoubtedly applies critical selection pressures, and close experimental investigation of this across an array of ALVPs and their habitats is much needed.

The modern diversity of ALVP colonists of low-nutrient habitats

Taxonomic distribution

Wide arrays of ALVP species from diverse families are today specialist colonists of many low-nutrient sites under both temperate and tropical conditions. There can be considerable specializations of life-form between different ALVPs exploiting these relatively demanding situations and often different taxonomic groups target specific suites of habitats.

On the basis of personal verification in the field (and, for most genera, experience too of experimental cultivation of the same material), the taxonomic spectrum of extant low-nutrient-tolerant ALVPs by genera is presented in Table 22.1.

From Table 22.1 it can be seen that *at least 85 genera of pteridophytes* (19% of 414 total pteridophyte genera recognized by Crabbe *et al.*, 1975) and *at least 19 genera of conifers* (27% of 68 total conifer genera recognized by Page, 1990) are identified here as possessing species which are tolerant of growth on low-nutrient substrates. *This is a total of 104 of 482 genera of extant pteridophytes and conifers together (= 21%).* In the list, Cycadaceae (s.l.), Gnetaceae and Ephedraceae (although they are ALVPs) are excluded on the basis of lesser direct personal experience. Were these to be included also, my estimate is that it is likely that all cycad genera with the exceptions of *Bowenia* (tropical Australia) and *Stangeria* (tropical South Africa) would additionally qualify to be included, as would virtually all Ephedraceae. This would enhance still further the trend already identified among pteridophyte and conifer ALVPs for which I have more comprehensive field evidence.

From these wild habitat indicators, if I were to look for the greatest extremist tolerators of low-mineral nutrition availability in this list, I would single out the following: *Lycopodium* (Lycopodiaceae), *Lycopodiella* (Lycopodiaceae), *Huperzia* (Lycopodiaceae), *Equisetum* (Equisetaceae), *Schizaea* (Schizaeaceae), *Gleichenia* (Gleicheniaceae), *Sticherus* (Gleicheniaceae), *Dicranopteris* (Gleicheniaceae), *Platyzoma* (Platyzomataceae), *Stromatopteris* (Stromatopteridaceae), *Lindsaea* (Lindsaeaceae), *Sphenomeris* (Lindsaeaceae), *Schizoloma* (Lindsaeaceae), *Syngramma* (Lindsaeaceae), *Matonia* (Matoniaceae), *Dipteris* (Polypodiaceae), *Widdringtonia* (Cupressaceae), *Cupressus* (Cupressaceae), *Actinostrobus* (Cupressaceae), *Callitris* (Cupressaceae), *Neocallitropsis* (Cupressaceae), *Austrocedrus* (Cupressaceae) and *Pinus* (Pinaceae).

Habitat distribution

Not all ALVPs occur today in low-nutrient habitats, for many have adopted life-forms which enable them to avoid excesses of vegetative competition in other ways. However, the above significant numbers of ALVPs do, and both the taxonomic and habitat diversity of these reflected in the above section, is considerable. In terms of overall habitat trends among ALVPs which do have members which occur in low-nutrient habitats, pterido-phytes usually predominate today where such low-nutrient habitats occur in moister cli-mates at all latitudes, but with special diversity in the wet tropics, often reaching their zenith at mid-mountain altitudes (Page, 1979a,b). There are, however, some ALVP fern genera (notably the monotypic *Platyzoma* in Australia and *Stromatopteris* in New Caledonia) which occupy particularly sub-desert terrains. More widely, however, conifers and then cycads occur in progressively drier low-nutrient sites, with conifers in both temper-ate and tropical conditions (and especially in tropical montane habitats, but also in dry Mediterranean ones) and cycads in mainly dry, high-light tropical ones.

Epiphytic sites are chiefly dominated, among ALVPs, by many ferns and a few club-mosses, which gain rapid access through the high mobility of their airborne spores. All (and

Table 22.1   The taxonomic spectrum of ancient living vascular plant (ALVP) genera each with at least some species able to occupy low-nutrient sites

Clubmosses
Selaginella (Selaginellaceae)
Huperzia (Lycopodiaceae)
Lycopodium (Lycopodiaceae)*
Lycopodiella (Lycopodiaceae)
Phylloglossum (Lycopodiaceae)

Horsetails
Equisetum (Equisetaceae)

Ferns
Ophioglossum (Ophioglossaceae)*
Osmunda (Osmundaceae)
Todea (Osmundaceae)
Leptopteris (Osmundaceae)
Schizaea (Schizaeceae)
Lygodium (Schizaeceae)
Gleichenia (Gleicheniaceae)**
Sticherus (Gleicheniaceae)
Dicranopteris (Gleicheniaceae)**
Platyzoma (Platyzomataceae)
Stromatopteris (Stromatopteridaceae)
Hymenophyllum (Hymenophyllaceae)*
Trichomanes (Hymenophyllaceae)*
Didymoglossum (Hymenophyllaceae)*
Culcita (Dicksoniaceae)
Dennstaedtia (Dennstaedtiaceae)
Microlepia (Dennstaedtiaceae)
Lindsaea (Lindsaeceae)
Sphenomeris (Lindsaeceae)
Schizoloma (Lindsaeceae)
Syngramma (Lindsaeceae)
Hypolepis (Hypolepidaceae)
Pteridium (Hypolepidaceae)
Histiopteris (Pteridaceae)
Pellaea (Pteridaceae)
Cheilanthes (Sinopteridaceae)
Actiniopteris (Cryptogrammaceae)
Cryptogramma (Cryptogrammaceae)
Onychium (Cryptogrammaceae)
Hemionitis (Gymnogrammaceae)
Pityrogramma (Gymnogrammaceae)
Davallia (Davalliaceae)*
Scyphularia (Davalliaceae)*
Humata (Davalliaceae)*
Oleandra (Oleandraceae)*
Nephrolepis (Oleandraceae)*
Arthropteris (Oleandraceae)*
Rumohra (Aspidiaceae)*
Elaphoglossum (Aspidiaceae)*
Doodia (Blechnaceae)
Blechnum (Blechnaceae)

Ferns *(Continued)*
Asplenium (Aspleniaceae)
Pleurosorus (Aspleniaceae)
Matonia (Matoniaceae)**
Phanerosorus (Matoniaceae)
Dipteris (Polypodiaceae)**
Cheiropleuria (Polypodiaceae)
Platycerium (Polypodiaceae)*
Polypodium (Polypodiaceae)*
Goniophlebium (Polypodiaceae)*
Dictymia (Polypodiaceae)*
Syngramma (Polypodiaceae)*
Pleopeltis (Polypodiaceae)*
Microgramma (Polypodiaceae)*
Phlebodium (Polypodiaceae)*
Lemmaphyllum (Polypodiaceae)*
Belvisia (Polypodiaceae)*
Pyrrosia (Polypodiaceae)*
Microsorium (Polypodiaceae)*
Leptochilus (Polypodiaceae)*
Colysis (Polypodiaceae)*
Aglaomorpha (Polypodiaceae)*
Merinthosorus (Polypodiaceae)*
Drynaria (Polypodiaceae)*
Lecanopteris (Polypodiaceae)*
Crypsinus (Polypodiaceae)*
Selliguea (Polypodiaceae)*
Grammitis (Grammitidaceae)*
Antrophyum (Vittariaceae)
Vittaria (Vittariaceae)*

Conifers
Araucaria (Araucariaceae)
Pinus (Pinaceae)
Larix (Pinaceae)
Actinostrobus (Cupressaceae)
Cupressus (Cupressaceae)
Austrocedrus (Cupressaceae)
Diselma (Cupressaceae)
Callitris (Cupressaceae)
Juniperus (Cupressaceae)
Microbiota (Cupressaceae)
Neocallitropsis (Cupressaceae)
Tetraclinis (Cupressaceae)
Dacrydium (Podocarpaceae)
Manoao (Podocarpaceae)
Lepidothamnus (Podocarpaceae)
Microcachrys (Podocarpaceae)
Microstrobos (Podocarpaceae)
Taxus (Taxaceae)
Pseudotaxus (Taxaceae)

Those genera marked with an asterisk (*) include members with notable epiphytic tolerances. Those marked with paired asterisks (**) include extreme terrestrial specialists of tropical high mountain summit and ridge environments.

especially ferns) predominate under conditions of frequent rainfall and diminish in species numbers in progressively drier epiphytic sites. The genera containing epiphytic species of clubmosses or ferns are those most likely to include the widest arrays of individual taxa most tolerant of overall low mineral levels, but not necessarily tolerant of high availability of other mineral elements. In the wild, subtle differences among tolerances of epiphytic taxa, especially in the tropics, are reflected in the tendency for different pteridophyte epiphytes either to be generalist or more narrowly specialist species as far as preferred host-tree habitat selection is concerned and complex arboreal species-habitat niche mosaics exist (Gardette, 1996; Page, 2002b). Some epiphytic genera additionally show unusual, sometimes bizarre, structural adaptations to modest natural enhancement of arboreal mineral scavenging, such as production of morphological adaptations to intercept and subsequently compost falling leaves (e.g. *Platycerium*, some *Asplenium*), or to form associations with animals and receive detritus (notably from ants, for which specialist myrmecophilous fern genera such as *Lecanopteris* (extant Old World tropics) and *Solanopteris* (extant New World tropics) represent extreme adaptations).

In exposed rocky habitats, many ALVPs exist. These include especially ferns and conifers, each with suites of unrelated genera adapted to tolerance not only of the rock types outcropping, but also of the physical constraints of these habitats which include exposure to frequent and irregular droughts. Within both ferns and conifers, further taxonomic specialists occur with adaptations to rock types in which other great mineral excesses additionally occur. These are usually adaptee species from within existing rock-inhabiting specialist genera and related to ones tolerant of other mineral-poor habitats but with less toxic mineral overloads. Unusual rock types, including metal-loaded ones, such as ultramafic rock sites, provide habitats for specialist species of many ALVP genera either of pteridophytes or conifers (e.g. Wherry, 1920; Ishizuka, 1961; Krukeberg, 1964; Yoshioka, 1974; Jaffre, 1980, 1995; Sleep, 1985; Jaffre *et al.*, 1987; Jaffre and Veillon, 1990; Page and Hollands, 1987; Page, 1999 and in press a,b). These extraordinary nutrient-poor mineral disequilibrium sites clearly require unusual degrees of tolerance which can be highly taxon-specific.

In free-draining almost purely sandy soils, sometimes with acidic peat horizons, as well as in essentially rocky habitats, conifers often predominate. Such sandy soils today mostly carry members of the families Pinaceae and Cupressaceae in the northern hemisphere and Cupressaceae and Podocarpaceae in the southern hemisphere, sometimes with specialist Schizaeceae and Lycopodiaceae. Additionally, dry rocky habitats globally are occupied extensively by members of virtually all conifer families including Araucariaceae, and there may be also a number of specialist ferns. One of the most extensive of such areas of such habitats is across the south-eastern and eastern lowlands of the USA, where substantial pine-dominated savannahs occur. Here, soils and rocky substrates, which are acid and low in nutrients (Little, 1979), are especially widespread. Extensive areas are dominated by Loblolly Pine (*Pinus taeda* L.) and Shortleaf Pine (*P. echinata* Mill.), while some of the most apparently nutrient-poor extremes I have seen anywhere are the habitats of Sand Pine (*Pinus clausa* Vasey) in coastal white sands of the Florida panhandle and of Hard Pine (*P. rigida* Mill.) dominating the 'Pine Barrens' of the New Jersey coastal plain.

Fireburn habitats, often themselves occurring in already low-nutrient terrains which are also dry, such as sand plains and rocky surfaces (above), are sites to which many conifers and various pteridophytes characteristically contain locally-adapted species (often evolved from other non fire-adapted local species groups). Among conifers, these especially include *Pinus* (with other genera occurring more locally) and *Araucaria* and *Callitris* (in the southern hemisphere). Among pteridophytes there are a number of genera recorded in fire-climax vegetation, including, in sub-Saharan Africa especially, species of *Actiniopteris*, *Adiantum*, *Anemia*, *Aspidotis*, *Cheilanthes*, *Mohria*, *Pellaea* and *Lycopodium* (Kornas, 1978) and in Queensland especially species of *Adiantum*, *Blechnum*, *Doodia*, *Cheilanthes*, *Cyclosorus*, *Dicranopteris*, *Gleichenia*, *Lastreopsis* and *Schizaea* (Page, personal observations). Globally *Pteridium* occurs especially widely in such fireburn habitats and, unusually, has the ability to pioneer ash-burn surfaces of high potash levels and highly alkaline pH, metamorphosing to become an acidophilous plant once its rhizomes penetrate beyond the initial ash surface layers (Page, 1986).

Low-nutrient poor clay and gravel sites, especially in temperate zones, often typical of areas of glacial retreat, can form habitats for ALVP clubmosses (especially where eventually overlain by acidic peats) or for horsetails (usually on direct mineral surface exposures). Today the former group often extends in such sites abundantly to nutrient-poor mountain summit habitats, both in high temperate latitudes and on mountain ranges in the tropics, such as those of the Andes (Olgaard, personal communication), while ALVP horsetails are most abundant in such sites in lowland areas, where they can be especially rapid colonizers of such newly-exposed mineral surfaces (Page, 1967). For horsetails, the mineral significance of such nutrient-poor sites is further complicated by the over-riding requirements of all members of this plant group for sites which also contain both adequate available bases (usually calcium) as well as abundant available silica – an element integral in the structuring of all aerial parts (Page, 1972b). No horsetails succeed (nor probably ever have) as true epiphytes (though they might theoretically have existed as scandent climbers), since the necessity for this unusual mineral combination clearly requires maintenance of permanent root contact with the ground.

On directly nutrient poor edaphic sites characterized by erosion-regimes and constant surface moisture downwash such as today on high-mountain saddles of tropical mountains, pteridophytes, but not usually conifers, gain the necessary up-slope access and so these nutrient-poor habitats are typically dominated by ALVP ferns. Of these, unrelated plants of surprisingly large size and often surface-creeping rhizomes with notably sprawling and often rampant frond habits are especially characteristic, with tough growth structure forming ridge-top fern thickets typically yielding much outwash debris. Characteristic genera are the ALVP ferns *Gleichenia*, *Dicranopteris*, *Dipteris*, *Matonia* and *Christensenia*. Species of *Lycopodium*, especially *L. cernuum*, are occasionally present.

Surfaces of volcanic rocks have their own, usually peculiar, suites of colonizing ALVPs, especially ferns and sometimes horsetails. To what degree volcanic lava, ash and other ejecta surfaces represent low-nutrient ones clearly depends on many factors, since such volcanic outpourings have the repute of often eventually giving rise to highly fertile soils. Yet it is, however, at the earliest stages of post-cessation activity by the volcanic source itself that diverse ALVP components today, most especially, achieve pioneering vegetational roles in the arising low-competition habitats. At these stages, the substrates have weathered relatively little, and most nutrients would appear to be highly unavailable. Examples of such pioneer ALVPs thus occur in many geographically-scattered volcanogenic habitats. These can include both conifers and pteridophytes, the proportions dictated by colonization intervals and, especially, by geographic location of continentality versus oceanicity. For example, I have recorded the conifers *Thujopsis dolabrata* Sieb. & Zucc. and *Picea polita* Carr. colonizing such sites in Honshu, Japan, where these trees eventually re-form substantial forests. But where volcanogenic disturbances occur far from such seed sources, and especially so on oceanic islands, then promoted by the high access-mobility of airborne spores, contingents of unrelated pteridophyte genera are usually the colonists. Fern genera I have seen so-behaving in the field (Canary Islands, Mauritius, Hokkaido, Yakushima, Philippines, New Zealand, Western Samoa, Hawaii, Cascades, Chile) are: *Arthropteris, Asplenium, Blechnum, Cheilanthes, Cibotium, Davallia, Dryopteris, Elaphoglossum, Humata, Hypolepis, Lygodium, Microgramma, Microsorium, Nephrolepis, Notholaena, Odontoloma, Ony-chium, Pellaea, Phymatodes, Phymatosorus, Pityrogramma, Platycerium, Polypodium, Psilotum, Pteridium, Pteris, Pyrrosia, Sadleria, Sphenomeris* and the fern allies *Selaginella, Lycopodium* and *Equisetum* (Page, 1979a *et seq.*, but only those with multiple or extensive occurrences are included within the main list here). Further, *Dicranopteris, Gleichenia* and *Sticherus* usually occur on more degraded lavas and some of these and other genera (e.g. *Christella, Cyclosorus, Doodia, Histiopteris, Hypolepis*) colonize and may persist in the inclement (poor and often sulphur-laden) terrain around hot-spring sites (e.g. Parris, 1976). Similar observations recording ferns to be early colonizers of lava flows and other vol-canogenic surfaces have been made by a number of authors in other localities (e.g. Gates, 1914 (Philippines); McCaughety, 1917 (Hawaii); Hartt and Neal, 1940 (Hawaii); Beard, 1945 (W. Indies); Crookes, 1960 (Rangitoto); Fosberg, 1967 (Hawaii and Galapagos); Eggler, 1971 (Hawaii); Uhe, 1974a–c (Kermadec Is., Savai'i and Tonga); Yoshioka, 1974 (Miyakejima and Sakurajima Is.); Benl, 1976 (Cameroons); Spicer *et al.*, 1985 (Chiapas, Mexico). Some of these colonists (e.g. *Nephrolepis biserrata* (Sw.) Schott in Western Samoa) I found freely colonizing lava surfaces of as little as 30 years of age, and *Equisetum arvense* L. (Spicer, personal com-munication) established on bare ash-fall deposits within the Mt St Helens blast zone in a con-siderably shorter period than this. On the island of Krakatau where the post-eruptive succession has been particularly well documented (Treub, 1888; Ernst, 1908; Turrill, 1935; Docters van Leeuwen, 1936), eleven species of ferns were firmly established on explosion breccia within as little as three years of its August 1883 cataclysmic eruption.

Within each of these general habitat types, further factors then govern the actual species of ALVPs which are present. A very few species of ALVPs, almost exclusively ferns, seem able occasionally to exchange between some (albeit usually a limited array) of these habitats and these usually occur between certain epiphytic and rock-exposure faces of relatively low mineral-yielding rocks. Mostly, however, suites of species are characteristic of one type of site and not found in another. The frequency of occurrence and taxonomic diversity of ALVPs in all of these low-nutrient habitat-roles today, with subtle differences between sometimes related taxa and their adaptations and niches within suites, and major taxo-nomic, habit and consequent differences in taphronomic potential between suites, almost certainly indicates that there have been similar occupations with similar differences in pteridophytes in many palaeo-settings throughout land-plant evolutionary time.

It is significant that several terrestrial groups of clubmoss and ancient fern species present in the palaeo-record survive today especially as residents of extreme tropical mountain ridge habitats, of which on personal experience, *Gleichenia, Dicranopteris, Matonia, Dipteris* fall closely within this most edaphically exacting modern habitat category.

Responses to cultivation

Experiences of exposure of a great array of globally wild-sourced low-nutrient tolerant ALVPs to experimental cultivation not only endorse that observed ecological abilities have a physiological basis, but that species, though sometimes flexible in response, are more often especially closely attuned to both tolerance and often optimization of growth under regimes of the low levels of mineral availabilities actually occurring in their wild habitats. If artificially exposed to high-nutrient availability, most fail to show significant growth-enhancement response, failing completely to accommodate to enhanced nutrient availability, even at levels which would be regarded as mesic by general flowering plant standards. Under such conditions, rapid death usually ensues, even when, under experimental conditions, they are protected from the effects of competition for these habitats from other plants more demanding of these conditions. One can only conclude that, in the great majority of cases, their physiology is specifically attuned to high-nutrient deficiency and exposure to anything better presumably causes what I can only describe as 'nutrient shock'. (It would be rather analogous to putting high-octane aviation fuel into an old Landrover in the hope of going faster cross-country, and finding the engine merely explodes as a result.)

In fact in ALVPs, the responses tend to vary subtly (but with apparently substantial ecological consequences) between suites of species (whether closely interrelated or not), but often showing close similarities of response when from similar originating habitats. For example, the genera containing epiphytic species of clubmosses or ferns are those most likely to include individual taxa most tolerant of overall low mineral levels, but not necessarily tolerance of any more than extremely modest levels of further nutritional application. Such plants respond successfully in cultivation to culture usually only on low nutrient substrates and, once established, can be horticulturally nutrient-fed (e.g. N–P–K) only at *extremely modest levels*. Greater feeding concentrations kill them rapidly. In the case of epiphytes, such modest tolerated nutrient levels in experimental cultivation presumably approximate to equivalents of available levels of such substances in the wild, through leachates, through leaf-composting strategies of large 'tank' epiphytes (Page, 1979a,b), and incoming animal debris and droppings, such as those of colonizing ants (e.g. *Azteca* spp., Janzen, 1974).

At an even greater extreme, ground-rooted genera from tropical high mountain-ridge habitats (e.g. the fern genera *Gleichenia*, *Matonia*, *Christensenia*, *Dipteris*, which can be large and deceptively luxuriant plants in the wild), are especially sensitive to virtually any imposed feeding regimes in cultivation, to the extent that it is difficult to devise edaphic conditions which are sufficiently poor on which to grow them (most feed-free composts as well as bracken-peat have been tried as substrates with varyingly low degrees of success and perannation, and even expanded polystyrene has been tried!).

These observations suggest the existence of underlying physiological mechanisms in many ALVPs (and especially pteridophytes) of appropriate habitats which are:

1. exceptionally efficient in nutrient management by general flowering plant standards, and which
2. become effectively 'saturated' at quite low, sometimes extremely low, levels of nutrient availability.

Further, the additional habitat category of low-nutrient tolerant plants from toxic mineral rock sites clearly must have other physiological mechanisms for tolerance of the excesses of toxic mineral overload. Cultural experience of the relatively few ALVPs from these sources which have been tried, has so-far produced varied results with different genera, suggesting that here wide differences in potentials and responses may exist. For example, some temperate conifer species exclusively from wild ultramafic soils prove difficult if not impossible to grow in cultivation. These include *Pinus sabiniana* Dougl. which I seed-sampled from ultramafic rocks in California (when samples of nearby non-ultramafic *Pinus coulteri* D. Don. from the same climate grew successfully) and *Picea glehnii* Voss. which I seed-sampled from ultramafic rocks in Hokkaido (when nearby non-ultramafic *Picea jezoensis* Carr. seed-sampled from non-ultramafic rocks in the same climate grew vigorously). Further, even within-species there appear to be populational contrasts: preliminary experiments showed that *Asplenium adiantum-nigrum* L. ferns spore-sampled from ultramafic (serpentine) sources on the Lizard, Cornwall, grew well in cultivation on their native rocks but less successfully on non-ultramafic rocks, while cultures from parental populations on nearby non-ultramafic (shale) rock sources grew well on their own rock types but not at all on the ultramafic ones. These data help to explain the exclusive confinement of these ALVPs to their respective rock types in the wild, and the evolution of obligate physiological adaptations seem indicated in these cases.

However, by contrast, several ALVP genera of tropical conifers (e.g. *Neocallitropsis araucarioides* (R.H. Compton) Florin, *Dacrydium araucarioides* Brongn. & Gris, *Dacrydium guillauminii* Buchholz, *Retrophyllum minor* (Carr.) C.N. Page, *Agathis ovata* Warburg) which I seed-sampled from wild trees growing on peridotite rock exposures in New Caledonia (Page, 1999, in press b), proved to grow successfully in cultivation on regular horticultural compost substrates, where they also tended to show far more rapid rates of growth than in the wild. Here, at least for these plants, the evolution of physiological adaptations to these relatively exacting terrains would seem to be facultative. However, by contrast, the ALVP fern *Stromatopteris*, growing in association with *Dacrydium araucarioides*, failed to respond at all to attempts to grow it in cultivation. This seems to suggest that different evolutionary pathways of evolution of low-mineral nutrition levels and tolerance of other elements in excess have been involved, even between different ALVP members co-associated today in the same habitat!

Discussion

The success and diversity which pteridophytes and conifers have evolutionarily achieved in all habitats through time has been especially indicated from a palaeobotanic perspective by Seward (1933), Harris (1976), Miller (1976, 1977, 1982), Edwards (1980), Taylor (1981), Galtier and Scott (1985), Scott and Galtier (1985), Thomas (1985, 1986), Thomas and Spicer (1987), Rothwell (1982, 1987, 1996a,b), Stockey (1989), Collinson (1990, 1996, 2002), Stewart and Rothwell (1993), Taylor and Taylor (1993), Bateman (1994), Galtier and Phillips (1996) and DiMichele and Philips (2002). The surviving diversity of extant pteridophytes, including many aspects of their ecology, has been presented especially by Bower (1923), Verdoorn (1938), Holttum (1938, 1968), Copeland (1907, 1947), Jermy *et al.* (1973), Lovis (1977), Dyer (1979), Page (1979a,b, 1987), Tryon and Tryon (1982), Dyer and Page (1985), Camus *et al.* (1996), and that of conifers especially by Florin (1940, 1963), Page (1990), Enright and Hill (1995), Farjon (1998) and Richardson (1998). Attempts to analyse the ecological strategies by which this long-term survival has been achieved have been made for pteridophytes and conifers from a neobotanical perspective (Page, 2002b and a respectively). From the latter evidence it is clear that the living plants can provide information about the strengths of the abilities of these plants, many unique to them and to their life cycles, life styles and natural history, which would not have been easy to deduce or necessarily even possible to perceive, from examination of fossil material alone. On the other hand, the fossil material provides a factual basis of morphology in time and space and (often) some indications of habitat, against which to compare ideas formulated from extant material. Collinson (1996: 350), appropriately described the role of fossils as 'providing a time dimension for almost all aspects of interest in modern material'. This clearly includes setting a time-frame to the inferences which can be made from the living material in relation to when and where adaptations demonstrated would have been of ecological benefit in the geological past, and thus, by further implication, when the necessary supporting physiologies to achieve such adaptations would likely have come into play.

Other theoretical aspects also help to establish a logical background for such neobotanical interpretations. For example, the evolution of several aspects of plant architecture relevant to ALVPs has been presented by Kurmann and Hemsley (1999). As a habitat background to ALVP success, vegetational consequences of angiosperm radiation have been presented by Crane (1987) and summarized with respect to fossil ferns by Collinson (1996). Contrasts between gymnosperm and angiosperm neo-ecology have been drawn by Bond (1989), and the importance of considering long time-frames in understanding slowly operating biotic processes in palaeoecology has been stressed by Schoonmaker and Foster (1991).

Against this background, observations on the ecology of the whole of the diversity of living members particularly allows collective inferences to be drawn about the advantages of the whole diversity of the abilities of ALVPs in relation to long-term survival of these ancient plants, the ancientness of the traits indicated and the role which adaptation to these habitats has played in vascular plant evolution. Further, the importance of consideration of habitat in relation to strategies has been stressed by Southwood (1977), albeit for animals, but I adopt strong similarities of approach in the marrying of ALVP neo- and palaeoecological botanical data. For example, in probably the great majority of habitats in which ALVPs occur, there are likely to be a constantly reiterating processes of ecological dynamics of colonization and recolonization, producing an overall 'pattern and process' (*sensu* Watt, 1947) to the ALVP community as a whole, with strategic advantages of pioneering among plants able to tolerate the substrates exposed recurrently regained. Linking closely with this, the importance of such disturbance regimes in activating colonization opportunity for pteridophytes (and probably actively important for regeneration of very many ALVPs in the field) has been stressed in relation to the achievement of modern conservation goals for these groups (Page, 2002a).

Advantages of low-nutrient toleration for survival of ALVPs

Tolerance of low-nutrient regimes opens colonization opportunities which are not necessarily available to competing species. Advantages gained are specifically:

1. A time-frame advantage – opportunity for access to habitats in which newly-exposed mineral-poor surfaces become suddenly available
2. A spatial advantage – opportunity for access to habitats which are widely available
3. A strategic biotic advantage – avoidance of vigorously evolving competition for more nutrient-rich habitats.

Clearly, the more generalized the low-nutrient terrain, the more colonists will be able to pioneer it. Experiences in experimental cultivation indicate that for the edaphic low-nutrient generalists, a wide array of opened habitats are accessible for those species which are able to tolerate the ruling nutrient disequilibria. For those of most extreme mineral-loaded habitats, high and exactingly-limited tolerances and limitations are involved. Further, such experimental evidence suggests that although, especially on the more extreme terrains, ALVPs with such adaptations are also relatively slow-growing in the wild by most flowering-plant standards, such rates of growth are not necessarily disadvantageous in such marginal wild low-nutrient habitats in the absence of more vigorous competition (most ALVPs are thus superb exploiters of the 'tortoise and hare' syndrome).

Direct colonization of each of these sites is most likely to follow in the immediate wake of disturbance regimes which have opened temporarily competition-free sites (Page, 2002a). Access factors then often determine to which colonists the habitats are available. A short-lived rocky site, if not moisture-limited, can be rapidly pioneered by pteridophytes because of the high mobility of their airborne spores. It often takes only a little longer for conifers to arrive, depending on the source and type of seed. A poor sandy habitat can be easily available to pteridophyte spores and conifer seeds, given modest time for the latter, though moisture availability may limit the pteridophyte component. Epiphytic sites are an important low-nutrient target for pteridophyte spores but are seldom successfully accessed (except on fallen logs) by conifer seeds, even though they may be well-able to tolerate the habitats. Consequently, pteridophyte epiphytic diversity is abundant (and I suspect has been through the fossil record, wherever potential habitats have been present) but, despite their potentials for low-nutrition tolerance, recurrent poor access is almost certainly the main reason for the absence through evolution of epiphytic herbaceous conifers.

Of further biological significance is that newly-opened habitats of all types, because of their freedom from initial competition, are also sites in which enhanced opportunities exist for simultaneous colonization by randomly-derived individuals growing closely together. This is particularly significant for pteridophytes for which enhanced opportunities for occasional outcrossing across species boundaries can be a consequence. Such a role of newly-opened habitats is undoubtedly significant in hybrid formation in many pteridophytes today (Page, 1967, 1987, 1997a,b, 2000) and has been especially widely recorded in *Equisetum* (e.g. Page and Barker, 1985; Page, 1987). Such hybrids, in modern Pteridophyta, form the building blocks of evolution through allopolyploidy and such habitats have likely been additionally significant in this respect throughout land-plant evolution (Page, 2002b).

Ancientness of low-nutrient toleration

Today, specialist ALVPs able to exploit low-nutrient habitats come from a very wide range of taxonomic groups, the palaeo-elements of which have appeared (where known) at many different times in the fossil record. The adaptations and ecologies which they show today demonstrate the taxonomic diversity and effectiveness with which ALVPs are able to respond to the challenge of occupancy of such sites, and it has been independently suggested in relation to conifers (Lusk and Matus, 2000) that traits other than growth are important on low fertility sites. Mycotrophy is probably an important further element of this whole nutrition issue, which is beyond the immediate scope of this chapter, but which I am aware has itself almost certainly assisted with many of the uptake processes of these groups throughout geological time, and also probably has a history back to the first land colonizers (e.g. Taylor and Taylor, 1993, 1997; Taylor *et al.*, 1995). We need to find out much more about its role in relation to ALVPs and especially in relation to those of the habitats discussed here.

Low-nutrient habitats of the types we see today must have occurred and recurred at least as widely on Earth throughout the geological record, varying mainly only in location, emphasis and extent between different Epochs and Periods, responding to both minor and more major geo-tectonic, orogenic and occasional catastrophic events. (Witness, for example, the 'fern-spike' immediately following the dynamic events at least of the K/T boundary interpreted as representing the first Tertiary vegetation – e.g. Spicer, 1989: 295; Nichols *et al.*, 1992; Lerbekmo *et al.*, 1999.) Indeed, disturbance of the environment associated with many episodes of extinction in the fossil record (e.g. Boulter, 1997) may have regularly provided extensive exposures of those nutrient, mineral-dominated substrates, in which ferns have subsequently expanded widely. Is it the case that only at these times (and possibly other boundaries) had ALVP (and especially fern) colonists evolved that could widely utilize the arising terrains? Alternatively, although it cannot be ruled out that there have also been other members of the same families and even genera that succeeded in more mesic terrains in the past, evidence from the living ALVPs suggests that low-nutrient toleration is likely to be a strategy which very probably similarly occurred and recurred through appreciable geological timescales, with cohorts of such species similarly existing wherever and whenever opportunity offered with at least as much efficiency and diversity as do their survivors today.

Other palaeo-evidence of colonization of low-nutrient sites is mainly by analogy. Conifers with many members able to colonize a variety of low-nutrient sites today are, as genera, often far more geographically widespread as fossils than they are today (Florin, 1940, 1963). Fireburn sites are known since at least the Early Carboniferous (Scott and Jones, 1994; Falcon-Lang, 1998, 1999), and volcanic ash habitats from at least similar times (e.g. Scott and Galtier, 1985; Brousmiche *et al.*, 1992; Falcon-Lang and Cantrill, 2002). Indeed, that the ancientness of this strategy probably provided opportunism for colonization even among early filicaleans is indicated by Galtier and Phillips (1996). Epiphytism among fossil ferns, although yet very fragmentarily known (e.g. Sanhi, 1931; Rothwell, 1991; Poole and Page, 2000) probably too has a very long fossil history. Some ferns of extremely nutrient-poor white-sand habitats with a long evolutionary history (e.g. *Platyzoma*, Tryon and Vida, 1976) grow in a curious colonial 'fairy-ring' formation today (Page and Clifford, 1981) providing one potential fossil 'signal' of such habitats. Also notable here is that so many terrestrial ferns as far back as the Early Carboniferous have been described, in habit, as 'sprawling' or 'rampant' (e.g. DiMichele and Phillips, 2002) and one cannot help but link this habit today with that so characteristic of several surviving pteridophytes (e.g. *Gleichenia*, *Dicranopteris*, *Dennstaedtia*) of the poorest edaphic terrains, themselves also so often mineral dominated sites associated with disturbance events and, from time to time, fireburn. The 'fern thickets' of Cretaceous Antarctica (Cantrill, 1996) suggest somewhat similar habitats much later in the fossil record and habitats which include such genera as *Blechnum* today, while the 'fern prairies' in the mid-Cretaceous probably occurring over sites of volcanogenic disturbance events (Collinson, 1996, 2002) may also indicate extensive low nutrient habitats at the time.

I have not included within this account the additional array of ALVPs which are largely swamp or open-water species (both pteridophytes and conifers, see Collinson, 2001, 2002 for recent reviews of the occurrence of fossil Cainozoic members of these) since I am not convinced that such swamp habitats are necessarily as completely nutrient-poor to the degree that are the habitats discussed here. Further, the response in cultivation of many of their members to enhanced nutritional levels tends more often to be a positive one, suggesting that different physiological mechanisms characterize these suites of genera and that there are other reasons for the survival of these ALVPs in the habitats which they occupy. In comparison with plants from the habitats discussed, swamp species are relatively well-represented in the fossil record and a separate study of these relating them close to the *ecological* experience of the modern plants would be desirable.

Theoretical perspectives

Throughout the geological record of pteridophytes and conifers, I have the impression of an overall sparsity of evidence about the ecology and precise habitat types of so many of the plants whose morphology is often discussed at length. This may well be partly due to lack of knowledge of such papers on my part, although I find that Collinson and van Konijnenburg-van Cittert (2002) have also drawn attention to seeking more direct evidence of ancient fern ecology as an avenue for future research. However, recent valuable contributions in relation to palaeo-ecology of ferns have been made, for example, by Watson and Alvin (1996), Bateman *et al.* (2000), Collinson (2002), Deng (2002), DiMichele and Phillips (2002) and Van Konijnenburg-van Cittert (2002). Palaeo co-associations between specific conifers types, ferns types and lycopod types may well be overlooked elements in supporting conclusions about nutrient richness or otherwise of habitats here.

Of evidence further back in time, of that known to me, there is some direct evidence of the mineraliferous nature of habitats of at least some early plants such as *Rhynia* (Trewin, 1994; Rice 1995; Powell *et al.*, 2000; Rice *et al.*, 2002; DiMichele and Phillips, 2002). Although it may be merely by chance that in such hot-spring habitats this material became most extensively preserved, this evidence at least indicates the close association of these plants and probably mineral-dominated terrains dating back at least to the early Devonian.

I thus contend that the types of habitat adaptations discussed here among ALVPs are likely to be ancient and probably actually primitive within land plants, and have a history which is likely to be a continuous one back to the ecology of the earliest land colonizers. For at these times the earliest land colonizers must have once faced habitats virtually everywhere which were extensively nurient-poor but exceptionally mineral-rich terrains. It was the ability to manage efficiently the exploitation of these hostile terrains wherever water was not limiting, that so enabled these colonizers to be so successful in achieving the breakthrough of utilization and pioneering of these early land surfaces.

As all of the above conditions are geologically enduring, they have thus almost certainly operated to the advantage of the survival of ancient forebears of our modern ALVPs through time in exactly the ways in which they did originally, and still do today. Indeed, it is likely that seldom, if ever, on a global scale, have ALVPs needed to face such overall biotic competition pressures as are presented by modern biota, and especially by the flowering plants. The persistence of our ALVPs still today is thus high testament and stringent test of the efficacy and success for survival of ALVPs enduring strategy of low-nutrient tolerance.

Plants of these habitats, perhaps partly because they are likely to be always under-represented throughout the fossil record, tend to be little-appreciated components of land plant evolutionary success. The extant ALVPs of these habitats may well, however, often represent most closely the ecological cores from which others, and especially many of those of mesic habitats, have tended to evolve. There has probably always been a slow, sometimes very slow, rate of evolutionary turnover among extremist species at the periphery of nutrient availability, while, by contrast, higher, and often much higher, evolutionary turnover rates have probably always tended to dominate the mesic ones.

The displays of slow growth and considerable tolerances of exacting and quite extreme edaphic conditions which many ALVPs continue to show today nevertheless echo the existence of significant evolutionary niches through time, their basic parameters of which must have changed remarkably little through long time-spans. I suggest it is rarely, in the course of evolution, that diversification 'throws-up' new plants better able to exploit these more marginal conditions than do the ancient ones already holding them.

Conclusions

The wide taxonomic range of ALVPs exploiting today's nutrient-poor terrains reflects a wide distribution of the underlying physiological abilities, suggesting that they are unlikely to be new, but are ones which these plant groups have had the potentials to call upon through their past history. In the past, a wide variety of low-nutrient habitats of direct mineral exposure will have also repeatedly existed and continuously recurred on land throughout the geological record, as an immediate result of the dynamism of Earth Science processes. At various times, some of these will have been more extensive than at others. Adaptations similar to those seen today among ALVPs, must have occurred through much of land-plant evolutionary time and that occupation of such marginal low-competition habitats has often led to long-term survival among the taxa able to do so. The enabling physiologies are probably themselves ancient and may well be more primitive within land plants than are necessarily those of the occupants of more mesic habitats today, and reflect more closely those of the earliest land colonists.

Such habitats and their surviving ALVP occupants, may thus well actually represent, in their exacting adaptations, our nearest living equivalents to the adaptations of even the earliest vascular land colonizers. These, I suspect, were not only equally efficient in nutrient management of their Spartan resources, but as a result, like many extant ALVPs, I strongly suspect, may have grown large, were individually often long-lived and usually did everything slowly!

Acknowledgements

I am grateful for the support of several generations of horticultural staff at the Royal Botanic Garden, Edinburgh, UK for the day-to-day maintenance of my many pteridophyte and conifer experimental cultures for more than 30 years, and those at Oxford, UK, Brisbane, Australia, and Newcastle, UK, Universities for extended periods before this. I am also grateful to the Royal Botanic Gardens, Edinburgh and Kew and the Natural History Museum, London and to numerous overseas herbaria that I have visited over the course of nearly half a century for access to materials in their charge, and to the numerous botanists and foresters who have accompanied me in the field in their local areas over this same period. I am also grateful more recently to the Linnean Society, University of Exeter, and Camborne School of Mines, for support and access to library facilities in their charge. I am specifically grateful to many botanists and fossil colleagues for stimulating discussions on many palaeo-aspects over time, initially to Dr Trevor Walker and the late Professor Tom Harris, the encouragement of whom permanently set the directions of my future studies, and more recently especially to Professor R.M. Bateman, Professor W.G. Chaloner, Dr Margaret Collinson, Dr Imogen Poole and Professor Irina Gureyeva, although I alone am responsible for the sometimes less constrained interpretations which I have derived.

References

Bateman R. 1994. Evolutionary-developmental change in the growth architecture of fossil rhizomorphic lycopsids: scenarios constructed on cladistic foundations. *Biological Reviews of Cambridge Philosophical Society* **69**: 527–597.

Bateman RM, Martin D, Dower BL. 2000. Early Middle Jurassic plant communities in northwest Scotland: palaeoecological and palaeoclimatic significance. *Geores. Forum* **6**: 501–512.

Benl G. 1976. Studying ferns in the Cameroons I. The lava ferns and their occurrence on Cameroon Mountain. *Fern Gazette* **11**: 207–215.

Beard JS. 1945. The progress of plant succession on the Soufriere of St. Vincent. *Journal of Ecology* **33**: 1–9.

Bond WJ. 1989. The tortoise and the hare: ecology of angiosperm dominance and gymnosperm persistence. *Biological Journal of the Linnean Society* **36**: 227–249.

Boulter ML. 1997. Plant evolution through the Planerozoic. *Geology Today* **1997**: 102–106.

Bower FO. 1923. *The Ferns* (3 vols). Cambridge: Cambridge University Press.

Brousmiche C, Coquel R, Wagner RH. 1992. Late Stephanian *Scoleopteris* from the Puertollano Basin, Spain. *Geobios* **25**: 323–339.

Camus JM, Gibby M, Johns RJ (eds). 1996. *Pteridology in Perspective*. London: Royal Botanic Gardens, Kew.

Cantrill DJ. 1996. Fern thickets from the Cretaceous of Alexander Island, Antarctica, containing *Alamatus bifurcatus* Douglas and *Aculea acicularis* sp. nov. *Cretaceous Research* **17**: 169–182.

Cleal CJ. 1993. Pteridophyta. In: Benton MJ, ed. *The Fossil Record*. London: Chapman & Hall, 774–794.

Collinson ME. 1990. Plant evolution and ecology during the early Cainozoic diversification. *Advances in Botanical Research* **17**: 1–98.

Collinson ME. 1996. 'What use are fossil ferns?' – 20 years on: with a review of the fossil history of extant pteridophyte families and genera. In: Camus JM, Gibby M, Johns RJ, eds. *Pteridology in Perspective*. London: Royal Botanic Gardens, Kew, 349–394.

Collinson ME. 2001. Cainozoic ferns and their distribution. *Brittonia* **53**: 173–235.

Collinson ME. 2002. The ecology of Cainozoic ferns. *Review of Palaeobotany and Palynology* **119**: 51–68.

Collinson ME, van Konijnenburg-van Cittert JHA. 2002. Ecology of ferns through time (Editorial). *Review of Palaeobotany and Palynology* **119**: vi–vii.

Copeland EB. 1907. Comparative ecology of the San Ramon Polypodiaceae. *Philippine Journal of Science* **2c**: 1–76.

Copeland EB. 1947. *Genera Filicum – the Genera of Ferns*. New York: The Ronald Press Company.

Crabbe JA, Jermy AC, Mickel JT. 1975. A new generic sequence for the pteridophyte herbarium. *Fern Gazette* **11**: 141–162.

Crane PR. 1987. Vegetational consequences of angiosperm diversification. In: Friis EM, Chaloner WG, Crane PR, eds. *The Origins of Angiosperms and their Biological Consequences*. Cambridge: Cambridge University Press, 107–144.

Crookes M. 1960. On the lava fields of Rangitoto. *American Fern Journal* **50**: 257–263.

Deng S. 2002. Ecology of the Early Cretaceous ferns of Northeast China. *Review of Palaeobotany and Palynology* **119**: 93–112.

DiMichele WA, Phillips TL. 2002. The ecology of Paleozoic ferns. *Review of Palaeobotany and Palynology* **119**: 143–159.

Docters van Leeuwen WM. 1936. Krakatau 1883–1933. A, Botany. *Annals Jardin Botanique de Buitenzorg* **46**: 1–502.

Dyer AF (ed.). 1979. *The Experimental Biology of Ferns*. London: Academic Press.

Dyer AF, Page CN (eds). 1985. *The Biology of Pteridophytes*. Edinburgh: Royal Society of Edinburgh.

Edwards D. 1980. Early land floras. *Systematics Association Special Volume* **15**: 55–85.

Eggler WA. 1971. Quantitative studies of vegetation of sixteen young lava flows on the island of Hawaii. *Tropical Ecology* **12**: 66–100.

Enright N, Hill RS. 1995. *Ecology of the Southern Conifers*. Melbourne University Press.

Ernst A. 1908. *The New Flora of the Volcanic Island of Krakatau*. Cambridge: Cambridge University Press.

Falcon-Lang HJ. 1998. The impact of wildfire on an Early Carboniferous coastal system, North Mayo, Ireland. *Palaeogeography, Palaeoclimatology, Palaeoecology* **139**: 121–138.

Falcon-Lang HJ. 1999. Fire ecology of a Late Carboniferous floodplain, Joggins, Nova Scotia. *Journal of the Geological Society* **156**: 137–148.

Falcon-Lang HJ, Cantrill SJ. 2002. Terrestrial palaeoecology of the Cretaceous (early Aptian) Cerro Negro formation, South Shetland Islands, Antarctica: a record of polar vegetation in a volcanic environment. *Palaios* **17**: 491–506.

Farjon A. 1998. *World Checklist and Bibliography of Conifers.* London: Royal Botanic Gardens, Kew.

Florin R. 1940. The Tertiary fossil conifers of Southern Chile and their phytogeographical significance. *K. Svensk. Vet. Akad. Handl.* **19**: 1–107.

Florin R. 1963. The distribution of conifer and taxad genera in time and space. *Acta Hort. Bergiani* **20**: 121–312.

Fosberg FR. 1967. Observations on vegetation patterns and dynamics on Hawaiian and Galapageian volcanos. *Micronesica* **3**: 129–134.

Galtier J, Phillips TM. 1996. Structure and evolutionary significance of early ferns. In: Camus JM, Gibby M, Johns RJ, eds. *Pteridology in Perspective.* London: Royal Botanic Gardens, Kew, 417–433.

Galtier J, Scott AC. 1985. Diversification of early ferns. *Proceedings of the Royal Society of Edinburgh* **86B**: 289–301.

Gardette E. 1996. Microhabitats of epiphytic fern communities in large lowland rainforest plots in Sumatra. In: Camus JM, Gibby M, Johns RJ, eds. *Pteridology in Perspective.* London: Royal Botanic Gardens, Kew, 655–658.

Gates FC. 1914. The pioneer vegetation of Taal Volcano. *Philippine Journal of Science* **9c**: 391.

Gureyeva II. 2001. *Homosporous Ferns of Siberia. Taxonomy, Origin, Biomorphology, Population Biology.* Tomsk: Tomsk State University.

Harris TM. 1976. The Mesozoic gymnosperms. *Review of Palaeobotany and Palynology* **21**: 119–134.

Hartt CE, Neal MC. 1940. Plant ecology of Mauna Kea, Hawaii. *Ecology* **21**: 237–266.

Holttum RE. 1938. The ecology of tropical pteridophytes. In: Verdoorn F, ed. *Manual of Pteridology.* The Hague: Nijhoff, 420–450.

Holttum RE. 1968. *Flora of Malaya. Ferns.* Singapore: Government Printer.

Ishizuka K. 1961. A relict study of *Picea glekhnii* stands on Mt Hayacine, Iwate Prefecture. *Ecological Reviews* **15**: 155–162.

Jaffre T. 1980. Vegetation des roches ultrabasiques en Nouvelle Caledonie. *ORSTOM, Paris, Travaux et Documents* **124**: 273.

Jaffre T. 1995. Distribution and ecology of the conifers of New Caledonia. In: Enright NJ, Hill RS, eds. *Ecology of the Southern Conifers.* Melbourne: Melbourne University Press, 171–196.

Jaffre T, Morat PH, Veillon J-M, Mackee HS. 1987. Changements dans la vegetation de la Nouvelle Caledonie au cours du Tertiare: la vegetation et las flore des roches ultrabasiques. *Adansonia* **4**: 365–391.

Jaffre T, Veillon J-M. 1990. Etudes floristique et structural de deux forets denses humides sur roches ultrabasiques en Nouvelle-Caledonie. *Adansonia* **3**: 243–272.

Janzen DA. 1974. Epiphytic myrmecophytes in Sarawak: mutualism through feeding of plants by ants. *Biotropica* **6**: 237–259.

Jermy AC, Crabbe JA, Thomas BA (eds). 1973. *The Phylogeny and Classification of the Ferns.* London: Academic Press.

Van Konijnenburg-van Cittert JHA. 1999. On the evolution of fern spore architecture. In: Kurmann MH, Hemsley AR, eds. *The Evolution of Plant Architecture.* London: Royal Botanic Gardens, Kew, 279–287.

Van Konijnenburg-van Cittert JHA. 2002. Ecology of some Late Triassic to Early Cretaceous ferns in Eurasia. *Review of Palaeobiology and Palynology* **119**: 113–124.

Kornas J. 1978. Fire-reistance in the Pteridophyta of Zambia. *Fern Gazette* **11**: 373–384.

Krukeberg AR. 1964. Ferns associated with ultramafic rocks in the Pacific Northwest. *American Fern Journal* **54**: 113–126.

Kurmann MH, Hemsley AR (eds). 1999. *The Evolution of Plant Architecture.* London: Royal Botanic Gardens, Kew.

Lerbekmo JF, Sweet AR, Davidson RA. 1999. Geochemistry of the Cretaceous–Tertiary (K–T) boundary interval: South-central Saskatchewan and Montana. *Canadian Journal of Earth Sciences* **36**: 717–724.

Little S. 1979. The Pine Barrens of New Jersey. In: Specht RL, ed. *Ecosystems of the World 9A: Heathlands and Related Shrublands.* Amsterdam: Elsevier, 451–464.

Lovis JD. 1977. Evolutionary patterns and processes in ferns. *Advances in Botanical Research* 4: 229–415.

Lusk CH, Matus F. 2000. Juvenile tree growth rates and species sorting on fine-scale soil fertility gradients in Chilean temperate rain forest. *Journal of Biogeography* 27: 1011–1020.

Malaisse F, Brooks RR, Baker AJM. 1994. Diversity of vegetation communities in relation to soil heavy metal content at the Shinkolobwe copper/cobalt/uranium mineralization, Upper Shaba, Zaire. *Belgian Journal of Botany* 127: 3–6.

McCaughety V. 1917. The vegetation of the Hawaiian lava flows. *Botanical Gazette* 64: 386–420.

Miller CN. 1976. Early evolution in the Pinaceae. *Review of Palaeobotany and Palynology* 21: 101–117.

Miller CN. 1977. Mesozoic conifers. *Botanical Review* 43: 217–280.

Miller CN. 1982. Current status of Paleozoic and Mesozoic conifers. *Review of Palaeobotany and Palynology* 37: 99–114.

Nichols DJ, Brown JL, Attrep M Jr, Orth CJ. 1992. A new Cretaceous–Tertiary boundary locality in the western Powder River basin, Wyoming: biological and geological implications. *Cretaceous Research* 13: 3–30.

Page CN. 1967. Sporelings of *Equisetum arvense* in the wild. *British Fern Gazette* 9: 335–338.

Page CN. 1972a. An interpretation of the morphology and evolution of the cone and shoot of *Equisetum. Journal of Linnean Society Botany* 65: 359–397.

Page CN. 1972b. An assessment of inter-specific relationships in *Equisetum* subgenus *Equisetum. New Phytologist* 71: 355–369.

Page CN. 1973. Ferns, polyploids, and their bearing on the evolution of the Canary Islands' flora. *Monographiae Biologicae Canariense* 4: 83–88.

Page CN. 1979a. The diversity of ferns. An ecological perspective. In: Dyer AF, ed. *The Experimental Biology of Ferns.* London: Academic Press, 9–56.

Page CN. 1979b. Experimental aspects of fern ecology. In: Dyer AF, ed. *The Experimental Biology of Ferns.* London: Academic Press, 551–589.

Page CN. 1986. The strategies of bracken as a permanent ecological opportunist. In: Smith RT, Taylor JA, eds. *Bracken. Ecology, Land-use and Control Technology.* Carnforth: Parthenon Publishing, 173–193.

Page CN. 1987. *Ferns: Their Habitats in the British and Irish Landscape.* Glasgow: Collins New Naturalist.

Page CN. 1990. Coniferae. In: Kubitzki K, ed. *The Families and Genera of Vascular Plants. I. Pteridophytes and Gymnosperms.* Berlin: Springer-Verlag.

Page CN. 1997a. Ferns as field indicators of natural biodiversity restoration in the Scottish flora. *Botanical Journal of Scotland* 49: 405–414.

Page CN. 1997b. *The Ferns of Britain and Ireland,* 2nd edn. Cambridge: Cambridge University Press.

Page CN. 1999. The ultramafic rock conifers of New Caledonia. *International Dendrology Society Yearbook 1999:* 48–55.

Page CN. 2000. Ferns and allied plants. In: Hawksworth DL. ed. *The Changing Wildlife of Great Britain and Ireland. Systematics Association Special Volume.* London and New York: Taylor and Francis, 50–77.

Page CN. (2002b). Ecological strategies in fern evolution – a neopteridological overview. *Review of Palaeobotany and Palynology* 119: 1–33.

Page CN. (2002a). The role of Natural disturbance regimes in pteridophyte conservation management. *Fern Gazette (Proceedings of the International Pteridophyte Conservation Conference July 2001),* 16: 284–289.

Page CN. (in press a). Conifer strategies for long-term evolutionary survival and modern ecological success. In: *Proceedings of the Fourth International Conifer Conference* (in press).

Page CN. (in press b) The conifer flora of New Caledonia – stasis, evolution and survival in an ancient group. In: *Proceedings of the Fourth International Conifer Conference* (in press).

Page CN, Barker MA. 1985. Ecology and geography of hybridisation in British and Irish horsetails. *Proceedings of the Royal Society of Edinburgh* 86B: 265–272.

Page CN, Clifford HT. 1981. Ecological biogeography of Australian conifers and ferns. In: Keast A, ed. *Ecological Biogeography of Australia*. The Hague: W. Junk, 471–498.

Page CN, Hollands RC. 1987. The taxonomic and biogeographic position of sitka spruce. *Proceedings of the Royal Society of Edinburgh* **93B**: 13–24.

Parris BS. 1974. The fern habitats of Mt. Wilhelm, New Guinea. *Fern Gazette* **11**: 15–23.

Parris BS. 1976. Ecology and biogeography of New Zealand pteridophytes. *Fern Gazette* **11**: 15–23.

Poole I, Page CN. 2000. A fossil fern indicator of epiphytism in a Tertiary flora. *New Phytologist* **148**: 117–125.

Powell CL, Trewin NH, Edwards D. 2000. Palaeoecology and plant succession in a borehole through the Rhynie cherts, Lowes Old Red Sandstone, Scotland. *Geological Society Special Publication* **180**: 439–457.

Rice CM. 1995. A Devonian auriferous hot spring system, Rhynie, Scotland. *Journal of the Geological Society, London* **52**: 229–250.

Rice CM, Trewin NH, Anderson LI. 2002. Geological setting of the early Devonian Rhynie cherts, Aberdeenshire, Scotland: an early terrestrial hot spring system. *Journal of the Geological Society, London* **59**: 203–214.

Richardson DM (ed.). 1998. *Ecology and Biogeography of* Pinus. Cambridge: Cambridge University Press.

Richardson DM, Williams PA, Hobbs RJ. 1994. Pine invasions in the Southern Hemisphere: determinants of spread and invadability. *Journal of Biogeography* **21**: 511–527.

Rothwell GW. 1982. New interpretation of the earliest conifers. *Review of Palaeobotany and Palynology* **37**: 7–28.

Rothwell GW. 1987. Complex Palaeozoic Filicales in the evolutionary radiation of ferns. *American Journal of Botany* **74**: 782–788.

Rothwell GW. 1991. *Botryopteris forensis* (Botryopteridaceae), a trunk epiphyte of the tree-fern Psaronius. *American Journal of Botany* **78**: 782–788.

Rothwell GW. 1996a. Pteridophytic evolution: an often underappreciated phytological success story. *Review of Palaeobotany and Palynology* **90**: 209–222.

Rothwell GW. 1996b. Phylogenetic relationships of ferns: a palaeobotanical perspective. In: Camus JM, Gibby M, Johns RJ, eds. *Pteridology in Perspective*. London: Royal Botanic Gardens, Kew, 395–404.

Sahni B. 1931. On certain fossil epiphytic ferns found on stems of the Paleozoic tree-fern *Psaronius*. *Proceedings 18th Indian Science Conference*, Nagpur, p. 270.

Schoonmaker PK, Foster DR. 1991. Some implications of paleoecology for contemporary ecology. *Botanical Review* **57**: 204–245.

Scott AC, Galtier J. 1985. Distribution and ecology of early ferns. *Proceedings of the Royal Society of Edinburgh* **86B**: 141–149.

Scott AC, Jones TP. 1994. The nature and influence of fire in Carboniferous ecosystems. *Palaeogeography, Palaeoclimatology, Palaeoecology* **106**: 91–112.

Seward AC. 1933. *Plant Life Through the Ages*, 2nd edn. Cambridge: Cambridge University Press.

Sleep A. 1985. Speciation in relation to edaphic factors in the *Asplenium adiantum-nigrum group*. *Proceedings of the Royal Society of Edinburgh* **86B**: 325–334.

Stockey RA. 1982. The Araucariaceae: an evolutionary perspective. *Review of Palaeobotany and Palynology* **37**: 133–154.

Southwood TRE. 1977. Habitat, the template for ecological strategies? *Journal of Animal Ecology* **46**: 337–365.

Spicer RA. 1989. Plants at the Cretaceous–Tertiary boundary. *Philosophical Transactions of the Royal Society of London B* **325**: 291–305.

Spicer RA, Burnham RJ, Grant PR, Glicken H. 1985. *Pityrogramma calomelanos*, the primary post eruption colonizer of Volcan Chichonal, Chiapas, Mexico. *American Fern Journal* **53**: 1–5.

Stewart WN, Rothwell GW. 1993. *Paleobotany and the Evolution of Plants*, 2nd edn. Cambridge: Cambridge University Press.

Stockey RA. 1989. Antarctic and Gondwanan conifers. In: Taylor TN, Taylor EL, eds. *Antarctic Paleobiology, its Role in the Reconstruction of Gondwana*. New York: Springer Verlag, 179–191.

Taylor TN. 1981. *Palaeobotany. An Introduction to Fossil Plant Biology.* New York: McGraw-Hill.

Taylor TN, Taylor EL. 1993. *The Biology and Evolution of Fossil Plants.* New Jersey: Prentice Hall.

Taylor TN, Taylor EL. 1997. The distribution and interactions of some palaeozoic fungi. *Review of Palaeobotany and Palynology* **95**: 83–94.

Taylor TN, Remy W, Haas H and Kerp H. 1995. Fossil arbuncular mycorrhizae from the early Devonian. *Mycologia* **87**: 560–573.

Thomas BA. 1985. Pteridophyte success and past biota – a palaeobotanists approach. *Proceedings of the Royal Society of Edinburgh* **86B**: 423–430.

Thomas BA. 1992. Paleozoic herbaceous lycopsids and the beginnings of extant *Lycopodium sens. lat.* and *Selaginella sens. lat. Annals of the Missouri Botanic Garden* **79**: 623–631.

Thomas BA, Spicer RA. 1987. *The Evolution and Palaeobiology of Land Plants.* London: Croom Helm.

Treub M. 1888. Notice sur la nouvelle flora de Krakatau. *Annals Jardin Botanique de Buitenzorg* **7**: 213–223.

Trewin NH. 1994. Depositional environment and preservation of biota in the Lower Devonia hotsprings of Rhynie, Aberdeenshire, Scotland. *Proceedings of the Royal Society of Edinburgh (Earth Sciences)* **84**: 433–442.

Tryon RM, Tryon AF. 1982. *Ferns and Fern Allies with Special Reference to Tropical America.* New York: Springer-Verlag.

Tryon AF, Vida G. 1976. *Platyzoma* – a new look at an old link in ferns. *Science* **156**: 1109–1110.

Turrill WB. 1935. Krakatau and its problems. *New Phytologist* **34**: 442–444.

Uhe G. 1974a. The composition of the plant communities inhabiting the Green Lake Crater, Raoul, Kermadec Islands. *Tropical Ecology* **15**: 119–125.

Uhe G. 1974b. The composition of the plant communities inhabiting the recent volcanic ejection of Niuafo'ou, Tonga. *Tropical Ecology* **15**: 126–139.

Uhe G. 1974c. The composition of the plant communities inhabiting the recent lava flows of Savai'i, Western Samoa. *Tropical Ecology* **15**: 140–151.

Verdoorn F (ed.). 1938. *Manual of Pteridology.* The Hague: Martinus Nijhoff.

Wang Y. 2002. Fern ecological implications from the Lower Jurassic in Western Hubei, China. *Review of Palaeobotany and Palynology* **119**: 125–141.

Watson J, Alvin KL. 1996. An English Wealden floral list, with comments on possible environmental indicators. *Cretaceous Research* **17**: 5–26.

Watt AS. 1947. Pattern and process in the plant community. *New Phytologist* **35**: 1–22.

Wherry ET. 1920. The soil reactions of certain rock ferns. *American Fern Journal* **10**: 15–22, 45–52.

Yoshioka K. 1974. Volcanic vegetation. In: Numata M, ed. *The Flora and Vegetation of Japan.* Amsterdam: Elsevier.

23

The evolution of aluminium accumulation in angiosperms

Steven Jansen, Toshihiro Watanabe, Steven Dessein,
Elmar Robbrecht and Erik Smets

CONTENTS

Aluminium in the environment and its toxicity for plants

Aluminium (Al) is ubiquitous in our environment, as it is the most abundant metal and the third most common element in the earth's crust. Rocks and soils consist of primary and secondary alumino-silicate minerals. Although it occurs as a constituent element in the silicon tetrahedra and aluminium octahedra in all soils and as oxides and hydroxides in highly weathered tropical soils, its solubility in soil solutions is very limited and varies according to soil pH. The naturally occurring Al forms are usually non-toxic and stable, but soluble Al ions (Al^{3+}, $Al(OH)^{2+}$, and $Al(OH)_2^+$) become available in soil solutions when pH is below 5.5 and may be detrimental to many plant species, especially some widely cultivated crop plants such as wheat (*Triticum aestivum* L.), corn (*Zea mays* L.), or soybean (*Glycine max* (L.) Merr.) (Roy *et al.*, 1988; Marschner, 1995; Kochian, 1995). For this reason, Al toxicity is a well-studied topic in agricultural research all over the world.

The principal symptom of Al toxicity in plants is a rapid inhibition of the root growth, which results in a reduced and damaged root system and can lead to mineral deficiencies (e.g. Ca, Mg) and water stress (Foy *et al.*, 1978; Roy *et al.*, 1988). The task to unravel the toxic properties of Al in plants is complex and a number of different mechanisms have been proposed including Al apoplastic lesions, interactions with the cell wall, the plasma membrane, or the root symplasm (Taylor, 1988a; Lüttge and Clarkson, 1992; Kochian, 1995).

Most of the native plant species on acid soils do not suffer from Al toxicity since they exhibit a wide range of resistance mechanisms. There are two main strategies to deal with Al toxicity, namely exclusion from the root apex, which is the major site of Al toxicity, and development of one or more mechanisms to tolerate Al once it has been taken up by the plant. Most physiologists working in the field of metal stress also distinguish between internal and external mechanisms depending on the site of Al response. Internal mechanisms occur in the symplasm, while external mechanisms take place in the apoplasm. The hypotheses proposed for external resistance include: (1) binding or fixation of Al in the cell wall; (2) exudation of Al chelator ligands, especially organic acids, or possibly phosphate; (3) selective permeability of the plasma membrane; (4) plant-induced pH barrier in the rhizosphere; and (5) Al efflux (Taylor, 1991; Kochian, 1995; Ma, 2000; Taylor *et al.*, 2000; Ma *et al.*, 2001). Our understanding of symplastic detoxification of Al is even more fragmentary and focuses on the following hypotheses: (1) formation of Al chelates by organic acids, proteins, or other organic ligands; (2) compartmentalization in the vacuole; (3) synthesis of Al tolerant proteins; and (4) elevated enzyme activity (Taylor, 1991; Kochian, 1995; Ma, 2000; Ma *et al.*, 2001). Because of the complex interactions between Al and the plant, it is very likely that plants are able to use a number of different mechanisms to confer Al resistance. This is supported by studies focusing on genetic mechanisms, which have shown that Al resistance is a trait that can be controlled by one or more major genes and several minor genes (Aniol, 1990; Larsen *et al.*, 1998; Ma *et al.*, 2000).

What are Al accumulators?

Only a small fraction of Al is taken up in plants before it is returned to its mineral forms. Since the majority exhibits a variety of mechanisms that exclude high Al levels from the shoot, the mean content of Al in plant tissues is found to be $200\,mg\,kg^{-1}$ or 0.02% of the dry matter (Hutchinson, 1943, 1945). Moreover, Al levels in the aerial plant tissues are generally below $300\,mg\,kg^{-1}$. Differential uptake and transport between root and shoot in these Al excluding plants leads to rather constant low shoot levels over a wide range of Al concentrations in the soil.

Contrary to Al excluders, a limited number of plant species can be termed Al accumulators, or Al plants, because they take up Al in above ground tissues in quantities far above the average level (Hutchinson and Wollack, 1943; Hutchinson, 1945; Robinson and Edgington, 1945; Chenery, 1948a). A frequency histogram of Al levels in related taxa or acid, tropical rainforest floras usually shows a clear bimodality of normal Al levels and very high values representing Al accumulators. The establishment of a $1000\,mg\,kg^{-1}$ threshold for dried leaf tissue has been suggested by several authors and is followed in this chapter as it generally serves to differentiate Al accumulators from non-accumulators very well. Masunaga *et al.* (1998), however, proposed a criterion of $3000\,mg\,kg^{-1}$ for the definition of Al plants based on the relationships between Al concentrations and five other elements (Ca, Mg, P, S, Si).

Al concentrations above $1000 \, mg \, kg^{-1}$ are not only limited to leaves, but may also be found in tissues of the wood, bark, fruit and seed (Haridasan, 1987; Silva, 1990; Masunaga *et al.*, 1998). Although the Al content of leaves is generally higher than in other aerial tissues, there appear to be quite a lot of plant species in which the Al bark content is above $1000 \, mg \, kg^{-1}$, but lower in the leaves. It is therefore suggested that Al accumulators should be defined as plants in which an Al concentration of at least $1000 \, mg \, kg^{-1}$ has been recorded in the dry matter of leaves in at least one specimen growing in its natural habitat.

Although exact analytical techniques are preferable to determine whether or not plants show Al accumulation, most Al accumulators have been reported using semiquantitative tests. The 'Aluminon' (ammonium aurine tricarboxylate) test was first used by Chenery (1946, 1948b). This simple but adequate test can be applied to both living and dried material. The pinkish to orange reagent acquires a distinctive dark red to crimson colour when the Al content in the tissue tested exceeds $1000 \, mg \, kg^{-1}$. Kukachka and Miller (1980) devised a similar chemical spot-test using a chrome azurol-S solution to detect Al accumulation in dried wood samples.

The distribution of Al accumulators in flowering plants

Our knowledge on the distribution of Al accumulators mainly builds on the substantial studies of Yoshii and Jimbo (1932), Chenery (1946, 1948a,b, 1949), Chenery and Sporne (1976), Webb (1954) and Kukachka and Miller (1980). A list of families with Al accumulating taxa is summarised in Table 23.1 based on these earlier studies. At present, the feature is found in approximately 55 angiosperm families, which largely belong to the eudicots. About 93% of all Al accumulators that have been recorded belong to the asterids and rosids. Within these groups, Al accumulators are mainly restricted to the orders Myrtales and Gentianales, which account for 42.5% and 35% respectively of the total number of Al accumulators known. It should be emphasized, however, that Table 23.1 can only be regarded as a preliminary compilation since it is likely that several, as yet unidentified Al accumulators growing on natural and man-made acid soils remain to be discovered by plant scientists.

Examples of families that include many Al accumulators are Hydrangeaceae, Melastomataceae, Rubiaceae, Theaceae, Symplocaceae and Vochysiaceae. The tea bush (*Camellia sinensis* (L.) Kuntze) is probably one of the most important economic Al accumulators (Chenery, 1955). Another frequently cited Al accumulator is *Hydrangea macrophylla* DC. The blue or pink flower colour of this ornamental species is found to be dependent on the Al concentration in the shoot (Allen, 1943; Chenery, 1946; Takeda *et al.*, 1985). The occurrence of Al accumulation in these families may illustrate the close connection of this feature with taxonomy.

Al accumulators are mainly woody, perennial taxa from the tropics. Noteworthy is the lack of Al accumulators in the monocotyledons. According to Chenery (1949), this lack is closely connected with the rarity of species with high cell sap acidities and with the herbaceous habit. Remarkable Al accumulators in the monocots, however, include at least six genera of Rapateaceae, the genus *Aletris* (Liliaceae) and a few grass genera (Poaceae) (Chenery, 1949). Furthermore, there are also data available on Al accumulation outside angiosperms, in particular ferns, clubmosses, liverworts and algae, but the feature appears to be entirely lacking in gymnosperms (Yoshii and Jimbo, 1932; Hutchinson, 1945; Chenery, 1949; Webb, 1954).

Table 23.1 List of Al accumulators in angiosperms summarized from Jansen *et al.* (2002); classification follows APG (1998); taxa in bold include strong and/or numerous Al accumulators; *Cardiopteridaceae *sensu* Kårehead (2001)

	Order	Family
Basal angiosperms		Amborellaceae, Illiciaceae, Trimeniaceae, Winteraceae
	Laurales	**Lauraceae, Monimiaceae, Siparunaceae**
Monocots	Asparagales	Orchidaceae
	Liliales	Liliaceae
Commelinoids		**Rapateaceae**
	Poales	Poaceae
Basal eudicots	Proteales	**Proteaceae (Grevilleoideae, *Placospermum* C.T.White and W.D.Francis)**
	Ranunculales	Lardizabalaceae
Basal core eudicots	Santalales	Olacaceae
	Saxifragales	Daphniphyllaceae, Grossulariaceae, Saxifragaceae
Eurosids I	Cucurbitales	**Anisophylleaceae**
	Fabales	**Polygalaceae (Moutabeae, Xanthophylleae)**
	Fagales	Fagaceae, Juglandaceae
	Malpighiales	**Euphorbiaceae (Aporuseae, Phyllantheae subtribe Uapaceae)**, Flacourtiaceae? (*Soyauxia* Oliv.), **Goupiaceae**, Lacistemataceae, Violaceae
	Oxalidales	**Cunoniaceae**
Eurosids II	Myrtales	Combretaceae, **Crypteroniaceae, Melastomataceae, Memecylaceae**, Myrtaceae, Rhynchocalycaceae, **Vochysiaceae**
Basal asterids	Cornales	**Cornaceae, Hydrangeaceae**
	Ericales	**Diapensiaceae**, Ebenaceae, Lecythidaceae, Myrsinaceae, **Symplocaceae, Ternstroemiaceae, Theaceae**
Euasterids I	Gentianales	Apocynaceae, Gentianaceae, Strychnaceae, **Rubiaceae (Rubioideae)**
	Lamiales	Lentibulariaceae
Euasterids II		Icacinaceae s.str. ? (*Platea* Blume), **Polyosmaceae**
	Aquifoliales	**Phyllonomaceae**
Uncertain position		Cardiopteridaceae* (including *Gonocaryum* Miq., *Leptaulus* Benth.), **Geissolomataceae, Pentaphylacaceae, Peridiscaceae**

Al accumulation: a useful character in plant systematics

Al accumulation has attracted little taxonomic attention in earlier classification systems. Only a few authors believed that a high Al concentration might not only characterize certain species, genera and families, but to a certain extent also rather loosely defined groups of allied families (Yoshii and Jimbo, 1932; Hutchinson, 1943; Chenery, 1948b, 1949; Chenery and Sporne, 1976; Chenery and Metcalfe, 1983). Cronquist (1980) was not convinced that the feature proves systematic significance due to its scattered taxonomic distribution and the pervasive parallelisms among the angiosperms. It can be suggested that the following problems have hindered the use of this phytochemical character in systematics: (1) conflicts with morphological taxonomies; (2) difficulties in access to data on Al concentrations; (3) the poor phylogenetic knowledge of the angiosperms; and (4) more attention to ecological and physiological aspects of Al accumulators than its phylogenetic significance.

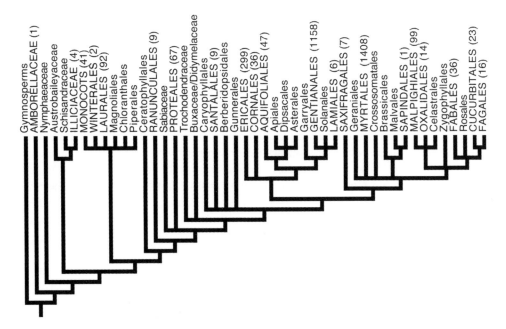

Figure 23.1   Angiosperm phylogeny inferred from 18S rDNA, *rbc*L, and *atp*B sequences (Soltis *et al.*, 2000); taxa including Al accumulators are printed in capitals; the number of Al accumulating plants known is indicated between brackets.

Recent phylogenetic analyses based on molecular sequence data allow us to evaluate the evolutionary trends of characters and character states in a more accurate way than in the past. With respect to Al accumulation, this character has independently been developed in several plant groups that are not necessarily closely related, but its occurrence is far from being randomly distributed. The primitive status of Al accumulation in angiosperms has previously been suggested on the basis of statistical correlations (Chenery and Sporne, 1976). Its primitive (plesiomorphic) or derived (apomorphic) nature, however, largely depends on the taxonomic level and should be evaluated for each taxonomic group separately (Jansen *et al.*, 2002). For instance, at the family level of Rubiaceae the presence of Al accumulation represents a synapomorphy that characterizes one of the three subfamilies, namely Rubioideae. Within the Rubioideae, however, the feature should be considered as a symplesiomorphy and the secondary loss of the feature as evolutionarily advanced or specialized in the herbaceous members (Jansen *et al.*, 2000a,b). In general, Al accumulation is most widespread at the base of major clades that belong to the higher groups of the eudicots, namely rosids (Malpighiales, Oxalidales, Myrtales) and asterids (Cornales, Ericales, Gentianales, Aquifoliales). On the other hand, Al accumulators are not common in the basal angiosperms, with the exception of *Amborella* Baill. (Amborellaceae) and some members within the Laurales (Figure. 23.1).

The evolutionary trend of Al accumulation, moreover, is complicated by the occurrence of numerous reversals (or losses) and parallel origins. Alternatively, the low incidence of Al accumulators in derived groups might also be correlated with their frequent herbaceous habit (see further). The two examples given below illustrate the potential significance of Al accumulation in plant systematics.

Al accumulators in the family Polygalaceae appear to be restricted to the following genera: *Barnhartia* Gleason, *Diclidanthera* Mart., *Eriandra* P.Royen & Steenis, *Moutabea*

Aubl. and *Xanthophyllum* Roxb. (Chenery, 1948b; Eriksen, 1993). The taxonomic position of these genera within the family supports the delimitation of the Xanthophylleae and Moutabeae, while the feature is lacking in all members of the Carpolobieae and Polygaleae (Eriksen, 1993). Since Al accumulators take the most basal position within this family (Persson, 2001), it can be hypothesized that the feature has been lost in the more derived clades.

In contrast with the distribution of Al accumulation in Polygalaceae, a possible relationship between the Al accumulating families Anisophylleaceae and Cunoniaceae is in conflict with results from molecular data. Al accumulation is strongly present in all members of the Anisophylleaceae and clearly distinguishes this family from the Rhizophoraceae (Dahlgren, 1988). Several Al accumulating genera have been reported in the Cunoniaceae, namely in the genera *Acrophyllum*, *Anodopetalum*, *Aphanopetalum*, *Ceratopetalum*, *Gillbeea*, *Platylophus*, *Schizomeria* and *Spiraeanthemum* (Chenery, 1948b; Webb, 1954). A recent investigation of floral structures suggests that Anisophylleaceae and Cunoniaceae may be closely related, which is also supported by paleobotanical evidence (Matthews *et al.*, 2001; Schönenberger *et al.*, 2001). Nevertheless, Cunoniaceae appeared to have a position within Oxalidales according to molecular sequence data, while Anisophylleaceae were placed in the Cucurbitales (APG, 1998; Savolainen *et al.*, 2000; Soltis *et al.*, 2000). The presence of Al accumulation in both families may provide additional support for their potential close relationship. Moreover, this feature is not known in other families of the Cucurbitales or Oxalidales. It is clear, however, that more extensive phylogenetic studies based on molecular evidence are required to study critically the position of both families. Furthermore, the distribution of Al accumulators within Cunoniaceae needs further attention, since several non-accumulators have been reported as well. Preliminary data from literature indicate that Al accumulation characterizes the tribe Schizomerieae and the clade comprising *Acrophyllum* and *Gillbeea*, which take a relatively basal position within the family (Bradford and Barnes, 2001).

The ecology of Al accumulators

It has often been stated that Al levels in leaves are subject to ecological influences. According to Chenery and Metcalfe (1983) Al accumulation is considered to be 'a process that depends partly on the influence of heredity and partly on ecological influence'. Among ecological factors, the one which comes to mind most readily is soil acidity. Indeed, the soil pH comprises the most important factor in Al uptake because the solubility and bioavailability of Al increases with decreasing pH. Most Al accumulators grow in leached, acid soils and they occur particularly in tropical, humid rainforests and savannahs. Al accumulators are much less common in temperate regions or dry areas (Webb, 1954; Larcher, 1980; Lüttge, 1997). Hence, it is essential to incorporate ecological factors such as moisture, acidity and Al solubility in the soil when comparing Al levels of plants from different localities.

Another topic that merits attention is the relationship between Al accumulation and growth forms of angiosperms, especially the woody versus herbaceous habit. The number of soft stemmed herbs that show Al accumulation is very low. A remarkable example is for instance *Coccocypselum* (Rubiaceae), which is a small neotropical genus of creeping herbs with metallic blue berries. All specimens of *Coccocypselum* growing in its natural habitat are found to be strong Al accumulators (Jansen *et al.*, 2000a). Other herbaceous Al accumulators occur in Lentibulariaceae (*Genlisea*, *Utricularia*) and in a few monocots. One may speculate that the higher amount of secondary cell wall material in woody plants is favourable for the binding or fixation of Al in the cell wall of 'dead' tissues. This idea may indicate that Al levels are usually higher in wood than in leaves, but the reverse has generally been found. Another aspect that may partly affect Al concentrations in plant tissues includes the difference in life span of the organs or the growth rate between woody and herbaceous plants. It has been demonstrated that the Al concentration in the xylem sap of buckwheat is not much lower than that of woody plants (Ma and Hiradate, 2000). This may suggest that mechanisms of Al uptake and transport from roots to shoots are not responsible for the absence of high Al levels in the shoot of herbaceous plants.

A study of different specimens of Al accumulators from various localities may allow us to distinguish between obligate and facultative Al accumulators. Obligate Al accumulators can be defined as species in which the Al content of the shoot is constantly above 1000 mg kg^{-1}, irrespective of the Al solubility in the soil, while the internal Al concentration in facultative accumulators (also termed 'indicator' species) more or less reflects the external soil level. Noteworthy is that Al concentrations in obligate accumulators do not vary during seasonal changes. Al levels in above ground organs of facultative accumulators, however, may vary depending on seasonal variations (de Medeiros and Haridasan, 1985; Mazorra *et al.*, 1987).

Al accumulators usually do not show symptoms of Al toxicity in acidic soils. There is even evidence that Al stimulates the growth of several Al accumulating and Al tolerant plants. Examples of Al accumulators that show a beneficial effect of Al are *Camellia sinensis* (L.) Kuntze, *Miconia albicans* (Sw.) Triana and *Melastoma malabathricum* L. (Figure. 23.2; Matsumoto *et al.*, 1976; Konishi *et al.*, 1985; Haridasan, 1988; Osaki *et al.*, 1997; Watanabe *et al.*, 1997, 1998; Watanabe and Osaki, 2001). A similar effect has been reported in *Eucalyptus gummifera* Hochr. (Mullette, 1975). This species grows on acidic soils, but is not an Al accumulator. These results raise interesting physiological questions about the possible role of Al in the metabolism of plants with Al accumulation and

Figure 23.2   Al-induced growth enhancement in *Melastoma malabathricum* L. (Melastomataceae); seedlings were grown in a nutrient solution with Al (left) and without Al (right) for 3 weeks.

tolerance to Al toxicity. It can be suggested that Al is essential rather than beneficial for Al accumulators since healthy plants in acid, Al-rich soils may turn into sick plants with necrosis and leaf yellowing when growing on a non-acid, Al-poor soil. It is unknown whether this holds true for all Al accumulators.

We still know very little about the biological and evolutionary significance of metal accumulation in general. Hypotheses that have been addressed include the following: drought resistance, inadvertent uptake, tolerance or disposal of metal from plants and defence against herbivores or pathogens (Raskin *et al.*, 1994). With respect to Al, it is difficult to estimate the physiological cost that detoxification of Al in above ground plant tissues may imply in comparison with detoxification by exclusion mechanisms such as exudation of Al chelator ligands or impermeability of the endodermic cells to Al. It is likely that plants use different mechanisms effectively to guarantee safety and protection of vital tissues and organs. It can also be suggested that the tolerance limits to survive in a wide range of soil pH are higher for Al accumulators than for non-accumulators or Al excluders, which may indicate that Al accumulation is a more advantageous strategy for plants that grow in acidic soils.

After studying two forest communities in the cerrado region of central Brazil, Haridasan and Araújo (1988) concluded that Al accumulators growing on a strongly acid dysotrophic latosol account for 17.3% of the total importance value of the community. On the other hand, Al accumulators account for only 11.7% of the total importance value in a community on a mesotrophic but slightly acidic soil. This difference could be explained on the basis of a possible successful, but not essential, adaptive strategy of Al accumulators for survival and competition in strongly acidic and dysotrophic latosols. Al accumulators, however, are not absolutely restricted to this soil type. Hence, it is difficult to speculate any worthwhile hypothesis regarding the adaptive strategy of Al accumulators. Al accumulation is most likely to be just one of several options which allow plants to survive in an extremely acid, nutrient deficient soil environment (Haridasan, 1987; Haridasan and Araújo, 1988).

The evolution of heavy metal accumulation

Plant adaptation to high-metal soils and ecotypic variation with regard to resistance and accumulation of heavy metals (e.g. Ni, Zn, Pb, Cd, Co, Cu, Mn, Cr, Se) is a common phenomenon (Baker, 1987; Macnair, 1993). Often there is a single species exhibiting accumulation of a heavy metal within a genus, suggesting that differences in heavy metal content can be attributed to rather recent evolutionary processes (Reeves and Baker, 2000). For instance Ni accumulators in Rubiaceae are limited to a few genera and its taxonomic implications appear to be significant at the specific or generic level. In this way, the distribution of Ni accumulating species within the huge genus *Psychotria*, which includes both Ni accumulators and non-accumulators, may be interesting for classification purposes among species. The most unifying feature of heavy metal accumulators is probably their restricted distribution and high degree of endemism (Baker and Brooks, 1989). By contrast, Broadley *et al.* (2001) found significant variation in heavy metal accumulation at the taxonomic level of orders (especially Malpighiales, Brassicales and Asterales) and above. This may indicate that rather ancient evolutionary traits influence heavy metal accumulation in angiosperms.

In our opinion, Al accumulation in leaves shows stronger phylogenetic signals at a higher taxonomic level than heavy metal accumulation. This difference may be explained by the availability of the elements and their role in the metabolic processes of plants. Acid soils with high levels of soluble Al comprise up to 30% of the world's ice-free land area (von Uexküll and Mutert, 1995), while metalliferous soils usually have a rather isolated and local distribution. Metalliferous soils show abnormally high concentrations of some elements that are normally present only at minor or trace levels. Unlike Al accumulation, the effect of metalliferous soils on plants may result in the development of a characteristic, local flora of metal-tolerant species (Reeves and Baker, 2000). Moreover, at least some heavy metals, such as Cu, Mn and Zn, have been shown to be essential for plant growth. Thus it is hypothesized that plant adaptation to metalliferous soils may have developed at the level of species or varieties, while the strategy of Al accumulation or exclusion appears to have affected larger taxonomic groups such as plant families or orders. It is also likely that Al accumulation is controlled by different physiological processes than heavy metal accumulation.

The wider relevance of studies on Al accumulation

Al accumulators have been used in traditional dying technologies for centuries. Although most of these plants contain no colouring substances, the Al in their bark and leaves operates as a mordant instead of alum and serves to set the colours furnished by other plants (Robinson and Edgington, 1945). The traditional use of a plant as a mordant has revealed many cases of Al accumulating plants, especially in South East Asia. For instance as early as 1743, Rumphius described a tree as *Arbor aluminosa* or 'Aluyn-Boom', which is a species of *Symplocos* (Symplocaceae) (Hutchinson, 1943).

Plant species show considerable genetic variation in their Al sensitivity. In general, species with low resistance to Al stress are only able to grow in soils with low Al levels, while the plants with moderate or high resistance can survive higher Al concentrations. Over recent years, numerous intensive research efforts have investigated resistance to Al stress, especially with respect to crop plants such as *Zea mays* L., *Triticum aestivum* L., *Secale cereale* L., *Glycine max* (L.) Merr. and *Hordeum vulgare* L. (e.g. Taylor, 1988b; Carver and Ownby, 1995; Kochian, 1995). These studies illustrate the agronomic importance of Al toxicity. Hence, further understanding of the distribution of Al accumulators and their physiological processes may help to develop more resistant crops or plants that can be used as forage for animals.

A better understanding of the nutritional strategies of plants adapted to different soils may also be essential for employing certain species in forest management, soil improvement and recuperation of degraded lands in tropical rainforests or savannahs. This may also provide useful applications for forestry in temperate areas of Europe and North America, where acid rain is thought to be one of the causes of forest decline (Godbold *et al.*, 1988). Ideally, studies on Al accumulating plants should be integrated in the whole understanding of Al in living organisms. They should also be considered in any assessment of the total dietary intake of Al in human beings, as Al is suggested to play a role in human neurodegenerative disorders such as Alzheimer's disease (Exley, 2001).

General conclusion

Al accumulation in plants is not only a very important and ecophysiologically highly interesting phenomenon, but it also provides useful information for systematic purposes at relatively high taxonomic levels. Its primitive status in the derived groups of the

S. JANSEN ET AL.

angiosperms is generally confirmed following recent molecular phylogenies. In particular, the feature appears to be largely restricted to woody representatives of the basal branches of eurosids and asterids.

Further fruitful research on Al plants should incorporate a multidisciplinary approach ranging from ecology, soil biology, evolutionary biology, taxonomy, physiology and phytochemistry. It may not be easy to achieve a synthesis between these diverging fields, but data on the systematic distribution, localization of Al in different plant tissues and ecological or habital categories may offer an excellent start for collaborative efforts to understand the biology of Al accumulators.

Acknowledgements

We thank Dr Martin Broadley (HRI, Wellesbourne) and Dr M. Haridasan (Universidade de Brasília) for valuable discussions. Research at the Laboratory of Plant Systematics is supported by grants from the Research Council of the K.U. Leuven (OT/01/25) and the Fund for Scientific Research, Flanders (Belgium) (G.104.01). Steven Jansen is a postdoctoral fellow and Steven Dessein a research assistant of the Fund for Scientific Research, Flanders (Belgium) (F.W.O.-Vlaanderen).

References

Allen RC. 1943. Influence of aluminum on the flower color of *Hydrangea macrophylla* DC. *Contributions from Boyce Thompson Institute for Plant Research* **13**: 221–242.

Aniol A. 1990. Genetics of tolerance to aluminum in wheat (*Triticum aestivum* L.). *Plant and Soil* **123**: 223–227.

APG. 1998. An ordinal classification for the families of flowering plants. *Annals of the Missouri Botanical Garden* **85**: 531–553.

Baker AJM. 1987. Metal tolerance. *New Phytologist* **106** (Suppl.): 93–111.

Baker AJM, Brooks RR. 1989. Terrestrial higher plants which hyperaccumulate metallic elements – a review of their distribution, ecology and phytochemistry. *Biorecovery* **1**: 81–126.

Bradford JC, Barnes RW. 2001. Phylogenetics and classification of Cunoniaceae (Oxalidales) using chloroplast DNA sequences and morphology. *Systematic Botany* **26**: 354–385.

Broadley MR, Willey NJ, Wilkins J, *et al.* 2001. Phylogenetic variation in heavy metal accumulation in angiosperms. *New Phytologist* **152**: 9–27.

Carver BF, Ownby JD. 1995. Acid soil tolerance in wheat. *Advances in Agronomy* **54**: 117–173.

Chenery EM. 1946. Are *Hydrangea* flowers unique? *Nature* **158**: 240–241.

Chenery EM. 1948a. Aluminium in plants and its relation to plant pigments. *Annals of Botany* **12**: 121–136.

Chenery EM. 1948b. Aluminium in the plant world. Part I, General survey in dicotyledons. *Kew Bulletin* **2**: 173–183.

Chenery EM. 1949. Aluminium in the plant world. Part II, Monocotyledons and gymnosperms. Part III, Cryptogams. *Kew Bulletin* **4**: 463–473.

Chenery EM. 1955. A preliminary study of aluminium and the tea bush. *Plant and Soil* **6**: 174–200.

Chenery EM, Metcalfe R. 1983. Aluminium accumulation as a taxonomic character. In: Metcalfe CR, Chalk L, eds. *Anatomy of the Dicotyledons, Vol. II, Wood Structure and Conclusion of the General Introduction.* Oxford: Clarendon Press, 165–167.

Chenery EM, Sporne KR. 1976. A note on the evolutionary status of aluminium-accumulators among dicotyledons. *New Phytologist* **76**: 551–554.

Cronquist A. 1980. Chemistry in plant taxonomy: an assessment of where we stand. In: Bisby FA, Vaughan JG, Wright CA, eds. *Chemosystematics: Principles and Practice.* Special Volume 16. New York: The Systematics Association, 1–27.

Dahlgren R. 1988. Rhizophoraceae and Anisophylleaceae: summary statement, relationships. *Annals of the Missouri Botanical Garden* 75: 1259–1277.

de Medeiros RA, Haridasan M. 1985. Seasonal variations in the foliar concentrations of nutrients in some aluminium accumulating and non-accumulating species of the cerrado region of central Brazil. *Plant and Soil* 88: 433–436.

Eriksen B. 1993. Phylogeny of the Polygalaceae and its taxonomic implications. *Plant Systematics and Evolution* 186: 33–55.

Exley C. 2001. *Aluminum and Alzheimer's Disease. The science that describes the link*. New York: Elsevier Science.

Foy CD, Chaney RL, White MC. 1978. The physiology of metal toxicity in plants. *Annual Review of Plant Physiology* 29: 511–566.

Godbold DL, Fritz E, Hütterman A. 1988. Aluminum toxicity and forest decline. *Proceedings of the National Academy of Sciences of the United States of America* 85: 3888–3892.

Haridasan M. 1987. Distribution and mineral nutrition of aluminium-accumulating species in different plant communities of the cerrado region of central Brazil. In: San José JJ, Montes R, eds. *La capacidad bioproductiva de Sabanas*, Caracas: I.V.I.C. 309–348.

Haridasan M. 1988. Performance of *Miconia albicans* (Sw.) Triana, an aluminum accumulating species in acidic and calcareous soils. *Communications in Soil Science and Plant Analysis* 19: 1091–1103.

Haridasan M, de Araújo GM. 1988. Aluminium-accumulating species in two forest communities in the cerrado region of central Brazil. *Forest Ecology and Management* 24: 15–26.

Hutchinson GE. 1943. The biogeochemistry of aluminium and of certain related elements. *The Quarterly Review of Biology* 18: 1–29.

Hutchinson GE. 1945. Aluminum in soils, plants, and animals. *Soil Science* 60: 29–40.

Hutchinson GE, Wollack A. 1943. Biological accumulators of aluminum. *Transactions of the Connecticut Academy of Arts and Sciences* 35: 73–128.

Jansen S, Broadley M, Robbrecht E, Smets E. 2002. Aluminium hyperaccumulation in angiosperms: a review of its phylogenetic significance. *Botanical Review* 68: 235–269.

Jansen S, Dessein S, Piesschaert F, *et al.* 2000a. Aluminium accumulation in leaves of Rubiaceae: systematic and phylogenetic implications. *Annals of Botany* 85: 91–101.

Jansen S, Robbrecht E, Beeckman H, Smets E. 2000b. Aluminium accumulation in Rubiaceae: an additional character for the delimitation of the subfamily Rubioideae? *International Association of Wood Anatomists Journal* 21: 197–212.

Kärehead J. 2001. Multiple origin of the tropical forest tree family Icacinaceae. *American Journal of Botany* 88: 2259–2274.

Kochian LV. 1995. Cellular mechanisms of aluminum toxicity and resistance in plants. *Annual Review of Plant Physiology and Plant Molecular Biology* 46: 237–260.

Konishi S, Miyamoto S, Taki T. 1985. Stimulatory effects of aluminum on tea plants grown under low and high phosphorus supply. *Soil Science and Plant Nutrition* 31: 361–368.

Kukachka BF, Miller RB. 1980. A chemical spot-test for aluminium and its value in wood identification. *International Association of Wood Anatomists Bulletin, New Series* 1: 104–109.

Larcher W. 1980. *Physiological Plant Ecology*, 2nd edn. Berlin: Springer-Verlag.

Larsen PB, Tai C-Y, Stenzler L, *et al.* 1998. Aluminum-resistant *Arabidopsis* mutants that exhibit altered patterns of aluminum accumulation and organic acid release from roots. *Plant Physiology* 117: 9–18.

Lüttge U. 1997. *Physiological Ecology of Tropical Plants*. Berlin: Springer-Verlag.

Lüttge U, Clarkson DT. 1992. Mineral nutrition: aluminium. *Progress in Botany* 53: 63–77.

Ma JF. 2000. Role of organic acids in detoxification of aluminum in higher plants. *Plant Cell Physiology* 41: 383–390.

Ma JF, Hiradate S. 2000. Form of aluminium for uptake and translocation in buckwheat (*Fagopyrum esculentum* Moench). *Planta* 211: 355–360.

Ma JF, Ryan PR, Delhaize E. 2001. Aluminium tolerance in plants and the complexing role of organic acids. *Trends in Plant Science* 6: 273–278.

Ma JF, Taketa S, Yang ZM. 2000. Aluminum tolerance genes on the short arm of chromosome 3R are linked to organic acid release in *Triticale*. *Plant Physiology* 122: 687–694.

Macnair MR. 1993. The genetics of metal tolerance in vascular plants. *New Phytologist* **124**: 541–559.

Marschner H. 1995. *Mineral Nutrition of Higher Plants*, 2nd edn. London: Academic Press.

Masunaga T, Kubota D, Hotta M, Wakatsuki T. 1998. Mineral composition of leaves and bark in aluminum accumulators in a tropical rain forest in Indonesia. *Soil Science and Plant Nutrition* **44**: 347–358.

Matsumoto H, Hirasawa E, Morimura R, Takahashi E. 1976. Localization of aluminium in tea leaves. *Plant Cell Physiology* **17**: 627–631.

Matthews ML, Endress PK, Schönenberger J, Friis EM. 2001. A comparison of floral structures of Anisophylleaceae and Cunoniaceae and the problem of their systematic position. *Annals of Botany* **88**: 439–455.

Mazorra MA, San Jose JJ, Montes R, *et al.* 1987. Aluminium concentration in the biomass of native species of the Morichals (swamp palm community) at the Orinoco Llanos, Venezuela. *Plant and Soil* **102**: 275–277.

Mullette KJ. 1975. Stimulation of growth in *Eucalyptus* due to aluminium. *Plant and Soil* **42**: 495–499.

Osaki M, Watanabe T, Tadano T. 1997. Beneficial effect of aluminum on growth of plants adapted to low pH soils. *Soil Science and Plant Nutrition* **43**: 551–563.

Persson C. 2001. Phylogenetic relationships in Polygalaceae based on plastid DNA sequences from the *trnL-F* region. *Taxon* **50**: 763–779.

Raskin I, Kumar PBAN, Dushenkov S, Salt DE. 1994. Bioconcentration of heavy metals by plants. *Current Opinion in Biotechnology* **5**: 285–290.

Reeves RD, Baker AJM. 2000. Metal-accumulating plants. In: Raskin I, Ensley BD, eds. *Phytoremediation of Toxic Metals: Using Plants to Clean up the Environment*. New York: John Wiley and Sons Inc, 193–229.

Robinson WO, Edgington G. 1945. Minor elements in plants, and some accumulator plants. *Soil Science* **60**: 15–28.

Roy AK, Sharma A, Talukder G. 1988. Some aspects of aluminum toxicity in plants. *Botanical Review* **54**: 145–178.

Rumphius GE. 1743. *Herbarium amboinense (Het Amboisch Kruid-boek), III.* Amsterdam, Hage and Utrect: Burmannus.

Savolainen V, Fay MF, Albach DC, *et al.* 2000. Phylogeny of the eudicots: a nearly complete familial analysis based on rbcL gene sequences. *Kew Bulletin* **55**: 257–309.

Schönenberger J, Friis EM, Matthews ML, Endress PK. 2001. Cunoniaceae in the Cretaceous of Europe: evidence from fossil flowers. *Annals of Botany* **88**: 423–437.

Silva FC. 1990. *Compartilhamento de biomassa aérea e nutrientes em espécies arbóreas de um cerrado, sensu stricto.* Unpublished Master's Thesis, Universidade de Brasília.

Soltis DE, Soltis PS, Chase MW, *et al.* 2000. Angiosperm phylogeny inferred from a combined data set of 18S rDNA, rbcL, and atpB sequences. *Botanical Journal of the Linnean Society* **133**: 381–461.

Takeda K, Kariuda M, Itoi H. 1985. Blueing of sepal colour of *Hydrangea macrophylla*. *Phytochemistry* **24**: 2251–2254.

Taylor GJ. 1988a. The physiology of aluminum phytotoxicity. In: Sigel H, ed. *Metal Ions in Biological Systems. Volume 24. Aluminum and its Role in Biology.* New York: Marcel Dekker, 123–163.

Taylor GJ. 1988b. Mechanisms of aluminum tolerance in *Triticum aestivum* L. (wheat). V. Nitrogen nutrition, plant-induced pH, and tolerance to aluminum; correlation without causality? *Canadian Journal of Botany* **66**: 694–699.

Taylor GJ. 1991. Current views of the aluminum stress response: the physiological basis of tolerance. In: Randall DD, Blevins DG, Miles CD, eds. *Ultraviolet-B Radiation Stress, Aluminum Stress, Toxicity and Tolerance, Boron Requirements, Stress and Toxicity*, Volume 10, *Current Topics in Plant Biochemistry and Physiology* 1991. Interdisciplinary plant biochemistry and physiology program, University of Missouri-Columbia, 57–93.

Taylor GJ, McDonald-Stephens JL, Hunter DB, *et al.* 2000. Direct measurement of aluminum uptake and distribution in single cells of *Chara corallina*. *Plant Physiology* **123**: 987–996.

von Uexküll HR, Mutert E. 1995. Global extent, development and economic impact of acid soils. *Plant and Soil* **171**: 1–15.

Watanabe T, Osaki M. 2001. Influence of aluminum and phosphorus on growth and xylem sap composition in *Melastoma malabathricum* L. *Plant and Soil* **237**: 63–70.

Watanabe T, Osaki M, Tadano T. 1997. Aluminum-induced growth stimulation in relation to calcium, magnesium, and silicate nutrition in *Melastoma malabathricum* L. *Soil Science and Plant Nutrition* **43**: 827–837.

Watanabe T, Osaki M, Yoshihara T, Tadano T. 1998. Distribution and chemical speciation of aluminum in the Al accumulator plant, *Melastoma malabathricum* L. *Plant and Soil* **201**: 165–213.

Webb LJ. 1954. Aluminium accumulation in the Australian-New Guinea flora. *Australian Journal of Botany* **2**: 176–197.

Yoshii Y, Jimbo T. 1932. Mikrochemischer Nachweis von Aluminium und sein Vorkommen im Pflanzenreiche. *The Science Reports of the Tôhoku Imperial University* **7**: 65–77.

Index